D1703085

Der neue Matthew Henry Kommentar

3L Verlag

IMPRESSUM

Copyright © 2013 by 3L Verlag gemeinnützige GmbH
D-65529 Waldems
ISBN 978-3-943440-81-2

2. Auflage 2013
3. Auflage 2017

Übersetzung: Wilhelm Schneider
Korrektur: Manfred Schwierk
Satz:kontor9
Druck: MCP

Die englische Originalausgabe erschien in den USA unter dem Titel:

The New Matthew Henry Commentary
Copyright © **2010 by Zondervan**
Translation copyright © **2008 by Martin H. Manser; Matthew Henry**
Published by permission of Zondervan, Grand Rapids, Michigan

Bibeltext der Schlachter
Copyright © 2000 Genfer Bibelgesellschaft
Wiedergegeben mit freundlicher Genehmigung. Alle Rechte vorbehalten.

INHALT

Eine geschichtliche Anmerkung über Matthew Henry	4
Vorwort zur neu überarbeiteten Ausgabe	5
Matthäus	7
Markus	283
Lukas	361
Johannes	531

Bibelausgaben, auf die in diesem Kommentar Bezug genommen wird:
Ludwig Albrecht NT (Abk.: Albrecht)
Die Schrift, verdeutscht von Martin Buber gemeinsam mit Franz Rosenzweig (Abk.: Buber)
Die Bibel mit Erklärungen, Hans Bruns (Abk.: Bruns)
Einheitsübersetzung der Heiligen Schrift (Abk.: EÜ)
Elberfelder Bibel 2006 (Abk.: Elb06)
Elberfelder Bibel, nicht revidierte Fassung (Abk.: Elb)
Hoffnung für alle (Abk.: Hfa)
Lutherübersetzung, Textfassung 1912 (Abk.: LÜ 12)
Lutherübersetzung, Textfassung 1984 (Abk.: LÜ 84)
Neue Genfer Übersetzung (Abk.: NGÜ)
Neues Leben. Die Bibel (Abk.: NLB)
Revidierte Bengel Neues Testament 1974 (Abk.: Bengel)
Das Konkordante Neue Testament (Abk.: KNT)
Schlachter Bibel 1951 (Abk.: Schl)
Zürcher Bibel 2007 (Abk.: ZÜ)
Septuaginta Deutsch, das griechische Alte Testament in deutscher Übersetzung (Abk.: SepD)
King James Version (Abk.: KJV)

Eine geschichtliche Anmerkung über Matthew Henry

Matthew Henry wurde am 18. Oktober 1662 in Broad Oak, in einem Bauernhaus an der Grenze zwischen Wales und England, geboren. Sein Vater, Philip Henry, gehörte zu den Pastoren, die durch die Uniformitätsakte von 1662 aus der Kirche ausgeschlossen wurden, zusammen mit zweitausend anderen, weil sie sich weigerten, die Riten und Zeremonien des „Book of Common Prayer" anzuwenden. Jedoch im Gegensatz zu vielen anderen seiner Mitleidenden war er in der Lage, seinem Sohn eine gute Erziehung zu gewähren.

Einen großen Teil seiner Erziehung erfuhr Matthew durch seinen Vater. 1685 begann er sein Studium im Fach Jura; aber er ging auch zum Predigen in das Gebiet in der Nachbarschaft seines Vaters. Im Januar 1687 begab er sich nach Chester, um dort zu predigen. Dort hinterließ er einen so positiven Eindruck, dass die Gemeinde ihn bat, ihr Pastor zu werden. Zwei Jahre später wurde er in aller Stille als ordininierter Pastor eingesegnet, um der presbyterianischen Gemeinde in Chester zu dienen. Die Anzahl der Teilnehmer am Abendmahl wuchs kontinuierlich unter seiner Predigt.

Eine Auslegung des Neuen Testaments durch einen gewissen Herrn Burkitt – zuerst über die Evangelien und dann die Apostelgeschichte und die Briefe – wurde zur Zeit von Matthew Henry wohlwollend von Pastoren angenommen. Doch Herr Burkitt starb kurz nachdem er das Neue Testament beendet hatte. Einige Freunde von Matthew Henry ermutigten ihn, etwas Ähnliches für das Alte Testament herauszubringen. Er war dieser Idee gegenüber selber aufgeschlossen und im Jahre 1704 begann er mit der Auslegung des Alten Testaments. Den ersten Band über den Pentateuch beendete er 1706, welcher 1708 veröffentlicht wurde. Alle zwei Jahre vervollständigte er einen weiteren Band, sodass er mit dem Alten Testament im Jahre 1710 fertig war. Im Jahre 1712 wechselte er zu einer größeren Gemeinde in Hackney, London, wodurch es für ihn schwieriger wurde, die entsprechende Zeit für die Fortführung dieses Werkes zu finden. Zwei Jahre später, am 22. Juni 1714, brach er plötzlich zusammen und starb auf seiner Reise von Chester nach London.

Bis zu dem Zeitpunkt seines Todes war Matthew Henry bis einschließlich der Apostelgeschichte seines Kommentars angelangt. Aber er erlebte die Veröffentlichung seines fünften Bandes über die Evangelien nicht mehr. Nun war es anderen Pastoren der Nonkonformisten überlassen, die Ausführungen von Römer bis zur Offenbarung niederzuschreiben. Sie benutzten die ausführlichen Notizen von Auslegungen, die Matthew Henry über diese Bücher gemacht hatte. Nachfolgend finden Sie die Liste der Männer, die den Matthew Henry Kommentar vervollständigt haben:

Römer – Mr. (später Dr.) John Evans
1.Korinther – Mr. Simon Browne
2.Korinther – Mr. Daniel Mayo
Galater – Mr. Joshua Bayes
Epheser – Mr. Samuel Rosewell
Philipper und Kolosser – Mr. (später Dr.) William Harris
1. und 2.Thessalonicher – Mr. Daniel Mayo
1. und 2.Timotheus – Mr. Benjamin Andrews Atkinson
Titus und Philemon – Mr. Jeremiah Smith
Hebräer – Mr. William Tong
Jakobus – Dr. S. Wright
1.Petrus – Mr. Zecvh. Merrill
2.Petrus – Mr. Joseph Hill
1., 2. und 3.Johannes – Mr. John Reynolds of Shrewsbury
Judas – Mr. John Billingsley
Offenbarung – Mr. William Tong

Vorwort zur neu überarbeiteten Ausgabe

Matthew Henry schrieb diesen Kommentar vor ca. dreihundert Jahren; er begann damit im November 1704 und der erste Band wurde im Jahre 1708 zum ersten Mal herausgegeben. Im Jahre 1714 – im Alter von 52 Jahren – hatte er den Kommentar bis einschließlich Apostelgeschichte abgeschlossen. Nach seinem Tod haben dreizehn Pastoren der Nonkonformisten die Briefe des Neuen Testaments sowie die Offenbarung vervollständigt.

Dieses Werk hat einen maßgeblichen Einfluss auf viele Pastoren und einzelne Christen in den letzten dreihundert Jahren gehabt. Als im Jahre 2002 der Verlag *Zondervan* mit der Frage an mich herantrat, ob ich mir vorstellen könnte, dieses Werk in zeitgemäßes Englisch zu überarbeiten, fühlte ich mich über dieses besondere Privileg dieser Aufgabe deshalb sehr geehrt. Die Arbeit an sich war immens; der Originaltext bestand aus über acht Millionen Wörtern und im Durchschnitt gebrauchte Henry mehr als 200 Wörter für jeden Vers der Bibel.

Meine Aufgabe bestand darin, die Formulierungen des Originals in ein klares, zeitgemäßes, natürlich klingendes Englisch umzuarbeiten, sodass man es wie einen modernen, praktischen und erbaulichen Kommentar zur *KJV* lesen könnte. Das Original sollte lesbarer und verständlicher für die heutigen sowie zukünftigen Generationen werden. Das bedeutete, z.B. seine langatmigen Sätze zu kürzen und die Sprache des Autors auf den neuesten Stand zu bringen.

Ich habe mich darum bemüht, sicherzustellen, dass dieser Kommentar von Matthew Henry den gleichen Einfluss in Bezug auf die Klarheit des Ausdrucks auf den heutigen Leser hat, wie dies bei den Lesern des Originals der Fall war. An den Stellen, wo der Text zwar klar, aber nach heutigem Stand schwerfällig erschien, habe ich den Text überarbeitet. An anderen Stellen, wenn der Originaltext unklar war, habe ich versucht, die Gedankengänge Stück für Stück mit der Originalbedeutung nachzuvollziehen. Viele Male habe ich mich Tag für Tag in den sechs Jahren fragen müssen: „Wenn Matthew Henry *heute* hier wäre, wie hätte er diese Stelle ausgedrückt."

Im Allgemeinen habe ich darum versucht, die Gelehrsamkeit, auf die der Text im Original gründete, zu modernisieren; in vielen Fällen hat er Schwerpunkte gesetzt, die zeitlos sind. An manchen Stellen habe ich eine Anmerkung in Klammern hinzugefügt, wie bei dem Text von Matthew Henry in Matthäus 8,1-4: „…[das griechische Wort wurde für mehrere Krankheiten benutzt, welche die Haut betrafen – nicht notwendigerweise Lepra]…" Matthew Henry war verständlicherweise eine Person seiner Zeit; deshalb habe ich gelegentlich seine Standpunkte – wie zum Beispiel gegenüber der römisch-katholischen Kirche – etwas abgemildert.

Ich möchte vielen Menschen für ihre Mitarbeit danken: Rosalind Desmond, Inna Frampton und Nicky Bull, die mir bei meiner Arbeit mitgeholfen haben, indem sie meinen Text verfeinert und korrigiert haben. Stan Gundry vom Verlag hat mir durch seine Unterstützung und Ermutigung während des gesamten Projekts von Anfang an beigestanden. Verlyn Verbrugge und Jack Kuhatschek haben mit ihrer unschätzbaren Unterstützung geholfen, Sinn in das originale Hebräisch und Griechisch zu bringen. Ebenso möchte ich Robert Banning für seine Änderungen im Lektorat danken. Andrew White war behilflich beim Korrekturlesen des gesamten gesetzten Buches. Wir sind dankbar für die Nützlichkeit des *Oxford English Dictionary*, das uns dabei geholfen hat, veraltete Worte und Bedeutungen zu verstehen. Auch konnte ich eine Gruppe von Freunden um mich sammeln, die mich im Gebet während der letzten sechs Jahre unterstützt haben – für ihre Ermutigungen bin ich sehr dankbar.

Es handelte sich um eine Aufgabe, die einen demütig werden lässt. Während ich versucht habe, den Text von Matthew Henry in ein zeitgemäßes Englisch zu bringen, habe ich erkennen müssen, dass ich auf den Schultern eines Giganten stand – und innerlich zumindest habe ich neben diesem Giganten gekniet und das Lamm in Verehrung angebetet.

Martin H. Manser
Aylesbury, England
Mai 2008
www.martinmanser.com

Wir bedanken uns für die finanzielle Unterstützung bei unseren Spendern, insbesondere aber bei der Stiftung:

Stichting Vrienden van Heidelberg en Dordrecht

EINE PRAKTISCHE UND ERBAULICHE DARLEGUNG DES EVANGELIUMS VON
MATTHÄUS

Hier haben wir:

1. Den zweiten Teil der heiligen Bibel, der *das Neue Testament von unserem Herrn und Heiland Jesus Christus* oder *der Neue Bund* genannt wird. Wenn jedoch, wie hier, der Ausdruck „von Jesus Christus" hinzugefügt und aus dem Titel ein Verweis auf die Tat Christi gemacht wird, wird das Wort am besten mit „Testament" wiedergegeben, denn es ist ein Erblasser und es tritt *durch seinen Tod* in Kraft (s. Hebr 9,16-17). Alle Gnade, die in diesem Buch enthalten ist, ist unserem Herrn und Heiland Jesus Christus geschuldet, und wenn wir uns ihm nicht als Herrn unterwerfen, können wir nicht erwarten, irgendeine Wohltat von ihm als unserem Heiland zu bekommen. Es wurde „das *Neue* Testament" genannt, um es von dem zu unterscheiden, was durch Mose gegeben wurde. Wie sorgfältig bewahren und mit welcher Aufmerksamkeit und Freude lesen wir den letzten Willen und das Testament eines Freundes, der uns einen schönen Besitz und mit ihm seinen hohen Ausdruck der Liebe zu uns hinterlassen hat! Wie kostbar sollte dann dieses Testament unseres gelobten Heilands für uns sein, das seinen ganzen unausforschlichen Reichtum für uns sichert (s. Eph 3,8)! Es ist *sein* Testament, denn obwohl es, wie es üblich ist, von anderen geschrieben wurde, so hat er es dennoch diktiert, und in der Nacht, bevor er starb, mit der Einsetzung des Abendmahls unterzeichnet, versiegelt und in der Gegenwart von zwölf Zeugen öffentlich gemacht. In ihm wird *der ganze Ratschluss Gottes* in Bezug auf unser Heil verkündigt (s. Apg 20,27).

2. *Die vier Evangelien.* „Evangelium" bedeutet „gute Nachricht", und diese Geschichte von Christi Kommen in die Welt, „um Sünder zu retten" (1.Tim 1,15), ist ohne Zweifel die beste Nachricht, die je vom Himmel zur Erde kam. Der Engel gab ihr diese Überschrift: „Ich bringe euch eine gute Nachricht" (Lk 2,10; NGÜ); d.h. „ich bringe euch das Evangelium". Außerdem sagte der Prophet Jesaja gute Nachrichten voraus (s. Jes 52,7; 61,1). Das englische Wort für „Evangelium" lautet „gospel". Es ist ein altes englisches Wort und bedeutet „von Gott geschrieben" oder „Gottes Wort". Die vier Bücher, die den Bericht über den Erlöser enthalten, werden für gewöhnlich „die vier Evangelien" genannt und ihre inspirierten Schreiber „Evangelisten" oder „Schreiber des Evangeliums". Diese vier Evangelien wurden von der Kirche früh und fortwährend angenommen und in den christlichen Gemeinden gelesen, wie man aus den Schreiben von Justin dem Märtyrer und Irenäus sehen kann, die kaum mehr als hundert Jahre nach Christi Himmelfahrt lebten. Etwa zur gleichen Zeit stellte Tatian eine Harmonisierung dieser vier Evangeliumsschreiber zusammen, die er „Das Evangelium zusammengesetzt aus vieren" nannte. Im dritten und vierten Jahrhundert wurden von vielen verschiedenen Sekten Evangelien gefälscht und veröffentlicht, eines unter dem Namen von Petrus, ein anderes von Thomas, ein weiteres von Philippus und so weiter. Sie wurden jedoch von der Kirche nie als kanonisch anerkannt.

3. *Das Evangelium nach Matthäus.* Der Schreiber war ein Jude von Geburt, ein Zöllner (Steuereinnehmer) von Beruf, bis Christus ihn in sein Gefolge rief und er dann die Zollstätte verließ, um ihm zu folgen (s. Mt 9,9), und er war einer von denen, die mit ihm gingen „die ganze Zeit über, in welcher der Herr Jesus ... ein und aus ging, von der Taufe des Johannes an bis zu dem Tag, da er ... aufgenommen wurde" (Apg 1,21-22). Er war also ein kompetenter Zeuge von dem, was er hier berichtet. Es wurde ohne Zweifel in Griechisch geschrieben, wie die anderen Teile des Neuen Testaments; es wurde nicht in der Sprache geschrieben, die für die Juden charakteristisch war, deren Gemeinde und Staat kurz vor ihrem Ende standen, sondern in der einen, die in der Welt üblich war und in der das Wissen über Christus am wirksamsten den Völkern der Erde weitergegeben werden konnte.

KAPITEL 1

Dieser Evangelist beginnt mit dem Bericht von Christi Abstammung und Geburt, den Vorfahren, von denen er abstammte, und wie er in die Welt kam, denn es wurde vorhergesagt, dass er der Sohn Davids sein und von einer Jungfrau geboren werden würde. Hier haben wir: 1. Seine Ahnentafel von Abraham in 42 Generationen, dreimal vierzehn (s. Vers 1-17). 2. Einen Bericht über die Umstände seiner Geburt, um zu zeigen, dass er von einer Jungfrau geboren wurde (s. Vers 18-25).

Vers 1-17

Beachten Sie bei dieser Ahnentafel unseres Heilands:

1. Ihre Überschrift. Sie ist das „Geschlechtsregister Jesu Christi". Der Ausdruck kann einen Bericht von seinen natürlichen Vorfahren oder den Bericht von seiner Geburt bedeuten. Es ist „ein Buch der Genesis". Es ist die Herrlichkeit des Alten Testaments, dass es mit dem Buch der Genesis der Welt beginnt, aber die Herrlichkeit des Neuen Testaments übertrifft diese Herrlichkeit, indem es mit dem Buch von der Genesis des Einen beginnt, der die Welt gemacht hat.

2. Sein Hauptziel. Es ist kein endloses oder unnötiges Geschlechtsregister (s. 1.Tim 1,4). Es ist wie ein Stammbaum, der als Beweis gegeben wird, um einen Titel zu beweisen und etwas zu beanspruchen; der Zweck ist, zu beweisen, dass unser Herr Jesus der Sohn Davids und der Sohn Abrahams ist, von dem Volk und der Familie, aus denen der Messias kommen sollte. Abraham und David waren, in ihrer Zeit, die großen Sachwalter der Verheißung des Messias. Abraham wurde verheißen, dass Christus von ihm abstammen würde (s. 1.Mose 12,3; 22,18), und David wurde verheißen, dass er von ihm abstammen würde (s. 2.Sam 7,12; Ps 89,5; 132,11). Christus wird hier zuerst der Sohn Davids genannt, weil man unter den Juden gewöhnlich unter diesem Titel von dem Christus sprach und ihn erwartete. Diejenigen, die ihn als den Christus anerkannten, nannten ihn „Sohn Davids" (s. Mt 15,22; 20,31; 21,15). Deshalb unternimmt es der Evangelist, zu zeigen, dass er nicht nur ein Sohn Davids ist, sondern der Sohn Davids, auf dessen Schultern die Herrschaft ruhen sollte (s. Jes 9,5); er zeigt, dass der Christus nicht nur ein Sohn Abrahams ist, sondern auch der Sohn Abrahams, der ein Vater vieler Völker sein sollte (s. 1.Mose 17,4-5; Ps 22,31; Jes 9,5; 53,10). Indem er den Christus „Sohn Davids" und „Sohn Abrahams" nennt, zeigt er, dass Gott zu seiner Verheißung steht und jedes Wort erfüllen wird, das er gesagt hat. Er wird dies tun:

2.1 Obwohl die Erfüllung eine lange Zeit aufgeschoben wird. Wenn Verzögerungen verheißener Barmherzigkeiten auch vielleicht unsere Geduld üben, so schwächen sie doch nicht Gottes Verheißung.

2.2 Selbst wenn man beginnt, daran zu verzweifeln. Dieser Sohn Davids und Sohn Abrahams, der die Herrlichkeit des Hauses seines Vaters sein sollte, wurde geboren, als der Same Abrahams ein verachtetes Volk und unlängst dem Joch Roms unterworfen worden und das Haus David in der Versenkung verschwunden war, denn Christus sollte „ein Wurzelspross aus dürrem Erdreich" sein (Jes 53,2).

3. Seine besondere Aufeinanderfolge, in direkter Linie von Abraham weitergezogen gemäß den Ahnentafeln, die zu Beginn der Bücher der Chroniken berichtet werden. Wir können in dieser Ahnentafel einige Feinheiten beobachten:

3.1 Wenn jemand unter den Vorfahren Christi Brüder hatte, stammte er gewöhnlich von einem jüngeren Bruder ab; Abraham selbst war so jemand, wie auch Jakob, Juda, David, Natan und Resa (s. Lk 3,27). Dies zeigt, dass die herausgehobene Stellung nicht durch eine ununterbrochene Sukzession von erstgeborenen Söhnen in seiner Abstammung kommt, sondern durch den Willen Gottes (s. Joh 1,13), der die Niedrigen erhöht (s. Lk 1,52) und das Glied mit mehr Ehre umgibt, dem sie fehlt (s. 1.Kor 12,23).

3.2 Unter den Söhnen Jakobs wird – neben Juda, von dem der Schilo kam (s. 1.Mose 49,10) – seinen Brüdern Beachtung geschenkt: „Juda und seine Brüder". Ismael – der Sohn Abrahams – oder Esau – der Sohn Isaaks – werden nicht erwähnt, weil sie aus der Gemeinde ausgeschlossen waren, während alle Kinder Jakobs hineingenommen sind und so in der Ahnentafel erwähnt werden.

3.3 Aus dem gleichen Grund, weshalb die Brüder Judas erwähnt werden, werden auch Perez und Serach, die Zwillingssöhne von Juda, beide erwähnt, obwohl nur Perez Vorfahre von Christus ist.

3.4 Vier Frauen, und nur vier, sind in dieser Ahnentafel genannt. Zwei von ihnen waren ursprünglich Fremdlinge hinsichtlich der Bürgerschaft Israels (s. Eph 2,12): Rahab, eine Kanaaniterin und auch eine Prostituierte, und Ruth die Moabiterin, denn in Christus gibt es weder Jude noch Grieche (s. Röm 10,12; Gal 3,28; Kol 3,11). Diejenigen, die Fremdlinge und Ausländer sind, sind – in Christus – in der Bürgerschaft der Heiligen willkommen. Die anderen beiden sind Ehebrecherinnen, Tamar und Bathseba; dies war ein weiteres Kennzeichen der Erniedrigung, die unserem Herrn Jesus auferlegt wurde. Er kam „in der gleichen Gestalt wie das Fleisch der Sünde" (Röm 8,3) und er nimmt sogar große Sünder auf ihre Buße hin in die engste Beziehung zu sich auf.

3.5 Obwohl hier mehrere Könige erwähnt werden, wird keiner außer David ausdrücklich König genannt **(Vers 6)**, weil der königliche Bund mit ihm geschlossen wurde. Deshalb heißt es, dass der Messias den Thron seines Vaters David erbt (s. Lk 1,32).

3.6 In dem Stammbaum der Könige Judas sind zwischen Joram und Usija drei ausgelassen **(Vers 8)**, nämlich Ahasja, Joas und Amazja, sodass, wenn es heißt, „Joram zeugte den Usija" (Joram wurde der Vater von Usija), gemäß hebräischem Brauch gemeint ist, dass Usija direkt von ihm abstammte.

3.7 Manche bemerken, was es in der Aufeinanderfolge dieser Könige für eine Mischung aus Guten und Bösen gibt; zum Beispiel wurde der böse Rehabeam der Vater von Abija; der böse Abija wurde Vater des guten Asa; der gute Asa wurde Vater des guten Josaphat; der gute Josaphat wurde Vater des bösen Joram **(s. Vers 7-8)**. Die Gnade und auch die Kontrolle der Sünde liegen nicht im Blut. Gottes Gnade gehört ihm allein und er gibt oder hält sie zurück, wie es ihm gefällt.

3.8 Das babylonische Exil wird als bemerkenswerte Zeit in diesem Stammbaum erwähnt **(s. Vers 11-12)**. Wenn man alles bedenkt, war es ein Wunder, dass die Juden nicht in der Gefangenschaft verschwanden, wie es andere Völker taten. Dies weist aber darauf hin, dass der Grund dafür, dass die Ströme dieses Volkes rein durch dieses Tote Meer am Laufen gehalten wurden, war, dass von ihnen „dem Fleisch nach der Christus" kommen sollte (Röm 9,5).

3.9 Von Josia heißt es, dass er der Vater von Jechonja und seinen Brüdern ist **(s. Vers 11)**. Mit Jechonja ist Jehojachin gemeint (s. Kommentar zu 2.Kön 24,8-20, 2.4.4; 1.Chr 3,10-24, 2.). Als von Jechonja gesagt wird, er soll als kinderlos aufgeschrieben werden, wird es auf diese Weise erläutert: „Keiner seiner Nachkommen wird gedeihen" (Jer 22,30). Von Schealtiel heißt es hier, er sei der Vater von Serubbabel, während doch Schealtiel der Vater von Pedaja und Pedaja der Vater von Serubbabel war (s. 1.Chr 3,19), aber wie zuvor – und wie es oft der Fall ist – wird der Enkel der Sohn genannt.

3.10 Die Linie führt nicht herunter zu Maria, der Mutter unseres Herrn, sondern zu Joseph, dem Ehemann Marias **(s. Vers 16)**, denn die Juden zählten ihre Ahnentafel immer von den Männern her; doch Maria war aus der gleichen Familie und dem gleichen Stamm wie Joseph, sodass er sowohl durch seine Mutter als auch durch seinen vermeintlichen Vater aus dem Haus Davids kam (s. Kommentar zu Lk 3,23).

3.11 Das Zentrum, in dem sich all diese Linien treffen, ist „Jesus ..., der Christus genannt wird" **(Vers 16)**. Dies ist der Eine, nach dem so inbrünstig verlangt, der so ungeduldig erwartet wurde. Diejenigen, die den Willen Gottes tun, stehen in einer ehrenwerteren Beziehung zu Christus als diejenigen, die nach dem Fleisch mit ihm verwandt waren (s. Mt 12,50). Jesus wird „der Christus" genannt, das ist „der Gesalbte", was das Gleiche bedeutet wie das hebräische „Messias".

3.12 In Vers 17 haben wir die allgemeine Zusammenfassung dieser ganzen Ahnentafel, wo sie zu drei mal vierzehn zusammengefasst wird, in bemerkenswerten Zeitabschnitten angeordnet. In den ersten vierzehn entsteht die Familie Davids und ist freudiger Erwartung wie der Morgen; im zweiten gedeiht sie in der Helle des Mittags; im dritten nimmt sie ab und wird weniger und weniger, schwindet bis zu der Familie eines armen Zimmermanns, und dann geht Christus in ihr auf (s. 5.Mose 33,2; Hiob 11,17) „zur Verherrlichung deines Volkes Israel" (Lk 2,32).

Vers 18-25

Das Geheimnis der Inkarnation Christi muss verehrt werden, man darf nicht daran herumhantieren. Wenn wir weder wissen, „was der Weg des Windes ist", wie er gewöhnliche Menschen formt, noch, „wie die Gebeine im Bauch der Schwangeren bereitet werden" (Pred 11,5), wissen wir umso weniger, wie Jesus im Bauch der Jungfrau geformt wurde. Wir finden hier einige Umstände rund um die Geburt Christi, die nicht bei Lukas stehen, wenn sie dort auch ausführlicher berichtet wird. Wir haben hier:

1. Dass Maria Joseph zur Ehe versprochen war. Maria, die Mutter unseres Herrn, war „mit Joseph verlobt", nicht gänzlich verheiratet, sondern zur Ehe versprochen. Wir lesen von einem Mann, „der sich mit einer Frau verlobt und sie noch nicht heimgeführt hat" (5.Mose 20,7). Christus wurde von einer Jungfrau geboren und sie war eine verlobte Jungfrau (zur Ehe versprochen):

1.1 Um dem Stand der Ehe Respekt zu erweisen und ihn zu empfehlen als „von allen in Ehren gehalten" zu werden (s. Hebr 13,4). Wer war begnadeter als Maria, als sie zur Ehe versprochen war (s. Lk 1,28)?

1.2 Um den Ruf der Jungfrau Maria zu retten, der sonst preisgegeben gewesen wäre. Es war angemessen, dass ihre Empfängnis durch die Ehe geschützt und damit in den Augen der Welt gerechtfertigt wird.

1.3 Damit die Jungfrau Maria jemanden haben würde, welcher der Vertraute ihrer Jugend ist (s. Spr 2,17), ein geeigneter Gefährte für sie. Manche meinen, dass Joseph nun verwitwet war und dass diejenigen, welche die Brüder Christi genannt werden (s. Mt 13,55), Josephs Kinder von einer früheren Frau waren. Joseph war ein gerechter Mann und sie eine tugendhafte Frau (s. Spr 31,10). Wir können also von diesem Beispiel lernen, dass es gut ist, mit Bedachtsamkeit in den Stand der Ehe zu treten und nicht voreilig die Ehe mit einem Vertrag zu beginnen. Es ist besser, sich zuvor Zeit zum Überlegen zu nehmen, als hinterher Zeit zum Bereuen zu finden.

2. Dass sie mit dem verheißenen Samen schwanger war; „noch ehe sie zusammengekommen waren", war sie „schwanger geworden", was wirklich „vom Heiligen Geist" war **(Vers 18)**. Wir können uns gut vorstellen, in welche Verlegenheit dies zu Recht die gelobte Jungfrau hätte bringen können. Sie selbst kannte den göttlichen Ursprung dieser Empfängnis, doch wie sollte sie es beweisen? Man würde sie „wie eine Hure behandeln" (1.Mose 34,31). Nie war eine Tochter Evas so geehrt wie die Jungfrau Maria, und doch stand sie in der Gefahr, unter den Makel eines der schlimmsten Vergehen zu fallen. Wir sehen jedoch nicht, dass sie sich selbst damit quälte. Weil sie sich ihrer eigenen Unschuld bewusst war, blieb sie ruhig und in Frieden und übertrug ihren Fall dem, „der gerecht richtet" (1.Petr 2,23).

3. Josephs Bestürzung und Sorge darüber, was man in dieser Situation tun sollte. Er sträubte sich, etwas so Schlechtes von einer Frau zu denken, die er für so gut gehalten hatte, doch so, wie die Angelegenheit zu schlecht war, um sie zu entschuldigen, war sie auch zu offenkundig, um sie zu leugnen. Beachten Sie:
3.1 Das Äußerste, was er zu vermeiden suchte. Er wollte sie „nicht der öffentlichen Schande preisgeben" **(Vers 19)**. Er hätte dies tun können (s. 5.Mose 22,23-24). Wie anders war der Geist, den Joseph zeigte, als der von Juda, der in einem ähnlichen Fall rasch das schwere Urteil fällte: „Führt sie hinaus, damit sie verbrannt werde!" (1.Mose 38,24). Wie gut ist es, Dinge zu bedenken (s. Phil 4,8), wie es Joseph hier tat! Wenn es in unserer Kritik und unseren Urteilen mehr Bedachtsamkeit geben würde, gäbe es in ihnen mehr Barmherzigkeit und Mäßigung. Manche Menschen mit einer strikten Einstellung würden Joseph für seine Barmherzigkeit tadeln, doch sie wird hier gelobt; denn er war ein gerechter Mann, er wollte sie nicht preisgeben. Er war ein gläubiger, ein guter Mann, und deshalb war er gewogen, barmherzig zu sein, wie Gott es ist, und zu vergeben, gleichwie ihm vergeben wurde (s. Eph 4,32). Wir sollten in vielen Fällen milde gegenüber denen sein, die in den Verdacht geraten, gesündigt zu haben. Das Gericht des Gewissens, welches die Strenge des Gesetzes mildert, wird ein „Billigkeitsgericht" genannt. Diejenigen, die mit einer Schuld gefunden werden, wurden vielleicht „von einer Übertretung übereilt" und müssen deshalb „im Geist der Sanftmut" wieder zurechtgebracht werden (Gal 6,1).

3.2 Den Weg, den er fand, um diese Krise zu vermeiden. Er „gedachte sie heimlich zu entlassen" (sich heimlich von ihr zu scheiden), das heißt, ihr vor zwei Zeugen eine Scheidungsurkunde in die Hand zu geben und die Angelegenheit somit in der Stille unter sich auszumachen. Die notwendige Kritik bezüglich derjenigen, die gesündigt haben, sollte ohne Lärm geschehen. Christliche Liebe und christliche Weisheit wird „eine Menge Sünden zudecken" (Jak 5,20), und auch große – soweit sie es tun können, ohne Gemeinschaft mit ihnen zu haben.

4. Josephs Befreiung von dieser Bestürzung durch einen Boten, der vom Himmel gesandt wurde **(s. Vers 20-21)**. „Während er dies aber überlegte" (Elb 06) und nicht wusste, wie er sich entscheiden sollte, sagte Gott ihm gnädig, was er tun sollte und gab ihm Frieden. Diejenigen, die von Gott Weisung haben möchten, müssen selbst über die Dinge nachdenken; sie müssen die Angelegenheiten überlegen. Den Nachdenklichen, nicht den Gedankenlosen, wird Gott leiten. Als er nicht mehr ein noch aus wusste und die Angelegenheit nicht erfasst hatte, soweit er dies mit seinem eigenen Denken konnte, kam Gott mit seinem Rat. Gottes Zeit, um mit Weisung zu seinen Leuten zu kommen, ist, wenn sie verwirrt sind und an ihre Grenzen gekommen sind. Die Botschaft wurde Joseph von einem „Engel des Herrn" geschickt. Wir können nicht sagen, wie weit Gott jetzt, unsichtbar, den Dienst von Engeln benutzen mag, um seine Leute aus ihren Schwierigkeiten zu befreien, doch wir sind sicher, dass sie alle „dienstbare Geister" zu ihrem Wohl sind (Hebr 1,14). Dieser Engel erschien Joseph „im Traum", als er schlief. Wenn wir am ruhigsten und am meisten gefasst sind, sind wir in der besten Haltung, um die Verkündigung von Gottes Willen zu empfangen.

4.1 Joseph wurde hier angewiesen, mit seiner beabsichtigten Heirat fortzufahren. Es war notwendig, diesen armen Zimmermann an seine edle Herkunft zu erinnern: „Achte dich selbst, Joseph; du bist der Sohn Davids, aus dem die Linie des Messias kommt." Dies können wir zu jedem wahren Gläubigen sagen: „Fürchte dich nicht, du Sohn Abrahams, du Kind Gottes; vergiss nicht die Würde deiner Herkunft, deiner neuen Geburt." „Scheue dich nicht, Maria, deine Frau, zu dir zu nehmen."

4.2 Er wurde hier über das Heilige informiert, mit dem seine ihm versprochene Frau schwanger war. Was sie empfangen hatte, war göttlichen Ursprungs. Ihm wurden zwei Dinge gesagt:

Dass sie durch die Kraft des Heiligen Geistes schwanger geworden war, nicht durch natürliche Mittel. Der Heilige Geist, der die Welt erzeugte, erzeugte nun den Heiland der Welt, indem er ihm einen Leib bereitete, wie ihm verheißen war und er sagte: „Siehe, ich komme" (Hebr 10,7; vgl. Vers 5). Er war der Sohn Gottes, doch er teilte die Natur seiner Mutter in solch einer Weise, dass er wahrhaftig die Frucht ihres Leibes genannt werden konnte (s. Lk 1,42). Geschichten berichten uns von manchen, die stolz beanspruchten, durch göttliche Kraft schwanger geworden zu sein, wie etwa die Mutter von Alexander, doch niemandem ist dies jemals wirklich passiert außer der Mutter unseres Herrn. Wir lesen nicht, dass die Jungfrau Maria selbst die Ehre verkündigte, die ihr erwiesen wurde; sie tat es „in ihrem Herzen" (s. Lk 2,19), und deshalb schickte Gott einen Engel, um es zu verkünden.

Dass sie den Heiland der Welt gebären sollte **(s. Vers 21)**. Dies wurde gezeigt:

Mit dem Namen, der ihrem Sohn gegeben werden würde: „Du sollst ihm den Namen Jesus geben", ein Retter. Jesus ist der gleiche Name wie *Josua*, nur die Endung wurde verändert, um sie dem Griechischen anzupassen. Josua wird in Apostelgeschichte 7,45; Hebräer 4,8 Jesus genannt, wo die Septuaginta zitiert wird, eine griechische Übersetzung des Alten Testaments. Christus ist unser Josua, sowohl der Urheber unseres Heils (s. Hebr 2,10) als auch der Hohepriester unseres Bekenntnisses (s. Hebr 3,1), und, in beidem, unser Heiland – ein Josua, der kommt, um an die Stelle von Mose zu treten, und das für uns zu tun, „was dem Gesetz unmöglich war – weil es ... kraftlos war" (Röm 8,3). Josua hatte Hosea geheißen, doch Mose hatte die erste Silbe des Namens Jehova beigefügt und so Jehoschua daraus gemacht (s. 4.Mose 13,16), um zu zeigen, dass der Messias, der diesen Namen tragen sollte, Jehova sein würde. Deshalb kann er „vollkommen erretten" (Hebr 7,25), und daher ist auch „in keinem anderen das Heil" (Apg 4,12).

Durch die Begründung für diesen Namen. „Denn er wird sein Volk erretten von ihren Sünden" **(Vers 21)**. Diejenigen, die Christus rettet, rettet er „von ihren Sünden", von der Schuld der Sünde durch den Verdienst seines Todes, von der beherrschenden Macht der Sünde durch den Geist seiner Gnade. Indem er sie von der Sünde rettet, rettet er sie vor seinem Zorn und dem Fluch und von aller Trübsal hier und in Zukunft. Diejenigen, die von ihren Sünden lassen und sich Christus als „sein Volk" übergeben, genießen das Vorrecht einer Beziehung zu dem Retter und dem großen Heil, welches er gebracht hat.

5. Die Erfüllung der Schrift in all diesem. Dieser Evangelist, der unter Juden schrieb, weist häufiger als jeder der anderen drei darauf hin. Hier, in unserem Herrn Jesus Christus, hatten die Prophetien des Alten Testaments ihre Erfüllung. Die Schrift, die nun mit der Geburt von Christus erfüllt war, ist nun diese Verheißung eines Zeichens, das Gott König Ahas gab. „Siehe, die Jungfrau wird schwanger werden" (Jes 7,14), wo der Prophet, der das Volk Gottes ermutigen wollte, auf die verheißene Rettung vor Sanheribs Invasion zu hoffen, sie anwies, voller Freude auf den Messias zu warten, der aus dem jüdischen Volk und dem Haus David kommen sollte.

5.1 Das gegebene Zeichen war, dass der Messias von einer Jungfrau geboren werden würde. Eine „Jungfrau wird schwanger werden", und durch sie wird er „geoffenbart [werden] im Fleisch". Das hebräische Wort *almah*, welches in Jesaja 7,14 benutzt wird, meint „eine Jungfrau" im striktesten Sinn, wie Maria bekennt, eine zu sein: „... da ich von keinem Mann weiß" (Lk 1,34). Christus sollte nicht von einer Kaiserin oder Königin geboren werden – denn er erschien nicht in äußerlicher Pracht, Zurschaustellung oder Größe –, sondern von einer Jungfrau, um uns geistliche Reinheit zu lehren.

5.2 Die Wahrheit, die durch dieses Zeichen bewiesen wurde, war, dass er der Sohn Gottes und der Mittler zwischen Gott und Menschen war, denn „man wird ihm den Namen Immanuel geben". Immanuel bedeutet „Gott mit uns". Es ist ein rätselhafter Name, aber ein sehr edler, der menschgewordene Gott unter uns und deshalb versöhnbar mit uns, im Frieden mit uns und nimmt uns in einen Bund und in die Gemeinschaft mit ihm hinein. Das jüdische Volk hatte als Typus und Vorschatten Gott mit ihnen, „der über den Cherubim thront" (1.Sam 4,4; 2.Sam 6,2 usw.), doch niemals so viel wie als das Wort Fleisch wurde (s. Joh 1,14) – das war die gelobte *Schechina*, Gottes sichtbar gemachte Gegenwart. Durch das Licht der Natur sehen wir Gott als einen Gott *über uns*; durch das Licht des Gesetzes sehen wir ihn als einen Gott *gegen uns*; doch durch das Licht des Evangeliums sehen wir ihn als Immanuel, Gott *mit uns*, in unserer eigenen Natur und an unserer Seite. Sein großes Heilswerk liegt darin, Gott und Menschen zusammenzubringen; er beabsichtige, Gott dazu zu bringen, mit uns zu sein, was unsere große Freude ist, und uns dazu zu bringen, mit Gott zu sein, was unsere große Pflicht ist.

6. Josephs Gehorsam gegenüber dem göttlichen Gebot. „Als nun Joseph", durch den Eindruck, den der Traum auf ihn gemacht hatte, „vom Schlaf erwachte, handelte er so, wie es ihm der Engel des Herrn befohlen hatte, und nahm seine Frau zu sich" **(Vers 24)**. Gott hat immer noch Wege, um in zweifelhaften Fällen seine Absicht bekannt zu machen – durch die Stupser der Vorsehung, das Flüstern des Gewissens und den Rat von treuen Freunden.

Bei all diesem sollten wir, indem wir die allgemeinen Regeln des geschriebenen Wortes anwenden, Weisung von Gott annehmen.

7. Die Erfüllung der göttlichen Verheißung **(s. Vers 25)**. Sie gebar ihren ersten Sohn. Die Umstände der Geburt werden ausführlicher in Lukas 2,1-20 berichtet. Wenn Christus in der Seele „Gestalt gewinnt" (Gal 4,19), hat Gott selbst das gute Werk angefangen, das er vollenden wird (s. Phil 1,6). Was in Gnade empfangen wurde, wird ohne Zweifel in Herrlichkeit hervorgebracht werden. Obwohl Joseph die Eheschließung mit Maria, seiner versprochenen Frau, feierlich vollzog, „erkannte" er „sie nicht, bis sie ihren erstgeborenen Sohn geboren hatte" (er hatte keine eheliche Gemeinschaft mit ihr, bis sie gebar). Viel wurde über die immerwährende Jungfräulichkeit der Mutter unseres Herrn gesagt: Hieronymus war Helvidius sehr böse, weil dieser sie leugnete. Es ist sicher, dass sie nicht aus der Schrift bewiesen werden kann. Dr. Withby neigt zu der Ansicht, dass, wenn es heißt, Joseph „erkannte sie nicht, bis sie ihren erstgeborenen Sohn geboren hatte" **(Vers 25)**, das darauf schließen lässt, dass er später mit ihr gemäß dem Gesetz lebte (s. 2.Mose 21,10). Joseph „gab ihm den Namen Jesus" nach der Weisung, die ihm gegeben worden war.

KAPITEL 2

In diesem Kapitel haben wir den Bericht von der Kindheit unseres Retters: 1. Die interessierte Frage der Weisen nach Christus (s. Vers 1-8). 2. Ihre andächtige Aufwartung bei ihm, als sie herausgefunden hatten, wo er war (s. Vers 9-12). 3. Christi Flucht nach Ägypten, um der Grausamkeit von Herodes zu entgehen (s. Vers 13-15). 4. Der barbarische Mord an den Kleinkindern in Bethlehem (s. Vers 16-18). 5. Christi Rückkehr aus Ägypten in das Land Israel (s. Vers 19-23).

Vers 1-8

Es war ein Kennzeichen der Erniedrigung, die dem Herrn Jesus auferlegt war, dass sein Kommen in die Welt, obwohl er „das Ersehnte aller Heidenvölker" war (Hag 2,7), kaum bemerkt oder wahrgenommen wurde; seine Geburt war verborgen und wurde nicht beachtet. Er kam in die Welt und die Welt „erkannte ihn nicht"; er kam tatsächlich „in sein Eigentum, und die Seinen nahmen ihn nicht auf" (Joh 1,10-11). Doch, wie später, so auch bei seiner Geburt, schossen einige Strahlen seiner Herrlichkeit aus den größten Beispielen seiner Demut hervor. Die ersten Menschen, die von Christus nach seiner Geburt Notiz nahmen, waren die Hirten (s. Lk 2,15), die herrliche Dinge über ihn sahen und hörten und das Wort überall bekannt machten zur Verwunderung aller, die sie hörten (s. Lk 2,17-18). Danach sprachen Simeon und Hanna durch den Geist zu allen über ihn, die bereit waren, auf das zu achten, was sie sagten (s. Lk 2,38). Nun hätte man gedacht, dass diese Hinweise von dem Volk von Juda und den Einwohnern Jerusalems beachtet worden wären und sie den lang erwarteten Messias mit beiden Armen umfassen würden, doch es scheint, dass er weiterhin fast zwei weitere Jahre in Bethlehem lebte, ohne dass man von ihm Notiz nahm, bis diese Weisen kamen. Nichts wird die wecken, die entschlossen sind, ihn zu ignorieren. Beachten Sie:

1. Wann diese Untersuchung über Christus gemacht wurde. Es war „in den Tagen des Königs Herodes" **(Vers 1)**. Dieser Herodes war ein Edomiter, der von Augustus und Antonius zum König von Judäa gemacht wurde, den damals höchsten Herrschern des römischen Staates, ein Mann, der für Lüge und Grausamkeit bekannt war und doch mit dem Titel „Herodes der Große" geehrt wurde.

2. Wer und was diese Weisen waren; sie werden hier *Magoi* genannt. Manche verstehen dies in einem guten Sinn; die *Magoi* unter den Persern waren ihre Philosophen und Priester. Andere meinen, sie befassten sich mit unerlaubten Künsten; das Wort wird benutzt, um Simon (s. Apg 8,9.11) und Bar-Jesus zu beschreiben (s. Apg 13,6), beides Zauberer, und die Schrift benutzt es nicht in irgendeinem anderen Sinn. Was für eine Art von Weisen sie auch vorher waren, sie wurden zu *echten Weisen*, als sie sich daranmachten, nach Christus zu fragen. Bei dem Folgenden sind wir sicher:

2.1 Sie waren Heiden und gehörten nicht zur Bürgerschaft von Israel (s. Eph 2,12). Die Juden schenkten Christus keine Beachtung, doch diese Heiden spürten ihn auf. Oft sind diejenigen am weitesten von dem Ziel entfernt, die am nächsten an den Möglichkeiten sind (s. Mt 8,11-12).

2.2 Sie waren Gelehrte. Sie studierten Wissen und Philosophie. Gute Gelehrte sollten gute Christen sein, und wenn sie Christus kennenlernen (s. Eph 4,20), vervollkommnen sie ihre Gelehrsamkeit.

2.3 Sie waren Männer aus dem Osten, die für ihre Wahrsagerei bekannt waren (s. Jes 2,6). Arabien wird das Morgenland „nach Osten" genannt (1.Mose 25,6) und die Araber nannte man „Söhne des Ostens" (Ri 6,3). Die Geschenke, die sie brachten, waren die Erzeugnisse dieses Landes.

3. Was sie veranlasste, diese Forschung zu unternehmen. Sie hatten in ihrem Land, welches im Osten war, einen außergewöhnlichen Stern gesehen, wie sie vorher keinen gesehen hatten. Sie nahmen dies als Kennzeichen für die Geburt einer außergewöhnlichen Person im Land Juda, über welchem Land man diesen Stern schweben sah. Dies war so anders von allem, was üblich war, dass sie folgerten, dass es etwas Außergewöhnliches bedeuten würde. Die Geburt Christi wurde den jüdischen Hirten durch einen Engel und den heidnischen Philosophen durch einen Stern kundgetan: Gott sprach zu beiden in ihrer eigenen Sprache und in der Weise, die ihnen am vertrautesten war. Der gleiche Stern, den sie im Osten gesehen hatten, wurde lange danach gesehen und führte sie zu dem Haus, in dem Christus lag. Er war eine Leuchte, die mit Absicht gebildet wurde, um sie zu Christus zu leiten. Die Götzenanbeter beteten die Sterne als das „Heer des Himmels" an (5.Mose 4,19; 17,3 usw.), besonders die östlichen Völker. Bei der Geburt Christi kamen die Sterne, die missbraucht worden waren, zu ihrem rechten Gebrauch, Menschen zu Christus zu führen; die Götter der Völker wurden seine Diener. Andere führen die Untersuchung der Weisen auf die allgemeine Erwartung in dieser Zeit in jenen östlichen Teilen zurück, dass ein großer Herrscher auftreten würde. Wir können annehmen, dass ein göttlicher Eindruck auf ihren Sinn gemacht wurde, der es ihnen ermöglichte, diesen Stern als ein vom Himmel gegebenes Zeichen für die Geburt Christi zu sehen.

4. Wie sie ihre Untersuchung betrieben. Sie kamen vom Osten nach Jerusalem und suchten weiter nach diesem Fürsten. Sie hätten sagen können: „Wenn solch ein Herrscher geboren wird, werden wir bald in unserem eigenen Land von ihm hören, und wird der Zeitpunkt sein, ihm unsere Anerkennung zu zollen." Doch sie waren so begierig darauf, mehr von ihm zu erfahren, dass sie bewusst eine lange Reise unternahmen, um ihn zu suchen. Diejenigen, die wahrhaftig danach verlangen, Christus kennenzulernen und ihn zu finden, werden bei der Suche nach ihm nicht an Mühen und Gefahren denken.
4.1 Ihre Frage lautete: „Wo ist der neugeborene König der Juden" **(Vers 2)**? Sie fragten nicht, ob so jemand geboren worden ist; ihre Frage lautete: „*Wo* wurde er geboren?" Diejenigen, die etwas über Christus wissen, müssen mehr über ihn wissen wollen.
4.2 Sie erwarteten eine rasche Antwort auf diese Frage und ganz Jerusalem anbetend zu Füßen dieses neuen Königs zu finden, doch niemand konnte ihnen irgendeine Information geben. Es gibt in der Welt und auch in der Gemeinde eine größere Ahnungslosigkeit, als uns bewusst ist. Viele Menschen, von denen wir meinen, sie sollten uns zu Christus führen, sind selbst Fremde ihm gegenüber und kennen ihn nicht. Diese Reisenden führten ihre Untersuchung fort: „Wo ist der neugeborene König der Juden?" Wenn sie gefragt wurden: „Warum fragt ihr?", lautete ihre Antwort, dass sie im Osten diesen Stern gesehen hatten. Wenn sie gefragt wurden: „Was habt ihr mit ihm zu tun? Was haben die Menschen des Ostens mit dem König der Juden zu tun?", hatten sie ihre Antwort parat: „Wir ‚sind gekommen, um ihn anzubeten'" **(Vers 2)**. Diejenigen, in deren Herzen der Morgenstern aufgegangen ist (s. 2.Petr 1,19) und ihnen etwas von der Erkenntnis Christi gegeben hat, müssen es zu ihrer Aufgabe machen, ihn anzubeten.

5. Wie man mit dieser Untersuchung in Jerusalem umging. Schließlich erreichte die Nachricht davon den Hof, und „als das der König Herodes hörte, erschrak er" **(Vers 3)**. Es war nicht möglich, dass er von den Prophetien des Alten Testaments über den Messias und sein Reich nichts wusste und er musste die Zeiten kennen, die Daniels Wochen (s. Dan 9,24-27) für das Erscheinen des Messias festgesetzt hatten, doch weil er selbst so lange und erfolgreich regiert hatte, begann er zu hoffen, dass diese Verheißungen für immer fehlschlagen würden und dass anstelle von ihnen sein Reich für immer festgegründet sein würde. Es muss seine Hoffnungen sehr enttäuscht haben, als er die Rede von diesem König hörte, der geboren wurde. Wenn auch Herodes, der ein Edomiter war, erschrak, hätte man meinen können, dass Jerusalem sehr erfreut wäre zu hören, dass ihr König kommt, doch es scheint, dass „ganz Jerusalem mit" Herodes erschrak und sich vor den nachteiligen Folgen der Geburt dieses Königs fürchtete. Die Knechtschaft der Sünde wird von vielen Menschen törichterweise der Freiheit der Herrlichkeit der Kinder Gottes nur deshalb vorgezogen (s. Röm 8,21), weil sie einige momentane Schwierigkeiten fürchten, welche diese notwendige Revolution der Regierung in der Seele begleiten. Herodes und Jerusalem erschraken aufgrund der irrtümlichen Ansicht, dass der Messias sich in die weltliche Macht einmischen und im Widerspruch zu ihnen stehen würde, während doch der Stern, der ihn als König verkündete, klar anzeigte, dass sein Reich himmlisch war, nicht von dieser niedrigen Welt.

6. Welche Hilfe sie bei dieser Untersuchung durch die Gesetzeslehrer und Priester erfuhren **(Vers 4-6)**. Niemand kann behaupten zu sagen, wo der König der Juden ist, doch Herodes fragte, wo er „geboren werden sollte".
6.1 Die Menschen, die er befragte, waren die obersten Priester, welche die Lehrer des Gesetzes waren. Es war allgemein bekannt, dass Christus „in Bethlehem" geboren werden sollte (s. Joh 7,42), doch Herodes wollte in der

Sache eine Expertenmeinung haben. Er wandte sich deshalb an die geeigneten Leute, „alle obersten Priester und Schriftgelehrten", und *„erfragte* von ihnen", dass sie ihm sagen sollten, „wo der Christus geboren werden sollte". Viele gute Fragen werden mit falschen Beweggründen gestellt.

6.2 Die Priester und Gesetzeslehrer brauchten nicht lange, um diese Frage zu beantworten, ihre Meinungen unterschieden sich auch nicht. Sie stimmten alle überein, dass der Messias „in Bethlehem" geboren werden musste, der Stadt Davids, hier genannt „Bethlehem in Judäa". Bethlehem bedeutet „Haus des Brotes", und so war diese Stadt der beste Geburtsort für den Einen, der das wahre Manna ist, „der aus dem Himmel herabkommt", das für das Leben der Welt gegeben wurde (Joh 6,33). Bethlehems Ehre lag nicht wie bei anderen Städten in der großen Zahl seiner Leute, sondern in der Herrlichkeit der Herrscher, die es hervorbrachte. Es war deshalb auf diese Weise größer als alle Städte Israels: „Der HERR wird zählen, wenn er die Völker verzeichnet: ,Dieser'" – eben „der Mensch Christus Jesus" (1.Tim 2,5) – „,ist dort geboren'" (Ps 87,6). „Aus dir wird ein Herrscher hervorgehen", der König der Juden. Bethlehem war die Stadt Davids und David die Herrlichkeit von Bethlehem. Dort musste deshalb Davids Sohn und Nachfolger geboren werden. Es gab in Bethlehem einen berühmten Brunnen unter dem Tor, aus dem David sich sehnte zu trinken (s. 2.Sam 23,15). In Christus haben wir nicht nur genug Brot und noch etwas übrig; wir können auch kommen und umsonst vom Wasser des Lebens nehmen (s. Offb 21,6).

7. Der Plan von Herodes, Blut zu vergießen, der durch diese Untersuchung zustande kam **(s. Vers 7-8)**. Herodes war jetzt ein alter Mann und hatte fünfunddreißig Jahre regiert. Dieser König war erst vor Kurzem geboren worden und würde wahrscheinlich für viele Jahre nichts Bedeutsames tun; doch Herodes war trotzdem eifersüchtig auf ihn. Gekrönte Häupter können nicht den Gedanken an ihre Nachfolger und noch viel weniger ihre Rivalen ertragen, und so würde ihn nichts weniger als das Blut dieses Königs im Kleinkindalter zufriedenstellen. Der Zorn hatte die Kontrolle über seinen Verstand und sein Gewissen übernommen.

7.1 Beachten Sie, wie listig er das Vorhaben anfing **(s. Vers 7-8)**. Er rief die Weisen „heimlich zu sich", um mit ihnen diese Angelegenheit zu erörtern. Er wollte seine Ängste und Eifersüchteleien nicht offen zugeben. Sünder werden oft von heimlichen Ängsten gequält, die sie für sich behalten. Herodes erfuhr von den Weisen die „Zeit, wann der Stern erschienen war". Dann benutzte er sie, um weiter zu fragen und sagte ihnen, sie sollten ihm berichten, wo das Kind war. All das hätte verdächtig ausgesehen, hätte er es nicht mit zur Schau gestellter religiöser Inbrunst vertuscht: „... damit auch ich komme und es anbete!" Das größte Böse verbirgt sich oft unter dem Mantel der Frömmigkeit.

7.2 Beachten Sie, wie merkwürdig er betrogen und genarrt wurde, weil er diesen Auftrag den Weisen anvertraute. Bethlehem war nur etwa zehn Kilometer von Jerusalem entfernt; er hätte leicht Spione schicken können, um die Weisen zu beobachten, und die Spione hätten genauso schnell dort sein können, um das Kind zu töten, wie es die Weisen wären, um anzubeten!

Vers 9-12

Hier haben wir die demütige Aufwartung der Weisen bei diesem neugeborenen „König der Juden" und die Ehre, die sie ihm erweisen. Sie gingen von Jerusalem nach Bethlehem und waren entschlossen, zu suchen, bis sie fündig würden, doch es ist sehr merkwürdig, dass sie alleine gingen. Sie kamen aus einem fernen Land, um Christus anzubeten, während die Juden, seine Verwandten, keinen Schritt tun wollten, nicht einmal in die nächste Stadt gehen wollten, um ihn willkommen zu heißen. Wir müssen Christus weiterhin dienen, selbst wenn wir dies alleine tun; was immer andere auch tun, wir müssen dem Herrn dienen (s. 5.Mose 10,12; 11,13; 28,47).

1. Schauen Sie, wie sie Christus durch den gleichen Stern fanden, den sie in ihrem Land gesehen hatten **(s. Vers 9-10)**. Beachten Sie, wie:

1.1 Gott sie gnädig führte. Beim ersten Erscheinen dieses Sterns ließ man sie verstehen, wo sie nach diesem König fragen sollten, und dann verschwand der Stern und es wurde ihnen überlassen, mit den üblichen Methoden einer solchen Untersuchung nachzugehen. Man sollte keine außergewöhnlichen Hilfen erwarten, wo gewöhnliche Mittel verfügbar sind. Dann verfolgten sie die Angelegenheit, soweit sie konnten; sie waren auf dem Weg nach Bethlehem, doch wo würden sie ihn finden, wenn sie dort sind, da dies doch eine dichtbesiedelte Stadt war? Hier wussten sie nicht weiter, waren mit ihrer Weisheit, aber nicht mit ihrem Glauben am Ende; sie glaubten, dass Gott sie dort nicht verlassen würde. Er tat dies auch nicht, denn siehe, „der Stern, den sie im Morgenland gesehen hatten, ging vor ihnen her" **(Vers 9)**. Wenn wir in unserer Pflicht so weit gehen, wie wir können, wird Gott uns führen und befähigen, das zu tun, was wir aus uns selbst nicht tun können. Der Stern hatte sie lange vorher verlassen, doch jetzt kehrte er zurück. Diejenigen, die Gott im Finstern folgen, werden sehen, dass für sie Licht gesät wird (s. Ps 97,11) und aufbewahrt ist. Dieser Stern war das Zeichen der Gegenwart Gottes bei ihnen, denn er ist Licht (s. 1.Joh 1,5), und er geht als ihr Führer vor seinen Leuten her. Es gibt einen Morgenstern, der in den Herzen derer aufgeht, die Christus suchen (s. 2.Petr 1,19).

1.2 Sie freudig der Führung Gottes folgten: „Als sie nun den Stern sahen, wurden sie sehr hoch erfreut" **(Vers 10)**. Jetzt sahen sie, dass sie nicht getäuscht worden waren; jetzt erkannten sie, dass sie die lange Reise nicht vergeblich gemacht hatten. Sie waren jetzt sicher, dass Gott mit ihnen war, und die Zeichen seiner Gegenwart und Gunst erfüllen die Seelen derjenigen mit unaussprechlicher Freude, die wissen, wie sie ihn achten sollen. Wir können nicht zu wenig von Menschen noch zu viel von Gott erwarten. Was für eine Freude, was für ein Entzücken war es für diese Weisen, als sie den Stern sahen! Jetzt hatten sie Grund für die Hoffnung, rasch den Christus des Herrn zu sehen (s. Offb 11,15), „die Sonne der Gerechtigkeit" (Mal 3,20), denn sie sahen den Morgenstern (s. Offb 22,16). Wir sollten glücklich sein, irgendetwas zu sehen, das uns den Weg zu Christus zeigen wird. Dieser Stern war gesandt worden, um auf die Weisen zu treffen und sie in die Gegenwart des Königs zu führen. Gott erfüllte nun seine Verheißung, dem entgegenzukommen, „der sich daran erfreut, Gerechtigkeit zu tun" (Jes 64,4). Gott gewährt manchmal Neubekehrten solche Zeichen seiner Liebe, die für sie besonders bei der Bewältigung der Schwierigkeiten ermutigend sind, denen sie gegenüberstehen, wenn sie auf Gottes Wegen hinausziehen.

2. Schauen Sie, was sie taten, als sie ihn fanden **(s. Vers 11)**. Wir können uns gut vorstellen, was für eine Enttäuschung es für sie gewesen sein muss, zu sehen, dass sein Palast bloß eine Hütte war und seine eigene arme Mutter die einzige Wärterin war, die er hatte! Diese Weisen waren jedoch weise genug, um durch diesen Schleier zu sehen. Sie zogen sich nicht zurück und meinten, ihre Untersuchung wäre verhindert worden, sondern überbrachten, als sie den König gefunden hatten, den sie suchten, ihm zuerst sich selbst und dann ihre Geschenke.

2.1 Sie überbrachten ihm sich selbst: Sie „fielen ... nieder und beteten es an" **(Vers 11)**. Wir lesen nicht, dass sie Herodes solche Ehre erwiesen, obwohl er auf dem Höhepunkt seiner königlichen Pracht war, sondern sie erwiesen diesem Kleinkind diese Ehre, nicht nur als einem König, sondern auch als einem Gott. Alle, die Christus gefunden haben, fallen vor ihm nieder. Sie beten ihn an und unterwerfen sich ihm. „... denn er ist dein Herr – so huldige ihm!" (Ps 45,12).

2.2 Sie brachten ihm ihre Gaben. In den östlichen Völkern gaben Untertanen den Königen Geschenke, wenn sie ihnen ihre Hochachtung zeigten. Wir müssen Jesus Christus alles geben, was wir haben – uns selbst eingeschlossen. Unsere Gaben werden nicht angenommen, wenn wir uns ihm nicht zuerst als lebendiges Opfer dargebracht haben (s. Röm 12,1). Die Gaben, die sie darbrachten, waren „Gold, Weihrauch und Myrrhe", Geld und Dinge, die Geld wert waren. Der Allmächtige sandte dies als eine rechtzeitige Unterstützung für Maria und Joseph in ihren armen Verhältnissen. Dies waren die Erzeugnisse aus dem Land der Weisen; wir müssen Gott mit dem ehren, was er uns gewährt. Sie brachten ihm Gold dar, weil er ein König war, und zahlten ihm Tribut; Weihrauch, weil er Gott war, denn sie ehrten Gott mit dem Rauch von Weihrauch; Und Myrrhe, weil er ein Mann war, der sterben würde, denn Myrrhe wurde benutzt, um tote Leiber einzubalsamieren.

3. Schauen Sie, wie sie ihn verließen, nachdem sie bei ihm waren **(s. Vers 12)**. Herodes forderte von ihnen, es ihn wissen zu lassen, und da sie nicht befürchteten, dass er sie als Werkzeuge benutzen wollte, um seine bösen Pläne zu verfolgen, hätten sie dies vermutlich getan, wäre ihnen nicht geboten worden, das Gegenteil zu tun. Diejenigen, die aufrichtig und ehrlich sind, glauben leicht, dass auch andere so sind; sie können nicht glauben, dass die Welt so schlecht ist, wie sie wirklich ist. Gott verhinderte die Schwierigkeiten, die Herodes für das Kind Jesus beabsichtigt hatte. Sie wurden „angewiesen ... nicht wieder zu Herodes zurückzukehren", und auch nicht nach Jerusalem; diejenigen, die mit ihren eigenen Augen hätten sehen können, aber nicht wollten, sind unwürdig, dass ihnen von Christus berichtet wird. Sie „zogen ... auf einem anderen Weg zurück in ihr Land", um ihren Landsleuten die Nachricht zu bringen, doch es ist seltsam, dass wir nie mehr etwas von ihnen hören.

Vers 13-15

Hier haben wir die Flucht Christi nach Ägypten, um der Grausamkeit von Herodes zu entgehen. Christus wurde in seiner Kleinkindzeit nur wenig Respekt erwiesen – verglichen mit dem, was hätte sein sollen. Sogar auch das diente dazu, ihn preiszugeben, statt ihn unter seinem Volk zu ehren. Beachten Sie:

1. Das Gebot, das Joseph diesbezüglich gegeben wurde **(s. Vers 13)**. Joseph wusste weder von der Gefahr, in der das Kind war, noch wie ihr zu entkommen war, Gott aber sagte ihm beides durch einen „Engel ... im Traum", und benutzt die gleichen Mittel wie vorher, um ihn zu führen (s. Mt 1,20). Joseph wurde hier gesagt, in welcher Gefahr sie waren: „Herodes will das Kind suchen, um es umzubringen!" Gott kennt alle grausamen Pläne und Absichten der Feinde seiner Kirche. Wie früh war Jesus von Schwierigkeiten betroffen! Für gewöhnlich haben selbst die, deren reife Jahre von Schlingen und Gefahren begleitet sind, eine friedliche und ruhige Kindheit, doch so war es nicht bei dem gelobten Jesus. Sein Leben und Leiden begannen zusammen. „Nimm das Kind ... mit dir und fliehe nach Ägypten." Christus muss so früh in seinem Leben ein Beispiel für seine eigene Regel geben: „Wenn sie euch aber in der einen Stadt verfolgen, so flieht in eine andere" (Mt 10,23). Weil der Selbstschutz ein Zweig des Gesetzes der Natur ist, ist er ein bedeutender Teil des Gesetzes Gottes. „Fliehe", aber warum „nach Ägypten"? Ägypten war berüchtigt für Götzendienst, Gewaltherrschaft und Feindschaft gegenüber dem Volk Gottes. Das war jedoch der festgelegte Zufluchtsort für das heilige Kind Jesus. Wenn es Gott gefällt, kann er die schlimmsten Orte den besten Zwecken dienen lassen. Dies kann man betrachten:

1.1 Als Glaubenstest für Joseph und Maria. Sie könnten versucht sein zu denken: „Wenn dieses Kind der Sohn Gottes ist, wie man uns sagte, dass er ist, hat er dann keinen anderen Weg, um sich vor einem Menschenkind zu schützen, einem Wurm (s. Hiob 25,6), als sich so primitiv und unrühmlich zurückzuziehen?" Ihnen war gerade gesagt worden, dass er zur Verherrlichung seines Volkes Israel diene (s. Lk 2,32), und das Land Israel wurde so rasch zu schwierig für ihn? Jetzt wird klar, wie gut Gott für „das Kind und seine Mutter" vorgesorgt hatte **(Vers 13)**, indem er Joseph dazu berief, in so einer engen Beziehung zu ihnen zu stehen. Nun würde das Gold, das die Weisen gebracht hatten, helfen, ihre Unkosten zu decken. Gott sieht die Sorgen der Seinen voraus und sorgt im Voraus für sie. Gott wies auf die Fortsetzung seiner Fürsorge und Leitung hin, als er sagte: „Bleibe dort, bis ich es dir sage", sodass Joseph erwarten musste, Gott wieder zu hören, und sich nicht regen durfte, ohne neuerliche Anordnungen zu bekommen.

1.2 Als ein Beispiel der Erniedrigung unseres Herrn Jesus. So wie für ihn in der Herberge in Bethlehem kein Raum war, so gab es für ihn auch keinen ruhigen Platz im Land Judäa. Wenn wir und unsere kleinen Kinder zu irgendwelchen Zeiten in Schwierigkeiten sind, wollen wir an die Schwierigkeiten denken, in die Christus in seiner Kleinkindzeit gebracht wurde.

1.3 Als Zeichen für Gottes Missfallen gegenüber den Juden, die ihn so wenig beachteten. Er verließ verdientermaßen die, die ihm keinen Respekt erwiesen.

2. Josephs Gehorsam gegenüber diesem Gebot **(s. Vers 14)**. Die Reise würde unbequem und gefährlich für das junge Kind und auch seine Mutter sein; aber Joseph war „der himmlischen Erscheinung nicht ungehorsam" (Apg 26,19); er erhob keinen Einwand und war nicht langsam zum Gehorsam. Sobald er seine Anordnung erhalten hatte, stand er sofort auf und ging „bei Nacht" fort. Diejenigen, die aus ihrem Gehorsam ein sicheres Werk machen wollen, müssen ein rasches Werk aus ihm machen. Nun zog Joseph aus, wie es sein Vater Abraham getan hatte, mit bedingungsloser Abhängigkeit von Gott, „ohne zu wissen, wohin er kommen werde" (Hebr 11,8). Joseph „nahm das Kind und seine Mutter". Manche merken an, dass das Kind zuerst genannt wird, als Hauptperson, und dass Maria nicht die Frau Josephs, sondern die Mutter des Kindes genannt wird, was ihre größere Ehre war. Sie blieben bis zum Tod von Herodes in Ägypten. Dort waren sie unter Götzendienern und weit entfernt vom Tempel und seinem Dienst. Doch obwohl sie fern vom Tempel des Herrn waren, hatten sie den Herrn des Tempels immer noch bei sich. Erzwungene Abwesenheit von Gottes Ordnungen und erzwungene Anwesenheit unter Übeltätern kann das traurige Los von guten Leuten sein, doch es ist nicht ihre Sünde.

3. Die Erfüllung der Schrift in all diesem: „Aus Ägypten habe ich meinen Sohn gerufen" (Hos 11,1). Von allen Evangelisten achtet Matthäus am meisten auf die Erfüllungen der Schriften über Christus. Dieses Wort des Propheten bezog sich nun ohne Zweifel auf die Befreiung von Israel aus Ägypten, mit der Gott sie als seinen Sohn, seinen Erstgeborenen, anerkannte (s. 2.Mose 4,22); hier wird es aber auf dem Weg der Analogie auf Christus angewendet, das Haupt der Gemeinde. Die Schrift hat viele Erfüllungen; Gott erfüllt die Schriften jeden Tag. Es ist für Gottes Söhne nichts Neues, in Ägypten zu sein, in einem fremden Land, in einem Land der Knechtschaft, aber sie werden herausgeholt werden. Vielleicht sind sie in Ägypten verborgen, doch sie werden dort nicht gelassen werden.

Vers 16-18

1. Hier haben wir den Zorn von Herodes über die Abreise der Weisen. Er wartete lange Zeit auf ihre Rückkehr. Er hörte jedoch, nachdem er Untersuchungen angestellt hatte, dass sie auf einem anderen Weg fortgegangen waren, was ihn „sehr zornig" machte **(Vers 16)**. Er war dann sogar noch verzweifelter und schockierter, weil er enttäuscht und seine Pläne zunichtegemacht worden waren.

2. Wir haben hier auch die politischen Ränke von Herodes, den trotz allem aus dem Weg zu räumen, der als König der Juden geboren war. Wenn er ihn nicht durch eine einzelne

Tat erreichen konnte, hatte er keinen Zweifel daran, dass ihn ein allgemeiner Angriff treffen würde. Es war merkwürdig, dass Herodes jemanden finden konnte, der so inhuman war, dass er bereit war, einen solch barbarischen Akt des Blutvergießens zu übernehmen, aber bösen Händen fehlt es nie an bösen Werkzeugen, um damit zu arbeiten. Herodes war nun etwa siebzig Jahre alt, sodass ein Kleinkind, das in dieser Zeit unter zwei Jahre alt war, ihn wahrscheinlich nie belästigt hätte. Es geschah einzig und allein, um das rohe Verlangen seines Stolzes und seiner Grausamkeit zu befriedigen, dass er dies tat. Beachten Sie, was er für große Pläne machte:

2.1 Was die Zeit betrifft; so tötete er alle „von zwei Jahren und darunter". Jesus war da wahrscheinlich noch kein Jahr alt, doch Herodes schloss alle Kleinkinder unter zwei Jahren mit ein, um sicherzugehen, dass er sein Opfer nicht verfehlte.

2.2 Was den Ort betrifft; so tötete er nicht nur „in Bethlehem" alle männlichen Kinder, sondern auch „in seinem ganzen Gebiet", in allen Bezirken dieser Stadt. Dies war „allzu gesetzlos" (Pred 7,17). Ungezügelter Zorn bewaffnet mit unrechtmäßiger Macht lässt die Menschen oft die schlimmsten und unvernünftigsten Akte der Grausamkeit begehen. Wir sollten aus dem Leiden dieser Kinder nicht schließen, dass sie „größere Sünder gewesen sind als alle anderen" in Israel (Lk 13,2). Wir müssen aber den Mord an diesen Kleinkindern von einem anderen Blickwinkel aus betrachten; es war ihr Martyrium. Sie vergossen ihr Blut für den Einen, der später für sie sein Blut vergoss. Diese waren die Infanterie der edlen Armee der Märtyrer.

3. Hier haben wir die Erfüllung der Schrift: „Da wurde" die Prophetie „erfüllt": „Eine Stimme ist in Rama gehört worden" (**Vers 17-18**; vgl. Jer 31,15). Diese Weissagung wurde zur Zeit Jeremias erfüllt, aber jetzt wurde diese Prophetie wieder beim großen Kummer wegen des Todes dieser Kleinkinder erfüllt. Die Schrift wurde erfüllt:

3.1 Mit dem Ort dieses Trauerns. Ihr Lärm war von Bethlehem bis Rama zu hören, denn die Grausamkeit von Herodes weitete sich auf das ganze Gebiet Bethlehems aus, selbst auf das zugeteilte Gebiet von Benjamin, unter den Kindern von Rahel. In der Nähe von Bethlehem war Rahels Grabstätte (s. 1.Mose 35,16.19; 1.Sam 10,2). Diese Mütter waren wie Rahel. Sie lebten in der Nähe von Rahels Grab und viele von ihnen stammten von Rahel ab, und so wurden ihre Klagen äußerst trefflich durch Rahels Weinen repräsentiert.

3.2 In dem Ausmaß dieser Trauer. Es war Klage, Weinen und großes Trauern, aber alles noch zu wenig, um auszudrücken, wie sie von diesem verheerenden Unheil betroffen waren.

In Ägypten gab es ein großes Geschrei, als die Erstgeborenen getötet wurden (s. 2.Mose 12,30), und so war es hier, als die Jüngsten getötet wurden, denn wir empfinden von Natur aus eine besondere Herzlichkeit für unser jüngstes Kind. Dieser Kummer war so groß, dass sie „sich nicht trösten lassen" wollten. Wir loben Gott, dass es in dieser Welt keinen Anlass zu Gram gibt – nicht einmal jener, den die Sünde mit sich bringt –, der es rechtfertigen würde, dass wir es ablehnen, getröstet zu werden. Sie wollten sich nicht trösten lassen, „weil sie nicht mehr sind", das heißt, nicht mehr im Land der Lebenden waren, nicht mehr so waren, wie sie es waren, in den Armen ihrer Mütter. Wenn es wahr gewesen wäre, dass sie „nicht mehr sind", würde es eine Entschuldigung dafür geben, zu trauern, als hätte man keine Hoffnung (s. 1.Thess 4,13), aber wir wissen, dass sie nicht verloren, sondern vorausgegangen sind. Wenn wir vergessen, dass „sie sind", verlieren wir den besten Grund zu unserer Ermutigung. Wenn wir weiter in diese Prophetie schauen, werden wir sehen, dass das bitterliche Weinen in Rama die größte Freude einleitete, denn es folgt: „Denn es gibt noch einen Lohn für deine Mühe" (Jer 31,16). Je schlimmer die Dinge sind, desto rascher werden sie besser werden.

Vers 19-23
Hier haben wir Christi Rückkehr aus Ägypten in das Land Israel. Ägypten kann als Ort dienen, um dort vorübergehend zu bleiben oder Zuflucht zu suchen, aber nicht, um dort zu bleiben. Christus war „gesandt zu den verlorenen Schafen des Hauses Israel" (Mt 15,24), und deshalb muss er zu ihnen zurückkehren. Beachten Sie:

1. Was es war, das den Weg zu seiner Rückkehr bereitete – der Tod von Herodes, der nicht lange nach dem Mord an den Kleinkindern geschah. Die göttliche Vergeltung hat ein solch schnelles Werk getan! Von allen Sünden macht das Vergießen unschuldigen Blutes das Maß am schnellsten voll (s. Mt 23,32). Herodes war so jähzornig und unduldsam, dass er sich selbst quälte und alle einschüchterte, die ihn bedienten. Beachten Sie, welche Art von Menschen die Feinde und Verfolger Christi und seiner Nachfolger gewesen sind! Wenige haben sich dem Christentum widersetzt außer denen, die sich zuerst selbst der Menschlichkeit beraubt haben.

2. Die Anordnungen, die vom Himmel bezüglich ihrer Rückkehr gegeben wurden, und Josephs Gehorsam gegenüber diesen Anordnungen **(s. Vers 19-21)**. Gott hatte Joseph nach Ägypten gesandt und er blieb dort, bis der Gleiche, der ihn dorthin gebracht hatte, ihn von dort weg beorderte. Bei all unseren

Wanderschaften ist es gut, unseren Weg klar zu sehen, Gott vor uns gehen zu sehen; ohne Anordnung von ihm sollten wir uns nicht auf die eine oder andere Weise in Bewegung setzen. Kein Ort liegt derart abgelegen, dass Gott ihn nicht in seiner Gnade aufsuchen könnte. Engel kamen zu Joseph in Ägypten, zu Hesekiel in Babylon und zu Johannes auf Patmos.

2.1 Der Engel informierte ihn über den Tod von Herodes und seiner Gefolgsleute: „… die dem Kind nach dem Leben trachteten, sind gestorben!" Sie waren tot, aber das Kind lebte. Manchmal leben verfolgte Heilige lang genug, um die Gräber ihrer Verfolger zu zertreten. So übersteht der König der Kirche den Sturm, und die Kirche hat seitdem vielen Stürmen getrotzt.

2.2 Er sagte ihm, was zu tun war. Er musste aufstehen und in das Land Israel ziehen und er tat dies ohne Zögern. Gottes Kinder folgen seinen Führungen, wo immer er sie hinführt und wo immer er sie gibt.

3. Die weiteren Führungen – welchen Weg er gehen und wo im Land Israel er sich niederlassen soll – empfing er von Gott **(s. Vers 22-23)**. Gott hätte ihm diese Anweisungen mit den früheren geben können, aber Gott offenbart seinen Kindern seine Absicht schrittweise, damit sie ihm weiter folgen und erwarten, weiterhin von ihm zu hören. Joseph erhielt diese Anordnungen wahrscheinlich „im Traum", durch den Dienst eines Engels, wie die vorherigen. Dies war nun die Führung, die dieser heiligen, königlichen Familie gegeben wurde:

3.1 Sie dürfen sich nicht in Judäa niederlassen **(s. Vers 22)**. Joseph könnte denken, dass Jesus, weil er in Bethlehem geboren war, auch in Bethlehem aufgezogen werden muss. Doch er war weise um das kleine Kind besorgt, denn er „hörte, dass Archelaus … regierte", aber nur über Judäa. Beachten Sie, was für eine Reihe von Feinden gegen Christus und seine Kirche kämpft! Wenn einer geht, kommt sofort ein anderer, um die alte Feindschaft aufrechtzuerhalten. Dies ist es also, warum Joseph das kleine Kind nicht nach Judäa bringen darf. Gott will seine Kinder nicht in den Rachen der Gefahr treiben, außer um seiner Herrlichkeit willen und um sie zu prüfen.

3.2 Sie müssen sich in Galiläa niederlassen **(s. Vers 22)**. Dort regierte jetzt Philippus; er war ein milder, ruhiger Mann. Die Vorsehung Gottes ordnet die Dinge im Allgemeinen so, dass es den Seinen nicht an einem ruhigen Zufluchtsort vor dem Sturm und Gewitter fehlen wird. Die Familie wurde nach Nazareth gesandt, einem Ort auf einem Hügel im Zentrum des zugeteilten Gebiets von Sebulon. Dort lebte die Mutter unseres Herrn, als sie „das Heilige" empfing, und wahrscheinlich lebte auch Joseph dort (s. Lk 1,26-27). Dort wurden sie hingesandt; dort waren sie wohlbekannt und unter ihren Verwandten, und so war dies der geeignetste Ort für sie, um darin zu leben. Dort blieben sie und aufgrund des Namens dieser Stadt wurde unser Herr „Jesus von Nazareth" genannt, was für die Juden „ein Ärgernis" war (1.Kor 1,23), denn: „Kann aus Nazareth etwas Gutes kommen?" (Joh 1,46). Damit, wird gesagt, ist erfüllt, „was durch die Propheten gesagt ist, dass er ein Nazarener genannt werden wird" **(Vers 23)**, was man betrachten kann:

Als einen Namen der Ehre und Stellung, obwohl es in erster Linie nicht mehr bedeutet als ein Mann aus Nazareth. Darin liegt eine Andeutung oder ein Geheimnis, das Christus beschreibt als:

Den Mann, den „Zweig", von dem in Jesaja 11,1 gesprochen wird. Das Wort dort ist *Nezer*, was „ein Zweig" bedeutet, doch es klingt wie Nazareth.

Den herausragenden Nasiräer. Nicht, dass Christus, streng gesehen, ein Nasiräer war, denn er aß und trank Wein und rührte tote Leiber an, doch er war es in hohem Maße, sowohl weil er ausgesprochen heilig war, als auch, weil er durch feierliche Weihe und Widmung zur Ehre Gottes in dem Werk unserer Erlösung beiseitegestellt war, wie Simson es war, um Israel zu retten. Oder:

Als Name der Schande und Verachtung. Ein Nazarener genannt zu werden, hieß, ein verachtenswerter Mann genannt zu werden, von dem man nichts Gutes erwarten konnte und dem kein Respekt gezeigt wurde. Es blieb als Spottname für ihn und seine Nachfolger. Uns möge kein Name der Schande um der Religion willen zu hart erscheinen, da unser Meister selbst ein Nazarener genannt wurde.

KAPITEL 3

Das Evangelium beginnt mit diesem Kapitel über die Taufe von Johannes. Was vorher war, ist nur eine Einleitung; dies ist der „Anfang des Evangeliums von Jesus Christus" (Mk 1,1). Hier sind: 1. Der herrliche Aufgang des Morgensterns (s. Offb 22,16) mit dem Erscheinen von Johannes dem Täufer (s. Vers 1). 2. Das noch herrlichere Leuchten der Sonne der Gerechtigkeit (s. Mal 3,20) unmittelbar danach.

Vers 1-6

Hier haben wir einen Bericht über die Predigt und Taufe von Johannes:

1. Die Zeit, als er erschien. „In jenen Tagen" **(Vers 1)**, oder: „Nach diesen Tagen", lange nach dem, was im vorherigen Kapitel berichtet wurde, in der vom Vater festgelegten Zeit für den Beginn des Evangeliums, als „die Zeit erfüllt war" (Gal 4,4). Herrliche Dinge werden bei und vor ihrer Geburt sowohl über Johannes als auch über Jesus gesagt (s. Ps 87,3), was zu der Erwartung hätte führen können, dass es bei ihnen in ihrer Jugend einige außerordentliche Erscheinungen der Macht und Gegenwart Gottes geben würde, doch die Dinge erwiesen sich als ganz anders. Abgesehen von Christi Gespräch mit den Lehrern im Alter von zwölf Jahren zeigt sich bei beiden von ihnen nichts Ungewöhnliches, bis sie etwa dreißig Jahre alt waren.

1.1 Dies sollte zwei Dinge zeigen. Erstens, selbst wenn Gott als der Gott Israels, als Erretter, handelt, ist er immer noch „ein Gott, der sich verborgen hält" (Jes 45,15). Zweitens, unser Glaube muss Christus hauptsächlich *in seinem Amt* und seinen Unternehmungen sehen, denn dort sehen wir die Entfaltung seiner Macht, doch *in seiner Person* ist das Verbergen seiner Macht.

1.2 Matthäus sagt nichts über die Empfängnis und Geburt von Johannes dem Täufer – die ausführlich bei Lukas berichtet wird –, sondern sieht ihn in erwachsenem Alter, als wäre er aus den Wolken gefallen, um in der Wüste zu predigen. Maleachi zufolge gab es bis Johannes dem Täufer keinen Propheten noch jemanden, der beanspruchte, zu prophezeien.

2. Der Ort, an dem er zuerst erschien: „In der Wüste von Judäa." Es war keine unbewohnte Wüste, aber ein Teil des Landes, der nicht so dicht besiedelt war, wie es andere waren. Es war eine Wüste, die in sich sechs Städte und ihre Bezirke hatte. Johannes predigte in diesen Städten und Bezirken, denn in dieser Gegend hatte er gelebt und bis zu diesem Zeitpunkt gelebt. Das Wort des Herrn kam zu Johannes in einer Wüste. Kein Ort ist so weit entfernt, dass er uns von der Hilfe durch die göttliche Gnade entfernen kann. In dieser Wüste von Juda war es, wo David Psalm 63 schrieb, ein Psalm, der viel von der süßen Gemeinschaft spricht, die er dort mit Gott hatte (s. Hos 2,16). Johannes der Täufer war ein Priester der Ordnung Aarons, doch wir sehen ihn in einer Wüste predigen und nie im Tempel amtieren. Christus aber, der kein Sohn Aarons war, wurde oft im Tempel gesehen und saß dort als jemand mit Vollmacht (s. Mt 7,29), wie es vorhergesagt war: „Plötzlich wird zu seinem Tempel kommen der Herr, den ihr sucht" (s. Mal 3,1) – nicht der *Bote*, der ihm den Weg bereitet. Dass das Evangelium in einer Wüste beginnt, spricht den Wüsten der heidnischen Welt Trost zu. „Die Wüste und Einöde wird sich freuen" (Jes 35,1-2).

3. Sein Verkündigen. Er machte es zu seiner Arbeit. Das Reich Christi muss „durch die Torheit der Verkündigung" errichtet werden (1.Kor 1,21).

3.1 Die Lehre, die er predigte, war die von der Buße: „Tut Buße" **(Vers 2)**. Er predigte sie nicht in Jerusalem, sondern in der Wüste von Judäa, unter den gewöhnlichen Landleuten, denn selbst die, die meinen, am weitesten vom Weg der Versuchung und am weitesten von den Eitelkeiten und Lastern der Stadt entfernt zu sein, können nicht ihre Hände in Unschuld waschen (s. Ps 26,6), sondern müssen dies in der Buße tun. Das Werk von Johannes dem Täufer war es, die Menschen aufzurufen, über ihre Sünden Buße zu tun. „Ändert euren Sinn, ihr habt falsch gedacht; denkt von Neuem und denkt richtig." Eine Sinnesänderung erzeugt eine Veränderung der Wege. Diejenigen, denen das wirklich leid tut, was sie falsch getan haben, werden darauf bedacht sein, das nicht länger zu tun. Diese Buße ist eine notwendige Pflicht, ein Teil des Gehorsams Gottes Gebot gegenüber (s. Apg 17,30) und sie ist eine notwendige Vorbereitung und Voraussetzung für die Ermutigung durch das Evangelium Christi. Die Wunde muss untersucht werden, ehe sie geheilt werden kann. „... ich zerschlage und ich heile" (5.Mose 32,39).

3.2 Das Argument, das er benutzte, um diesen Ruf zu unterstützen, war: „... denn das Reich der Himmel ist nahe herbeigekommen!" **(Vers 2)**. Das, über was Christus der Souverän ist, ist ein Reich. Es ist ein Reich, „der Himmel", nicht von dieser Welt (s. Joh 18,36). Johannes predigte, dass es „nahe herbeigekommen" war, es stand vor der Tür; jetzt ist es zu uns gekommen.

Dies ist für uns ein großer Anreiz, Buße zu tun. Um das Herz zu brechen, gibt es nichts Vergleichbares als die Betrachtung der göttlichen Gnade. Freundlichkeit ist siegreich; missbrauchte Freundlichkeit demütigend und erweichend. Wie erbärmlich war ich, dass ich gegen solche Gnade, gegen das Gesetz und die Liebe eines solchen Reiches sündigte!

Dies ist für uns eine große Ermutigung, Buße zu tun. Die Verkündigung der Vergebung findet den Übeltäter, der vorher geflohen und davongelaufen war, und zieht ihn dann in das Reich der Himmel. So werden wir alle dorthin gezogen, durch menschliche Bande und Seile der Liebe (s. Hos 11,4).

4. Die *Prophetie*, die in ihm erfüllt war **(Vers 3)**. Dies war der Eine, von dem zu Beginn jenes Teils der Prophetien Jesajas gesprochen wurde, bei dem es um das Evangelium geht und der auf die Zeit des Evangeliums und die Gnade des Evangeliums weist (s. Jes 40,3-4). Von Johannes wird hier gesprochen:

4.1 Als „die Stimme eines Rufenden ... in der Wüste". Johannes bekannte es selbst: „Ich bin die Stimme, und das ist alles" (vgl. Joh 1,23). Gott war der Sprecher, der durch Johannes seinen Willen bekannt machte, wie es ein Mensch durch seine Stimme tut. Johannes wird „die Stimme eines Rufenden" genannt, eine Stimme, die aufschreckend und erweckend ist. Christus wird „das Wort" genannt, was, klar und verständlich, mehr unterweisend ist. Johannes weckte als die Stimme Menschen und Christus als das Wort lehrte sie.

4.2 Als von jemand, dessen Werk es war, dem Herrn den Weg zu bereiten und seine Pfade eben zu machen **(s. Vers 3)**. So bereitete Johannes dem Herrn den Weg.

Er selbst tat dies unter den Menschen dieser Generation. In der jüdischen Gemeinde und dem jüdischen Volk war in dieser Zeit alles in Unordnung. Die Menschen waren allgemein äußerst stolz auf ihre Vorrechte und sich ihrer Sünde nicht bewusst, und obwohl sie gerade unter den am meisten demütigenden Fügungen der Vorsehung litten und kürzlich eine Provinz des Römischen Reiches geworden waren, waren sie immer noch nicht gedemütigt. Johannes wurde nun gesandt, um diese Berge zu erniedrigen (s. Jes 40,4), ihre hohe Meinung von sich selbst zu demütigen.

Seine Lehre der Buße und Selbstverleugnung ist immer noch so notwendig, wie sie es zu jener Zeit war. Es ist sehr viel zu tun, um Christus in einer Seele den Weg zu bereiten, und nichts ist nötiger, um dies zustande zu bringen, als die Offenbarung der Sünde und die Überführung der Unzulänglichkeit unserer eigenen Gerechtigkeit. Das, was hindert, wird hindern, bis es aus dem Weg geräumt ist (s. 2.Thess 2,7). Der Weg Satans und der Sünde ist ein krummer Weg (s. Ps 125,5; Spr 2,15). Um Christus den Weg zu bereiten, muss die Bahn *gerade* gemacht werden (s. Hebr 12,13).

5. Die Gewänder, die er trug, sein Auftreten und sein Lebensstil **(Vers 4)**. Er würde „groß sein vor dem Herrn" (Lk 1,15), aber gering in den Augen der Welt, genauso wie Christus selbst „keine Gestalt und keine Pracht" hatte (s. Jes 53,2).

5.1 Seine Kleidung war einfach. Eben dieser Johannes „hatte ein Gewand aus Kamelhaaren und einen ledernen Gürtel um seine Lenden" (einen Ledergürtel um seine Taille), denn er lebte auf dem Land und passte seine Kleidung seiner Umgebung an. Es ist gut für uns, uns dem Ort und den Umständen anzugleichen, in die uns Gott in seiner Vorsehung gestellt hat. Johannes trat in diesen Kleidern auf:

- Um zu zeigen, dass er wie Jakob ein einfacher Mann war und die Welt und ihre prahlerischen Freuden verneinte.
- Um zu zeigen, dass er ein Prophet war, denn Propheten trugen raue Gewänder (aber auch diejenigen, die sich selbst betrügen; s. Sach 13,4).
- Um zu zeigen, dass er entschlossen war. Sein Gürtel war nicht prächtig, wie diejenigen, die zu der Zeit für gewöhnlich getragen wurden, aber er war fest.

5.2 Seine Nahrung war einfach; sein Essen waren „Heuschrecken und wilder Honig". Die Heuschrecken waren eine Art von fliegendem Insekt, das sehr gut zum Essen und als rein erlaubt war (s. 3.Mose 11,22). „Wilder Honig" war etwas, von dem Kanaan überfloss (s. 1.Sam 14,26). Dies weist darauf hin, dass er kärglich aß, dass ein wenig genug für ihn war. Es würde einen Mann viel Zeit kosten, seinen Magen mit Heuschrecken und wildem Honig zu füllen. Er war so vollständig von geistlichen Dingen in Anspruch genommen, dass er selten Zeit für eine hergerichtete Mahlzeit fand. Diejenigen, deren Aufgabe es ist, andere zur Trauer über die Sünde zu rufen und dazu, sie in den Tod zu geben, sollten selbst ein ernstes Leben führen, ein Leben der Selbstverleugnung. Jeder Tag war bei ihm ein Tag des Fastens. Die Überzeugung der Wertlosigkeit der Welt und von allem, was in ihr ist, ist die beste Vorbereitung, das Reich der Himmel im Herzen zu empfangen. „Glückselig sind die geistlich Armen" (s. Mt 5,3).

6. Die Menschen, die ihn begleiteten und zu ihm strömten: „Da zog zu ihm hinaus Jerusalem und ganz Judäa" **(Vers 5)**. Sehr viele Leute sowohl aus der Stadt als auch aus allen Teilen des Landes kamen zu ihm. Nun:

6.1 Dies war eine große *Ehre* für Johannes. Diejenigen, die sich am wenigsten um eine Spur von echter Ehre bemühen, sind häufig diejenigen, die sie am meisten bekommen. Die Menschen haben eine verborgene Wertschätzung und Ehrfurcht vor ihnen, mehr, als man sich vorstellen würde.

6.2 Dies gab Johannes eine große Gelegenheit, Gutes zu tun, und war ein großer Beleg dafür, dass Gott mit ihm war.

6.3 Dies war ein Beleg dafür, dass es damals eine Zeit großer Erwartung war. Es wurde allgemein geglaubt, dass das Reich Gottes unmittelbar erscheinen würde. Die Leute waren bereit, über Johannes zu sagen, dass er der Christus ist (s. Lk 3,15).

6.4 Diejenigen, die sich an der Wohltat des Dienstes von Johannes erfreuen wollten, mussten zu ihm hinaus in die Wüste gehen und seine Schmach teilen. Diejenigen, welche die Lehre der Buße lernen wollen, müssen aus dem Trubel dieser Welt hinausgehen und in die Stille gehen.

6.5 Als Ergebnis zeigte sich, dass von den vielen, die zu der Taufe von Johannes kamen, ihr nur einige wenige treu blieben. Es kann viele eifrige Hörer geben, wo es nur wenige echte Gläubige gibt.

7. Das Ritual, oder die Zeremonie, durch die er Jünger aufnahm **(s. Vers 6)**. Diejenigen, die seine Lehre annehmen und sich seiner Züchtigung unterwerfen, „wurden von ihm im Jordan getauft". Sie bezeugten ihre Buße, indem sie „ihre Sünden bekannten". Die Juden waren gelehrt worden, sich selbst zu rechtfertigen, doch Johannes lehrte sie, sich selbst anzuklagen. Ein reumütiges Sündenbekenntnis ist notwendig, um Frieden und Vergebung zu erhalten, und nur diejenigen, die durch Kummer und Scham dazu gebracht werden, ihre Schuld zuzugeben, sind bereit, Jesus Christus als ihre Gerechtigkeit anzunehmen (s. 1.Joh 1,9; Jer 23,6; 33,16; 1.Kor 1,30). Die Taufe war da ein Siegel für die Wohltaten des Himmelreichs, die jetzt nahe waren. Er wusch sie mit Wasser als ein Zeichen dafür, dass Gott sie von all ihren Sünden reinigen würde (s. 1.Joh 1,9). Es war die „Taufe der Buße" (Apg 19,4). Ganz Israel wurde „auf Mose getauft" (1.Kor 10,2). Das Zeremonialgesetz bestand aus verschiedenen Waschungen oder Taufen (s. Hebr 9,10), doch die Taufe von Johannes verwies auf das Gesetz, das ein Heilmittel für die Sünde geben wollte – das Gesetz der Buße und des Glaubens. Durch die Taufe verpflichtete er sie zu einem heiligen Leben nach dem Bekenntnis, das sie für sich ablegten. Das Sündenbekenntnis muss immer von heiligen Entschlüssen begleitet werden.

Vers 7-12

Die Lehre, die Johannes predigte, war die der Buße. Hier haben wir die Anwendung dieser Lehre. Die Anwendung ist das Leben der Predigt, und so war es bei der Predigt von Johannes. Beachten Sie, auf wen er sie anwendete: auf die Pharisäer und Sadduzäer, die zu seiner Taufe kamen **(s. Vers 7)**. Die Pharisäer waren Eiferer für die Zeremonien und Traditionen der Ältesten; die Sadduzäer gingen in das andere Extrem und waren kaum besser als Deisten und leugneten die Existenz von Geistern und eines zukünftigen Standes. Viele kamen zu öffentlichen Gottesdiensten, kamen aber nicht unter ihre Kraft. Die Anwendung war einfach und direkt und sprach ihr Gewissen an. Er sprach als jemand, der nicht kam, *vor* ihnen zu predigen, sondern um *zu* ihnen zu predigen. Er war nicht schüchtern, als er öffentlich auftrat, und er fürchtete sich auch vor niemandem. Hier haben wir:

1. Ein Wort der Überführung und Erweckung. Er begann mit harten Worten. Er nannte sie nicht Rabbi und gab ihnen auch nicht die Titel – und viel weniger die Anerkennung –, welche sie gewohnt waren.
1.1 Der Titel, den er ihnen gab, war: „Schlangenbrut!" Christus gab ihnen den gleichen Titel (s. Mt 12,34; 23,33). Sie waren die Brut von Schlangen, der Same und die Abkömmlinge derer, die den gleichen Geist hatten; er wurde in ihren Gebeinen geboren und gezüchtet. Sie waren eine „giftige Bande"; wie man es lesen kann; sie waren alle gleich; obwohl sie einander feind waren, waren sie darin vereint, Unruhe zu verursachen. Es geziemt sich für geistliche Diener Christi, unerschrocken darin zu sein, Sündern ihren wahren Charakter zu zeigen.
1.2 Die Warnung, die er ihnen gab, war: „Wer hat euch eingeredet, ihr könntet dem zukünftigen Zorn entfliehen?" Dies zeigt, dass sie in der Gefahr des zukünftigen Zornes standen, dass es nahe an einem Wunder wäre, irgendetwas Hoffnungsvolles unter ihnen zu bewirken. „Was bringt euch hierher? Wer hätte je gedacht, dass wir euch hier sehen würden? Welcher Schock hat euch getroffen, dass ihr nach dem Himmelreich sucht?" Dies zeigt uns:
Es gibt einen „zukünftigen Zorn".
Es ist die große Sorge für jeden von uns, diesem Zorn zu entfliehen.
Es ist eine wunderbare Gnade, dass wir ehrlich gewarnt werden, diesem Zorn zu entfliehen: Wer hat uns gewarnt? Gott hat uns gewarnt; er hat keinen Gefallen an unserem Untergang.
Diese Warnungen schockieren manchmal die, welche sehr verhärtet in ihrem Selbstvertrauen und der guten Meinung zu sein schienen, die sie von sich selbst hatten.

2. Ein Wort der Ermahnung und Weisung: „So bringt nun Früchte [bringt Früchte, die im Einklang stehen mit], der Buße würdig sind!" **(Vers 8)**. „Weil ihr Buße bekennt und der Lehre und der Taufe zur Buße folgt, zeigt, dass ihr wirklich reumütig seid." Buße sitzt im Herzen; sie ist als Wurzel dort. Doch wenn wir nicht ihre Früchte hervorbringen, ist es für uns zwecklos vorzugeben, sie zu haben. Diejenigen, die sagen, dass ihnen ihre Sünden leidtun, die aber in ihnen verharren, sind der Bezeichnung Bußfertige und ihrer Vorrechte nicht würdig. Diejenigen, die Buße bekennen, wie es alle tun, die getauft sind, müssen alle sein und handeln, wie es sich für Reumütige geziemt.

3. Ein Wort der Warnung, nicht auf ihre äußeren Vorrechte zu vertrauen: „Und denkt nicht, bei euch selbst sagen zu können: ‚Wir haben Abraham zum Vater'" **(Vers 9)**. Weltliche Herzen neigen dazu, sehr viel bei sich selbst zu sagen, um die überführende und gebietende Kraft des Wortes Gottes außer Acht zu lassen. „Stellt euch nicht damit zufrieden, dies zu sagen", wie manche es lesen. „Lullt euch damit nicht in den Schlaf, schmeichelt euch nicht in ein solches falsches Gefühl der Sicherheit." Gott achtet auf das, was wir bei uns selbst sagen. Viele verbergen in ihrer Rechten den Betrug, der sie zugrunde richtet (s. Jes 44,20), und sie bergen ihn unter ihrer Zunge (s. Hiob 20,12), weil sie sich schämen,

ihn zuzugeben. Johannes zeigte ihnen nun:
3.1 Was ihr Anspruch war: „‚Wir haben Abraham zum Vater'; wir sind nicht Sünder aus den Heiden; was hat das mit uns zu tun?" Das Wort tut uns nichts Gutes, wenn wir es nicht als zu uns gesprochen und zu uns gehörend nehmen. „Meint nicht, dass, weil ihr Nachkommen von Abraham seid …":
‚Ihr keine Buße tun müsst, dass es für euch nicht nötig ist, euren Sinn oder Weg zu ändern."
„Dass es euch gut genug ergehen wird, selbst wenn ihr keine Buße tut." Es ist nutzlos und anmaßend, zu denken, dass wir durch gute Verwandte gerettet werden, selbst wenn wir selbst nicht gut sind. Was wird all das uns Gutes tun, wenn wir nicht Buße tun und ein Leben der Buße führen? Viele Menschen erreichen nicht den Himmel, weil sie sich auf die Ehre und Vorzüge ihrer sichtbaren Kirchenmitgliedschaft stützen.
3.2 Wie töricht und unbegründet war diese Behauptung. Sie meinten, dass, weil sie Nachkommen Abrahams wären, sie die einzigen Menschen wären, die Gott in der Welt hat. Johannes zeigte ihnen, wie töricht ein solches Denken ist: „Denn ich sage euch:‚ Was immer ihr auch zu euch sagt: ‚Gott vermag dem Abraham aus diesen Steinen Kinder zu erwecken!'" Johannes taufte nun im Jordan bei Bethabara [o. Bethanien] (s. Joh 1,28), dem „Haus des Übergangs", wo, wie manche meinen, die Kinder Israel hinübergingen und wo Josua zwölf Steine als Denkmal errichtete, einen für jeden Stamm (s. Jos 4,20). Es ist nicht unwahrscheinlich, dass er auf diese Steine zeigte, die Gott erheben konnte, dass sie – mehr als nur im Bild – die zwölf Stämme Israels sind. Was immer auch aus der gegenwärtigen Generation wird, Gott wird es nie an einer Kirche in der Welt fehlen.

4. Ein Wort des Schreckens für die sorglosen und selbstbewussten Pharisäer und Sadduzäer und andere Juden, welche „die Zeichen der Zeit" (Mt 16,3) oder den Tag ihrer Heimsuchung durch Gott nicht verstanden (**Vers 10**; Lk 19,44). „Schaut euch um, jetzt, wo das Reich Gottes nahe ist, und werdet gewahr:
4.1 „Wie streng und kurz eure Zeit der Prüfung ist: ‚Es ist aber auch schon die Axt an die Wurzel der Bäume gelegt.' Ihr seid jetzt für den Untergang bestimmt und könnt es nicht vermeiden außer durch eine schnelle und aufrichtige Buße." „Und siehe, ich komme bald" (Offb 22,12). Nun waren sie ihrer letzten Zeit der Prüfung unterzogen. Es galt jetzt oder nie.
4.2 „Wie hart und schlimm euer Schicksal sein wird, wenn ihr nicht diese Gelegenheit ergreift, Buße zu tun." Es wurde damals verkündigt, dass die Axt an die Wurzel gelegt wurde, dass „jeder Baum" – egal, wie hoch er in Gaben und Ehren ist, wie grün in äußerlichen Bekenntnissen und Taten – abgehauen wird, wenn er nicht Früchte bringt, die mit der Buße im Einklang stehen, als Baum aus dem Weinberg Gottes verstoßen, unwürdig, dort zu wachsen, und „ins Feuer" des Zornes Gottes „geworfen", den passendsten Ort für unfruchtbare Bäume. Wozu waren sie sonst gut? Wenn sie nicht zur Frucht taugten, taugten sie als Brennstoff.

5. Ein Wort der Unterweisung Jesus Christus betreffend. Die geistlichen Diener Christi predigen nicht sich selbst, sondern ihn. Hier haben wir:
5.1 Die Würde und Vorrangstellung Christi gegenüber Johannes. Beachten Sie, mit was für niedrigen Ausdrücken Johannes über sich selbst spricht, um Christus zu erhöhen: „Ich taufe euch mit Wasser" **(Vers 11)**; das ist das Beste, was ich tun kann. „Der aber nach mir kommt, ist stärker als ich." Johannes war wahrhaftig groß – groß in den Augen des Herrn, kein Größerer wurde von einer Frau geboren (s. Mt 11,11) –, doch er meinte immer noch, er sei unwürdig, an der geringsten Stelle zu sein, um Christus zu dienen, „sodass ich nicht würdig bin, ihm die Schuhe zu tragen". Er sah:
Wie mächtig Christus im Vergleich zu ihm war. Für treue geistliche Diener ist es eine große Ermutigung, daran zu denken, dass Jesus Christus mächtiger ist, als sie es sind. Ihre Kraft wird in der Schwachheit vollkommen gemacht (s. 2.Kor 12,9).
Wie gering er im Vergleich zu Christus war, unwürdig, ihm die Schuhe nachzutragen! Diejenigen, die Gott ehrt, werden in ihren Augen sehr demütig und niedrig. Sie sind bereit, erniedrigt zu werden, sofern Christus alles sein mag.
5.2 Den Zweck und die Absicht des Auftretens Christi, von welchem sie nun erwarteten, dass er rasch kommt. Er würde „sitzen", um zu „reinigen" (Mal 3,3), und der Tag, an dem er kommt, würde brennen „wie ein Ofen" (Mal 3,19). Christus würde kommen, um eine Unterscheidung zu machen:
Durch das mächtige Wirken seiner Gnade. „Der wird euch", das heißt, einige von ihnen, „mit Heiligem Geist und Feuer taufen." Daraus können wir lernen:
Es ist das Privileg Christi, „mit Heiligem Geist" zu taufen. Er tat dies mit den außerordentlichen Gaben des Geistes, die den Aposteln gegeben waren. Er tut dies in den Wirkungen der Gnade, der Stärke und den Ermutigungen des Geistes, die denjenigen gegeben werden, die ihn bitten.
Diejenigen, die mit Heiligem Geist getauft sind, sind wie mit Feuer getauft. Erleuchtet Feuer? Dann ist der Geist ein Geist der Erleuchtung. Gibt Feuer Hitze? Brennen dann nicht ihre Herzen in ihnen (s. Lk 24,32)? Verzehrt Feuer? Verzehrt dann nicht der Geist des Gerichts als

ein „Geist der Vertilgung" (Jes 4,4) die Schlacke ihrer Verderbtheit? Macht Feuer alles, was es erfasst, wie sich selbst? Bewegt es sich aufwärts? So macht der Geist die Seele heilig wie sich selbst, und ihre Neigung richtet sich auf den Himmel.

In den endgültigen Urteilen seines Gerichts: „Er hat die Wurfschaufel in seiner Hand" **(Vers 12)**. Er sitzt jetzt, um zu reinigen. Beachten Sie hier:

Die sichtbare Kirche bzw. Gemeinde ist die Tenne Christi: Der Tempel, ein Typus für die Gemeinde, wurde auf einem Dreschboden erbaut (s. 1.Chr 21,28-22,1; 2.Chr 3,1).

Auf dieser Tenne gibt es eine Mischung aus Weizen und Spreu. Echte Gläubige sind wie Weizen und Heuchler sind wie Spreu. Diese sind nun unter dem gleichen äußerlichen Bekenntnis gemischt, gut und schlecht.

Ein Tag kommt, an dem die Tenne gereinigt wird und Weizen und Spreu getrennt werden. Dies ist aber der Tag des letzten Gerichts, der das große Sichten sein wird, der Tag der Unterscheidung, wenn die Heiligen und Sünder für immer getrennt werden.

Der Himmel ist die Scheune, in die Jesus Christus bald seinen ganzen Weizen sammeln wird und kein Korn davon wird verloren gehen: Es wird darunter keine Spreu sein. Sie werden nicht nur „in die Scheune" gesammelt werden (s. Mt 13,30), sondern in den Speicher, wo sie vollständig gereinigt sein werden.

Die Hölle ist das unauslöschliche Feuer, welches die Spreu verbrennen wird. So wie wir jetzt auf seinem Feld sind, werden wir dann auf seiner Tenne sein.

Vers 13-17

Schauen Sie, die „Sonne der Gerechtigkeit" geht in Herrlichkeit auf (s. Mal 3,20). Die Zeit war erfüllt (s. Gal 4,4; Eph 1,10), die Zeit, in der Christus sein prophetisches Werk beginnen würde; und er entschloss sich, dies nicht in Jerusalem zu tun, sondern dort, wo Johannes taufte, denn diejenigen, die „auf den Trost Israels" warteten (s. Lk 2,25), wandten sich zu Johannes, und allein bei ihnen würde Jesus willkommen sein. Das Kommen Christi von Galiläa an den Jordan, um getauft zu werden, lehrt uns, nicht vor Arbeit und Mühe zurückzuweichen, damit wir die Gelegenheit haben mögen, uns in den Ordnungen der Anbetung Gott zu nahen. Wir sollten bereit sein, lieber weit zu gehen, als hinsichtlich der Gemeinschaft mit Gott zu kurz zu kommen. Diejenigen, die finden wollen, müssen zuerst suchen. In diesem Bericht über Christi Taufe können wir beachten:

1. Mit welchen Schwierigkeiten Johannes überzeugt wurde, die Taufe Jesu zu gestatten **(s. Vers 14-15)**. Es war ein großes Beispiel der Demut Christi, dass er sich bereit erklärte, von Johannes getauft zu werden. Sobald Christus zu predigen begann, predigte er Demut. Christus war auf dem Weg zu den höchsten Ehren, doch in seinen ersten Schritten auf diesem Weg demütigte er sich. Diejenigen, die hoch hinaus wollen, müssen niedrig beginnen. Demut kommt vor Ehre. Gott wird die ehren, die ihn ehren (s. 1.Sam 2,30). Hier haben wir:

1.1 Den Einwand, den Johannes erhebt, Jesus zu taufen **(Vers 14)**. Johannes wehrte ihm, wie Petrus es tat, als Christus ihm die Füße waschen wollte (s. Joh 13,6.8). Christi gnädiges Herablassen ist so überraschend, so tief und geheimnisvoll, dass sogar diejenigen, die seinen Sinn gut kennen, nicht die Tiefe ihrer Bedeutung ausloten können. Johannes dachte in seiner Bescheidenheit, dass diese Ehre zu groß war, als dass er sie annehmen könnte. Johannes hatte nun einen großen Namen erlangt und war allgemein geachtet, doch beachten Sie, wie demütig er immer noch war! Gott hat für diejenigen weitere Ehrungen in Reserve, deren Geist weiterhin niedrig ist, wenn ihr Ruf immer besser wird.

Johannes hielt es für nötig, dass er von Christus getauft wird: „Ich habe es nötig, von dir getauft zu werden", mit der Taufe des Heiligen Geistes, einer Taufe, die wie Feuer ist **(Vers 11)**.

Obwohl Johannes „schon von Mutterleib an" mit Heiligem Geist erfüllt war (s. Lk 1,15), gab er immer noch zu, dass er mit dieser Taufe getauft werden musste. Diejenigen, die den Geist Gottes haben, erkennen, dass sie mehr brauchen.

Johannes musste getauft werden, obwohl er der Größte war, der je von einer Frau geboren wurde (s. Mt 11,11). Die reinsten Seelen sind sich am meisten ihrer eigenen verbleibenden Unreinheit bewusst und suchen inbrünstig die geistliche Waschung.

Er musste von Christus getauft werden. Die besten und heiligsten Menschen *haben* Christus *nötig,* und je besser sie sind, desto mehr erkennen sie ihren Mangel.

Dies wurde vor den Menschenmengen gesagt, die große Achtung vor Johannes hatten und bereit waren, ihn als Messias anzunehmen. Er gab jedoch zu, dass er von Christus getauft werden musste. Es ist nicht unter der Würde der größten Menschen, zu bekennen, dass sie ohne Christus und seine Gnade dem Untergang geweiht sind.

Johannes war der Vorbote Christi, doch er gab zu, dass er es nötig hatte, von Christus getauft zu werden. Selbst diejenigen, die zeitlich vor Christus waren, hingen von ihm ab.

Beachten Sie, wie bewusst Johannes über seine eigene Seele spricht, obwohl er sich mit anderen in Bezug auf ihre Seelen befasst. „Ich habe es nötig, von dir getauft zu werden." „Habe Acht auf dich selbst und auf die Lehre.' Rette dich selbst" (1.Tim 4,16).

Deshalb hielt er es für absurd für Christus, von ihm getauft zu werden: „... und du kommst zu mir?" Über Christi Kommen zu uns kann man sich wirklich wundern.

1.2 Die Zurückweisung dieses Einwands. „Jesus aber antwortete und sprach zu ihm: Lass es jetzt so geschehen" **(Vers 15)**. Christus billigte die Demut von Johannes, aber nicht dessen Weigerung. Sehen Sie:

Wie Christus darauf besteht. Es muss „jetzt so geschehen". Alles ist vortrefflich zu seiner Zeit (s. Pred 3,11). Doch warum jetzt? Warum zu dieser Zeit?

Christus war jetzt in einem Zustand der Erniedrigung. Er wurde nicht nur „in seiner äußeren Erscheinung als ein Mensch erfunden" (Phil 2,8), sondern auch „in der gleichen Gestalt wie das Fleisch der Sünde" (Röm 8,3) und wurde so „für uns zur Sünde gemacht", obwohl er „von keiner Sünde wusste" (2.Kor 5,21).

Die Taufe von Johannes stand nun in gutem Ruf; sie war das Mittel, durch das Gott sein Werk tat. Wenn wir sehen, dass Gott etwas anerkennt, müssen wir es auch anerkennen, und wir müssen es weiter anerkennen, solange er es tut.

Es muss „jetzt so geschehen", weil jetzt die Zeit für das öffentliche Auftreten Christi war und das würde eine gute Gelegenheit dazu sein.

Den Grund, den er dafür gab: „... denn so gebührt es uns, alle Gerechtigkeit zu erfüllen!" **(Vers 15)**.

Alles, was Christus für uns tat, hatte seine Richtigkeit. Es war alles geziemend, liebenswert und etwas Lobenswertes (s. Phil 4,8).

Unser Herr Jesus glaubte, dass „alle Gerechtigkeit zu erfüllen" etwas war, das sich für ihn schickte. Es schickt sich also für ihn, Gott zu rechtfertigen und seine Weisheit zu beweisen. So schickt es sich für ihn, alles, was gut ist, durch das Vorbild wie auch durch Unterweisung zu ermutigen und zu unterstützen. Auf diese Weise begann Jesus, zuerst zu *tun* und dann zu *lehren* (s. Apg 1,1), und seine Diener müssen nach der gleichen Methode handeln. Es war richtig für Christus, sich der Waschung des Johannes mit Wasser zu unterziehen, denn es war eine göttliche Festsetzung.

Johannes war völlig zufrieden mit dem Willen Christi und dieser Begründung dafür, und dann „gab er ihm nach" (willigte ein). Die gleiche Bescheidenheit, die ihn ursprünglich die Ehre ablehnen ließ, die Christus ihm anbot, ließ ihn nun den Dienst erfüllen, den Christus von ihm erbeten hatte. Kein Vorwand der Demut darf uns unsere Pflicht ablehnen lassen.

2. Wie feierlich gefiel es dem Himmel, die Taufe Christi mit einer besonderen Entfaltung der Herrlichkeit auszuzeichnen: „Und als Jesus getauft war, stieg er sogleich aus dem Wasser" **(Vers 16-17)**. Andere Leute, die getauft wurden, blieben, um ihre Sünden zu bekennen (s. Vers 6), doch weil Christus keine Sünden zu bekennen hatte, „stieg er" sogleich heraus. Er stieg sogleich heraus, wie jemand, der mit der größten Fröhlichkeit und Entschlossenheit seine Arbeit beginnt; er wollte keine Zeit verlieren. Wie drängte es ihn, „bis sie vollbracht ist!" (s. Lk 12,50).

2.1 „... und siehe, da öffnete sich ihm der Himmel", um, zumindest ihm, etwas von oben und hinter den Sternen des Himmels zu offenbaren. Dies war:

Um ihn zu ermutigen, in seinem Werk mit der Aussicht auf die Herrlichkeit und um „der vor ihm liegenden Freude willen" (Hebr 12,2) weiterzumachen.

Um uns zu ermutigen, ihn anzunehmen und uns ihm zu unterwerfen. Die Sünde verschloss den Himmel und beendete alle freundliche Gemeinschaft zwischen Gott und den Menschen, doch jetzt hat Christus für alle Gläubigen das Himmelreich geöffnet. Göttliches Licht und Liebe werden auf die Menschen herabgeworfen, und all dies geschieht durch Jesus Christus, der die Leiter ist, die ihren Fuß auf der Erde und ihre Spitze im Himmel hat (s. 1.Mose 28,12).

2.2 „... und er sah den Geist Gottes wie eine Taube (oder ‚als Taube') herabsteigen und auf ihn kommen (oder ‚auf ihm leuchten')." Christus sah es (s. Mk 1,10) und Johannes sah es (s. Joh 1,33-34) und alle Zuschauer sahen es wahrscheinlich, denn dies war als seine öffentliche Amtseinsetzung gedacht.

Der Geist Gottes stieg auf ihn herab und „leuchtete auf ihm" (KJV). Zu Beginn der alten Welt „schwebte" der Geist Gottes „über den Wassern" (1.Mose 1,2), schwebte wie ein Vogel über seinem Nest. So würde hier, zu Beginn der neuen Welt, der Geist des Herrn auf ihm ruhen (s. Jes 11,2; 61,1), und dies tat er hier.

Er würde ein Prophet sein, und Propheten sprachen immer durch den Geist Gottes, der auf sie kam.

Er würde das Haupt der Kirche bzw. Gemeinde sein. Christus hat „Gaben empfangen unter den Menschen" (Ps 68,19), damit er den Menschen Gaben geben kann.

Der Geist stieg auf ihn „wie eine Taube" herab. Wenn es eine leibliche Gestalt geben muss (s. Lk 3,22), darf es nicht die eines Menschen sein. Keine Gestalt war also passender als die von einem der Vögel des Himmels – weil der Himmel jetzt geöffnet war – und von allen Vögeln war keiner so vielsagend wie die Taube.

Der Geist Gottes ist ein sanfter Geist. Der Geist stieg nicht in der Gestalt eines Adlers herab, der, wenn auch ein königlicher Vogel, immer noch ein Raubvogel ist, sondern in der Form einer Taube, denn kein Geschöpf ist harmloser und friedlicher. Christen müssen „ohne Falsch wie die Tauben" sein (Mt 10,16). Die Tauben trauern viel (s. Jes 38,14). Christus weinte oft und reumütige Seelen werden mit „Tauben in den Schluchten" (Hes 7,16) verglichen.

Die Taube war der einzige Vogel, der als Opfer dargebracht wurde (s. 3.Mose 1,14), und Christus brachte sich „als ein makelloses Opfer Gott" dar (Hebr 9,14).
Durch eine Taube mit einem Ölbaumblatt in ihrem Schnabel (s. 1.Mose 8,11) kam die Nachricht vom Nachlassen der Flut zu Noah. Es ist richtig, dass die gute Nachricht des Friedens mit Gott von dem Geist als Taube gebracht wird. Dass Gott in Christus die Welt mit sich selbst versöhnt (s. 2.Kor 5,19), ist eine frohe Botschaft, die auf den Flügeln der Taube zu uns kommt (s. Ps 68,14).

2.3 Um diese Zeremonie zu erläutern und abzuschließen, kam „eine Stimme ... vom Himmel". Der Heilige Geist offenbart sich in der Form einer Taube, Gott der Vater aber mit einer Stimme.
Beachten Sie hier, wie Gott sich zu unserem Herrn Jesus Christus bekennt: „Dies ist mein geliebter Sohn", schauen Sie:
Die Beziehung des Vaters zu Christus: „Er ist mein Sohn." Er ist der Sohn Gottes, weil er eigens für das Werk und Amt des Erlösers der Welt ausersehen wurde. Er wurde für diesen Auftrag geheiligt und versiegelt und gesandt, wurde hierfür „bei dem Vater aufgezogen" (Spr 8,30; KJV).
Die Zuneigung des Vaters für ihn: Er „ist mein geliebter Sohn". Besonders als Mittler und indem er das Werk des Heils des Menschen übernimmt, war er sein „geliebter Sohn". Weil Christus dem Bund der Erlösung zustimmte und daran Freude hatte, diesen Willen Gottes zu tun, liebte ihn der Vater (s. Joh 3,35; 10,17). Wir wissen nun, dass Gott uns liebte, weil er seinen Sohn, seinen einzigen, seinen Isaak, den er liebte, nicht verschont hat (s. 1.Mose 22,16), sondern ihn als ein Opfer für unsere Sünden gab.
Beachten Sie, wie bereit er ist, uns in ihm anzuerkennen: „Er ist mein geliebter Sohn, nicht nur an dem, sondern auch in dem ‚ich Wohlgefallen habe.'" Er hat Wohlgefallen an allen, die in Christus sind und durch den Glauben mit ihm verbunden sind. Bis zu diesem Zeitpunkt hatte Gott Missfallen an den Menschen, doch jetzt ist sein Zorn abgewendet und er hat uns „begnadigt ... in dem Geliebten" (Eph 1,6). Abseits von Christus ist Gott „ein verzehrendes Feuer" (Hebr 12,29), doch in Christus ist er ein versöhnter Vater. Dies ist der Kern des Evangeliums. Wir müssen uns freudig durch den Glauben unterwerfen und sagen, dass er unser geliebter Retter ist, in dem wir Wohlgefallen erlangen.

KAPITEL 4

Johannes der Täufer sagte über Christus: „Er muss wachsen, ich aber muss abnehmen" (Joh 3,30). Er hatte getan, wozu er gekommen war. Wenn sich die aufgehende Sonne erhebt, verschwindet der Morgenstern. Was wir in diesem Kapitel über Jesus Christus haben, ist: 1. Die Versuchung, die er erlebte (s. Vers 1-11). 2. Das Lehren, dem er sich widmete, die Orte, wo er predigte (s. Vers 12-16), und das Thema, worüber er predigte (s. Vers 17). 3. Seine Berufung von vier seiner Jünger: Petrus, Andreas, Jakobus und Johannes (s. Vers 18-22). 4. Sein Heilen von Krankheiten (s. Vers 23-24), und wir sehen die große Zahl von Menschen, die sich ihm zuwandte.

Vers 1-11

Hier haben wir den Bericht von einem berühmten Duell, welches Mann gegen Mann ausgetragen wurde, zwischen Michael und dem Drachen (s. Offb 12,7), dem Samen der Frau und dem Samen der Schlange (s. 1.Mose 3,15), in der Tat der Schlange selbst. Und in diesem Duell leidet der Same der Frau, wird „versucht", und so wird ihm in seine Ferse gestochen, doch die Versuchungen der Schlange werden völlig vereitelt und so wird ihr der Kopf zertreten. Beachten Sie:

1. Die Zeit, als es geschah. Es geschah unmittelbar, nachdem sich der Himmel geöffnet und der Geist auf ihn herabgestiegen war (s. Mt 3,16). Das Nächste, was wir von ihm hören, ist, dass er „versucht" wurde, denn dann war er am besten befähigt, mit der Versuchung zu ringen.

1.1 Große Vorrechte und besondere Zeichen der göttlichen Gunst werden uns nicht davor schützen, „versucht" zu werden. Genau gesagt:

1.2 Nachdem uns große Ehren erwiesen wurden, müssen wir etwas Demütigendes erwarten.

1.3 Gott bereitet seine Leute für gewöhnlich auf die Versuchung vor, ehe er sie dazu ruft.

1.4 Die Gewissheit unserer Adoption als Söhne Gottes ist die beste Vorbereitung auf die Versuchung.

1.5 Als er getauft worden war, wurde er „versucht". Wir müssen erwarten, von Satan angegriffen zu werden, nachdem wir in eine tiefere Gemeinschaft mit Gott aufgenommen wurden. Die reich gemachte Seele muss ihre Wachsamkeit verdoppeln. Der Teufel ist besonders boshaft gegenüber nützlichen Leuten, denjenigen, die nicht nur gut sind, sondern die sich auch geben, Gutes zu tun, besonders wenn sie gerade aufgebrochen sind. Junge geistliche Diener mögen wissen, was sie zu erwarten haben, und sich entsprechend wappnen.

2. Den Ort, wo es geschah: in der Wüste. Nach einer engen Gemeinschaft mit Gott ist es gut, eine Weile allein zu sein, damit wir nicht in der Menge und der Hetze weltlicher Geschäfte das verlieren, was wir bekommen haben. Christus zog sich in die Wüste zurück:

2.1 Um für sich selbst Nutzen daraus zu ziehen. Rückzug von der Welt bietet Gelegenheit für Nachsinnen und Gemeinschaft mit Gott: Selbst die, welche zu einem sehr geschäftigen Leben berufen sind, müssen noch ihre Stunden der inneren Einkehr haben und Zeit finden, mit Gott alleine zu sein. Diejenigen, die nicht selbst zuvor alleine über die Dinge Gottes nachgesonnen haben, sind nicht fähig, öffentlich zu anderen über sie zu sprechen.

2.2 Um dem Versucher eine günstige Gelegenheit zu geben. Obwohl die Einsamkeit ein Freund des guten Herzens ist, weiß Satan auch, wie er sie gegen uns nutzen kann. Diejenigen, die sich – nach Heiligkeit und Hingabe verlangend – in ihre eigenen Schlupfwinkel und Wüsten zurückziehen, sehen, dass sie nicht außer Reichweite ihrer geistlichen Feinde sind und dass ihnen der Nutzen der Gemeinschaft mit anderen Heiligen fehlt. Christus zog sich zurück:

Damit Satan es so schlimm wie möglich machen konnte. Um seinen Sieg herrlicher zu machen, gab er dem Feind Sonne und Wind auf seiner Seite, durchkreuzte sein Tun aber immer noch.

Damit er selbst eine Gelegenheit haben würde, sein Bestes zu geben, sodass er durch seine eigene Kraft verherrlicht werden würde. Christus zog ohne irgendwelche Hilfe in die Schlacht.

3. Die beiden Vorbereitungen darauf:

3.1 Er wurde in die Schlacht geführt; er wurde „vom Geist in die Wüste geführt, damit er vom Teufel versucht würde" **(Vers 1)**. Der Geist, der auf ihn herabstieg wie eine Taube, machte ihn demütig, aber auch kühn. Wenn Gott uns durch seine Vorsehung in Umstände der Versuchung führt, um uns zu prüfen, dürfen wir das nicht für sonderbar halten, „seid stark in dem Herrn" (Eph 6,10), „widersteht, fest im Glauben" (1.Petr 5,9) und alles wird gut sein. Wo auch immer Gott uns hinführt, können wir hoffen, dass er uns begleitet und es schaffen wird, dass wir weit überwinden (s. Röm 8,37). Christus wurde geführt, vom Teufel versucht zu werden, und nur durch ihn. Jemand anderes wird versucht, „wenn er von seiner eigenen Begierde gereizt und gelockt wird" (Jak 1,14), aber unser Herr Jesus hatte keine verderbte Natur, und so wurde er – als ein Sieger auf das Feld – geführt, „damit er" alleine „vom Teufel versucht würde". Die Versuchung Christi ist:

Ein Beispiel für seine Herablassung und Erniedrigung. Christus unterwarf sich, weil er sich selbst erniedrigen, „in jeder Hinsicht den Brüdern ähnlich werden" wollte (Hebr 2,17).

Ein Anlass der Verwirrung für Satan. Es gibt keine Bezwingung ohne Kampf. Christus wurde versucht, damit er den Versucher besiegen konnte.

Eine Ermutigung für alle Heiligen. Die Versuchung Christi zeigt uns, dass unser Feind nicht unüberwindlich ist. Obwohl er der bewaffnete Starke ist (s. Lk 11,21), ist der Urheber unseres Heils (s. Hebr 2,10) stärker als er (s. Lk 11,22). Es ist eine Ermutigung für uns, zu denken, dass Christus litt, indem er „versucht" wurde, denn es zeigt uns, dass, wenn man Versuchungen nicht nachgibt, sie keine Sünden sind, sondern nur Anfechtungen. Wir haben einen Hohepriester, der es aus eigener Erfahrung kennt, „versucht" zu werden und der deshalb besser in der Lage ist, mit „unseren Schwachheiten" in den Zeiten der Versuchung Mitleid zu haben (Hebr 2,18; 4,15).

3.2 Er minderte sein Essen für die Schlacht, wie es Sportler tun, die enthaltsam sind in allem (s. 1.Kor 9,25), doch Christus ging über alle anderen hinaus, denn er fastete „40 Tage und 40 Nächte". Christus musste nicht fasten, um sich selbst zu verleugnen – er hatte keine verderbten Begierden, die unterworfen werden mussten –, doch er fastete. Wenn gute Menschen gedemütigt sind, wenn ihnen Freunde und Hilfe fehlen, kann es sie ermutigen, daran zu denken, dass ihr Meister ähnlich geplagt wurde. Einem Menschen kann es an Brot mangeln, trotzdem kann er immer noch ein Günstling des Himmels sein und durch den Geist geleitet werden. Als er vierzig Tage fastete, war er nie hungrig; seine Verbindung mit dem Himmel nahm für ihn die Stelle von Essen und Trinken ein. Doch zuletzt war er hungrig, um zu zeigen, dass er wirklich und wahrhaftig Mensch war. Adam fiel durch Essen und wir sündigen oft auf diese Weise, also wurde Christus hungrig.

4. Die Versuchungen selbst. Es war Satans Ziel in allen Versuchungen, Christus dazu zu bringen, gegen Gott zu sündigen und ihn so für immer untüchtig zu machen, ein Opfer für die Sünden anderer zu sein. Was er bezweckte, war, ihn dazu zu bringen, an der Güte seines Vaters zu zweifeln, die Macht seines Vaters zu missbrauchen und sich der Ehre seines Vaters zu bemächtigen und sie Satan zu geben. Die ersten beiden Versuchungen waren hinterlistig und erforderten große Weisheit, um sie zu erkennen. Die letzte war eine starke Versuchung und erforderte große Entschlossenheit, um zu widerstehen.

4.1 Er versuchte Christus, an der Güte seines Vaters zu zweifeln und der Fürsorge seines Vaters für ihn zu misstrauen.

Schauen Sie, wie die Versuchung aufgebaut war. „Und der Versucher trat zu ihm" **(Vers 3)**. Der Versucher trat sichtbar zu Christus. Wenn der Teufel sich je „als ein Engel des Lichts" verkleidet hat (2.Kor 11,14), dann tat er es hier, indem er vorgab, ein guter Geist zu sein,

ein Schutzengel. Beachten Sie die Gerissenheit des Versuchers, diese erste Versuchung mit dem zu verbinden, was gerade geschehen war, um sie zu verstärken.

Christus begann, hungrig zu sein, und so schien es angemessen, zu empfehlen, dass er die Steine zu Brot macht, um sich selbst mit dem zu stärken, was er brauchte. Mangel und Armut sind eine große Versuchung zu Unzufriedenheit und Unglaube. Sie versuchen uns auch, unrechtmäßige Mittel als Hilfe zu nutzen und geben vor, dass „Not kein Gesetz kennt" – dass Regeln oft zur Zeit einer Notlage oder dringender Bedürfnisse gebrochen werden. Deshalb müssen diejenigen, die in Schwierigkeiten gebracht werden, ihre Wachsamkeit verdoppeln. Es ist besser zu verhungern, als in Sünde zu leben und Erfolg zu haben.

Vor Kurzem war verkündet worden, dass Christus der Sohn Gottes ist und hier versucht ihn der Teufel, dies anzuzweifeln: "Wenn du Gottes Sohn bist" **(Vers 3)**. „Du hast jetzt Grund zu fragen, ob du der Sohn Gottes bist oder nicht, denn kann es sein, dass der Sohn Gottes, der Erbe von allem ist (s. Hebr 1,2), in solch eine Schwierigkeit gebracht werden sollte? Entweder ist Gott nicht dein Vater oder er ist ein sehr herzloser." Satans großes Ziel bei der Versuchung von guten Menschen ist, ihre Beziehung zu Gott als Vater zu beenden. Äußere Anfechtungen, Nöte und Lasten sind die großen Argumente, die Satan benutzt, um die Kinder Gottes ihre Adoption infrage stellen zu lassen. Diejenigen, die mit dem gottesfürchtigen Hiob sprechen können: „Siehe, er soll mich töten – ich will auf ihn warten" (Hiob 13,15) und ihn als einen Freund lieben, wissen, wie sie auf diese Versuchung reagieren müssen. Der Teufel bezweckt, unseren Glauben an das Wort Gottes zu erschüttern. „Hat Gott gesagt, dass du sein ‚geliebter Sohn' bist? Sicherlich hat er dies nicht gesagt, oder wenn er es tat, ist es nicht wahr (vgl. 1.Mose 3,1)." Der Teufel führt seine Absichten sehr oft aus, indem er den Menschen harte Gedanken über Gott eingibt, als wäre er unfreundlich oder untreu. „Du hast jetzt die Gelegenheit zu zeigen, dass du der Sohn Gottes bist. ‚Wenn du Gottes Sohn bist', beweise es hierdurch: ‚Sprich, dass diese Steine'" – von denen wahrscheinlich ein Haufen gerade vor ihm lag – „Brot werden!" **(Vers 3)**. Er sagte nicht: „Bete zu deinem Vater, dass er sie zu Brot macht", sondern: „Sprich, dass es geschieht. Dein Vater hat dich verlassen und dich dir selbst überlassen, deshalb brauchst du ihm gegenüber nicht mehr verpflichtet sein." Der Teufel möchte nichts, was demütigt, sondern alles, was anmaßend ist.

Beachten Sie, wie dieser Versuchung widerstanden und sie überwunden wurde.

Christus lehnte es ab, dem zu gehorchen. Er wollte nicht zu diesen Steinen sprechen, dass sie Brot werden, nicht, weil er es nicht konnte, sondern weil er es ablehnte. Warum lehnte er ab? Auf den ersten Blick schien es hinreichend entschuldbar zu sein, und die Wahrheit ist, dass, je einleuchtender eine Versuchung ist und je mehr Gutes sie zu enthalten scheint, sie desto gefährlicher ist. Diese Sache würde einen Disput auslösen, aber Christus wurde die Schlange im Gras rasch bewusst und wollte nichts tun, was aussah wie:

- Die Wahrheit der Stimme infrage zu stellen, die er vom Himmel hörte.
- Der Fürsorge seines Vaters für ihn zu misstrauen.
- Sich als unabhängiger Prophet aufzustellen und seinen eigenen Lohn zu benennen.
- Satan zu gefallen, weil er etwas auf seine Eingebung hin tut.

Er konnte darauf antworten. „Er aber antwortete und sprach: Es steht geschrieben" **(Vers 4)**. Es ist von Bedeutung, dass Christus alle Versuchungen Satans mit „es steht geschrieben" beantwortete und widerlegte. Um uns ein Beispiel zu geben, ehrte er die Schriften, indem er sich auf das berief, was im Gesetz geschrieben war. Das Wort Gottes ist „das Schwert des Geistes", die einzige offensive Waffe in der ganzen christlichen Waffenrüstung (s. Eph 6,17).

Diese Antwort stammt wie der Rest aus dem Buch „Deuteronomium", was „die zweite Gesetzgebung" bedeutet, und in ihm gibt es wenig, das rituell ist. Die levitischen Opfer und Reinigungen konnten, obwohl sie göttlich eingesetzt waren, Satan nicht vertreiben. Moralische Gebote und evangeliumsgemäße Verheißungen verbunden mit Glauben (s. Hebr 4,2) sind „mächtig durch Gott" (2.Kor 10,4), um Satan zu besiegen. Der angegebene Grund dafür, dass Gott die Israeliten mit Manna speiste, ist, dass er sie lehren wollte, „dass der Mensch nicht vom Brot allein lebt" (5.Mose 8,3). Christus wandte dies auf seine eigene Situation an.

Der Teufel wollte, dass Jesus seine Sohnschaft infrage stellt, weil er in Schwierigkeiten war; „Nein", sagte Christus, „Israel war Gottes Sohn" (vgl. 2.Mose 4,22), und in der Schriftstelle, die Satan zitiert, folgt: ‚... dass der HERR, dein Gott, dich erzieht, wie ein Mann seinen Sohn erzieht' (5.Mose 8,5). Christus lernte als Sohn Gehorsam (s. Hebr 5,8).

Der Teufel wollte, dass er der Liebe und Fürsorge seines Vaters misstraut. „Nein", sagte er, „das hieße tun, wie Israel getan hat" – „Kann Gott uns wohl einen Tisch bereiten in der Wüste?" (Ps 78,19).

Der Teufel wollte, dass er, sobald er begann, hungrig zu sein, sofort nach Versorgung schaut, während Gott zuließ, dass Israel hungerte, ehe er sie speiste, um sie zu demütigen und zu prüfen (s. 5.Mose 8,2-3). Gott möchte, dass seine Kinder, wenn sie in Not sind, nicht nur zu ihm kommen, sondern auch, dass sie auf ihn warten.

Der Teufel wollte, dass Jesus sich selbst mit Brot versorgt. „Nein", sagte Christus, „welche Notwendigkeit gibt es dafür? Menschen können ohne Brot leben, wie es Israel in der Wüste tat, das jahrelang von Manna lebte." – Der Mensch lebt „von all dem ... was aus dem Mund des HERRN hervorgeht", alles, was Gott zu unserer Nahrung verfügt und einsetzt, wird so gut wie Brot sein und uns gut versorgen. Genauso, wie wir Brot haben und immer noch nicht satt sein können, wenn Gott seinen Segen versagt (s. Hag 1,6.9; Mi 6,14) – denn Brot ist zwar Nahrung, doch Gottes Segen ist die Stütze des Brotes –, kann es uns also an Brot mangeln (fehlen), doch wir werden immer noch auf eine andere Weise ernährt. Genauso, wie wir in unserem großen Überfluss nicht denken dürfen, wir leben *ohne Gott*, so müssen wir in unseren größten Schwierigkeiten lernen, uns *von Gott* zu nähren. Wir wollen von Christus lernen, Gott und nicht uns selbst zur Verfügung zu stehen. *Jahwe jireh*, auf die eine oder andere Weise wird der Herr vorsorgen (s. 1.Mose 22,14). Es ist besser, sich dürftig von den Früchten von Gottes Güte zu ernähren, als sich im Überfluss von den Erzeugnissen unserer eigenen Sünden zu ernähren.

Er versuchte ihn, die Macht und den Schutz seines Vaters zu missbrauchen. Beachten Sie, was für ein rastloser und unermüdlicher Feind der Teufel ist! In diesem zweiten Versuch können wir nun beobachten:

Worin die Versuchung bestand und wie sie aufgebaut war. Allgemein versuchte Satan, weil er sah, dass Christus sich in Bezug auf die Nahrung der Fürsorge seines Vaters für ihn so gewiss war, ihn dazu zu bringen, diese Fürsorge in Bezug auf seine Sicherheit zu missbrauchen. Keine Extreme sind gefährlicher als die der Verzweiflung und der Vermessenheit, besonders bei geistlichen Dingen. Manche, die zu der Überzeugung gelangt sind, dass Christus bereit und fähig ist, sie *von* ihren Sünden zu retten, sind versucht, sich anzumaßen, dass er sie *in* ihren Sünden retten wird. Bei dieser Versuchung können wir beobachten:

Wie Satan ihr den Weg bereitete. Er nahm Christus nicht gewaltsam und gegen seinen Willen, sondern bewegte ihn, nach Jerusalem zu gehen und begleitete ihn dorthin. Ob er nun dorthin lief und dann auf den Stufen heraufstieg oder indem er auf dem Luftweg dorthin gelangt, er wurde auf „die Zinne des Tempels" gestellt. Beachten Sie:

Wie ergeben Christus in allem war, dass er zuließ, so fortgebracht zu werden, damit er Satan es so schlimm wie möglich machen lässt, ihn aber immer noch besiegen würde. Es ist eine große Ermutigung, dass Christus, der diese Macht Satans gegen sich losließ, sie nicht auch gegen uns loslässt, sondern sie einschränkt, denn „er weiß, was für ein Gebilde wir sind" (Ps 103,14)!

Wie raffiniert Satan bei der Auswahl der Orte für seine Versuchungen war. Er setzte ihn an einem öffentlichen Ort in Jerusalem fest, einer dichtbesiedelten Stadt und der „Freude der ganzen Erde" (Ps 48,3). Ferner war es im Tempel, einem der Weltwunder, das immer wieder der eine oder andere mit Bewunderung anstarrte. Dort konnte Christus sich hervortun und nicht in der Verborgenheit einer Wüste beweisen, dass er der Sohn Gottes ist, sondern vor Menschenmassen. Beachten Sie:

Jerusalem wird hier die „Heilige Stadt" genannt, denn das war sie in Name und Bekenntnis. Keine Stadt auf der Erde ist so heilig, dass sie uns frei und sicher vor dem Teufel und seinen Versuchungen macht. Die „Heilige Stadt" ist der Ort, wo er Menschen mit größtem Gewinn und Erfolg zu Stolz und Anmaßung versucht, aber – Gott sei gelobt – nichts Unreines wird in das obere Jerusalem hineingehen, dieser Heiligen Stadt (s. Gal 4,26; Offb 21,27); dort werden wir für immer außer Reichweite der Versuchung sein.

Er stellte ihn „auf die Zinne des Tempels". Zinnen des Tempels sind Orte der Versuchung. Hohe Plätze sind dies im Allgemeinen; sie sind unsichere Orte. Doch Gott wirft nieder, damit er erheben kann, während der Teufel erhebt, damit er niederwerfen kann. Hohe Orte in der Kirche sind besonders gefährlich. Diejenigen, die sich durch Gaben auszeichnen, die in bedeutenden Positionen sind und einen großen Ruf erlangt haben, müssen demütig bleiben. Diejenigen, die hoch stehen, sollten darum Sorge tragen, fest zu stehen.

Wie Satan sie eingab: „,Wenn du Gottes Sohn bist', dann zeige dich der Welt und beweise, dass du es bist; ,stürze dich hinab' und dann:

- Wirst du als jemand bewundert werden, der unter dem besonderen Schutz des Himmels steht.
- Wirst du als jemand aufgenommen werden, der mit einer besonderen Vollmacht vom Himmel kam. Ganz Jerusalem wird nicht nur sehen und anerkennen, dass du mehr bist als ein Mensch, sondern dass du der ,Bote des Bundes' bist, der ,plötzlich ... zu seinem Tempel kommen' wird (Mal 3,1)."

Wie er sagte: „... so stürze dich hinab." Der Teufel konnte ihn nicht hinunterwerfen. Die Macht Satans ist begrenzt, „bis hierher sollst du kommen und nicht weiter" (Hiob 38,11). Der Teufel kann nur überreden, er kann nicht zwingen. Er kann nur sagen: „Stürze dich hinab." Er kann uns nicht hinunterwerfen. Deshalb wollen wir uns nicht selbst schädigen,

und dann – Gott sei gelobt – kann uns niemand sonst schaden (s. Spr 9,12).
Wie er diese Eingebung mit einer Schriftstelle stützte. „… denn es steht geschrieben: ‚Er wird seinen Engeln deinetwegen Befehl geben, und sie werden dich auf den Händen tragen, damit du deinen Fuß nicht etwa an einen Stein stößt'." Aber „ist Saul auch unter den Propheten?" (1.Sam 10,12). Ist Satan so mit der Schrift vertraut, dass er in der Lage ist, sie so ohne Weiteres zu zitieren? Es scheint, dass er es ist. Es ist möglich, dass ein Mensch seinen Kopf voller Gedanken an die Schrift und seinen Mund voller Ausdrücke aus der Schrift hat, während sein Herz voller beherrschender Feindseligkeit gegenüber Gott und aller Güte ist. In diesem Zitat:
War etwas richtig. Es stimmt, dass es eine solche Verheißung des Dienstes der Engel gibt, um die Heiligen zu schützen. Der Teufel weiß dies aus Erfahrung. Die Engel beschützen die Heiligen um Christi willen (s. Offb 7,9.11).
Gab es sehr viel Falsches, und vielleicht hatte der Teufel einen besonderen Groll gegen diese Verheißung; vielleicht verdrehte er sie, weil sie ihm oft in die Quere kam und seine verdrießlichen Pläne für die Heiligen durchkreuzte. Beachten Sie hier:
Wie er sie falsch zitierte, und das war schlecht. Die Verheißung lautet, dass sie „dich behüten" werden, aber wie? „Auf allen deinen Wegen" (Ps 91,11), nicht anders; wenn wir unseren Weg verlassen, den Weg unserer Pflicht, verlieren wir das Recht, diese Verheißung zu beanspruchen, und stellen uns außerhalb von Gottes Schutz. Es ist gut für uns, bei allen Gelegenheiten die Schrift selbst zu befragen: Nicht jede Sache für bare Münze zu nehmen, sondern wie die edlen Beröer zu sein (s. Apg 17,11).
Wie er sie falsch anwandte, und das war schlimmer. Diese Verheißung ist unerschütterlich und steht fest, doch der Teufel missbrauchte sie, wenn er sie als Ermutigung anwandte, Gottes Fürsorge zu missbrauchen. Aber „sollen wir in der Sünde verharren, damit das Maß der Gnade voll werde" (Röm 6,1)? Sollen wir uns selbst hinabstürzen, damit uns die Engel emporheben mögen? Auf keinen Fall!
Wie Christus diese Versuchung überwand; er widerstand ihr und überwand sie, wie er es bei den früheren tat: Es „steht geschrieben" **(Vers 7).** Der Missbrauch der Schrift durch den Teufel hielt Christus nicht davon ab, sie richtig zu benutzen. Er forderte umgehend: „Du sollst den Herrn, deinen Gott, nicht versuchen!" An der Stelle, aus der dieses Wort zitiert wird, steht es ursprünglich im Plural: *„Ihr sollt … nicht versuchen"* (5.Mose 6,16); hier wiederum steht es im Singular: *„Du* sollst nicht." Auf gleiche Weise werden wir Nutzen aus dem Wort Gottes haben, wenn wir die allgemeinen Verheißungen als besonders zu uns gesprochen hören und annehmen. Wenn Christus sich hinabstürzen würde, hieße das, Gott zu prüfen, denn es würde:
Eine weitere Bestätigung von dem erfordern, was bereits so gut bestätigt war. Christus war bereits vollkommen zufrieden, dass Gott sein Vater war und dass er für ihn sorgte.
Eine besondere Bewahrung von ihm fordern, wenn er getan hätte, wozu er nicht berufen ist. Wir versuchen Gott, wenn wir erwarten, dass, weil Gott verheißen hat, uns nicht im Stich zu lassen, er uns folgen wird, wenn wir den Pfad unserer Pflicht verlassen; dass, weil er verheißen hat, für unsere Bedürfnisse zu sorgen, er uns verwöhnen und unsere Launen zufriedenstellen sollte. Das ist Anmaßung, Gott zu versuchen. Es heißt, den Einen zu beleidigen, den wir ehren sollten. Wir dürfen uns nie mehr verheißen, als Gott uns verheißen hat.

4.3 Er versuchte ihn zu dem schwärzesten und fürchterlichsten Götzendienst, und bot ihm die „Reiche der Welt und ihre Herrlichkeit" an.
Die schlimmste Versuchung wurde als Letztes vorbehalten. Egal durch welche Versuchung wir angegriffen wurden, wir müssen uns immer noch auf schlimmere vorbereiten. In dieser Versuchung können wir beobachten:
Was der Teufel ihm zeigte: „… alle Reiche der Welt." Um dies zu tun, nahm er ihn mit „auf einen sehr hohen Berg". Die Zinne des Tempels war nicht hoch genug. Der Fürst, „der in der Luft herrscht" (Eph 2,2), muss Christus noch höher in sein Hoheitsgebiet nehmen. Jesus wurde hier genommen, damit ihm ein großartiger Anblick gezeigt wird – als könnte ihm der Teufel mehr von der Welt zeigen, als er bereits wusste, da er sie gemacht hatte und sie regiert. Sein Heraufbringen Christi auf einen hohen Berg geschah nur, um für einen passenden Rahmen zu sorgen, um dem Trugbild Farbe hinzuzufügen. Jesus ließ nicht zu, dass er getäuscht wird, sondern blickte durch die Täuschung durch. Beachten Sie hier hinsichtlich der Versuchungen Satans, dass:
Sie oft durch die Augen eintreten. Die erste Sünde begann mit den Augen (s. 1.Mose 3,6). Deshalb müssen wir einen Bund mit unseren Augen schließen (s. Hiob 31,1) und beten, dass Gott sie davon abhalten möge, „nach Nichtigem zu schauen" (s. Ps 119,37).
Versuchungen entstehen in der Welt und den Dingen in ihr.
Es ist eine große Täuschung, die der Teufel mit seinen Versuchungen armen Seelen auflegt. Er täuscht und dadurch zerstört er; er täuscht die Menschen mit Schatten und falschen Farben. Er zeigt die Welt und ihre Herrlichkeit, doch er verbirgt vor den Augen der Menschen die Sünde, den Kummer und den Tod, welche den Stolz all ihrer Herrlichkeit beflecken.
Die Herrlichkeit der Welt ist die bezauberndste Versuchung für die Gedankenlosen und Unvor-

sichtigen, und sie ist es, welche die Menschen am meisten täuscht. Der „Hochmut des Lebens" (1.Joh 2,16) ist die gefährlichste Schlinge.

Was er zu ihm sagte: „Dieses alles will ich dir geben, wenn du niederfällst und mich anbetest!" **(Vers 9)**. Schauen Sie:

Wie wertlos das Versprechen war. „Dieses alles will ich dir geben." Es scheint, als nimmt er an, dass er in den früheren Versuchungen zum Teil erfolgreich gewesen war. „Komm", sagte er, „es scheint, dass der Gott, für dessen Sohn du dich hältst, dich im Stich gelassen hat und dich hungern lässt – ein Zeichen, dass er nicht dein Vater ist; wenn du aber von mir beherrscht bist, werde ich dich besser versorgen; erkenne mich als deinen Vater an und bitte um meinen Segen, und ‚dieses alles will ich dir geben'." Satan kann die Menschen leicht angreifen, wenn er sie überzeugen kann zu denken, dass sie von Gott verlassen wurden. Der Trugschluss dieses Versprechens liegt in dem „Dieses alles will ich dir geben". Die reizvollen Köder des Teufels sind alle nichts als Schwindel. Die Dinge, mit denen er die Menschen täuscht, sind nichts als Vorspiegelung und Schatten. Die Völker der Erde waren schon lange vorher dem Messias versprochen worden, sie gehörten ihm. Wir müssen uns davor hüten, überhaupt etwas aus der Hand Satans zu nehmen, selbst das, was Gott verheißen hat.

Wie niederträchtig die Bedingung war: „... wenn du niederfällst und mich anbetest!" Der Teufel liebt es, angebetet zu werden. Welche Versuchung könnte abscheulicher und schwärzer sein? Die besten Heiligen können versucht werden, die schlimmsten Sünden zu begehen. Es ist ihre Anfechtung, unter solch einer Versuchung zu stehen, aber solange sie ihr nicht nachgeben oder sie billigen, ist sie nicht ihre Sünde. Christus wurde versucht, Satan anzubeten.

Sehen Sie, wie Christus den Angriff abwehrte. Er lehnte den Vorschlag ab:

Mit Verachtung und Abscheu: „Weiche, Satan!" Die Versuchung zeigte sich auf den ersten Blick als abscheulich und wurde so unmittelbar abgelehnt. Als Satan Christus versuchte, sich selbst in Schwierigkeiten zu bringen, indem er sich hinabstürzt, da hörte er sie noch an, obwohl er ihr nicht nachgab. Doch da die Versuchung Gott nun völlig widersprach, konnte er sie nicht ertragen: „Weiche, Satan!" Es ist gut, bei dem Widerstand gegen die Versuchung bestimmt zu sein, unsere Ohren vor dem Zauber Satans zuzustopfen.

Mit einer Entgegnung, die er der Schrift entnahm. Die Entgegnung war sehr geeignet, passte genau zu dem Zweck und wurde 5.Mose 6,13; 10,20 entnommen. „... du sollst den HERRN, deinen Gott, anbeten und ihm allein dienen!" Unser Heiland ging in dieser Situation auf das grundlegende Gesetz zurück, das unbedingt einzuhalten und allgemein verpflichtend ist. Religiöse Anbetung steht alleine Gott zu. Christus zitierte das Gesetz hinsichtlich religiöser Anbetung, und er zitierte es mit einer Anwendung auf sich selbst:

- Um zu zeigen, dass er in seinem Zustand der Erniedrigung als Mensch Gott anbetete, sowohl öffentlich als auch allein. So gebührte es ihm, alle Gerechtigkeit zu erfüllen (s. Mt 3,15).
- Um zu zeigen, dass das Gesetz der religiösen Anbetung ewig verpflichtend ist.

5. Hier haben wir das Ende und das Ergebnis der Schlacht **(Vers 11)**.

5.1 Der Teufel war besiegt und verließ das Schlachtfeld: „Da verließ ihn der Teufel", durch die Kraft, die das gebietende Wort begleitete, gezwungen, dies zu tun: „Weiche, Satan!" Er machte einen schmachvollen und unrühmlichen Rückzug und war voller Schande. Er verzweifelte daran, Christus zu etwas hinzureißen, und begann zu folgern, dass er der Sohn Gottes war und dass es nutzlos war, ihn noch weiter zu versuchen. Wenn wir dem Teufel widerstehen, wird er von uns fliehen (s. Jak 4,7). Wenn wir unseren Boden behaupten, wird Satan nachgeben. Als der Teufel unseren Heiland verließ, gab er zu, dass er völlig geschlagen war. Der Teufel ist, wenn auch ein Feind aller Heiligen, ein bezwungener Feind. Der Urheber unseres Heils (s. Hebr 2,10) hat ihn besiegt und gebunden (s. Mt 12,29); wir haben nichts weiter zu tun, als den Sieg zu nutzen.

5.2 Die heiligen Engel kamen und kümmerten sich um unseren siegreichen Erlöser: „... und siehe, Engel traten hinzu und dienten ihm." Ein Engel wäre genug gewesen, um ihm Essen zu bringen, doch hier kümmern sich viele um ihn, um ihren Respekt vor ihm zu zeigen und ihre Bereitschaft, seine Gebote zu empfangen. Schauen Sie sich dies an! Es ist der Beachtung wert, dass:

Es, genauso wie es eine Welt des Bösen gibt – boshafte Geister, die gegen Christus, seine Gemeinde und gegen jeden einzelnen Gläubigen kämpfen –, eine Welt heiliger, seliger Geister gibt, die ihretwegen in den Dienst genommen und für sie eingesetzt sind.

Die Siege Christi der Triumph der Engel sind.

Die Engel dienten dem Herrn Jesus, indem sie ihn nicht nur mit Essen versorgten, sondern auch mit allem anderen, was er nach seiner sehr ermüdenden Aufgabe brauchte. Wenn Gott auch zulässt, dass die Seinen in Nöte und Schwierigkeiten kommen, wird er sich auf wirksame Weise darum kümmern, dass ihre Bedürfnisse gestillt werden, und er wird lieber Engel senden, um sie zu ernähren, als zuzusehen, wie sie umkommen. Christus wurde nach der Versuchung geholfen:

Damit er ermutigt sein möge, sein Unternehmen fortzuführen.
Damit wir ermutigt sein mögen, auf ihn zu vertrauen. Wir können deshalb erwarten, dass er nicht nur Mitleid mit den Seinen haben kann, wenn sie versucht werden (s. Hebr 4,15), sondern auch mit rechtzeitiger Hilfe zu ihnen kommt.

Vers 12-17

Wir haben hier einen Bericht über das Predigen Christi in den Synagogen Galiläas. In der Lebensgeschichte Christi, wie sie in den anderen Evangelien erzählt wird, besonders in dem von Johannes, liegen mehrere Abschnitte zwischen seiner Versuchung und seinem Predigen in Galiläa. Matthäus jedoch, der ein Einwohner Galiläas gewesen war, beginnt seine Geschichte des öffentlichen Dienstes Christi mit seinem Predigen dort. Beachten Sie:

1. Die Zeit: „Als aber Jesus hörte, dass Johannes gefangen gesetzt worden war, zog er weg nach Galiläa" **(Vers 12).** Der Schrei der Leiden gottesfürchtiger Menschen erreicht die Ohren des Herrn Jesus. Wenn Johannes ins Gefängnis geworfen wird, hört es Jesus, nimmt davon Notiz und lenkt seine Schritte entsprechend.
1.1 Christus ging nicht in das Land, bis er von Johannes' Gefangennahme hörte, denn Johannes musste Zeit gegeben werden, „den Weg des Herrn" zu bereiten (s. Mt 3,3), ehe der Herr selbst erschien. Johannes musste der Vorläufer Christi sein, aber nicht ein Rivale. Der Mond und die Sterne sind verschwunden, wenn die Sonne aufgeht.
1.2 Er ging in das Land, sobald er von Johannes' Gefangennahme hörte, nicht nur, um für seine eigene Sicherheit zu sorgen, sondern auch, um die Lücke zu füllen, die von Johannes dem Täufer hinterlassen wurde, und um auf der guten Grundlage aufzubauen, die er gelegt hatte. Gott wird sich nicht unbezeugt (s. Apg 14,17) noch seine Gemeinde ohne Führer lassen.

2. Der Ort, wo er predigte: Galiläa, ein entfernter Teil des Landes, der am weitesten von Jerusalem entfernt lag und dort mit Geringschätzung als primitiv und unzivilisiert betrachtet wurde. Die Einwohner dieses Gebietes wurden als stark angesehen, geeignet, Soldaten zu sein, aber nicht fein oder geeignet, Gelehrte zu sein. Beachten Sie:
2.1 Die besondere Stadt, die er als seine Heimat aussuchte: Nicht Nazareth, wo er aufwuchs, nein; es wird eigens die Tatsache erwähnt, dass er Nazareth verließ **(s. Vers 13)**. Er verließ Nazareth aus gutem Grund, denn die Menschen dort „stießen ihn zur Stadt hinaus" (s. Lk 4,29). Christus wird nicht lange dort bleiben, wo er nicht willkommen ist. Unglückliches Nazareth! Stattdessen kam er „und ließ sich in Kapernaum nieder", das auch eine Stadt Galiläas war, aber viele Kilometer von Nazareth entfernt. Es war eine große Stadt, in die viele Menschen kamen. Es heißt hier, dass sie „am See liegt", am See Tiberias (See von Galiläa). Hierhin kam Christus und hier lebte er. Er blieb jedoch nicht ständig hier, sondern er zog umher und tat Gutes (s. Apg 10,38). Dennoch war dies für eine Zeit lang sein Hauptquartier. Die wenige Ruhe, die er hatte, war dort. In Kapernaum, scheint es, war er willkommen. Wenn manche Menschen Christus ablehnen, werden ihn andere aufnehmen und herzlich empfangen. Kapernaum ist erfreut, jemanden zu sehen, den Nazareth abgelehnt hat.
2.2 Die Prophetie, die damit erfüllt wurde **(s. Vers 14-16)**. Diese stammt aus Jesaja 8,23-9,1, aber mit etwas Abweichung. Der Evangelist nimmt hier nur den letzten Satzteil, der von der Rückkehr des Lichtes der Freiheit und des Wohlstands für die Länder spricht, die in der Finsternis des Exils gewesen waren, und er wendet es auf das Erscheinen des Evangeliums unter ihnen an. Von den Orten wird in Vers **15** gesprochen. Als Jesus nach Kapernaum kam, gelangte das Evangelium in all jene Orte im ganzen Umkreis; die Sonne der Gerechtigkeit hat so weit einen solchen Einfluss ausgeübt (s. Mal 3,20).
Sie waren „in der Finsternis". Diejenigen, die ohne Christus sind, sind im Finstern; sie sind in der Tat selbst Finsternis. Die Menschen dieses Landes *saßen* in diesem Zustand. Sitzen ist eine andauernde Haltung; wir haben die Absicht, dort zu bleiben, wo wir sitzen. Es ist eine zufriedene Position; sie waren in der Finsternis und sie liebten die Finsternis (s. Joh 3,19). Diejenigen, die in der Finsternis sind, weil es Nacht ist, können sicher sein, dass die Sonne bald aufgehen wird. Doch diejenigen, die im Finstern sind, weil sie blind sind, werden ihre Augen nicht so schnell geöffnet bekommen. Wir haben das Licht, doch was wird das uns Gutes tun, wenn wir nicht „Licht in dem Herrn" sind (Eph 5,8)?
Wenn das Evangelium kommt, kommt Licht; wenn es an einen Ort kommt, wenn es zu einer Seele kommt, lässt dieses Licht es dort Tag werden. Licht ist enthüllend und führend, und das ist das Evangelium.
Es ist ein „großes Licht", groß im Vergleich mit dem Licht des Gesetzes, den Schatten, die jetzt beseitigt wurden. Es ist ein „großes Licht", denn es offenbart große Dinge; Dinge, die sehr wichtig sind; es wird lange bestehen und sich weit ausbreiten. Dass es „aufgegangen" ist, weist darauf hin, dass es ein wachsendes Licht ist. Bei ihnen war nur der Anbruch des Tages, nun kam „der Glanz des Morgenlichts, das immer heller leuchtet" (Spr

4,18). Das Reich des Evangeliums gleicht einem Senfkorn (s. Mt 13,31-32) oder dem Licht des Morgens, klein in seinem Beginn und langsam in seinem Wachstum, doch groß in seiner Vollkommenheit.

Das Licht ist ihnen aufgegangen. Sie kamen nicht heraus, um es zu suchen; es kam über sie, ehe sie sich dessen bewusst waren.

3. Der Text, über den er predigte: „Von da an" begann er zu predigen **(Vers 17)**.

3.1 Das Thema, über das Christus in seiner Predigt sprach – welches in der Tat die Summe und der Kern all seines Predigens war –, war das gleiche, über das Johannes gepredigt hatte: „Tut Buße, denn das Reich der Himmel ist nahe herbeigekommen!" (Mt 3,2). Denn das Evangelium ist in verschiedenen Heilsabschnitten im Wesentlichen das Gleiche; es ist „ein ewiges Evangelium" (Offb 14,6). „Fürchtet Gott und gebt ihm [durch Buße] die Ehre" (Offb 14,7). Christus achtete den Dienst von Johannes sehr, wenn er mit dem gleichen Inhalt predigte, wie Johannes vor ihm gepredigt hatte. So bestätigt Gott das Wort seiner Boten (s. Jes 44,26). Christus wählte diesen alten, schlichten Text: „Tut Buße, denn das Reich der Himmel ist nahe herbeigekommen."

3.2 Er predigte dies *zuerst*; er begann damit. Wir müssen nicht zum Himmel hinaufgehen und auch nicht jenseits des Meeres gehen (s. 5.Mose 30,12-13), um Themen und Worte für unser Predigen zu finden. So wie Johannes der Täufer Christus mit der Botschaft der Buße den Weg bereitete, so bereitete sich Christus mit genau dieser gleichen Botschaft den Weg und machte Bahn für die weiteren Offenbarungen, die er geben wollte.

3.3 Er predigte *oft* darüber; wo immer er hinging, war dies sein Thema, und weder er noch seine Nachfolger betrachteten es je, als habe es ausgedient. Was früher gepredigt und gehört wurde, kann immer noch wieder gewinnbringend gepredigt und gehört werden, doch dann sollte es besser gepredigt und gehört werden.

3.4 Er predigte dies als Evangelium. Nicht nur der strenge Johannes der Täufer, der als trauriger, verdrießlicher Mann betrachtet wurde, sondern auch der liebevolle und gnadenreiche Jesus, dessen Lippen Honigseim träufelten (vgl. Spr 16,24), predigte Buße.

3.5 Der Grund war immer noch der gleiche: „Das Reich der Himmel ist nahe herbeigekommen!" Wo es nun so viel näher war, war das Argument umso stärker, jetzt ist die „Errettung näher" (Röm 13,11).

Vers 18-22

Als Christus zu predigen begann, begann er, Jünger zu sammeln, die jetzt die Hörer seiner Lehre und später ihre Prediger sein würden. In diesen Versen haben wir einen Bericht über die ersten Jünger, die er in die Gemeinschaft mit sich rief. Dies war ein Beispiel für:

- Die wirksame Berufung von Menschen zu Christus. In all seinen Predigten verkündete Christus einen allgemeinen Ruf an das ganze Land, hier aber rief er speziell und besonders diejenigen, die ihm vom Vater gegeben worden waren (s. Joh 17,11). Das ganze Land war berufen, doch diese wurden herausgerufen.

- Die Ordination und Einsetzung von Menschen für das Werk des Dienstes. Als Christus, als Lehrer, seine große Schule gründete, war es eins der ersten Dinge, die er tat, Hilfslehrer oder untergeordnete Lehrer einzusetzen, die für das Werk der Unterweisung angestellt wurden.

Wir können nun hier beobachten:

1. Wo sie berufen wurden – am „See von Galiläa", wo Jesus entlangging. Er ging nicht an den Hof von Herodes – denn wenige Mächtige oder Vornehme sind berufen (s. 1.Kor 1,26) –, nicht nach Jerusalem, zu den obersten Priestern und Ältesten, sondern zum „See von Galiläa"; sicherlich sieht Christus nicht in der gleichen Weise, wie wir sehen (s. 1.Sam 16,7). Galiläa war ein entlegener Teil der Nation, die Bewohner waren weniger gebildet und kultiviert, ihre bloße Sprache war für Gebildete grob und unbeholfen, und ihre Sprache verriet sie (s. Mt 26,73). Aber Christus ging dorthin, um seine Apostel zu berufen, welche die wichtigsten Staatsminister in seinem Reich waren, denn „das Törichte der Welt hat Gott erwählt, um die Weisen zuschanden zu machen" (1.Kor 1,27).

2. Wo sie waren. In diesen Versen haben wir einen Bericht von der Bekehrung von zwei Brüderpaaren – Petrus und Andreas, Jakobus und Johannes. Sie waren Jünger von Johannes und damit geneigt, Jesus nachzufolgen. Diejenigen, die sich der Zucht der Buße unterworfen haben, werden für die Freuden des Glaubens willkommen sein. Hinsichtlich jener können wir beobachten:

2.1 Dass sie „Brüder" waren. Es ist die Ehre und der Trost eines Hauses, wenn diejenigen, die zur gleichen Familie gehören, zu Gottes Familie gehören.

2.2 Dass sie „Fischer" waren. Fischer sein hieß:

Sie waren arme Männer: Wenn sie Besitz oder bedeutende Güter gehabt hätten, hätten sie nicht das Fischen zu ihrem Gewerbe gemacht, obwohl sie es zur Erholung hätten tun können. Christus verachtet die Armen nicht und so dürfen wir es auch nicht.

Sie waren ungelehrte Männer. Dies rechtfertigt

aber nicht das anmaßende Eindringen von unwissenden und unqualifizierten Menschen in das Werk des Dienstes.

Sie waren Männer der Arbeit, die zu harter Arbeit erzogen worden waren. Fleiß in einem ehrlichen Beruf gefällt Christus und ist kein Hindernis für ein heiliges Leben. Untätige Menschen sind offener für die Versuchungen Satans als für die Berufungen Gottes.

Sie waren Männer, die an Gefahren und Widrigkeiten gewöhnt waren. Das Gewerbe des Fischers ist mehr als jedes andere mühsam und gefährlich; Fischer werden oft nass und kalt; sie müssen wachsam sein, warten und sich abmühen und sind oft durch das Wasser in Gefahr, in dem sie fischen. Diejenigen, die gelernt haben, Widrigkeiten zu ertragen und Gefahren zu begegnen, sind am besten für die Gemeinschaft und Anhängerschaft von Jesus Christus vorbereitet. Gute Streiter Christi müssen Widrigkeiten erdulden (s. 2.Tim 2,3).

3. Was sie taten. Petrus und Andreas benutzten gerade ihre Netze zum Fischen und Jakobus und Johannes flickten ihre Netze, was ein Beispiel für ihren Fleiß und ihre gute Verwaltung war. Sie gingen nicht zu ihrem Vater, um Geld zu bekommen, um neue Netze zu kaufen, sondern bemühten sich, ihre alten zu flicken. Es ist empfehlenswert, das instand zu halten, was wir haben, und solange wie möglich damit umzugehen. Jakobus und Johannes waren „mit ihrem Vater Zebedäus" – bereit, um ihm zu helfen. Es ist ein seliges und hoffnungsvolles Zeichen, zu sehen, dass sich Kinder um ihre Eltern kümmern und sich pflichtgemäß ihnen gegenüber verhalten. Beachten Sie:

3.1 Sie waren alle beschäftigt, alle sehr fleißig, niemand war untätig. Wenn Christus kommt, ist es gut, tüchtig vorgefunden zu werden.

3.2 Sie waren unterschiedlich beschäftigt; zwei von ihnen fischten und zwei von ihnen flickten ihre Netze. Geistliche Diener sollten immer beschäftigt sein, sei es mit Lehren oder Studieren. Netze flicken ist zu seiner Zeit eine genauso notwendige Arbeit wie Fischen.

4. Worin die Berufung bestand: „Folgt mir nach, und ich will euch zu Menschenfischern machen!" **(Vers 19).** Selbst diejenigen, die in die Nachfolge Christi berufen wurden, mussten berufen werden, nachzujagen (s. Hos 6,3; Elb 06) und sich noch enger an ihn zu halten. Beachten Sie:

4.1 Wofür Christus sie bestimmt hatte: „... und ich will euch zu Menschenfischern machen!" Dies ließ sie nicht stolz auf die neue Ehre werden, die für sie bestimmt war; sie waren immer noch bloß Fischer; dies ließ sie sich nicht vor der neuen Arbeit fürchten, die für sie bestimmt war, denn sie waren an das Fischen gewöhnt und sie sind noch immer Fischer.

Geistliche Diener sind Menschenfischer, nicht um sie zu zerstören, sondern um sie zu retten, indem sie sie in ein anderes Element bringen.

Es ist Jesus Christus, der sie dazu macht: „... und ich will euch zu Menschenfischern machen!" Er ist derjenige, der Menschen für diese Arbeit befähigt; er beruft sie, diese Arbeit zu tun, bevollmächtigt sie darin und gibt ihnen dazu Gelingen.

4.2 Was sie zu diesem Zweck tun müssen: „Folgt mir nach." Sie müssen sich von ihrem früheren Lebensstil losmachen und ihm gewissenhaft folgen.

Diejenigen, die Christus in einen Dienst stellt, müssen zuerst geeignet und befähigt für ihn sein.

Diejenigen, die Christus verkündigen wollen (s. 1.Kor 1,23; Phil 1,15-16 usw.), müssen zuerst Christus kennenlernen (s. Eph 4,20) und von ihm lernen (s. Mt 11,29).

Diejenigen, die Christus kennenlernen wollen, müssen eifrig und beständig darin sein, bei ihm zu bleiben. Kein Lernen ist mit dem vergleichbar, was durch das Nachfolgen Christi erlangt wird.

Diejenigen, die Menschen fischen wollen, müssen Christus nachfolgen und – wie er es tat – mit Eifer, Treue und Sanftheit handeln.

5. Was das Ergebnis dieser Berufung war. Petrus und Andreas „verließen ... sogleich die Netze" **(Vers 20)** und Jakobus und Johannes „verließen ... sogleich das Schiff und ihren Vater" **(Vers 22)** und alle „folgten ihm nach". Diejenigen, die Christus in rechter Weise nachfolgen wollen, müssen alles verlassen, um ihm nachzufolgen.

5.1 Dieses Beispiel der Macht des Herrn Jesus ist eine gute Ermutigung für uns, uns auf die Genugsamkeit seiner Gnade zu verlassen. Wie stark und wirksam ist sein Wort! „Denn er sprach, und es geschah" (Ps 33,9).

5.2 Dieses Beispiel der Offenheit der Jünger gibt uns ein gutes Beispiel des Gehorsams gegenüber Christi Geboten. Es ist ein gutes Merkmal aller treuen Diener Christi, dass sie kommen, wenn sie gerufen werden, und dass sie ihrem Meister folgen, wo immer er sie hinführt. Als diese Fischer berufen wurden, gehorchten sie und zogen wie Abraham aus, ohne zu wissen, wohin sie kommen werden (s. Hebr 11,8), doch sie kannten denjenigen sehr gut, dem sie folgten.

Vers 23-25

Sehen Sie hier:

1. Was für ein fleißiger Prediger Christus war: Er „durchzog ganz Galiläa, lehrte in ihren Synagogen und verkündigte das Evangelium von dem Reich". Beachten Sie:

1.1 Was Christus predigte: „das Evangelium von dem Reich". Das Reich des Himmels, das heißt, der Gnade und Herrlichkeit, ausdrücklich *das Reich*. „Das Evangelium" ist die Satzung dieses Reiches, welches den Krönungseid des Königs enthält, durch den er sich gnädig verpflichtet hat, den Untertanen dieses Reichs zu vergeben, sie zu schützen und zu erretten.

1.2 Wo er predigte – „in ihren Synagogen"; nicht nur dort, aber hauptsächlich dort, weil dies die Plätze „im ärgsten Straßenlärm" waren, wo die Weisheit ihre Reden hält (Spr 1,21).

1.3 Wie sehr er sich bei der Predigt anstrengte. Er „durchzog ganz Galiläa, lehrte". Er wartet, „damit er euch begnadigen kann" (Jes 30,18), und kam, „um zu suchen und zu retten" (Lk 19,10). Er zog umher und tat Gutes (s. Apg 10,38). Niemals gab es solch einen reisenden Lehrer, solch einen unermüdlichen wie Christus.

2. Was für ein mächtiger Arzt Christus war (s. Mt 9,12). Er zog nicht nur lehrend umher, sondern auch heilend. Schauen Sie:

2.1 Welche Krankheiten er heilte – alle ohne Ausnahme. Er „heilte alle Krankheiten und alle Gebrechen". Es gibt Krankheiten, welche „die Schande der Ärzte" genannt werden, er aber „heilte alle", wie „unheilbar" sie auch gewesen waren.

Hier werden drei gängige Worte benutzt, um dies zu verstehen zu geben. Er heilte jede *Krankheit*; jedes *Gebrechen* oder *Leiden*; und alle *Schmerzen*. Nichts war zu schlimm oder zu schwer für Christus, um es einzig durch das Sprechen eines Wortes zu heilen.

Drei einzelne Krankheiten sind aufgeführt: „Lahme" (Lähmungen), was die größte Krankheit des Leibes ist, „Mondsüchtige" (Anfälle), was die größte Krankheit des Sinnes ist, und vom Teufel „Besessene", was die größte Not und Katastrophe von beiden ist. Christus heilte alle.

2.2 Was für Patienten er hatte. Beachten Sie, wie viele von überall her zu ihm strömten; eine große Volksmenge kam, nicht nur aus Galiläa und dem umliegenden Gebiet, sondern sogar „aus Jerusalem und Judäa", was weit entfernt lag, wegen seines Rufes, der sich sogar „in ganz Syrien" verbreitete. Dies wird als Grund genannt, warum solche Menschenmengen zu ihm kamen – dass sein Ruf sich so weit verbreitet hatte. Was wir von anderen über Christus hören, sollte uns einladen, zu ihm zu kommen. Die Stimme der Bekanntheit spricht: „Komm und sieh." Christus hat sowohl gelehrt als auch geheilt. Es ist gut, wenn irgendetwas Menschen zu Christus bringt, und diejenigen, die kommen, werden in ihm mehr finden, als sie erwarteten. Bezüglich der Heilungen, die Christus tat, wollen wir, ein für alle Mal, das *Wunder*, die *Barmherzigkeit* und das *Geheimnis* beachten.

Das Wunder der Heilungen. Sie wurden auf eine Weise vollbracht, die deutlich zeigte, dass sie das unmittelbare Produkt einer göttlichen und übernatürlichen Kraft sind, und sie waren Gottes Siegel unter seinem Auftrag. Die Natur konnte diese Dinge nicht tun. All dies bewies, dass er ein Lehrer war, „der von Gott gekommen ist" (Joh 3,2), denn niemand konnte diese Werke tun, die er tat. Sein Heilen und sein Predigen kamen für gewöhnlich zusammen, denn das Erste bestätigte das Letzte; hier begann er „zu tun und zu lehren" (Apg 1,1).

Die Barmherzigkeit der Heilungen. Die Wunder, die Christus vollbrachte, waren meistens Heilungen, und sie waren alle – außer die Verfluchung des unfruchtbaren Feigenbaums – Segnungen und Gunsterweise, denn die Epoche des Evangeliums ist gegründet und aufgebaut auf Liebe, Gnade und Lieblichkeit. Christus beabsichtigte, mit seinen Heilungen Menschen zu gewinnen und sie dadurch „mit Seilen der Liebe" zu ziehen (s. Hos 11,4). Die wundersame Natur seiner Heilungen bewies, dass seine Lehre ein glaubwürdiges Wort war und überzeugte die Einsicht der Menschen; die Barmherzigkeit seiner Heilungen bewies, dass seine Lehre „aller Annahme wert" ist (1.Tim 1,15) und bewegte die Empfindungen der Menschen. Seine Heilungen waren nicht nur *große* Werke, sondern *gute* Werke, die er ihnen von seinem Vater zeigte (s. Joh 10,32).

Das Geheimnis der Heilungen. Durch die Heilung körperlicher Krankheiten wollte Christus zeigen, dass es seine große Mission in der Welt war, geistliche Krankheiten zu heilen. Sünde ist die *Krankheit*, das *Gebrechen* und der *Schmerz der Seele*. Christus kam, um die Sünde hinwegzunehmen und diese so zu heilen. Die ausführlichen Berichte der Heilungen, die Christus vollbrachte, müssen also auf diese Weise erläutert und verwendet werden, zur Ehre und zum Lob dieses herrlichen Erlösers, „der dir alle deine Sünden vergibt und heilt alle deine Gebrechen" (Ps 103,3).

KAPITEL 5

Dieses Kapitel und die beiden, die darauf folgen, sind eine Predigt, die Bergpredigt. Es ist die längste und ausführlichste zusammenhängende Rede unseres Heilands, die uns berichtet wird. Sie ist eine praktische Botschaft. Nachdem die Umstände der Predigt erläutert sind (s. Vers 1-2), folgt die Predigt selbst, deren Umfang unseren Sinn nicht mit Ideen füllen, sondern unser Handeln leiten und regeln soll. 1. Er macht Seligkeit zum erklärten Ziel und zeigt uns in acht Seligpreisungen den Charakter derjenigen, die zu dieser Seligkeit berechtigt sind, die man zu recht Paradoxe nennen kann (s. Vers 3-12). 2. Er verordnet die Pflicht als den Weg und führt

Regeln für die Pflicht ein. Er gebietet seinen Jüngern: 2.1 Zu verstehen, was sie sind – das Salz der Erde und das Licht der Welt (s. Vers 13-16). 2.2 Zu verstehen, was sie tun müssen – sie müssen vom Moralgesetz geleitet werden. Hier gibt es: 2.2.1 Eine allgemeine Bestätigung des Gesetzes und eine Empfehlung davon für uns als unsere Richtschnur (s. Vers 17-20). 2.2.2 Eine ausführliche Korrektur von verschiedenen Fehlern und eine zuverlässige Erläuterung von verschiedenen Sparten, die am meisten erläutert und bestätigt werden müssen (s. Vers 20). Hier gibt es im Besonderen eine Erläuterung des sechsten Gebotes (s. Vers 21-26), des siebten Gebotes (s. Vers 27-32), des dritten Gebotes (s. Vers 33-37), des Gesetzes der Vergeltung (s. Vers 38-42) und des Gesetzes der gegenseitigen Liebe (s. Vers 43-48).

Vers 1-2

Wir haben hier einen allgemeinen Bericht über die Predigt:

1. Der Prediger war unser Herr Jesus Christus, der Fürst der Prediger. Die Propheten und Johannes haben sich beim Predigen „als tugendhaft erwiesen", doch Christus übertrifft sie alle (s. Spr 31,29). Er ist das ewige Wort, durch das Gott „in diesen letzten Tagen zu uns geredet" hat (Hebr 1,2). Die vielen Wunderheilungen, die durch Christus in Galiläa vollbracht wurden, sollten die Menschen geneigt machen, Unterweisung von *demjenigen* anzunehmen, in dem so viel göttliche Macht und Güte erschien, und diese Predigt war vermutlich die Zusammenfassung von dem, was er in den Synagogen gepredigt hatte. Sein Text war: „Tut Buße, denn das Reich der Himmel ist nahe herbeigekommen!" (Mt 4,17).

2. Der Ort war ein Berg in Galiläa. Unser Herr Jesus war armselig versorgt; er hatte keinen bequemen Ort, um dort zu predigen, genauso wenig, wie er einen Ort hatte, „wo er sein Haupt hinlegen" konnte (Mt 8,20). Unser Herr Jesus, der große Lehrer der Wahrheit, wurde in die Wüste hinausgetrieben und fand keine bessere Kanzel als einen Berg, und keinen der heiligen „Berge Zions" (Ps 133,3), sondern einen gewöhnlichen Berg, wodurch Christus zeigen wollte, dass es Gottes Wille ist, dass die Männer „an jedem Ort beten" und predigen sollen (1.Tim 2,8), überall, vorausgesetzt, es ist schicklich und passend. Christus hielt diese Predigt, die eine Erläuterung des Gesetzes war, auf einem Berg, weil das Gesetz auf einem Berg gegeben wurde. Achten Sie aber auf den Unterschied. Als das *Gesetz* gegeben wurde, kam der Herr auf den Berg herab (s. 2.Mose 19,20); nun stieg der Herr hinauf. Damals sprach er mit Donnern und Flammen (s. 2.Mose 20,18); jetzt aber mit der „Stimme eines sanften Säuselns" (1.Kön 19,12). Damals wurden die Menschen angewiesen, Abstand zu halten; jetzt wurden sie eingeladen, näher zu kommen. Welch ein seliger Wechsel!

3. Die Zuhörer waren „seine Jünger". Sie folgten ihm aus Liebe und um der Lehre willen, während andere nur bei ihm waren, um geheilt zu werden. Er „lehrte sie", weil sie bereit waren, sich lehren zu lassen, weil sie verstehen wollten, was er lehrte, und weil sie andere lehren würden. Doch obwohl diese Rede an die Jünger gerichtet war, war es in Hörweite der Menge. Um diesen *Berg* wurden keine Grenzen gezogen, um die Menschen fernzuhalten, denn durch Christus haben wir Zugang zu Gott. Er hatte in der Tat die Menge genau im Sinn beim Halten dieser Predigt. Es ist für einen geistlichen Diener eine große Ermutigung, das Netz des Evangeliums dort auszuwerfen, wo viele große Fische sind und wo es deshalb Hoffnung gibt, dass einige gefangen werden. Der Anblick von vielen Menschen gibt einem Prediger Leben, doch dieses muss dem Verlangen nach dem Nutzen für sie entspringen, nicht nach seinem eigenen Lob.

4. Der Ernst dieser Predigt wird durch den Ausdruck „als er sich setzte" angedeutet. Dies war eine wohlüberlegte Predigt, eine, die er hielt, als er sich so gesetzt hatte, dass er am besten zu hören war. Der Satz: „Und er tat seinen Mund auf" ist auf hebräische Art zu sprechen (s. Hiob 3,1). Manche meinen jedoch, es weist auf die Ernsthaftigkeit dieser Rede hin; weil die versammelte Menge groß war, erhob er seine Stimme und sprach lauter als gewöhnlich. Einer der alten Kommentatoren merkt dazu an, dass Christus sehr viel lehrte, ohne seinen Mund aufzutun, das heißt, durch sein heiliges und beispielhaftes Leben. In der Tat lehrte er, als er seinen Mund nicht auftat, „wie ein Lamm, das zur Schlachtbank geführt wird" (Jes 53,7); doch jetzt tat er seinen Mund auf und lehrte. Er lehrte sie, was das Übel war, das sie hassen, und was das Gute war, das sie tun und worin sie Überfluss haben sollten, denn das Christentum hat die Absicht, unser Verhalten zu leiten und die Anleitung für unser Leben zu sein. Die Zeit des Evangeliums ist eine Zeit der besseren Ordnung (s. Hebr 9,10), und wir müssen durch das Evangelium erneuert werden; wir müssen gut gemacht werden; genau gesagt müssen wir besser gemacht werden.

Vers 3-12

Christus begann seine Predigt mit Segnungen, denn er kam, „um euch zu segnen" (Apg 3,26). Er begann sie „wie einer, der Vollmacht hat" (Mt 7,29), wie jemand, der „den Segen verheißen [hat], Leben bis in Ewigkeit" (Ps 133,3). Das Alte Testament endete mit einem

Fluch (s. Mal 3,24), das Neue Testament beginnt mit einem Segen.

1. Jede der Segnungen, die Christus hier verkündete, hat eine doppelte Absicht:
1.1 Zu zeigen, wer als wahrhaftig selig erachtet wird.
1.2 Zu zeigen, woraus wahre Seligkeit besteht. *Dies hat die Absicht, die schrecklichen Fehler einer blinden und verderbten Welt richtigzustellen.* Glückseligkeit ist das, nach dem die Menschen streben sollen: „Wer wird uns Gutes sehen lassen?" (Ps 4,7). Die meisten Menschen machen aber in Bezug auf ihre Bestimmung einen Fehler, indem sie eine falsche Vorstellung von Glück entwerfen, und dann überrascht es kaum, dass sie ihre Richtung verlieren. Die vorherrschende Meinung ist: Glückselig sind die, welche reich, groß und achtbar in der Welt sind; die ihre Tage in Fröhlichkeit und ihre Jahre in Freuden verbringen; und die feine Speisen essen, süße Getränke trinken und unerschrocken durch das Leben schweben. Unser Herr Jesus kam, um uns eine vollkommen andere Vorstellung von Segen und glückseligen Menschen zu geben. Ein christlicher Lebensstil muss damit beginnen, den eigenen Maßstab für Seligkeit aus diesen Maximen zu nehmen und das eigene Streben entsprechend zu lenken.
Es wird damit beabsichtigt, die Entmutigungen der Armen und Schwachen zu beseitigen, die das Evangelium annehmen. Selbst die geringste Person im Himmelreich, deren Herz rechtschaffen vor Gott ist, ist darin selig, dass sie sich der Ehren und Vorrechte dieses Reiches erfreut.
Es wird damit beabsichtigt, Seelen zu Christus einzuladen. Diejenigen, welche die gnädigen Heilungen gesehen hatten, die er vollbrachte (s. Mt 4,23-24), und die nun „die Worte der Gnade" hörten, „die aus seinem Mund kamen" (Lk 4,22), würden sagen, dass er beides in sich vereinte, vollkommene Liebe und Freundlichkeit.
Es wird damit beabsichtigt, die Klauseln der Vereinbarung zwischen Gott und Menschen festzulegen und zusammenzufassen. Der Umfang der göttlichen Offenbarung soll uns sagen, was Gott von uns erwartet und was wir dann von ihm erwarten dürfen. Nirgendwo wird das vollständiger mit ein paar Worten dargelegt als hier. Hier wird der Weg zum Glück gezeigt und zu einer Straße gemacht (s. Jes 35,8). Einige der weiseren Heiden hatten Vorstellungen von Seligkeit, die sich von den anderen unterschieden und suchten gemäß der Vorstellung davon, wie wir sie hier bei unserem Heiland haben. Als Seneca es unternahm, einen glückseligen Mann zu beschreiben, meinte er, dass man nur einen ehrlichen und guten Menschen so nennen könne, einer, „für den es nichts Gutes und Schlechtes gibt, außer einem guten und schlechten Charakter" (Über das glückliche Leben, Kap. 4).

Unser Heiland gibt uns hier acht Kennzeichen von gesegneten Menschen, die für uns die hauptsächlichen Gnadenwirkungen eines Christen verkörpern. Über jeden von ihnen wird ein momentaner Segen ausgesprochen: „Glückselig sind die", und jedem wird ein zukünftiger Segen verheißen.

2. „Die geistlich Armen" sind glücklich (**Vers 3**). Es gibt eine geistliche Armut, die so weit davon entfernt ist, die Menschen glückselig zu machen, dass sie eine Sünde und eine Schlinge ist – Feigheit und unlautere Furcht. Doch diese geistliche Armut ist eine begnadete Disposition der Seele. Geistlich arm zu sein heißt:
2.1 Zufrieden arm zu sein, bereit, ohne weltlichen Besitz zu sein, wenn Gott uns das verordnet. Viele Menschen sind arm in der Welt, aber hoch im Geist, arm und stolz, doch wir müssen uns mit unserer Armut abfinden; wir müssen uns aufs Armsein verstehen (s. Phil 4,12). In rechter Weise geistlich arm zu sein, heißt, sich von allem weltlichen Besitz zu lösen, sein Herz nicht daran zu hängen. Es heißt nicht, uns stolz oder zum Schein arm zu machen, indem wir das fortwerfen, was Gott uns gegeben hat. Wenn wir reich sind in der Welt, müssen wir geistlich arm sein, das heißt, wir müssen uns zu den Armen herablassen und Mitleid mit ihnen und ihren Schwächen haben. Wir müssen Armut erwarten und uns auf sie vorbereiten; wir dürfen sie nicht übermäßig fürchten oder ihr ausweichen, sondern müssen sie willkommen heißen, besonders, wenn sie zu uns kommt, um uns zu helfen, ein gutes Gewissen zu bewahren (s. Hebr 10,34). Hiob war geistlich arm, als er Gott dafür lobte, dass er gibt und nimmt.
2.2 Demütig und niedrig in unseren Augen zu sein. Geistlich arm sein, heißt, gering von sich zu denken, über das, was wir sind, haben und tun. Es heißt, in unserer Meinung von uns selbst wie kleine Kinder zu sein. Paulus war reich in geistlichen Dingen, übertraf die meisten Menschen an Gaben und Gnadenwirkungen, aber geistlich arm, „der geringste von den Aposteln" (1.Kor 15,9), der allergeringste unter allen Heiligen (s. Eph 3,8), der laut eigener Beschreibung nichts hat (2.Kor 6,10). In rechter Weise geistlich arm sein, heißt, bereit zu sein, sich demütig, niedrig und klein zu machen, um Gutes zu tun; es heißt, allen alles zu werden (s. 1.Kor 9,22). Es heißt, zuzugeben, dass Gott groß und wir gering, dass er heilig und wir sündig, dass er alles und wir nichts sind.
2.3 Von jedem Vertrauen auf unsere eigene Gerechtigkeit und Kraft abgebracht zu werden, sodass wir uns alleine auf die Verdienste Christi und den Geist und die Gnade Christi verlassen. Dieses zerbrochene und zerschlagene Herz (s. Ps 51,19), mit dem der Zöllner um Barmherzigkeit rief, ein armer Sünder, ist

diese geistliche Armut. Wir müssen uns arm nennen, weil wir immer Gottes Gnade brauchen, immer vor Gottes Tür betteln, immer seine Hilfe suchen.

Diese geistliche Armut wird als erste der Gnadenwirkungen eines Christen gegeben. Die Philosophen zählten die Demut nicht zu ihren moralischen Tugenden, Christus aber nennt sie zuerst. Demut ist die Grundlage aller anderen Gnadenwirkungen. Diejenigen, die hoch bauen wollen, müssen niedrig beginnen. Die, welche „mühselig und beladen" sind (Mt 11,28), sind die „geistlich Armen", und sie werden bei Christus Ruhe finden (s. Mt 11,29).

Sie sind „glückselig". Sie sind dies selbst jetzt, in dieser Welt. Gott sieht sie gnädig an. Ihnen widerfährt nichts ohne den Willen Gottes, wohingegen überhebliche Menschen ständig in Unruhe sind.

„... denn ihrer ist das Reich der Himmel!" Das Reich der Gnade setzt sich aus solchen Menschen zusammen; das Reich der Herrlichkeit ist für sie vorbereitet. Die Großen, Stolzen vergehen mit der Herrlichkeit der Reiche dieser Erde, doch die demütigen, sanften, ergebenen Seelen erlangen die Herrlichkeit des Himmelreichs. Denen, die zufrieden arm sind, wie denen, die in nützlicher Weise reich sind, wird die gleiche Seligkeit verheißen. Wenn ich nicht in der Lage bin, freudig für die Sache des Herrn zu geben, wird es selbst belohnt werden, wenn ich nur um seiner Sache willen freudig Mangel haben kann.

3. Die Trauernden sind glückselig **(s. Vers 4)**. „Glückselig sind die Trauernden." Dies ist eine weitere sonderbare Segnung. Wir neigen zu dem Denken: „Glückselig sind die Fröhlichen", doch Christus, der selbst ein großer Trauernder war, sagte: „Glückselig sind die Trauernden." Es gibt ein sündiges Trauern, das ein Feind der Seligkeit ist – die „Betrübnis der Welt" (2.Kor 7,10). Es gibt auch eine natürliche Trauer, die sich durch die Gnade Gottes, wenn sie zusammen mit ihr wirkt, als Freund der Seligkeit erweisen kann. Es gibt aber ein begnadetes Weinen, das zur Seligkeit befähigt. Dieses Trauern ist:

3.1 Ein bußfertiges Weinen wegen unserer eigenen Sünden; das ist „gottgewollte Betrübnis" (2.Kor 7,10), eine gottgemäße Betrübnis, Betrübnis wegen Sünde, die auf Christus sieht (s. Sach 12,10). Gottes Trauernde sind diejenigen, die ein Leben der Buße führen und die um der Ehre Gottes willen auch die Sünden anderer betrauern.

3.2 Ein mitfühlendes Trauern um das Leid anderer; das Trauern derjenigen, die „mit den Weinenden" weinen (Röm 12,15); die voller Mitleid auf Seelen blicken, die umkommen und über sie weinen, wie Jesus über Jerusalem weinte (s. Lk 19,41). Diese begnadeten Trauernden:

Sind glückselig. So, wie bei nichtswürdigem und sündigem „Lachen ... das Herz Kummer empfinden" kann (Spr 14,13), hat bei einem Kummer der Gnade das Herz eine ernsthafte Freude, eine innerliche, verborgene Zufriedenheit, in die „sich kein Fremder mischen" kann (Spr 14,10).

„... sollen getröstet werden!" Licht wird ihnen gesät (s. Ps 97,11), und es ist gewiss, dass sie wie Lazarus im Himmel getröstet werden sollen (s. Lk 16,25). Die Seligkeit des Himmels besteht darin, vollkommen und ewig getröstet zu werden und darin, dass Gott alle Tränen von ihren Augen abwischen wird (s. Offb 7,17). Der Himmel wird ein echter Himmel für diejenigen sein, die dort trauernd hingehen; er wird eine Ernte der Freude sein, der Ertrag dessen, was mit Tränen gesät wurde (s. Ps 126,5-6).

4. Die Sanftmütigen sind glückselig. „Glückselig sind die Sanftmütigen" **(Vers 5)**. Die Sanftmütigen sind diejenigen, die sich ruhig Gott unterwerfen und „allen Menschen gegenüber alle Sanftmut erweisen" (Tit 3,2). Sie sind in der Lage, Provokationen zu ertragen, ohne durch sie in Wut zu geraten, und sind entweder ruhig oder geben eine sanfte Antwort (s. Spr 15,1). Sie können gelassen bleiben, wenn andere erhitzt sind, und in ihrer Geduld behalten sie die Kontrolle über ihre Seele, wenn sie kaum etwas anderes kontrollieren können. Die Sanftmütigen sind diejenigen, die lieber zwanzig Kränkungen vergeben, als sich für eine rächen würden. Diese Sanftmütigen werden hier als selig dargestellt, sogar in dieser Welt.

4.1 Sie sind „glückselig", denn sie sind wie Jesus. Sie sind „glückselig", denn sie haben die gewisseste und ungestörteste Freude an sich, ihren Freunden und Gott; sie sind tauglich für das Leben und tauglich für das Sterben.

4.2 „... sie werden das Erdreich besitzen!" (LÜ 84). Nicht, dass sie immer viel von der Erde besitzen werden, viel weniger werden sie nur damit vertröstet, sondern dieser Zweig der Gottesfurcht hat in besonderer Weise „die Verheißung für dieses und für das zukünftige Leben" (1.Tim 4,8). Sanftmut, so sehr sie auch verspottet und kritisiert wird, hat wirklich den Zweck, unsere Gesundheit, unseren Besitz, unsere Kraft und Sicherheit sogar in dieser Welt zu fördern. Oder, „sie werden das Land erben", das Land Kanaan (s. 1.Mose 12,5; 17,8 usw.), ein Typus für den Himmel. Das heißt, dass alle Seligkeit des Himmels oben und alle Segnungen der Erde unten das Erbteil der Sanftmütigen sind.

5. „... die nach der Gerechtigkeit hungern und dürsten" sind glückselig **(Vers 6)**. Manche verstehen dies als ein weiteres Beispiel für äußere Armut und einen geringen Stand in dieser Welt. Menschen „hungern und dürsten" nach der Gerechtigkeit, aber die Macht auf Seiten ihrer Unterdrücker ist derart, dass sie diese nicht haben können. Doch sie sind „glückselig", wenn sie diese Widrigkeiten um eines guten Gewissens willen und mit gutem Gewissen leiden; sie mögen auf Gott hoffen. Diejenigen, die Unterdrückung zufrieden ertragen und sich ruhig an Gott wenden, dass er sich für ihren Fall verwendet, werden zu gegebener Zeit reichlich durch die Weisheit und Freundlichkeit zufriedengestellt werden, die offenbart werden wird, wenn er kommt, um ihnen zu helfen.

5.1 „Gerechtigkeit" steht hier für alle geistlichen Segnungen. Sie sind für uns durch die Gerechtigkeit Christi erkauft. Gerechtigkeit erlangen heißt, zu einem neuen Menschen zu werden (s. Eph 2,15; 4,24), das Bild Gottes zu tragen und sich der Vorrechte in Christus und seiner Verheißungen zu erfreuen.

5.2 Wir müssen nach diesen „hungern und dürsten". Wir müssen wirklich und wahrhaftig nach ihnen verlangen. Unser Verlangen nach geistlichen Segnungen muss inbrünstig und kühn sein. „Schaffe mir [dies]! Wenn nicht, so sterbe ich!" (1.Mose 30,1). „Schaffe mir dies, und ich habe genug, wenn ich auch nichts anderes habe." Hunger und Durst sind Gelüste, die häufig wiederkehren und nach neuer Befriedigung rufen. Die lebendig gemachte Seele ruft nach dauernden Mahlzeiten der Gerechtigkeit, Gnade, um das Werk jeden Tages an seinem Tag zu vollbringen. Diejenigen, die „hungern und dürsten", werden sich bemühen, befriedigt zu werden. Wir dürfen also nicht nur nach geistlichen Segnungen verlangen, sondern müssen uns auch bemühen, sie zu erhalten, indem wir die eingesetzten Mittel nutzen. Diejenigen, die „hungern und dürsten", sollen an diesen Segnungen „satt werden".

Sie sind „glückselig" in diesem Verlangen. Zwar ist nicht alles Verlangen nach Gnade Gnade – falsches und schwaches Verlangen ist es nicht –, so ist es doch ein solches wahres Verlangen. Es ist ein Beleg für etwas Gutes und Unterpfand für etwas Besseres. Es ist ein Verlangen, das Gott selbst hervorgerufen hat.

Sie sollen an diesen Segnungen „satt werden". Gott wird ihnen bis zu ihrer vollständigen Zufriedenstellung geben, wonach sie verlangen. Nur Gott kann eine Seele satt machen, nur Gott, dessen Gnade und Gunst genug ist für ihr berechtigtes Verlangen. Er sättigt Hungrige (s. Lk 1,53), erquickt sie (s. Jer 31,25).

6. „Die Barmherzigen" sind glückselig **(Vers 7)**. Dies ist wie die anderen ein Paradox, denn die Barmherzigen werden nicht für die Weisesten gehalten, noch gehören sie wahrscheinlich zu den Reichsten. Christus verkündet jedoch, dass sie „glückselig" sind. Eine Person kann wahrhaftig barmherzig sein, selbst wenn sie nicht die Mittel hat, um großzügig oder freigebig zu sein, und dann nimmt Gott das willige Herz an. Wir dürfen nicht nur unsere eigenen Unglücke geduldig tragen, sondern müssen auch mit christlichem Mitgefühl an dem Leiden unserer Brüder und Schwestern teilhaben. Man muss Mitleid zeigen (s. Hiob 6,14) und „herzliches Erbarmen" anziehen (Kol 3,12). Wir müssen Mitleid mit den Seelen anderer haben und ihnen helfen; wir müssen die Unwissenden bemitleiden und sie unterweisen, die Sorglosen bemitleiden und sie warnen und diejenigen bemitleiden, die in ihrer Sünde sind und sie „wie ein aus dem Brand gerettetes Holzscheit" (Am 4,11) herausreißen. In der Tat, „der Gerechte erbarmt sich über sein Vieh" (Spr 12,10).

6.1 Sie sind „glückselig". So werden sie im Alten Testament beschrieben. „Wohl dem, der sich des Armen annimmt" (Ps 41,2). Hierin sind sie wie Gott, dessen Herrlichkeit seine Güte ist (s. 2.Mose 33,18-19). Eine der reinsten und am meisten geläuterten Freuden in dieser Welt ist es, Gutes zu tun (s. Apg 10,38). In diesem Wort „glückselig sind die Barmherzigen" ist der Ausspruch Christi enthalten, den wir sonst in den Evangelien nirgends finden: „Geben ist glückseliger als Nehmen!" (Apg 20,35).

6.2 „Sie werden Barmherzigkeit erlangen!" Sie werden bei Menschen „Barmherzigkeit erlangen", wenn sie sie brauchen – wir wissen nicht, wie rasch wir vielleicht Freundlichkeit brauchen, deshalb sollten wir freundlich zu anderen sein –; besonders aber Barmherzigkeit bei Gott, denn „gegen den Gütigen erzeigst du dich gütig" (Ps 18,26). Der Barmherzigste und Wohltätigste kann nicht vorgeben, etwas zu verdienen, sondern muss zu Gott um Barmherzigkeit fliehen, während „über den, der keine Barmherzigkeit geübt hat" das Gericht unbarmherzig ergehen wird (Jak 2,13).

7. „Die reinen Herzens sind", sind glückselig **(Vers 8)**. „Glückselig sind, die reinen Herzens sind, denn sie werden Gott schauen!" Dies ist die umfassendste aller Seligpreisungen. Hier gibt es die umfassendste:

7.1 Charakterisierung der Glückseligen; sie sind „reinen Herzens". Wahres Christentum liegt im Herzen, der Reinheit des Herzens, dem Reinwaschen des Herzens von Bosheit (s. Jer 4,14). Wir müssen zu Gott nicht nur unschuldige Hände, sondern auch ein reines Herz erheben (s. Ps 24,4-5; 1.Tim 1,5). Das Herz muss rein sein, nicht beeinträchtigt – ein Herz, das Rechtschaffenheit besitzt und Gutes bezweckt. Es muss rein sein, sich der Besudelung widersetzen, wie Wein, der unvermischt ist, oder Wasser, welches nicht trübe ist. Das Herz muss von aller Verschmutzung rein gehalten werden, von allem, was „aus dem Herzen" kommt (Mt 15,19) und den Menschen verunreinigt (s. Mk 7,20). Das Herz muss „durch den Glauben gereinigt" (Apg 15,9) und vollständig für Gott bewahrt werden. „Erschaffe mir, o Gott, ein reines Herz" (Ps 51,12).

7.2 Der Trost der Glückseligen: Sie werden Gott schauen.

Es ist die Vollkommenheit der Seligkeit der Seele, Gott zu schauen. Ihn in unserem gegenwärtigen Stand auf der Erde im Glauben zu sehen, ist ein Himmel auf Erden; ihn so zu sehen, wie wir es in unserem künftigen Stand tun werden, ist der Himmel des Himmels.

Die Seligkeit, Gott zu schauen, wird nur denen verheißen, die „reinen Herzens sind". Keiner außer den Reinen ist tauglich, Gott zu schauen. Was für eine Freude könnte eine nicht geheiligte Seele an dem Schauen eines heiligen Gottes haben? Aber in allen, die „reinen Herzens sind", allen, die wahrhaft geheiligt sind, wurde ein Verlangen erzeugt, das nichts außer dem Schauen Gottes zufriedenstellen wird.

8. „Die Friedfertigen" sind glückselig **(Vers 9)**. „Die Weisheit von oben ... ist erstens rein, sodann friedfertig" (Jak 3,17); die Glückseligen sind Gott gegenüber „rein" und anderen gegenüber „friedfertig". „Die Friedfertigen" sind diejenigen, die Folgendes haben:

8.1 Eine friedfertige Disposition. Frieden zu schaffen, heißt, den Frieden zu lieben, zu wünschen und sich an ihm zu freuen, in seinem Element zu sein, wenn wir Frieden haben.

8.2 Eine friedfertige Richtschnur für das Verhalten. Friedfertig zu sein, heißt, den Frieden gewissenhaft zu bewahren, soweit wir es können, sodass er nicht gebrochen wird, und ihn wiederherzustellen, wenn er gebrochen wird. Frieden zu schaffen ist manchmal eine undankbare Aufgabe, und es ist das Los derer, die „Streithähne" auseinanderbringen wollen, Schläge von beiden Seiten zu bekommen. Es ist jedoch eine gute Aufgabe, und wir müssen eifrig darin sein, sie auszuführen.

Solche Personen sind „glückselig". Sie arbeiten mit Christus zusammen, um allen Hass zu vernichten und „Friede auf Erden" zu verkünden (Lk 2,14).

„... sie werden Söhne Gottes heißen!" Gott wird sie als solche anerkennen. Wenn die Friedfertigen glückselig sind, dann sind die Friedensbrecher in einem schrecklichen Stand!

9. Diejenigen, „die um der Gerechtigkeit willen verfolgt werden", sind glückselig. Dies ist das größte Paradox von allen, und es ist kennzeichnend für das Christentum. Diese Seligpreisung geschieht wie der Traum des Pharao zweimal (Vers 10-11), denn sie ist schwer zu glauben; doch die Sache ist gewiss (s. 1.Mose 41,32).

9.1 Die Situation leidender gottesfürchtiger Menschen wird beschrieben.

Sie werden verfolgt, gejagt, gehetzt und bedrängt wie angriffslustige Tiere, welche die Menschen jagen, um sie zu vernichten; sie werden preisgegeben wie der „Abschaum aller" (1.Kor 4,13).

Sie werden geschmäht und es wird „lügnerisch jegliches böse Wort" gegen sie geredet. Ihnen werden Spottnamen und schändliche Namen beigelegt, manchmal, um sie furchterregend erscheinen zu lassen, damit man sie kräftig angreifen kann. Jene, bei denen es nicht in ihrer Macht stand, den Gerechten unmittelbar Schwierigkeiten zu bereiten, konnten diese aber immer noch vor anderen *schmähen und verleumden;* und diejenigen, welche die Macht zur *Verfolgung* besaßen, haben es auch für notwendig gehalten, dies zu tun. Sie konnten ihre grausame Behandlung von ihnen nicht rechtfertigen, bevor sie nicht die Gerechten vorher als die schlimmsten Menschen darstellten. Die Heiligen zu schmähen, heißt, sie zu verfolgen, und es wird sich auf diese Weise rasch zeigen, wenn man für die „harten Worte" (Jud 1,15) und „Spott und Geißelung" (Hebr 11,36) Rechenschaft ablegen muss. Sie werden „lügnerisch jegliches böse Wort gegen euch reden". Es gibt keine böse Sache, egal, wie schwarz und schrecklich sie auch ist, die nicht, zu der einen oder anderen Zeit, lügnerisch über die Jünger und Nachfolger Christi gesagt wurde.

All dies geschieht „um der Gerechtigkeit willen" **(Vers 10)**, *„um meinetwillen"* **(Vers 11)**. Dies schließt diejenigen von dieser Glückseligkeit aus, die zu Recht leiden, von denen wahrheitsgemäß aufgrund ihrer wirklichen Übeltaten in böser Weise gesprochen wird. Es ist nicht das Leiden, sondern der Grund, den der Märtyrer ausmacht. Diejenigen, die „um der Gerechtigkeit willen" leiden, sind solche, die für Gutestun leiden.

9.2 Es werden die Ermutigungen begründet, welche leidenden Heiligen gebühren:

Sie sind „glückselig"; denn sie empfangen jetzt, zu ihrer Lebenszeit, „das Böse" (Lk 16,25), und empfangen es aus gutem Grund. Sie sind „glückselig": Es ist für sie eine Ehre. Es gibt ihnen die Gelegenheit, Christus zu verherrlichen und die besonderen Tröstungen und Zeichen seiner Gegenwart zu erleben.

Sie werden belohnt werden (s. Spr 11,31; Lk 14,14); „... ihrer ist das Reich der Himmel!" Sie haben bereits völliges Anrecht darauf und seinen süßen Vorgeschmack und in Kürze werden sie es tatsächlich besitzen. „Euer Lohn ist groß im Himmel", so groß, dass er den Dienst weit übertreffen wird. Gott wird sicherstellen, dass diejenigen, die um seinetwillen verlieren – sogar, wenn sie das Leben selbst verlieren –, am Ende nicht durch ihn verlieren werden. Dies hat leidende gottesfürchtige Menschen zu allen Zeiten ermutigt – dass diese Freude vor ihnen liegt (s. Hebr 12,2).

„*... ebenso haben sie die Propheten verfolgt, die vor euch gewesen sind*" **(Vers 12)**. Sie waren in Vortrefflichkeit „vor euch", über dem, was sie bis jetzt erreicht haben; sie waren nach der Zeit „vor euch", damit sie für Sie Beispiele „des Leidens und der Geduld" seien (Jak 5,10). Können Sie erwarten, auf andere Weise in den Himmel einzugehen? Es ist eine Ermutigung zu sehen, dass der Weg des Leidens bereits eine gut ausgetretene Straße ist; es ist eine Ehre, solchen Führern zu folgen. Diese Gnade, welche für sie genügte (s. 2.Kor 12,9), um sie durch Ihr Leiden hindurch zu tragen, wird für Sie nicht unzureichend sein.
Deshalb „freut euch und jubelt" **(Vers 12)**. Es genügt nicht, unter solchen Leiden geduldig und zufrieden zu sein; wir müssen uns auch freuen. Es ist nicht so, dass wir auf unser Leiden stolz sein sollen – das würde alles verderben –, sondern wir müssen an ihnen große Freude haben, weil wir wissen, dass Christus vor uns auf der gleichen Straße gegangen ist und nicht langsam sein wird zu helfen (s. 1.Petr 4,12-13).

Vers 13-16

Christus hatte seine Jünger gerade berufen und er hatte ihnen gesagt, er würde sie „zu Menschenfischern" machen (Mt 4,19). Hier sagte er ihnen, was sie gemäß seiner Absicht außerdem sein sollen – „das Salz der Erde" und „das Licht der Welt".

1. „Ihr seid das Salz der Erde." Die Propheten, die vor ihnen kamen, waren das Salz des Landes Kanaan, aber die Apostel waren das Salz der ganzen Erde, denn sie müssen „in alle Welt" gehen und das Evangelium verkünden (Mk 16,15). Was konnten sie auf einer so großen Fläche wie der ganzen Erde tun? Durch Zwang und Gewalt nichts; doch weil sie still als Salz wirken sollten, würde eine Handvoll dieses Salzes seinen Geschmack weit und breit verbreiten. Es würde einen langen Weg gehen und genauso verborgen und unaufhaltsam wirken wie Sauerteig (s. Mt 13,33). Die Lehre des Evangeliums ist wie „Salz". Sie ist durchdringend; sie dringt durch das Herz (s. Apg 2,37). Sie reinigt und würzt und bewahrt vor Verfall und Fäulnis. Ein ewiger Bund wird ein „Salzbund" genannt, und das Evangelium ist ein ewiges Evangelium. Salz war bei allen Opfern erforderlich (s. 3.Mose 2,13). Christen, insbesondere geistliche Diener, sind das Salz der Erde.

1.1 Wenn sie so sind, sind sie wie gutes Salz – weiß, klein und in viele Körnchen zerbrochen, aber sehr nützlich und notwendig. Beachten Sie hierbei:
Was sie in sich selbst sein sollen – mit dem Evangelium gewürzt, mit dem Salz der Gnade gewürzt (s. Kol 4,6). „Habt Salz in euch", denn sonst können Sie es nicht unter anderen verbreiten (Mk 9,50).
Was sie für andere sein müssen: Sie müssen nicht nur gut sein, sondern auch gut handeln.
Was für ein großer Segen sie für die Welt sind. Weil das Menschengeschlecht sich in Unkenntnis und Bosheit befindet, ist es ein riesiger, unappetitlicher Haufen, der kurz vor dem Verfall steht, doch Christus sendet seine Jünger aus, um diesen mit ihrem Leben und ihrem Lehren mit Erkenntnis und Gnade zu würzen und so für Gott annehmbar zu machen.
Wie sie erwarten müssen, gebraucht zu werden. Sie müssen wie Salz auf das Fleisch gestreut werden, hier ein Körnchen und da ein Körnchen. Manche haben angemerkt, dass man es zwar törichterweise ein schlechtes Omen nennt, wenn das Salz auf uns fällt, es doch wahrhaftig ein schlechtes Omen ist, wenn dieses Salz von uns abfällt.

1.2 Wenn sie dies nicht sind, sind sie wie Salz, das fade wird. Wenn Christen – insbesondere geistliche Diener – so sind, ist ihr Zustand sehr traurig, denn:
Sie können nicht wiederhergestellt werden. „Womit soll es wieder salzig gemacht werden?" Für geschmackloses Salz gibt es kein Heilmittel.
Sie sind nutzlos. „Es taugt zu nichts mehr." So wie ein Mensch ohne Verstand unbrauchbar ist, so ist es ein Christ ohne Gnade.
Sie sind zum Verderben und zur Verwerfung bestimmt. Sie werden „hinausgeworfen" werden. Sie werden „von den Leuten zertreten" werden.

2. „Ihr seid das Licht der Welt" **(Vers 14)**. Auch dies beschreibt sie als nützlich, wie in der vorigen Metapher – nichts ist nützlicher als Sonne und Salz –, doch herrlicher. „Süß ist das Licht" (Pred 11,7); es ist angenehm. So war es das Licht des ersten Tages der Welt. Auch das Licht des Morgens ist jeden Tag angenehm, und so sind es das Evangelium und die, die es verbreiten.

2.1 Als Lichter der Welt sind sie hell und auffallend und viele Augen sind auf sie gerichtet. „Es kann eine Stadt, die auf einem Berg liegt, nicht verborgen bleiben." Sie sind wie „Zeichen", Menschen (Jes 8,18), über die man sich wundert (s. Sach 3,8, KJV); all ihre Nächsten richten ihre Augen auf sie. Manche wundern sich über sie, loben sie, erfreuen sich an ihnen und mühen sich, sie nachzuahmen. Andere beneiden sie, hassen sie, kritisieren sie und versuchen, sie loszuwerden. Deshalb sollte es ihre Sorge sein, aufgrund ihrer Beobachter „mit Sorgfalt" (achtsam) zu wandeln (Eph 5,15).

2.2 Als Lichter der Welt sollen sie leuchten und anderen Licht geben **(Vers 15)**, und deshalb:

Weil Christus diese Lichter angezündet hat, sollen sie nicht unter einen „Scheffel" gestellt werden. Das Evangelium ist ein solch starkes Licht und es bringt so viele eigene Belege mit, dass es, wie „eine Stadt, die auf einem Berg liegt", nicht verborgen bleiben kann; es muss klar sein, dass es von Gott kommt. Es „leuchtet ... allen, die im Haus sind", allen, die sich ihm nahen und dort hinkommen möchten, wo es ist. Diejenigen, denen es nicht leuchtet, müssen sich selbst die Schuld geben; sie haben es abgelehnt, mit ihm im Haus zu sein.
Sie müssen als Lichter „leuchten" (Vers 16):
Durch ihr gutes Predigen. Sie müssen die Erkenntnis weitergeben, die sie zum Wohl anderer haben, sie nicht unter einen Scheffel stellen, sondern sie verbreiten. Die Jünger Christi sollen sich nicht um sich selber drehen, abgeschottet in der Zurückgezogenheit und Verborgenheit, und behaupten, in tiefer innerer Einkehr oder Demut zu sein.
Durch ihr gutes Leben. Sie müssen eine „brennende und scheinende Leuchte" sein (Joh 5,35). Beachten Sie:
Wie unser Licht leuchten muss – indem wir gute Werke tun, welche die Menschen sehen können. Wir müssen gute Werke tun, die man sehen kann, um andere aufzubauen; aber nicht, damit sie gesehen werden, um uns selbst wichtig erscheinen zu lassen. Diejenigen um uns herum müssen nicht nur unsere guten Worte hören, sondern auch unsere guten Werke sehen.
Zu welchem Zweck unser Licht leuchten muss – dass diejenigen, die „eure guten Werke sehen", dahin gebracht werden mögen, nicht Sie, sondern „euren Vater im Himmel" zu preisen. Die Herrlichkeit Gottes ist die große Sache, die wir bei allem erstreben müssen, was wir in unserem religiösen Glauben tun (s. 1.Petr 4,11). Wir müssen alles tun, was wir können, um andere dazu zu bringen, ihn zu preisen. Der Anblick unserer „guten Werke" wird dies ausrichten, indem unsere guten Werke den anderen Grund zum Lob liefern und Beweggründe für die Gottesfurcht. Das heilige, rechte und beispielhafte Leben gottesfürchtiger Menschen kann viel zur Bekehrung von Sündern beitragen. Beispiele von gottesfürchtigen Leben sprechen Bände und lehren Menschen. In gottesfürchtigem Verhalten liegt eine gewinnende Kraft.

Vers 17-20

Diejenigen, zu denen Christus predigte, achteten:

- Auf die Schriften des Alten Testaments als ihrem Grundsatz, und hier zeigte Christus ihnen, dass sie recht hatten.
- Auf die Gesetzeslehrer und Pharisäer als ihre Vorbilder, und hier zeigte Christus ihnen, dass sie falsch lagen, denn:

1. Der Grundsatz, den Christus aufzurichten kam, entsprach genau den Schriften des Alten Testaments, die hier „das Gesetz oder die Propheten" genannt werden.

1.1 Er wandte sich gegen den Gedanken, das Alte Testament aufzuheben oder abzuschwächen: „Ihr sollt nicht meinen, dass ich gekommen sei, um das Gesetz oder die Propheten aufzulösen."

„Die gottesfürchtigen Juden, die eine Zuneigung zum Gesetz und zu den Propheten haben, mögen nicht fürchten, dass ich gekommen bin, um sie ‚aufzulösen'."

„Die weltlichen Juden, die unzufrieden mit dem Gesetz und den Propheten und dieses Joches müde sind, mögen nicht hoffen, dass ich gekommen bin, um sie ‚aufzulösen'." Der Heiland der Seelen zerstört nichts, was von Gott kommt, noch viel weniger diese vorzüglichen Verordnungen, die wir durch Mose und die Propheten empfangen haben. Nein, er kam, „um zu erfüllen", das heißt:
Den Geboten des Gesetzes zu gehorchen. Er leistete in jeder Hinsicht dem Gesetz Gehorsam; er brach nie das Gesetz in irgendeiner Sache.
Um die Verheißungen des Gesetzes und die Weissagungen der Propheten zu erfüllen.
Um jeden Typus des Gesetzes zu erfüllen, indem er sich selbst als den Kern all dieser Schatten offenbart.
Dessen Mängel auszufüllen und es so zu vervollständigen und zu vervollkommnen. So, wie ein Bild, das grob gemalt ist, zuerst einige Umrisse der beabsichtigten Arbeit zeigt, die später ausgefüllt werden, füllte Christus durch seine Ergänzungen und Erläuterungen das Gesetz und die Propheten aus.
Das gleiche Ziel fortzuführen. Das Evangelium ist die Zeit der besseren Ordnung (s. Hebr 9,10); es ist nicht die Aufhebung des Gesetzes, sondern die Verbesserung und folglich dessen Aufrichtung.

1.2 Er behauptete, dass es für immer gelten würde: „Wahrlich, ich sage euch" – ich, „der Amen, der treue ... Zeuge" (s. Offb 3,14), erkläre feierlich –, „bis Himmel und Erde vergangen sind, wird nicht ein Buchstabe noch ein einziges Strichlein vom Gesetz vergehen, bis alles geschehen ist." „Das Wort des Herrn bleibt in Ewigkeit" (1.Petr 1,24), sowohl das des Gesetzes als auch das des Evangeliums. Das Interesse Gottes an seinem Gesetz weitet sich sogar auf die Dinge aus, die darin völlig belanglos zu sein scheinen, denn alles, was zu Gott gehört und seinen Stempel trägt, wird erhalten werden, selbst wenn es sehr klein ist.

1.3 Er gab seinen Jüngern die Verantwortung, das Gesetz sorgfältig zu bewahren, und er zeigte ihnen die Gefahr, es zu verachten und zu missachten. „Wer nun eines von diesen kleinsten Geboten auflöst und die Leute so lehrt, der wird der Kleinste genannt werden im Reich der Himmel" **(Vers 19)**. Doch „wer sie aber tut und lehrt, der wird groß genannt werden im Reich der Himmel". Wir können daraus lernen:

Dass es unter Gottes Geboten manche gibt, die weniger wichtig sind als andere; keines ist völlig belanglos, doch manche sind es im Verhältnis.

Dass es gefährlich ist, in der Lehre oder der Praxis, das geringste von Gottes Geboten aufzuheben. Das ist mehr, als dem Gesetz nicht zu gehorchen, es ist das Gesetz brechen (Ps 119,126).

Dass solche Verfälschungen umso schlimmer sind, je weiter sie gehen. Es ist anmaßend genug, das Gebot zu brechen, doch es ist noch weit schlimmer, die Menschen so zu lehren. Das bezieht sich eindeutig auf jene, die sich in dieser Zeit auf den Stuhl Moses gesetzt hatten (s. Mt 23,2) und den Text durch ihre Kommentare verzerrten und verdrehten. Diejenigen, die so lehren, werden „der Kleinste genannt werden im Reich der Himmel", im Reich der Herrlichkeit. Auf der anderen Seite jedoch werden Menschen, die genauso lehren als auch tun, was gut ist, wahrhaft ehrenwert und bedeutend in der Gemeinde Christi sein. Diejenigen, die nicht so handeln wie sie lehren, reißen mit der einen Hand ab, was sie mit der anderen aufbauen, doch Menschen, die aus Erfahrung sprechen, die dem entsprechen, was sie predigen, sind wirklich groß; in der Zukunft werden sie leuchten „wie die Sterne" im Reich unseres Vaters (Dan 12,3).

2. Die Gerechtigkeit, die Christus durch diesen Grundsatz aufzurichten kam, übertrifft denjenigen der Gesetzeslehrer und Pharisäer (Vers 20). Dies war eine sonderbare Lehre für diejenigen, welche die Gesetzeslehrer und Pharisäer als die betrachteten, welche die höchste Stufe der Religion erreicht hätten. Deshalb war es für sie eine große Überraschung zu hören, dass sie besser sein müssen als ihre Führer. Die Gesetzeslehrer und Pharisäer waren die Feinde Christi und seiner Lehre und waren große Unterdrücker, doch man muss auch zugeben, dass es bei ihnen etwas Lobenswertes gab. Sie waren hingegeben in Fasten und Gebet und im Geben von Almosen. Sie haben bereitwillig die zeremoniellen Zusammenkünfte beachtet und es zu ihrer Aufgabe gemacht, andere zu lehren. Unser Herr Jesus sagt hier aber seinen Jüngern, dass die Religion, die er aufzurichten kam, nicht nur die Bösartigkeit der Gesetzeslehrer und Pharisäer ausschloss, sondern auch ihre Güte übertraf. Wir müssen mehr und Besseres tun als sie. Sie kümmerten sich nur um die äußerliche, doch wir müssen für die innerliche Frömmigkeit sorgen. Sie strebten nach der „Ehre" und der Anerkennung „der Menschen" (Joh 12,43), wir aber müssen nach der Annahme bei Gott streben. Wir müssen, wenn wir alles getan haben, uns selbst verleugnen (s. Mt 16,24) und sagen, dass wir „unnütze Knechte" sind (Lk 17,10) und nur auf die Gerechtigkeit Christi trauen.

Vers 21-26

Christus fuhr damit fort, das Gesetz anhand von einigen genauen Beispielen zu erläutern. Er fügte nichts Neues hinzu. Er begrenzte nur einige Zulassungen, die missbraucht worden waren, und schränkte sie ein, und bei den Vorschriften zeigte er ihre Breite, Strenge und geistliche Natur. In diesen Versen erläutert er das Gesetz des sechsten Gebotes gemäß seinem wahren Zweck und seiner vollständigen Ausdehnung. Hier ist:

1. Das Gebot selbst niedergelegt (s. Vers 21). Die Gesetze Gottes waren keine neuartigen, neumodischen Gesetze, sondern waren ihnen lange vorher übergeben worden. Sie waren alte Gesetze, doch von der Art, die nie veralten oder überholt werden würde. Das „Töten" ist hier verboten, sich selbst zu töten, einen anderen Menschen zu töten, direkt oder indirekt, oder auf irgendeine Weise daran mitschuldig zu sein. Das Gesetz Gottes, des Gottes des Lebens, ist ein schützender Zaun um unser Leben (s. Hiob 1,10; Jes 5,5).

2. Die Erläuterung dieses Gebotes, mit der sich die jüdischen Lehrer begnügten. Ihr Kommentar dazu war: „Wer aber tötet, der wird dem Gericht verfallen sein." Ihre Auslegung dieses Gebotes war fehlerhaft, denn sie behaupteten, dass das Gesetz des sechsten Gebotes nur äußerlich war und nichts mehr verbat als die Tat des Mordes und sündigen Begierden keine Beschränkungen auferlegte, aus denen „die Kämpfe und die Streitigkeiten" (Jak 4,1) kommen. Dies war in der Tat der grundlegende Fehler der jüdischen Lehrer, zu meinen, dass das göttliche Gesetz nur die sündige Tat verbietet, nicht den sündigen Gedanken.

3. Die Erläuterung, die Christus von diesem Gebot gab.

3.1 Christus sagte ihnen, dass unbesonnener Zorn Mord im Herzen ist: „Jeder, der seinem Bruder ohne Ursache zürnt", bricht das sechste Gebot **(Vers 22)**. Zorn ist eine natürliche Leidenschaft; es gibt Fälle, in denen er rechtmäßig und lobenswert ist. Doch er ist sündig, wenn:

Er ohne berechtigte Provokation entsteht, das heißt, ohne Ursache, ohne gute Ursache oder aus keinen großen oder angemessenen Ursachen, wenn wir auf der Grundlage unbegründeter Verdächtigungen oder unbedeutender Beleidigungen böse sind, die nicht wert sind, dass man darüber spricht.

Wenn kein gutes Ziel verfolgt wird. Dann ist er unnütz; dann will er schaden. Wenn wir zu irgendeiner Zeit böse sind, sollte es dazu geschehen, die Missetäter zur Buße zu erwecken und sie davon abzuhalten, wieder zu sündigen.

Er die angemessenen Grenzen überschreitet, wenn wir heftig und aufgeregt sind und denen weh tun möchten, über die wir verärgert sind. Dies ist Ungehorsam gegenüber dem sechsten Gebot, denn diejenigen, die auf diese Weise zornig sind, würden töten, wenn sie könnten und es wagten; sie haben den ersten Schritt in diese Richtung gemacht.

3.2 Er sagte ihnen, dass den Bruder oder die Schwester mit Worten beleidigen und sie „Raka!" und „du Narr!" zu nennen, Mord mit der Zunge ist. Wenn dies mit Sanftmut und zu einem guten Zweck getan wird, um andere von ihrem Stolz und ihrer Torheit zu überführen, ist es nicht sündig. Wenn es jedoch aus Zorn und Böswilligkeit in uns hervorgeht, ist es der Rauch des Feuers, das von der Hölle entzündet ist.

„Raka" ist ein verächtliches Wort und entspringt dem Stolz: „Sie wertloser Zeitgenosse!" „... dieser Pöbel, der das Gesetz nicht kennt, der ist unter dem Fluch!", das ist eine solche Sprache (Joh 7,49).

„Du Narr" ist ein boshaftes Wort und entspringt dem Hass, betrachtet die angesprochene Person nicht nur als niedrig und nicht ehrenhaft, sondern auch als verachtenswert und nicht liebenswert. „Raka" bezieht sich auf einen Menschen ohne Vernunft, „Narr", ein biblisches Wort, bezieht sich auf einen Menschen ohne Gnade. Je mehr sich eine Beleidigung auf den geistlichen Zustand des Menschen bezieht, auf den sie geschleudert wird, desto schlimmer ist sie. Gehässige Verleumdungen und Kritik sind Gift unter der Zunge (s. Hiob 20,12; Ps 10,7; 140,4; Röm 3,13), das heimlich und langsam tötet. Solche Worte sind der Beleg für Hass gegenüber unserem Nächsten, der nach ihrem Leben schlagen würde, wenn es in unserer Macht stünde.

3.3 Er sagte ihnen, dass, wie wenig sie diese Sünden auch begehen würden, sie zweifellos gerichtet werden würden, denn wer seinem Bruder zürnt, wird in Gefahr stehen, dem Gericht und Zorn Gottes zu verfallen; wer ihn „Raka" nennt, soll in Gefahr stehen, vor den Hohen Rat zu kommen oder vom Sanhedrin bestraft zu werden, weil er einen Israeliten geschmäht hat, doch „wer aber sagt: Du Narr!", du gottlose Person, du Kind der Hölle, der soll in der Gefahr stehen, dem höllischen Feuer zu verfallen, zu dem er seinen Bruder verurteilt. Indem er zeigte, welche Sünde die schrecklichste Strafe hatte, wollte Christus zeigen, welche die am meisten sündige ist.

4. Die Folgerung, dass wir sorgsam die christliche Liebe und den Frieden mit all unseren Brüdern und Schwestern bewahren sollten und dass wir, sollte zu irgendeiner Zeit ein Riss entstehen, Versöhnung suchen sollten:

4.1 Weil wir, solange diese nicht zustande gekommen ist, völlig untauglich für die Gemeinschaft mit Gott bei religiösen Zeremonien sind **(Vers 23-24)**. Wenn Sie etwas gegen Ihren Bruder haben, dann machen Sie es kurz; es ist nichts mehr zu tun, als ihm zu vergeben (s. Mk 11,25) und die Kränkung zu vergeben. Wenn aber der Zank auf Ihrer Seite begann, wenn die Schuld, sei es zuerst oder hinterher, die Ihre ist, sodass „dein Bruder" einen Streit mit dir hat, dann „geh ... hin und versöhne dich mit" ihm, bevor Sie Ihre Gabe auf dem Altar opfern, ehe Sie sich Gott feierlich nahen. Wenn wir im Begriff sind, an irgendwelchen religiösen Übungen teilzunehmen, ist es gut für uns, diese Gelegenheit zu einer ernstlichen Betrachtung und Selbstprüfung zu nutzen. Religiöse Übungen sind für Gott nicht annehmbar, wenn sie verrichtet werden, wenn wir böse sind. Im Zorn gesprochene Gebete sind in Bitterkeit geschrieben (s. Jes 1,15; 58,4). Liebe ist so viel besser „als alle Brandopfer und Schlachtopfer" (Mk 12,33), dass Gott bereit ist, lieber auf die Gabe zu warten, als sie geopfert zu bekommen, während wir schuldig und in einen Streit verwickelt sind. Doch selbst wenn wir durch unseren dauernden Streit mit einem Bruder oder einer Schwester für die Gemeinschaft mit Gott untauglich sind, kann dies keine Entschuldigung dafür sein, unsere Pflicht zu versäumen oder zu vernachlässigen. Viele geben das als Grund an, warum sie nicht zur Gemeinde oder zum Abendmahl kommen: Sie haben einen Streit mit ihrem Nächsten. Und wessen Schuld ist das? Eine Sünde wird nie eine weitere entschuldigen, sondern vielmehr die Schuld verdoppeln. Ein Mangel an Liebe kann nicht einen Mangel an Frömmigkeit rechtfertigen. Wir sollen die Sonne an keinem Tag über unserem Zorn untergehen lassen (s. Eph 4,26), denn wir müssen beten gehen, ehe wir schlafen gehen; noch viel weniger dürfen wir an einem Sabbattag die Sonne über unserem Zorn untergehen lassen, denn er ist ein Tag des Gebets.

4.2 Denn solange diese nicht geschehen ist, sind wir großer Gefahr ausgesetzt **(Vers 25-26)**:

Aus einem weltlichen Grund. Wenn das Vergehen, das wir gegen unseren Bruder oder unsere Schwester begangen haben – sei es an ihrem Leib, ihrem Besitz oder ihrem Ruf –, derart ist, dass sie uns dafür belangen können – vielleicht beträchtliche Schäden einfordern können –, sind wir weise und es ist unsere Pflicht gegenüber unserer Familie, dies durch demütiges Sichfügen zu verhindern und danach zu streben, eine gerechte und friedliche Genugtuung zu leisten, denn sonst können sie dies durch einen Prozess erwirken und uns, im Extremfall, ins Gefängnis bringen. Es ist zwecklos, mit dem Gesetz zu kämpfen, und wir stehen in der Gefahr, dadurch zerschmettert zu werden. Es ist gut, zu einer Einigung zu kommen, denn ein Prozess ist kostspielig. Wir müssen zwar gegenüber denen barmherzig sein, gegen die wir etwas haben, doch wir müssen immer noch gerecht gegenüber denen sein, die etwas gegen uns haben. Ein Gefängnis ist ein ungemütlicher Ort für jene, die durch ihren Stolz, ihren Übermut, Starrsinn und ihre Torheit dorthin gebracht werden.

Aus einem geistlichen Grund. „... und geh ... hin und versöhne dich mit deinem Bruder." Seien Sie gerecht und freundlich gegenüber ihm, denn solange der Streit weitergeht, sind Sie, so wie sie nicht in der Lage sind, Ihre Gabe zum Altar zu bringen, zum Tisch des Herrn zu kommen, auch nicht bereit zum Sterben. Dies lässt sich auf das große Werk unserer Versöhnung mit Gott durch Christus anwenden: „Sei deinem Widersacher bald geneigt, während du noch mit ihm auf dem Weg bist" **(Vers 25)**. Daraus können wir lernen:

- Der große Gott ist ein Widersacher aller Sünder.
- Es ist unsere Verantwortung, ihm geneigt zu sein.
- Es wäre weise, wenn wir dies rasch tun, während wir „auf dem Weg" sind. Solange wir noch am Leben sind, sind wir „auf dem Weg"; nach dem Tod wird es zu spät sein.
- Diejenigen, die weiterhin in einem Stand der Feindschaft gegenüber Gott verharren, setzen sich fortwährend dem Zugriff seiner Gerechtigkeit aus. Die Hölle ist das Gefängnis, in das die geworfen werden, die darin beharren, Gottes Feinde zu sein (s. 2.Petr 2,4). Sünder müssen in Ewigkeit in der Hölle bleiben; sie werden von dort nicht herauskommen, bis sie den letzten Groschen bezahlt haben, und das wird bis zu der am weitesten entfernten Ewigkeit nicht geschehen.

Vers 27-32

Hier haben wir eine Erläuterung des siebten Gebotes. Es ist das Gesetz gegen sexuelle Unmoral, das passenderweise dem davor folgt. Das eine legt sündigen Leidenschaften Einschränkungen auf und dieses hier sündigen Gelüsten.

1. Das Gebot wird hier bestimmt: „Du sollst nicht ehebrechen" **(Vers 27)**, was ein Verbot aller anderen sexuell unmoralischen Handlungen und alles Verlangen danach mit einschließt.

2. Es wird hier in drei Aspekten in seiner Strenge erklärt. Wir werden hier gelehrt:

2.1 Dass es so etwas wie Ehebruch im Herzen gibt, ehebrecherische Gedanken und Einstellungen, die nie zum tatsächlichen Begehen von Ehebruch oder anderen Formen sexueller Unmoral führen. „Wer eine Frau ansieht" – nicht nur die Frau eines anderen Mannes, wie manche meinen, dass es sich darauf bezieht, sondern irgendeine Frau –, „um sie zu begehren, der hat in seinem Herzen schon Ehebruch mit ihr begangen" **(Vers 28)**. Dieses Gebot verbietet nicht nur die Handlungen sexueller Unmoral und des Ehebruchs, sondern auch:

Alle Gelüste nach ihnen. Lust ist die Verfassung eines Gewissens, das schlecht beeinflusst oder genarrt ist: Schlecht beeinflusst, wenn es nichts gegen die Sünde sagt, genarrt, wenn es sich nicht mit dem durchsetzt, was es sagt.

Jede Annäherung an sie, die Augen mit der Betrachtung der verbotenen Frucht zu nähren. Die Augen sind sowohl der Eingang als auch der Ausgang von vielem Bösen dieser Art. Warum haben wir Augenlider, wenn nicht, um verderbten Blicken Einhalt zu gebieten und verunreinigende Eindrücke draußen zu halten? Dieses Gebot verbietet auch den Gebrauch von irgendeinem anderen Sinn, um Lust zu erregen. Wenn umgarnende Blicke eine verbotene Frucht sind, dann sind es unmoralische Sprache und Flirten noch umso mehr, die dieses Feuer der Hölle anfachen. Dieses Gebot dient dazu, das Gesetz der Reinheit des Herzens zu schützen (s. Mt 5,8). Wenn das Ansehen lüstern ist, dann sind diejenigen, die sich mit der Absicht kleiden, schmücken und zeigen, angesehen und begehrt zu werden, nicht weniger schuldig. Menschen sündigen, aber die Teufel versuchen uns zur Sünde.

2.2 Dass solche Blicke und Flirts sehr gefährlich und schädlich für die Seele sind; dass es besser ist, das Auge und die Hand zu verlieren, die sich auf diese Weise vergehen, als die Sünde zuzulassen. Die verderbte Natur würde rasch Einwände erheben und behaupten, dass es unmöglich ist, von diesem Gebot regiert zu werden: „Das ist eine harte Rede! Wer kann sie hören" (Joh 6,60)? „Fleisch und Blut müssen mit Vergnügen auf eine schöne Frau blicken, und es ist unmöglich, nicht lustvoll auf solch ein Objekt zu schauen." Solche Vorwände lassen sich kaum durch den Verstand überwinden und deshalb muss man mit Verweis auf den Schrecken des Herrn gegen sie argumentieren.

Eine schlimme Operation wird verschrieben, um diese sexuelle Unmoral zu verhindern: „Wenn dir aber dein rechtes Auge ein Anstoß zur Sünde wird" – durch unmoralische Blicke oder das Starren auf verbotene Objekte – „... und wenn deine rechte Hand für dich ein Anstoß zur Sünde wird" – durch unmoralisches Flirten – und wenn es keine andere Möglichkeit gibt, dem Einhalt zu gebieten (welche es, Gott sei gelobt, durch seine Gnade gibt), wäre es besser für uns, das Auge herauszureißen und die Hand abzuhauen, als ihnen zu erlauben, zu sündigen und dadurch die Seele zu zerstören. Wenn man sich dem, was für die natürlichen Instinkte schockierend ist, unterziehen muss, dann müssen wir noch mehr entschlossen sein, unaufhörlich über unsere Herzen zu wachen, indem wir die ersten Zeichen von Lust und Verderbtheit dort unterdrücken; die Gelegenheiten zur Sünde vermeiden, ihren Anfängen wehren und die Gesellschaft derer ablehnen, die uns vielleicht in eine Falle locken, selbst wenn sie sehr angenehm ist. Wir müssen uns von dem Weg des Übels fernhalten, uns bei dem Gebrauch rechtmäßiger Dinge einschränken, wenn wir sehen, dass sie für uns Versuchungen sind; müssen Gott um seine Gnade suchen, uns jeden Tag auf diese Gnade stützen und so im Geist wandeln (s. Gal 5,16), damit wir nicht das Fleisch „bis zur Erregung von Begierden" pflegen (Röm 13,14). Dies wird genauso wirksam sein wie die rechte Hand abhauen oder das rechte Auge herausreißen – und vielleicht geht dies unserem Fleisch und Blut genauso sehr gegen den Strich; es ist die Zerstörung des alten „Ich".

Es ist ein schockierendes Argument, das benutzt wird, um dieser Verordnung Nachdruck zu verleihen **(Vers 29)**. „Denn es ist besser für dich, dass eines deiner Glieder verloren geht, als dass dein ganzer Leib in die Hölle geworfen wird."

Es ist für einen Diener am Evangelium nicht unschicklich, Hölle und Verdammnis zu predigen; tatsächlich müssen sie es tun, denn Christus tat es selbst, und wir sind gegenüber unserer Verantwortung untreu, wenn wir nicht vor „dem zukünftigen Zorn" warnen (Mt 3,7).

Es gibt manche Sünden, aus denen wir „mit Furcht" gerettet werden müssen (Jud 1,23), insbesondere aus fleischlichen Begierden (s. 1.Petr 2,11), die wilde Tiere sind, denen man nicht anders Einhalt gebieten kann, als vor ihnen erschrocken zu sein. Menschen, die nicht wissen, wie die Hölle ist, oder die nicht das glauben, was uns die Schrift von ihr sagt, haben sich entschieden, lieber ein ewiges Verderben in Kauf zu nehmen, als sich der Befriedigung ihrer niederen und wollüstigen Begierden zu verwehren.

Selbst die Pflichten, die für Fleisch und Blut sehr unangenehm sind, sind besser für uns, und unser Meister verlangt von uns nichts außer dem, von dem er weiß, dass es zu unserem Wohl sein wird.

2.3 Dass das Sichscheiden von Männern von ihren Frauen, weil sie sie nicht mögen oder aus irgendeinem Grund außer Ehebruch, ein Handeln gegen das siebte Gebot war, weil es dem Ehebruch die Tür öffnete **(Vers 31-32)**. Beachten Sie hier:

Wie die Dinge dann in Bezug auf die Scheidung stehen. „Wer sich von seiner Frau scheidet, der gebe ihr einen Scheidebrief"; er soll nicht meinen, er kann dies durch ein mündliches Wort tun, wenn er einen Zornesausbruch hat, er möge dies ernstlich tun. So hat das Gesetz überstürzte und voreilige Scheidungen verhindert.

Wie diese Sache von unserem Heiland ergänzt und richtiggestellt wurde. Er führt die Ordnung der Ehe auf ihre ursprüngliche Einsetzung zurück: „... sie werden ein Fleisch sein" (1.Mose 2,24; Eph 5,31), nicht leicht zu trennen, und so soll die Scheidung nicht erlaubt sein außer wegen Ehebruchs, der den Ehebund bricht, und der Mann, der sich aus irgendeinem anderen Vorwand von seiner Frau scheidet, „macht, dass sie die Ehe bricht", und das Gleiche tut der Mann, der sie heiratet, wenn sie auf diese Weise geschieden ist.

Vers 33-37
Hier haben wir eine Erläuterung des dritten Gebotes. Gott „wird den nicht ungestraft lassen" – dennoch hält er sich vielleicht zurück – „der seinen Namen missbraucht" (2.Mose 20,7).

1. Jeder stimmt dem zu, dass dieses Gebot Meineid und das Brechen von Eiden und Gelübden verbietet **(Vers 33)**. Meineid ist eine Sünde, die von dem Licht der Natur verurteilt wird, und sie ist eine Kombination aus Unglauben gegenüber Gott und Ungerechtigkeit gegenüber den Menschen und macht einen Menschen deshalb sehr anfällig für den Zorn Gottes. Und da man meinte, dass dieser Zorn unfehlbar auf diese Sünde folgte, wurden die Formen des Schwörens im Allgemeinen in Flüche oder Verwünschungen gewendet, wie: „Gott möge mir dies und das und noch mehr tun", und in unserer Gesellschaft: „So wahr mir Gott helfe", was den Wunsch ausdrückt, dass die Schwörenden nie irgendeine Hilfe von Gott erfahren mögen, wenn sie falsch schwören. Die Völker haben es deshalb so eingerichtet, dass die Menschen sich selbst verfluchen, wobei sie meinen, dass Gott die Schwörenden verfluchen würde, wenn sie gegen die Wahrheit lügen, wenn sie Gott feierlich aufgerufen hatten, sie zu bezeugen.

2. Hier wird hinzugefügt, dass das Gebot nicht nur falsches Schwören verbietet, sondern auch jedes übereilte, unnötige Schwören: „Ich aber sage euch, dass ihr überhaupt nicht schwören sollt" **(Vers 34**; s. Jak 5,12). Das heißt nicht, dass jedes Leisten eines Eides sündig ist; weit davon entfernt, wenn er richtig geleistet wird, ist er Teil unseres religiösen Gottesdienstes und wir geben Gott darin „die Ehre seines Namens" (Ps 29,2; 96,8). Indem wir einen Eid leisten, bieten wir die Wahrheit von etwas Bekanntem als Sicherheit an, um die Wahrheit von etwas Unbekanntem oder

Zweifelhaftem zu bekräftigen. Wir rufen eine höhere Erkenntnis, ein größeres Gericht an. Die Ansicht Christi in dieser Angelegenheit ist, dass:

2.1 Wir „überhaupt nicht schwören" dürfen, außer, wenn wir in rechter Weise dazu aufgerufen werden, dies zu tun, wenn die Liebe zu unserem Bruder oder unserer Schwester oder die Rücksicht auf das Allgemeinwohl es für „das Ende alles Widerspruchs" erforderlich macht (Hebr 6,16).

2.2 Wir nicht leichtfertig oder ehrfurchtslos schwören dürfen, in gewöhnlicher Sprache: Es ist eine große Sünde, unsinnig die herrliche Majestät des Himmels anzurufen. Es ist eine Sünde ohne Deckmantel, ohne Entschuldigung, und deshalb ein Zeichen für ein Herz ohne Gnade.

2.3 Wir besonders versprechende Eide vermeiden müssen, über die Christus hier im Besonderen spricht, denn das sind Eide, die ein Handeln von unserer Seite erfordern. Das häufige Fordern und Gebrauchen von Eiden in unserer Gesellschaft ist eine Mahnung an Christen, die eine so anerkannte Vertrauenswürdigkeit haben sollten, dass ihre ernst gemeinten Worte genauso heilig sind wie ihre feierlichen Eide.

2.4 Wir nicht bei irgendeinem Geschöpf schwören dürfen. Es scheint einige gegeben zu haben, die aus Höflichkeit – oder sie dachten es so – gegenüber dem Namen Gottes diesen nicht beim Schwören benutzen wollten, sondern „bei dem Himmel", oder „bei der Erde" schwören wollten. Es gibt nichts, bei dem wir schwören können, das nicht auf die eine oder andere Weise zu Gott in Bezug steht, welcher der Ursprung aller Wesen ist, und deshalb ist es genauso gefährlich, bei ihnen zu schwören, wie bei Gott selbst zu schwören. Es ist die Wahrhaftigkeit der Schöpfung, die auf dem Spiel steht, doch sie kann kein Werkzeug des Zeugnisses sein, außer in der Weise, wie sie sich auf Gott bezieht.

Schwören Sie nicht beim Himmel, was meint zu sagen: „So sicher es einen Himmel gibt, ist dies wahr." Denn „er ist Gottes Thron", sein Heim. Sie können nicht beim Himmel schwören, wenn Sie nicht bei Gott selbst schwören.

„... noch bei der Erde, denn sie ist der Schemel seiner Füße." „Dem HERRN gehört die Erde" (Ps 24,1), sodass bei ihr zu schwören bedeutet, bei ihrem Eigentümer zu schwören.

„... noch bei Jerusalem", ein Ort, vor dem die Juden solchen Respekt hatten, dass sie von nichts Heiligerem sprechen konnten, um dabei zu schwören. Es ist „die Stadt des großen Königs" (Ps 48,3), „die Stadt Gottes" (Ps 46,5), und deshalb ist er an ihr interessiert und an jedem Eid, den man bei ihr leistet.

„Auch bei deinem Haupt sollst du nicht schwören." Es gehört mehr Gott als Ihnen, denn er hat es gemacht und all seine Kräfte und deren Quellen gebildet, während Sie von sich aus durch irgendeinen innerlichen Einfluss die Farbe für „kein einziges Haar" ändern können, um es „weiß oder schwarz" zu machen. Sie können deshalb nicht bei Ihrem Haupt schwören, ohne bei dem Einen zu schwören, der Ihre Herrlichkeit ist und dem, der Ihr Haupt emporhebt (s. Ps 3,4).

2.5 Wir uns deshalb bei all unserem Reden damit begnügen müssen, dass unser Ja ein Ja und unser Nein ein Nein ist **(Vers 37)**. „Wahrlich, wahrlich" war das „Ja, ja" unseres Heilands. Wenn wir etwas bestreiten, möge es deshalb genug sein, „Nein" zu sagen. Wenn unsere Ehrlichkeit bekannt ist, wird dies genug sein, dass man uns glaubt. Wenn wir, wenn sie bezweifelt wird, dann das, was wir sagen, durch Schwören und Verfluchen unterstützen, wird es nur noch verdächtiger. Diejenigen, die einen gottlosen Eid verschlucken können, werden eine Lüge nicht aussieben (s. Mt 23,24). Der Grund ist bezeichnend: „Was darüber ist, das ist vom Bösen", selbst wenn es nicht auf die Sünde eines Eides hinausläuft. Das kommt durch die Falschheit, die in jedem Menschen steckt: „Alle Menschen sind Lügner" (Ps 116,11); Menschen benutzen diese Erklärungen, weil sie einander misstrauen und denken, ihnen kann ohne sie nicht geglaubt werden. Ein Eid ist Medizin und er setzt eine Krankheit voraus.

Vers 38-42

In diesen Versen wird das Gesetz der Vergeltung erläutert. Beachten Sie:

1. Was die Zulassung des Alten Testaments im Falle einer Verletzung war. Es war kein Gebot, dass jeder unbedingt eine solche Genugtuung verlangen sollte, aber sie konnten von Rechts wegen darauf bestehen, wenn es ihnen gefiel: „Auge um Auge und Zahn um Zahn!" **(Vers 38)**. Das war eine Anleitung für die Richter des jüdischen Volkes und wurde als Schrecken für diejenigen erlassen, die Schwierigkeiten verursachten, und als Einhalt für jene, denen diese Schwierigkeiten bereitet wurden, damit sie nicht auf einer größeren Strafe als angemessen bestehen konnten. Es war nicht ein Leben für ein Auge, noch ein Glied für einen Zahn; die Strafe muss im Verhältnis zum Verbrechen stehen. Dies bleibt nun in dem Maße für uns in Kraft, dass es eine Anweisung für Regenten ist, das Schwert der Gerechtigkeit zum Wohl und die nützlichen Gesetze des Landes zum Schrecken der Übeltäter und der Verteidigung der Unterdrückten zu verwenden. Es ist auch als Richtschnur für Gesetzgeber in Kraft und verlangt von ihnen, den Verbrechen weise Strafen zuzuteilen.

2. Was das Neue Testament gebietet, gilt mit Blick auf diejenigen, welche die Klage einreichen. Es ist ihre Pflicht, die Verletzung zu vergeben als etwas, das ihnen getan wurde, und nicht weiter auf ihrer Bestrafung zu bestehen, als es für das öffentliche Wohl notwendig ist. Christus lehrt uns hier zwei Dinge:

2.1 Wir dürfen nicht rachsüchtig sein: „Ich aber sage euch: Ihr sollt dem Bösen nicht widerstehen" **(Vers 39)** – dem Übeltäter, der Sie verletzt hat. Wir dürfen dem Übel „widerstehen" und es meiden, soweit es für unsere eigene Sicherheit nötig ist, aber wir dürfen nicht „Böses mit Bösem" vergelten (1.Thess 5,15), keinen Groll hegen noch uns selbst rächen, noch danach streben, mit denen abzurechnen, die uns unfreundlich behandelt haben, sondern müssen über sie hinausgehen, indem wir ihnen vergeben (s. Spr 20,22; 24,29; 25,21-22; Röm 12,17). Das Gesetz der Vergeltung muss mit dem Gesetz der Liebe in Einklang gebracht werden. Wir haben nicht das Recht, unseren Bruder oder unsere Schwester zu verletzen, indem wir sagen, dass sie angefangen haben, denn es ist der zweite Schlag, der es zum Streit werden lässt. Unser Heiland bestimmt drei Dinge, um zu zeigen, dass Christen denen geduldig nachgeben müssen, die grob mit ihnen umgehen.

Ein Schlag auf die Backe, der meinen Leib verletzt. „Wenn dich jemand auf deine rechte Backe schlägt", was nicht nur eine Verletzung, sondern auch eine Beleidigung und Demütigung ist, „so biete ihm auch die andere dar." Tragen Sie es geduldig. Zahlen Sie nicht mit gleicher Münze heim. Ignorieren Sie es und beachten Sie es nicht weiter: Es sind keine Knochen gebrochen, kein großer Schaden angerichtet; vergeben und vergessen Sie. Wenn stolze Toren deswegen das Schlimmste von Ihnen denken und Sie dafür auslachen, werden alle weisen Menschen Sie dafür als Nachfolger des göttlichen Jesus achten und ehren. Obwohl uns dies bei manchen verdorbenen Menschen zu einer anderen Zeit vielleicht ähnlichen Beleidigungen aussetzt und deshalb in der Tat die andere Backe darzubieten ist, soll uns dies nicht beunruhigen. Vielleicht kann das Vergeben einer Beleidigung eine weitere verhindern, während sie zu rächen eine weitere provoziert hätte; manche, die durch Widerstand wütender würden, werden durch Ergebenheit überwunden (s. Spr 25,22).

Der Verlust eines Hemdes, der mir in Bezug auf meinen Besitz schadet: „Und dem, der mit dir vor Gericht gehen und dein Hemd nehmen will" **(Vers 40)**. Selbst wenn Richter gerecht und sorgfältig sind, ist es für schlechte Menschen, die keine Skrupel in Bezug auf Eide haben und betrügerisch vor Gericht ziehen, immer noch möglich, einem Menschen das Kleid von seinem Rücken zu reißen. „Wundere dich nicht darüber" (Pred 5,7); „... dem lass auch den Mantel." Wenn die Sache klein ist, ist es gut, sich um des Friedens willen in den Verlust zu ergeben. Es wird Sie nicht so viel kosten, einen anderen Mantel zu kaufen, wie es Sie auf dem Weg des Gesetzes kosten wird, die Kosten für den einen zurückzuerlangen, der genommen wurde.

Das erzwungene Gehen einer Meile, was mir in Bezug auf meine Freiheit schadet: „Und wenn dich jemand nötigt, eine Meile weit zu gehen, so geh mit ihm zwei" **(Vers 41)**. Sprechen Sie: „Ich werde es tun, denn sonst wird es einen Streit geben." Es ist besser, ihm zu dienen, als unseren eigenen sündigen Begierden des Stolzes und der Rachsucht zu dienen. Die Summe von all dem ist, dass Christen nicht den Rechtsstreit lieben und begierig darauf sein dürfen, vor Gericht zu ziehen. In kleine Verletzungen muss man sich ergeben und darf keine Notiz von ihnen nehmen. Wenn die Verletzung derart ist, dass sie von uns erfordert, Wiedergutmachung zu erstreben, muss es für ein gutes Ziel und ohne Rachegedanken geschehen.

2.2 Wir müssen freundlich und großzügig sein **(Vers 42)**. Wir dürfen nicht nur unseren Nächsten nicht schaden; wir müssen danach streben, ihnen so viel Gutes zu tun, wie wir können.

Wir müssen bereit sein, zu geben: „Gib dem, der dich bittet." Wenn Sie in der Lage sind, dann betrachten Sie die Bitte des Armen als Gelegenheit für Sie, denen zu geben, die in Not sind. Dennoch müssen die Taten unserer Nächstenliebe von Umsicht geleitet sein (s. Ps 112,5; KJV), sodass wir nicht den Untätigen und Unwürdigen geben, was denen gegeben werden sollte, die in echter Not sind und es verdienen. Was Gott zu uns sagt, ist das, dass wir bereit sein sollten, zu unserem armen Brüdern und Schwestern zu sagen: „Bittet, so wird euch gegeben" (Mt 7,7).

Wir müssen bereit sein, zu verleihen. Dies ist manchmal eine genauso große Tat der Nächstenliebe wie geben, weil es nicht nur die gegenwärtige Not lindert, sondern den Entleiher auch verpflichtet, sparsam, fleißig und rechtschaffen zu sein. Machen Sie es demjenigen leicht, der „borgen will", zu Ihnen zu kommen; selbst wenn er vielleicht zurückhaltend ist und nicht das Zutrauen hat, seinen Fall bekannt zu machen und die Gunst zu erbitten, so kennen Sie doch sowohl seine Not als auch sein Begehren, und so sollten Sie ihm die Freundlichkeit anbieten. Es ist gut für uns, eifrige Taten der Gefälligkeit zu tun, denn Gott hört uns, ehe wir rufen, und kommt uns mit *„köstlichen Segnungen"* entgegen (Ps 21,4).

Vers 43-48

Zuletzt haben wir hier eine Erläuterung des großen und grundlegenden Gesetzes der zweiten Tafel der Zehn Gebote. „Du sollst deinen Nächsten lieben." Beachten Sie:

1. Wie dieses Gesetz durch die Kommentare der jüdischen Lehrer verfälscht wurde. Gott sagte: „Du sollst deinen Nächsten lieben" **(Vers 43)**. Und sie verstanden „Nächster" so, dass es sich nur auf diejenigen bezieht, bei denen es ihnen gefiel, sie als ihre Freunde anzusehen. Sie waren bereit, etwas abzuleiten, was Gott nie beabsichtigt hatte: „... und deinen Feind [sollst du] hassen." Wen immer sie wollten, betrachteten sie als ihre Feinde. Beachten Sie, wie bereit verderbte Leidenschaften sind, Unterstützung aus dem Wort Gottes zu nehmen, um „einen Anlass durch das Gebot" zu finden (Röm 7,8.11), um sich zu rechtfertigen.

2. Wie es durch das Gebot des Herrn Jesus erklärt wird, der uns eine weitere Lektion lehrt: „Ich aber sage euch: Liebt eure Feinde" **(Vers 44)**. Selbst wenn Menschen von sich aus sehr schlecht sind und sehr unredlich uns gegenüber handeln, entbindet uns das nicht von unserer großen Verpflichtung der Liebe, die wir ihnen als Mitgliedern unseres eigenen Geschlechts – ja, unserer eigenen Familie – schulden. Es ist die große Pflicht von Christen, ihre Feinde zu lieben. Wenn wir uns auch nicht über jemanden freuen können, der offen böse und gottlos ist, müssen wir doch gerne dem Beachtung schenken, was selbst bei unseren Feinden erfreulich und lobenswert ist; wir sollen diese Eigenschaften an ihnen lieben, obwohl sie unsere Feinde sind. Wir müssen Mitleid mit ihnen und Wohlwollen ihnen gegenüber haben. Uns wird hier gesagt, dass:

2.1 Wir gut von ihnen *sprechen* müssen: „... segnet, die euch fluchen." Wenn wir mit ihnen sprechen, müssen wir auf ihre Beschimpfungen mit höflichen, freundlichen Worten reagieren, statt Fluch mit Fluch zurückzuzahlen. Diejenigen, bei denen „freundliche Unterweisung ... auf ihrer Zunge" ist (Spr 31,26), können gute Worte zu denen sagen, die schlechte Worte zu ihnen sagen.

2.2 Wir ihnen *Gutes tun* müssen. „... tut wohl denen, die euch hassen", und das wird ein besserer Liebesbeweis sein als gute Worte. Seien Sie bereit, ihnen jede echte Freundlichkeit zu erweisen, die Sie können, und seien Sie froh, eine Gelegenheit zu haben, dies zu tun.

2.3 Wir für sie *beten* müssen: „... bittet für die, welche euch beleidigen und verfolgen." Christus selbst wurde auf diese Weise behandelt. Wenn uns eine solche Behandlung widerfährt, haben wir die Möglichkeit – indem wir für jene beten, die uns so grausam behandeln –, unsere Übereinstimmung sowohl mit den Geboten als auch dem Beispiel Christi unter Beweis zu stellen. Wir müssen beten, dass Gott ihnen vergeben wird, dass es ihnen niemals schlimmer ergehen wird wegen irgendetwas, das sie uns angetan haben, und dass er sie leiten möge, mit uns im Frieden zu sein. Das heißt es, „feurige Kohlen auf sein Haupt" zu sammeln (Röm 12,20). Wir müssen dies tun, damit wir:

Wie Gott unser Vater sind: „‚Damit ihr Söhne eures Vaters im Himmel seid', damit ihr so sein mögt und euch als solche erweist." Können wir einem besseren Beispiel folgen? Gott „lässt seine Sonne aufgehen" und „lässt es regnen über Gerechte und Ungerechte" **(Vers 45)**. Sonnenschein und Regen sind große Segnungen für die Welt und sie kommen von Gott. Allgemeine Barmherzigkeiten müssen als Beispiele und Erweise der Güte Gottes geachtet werden, der sich in ihnen als großzügiger Wohltäter zeigt. Diese Gaben der allgemeinen Vorsehung werden unterschiedslos an „Böse und Gute", „Gerechte und Ungerechte" ausgeteilt. Die schlimmsten Menschen teilen die Tröstungen dieses Lebens gemeinsam mit anderen, was eine erstaunliche Demonstration der Geduld und Güte Gottes ist. Die Gaben von Gottes Güte an Übeltäter, die sich gegen ihn auflehnen, lehren uns, denen wohl zu tun, die uns hassen **(s. Vers 44)**. Nur die, welche danach streben, wie Gott zu sein, besonders in seiner Güte, werden als seine Kinder angenommen.

Tun Sie hier mehr als andere **(s. Vers 46-47)**. Zöllner (Steuereinnehmer) lieben ihre Freunde. Die Natur bewegt sie, dies zu tun; ihre eigenen Interessen führen sie dazu. Denen Gutes zu tun, die uns Gutes tun, ist ein gewöhnlicher Akt der Menschlichkeit. Doch wir als Christen müssen unsere Feinde lieben, damit wir sie übertreffen mögen. Christentum ist etwas größeres als Menschlichkeit. Es ist eine ernste Frage, eine, die wir uns oft stellen sollten: „Was tun wir mehr als andere?" Was für eine hervorragende Sache tun wir? Gott hat mehr für uns getan und so erwartet er zu Recht mehr von uns als von anderen, aber was tun wir mehr als andere? In welchen Aspekten des Lebens übertreffen wir die gewöhnliche Lebensweise anderer Menschen? Wir können nicht den Lohn von Christen erwarten, wenn wir selber nicht über die Güte von Steuereinnehmern hinausgehen. Diejenigen, die für sich eine Belohnung erwarten, die größer ist als andere, müssen danach streben, mehr als andere zu tun. Unser Heiland schließt dieses Thema mit dieser Ermutigung: „Darum sollt ihr vollkommen sein, gleichwie euer Vater im Himmel vollkommen ist!" **(Vers 48)**. Dies kann man verstehen:

Im Allgemeinen, dass es alle Dinge einschließt, in denen wir „Gottes Nachahmer als geliebte Kinder" sein müssen (Eph 5,1). Es ist die Pflicht von Christen, Vollkommenheit und Gnade zu erstreben, zu bezwecken und sich danach auszustrecken (s. Phil 3,12-14). Oder:

In diesem Besonderen, was vorher angeführt wurde: unseren Feinden Gutes zu tun (s. Lk 6,36). Es ist Gottes Vollkommenheit, Verletzungen zu vergeben, gastfreundlich zu sein (s. Hebr

13,2) und undankbaren Übeltätern Gutes zu tun, und es ist unsere Verantwortung, zu sein wie er. Wir, die wir der Güte Gottes so viel zu verdanken haben, ihr unser alles verdanken, sollten so viel seinem Beispiel folgen, wie wir können.

KAPITEL 6

In dem vorangehenden Kapitel stärkte Christus seine Jünger gegen die verfälschten Lehren und Gedanken der Gesetzeslehrer und Pharisäer; in diesem Kapitel kommt er dazu, sie vor Heuchelei und weltlicher Gesinnung zu warnen; Sünden, vor denen diejenigen, die sich zu einem religiösen Glauben bekennen, von allen Sünden am meisten auf der Hut sein müssen. Wir werden hier gewarnt: 1. Vor Heuchelei: 1.1 Wenn wir den Bedürftigen geben (s. Vers 1-4). 1.2 Im Gebet (s. Vers 5-8). Wir werden hier gelehrt, wofür wir beten und wie wir beten sollen (s. Vers 9-13) und beim Gebet zu vergeben (s. Vers 14-15). 1.3 Beim Fasten (s. Vers 16-18). 2. Vor weltlicher Gesinnung: 2.1 Bei dem, was wir wählen, was die verderbliche Sünde der Heuchler ist (s. Vers 19-24). 2.2 In unseren Sorgen, welche die beunruhigende Sünde so vieler echter Christen sind (s. Vers 25-34).

Vers 1-4

Wir müssen uns vor Heuchelei in Acht nehmen, die der Sauerteig der Pharisäer war, und auch vor ihrer Lehre (s. Lk 12,1). Den Bedürftigen geben, beten und fasten sind drei große christliche Pflichten. Wir müssen nicht nur vom Bösen weichen, „Gutes tun, es gut machen, und so „ewiglich bleiben" (Ps 34,15; 37,27). Wir werden in diesen Versen vor Heuchelei im Geben von Almosen gewarnt. Hüten Sie sich davor. Wir stehen in großer Gefahr *davon*. Sie ist eine raffinierte Sünde; Stolz schlängelt sich leise in das, was wir tun, ehe uns dies bewusst wird. Wir sind auch in großer Gefahr *durch* diese Sünde. Hüten Sie sich vor Heuchelei, denn wenn sie in Ihnen herrscht, wird sie Sie verderben. Sie ist die tote Fliege, welche die ganze kostbare Salbe verdirbt (s. Pred 10,1). Hier werden zwei Dinge zu verstehen gegeben:

1. Das Geben von Almosen ist eine große Pflicht und eine Pflicht, welche alle Jünger Christi nach ihrem Vermögen erfüllen müssen. Die Juden nannten den Kasten für die Armen, in den die Almosen gegeben wurden, den „Kasten der Gerechtigkeit". Es stimmt, dass unsere guten Werke nicht den Himmel verdienen, doch es stimmt genauso, dass wir ohne sie nicht in den Himmel gehen können. Christus setzt hier voraus, dass seine Jünger Almosen geben; er wird diejenigen nicht anerkennen, die es nicht tun.

2. Es ist eine Pflicht, die eine große Belohnung mit sich bringt, welche verloren geht, wenn sie heuchlerisch getan wird. Bei der Auferstehung der Gerechten (s. Lk 14,14) wird sie durch ewige Reichtümer belohnt werden. „Die Reichtümer, die ihr gebt, bilden nur den Wohlstand, den ihr immer behalten werdet" (Martialis). Beachten Sie:

2.1 Was die Praxis der Heuchler bei der Erfüllung dieser Pflicht war. Es stimmt, dass sie es taten, doch nicht aus irgendeinem Beweggrund des Gehorsams Gott oder der Liebe anderen Menschen gegenüber, sondern aus Stolz und Prahlerei; nicht aus Mitleid gegenüber den Armen, sondern bloß als Zurschaustellung. Nach dieser Absicht entschieden sie sich, den Bedürftigen ihre Gaben „in den Synagogen und auf den Gassen" zu geben, wo die größte Anzahl von Menschen sie beobachten konnte. Nicht, *dass* es unrechtmäßig ist, den Bedürftigen zu geben, wenn Menschen uns sehen, doch wir müssen es nicht tun, *damit* uns die Menschen sehen. Wenn die Heuchler Gaben in ihrem Haus verteilten, haben sie vor sich her „posaunen lassen", um ihre Freundlichkeit bekannt zu machen und jeden dazu zu bringen, darüber zu sprechen. Die Verurteilung, die Christus darüber ausspricht, ist bezeichnend: „Wahrlich, ich sage euch: Sie haben ihren Lohn schon empfangen." Zwei Worte darin machen es zu einer Drohung:

Es ist ein Lohn, aber es ist ihr Lohn; es ist nicht der Lohn, den *Gott* denen verheißt, die Gutes tun, sondern der Lohn, den sie sich selbst erhoffen, und es ist ein armseliger Lohn. Sie taten es, um von den Menschen gesehen zu werden, und sie wurden von den Menschen gesehen.

Es ist ein Lohn, aber es ist ein Lohn des Augenblicks; sie *haben* ihn und es ist für sie keiner *in dem zukünftigen Stand* vorbehalten. Sie haben *jetzt* alles, was sie wahrscheinlich von Gott bekommen werden. Es ist eine vollständige Bezahlung. Die Welt ist für die Heiligen nur eine Vorkehrung; dort geben sie Geld aus. Doch für die Heuchler ist sie die Bezahlung; sie ist ihr Erbe.

2.2 Wovon das Gebot unseres Herrn Jesus handelt **(s. Vers 3-4).** Es soll „deine linke Hand nicht wissen, was deine rechte tut", wenn Sie den Bedürftigen geben. Das Almosengeben mit der rechten Hand ist ein Zeichen für die Bereitschaft, es zu tun, und der Entschlossenheit, so zu handeln. Tun Sie es mit Verstand, doch welche Freundlichkeit Ihre rechte Hand auch den Bedürftigen erweist, es „soll deine linke Hand nicht wissen". Verheimlichen Sie es so gut Sie können; achten Sie sorgfältig darauf, es privat zu halten. Tun Sie es, weil es ein gutes Werk ist, nicht, weil es Ihnen einen guten Ruf verschaffen wird. Es wird zu verstehen gegeben:

Dass wir andere nicht wissen lassen dürfen, was wir tun.

Dass wir selbst nicht zu viel Notiz davon nehmen dürfen. Eigendünkel und Selbstverzückung, die Verehrung unseres eigenen Schattens, sind Ableger des Stolzes. Wir sehen, dass bei denen, die selbst ihre guten Werke vergessen hatten, sie ihnen zu ihrer Ehre in Erinnerung gerufen wurden: „Herr, wann haben wir dich hungrig gesehen und haben dich gespeist, oder durstig, und haben dir zu trinken gegeben?" (Mt 25,37).

2.3 Was die Verheißung für diejenigen ist, die derart aufrichtig und demütig sind, wenn sie den Bedürftigen geben. Geben Sie Ihr Almosen im Verborgenen und dann wird „dein Vater, der ins Verborgene sieht", sie beachten. Wenn wir selbst am wenigsten von unseren guten Taten Notiz nehmen, nimmt Gott am meisten von ihnen Notiz. Es ist für aufrichtige Christen ein Trost, dass Gott „ins Verborgene sieht". Achten Sie darauf, wie bestimmt dies ausgedrückt ist: „Er wird es dir ... vergelten." Er selbst wird der Belohner sein (s. Hebr 11,6). Er selbst wird der Lohn sein, „dein sehr großer Lohn" (1.Mose 15,1). Er wird Sie als Ihr Vater belohnen – nicht als Meister, der seinem Diener genau das gibt, was er verdient, und nicht mehr, sondern als ein Vater, der seinem Sohn, der ihm dient, „weit über die Maßen mehr zu tun vermag" (Eph 3,20) und ohne eine Spur von Geiz. Wenn das Werk nicht öffentlich zu sehen ist, wird die Belohnung es sein, und das ist besser.

Vers 5-8

Im Gebet sind wir noch mehr verpflichtet, aufrichtig zu sein, wozu wir hier angeleitet werden. „Und wenn du betest ..." **(Vers 5)**. Es wird vorausgesetzt, dass alle Jünger Christi beten. Sie können genauso einen lebendigen Menschen finden, der nicht atmet, wie einen Christen, der nicht betet. Wenn wir ohne Gebet sind, dann sind wir ohne Gnade. Die Heuchler machten sich beim Gebet zweier großer Fehler schuldig: rühmen **(Vers 5-6)** und plappern **(Vers 7-8)**.

1. Wir dürfen beim Gebet nicht stolz und überheblich sein oder das Lob anderer Menschen suchen. Beachten Sie hier:

1.1 Was die Art und die Praxis von Heuchlern war. Bei all ihren andächtigen Übungen war klar, dass es ihr Hauptziel war, von ihren Nächsten gelobt zu werden. Wenn sie sich im Gebet emporzuschwingen schienen, war ihr Auge nach unten gerichtet und erstrebte Lob als ihre Beute. Beachten Sie:

Welche Orte sie für ihre Andachten wählten; sie beteten „in den Synagogen", die der geeignete Ort für öffentliches Gebet, aber nicht für das private Gebet waren. Sie beteten „an den Straßenecken", den breiten Straßen, was das Wort bedeutet, denen, die am meisten frequentiert waren, sodass man von ihnen Notiz nehmen würde.

Die Haltung, die sie beim Gebet einnahmen; sie beteten stehend. Das ist eine rechtmäßige und angemessene Haltung, doch Knien war die demütigere und ehrfürchtigere Geste. Stehen schien auf ihren Stolz und ihr Selbstvertrauen hinzuweisen (s. Lk 18,11).

Ihren Stolz bei der Wahl dieser öffentlichen Plätze, der sich in zwei Dingen ausdrückt:

Sie „stellen sich gern" dorthin zum Beten. Sie liebten das Gebet nicht um seiner selbst willen, sondern weil es ihnen die Möglichkeit gab, auf sich aufmerksam zu machen.

Sie taten es so, dass sie „von den Leuten bemerkt" werden würden; sie taten es nicht, damit Gott sie annehmen möge, sondern damit die Menschen über sie erstaunt wären und ihnen Beifall spenden würden.

Das Ergebnis von all diesem: „Sie haben ihren Lohn." Sie hatten all ihren Lohn, den sie je von Gott für ihren Dienst erwarten durften, zu empfangen, und es war ein armseliger Lohn. Was wird es uns Gutes bringen, die guten Worte unserer Mitknechte zu bekommen, wenn unser Meister nicht sagt: „Recht so" (Mt 25,21)? Sie taten es, „um von den Leuten bemerkt zu werden"; das wurden sie, und das kann ihnen viel Gutes bringen. Was zwischen Gott und unseren Seelen vorgeht, muss außer Sichtweite geschehen. Öffentliche Orte sind nicht der geeignete Ort für das private, ernstliche Gebet.

1.2 Was im Gegensatz dazu der Wille von Jesus Christus ist. „Du aber, wenn du betest"; tun Sie dies und das – was in Vers 6 geschrieben steht. Das persönliche Gebet wird hier als Pflicht und Praxis aller Jünger Christi betrachtet. Beachten Sie:

Die Unterweisung, die hier darüber gegeben wird. Statt „in den Synagogen und an den Straßenecken" zu beten, „geh in dein Kämmerlein", einen privaten, abgeschiedenen Raum. Isaak ging hinaus aufs Feld (s. 1.Mose 24,63), Christus auf einen Berg (s. Mt 14,23), Petrus auf das Dach eines Hauses (s. Apg 10,9). Kein Ort ist aus zeremoniellen Gründen falsch, solange er seinen Zweck erfüllt. Wenn die Umstände jedoch so sind, dass wir möglicherweise nicht vermeiden können, bemerkt zu werden, dürfen wir nicht die Pflicht aus diesem Grund versäumen, denn solch ein Unterlassen wäre eine größere Schande, als es die Beobachtung der Erfüllung wäre.

Statt es zu tun, „um von den Leuten bemerkt zu werden", „bete zu deinem Vater, der im Verborgenen ist". Die Pharisäer beteten mehr zu Menschen als zu Gott. Wenn Sie beten, lassen Sie das genug für Sie sein. Beten Sie zu ihm als Ihrem Vater, der bereit ist, zu hören und zu

antworten, der gnädig dazu geneigt ist, Mitleid zu haben und Ihnen zu helfen. Beten Sie zu Ihrem Vater, „der im Verborgenen ist". Er ist dort in Ihrem Kämmerlein, wenn niemand sonst dort ist. Er ist Ihnen besonders nahe, „so oft wir ihn anrufen" (5.Mose 4,7).
Die Ermutigungen, die uns hier gegeben werden, dies zu tun.
Ihr Vater sieht ins Verborgene. Es gibt kein heimliches, unvermitteltes Atmen nach Gott, das er nicht sieht.
Er „wird es dir öffentlich vergelten"; diejenigen, die öffentlich beten, haben ihren Lohn, und sie werden nicht einfach den ihren verlieren, weil ihr Gebet im Geheimen geschah. Es wird ein Lohn genannt, doch es ist ein Lohn der Gnade, nicht aus Verpflichtung. Manche verborgenen Gebete werden in dieser Welt durch bedeutende Antworten belohnt, und durch diese Mittel weist Gott seine betenden Kinder aus in den Gewissen ihrer Gegner.

2. Wir dürfen beim Gebet nicht „plappern wie die Heiden" **(Vers 7)**. Obwohl das Gebetsleben darin besteht, die Seele zu erheben (s. Ps 25,1; 86,4; 143,8) und sein Herz auszuschütten (s. Ps 62,9), haben Worte eine gewisse Wichtigkeit, besonders im gemeinsamen Gebet, denn Worte sind darin notwendig. „Plappern" Sie nicht „wie die Heiden", sei es alleine oder mit anderen. Beachten Sie:
2.1 Den Fehler, der hier gerügt und verurteilt wird; es ist das Leisten von reinem Lippendienst bei der Pflicht des Gebets.
Die Tautologie des Plapperns wie die Heiden. Hier wird nicht jede Wiederholung im Gebet verurteilt, sondern nur plappern, leere Wiederholungen. Christus selbst betete wieder „und sprach dieselben Worte" (Mt 26,44) aus außergewöhnlicher Inbrunst und außergewöhnlichem Eifer (s. Lk 22,44). Es missfällt Gott und jedem, der weise ist, wenn wir viel sagen, aber nicht viel zu der Sache sagen können.
Viele Worte, eine Liebe zu Langatmigkeit im Gebet, die der Liebe entspringt, sich selbst reden zu hören. Nicht, dass alle langen Gebete verboten sind; Christus betete die ganze Nacht (s. Lk 6,12). Es ist auch nicht das viele Beten, das verurteilt wird – nein, uns wird gesagt, wir sollen „ohne Unterlass" beten (s. 1.Thess 5,17) –, sondern viele Worte. Die Gefahr für diesen Fehler ergibt sich, wenn wir unsere Gebete nur sprechen, nicht, wenn wir sie wahrhaftig beten.
2.2 Die Gründe, die hiergegen angeführt werden.
Dies ist die Art von Heiden; es ist, „wie die Heiden" es tun. Es ist nicht richtig, dass Christen ihren Gott auf die gleiche Weise anbeten, wie die Heiden den ihren anbeten. Weil sie meinten, dass Gott wie sie wäre (s. Ps 50,21), dachten sie, er brauche viele Worte, um ihn verstehen zu lassen, was zu ihm gesagt wurde, oder um ihn zu überzeugen, ihrer Bitte zuzustimmen. Lippendienst im Gebet – selbst wenn das ein harter Dienst ist – ist nur verlorener Dienst, wenn das alles ist, was er ist.
Das muss nicht die Art sein, der Sie folgen, denn „euer Vater weiß, was ihr benötigt, ehe ihr ihn bittet", und deshalb braucht es nicht so viele Worte. Doch daraus folgt nicht, dass Sie nicht zu beten brauchen, denn Gott verlangt von Ihnen, zu beten, damit Sie zugeben, dass Sie ihn brauchen. Legen Sie Ihre Situation dar, schütten Sie Ihre Herzen vor ihm aus und dann lassen Sie die Dinge bei ihm.
Der Gott, zu dem wir beten, ist unser Vater. Kinder halten gegenüber ihren Eltern keine langen Reden, wenn ihnen etwas fehlt. Sie brauchen nicht viele Worte zu sagen, seit sie durch den Geist der Sohnschaft gelehrt worden sind, mit Recht „Abba, Vater!" zu rufen (Röm 8,15).
Er ist ein Vater, der unsere Situation und unsere Bedürfnisse besser kennt als wir selbst. Er weiß, was wir benötigen. Oft gibt er, ehe wir rufen (s. Jes 65,24) und mehr, als wir bitten (s. Eph 3,20). Wir müssen nicht langatmig sein oder viele Worte benutzen, um unsere Situation zu beschreiben, denn Gott kennt sie besser, als wir es ihm sagen können, doch er möchte sie von uns wissen – „was wollt ihr, dass ich euch tun soll" (Mt 20,32)? Die mächtigsten Fürbitten sind jene, die „mit unaussprechlichen Seufzern" gemacht werden (Röm 8,26).

Vers 9-15
Weil wir nicht wissen, wofür wir beten sollen, wie wir sollten, kommt Christus hier „unseren Schwachheiten zu Hilfe" (Röm 8,26), indem er uns Worte in den Mund legt: „Deshalb sollt ihr auf diese Weise beten" **(Vers 9)**. Nicht, dass wir daran gebunden sind, nur diese Form oder immer diese zu benutzen, als wäre das für die Weihe unserer anderen Gebete notwendig. Uns wird hier gesagt, wir sollen auf diese Weise beten, entweder mit diesen Worten oder mit diesem Sinn. Es ist jedoch ohne Zweifel sehr gut, dieses Gebet als Form zu benutzen, und sein Gebrauch ist ein Unterpfand der Gemeinschaft der gottesfürchtigen Menschen und ist mittlerweile von der Kirche durch die Zeiten hindurch benutzt worden. Es wird nur insofern auf annehmbare Weise gebraucht, wie es mit Verstand verwendet wird und ohne dass man mit leeren Wiederholungen plappert.
Das Gebet des Herrn ist, wie in der Tat jedes Gebet, ein Brief, der von der Erde zum Himmel geschickt wird. Hier haben wir die Anrede in dem Brief, das Ansprechen desjenigen, an den er gerichtet ist: „Unser Vater." Die Adresse: „... im Himmel"; sein Umfang, der sich aus mehreren Bitten zusammensetzt, der Schluss: „Denn dein ist das Reich"; das Siegel: „Amen"; und wenn Sie mögen, auch das Datum: „... heute." Es gibt drei Teile:

1. Die Einleitung: „Unser Vater, der du bist im Himmel!" Ihn „unser Vater" zu nennen, zeigt, dass wir nicht nur allein und für uns selbst, sondern auch mit und für andere beten müssen. Uns wird hier gesagt, zu wem wir beten sollen, nur zu Gott, nicht zu Heiligen und Engeln. Wir werden gelehrt, wie wir Gott ansprechen sollen, welchen Titel wir ihm geben sollen, ein Titel, der von ihm mehr als großmütig denn als herrlich spricht, denn wir sollen mit Freimütigkeit zum Thron der Gnade treten (s. Hebr 4,16). Wir müssen ihn ansprechen:

1.1 Als unseren Vater, und wir müssen ihn fortwährend so nennen. Nichts ist für Gott angenehmer oder für uns wohltuender, als Gott „Vater" zu nennen. Im Gebet nannte Christus Gott im Allgemeinen „Vater". Wenn er unser Vater ist, wird er Erbarmen mit unseren Schwächen haben (s. Ps 103,13), uns verschonen (s. Mal 3,17), wird das Beste aus unseren Taten machen, selbst wenn sie unvollkommen sind, und wird uns nichts verwehren, das gut für uns ist (s. Lk 11,11-13). Wenn wir in Buße für unsere Sünden kommen, müssen wir zu Gott als Vater blicken, wie es der verlorene Sohn tat (s. Lk 15,18; Jer 3,19), als einen liebenden, gnädigen und versöhnten Vater in Christus (s. Jer 3,4).

1.2 Als unseren Vater „im Himmel". Er ist im Himmel, sodass er überall ist, denn der Himmel kann ihn nicht fassen (s. 1.Kön 8,27); doch er ist im Himmel, um dort seine Herrlichkeit zu offenbaren, denn jener ist sein Thron (s. Ps 103,19) und er ist ein Thron der Gnade für die Gläubigen. Dorthin müssen wir unsere Gebete richten. Von dort hat er eine vollkommene und klare Sicht auf all unsere Nöte, Lasten, Wünsche und Schwächen. Er ist nicht nur, wie ein Vater, bereit uns zu helfen, sondern auch, wie ein himmlischer Vater, fähig uns zu helfen, fähig, große Dinge für uns zu tun, mehr, als wir bitten oder verstehen können (s. Eph 3,20). Er hat die Mittel, um unsere Nöte zu stillen, denn jede gute Gabe kommt von oben (s. Jak 1,17). Er ist ein Vater, deshalb können wir mit Freimütigkeit zu ihm kommen, aber er ist auch ein Vater im Himmel, und deshalb müssen wir mit Ehrfurcht zu ihm kommen (s. Pred 5,1). Im Gebet schicken wir uns eine Botschaft an den Ort voran, an den wir gehen, wie wir bekennen.

2. Die Bitten – sechs an der Zahl –, die ersten drei beziehen sich direkter auf Gott und seine Ehre, die letzten drei auf unsere Angelegenheiten. Die Weise dieses Gebets lehrt uns, zuerst „nach dem Reich Gottes und nach seiner Gerechtigkeit" zu trachten und dann zu hoffen, dass uns andere Dinge „hinzugefügt werden" (Mt 6,33).

2.1 „Geheiligt werde dein Name." In diesen Worten:

Geben wir Gott die Ehre. Wir sollten Gott die Ehre geben, ehe wir erwarten, Barmherzigkeit und Gnade von ihm zu bekommen. Wir wollen ihn für seine Vollkommenheiten preisen und dann wollen wir von ihnen profitieren.

Legen wir unsere Absicht fest und es ist die richtige Absicht: dass Gott verherrlicht werden möge. Alle unsere Bitten müssen sich diesem und diesem Bestreben unterordnen. „Vater, verherrliche deinen Namen" (Joh 12,28), indem du mir mein täglich Brot gibst und mir die Sünden vergibst. Da alles von ihm kommt und durch ihn ist, muss alles zu ihm und für ihn sein. Im Gebet sollten mehr als zu jeder anderen Zeit unsere Gedanken und unsere Andacht zur Ehre Gottes verfolgt werden. „Tue dies für die Herrlichkeit deines Namens für mich und soweit es deiner Herrlichkeit dient."

Wir wünschen und beten, dass der Name Gottes – das heißt, Gott selbst, mit allem, mit dem er sich selbst bekannt gemacht hat – durch uns und andere und besonders durch ihn selbst geheiligt und verherrlicht werden möge. „Vater, möge dein Name als ein Vater, und als ein Vater im Himmel, verherrlicht werden; verherrliche deine Güte und Würde, deine Majestät und deine Barmherzigkeit."

2.2 „Dein Reich komme." Diese Bitte hat einen klaren Bezug zu der Lehre, die Christus in jener Zeit predigte: „Das Reich der Himmel ist nahe herbeigekommen!" „Das Reich eures Vaters, der im Himmel ist, ist nahe herbeigekommen. Betet, dass es kommen möge." Wir sollten das Wort, das wir hören, in ein Gebet umwandeln, unser Herz sollte es widerhallen. Verheißt Christus: „Ja, ich komme bald"? So sollten unsere Herzen antworten: „Ja, komm, Herr Jesus!" (Offb 22,20). Wir müssen das beten, was Gott verheißen hat, denn Verheißungen sind nicht dazu gegeben, das Gebet zu ersetzen, sondern um dazu zu ermutigen.

2.3 „Dein Wille geschehe, wie im Himmel, so auch auf Erden." Wir beten, dass, weil Gottes Reich kommt, wir und andere zum Gehorsam gegenüber all seinen Gesetzen und Ordnungen gebracht werden mögen. Wir behandeln Christus nur dem Namen nach als Fürsten, wenn wir ihn König nennen, aber nicht seinen Willen tun. Wenn wir gebetet haben, dass er über uns herrschen möge, beten wir, dass wir in allem von ihm beherrscht werden mögen. Beachten Sie:

Die Sache, für die gebetet wird: „Dein Wille geschehe." In diesem Sinn geschah es, dass Jesus gebetet hat: „... nicht mein, sondern dein Wille geschehe" (Lk 22,42)! „Befähige mich, das zu tun, was dir angenehm ist. Gib mir die Gnade, die für die richtige Erkenntnis deines Willens notwendig ist und einen annehmbaren Gehorsam ihm gegenüber, sodass ich weder Gott mit irgendetwas missfallen möge, was ich tue, noch an irgendetwas Missfallen haben möge, was Gott tut."

Das Muster, nach dem wir wünschen, dass sein Wille geschieht: dass er „auf Erden" geschehen möge – denn unsere Arbeit muss hier getan werden oder sie wird nie getan werden –, wie er „im Himmel" geschieht. Wir beten, dass die Erde durch die Befolgung von Gottes Willen mehr wie der Himmel werden möge.

2.4 „Gib uns heute unser tägliches Brot." Weil unsere natürliche Existenz notwendig für unser geistliches Wohlergehen in dieser Welt ist, deshalb beten wir nach den Dingen für Gottes Herrlichkeit, Reich und Willen für den nötigen Unterhalt und Trost in diesem jetzigen Leben. Jedes Wort hier enthält eine Lektion:

Wir bitten um „Brot"; nicht um Leckerbissen oder Überfluss, sondern um das, was zuträglich ist.

Wir bitten um „unser" Brot; das lehrt uns Ehrlichkeit und Fleiß.

Wir bitten um unser „tägliches" Brot, was uns lehrt, nicht „um den morgigen Tag" zu sorgen (Mt 6,34), sondern uns ständig auf die göttliche Vorsehung zu verlassen.

Wir bitten Gott, es uns zu geben. Der größte Mensch steht in der Schuld der Barmherzigkeit Gottes für sein „tägliches Brot".

Wir beten: „Gib es uns, nicht nur mir, sondern auch anderen, für uns zum Teilen." Dies lehrt uns Freundlichkeit und eine mitleidsvolle Sorge für die Armen und Bedürftigen.

Wir beten, dass Gott es uns „heute" geben mag, was uns lehrt, das Verlangen unserer Seelen gegenüber Gott so zu wiederholen, wie sich die Bedürfnisse unserer Leiber wiederholen. Wir könnten genauso gut einen Tag ohne Essen auskommen wie ohne Gebet.

2.5 „Und vergib uns unsere Schulden, wie auch wir vergeben unseren Schuldnern." Dies ist mit der vorangehenden Bitte verbunden. Wenn unsere Sünden nicht vergeben sind, nährt uns „unser tägliches Brot" nur als Lämmer für die Schlachtung. Wir müssen deshalb genauso viel für die tägliche Vergebung wie für das tägliche Brot beten. Hier haben wir:

Ein Ersuchen: Vater im Himmel, „vergib uns unsere Schulden", unsere Schulden bei dir. Unsere Sünden sind unsere Schulden. Wir als Geschöpfe schulden dem Schöpfer gewisse Pflichten. Wir beten nicht darum, von diesen Pflichten befreit zu werden, aber wenn wir unsere Schulden nicht begleichen, baut sich immer mehr ein Schuldenberg der Strafe auf. Das tägliche Verlangen und Gebet unserer Herzen gegenüber Gott sollte sein, dass er uns unsere Schulden vergeben möge, damit wir befreit sein und uns an der Ermutigung erfreuen können, von der Vergebung zu wissen.

Ein Argument, um diese Bitte zu unterstützen: „... wie auch wir vergeben unseren Schuldnern." Dies ist kein Befürworten von Verdienst, sondern ein Befürworten der Gnade. Unsere Verantwortung ist, „unseren Schuldnern" zu vergeben. Wir müssen mit den Beleidigungen, die auf uns geschleudert werden, und dem Unrecht, das uns angetan wird, nachsichtig sein, es vergeben und vergessen, und dies ist eine moralische Voraussetzung für Vergebung und Frieden. Das bloße Beten dieser Bitte ermutigt uns zu der Hoffnung, dass Gott uns vergeben wird. Dass er in uns die Bedingung der Vergebung erzeugt hat, wird für uns der Beweis sein, dass er uns vergeben hat.

2.6 „Und führe uns nicht in Versuchung, sondern errette uns von dem Bösen." Diese Bitte beginnt negativ: „... nicht in Versuchung." Nachdem wir gebetet haben, dass die Schuld der Sünde entfernt werden möge, beten wir, was richtig ist, dass wir nie wieder zur Torheit zurückkehren mögen, dass wir nicht dazu versucht werden mögen. Die Bitte schließt positiv: „sondern errette uns von dem Bösen"; vor dem einen Bösen, dem Teufel, dem Versucher; halte uns, sodass wir nicht angegriffen werden. Oder vor der bösen Sache, der Sünde, der schlimmsten aller Bosheiten, der einzigen Bosheit, der Bosheit, die Gott hasst und zu der Satan Menschen versucht und sie hierdurch zerstört.

3. Der Schluss: „Denn dein ist das Reich und die Kraft und die Herrlichkeit in Ewigkeit! Amen."

3.1 Es ist eine Art von Gesuch, um die vorangehenden Bitten zu unterstützen. Es ist unsere Verantwortung, Gott im Gebet zu bitten, unseren Mund mit Beweisen zu füllen (s. Hiob 23,4), nicht um Gott zu bewegen, sondern um uns selbst zu bewegen; um unseren Glauben zu ermutigen, unsere Inbrunst anzuregen und von beidem Zeugnis abzulegen. Die besten Gesuche im Gebet sind die, welche von Gott selbst und aus dem genommen wurden, was er von sich selbst bekannt gemacht hat. Wir müssen in seiner Kraft mit Gott ringen. „Denn dein ist das Reich." Gott gibt und rettet wie ein König. „Denn dein ist ... die Kraft", um dieses Reich zu erhalten und zu stützen und alle deine Verpflichtungen gegenüber deinem Volk zu erfüllen. „Denn dein ist ... die Herrlichkeit" als das Ziel von allem, das den Heiligen als Antwort auf ihre Gebete gegeben und für sie getan wurde.

3.2 Es ist eine Art von Lob und Danksagung. Die besten Bitten bei Gott sind sein Lob; dies ist der Weg, um weitere Barmherzigkeit zu bekommen, da es uns dazu befähigt, sie zu empfangen. Wir preisen Gott nicht und geben ihm die Ehre, weil er es braucht – er wird von einer Welt von Engeln gepriesen –, sondern weil er es verdient. Preis ist das Werk und die Seligkeit des Himmels, und alle, die in Zukunft in den Himmel gehen möchten, müssen ihren Himmel hier beginnen. Es stimmt, dass wir ganz von dem Lob Gottes erfüllt sein sollen. Echte Heilige denken nie, dass sie von Gott rühmlich genug sprechen können. Gott für immer Herrlichkeit beizumessen, zeigt das Eingeständnis, das es ein ewiges Anrecht und ein inbrünstiges Verlangen ist, dies ewig mit den Engeln und den Heiligen droben zu tun (s. Ps 71,14).

3.3 Wir werden gelehrt, all diesem unser „Amen" beizufügen, „so sei es". Gottes „Amen" ist eine Bewilligung: „So wird es sein." Unser „Amen" ist nur ein zusammenfassender Wunsch: „Möge es so sein." Dass wir „Amen" sagen, ist ein Zeichen für unseren Wunsch und die Gewissheit, dass wir erhört werden. Es ist gut, religiöse Pflichten mit etwas Eifer und Nachdruck zu schließen, damit wir mit etwas lieblichen Geruch auf unserem Geist aus ihnen herausgehen (s. 1.Mose 8,21; 2.Mose 29,18; 3.Mose 1,9; 2.Kor 2,15; Eph 5,2 usw.).

Die meisten der Bitten oder Worte des gleichen Inhalts im Gebet des Herrn sind gewöhnlich von den Juden bei ihren Andachten verwendet worden; aber diese Klausel in der fünften Bitte, „wie auch wir vergeben unseren Schuldnern", war vollkommen neu, und deshalb zeigt unser Heiland hier, warum er sie hinzugefügt hat, nämlich aufgrund der Notwendigkeit und Wichtigkeit der Sache selbst. Wenn er uns vergibt, berücksichtigt Gott insbesondere unsere Vergebung gegenüber denen, die uns Unrecht getan haben. Deshalb müssen wir, wenn wir um Vergebung beten, unser Interesse an dieser Pflicht erwähnen, nicht nur, um uns selbst daran zu erinnern, sondern auch, um uns daran zu binden. Es widerstrebt einer selbstsüchtigen Natur, dem zu entsprechen, und so wird dies hier eingeprägt **(s. Vers 14-15)**:

Mit einer Verheißung. „Wenn ihr ... vergebt, so wird euer himmlischer Vater euch auch vergeben." Es ist nicht so, als sei dies die einzige geforderte Bedingung; es muss auch Buße und Glauben und neuen Gehorsam geben. Diejenigen, die sich ihrem Bruder oder ihrer Schwester gegenüber erweichen lassen, zeigen, dass sie vor Gott Buße tun. Es ist ein gutes Zeichen und eine gute Hilfe, anderen zu vergeben, dem Unrecht, das sie uns angetan haben, abschwächende, entschuldigende Namen zu geben. Nennen Sie sie nicht bewusste Verletzungen, sondern unabsichtliche Unachtsamkeiten; vielleicht war es ein Versehen; machen Sie deshalb das Beste daraus. Wir müssen anderen vergeben, wie wir hoffen, dass uns vergeben wird. Wir dürfen unseren Bruder oder unsere Schwester nicht für die Verletzungen rügen, die sie uns zugefügt haben, noch sich über ein Übel freuen, das ihnen zustößt, sondern müssen bereit sein, ihnen zu helfen und Gutes zu tun, und wenn sie Buße tun und wieder Freunde sein wollen, müssen wir mit ihnen unbefangen umgehen wie zuvor.

Mit einer Drohung. „Wenn ihr aber ... nicht vergebt" denen, die Sie verletzt haben, dann ist das ein schlechtes Zeichen, ein Zeichen, dass Sie die anderen notwendigen Bedingungen nicht erfüllt haben, sondern absolut nicht für die Vergebung befähigt sind, und deshalb „wird euch euer Vater ... auch nicht vergeben". Wenn andere Gnadenwirkungen herzlich sind, Sie aber sehr mangelhaft in Bezug auf die Vergebung sind, können Sie nicht die Gewissheit Ihrer Vergebung erwarten. Diejenigen, die bei Gott Barmherzigkeit finden wollen, müssen ihren Brüdern und Schwestern gegenüber Barmherzigkeit zeigen. Wenn wir im Zorn beten, haben wir Grund zu der Furcht, dass Gott im Zorn antworten wird. Es wurde gesagt, dass in Wut geleistete Gebete in Bitterkeit geschrieben sind. Warum sollte Gott uns die gewaltige Summe vergeben, die wir ihm schulden, wenn wir unseren Brüdern und Schwestern nicht einmal „das Kleingeld" vergeben, das sie uns schulden? Christus kam als der große Friedensstifter in die Welt, nicht nur, um uns „mit Gott zu versöhnen", sondern auch miteinander (Eph 2,14-16). Wenn jemand das leicht nimmt, was Christus hier betont, ist das ein Zeichen für große Vermessenheit mit gefährlichen Folgen. Menschliche Leidenschaften werden Gottes Wort nicht durchkreuzen.

Vers 16-18

Wir werden hier vor Heuchelei beim Fasten gewarnt.

1. Es wird vorausgesetzt, dass religiöses Fasten eine Pflicht ist, die von den Jüngern Christi gefordert wird, wenn Gott in seiner Vorsehung sein Volk dazu ruft (s. Jes 22,12-13) und wenn die Angelegenheit ihrer eigenen Seelen es aus irgendeinem Grund erfordert. Das Fasten kommt hier zuletzt, weil es nicht so sehr eine Pflicht um seiner selbst willen wie ein Mittel ist, uns für andere Pflichten geneigt zu machen. Das Gebet kommt zwischen dem Geben an Bedürftige und dem Fasten, weil es das Leben und die Seele von beiden ist. Es war nicht das Fasten „zweimal in der Woche", welches Christus beim Pharisäer verurteilte, sondern sein Prahlen damit (Lk 18,12). Es ist eine empfehlenswerte Praxis und wir haben Grund, ihre allgemeine Vernachlässigung unter Christen zu beklagen. Es ist ein Akt der Selbstverleugnung und Selbsterniedrigung unter die Hand Gottes. Die reifsten Christen müssen zugeben, dass sie so weit davon entfernt sind, etwas zu haben, worauf sie stolz sein können, dass sie ihres täglichen Brotes unwürdig sind.

2. Wir werden davor gewarnt, es so zu tun, wie es „die Heuchler" taten, damit wir nicht den Lohn dafür verlieren. Beachten Sie:

2.1 Die „Heuchler" gaben nur vor, zu fasten, wobei sie nichts von dieser Zerknirschung und Demut der Seele hatten, die das Leben und die Seele dieser Pflicht sind. Deren Fasten war ein vorgegebenes Fasten, reine Zurschaustellung und Schatten und keine Substanz.

2.2 Sie machten ihr Fasten bekannt, arrangierten es so, dass jeder, der sie sah, davon Notiz nehmen würde, dass es für sie ein Tag des Fastens war. An diesen Tagen gingen sie heraus auf die Straßen, sodass die Leute sehen würden, wie oft sie fasteten und sie als andächtig und demütig preisen würden. Es ist traurig, wenn Menschen, die in einem gewissen Maß Selbstkontrolle über die verdorbenen Freuden menschlicher Vergnügen ausgeübt haben, durch ihren Stolz zugrunde gerichtet werden, der ein geistliches Übel und nicht weniger gefährlich ist. Auch hier haben sie „ihren Lohn schon empfangen", und er ist alles, was sie haben.

3. Wir werden angewiesen, wie wir unser eigenes privates Fasten bewerkstelligen sollen. Christus sagt uns nicht, wie oft wir fasten sollen; der Geist im Wort hat das dem Geist im Herzen überlassen. Doch wir können dies als Richtschnur nehmen, dass wir, wann immer wir uns dieser Pflicht unterziehen, danach streben müssen, uns Gott „als bewährt zu erweisen" (2.Tim 2,15) und uns nicht der guten Meinung anderer Menschen zu empfehlen. Christus führt uns nicht dazu, die Tatsache des Fastens herabzusetzen, er sagt nicht: „Esst ein wenig oder trinkt ein wenig oder nehmt ein wenig Medizin." Nein: „Der Leib möge gedemütigt werden; legt alle Zurschaustellung und allen Stolz beim Fasten ab. Blickt freundlich, ‚salbe dein Haupt und wasche dein Angesicht', wie ihr es an gewöhnlichen Tagen tut, um bewusst eure Andacht zu verbergen, und ihr werdet zum Schluss euer Lob nicht verlieren, denn obwohl es nicht von den Menschen gesehen werden wird, wird es von Gott gesehen werden." Fasten ist Demütigung der Seele. Das möge deshalb Ihre Hauptsorge sein. Wenn wir in unserem heiligen Fasten demütig und aufrichtig sind, wenn wir Gottes Allwissenheit als unserem Zeugen und seiner Güte als unserem Lohn vertrauen, werden wir sehen, dass er sowohl „ins Verborgene sieht", als auch öffentlich belohnen wird. Religiöses Fasten wird, wenn es richtig gehalten wird, bald mit einem ewigen Fest belohnt werden.

Vers 19-24

Nachdem er uns davor gewarnt hat, nach der „Ehre der Menschen" zu trachten (Joh 12,43), fährt Christus damit fort, uns als Nächstes davor zu warnen, nach dem Reichtum der Welt zu trachten. Auch hier müssen wir uns hüten, damit wir nicht wie die Heuchler werden und handeln wie sie. Der grundlegende Fehler, dessen sie sich schuldig machen, ist, dass sie die Welt als „ihren Lohn" wählen.

1. Wir müssen uns vor Heuchelei und weltlicher Gesinnung durch die Wahl der „Schätze" hüten, die wir „sammeln" **(Vers 19)**. Jeder hat das eine oder andere, was er zu seinem Schatz macht, seinem Teil, woran er sein Herz hängt. Die Seele wird etwas haben, das sie als das Beste ansieht. Christus möchte uns nicht unseren Schatz vorenthalten, sondern uns darin führen, ihn zu wählen. Hier haben wir:

1.1 Eine gute Warnung dagegen, „das Sichtbare" (2.Kor 4,18; s. Hebr 11,1), das irdisch ist, zu unseren besten Dingen zu machen und an ihnen unser Glück festzumachen: „Ihr sollt euch nicht Schätze sammeln auf Erden." Die Jünger Christi hatten alles verlassen, um ihm zu folgen (s. Mk 10,28), und mögen sie sich in dieser guten Gesinnung weiterhin erhalten. Wir dürfen uns also „nicht Schätze sammeln auf Erden", das heißt:

Wir dürfen diese Dinge nicht für das Beste halten. Wir dürfen uns ihrer nicht rühmen, sondern sehen und zugeben, dass sie im Vergleich zu dem, „das eine so überschwängliche Herrlichkeit hat" (2.Kor 3,10), keine Herrlichkeit besitzen.

Wir dürfen nicht nach einer Fülle an diesen Dingen streben noch damit weitermachen, immer mehr davon an uns zu reißen und niemals zu wissen, wann wir genug haben.

Wir dürfen in Bezug auf die Zukunft nicht unser Vertrauen in sie setzen; wir dürfen nicht zu dem Gold sprechen: „Sei du meine Zuversicht!" (Hiob 31,24).

Wir dürfen uns nicht mit ihnen zufriedengeben, als wäre dies alles, was wir brauchen oder wünschen. Wir sollten weise wählen, denn wir wählen es für uns selbst (s. Spr 9,12) und werden bekommen, was wir wählen. Wenn wir wissen und bedenken, wofür wir gemacht wurden, wie groß unsere Fähigkeiten sind, wie lange unser Leben währt und dass unsere Seelen wir selbst sind (s. 1.Mose 2,7; Mt 16,25-26), werden wir sehen, dass es eine törichte Sache ist, uns Schätze auf der Erde zu sammeln.

1.2 Einen guten Grund, weshalb wir das auf der Erde nicht als unseren Schatz betrachten sollen, weil jeder irdische Schatz Verlust und Verfall unterliegt:

Durch innerliches Zerfressen. Was ein Schatz auf der Erde ist, wird von Motten und Rost gefressen. Das Manna brachte selbst Würmer hervor. Der Rost wird in dem Metall selbst hervorgebracht, die Motte durch das Gewand selbst. Weltliche Reichtümer enthalten in sich selbst die Quelle zu Fraß und Verfall.

Durch Gewalt von außen. Diebe graben danach und stehlen. Jeder gewalttätige Mensch wird in das Haus eindringen wollen, wo „Schätze" gelagert werden; nichts kann so sicher gelagert werden, dass es uns nicht geraubt werden kann. Es ist töricht, das zu unserem Schatz zu machen, was uns so leicht geraubt werden kann.

1.3 Einen guten Rat, die Freuden und Herrlichkeiten der anderen Welt – das, was „unsichtbar ist" und „ewig" (2.Kor 4,18) – zu unseren besten Dingen zu machen und unser Glück an ihnen festzumachen. „Sammelt euch vielmehr Schätze im Himmel." Das zeigt uns:

Es gibt im Himmel so sicher Schätze, wie es sie auf der Erde gibt, und die im Himmel sind die einzig wahren Schätze.

Wir würden weise sein, diese Schätze zu sammeln und zu unserem Schatz zu machen, emsig unseren Anspruch auf das ewige Leben durch Jesus Christus zu sichern, uns darauf als unserem Glück zu stützen und alles hier unten mit heiliger Geringschätzung zu betrachten. Wenn wir diese Schätze zu den unseren machen, sind sie gelagert, und wir können Gott vertrauen, dass er sie sicher für uns aufbewahrt. Wir wollen uns nicht mit dem Geld dieser Welt belasten. Die Verheißungen sind Wechsel, mit denen alle wahren Gläubigen ihren Schatz in den Himmel bringen, Wechsel, die in dem zukünftigen Stand fällig sind.

Zu wissen, dass die Schätze, die wir „im Himmel" sammeln, sicher sind, ist eine große Ermutigung für uns, sie dort zu sammeln. Dort werden „weder die Motten noch der Rost sie fressen" und „Diebe nicht nachgraben und stehlen". Sie sind eine obere Seligkeit und außerhalb der Risiken und Veränderungen der Zeit, ein unvergängliches Erbe (s. 1.Petr 1,4).

1.4 Einen guten Grund, warum wir diese Wahl treffen sollten. „Denn wo euer Schatz ist", auf der Erde oder im Himmel, „da wird auch euer Herz sein" **(Vers 21)**. Das „Herz" folgt dem „Schatz", wie die Nadel dem Magneten oder die Sonnenblume der Sonne folgt. Wo der Schatz ist, dort sind Wertschätzung und Achtung, dort sind Liebe und Zuneigung. Wo der Schatz ist, dort liegen unsere Hoffnung und unser Vertrauen; dort werden unser Entzücken und unsere Freude liegen und das Gleiche wird für unsere Gedanken gelten. Das Herz gebührt Gott, und damit er es haben kann, muss unser Schatz bei ihm gesammelt sein. Unser Schatz sind unsere Gaben, Gebete und unser Fasten und ihr Lohn; wenn wir das nur getan haben, um Beifall von Menschen zu erlangen, haben wir uns auf Erden Schätze gesammelt. Es ist nun töricht, dies zu tun, denn die „Ehre der Menschen" (Joh 12,43), nach der wir so sehr streben, ist dem Fraß unterworfen: Eine kleine Torheit wird, wie eine tote Fliege, alles verderben (s. Pred 10,1). Verleumdung ist einer der Diebe, die „nachgraben und stehlen". Heuchlerischer Dienst sammelt nichts im Himmel (s. Jes 58,3). Wenn wir jedoch in Wahrheit und Rechtschaffenheit gebetet, gefastet und den Bedürftigen gegeben haben, uns an Gott gewendet haben, haben wir diesen Schatz „im Himmel" gesammelt. Dort wird „ein Gedenkbuch ... geschrieben" (Mal 3,16). Heuchler „werden auf die Erde geschrieben werden" (Jer 17,13), doch bei Gottes Treuen sind ihre „Namen im Himmel geschrieben" (Lk 10,20). Sein „recht so" (Mt 25,21) wird für immer bestehen, und wenn wir unseren Schatz bei ihm gesammelt haben, werden auch unsere Herzen bei ihm sein, und an welchem besseren Ort können sie sein?

2. Wir müssen uns vor Heuchelei und weltlicher Gesinnung bei der Auswahl des Zieles hüten, auf das wir blicken. Unser Handeln wird in dieser Hinsicht mit zwei Arten von Augen dargestellt, welche Menschen haben, ein lauteres (gutes) Auge und ein verdorbenes (schlechtes) Auge **(Vers 22-23)**.

2.1 Das Auge ist nach Meinung mancher das Herz. Wenn das Herz lauter, frei und großzügig ist (s. Spr 22,9), wenn das Herz großmütig zur Güte und Freundlichkeit neigt, wird es den Menschen zu christlichem Handeln führen; der ganze Lebensweg wird voller Licht sein, voller guter Werke, die unser Licht vor den Leuten leuchten lassen (s. Mt 5,16). Wenn aber das Herz verdorben (schlecht) ist, gierig, hart und neidisch, nörgelnd und missgünstig, „wird dein ganzer Leib finster sein"; der ganze Lebensweg wird wie der von Heiden sein, unchristlich. „Wenn nun das Licht in dir Finsternis ist", wenn es überhaupt kein gutes Wesen in einem Menschen gibt, nicht einmal eine freundliche Disposition (vgl. Lk 12,33; 2.Kor 9,7), wie groß ist dann die Verderbtheit in diesem Menschen, wie groß die „Finsternis", in der sie sitzen!

2.2 Nach der Meinung anderer ist das Auge der Verstand, das praktische Urteilsvermögen, das Gewissen, welches die für die anderen Fähigkeiten der Seele wie das Auge für den Leib ist, ihre Bewegungen leitet und führt. Wenn nun dieses „Auge lauter ist", wenn es wahrhaftige, richtige und gesunde Urteile fällt, wird es die Gefühle und Taten richtig leiten, die alle voller Licht der Gnade und Ermutigung sind. Wenn dies aber verdorben und verkehrt ist, müssen das Herz und das Leben „finster" sein und der ganze Lebensstil wird verkehrt sein. Ein Fehler im praktischen Urteilsvermögen erweist sich als verhängnisvoll; dies nennt „Böses gut und Gutes böse" (Jes 5,20).

2.3 Das Auge kann sich auf unsere Ziele und Absichten beziehen; mit dem Auge richten wir uns auf das Ziel vor uns aus. Bei allem, was wir in unserem religiösen Glauben tun, gibt es etwas, das wir im Auge haben. Wenn wir rein und ausschließlich nach Gottes Herrlichkeit streben, seine Ehre und Gunst suchen und alles vollständig auf ihn ausrichten, dann ist das Auge lauter. Der ganze Leib wird licht sein; alle seine Taten werden richtig und begnadet sein, angenehm für Gott und ermutigend für uns selbst. Wenn aber das „Auge verdorben ist", wenn, statt nur nach der Ehre Gottes und der Annahme durch ihn zu streben, wir seitwärts auf den Beifall von Menschen blicken und planen, uns selbst zu ehren, wenn wir behaupten, Gott zu ehren, wir aber unsere eigenen Dinge suchen und zwar unter dem Deckmantel, wir würden nach den Dingen Christi trachten, verdirbt dies alles. In unseren Zielen richtig zu liegen, ist der wichtigste Aspekt des religiösen Glaubens. Der Heuchler ist wie ein Bootsmann, der in eine Richtung schaut, aber in eine andere rudert. Echte Christen sind wie Reisende, die ihren Bestimmungsort im Blick behalten. Der Heuchler erhebt sich wie ein Falke, mit seinem Auge auf der Beute unten; echte Christen erheben sich wie eine Lerche, immer höher, und vergessen die Dinge des Lebens hier unten.

3. Wir müssen uns bei der Wahl des Herrn, dem wir dienen, vor Heuchelei und weltlicher Gesinnung hüten: „Niemand kann zwei Herren dienen" **(Vers 24)**. „Zwei Herren" zu dienen steht im Gegensatz zu dem lauteren Auge, denn das Auge wird auf des Herrn Hand blicken (s. Ps 123,1-2). Unser Herr Jesus entlarvt hier den Betrug, mit dem Menschen ihre Seele täuschen, wenn sie meinen, sie können ihre Loyalität zwischen Gott und der Welt teilen, sowohl den Schatz auf der Erde als auch den Schatz im Himmel haben, Gott und auch den Menschen gefallen zu können. Hier gibt es:

3.1 Eine niedergelegte allgemeine Maxime; „niemand kann zwei Herren dienen", noch viel weniger zwei Göttern, denn zu der einen oder anderen Zeit werden ihre Gebote miteinander kollidieren oder sich widersprechen. Solange „zwei Herren" zusammenpassen, kann ein Knecht beiden folgen, doch wenn sie sich trennen, werden Sie sehen, zu welchem er gehört. Diese Wahrheit zeigt sich klar genug in gewöhnlichen Fällen.

3.2 Ihre Anwendung auf die vorliegende Aufgabe: „Ihr könnt nicht Gott dienen und dem Mammon!" Mammon ist ein aramäisches Wort und meint „Gewinn", sodass, was immer in dieser Welt „Gewinn" ist oder von uns so eingeschätzt wird, „Mammon" ist. Was immer „in der Welt ist, die Fleischeslust, die Augenlust und der Hochmut des Lebens" (1.Joh 2,16) ist „Mammon". Das „Ich", die Einmütigkeit, auf die sich die Welt gründet – das weltliche, diesseitige „Ich" –, ist der Mammon, dem man nicht zusammen mit Gott dienen kann. Christus sagt nicht, wir „dürfen nicht" oder „sollen nicht", sondern wir *können* „nicht Gott dienen und dem Mammon"; wir *können* nicht beide lieben (s. 1.Joh 2,15; Jak 4,4), uns auf beide festlegen, oder beide beachten, beiden gehorchen, auf beide hören, beiden vertrauen und uns auf beide verlassen, denn jeder steht im Konflikt mit dem anderen. Deshalb wollen wir nicht zwischen Gott und Baal hin und her hinken, sondern uns heute erwählen, wem wir dienen wollen (s. 1.Kön 18,21; Jos 24,15), und unserer Wahl treu bleiben.

Vers 25-34

Es gibt kaum eine Sünde, vor der unser Herr Jesus seine Jünger vollständiger und inbrünstiger warnt als die Sünde des Sorgens, unruhige, aufgewühlte misstrauische Sorgen über die Dinge des Lebens zu haben. Hier gibt es:

1. Das niedergelegte Verbot. Es ist der Rat und das Gebot unseres Herrn Jesus, dass wir uns nicht um die Dinge dieser Welt sorgen sollen: „Darum sage ich euch." Er sagt es als unser Gesetzgeber und der Souverän unserer Herzen; er sagt es als unser Tröster und der Helfer zu unserer Freude. Was ist es, was er sagt: „Sorgt euch nicht." „Seid nicht besorgt." Es ist das wiederholte Gebot des Herrn Jesus an seine Jünger, dass sie ihren Sinn nicht teilen und durch Sorgen über die Welt in Stücke reißen sollen. Es gibt eine Sorge bezüglich der Dinge dieses Lebens, die nicht nur rechtmäßig, sondern die unsere Pflicht ist. Doch die hier verbotene Sorge ist:

1.1 Ein beunruhigendes, quälendes Sorgen, das unsere Freude an Gott behindert, unseren Schlaf stört und uns von der Freude an uns selbst, unseren Freunden und an dem abhält, was Gott uns gegeben hat.

1.2 Ein misstrauisches, ungläubiges Sorgen. Gott hat verheißen, denen, die ihm gehören, alle Dinge zu geben, die für das Leben und auch für die Gottesfurcht notwendig sind, alle Dinge, die für dieses Leben notwendig sind (s. 1.Tim 4,8; 6,8): Essen, Obdach und Kleidung, nicht die feinen Dinge, die wir möchten, aber die Dinge, die wir brauchen. Er sagte nie: „Sie werden schwelgen", sondern: „Wahrlich, du sollst genährt werden" (Ps 37,3; KJV). Eine übertriebene Sorge vor der Zukunft und die Furcht, dass einem diese Dinge fehlen, entspringen dem Unglauben gegenüber diesen Verheißungen und der Weisheit und Güte der göttlichen Vorsehung. Was die Zukunft angeht, so müssen wir all unsere Sorge auf ihn werfen (s. 1.Petr 5,7) und uns keine Gedanken machen, denn Sorgen sieht wie Misstrauen gegenüber Gott aus, während er doch weiß, wie er uns das geben kann, was uns fehlt, wenn wir nicht wissen, wie wir es bekommen können. Unsere Seelen mögen in ihm ruhen! Dieser begnadete, sorgenfreie Stand ist der gleiche wie der Schlaf, den Gott seinem Geliebten gibt (s. Ps 127,2). Machen Sie sich keine Gedanken um ihr Leben. Das Leben ist unsere größte Sorge in dieser Welt: „Ja, alles, was der Mensch hat, gibt er hin für sein Leben" (Hiob 2,4). Doch sorgen Sie sich nicht darum. Überlassen Sie es Gott, es zu verlängern oder zu verkürzen: „In Deiner Hand steht meine Zeit"

(Ps 31,16), und damit ist sie in guten Händen. Überlassen Sie es Gott, unser Leben bitter oder süß zu machen, wie es ihm gefällt. Wir dürfen uns nicht über die notwendige Versorgung für dieses Leben, Nahrung und Kleidung sorgen; Gott hat dies verheißen. Sagen Sie nicht: „Was werden wir essen?" Obwohl es viele gute Menschen gibt, die wenig zu erwarten haben, so gibt es doch wenige, die am Ende nicht genug haben. Sorgen Sie sich nicht um morgen, um die Zukunft. Wie wir uns „nicht des morgigen Tages" rühmen sollen (Spr 27,1), so dürfen wir auch nicht ängstlich in Bezug auf ihn sein.

2. Die Gründe und Argumente, um dieses Verbot zu unterstützen. Um zu zeigen, wie sehr Christus darauf ausgerichtet ist und welchen „Gefallen" er an denen hat, die „auf seine Gnade hoffen" (Ps 147,11), wird das Gebot mit sehr kraftvollen Argumenten unterstützt. Um uns von ängstlichen Gedanken zu befreien und sie auszutreiben, gibt Christus uns hier ermutigende Gedanken ein, damit wir mit ihnen erfüllt sein mögen. Dies wird wertvoll sein, um unseren Herzen zuzureden, von ihren quälenden Sorgen zu lassen; durch die richtigen Gründe können unsere Sorgen geschwächt werden. Doch nur durch einen aktiven Glauben können sie überwunden werden.

2.1 „Ist nicht das Leben mehr als die Speise und der Leib mehr als die Kleidung" **(Vers 25)**? Ja, zweifellos ist es dies; die Dinge sprechen für sich selbst. Unser Leben ist ein größerer Segen als unser Lebensunterhalt. Nahrung und Kleidung werden für das Leben gegeben, und das Ziel ist edler und vorzüglicher als die Mittel. Das schmackhafteste Essen und die feinsten Kleider sind von der Erde, das Leben aber kommt durch den Odem Gottes (s. 1.Mose 2,7). Dies ist eine Ermutigung für uns, Gott bezüglich unserer Nahrung und Kleidung zu vertrauen und uns so von aller Sorge darüber zu befreien. Gott hat uns das Leben gegeben und er hat uns den Leib gegeben; was kann er für uns nicht tun, wenn er dies getan hat? Was wird er nicht für uns tun? Wenn wir für unsere Seelen und die Ewigkeit sorgen, die mehr sind als der Leib und sein Leben, können wir es Gott überlassen, uns mit Nahrung und Kleidung zu versorgen, die geringer sind. Der Eine, der uns vor den Übeln beschützt, denen wir ausgesetzt sind, wird uns mit dem Gutem versorgen, was wir brauchen (s. Ps 103,5).

2.2 „Seht die Vögel des Himmels" und „betrachtet die Lilien des Feldes". Hier wird ein Argument aus Gottes gewöhnlicher Vorsehung gegenüber den niedrigeren Geschöpfen genommen. Die gefallene Menschheit ist in einen traurigen Zustand geraten, wenn sie von den Vögeln des Himmels lernen muss, was diese sie zu lehren haben (s. Hiob 12,7-8)!

Schauen Sie auf die Vögel des Himmels und lernen Sie, Gott in Bezug auf die Nahrung zu vertrauen **(s. Vers 26)**.

Achten Sie auf Gottes Vorsehung für sie. Es gibt verschiedene Stämme von Vögeln; sie sind zahlreich, manche sind unersättlich, doch sie werden alle mit der Nahrung genährt, die sie brauchen. Wie die Vögel am wenigsten den Menschen nützlich sind, so sind sie zumindest in ihrer Obhut; Menschen nähren sich oft von ihnen, aber sie füttern sie selten. Aber sie werden ernährt; es ist „euer himmlischer Vater", der sie ernährt. Er kennt „alle Vögel auf den Bergen" besser als sie die zahmen vor ihrem Scheunentor (Ps 50,11). Was hier aber besonders erwähnt wird, ist, dass sie ohne eigenes Sorgen oder Planen ernährt werden: „Sie säen nicht und ernten nicht, sie sammeln auch nicht in die Scheunen." Jeden Tag aber, so regelmäßig, wie der Tag kommt, wird für sie Vorsorge getroffen und ihre Augen warten auf Gott (s. Ps 145,15), diesen großen und guten Haushalter, „der allem Fleisch Speise gibt" (Ps 136,25).

Nutzen Sie dies, um sich zu ermutigen, auf Gott zu vertrauen: „Seid ihr nicht viel mehr wert als sie?" Doch, sicher sind Sie das. Die Erben des Himmels sind viel besser als die Vögel des Himmels; wir sind edlere und vorzüglichere Wesen, und durch den Glauben erheben wir uns höher. Gott ist ihr Erschaffer und Herr, ihr Eigentümer und Meister, doch für Sie ist er, über dies alles hinaus, ein Vater. Sie sind seine Kinder, seine Erstgeborenen; der Eine, der die Vögel ernährt, wird seine lieben Kinder sicherlich nicht hungern lassen. Die Vögel des Himmels vertrauen der Vorsehung ihres Vaters, und Sie wollen ihr nicht vertrauen? Im Vertrauen darauf haben sie keine Angst um den morgigen Tag, und weil sie so sind, führen sie das glücklichste Leben aller Geschöpfe; sie singen in den Zweigen. Wenn wir durch den Glauben so unbesorgt für den morgigen Tag wären wie sie, würden wir so fröhlich singen, wie sie es tun.

Betrachten Sie die Lilien und lernen Sie, Gott in Bezug auf die Kleidung zu vertrauen. Das ist ein weiterer Teil unserer Sorge: „Womit werden wir uns kleiden?" Diese Angst ist genauso weitverbreitet wie die um unser tägliches Brot. „Betrachtet die Lilien des Feldes." Schauen Sie sie sich nicht nur an – dies tut jedes Auge mit Freude –, sondern betrachten Sie sie. Man kann aus dem, was wir jeden Tag sehen, eine große Menge Gutes lernen, wenn wir es nur betrachten würden (s. Spr 6,6; 24,32).

Betrachten Sie, wie hinfällig die Lilien sind; sie sind „Gras des Feldes". „Alles Fleisch ist Gras" (Jes 40,6): Obwohl manche Begabungen des Leibes und Sinnes wie die Lilien sind und sehr bewundert werden, bleiben sie Gras. Dieses Gras steht heute und wird morgen in den Ofen geworfen (in das Feuer geworfen); bald wird uns unsere Stätte nicht mehr kennen (s. Ps 103,16). Wir sollten keine Angst davor haben, was wir morgen anziehen werden, denn vielleicht werden wir morgen unsere Totenkleider brauchen.

Betrachten Sie, wie frei von Sorge die Lilien sind: „Sie mühen sich nicht", wie es die Menschen tun, um Geld zu verdienen und Kleidung zu kaufen; „und spinnen nicht", wie es die Frauen tun, um Kleidung zu machen. Daraus folgt nicht, dass wir deshalb die angemessene Arbeit dieses Lebens vernachlässigen oder nachlässig tun können. Faulheit versucht Gott, statt ihm zu vertrauen.

Betrachten Sie, wie hübsch, wie fein die Lilien sind, „wie sie wachsen", wovon sie wachsen. Die Wurzel der Lilie ist im Winter verschwunden und unterirdisch vergraben, doch wenn der Frühling zurückkehrt, erscheint sie und beginnt bald zu wachsen. Deshalb wird dem Israel Gottes verheißen, es „soll blühen wie eine Lilie" (Hos 14,6). Betrachten Sie, zu was sie sich entwickeln. Aus dieser Verborgenheit heraus werden sie in ein paar Wochen sehr leuchtend, sodass sogar „Salomo in all seiner Herrlichkeit nicht gekleidet gewesen ist wie eine von ihnen". Wie fein Salomo sich selbst auch kleidete, er erreichte bei Weitem nicht die Schönheit der Lilien und ein Blumenbeet mit Tulpen übertraf ihn weit. Deshalb wollen wir lieber danach streben, die Weisheit Salomos zu haben als die Herrlichkeit Salomos, bei der er von den Lilien übertroffen wurde. Erkenntnis und Gnade sind die Vollkommenheiten, für welche die Menschen bestimmt waren, nicht Schönheit und noch viel weniger feine Kleider. Von Gott wird hier gesagt, dass er „das Gras des Feldes" auf diese Weise kleidet. Alle Vorzüglichkeiten der Schöpfung kommen von Gott. Er war es, der dem Ross seine Stärke (s. Ps 33,17) und der Lilie ihre Schönheit gab.

Betrachten Sie, wie lehrreich dies alles für uns ist (s. Vers 30).

Was die feine Kleidung anbetrifft. Dies lehrt uns, überhaupt keine Sorgen darüber zu machen, weder um danach zu streben, noch darauf stolz zu sein, die Lilien werden uns weit übertreffen. Wir können uns nicht so fein kleiden, wie sie es tun, warum sollten wir also versuchen, mit ihnen zu konkurrieren? Ihre Schönheit wird bald zugrunde gehen wie auch unsere.

Was notwendige Kleidung anbetrifft. Dies lehrt uns, all unsere Sorge auf Gott zu werfen (s. 1.Petr 5,7). Wenn er dem Gras solch feine Kleider gibt, dann wird er seinen eigenen Kindern noch viel mehr passende Kleider geben. Beachten Sie die Bezeichnung, die Christus seinen Jüngern gibt: „... ihr Kleingläubigen" **(Vers 30)**. Dies kann man verstehen als:

Eine Ermutigung für echten Glauben, selbst wenn er schwach ist. Großer Glaube wird gelobt werden und große Dinge erlangen, doch kleiner Glaube wird nicht verworfen werden. Für gute Gläubige wird gesorgt werden, selbst wenn sie keine starken Gläubigen sind. Die Säuglinge in der Familie werden genauso ernährt und gekleidet wie die Erwachsenen, und gegenüber den Säuglingen zeigt man eine besondere Fürsorge und Herzlichkeit. Oder es ist vielmehr:

Eine Rüge für schwachen Glauben, selbst wenn dieser Glaube echt ist (s. Mt 14,31). Wenn wir nur mehr Glauben hätten, würden wir uns weniger sorgen.

2.3 „Wer aber von euch", der Weiseste, der Stärkste unter ihnen, „kann durch sein Sorgen zu seiner Lebenslänge eine einzige Elle hinzusetzen" **(Vers 27)**?

Wir erreichen unsere Größe nicht durch unsere Sorge oder unser Denken, sondern durch die Vorsehung Gottes. Ein Säugling, der sehr klein ist, ist herangewachsen, um ein Mann von 1,80 Meter zu sein; er weiß nicht, wie er wuchs, außer dass es durch die Macht und Güte Gottes geschah. Der Eine, der unsere Leiber machte und sie mit diesem Umfang machte, wird sicherlich dafür Sorge tragen, sich um sie zu kümmern. Die Zeit des Wachstums ist das unbekümmerte, sorgenfreie Alter, doch wir wachsen dennoch. Wird nicht der Eine, der uns bis zu diesem Punkt aufgezogen hat, jetzt für uns sorgen, wenn wir erwachsen sind?

Wir können die Größe nicht ändern, die wir haben, selbst wenn wir es wollten. Wir haben nicht alle die gleiche Größe, doch der Unterschied in der Größe zwischen der einen Person und einer anderen ist nicht bedeutend oder von irgendwelcher großen Wichtigkeit. Wir sollten nun unsere weltlichen Besitztümer genauso betrachten, wie wir es mit unserer leiblichen Statur tun. Wir sollten keinen Überfluss an dem Wohlstand dieser Welt erstreben, genauso wenig, wie wir danach streben würden, eine Elle größer an Statur zu werden. Es genügt, Zentimeter für Zentimeter zu wachsen. Großer Wohlstand, der komplett auf einmal erworben wird, wäre für uns einfach unhandlich, würde die Bewegung erschweren und uns zu einer Last für uns selbst werden lassen. Wir müssen uns mit unserem Stand abfinden, wie wir es mit unserer Größe tun; wir müssen die Annehmlichkeiten über die Unannehmlichkeiten stellen (s. Pred 7,14) und so aus unserer Not eine Tugend machen. Wir können nicht die Wege ändern, wie der Allmächtige an uns handelt.

2.4 „Denn nach allen diesen Dingen trachten die Heiden" **(Vers 32)**. Die Heiden streben nach „diesen Dingen", weil sie keine besseren Dinge kennen. Sie sind gierig nach den Dingen dieser Welt, weil sie Fremdlinge für eine bessere Welt sind. Sie suchen diese Dinge mit Angst, weil sie „ohne Gott in der Welt" sind (Eph 2,12) und seine Vorsehung nicht verstehen. Sie fürchten und beten ihre Götzen an, können ihnen aber nicht vertrauen, dass sie ihre Bedürfnisse stillen. Für Christen aber, die ihr Leben auf edlere Grundsätze gründen, ist es eine Schande, zu wandeln, wie es die Heiden tun, ihre Sinne und Herzen mit diesen Dingen zu füllen.

2.5 „... aber euer himmlischer Vater weiß, dass ihr das alles benötigt", diese notwendigen Dinge, Kleidung und Nahrung, er kennt unsere Bedürfnisse besser, als wir es selbst tun. „Ihr meint, wenn dieser und jener gute Freund nur eure Bedürfnisse und Schwierigkeiten kennen würde, würdet ihr bald Hilfe bekommen; doch euer Gott kennt sie, und er ist euer Vater, der euch liebt und Mitleid mit euch hat und bereit ist, euch zu helfen." Obwohl er unsere Bedürfnisse bereits kennt, möchte er sie von uns erfahren. Wir sollten uns von der Last der Angst befreien, indem wir sie Gott geben, denn er „sorgt für euch" (1.Petr 5,7). Warum sollten wir ängstlich sein, wenn er sorgt?

2.6 „Trachtet vielmehr zuerst nach dem Reich Gottes und nach seiner Gerechtigkeit, so wird euch dies alles hinzugefügt werden!" **(Vers 33)**. Hier gibt es ein zweifaches Argument gegen die Sünde der Angst. Machen Sie sich keine Gedanken um Ihr Leben, das Leben des Leibes, denn:

Sie haben größere und bessere Dinge, um darum besorgt zu sein, das Leben Ihrer Seele, Ihre ewige Seligkeit; das ist das eine, das not ist (s. Lk 10,42), womit Sie sich in Ihren Gedanken beschäftigen sollten.

Sie haben einen gewisseren und leichteren, sichereren und kürzeren Weg, um das zu erhalten, was Sie in diesem Leben brauchen, und dieser Weg ist, „zuerst nach dem Reich Gottes" zu trachten. Beachten Sie hier:

Die geforderte große Pflicht. Sie ist die Zusammenfassung und der Kern unserer gesamten Pflicht: „Trachtet vielmehr zuerst nach dem Reich Gottes." Unsere Pflicht ist, zu trachten. Obwohl wir es nicht erlangt haben und in vielen Dingen versagen und es nicht erreichen, wird aufrichtiges Trachten angenommen. Wir müssen den Himmel zu unserem Ziel und Heiligkeit zu unserem Weg machen. Wir machen nichts aus unserem religiösen Glauben, wenn wir nicht den Himmel daraus machen. Trachten Sie zusammen mit der Seligkeit dieses Reiches „nach seiner Gerechtigkeit", Gottes Gerechtigkeit. „Trachtet vielmehr zuerst nach dem Reich Gottes." Wir müssen mehr nach den Dingen Christi als nach unseren eigenen Dingen trachten. „Trachtet zuerst nach diesen Dingen; trachtet zuerst nach ihnen an euren Tagen: Der Morgen der Jugend möge Gott geweiht sein. Trachtet nach den Dingen Christi zuerst jeden Tag: Eure wachen Gedanken mögen sich mit Gott beschäftigen." Der Eine, welcher der Erste ist (s. Offb 1,11), möge das Erste haben.

Die beigefügte gnädige Verheißung: „Dies alles", die nötige Versorgung des Lebens, wird „hinzugefügt werden". Sie werden Ihnen ebenso gegeben werden, so, wie eine Person, die Güter kauft, die Verpackung umsonst bekommt. „Die Gottesfurcht" hat „die Verheißung für dieses ... Leben" (1.Tim 4,8). Wenn wir bei Gott beginnen, beginnen wir am richtigen Ende unserer Arbeit. Was alle Dinge des Lebens betrifft, *Jahwe-Jireh* – „der HERR wird dafür sorgen" (1.Mose 22,14) –, für so viel davon, wie er es für gut ansieht, sie uns zu geben, und mehr würden wir uns nicht wünschen. Gottes Israel wurde nicht nur schließlich nach Kanaan gebracht; ihnen wurden auch ihre Unkosten in der Wüste beglichen.

2.7 „... denn der morgige Tag wird für das Seine sorgen. Jedem Tag genügt seine eigene Plage" **(Vers 34)**. Jeder Tag bringt seine eigene Last an Sorgen und Klagen mit sich. Er bringt seine eigene Stärke und Versorgung mit sich. Möge der morgige Tag sich selbst um die Dinge Gedanken machen. Wenn sich an dem Tag die Nöte und Mühen wiederholen, wiederholt sich auch die Hilfe und Versorgung: Barmherzigkeit, die „jeden Morgen neu" ist (Klgl 3,22-23). Deshalb wollen wir auf die Kraft für morgen hoffen, um die morgige Arbeit zu tun und die morgige Last zu tragen. Dies schließt weise Voraussicht und Vorbereitung nicht aus, doch es sollte verwirrender Sorge und hauptsächlich ein Sichbeschäftigen mit Schwierigkeiten und Missgeschicken beenden, die vielleicht niemals kommen. Die Absicht ist folgende: Wir wollen uns mit unserer gegenwärtigen Pflicht beschäftigen und dann die zukünftigen Ereignisse Gott überlassen; tun Sie die Arbeit des Tages an seinem Tag und dann lassen Sie das Morgen seine Arbeit mit sich bringen. „Jedem Tag genügt seine eigene Plage." Dieser jetzige Tag hat genug Mühe, die ihn begleitet. Wir müssen keine Lasten anhäufen, indem wir unsere Mühe vorausempfinden, noch müssen wir Leid von den morgigen Schwierigkeiten ausborgen, um sie denen von heute hinzuzufügen. Wir wollen nicht alles auf einmal auf uns nehmen, was der Allmächtige in seiner Vorsehung weise so geordnet hat, dass es Stück für Stück getragen werden soll. Wir können unsere täglichen Gebete dazu nutzen, Kraft zu erlangen, um uns zu helfen, unsere täglichen Mühen zu ertragen und uns gegen die Versuchungen zu wappnen, die sie begleiten und dann auf diese Dinge keine Rücksicht nehmen (s. Apg 20,23-24).

KAPITEL 7

Dieses Kapitel fährt mit der Bergpredigt Christi fort und schließt sie. Hier gibt es: 1. Einige Regeln in Bezug auf Kritik und Tadel (s. Vers 1-6). 2. Ermutigungen, zu Gott zu beten für das, was wir brauchen (s. Vers 7-11). 3. Die Notwendigkeit von Strenge im Verhalten (s. Vers 12-14). 4. Eine Warnung, auf falsche Propheten zu hören (s. Vers 15-20). 5. Den Abschluss der ganzen Predigt (s. Vers 21-27). Den Eindruck, den die Botschaft Christi auf seine Hörer machte (s. Vers 28-29).

Vers 1-6

Unser Heiland sagt uns hier, wie wir uns bezüglich der Fehler anderer verhalten sollen. Hier haben wir:

1. Eine Warnung vor dem Richten **(Vers 1-2)**. Das Verbot: „Richtet nicht." Wir müssen uns selbst und unsere eigenen Taten richten, doch wir dürfen nicht unseren Bruder richten. Wir dürfen nicht auf dem Richterstuhl sitzen, um unser Wort für jedermann zum Gesetz zu machen. Wir dürfen ihn nicht verachten oder abtun (s. Röm 14,10). Wir dürfen nicht vorschnell richten, wir dürfen nicht lieblos und unbarmherzig richten oder mit einem rachsüchtigen Geist und dem Wunsch, Schwierigkeiten zu verursachen. Wir dürfen nicht die Herzen anderer oder ihre Absichten richten, denn es ist Gottes Vorrecht, das Herz zu prüfen (s. Ps 7,10; Spr 17,3; 1.Thess 2,4). Wir dürfen auch nicht über ihren ewigen Stand richten noch sie „Heuchler", „Verworfene" und „Ausgestoßene" nennen; das heißt die Grenze überschreiten; welches Recht haben wir, den Knecht einer anderen Person auf diese Weise zu richten? Raten Sie ihnen, helfen Sie ihnen, doch richten Sie sie nicht. Der Grund, um dieses Verbot zu unterstützen: „... damit ihr nicht gerichtet werdet!" Dies deutet darauf hin:

1.1 Dass, wenn wir es uns erlauben, andere zu richten, wir erwarten können, selbst gerichtet zu werden. Im Allgemeinen wird niemand mehr kritisiert als die, die selbst sehr kritisch sind. Man zeigt gegenüber dem Ruf derjenigen keine Barmherzigkeit, die gegenüber dem Ruf anderer keine Barmherzigkeit zeigten (s. Jak 2,13). Das ist jedoch nicht das Schlimmste daran; sie werden auch von Gott gerichtet werden: Von ihm werden sie „ein strengeres Urteil empfangen" (Jak 3,1). Beide Parteien müssen vor ihm erscheinen (s. Röm 14,10), der sowohl den demütig Duldenden entlasten als auch dem vermessenen Spötter widerstehen (s. Spr 21,24) und sie recht richten wird.

1.2 Dass wir, wenn wir maßvoll und nachsichtig in unserer Kritik mit anderen sind, es ablehnen, sie zu richten, und stattdessen uns selbst richten, nicht vom Herrn gerichtet werden sollen. So wie Gott denen vergeben wird, die ihren Brüdern und Schwestern vergeben, so wird er die nicht richten, die sich weigern, ihre Brüder und Schwestern zu richten; der Barmherzige soll Barmherzigkeit erlangen (s. Mt 5,7). Das Richten von denen, die andere richten, gründet sich auf das Gesetz der Vergeltung. „Denn mit demselben Gericht, mit dem ihr richtet, werdet ihr gerichtet werden" **(Vers 2)**. Der gerechte Gott befolgt in seinem Gericht oft die Regel des Gleichmaßes. „... und mit demselben Maß, mit dem ihr anderen zumesst, wird auch euch zugemessen werden", vielleicht in dieser Welt, sodass die Menschen ihre Sünde an ihrer Strafe lesen können. Was würde aus uns werden, wenn Gott genauso genau und streng in seinem Richten über uns wäre, wie wir es beim Richten unseres Bruders oder unserer Schwester sind, wenn er uns mit dem gleichen Maß messen würde? Dies können wir zu Recht erwarten, wenn wir Protokoll über das halten, was unsere Brüder oder Schwestern falsch machen. In dieser wie in anderen Angelegenheiten, kehren die gewaltsamen Taten von Menschen auf ihre eigenen Köpfe zurück.

2. Einige Warnungen über das Tadeln. Aus dem Verbot des Richtens anderer, was eine große Sünde ist, folgt nicht, dass wir andere nicht tadeln dürfen, was eine große Pflicht und möglicherweise ein Mittel ist, eine Seele vom Tod zu erretten (s. Jak 5,20).

2.1 Nicht jeder ist dazu geeignet, zu tadeln. Diejenigen, die selbst der gleichen Fehler schuldig sind, derer sie andere anklagen, oder schlimmerer Fehler, bringen Schande über sich und werden denen wahrscheinlich nichts Gutes bringen, die sie tadeln **(s. Vers 3-5)**. Hier gibt es:

Einen gerechten Tadel gegenüber der tadelsüchtigen Person, die sich mit ihrem Bruder oder ihrer Schwester wegen kleiner Fehler streitet, während sie sich selbst größere erlaubt, die rasch „den Splitter" (ein Stäubchen Sägemehl) im Auge ihres Bruders oder ihrer Schwester erspäht, aber „den Balken" (die Planke) in ihrem eigenen nicht bemerkt.

Es gibt Grade von Sünde: Manche Sünden sind vergleichsweise klein, wie Stäubchen von Sägemehl; andere sind wie Planken. Manche klein wie eine Mücke, andere groß wie ein Kamel. Nicht, dass es wirklich irgendeine Sünde gibt, die klein ist, denn es gibt keinen kleinen Gott, gegen den man sündigt.

Unsere eigenen Sünden sollten für uns größer erscheinen als die gleichen Sünden bei anderen, denn die Sünden anderer müssen herabgesetzt werden, unsere eigenen aber hervorgehoben.

Es gibt viele Menschen, die Balken in ihren Augen haben, es aber nicht beachten. Sie stehen unter der Schuld und Macht sehr großer Sünden, sind sich dessen aber nicht bewusst. Stattdessen rechtfertigen sie sich selbst, als bräuchten sie nicht Buße tun oder ihre Wege bessern. Sie sagen mit großer Selbstsicherheit: „Wir sehen."

Für diejenigen, die selbst am meisten sündig und sich am wenigsten dessen bewusst sind, ist es üblich, am meisten eifrig und freimütig im Richten und Missbilligen anderer zu sein. Stolz und fehlende Liebe sind oft Balken in den Augen von denjenigen, die durch das Missbilligen von anderen vorgeben, geläutert zu sein. In der Tat sind viele Menschen heimlich dessen schuldig, bei dem sie die Kühnheit besitzen, es bei anderen zu strafen, wenn es offenbar wird.

Wenn die Menschen so hart gegenüber den Fehlern von anderen sind, während sie ihren eigenen nachgeben, ist das ein Kennzeichen für Heuchelei. „Du Heuchler" **(Vers 5)**. Was immer solch ein Mensch auch behaupten mag, es ist sicher, dass sie keine Feinde der Sünde sind – wenn sie es wären, dann wären sie ein Feind ihrer eigenen Sünde – und deshalb sind sie nicht lobenswert. Diese geistliche Wohltätigkeit muss zu Hause beginnen: „,Oder wie kannst du ... sagen', wie könnt ihr in schändlicher Weise zu eurem Bruder oder eurer Schwester sagen: ,Lass mich dir helfen, dich zu bessern', wenn ihr euch nicht müht, euch selbst zu bessern?" *Zwar sollte uns diese Erwägung von dem, was bei uns selbst falsch ist, nicht davon abhalten, wohlwollenden Tadel auszusprechen, doch sie sollte uns von diktatorischer Kritik abhalten.*

Eine gute Regel für diejenigen, die tadeln **(s. Vers 5)**. Folgen Sie der richtigen Methode: „... zieh zuerst den Balken aus deinem Auge." Unsere eigene Schlechtigkeit, die weit davon entfernt ist, uns vom Tadeln zu befreien, wird selbst noch schlimmer, indem sie uns unfähig macht zu tadeln. Die Straftat eines Menschen wird nie zur Verteidigung derselben; vielmehr muss ich mich zuerst selbst bessern, sodass ich meinem Bruder oder meiner Schwester helfen kann, sich zu bessern, indem ich mich geeignet dazu mache, sie zu tadeln. Diejenigen, die andere rügen, sollten selbst tadellos und unschuldig sein. Die Lichtscheren des Heiligtums sollten aus reinem Gold sein (s. 2.Mose 37,23).

2.2 Nicht jeder ist dazu geeignet, getadelt zu werden: „Gebt das Heilige nicht den Hunden" **(Vers 6)**. Unser Eifer gegen Sünde muss von Umsicht geleitet sein und wir dürfen es nicht unternehmen, verhärtete Spötter zu unterweisen, zu beraten, zu tadeln und noch viel weniger zu ermutigen. Wenn Sie eine Perle vor eine Sau werfen, wird sie es übelnehmen, als würden Sie einen Stein nach ihr werfen; geben Sie heilige Dinge also nicht „Hunden" und „Säuen" (unreinen Geschöpfen). Guter Rat und Tadel sind heilige Dinge, Perlen: Sie sind kostbare Ordnungen Gottes. Unter dem Geschlecht von Übeltätern gibt es manche, die „den Weg der Sünder" so lange gegangen sind, dass sie sich dahin gesetzt haben, „wo die Spötter sitzen" (Ps 1,1). Sie hassen und verachten erklärtermaßen Unterweisung und widersetzen sich ihr. Solchen Menschen kann man unterweisenden Tadel nur sehr schwer geben, und sie geben den Tadelnden all der Verachtung und den Problemen preis, die man von „Hunden" und „Säuen" erwarten kann. Man muss die Menschen als solche betrachten, wenn sie Verweise und denjenigen, der sie erteilt, hassen und sich denen widersetzen, die aus Freundlichkeit ihren Seelen gegenüber ihnen von der Sünde und Gefahr zeigen. Solche Menschen sündigen gegen das Heilmittel; wer wird die heilen und denen helfen, die es ablehnen, dass sie geheilt werden und ihnen geholfen wird? „Es ist nicht recht, dass man das Brot der Kinder nimmt und es den Hunden vorwirft" (Mt 15,26). Doch wir müssen sehr vorsichtig darin sein, wen wir als „Hunde" und „Säue" verurteilen. Viele Kranke gingen verloren, weil man dachte, sie seien so, während sie hätten gerettet werden können, wenn man die richtigen Mittel benutzt hätte. Unser Herr Jesus hat ein sehr feines Gespür dafür, wenn es um die Sicherheit der Seinen geht und er möchte nicht, dass sie sich unnötigerweise der Wut derer aussetzen, die sich „umwenden und euch zerreißen" werden.

Vers 7-11

In dem vorherigen Kapitel hatte unser Heiland von dem Gebet als einer gebotenen Pflicht gesprochen, durch die Gott geehrt wird. Hier sprach er davon als dem festgelegten Mittel, um das zu bekommen, was wir brauchen. Hier gibt es:

1. Ein in drei Worten gegebenes Gebot mit der gleichen Absicht: „Bittet, ... sucht, ... klopft an" **(Vers 7)**; das heißt mit einem Wort: „Betet, betet und dann betet wieder. Bittet, wie ein Bettler um Gaben bittet." Diejenigen, die in der Gnade reich werden wollen, müssen in das armselige Geschäft des Bittens eintreten, und sie werden sehen, dass dies ein blühendes Gewerbe ist. „Bittet; bringt eure Nöte und Lasten zu Gott. Bittet wie ein Reisender, der um Wegweisung bittet; beten heißt, von Gott etwas zu erbitten (s. Hes 36,37). Sucht, als würden wir etwas Wertvolles suchen, was wir verloren haben. Sucht mit Gebet (s. Dan 9,3). Klopft an, wie ein Mensch an eine Tür klopft, wenn er in ein Haus hinein will." Die Sünde hat die Tür für uns geschlossen und verriegelt. Wir klopfen durch Gebet an diese Tür. „Herr, Herr, tue uns auf!" (Mt 25,11). Christus klopft an unsere Tür (s. Offb 3,20; Hld 5,2), und er erlaubt uns, an seine Tür zu klopfen, was eine Gunst ist, die wir gewöhnlichen Bettlern nicht zugestehen. Suchen und klopfen beinhaltet etwas mehr als bitten und beten. Wir müssen nicht nur bitten, sondern auch suchen; wir müssen unsere Gebete durch Anstrengungen unterstützen; wir müssen die festgelegten Mittel nutzen und das suchen, worum wir bitten, denn sonst versuchen wir Gott. Wir müssen nicht nur bitten, sondern auch anklopfen. Wir müssen zu Gottes Tür kommen und kühn bitten; wir müssen nicht nur beten, sondern auch uns einsetzen und mit Gott ringen.

2. Eine beigefügte Verheißung: „... eure Arbeit" im Gebet, wenn wir wirklich darin arbeiten, ist „nicht vergeblich ... im Herrn" (1.Kor 15,58): Wo Gott ein Herz voller Gebet findet, wird er als ein Gott gefunden werden, der Gebet hört; er wird Ihnen eine wohlgesonnene Antwort geben.

2.1 Die Verheißung ist gegeben, und sie ist so gegeben, dass sie genau zu dem Gebot passt **(Vers 7)**. Gott wird dem entgegenkommen, der auf ihn hört. „Bittet, so wird euch gegeben" – nicht geliehen werden, nicht verkauft werden, sondern „euch gegeben"; und was ist freier als ein Geschenk? Es ist einfach bitten und haben. „Ihr habt es nicht, weil ihr nicht bittet", oder „weil ihr in böser Absicht bittet" (Jak 4,2-3): Was nicht wert ist, um darum zu bitten, ist nicht wert, es zu haben, und folglich ist es nichts wert. „Sucht, so werdet ihr finden", und dann wird Ihre Anstrengung nicht vergeudet sein. Gott selbst wird von denen gefunden, die ihn suchen (s. 1.Chr 28,9; Jer 29,13-14), und wenn wir ihn finden, haben wir genug. „Klopft an, so wird euch aufgetan"; das Tor der Barmherzigkeit und Gnade wird nicht mehr vor Ihnen verschlossen werden, weil Sie Feinde und Eindringlinge sind, sondern für Sie als Freunde und Kinder geöffnet werden. Wenn das Tor sich nicht beim ersten Klopfen öffnet, bleiben Sie weiter treu im Gebet; es ist eine Beleidigung für einen Freund, wenn man an seine Tür klopft und dann fortgeht. Selbst wenn er sich verzögern mag, warten Sie weiter.

2.2 Es wird wiederholt **(s. Vers 8)**. Es hat die gleiche Absicht, aber mit ein paar Ergänzungen. Es wird auf alle ausgeweitet, die in rechter Weise beten. „Jeder, der bittet, empfängt", sei er nun Jude oder Heide, hoch oder niedrig; sie sind alle gleichermaßen vor dem „Thron der Gnade" willkommen (Hebr 4,16), wenn sie im Glauben kommen. Denn Gott ist nicht voreingenommen (s. Apg 10,34). Dabei werden Verben in der Gegenwart verwendet und deshalb ist es mehr als eine Verheißung für die Zukunft. „Jeder, der bittet", *wird* nicht nur empfangen, sondern „empfängt" schon jetzt. Die Verheißungen Gottes sind so gewiss und unantastbar, dass sie in der Tat gegenwärtigen Besitz vermitteln. Was wir nach der Verheißung auf Hoffnung haben, ist so gewiss und sollte so süß sein wie das, was wir in Händen halten. Bedingte Zuwendungen werden uneingeschränkt, wenn die Bedingung erfüllt ist; ähnlich hier, „jeder, der bittet, empfängt".

2.3 Es wird veranschaulicht durch einen Vergleich zwischen irdischen Eltern, ihrer angeborenen Bereitschaft, ihren Kindern das zu geben, worum sie bitten, und unserem himmlischen Vater. Christus wendet sich an seine Hörer: „Oder ist unter euch ein Mensch", selbst wenn er sehr mürrisch und schlecht gelaunt ist, „der, wenn sein Sohn ihn um Brot bittet, ihm einen Stein gibt" **(Vers 9)**? Er schließt daraus: „Wenn nun ihr, die ihr böse seid, euren Kindern gute Gaben zu geben versteht, wie viel mehr wird euer Vater im Himmel denen Gutes geben, die ihn bitten!" **(Vers 11)**. Dies ist nun nützlich:

Um unsere Gebete und Erwartungen zu leiten. Wir müssen zu Gott kommen, wie Kinder zu einem „Vater im Himmel" kommen. Wie natürlich läuft ein Kind, das in Not oder Sorge ist, mit seinen Klagen zu seinem Vater! Wir müssen für „gute Gaben" zu ihm kommen, denn die wird er denen geben, „die ihn bitten". Er weiß, was für uns gut ist; wir müssen es deshalb ihm überlassen: „Mein Vater ... so geschehe dein Wille!" (Mt 26,42). Wir bitten Gott oft um etwas, das uns schaden würde, wenn wir es hätten; das weiß er und so gibt er es uns nicht. Besser, er verweigert etwas in Liebe, als dass er etwas im Zorn gewährt; wir wären schon längst ruiniert, wenn wir alles gehabt hätten, was wir wünschten.

Um unsere Gebete und Erwartungen zu ermutigen. Wir haben Grund zur Hoffnung, dass wir nicht abgewiesen und enttäuscht werden: Wir werden keinen Stein statt Brot bekommen, dass wir uns die Zähne zerbrechen – selbst wenn wir eine harte Kruste haben, um unsere Zähne zu beschäftigen –, noch eine Schlange statt einen Fisch, um uns zu beißen. Gott hat in die Herzen von Eltern eine mitleidsvolle Neigung gelegt, ihren Kindern gemäß ihrer Nöte zu helfen und sie zu versorgen. Es wurde nie ein Gesetz für nötig gehalten, um Eltern zu zwingen, ihre rechtmäßigen Kinder zu versorgen. Gott hat uns gegenüber die Beziehung eines Vaters übernommen und er erkennt uns als seine Kinder an. Er vergleicht seine Sorge für sein Volk mit der eines Vaters für seine Kinder (s. Ps 103,13) – in der Tat mit der einer Mutter, die in der Regel zärtlicher ist (s. Jes 49,14-15; 66,13). Hier wird uns jedoch seine Liebe, Herzlichkeit und Güte so vorgestellt, dass sie die aller irdischen Eltern weit übertrifft, und deshalb wird es mit „wie viel mehr" begründet. Unsere weltlichen Väter haben für uns gesorgt und wir haben für unsere Kinder gesorgt, doch Gott wird viel mehr für seine Kinder sorgen. Außerdem:

Gott hat mehr Erkenntnis. Eltern sind oft in törichter Weise liebevoll, aber Gott ist unendlich weise.

Gott ist gütiger. Wenn man alles Mitleid aller gütigen Väter in der Welt mit den zärtlichen Barmherzigkeiten unseres Gottes vergleichen würde, wäre es nur wie eine Kerze gegenüber der Sonne oder ein bloßer Tropfen im Ozean. Gott ist reicher und bereiter, seinen Kindern zu geben, als es unsere menschlichen Väter sein können.

Vers 12-14

Unser Herr spornt uns hier zur Gerechtigkeit gegenüber Menschen an, die ein wesentlicher Zweig echten religiösen Glaubens ist, und er spornt uns zu dem religiösen Glauben gegenüber Gott an, der ein wesentlicher Zweig der allumfassenden Gerechtigkeit ist.

1. Wir müssen Gerechtigkeit zu unserer Richtschnur machen und von ihr beherrscht werden **(s. Vers 12)**. Legen Sie dies als Ihren Grundsatz fest, so zu handeln, wie Sie behandelt werden möchten, damit Sie von den vorangehenden Verheißungen profitieren mögen. Es ist richtig, dass das Gesetz der Gerechtigkeit dem Gesetz des Gebets folgt, denn wenn wir in unserem Verhalten nicht rechtschaffen sind, wird Gott unsere Gebete nicht hören (s. Jes 1,15-17; 58,6.9; Sach 7,9.13). Wir können nicht „gute Gaben" von Gott erwarten, wenn wir nicht unter den Menschen das tun, „was wahrhaftig" ist, „was rein, was liebenswert, was wohllautend" ist (Phil 4,8). Hier haben wir:

1.1 Die Regel der Gerechtigkeit niedergelegt: „Alles nun, was ihr wollt, dass die Leute euch tun sollen, das tut auch ihr ihnen ebenso." Christus kam, um uns nicht nur das zu lehren, was wir wissen und glauben sollen, sondern auch, was wir tun müssen, und nicht nur, was wir gegenüber Gott tun müssen, sondern auch gegenüber den Menschen. Die goldene Regel der Gerechtigkeit besteht darin, anderen gegenüber so zu handeln, wie wir möchten, dass sie uns gegenüber handeln. Wir dürfen anderen nicht das Böse antun, was sie uns angetan haben, und auch nicht das Böse, das sie uns antun würden, wenn sie die Macht hätten, sondern das, was wir möchten, dass man es uns tut. Dies gründet sich auf dem großen Gebot: „Du sollst deinen Nächsten lieben wie dich selbst!" (Mt 19,19). So, wie wir unserem Nächsten die gleiche Zuneigung entgegenbringen sollen, wie wir möchten, dass sie uns entgegengebracht wird, müssen wir die gleichen guten Werke tun. Wir müssen unserem Nächsten gegenüber tun, was wir selbst als richtig und vernünftig anerkennen. Wir müssen uns in ihre Situation hineinversetzen und uns vorstellen, wie wir wünschen und erwarten würden, behandelt zu werden – daran denken, dass ihre Situation in der Tat die unsere werden kann. Oder wir mögen wenigstens, wenn uns der Gedanke an diese Möglichkeit nicht anspornt, fürchten, dass Gott mit seinen Gerichten so an uns handeln würde, wie wir an anderen gehandelt haben, wenn wir nicht so gehandelt haben, wie wir von ihnen behandelt werden wollten.

1.2 Einen Grund angegeben, um diese Regel zu unterstützen: „... denn dies ist das Gesetz und die Propheten." Es ist die Zusammenfassung dieses zweiten großen Gebotes, welches eines der beiden ist, an welchen „das ganze Gesetz und die Propheten" hängen (Mt 22,40). Wir haben es nicht mit so viel Worten entweder im „Gesetz" oder in den „Propheten" gelesen, doch es ist die vorherrschende Sprache des Ganzen. Christus hat sie hier in dieses Gesetz hereingenommen, sodass das Alte und das Neue Testament darin übereinstimmen, dass sie uns vorschreiben, das zu tun, was wir möchten, dass man es uns tut.

2. Wir müssen den religiösen Glauben zu unserer Pflicht machen und eifrig darin sein, ihn auszuüben. Beachten Sie:

2.1 Die Beschreibung, die von dem schlechten Weg der Sünde und dem guten Weg der Heiligkeit gegeben wird. Es gibt nur zwei Wege, richtig und falsch, gut und böse, den Weg zum Himmel und den Weg zur Hölle. Jeder von uns geht auf einem dieser Wegen: Es gibt in der Zukunft keinen mittleren Weg, keinen Mittelweg auf der Straße jetzt. Hier gibt es:

Eine uns gegebene Darstellung des Weges der Sünde und der Sünder sowohl in seinen besten als auch seinen schlimmsten Aspekten.

Was viele Menschen an ihm fesselt und auf ihm hält, ist, dass „die Pforte ... weit und der Weg ... breit" sind und es viele Reisende auf diesem Weg gibt.

„Ihr werdet auf diesem Weg viel Freiheit haben. Ihr könnt all eure sündigen Begierden mit euch nehmen, wenn ihr durch dieses Tor eintretet; es wird eure Gelüste und Leidenschaften nicht einschränken. Ihr könnt dem ‚Starrsinn' eures ‚bösen Herzens folgen' (Jer 3,17) und dem ‚was wir mit den Augen anschauen'" (Pred 6,9). Es gibt eine Auswahl an sündigen Wegen, manche widersprechen anderen, doch alle sind Pfade auf diesem breiten Weg.

„*Ihr werdet auf diesem Weg viele Leute bei euch haben:* ,... und viele sind es, die da hineingehen' durch diese Pforte und auf diesem Weg wandeln." Wenn wir „der Menge folgen", wird es „zum Bösen" sein (2.Mose 23,2). Wenn wir mit der Masse gehen, wird es der falsche Weg sein. Für uns ist es natürlich, dazu zu neigen, „mit dem Strom zu schwimmen", zu handeln, wie die meisten anderen Menschen handeln. Wenn viele umkommen, sollten wir nur umso vorsichtiger sein.

Was uns ganz von diesem Weg vertreiben sollte, ist, dass er „ins Verderben führt". Sei es nun die Hauptverkehrsstraße offener Gottlosigkeit oder der abgelegene Weg heimlicher Heuchelei, wenn es der Weg der Sünde ist, wird er uns zerstören, wenn wir nicht Buße tun.

Eine uns gegebene Darstellung des Weges der Heiligkeit. Wir wollen sehen:

Was er enthält, das viele Menschen von ihm abschreckt. Christus geht ehrlich mit uns um und er sagt uns:

Dass die Pforte eng ist. Bekehrung und Neugeburt sind „die Pforte", durch die wir auf diesen Weg treten. Wir müssen durch die neue Geburt aus einem Stand der Sünde heraus in einen Stand der Gnade kommen (s. Joh 3,3.5). Dies ist eine enge Pforte, eine, die schwer zu finden und schwer zu durchqueren ist, wie ein Pass zwischen zwei Felsen (s. 1.Sam 14,4). Es muss „ein neues Herz geben und einen neuen Geist" (Hes 36,26) und das Alte muss vergehen (s. 2.Kor 5,17). Die Richtung der Seele muss sich ändern. Wir müssen gegen den Strom schwimmen. Wir müssen mit viel Widerstand kämpfen – von außen und von innen – und ihn überwinden. Es ist leichter, einen Menschen gegen die ganze Welt zu stellen als gegen sich selbst, doch dies muss bei der Bekehrung geschehen. Es ist eine „enge Pforte", denn wir müssen uns beugen oder wir können nicht durch sie eintreten; wir müssen wie Kinder werden (s. Mt 18,3). Wir müssen uns selbst verleugnen, die Welt abtun, „den alten Menschen" ablegen (Eph 4,22). Wir müssen bereit sein, alles zu verlassen, um Christus nachzufolgen (s. Mt 19,27). „Die Pforte ist eng" für jedermann, doch für manche ist enger als für andere; zum Beispiel für die Reichen. „Die Pforte ist eng." Wir loben Gott, dass sie für uns nicht verschlossen oder verriegelt ist oder mit der „Flamme des blitzenden Schwertes" bewacht wird (1.Mose 3,24), wie es bald sein wird (s. Mt 25,10).

Dass „der Weg ... schmal" ist. Wir kommen nicht im Himmel an, sobald wir durch „die enge Pforte" eingegangen sind. Nein, wir müssen durch eine Wüste gehen, wir müssen auf einem schmalen Weg laufen, der durch Gottes Gesetz eingezäunt ist (s. Ps 89,40-41), welches „unbeschränkt" ist (Ps 119,96), und das macht den Weg schmal; das „Ich" muss verleugnet werden; täglichen Versuchungen muss widerstanden und Pflichten müssen erfüllt werden, die unserer Neigung widersprechen. Wir müssen Widrigkeiten erdulden (s. 2.Tim 2,3), müssen ringen und uns fürchten; müssen in allen Dingen nüchtern bleiben (s. 2.Tim 4,5) und mit Aufmerksamkeit und Umsicht wandeln. Wir müssen durch „viele Bedrängnisse" gehen (Apg 14,22). Es ist ein Weg, der mit Dornen umzäunt ist; wir loben Gott, dass er nicht versperrt ist. Vielmehr wird sich dieser Weg öffnen und weiten, wenn das Verständnis immer besser wird, und wird immer angenehmer werden.

Weil die Pforte so eng und der Weg so schmal ist, ist es nicht ungewöhnlich, dass es nur wenige gibt, „die ihn finden" und wählen. Viele gehen vorüber und missachten ihn; sie wollen nicht die Mühe auf sich nehmen, ihn zu finden. Sie denken, sie sind sicher, wo sie sind, und sehen keine Notwendigkeit, ihren Weg zu ändern. Andere sehen ihn sich an, meiden ihn aber; er sieht für sie zu eingeschränkt und zu eingeengt aus. Diejenigen, die zum Himmel gehen, sind nur wenige. Das entmutigt viele Menschen: Es widerstrebt ihnen, ausgesondert zu sein und ihn alleine zu gehen. Doch statt darüber zu stolpern, sollten sie lieber sagen: „Wenn so wenige auf dem Weg zum Himmel gehen, wird das Gedränge umso weniger sein."

Was es auf diesem Weg gibt, dass uns alle, trotz diesem, für ihn ermutigen sollte, nämlich, dass er „zum Leben führt": zu einer jetzigen Gewissheit der Gunst Gottes, die das Leben der Seele ist, und der ewigen Seligkeit am Ende unseres Weges, die Hoffnung, die uns mit allen Schwierigkeiten und Unannehmlichkeiten des Weges versöhnen sollte. „Denn die Pforte ist eng und der Weg ist schmal" und bergauf, doch eine Stunde im Himmel wird es alles ausgleichen.

2.2 Die große Sorge und Pflicht von jedem von uns, wenn man dies alles bedenkt: „Geht ein durch die enge Pforte!" Die Angelegenheit wird ehrlich festgestellt: Leben und Tod, Gut und Böse sind uns vorgelegt (s. 5.Mose 30,15.19), beide Wege und beiderlei Ende. Wählen Sie heute, welchem Weg Sie folgen wollen (s. Jos 24,15). In der Tat regelt die Sache selbst und erlaubt keinerlei Debatte. Zögern Sie deshalb nicht; halten Sie sich nicht länger zurück, sondern „geht ein durch die enge Pforte". Klopfen Sie durch aufrichtige und beständige Gebete und Anstrengungen an ihr an, und sie wird aufgetan werden. Es stimmt, wir können ohne die Hilfe der göttlichen Gnade weder hineingehen noch weitergehen, doch es ist ebenso wahr, dass die Gnade frei angeboten wird und denen nicht fehlen wird, die sie suchen und sich ihr unterwerfen.

Vers 15-20

Hier haben wir eine Warnung vor „falschen Propheten", um sicherzugehen, dass wir nicht von ihnen getäuscht werden. Propheten sind eigentlich diejenigen, die künftige Dinge vorhersagen; manche von denen, die im Alten Testament erwähnt werden, beanspruchten ohne göttliche Autorität, dies zu tun, und das Ergebnis widerlegte ihren Anspruch. Propheten haben jedoch auch die Menschen ihre Pflicht gelehrt, sodass falsche Propheten hier falsche Lehrer sind.

1. Falsche Propheten und falsche Lehrer sind diejenigen:

1.1 Die falsche Vollmachten vorbringen, die behaupten, sie haben direkte Autorität und Leitung von Gott empfangen, um sich als Propheten einzusetzen, und dass sie göttlich inspiriert sind, es aber nicht sind.

1.2 Die in den Dingen falsche Lehren predigen, die für den religiösen Glauben wesentlich sind, die entgegengesetzt zu der Wahrheit lehren, die in Jesus ist (s. Eph 4,21). Geben Sie Acht auf sie, misstrauen Sie ihnen, prüfen Sie sie, und wenn Sie ihre Lüge enthüllt haben, meiden Sie sie, haben Sie nichts mit ihnen zu tun. Hier gibt es:

2. Einen guten Grund für diese Vorsicht: „Hütet euch aber" vor ihnen, „die in Schafskleidern zu euch kommen, inwendig aber reißende Wölfe sind!" **(Vers 15)**. Wir müssen sehr vorsichtig sein:

2.1 Weil ihre Behauptungen sehr schön und einleuchtend und derart sind, dass sie uns täuschen werden, wenn wir nicht auf der Hut sind. Sie kommen „in Schafskleidern", tragen die Kleider von „Propheten". Wir müssen uns davor in Acht nehmen, durch das getäuscht zu werden, was Menschen tragen. Oder man kann es bildlich verstehen; sie geben vor, Schafe zu sein, und äußerlich erscheinen sie so unschuldig, ungefährlich, demütig, nützlich und gut zu sein, dass niemand sie übertreffen könnte. Sie und ihre Irrtümer sind mit einer Tünche aus Heiligkeit und Hingabe vergoldet. Satan selbst „verkleidet sich als ein Engel des Lichts" (2.Kor 11,13-14).

2.2 Weil ihre Absichten hinter diesen Behauptungen arglistig und beschwerlich sind; „inwendig aber" sind sie „reißende [grausame] Wölfe". Jeder Heuchler ist eine Ziege in Schafskleidern, doch ein falscher Prophet ist ein Wolf in Schafskleidern. Diejenigen, die uns von irgendeiner Wahrheit abbringen wollen und uns einen Irrtum annehmen lassen, planen Schwierigkeiten für unsere Seele, was auch immer sie behaupten. Paulus nennt sie „räuberische Wölfe" (Apg 20,29). Da es nun also so leicht und auch so gefährlich ist, betrogen zu werden, „hütet euch ... vor den falschen Propheten".

3. Eine gute Regel, um sie zu befolgen, wenn wir auf diese Regel alles achtgeben: Wir müssen alles prüfen (s. 1.Thess 5,21): „An ihren Früchten werdet ihr sie erkennen" **(Vers 16)**. Beachten Sie:

3.1 Die Erläuterung dieses Vergleichs zwischen Propheten und Bäumen, nach dem die Frucht die Natur des Baumes zeigt. Sie können die Bäume nicht immer nach ihrer Rinde oder ihren Blättern oder der Ausbreitung ihrer Äste unterscheiden, aber „an ihren Früchten werdet ihr sie erkennen". Der Baum bringt Frucht hervor nach seiner Art. Christus hebt diese Übereinstimmung zwischen der Frucht und dem Baum hervor. Wenn Sie wissen, welche Art von Baum es ist, können Sie wissen, welche Art von Frucht zu erwarten ist. Man erwartet nie, „Trauben von Dornen, oder Feigen von Disteln" zu sammeln; es liegt nicht in ihrer Natur, solche Früchte hervorzubringen.

Verderbte, böse, nicht-geheiligte Herzen sind wie Dornen und Disteln, die mit der Sünde hineingelangten und wertlos und lästig und schließlich für das Feuer bestimmt sind.

Gute Werke sind „gute Früchte", wie Trauben und Feigen, angenehm für Gott und nützlich für die Menschen.

Diese guten Früchte kann man nie von schlechten Menschen erwarten, genauso wenig wie „ein Reiner von einem Unreinen" kommen kann (Hiob 14,4). Andererseits, wenn Sie wissen, was für eine Frucht es ist, können Sie daran erkennen, was es für ein Baum ist. „Ein guter Baum kann keine schlechten Früchte bringen, und ein schlechter Baum kann keine guten Früchte bringen." Was der Baum natürlicherweise hervorbringt, muss deshalb als die Frucht des Baumes angesehen werden: das, was reichlich, unaufhörlich und für gewöhnlich hervorgebracht wird. Menschen werden nicht an einzelnen Taten erkannt, sondern durch den allgemeinen Kurs und die Richtung ihres Lebens und durch die häufigeren Taten.

3.2 Die Anwendung von diesem auf die falschen Propheten.

Durch Schrecken und Drohung: „Jeder Baum, der keine gute Frucht bringt, wird abgehauen und ins Feuer geworfen" **(Vers 19)**. Johannes der Täufer hat genau diese Redensart benutzt (s. Mt 3,10). Christus hätte das Gleiche mit anderen Worten sagen können, doch er hielt es nicht für unter seiner Würde, das Gleiche zu sagen, was Johannes vor ihm sagte. Man darf es nicht für lästig halten, das Gleiche zu sagen oder zu schreiben, denn es macht die gewiss, die es hören (s. Phil 3,1). Beachten Sie die Beschreibung der unfruchtbaren Bäume; sie sind Bäume, die „keine gute Frucht" hervorbringen. Selbst wenn es Frucht gibt, wenn es „keine gute Frucht" ist, wird der Baum als unfruchtbar betrachtet. Beachten Sie auch das Schicksal von unfruchtbaren Bäumen. Er „wird", das heißt, wird zweifellos werden, „abgehauen und ins Feuer geworfen". Gott wird mit ihnen umgehen, wie Menschen mit trockenen Bäumen umgehen, die das Land unnütz machen (s. Lk 13,7).

Durch Prüfen: „An ihren Früchten werdet ihr sie erkennen."

An den Früchten von ihnen als Person, an ihren Worten und Taten und die Richtung ihres Verhaltens. Wenn Sie wissen wollen, ob sie in Ordnung sind oder nicht, dann betrachten Sie, wie sie leben; ihre Werke werden für oder gegen sie zeugen. Die Menschen wurden nicht von dem heiligen Gott gelehrt oder gesandt, wenn ihr Leben zeigt, dass sie von einem bösen Geist geführt werden. Gott legt seinen Schatz in irdene Gefäße (s. 2.Kor 4,7), doch nicht in solch verderbte Gefäße.

An den Früchten ihrer Lehre, ihren Früchten als Propheten. In welche Richtung führt ihre Lehre? Zu welchen Empfindungen und Praktiken führt sie die Leute, die sie annehmen? Wenn „diese Lehre von Gott ist" (Joh 7,17), wird sie darauf abzielen, ernsthafte Gottesfurcht, Demut, Heiligkeit und Liebe zusammen mit anderen christlichen Gnadenwirkungen zu unterstützen, wenn aber die Lehren, welche diese Propheten predigen, im Gegenteil die klare Neigung haben, die Menschen stolz, weltlich und streitsüchtig, ungerecht oder lieblos zu machen und die Menschen davon abzubringen, sich selbst und ihre Familien durch die strengen Regeln des schmalen Weges zu leiten, dann können wir schließen: Diese „Überredung kommt nicht von dem, der euch berufen hat" (Gal 5,8). „Das ist nicht die Weisheit, die von oben kommt" (Jak 3,15). Glauben und ein gutes Gewissen werden zusammengehalten (s. 1.Tim 1,19; 3,9).

Vers 21-29

Wir haben hier den Abschluss dieser langen und vorzüglichen Predigt, deren Inhalt die unbedingte Notwendigkeit des Gehorsams gegenüber den Geboten Christi zeigen soll.

1. Er zeigt durch direktes Ansprechen, dass ein äußeres Bekenntnis der Religion, wie beachtlich es auch ist, uns nicht in den Himmel bringen wird, wenn es nicht ein entsprechendes Verhalten gibt **(s. Vers 21-23)**. Beachten Sie hier:

1.1 Das niedergelegte Gesetz Christi. „Nicht jeder, der zu mir sagt: Herr, Herr! wird in das Reich" **(Vers 21)** der Gnade und Herrlichkeit eingehen. Christus zeigt hier, dass:

Es nicht genug sein wird, „Herr, Herr!" zu sagen, Christus als unseren Meister mit Wort und Zunge anzuerkennen, indem wir bei anderen von ihm sprechen und uns zu ihm bekennen. Wir müssen dies tatsächlich tun, doch können wir glauben, dass das genug ist, uns in den Himmel zu bringen, oder dass der Eine, der das Herz kennt und fordert (s. Lk 12,20), so leicht durch das Ersetzen von Substanz durch Vorspiegelung von einem wahrhaftigen Urteil abgebracht werden wird? Komplimente unter Menschen sind Akte der Höflichkeit, die mit Komplimenten erwidert werden, doch sie werden nie gezollt als echter Dienst, können sie dann bei Christus von Bedeutung sein? Dies soll uns nicht davon abbringen, „Herr, Herr!" zu sagen, Christi Namen zu bekennen und kühn zu sein, wenn wir ihn bekennen, sondern es soll uns davon abbringen, uns darauf zu verlassen, sich mit dem „äußeren Schein von Gottesfurcht" zu begnügen, aber ohne „deren Kraft" (2.Tim 3,5).

Für unsere Seligkeit ist es notwendig, dass wir „den Willen" Christi tun, der in der Tat der Wille seines „Vaters im Himmel" ist. Und dieser Wille ist, dass wir an Christus glauben, für unsere Sünden Buße tun, ein heiliges Leben führen und einander lieben. „Denn das ist der Wille Gottes, eure Heiligung" (1.Thess 4,3). Sagen und Tun sind im menschlichen Verhalten zwei Dinge, die oft getrennt werden. Einer sagte: „Ich gehe, Herr!", tat aber keinen Schritt (Mt 21,30). Diese beiden Dinge aber wurden von „Gott zusammengefügt" in seinem Gebot (Mt 19,6).

1.2 Den Vorwand der Heuchler gegen die Strenge dieses Gesetzes, die andere Dinge anbieten als Gehorsam **(Vers 22)**. Sie bringen ihren Vorwand mit großer Kühnheit vor: „Herr, Herr!" Und mit großer Zuversicht wenden sie sich damit an Christus: „Herr, weißt du nicht:

Dass wir „in deinem Namen geweissagt" haben? Ja, das kann so sein; Bileam (s. 4.Mose 22-24) und Kajaphas (s. Joh 11,49-50; 18,14) wurden von Gott überstimmt, sodass sie weissagten, und Saul war gegen seinen Willen „unter den Propheten" (1.Sam 19,24), doch das rettete sie nicht. Diese weissagten in seinem Namen, doch er sandte sie nicht; sie benutzten seinen Namen nur, um ihren eigenen Vorteil zu suchen.

Dass wir „in deinem Namen Dämonen ausgetrieben" haben? Auch das kann stimmen; Judas trieb Dämonen aus (s. Mk 3,14-15), doch er war ein „Sohn des Verderbens" (Joh 17,12). Ein Mensch könnte Dämonen aus anderen austreiben, aber immer noch einen Dämon haben oder könnte in der Tat selbst ein Dämon sein.

Dass wir „in deinem Namen viele Wundertaten vollbracht" haben? Die Gabe des Sprachenredens oder der Heilung würde Menschen bei der Welt empfehlen, doch es ist wirkliche Heiligkeit oder Heiligung, die von Gott angenommen wird. Gnade und Liebe sind ein weit vortrefflicherer Weg, als Berge zu versetzen oder „Sprachen der Menschen und der Engel" zu sprechen (1.Kor 13,1). Die Gnade wird einen Menschen in den Himmel bringen, ohne dass er Wunder vollbringt, doch das Vollbringen von Wundern wird niemals jemanden ohne Gnade in den Himmel bringen. Diese Heuchler hatten nicht viele gute Taten, die sie vorbringen konnten; sie konnten nicht vorgeben, viele begnadete Werke der Gottesfurcht und Liebe getan zu haben; eine solche Tat hätte ihrem Bericht mehr Glaubwürdigkeit gebracht als „viele Wundertaten". Die Wunder haben jetzt aufgehört, und dieser Vorwand mit ihnen, doch ermutigen sich gottlose Herzen nicht immer noch mit ähnlich wertlosen Stützen in ihren ungerechtfertigten Hoffnungen? Wir wollen sichergehen, dass *wir* nicht auf äußerliche Vorrechte und Leistungen vertrauen, damit *uns* nicht täuschen mögen.

1.3 Die Zurückweisung dieses Vorwands als leichtfertig. Der Eine, welcher der Gesetzgeber ist **(s. Vers 21)**, ist gemäß diesem Gesetz hier

der Richter **(s. Vers 23)**. „Ich habe euch nie gekannt; weicht von mir, ihr Gesetzlosen!" Beachten Sie:
Warum, auf welcher Grundlage, er sie und ihren Vorwand verwirft – weil sie Gesetzlose (Übeltäter) waren **(s. Vers 23)**. Es ist möglich, dass Menschen in der Frömmigkeit einen großen Namen haben, aber immer noch Gesetzlose sind; diejenigen, die dies sind, werden „ein schwereres Gericht empfangen" (Mt 23,14).
Wie es ausgedrückt wird: „Ich habe euch nie gekannt." Das weist darauf hin, dass, wenn er sie je gekannt hätte, wie der Herr die Seinen kennt (s. 2.Tim 2,19), wenn er sie je als sein Eigentum anerkannt und geliebt hätte, er sie anerkannt und „sie bis ans Ende" geliebt hätte (s. Joh 13,1), doch er hat sie „nie gekannt", denn er wusste immer, dass sie Heuchler sind. Christus nimmt diejenigen nicht an, die in seinem Dienst nicht weiter gehen als bis zu einem bloßen Bekenntnis und er wird sie auch nicht an jenem Tag anerkennen. Schauen Sie, wie die Menschen von der Höhe der Hoffnung in die Tiefe des Elends fallen können: Sie können auf einem Weg in die Hölle gehen, der sie knapp an den Toren des Himmels vorbeiführte! An Gottes Gerichtshof wird ein Glaubensbekenntnis niemandem erlauben, Sünde zu tun und ihr nachzugeben; deshalb: „Jeder, der den Namen des Christus nennt, wende sich ab von der Ungerechtigkeit!" (2.Tim 2,19).

2. Er zeigt, durch ein Gleichnis, dass das Hören dieser Worte Christi uns nicht selig machen wird, bis wir nicht auch darauf bedacht sind, sie zu tun, doch wenn wir sie hören und sie tun, sind wir gesegnet in unserem Tun **(s. Vers 24-27)**.
2.1 Diejenigen, welche die Worte Christi hören, werden hier in zwei Arten unterteilt, diejenigen, die tun, was sie hören, und diejenigen, die dies nicht tun (s. Jak 1,22).
Manche hören seine Worte und tun sie: Wir loben Gott, dass es überhaupt solche Menschen gibt, wenn auch ziemlich wenige. Auf Christus hören heißt nicht einfach, ihn anzuhören, sondern ihm zu gehorchen. Es ist eine Barmherzigkeit, dass wir seine Worte hören: Glückselig sind solche Ohren (s. Mt 13,16-17). Doch wenn wir nicht in die Praxis umsetzen, was wir hören, empfangen wir diese Gnade Gottes vergeblich (s. 2.Kor 6,1). Allen Worten Christi – nicht nur den Gesetzen, die er erlassen hat, sondern auch den Wahrheiten, die er offenbarte – muss von uns gehorcht werden. Es genügt nicht, Christi Worte zu *hören* und sie zu verstehen, sie zu hören, sie sich zu merken, über sie zu sprechen, sie zu wiederholen und über sie nachzudenken. Wir müssen sie *hören und tun*. „... tue dies, so wirst du leben" (Lk 10,28). Nur diejenigen, die „hören und es bewahren", sind glückselig (Lk 11,28; Joh 13,17) und mit Christus verwandt (s. Mt 12,50).

Andere hören die Worte Christi und tun sie nicht; ihr religiöser Glaube macht bei dem reinen Bekenntnis halt und geht nicht weiter. Sie hören Gottes Worte, als wollten sie seine Wege kennenlernen, „wie ein Volk, das Gerechtigkeit geübt" hat, aber sie werden sie nicht tun (s. Hes 33,30-31; Jes 58,2). Der Same ist gesät, doch er geht nie auf. Diejenigen, die Christi Worte hören und sie nicht tun, setzen sich auf dem Weg des Himmels hin und das wird sie nie zu ihrem Reiseziel bringen.

2.2 Der wahre Charakter und die Situation dieser beiden Arten von Hörern wird hier mit einem Gleichnis dargestellt, das sie mit zwei Bauherren vergleicht. Einer war klug und baute sein Haus „auf den Felsen", und sein Gebäude hielt dem Sturm stand; der andere war töricht und baute „sein Haus auf den Sand", und sein Gebäude stürzte ein. Der allgemeine Inhalt dieses Gleichnisses lehrt uns, dass der einzige Weg, gut mit unserer Seele und der Ewigkeit umzugehen, darin besteht, die Worte des Herrn Jesus zu hören und zu tun. Die Leute sichern sich dann „das gute Teil", wenn sie, wie Maria, nach dem Hören des Wortes Christi im Gehorsam dem Wort gegenüber „zu Jesu Füßen" sitzen (Lk 10,39): „Rede, HERR, denn dein Knecht hört!" (1.Sam 3,9). Die einzelnen Teile dieses Gleichnisses lehren uns verschiedene gute Lektionen.

Dass jeder ein Haus zu bauen hat, und dieses Haus ist unsere Hoffnung auf den Himmel. Es sollte unsere hauptsächliche und unaufhörliche Sorge sein, unsere „Berufung und Auserwählung festzumachen" (2.Petr 1,10). Viele kümmern sich überhaupt nie darum; es ist am weitesten von ihren Gedanken entfernt. Sie bauen nur für diese Welt, als wären sie für immer hier, und kümmern sich nicht darum, für eine andere Welt zu bauen. Alle, die ein religiöses Glaubensbekenntnis annehmen, bekennen sich dazu, zu fragen, was sie unbedingt tun müssen, um gerettet zu werden (s. Apg 16,30), wie sie zuletzt in den Himmel kommen und – in der Zwischenzeit – eine wohlbegründete Hoffnung auf ihn haben.

Dass für uns ein Felsen gegeben ist, auf dem wir dieses Haus bauen können, und dieser Felsen ist Christus (s. 1.Kor 10,4). Er ist „unsere Hoffnung" (1.Tim 1,1). Christus in uns ist unsere Hoffnung (s. Kol 1,27). Wir müssen unsere Hoffnung auf den Himmel auf die Fülle des Verdienstes Christi für die Vergebung der Sünden, auf die Macht des Geistes für die Heiligung unseres Wesens und auf die Wirksamkeit seiner Fürbitte gründen, um uns all das Gute zu bringen, das er für uns errungen hat. Die Gemeinde ist auf den Felsen gebaut (s. Mt 16,18) wie auch jeder Gläubige. Er ist stark und unerschütterlich wie ein Felsen; wir können alles für ihn riskieren und werden in unserer Hoffnung auf ihn nicht zuschanden werden (s. Röm 5,5).

Dass es einen Rest gibt, der, durch Hören und Tun der Worte Christi, seine Hoffnung auf diesen Felsen baut. Diejenigen, die es zu ihrer unaufhörlichen Sorge machen, allen Regeln dieser heiligen Religion zu entsprechen, bauen auf Christus. Indem sie das tun, hängen sie völlig von ihm ab bezüglich Hilfe von Gott und Annahme bei ihm, erachten alles für Dreck und Dung, damit sie Christus gewinnen und in ihm erfunden werden (s. Phil 3,8-9). Auf einen Felsen zu bauen erfordert Sorgfalt und Anstrengung: Diejenigen, die ihre „Berufung und Auserwählung" festmachen wollen, müssen fleißig sein '(2.Petr 1,10). Diejenigen, die auf eine Weise zu bauen anfangen, dass sie es vollenden können (s. Lk 14,30), sind weise Bauherren, und deshalb legen sie ein festes Fundament.

Dass es viele gibt, die bekennen, dass sie hoffen, in den Himmel zu gehen, die aber diesen Felsen verschmähen und ihre Hoffnungen auf den Sand bauen. Alles außer Christus ist Sand. Manche bauen ihre Hoffnung auf ihren weltlichen Wohlstand, als wäre das ein sicheres Zeichen für Gottes Gunst (s. Hos 12,9). Andere verlassen sich auf ihr äußerliches Bekenntnis der Religion. Sie nennen sich Christen, wurden getauft, gehen zur Gemeinde, hören Christi Wort, sprechen ihre Gebete und tun nie jemandem etwas an, doch es ist alles bloß Sand, zu schwach, um solch ein Bauwerk wie unsere Hoffnung auf den Himmel zu tragen.

Dass ein Sturm kommt, der unsere Hoffnungen prüfen und uns zeigen wird, woraus sie gemacht sind. „Platzregen", „Wasserströme" und „Winde" werden „an dieses Haus" stoßen. Es gibt Tage in dieser Welt, die Zeiten der Prüfung sind; wenn „Bedrängnis oder Verfolgung entsteht um des Wortes willen" (Mt 13,21), dann werden wir sehen, wer das Wort nur hörte und wer es hörte und in die Praxis umsetzte. Wenn aber Tod und Gericht kommen, dann kommt in der Tat der Sturm. Dann wird uns alles enttäuschen außer diese Hoffnungen, und dann werden sie, wenn überhaupt, in ewige Erfüllung umgewandelt werden.

Dass die Hoffnungen, die auf den Felsen Christus gebaut sind, bestehen werden. Sie werden dem Bauherrn gut zustattenkommen, wenn der Sturm kommt. Ihr Trost wird nicht enttäuschen; sie werden seine Kraft und sein Lied sein (s. Jes 12,2), als ein sicherer und fester „Anker der Seele" (Hebr 6,19). Wenn er zu der letzten Schlacht kommt, werden solche Hoffnungen die Schrecken des Todes und des Grabes wegnehmen, er wird von dem Richter angenommen werden und die Prüfung jenes Tages bestehen; er wird mit endloser Herrlichkeit gekrönt werden (s. 2.Kor 1,12; 2.Tim 4,7-8).

Dass diese Hoffnungen, worauf sich die törichten Bauherren außer auf Christus gründen, sie am Tag des Sturms sicherlich enttäuschen werden. Der törichte Bauherr wird sich auf sein Haus stützen, „aber es hält nicht stand" (Hiob 8,14-15). Das Haus im Gleichnis krachte im Sturm zusammen, als der Bauherr es am meisten brauchte und erwartete, dass es ihm Schutz bietet. Es war für den Bauherren eine große Enttäuschung; die Schande und der Verlust waren groß. Je höher sich die Hoffnungen der Menschen erhoben haben, desto härter fallen sie. Es ist das schlimmste Verderben überhaupt, das über die kommt, deren Bekenntnis zur Religion rein formal ist.

3. In den letzten beiden Versen wird uns gesagt, welche Eindrücke die Botschaft Christi auf die Zuhörer machte. Sie waren erstaunt „über seine Lehre"; es steht zu befürchten, dass sie wenige von ihnen dazu brachte, ihm zu folgen, doch ihre unmittelbare Reaktion war Verblüffung und Erstaunen. Es ist möglich, dass Menschen gute Predigten bewundern und doch unkundig und ungläubig bleiben, erstaunt sind, aber nicht geheiligt. Der Grund für ihr Erstaunen war, dass er sie lehrte, „wie einer, der Vollmacht hat, und nicht wie die Schriftgelehrten". Die Gesetzeslehrer behaupteten, so viel Autorität wie alle anderen Lehrer zu haben, und ihnen wurde jeder mögliche äußerliche Vorteil gewährt. Doch sie sprachen als solche, die selbst nicht gelernt hatten, was sie predigten: Das Wort kam von ihnen nicht mit Leben und Kraft; sie rezitierten es, wie Schulkinder ihre Lektionen wiederholen. Christus aber sagte seine Botschaft, wie Richter ihr Urteil verkünden. Seine Lektionen waren Gesetz; sein Wort war ein gebietendes Wort. Christus zeigte auf dem Berg auf echte Autorität, als sie die Gesetzeslehrer auf Moses Stuhl zeigten (s. Mt 23,2). Wenn Christus durch den Geist in der Seele lehrt, lehrt er mit Autorität. Er sagt: „Es werde Licht!" Und es wird Licht (1.Mose 1,3).

KAPITEL 8

Der Evangelist fährt damit fort, einige Beispiele der Wunder zu geben, die Christus vollbrachte: 1. Christi Reinigung des Mannes mit Aussatz (s. Vers 1-4). 2. Christi Heilung eines gelähmten Knechtes und einer Frau mit Fieber (s. Vers 5-18). 3. Sein Gespräch mit zweien, die behaupteten, sie wollten ihm folgen (s. Vers 19-22). 4. Seine Stillung des Sturms (s. Vers 23-27). 5. Sein Austreiben von Dämonen (s. Vers 28-34).

Vers 1-4

Die Leute, die ihn hörten, staunten über seine Lehre, und die Auswirkung war: „Als er aber von dem Berg herabstieg, folgte ihm eine große Volksmenge nach." Diejenigen, denen

Christus sich offenbart hat, müssen ihn immer mehr kennenlernen wollen. Diejenigen, die viel über Christus wissen, sollten danach streben, sogar noch mehr zu wissen. Es ist wohltuend, Menschen zu sehen, die Christus so wohlgesinnt sind, dass sie meinen, nie genug von ihm hören zu können. Manche aber, die sich um ihn versammelten, blieben ihm nicht treu. Diejenigen, die ihm dicht und unaufhörlich folgten, waren nur gering an Zahl verglichen mit den Massen, die nur gelegentliche Nachfolger waren. In diesen Versen haben wir einen Bericht über Christi Reinigung eines Aussätzigen.

1. Dies wird passenderweise mit den ersten Wundern Christi berichtet:

1.1 Weil Aussatz [das griechische Wort wurde für mehrere Krankheiten benutzt, welche die Haut betrafen – nicht notwendigerweise Lepra] unter den Juden als ein besonderes Zeichen des Missfallens Gottes gesehen wurde. Christus begann deshalb mit der Reinigung eines Aussätzigen, um zu zeigen, dass er kam, um den Zorn Gottes hinwegzunehmen, indem er die Sünde hinwegnimmt.

1.2 Weil man glaubte, dass diese Krankheit sowohl direkt aus der Hand Gottes kam und direkt durch seine Hand entfernt wurde – und auch Ärzte nicht versuchten, sie zu heilen. Stattdessen wurden diejenigen mit dieser Krankheit der Prüfung der Priester unterstellt, der Diener des Herrn, die warteten, um zu sehen, was Gott tun würde. Christus bewies, dass er Gott ist, indem er viele Menschen vom Aussatz wiederherstellte und auch seine Jünger autorisierte, dies in seinem Namen zu tun (s. Mt 10,8). Das Heilen vom Aussatz ist auch in den Beweisen enthalten, dass er der Messias ist (s. Mt 11,5). Diese Heilung zeigte auch, dass er sein Volk von seinen Sünden retten würde, denn zwar ist jede Krankheit sowohl die Frucht der Sünde als auch ein Bild für die Sünde, welche die Krankheit der Seele ist, doch der Aussatz war dies im Besonderen. Deshalb wurde er nicht als Krankheit, sondern als Unreinheit behandelt; der Priester musste die Person gemäß den Anzeichen für rein oder für unrein erklären. Die Ehre, Aussätzige zu reinigen, war Christus vorbehalten. Das Gesetz offenbarte Sünde – denn durch das Gesetz gibt es Erkenntnis der Sünde (s. Röm 3,20) – und erklärt Sünder für unrein, doch es konnte nicht weitergehen; es konnte nicht „die Hinzutretenden ... zur Vollendung bringen" (Hebr 10,1). Christus aber nimmt Sünde hinweg; er reinigt uns von ihr. Hier sind:

2. Die Worte des Aussätzigen an Christus. Wir können voraussetzen, dass der Mann, wenn er auch durch seine Krankheit aus den Städten Israels ausgeschlossen war, dennoch von der Predigt Christi gehört hatte und durch sie ermutigt wurde, sich an ihn zu wenden, denn der Eine, der lehrte „wie einer, der Vollmacht hat" (Mt 7,29), konnte auch heilen. Seine Worte waren: „Herr, wenn du willst, kannst du mich reinigen!" Seine Reinigung kann man betrachten:

2.1 Als zeitliche Barmherzigkeit, eine Barmherzigkeit für den Leib. Das führt uns nicht nur dazu, uns zu Christus zu wenden, sondern lehrt uns auch, wie wir uns an ihn wenden sollen: mit der Gewissheit seiner Macht, aber mit Unterordnung unter seinen Willen. „Herr, wenn du willst, kannst du." Gottes Macht, zeitliche Segnungen zu geben, ist unbegrenzt, aber ihre Verheißung dazu ist mit Rücksicht auf seine Herrlichkeit und unser Wohl begrenzt. Wenn wir uns in Bezug auf seinen Willen nicht sicher sein können, dürfen wir uns immer noch seiner Weisheit und Barmherzigkeit sicher sein, an die wir uns freudig wenden können: „Dein Wille geschehe" (Mt 6,10).

2.2 Als Typus für eine größere Barmherzigkeit. Sünde ist der Aussatz der Seele; sie schließt uns aus der Gemeinschaft mit Gott aus; wir müssen von diesem Aussatz gereinigt werden. Da Christus der große Arzt ist (s. Mt 9,12), wenn wir uns an ihn wenden, werden wir ermutigt, zu erwarten, dass er uns reinigen kann, wenn er will, und wir sollten mit demütiger, glaubender Kühnheit zu ihm gehen und ihm dies sagen.

Wir müssen uns auf seine Kraft verlassen; wir müssen davon überzeugt sein, dass Christus uns reinigen kann.

Wir müssen uns seinem Erbarmen anbefehlen; wir können es nicht als Schuldigkeit fordern, sondern wir müssen es demütig als Gunst erbitten. „Herr, wenn du willst." „Ich werfe mich zu deinen Füßen nieder, und wenn ich umkomme, werde ich dort umkommen" (s. Est 4,16).

3. Christi Antwort auf diese Worte, die sehr freundlich war **(s. Vers 3)**.

3.1 Er „streckte die Hand aus, rührte ihn an". Der Aussatz war eine anstößige, widerliche Krankheit, doch Christus rührte ihn an. Man zog sich durch den Kontakt mit einem Aussätzigen zeremonielle Besudelung zu, doch Christus wollte zeigen, dass er nicht in der Gefahr stand, von Sündern infiziert zu werden, wenn er mit ihnen umging.

3.2 Er sprach: „Ich will; sei gereinigt!" Er ließ ihn nicht eine weitschweifige, beschwerliche längere Behandlung durch einen Arzt durchlaufen, sondern sprach das Wort und heilte ihn. Hier gibt es:

Ein freundliches Wort: „‚Ich will.' Ich bin so bereit, euch zu helfen, wie ihr, euch helfen zu lassen." Christus ist ein Arzt, den man nicht suchen muss; er ist immer nah. Er muss nicht gedrängt werden, zu kommen; während wir noch reden, erhört er schon (s. Jes 65,24). Er muss nicht bezahlt werden; er heilt frei, nicht für Lohn oder Entgelt. Er ist genauso bereit, wie er in der Lage ist, Sünder zu retten.

Ein Wort der Macht: „... sei gereinigt!" In diesem Wort werden sowohl die autoritative als auch die wirksame Macht angewendet. Christus heilt mit einem gebietenden Wort an uns: „Sei gereinigt!" Doch zu diesem kommt ein gebietendes Wort über uns, ein Wort, welches das Werk vollbringt: „Ich will, dass du gereinigt bist." Die allmächtige Gnade, welche die Heilung ausspricht, wird denen nicht fehlen, die wahrhaftig nach ihr verlangen.

4. Die selige Veränderung, die bewirkt wurde: „Und sogleich wurde er von seinem Aussatz rein." Die Natur wirkt nach und nach, doch der Gott der Natur wirkt umgehend; er spricht und es ist getan.

5. Die nachfolgenden Weisungen, die Christus ihm gab. Es ist richtig, wenn diejenigen, die von Christus geheilt wurden, hinterher von ihm geleitet werden.

5.1 „Sieh zu, dass du es niemand sagst." „Sage es niemandem, bis du dich dem Priester gezeigt hast und er dich für rein erklärt hat, sodass du einen rechtsgültigen Beweis hast, sowohl, dass du vorher ein Aussätziger warst als auch, dass du jetzt völlig gereinigt bist." Christus wollte, dass seine Wunder in ihrem vollen Licht und ihrer vollen Klarheit erscheinen und nicht bekannt gemacht werden, bis man sehen konnte, dass es Wunder waren.

5.2 „... geh hin, zeige dich dem Priester" gemäß dem Gesetz (s. 3.Mose 14,2). Christus achtete sorgfältig darauf, sicherzustellen, dass das Gesetz beachtet wird, damit er keinen Anstoß erregt und um zu zeigen, dass er wollte, dass man die Ordnung beibehält und denen Disziplin und Respekt erweist, die ein Amt innehaben.

5.3 „... bringe das Opfer dar, das Mose befohlen hat" als Zeichen der Dankbarkeit gegenüber Gott und als Lohn für den Priester für seine Mühe, und tue das „ihnen zum Zeugnis". Es wird ein Zeugnis sein, dass hier einer unter ihnen ist, der tut, was der Hohepriester nicht tun kann. „Lass es als Zeugnis für meine Macht und ein Zeugnis für mich *für sie* schriftlich niedergelegt bleiben, wenn sie es nutzen, aber lass es ein Zeugnis *gegen sie* sein, wenn sie es nicht tun."

Vers 5-13

Wir haben hier einen Bericht darüber, wie Christus den gelähmten Knecht des Hauptmanns heilt. Dies geschah in Kapernaum, wo Christus nun lebte (s. Mt 4,13). Christus zog umher, um Gutes zu tun (s. Apg 10,38), und er kam auch nach Hause, um Gutes zu tun; jeder Ort, an den er kam, war durch ihn besser.

1. Die Menschen, mit denen Christus nun zu tun hatte, waren:

1.1 Ein „Hauptmann"; es war ein Heide, ein Römer, ein Armeeoffizier, der mit seiner Bitte kam. Obwohl er ein Soldat war – und die Frömmigkeit in der Regel um Menschen in diesem Stand ein wenig einen Bogen macht –, war er dennoch ein gottesfürchtiger Mann. Gott hat seinen Überrest unter allen Arten von Menschen. Bei niemandem wird der Beruf oder Platz in der Welt eine Entschuldigung für ihren Unglauben und ihre Gottlosigkeit sein. Manchmal hat die Gnade da, wo sie das Unwahrscheinliche überwunden hat, weit überwunden (s. Röm 8,37). Obwohl er ein römischer Soldat war und sein Leben unter Juden ein Zeichen ihrer Unterwerfung unter das römische Joch war, war ihm Christus, welcher der König der Juden war, dennoch gewogen. Hier lehrt er uns, unseren Feinden Gutes zu tun. Obwohl er ein Heide war, war Christus ihm dennoch wohlgesonnen. Nun begann sich das Wort des guten alten Simeon zu erfüllen, dass Christus „ein Licht zur Offenbarung für die Heiden" und auch „zur Verherrlichung deines Volkes Israel" sein würde (Lk 2,32). Christus berührte und heilte die aussätzigen Juden, denn er predigte persönlich zu ihnen, doch er heilte die gelähmten Heiden aus der Distanz, denn er ging nicht in Person zu ihnen, sondern „sandte sein Wort und machte sie gesund" (Ps 107,20); bei ihnen war er aber mehr erhöht.

1.2 Der Knecht des Hauptmanns. Christus ist genauso bereit, den ärmsten Knecht zu heilen wie den reichsten Herren, denn er nahm ja selbst „die Gestalt eines Knechtes an" (Phil 2,7), um seine Beachtung der Geringsten zu zeigen.

Beachten Sie:

2. Den Anstand dieses Hauptmanns gegenüber Christus. Kann von einem römischen Soldaten etwas Gutes kommen (vgl. Joh 1,46)? Kommen und sehen Sie und Sie werden eine Fülle von Gutem finden, das von diesem Hauptmann kommt. Beachten Sie:

2.1 Seine herzlichen Worte an Christus, die zeigten:

Eine fromme Achtung für unseren großen Meister als jemandem, der fähig und bereit war, armen Bittstellern zu helfen und ihnen beizustehen. Er kam zu ihm, „bat ihn", „die Mütze in der Hand" als jemand, der eine demütige Bitte vorbringt. Dies zeigt, dass er mehr in Christus sah, als es auf den ersten Blick schien; er sah, was Respekt gebot. Die größten Menschen müssen Bettler werden, wenn sie mit Christus umgehen. Der Hauptmann erkannte die Souveränität Christi an, indem er ihn Herr nannte, und er überließ seine Situation ihm und seinem Willen und seiner Weisheit. Er wusste, dass er es mit einem weisen und gnädigen

Arzt zu tun hatte, für den das Nennen der Krankheit gleichbedeutend mit der inbrünstigsten Bitte war. Ein demütiges Bekennen unserer geistlichen Nöte und Krankheiten wird es nicht verfehlen, eine wohlwollende Antwort zu bekommen. Schütten Sie Ihre Klage aus und für Sie wird Barmherzigkeit ausgeschüttet werden.

Eine freundliche Achtung für seinen armen Knecht. Wir lesen von vielen, die wegen ihrer Kinder zu Christus kamen, doch dies ist das einzige Beispiel für jemanden, der wegen eines Knechtes zu ihm kam: „Herr, mein Knecht liegt daheim gelähmt danieder." Es ist die Pflicht von Herren, für ihre Knechte zu sorgen, wenn sie leiden. Der Knecht hätte nicht mehr für seinen Herrn tun können, als hier der Herr für seinen Knecht tat. Die Knechte des Hauptmanns waren ihm gegenüber sehr pflichtgetreu **(s. Vers 9)**, und hier sehen wir, was sie dazu machte; er war sehr freundlich zu ihnen und das ließ sie ihm gegenüber freudiger gehorsam sein. Lähmung ist eine Krankheit, bei der die Fertigkeit des Arztes oft versagt; deshalb war es ein großer Beweis für den Glauben des Hauptmanns an die Macht Christi, dass er wegen einer Heilung zu ihm kam, die über die Macht dessen hinausging, was natürliche Mittel bewirken konnten. Beachten Sie, wie inbrünstig er die Situation seines Knechtes beschreibt. Er litt an einer Lähmung, eine Krankheit, die den Patienten gewöhnlich unempfindlich für Schmerz macht, doch diese Person wurde „furchtbar geplagt". Wir sollten genauso besorgt um die Seelen unserer Kinder und Knechte sein, die geistlich gelähmt sind, und sie im Glauben und Gebet zu Christus bringen, indem wir sie zu den Mitteln der Heilung und der Gesundheit bringen.

2.2 *Seine große Demut und Selbsterniedrigung.* Nachdem Christus seine Bereitschaft gezeigt hatte, zu kommen und seinen Knecht zu heilen **(s. Vers 7)**, drückte er sich mit größerer Demut aus. Demütige Seelen werden durch Christi gnädige Herablassung zu ihnen demütiger. „Herr, ich bin nicht wert, dass du unter mein Dach kommst" **(Vers 8)**, was niedriges Denken über sich selbst und hohes Denken über unseren Herrn Jesus zeigte. Er sagte nicht: „Mein Knecht ist es nicht wert, dass du in sein Zimmer kommst, denn es ist im Obergeschoss", sondern: „Ich bin es nicht wert, dass du in mein Haus kommst." Der Hauptmann war ein großer Mann, er gab seine Unwürdigkeit vor Gott zu. Demut ist für edle Menschen sehr angemessen. Christus war da sehr unbedeutend in der Welt, doch der Hauptmann erwies ihm diesen Respekt. Wir sollten das, was wir selbst in jenen von Gott sehen, die nach ihrer äußeren Stellung in jeder Weise uns untergeordnet sind, schätzen und achten. Wann immer wir zu Christus und durch Christus zu Gott kommen, sollten wir uns demütigen und im Gespür unserer Unwürdigkeit niedrig liegen.

2.3 *Sein großer Glaube.* Je mehr Demut, desto mehr Glaube. Er hatte nicht nur eine Gewissheit des Glaubens, dass Christus seinen Knecht heilen konnte, sondern auch, dass:

Er ihn aus der Entfernung heilen konnte. Es war kein leiblicher Kontakt nötig, wie bei natürlichen Tätigkeiten, noch eine Berührung oder Behandlung des betroffenen Körperteils. Später lesen wir von denen, die, mit großen Schwierigkeiten, einen Gelähmten zu ihm brachten (s. Mt 9,2) und ihn vor ihn legten, und Christus lobte ihren Glauben als tätigen Glauben. Dieser Hauptmann brachte nicht den Mann, der „gelähmt danieder" lag, und Christus lobte seinen Glauben als vertrauenden Glauben. Echter Glaube wird von Christus angenommen, egal, in welcher Form er sich zeigt: Christus legt die verschiedenen Wege des religiösen Glaubens, denen die Menschen folgen, am besten aus. Nähe und Entfernung sind für ihn ein und dasselbe. Räumliche Entfernung kann das Wissen und Wirken des Einen nicht behindern, „der alles in allen erfüllt" (Eph 1,23).

Er ihn mit einem „Wort" heilen konnte, dass er ihm keine Medizin und noch viel weniger einen Zauber schicken musste, sondern „sprich nur ein Wort" und ich weiß ohne Zweifel, ,mein Knecht gesund werden' wird". Hier erkannte der Hauptmann an, dass Christus göttliche Macht hatte. Bei Menschen sind Sagen und Tun zwei verschiedene Dinge, doch nicht so bei Christus.

2.4 *Seine Veranschaulichung des Glaubens an die Macht Christi,* den er hatte, indem er die Macht beschrieb, die er als ein Hauptmann über seine Soldaten hatte, was die Macht eines Herrn über seine Knechte war; er sagte zu einem: „Geh hin!", und er ging. Sie gehorchten ihm alle auf den leisesten Wink und Ruf, sodass er sie dazu nutzen konnte, aus der Entfernung seine Befehle auszuführen. Christus konnte auf diese Weise sprechen und es würde geschehen. Der Hauptmann hatte solche Gewalt über seine Soldaten, wenn er auch selbst ein Mann war, „der unter Vorgesetzten steht"; und noch viel mehr hatte Christus diese Macht, welcher der höchste und souveränste Herr über alles ist. Wir sollten alle solche Knechte für Gott sein: Wir müssen gehen und kommen, wenn er ruft; gemäß den Weisungen seines Wortes und den Fügungen seiner Vorsehung. Wenn sein Wille unserem eigenen entgegensteht, muss seiner Priorität haben und unser eigener Wille muss beiseitegestellt werden. Leibliche Krankheiten sind solche Diener Christi. Es ist für alle, die zu Christus gehören, ein Trost, dass jede Krankheit dazu gemacht ist, um seinen gnädigen Absichten zu dienen. Diejenigen, die sehen, dass Krankheit in den Händen eines solch guten Freundes ist, müssen Krankheit oder was sie tun kann nicht fürchten.

3. Die Gnade Christi, die sich gegenüber diesem Hauptmann zeigte, denn er wird sich denen gnädig zeigen, die selbst gnädig sind (s. Ps 18,26).

3.1 Christus kommt bei der ersten Gelegenheit seinen Worten nach. „Ich will kommen und ihn heilen" **(Vers 7)**; nicht „ich will kommen und ihn sehen", was ihn als freundlichen Heiland gezeigt hätte, sondern „ich will kommen und ihn heilen", was ihn als allmächtigen Heiland zeigte. Er hat Heilung unter seinen Flügeln (s. Mal 3,20); sein Kommen ist Heilung. Der Hauptmann wollte, dass Christus seinen Knecht heilt; Christus sagte: „Ich will kommen und ihn heilen", und drückte so mehr Gunst aus, als der Hauptmann erbeten und auch gedacht hatte (s. Eph 3,20). Christus übertrifft oft die Erwartungen armer Bittsteller. Er wollte nicht herabkommen, um das kranke Kind eines königlichen Beamten zu sehen, der darauf bestand, dass er herabkommt (s. Joh 4,47-49), doch er bot an herabzukommen, um einen kranken Knecht zu sehen. Christi Demut mit der Bereitschaft, zu gehen, gab dem Hauptmann ein Vorbild und brachte seine Demut zum Vorschein, indem er zugab, dass er unwürdig sei, ihn kommen zu lassen. Christi gnädige Herablassung sollte uns demütiger und niedriger vor ihm machen.

3.2 Christus lobte seinen Glauben und nutzte die Gelegenheit, ein freundliches Wort über die armen Heiden zu sagen **(s. Vers 10-12)**.

Was den Hauptmann selbst anbetrifft, so erkannte Christus ihn nicht nur an und nahm ihn an – diese Ehre haben alle wahren Gläubigen (s. Ps 149,9) –, sondern bewunderte ihn auch und spendete ihm Beifall: Diese Ehre haben große Gläubige.

Christus war nicht über seine Größe überrascht, sondern über seine Gnadenwirkungen. „Als Jesus das hörte, verwunderte er sich"; nicht als wäre es für ihn etwas Neues und Überraschendes, sondern es war groß und vorzüglich, selten und außergewöhnlich, und Christus nannte es wunderbar, um uns zu lehren, was zu bewundern ist: nicht weltlicher Prunk und Schmuck, sondern heiliger Schmuck (s. 2.Chr 20,21). Die Wunder der Gnade sollten uns mehr berühren als die Wunder der Natur oder der Vorsehung, und geistliche Fertigkeiten mehr als weltliche Errungenschaften.

Christus spendete ihm Beifall mit dem, was er „zu denen" sagte, „die nachfolgten". „Wahrlich, ich sage euch: Einen so großen Glauben habe ich in Israel nicht gefunden!" Das ist nun:

Ehre für den Hauptmann, der, obwohl er kein Sohn des Leibes Abrahams war, doch ein Erbe des Glaubens Abrahams war (s. 1.Mose 15,6).

Die Sache, die Christus sucht, ist Glaube, und wo immer dieser vorhanden ist, findet er ihn, selbst wenn er so klein ist „wie ein Senfkorn" (Mt 17,20). Wir müssen darin eifrig sein, die zu loben, denen es gebührt, selbst wenn sie nicht in unserer eigenen Denomination oder Gruppe sind.

Schande für Israel. „… wenn der Sohn des Menschen kommt" (Lk 18,8), findet er wenig Glauben und so findet er wenig Frucht. Christus sprach dies „zu denen, die [ihm] nachfolgten". Sie waren Abrahams Same; um diese Ehre zu wahren, durften sie nicht zulassen, dass sie von einem Heiden übertroffen werden, besonders in der Gnadengabe, für die Abraham berühmt war (s. 1.Mose 15,6; Röm 4,3; Gal 3,6; Jak 2,23).

Was andere betrifft, so sagt Christus ihnen zwei Dinge, die für diejenigen sehr überraschend gewesen sein müssen, die gelehrt worden waren, dass das Heil aus den Juden kommt (s. Joh 4,22).

Dass eine große Menge Heiden gerettet werden würde **(s. Vers 11)**. Der Glaube des Hauptmanns war ein Beispiel für die Bekehrung der Heiden. Dies war ein Thema, über das unser Herr Jesus oft sprach; er sprach mit Gewissheit: „Ich sage euch aber", „ich, der alle Menschen kennt"; eine Andeutung dieser Art brachte die Bewohner Nazareths gegen ihn auf (s. Lk 4,27-29). Christus gibt uns hier eine Ahnung:

Von den Menschen, die gerettet werden; „Viele … vom Osten und vom Westen"; er hatte gesagt, „wenige sind es, die" den Weg zum Leben finden (Mt 7,14). Wenige auf einmal und an einem Ort, doch wenn sie alle zusammenkommen, wird es eine große Menge sein. Sie werden „vom Osten und vom Westen" kommen, Orte, die voneinander entfernt sind, doch sie werden alle zur rechten Hand Christi zusammentreffen, dem Zentrum ihrer Einheit. Gott hat überall seinen Überrest. Zwar waren die Heiden da noch „fremd den Bündnissen der Verheißung" (Eph 2,12) und waren es für eine lange Zeit gewesen, doch wer weiß, welche „Schutzbefohlenen" (Ps 83,4) Gott unter ihnen hatte? Wenn wir den Himmel erreichen, werden wir, genauso wie wir dort viele vermissen werden, von denen wir meinten, dass sie dorthin gegangen waren, auch sehr viele dort treffen, die wir nicht erwartet hatten.

Von der Errettung selbst. Sie wird zusammen mit Christus kommen (s. 2.Thess 2,1).

Sie werden in das Reich der Gnade auf der Erde eingelassen werden; sie werden „gesegnet mit dem gläubigen Abraham" (Gal 3,9). Dies macht Zachäus zu einem „Sohn Abrahams" (Lk 19,9).

Sie werden in das Reich der Herrlichkeit im Himmel eingelassen werden. Sie werden sich niedersetzen, um von ihrer Arbeit zu ruhen, werden ihre Tagesarbeit abgeschlossen haben. Das Sitzen steht für Beständigkeit: Solange wir stehen, gehen wir; wo wir sitzen, wollen wir bleiben, wie „zu Tisch"; das ist das Bild hier. Sie werden sich niedersetzen und schmausen, was sowohl für freie Verständigung als auch für ungezwungene Gemeinschaft steht (s. Lk 22,30). Sie werden sich „mit Abraham" niedersetzen. Diejenigen, die in dieser Welt weit entfernt voneinander in der Zeit, dem Ort oder der äußerlichen Stellung waren, werden sich alle im Himmel treffen. Die heilige Gesellschaft ist ein Teil der Seligkeit des Himmels.

Dass eine große Menge der Juden verloren gehen würde **(s. Vers 12).** Beachten Sie:

Einen sonderbar gesagten Satz: „... aber die Kinder des Reiches werden ... hinausgeworfen werden." Das Reich Gottes, von dem sie sich rühmten, „die Kinder" zu sein, würde ihnen weggenommen werden. An jenem Tag wird es den Menschen nichts nützen, dass sie „die Kinder des Reiches" waren, ob als Juden oder als Christen, denn die Menschen werden dann nicht nach dem gerichtet werden, wie sie genannt wurden, sondern nach dem, was sie waren. Wenn wir den Glauben bekennenden Eltern geboren wurden, gibt uns das den Namen „Kinder des Reiches", doch wenn wir uns darauf verlassen und für den Himmel nichts anderes vorzuweisen haben außer diesem, werden wir „hinausgeworfen werden".

Eine sonderbare Strafe, die für die „Gesetzlosen" beschrieben wird: Sie „werden in die äußerste Finsternis hinausgeworfen werden", die Finsternis derer, die draußen sind. Sie werden von Gott und allem echten Trost hinausgeworfen „in die äußerste Finsternis". Es ist „äußerste Finsternis", ohne einen Schimmer, Punkt oder Hoffnung auf Licht, nicht den schwächsten Schein oder Glanz davon. Es ist Finsternis, die das Ergebnis davon ist, dass sie aus dem Himmel, dem Land des Lichts, ausgeschlossen sind.

3.3 Er heilte seinen Knecht. Er gewährte ihm seine Bitte, was eine wirkliche Antwort war **(s. Vers 13).** Beachten Sie:

Was Christus zu ihm sagte: Er sagte etwas, was die Heilung für ihn zu einer genauso großen Gunst machte, wie sie es für seinen Knecht war, und noch viel größer: „... dir geschehe, wie du geglaubt hast!" Der Knecht wurde von seiner Krankheit geheilt, aber dessen Herr bekam die Bestätigung und Anerkennung seines Glaubens. Christus gibt seinen betenden Kindern oft ermutigende Antworten, wenn sie für andere Fürsprache einlegen. Es ist eine Freundlichkeit gegenüber uns, für andere erhört zu werden. „... dir geschehe, wie du geglaubt hast." Was könnte er mehr haben? Doch was zu ihm gesagt wurde, ist zu uns allen gesagt: „Glaubt ... so wird es euch zuteilwerden" (Mk 11,24). „... glaube nur!" (Mk 5,36). Beachten Sie hier die Macht Christi und die Macht des Glaubens. Genauso, wie Christus tun kann, was er möchte, können tätige Gläubige von Christus haben, was sie möchten.

Was die Wirkung dieses Wortes war: Das Gebet des Glaubens war ein wirksames Gebet. Es war immer so und wird immer so sein. Die Plötzlichkeit der Heilung zeigt, dass sie übernatürlich war: Er sprach und es geschah, und das war der Beweis seiner allmächtigen Kraft, dass er stark ist, zu heilen und zu retten.

Vers 14-17

Hier gibt es:

1. Einen ausführlichen Bericht der Heilung von Petrus' Schwiegermutter, die „Fieber hatte":

1.1 Der Fall, der nichts Außergewöhnliches war; er wird als ein Beispiel der besonderen Fürsorge und Freundlichkeit berichtet, die Christus den Familien seiner Jünger erwies. Wir sehen hier, dass:

Petrus eine Frau hatte und doch zum Apostel Christi berufen wurde. Christus unterstützte den Stand der Ehe.

Petrus ein Haus hatte, obwohl Christus dies nicht hatte **(s. Vers 20).** Für den Jünger wurde besser gesorgt als für seinen Herrn.

Er ein Haus in Kapernaum hatte, obwohl er ursprünglich aus Bethsaida kam. Vermutlich zog er nach Kapernaum um und machte dies zu seinem Hauptwohnsitz, als Christus dorthin zog. Es ist lohnend, den Wohnort zu wechseln, um Christus nahe zu sein.

Er seine „Schwiegermutter" bei sich in seiner Familie hatte, was ein Beispiel für Ehepartner ist, zu den Verwandten des anderen genauso freundlich zu sein, wie sie es zu ihren eigenen sind. Vermutlich war diese gute Frau alt, wurde aber immer noch geachtet und versorgt, wie es alte Leute sollten, und zwar mit aller möglichen Sanftheit.

Sie mit Fieber daniederlag. Lähmung war eine chronische Krankheit, Fieber eine heftige Krankheit, doch beide wurden zu Christus gebracht.

1.2 Die Heilung **(s. Vers 15):**

Wie sie ausgeführt wurde: „Und er rührte ihre Hand an", nicht, um die Krankheit zu erkennen, wie es Ärzte tun, indem sie den Puls fühlen, sondern um sie zu heilen. Dies zeigt seine Freundlichkeit und Sanftheit. Die Schrift spricht das Wort, der Geist rührt an: Er rührt Herz und Hand an.

Wie sie sich zeigte: „... das Fieber verließ sie, und sie stand auf und diente ihnen." Hieran ist zu sehen:

Dass die Barmherzigkeit vollendet wurde. Diejenigen, welche durch die Kraft der Natur vom Fieber genesen, sind in der Regel schwach und empfindlich. Ihr war sofort gut genug, dass sie an die Arbeit im Haus gehen konnte.

Dass die Barmherzigkeit geheiligt war. Obwohl sie durch eine besondere Gunst ausgezeichnet wurde, handelte sie nicht überheblich, sondern war genauso bereit, am Tisch zu dienen, wenn es nötig ist, wie jeder Knecht. Diejenigen, die Christus geehrt hat, müssen demütig bleiben; nachdem sie so wiederhergestellt war, suchte sie, wie sie es ihm vergelten konnte. Es ist recht, dass diejenigen, die Christus geheilt hat, ihm als seine demütigen Knechte ihr ganzes Leben dienen sollten.

2. Einen allgemeinen Bericht der vielen Heilungen, die Christus vollbrachte. Diese Heilung der Schwiegermutter von Petrus brachte ihm viele Patienten. „Er heilte diesen und jenen; warum also nicht mich? Er heilte den Freund von diesem und jenem; warum nicht meinen?" Uns wird hier gesagt:
2.1 Was er tat (s. Vers 16).
Er trieb Teufel aus; „... und er trieb die Geister aus mit einem Wort." Um die Zeit des Kommens Christi in die Welt scheint es eine außergewöhnliche Entfesselung des Teufels gegeben zu haben, was ihn befähigte, die Leiber von Menschen zu beherrschen und zu plagen. Gott plante es weise so, dass Christus bessere und häufigere Gelegenheiten haben würde, seine Macht über Satan zu demonstrieren.
Er „heilte alle Kranken"; alle ohne Ausnahme, egal wie niedrig der Patient und egal wie schlimm die Krankheit war.
2.2 Wie damit die Schrift erfüllt wurde (s. Vers 17). Unter anderem stand über ihn geschrieben: „Fürwahr, er hat unsere Krankheit getragen und unsere Schmerzen auf sich geladen" (Jes 53,4). Darauf wird in 1.Petrus 2,24 sowohl verwiesen als auch ausgelegt: „Er hat unsere Sünden ... getragen." Hier wird auch darauf verwiesen und es wird ausgelegt als: „Er hat ... unsere Krankheiten getragen." Unsere Sünden machen unsere Krankheiten zu unserem Schmerz. Christus nahm durch den Verdienst seines Todes die Sünde hinweg und nahm durch die Wunder in seinem Leben die Krankheit hinweg. Wir sind im Leib vielen Krankheiten und Widrigkeiten unterworfen, und in dieser einen Zeile der Evangelien gibt es mehr, um uns darin zu tragen und zu ermutigen, als in allen Schriften der Philosophen. Er trug sie in seiner Passion für uns und er trägt sie mit uns mit Mitleid; er hat Mitleid „mit unseren Schwachheiten" (Hebr 4,15). Er nimmt sie von uns. Achten Sie darauf, wie nachdrücklich es ausgedrückt ist: „Er hat unsere Gebrechen weggenommen und unsere Krankheiten getragen." Er war sowohl in der Lage als auch bereit, auf diese Weise einzugreifen; er war als unser Arzt darum besorgt, sich um „unsere Gebrechen ... und unsere Krankheiten" zu kümmern.

Vers 18-22

Hier gibt es:

1. Christi Hinübersetzen „ans jenseitige Ufer" des Sees Tiberias, nachdem er seinen Jüngern geboten hatte, ihre Boote, die für ihn bereitstanden, für diesen Zweck bereitzumachen **(Vers 18)**. Er muss umherziehen und Gutes tun (s. Apg 10,38); die Nöte der Seelen riefen ihn: „Komm herüber ... und hilf uns!" (Apg 16,9). Er ging, als er „die große Volksmenge um sich sah". Obwohl dies zeigte, dass sie ihn dort haben wollten, wusste er, dass andere ihn genauso viel bei sich haben wollten und sie ihren Anteil an ihm haben müssen. Dass er an einem Ort willkommen und nützlich war, war für ihn kein Einwand dagegen, sondern vielmehr ein Grund dafür, dass er an einen anderen Ort geht. Viele wären glücklich, eine solche Hilfe bekommen zu können, wenn sie sie an der nächsten Tür haben können, möchten aber nicht die Anstrengung unternehmen, ihr „ans jenseitige Ufer" zu folgen.

2. Jesu Gespräch mit zwei Männern, die, als er „ans jenseitige Ufer" fuhr, nicht zurückbleiben, sondern ihm nachfolgen wollten. Sie waren nicht wie die anderen, die ihm nicht aufs Engste folgten; sie wollten in eine enge Jüngerschaft, wozu die meisten Menschen nicht bereit waren. Hier haben wir den Umgang Christi mit zwei verschiedenen Haltungen, eine rasch und eifrig, die andere langsam und schwerfällig, und seine Unterweisungen sind an jede von ihnen angepasst und sind uns zur Anwendung bestimmt.
2.1 Hier war ein Mann, der zu voreilig Versprechen gab, „ein Schriftgelehrter" **(Vers 19)**, ein Gelehrter, ein gelehrter Gesetzeslehrer, einer von denen, die das Gesetz studierten und erläuterten; wir sehen, dass sie in den Evangelien in der Regel keine Menschen von gutem Charakter sind. Sie folgten Christus sehr selten, doch hier war er einer, der ein möglicher Kandidat für die Jüngerschaft war. Beachten Sie:
Wie er seinen Eifer ausdrückte: „Meister, ich will dir nachfolgen, wohin du auch gehst!" Ich weiß nicht, wie es jemand hätte besser sagen können. Sein Bekenntnis der Selbsthingabe an Christus ist:
Sehr bereitwillig. Sie scheint aus einer unvoreingenommenen Neigung gekommen zu sein: Er wurde nicht von Christus dazu berufen, sondern bot selbst aus eigenem Antrieb an, ein enger Nachfolger Christi zu sein; er war kein Verpflichteter, sondern ein Freiwilliger.
Sehr entschlossen; er schien darauf zu bestehen. „Ich bin entschlossen, ich *will* es tun."
Uneingeschränkt und ohne Vorbehalt: „Meister, ich will dir nachfolgen, wohin du auch gehst!" Aus der Antwort Christi jedoch wird klar, dass seine Entschiedenheit übereilt war. Es gibt viele Entscheidungen für den religiösen Glauben, welche durch einen plötzlichen Schmerz der Überführung hervorgerufen und ohne gebührende Überlegung getroffen werden, und so erweisen sie sich als kurzlebig

und führen zu nichts: Sie werden schnell reif und verderben dann schnell.
Wie Christus seinen Eifer prüfte, um zu sehen, ob er aufrichtig war oder nicht. Er ließ ihn wissen, dass „der Sohn des Menschen", dem er so begierig folgen wollte, nichts hat, „wo er sein Haupt hinlegen kann" **(Vers 20)**. Aus dieser Darstellung der tiefen Armut Christi bemerken wir:
Dass es in sich selbst merkwürdig ist, dass der Sohn Gottes, als er in die Welt kam, eine so niedrige Stellung auf sich nahm, dass ihm die Annehmlichkeit eines sicheren Ruheplatzes fehlte. Sehen Sie hier:
Wie gut für die geringeren Geschöpfe gesorgt ist: „Die Füchse haben Gruben"; ihre Gruben sind ihre Burgen. Obwohl „die Vögel des Himmels" nicht für sich sorgen, wird für sie gesorgt und sie haben Nester (s. Ps 104,17).
Wie schlecht für den Herrn Jesus gesorgt wurde. Er hatte keinen Wohnsitz, keinen Ruheplatz, kein eigenes Haus, um sein Haupt darin hinzulegen, nicht einmal ein eigenes Kissen, um darauf sein Haupt zu legen. Er und seine Jünger lebten von der Freigebigkeit wohlgesonnener Menschen, „die ihm dienten mit ihrer Habe" (Lk 8,3). Christus unterwarf sich diesem, um uns die Wertlosigkeit von weltlichem Wohlstand zu zeigen und uns zu lehren, ihn mit heiliger Verachtung zu betrachten, damit er bessere Dinge für uns erwerben (s. Hebr 12,24) und uns so reich machen möge (s. 2.Kor 8,9).
Es ist sonderbar, dass man so eine Aussage bei dieser Gelegenheit macht. Ein Schriftgelehrter könnte mehr tun, um die Reputation und den Dienst Christi zu erhöhen, als zwölf Fischer, aber Christus schaute sein Herz an und er antwortete auf dessen Gedanken, und hier lehrt er jeden von uns, wie man zu Christus kommt.
Die Entscheidung des Gesetzeslehrers scheint überstürzt gewesen zu sein und Christus möchte, dass wir, wenn wir ein Bekenntnis zum Glauben abgeben, uns hinsetzen und die Kosten berechnen (s. Lk 14,28). Es ist für die Religion nicht von Nutzen, die Menschen zu überrumpeln, bevor sie sich bewusst sind, wozu sie sich verpflichten. Diejenigen, die sich zum Glauben bekennen, wenn sie Schmerzen haben, werden ihn bald wieder von sich werfen, wenn ihnen bange wird; möge derjenige, der Christus folgen will, das Schlimmste davon wissen und auf ein Leben mit Widrigkeiten vorbereitet sein.
Seine Entscheidung scheint aus weltlichen, habgierigen Beweggründen heraus getroffen worden zu sein. Er sah, wie viele Heilungen Christus vollbrachte, und schloss, dass er große Vergütungen dafür bekam und rasch große Besitztümer anhäufen würde. Er wollte Christus nicht folgen, wenn er nicht durch ihn verdienen konnte.

2.2 Hier war ein weiterer Mann, der zu langsam bei der Durchführung war **(s. Vers 21)**. Zögern bei der Erfüllung einer Verpflichtung ist genauso schlecht wie Voreiligkeit, eine zu übernehmen; möge man nie sagen, dass wir das für morgen aufschieben, was wir heute hätten tun können. Beachten Sie hier:
Die Entschuldigung, die dieser Jünger vorbrachte, die Nachfolge Christi aufzuschieben: „Herr, erlaube mir, zuvor hinzugehen und meinen Vater zu begraben!" Sein Vater, meinen manche, war da krank, sterbend oder tot; andere denken, er war einfach älter und es war unwahrscheinlich, angesichts des Laufs der Natur, dass er noch lange leben würde. Dies schien eine angemessene Bitte zu sein, doch das war nicht richtig. Er hatte nicht den Eifer, den er für die Arbeit haben sollte, und das war der Grund, warum er diese Bitte aussprach, weil es ein einleuchtender Vorwand zu sein schien. Einem nicht bereiten Sinn fehlt es nie an einer Entschuldigung. Christus hätte Vorrang eingeräumt werden müssen.
Wie Christus diese Entschuldigung nicht zulässt: „Jesus aber sprach zu ihm: Folge mir nach" **(Vers 22)**, und ohne Zweifel wurde dieses Wort an ihn von Macht begleitet, wie es bei Christi Worten an andere war, und er folgte Christus. Wir werden durch die Kraft seines Rufes an uns zu Christus gebracht, nicht durch die Kraft unserer Versprechen ihm gegenüber. Wenn Christus ruft, wird er überwinden und den Ruf wirksam machen (s. 1.Sam 3,10). Die Entschuldigung dieses Jüngers wurde als unzureichend abgetan: „‚Lass die Toten ihre Toten begraben!' Lass diejenigen, die geistlich tot sind, diejenigen begraben, die leiblich tot sind; überlasse die weltlichen Pflichten weltlichen Menschen; belaste dich nicht damit. Die Toten begraben, und besonders einen toten Vater, ist ein gutes Werk, doch es ist zu dieser Zeit nicht dein Werk; du hast etwas anderes zu tun und darfst das nicht beiseiteschieben." Die Hingabe an Gott muss der Hingabe an die Eltern vorgezogen werden, wenn diese auch ein großer und notwendiger Teil unseres religiösen Glaubens ist. Wir müssen unsere nächsten Verwandten im Vergleich missachten und geringschätzen, wenn sie mit Christus konkurrieren, entweder mit unseren Taten für ihn oder mit unserem Leiden für ihn.

Vers 23-27

Christus hatte seinen Jüngern die Anweisung für die Abfahrt gegeben (s. Vers 18), „ans jenseitige Ufer zu fahren". Er entschied sich, über das Wasser zu fahren. Es wäre nicht viel weiter gewesen, wenn er den Weg über das Land gegangen wäre, doch er beschloss, den See zu überqueren. Es ist für die ein Trost, „die in Schiffen sich aufs Meer begaben" (Ps 107,23) und dort oft in Gefahren sind, darüber nachzudenken, dass sie einen Heiland haben, dem sie vertrauen und zu dem sie beten können, der weiß, was es heißt, auf See und in Stürmen auf See zu sein. „Seine Jünger folgten ihm nach"; die Zwölf blieben dicht bei ihm. Nur diejenigen, die bereit sind, mit Christus auf das Meer zu gehen, ihm in Gefahren und Schwierigkeiten zu folgen, werden sich als die wahren Jünger erweisen. Viele möchten sich damit zufriedengeben, dem Landweg zum Himmel zu folgen, doch diejenigen, die in der Zukunft mit Christus ruhen wollen, müssen ihm jetzt folgen, wo immer er sie hinführt, sei es in ein Boot oder in ein Gefängnis oder in einen Palast. Beachten Sie hier:

1. Das Risiko und die Verwirrung der Jünger bei dieser Reise. Diejenigen, die Christus folgen, müssen mit Schwierigkeiten rechnen (s. Vers 20).

1.1 „... es erhob sich ein großer Sturm" **(Vers 24)**. Dieser Sturm geschah um ihretwillen (vgl. Joh 11,4), um ihren Glauben zu stärken. Christus wollte zeigen, dass diejenigen, die mit ihm über den Ozean dieser Welt zur anderen Seite fahren, Stürme auf dem Weg erwarten müssen. Nur der obere Bereich genießt ewige Ruhe; dieser untere Bereich ist immer beunruhigend und wird durcheinandergebracht.

1.2 Jesus Christus schlief in diesem Sturm. Außer zu dieser Zeit lesen wir nie davon, dass Christus schlief; dies war kein Schlaf aus falscher Sicherheit, wie der von Jona in dem Sturm, sondern einer des heiligen Friedens und der Abhängigkeit von seinem Vater. Er hatte keine Schuld, keine innerliche Furcht, die seine Ruhe stören konnte. Diejenigen, die ihre Häupter auf das Kissen eines reinen Gewissens legen können, können ruhig und süß im Sturm schlafen (s. Ps 4,9), wie Petrus es tat (s. Apg 12,6). Christus schlief zu dieser Zeit, um den Glauben seiner Jünger zu prüfen, um zu sehen, ob sie ihm vertrauen können, wenn er sie zu missachten schien.

1.3 Die armen Jünger waren in Panik, obwohl sie den See gewohnt waren, und in ihrer Furcht traten sie zu ihrem Meister **(s. Vers 25)**. Wohin sonst sollten sie gehen? Es war gut, dass sie ihn so nahe bei sich hatten. Sie „weckten ihn auf" mit ihren Gebeten; „Herr, rette uns! Wir kommen um!" Diejenigen, die beten lernen wollen, müssen auf das Meer gehen. Drohende und spürbare Gefahren werden Menschen zu dem einen treiben, der alleine rechtzeitige Hilfe geben kann (s. Hebr 4,16).
Ihre Bitte war: „Herr, rette uns!" Sie glaubten, dass er sie retten konnte, sie erbaten dringend, dass er es tun würde. Christi Auftrag in der Welt war, „zu retten" (Lk 19,10), doch nur derjenige, der „den Namen des Herrn anruft, wird errettet werden" (Apg 2,21). Sie nannten ihn „Herr" und beteten dann: „Rette uns!" Christus wird nur diejenigen retten, die bereit sind, ihn als ihren Herrn anzunehmen.

Ihre Klage war: „Wir kommen um!" Dies war: *Die Sprache ihrer Furcht.* Sie hatten in sich selbst „schon das Todesurteil" (2.Kor 1,9), und sie flehten so: „‚Wir kommen um!' Wir werden ertrinken, wenn du uns nicht rettest; sieh' uns mit Barmherzigkeit an."
Die Sprache ihrer Inbrunst. Es ist gut für uns, auf diese Weise im Gebet zu ringen und uns zu mühen. Christus schlief, um diese Kühnheit hervorzubringen.

2. Die Macht und Gnade Jesu Christi, ihnen zu helfen, die gezeigt wird. Christus kann schlafen, wenn seine Gemeinde in einem Sturm ist, doch er wird nicht zu lange schlafen.

2.1 Er weist seine Jünger zurecht. „Was seid ihr so furchtsam, ihr Kleingläubigen?" **(Vers 26)**. Er wies sie nicht dafür zurecht, dass sie ihn mit ihren Gebeten störten, sondern dafür, dass sie sich mit ihren Ängsten beunruhigten. Christus wies sie zuerst zurecht und dann rettete er sie. Beachten Sie:
Seinen Widerwillen gegenüber ihren Ängsten: „‚Was seid ihr so furchtsam?' Ihr, meine Jünger?"
Seine Enthüllung des Grundes für ihre Furcht: „... ihr Kleingläubigen." Viele, die echten Glauben haben, sind darin schwach, und Kleinglaube erreicht nur wenig. Durch den Glauben können wir durch den tobenden Wind auf das ruhige Ufer blicken und uns selbst mit der Hoffnung ermutigen, dass wir dem Sturm trotzen werden.

2.2 Er „befahl den Winden". Schauen Sie:
Wie mühelos dies getan wurde, mit dem Sprechen eines Wortes.
Wie wirksam es getan wurde. „... und es entstand eine große Stille." Normalerweise gibt es nach einem Sturm noch solch ein Toben des Wassers, dass es eine lange Zeit braucht, bis es sich beruhigt, doch wenn Christus das Wort spricht, hört nicht nur der Sturm auf, sondern auch alle seine Auswirkungen zusammen mit allen seinen Überbleibseln. Große Stürme des Zweifels und der Furcht in der Seele enden manchmal in wunderbarer Ruhe.

2.3 Dies erregte ihre Verwunderung: „Die Menschen aber verwunderten sich" **(Vers 27)**. Sie waren lange mit dem See vertraut und hatten in ihrem ganzen Leben nie gesehen, dass ein Sturm sofort zu einer vollkommene Stille wird. Beachten Sie:
Ihre Ehrfurcht vor Christus: „Wer ist dieser?" Christus ist einzigartig, alles an ihm ist wunderbar: Niemand ist so weise, so mächtig, so freundlich wie er.
Den Grund dafür: „... dass ihm selbst die Winde und der See gehorsam sind?" Über Christus muss man staunen, weil er selbst über Winde und See gebietende Macht hat. Wer dies tun kann, kann alles tun. Er kann an dem stürmischsten Tag unser Vertrauen und

unsere Festigkeit in ihm stärken, innerlich und äußerlich (s. Jes 26,4).

Vers 28-34

Hier haben wir die Geschichte, wie Christus aus zwei Männern, die besessen waren, Dämonen austreibt. Der Inhalt dieses Kapitels soll die göttliche Macht Christi zeigen. Christus hat nicht nur „alle Macht im Himmel und auf Erden" (Mt 28,18) und aller tiefen Orte; er hat auch die Schlüssel der Hölle. Es wurde allgemein gesagt, dass Christus die Geister „mit einem Wort" austrieb (Vers 16); hier haben wir ein genaues Beispiel davon. Obwohl Christus hauptsächlich „zu den verlorenen Schafen des Hauses Israel" gesandt war (Mt 15,24), wagte er sich unter die, die nahe ihrer Grenzen lebten, wie er es hier tat, um diesen Sieg über Satan zu erringen. Beachten Sie, was für ein Werk diese Legion von Teufeln tat, *wo* sie waren, und achten Sie darauf, *wohin* sie gingen.

1. Wir wollen sehen, was für ein Werk sie taten, *wo* sie waren, was man an dem traurigen Zustand dieser beiden Menschen sieht, die dämonisch besessen waren.

1.1 Sie lebten in „den Gräbern"; sie kamen von dort, als sie Christus trafen. Das Leben bei den Gräbern verstärkte den schlimmen Wahnsinn der armen dämonisch besessenen Geschöpfe und machte sie auch noch schrecklicher für andere Menschen, die allgemein tief über etwas schockiert sind, was sich zwischen den Gräbern regt.

1.2 Sie waren „sehr gefährlich", nicht nur unbeherrscht gegenüber sich selbst, sondern auch gewalttätig gegenüber anderen, erschreckten viele und hatten bereits einige verletzt, „sodass niemand auf jener Straße wandern konnte". Der Teufel hasst das Menschengeschlecht, und er zeigt dies, indem er Menschen boshaft und gehässig gegeneinander macht. Gegenseitige Feindseligkeiten, wo es gegenseitige Hilfen und Liebestaten geben sollte, jene sündigen Begierden, die in unseren Leibern durch Stolz, Neid, Arglist und Rachsucht Krieg führen, machen einen Menschen, in dem Satan herrscht, so untauglich für menschliche Gesellschaft, so unwürdig für sie und lassen sie dem Trost menschlicher Gesellschaft gegenüber feindselig werden, wie bei diesen armen dämonisch besessenen Geschöpfen.

1.3 Sie widersetzten sich Jesus Christus und bestritten, irgendetwas mit ihm zu tun zu haben **(s. Vers 29)**. Es zeigt die Macht Gottes über Dämonen, dass sie die Männer nicht davon abhalten konnten, Jesus Christus zu treffen. *Seine* Ketten konnten sie halten, wo es die Ketten, die Menschen für sie machten, nicht konnten. Doch als sie vor ihn gebracht wurden, protestierten sie gegen seine Gerichtsbarkeit und brachen in Wut aus: „Was haben wir mit dir zu tun, Jesus, du Sohn Gottes?" Hier gibt es:

Ein Wort, das der Teufel wie ein Heiliger sagte; er wandte sich an Christus als „Jesus", den „Sohn Gottes", und zu dieser Zeit, als es eine Wahrheit war, die immer noch bewiesen werden musste, war dies auch ein großes Wort. Selbst die Dämonen wissen, glauben und bekennen, dass Jesus der „Sohn Gottes" ist, doch sie bleiben Dämonen. Es ist nicht Erkenntnis, sondern Liebe, was die Heiligen von den Teufeln unterscheidet.

Zwei Worte, die der Teufel wie ein Teufel sagte, wie er selbst:

Ein Wort der Verachtung: „Was haben wir mit dir zu tun?" Es stimmt, dass die Dämonen nichts mit Christus als Heiland zu tun haben. Oh, die Tiefe des Geheimnisses der göttlichen Liebe (s. Röm 11,33), dass die gefallene Menschheit so viel mit Christus „zu tun" hat, während die gefallenen Engel nichts mit ihm „zu tun" haben! Es ist möglich, dass Menschen Jesus den „Sohn Gottes" nennen, aber nichts mit ihm zu tun haben. Es ist genauso wahr, dass die Dämonen nicht danach verlangen, etwas mit Christus als Herrscher „zu tun" zu haben; sie hassen ihn, sie sind mit Feindseligkeit gegen ihn erfüllt. Es ist jedoch nicht wahr, dass die Dämonen nichts mit Christus als Richter „zu tun" haben, denn das haben sie, und sie wissen, dass sie es haben.

Ein Wort der Furcht und ein Gebet, dass sie nicht gequält werden: „Bist du hierhergekommen, um uns ... zu quälen" – uns aus diesen Menschen auszutreiben und uns davon abzuhalten, den Schaden zuzufügen, den wir zufügen wollen? Hinausgeworfen und daran gehindert zu werden, Schwierigkeiten zu machen, ist für den Teufel eine Qual. Sollten wir dann nicht Gutestun als unseren Himmel sehen und alles, was uns am Gutestun hindert – sei es innerlich oder äußerlich –, als unsere Qual betrachten?

2. Nun wollen wir sehen, *wohin* sie gingen, als sie aus den dämonisch besessenen Männern hinausgeworfen wurden: In „eine große Herde Schweine", die „fern von ihnen" war **(Vers 30)**. Diese Gergesener waren, obwohl sie auf der anderen Seite des Jordans lebten, Juden. Was hatten sie mit Schweinen zu tun? Beachten Sie:

2.1 Wie die Dämonen die Schweine ergriffen. Obwohl diese Schweine „fern von ihnen" waren, achteten die Dämonen immer noch auf sie.

Sie erbaten die Erlaubnis, „in die Schweineherde zu fahren" (Vers 31). Sie flehten ihn mit großer Inbrunst an: „Wenn du uns austreibst, so erlaube uns, in die Schweineherde zu fahren!" Hier:

Enthüllten sie, wie sehr sie dazu neigten, Schwierigkeiten zu verursachen, und wie viel Freude *ihnen dies machte.* Wenn ihnen nicht erlaubt wurde, Menschen in ihrem Leib zu schaden, wollten sie ihnen in ihren Besitztümern schaden, und dort beabsichtigten sie auch, ihren Seelen zu schaden, indem sie Christus zu einer Last für sie machten.

Sie anerkannten die Macht Christi über sie, dass sie ohne seine Erlaubnis nicht einmal einem Schwein schaden konnten. Es ist für alle Kinder Gottes ermutigend, dass die Macht des Teufels, obwohl sie sehr groß ist, dennoch begrenzt und nicht gleich seiner Böswilligkeit ist – was würde aus uns werden, wenn sie es wäre? Und besonders, dass sie unter der Kontrolle unseres Herrn Jesus Christus ist.

Ihnen wurde die Erlaubnis gegeben. Christus sagte zu ihnen: „Geht hin!" **(Vers 32)**, wie Gott zu Satan sprach, als Satan die Erlaubnis haben wollte, Hiob heimzusuchen. Gott erlaubt für seine weisen und heiligen Absichten oft das Bestreben Satans und dessen Wüten und lässt ihn die Schwierigkeiten machen, die er will. Christus erlaubte diese Zerstörung, um die Gergesener zu bestrafen, die sich vielleicht, obwohl sie Juden waren, die Freiheit herausnahmen, gegen das Gesetz Schweinefleisch zu essen. Dass sie Schweine hielten, grenzte an Bosheit. Im Gehorsam gegenüber dem Gebot Christi kamen die Dämonen aus den Männern heraus, und, da sie die Erlaubnis hatten, fuhren sie sofort, als sie herausgekommen waren, „in die Schweineherde". Schauen Sie, wie ein emsiger Feind Satan ist und wie schnell er ist; er wird keine Zeit dabei verlieren, Schwierigkeiten zu machen.

2.2 Wozu sie die Schweine trieben, als die Dämonen sie ergriffen hatten. Sie ließen sich „den Abhang hinunter in den See" stürzen, wo sie alle umkamen, „etwa 2000" (Mk 5,13). Der Besitz, den der Teufel erlangt, dient der Zerstörung. So drängt der Teufel die Menschen zur Sünde, treibt sie dazu, das zu tun, wogegen sie sich entschieden haben, und von dem sie wissen, dass es ihnen Schande und Kummer verursachen wird. Auf die gleiche Weise treibt er Menschen in ihr Verderben.

2.3 Welche Wirkung dies auf die Eigentümer hatte. Ihnen wurde bald die Nachricht davon überbracht von denen, welche die Schweine hüteten, die mehr wegen des Verlusts der Schweine besorgt schienen als um irgendetwas anderes, denn sie gingen nicht, um zu erzählen, „was mit den Besessenen vorgegangen war", bis die Schweine verloren waren **(Vers 33)**. Christus ging nicht „in die Stadt", doch die Nachricht von seinem Dasein tat es. Jetzt: *Brachte sie ihre Neugier dazu, Christus zu sehen.* „... die ganze Stadt kam heraus, Jesus entgegen." So gehen viele heraus, mit der Behauptung, Christus treffen und seine Gesellschaft suchen zu wollen, haben aber keine wirkliche Zuneigung zu ihm und kein Verlangen, ihn kennenzulernen.

Ihre Gier ließ sie begierig sein, ihn los zu sein. Statt ihn in ihre Stadt einzuladen oder diejenigen zu ihm zu bringen, die krank sind, damit sie geheilt werden, wollten sie, dass er „aus ihrem Gebiet" weggeht. Nun hatten die Dämonen, was sie damit bezweckt hatten, die Schweine zu ertränken; sie taten es und dann ließen sie die Menschen denken, dass Christus es getan hat, und machten sie so voreingenommen ihm gegenüber. So sät der Teufel Unkraut in Gottes Acker (s. Mt 13,25). Es gibt eine große Menge Menschen, die ihre Schweine ihrem Heiland vorziehen; deshalb erlangen sie Christus und sein Heil nicht.

KAPITEL 9

In diesem Kapitel haben wir bemerkenswerte Beispiele für die Macht und das Mitleid des Herrn Jesus. Seine Macht und sein Mitleid zeigen sich hier an den guten Werken, die er tat: 1. An den Leibern der Menschen, indem er den Gelähmten heilte (s. Vers 1-8), die Tochter des Vorstehers auferweckte und eine blutflüssige Frau heilte (s. Vers 18-26), zwei blinden Männern das Augenlicht gab (s. Vers 27-31), den Dämon aus einem dämonisch besessenen Mann austrieb (s. Vers 32-34) und alle Arten von Krankheiten heilte (s. Vers 35). 2. An den Seelen der Menschen, indem er Sünden vergab (s. Vers 2), Matthäus berief und sich aus freien Stücken zu Zöllnern und Sündern gesellte (s. Vers 9-13), wie er an die Verfassung seiner Jünger (s. Ps 103,14) in Bezug auf die Pflicht des Fastens denkt (s. Vers 14-17), das Evangelium predigt und, aus Mitleid mit den Massen, Prediger für sie bestimmt (s. Vers 35-38). Auf diese Weise bewies er, dass er – wie er es unzweifelhaft ist – der kundige und treue Arzt sowohl der Seele als auch des Leibes ist, der genügend Arznei für jede Krankheit von beiden hat.

Vers 1-8

Die ersten Worte dieses Kapitels lassen uns auf den Schluss des vorangehenden zurückblicken, wo wir die Gergesener so ärgerlich über den Verlust ihrer Schweine sehen, dass sie entrüstet über seine Gesellschaft waren und ihn baten, „aus ihrem Gebiet wegzugehen" (Mt 8,34). Hier folgt: „Und er trat in das Schiff, fuhr hinüber." Sie sagten ihm, er solle gehen, und er nahm sie beim Wort. Christus wird nicht lange dort bleiben, wo er nicht willkommen ist, doch er bleibt bei denen, die möchten und begehren, dass er bleibt. Er ließ kein vernichtendes Gericht hinter sich zurück, um sie zu bestrafen, wie sie es für ihre Verachtung und Halsstarrigkeit verdienten. „Und er trat in das Schiff, fuhr hinüber." Dies war der Tag seiner Geduld; er war nicht gekommen, „um die

Seelen der Menschen zu verderben" (Lk 9,56), sondern um sie zu retten; nicht zu töten, sondern zu heilen. Er „kam in seine Stadt", Kapernaum, die damals sein hauptsächlicher Wohnsitz war (s. Mk 2,1) und deshalb „seine Stadt" genannt wurde. Als die Gergesener Christus baten fortzugehen, empfingen ihn die Leute von Kapernaum. Wenn Christus auch von einigen respektlos behandelt wird, wird er von anderen gepriesen werden; wenn die einen ihn nicht empfangen wollen, dann werden es die anderen tun. Die erste Begebenheit war nun die Heilung des Gelähmten, bei der wir erkennen können:

1. Den Glauben seiner Freunde, dass sie ihn zu Jesus brachten. Seine Krankheit war so, dass er nicht aus eigener Kraft zu Jesus kommen konnte, sondern nur, indem er getragen wurde. Selbst die Lahmen kann man zu Christus bringen und sie werden von ihm nicht abgewiesen. Kleine Kinder können nicht selbst zu Christus gehen, doch er wird auf den Glauben derer achten, die sie bringen, und es wird nicht vergeblich sein. Jesus sah ihren Glauben, den Glauben des Gelähmten selbst wie auch derer, die ihn brachten. Ihr Glaube war nun:

1.1 Ein starker Glaube; sie glaubten fest, dass Jesus Christus ihn sowohl heilen könnte als auch würde.

1.2 Ein demütiger Glaube; obwohl sich der gelähmte Mann keinen Schritt bewegen konnte, wollten sie nicht Christus bitten, ihn zu besuchen, sondern brachten ihn zu Christus. Es geziemt sich mehr, auf Christus zu warten, als ihn auf uns warten zu lassen.

1.3 Ein tätiger Glaube: Weil sie an die Macht und Güte Christi glaubten, brachten sie den kranken Mann zu ihm, „der auf einer Liegematte lag", was nicht ohne ein großes Maß an Anstrengung getan werden konnte. Ein starker Glaube schenkt Hindernissen keine Beachtung, wenn er Christus sucht.

2. Das Wohlwollen Christi bei dem, was er zu ihm sagte: „Sei getrost, mein Sohn, deine Sünden sind dir vergeben!" Dies war eine unübertreffliche Medizin für einen kranken Mann. Wir lesen nichts davon, was zu Christus gesagt wurde. Sie brachten ihn zu Christus; das war genug. Es wird nicht vergeblich sein, uns selbst und unsere Freunde Christus als Objekte des Mitleids zu präsentieren. Die Not und auch die Sünde schreit auf und man wird die Barmherzigkeit nicht weniger schnell hören als die Gerechtigkeit. In dem, was Christus hier sagte, gibt es:

2.1 Eine freundliche Bezeichnung: „... mein Sohn."

2.2 Eine gnädige Ermutigung: „Sei getrost." Vermutlich hatte der arme Mann Angst, dass er dafür zurechtgewiesen wird, dass er so unverschämt hereingebracht wurde, doch Christus war nicht förmlich. Er sagte ihm, er solle getrost sein.

2.3 Einen Grund für diese Ermutigung: „... deine Sünden sind dir vergeben!" Dies kann man ansehen als:

Eine Einleitung für die Heilung seiner leiblichen Krankheit: „Deine Sünden sind vergeben und deshalb wirst du geheilt werden." Wenn wir den Trost unserer Versöhnung mit Gott zusammen mit dem Trost unserer Genesung von Krankheit haben, macht sie dies für uns zu einer echten Barmherzigkeit, wie es bei Hiskia war (s. Jes 38,17).

Einen Grund für das Gebot, getrost zu sein, ob er nun von seiner Krankheit geheilt werden würde oder nicht: „Selbst wenn ich dich nicht heile, wirst du nicht sagen, du hast mich vergeblich gesucht, wenn ich dir zusichere, dass dir deine Sünden vergeben sind." Diejenigen, die durch die Gnade Belege für die Vergebung ihrer Sünden haben, haben Grund, Mut zu fassen, unter welchen äußerlichen Schwierigkeiten oder Nöten sie auch leiden.

3. Der Einwand der Gesetzeslehrer gegenüber dem, was Christus sagte **(s. Vers 3):** Sie „sprachen bei sich selbst", in ihrem heimlichen Flüstern: „Dieser lästert!" Beachten Sie, wie das größte Beispiel der Macht und der Gnade des Himmels mit der schwärzesten Note des Hasses der Hölle versehen wird.

4. Wie Christus ihnen die Unvernunft dieses Einwands demonstrierte, ehe er fortfuhr.

4.1 Er beschuldigte sie dessen. Obwohl sie es nur bei sich selbst sagten, sah Jesus „ihre Gedanken". Unser Herr Jesus hat eine vollständige Erkenntnis von allem, was wir bei uns selbst sagen. Gedanken sind heimlich und unvermutet, doch sie liegen offen vor Christus. Die Sünden, die im Herzen beginnen und enden und nicht weitergehen, sind genauso gefährlich wie jede andere.

4.2 Er brachte sie davon ab **(s. Vers 5-6).** Beachten Sie:

Wie er seine Vollmacht im Reich der Gnade erklärte. Er unternahm es, zu beweisen, dass „der Sohn des Menschen", der Mittler, „Vollmacht hat, auf Erden Sünden zu vergeben". Was ist das für eine Ermutigung für arme Sünder, Buße zu tun, dass die Macht, Sünden zu vergeben, dem „Sohn des Menschen" in die Obhut gegeben ist, der genauso menschlich ist wie wir! Wenn er „auf Erden" diese Vollmacht hatte, dann noch viel mehr jetzt, wo er zur Rechten des Vaters erhöht ist.

Wie er dies durch seine Macht in dem Reich der Natur bewies. Ist es nicht genauso leicht zu sagen: „Deine Sünden sind dir vergeben!" wie zu sagen: „Steh auf und geh umher?" Wer die Krankheit heilen kann, kann die Sünde vergeben. Dies war ein allgemeines Argument, dass Christus einen göttlichen Auftrag hatte. Die

Macht, die sich in seinen Heilungen zeigte, bewies, dass er von Gott gesandt war, und das Mitleid, das sich in ihnen zeigte, dass er von Gott gesandt war, um zu heilen und zu retten. Die Lähmung war nur das Symptom der Krankheit der Sünde; dadurch, dass er umgehend das Symptom entfernte, machte er klar, dass er auf machtvolle Weise die ursprüngliche Krankheit heilen konnte. Der eine, der die Macht hatte, die Strafe wegzunehmen, hatte ohne Zweifel die Macht, die Sünde zu vergeben. Sein großer Auftrag bei seinem Kommen in die Welt war, Menschen von ihren Sünden zu retten (s. Mt 1,21).

5. Die umgehende Heilung des kranken Mannes. Christus wandte sich von seiner Diskussion mit den Schriftgelehrten ab und sprach ihm gegenüber die Heilung aus. Die notwendigsten Diskussionen dürfen uns nicht davon ablenken, das Gute zu tun, „was deine Hand zu tun vorfindet" (Pred 9,10). Er sprach „zu dem Gelähmten: Steh auf, nimm deine Liegematte und geh heim", und heilende, belebende und stärkende Kraft begleitete dieses Wort: „Und er stand auf und ging heim" **(Vers 7)**. Er sandte ihn nach Hause, um ein Segen für seine Familie zu sein, für die er so lange eine Last gewesen war.

6. Der Eindruck, den dies auf die Menge machte: Sie verwunderte sich (wurde mit Ehrfurcht erfüllt) „und pries Gott" **(Vers 8)**. Die Menschen priesen Gott für das, was er für diesen armen Mann getan hatte. Die Barmherzigkeiten für andere sollten unser Lobpreis sein und wir sollten Gott für sie danken. Obwohl wenige dazu gebracht wurden, ihm zu glauben, bewunderten sie ihn dennoch, nicht als Gott oder den Sohn Gottes, sondern als einen „Menschen", dem Gott „solche Vollmacht ... gegeben hatte". Gott muss bei aller Vollmacht gepriesen werden, die dem Menschen gegeben wurde, um Gutes zu tun, denn alle Vollmacht ist ursprünglich die seine; sie ist in ihm als die Quelle und in den Menschen als die Gefäße.

Vers 9-13

In diesen Versen haben wir den Bericht von der Gnade und dem Wohlwollen, die Christus gegenüber armen Zöllnern gezeigt hat, besonders Matthäus. Beachten Sie hier:

1. Die Berufung des Matthäus, dem Verfasser dieses Evangeliums. Markus und Lukas nennen ihn Levi. Manche denken, Christus gab ihm den Namen Matthäus, als er ihn zum Apostel berief, wie er Simon den Beinamen Petrus gab. Matthäus bedeutet „die Gabe Gottes". Beachten Sie:

1.1 Die Stellung, in der Christi Ruf Matthäus fand. Er saß „an der Zollstätte", dem Stand des Zöllners, denn er war ein Zöllner (s. Lk 5,27). Er war in seinem Gewerbe, wie es auch die anderen waren, die Christus berief (s. Mt 4,18). Wie Satan beschließt, mit seinen Versuchungen zu denen zu kommen, die untätig sind, so entschließt sich Christus, mit seinen Berufungen zu denen zu kommen, die arbeiten. Der Beruf des Matthäus hatte einen schlechten Ruf unter ernsthaften Leuten, weil mit ihm so viel Verderbtheit und Versuchung kam und es hierin so wenige gab, die rechtschaffen waren. Gott hat seinen Überrest unter allen Arten von Menschen. Niemand kann sich durch seinen Beruf in der Welt für seinen Unglauben rechtfertigen, denn *aus* jedem sündigen Beruf wurden einige gerettet und *in* jedem rechtmäßigen Beruf wurden einige gerettet.

1.2 Die wirksame Kraft seines Rufes. Wir sehen nicht, dass Matthäus Christus erwartete oder dass er irgendeine Neigung hatte, ihm zu folgen. Christus wird von denen gefunden, die ihn nicht suchen (s. Jes 65,1). Christus sprach zuerst; wir haben ihn nicht erwählt; er hat uns erwählt. Er sagte: „Folge mir nach!" Der Ruf war wirksam, denn Matthäus folgte dem Ruf; „er stand auf und folgte ihm nach", unmittelbar, hat seinen Gehorsam weder verweigert noch aufgeschoben. Die Macht der göttlichen Gnade beantwortet und überwindet unverzüglich alle Einwände. Er verließ seinen Posten und seine Hoffnung auf Aufstieg in dieser Art des Lebens, und wenn wir auch sehen, dass die Jünger, die Fischer waren, später gelegentlich wieder fischten, sehen wir Matthäus nie wieder an seiner Zollstätte.

2. Christi Umgang mit Zöllnern und Sündern bei dieser Gelegenheit: Jesus saß „in dem Haus zu Tisch" (beim Essen) **(Vers 10)**. Die anderen Evangelisten sagen uns, dass Matthäus „ihm ein großes Mahl" bereitete (Lk 5,29), was die armen Fischer nicht tun konnten, als sie berufen wurden. Als Matthäus jedoch selbst dazu kam, darüber zu sprechen, sagt er uns weder, dass es sein eigenes Haus war, noch dass es ein großes Mahl war, sondern nur, dass Jesus in dem Haus zu Tisch saß. Es ist gut, wenig über unsere eigenen guten Taten zu sprechen. Als Matthäus Christus einlud, lud er seine Jünger ein, mit ihm zu kommen. Diejenigen, die Christus willkommen heißen, müssen um seinetwillen alle willkommen heißen, die ihm gehören, und ihnen Raum in ihren Herzen geben. Er lud viele Zöllner und Sünder ein, um ihn zu treffen. Das war die Hauptsache, die Matthäus mit diesem Mahl beabsichtigte, dass er die Möglichkeit haben würde, seinen alten Gefährten dabei helfen zu können, zu Christus zu kommen und ihn kennenzulernen. Diejenigen, die selbst wirksam zu Christus gebracht werden, müssen auch wollen, dass andere zu ihm gebracht werden, und sie müssen begierig darauf sein, etwas dazu beizutragen. Echte Gnade wird nicht zufrieden dasitzen, um alleine ihre Bissen zu essen, sondern wird andere einladen. Sicherlich würden einige von ihnen ihm folgen, wie er Christus folgte. So haben es Andreas und Philippus gemacht (s. Joh 1,41.45; 4,29).

3. Das Missfallen der Pharisäer darüber. Sie hatten daran etwas auszusetzen: „Warum isst euer Meister mit den Zöllnern und Sündern?" **(Vers 11).** Man stritt mit Christus. Es machte nicht gerade den geringsten Teil seiner Leiden aus, dass er „solchen Widerspruch von den Sündern gegen sich erduldet hat" (Hebr 12,3). Obwohl er nie etwas Falsches tat oder sagte, wurde gegen alles, was er sagte oder tat, etwas eingewendet. Er lehrte uns also, Vorwürfe zu erwarten und uns darauf vorzubereiten und sie geduldig zu ertragen (s. 1.Petr 2,20). Diejenigen, die etwas an ihm auszusetzen hatten, waren die Pharisäer. Sie waren streng darin, Sünder zu meiden, aber nicht, Sünde zu meiden. Es gab keine größeren Eiferer, als sie es waren, in Bezug auf den „Schein von Gottesfurcht", noch größere Feinde gegenüber „deren Kraft" (2.Tim 3,5). Sie brachten ihre Einwände nicht zu Christus selbst – sie hatten nicht den Mut, ihm mit ihnen entgegenzutreten –, sondern zu seinen Jüngern. Weil sie sich durch den Meister beleidigt fühlten, stritten sie mit den Jüngern. Christen sollten in der Lage sein, sowohl Christus selbst als auch seine Lehren und Gesetze zu verteidigen und zu rechtfertigen, und sie sollten bereit sein „zur Verantwortung gegenüber jedermann, der Rechenschaft fordert über die Hoffnung, die in [ihnen] ist" (1.Petr 3,15). Während ein Fürsprecher für uns im Himmel ist, wollen wir Fürsprecher für ihn auf der Erde sein und seine Schmach tragen (s. Hebr 13,13). Die Beschwerde war, dass er „mit den Zöllnern und Sündern" isst: Sich eng Übeltätern zuzugesellen, ist gegen das Gesetz (s. Ps 1,1; 119,115). Vielleicht hofften sie, indem sie Christus bei seinen Jüngern dessen beschuldigten, sie von ihm wegzulocken. Sich eng Zöllnern zuzugesellen, war gegen die Überlieferung der Ältesten, und so betrachteten sie es als abscheulich. Sie waren deshalb böse auf Christus:

3.1 Weil sie ihm Böses wünschten. Es ist leicht und überaus üblich, die besten Worte und Taten mit den schlimmsten Deutungen zu belegen.

3.2 Weil sie den Zöllnern und Sündern nichts Gutes wünschten, sondern ihnen das Wohlwollen Christi neideten. Man kann zu Recht befürchten, dass diejenigen, die anderen einen Anteil an der Gnade Gottes missgönnen, solche sind, die selbst diese Gnade nicht kennengelernt haben.

4. Christi Rechtfertigung von sich und seinen Jüngern in ihrem Umgang mit Zöllnern und Sündern **(s. Vers 12-13).** Überlassen Sie es ihm, sich zu verteidigen und auch für uns zu antworten. In seiner Rechtfertigung macht er zwei Dinge geltend:

4.1 Die Nöte der Zöllner, die nach seiner Hilfe riefen. Es war die extreme Not von armen, verlorenen Sündern, die Christus aus den reinen oberen Regionen in diese unreine Welt brachte, und es war die gleiche Not, die ihn in diese Gesellschaft brachte, die man für unrein hielt.

Er machte die Nöte der Zöllner geltend: „Nicht die Starken brauchen den Arzt, sondern die Kranken" **(Vers 12).** Die Zöllner waren krank und sie brauchten jemanden, der ihnen hilft und sie heilt, was die Pharisäer meinten, es selbst nicht zu brauchen. Sünde ist die Krankheit der Seele. Sie ist verunstaltend, schwächend, beunruhigend, zehrend und tödlich, doch, Gott sei gelobt, nicht unheilbar. Jesus Christus ist der große Arzt der Seelen. Weise und gute Menschen sollten für jeden um sie herum wie Ärzte sein; Christus war es. Seelen, die krank durch Sünde sind, brauchen diesen Arzt, denn ihre Krankheit ist gefährlich; die Natur wird sich nicht selbst helfen. Kein Sterblicher kann uns helfen; wir brauchen Christus so sehr, dass wir ohne ihn ewiglich zugrunde gerichtet sind. Es gibt viele, die denken, dass sie gesund und vollkommen sind, dass sie Christus nicht brauchen, dass sie ebenso gut auch ohne ihn für sich sorgen können, wie die Leute in Laodizea (s. Offb 3,17; vgl. Joh 9,40-41).

Er machte geltend, dass ihre Not sein Verhalten hinlänglich rechtfertigte, denn diese Not machte sein Sich-ihnen-Zugesellen zu einem Akt der Nächstenliebe, den man immer der Förmlichkeit eines religiösen Bekenntnisses vorziehen sollte, und worin Wohltätigkeit und Großzügigkeit viel besser sind als Pracht, so wie das Wesen besser ist als Zurschaustellung oder Schatten. Wenn Gehorsam allgemein besser ist als Opfer, wie Samuel zeigt (s. 1.Sam 15,22-23), dann gilt das noch viel mehr, wenn unser Gehorsam anderen Gutes tut. Die Bekehrung von Seelen zu unterstützen ist der größtmögliche Akt der Barmherzigkeit; das ist „eine Seele vom Tod erretten" (Jak 5,20). Beachten Sie, wie Christus den Vers von Samuel zitiert: „Geht aber hin und lernt, was das heißt." Es genügt nicht, mit dem Buchstaben der Schrift vertraut zu sein. Die Bedeutung der Schrift wurde am besten von denen gelernt, die lernten, wie sie sie anwenden, um ihre eigenen Fehler zu rügen und eine Regel für ihr eigenes Leben aufzustellen. Diese Schrift, die Christus zitierte, diente nicht nur dazu, ihn zu rechtfertigen, sondern auch:

Zu zeigen, worin die wahre Religion besteht: Nicht in äußerlichen Regeln, sondern darin, den Leibern und Seelen anderer in Rechtschaffenheit und Frieden so viel Gutes zu tun, wie wir können.

Die pharisäische Heuchelei derer zu verdammen, die ihren religiösen Glauben mehr in Ritualen sehen als im sittlichen Verhalten (s. Mt 23,23).

4.2 Die Natur und den Zweck seines eigenen Dienstes. „"Ich bin nicht gekommen, Gerechte zu berufen, sondern Sünder zur Buße.' Deshalb muss ich bei den Zöllnern sein." Beachten Sie:

Was sein Auftrag war: Er bestand darin, zur Buße zu rufen. Der Ruf des Evangeliums ist ein Ruf zur Buße, ein Ruf an uns, unseren Sinn zu ändern und unseren Weg zu ändern.

Wem sein Auftrag galt: Nicht den Gerechten, sondern den Sündern. Wenn die Menschen nicht Sünder gewesen wären, hätte es keinerlei Notwendigkeit für das Kommen Christi zu ihnen gegeben. Sein größter Auftrag gilt deshalb den größten Sündern. Je gefährlicher der Fall der kranken Person ist, desto mehr Bedarf gibt es für die Hilfe des Arztes. Jesus Christus kam in die Welt, „um Sünder zu retten", doch besonders den größten (1.Tim 1,15). Christus kam nicht mit Erfolgsaussichten unter den Gerechten – denen, die meinen, dass sie es sind, und die deshalb schneller an ihrem Heiland überdrüssig werden als ihrer Sünden –, sondern unter den überführten, demütigen Sündern. Christus wird zu ihnen kommen, denn bei ihnen wird er willkommen sein.

Vers 14-17

Die Einwände, die gegen Christus und seine Jünger erhoben wurden, boten den Anlass für einige seiner nützlichsten Abhandlungen, und so bringt die Weisheit Christi Gutes aus Bösem hervor. So entstand hier aus einer Bemerkung über das Verhalten seiner Gruppe eine Diskussion über seine Freundlichkeit ihr gegenüber. Beachten Sie:

1. Den Einwand, den die Jünger des Johannes gegen die Jünger Christi erhoben, dass sie nicht so oft fasteten, wie sie es taten, und sie dies als ein weiteres Beispiel der Laxheit ihres Bekenntnisses bewerteten, neben dem des Essens mit Zöllnern und Sündern. Bei den anderen Evangelisten zeigt sich, dass sich die Jünger der Pharisäer darin mit den Jüngern des Johannes zusammentaten, weil Letztere, die bei Christus und seinen Jüngern mehr in der Gunst standen, den Einwand einleuchtender erheben konnten (s. Mk 2,18; Lk 5,33). Es ist für Übeltäter nichts Neues, gute Menschen gegeneinander auf den Hals zu hetzen: Wenn sich die Kinder Gottes in ihren Standpunkten unterscheiden, werden intrigante Gegner die Gelegenheit ergreifen, um Samen der Zwietracht zu säen (s. Spr 6,14.19). Die Beschwerde lautete: „Warum fasten wir und die Pharisäer so viel, deine Jünger aber fasten nicht?" Es ist schade, dass die Pflichten der Religion, welche die heilige Liebe kräftigen sollten, Hader und Streit verursachen. Beachten Sie:

1.1 Wie die Jünger des Johannes mit ihrem eigenen Fasten prahlten: „Wir und die Pharisäer [fasten] so viel." In jedem Zeitalter der Gemeinde war Fasten besonderen Gelegenheiten für den Dienst an der Religion gewidmet; die Pharisäer waren darin sehr engagiert. Die Jünger des Johannes fasteten oft. Der strengere Teil der Religion wird oft von denen befolgt, die noch unter der Erziehung von einem „Geist der Knechtschaft" stehen (Röm 8,15), während wir, obwohl diese Übungen gut an ihrem Platz sind, durch sie hindurch zu diesem Leben der Freude an Gott und der Abhängigkeit von ihm gelangen müssen, zu dem sie führen sollten. Bei denen, die sich dazu bekennen, religiös zu sein, gibt es die Neigung, sich ihrer eigenen religiösen Taten zu rühmen; sie prahlen mit ihnen nicht nur vor Menschen, sondern machen sie auch vor Gott geltend und vertrauen auf sie als ihre Gerechtigkeit (s. Lk 18,9-14).

1.2 Wie sie die Jünger Christi beschuldigten, dass sie nicht so oft fasteten, wie sie es taten: „… deine Jünger aber fasten nicht." Sie hätten wissen müssen, dass Jesus seine Jünger gelehrt hatte, ihr Fasten geheim zu halten und sich selbst auf solche Weise zu beherrschen, „damit es nicht von den Leuten bemerkt wird" (Mt 6,18). Wir dürfen nicht den religiösen Glauben eines Menschen anhand von dem beurteilen, was für die Welt sichtbar ist. Bei nichtswürdigen Glaubensbekennern ist es üblich, sich selbst als Maßstab in religiösen Dingen hinzustellen, als würden alle, die weniger tun als sie, zu wenig tun, und alle, die mehr tun, zu viel tun.

1.3 Wie sie diese Beschwerde zu Christus brachten. Wenn Christi Jünger, entweder durch Versäumen oder durch Tun, Anstoß erregt haben, kann Christus sicher sein, davon zu hören und deshalb in einem schlechten Licht erscheinen. „Oh, Jesus, sind das deine Christen?" Der Einwand gegen Christus wurde zu den Jüngern gebracht (s. Vers 11); der Einwand gegen die Jünger wurde zu Christus gebracht **(s. Vers 14)**. Das ist der Weg, um Samen der Zwietracht zu säen und die Liebe zu töten, die Menschen gegen geistliche Diener und die geistlichen Diener gegen Menschen und einen Freund gegen den anderen aufzubringen.

2. Wie Christus seine Jünger in dieser Angelegenheit verteidigt. Als sie selbst nichts zu ihren Gunsten sagen konnten, hatte er etwas parat, was er für sie sagen konnte. Christus wird uns sicher unterstützen, insofern wir nach seinen Geboten und nach seinem Vorbild handeln. Christus brachte zwei Dinge zur Verteidigung vor, warum sie nicht fasteten:

2.1 Dass es nicht die angemessene Zeit für diese Pflicht war: „Können die Hochzeitsgäste trauern, solange der Bräutigam bei ihnen ist?" **(Vers 15)**. Christi Antwort war auf eine solche Weise formuliert, dass sie die Praxis seiner Jünger hinlänglich rechtfertigen, aber nicht die Gewohnheit von Johannes oder die Praxis seiner Jünger verurteilen würde. Wenn wir einmal ungerecht kritisiert werden, muss es nur unser Interesse sein, uns selbst zu entlasten, nicht Gegenbeschuldigungen zu machen oder andere mit Schmutz zu bewerfen. Sein Argument war der üblichen Sitte der Freude und des Frohlockens bei Hochzeitsfeierlichkeiten entnommen, wo jedes Zeigen von Schwermut und Traurigkeit als unsinnig und absurd betrachtet wurde. Nun:

Die Jünger Christi waren „die Hochzeitsgäste", die zum Hochzeitsfest eingeladen und dort willkommen waren. Die treuen Nachfolger Christi, die den „Geist der Sohnschaft" haben (Röm 8,15), erfreuen sich an einem ununterbrochenen Fest (s. Spr 15,15), während diejenigen, die immer noch den Geist der Knechtschaft und Furcht haben, nicht frohlocken können, wie es die anderen tun (s. Hos 9,1).

Die Jünger Christi hatten den Bräutigam bei sich, was die Jünger von Johannes nicht hatten; ihr Meister war zu der Zeit ins Gefängnis geworfen und deshalb war es für sie die richtige Zeit, oft zu fasten. Es würde für die Jünger Christi der Tag kommen, wenn der Bräutigam von ihnen genommen werden würde, „und dann werden sie fasten". Die Gedanken an eine Trennung bekümmerten sie, als er ging (s. Joh 16,16). Drangsal und Leid kamen über sie, als er gegangen war, was ihnen Gelegenheit gab, zu trauern und zu beten, das heißt, ein religiöses Fasten zu halten. Ob die Stimmung der Hochzeitsgäste erfreut oder traurig ist, hängt davon ab, ob der Bräutigam mehr oder weniger bei ihnen gegenwärtig ist. Die Gegenwart und Nähe der Sonne sorgt für den Tag und den Sommer; ihre Abwesenheit und Entfernung für Nacht und Winter. Christus ist für die Freude der Gemeinde alles in allem. Jede Pflicht muss zu ihrer angemessenen Zeit getan werden (s. Pred 7,14; Jak 5,13). Es gibt eine Zeit zum Weinen und eine Zeit zum Lachen (s. Pred 3,4), an die wir uns beide anpassen sollten, um zur passenden Zeit Frucht zu bringen.

2.2 Sie hatten nicht genügend Kraft für diese Pflicht. Christus erklärt dies, indem er religiöse Pflichten mit zwei Dingen vergleicht: „...einen Lappen von neuem Tuch auf ein altes Kleid" setzen, was das alte Kleid nur in Stücke reißt **(Vers 16)**, und „neuen Wein in alte Schläuche" füllen, was die Schläuche zerreißt **(Vers 17)**. Christi Jünger waren nicht in der Lage, diese schweren Übungen genauso gut wie die Jünger von Johannes und der Pharisäer zu verkraften. Christi Jünger, die gera-dewegs aus ihren Berufen herausgenommen worden waren, waren an solche religiöse Askese nicht gewöhnt, waren für sie untauglich, und würden durch sie untauglich für ihre andere Arbeit sein.

Einige Pflichten des religiösen Glaubens sind härter und schwerer als andere, und religiöses Fasten und die Pflichten, die es begleiten, sind von dieser Art.

Die besten der Jünger Christi durchlaufen einen Stand der Kindheit; alle Bäume in Christi Garten sind nicht gleich entwickelt, noch haben alle seiner Gelehrten das gleiche Niveau erreicht; es gibt Unmündige in Christus (s. 1.Kor 3,1), und es gibt Mündige.

Man sollte die Schwäche junger Christen bedenken: Wie auch die Nahrung, die man für sie bereithält, so sein muss, dass sie ihrem Alter entspricht (s. 1.Kor 3,2; Hebr 5,12), so muss auch ihre Arbeit aus dem bestehen, was für sie angemessen ist. Christus wollte zu seinen Jüngern nicht über das sprechen, was sie da noch nicht ertragen konnten (s. Joh 16,12). Man darf jungen Neulingen im religiösen Glauben nicht zuerst die schwersten Pflichten übertragen, andernfalls werden sie entmutigt. So hat Jakob für seine Kinder und sein Vieh gesorgt; er trieb sie nicht zu hart (s. 1.Mose 33,13). Christi Fürsorge für die Kleinen in seiner Familie ist die Gleiche, und er führt sanft die Lämmer in seiner Herde (s. Jes 40,11). Selbst beim Gutestun kann es ein Übermaß geben, dass man „allzu gerecht" ist (Pred 7,16), und solches Übertreiben kann sich durch die Gerissenheit des Satan als Verderben für einen Menschen erweisen.

Vers 18-26

Hier haben wir zwei Ereignisse zusammengenommen; die Auferweckung der Tochter des Jairus zum Leben und, auf dem Weg zu Jairus Haus, die Heilung einer Frau, die einer Blutung unterlag, was als Parenthese in der Mitte des anderen Berichtes eingeführt wird, denn die Wunder Christi waren dicht gesät und miteinander verflochten. Er wurde dazu gerufen, diese guten Werke zu tun, während er die vorhergehenden Dinge als Antwort auf die Einwände der Pharisäer sagte **(s. Vers 18)**. Die Bitte von Jairus kam, „als er dies mit ihnen redete", und wir können annehmen, dass es eine angenehme Unterbrechung dieser unangenehmen Arbeit des Streites war, die, wenn sie auch manchmal nötig ist, ein guter Mensch mit Freuden lassen wird, um sich an seine Werke der Liebe oder der Hingabe zu machen. Hier haben wir:

1. Die Worte des Vorstehers an Christus. „... ein Vorsteher", ein Leiter der Synagoge, kam und „fiel vor ihm nieder" **(Vers 18)**. „Glaubt auch einer von den Obersten ... an ihn" (Joh 7,48)? Ja, hier war einer. Dieser Vorsteher hatte eine kleine Tochter, zwölf Jahre alt, gerade gestorben, und diese Zerschmetterung des Wohlergehens der Familie war der Anlass, dass er zu Christus kam. Bei Schwierigkeiten sollten wir Gott suchen: Der Tod von Verwandten sollte uns zu Christus treiben, der unser Leben ist (s. 5.Mose 32,47; Spr 4,13). Beachten Sie bei dem, was er zu Christus sagte:

1.1 Seine Demut. Er kam mit seinem Auftrag zu Christus selbst. Es ist für den größten Leiter nicht unter seiner Würde, persönlich zum Herrn Jesus zu kommen. Er „fiel vor ihm nieder". Diejenigen, die von Christus Barmherzigkeit empfangen wollen, müssen Christus ehren.

1.2 Seinen Glauben: „Meine Tochter ist eben gestorben", und obwohl jeder andere Arzt jetzt zu spät wäre, kommt Christus nie zu spät. Er ist ein Arzt nach dem Tod, denn er ist „die Auferstehung und das Leben" (Joh 11,25). „… aber komm und lege deine Hand auf sie, so wird sie leben!" Dies überstieg vollständig die Macht der Natur, doch es war in der Macht Christi, der „Leben in sich selbst" hat und lebendig macht, „welche er will" (Joh 5,21.26). *Wir* können ihm *nicht* eine solche Bitte im Glauben bringen; solange es Leben gibt, gibt es Hoffnung und Spielraum zum Gebet, doch wenn unsere Freunde tot sind, wurde der Fall bereits entschieden. Doch solange Christus hier auf der Erde Wunder wirkte, war solch ein Vertrauen nicht nur zulässig, sondern auch sehr lobenswert.

2. Die Bereitschaft Christi, seiner Bitte nachzukommen (s. Vers 19). Jesus stand sofort auf, verließ die, bei denen er war, und „folgte ihm". Er war nicht nur bereit, ihm zu gewähren, was er verlangte, indem er seine Tochter zum Leben erweckte, sondern auch, ihm so weit zu genügen, dass er dazu in sein Haus kam. Sicherlich hat er „zu dem Samen Jakobs nicht gesagt: Sucht mich vergeblich!" (Jes 45,19). Beachten Sie auch, als Jesus ihm folgte, taten dies auch seine Jünger, die er als seine ständigen Begleiter auserwählt hatte. Es geschah nicht als Zurschaustellung oder um größeren Respekt zu bekommen, dass er seine Gefährten mit sich nahm, sondern damit diejenigen, die später seine Lehre predigen sollten, seine Wunder bezeugen könnten.

3. Die Heilung der Blutung der armen Frau. Ich nenne sie nicht nur deshalb eine arme Frau, weil ihr Fall Mitleid verdient, sondern auch weil sie, obwohl sie etwas in der Welt gehabt hatte, „all ihr Gut" für Ärzte aufgewendet hatte, um ihre Krankheit zu heilen, „ohne dass es ihr geholfen hätte" (Mk 5,26). Es unterstreicht das Elend ihres Zustands doppelt, dass sie sich arm gemacht hat in dem Bestreben, ihre Gesundheit wiederherzustellen, jetzt aber weder ihr Geld noch ihre Gesundheit hatte. Diese Frau war „zwölf Jahre blutflüssig" **(Vers 20)**, eine Krankheit, die sie nicht nur schwächte und auszehrte, sondern sie auch rituell unrein machte und von den Vorhöfen des Hauses des Herrn ausschloss, doch es schnitt sie nicht davon ab, sich Christus zu nähern. Sie wandte sich an Christus und empfing längs des Weges Barmherzigkeit von ihm. Beachten Sie:

3.1 Den großen Glauben der Frau an Christus und seine Macht. Ihre Krankheit war von solcherlei Natur, dass ihr Schamgefühl es ihr nicht erlauben würde, offen Christus für eine Heilung anzusprechen, wie es andere taten, doch sie glaubte, dass er eine solch überfließende Fülle an heilender Kraft besitzt, dass alleine das Anrühren seines Gewandes (das Berühren des Saumes seines Mantels) sie heilen würde. Dies war vielleicht etwas Fantasie vermischt mit Glauben, denn sie besaß kein Beispiel für ein solches Sichwenden an Christus. Christus übersah jedoch jede Schwäche im Verständnis, welche diese Geste enthielt, und er nahm die Aufrichtigkeit und die Kraft ihres Glaubens an. Sie glaubte, sie würde geheilt werden, wenn sie „nur sein Gewand anrühre", seinen äußersten Saum. In allem, was zu Christus gehört, gibt es Kraft. Es gibt solch eine Fülle der Gnade in Christus, dass „wir alle" aus ihr „empfangen" können (Joh 1,16).

3.2 Das große Wohlwollen Christi gegenüber dieser Frau. Er hielt seine heilenden Wirkungen nicht zurück, sondern gestattete dieser scheuen Patientin, eine Heilung zu bekommen, ohne dass es jemand sonst erfuhr, obwohl sie nicht gedacht haben konnte, dass er es nicht weiß. Jetzt war sie bereit zu gehen, denn sie hatte erhalten, weswegen sie gekommen war, doch Christus war nicht bereit, sie gehen zu lassen. Die Siege ihres Glaubens müssen zu ihrem Lob und ihrer Ehre dienen. „Jesus aber wandte sich um", um sie zu sehen **(Vers 22)**, und entdeckte sie bald. Es kann demütige Christen sehr ermutigen, zu wissen, dass diejenigen, die sich vor Menschen verbergen, Christus bekannt sind, der ins Verborgene sieht, wenn sie sich absolut heimlich an den Himmel wenden (s. Mt 6,6).

Er gab ihr durch das Wort Ermutigung in ihr Herz: „Sei getrost, meine Tochter!" Sie hatte gefürchtet, dafür zurechtgewiesen zu werden, dass sie heimlich gekommen war, doch stattdessen wurde sie ermutigt. Er nannte sie „Tochter", denn er sprach mit der Herzlichkeit eines Vaters zu ihr, wie er es bei dem Gelähmten tat (s. Vers 2), den er „Sohn" nannte. Er sagte ihr, sie solle „getrost" sein (Mut fassen). Dass er ihr sagte, sie solle „getrost" sein, brachte Trost mit sich, wie sein Spruch „sei geheilt" Gesundheit mit sich brachte.

Er ehrte ihren Glauben. Diese Gnadengabe gibt Christus mehr Ehre als alle anderen und deshalb verleiht er ihr am meisten Ehre. „Dein

Glaube hat dich gerettet!" Diese Frau hatte mehr Glauben, als sie meinte zu haben. Sie war geistlich geheilt; sie hatte die Art von Heilung empfangen, welche die passende Frucht und Wirkung des Glaubens ist, nämlich die Vergebung der Sünden und das Werk der Gnade. Ihre leibliche Heilung war die Frucht ihres Glaubens, und das machte sie zu einer wahrhaft glücklichen und tröstlichen Heilung. Die Dämonen wurden durch die souveräne Macht Christi aus den dämonisch besessenen Männern ausgetrieben; manche wurden durch den Glauben anderer geheilt (s. Vers 2). Doch in diesem Fall: „Dein Glaube hat dich gerettet!"

4. Den Zustand, in dem er das Haus des Vorstehers fand. Er sah „die Pfeifer und das Getümmel" **(Vers 23)**. Es gab viel Aktivität in dem Haus: Der Tod macht solche Arbeit, wenn er zu einer Familie kommt, und vielleicht bieten die notwendigen Pflichten, die zu einer solchen Zeit entstehen, wenn unser toter Verwandter aus unserer Sicht schicklich begraben werden muss, eine nützliche Ablenkung von dem Kummer, der dazu neigt, uns zu überwältigen und zu beherrschen. Die Leute aus der Nachbarschaft kamen zusammen, um den Verlust zu betrauern und die Eltern zu trösten und das Begräbnis vorzubereiten, was die Juden nicht lange aufschoben, und dabei anwesend zu sein. Unter ihnen waren nach der Sitte der Heiden die Musiker, um mit ihren schwermütigen Melodien den Kummer zu steigern und das Trauern derjenigen anzuregen, die bei diesem Anlass zugegen waren. Auf diese Weise gaben sie sich einer Gemütserregung hin, die von Natur aus alleine dazu neigt, ins Übermaß zu wachsen, und sie stachelten zu der Art von Kummer an, dem diejenigen ausgesetzt sind, „die keine Hoffnung haben" (1.Thess 4,13). Beachten Sie, wie der religiöse Glaube da Hilfe bietet, wo der Unglaube das bietet, was zerstört. Das Heidentum verschlimmert die Trauer, welche das Christentum zu besänftigen sucht. Die Eltern, die direkt von der Heimsuchung betroffen waren, waren stumm, während „die Pfeifer und das Getümmel", welche solches Klagen hervorriefen, solchen Lärm machten. Die lauteste Trauer ist nicht immer die größte; Flüsse sind am lautesten, wo sie seicht sind. Die Trauer, welche vermeidet, beobachtet zu werden, ist am aufrichtigsten.

5. Die Rüge, die Christus diesem Treiben und Lärm erteilte. Er sagte: „Entfernt euch!" **(Vers 24)**. Manchmal, wenn „die Betrübnis der Welt" (2.Kor 7,10) überwiegt, ist es für Christus und seinen Trost schwierig, hineinzugelangen. Diejenigen, die sich in ihrem Kummer verhärten, die wie Rahel „sich nicht trösten lassen" wollen, sollten denken, sie hören Christus zu ihren beunruhigenden Gedanken sprechen: „Entfernt euch!" Er nannte einen guten Grund, warum sie sich und andere nicht so beunruhigen sollten: „Denn das Mädchen ist nicht gestorben, sondern es schläft."

5.1 Das traf insbesondere auf dieses Mädchen zu, die gleich zum Leben erweckt werden sollte; sie war wirklich tot, doch nicht so für Christus, der bei sich wusste, was er tun wollte und tun konnte. Dieser Tod sollte nur eine kurze Zeit dauern und so war er nur ein Schlaf, wie die Nachtruhe.

5.2 In einem gewissen Sinn trifft es auf alle zu, die sterben, und hauptsächlich auf die, „die im Herrn sterben" (Offb 14,13).
Der Tod ist ein Schlaf. Alle Völker und Sprachen sind, um das abzumildern, was so furchtbar und auch so unvermeidlich ist, darin übereingekommen, es so zu nennen, um sich damit zu versöhnen. Er ist *nicht* der Schlaf *der Seele* – deren Tätigkeit hört nicht auf –, sondern der Schlaf *des Leibes*, der ruhig und still in das Grab hinabgeht. Der Schlaf ist nur ein kurzer Tod, und der Tod ist ein langer Schlaf. Besonders aber ist der Tod des Gerechten als Schlaf zu betrachten (s. Jes 57,2). Sie schlafen in Jesus (s. 1.Thess 4,14). Sie ruhen nicht nur von der Mühe und Arbeit des Tages, sie ruhen auch in Hoffnung (s. Ps 16,9; KJV), am Morgen der Auferstehung wieder zu erwachen, wenn sie erfrischt zu einem neuen Leben aufwachen werden – erwachen, um nie wieder zu schlafen.
Wenn wir dies bedenken, sollte es unseren Kummer beim Tod von unseren engen Verwandten vermindern. Sagen Sie nicht: „Sie sind verschwunden." Nein, sie sind uns nur vorangegangen. Der Apostel spricht davon, dass es absurd ist, zu glauben, dass „die in Christus Entschlafenen verloren" sind (1.Kor 15,18). Könnte man nun meinen, dass ein solch ermutigendes Wort aus dem Mund unseres Herrn Jesus so verspottet wird, wie es hier der Fall ist? „Und sie lachten ihn aus." Dass es Worte und Werke Christi gibt, die wir nicht verstehen können, ist kein Grund, sie zu verachten. Wir müssen das Geheimnis der göttlichen Aussprüche bewundern, selbst wenn sie dem zu widersprechen scheinen, wovon wir am meisten überzeugt sind. Doch selbst der Spott von den Leuten im Haus führte zur Bestätigung des Wunders, denn das Mädchen scheint so klar tot gewesen zu sein, dass es als lächerlich angesehen wurde, etwas anderes zu sagen.

6. Die Erweckung des Mädchens zum Leben durch die Macht Christi. „Als aber die Menge hinausgetrieben war" **(Vers 25)**. Spötter, die über das lachen, was sie sehen und hören, was ihnen zu hoch ist, sind keine passenden Zeugen für die wunderbaren Werke Christi, deren Herrlichkeit nicht in ihrer Zurschaustellung, sondern in ihrer Kraft liegt. Christus ging hinein und „ergriff ihre Hand", um sie sozusagen aufzuwecken und um ihr aufzuhelfen. Der Hohepriester, der ein Typus für Christus war, durfte den Toten nicht nahekommen (s. 3.Mose 21,10-11), Christus aber rührte die Toten an. Christus, der die Macht hat, die Toten zu erwecken, steht über dem schlechten Einfluss und scheut sich deshalb nicht, sie anzurühren. Er „ergriff ihre Hand; und das Mädchen stand auf". Das Wunder wurde so leicht und wirkungsvoll vollbracht – durch eine Berührung. Tote Seelen werden nicht zu geistlichem Leben erweckt, wenn nicht Christus ihre Hand ergreift. Er hilft uns auf oder wir liegen still.

7. Die allgemeine Beachtung, die diesem Wunder geschenkt wurde, obwohl es heimlich getan wurde. „Und die Nachricht hiervon verbreitete sich in jener ganzen Gegend" **(Vers 26)**: Sie war das allgemeine Gesprächsthema. Man spricht mehr über die Werke Christi, als dass man über sie nachdenkt und sie anwendet. Wir haben zwar Christi Wunder aus dieser Entfernung nicht gesehen, doch „glückselig sind, die nicht sehen und doch glauben!" (Joh 20,29).

Vers 27-34

In diesen Versen haben wir einen Bericht von zwei weiteren Wundern, die von unserem Heiland zusammen vollbracht wurden.

1. Zwei Blinden wird das Augenlicht gegeben **(s. Vers 27-31)**. Christus ist genauso die Quelle des Lichtes wie des Lebens. Beachten Sie:
1.1 Die kühnen Worte der blinden Männer zu Christus. Er kehrte aus dem Haus des Vorstehers in seine eigene Wohnung zurück und diese beiden Blinden „folgten ihm ... nach" mit ihrem unaufhörlichen Rufen, wie es Bettler tun **(s. Vers 27)**. Der Eine, der Krankheiten so leicht und so wirkungsvoll und auch so günstig heilt, wird genug Patienten haben. Beachten Sie:
Den Titel, den diese Blinden Christus gaben: „Du Sohn Davids, erbarme dich über uns!" Die David gegebene Verheißung, dass der Messias aus seiner Abstammungslinie kommen würde, war wohlbekannt. Zu dieser Zeit gab es eine allgemeine Erwartung seines Erscheinens; diese Blinden wussten, gaben zu und verkündeten in den Straßen von Kapernaum, dass er gekommen war, dass dies der Eine war. Diejenigen, die durch die Vorsehung Gottes des leiblichen Augenlichts beraubt sind, können immer noch durch die Gnade Gottes erleuchtete Augen ihres Verständnisses haben (s. Eph 1,18), um die großen Dinge Gottes zu erkennen, die „vor den Weisen und Klugen verborgen" sind (Mt 11,25).

Ihre Bitte: „Erbarme dich über uns!" Was auch immer unsere Nöte und Lasten sind, wir brauchen nie mehr als einen Anteil an der Barmherzigkeit unseres Herrn Jesus, um uns zu versorgen und zu unterstützen. Ob er uns heilt oder nicht, wenn er sich über uns erbarmt, haben wir genug. Keiner von ihnen sprach für sich: „Erbarme dich über mich"; vielmehr sprachen beide füreinander: „... erbarme dich über uns." Gemeinsam Leidende sollten gemeinschaftliche Bittsteller sein. In Christus gibt es genug für jeden.
Die Kühnheit in ihrer Bitte. Sie folgten ihm nach und riefen. Es scheint, dass er zuerst keine Notiz von ihnen genommen hat, denn er wollte ihren Glauben prüfen, von dem er wusste, dass er stark ist; er wollte ihre Gebete anregen und seine Heilung geschätzter machen, denn sie kommt nicht immer dann, wenn man zuerst darum bittet. Er möchte uns lehren, „beharrlich [treu] im Gebet" zu sein (Röm 12,12) und „allezeit zu beten und nicht nachlässig zu werden" (Lk 18,1). „Als er nun ins Haus kam, traten die Blinden zu ihm." Christi Türen sind immer offen für glaubende und kühne Bittsteller; es schien unverschämt, nach ihm in das Haus zu stürzen, wenn er sich zurückziehen wollte, doch die Freundlichkeit unseres Herrn Jesus ist derart, dass sie nicht kühner sein konnten, als sie willkommen waren.
1.2 Das Bekenntnis des Glaubens, das Christus bei diesem Anlass ihnen entlockte. Als sie um Barmherzigkeit zu ihm kamen, fragte er sie: „Glaubt ihr, dass ich dies tun kann?" Glaube ist die große Bedingung für die Gunsterweise Gottes. Diejenigen, welche die Barmherzigkeit Christi empfangen wollen, müssen fest an die Macht Christi glauben. Bei allem, was wir wollen, dass er es für uns tut, müssen wir vollkommen gewiss sein, dass er in der Lage ist, es zu tun. Die Natur kann Inbrunst hervorbringen, doch nur die Gnade kann Glauben hervorbringen. Sie hatten ihren Glauben an die Rolle Christi als „Sohn Davids" gezeigt, Glaube an seine Barmherzigkeit, doch Christus fordert auch ein Bekenntnis des Glaubens an seine Macht. „Glaubt ihr, dass ich dies ... kann?" Dies würde darauf hinauslaufen, dass sie nicht nur glauben, dass er der „Sohn Davids" ist, sondern auch der Sohn Gottes, denn es ist Gottes Vorrecht, „die Blinden sehend" zu machen (Ps 146,8). Uns wird die Frage gestellt: Glauben wir, dass Christus in der Lage ist, das für uns zu tun, was wir unbedingt brauchen? An die Macht Christi glauben, heißt nicht nur, uns von ihr zu vergewissern, sondern auch, uns ihr zu übergeben und uns in ihr zu ermutigen. Sie gaben eine unmittelbare Antwort auf diese Frage, ohne Zögern: „Ja, Herr!"
1.3 Die Heilung, die Christus bei ihnen vollbrachte: „Da rührte er ihre Augen an" **(Vers 29)**. Er heilte als Antwort auf ihren Glauben.

„Euch geschehe nach eurem Glauben!" Als sie um die Heilung baten, fragte er nach ihrem Glauben: „Glaubt ihr, dass ich dies tun kann?" **(Vers 28)**. Er fragte nicht nach ihrem Reichtum, ob sie in der Lage wären, ihn für die Heilung zu bezahlen; er übergab die Sache ihrem Glauben, und jetzt hatten sie ihren Glauben bekannt. „Die Kraft, an die ihr glaubt, wird für euch angewendet werden: ‚Euch geschehe nach eurem Glauben!'" Für wahre Gläubige ist es eine große Zusicherung, dass Christus ihren Glauben kennt und dass er Wohlgefallen an ihm hat. Selbst wenn er schwach ist, selbst wenn andere ihn nicht erkennen, selbst wenn sie selbst geneigt sind, ihn infrage zu stellen, er ist ihm immer noch bekannt. Menschen, die sich an Christus wenden, werden nach ihrem Glauben behandelt werden, nicht nach ihrer Fantasie oder nach ihrem Bekenntnis. Wahre Gläubige können sicher sein, dass sie all die Gunst finden, die im Evangelium angeboten wird. Unser Trost steigt oder fällt mit dem, wie unser Glaube stärker oder schwächer wird; wir sind in Christus nicht beschränkt, deshalb wollen wir uns selbst nicht beschränken.

1.4 Das Gebot, das er ihnen gab, es geheim zu halten: „Seht zu, dass es niemand erfährt!" **(Vers 30)**. Bei dem Guten, was wir tun, dürfen wir nicht unser eigenes Lob suchen, sondern allein die Ehre Gottes. Wir müssen uns mehr darum bemühen, nützlich zu sein als weit bekannt und darauf achten, dass es auch so bleibt (s. Spr 20,6; 25,27; Elb 06). Manche meinen, Christus zeigte darin, dass er das Wunder geheim hielt, sein Missfallen über die Menschen in Kapernaum, die so viele Wunder gesehen aber nicht geglaubt hatten. Es ist recht von Christus, denen die Mittel der Überzeugung zu verweigern, die halsstarrig in ihrer Untreue bleiben, und für die das Licht zu verhüllen, die ihre Augen vor ihm verschlossen haben. Er wollte es auch aus Umsicht geheim halten, zu seinem eigenen Schutz, denn je mehr es bekannt würde, desto eifersüchtiger würden die Herrscher der Juden auf seinen wachsenden Einfluss unter dem Volk werden. Ehre ist jedoch wie ein Schatten: Wie er vor denen flieht, die sie suchen, folgt sie denen, die vor ihr fliehen: „Sie ... machten ihn in jener ganzen Gegend bekannt" **(Vers 31)**. Man kann es zwar als mit ehrlicher Absicht für die Ehre Christi entschuldigen, doch man kann es nicht rechtfertigen, weil es gegen ein genaues Gebot getan wurde. Immer, wenn wir erklären, unser Vorhaben von der Ehre Gottes leiten zu lassen, müssen wir dafür sorgen, dass die Tat nach dem Willen Gottes geschieht.

2. Die Heilung eines stummen Mannes, der dämonisch besessen war. Beachten Sie hier:
2.1 Seinen Fall, der sehr schlimm war. Sein spezieller Fall von Stummheit wurde durch die Macht des Teufels verursacht **(s. Vers 32)**. Schauen Sie den unglückseligen Zustand dieser Welt und wie verschieden die Unglücke derer sind, die leiden! Wir haben kaum den zwei Blinden Lebewohl gesagt, da treffen wir schon einen stummen Mann. Wie dankbar sollten wir Gott für unser Augenlicht und unsere Sprache sein! Wenn der Teufel von einer Seele Besitz erlangt, wird sie gegenüber allem still gemacht, was gut ist, stumm in Gebeten und Lobpreis. Sie brachten dieses arme Wesen zu Christus, der nicht nur die willkommen hieß, die selbst in ihrem eigenen Glauben kamen, sondern auch die, die von ihren Freunden in dem Glauben anderer zu ihm gebracht wurden. Sie brachten ihn gerade da herein, als die Blinden hinausgingen. Beachten Sie, wie unermüdlich Christus sich daran machte, Gutes zu tun (s. Apg 10,38); wie eng ein gutes Werk dem anderen folgte! In ihm sind Schätze der Barmherzigkeit – wunderbarer Barmherzigkeit – verborgen; sie mögen fortwährend verteilt, können aber niemals erschöpft werden.

2.2 Seine Heilung, die plötzlich geschah: „Und nachdem der Dämon ausgetrieben war, redete der Stumme" **(Vers 33)**. Die Heilung Christi trifft die Wurzel; sie entfernt die Auswirkung, indem sie den Grund wegnimmt. Er öffnet die Lippen, indem er die Macht Satans in der Seele bricht.

2.3 Die Folgen dieser Heilung.
„*Die Volksmenge verwunderte sich*"; sie waren erstaunt; obwohl wenige glaubten, wunderten sich viele. Das Erstaunen gewöhnlicher Menschen lässt sich schneller wecken als jedes andere Gefühl.
Die Pharisäer lästerten **(s. Vers 34)**. Als sie den überzeugenden Belegen für diese Wunder nicht widersprechen konnten, sagten sie, dass ihr Urheber der Teufel war, als wären sie in Übereinstimmung und Schwindel vollbracht worden: „Durch den Obersten der Dämonen [sagten sie] treibt er die Dämonen aus!" Dies strömt nichts als Hass und Lüge und satanische Feindschaft in höchstem Maße aus. Es ist reine Teufelei. Weil die Menschen erstaunt waren, mussten die Pharisäer etwas sagen, um die Wirkung des Wunders zu verringern, und dies war alles, was sie sagen konnten.

Vers 35-38

Hier gibt es:

1. Einen Abschluss des vorangehenden Berichtes vom Predigen und den Wundern Christi. „Und Jesus durchzog alle Städte und Dörfer, lehrte ... und heilte" **(Vers 35)**. Das ist das Gleiche, was wir vorher hatten (s. Mt 4,23). Dort führt es in den ausführlicheren Bericht von Christi Predigen (s. Mt 5-7) und seinen Heilungen (s. Mt 8-9) ein; hier wird es in großartiger Weise am Ende dieser Beispiele als *quod erat demonstrandum* wiederholt, das, „was zu beweisen war", wie Mathematiker es ausdrücken – als wolle der Evangelist sagen: „Ich hoffe, ich habe nun bewiesen, dass Christus lehrte und heilte." Beachten Sie, wie Christus sich bei seinem Predigen kümmerte um:

1.1 Die armen Orte. Er besuchte nicht nur die reichen und wohlhabenden Städte, sondern auch die armen, unbedeutenden Dörfer; er predigte und heilte dort. Die Seelen derer, die in der Welt am geringsten sind, sind für Christus genauso kostbar, und sollten es für uns sein, wie die Seelen derer, die sehr bedeutend sind.

1.2 Den öffentlichen Gottesdienst. Er lehrte „in ihren Synagogen", sodass er bei ihren geheiligten Zusammenkünften Zeugnis geben konnte und die Gelegenheit hatte, dort zu predigen, wo die Menschen mit der Erwartung zu hören versammelt waren.

2. Eine Einführung für den Bericht im folgenden Kapitel über seine Aussendung der Apostel. Er sah „die Volksmenge" **(Vers 36)**, nicht nur die Massen, die ihm folgten, sondern auch die ungeheure Zahl von Menschen, mit der er, als er hindurchzog, das Land bevölkert sah. Dieses Volk war nun so zahlreich geworden, und dies war die Wirkung des Segens Gottes über Abraham.

2.1 Er hatte Mitleid mit ihnen und kümmerte sich um sie. Er „empfand ... Mitleid mit ihnen" **(Vers 36)**, nicht aus *irdischen* Gründen, wie er mit den Blinden, Gelähmten und Kranken Mitleid hatte, sondern aus *geistlichen* Gründen; er war besorgt, als er sah, dass sie unwissend und gleichgültig waren und kurz davor standen, aus Mangel an Offenbarung umzukommen (s. Spr 29,18). Es war das Mitleid mit Seelen, was ihn vom Himmel auf die Erde und dann an das Kreuz brachte. Christus bemitleidet die am meisten, die sich selbst am wenigsten bemitleiden; und so sollten wir handeln. Schauen Sie, was ihn zum Mitleid bewegte:

Sie waren „ermattet". Sie waren geplagt, gequält, in Unruhe und ermüdet. Sie waren geistlich hilflos und es war niemand vorhanden, der ihnen helfen konnte. Die Gesetzeslehrer und Pharisäer füllten sie mit nutzlosen Gedanken. Deshalb waren sie „ermattet", denn was kann es für geistliche Gesundheit, Leben und Vitalität in Seelen geben, denen Hülsen und Asche statt „das Brot des Lebens" zu essen gegeben wird (s. Joh 6,35.48)?

Sie waren vernachlässigt „wie Schafe, die keinen Hirten haben". Kein Wesen neigt mehr dazu, vom Weg abzukommen, und keines ist mehr hilflos, untüchtig und preisgegeben oder mehr abgeneigt, den Weg nach Hause zu gehen, wenn es in die Irre gegangen ist: Sündige Seelen sind wie verlorene Schafe; sie brauchen die Fürsorge von Hirten, um sie zurückzubringen. Die Situation dieser Menschen, die entweder überhaupt keine geistlichen Diener haben oder geistliche Diener, die so schlecht sind wie keine, ist sehr bedauernswert; sie suchen ihre eigenen Dinge, nicht die Dinge Christi.

2.2 Er regte seine Jünger an, für sie zu beten. Es scheint, dass er bei dieser Gelegenheit, bevor er seine Apostel aussandte, selbst ein großes Maß an Zeit im Gebet verbrachte (s. Lk 6,12-13). Wir sollten für die beten, für die wir Mitleid haben. Christus betete für seine Jünger und sagte ihnen dann:

Wie die Situation aussah: „Die Ernte ist groß, aber es sind wenige Arbeiter." Es gab eine große Menge Arbeit, die getan werden musste, und eine große Menge Gutes, das möglich war zu tun, doch es fehlten Hände, es zu tun. Es war eine Ermutigung, dass die Ernte so groß war. Es war nicht seltsam, dass es Mengen gab, die Unterweisung brauchten; was aber wirklich ungewöhnlich war – und es jetzt immer noch ist –, war, dass diejenigen, die sie brauchten, nach ihr verlangten. Es ist gut zu sehen, dass die Menschen gutes Predigen lieben. Die Täler bedecken sich dann mit Korn (s. Ps 65,14) und es gibt die Hoffnung, dass es gut eingebracht werden kann. Ein Erntetag sollte ein geschäftiger Tag sein. Es war sehr schade, dass es nur so wenige Arbeiter geben würde, dass das Korn aus Mangel an Schnittern auf dem Grund verderben und verrotten würde; es gab viele Herumtreiber, aber sehr wenige Arbeiter.

Was ihre Pflicht in dieser Situation war: „Darum bittet den Herrn der Ernte, dass er Arbeiter in seine Ernte aussende!" **(Vers 38)**. Wenn die Dinge entmutigend aussehen, sollten wir mehr beten, dann würden wir uns weniger beklagen und fürchten.

Gott ist der Herr der Ernte; „... mein Vater ist der Weingärtner" (Joh 15,1). Für ihn und zu ihm und als Dienst an ihm und zu seiner Ehre ist es, dass „die Ernte" eingebracht wird. Diejenigen, die sich wünschen, dass die Ernte gut verläuft, werden durch das Wissen sehr ermutigt, dass sie von Gott selbst gelenkt wird, der zuverlässig alles zum Besten lenkt.

Geistliche Diener sind und sollten Arbeiter in Gottes Ernte sein; der Dienst ist eine Arbeit und muss entsprechend ausgeführt werden; er ist Erntearbeit, was eine notwendige Arbeit ist, Arbeit, die es erfordert, dass alles zu seiner Zeit getan wird, und die Fleiß erfordert, um sie völlig zu tun. Es ist auch eine angenehme Arbeit, die Arbeiter „werden mit Freuden ernten" (Ps 126,5), und die Freude der Prediger des Evangeliums ist mit der Freude „in der Ernte" zu vergleichen (Jes 9,2). „Wer erntet, der empfängt Lohn" (Joh 4,36); „der Lohn der Arbeiter", die Gottes Feld abernten, wird nicht „zurückbehalten" werden (Jak 5,4). Es ist Gottes Werk, Arbeiter zu senden. Christus gibt geistliche Diener (s. Eph 4,11); er setzt sie ein, er befähigt sie und beruft sie. Alle, die Christus und Seelen lieben, sollten dies durch inbrünstiges Beten zu Gott zeigen, besonders, wenn „die Ernte ... groß" ist, dass er mehr begabte, treue, weise und hart arbeitende „Arbeiter in seine Ernte aussende". Christus wies seine Freunde an, dies zu beten, gerade bevor er Apostel aussandte, um in der Ernte zu arbeiten. Beachten Sie auch, dass Christus dies zu seinen Jüngern sagte, die als Arbeiter eingesetzt werden sollten. Sie müssen beten, dass Gott sie aussenden möge. „Hier bin ich, sende mich!" (Jes 6,8). Aufträge, die als Antwort auf Gebet gegeben werden, sind höchstwahrscheinlich erfolgreich; Paulus ist ein „auserwähltes Werkzeug", „denn siehe, er betet" (Apg 9,11.15).

KAPITEL 10

Dieses Kapitel ist eine Ordinationspredigt, die unser Herr Jesus Christus hielt, als er seine zwölf Jünger in die Stellung und die Position von Aposteln erhöhte. Hier haben wir: 1. Den allgemeinen Auftrag, der ihnen gegeben wird (s. Vers 1). 2. Die Namen der Leute, denen dieser Auftrag gegeben wurde (s. Vers 2-4). 3. Die Weisungen, die ihnen gegeben wurden, die sehr ausführlich waren. 3.1 Bezüglich der Dienste, die sie tun sollten: ihr Predigen, ihr Vollbringen von Wundern, zu wem sie gehen müssen, wie sie sich verhalten müssen und welche Methode sie anwenden müssen (s. Vers 5-15). 3.2 Bezüglich der Leiden, die sie erleben würden. Ihnen wurde gesagt, was sie erleiden würden und durch wen; ihnen wurde geraten, welchem Weg sie folgen sollten, wenn sie verfolgt werden, und sie bekamen Ermutigungen, ihr Leiden fröhlich zu tragen (s. Vers 16-42).

Vers 1-4

Uns wird hier gesagt:

1. Wen Christus als seine Apostel oder Botschafter bestimmte; es waren seine Jünger **(s. Vers 1)**. Er hatte sie einige Zeit vorher berufen, seine Jünger zu sein, und er sagte ihnen da, dass sie „zu Menschenfischern" gemacht werden würden (Mt 4,19), eine Verheißung, die er nun erfüllte. Christus schenkt Ehren und Wirkungen der Gnade oft schrittweise. Christus hatte diese zwölf Jünger die ganze Zeit gehalten in:

1.1 Einer Phase der Prüfung. Obwohl er weiß, wie die Menschen sind, obwohl er von Beginn an wusste, was in ihnen war (s. Joh 6,70), benutzte er immer noch dieses Verfahren, um seiner Gemeinde ein Beispiel zu geben. Weil der Dienst eine große Verantwortung ist, ist es richtig, dass Menschen eine Zeit lang geprüft werden, bevor sie mit ihm betraut werden.

1.2 Einer Phase der Schulung. Diese ganze Zeit hat er sie auf dieses große Werk vorbereitet. Er bereitete sie vor:

Indem er sie nahm, dass sie bei ihm seien. Die beste Vorbereitung für das Werk des Dienstes ist Freundschaft und Gemeinschaft mit Christus. Wenn jemand Christus dienen will, muss er bei ihm sein (s. Joh 12,26). Bei Paulus wurde Christus nicht nur ihm, sondern auch in ihm offenbart, ehe er ging, um unter den Heiden zu predigen (s. Gal 1,16).

Indem er sie lehrte; sie waren als seine Studenten oder Schüler bei ihm. Er öffnete ihnen das Herz und öffnete ihnen das Verständnis (s. Lk 24,32.45), um die Bedeutung der Schriften zu erkennen: Ihnen war es gegeben, „die Geheimnisse des Reiches der Himmel zu verstehen" (Mt 13,11), und ihnen wurden sie verständlich gemacht. Diejenigen, die Lehrer werden wollen, müssen zuerst Lernende werden; sie müssen empfangen, damit sie geben können. Christus lehrte seine Jünger, bevor er sie aussandte (s. Mt 5,2), und später, als er ihren Auftrag erweiterte, gab er ihnen genauere Weisungen (s. Apg 1,3).

2. Welchen Auftrag er ihnen gab.

2.1 Er rief sie zu sich **(s. Vers 1)**. Vorher hatte er sie berufen, ihm nachzufolgen; jetzt rief er sie zu sich. Er gestattete ihnen eine größere Vertrautheit mit sich. Den Priestern unter dem Gesetz wurde gesagt, sie sollten sich „Gott nahen" (s. 1.Sam 14,36) und herzunahen (s. 3.Mose 21,17-18), näher als das Volk; das Gleiche kann man über die Diener am Evangelium sagen: Sie sind berufen, sich Christus zu nahen. Es ist bezeichnend, dass die Jünger, als sie unterwiesen werden sollten, aus eigenem Antrieb zu ihm kamen (s. Mt 5,1). Jetzt aber, als sie eingesetzt werden sollten, rief er sie. Für Jünger Christi ist es gut, eifriger im Lernen zu sein als im Lehren. Wir müssen auf einen Ruf, einen eindeutigen Ruf warten, ehe wir die Verantwortung auf uns nehmen, andere zu lehren.

2.2 Er gab ihnen Kraft, Vollmacht in seinem Namen, um Menschen zum Gehorsam zu rufen, und um diese Vollmacht zu bestätigen, gab er ihnen auch die Vollmacht, Dämonen zur Unterwerfung zu rufen. Jede rechtmäßige Vollmacht wird von Jesus Christus erhalten. Ihm ist alle Gewalt ohne Einschränkung gegeben (s. Joh 3,34). Er legt etwas von seiner Ehre auf seine Diener, wie Mose etwas von seiner auf Josua legte. Er gab ihnen Macht „über die unreinen Geister" und über „jede Krankheit und jedes Gebrechen". Die Absicht des Evangeliums war, den Teufel zu besiegen und die Welt zu heilen.

Er gab ihnen Macht über böse Geister, um sie auszutreiben. Die Macht, die den Dienern Christi übergeben wurde, zielt direkt gegen den Teufel und sein Reich. Christus gab ihnen Macht, ihn aus den Leibern von Menschen auszutreiben, doch das sollte die Zerstörung seines geistlichen Reiches und aller Werke des Teufels zeigen, was der Grund war, warum „der Sohn Gottes erschienen" ist (1.Joh 3,8).

Er gab ihnen Macht, „jede Krankheit und jedes Gebrechen" zu heilen. Er bevollmächtigte sie, Wunder zu vollbringen, um ihre Lehre zu bestätigen, zu beweisen, dass sie von Gott kam, zu beweisen, dass sie nicht nur glaubwürdig ist, sondern auch „aller Annahme wert" (1.Tim 1,15), dass es die Absicht des Evangeliums ist, zu heilen und zu retten. Der Zweck vieler Wunder von Mose war Zerstörung, aber die Wunder, die Christus vollbrachte, und diejenigen, zu denen er seine Apostel berief, sie zu bewirken, bewiesen, dass er nicht nur der große Lehrer und Herrscher der Welt ist, sondern auch ihr Erlöser. Sie sollten „jede Krankheit und jedes Gebrechen" ohne Ausnahme heilen, sogar solche, die als unheilbar und als die Schmach der Ärzte angesehen wurden. In der Gnade des Evangeliums gibt es Lotion für jede Wunde, eine Arznei für jede Krankheit. Es gibt keine geistliche Krankheit, die so bösartig, so verhärtet wäre, dass es nicht genügend Mittel in der Macht Christi gäbe, um sie zu heilen. Deshalb möge niemand sagen, dass es keine Hoffnung gibt oder dass der Bruch so weit ist wie das Meer und deshalb nicht geheilt werden kann.

3. Die Zahl und die Namen derer, die beauftragt wurden; sie wurden zu Aposteln gemacht, das heißt, zu Boten. Engel und Apostel meinen die gleiche Sache – „jemand, der auf einen Botengang geschickt wird; ein Botschafter". Alle treuen geistlichen Diener sind von Christus gesandt, diejenigen aber, die zuerst und direkt von ihm ausgesandt wurden, werden bemerkenswerterweise Apostel genannt, die obersten Staatsdiener in seinem Reich. Christus wird selbst ein Apostel genannt (s. Hebr 3,1). Denn er wurde vom Vater gesandt und sandte deshalb sie (s. Joh 20,21). Die Propheten wurden Gottes Boten (s. 2.Chr 36,16; Jes 42,19; Hag 1,13; Mal 3,1).

3.1 Ihre Zahl war zwölf, ein Bezug auf die zwölf Stämme Israels. Die Gemeinde des Evangeliums muss das Israel Gottes sein; die Juden müssen zuerst hier hinein eingeladen werden; die Apostel müssen geistliche Väter sein, um Christus Nachkommen zu erzeugen (s. Ps 22,31; Jes 53,10). Das Israel nach dem Fleisch sollte für seine Treulosigkeit verworfen werden; diese zwölf waren deshalb eingesetzt, um Väter eines anderen Israel zu sein. Diese zwölf sollten durch ihre Lehre die zwölf Stämme Israels richten (s. Lk 22,30). Dies war jene berühmte Gruppe von Geschworenen – und um daraus ein „großes Geschworenengericht" zu machen, wurde ihr Paulus hinzugefügt –, die zusammengestellt wurde, um die Rechtssache zwischen dem König der Könige und dem Menschengeschlecht zu untersuchen.

3.2 Ihre Namen sind hier niedergeschrieben, und das gereicht ihnen zur Ehre, doch sie hatten mehr Grund, sich darüber zu freuen, dass ihre „Namen im Himmel geschrieben sind" (Lk 10,20).

Von einigen dieser zwölf Apostel wissen wir aus der Schrift nicht mehr als ihre Namen, wie Bartholomäus und Simon der Kananiter (der Zelot). Alle guten geistlichen Diener Christi sind nicht gleich berühmt, noch werden ihre Taten in gleicher Weise gefeiert.

Sie werden in Zweiergruppen angeführt, denn ursprünglich wurden sie in Zweiergruppen ausgesandt, denn „es ist besser, dass man zu zweit ist als allein" (Pred 4,9); sie können füreinander nützlich sein und zusammen nützlicher für Christus und für Seelen; was einer vergisst, daran wird der andere denken. Drei Zweiergruppen waren Brüder: Petrus und Andreas, Jakobus und Johannes und der andere Jakobus und Lebbäus (Thaddäus). Es ist vorzüglich, wenn natürliche Brüder Brüder in der Gnade sind, diese beiden Bande stärken einander.

Petrus wird als Erster genannt, weil er als Erster berufen wurde oder weil er der Vorlauteste von ihnen war, der sich immer zum Wortführer der anderen machte. Dies gab ihm aber keine Autorität über die anderen Apostel noch war es das leiseste Anzeichen irgendeines Supremats, das ihm entweder gegeben oder jemals von ihm in diesem heiligen Kollegium beansprucht wurde.

Matthäus, der Schreiber dieses Evangeliums, wird hier mit Thomas verbunden **(s. Vers 3)**, hier weicht aber der Bericht von Matthäus in zwei Aspekten von denen von Markus und Lukas ab (vgl. Mk 3,18; Lk 6,15). Die letzteren beiden nennen Matthäus zuerst, in Matthäus' eigener Liste wird Thomas zuerst genannt. Für die Jünger Christi ist es gut, andere mehr als sich selbst zu ehren. Von Markus und Lukas wird er nur Matthäus genannt, hier aber Matthäus „der Zöllner". Es ist für diejenigen, die mit Christus zu Ehre gelangt sind, gut, auf den Felsen zu schauen, aus dem sie gehauen sind (s. Jes 51,1), oft daran zu denken, was sie waren, bevor Christus sie berief, damit die göttliche Gnade mehr verherrlicht werden kann. Matthäus der Apostel war Matthäus der Zöllner.

Simon wird „der Kananiter" genannt oder Simon der Zelot.

Judas Ischariot wird immer als Letzter genannt und mit diesem dunklen Mal an seinem Namen „der ihn auch verriet". Es hat solche Flecken bei unseren Liebesmahlen gegeben, Unkraut unter dem Weizen, Wölfe zwischen den Schafen, doch es kommt ein Tag der Enthüllung und Trennung, an dem die Heuchler demaskiert und fallengelassen werden.

Vers 5-15

Hier sind die Anweisungen, die Christus seinen Jüngern gab, als er sie beauftragte. Er „gebot ihnen" dies. Christus gebot mit diesen Anordnungen einen Segen (s. Ps 133,3). Beachten Sie.

1. Die Menschen, zu denen er sie sandte.

1.1 Nicht zu den Heiden und den Samaritern. Sie dürfen sich „nicht auf die Straße der Heiden" begeben. Was die Samariter anbetrifft, so lag ihr Land zwischen Juda und Galiläa, und so konnten es die Apostel nicht vermeiden, auf die Straße der Samariter zu gehen, doch sie durften „keine Stadt der Samariter" betreten. Diese Beschränkung galt nur bei ihrem ersten Auftrag für sie; später waren sie dazu berufen, in die ganze Welt zu gehen und „alle Völker" zu lehren (s. Mt 28,19).

1.2 „Geht vielmehr zu den verlorenen Schafen des Hauses Israel." Das erste Angebot des Heils muss den Juden gemacht werden (s. Apg 3,26). Christus hatte eine besondere und sehr zärtliche Sorge für das Haus Israel. Er betrachtete sie mit Mitleid als verlorene Schafe (s. Mt 9,36), die er, als der Hirte, aus den Nebenwegen der Sünde und den Irrtümern herausholen musste, auf die sie in die Irre gegangen waren und auf denen sie, wenn sie nicht zurückgebracht werden würden, ohne Ende umherwandern würden. Christus gab diese Beschreibung von den Leuten, zu denen die Apostel gesandt wurden, um sie zu Fleiß in ihrer Arbeit anzuspornen. Sie wurden zu dem Haus Israel gesandt – zu dem sie vor Kurzem selbst gehört hatten –, bei dem sie nicht anders konnten, als es zu bedauern und ihm helfen zu wollen.

2. Das Werk der Predigt, das er ihnen bestimmte. Er sandte sie nicht ohne Auftrag aus; nein: „Geht aber hin, verkündigt und sprecht" **(Vers 7)**. Sie sollten den Anfang des Evangeliums verkünden (s. Mk 1,1) und sagen: „Das Reich der Himmel ist nahe herbeigekommen!" (vgl. Mk 1,15). Nicht, dass sie nichts anderes sagen dürfen, doch dies muss ihr Test sein; sie müssen über dieses Thema sprechen. Es heißt, „sie gingen und verkündigten, man solle Buße tun" (Mk 6,12), was der richtige Gebrauch und die passende Anwendung dieser Botschaft über das Kommen des Reiches der Himmel war. Die Predigt dieser Botschaft war wie das Kommen des Morgenlichts, um das Herannahen der aufgehenden Sonne anzukündigen. Diese Botschaft erklärte, dass das Heil nahe war, „denen nahe, die ihn fürchten ... Gnade und Wahrheit sind einander begegnet" (Ps 85,10-11), das heißt, „das Reich der Himmel ist nahe herbeigekommen", nicht so sehr die persönliche Gegenwart des Königs – das war es nicht, dem sie sich weihen sollten –, sondern ein geistliches Reich, das im menschlichen Herzen errichtet wird, wenn Christi leibliche Gegenwart fortgenommen ist. Dies war die gleiche Botschaft, die Johannes der Täufer und Christus vorher gepredigt hatten. Die Menschen brauchen es, dass man ihnen immer wieder gute Wahrheiten aufdrängt, und wenn sie mit neuer Gemütsbewegung gepredigt und gehört werden, kommen sie von Neuem zu uns. Es muss immer noch ein Reich der Herrlichkeit sein, und wir müssen darüber als etwas sprechen, was nahe ist und versuchen, die Menschen dazu zu bewegen, das sorgfältig zu bedenken.

3. Die Macht, die er ihnen gab, Wunder zu vollbringen, um ihre Lehre zu bestätigen **(s. Vers 8)**. Als er sie sandte, um die gleiche Lehre zu predigen, die er gepredigt hatte, gab er ihnen die Macht, sie durch die gleichen göttlichen Siegel zu bestätigen, die niemals lügen können. Dies ist nicht nötig, jetzt, wo das Reich Gottes gekommen ist; jetzt nach Wundern zu rufen, heißt, noch einmal den Grund zu legen, wenn das Gebäude bereits gebaut ist (s. 1.Kor 3,11). Ihnen wird hier gesagt:

3.1 Dass sie ihre Macht benutzen sollen, um Gutes zu tun: „Heilt Kranke, reinigt Aussätzige." Sie waren als öffentlicher Segen ausgesandt, um der Welt zu zeigen, dass Liebe und Güte der Geist und das Herz des Evangeliums sind, welches sie zu predigen kamen, und des Reiches, das sie errichten sollten. Dies zeigt, dass sie Diener des Gottes waren, der gut ist und Gutes tut und dessen Barmherzigkeit „über allen seinen Werken" waltet (Ps 145,9). Wir lesen nichts davon, dass sie vor der Auferstehung Christi jemanden zum Leben erweckten, doch sie waren behilflich dabei, viele zum geistlichen Leben zu erwecken.

3.2 Dass sie umsonst Gutes tun sollen: „Umsonst habt ihr es empfangen, umsonst gebt es!" Sie mussten umsonst heilen, um weiter die Natur des Reiches des Evangeliums zu zeigen, dass sich nicht nur aus Gnade zusammensetzt, sondern aus freier Gnade. Der Grund ist: „Umsonst habt ihr es empfangen." Die Erwägung, dass Christus uns umsonst Gutes getan hat, sollte uns freimütig machen, anderen Gutes zu tun.

4. Die Vorkehrung, die von ihnen bei diesem Auftrag getroffen werden muss. Dazu gilt:

4.1 Sie dürfen selber keine Vorkehrungen hierfür treffen: „Nehmt weder Gold noch Silber" **(Vers 9)**. So, wie sie einerseits nicht ihren Besitz durch ihre Arbeit vergrößern sollen, dürfen sie andererseits nicht das wenige von ihrem Besitz, das sie haben, dafür ausgeben. Christus wollte sie lehren:

Nach der Anleitung menschlicher Weisheit zu

handeln. Sie sollten jetzt nur eine kurze Reise machen, warum sollten sie sich also mit dem belasten, was sie nicht brauchen würden?

In Abhängigkeit von der göttlichen Vorsehung zu handeln. Sie müssen gelehrt werden zu leben, ohne sich um ihr Leben zu ängstigen (s. Mt 6,25). Diejenigen, die sich an Christi Auftrag halten, haben von allen Menschen am meisten Grund, ihm für das Essen zu vertrauen, das sie brauchen. Die angestellten Diener Christi werden „Brot im Überfluss" haben (Lk 15,17); solange wir Gott und unserer Pflicht treu bleiben und darauf bedacht sind, unsere Arbeit gut zu tun, können wir alle anderen Sorgen auf Gott werfen (s. 1.Petr 5,7).

4.2 Sie sollten erwarten, dass diejenigen, zu denen sie gesandt waren, sie mit dem versorgen würden, was nötig war **(s. Vers 10)**. Sie durften nicht erwarten, durch Wunder ernährt zu werden, wie es bei Elia war (s. 1.Kön 17,4-6), doch sie konnten sich auf Gott verlassen, dass er die Herzen von denjenigen geneigt macht, zu denen sie kamen, dass sie freundlich zu ihnen sind und sie versorgen. Geistliche Diener sind und müssen Arbeiter sein, Werktätige, und sie sind ihren Unterhalt wert. Christus möchte, dass seine Jünger nicht ihrem Gott misstrauen und nicht ihren Landsleuten so sehr misstrauen, dass sie anzweifeln, dass reichlich für sie gesorgt werden wird. „Wenn ihr ihnen predigt und versucht, ihnen Gutes zu tun, werden sie euch sicherlich genug Essen und Trinken für eure Bedürfnisse geben, und wenn sie es tun, verlangt nie nach Luxus; Gott wird euch euren Lohn später bezahlen, und sie werden ihn inzwischen anhäufen."

5. Das Verfahren, das sie bei ihrem Verhalten an jedem Ort beachten sollten **(s. Vers 11-15):**

5.1 Ihnen wird hier gesagt, wie sie sich denen gegenüber verhalten sollen, die für sie Fremde sind.

In fremden Städten und Dörfern: „Wo ihr aber in eine Stadt oder in ein Dorf hineingeht, da erkundigt euch, wer es darin wert ist."

Es wurde vorausgesetzt, dass es an jedem Ort einige gab, die mehr als andere geneigt waren, das Evangelium und seine Prediger anzunehmen. Wir dürfen in den schlimmsten Zeiten und an den schlimmsten Orten wohlwollend hoffen, dass es einige gibt, die gegen den Strom schwimmen, die wie Weizen unter der Spreu sind (s. Mt 3,12). Es gab Heilige in Neros Haus (s. Phil 4,22). „Erkundigt euch, wer würdig ist, wen es dort gibt, der etwas Gottesfurcht im Herzen hat." Vorrangige Neigungen zu dem, was gut ist, sind für geistliche Diener in ihrem Umgang mit Menschen sowohl Weisung als auch Ermutigung. Es besteht größte Hoffnung, dass das Wort bei denen einträglich ist, die bereits wohlgesonnen sind, für die es deshalb annehmbar ist; und einen solchen Menschen findet man hier und dort.

Sie müssen sich solche Menschen aussuchen, nicht nach den besten Gasthäusern fragen. Öffentliche Häuser waren keine passenden Plätze für sie, da sie weder Geld bei sich hatten **(s. Vers 9)**, noch erwarteten, welches zu bekommen **(s. Vers 8)**. Stattdessen müssen sie Versorgung in privaten Häusern suchen, bei denen, die sie freundschaftlich aufnehmen, und für diese Gastfreundschaft durften die Gastgeber keine andere Belohnung erwarten als den Lohn eines Propheten (s. Vers 41), den Lohn eines Apostels, ihr Gebet und ihre Predigt. Diejenigen, die das Evangelium empfangen, dürfen weder seine Kosten beklagen noch sich in dieser Welt einen Gewinn daraus versprechen. Wo immer die Jünger Christi hinkamen, sollten sie nach den guten Menschen an dem Ort fragen und sie kennenlernen. Wenn wir Gott als unseren Gott annehmen, nehmen wir seine Leute als unsere Leute an, und gleich und gleich gesellt sich gern. Wenn sie sich erkundigten, wer würdig war, so bedeutete dies, dass sie in der Lage sein würden, ihn zu finden. Jeder konnte ihnen sagen, wo ein ehrlicher, nüchterner, guter Mensch lebt, denn dies ist eine Eigenschaft, die, wie Öl an der rechten Hand (vgl. Spr 27,16), sich selbst offenbart und das Haus mit seinem Wohlgeruch erfüllt.

Sie müssen im Haus derer bleiben, die sie als würdig erfunden haben. Menschen, die oft ihren Wohnort wechseln, werden zu Recht verdächtigt, falsche Absichten zu haben. Es ist gut für die Jünger Christi, das Beste aus der gegenwärtigen Situation zu machen und nicht ständig wegen jeder Abneigung und Unannehmlichkeit wegzugehen.

In den Häusern dieser Städte und Dörfer. Wenn sie das Haus eines Menschen gefunden hatten, den sie für würdig erachteten, müssen sie es bei ihrem Eintritt grüßen. „Seid offen und höflich zu den Menschen, Grüßt die Familie:" *„Um so zu einem weiteren Gespräch zu kommen und so eure Botschaft einzuführen."* Von gewöhnlichen Gesprächsthemen können wir unmerklich darauf kommen, darüber zu sprechen, was gut ist, andere zu erbauen (s. Eph 4,29).

„Um zu sehen, ob ihr willkommen seid oder nicht. Diejenigen, die euren Gruß nicht freundlich annehmen werden, werden eure Botschaft nicht freundlich aufnehmen."

„Um sie zu einer guten Meinung von euch zu bringen. Grüßt die Familie, damit sie sehen, dass ihr, obwohl ihr ernsthaft seid, nicht unglücklich seid." Die Religion lehrt uns, freundlich und zuvorkommend gegenüber jedem zu sein, mit dem wir es zu tun haben. Die Weisung an die Apostel erforderte, dass sie, wenn sie in ein Haus kamen, ihm nicht gebieten durften, sondern es grüßen mussten; denn „um der

Liebe willen, vielmehr eine Bitte" auszusprechen (auf der Grundlage der Liebe zu appellieren), ist der Weg des Evangeliums (Phlm 1,9). Seelen werden zuerst „mit menschlichen Banden" zu Christus gezogen und dann von ihm „mit Seilen der Liebe" gehalten (Hos 11,4).

Wenn sie die Familie in frommer Weise gegrüßt hatten, müssen sie die Familie anhand ihrer Antwort beurteilen. „Und wenn das Haus es wert ist, so komme euer Friede über dasselbe" **(Vers 13)**. Es scheint, dass es, nachdem sie sich erkundigt hatten, wer es wert ist **(s. Vers 11)**, möglich war, dass sie vielleicht zu Leuten kommen konnten, die unwürdig waren. Wenn es auch weise ist, auf den allgemeinen Leumund und die übliche Meinung zu hören, so ist es doch auch töricht, sich darauf zu verlassen; wir sollten selbst schauen und mit Umsicht urteilen. Diese Regel hatte nun die Absicht:

Den Aposteln Gewissheit zu geben. Der übliche Gruß war: „Friede sei mit euch." Christus sagte ihnen, dass dieses Gebet des Evangeliums – denn das war es, zu was es nun geworden war – allen angeboten werden würde, so wie das Angebot des Evangeliums allen allgemein gemacht wurde, und dass sie es Gott überlassen sollten, das Gebet zu beantworten. „Wenn es das Haus wert ist, wird es die Wohltat aus eurem Segen ernten. Wenn es das nicht ist, ist nichts Schlimmes passiert; ihr werdet seine Wohltat nicht verlieren: er wird ,wieder zu euch zurückkehren'." Für uns ziemt es sich, alle nachsichtig zu beurteilen, für alle von Herzen zu beten und uns allen gegenüber höflich zu verhalten, denn das ist unsere Verpflichtung.

Sie zu führen. „Wenn sich durch euren Gruß zeigt, dass sie wirklich würdig sind, schenkt ihnen mehr von eurer Gesellschaft, und ,so komme euer Friede über dasselbe'; predigt ihnen das Evangelium, Frieden durch Jesus Christus. Wenn aber nicht, wenn sie euch grob behandeln und ihre Tür vor euch verschließen, ,soll euer Friede', soweit es an euch liegt (s. Röm 12,18), ,wieder zu euch zurückkehren'. Nehmt zurück, was ihr gesagt habt, und kehrt ihnen den Rücken zu." Großer Segen wird oft durch eine scheinbar kleine und unbedeutende Nachlässigkeit verloren.

5.2 Hier wird ihnen gesagt, wie sie sich gegenüber denen verhalten sollen, die sie ablehnen. Christus nimmt den Fall derer an, die sie „nicht aufnehmen noch auf eure Worte hören" werden **(Vers 14)**. Es würde jene geben, die sie beleidigen und ihnen und ihrer Botschaft Verachtung zeigen. Die besten und mächtigsten Prediger müssen erwarten, auf einige Leute zu treffen, die sie nicht einmal hören oder ihnen irgendein Zeichen des Respekts erweisen wollen. Bei vielen Menschen stößt selbst der „Jubelschall" auf taube Ohren (Ps 89,16). Verachtung des Evangeliums und seiner geistlichen Diener gehen oft miteinander einher, und beides davon wird als Verachtung Christi ausgelegt und entsprechend beurteilt werden. In dieser Situation haben wir:

Die Weisungen, die den Aposteln gegeben werden; sie müssen von diesem Haus oder aus dieser Stadt fortgehen. Das Evangelium wird nicht lange auf die warten, die es von sich weisen. Wenn die Apostel fortgingen, sollten sie den Staub von ihren Füßen schütteln aus Abscheu über die Bosheit des Ortes. Sie dürfen nicht einmal den Staub dieser Stadt mit sich fortnehmen. Es war auch eine Proklamation des Zorns gegen ihre Einwohner. Es sollte zeigen, dass Gott sie abschütteln würde. Diejenigen, die Gott und sein Evangelium verschmähen, werden „auch verachtet werden" (1.Sam 2,30).

Die Verdammnis, die über solch halsstarrige Gegner kommt **(s. Vers 15)**. „Es wird dem Land Sodom ... erträglicher gehen am Tag des Gerichts", so böse dieser Ort auch war. Diejenigen, welche die Botschaft nicht hören wollen, die sie retten würde, werden das Urteil hören müssen, das sie verderben wird. Es gibt verschiedene Stufen von Strafen an diesem Tag. Sodom und Gomorra waren sehr böse (s. 1.Mose 13,13), und was das Maß ihrer Sünden vollmachte (vgl. 1.Mose 15,16; Mt 23,32), war, dass sie die Engel nicht aufnahmen, die zu ihnen gesandt wurden, sondern sie grausam behandelten (s. 1.Mose 19,4-5) und nicht auf ihre Worte hörten **(s. Vers 14)**. Es wird ihnen jedoch erträglicher ergehen als denen, welche die geistlichen Diener Christi nicht aufnehmen und die nicht auf ihre Worte hören. „Sohn, bedenke" (Lk 16,25), wird denen äußerst schrecklich in den Ohren klingen, denen ein deutliches Angebot des ewigen Lebens gemacht wurde, die aber stattdessen den Tod wählten.

Vers 16-42

Alle diese Verse beziehen sich auf das Leid der geistlichen Diener Christi in ihrer Arbeit, welches sie hier gelehrt wurden, dass sie es erwarten und sich darauf vorbereiten müssen. Ihnen wird auch gesagt, wie es wie es ertragen und mitten darin mit ihrer Arbeit fortfahren können. Dieser Teil der Predigt blickt weiter als auf ihren gegenwärtigen Auftrag. Sie wurden hier vor den Schwierigkeiten gewarnt, die ihnen begegnen würden, wenn ihr Auftrag nach der Auferstehung Christi ausgeweitet werden würde. Christus sagte ihnen, dass sie sogar größeres Leid erwarten müssten als das, wozu sie vorher berufen worden waren. Es ist gut, wenn uns gesagt wird, auf was für Schwierigkeiten wir in der Zukunft treffen können, damit wir für sie entsprechend vorsorgen können und uns nicht rühmen, als hätten wir das Schwert abgelegt, wenn wir es nur gerade anlegen (s. 1.Kön 20,11). Hier haben wir auf der einen Seite Weissagungen von Schwierigkeiten eingewoben und auf der anderen Seite diesbezüglich Ratschläge und Zusagen der Gewissheit.

1. Wir haben die Weissagung von Schwierigkeiten, denen die Jünger in ihrer Arbeit gegenüberstehen werden. Christus sah ihr Leiden genauso wie sein eigenes voraus, aber dennoch wollte er, dass sie weitermachen, wie er selbst es tat. Er sagte ihnen diese Schwierigkeiten nicht nur deshalb voraus, damit sie nicht überraschend für sie kommen und so ihren Glauben erschüttern würden, sondern auch, damit diese Schwierigkeiten, da sie die Erfüllung einer Weissagung sind, ihren Glauben kräftigen würden. Er sagte ihnen, was sie erleiden würden und durch wen.

1.1 Was sie erleiden würden: zweifellos harte Dinge, denn: „Siehe, ich sende euch wie Schafe mitten unter die Wölfe" **(Vers 16)**. Was kann eine Herde von armen, hilflosen, ungeschützten Schafen in einem Rudel gefräßiger Wölfe erwarten, als gepeinigt und zerrissen zu werden? Die geistlichen Diener Christi sind wie Schafe mitten unter Wölfen, und das ist schrecklich, doch Christus sendet sie aus und das ist ermutigend; der eine, der sie ausgesandt hat, wird sie beschützen und tragen.

Sie müssen erwarten, gehasst zu werden. „Und ihr werdet von jedermann gehasst sein um meines Namens willen" **(Vers 22)**. Das ist die Wurzel all der anderen Schwierigkeiten, und es ist eine bittere Wurzel (s. Hebr 12,15; 5.Mose 29,17). Diejenigen, die Christus liebt, werden von der Welt gehasst. Wenn die Welt Christus ohne Ursache hasst (s. Joh 15,25), überrascht es kaum, wie sie diejenigen hasst, die sein Bild tragen (s. Röm 8,29) und seinen Interessen dienen. Es ist schmerzhaft, so gehasst zu werden, Gegenstand von so viel Feindschaft zu sein, doch es geschieht „um meines Namens willen", was, genauso wie es den wahren Grund für den Hass nennt, was immer auch behauptet wird, auch denen Gewissheit zuspricht, die auf diese Weise gehasst werden. Es ist für einen guten Zweck und sie haben einen guten Freund, der mit ihnen daran Anteil hat und es auf sich nimmt.

Sie müssen erwarten, von Übeltätern behindert und angeklagt zu werden. Dem ruhelosen Hass kann man sich nicht widersetzen, und sie werden nicht nur versuchen, sondern damit Erfolg haben, „euch den Gerichten" auszuliefern **(Vers 17)**. Guten Menschen werden oft im Namen von Recht und Gerechtigkeit viele Schwierigkeiten verursacht. Die Apostel dürfen nicht nur von kleineren Richtern an örtlichen Gerichten Schwierigkeiten erwarten, sondern auch von Gouverneuren und Königen, den höchsten Richtern. In der Apostelgeschichte sehen wir dies oft erfüllt.

Sie müssen erwarten, getötet zu werden: Sie werden zum Tode ausgeliefert werden **(s. Vers 21)**. Der Hass ihrer Feinde wird so extrem toben, dass er ihnen dies zufügen wird; der Glaube und die Geduld der Heiligen stand so fest, um dies zu erwarten. Die Weisheit Christi würde dies zulassen, weil er wusste, wie er das Blut der Märtyrer zum Siegel für die Wahrheit und zum „Samen der Gemeinde" machen kann (Quintus Tertullian). Dadurch, dass diese edle Armee ihr Leben bis zum Tod nicht geliebt hat, ist Satan besiegt worden und wurde das Reich Christi und seine Macht sehr vorangebracht.

Sie müssen mitten in diesem Leid erwarten, dass man sie mit den schrecklichsten und schmachvollsten Namen und Bezeichnungen benennt, die möglich sind. Verfolger würden sich in dieser Welt schämen, wenn sie nicht zuerst diejenigen in Bärenfelle kostümieren würden, die sie quälen, und sie mit solchen Begriffen beschreiben würden, die eine solche Grausamkeit rechtfertigen können. Die dunkelste all dieser Kennzeichnungen, die Verfolger ihren Opfern geben, wird hier genannt; sie nennen sie Beelzebul, mit dem Namen des Fürsten der Teufel **(s. Vers 25)**. Da jeder meint, den Teufel zu hassen, versuchen die Verfolger auf diese Weise, ihre Opfer für das ganze Menschengeschlecht widerwärtig zu machen. Die eingeschworenen Feinde Satans werden als seine Freunde dargestellt; die Apostel, die das Reich Satans niedergerissen haben, werden Teufel genannt. Auf der anderen Seite wollen Satans eingeschworene Freunde für seine Feinde gehalten werden, und sie vollbringen sein Werk niemals wirkungsvoller, als wenn sie behaupten, gegen ihn zu kämpfen. Viele Male neigen diejenigen, die selbst am engsten mit dem Teufel verbunden sind, am meisten dazu, andere seine Kinder zu nennen.

Diese Leiden werden hier als Schwert und Entzweiung dargestellt. „Ihr sollt nicht meinen, dass ich gekommen sei, Frieden ... zu bringen" **(Vers 34)**, irdischen Frieden und äußerliches Wohlergehen. Christus kam, um uns Frieden mit Gott zu geben, Frieden in unserem Gewissen, Frieden mit unseren Brüdern und Schwestern, aber „in der Welt habt ihr Bedrängnis" (Joh 16,33). Wenn die ganze Welt Christus annehmen würde, würde allumfassender Frieden folgen, doch solange es so viele gibt, die ihn ablehnen, müssen die Kinder Gottes, die aus dieser Welt herausgerufen wurden, erwarten, die Früchte ihrer Feindschaft zu spüren.

Erwarten Sie keinen Frieden, „sondern das Schwert". Christus kam, um das Schwert des Wortes zu bringen, mit dem seine Jünger gegen die Welt kämpfen (s. Offb 6,4; 19,21); er kam auch, um das Schwert der Verfolgung zu bringen, mit dem die Welt gegen seine Jünger kämpft und welcher das Schwert des Wortes ins Herz schneiden würde (s. Apg 7,54), und dieses Schwert der Verfolgung tut ein grausames Werk. Christus sandte das Evangelium, das zu dem Ziehen dieses Schwertes veranlasste, und deshalb kann man sagen, er sendet dieses Schwert.

Erwarten Sie keinen Frieden, sondern Entzweiung: „Denn ich bin gekommen, den Menschen zu entzweien [einer mit dem anderen]" **(Vers 35)**. Diese Wirkung der Predigt des Evangeliums ist nicht der Fehler des Evangeliums, sondern von denen, die es nicht annehmen. Der Glaube derer, die ihm vertrauen, verdammt diejenigen, die nicht vertrauen, und deshalb sind Letztere gegen Erstere. Die brutalsten und unversöhnlichsten Fehden waren jene, die durch Meinungsverschiedenheiten in der Religion entstanden; es gibt keine Feindschaft wie die der Verfolger, keine Entschlossenheit wie die der Verfolgten. Christus ist mit uns ehrlich und aufrichtig umgegangen, indem er uns das Schlimmste gesagt hat, was uns in seinem Dienst begegnen kann, und er möchte, dass wir selbst genauso mit uns umgehen, indem wir uns hinsetzen und die Kosten kalkulieren.

1.2 Von wem und durch wen sie diese schweren Dinge erleiden würden. Sicherlich muss die Hölle selbst losgelassen werden und Dämonen müssen Fleisch werden, bevor man eine so boshafte Feindschaft gegenüber einer Lehre finden kann, deren Kern „Gottes Wohlgefallen" unter den Menschen war (Lk 2,14). Nein, können Sie das glauben? Alle diese Schwierigkeiten kamen durch die Menschen zu den Predigern des Evangeliums, zu denen sie kamen, um das Heil zu predigen. Die Jünger Christi müssen diese schweren Dinge erdulden:

Durch Menschen. „Hütet euch aber vor den Menschen!' **(Vers 17)**. Ihr werdet wachsam sein müssen." Die Wut und Feindschaft der Verfolgung machen aus Menschen wilde Dämonen. Die Welt ist in einen schlimmen Zustand geraten, wenn ihre besten Freunde sich vor den Menschen hüten müssen. Die Schwierigkeiten der leidenden Diener Christi werden durch die Tatsache betont, dass sie von denen kommen, die „Gebein von meinem Gebein" sind (1.Mose 2,23; s. 2.Sam 19,12-13), Blutsverwandte. Wenn die menschliche Natur nicht geheiligt wird, ist sie die schlimmste Natur in der Welt nach der der Dämonen.

Von Menschen, die behaupten, „eine Form der Gottseligkeit" zu besitzen (2.Tim 3,5; Elb 06) und aus ihrer Religion eine Schau machen. „In ihren Synagogen werden sie euch geißeln', den Orten, wo sie zusammenkommen, um Gott anzubeten und ihre Gemeindezucht auszuüben:" Die Feinde Christi betrachteten das Geißeln der geistlichen Diener Christi als Zweig ihrer Religion. Paulus wurde fünfmal in ihren Synagogen gegeißelt (s. 2.Kor 11,24). Die Jünger Christi haben viel durch überzeugte Verfolger erlitten, die sie in ihren Synagogen geißeln, sie hinaustreiben und töten und meinen, „Gott einen Dienst zu erweisen" (Joh 16,2).

Von großen Menschen, einschließlich Menschen mit Autorität. Die Juden geißelten sie nicht nur, was der weiteste Punkt war, an den ihre Macht reichen konnte, sondern sie übergaben sie auch der römischen Gewalt, wie sie es mit Christus taten (s. Joh 18,30). „,... auch vor Fürsten und Könige wird man euch führen' **(Vers 18)**, die, da sie mehr Macht haben, größere Schwierigkeiten verursachen können."

Von allen Menschen. „Und ihr werdet von jedermann gehasst sein" **(Vers 22)**, von allen Übeltätern, und das sind die meisten Menschen. Es gibt so wenige, welche die Sache Christi lieben, anerkennen und unterstützen, dass ihre Freunde „von jedermann gehasst" werden. So weit der Abfall von Gott reicht, so weit reicht die Feindschaft gegen die Heiligen; manchmal zeigt sie sich umfassender als zu anderen Zeiten, doch etwas von diesem Gift lauert in den Herzen von allen „Söhnen des Ungehorsams" (Eph 2,2).

Von denen aus ihrer eigenen Familie. „Es wird aber ein Bruder den anderen zum Tode ausliefern" **(Vers 21)**. „Kinder werden sich" aus diesem Grund „gegen die Eltern erheben." Die verfolgende Tochter wird gegen die gläubige Mutter sein, wo man meinen würde, dass die natürliche Zuneigung und kindliche Verpflichtung den Streit verhindern oder rasch zum Schweigen bringen würde. Dann überrascht es kaum, dass „die Schwiegertochter mit ihrer Schwiegermutter" entzweit sein würde. Im Allgemeinen, „die Feinde des Menschen werden seine eigenen Hausgenossen sein" **(Vers 36)**. Diejenigen, die seine Freunde sein sollten, werden auf ihn böse sein, weil er das Christentum angenommen hat, und besonders, weil er ihm treu blieb, als er verfolgt wurde, und werden sich mit seinen Verfolgern gegen ihn zusammenschließen. Oft sind die stärksten familiären Bande der Liebe und Pflicht durch eine Feindschaft gegenüber Christus und seiner Lehre zerbrochen. Leid durch solche Menschen ist schmerzhafter. Nichts ist beißender als dies: „Aber du bist es, ein Mensch meinesgleichen" (Ps 55,14); solche Feindschaft ist oft äußerst unversöhnlich: „Ein Bruder, an dem man treulos gehandelt hat, ist schwerer zu gewinnen als eine befestigte Stadt" (Spr 18,19).

2. Bei diesen Weissagungen von Schwierigkeiten haben wir auch Ratschläge und Zusagen der Ermutigung für Zeiten der Prüfung. Wir wollen nun zusammentragen, was Christus gesagt hat:

2.1 Durch Rat und Leitung in mehreren Dingen:

„Darum seid klug" [schlau] „wie die Schlangen" **(Vers 16)**. Dies ist ein Gebot, das uns als in al-

len Zeiten und besonders in Zeiten des Leides als nützlich empfohlen wird, diese Weisheit des Klugen, die darin besteht, dass er erkennt, „welchen Weg er gehen soll" (Spr 14,8). Es ist Christi Wille, dass, weil die Seinen und seine geistlichen Diener den Schwierigkeiten so ausgesetzt sind, wie es für gewöhnlich ist, sie sich nicht unnötigerweise selbst ihnen aussetzen, sondern alle ehrlichen und rechtmäßigen Mittel benutzen sollen, um ihren eigenen Schutz zu sichern. In der Sache Christi dürfen wir uns nicht an dieses Leben und all seine Behaglichkeiten klammern, doch wir dürfen sie auch nicht vergeuden. Wir dürfen nicht auf solch eine Art weise sein, dass wir Schwierigkeiten auf unser Haupt herabrufen.

Seid „ohne Falsch [unschuldig] wie die Tauben". „Seid milde, sanftmütig und friedlich, schadet nicht nur niemandem, sondern hegt auch keinerlei Groll gegen irgendjemanden." Wir dürfen nicht in der Art weise sein, dass wir uns selbst schaden, doch wir sollten es dem vorziehen, irgendjemand anderem zu schaden. Wir müssen die Unschuld der Taube nutzen, um zwanzig Kränkungen zu ertragen, statt die Raffinesse der Schlange, um selbst bei einer zu drohen oder sie zurückzugeben. Der Geist kam als Taube auf Christus herab (s. Mt 3,16) und alle Gläubigen haben Anteil an dem Geist Christi, einem Geist wie von einer Taube, für die Liebe geschaffen, nicht für den Krieg.

„Hütet euch ... vor den Menschen!" **(Vers 17)**. „Seid immer auf der Hut und meidet gefährliche Gesellschaft; seid vorsichtig bei dem, was ihr sagt und tut." Diejenigen, die Kinder der Gnade sind, sollten auch behutsam sein. Wir wissen nicht, wem wir sicher vertrauen können. Seit unser Meister durch einen Kuss von einem seiner eigenen Jünger verraten wurde, müssen wir uns immer vor den Menschen hüten.

„Sorgt euch nicht darum, wie oder was ihr reden sollt" **(Vers 19)**. „Wenn ihr vor Richter geführt werdet, verhaltet euch anständig, belastet euch aber nicht mit Sorgen, was mit euch geschehen wird. Man muss weise Gedanken haben, aber nicht ängstliche, bestürzende beunruhigende Gedanken, diese Sorge möge auf Gott geworfen werden (s. 1.Petr 5,7). Versucht nicht, malerische Ausdrücke zu prägen, Floskeln mit Witz oder gekünstelte Pausen, die alle nur nützlich sind, um eine schlechte Sache zu verschönern; das Gold einer guten Sache braucht keine Verschönerung. Die Jünger Christi müssen sich mehr Gedanken darüber machen, Gutes zu tun, als gut zu reden, ihre Rechtschaffenheit zu erhalten, als sie zu verteidigen. Unser Leben, nicht prahlerische Worte, ist die beste Abwehr.

„Wenn sie euch aber in der einen Stadt verfolgen, so flieht in eine andere" **(Vers 23)**. „Lehnt auf diese Weise die ab, die euch und eure Lehre ablehnen, und prüft, ob andere sie und euch annehmen werden; und sorgt auf diese Weise für eure eigene Sicherheit." In Fällen von drohender Gefahr dürfen und müssen sich die Jünger Christi durch Flucht schützen, wenn Gott ihnen in seiner Vorsehung einen Ausgang schafft (s. 1.Kor 10,13). Diejenigen, die fliehen, können wieder kämpfen. Es ist für die Soldaten Christi nicht unehrenhaft, ihren Boden preiszugeben, vorausgesetzt, dass sie nicht ihre Fahne preisgeben: Sie dürfen den Weg der Gefahr verlassen, doch sie dürfen nicht den Weg der Pflicht verlassen.

„So fürchtet euch nun nicht vor ihnen" **(Vers 26)**, denn sie können nur „den Leib töten" **(Vers 28)**. Diejenigen, die Gott wahrhaftig fürchten, brauchen keine Menschen zu fürchten; und diejenigen, die Angst vor der kleinsten Sünde haben, müssen keine Angst vor den größten Schwierigkeiten haben. „Darum fürchten wir uns nicht, wenn auch die Erde umgekehrt wird" (Ps 46,3), solange wir solch einen guten Gott, solch eine gute Sache und solch „eine gute Hoffnung ... durch Gnade" haben (2.Thess 2,16). Um uns gegen diese Versuchung zu stärken, haben wir hier:

Einen guten Grund gegen diese Furcht, der aus der begrenzten Macht der Feinde entnommen ist. Sie töten den Leib, das ist das meiste, was ihre Wut tun kann. Sie vermögen „die Seele aber nicht zu töten" oder ihr irgendwie Schaden zuzufügen, und die Seele ist die Person. Die Seele wird getötet, wenn sie von Gott und seiner Liebe getrennt wird, die ihr Leben ist; dies ist nun außer Reichweite ihrer Macht. „Drangsal oder Angst oder Verfolgung" können uns von der ganzen Welt trennen, aber sie können nicht zwischen uns und Gott kommen (Röm 8,35); sie können nicht dafür sorgen, dass wir entweder ihn nicht lieben oder von ihm nicht geliebt werden (s. Röm 8,35.37). Wenn wir also mehr um unsere Seelen als um unsere Juwelen besorgt wären, würden wir uns weniger vor anderen Menschen fürchten. Sie können nur das Gehäuse zerbrechen.

Ein gutes Heilmittel dagegen ist, Gott zu fürchten. „... fürchtet vielmehr den, der Seele und Leib verderben kann in der Hölle!" Die Hölle ist die Vernichtung für den Leib wie für die Seele, nicht die Existenz von beiden, sondern des Wohlergehens von beiden. Diese Vernichtung kommt aus der Macht Gottes: Er kann verderben. Deshalb muss Gott selbst von den besten Heiligen in dieser Welt gefürchtet werden. Wenn die Furcht vor Gott und seiner Macht in der Seele regiert, wird dies ein unübertreffliches Gegenmittel vor der Furcht vor Menschen sein. Es ist besser, unter die finsteren Blicke der ganzen Welt zu geraten als unter die finsteren Blicke Gottes, und so ist es, genauso wie es völlig richtig in sich selbst ist, auch am sichersten für uns, Gott mehr als den Menschen zu gehorchen (s. Apg 4,19).

"Was ich euch im Finstern sage, das redet im Licht" **(Vers 27).** „Was immer sich euch in den Weg stellt, dem tretet entgegen, macht weiter mit eurer Arbeit, verkündet in der ganzen Welt das ewige Evangelium (s. Offb 14,6); das ist eure Arbeit, tut sie. Die Absicht der Feinde ist nicht nur, euch zu zerstören, sondern auch, dieses Evangelium zu unterdrücken, deshalb macht es bekannt, was auch immer die Folgen sind." „Was ich euch ... sage, das redet." Christus hat viele Dinge offen gesagt, und er hat im Geheimen nichts gesagt, was sich von dem unterschied, was er öffentlich predigte (s. Joh 18,20). Sie müssen ihre Botschaft offen mitteilen, „im Licht" und „oben auf den Höhen", denn die Lehre des Evangeliums ist etwas, das uns alle angeht (s. Spr 1,20-21; 8,2-3). Den ersten Hinweis des Einlasses der Heiden gab es auf einem Dach (s. Apg 10,9). Es gibt keinen Teil des Evangeliums Christi, den man aus irgendeinem Grund verbergen muss. Der ganze Ratschluss Gottes muss enthüllt werden (s. Apg 20,27). Lassen Sie uns ihn den Menschen jeden Schlages überall klar und vollständig mitteilen.

2.2 Als Trost und Ermutigung. Hier wird vieles mit dieser Absicht gesagt, und doch wenig genug, wenn man die vielen Widrigkeiten bedenkt, mit denen die Apostel im Laufe ihres Dienstes kämpfen mussten, und angesichts ihrer momentanen Schwachheit. Sie konnten selbst kaum die Aussicht auf solch eine Behandlung ertragen. Deshalb zeigte Christus ihnen, warum sie fröhlich sein sollten.

Hier ist ein Wort, das für ihren gegenwärtigen Auftrag bezeichnend ist: „Ihr werdet mit den Städten Israels nicht fertig sein, bis der Sohn des Menschen kommt" **(Vers 23).** Dies war eine Ermutigung:

Dass sich erfüllen würde, was sie sagten: Sie sagten, der Sohn des Menschen wird kommen, und siehe, er kommt. Christus wird das Wort seiner Boten bestätigen (s. Jes 44,26).

Dass es sich schnell erfüllen würde. Die Arbeiter Christi können sich durch das Wissen ermutigen lassen, dass ihre Zeit in der Arbeit kurz und bald vorüber sein wird; die Arbeit und der Dienst werden bald vollendet sein.

Dass sie dann in eine höhere Position versetzt werden würden. Wenn der Sohn des Menschen kommt, „[werdet] ihr angetan ... mit Kraft aus der Höhe" (Lk 24,49).

Hier gibt es viele Worte zu ihrer Arbeit im Allgemeinen und den Schwierigkeiten, denen sie in ihr entgegentreten mussten, und sind gütige und tröstliche Worte (s. Sach 1,13).

Ihr Leiden geschah „ihnen [den Juden] und den Heiden zum Zeugnis" **(Vers 18).** „Wenn euch die jüdischen Ratsmitglieder den römischen Gouverneuren übergeben, damit ihr getötet werdet, wird es helfen, euer Zeugnis öffentlicher zu machen, wenn ihr von einem Richterstuhl zum anderen getrieben werdet. Es wird euch die Gelegenheit geben, das Evangelium den Heiden wie auch den Juden zu bringen." Gottes Kinder, besonders Gottes geistliche Diener, sind nicht nur in ihrem Werk des Tuns, sondern auch in ihrem Werk des Leidens seine Zeugen. Deshalb werden Märtyrer genannt, „Zeugen" für Christus. Wie freudig sollte es nun ertragen werden, wenn ihr Leid ein Zeugnis ist.

Dass sie bei jedem Anlass die besondere Gegenwart Gottes bei sich und die direkte Hilfe seines Heiligen Geistes haben würden. „... es wird euch", sagte Christus, „in jener Stunde gegeben werden, was ihr reden sollt" **(Vers 19).** Christi Jünger wurden aus den Törichten der Welt erwählt (s. 1.Kor 1,27), aus ungelehrten und unwissenden Leuten, und so konnten sie zu Recht ihren eigenen Fähigkeiten misstrauen, besonders, wenn sie vor die Führenden gerufen wurden. Ihnen wird hier verheißen, dass ihnen „gegeben" wird, was sie reden sollen, nicht einige Zeit vorher, sondern „in jener Stunde". Sie würden unvorbereitet sprechen, doch so viel zu der Sache, als hätten sie sich gründlich vorbereitet. Wenn Gott uns beruft, für ihn zu sprechen, können wir uns darauf verlassen, dass er uns lehren wird, was wir sagen sollen (s. Lk 12,12). Ihnen wurde hier zugesichert, dass der Heilige Geist für sie ihre Verteidigung entwerfen würde. „Denn nicht ihr seid es, die reden, sondern der Geist eures Vaters ist's, der durch euch redet" **(Vers 20).** Sie waren bei solchen Anlässen nicht sich selbst überlassen; Gott nahm es für sie in die Hand. Sein Geist der Weisheit sprach „durch" sie. Gott gab ihnen nicht nur die Fähigkeit, etwas zu der Sache zu sagen, sondern auch, ihre Worte mit heiligem Eifer auszudrücken. Der gleiche Geist, der ihnen auf der Kanzel beistand, stand ihnen auch vor dem Gericht bei. Sie müssen sehr gut abschneiden, solange sie einen solchen Verteidiger haben.

Dass der, der „ausharrt bis ans Ende", *gerettet werden wird* **(Vers 22).** Hier ist es sehr ermutigend, zu bedenken:

Dass es ein „Ende" *dieser Schwierigkeiten geben wird;* sie können für eine lange Zeit anhalten, aber nicht für immer. Christus tröstete sich selbst damit, und so können es seine Jünger tun: „Aber auch das, was mir widerfährt, hat ein Ende" (Lk 22,37; ZÜ).

Dass sie, solange sie anhalten, ertragen werden können; sie können „bis ans Ende" ertragen werden, weil die Leidenden in ihnen getragen werden, auf seinen ewigen Armen: „Wie deine Tage, so sei deine Kraft" (5.Mose 33,25.27; s. 1.Kor 10,13).

Das Heil wird der ewige Lohn all derer sein, die ausharren „bis ans Ende". Das Wetter kann stürmisch sein und der Weg schwierig, doch die Freude der Heimat wird alles ersetzen. Diejenigen, die „nur eine Zeit lang" glauben und „zur Zeit der Anfechtung" abfallen (Lk 8,13), sind umsonst gelaufen und haben alles verloren, was sie erlangt haben, doch die, und nur die, welche beharren, bekommen den Preis gewiss. „Sei getreu bis in den Tod, so werde ich dir die Krone des Lebens geben!" (Offb 2,10).

Dass, egal was für einer schlimmen Behandlung sich die Jünger Christi gegenübersehen, es nicht mehr ist, als was sich ihr Meister vorher gegenübersah: „Der Jünger ist nicht über dem Meister" **(Vers 24)**. Hier wurde dies als ein Grund genannt, warum sie bei schwerstem Leid nicht straucheln sollten. Sie werden in Johannes 15,20 an dieses Wort erinnert. Es ist ein sprichwörtlicher Ausdruck: „Der Knecht ist nicht größer als sein Herr", und deshalb sollen sie nicht erwarten, dass es ihnen besser ergehen wird. Jesus Christus, unser Herr und Meister, erlebte eine sehr schroffe Behandlung durch die Welt; sie nannten ihn Beelzebul, „Herr der Fliegen", der Name des Obersten der Dämonen, mit dem er, sagten sie, im Bunde stehen würde (s. Mt 12,24). Es ist schwer zu sagen, worüber man sich hier mehr wundern sollte, über die Bosheit der Leute, die Christus misshandelten, oder über die Geduld Christi, der zuließ, dass er so misshandelt wurde – dass der größte Feind und Zerstörer des Teufels sein Verbündeter genannt werden sollte und doch „solchen Widerspruch [Widerstand] von den Sündern gegen sich erduldet hat" (Hebr 12,3). Die Erwägung der grausamen Behandlung, der sich Christus in der Welt gegenübersah, sollte uns ähnliche Behandlung erwarten lassen, uns darauf vorbereiten und sie uns geduldig tragen lassen; es sollte uns auch nicht als hart erscheinen, wenn die, welche ihm bald in der Herrlichkeit gleichgemacht werden, ihm nun im Leid gleichgemacht werden (s. Röm 8,17). Christus nahm den ersten Schluck aus dem bitteren Kelch (s. Mt 26,39) und deshalb wollen wir für ihn aus dem gleichen Kelch trinken und uns zur Treue verpflichten; dass er das Kreuz getragen hat, machte es für uns leicht.

Dass „nichts verdeckt" ist, „das nicht aufgedeckt werden wird" **(Vers 26)**. Wir verstehen dies als einen Hinweis auf:

Die Enthüllung des Evangeliums für die ganze Welt. „Ihr müsst es verkündigen **(s. Vers 27)**, denn es wird verkündigt werden. Die Wahrheiten, die jetzt, als Geheimnisse, vor den Menschen verborgen sind, werden allen Völkern in ihrer eigenen Sprache enthüllt werden (s. Apg 2,11)." „… alle Enden der Erde werden das Heil unseres Gottes sehen!" (Jes 52,10). Diejenigen, die das Werk Christi tun, können sich durch das Wissen sehr ermutigen lassen, dass es ein Werk ist, das zweifellos getan werden wird. Es gibt einen alten englischen Segen: „Möge Gott dem Pflug beistehen (gewogen sein)." Das Werk Christi ist ein Pflug, dem Gott gewogen sein wird. Oder:

Die Erklärung der Unschuld der leidenden Diener Christi. Wie sehr ihre Unschuld und ihre Größe nun auch verborgen sind, es wird enthüllt werden. All ihre Schande wird von ihnen abgewälzt werden (s. Jos 5,9), und ihre Gnadenwirkungen und Dienste, die jetzt verdeckt sind, werden enthüllt werden (s. 1.Kor 4,5). Die geistlichen Diener Christi mögen treu diese Wahrheiten enthüllen und es dann ihm überlassen, ihre Rechtschaffenheit zu gegebener Zeit zu enthüllen.

Dass Gottes Vorsehung besonders das Leben der Heiligen in ihrem Leid betrifft **(s. Vers 29-31)**. Es ist gut, zu grundlegenden Prinzipien zurückzukehren, besonders zu der Lehre von Gottes allumfassender Vorsehung, die sich über alle Geschöpfe und ihre Taten erstreckt, selbst über die winzigsten bis ins kleinste Detail. Beachten Sie hier:

Das allgemeine Ausmaß der Vorsehung, die sich über alle Geschöpfe erstreckt, selbst über die geringsten und bedeutungslosesten, eben „Sperlinge" **(Vers 29)**. Diese kleinen Vögel sind so unbedeutend, dass einer alleine keinen Wert hat; es muss zwei von ihnen geben, um einen „Groschen" wert zu sein – in der Tat kann man fünf für zwei Groschen kaufen (s. Lk 12,6) –, und doch sind sie nicht aus der göttlichen Fürsorge ausgeschlossen: „Und doch fällt keiner von ihnen auf die Erde ohne euren Vater."

Sie werden nicht für Futter auf die Erde fallen, um ein Getreidekorn aufzupicken, ohne dass es euer himmlischer Vater in seiner Vorsehung für sie vorbereitet hat. Der eine, welcher die Sperlinge ernährt, wird nun seine Heiligen nicht darben lassen.

Sie werden nicht durch den Tod „auf die Erde" fallen, sei es durch natürlichen oder gewaltsamen Tod, ohne dass Gott es beachtet. Selbst ihr Tod findet Beachtung durch die göttliche Vorsehung, und noch viel mehr tut dies der Tod seiner Jünger. „Das ist euer Gott, der in dieser Weise auf die Spatzen schaut, weil sie seine Geschöpfe sind, und wie viel mehr wird er auf euch schauen, die ihr seine Kinder seid. Wenn die Spatzen nicht ‚ohne euren Vater' sterben, tut dies ein Mensch sicherlich nicht – ein Christ, ein geistlicher Diener, mein Freund, mein Kind." In der Lehre von Gottes Vorsehung ist genug, um alle Ängste von Gottes Kindern zum Schweigen zu bringen: „Ihr seid mehr wert als viele Sperlinge."

Die besondere Beachtung, welche die Vorsehung den Jüngern Christi erweist, besonders in ihrem Leiden: „Bei euch aber sind selbst die Haare des Hauptes alle gezählt" **(Vers 30)**. Das ist ein sprichwörtlicher Ausdruck, der den Wert zeigt, den Gott allen Sorgen seiner Leute beimisst und zuschreibt, selbst denen, die als am geringsten eingeschätzt werden und die geringste Bedeutung haben. Wenn Gott ihre Haare zählt, dann zählt er noch viel mehr ihre

Häupter, sorgt für ihr Leben, ihren Trost und ihre Seelen. Diese Zusicherung Christi zeigt, dass Gott mehr für seine Leute sorgt, als sie selbst es für sich tun. Gott zählt ihre Haare und „kein Haar von eurem Haupt wird verloren gehen" (Lk 21,18); nicht der kleinste Schaden wird ihnen geschehen. So kostbar sind Gottes Heilige für ihn zusammen mit ihrem Leben und ihrem Tod (s. Ps 116,15).

Dass er bald, am Tag des Triumphs, sich zu denen bekennen wird, die sich jetzt, am Tag der Prüfung, zu ihm bekannt haben; dann werden diejenigen, die ihn geleugnet haben, von ihm für immer verstoßen und verworfen werden **(s. Vers 32-33)**.

Es ist unsere Pflicht, Christus „vor den Menschen" zu bekennen, und wenn wir das jetzt tun, wird es in der Zukunft unsere unbeschreibliche Ehre und Seligkeit sein, es für immer zu tun. Es ist unsere Pflicht, nicht nur an Christus zu glauben, sondern diesen Glauben auch zu bekennen, indem wir für ihn leiden, wenn wir dazu berufen werden, wie auch, indem wir ihm dienen. Wie sehr uns dies auch jetzt Schande und Schwierigkeiten aussetzen wird, so werden wir reichlich dafür bei der Auferstehung der Gerechten belohnt werden. Jeder von uns wird Christus sagen hören: „Ich werde mich ‚vor meinem Vater' zu ihm bekennen, wenn es ihm am meisten nützen wird. Ich werde ihn vorstellen, ich werde ihn vor meinen Vater stellen." Diejenigen, die Christus ehren, wird er auf diese Weise ehren (s. 1.Sam 2,30). Sie ehren ihn „vor den Menschen"; das ist dürftig. Er wird sie vor seinem Vater ehren; das ist großartig.

Es ist für jeden gefährlich, Christus „vor den Menschen" zu verwerfen, denn diejenigen, die dies tun, werden an jenem Tag von ihm verworfen werden, wenn sie ihn am meisten brauchen. Er wird sich zu denen nicht als zu seinen Dienern bekennen, die sich nicht zu ihm als ihrem Meister bekennen wollten: „Ich habe euch nie gekannt" (Mt 7,23).

Die Grundlage ihrer Jüngerschaft war, dass ihnen eine solche Neigung gegeben wurde, die Leid für sie sehr leicht und einfach machen würde (s. 2.Kor 4,7), und unter der Bedingung der Bereitschaft zum Leiden nahm Christus sie als seine Jünger an **(s. Vers 37-39)**. Er sagte ihnen zu Anfang, dass sie seiner „nicht wert" seien, wenn sie nicht bereit wären, sich für ihn von allem zu trennen. Die Menschen zögern nicht bei Mühen, die ein notwendiger Teil ihrer Arbeit sind und die sie bedachten, als sie mit ihrem Beruf begannen. Beim christlichen Bekenntnis werden die, welche ihre Vorrechte in Christus nicht mehr als jeden anderen Vorteil achten, für die Würde und Seligkeit für unwürdig gehalten, die dieses Bekenntnis begleiten. Wenn sie seine Bedingungen nicht erfüllen, können sie keinen Nutzen daraus erwarten. Wenn der religiöse Glaube etwas wert ist, dann ist er alles wert. Die Christus nicht unter diesen Bedingungen folgen, mögen ihn auf eigene Gefahr verlassen. Was auch immer wir für diese kostbare Perle verlassen (s. Mt 13,46), wir können uns mit der Gewissheit trösten, dass sie sehr wohl das wert ist, was wir für sie geben. Die Bedingungen sind, dass wir Christus an die erste Stelle setzen müssen:

Vor unseren nächsten und liebsten Verwandten: „Vater oder Mutter ... Sohn oder Tochter." Kinder müssen ihre Eltern lieben und Eltern müssen ihre Kinder lieben, doch wenn sie sie mehr als Christus lieben, sind sie seiner unwürdig. So wie wir uns durch den Hass unserer Verwandten nicht von Christus abschrecken lassen dürfen, worüber er vorher sprach **(s. Vers 21.35-36)**, so dürfen wir auch nicht durch ihre Liebe von ihm fortgezogen werden.

Vor unser Wohlergehen und unsere Sicherheit. Wir müssen unser Kreuz auf uns nehmen und ihm nachfolgen, sonst sind wir seiner „nicht wert". Beachten Sie hier:

Diejenigen, die Christus nachfolgen wollen, müssen erwarten, ihr Kreuz auf sich zu nehmen.

Wir müssen, indem wir unser Kreuz auf uns nehmen, dem Beispiel Christi folgen, es tragen, wie er es trug.

Wenn wir auf Kreuze treffen, ist es für uns sehr ermutigend, dass wir, indem wir es tragen, Christus nachfolgen, der uns den Weg gezeigt hat, und dass er, wenn wir ihm treu folgen, uns durch Leiden wie die seinen zu der Herrlichkeit bei ihm führen wird.

Vor dem Leben selbst. „Wer sein Leben findet, der wird es verlieren" **(Vers 39)**. Diejenigen, die meinen, sie haben es gefunden, wenn sie es gerettet und erhalten haben, indem sie Christus leugnen, werden es in einem ewigen Tod „verlieren", doch „wer sein Leben verliert" um Christi willen, wer sich lieber davon trennt, als Christus zu verleugnen, „wird es finden", zu seinem überwältigenden Gewinn, dem ewigen Leben. Diejenigen, die am besten auf das kommende Leben vorbereitet sind, sind die, welche sich am wenigsten an Dingen in diesem gegenwärtigen Leben klammern.

Dass Christus sich ihrer Sache so herzlich annehmen würde, dass er sich als Freund all derer zeigt, die ihre Freunde sind: „Wer euch aufnimmt, der nimmt mich auf" **(Vers 40-42)**.

Dies hier weist darauf hin, dass sie, obwohl die meisten Menschen sie ablehnen würden, sie doch auf einige treffen würden, die sie aufnehmen und die Botschaft in ihren Herzen willkommen heißen würden und welche die Boten um der Botschaft willen in ihre Häuser aufnehmen würden. Christi geistliche Diener werden „nicht vergeblich" arbeiten (1.Kor 15,58).

Jesus Christus nimmt, was seinen treuen geistlichen Dienern getan wird, sei es freundlich oder unfreundlich, als an ihm selbst getan, und er betrachtet sich als so behandelt, wie sie behan-

delt werden. „Wer euch aufnimmt, der nimmt mich auf." Beachten Sie, wie Christus immer noch zu Gast sein kann bei denen, die ihm ihre Achtung erweisen wollen; wir haben immer seine Kinder und geistlichen Diener bei uns (s. Mt 26,11) und er ist bei ihnen, sogar „bis an das Ende der Weltzeit" (Mt 28,20). Die Ehre wird in der Tat noch größer: „... und wer mich aufnimmt, der nimmt den auf, der mich gesandt hat." Indem sie Christi geistliche Diener aufnehmen, beherbergen die Menschen nicht „ohne ihr Wissen Engel" (Hebr 13,2), sondern Christus und in der Tat Gott selbst – und auch „ohne ihr Wissen", wie in Matthäus 25,37 gezeigt wird: „... wann haben wir dich hungrig gesehen?"

Selbst wenn die Freundlichkeit, die man Christi Jüngern zeigt, sehr gering ist, wird sie dennoch, wenn sie erwiesen wird und es keine Möglichkeit gibt, mehr zu tun, angenommen werden, selbst wenn es nur ein „Becher mit kaltem Wasser" ist, der „einem dieser Geringen" gegeben wird **(Vers 42)**. Freundliche Taten, die man den Jüngern Christi erweist, werden von Christus nicht nach dem Aufwand der Gabe bewertet, sondern nach der Liebe und Zuneigung des Gebers. Nach dieser Rechnung wurden die Scherflein der Witwe nicht nur als echt bewertet, sondern hoch geachtet (s. Lk 21,3-4). Auf diese Weise können diejenigen, die wirklich reich an Gnadenwirkungen sind, reich an guten Werken werden, selbst wenn sie an den Dingen dieser Welt arm sind.

Die Art von Freundlichkeit, die den Jüngern Christi erwiesen wurde, die von ihm angenommen wird, ist die, welche mit den Augen auf Christus gerichtet und um seinetwillen erwiesen wird. Ein Prophet muss als ein Prophet und ein Gerechter als ein Gerechter aufgenommen werden und einer dieser Geringen als ein Jünger, weil sie gerecht sind und deshalb das Bild Christi tragen. Christus interessiert sich nicht für die Sache, wenn wir uns nicht zuerst für ihn interessieren.

Freundlichkeiten, die man Christi Leuten und geistlichen Dienern erweist, werden nicht nur angenommen, sondern auch reichlich und angemessen belohnt werden.

Diejenigen, die eine solche Freundlichkeit erweisen, werden Lohn bekommen und sie werden ihn auf keinen Fall verlieren. Er sagt nicht, dass sie einen Lohn verdienen; wir können uns nichts als Entgelt aus Gottes Hand verdienen. Aber sie werden Lohn empfangen aus der freien Gabe Gottes, und sie werden ihn „nicht verlieren". Der Lohn kann aufgeschoben werden, doch er wird in keinem Fall verlorengehen noch werden sie durch den Aufschub Verlierer sein.

Dies ist der „Lohn eines Propheten" und „eines Gerechten", das ist entweder:

Die Belohnung, die Gott den Propheten und den Gerechten gibt; die Segnungen, die ihnen gegeben sind, werden zu ihren Freunden durchdringen. Oder:

Die Belohnung, die er durch seine Propheten und Gerechten als Antwort auf ihre Gebete gibt: „... er ist ein Prophet; und er soll für dich bitten" (1.Mose 20,7); das ist der Lohn eines Propheten. Lohn eines Propheten sind geistliche Segnungen „in den himmlischen Regionen" (Eph 1,3) und wenn wir wissen, wie wir sie einzuschätzen haben, werden wir sie als gute Bezahlung ansehen.

Kapitel 11

In diesem Kapitel haben wir: 1. Den unaufhörlichen und unermüdlichen Fleiß unseres Herrn Jesus (s. Vers 1). 2. Sein Gespräch mit den Jüngern des Johannes darüber, ob er, Jesus, der Messias war (s. Vers 2-6). 3. Das rühmliche Zeugnis, dass Christus über Johannes den Täufer ausstellte (s. Vers 7-15). 4. Die traurige Bewertung, die er diesem Geschlecht allgemein und einigen Orten im Besonderen gibt in Bezug auf die Reaktion, die sowohl der Dienst des Johannes als auch sein eigener hervorrief (s. Vers 16-24). 5. Seine Danksagung an den Vater für den weisen und gnädigen Weg, auf dem er sich entschlossen hat, die großen Geheimnisse des Evangeliums zu offenbaren (s. Vers 25-26). 6. Sein gnädiger Ruf und seine gnädige Einladung an arme Sünder, zu ihm zu kommen (s. Vers 27-30).

Vers 1-6

Manche Kommentatoren fügen die ersten Verse dieses Kapitels dem vorigen Kapitel zu und lesen sie – nicht unpassend – als Schluss davon.

1. Als Einleitung zu dem hier berichteten Gespräch wollen wir Folgendes bei den Versen 1-2 bedenken:

1.1 Die Ordinationspredigt, die Christus im vorigen Kapitel seinen Jüngern hielt, wird hier seine „Befehle" an sie genannt. Ihnen wurde nicht nur erlaubt, das Evangelium zu predigen; sie wurden auch angewiesen, dies zu tun. Sie waren dazu verpflichtet (s. 1.Kor 9,16).

1.2 Als Christus gesagt hatte, was er seinen Jüngern zu sagen hatte, „zog er von dort weg". Sie scheinen sehr unwillig gewesen zu sein, von ihrem Meister wegzugehen, bis er wegzog und sie alleine ließ, so wie ein Kindermädchen eine Hand wegnimmt, damit das Kind lernen kann, alleine zu laufen. Christus wollte sie nun lehren, wie sie ohne seine leibliche Gegenwart leben und arbeiten können. Es war gut für sie (s. Joh 16,7), dass Christus für eine Weile fortgeht.

1.3 Christus ging fort, um in den Städten „zu lehren und zu verkündigen", in die er vor sich seine Jünger gesandt hatte, um Wunder zu wirken (s. Mt 10,1-8); die Wunder würden die Erwartungen der Menschen wecken und den Weg für seinen Empfang bereiten. Auf diese Weise wurde der Weg des Herrn bereitet. Als Christus sie bevollmächtigte, Wunder zu wirken, lehrte und predigte er selbst, als wäre dies das Ehrenwertere von beidem. Die Wunder wurden vollbracht, um seinem Lehren und Predigen den Weg zu bereiten. Der Zweck der Heilung von Kranken war, die Menschen leiblich zu retten, die Predigt des Evangeliums aber sollte sie geistlich retten. Christus hatte seinen Jüngern gesagt, sie sollten predigen (s. Mt 10,7), aber er hörte selbst nicht auf, zu predigen. Wie unähnlich sind diejenigen Christus, die andere an die Arbeit setzen, damit sie selbst untätig sein können! Wir sollten die Vermehrung und die große Zahl von Arbeitern im Werk des Herrn nicht als Entschuldigung für Nachlässigkeit nehmen, sondern als Ansporn, gewissenhaft zu sein. Je geschäftiger andere sind, desto geschäftiger sollten wir sein, und das ist alles wenig genug, denn es muss so viel Arbeit getan werden. Er ging, um „in ihren Städten" zu verkündigen, die gut besiedelt waren. Er warf das Netz des Evangeliums aus, wo man die meisten Fische fangen konnte.

1.4 Als Nächstes wird die Nachricht von Johannes dem Täufer an Christus und Christi Antwort darauf berichtet **(s. Vers 2-6)**. Wir lesen vorher, dass Christus von dem Leiden von Johannes hörte (s. Mt 4,12). Jetzt wird uns gesagt, dass Johannes im Gefängnis von den Taten Christi hörte. „Als aber Johannes im Gefängnis von den Werken des Christus hörte ...", und ohne Zweifel war er glücklich, davon zu hören. Nichts ist für Gottes Leute ermutigender, als „von den Werken des Christus" zu hören, wenn sie geplagt sind, besonders, sie in der eigenen Seele zu erfahren. Dies macht ein Gefängnis zu einem Palast. Auf die eine oder andere Weise wird Gott denen, die um des Gewissens willen in Schwierigkeiten sind, die Gewissheit seiner Liebe mitteilen. Als Johannes der Täufer von den Werken Christi hörte, sandte er zwei Jünger zu ihm, und hier haben wir einen Bericht darüber, was zwischen ihnen und Christus stattfand. Hier gibt es:

2. Die Frage, die sie ihm stellten: „Bist du derjenige, der kommen soll, oder sollen wir auf einen anderen warten?" Dies war eine ernste und wichtige Frage.

2.1 Es wurde vorausgesetzt, dass der Messias kommen wird.

2.2 Sie deuteten an, dass sie, wenn er nicht derjenige wäre, „auf einen anderen warten" würden. Wir dürfen nicht müde werden, auf den Einen zu warten, der kommen soll. Warten Sie auf ihn, selbst wenn er sich verzögern mag, weil der Eine, der kommen soll, sicherlich kommen wird, selbst wenn es vielleicht nicht in unserer Zeit ist.

2.3 Sie meinten, wenn sie überzeugt werden würden, dass er der Eine ist, dann würden sie nicht ungläubig sein, sondern wären zufrieden und würden auf niemand anderen warten.

2.4 Deshalb fragten sie: „Bist du derjenige?" Johannes hatte über sich selbst gesagt: „Ich bin nicht der Christus!" (Joh 1,20).

Manche meinen, dass Johannes diese Frage sandte, um sich selbst zu überzeugen. Es stimmt, dass er ein vortreffliches Zeugnis von Christus abgelegt hatte; er hatte erklärt, dass Jesus der Sohn Gottes (s. Joh 1,34), „das Lamm Gottes" (Joh 1,29) und der Eine ist, „der mit Heiligem Geist tauft" (Joh 1,33) und von Gott gesandt war (s. Joh 3,34), was große Dinge waren. Er wollte sich aber weiter und mehr vergewissern. Bei den Dingen, die Christus und unser Heil betreffen, ist es gut, sicher zu sein. Christus erschien nicht in der äußeren Pracht und Macht, in der man erwartete, dass er erscheinen würde; seine eigenen Jünger strauchelten an diesem Punkt und vielleicht tat dies auch Johannes. Christus zeigte, dass er etwas davon an der Wurzel dieser Frage sah, als er sagte: „Und glückselig ist, wer nicht Anstoß nimmt an mir!" Selbst guten Menschen fällt es schwer, allgemeinen Fehlern zu widerstehen.

Johannes' Zweifel entstand vielleicht durch seine eigenen momentanen Umstände. Er war ein Gefangener und vielleicht versucht, zu denken: „Wenn Jesus der Messias ist, wie kommt es dann, dass ich, sein Freund und Vorbote, in diese Schwierigkeiten kam und so lange in ihnen geblieben bin?" Es gab zweifellos gute Gründe dafür, dass unser Herr nicht zu Johannes ins Gefängnis ging, doch Johannes legte seine Abwesenheit als Missachtung aus und vielleicht verunsicherte das sehr seinen Glauben an Christus. Dies zeigt uns:

Es kann, wo es echten Glauben gibt, immer noch eine Mischung aus Unglauben geben. Die besten sind nicht immer in gleicher Weise stark.

Schwierigkeiten für Christus sind, besonders, wenn sie eine Zeit lang ohne Erleichterung anhalten, Prüfungen für unseren Glauben und erweisen sich manchmal als zu hart zum Tragen.

Der verbleibende Unglaube guter Menschen kann manchmal, in Zeiten der Versuchung, die Quellen unseres Lebens treffen und die grundlegendsten Wahrheiten infrage stellen, die wir für gut begründet hielten. Die besten Heiligen brauchen die besten Hilfen, die sie bekommen können, um ihren Glauben zu stärken und sich vor Versuchungen zum Unglauben zu schützen.

Andere meinen, dass Johannes nicht so sehr seine Jünger mit dieser Frage zu Christus sandte, um sich selbst zu überzeugen, sondern um sie zu überzeugen. Obwohl er im Gefängnis war, blieben sie ihm treu und waren bei ihm; sie liebten ihn und weigerten sich, ihn zu verlassen.

Sie waren schwach in der Erkenntnis, wankend in ihrem Glauben und brauchten Weisung und Bestätigung. Hier waren sie ein wenig voreingenommen. Weil sie um ihren Meister besorgt waren, waren sie neidisch auf unseren Meister. Es widerstrebte ihnen, Jesus als den Messias anzuerkennen, weil er Johannes übertraf. Gute Menschen neigen dazu, ihre Urteile von ihren eigenen persönlichen Interessen beeinträchtigen zu lassen. Johannes wollte nun, dass ihr Irrtum richtiggestellt wird, und er wollte, dass sie so überzeugt werden, wie er selbst es war.

Johannes war die ganze Zeit emsig darin gewesen, seine Jünger Christus zu übergeben, wie ein Lehrer einer Grundschule darum besorgt ist, seine Schüler auf die höhere Lehranstalt vorzubereiten. Die Aufgabe von geistlichen Dienern ist, jeden zu Christus zu führen. Außerdem müssen diejenigen, welche die Gewissheit der Lehre Christi erkennen wollen (s. Lk 1,4), sich an den Einen wenden, der gekommen ist, um Verständnis zu geben. Diejenigen, die in der Gnade wachsen wollen, müssen Fragen stellen (s. 2.Petr 3,18).

3. Christi Antwort auf diese Frage **(s. Vers 4-6)**. Es war eine wahre und zuverlässige Antwort. Christus möchte, dass wir uns die überzeugenden Belege des Evangeliums verdeutlichen und uns Mühe geben, nach Erkenntnis zu graben.

3.1 Er verwies sie auf das, was sie hörten und sahen, was sie Johannes sagen mussten. Christus verweist uns auf die Dinge, die wir sehen und hören: „Geht hin und berichtet dem Johannes":

„Was ihr von der Macht der Wunder Christi seht; ihr seht, wie durch das Wort Jesu ‚Blinde ... sehend' werden ‚und Lahme gehen'." Christi Wunder wurden offen und für alle sichtbar gewirkt. Die Wahrheit sucht keine Verborgenheit. Die Wunder sind anzusehen:

Als Akte göttlicher Macht. Keiner als der Gott der Natur konnte die Naturkräfte in dieser Weise umstoßen und übertreffen. Es wird das besondere Recht des Herrn genannt, „die Blinden sehend" zu machen (Ps 146,8). Wunder sind deshalb das beglaubigende Siegel des Himmels, und die Lehre, welche sie begleitet, muss von Gott kommen. Auf wie viele gefälschte Wunder man auch zurückgreifen mag als Beweis für falsche Lehren, echte Wunder sind ein Beleg einer göttlichen Vollmacht. Solche Wunder waren die Wunder Christi, und sie lassen keinen Raum für Zweifel, dass er von Gott gesandt wurde.

Als die Erfüllung göttlicher Weissagung. Es wurde vorhergesagt, dass unser Gott kommen würde und dass dann „die Augen der Blinden aufgetan" werden (Jes 35,5).

„Was ihr von der Predigt dieses Evangeliums hört." Obwohl der Glaube durch das Sehen bekräftigt wird, kommt er durch das Hören (s. Röm 10,17). Sagt ihm, dass:"

„Armen ... das Evangelium verkündigt" wird. Die Propheten des Alten Testaments wurden größtenteils zu Königen und Herrschern gesandt, doch Christus predigte der „Schar [seiner] Elenden" (Ps 74,19; Elb). Christi gnädiges Herablassen und Mitleid gegenüber den Armen zeigte, dass er der Eine war, der die sanften Barmherzigkeiten unseres Gottes in die Welt bringen würde. Oder, wie wir es verstehen können, er würde nicht so sehr der König der „Armen dieser Welt" (Jak 2,5) wie der König der „geistlich Armen" (Mt 5,3) sein, und so erfüllte sich diese Schriftstelle, „weil der HERR mich gesalbt hat, den Armen frohe Botschaft zu verkünden" (Jes 61,1). Christi Auftrag erweist sich durch die Tatsache als göttlich, dass er das wahre Evangelium lehrt, gute Nachrichten für die, welche wahrhaftig demütig in ihrer Selbstverleugnung sind. Das Evangelium kommt zu ihnen, zu denen, bei denen Gott immer erklärt hat, dass er ihnen barmherzig wäre.

„Die Armen das Evangelium annehmen und durch dieses überzeugt werden; sie nehmen das Evangelium an und heißen es willkommen." Die wunderbare Wirksamkeit des Evangeliums beweist seinen göttlichen Ursprung. Die Armen werden durch das Evangelium überzeugt. Das Evangelium Christi bahnte sich seinen Weg in ihre ungebildeten Gemüter.

3.2 Er sprach einen Segen über den aus, der „nicht Anstoß nimmt" an ihm (um seinetwillen nicht abfällt; **Vers 6**). Diejenigen, die nicht halsstarrig gegen ihn voreingenommen sind – wörtlich, „empört" über ihn sind –, müssen seine Botschaft annehmen und so in ihm gesegnet werden. Es gibt viele Dinge bei Christus, bei denen die Unwissenden und Gedankenlosen dazu neigen, Anstoß daran zu nehmen. Die Demut seiner Erscheinung, sein Aufwachsen in Nazareth, die Armut seines Lebens, die Bedeutungslosigkeit seiner Nachfolger, die Beleidigungen, die ihm die Führer sagten, die Strenge seiner Lehre, die Herausforderung, die sie für Fleisch und Blut darstellt und die Leiden, die das Bekenntnis zu seinem Namen begleiten: Das sind Dinge, die viele Menschen weit von ihm fernhalten, die sonst viel von Gott in ihm sehen. Auf diese Weise ist er „gesetzt zum Fall ... vieler", selbst in Israel (Lk 2,34). Diejenigen, die diese Stolpersteine überwinden, sind selig. Sie sind „glückselig". Der Ausdruck weist darauf hin, dass es schwierig ist, diese Vorurteile zu bezwingen, und gefährlich, sie nicht zu bezwingen.

Vers 7-15

Manche der Jünger Christi könnten die Frage von Johannes zum Anlass genommen haben, auf ihn als schwach und schwankend herabzublicken, widersprüchlich in sich selbst, und um das zu verhindern, charakterisierte Christus ihn auf folgende Weise. Wir müssen jede Gelegenheit nutzen, besonders jede Gelegenheit, die irgendeine Schwachheit bei anderen zeigt, dann von denen gut zu sprechen, die lobenswert sind. Als Johannes der Täufer im Blickpunkt stand und Christus sich an seinen privaten Zufluchtsort zurückgezogen hatte, legte Johannes Zeugnis ab für Christus; nun, wo Christus in der Öffentlichkeit auftrat und Johannes im Schatten stand, legte er für Johannes Zeugnis ab. Johannes hatte sich selbst verleugnet, um Christus zu ehren (s. Mt 3,11; Joh 3,28.30); er hatte sich selbst zu nichts gemacht, damit Christus alles sein konnte (s. Kol 3,11), und nun ehrte ihn Christus mit dieser Beschreibung. Diejenigen, die sich selbst erniedrigen, werden erhöht werden (s. Lk 14,11), und Christus wird die ehren, die ihn ehren (s. 1.Sam 2,30). Johannes hatte sein Zeugnis nun beendet, und jetzt lobte ihn Christus. Christus spart die Ehre für seine Diener auf, wenn sie ihr Werk getan haben (s. Joh 12,26). Beachten Sie bei diesem Lob für Johannes:

1. Dass Christus nicht in Gegenwart der Jünger von Johannes so rühmlich von Johannes sprach, sondern „als ... diese unterwegs waren", als sie weggegangen waren (s. Lk 7,24). Er wollte nicht einmal den Anschein erwecken, dass er Johannes schmeichelt, noch wollte er, dass ihm das Lob von ihm berichtet wird. Wir müssen zwar darin eifrig sein, jedem das angemessene Lob zu geben, um ihn zu ermutigen, doch wir müssen alles vermeiden, das nach Schmeichelei aussieht. Stolz ist eine verdorbene Haltung, die wir weder in anderen noch in uns selbst nähren dürfen.

2. Was Christus über Johannes den Täufer sagte, sollte ihn nicht nur loben, sondern auch den Leuten nützen, das Gedenken an den Dienst von Johannes wiederbeleben. „Denkt nun nach: ‚Was seid ihr in die Wüste hinausgegangen zu sehen?' Stellt euch selbst diese Frage."

2.1 Johannes predigte in der Wüste. Wenn Lehrer in entlegene Gegenden gehen, ist es besser, ihnen zu folgen, als ohne sie zu sein. Wenn es sein Predigen wert war, so viel Mühe auf sich zu nehmen, um es zu hören, war es sicherlich auch wert, sich etwas Mühe zu geben, es zu bedenken. Je größer die Schwierigkeiten sind, die wir überwinden müssen, um das Wort zu hören, desto mehr sollten wir darum besorgt sein, dass es uns nützt.

2.2 Sie gingen mehr aus Neugierde hinaus, um ihn zu sehen, als wegen des Gewissens. Viele, die das Wort hören, kommen, um zu sehen und gesehen zu werden, statt um zu lernen und gelehrt zu werden; um etwas zu haben, worüber sie reden, statt weise „zur Errettung" zu werden (2.Tim 3,15). Christus sagt es ihnen: „Was seid ihr ... hinausgegangen zu sehen?" Wir denken, wenn die Predigt vorüber ist, ist das das Ende der Angelegenheit. Nein, dann erst beginnt die Angelegenheit wirklich. „Was brachte euch dorthin? War es die Gewohnheit oder die Gemeinschaft oder war es das Verlangen, Gott zu ehren und Gutes zu erlangen? Was habt ihr von dort mitgebracht? Welche Erkenntnis, Gnadengabe, und welchen Trost? ‚Was seid ihr ... hinausgegangen zu sehen?'"

3. Das Lob selbst. „Nun", sagte Christus, „ich will euch sagen, was für eine Art Mann Johannes der Täufer war."

3.1 „Er war stark und entschieden, kein ‚Rohr, das vom Wind bewegt wird'. Er schwankte nicht in seinen Prinzipien; er war nicht inkonsequent in seinem Verhalten." Als auf der einen Seite der Wind des Beifalls des Volkes lieblich und frisch blies, als auf der anderen Seite der Sturm des Zornes von Herodes grimmig und tobend wurde, blieb Johannes der Gleiche, ruhig in jeder Art von Wetter. Das Zeugnis, das er über Christus abgelegt hatte, war nicht das Zeugnis von einem „Rohr"; es war kein wankelmütiges, unbeständiges Zeugnis. Die Menschen strömten zu ihm, weil er nicht wie ein Rohr war. Durch die unerschütterliche Entschlossenheit, mit unserer Arbeit fortzufahren, die weder die Gunst von anderen sucht noch ihre finsteren Blicke fürchtet, ist auf lange Sicht nichts verloren.

3.2 „Er war ein Mann, der sich selbst verleugnete. War er ein Mann ‚mit weichen Kleidern bekleidet' (in feinen Kleidern)? Wenn er es gewesen wäre, wärt ihr nicht ‚in die Wüste hinausgegangen', um ihn zu sehen, sondern an den Hof. Ihr seid hinausgegangen, jemanden zu sehen, der ein ‚Gewand aus Kamelhaaren und einen ledernen Gürtel um seine Lenden' trug. Seine Kleidung entsprach der Wüste, in der er lebte, und der Lehre, die er dort predigte, die der Buße. Ihr könnt nun nicht meinen, dass der, den der Freuden eines Hofes so fremd war, durch die Schrecken eines Gefängnisses dazu gebracht werden würde, seinen Sinn zu ändern." Bei denjenigen, die ein Leben der Selbstverleugnung geführt haben, ist es am unwahrscheinlichsten, dass sie durch Verfolgung von ihrem religiösen Glauben abgebracht werden. Er war nicht in feine Kleider gekleidet. Es gibt solche Menschen, doch sie sind in den „Häusern der Könige". Es ist für die Menschen gut, sicherzustellen, dass ihre Erscheinung mit ihrem Charakter und ihrer Stellung in Einklang steht. Diejenigen, die Prediger sind, müssen nicht versuchen, wie Höflinge auszusehen. Die Weisheit lehrt uns, konsequent zu sein.

3.3 Sein größtes Lob waren sein Amt und sein Dienst.

Er war ein Prophet, in der Tat jemand, „der mehr ist als ein Prophet" **(Vers 9)**. Johannes sagte über sich, dass er nicht „der Prophet" ist (Joh 1,21), der große Prophet, der Messias selbst, und nun sagte Christus – der ein sehr kompetenter Richter war –, dass Johannes „mehr ist als ein Prophet". Der Vorbote Christi war kein König, sondern ein Prophet, ein überweltlicher Prophet, mehr als ein alttestamentlicher Prophet. Sie sahen den Tag Christi aus der Ferne (s. Joh 8,56), doch Johannes sah den Tag anbrechen; er sah die Sonne aufgehen (s. Mal 3,20). Sie sprachen von Christus, doch er zeigte auf ihn; er sagte: „Siehe, das Lamm Gottes!" (Joh 1,36).

Er war der Gleiche, der als Vorbote Christi vorhergesagt wurde. „Denn dieser ist's, von dem geschrieben steht" **(Vers 10)**. Er wurde von anderen Propheten vorhergesagt und war darum größer als sie. Maleachi prophezeite über Johannes: „Siehe, ich sende meinen Boten" (Mal 3,1). Indem er zum Vorläufer Christi wurde, wurde Johannes sehr über alle anderen Propheten erhöht. Er war ein Bote, der auf einen großen Botengang geschickt wurde. Er ist „mein Bote", jemand, der von Gott gesandt wurde, und er wurde vor dem Sohn Gottes gesandt. Seine Aufgabe war, Christus den Weg zu bereiten. Dies hatte er über sich selbst gesagt (s. Joh 1,23), und nun sagte es Christus über ihn. Viel von der Schönheit der Wege Gottes liegt in ihrer wechselseitigen Verbindung und Übereinstimmung und der Beziehung, die sie miteinander haben. Was Johannes über die alttestamentlichen Propheten erhöhte, war, dass er unmittelbar vor Christus kam. Je näher die Menschen Christus sind, desto wahrhaft ehrenwerter sind sie.

„Unter denen, die von Frauen geboren sind, ist kein Größerer aufgetreten als Johannes der Täufer" **(Vers 11)**. Christus wusste, wie er Menschen nach ihrem Wert einschätzen musste, und er erhob Johannes höher als alle, die vor ihm kamen. Johannes war der bedeutendste von allen, die Gott erhöht und zu einem Dienst in seiner Gemeinde berufen hatte. Es sind viele geboren worden, die bedeutend in der Welt waren, doch Christus stellte Johannes über sie. Größe soll nicht an der äußerlichen Erscheinung und Pracht beurteilt werden; vielmehr sind die größten Menschen die, welche die größten Heiligen und der größte Segen sind; diejenigen, die wie Johannes, groß sind „vor dem Herrn" (Lk 1,15). „Doch der Kleinste im Reich der Himmel ist größer als er." Das ist wahr für das „Reich der Himmel", was ist:

Im Reich der Herrlichkeit. Johannes war ein großer und guter Mann, doch er war immer noch in einem Stand der schwachen Unvollkommenheit und erreichte deshalb nicht die verherrlichten Heiligen. Es gibt Grade der Herrlichkeit im Himmel, einige, die dort geringer sind als andere; wenn auch jedes Gefäß gleich voll ist, sind sie nicht alle gleich groß. Der „kleinste" Heilige im Himmel ist größer, weiß mehr, liebt mehr und tut mehr, um Gott zu loben, und empfängt mehr von ihm als der Größte in dieser Welt.

Im Reich der Gnade, was die Art ist, wie man das „Reich der Himmel" hier wirklich verstehen sollte, das heißt, in dem Zeitalter des Evangeliums in der Vollkommenheit seiner Macht und Reinheit. Wer in diesem Reich gering ist, ist größer als Johannes. Dies sollte man als Bezug auf die Apostel und geistlichen Diener des Neuen Testaments verstehen, die evangelischen Propheten, und bei dem Vergleich zwischen ihnen und Johannes geht es nicht um ihre persönliche Heiligkeit, sondern um ihr Amt. Johannes predigte, dass Christus kommt, doch sie predigten, dass Christus nicht nur gekommen war, sondern ihn „als Gekreuzigten" (1.Kor 2,2) und „verherrlicht" (2.Thess 1,12). Johannes kam beim Anbrechen des Tages des Evangeliums, doch er wurde vor dem Mittag dieses Tages hinweggenommen, vor dem Zerreißen des Vorhangs (s. Mt 27,51), vor Christi Tod und Auferstehung und der Ausgießung des Geistes. Also in diesem Sinne, weil der geringste der Apostel und Evangelisten größere Offenbarungen empfing, waren sie in einem größeren Auftrag eingesetzt und größer als Johannes. Alle echte Größe von Menschen kommt und hat ihren Charakter durch die gnädige Offenbarung Christi in ihnen. Was für Grund haben wir, dankbar zu sein, dass unser Los in die Tage des Reichs der Himmel gefallen ist, unter solche Vorzüge des Lichtes und der Liebe! Doch je größer die Vorzüge, desto größer wird die Forderung sein, wenn wir „die Gnade Gottes ... vergeblich ... empfangen" (2.Kor 6,1).

Das große Lob von Johannes dem Täufer war, dass Gott seinen Dienst anerkannte und ihn dadurch wunderbar erfolgreich machte, dass er das Eis brach und die Menschen auf das Kommen des Reiches der Himmel vorbereitete. „Von den Tagen" des ersten Auftretens „Johannes des Täufers an bis jetzt leidet das Reich der Himmel Gewalt"; wie die Gewalt einer Armee, die eine Stadt im Sturm erobert, oder einer Menge, die in ein Haus hineinstürmt, so reißen jene das Reich an sich, die es mit Eifer erstreben. Viele Menschen wurden durch den Dienst von Johannes dem Täufer überzeugt und wurden seine Jünger. Es war:

Eine Menschenmenge, mit der niemand rechnete. Diejenigen, die nach einem Platz in diesem Reich strebten, waren die, von denen man meinen würde, dass sie kein Recht und keinen Anspruch darauf hätten und die deshalb als Eindringlinge erschienen. Wenn die „Kinder des Reiches" ausgeschlossen werden und viele „vom Osten und vom Westen" in das Reich hineinkommen, dann dringt man durch heftiges Streben ein. Die Zöllner und Prostituierten glaubten Johannes, den die Gesetzeslehrer und Pharisäer verwarfen, und deshalb kamen diese Nachfolger von Johannes vor diesen Führern in das Reich Gottes. Es ist kein Bruch der guten Manieren, vor unseren Oberen in den Himmel zu gehen: Es ist eine große Empfehlung des Evangeliums, dass es von den Tagen seines Anfangsstadiums viele Leute zur Heiligkeit gebracht hat, die als aussichtslose Empfänger angesehen wurden.

Eine aufdringliche Menschenmenge. Diese „Gewalt", diesen Eifer kennzeichnet ein kräftiges, energisches und inbrünstiges Verlangen und Mühen bei denen, die dem Dienst von Johannes folgten. Es zeigt uns auch, welcher Eifer und welche Inbrunst von allen gefordert werden, die durch ihren religiösen Glauben in den Himmel gelangen wollen. Diejenigen, die in das Reich der Himmel „hineinzugehen suchen", müssen darum ringen, einzutreten (Lk 13,24); „das Königreich der Himmel wird [mit heiligem Eifer] gestürmt" (**Vers 12;** Albr); wir müssen laufen, ringen, kämpfen und „in ringendem Kampf" (Lk 22,44) sein, und das ist wenig genug, um einen solchen Preis zu gewinnen und solchen Widerstand von außen und in uns zu überwinden. „... die, welche Gewalt anwenden, reißen es an sich." Diejenigen, die sich an den Vorrechten dieses großen Heils erfreuen wollen, sind mit einem starken Verlangen nach ihm erfüllt. Sie möchten es um jeden Preis haben, sie denken nicht, dass die Bedingungen zu hart sind, und sie lockern ihren Griff nicht ohne einen Segen (s. 1.Mose 32,27). Das Reich der Himmel hatte nie den Zweck, der Sorglosigkeit des Leichtsinnigen freien Lauf zu lassen, sondern die Ruhe derer zu sein, die hart arbeiten. Oh, dass wir eine größere Zahl mit heiligem Eifer sich hineindrängen sehen könnten!

Der Dienst von Johannes dem Täufer war der „Anfang des Evangeliums" (Mk 1,1).

Mit Johannes begann das Zeitalter des Alten Testaments abzulaufen (Vers 13). Die Offenbarungen des Alten Testaments begannen, durch die klarere Offenbarung des Reiches der Himmel ersetzt zu werden, als es „nahe herbeigekommen" war (Mt 4,17). Als Christus sagte, „alle Propheten und das Gesetz haben geweissagt bis hin zu Johannes", zeigte er uns:

Wie das Licht des Alten Testaments installiert wurde, es wurde in dem Gesetz und den Propheten installiert, die, wenn auch unklar, von Christus und seinem Reich sprachen. Wir loben Gott, dass wir sowohl das Neue Testament haben, um die Prophetien des Alten Testaments zu erläutern, als auch die Verheißungen des Alten Testaments, um die Lehre des Neuen Testaments zu bestätigen und zu veranschaulichen (s. Hebr 1,1); wie die beiden Cherubim, die einander ansehen (s. 2.Mose 25,20). Die Schrift lehrt uns bis zu diesem Tag, obwohl ihre Verfasser gestorben sind. Mose und die Propheten sind gestorben, und die Apostel und die Evangelisten sind gestorben (vgl. Sach 1,5), „aber das Wort des Herrn bleibt in Ewigkeit" (1.Petr 1,24).

Wie dieses Licht des Alten Testaments beiseite gerückt wurde. Kurz bevor die Sonne aufgeht, lässt das morgendliche Licht Kerzen trüb erscheinen. Ihre Prophetien über den Christus, der kommen sollte, waren veraltet, als Johannes sagte: „Er ist gekommen."

In ihm begann der Tag des Neuen Testaments zu dämmern, weil „er ... der Elia [ist], der kommen soll" (Vers 14). Johannes war das Glied, das die beiden Testamente verband. Die abschließende Prophezeiung des Alten Testaments lautete: „Siehe, ich sende euch den Propheten Elia" (Mal 3,23). Diese Worte weissagten bis zu Johannes, und als ist zu Geschichte wurden, hörten sie auf zu weissagen. Christus sprach darüber als eine große Wahrheit, dass Johannes der Täufer der Elia des Neuen Testaments ist, einer, der im Geist und der Kraft Elias kommen würde, und besonders, wie es in der Prophetie hieß, einer, der „die Herzen der Väter ... zu den Kindern" umwenden würde (Lk 1,17). Christus vermutete, welche Art von Willkommen diese Wahrheit erhalten würde: „... wenn ihr es annehmen wollt." Er ließ nicht durchblicken, dass diese Wahrheit in irgendeiner Weise davon abhing, ob sie sie annehmen oder nicht, sondern er tadelte sie für ihre Voreingenommenheit. Oder: „Wenn ihr ihn annehmen wollt, oder wenn ihr den Dienst von Johannes als den von dem verheißenen Elia annehmen wollt, wird er ein Elia für euch sein, der euch zum Herrn zurückbringt und euch auf den Herrn vorbereitet." Für diejenigen, welche die Wahrheit über sie annehmen, ist Christus ein Heiland und Johannes ein Elia. Unser Herr Jesus schließt dieses Gespräch mit einem feierlichen Aufruf zur Aufmerksamkeit: „Wer Ohren hat zu hören, der höre!" (**Vers 15**). Dies deutet darauf hin, dass die Dinge, die er gesagt hat, verborgen und schwer zu verstehen sind (s. 2.Petr 3,16) und deshalb Aufmerksamkeit erforderten, aber auch von großem Belang und großer Wichtigkeit waren und deshalb gute Aufmerksamkeit verdienten. Die Dinge Gottes sind von großer und allgemeiner Wichtigkeit: Jeder, der „Ohren hat [etwas] zu hören", sollte darauf bedacht sein, auf dies zu hören. Es weist auch darauf hin, dass Gott von uns nicht mehr fordert, als den rechten Gebrauch der Fähigkeiten, die er uns bereits gegeben hat. Er fordert von denen, die Ohren haben, zu hören. Sie hören nicht, weil sie, wie die taube Otter, ihre Ohren verschließen (s. Ps 58,5).

Vers 16-24

Christus hat mit dem Lob von Johannes dem Täufer und seinem Dienst weitergemacht, doch hier hielt er plötzlich inne und wandte sich davon der Rüge derer zu, die vergeblich sowohl den Dienst von Johannes als auch den von Christus und seiner Apostel genossen hatten. In Bezug auf dieses Geschlecht können wir sehen, wen er ihnen gegenüberstellt **(s. Vers 16-19)**, und an den einzelnen Orten, die er anführt, können wir sehen, mit wem er sie vergleicht **(s. Vers 20-24)**.

1. Was das Geschlecht anbetraf, so verharrten die meisten in Unglauben und Eigensinn. Johannes war ein großer und guter Mann, doch das Geschlecht, unter dem er lebte, war sehr unfruchtbar und nutzlos und seiner nicht wert (s. Hebr 11,38). Die Schlechtigkeit der Orte, an dem geistliche Diener leben, dient dazu, einen Gegensatz zu ihrer Schönheit zu bilden. Nachdem er Johannes gelobt hatte, verurteilt Christus diejenigen, die ihn unter sich hatten, aber nicht von seinem Dienst profitierten. Unser Herr Jesus zeigt dies hier mit einem Gleichnis: „Wem soll ich aber dieses Geschlecht vergleichen?" Der Vergleich stammt aus einer üblichen Gewohnheit unter spielenden jüdischen Kindern, die, wie es bei Kindern gewöhnlich ist, den Stil der Erwachsenen bei ihren Hochzeiten und Begräbnissen nachahmten, tanzten und weinten, doch aus diesen Handlungen einen Spaß machten und nicht mehr davon beeindruckt waren, als die Leute des Geschlechts von Johannes dem Täufer durch den Dienst von Johannes oder von Christus waren. Das Gleichnis lässt sich am besten erklären, wenn wir es und seine Veranschaulichung unter diesen fünf Gesichtspunkten untersuchen:

1.1 Der Gott des Himmels benutzt eine Vielfalt an geeigneten Wegen und Mitteln zur Bekehrung und zum Heil unserer armen Seelen; der Eine, der möchte, „dass alle Menschen gerettet werden" (1.Tim 2,4), lässt nichts unversucht, um das zu erreichen. In diesem Gleichnis werden das Aufspielen und das Klageliedersingen genannt. Er hat uns in den kostbaren Verheißungen des Evangeliums aufgespielt, die Hoffnung wecken können, und uns in den furchtbaren Drohungen des Gesetzes Klagelieder gesungen, die Furcht wecken können. Er hat uns in gnädigen und barmherzigen Fügungen der Vorsehung aufgespielt und uns in unheilvollen, heimsuchenden Fügungen der Vorsehung Klagelieder gesungen. Bei der Erläuterung dieses Gleichnisses werden die verschiedenen Themen des Dienstes von Johannes und von Christus dargelegt.

Auf der einen Seite kam Johannes zu ihnen und sang Klagelieder, „der aß nicht und trank nicht". Man hätte nun gedacht, dass dies eine Wirkung auf sie haben würde, da solch ein Leben der strengen Selbstverleugnung sehr im Einklang mit seiner Lehre stand und ein geistlicher Diener, dessen Leben mit seiner Lehre übereinstimmt, höchstwahrscheinlich Gutes vollbringen wird; doch selbst die Predigt eines solchen geistlichen Dieners ist nicht immer wirkungsvoll.

Auf der anderen Seite ist der Sohn des Menschen gekommen, „der isst und trinkt", und so könnte man sagen, dass er ihnen aufgespielt hat. Christus hatte enge Beziehungen zu vielen Arten von Menschen und zeigte keine besondere Strenge oder Askese. Diejenigen, die von dem Stirnrunzeln von Johannes nicht eingeschüchtert wurden, hätten vielleicht vom Lächeln von Christus angezogen werden können, von dem der Apostel Paulus lernte, „allen alles" zu werden (1.Kor 9,22). Es kann sehr unterschiedliche Kraftwirkungen durch denselben Gott geben, „der alles in allen wirkt" (1.Kor 12,6), und dieses „offenbare Wirken des Geistes" wird jedem „zum allgemeinen Nutzen gegeben" (1.Kor 12,7). Beachten Sie besonders, dass Gottes geistlichen Dienern verschiedene Gaben gegeben sind. Manche sind ein Boanerges, ein Donnersohn, andere sind ein Barnabas, ein Sohn des Trostes; „dies alles aber wirkt ein und derselbe Geist" (das heißt, ein und derselbe Geist bewirkt diese Gaben; 1.Kor 12,11) und deshalb sollten wir einander nicht verurteilen, sondern beide preisen und Gott für beide loben.

1.2 Die verschiedenen Wege, die Gott für die Bekehrung von Sündern verwendet, sind bei vielen fruchtlos und unwirksam: „… und ihr habt nicht getanzt … nicht geweint." Wenn nun Menschen weder durch die größten Dinge erweckt noch durch die süßesten Dinge angezogen werden, dann werden sie nicht durch die schlimmsten Dinge erschreckt oder von den klarsten Dingen erweckt. Was kann man noch mehr tun, wenn sie nicht auf die Stimme der Schrift, des Verstandes, der Erfahrung, der Vorsehung, des Gewissens oder der Anteilnahme hören? Treue geistliche Diener, die wenig Erfolg in ihren Mühen sehen, können Ermutigung durch die Erkenntnis schöpfen, dass es nichts Neues ist, wenn die besten Prediger und das beste Predigen den gewünschten Zweck nicht erreichen. „Wer hat unserer Verkündigung geglaubt?" (Jes 53,1).

1.3 In der Regel sind die Menschen verderbt, die keinen Nutzen von den Gnadenmitteln haben. Sie schaden anderen Menschen so viel sie können, indem sie Vorurteile gegen das Wort und seine treuen Prediger wecken und verbreiten. Dies ist es, was dieses Geschlecht tat; weil sie entschlossen waren, Christus und Johannes nicht zu glauben, machten sie sich daran, sie zu beleidigen und sie als äußerst schlimm darzustellen.

Bei Johannes dem Täufer sagten sie: „Er hat einen Dämon!" Sie führten sein strenges und zurückhaltendes Wesen auf eine Depression und Art von satanischer Besessenheit zurück.

Bei Jesus Christus führten sie seinen freien und freundlichen Lebensstil auf Zügellosigkeit zurück: „Wie ist der Mensch ein Fresser und Weinsäufer." Keine Bemerkung konnte verdorbener und boshafter sein, noch konnte eine mehr falsch und ungerecht sein, denn Christus „hatte nicht an sich selbst Gefallen" (Röm 15,3), noch lebte irgendjemand jemals ein solches Leben der Selbstverleugnung und Verachtung für die Welt, wie er es tat. Die offensichtlichste Unschuld und beispielloseste Vorzüglichkeit wird nicht immer als Schutz vor den harten Worten der Leute dienen; in der Tat können die besten Gaben und Taten eines Menschen zu einem Grund gemacht werden, um ihnen etwas vorzuwerfen. Unsere besten Taten können als die schlimmsten Anschuldigungen gegen uns verwendet werden. Es stimmte in einem gewissen Sinn, dass Christus „ein Freund der Zöllner und Sünder" war, der beste Freund, den sie je hatten, denn er kam in die Welt, „um Sünder zu retten" (1.Tim 1,15); dies ist aber und wird ein Grund sein, ihn in Ewigkeit zu preisen, und diejenigen, die dies zu einem Grund gemacht haben, ihm etwas vorzuwerfen, haben das Recht verloren, davon zu profitieren.

1.4 Der Grund dieser großen Unfruchtbarkeit und Verstocktheit der Menschen unter den Gnadenmitteln ist, dass sie „Kindern gleich" sind, „die an den Marktplätzen sitzen" **(Vers 16)**, töricht und ungezogen, gedankenlos und verspielt. Wenn sie sich nur im Verständnis erwachsen zeigen würden (s. 1.Kor 14,20), dann gäbe es etwas Hoffnung für sie. Die Marktplätze, auf denen sie sitzen, sind für manche ein Ort der Untätigkeit (s. Mt 20,3), während es für andere ein Ort des weltlichen Handels ist (s. Jak 4,13); es ist für alle ein Ort des Lärms und der Ablenkung. Ihre Köpfe, Hände und Sorgen sind voller weltlicher Sorgen, welche das Wort ersticken (s. Mt 13,22) und schließlich ihre Seelen ersticken. Und so sitzen sie an Marktplätzen; ihre Herzen stützen sich auf diese Dinge und sie haben beschlossen, dicht bei ihnen zu bleiben.

1.5 Obwohl die Gnadenmittel von vielen beschimpft und verschmäht werden – in der Tat von den meisten –, gibt es dennoch einen Überrest, der durch die Gnade Nutzen daraus zieht. „Und doch ist die Weisheit gerechtfertigt worden von ihren Kindern" (durch ihre Taten als richtig bewiesen; **Vers 19**). Christus ist Weisheit (s. 1.Kor 1,24.30. In ihm sind „alle Schätze der Weisheit ... verborgen" (Kol 2,3). Das Evangelium ist Weisheit, es ist die „Weisheit von oben" (Jak 3,17). Wahre Gläubige werden dadurch von Neuem geboren und auch von oben geboren (vgl. Joh 3,3, wo der Ausdruck „von Neuem geboren" auch „von oben geboren" bedeutet [Hg.]), sie sind weise Kinder. Diese Kinder der Weisheit rechtfertigen die Weisheit; sie entsprechen der Absicht der Gnade Christi. „Die Zöllner gaben Gott recht, indem sie sich taufen ließen mit der Taufe des Johannes" (Lk 7,29) und später das Evangelium Christi annahmen. Paulus schämt sich „des Evangeliums von Christus nicht", weil es, was immer es auch für andere ist, „Gottes Kraft zur Errettung für jeden" ist, „der glaubt" (Röm 1,16). Wenn das Kreuz Christi, das für andere Torheit und ein Ärgernis ist, „denen aber, die berufen sind ... Gottes Kraft und Gottes Weisheit" (1.Kor 1,24), dann ist hier „die Weisheit gerechtfertigt worden von ihren Kindern". Wenn der Unglaube einiger ihm Vorwürfe bringt, indem sie ihn der Lüge bezichtigen, so wird ihn der Glaube anderer ehren, indem er die Bestätigung besiegelt, dass er wahrhaftig und dass er auch weiser ist (s. 1.Kor 1,25). Ob wir ihn rechtfertigen oder nicht, er wird gerechtfertigt werden (s. Ps 51,6; Röm 3,4). Dieses Geschlecht ist nicht vergangen, sondern von ähnlichen gefolgt worden, denn wie es einst war, so ist es seitdem gewesen und ist es immer noch; die einen lassen „sich von dem überzeugen, was er sagte, die anderen aber blieben ungläubig" (Apg 28,24).

2. Was die genauen Orte anbetrifft, in denen Christus am meisten bekannt war, wird gesagt, dass er begann, sie zu schelten **(s. Vers 20)**. Lange vorher begann er, ihnen zu predigen (s. Mt 4,17), doch bis jetzt begann er nicht, sie zu schelten. Raue und unerfreuliche Methoden dürfen nicht benutzt werden, ehe man nicht vorher mildere Mittel angewendet hat. Christus neigt nicht dazu, zu schelten. Die Weisheit lädt zuerst ein, doch wenn ihre Einladungen abgewiesen werden, dann schilt sie (s. Spr 1,20.24). Diejenigen, die damit beginnen, Fehler zu suchen, folgen nicht der Methode Christi. Beachten Sie:

2.1 Die Sünde, derer sie beschuldigt werden: der schändlichsten, unerfreulichsten Sache, die es gibt, dass sie „nicht Buße getan hatten". Halsstarrige Unbußfertigkeit ist die große verdammende Sünde vieler Menschen, die das Evangelium besitzen. Die große Lehre, welche Johannes der Täufer, Christus und die Apostel predigten, war Buße; der große Zweck des Aufspielens wie des Klageliedersingens war, die Menschen zu überzeugen, ihre Sinne und Wege zu ändern, ihre Sünden zu lassen und zu Gott zurückzukehren, doch dazu wollten sich nicht bringen lassen. Christus wies sie für ihre anderen Sünden zurecht, um sie zur Buße zu führen, doch als sie davon „nicht Buße getan hatten", schalt er sie dafür, damit sie sich selbst tadeln würden, wenn sie schließlich gesehen haben, dass es alleine die Torheit ihrer Wege war, die ihren schlimmen Fall verzweifelt und die Wunde unheilbar machte.

2.2 Die Betonung der Sünde: Sie waren die Städte, „in denen die meisten seiner Wundertaten geschehen waren". Sie hätten durch die „Wundertaten" Christi nicht nur davon überzeugt werden sollen, seine Lehre anzunehmen, sondern auch, seinem Gesetz zu gehorchen. Die Heilung von leiblichen Krankheiten hätte zur Heilung ihrer Seelen führen sollen. Doch es hatte nicht diese Wirkung. Je stärkere Anreize wir dazu haben, Buße zu tun, desto schrecklicher ist Unbußfertigkeit und desto strenger wird das Urteil sein.

Chorazin und Bethsaida werden hier als Beispiele genannt; jedes hat sein Wehe: „Wehe dir, Chorazin! Wehe dir, Bethsaida!" **(Vers 21)**. Christus kam in die Welt, um uns zu segnen, doch wenn dieser Segen verachtet wird, hat er Wehrufe in Reserve und seine Wehrufe sind äußerst schrecklich. Diese beiden Städte waren reiche und gut besiedelte Orte; Bethsaida war da kürzlich von dem Tetrarchen Philippus zur Stadt erhoben worden. Christus nahm wenigstens drei seiner Apostel aus ihr: Diese Orte waren äußerst begünstigt! Bald darauf verschwanden sie und schrumpften zu unbedeutenden, unbekannten Dörfern. So verhängnisvoll ist die Wirkung von Sünde auf Städte und so sicher trifft das Wort Christi ein! Christus vergleicht hier diese Städte mit Tyrus und Zidon, um sie zu überführen und zu demütigen und ihnen zu zeigen:

Dass Tyrus und Zidon nicht so schlecht wie Chorazin und Bethsaida gewesen wären. Wenn unter ihnen das gleiche Wort gepredigt und die gleichen Wunder getan worden wären, „so hätten sie längst", wie Ninive es tat, „in Sack und Asche Buße getan" (vgl. Jona 3,6). Christus, der Herz von jedem kennt, wusste, wenn er gegangen wäre und in Tyrus und Zidon gelebt und gepredigt hätte, hätte er dort mehr Gutes vollbracht als dort, wo er war. Dennoch fuhr er dort eine Zeit lang fort, wo er war, um seine geistlichen Diener zu ermutigen, dies zu tun, selbst wenn sie nicht den Erfolg sehen, den sie sich wünschten. Unsere Buße ist langsam und zögerlich, ihre aber wäre rasch gewesen; sie hätten schon längst Buße getan. Unsere ist leicht und oberflächlich gewesen; ihre wäre tief und ernstlich gewesen, „in Sack und Asche".

Dass es deshalb Tyrus und Zidon nicht so schlimm ergehen wird wie Chorazin und Bethsaida; vielmehr wird es ihnen „erträglicher gehen am Tag des Gerichts" **(Vers 22)**. Bei diesem Gericht werden sicherlich alle Gnadenmittel, die in dem Stand der Prüfung in diesem Leben besessen wurden, berücksichtigt werden, und es wird nicht nur gefragt werden, wie schlecht wir waren, sondern auch, wie viel besser wir hätten sein können. Wenn Selbstvorwürfe die Qual der Hölle sind, muss es wahrhaftig für diejenigen Hölle sein, die solch eine gute Gelegenheit hatten, den Himmel zu erreichen.

Hier wird Kapernaum ausdrücklich verdammt. „Und du, Kapernaum" **(Vers 23)**. Die Wunder Christi waren hier „tägliches Brot" (Mt 6,11) und wurden deshalb wie das Manna in früherer Zeit verachtet und elende Speise genannt (s. 4.Mose 21,5). Christus hatte ihnen viele süße und ermutigende Botschaften der Gnade dargelegt, doch mit wenig Erfolg, und deshalb legte er ihnen eine furchtbare Botschaft des Zorns dar. Hier haben wir Kapernaums Verhängnis:

Absolut ausgedrückt: Du, „die du bis zum Himmel erhöht worden bist, du wirst bis zum Totenreich [zu den Tiefen] hinabgeworfen werden!" Diejenigen, die das Evangelium in Kraft und Reinheit haben, sind „bis zum Himmel erhöht", sie sind zum Himmel emporgehoben. Wenn sie jedoch trotz diesem an der Erde hängen, können sie nur sich selbst die Schuld geben, dass sie nicht in den Himmel emporgehoben werden. Unsere äußeren Vorrechte werden so weit davon entfernt sein, uns zu retten, dass, wenn unsere Herzen und Leben mit ihnen unvereinbar sind, sie nur das Gericht anheizen werden: Je höher der Felshang ist, desto tödlicher ist der Sturz davon.

Verglichen mit dem Geschick Sodoms. Christus sagt uns, dass die Mittel von Kapernaum Sodom gerettet hätten. Wenn diese Wunder unter den Sodomitern getan worden wären, hätten sie, so schlecht sie waren, Buße getan und diese Stadt „würde noch heutzutage stehen", ein Denkmal der verschonenden Barmherzigkeit. Wenn es echte Buße durch Christus gibt, wird sogar die größte Sünde vergeben und das größte Verderben verhindert werden. „Es wird dem Land Sodom erträglicher gehen am Tag des Gerichts als dir!"

Vers 25-30

1. Christus dankt hier Gott für seine Gunst gegenüber diesen „Unmündigen", denen die Geheimnisse des Evangeliums offenbart worden waren. „Zu der Zeit antwortete Jesus" **(Vers 25**; Bruns). Es wird eine Antwort genannt, weil es solch eine ermutigende Erwiderung auf die vorangehenden traurigen Gedanken ist. Er erfrischt sich selbst mit diesem Gedanken, und um es noch erfrischender zu machen, drückt er es als Danksagung aus. Wenn alles, was wir um uns herum sehen, nur entmutigend ist, können wir durch das Schauen aufwärts zu Gott große Ermutigung bekommen. „... sprach Jesus ... ich danke dir" (NLB). Danksagung ist eine angemessene Antwort auf dunkle und beunruhigende Gedanken und kann ein wirksames Mittel sein, sie zum Schweigen zu bringen. Loblieder sind unübertrefflicher Trost für matte Seelen. Wenn wir auf Einflüsterungen von Kummer und Furcht keine Antwort als Erwiderung bereit haben, können wir auf dies zurückgreifen: „Ich preise dich, Vater"; wir wollen Gott dafür loben, dass es mit uns nicht schlimmer ist, als es ist. Beachten Sie in dieser Danksagung:

1.1 Die Titel, die Christus Gott gibt: „Vater, Herr des Himmels und der Erde." Immer, wenn wir uns Gott nahen, im Lobpreis wie auch im Gebet, ist es gut für uns, ihn als Vater zu betrachten. Barmherzigkeiten sind doppelt süß und wirksam, um das Herz zum Lob freizumachen, wenn sie als Zeichen väterlicher Liebe empfangen werden. Für Kinder ist es gut, dankbar zu sein, genauso gern „Danke, Vater" zu sagen wie: „Ich bitte dich, Vater." Wenn wir zu Gott als Vater kommen, müssen wir auch daran denken, dass er „Herr des Himmels und der Erde" ist. Wenn wir daran denken, lässt uns das mit Ehrfurcht, aber auch mit Zutrauen zu ihm kommen als einem, der in der Lage ist, uns vor allem Bösen zu schützen und mit allem Guten zu versorgen.

1.2 Wofür er dankt: „… dass du dies vor den Weisen und Klugen verborgen und es den Unmündigen geoffenbart hast!" „Dies" oder „diese Dinge" (Bengel), die zu unserem Frieden dienen (vgl. Lk 19,42; KJV). Dies zeigt uns:

Die großen Dinge des ewigen Evangeliums waren und sind vor vielen verborgen, die weise und klug (gelehrt) sind, die bedeutend in Gelehrsamkeit und weltlicher Erkenntnis waren. Die Welt erkannte Gott in ihrer Weisheit nicht (s. 1.Kor 1,21). Die Menschen können tief in den Geheimnissen der Natur und den knifflichen Dingen der Politik graben, bleiben aber unwissend und im Irrtum über die Geheimnisse des Reiches der Himmel, weil sie ihre Kraft nicht erfahren.

Während die „Weisen und Klugen" der Welt im Dunkeln gegenüber den Geheimnissen des Evangeliums sind, haben eben die „Unmündigen" in Christus die heiligende, rettende Erkenntnis davon: „… und es den Unmündigen [kleinen Kindern] geoffenbart hast!" Nicht die Gelehrten dieser Welt wurden als Prediger des Evangeliums auserwählt; zu dieser Aufgabe wurde „das Törichte der Welt" eingesetzt (s. 1.Kor 1,27; 2,6.8.10).

Diese Unterscheidung zwischen „Klugen" und „Unmündigen" geschieht durch Gottes eigene Auswahl. Er ist der Eine, der dies „vor den Weisen und Klugen verborgen" hat; er gab ihnen Begabungen, Gelehrsamkeit und viel mehr menschliche Intelligenz als anderen und sie waren darauf stolz, setzten ihr Vertrauen auf sie und schauten nicht weiter. Wenn sie Gott mit der Weisheit und Gelehrsamkeit geehrt hätten, die sie hatten, hätte er ihnen die Erkenntnis dieser besseren Dinge gegeben. Er ist der Eine, der „es den Unmündigen geoffenbart" hat. Auf diese Weise widersteht er den Hochmütigen, gibt aber den Demütigen Gnade (s. Jak 4,6).

Diese Fügung muss im Licht der göttlichen Souveränität betrachtet werden. Christus selbst bezog sie darauf: „Ja, Vater, denn so ist es wohlgefällig gewesen vor dir." Christus unterwirft sich hier dem Willen seines Vaters in dieser Sache: „… denn so …" Gott kann jeden Weg wählen, den er möchte, um sich zu verherrlichen. Wir können keinen Grund dafür nennen, warum Petrus, ein Fischer, zum Apostel gemacht werden sollte, aber nicht Nikodemus, ein Pharisäer und Oberhaupt der Juden, obwohl er auch an Christus glaubte – keinen Grund außer, dass es „wohlgefällig gewesen" ist vor Gott.

Dieser Weg, die göttliche Gnade zu verleihen, ist von uns mit großer Dankbarkeit anzuerkennen. Wir müssen Gott danken, dass dies offenbart ist, dass es „Unmündigen geoffenbart" ist und dass diese Ehre denen erwiesen wird, denen die Welt Verachtung zeigt. Die ihnen erwiesene Barmherzigkeit wird dadurch erhöht, dass „dies vor den Weisen und Klugen verborgen" ist, und auf diese Weise leuchten auch die göttliche Macht und Weisheit strahlender (s. 1.Kor 1,27.30).

2. Christus bietet gnädig die Wohltaten des Evangeliums für jeden an. Hier gibt es:

2.1 Die feierliche Einleitung, die in diesen Ruf oder diese Einladung einführt. Christus macht seine Autorität bekannt, er gibt seine Beglaubigung ab. Er legt uns hier zwei Dinge vor **(s. Vers 27)**:

Seine Vollmacht vom Vater: „Alles ist mir von meinem Vater übergeben worden" **(Vers 27)**. Er ist autorisiert, einen Neuen Bund zwischen Gott und Menschen zu errichten und der abgefallenen Welt zu den Bedingungen Frieden und Seligkeit anzubieten, die er für gut hält. Durch das Wissen, dass Christus bevollmächtigt ist, uns zu empfangen und uns das zu geben, weshalb wir gekommen sind, und dass ihm zu diesem Zweck alle Dinge von dem Einen übergeben wurden, welcher der Herr aller ist, werden wir ermutigt, zu Christus zu kommen. Alle Kräfte, alle Reichtümer sind in seiner Hand. Gott hat ihn zum großen Mittler und Richter gemacht, „der seine Hand auf uns beide" legt (Hiob 9,33); was wir zu tun haben, ist, uns in diesem unglückseligen Streit seinem Schiedsspruch zu unterwerfen und uns vor der Zeit daran zu binden, sein Urteil anzunehmen.

Seine Vertrautheit mit dem Vater. „… und niemand erkennt den Sohn als nur der Vater; und niemand erkennt den Vater als nur der Sohn." Es muss eine große Ermutigung für uns sein, zugesichert zu bekommen, dass sie einander in dieser Angelegenheit eng verstanden: dass der Vater den Sohn und der Sohn den Vater kannte, und beide vollkommen, sodass es kein Missverständnis bei der Festsetzung dieser Angelegenheit geben konnte, wie es das oft bei Menschen gibt, mit dem Ergebnis, dass wegen Missverständnissen zwischen den Parteien Verträge widerrufen oder Versprechen zurückgenommen werden. „…

niemand erkennt den Vater als nur der Sohn" – und er fügt hinzu: „… und der, welchem der Sohn es offenbaren will." Die Seligkeit von Menschen liegt darin, Gott zu kennen; das ist „das ewige Leben" (Joh 17,3). Diejenigen, die Gott kennenlernen wollen, müssen sich an Jesus Christus wenden, denn das Licht der Erkenntnis der Herrlichkeit Gottes leuchtet im Angesicht Christi (s. 2.Kor 4,6).

2.2 Das Angebot selbst, das uns gemacht wird, mit einer Einladung, es anzunehmen. Wir werden hier eingeladen, zu Christus zu kommen, um gerettet zu werden. Er ist unser Priester, Fürst und Prophet.

Wir müssen zu Jesus Christus als unserer Ruhe kommen und wir müssen uns auf ihn verlassen. „Kommt her zu mir alle, die ihr mühselig und beladen seid" **(Vers 28)**. Beachten Sie:

Die Beschreibung der eingeladenen Leute: alle, die mühselig sind, und alle, die beladen sind (die müde und belastet sind). Das ist ein rechtes Wort für jemanden, der müde ist (s. Jes 50,4). Dies wird am besten als Verweis auf die Last der Sünde, sowohl ihrer Schuld als auch ihrer Macht, verstanden. Alle die, und nur die, die sich der Sünde als Last bewusst sind und unter ihr ächzen, sind eingeladen, in Christus zu ruhen; sie sind nicht nur von der Bosheit der Sünde überzeugt, ihrer eigenen Sünde, sondern auch zerknirscht in ihrer Seele über sie. Sie haben ihre Sünden satt. Dies ist eine notwendige Vorbereitung für Vergebung und Frieden. Der Beistand muss zuerst überführen (s. Joh 16,8).

Die Einladung selbst: „Kommt her zu mir alle." Sehen Sie hier, wie er „das goldene Zepter" ausstreckt, damit wir die Spitze davon anrühren und leben können (s. Est 5,2). Es ist die Pflicht und das Vorrecht von müden und belasteten Sündern, zu Jesus Christus zu kommen. Wir müssen ihn als unseren Arzt (s. Mt 9,12) und unseren Fürsprecher annehmen (s. 1.Joh 2,1), uneingeschränkt bereit, von ihm auf seine Weise und zu seinen Bedingungen gerettet zu werden.

Der Segen, der denen verheißen wird, die kommen: „… so will ich euch erquicken!" Wahre Ruhe ist gut (s. 1.Mose 49,15), besonders für diejenigen, die „mühselig und beladen" sind (s. Pred 5,11). Jesus Christus will den müden Seelen sichere Ruhe geben, die mit einem lebendigen Glauben dafür zu ihm kommen. Er gibt Erquickung in Gott, in seiner Liebe.

Wir müssen zu Jesus Christus als unserem Herrscher kommen und uns ihm unterwerfen: „Nehmt auf euch mein Joch" **(Vers 29)**. Die Erquickung, die er verheißt, ist die Erlösung von der Schinderei der Sünde, nicht von dem Dienst für Gott. Christus hat ein Joch für unseren Nacken wie auch eine Krone für unser Haupt (s. 2.Tim 4,8; Jak 1,12; 1.Petr 5,4; Offb 2,10). Diejenigen, die „mühselig und beladen" sind, aufzurufen, ein Joch auf sich zu nehmen, das sieht aus, wie dem Elenden noch mehr Elend hinzuzufügen (s. Ps 22,24; Elb 06; Phil 1,16), doch die Bedeutung liegt in dem Wort „mein". „Ihr seid unter einem Joch, dass euch müde macht: Schüttelt dieses Joch ab und versucht meines, das euch Ruhe geben wird." Es ist Christi Joch, das Joch, das er festgelegt hat, ein Joch, das er selbst vor uns auf sich genommen hat – denn er hat „den Gehorsam gelernt" (Hebr 5,8) – und das er durch seinen Geist mit uns auf sich nimmt, denn er kommt „unseren Schwachheiten zu Hilfe" (Röm 8,26). Ein Joch steht für etwas Härte, doch wenn das Tier ziehen muss, hilft ihm das Joch. Das ist der härteste Teil unserer Lektion, und er wird so charakterisiert: „'Denn mein Joch ist sanft und meine Last ist leicht.' Ihr braucht keine Angst davor zu haben" **(Vers 30)**. Das Joch der Gebote Christi ist ein leichtes Joch. Es gibt daran nichts, was den sich unterwerfenden Nacken wund macht, nichts, um uns zu schaden, sondern im Gegenteil viel, um uns zu erquicken. Es ist ein Joch, das von Liebe gesäumt ist. So ist das Wesen aller Gebote Christi, alle sind mit einem Wort zusammengefasst, dem süßen Wort Liebe. Es kann zuerst ein wenig hart sein, aber es wird rasch leicht; die Liebe Gottes und die Hoffnung auf den Himmel wird es leicht machen. Die Last des Kreuzes Christi ist eine leichte Last, sehr leicht. Diese Last ist in sich selbst nicht „zur Freude, sondern zur Traurigkeit" (Hebr 12,11), doch weil sie von Christus ist, ist sie leicht. Paulus wusste darüber genauso viel wie jeder andere, und er nennt sie „schnell vorübergehend und leicht" (2.Kor 4,17). Genauso wie es viel Leid gibt, das lange anhält, so gibt es auch viele Ermutigungen, die auch lange anhalten.

Wir müssen zu Jesus Christus als unserem Lehrer kommen und uns daran machen, von ihm zu lernen (s. Vers 29). Christus hat eine gute Schule errichtet und er hat uns eingeladen, seine Schüler zu sein. Wir müssen uns in seiner Schule einschreiben, uns mit unseren Mitschülern verbinden und täglich auf die Weisungen hören, die er durch sein Wort und seinen Geist gibt. Wir müssen so von Christus lernen, um Christus kennenzulernen (s. Eph 4,20), denn er ist sowohl Lehrer wie Lektion, Führer und Weg und alles in allen (s. Eph 1,23; Kol 3,11). Hier werden zwei Gründe genannt, warum wir von Christus lernen müssen:

„… denn ich bin sanftmütig und von Herzen demütig." Er ist „sanftmütig". Er kann Mitleid haben mit denen, die Unwissenden. Viele fähige Lehrer sind leidenschaftlich und hitzig, was eine große Entmutigung für diejenigen ist, die langsam lernen. Doch Christus weiß, wie er mit solchen Leuten liebenswürdig Nachsicht übt und wie er ihnen das Verständnis öffnet (s. Lk 24,32.45). Er ist „von Herzen demütig". Er lässt sich herab, arme Studenten zu lehren, seine neubekehrten Schüler zu lehren. Er lehrt die grundlegenden Prinzipien, Dinge, die wie Milch für Säuglinge sind; er beugt sich herab auf die niedrigste Stufe. Seine Demut von Herzen ist eine Ermutigung für uns, uns in seine Schule zu begeben.

"... so werdet ihr Ruhe finden für eure Seelen!" Ruhe für die Seele ist die am meisten begehrenswerte Ruhe. Der einzig sichere Weg, um Ruhe für unsere Seelen zu finden, ist, zu Christi Füßen zu sitzen und auf sein Wort zu hören. Der Verstand findet „Ruhe" in der Erkenntnis Gottes und Jesu Christi und wird dort reichlich zufriedengestellt. Die Gefühle finden Ruhe in der Liebe Gottes und Jesu Christi und erfreuen sich an dem, was ihnen reichlich Zufriedenheit gibt: Frieden und Gewissheit für immer. An dieser Ruhe können sich all jene bei Christus erfreuen, die von ihm lernen.

KAPITEL 12

Hier haben wir: 1. Christi Klarstellung des vierten Gebotes, über den Sabbat (s. Vers 1-13). 2. Die Weisheit, Demut und Selbstverleugnung unseres Herrn Jesus in der Vollbringung von Wundern (s. Vers 14-21). 3. Christi Antwort auf die Einwände der Gesetzeslehrer und Pharisäer, die sein Austreiben von Dämonen einem Pakt mit dem Teufel zuschrieben (s. Vers 22-37). 4. Christi Antwort auf die Forderung der Gesetzeslehrer und Pharisäer, die ihn aufforderten, ein Zeichen vom Himmel zu zeigen (s. Vers 38-45). 5. Christi Urteil über seine Familie und Verwandten (s. Vers 46-50).

Vers 1-13

Die jüdischen Lehrer hatten viele Gebote verdreht, indem sie diese freier auslegten, als sie ausgelegt werden sollten, doch in Bezug auf das vierte Gebot irrten sie sich im entgegengesetzten Extrem und legten es zu streng aus. Was unser Herr Jesus hier festlegte, war nun, dass erforderliche und barmherzige Werke am Sabbat rechtmäßig sind. Es ist üblich, die Bedeutung eines Gesetzes durch Urteile in aktuellen Fällen zu begründen, und auf diese Weise wurde die Bedeutung dieses Gesetzes entschieden.

1. Christus zeigt hier, dass notwendige Werke an diesem Tag rechtmäßig sind, indem er rechtfertigt, dass seine Jünger am Sabbattag Kornähren abrissen. Beachten Sie hier:

1.1 Was die Jünger taten. Sie folgten an einem Sabbat ihrem Meister durch ein Kornfeld und sie „waren hungrig". Gott in seiner Vorsehung hatte es so geordnet, dass sie „durch die Kornfelder" gingen, und dort war für sie gesorgt. Gott hat viele Wege, angemessen für seine Leute zu sorgen, wenn sie es brauchen. In den Kornfeldern fingen sie an, „Ähren abzustreifen"; das Gesetz Gottes erlaubte dies (s. 5.Mose 23,26), um die Menschen zu lehren, gute Nachbarschaft zu pflegen und nicht auf dem Eigentumsrecht bei Vermögen in kleinen Dingen zu bestehen, wo es anderen nützen kann. Dies war nur eine dürftige Versorgung für Christus und seine Jünger, doch sie war die beste, die sie hatten, und sie waren zufrieden damit.

1.2 Was für Anstoß die Pharisäer daran nahmen. Es war nur ein trockenes Frühstück, doch die Pharisäer wollten nicht zulassen, dass sie dies in Frieden essen. Sie stritten sich nicht mit ihnen, weil sie das Korn von jemand anderem nahmen, sondern weil sie dies „am Sabbat" taten, denn das Abstreifen und Schälen von Ähren an diesem Tag war ausdrücklich durch die Überlieferung der Alten verboten, weil sie es als eine Art des Erntens betrachteten.

1.3 Christi Erwiderung auf diesen Einwand der Pharisäer. Die Jünger konnten wenig für sich selbst sagen. Christus hatte aber etwas für sie zu sagen und er rechtfertigte, was sie taten. *Er rechtfertigte sie anhand von Präzedenzfällen, die von den Pharisäern selbst gutgeheißen wurden.*

Er führte ein altes Beispiel von David an: „,Habt ihr nicht gelesen' von der Geschichte, wie David die geheiligten Brote aß, die unter dem Gesetz den Priestern gehörten?" (s. 1.Sam 21,7). Was für David beim Essen der geheiligten Brote sprach, war nicht seine Position, sondern sein Hunger. Die größten Menschen werden keine Nachsicht für ihre sündigen Wünsche bekommen, doch bei den Geringsten werden ihre Bedürfnisse bedacht werden. In einem Fall von Notwendigkeit darf manches getan werden, das zu einer anderen Zeit nicht getan werden darf; es gibt Gesetze, welche die Not nicht kennt, sondern sie ist selbst ein Gesetz.

Er führte einen alltäglichen Fall der Priester an, den sie ebenso „im Gesetz gelesen" hatten. „Die Priester im Tempel" taten eine große Menge niedriger Arbeiten am Sabbattag – die ansonsten „den Sabbat entweihen" würden –, weil der Tempeldienst dies erforderte und rechtfertigte. Dies zeigt, dass die notwendigen Arbeiten, nicht nur, um das Leben zu erhalten, sondern auch, um dem Tag zu dienen, wie das Läuten einer Glocke, um die Gemeinde zusammenzurufen, zur Gemeinde zu fahren und ähnliche Taten, am Sabbat rechtmäßig sind. Die Sabbatruhe soll den Gottesdienst am Sabbat fördern, nicht behindern.

Er rechtfertigte sie mit eindrucksvollen Argumenten:

„Hier ist einer, der größer ist als der Tempel!" **(Vers 6).** Wenn der Tempeldienst rechtfertigen würde, was die Priester in ihrem Dienst tun, würde der Dienst Christi viel mehr die

Jünger in dem rechtfertigen, was sie taten, solange sie bei ihm waren. Christus in einem Kornfeld war indes größer als der Tempel.

Gott „will Barmherzigkeit und nicht Opfer" **(Vers 7)**. Dies ist aus Hosea 6,6 zitiert. Vorher wurde dieses Wort benutzt, um die Barmherzigkeit gegenüber den Seelen der Menschen zu rechtfertigen (s. Mt 9,13) und hier rechtfertigt es die Barmherzigkeit gegenüber den Leibern der Menschen. Die Ruhe des Sabbats war für das Wohl der Menschen bestimmt. „,Wenn ihr aber wüsstet, was das heißt', wüsstet, was es ist, eine barmherzige Haltung zu haben, hätte es euch leid getan, dass sie dies tun mussten, um ihren Hunger zu stillen, und ihr hättet ,nicht die Unschuldigen verurteilt'." Das zeigt uns, dass es für uns nicht reicht, die Schriften zu kennen; wir müssen auch hart arbeiten, um die Bedeutung von ihnen zu erkennen. „Wer es liest, der achte darauf!" (Mk 13,14). Unkenntnis der Bedeutung der Schrift ist besonders bei denen beschämend, welche die Aufgabe übernommen haben, andere zu lehren.

„Denn der Sohn des Menschen ist Herr auch über den Sabbat" **(Vers 8)**. Dieses Gesetz war, wie all die anderen, Christus in Obhut gegeben, um es zu ändern, durchzusetzen oder aufzuheben, wie er es für gut hielt. Er war autorisiert, den Tag auf diese Weise zu ändern, dass er der Tag des Herrn werden würde, der Tag des Herrn Jesus Christus.

1.4 Nachdem Christus die Pharisäer zum Schweigen gebracht hatte und von ihnen losgekommen war **(s. Vers 9)**, ging er weiter „und kam in ihre Synagoge", diejenige, in der diese Pharisäer den Vorsitz hatten und zu der er gegangen war, als sie diesen Streit mit ihm begannen. Wir können daraus lernen:

Wir müssen sicherstellen, dass wir auf unserem Weg zum Gottesdienst nichts tun, was uns für ihn ungeeignet macht oder uns davon ablenkt, in rechter Weise an ihm teilzunehmen.

Wir dürfen uns um privater Fehden und persönlicher Streitigkeiten willen nicht vom öffentlichen Gottesdienst zurückziehen. Es ist ein Sieg für Satan, wenn er durch das Säen von Zwietracht zwischen Geschwistern damit Erfolg hat, sie oder einige von ihnen aus der Synagoge und der Gemeinschaft der Gläubigen zu vertreiben (s. Spr 6,14.19).

2. Christus zeigte, dass Werke der Barmherzigkeit rechtmäßig und angemessen an diesem Tag getan werden können, indem er am Sabbat den Mann heilte, der eine verdorrte Hand hatte. Hier gibt es:

2.1 Das Leiden dieses armen Mannes. Beachten Sie, dass er in der Synagoge war: Diejenigen, die wenig für die Welt tun können, wie die Betagten oder Behinderten, und diejenigen, die wenig mit jenen zu tun haben, wie die Reichen, müssen umso mehr für ihre Seelen tun.

2.2 Eine gehässige Frage der Pharisäer, die Christus beim Anblick dieses Mannes gestellt wird: „Und sie fragten ihn und sprachen: Darf man am Sabbat heilen?" Wir lesen hier nicht von irgendwelchen Worten, die dieser arme Mann zu Christus sprach, um für Heilung zu bitten, doch sie bemerkten, dass Christus ihn gesehen hatte, und sie wussten, dass es für ihn üblich war, gefunden zu werden „von denen, die mich nicht suchten" (Jes 65,1), und so ahnten sie mit ihrer Schlechtigkeit seine Güte voraus. Hat jemals jemand gefragt, ob es für Gott rechtmäßig ist, zu heilen, sein Wort zu senden und zu heilen? Darf man heilen? Die Rechtmäßigkeit und Unrechtmäßigkeit von Taten zu untersuchen, ist sehr gut, und wir können uns mit solchen Fragen an niemand Passenderen wenden als an Christus; die Pharisäer fragten hier jedoch nicht so, damit sie von ihm unterwiesen werden mögen, sondern „damit sie ihn verklagen könnten".

2.3 Christi Antwort auf diese Frage, in der er auf ihre eigene Meinung und Praxis verwies **(s. Vers 11-12)**. Würden sie, wenn ein Schaf am Sabbat in eine Grube fällt, es nicht herausziehen? Ohne Zweifel könnten sie dies tun; das vierte Gebot erlaubte es. Sie müssen es tun, denn „der Gerechte erbarmt sich über sein Vieh" (Spr 12,10). Und von ihrer Seite aus würden sie es tun, statt ein Schaf zu verlieren. Kümmert sich Christus um die Schafe? Ja, das tut er; er bewahrt und versorgt sowohl Menschen als auch Tiere. Hier jedoch sagte er es um unseretwillen (s. 1.Kor 9,9-10) – und argumentierte von daher: „Wie viel mehr ist nun ein Mensch wert als ein Schaf!" Menschen sind von Natur aus viel besser und wertvoller als die besten Tiere. Diejenigen, die sich mehr um die Erziehung, Erhaltung und den Unterhalt ihrer Pferde und Hunde oder vielleicht ihren eigenen Haushalt kümmern als um Gottes arme Menschen, bedenken dies nicht. Christus leitete von daher die Wahrheit ab, dass „man am Sabbat wohl Gutes tun" darf. Es gibt mehr Wege, am Sabbat Gutes zu tun, als durch die direkte Pflicht, Gott anzubeten: nach den Kranken zu schauen, die Armen zu unterstützen und so weiter. Das heißt Gutestun. Jedes solches Werk muss aus einem Beweggrund der Liebe und Freundlichkeit getan werden; das ist Gutestun, und man darf sein Haupt erheben (s. 1.Mose 4,7).

2.4 Christi Heilung des Mannes ungeachtet des Anstoßes, den er voraussah, den die Pharisäer daran nehmen würden **(s. Vers 13)**. Aus Angst, Anstoß zu erregen, darf man keine Pflicht ungetan lassen noch Gelegenheiten versäumen, Gutes zu tun. Christus sagte zu dem Mann: „,Strecke deine Hand aus'; strenge dich an, so gut du kannst"; und der Mann tat dies und „sie wurde gesund wie die andere". Um uns zu heilen, gebietet uns Christus, unsere Hände auszustrecken, unsere natürlichen

Kräfte zu nutzen und so viel zu tun, wie wir können, sie im Gebet zu Gott auszustrecken, sie auszustrecken, um Christus im Glauben zu ergreifen, sie in heiligen Aktivitäten auszustrecken. Dieser Mann konnte seine verdorrte Hand nicht selbst ausstrecken, doch Christus sagte ihm, er soll es tun. Wenn Gott uns gebietet, die Pflicht zu tun, die wir von uns selbst aus nicht in der Lage sind zu tun, ist das nicht lächerlicher oder ungerechtfertigter als dieses Gebot an den Mann mit der verdorrten Hand, sie auszustrecken, denn mit dem Gebot wird durch das Wort eine Verheißung der Gnade gegeben.

Vers 14-21

Hier haben wir:

1. Den verfluchten Hass der Pharisäer Christus gegenüber **(s. Vers 14)**. Weil sie über die überzeugenden Beweise seiner Wunder wütend waren, gingen sie „hinaus und hielten Rat gegen ihn, wie sie ihn umbringen könnten". Was sie erzürnte, war nicht nur, dass seine Wunder ihre Ehre in den Schatten stellten, sondern auch, dass die Lehre, die er predigte, direkt ihrem Stolz, ihrer Heuchelei und ihren weltlichen Interessen entgegenstand. Sie gaben jedoch vor, verärgert über seinen Bruch der Sabbatregeln zu sein, was nach dem Gesetz ein todeswürdiges Verbrechen war (s. 2.Mose 35,2). Sie verschworen sich nicht, ihn zu inhaftieren oder zu verbannen, sondern ihn umzubringen, der Tod des Einen zu sein, der kam, damit wir das Leben haben (s. Joh 10,10). Was für einer Schmach war unser Herr Jesus unterworfen, dass sie ihn als Bandit und als Plage für sein Land verfolgten, wo er in der Tat der größte Segen des Landes war, die Herrlichkeit seines Volkes Israel (s. Lk 2,32)!

2. Das Weggehen Christi aus diesem Anlass und das Alleinsein, das er wählte, nicht, um seiner Arbeit aus dem Weg zu gehen, sondern der Gefahr; „denn seine Stunde war noch nicht gekommen" (Joh 7,30), deshalb „zog [er] sich von dort zurück" **(Vers 15)**. Er hätte sich durch ein Wunder schützen können, doch er entschloss sich, es auf dem gewöhnlichen Weg der Flucht und des Rückzugs zu tun. Hier demütigte er sich, indem er zu der normalen Flucht derer getrieben wurde, die absolut hilflos sind; er wollte hier auch ein Beispiel für seine eigene Regel geben: „Wenn sie euch aber in der einen Stadt verfolgen, so flieht in eine andere" (Mt 10,23).

2.1 Christus zog sich nicht für sein eigenes Wohlergehen zurück oder suchte eine Entschuldigung, um seine Arbeit zu verlassen. Selbst als er gezwungen war zu fliehen, fuhr er damit fort, Gutes zu tun. Hier gab er seinen geistlichen Dienern ein Beispiel, zu tun, was sie können, wenn sie nicht tun können, was sie möchten. Die gewöhnlichen Menschen drängten sich um ihn. „Und es folgte ihm eine große Menge nach" und fand ihn. Doch dies war wirklich zu seiner Ehre. Entsprechend war es zur Ehre seiner Gnade, dass den Armen frohe Botschaft verkündet wird (s. Lk 4,18), dass, wenn sie ihn annahmen, er sie annahm und alle heilte. Christus kam in die Welt, um der Arzt der Welt zu sein, wie die Sonne die Quelle des Lichts für die Welt ist, „und Heilung wird unter ihren Flügeln sein" (Mal 3,20). Obwohl die Pharisäer Christus dafür verfolgten, dass er Gutes tat, tat er es immer noch weiter.

2.2 Christus versuchte, Nützlichkeit und Zurückgezogenheit miteinander zu versöhnen. „... und er heilte sie alle", doch „er befahl ihnen" auch, „dass sie ihn nicht offenbar machen sollten" **(Vers 15-16)**. Dies war ein Akt der Weisheit. Es waren nicht so sehr die Wunder selbst, sondern die öffentliche Diskussion über sie, welche die Pharisäer wütend machte (s. Vers 23-24), deshalb sorgte Christus weise dafür, wenn er auch nicht darauf verzichten wollte, Gutes zu tun, es so still wie möglich zu tun. Weise und gute Menschen streben nach der Anerkennung Gottes, nicht nach menschlichem Beifall. Der Rückzug Christi war also ein Akt des gerechten Gerichts über die Pharisäer. Dadurch, dass sie ihre Augen vor dem Licht verschlossen, hatten sie das Recht verloren, davon zu profitieren. Und schließlich war sein Rückzug ein Akt der Demut und Selbstverleugnung, um uns ein Beispiel der Demut zu geben und uns zu lehren, unsere eigene Güte oder Nützlichkeit nicht bekannt zu machen oder zu wollen, dass sie bekannt gemacht wird. Christus wollte, dass seine Jünger das Gegenteil von denen sind, die all ihre Werke taten, „um von den Leuten bemerkt zu werden" (Mt 6,5).

3. Die Erfüllung der Schrift in all dem **(s. Vers 17)**. Die Schrift, von der hier gesagt wird, dass sie erfüllt wird, ist Jesaja 42,1-4, welche ausführlich zitiert wird **(s. Vers 18-21)**. Ihr Inhalt sollte zeigen, wie mild und ruhig und doch auch wie erfolgreich unser Herr Jesus in seinen Unternehmungen sein würde. Beachten Sie:

3.1 Die Freude des Vaters an Christus: „Siehe, mein Knecht, den ich erwählt habe, mein Geliebter, an dem meine Seele Wohlgefallen hat!" **(Vers 18)**. Daraus können wir lernen:

Dass unser Heiland Gottes Knecht in dem großen Werk unserer Erlösung war. Als ein „Knecht" war für ihn eine große Arbeit bestimmt und es wurde großes Vertrauen in ihn gesetzt. Bei dem Werk unseres Heils nahm er die Gestalt eines Knechtes an (s. Phil 2,7). Das Motto dieses Fürsten ist: „Ich diene."

Dass Jesus Christus von Gott als die einzige geeignete und passende Person auserwählt war, um das große Werk unserer Erlösung zu bewerkstel-

ligen. Er ist „mein Knecht, den ich erwählt habe". Niemand außer ihm konnte das Werk eines Erlösers tun oder war geeignet, die Krone des Erlösers zu tragen. Christus drängte sich nicht in diese Arbeit, sondern wurde als passend dazu auserwählt.

Dass Jesus Christus Gottes Geliebter ist, Gottes geliebter Sohn.

Dass Jesus Christus der Eine ist, an dem der Vater Wohlgefallen hat. Außerdem hat er an uns in ihm Wohlgefallen, denn er hat uns „begnadigt ... in dem Geliebten" (Eph 1,6). Alle Vorrechte, welche die gefallene Menschheit bei Gott hat oder haben kann, gründen sich auf das und sind des Wohlgefallens Gottes in Jesus Christus zu verdanken.

3.2 Die Verheißung des Vaters in zwei Dingen an ihn:

Dass er auf jede Weise gut für dieses Unternehmen ausgerüstet sein würde: „Ich will meinen Geist auf ihn legen" als einen „Geist der Weisheit und des Verstandes" (Jes 11,2). Diejenigen, die Gott zu einem Dienst ruft, werden sicherlich von ihm dafür ausgerüstet und geeignet gemacht werden. Er empfing den Geist nicht begrenzt, sondern „nicht nach Maß" (Joh 3,34). Wen immer Gott erwählt, an wem immer Gott Wohlgefallen hat, er wird sicherlich seinen „Geist auf ihn legen". Wo immer er seine Liebe gibt, gibt er auch etwas von seiner Ähnlichkeit.

Dass er in seiner Unternehmung absolut erfolgreich sein würde. Diejenigen, die Gott sendet, wird er zweifellos beglaubigen.

„Er wird den Heiden [den Völkern] das Recht verkündigen." Christus predigte persönlich denen im Grenzgebiet zu den Völkern (s. Mk 3,6-8), und durch seinen Apostel, den Apostel Paulus, offenbarte er der heidnischen Welt sein Evangelium, das hier sein „Recht" genannt wird. Das Evangelium würde, da es die direkte Absicht hatte, die Herzen und Leben der Menschen zu bessern, den Heiden verkündet werden.

„Und die Heiden werden auf seinen Namen hoffen" (die Völker werden auf ihn hoffen; **Vers 21**). Er würde ihnen auf eine Weise das Recht verkündigen, dass sie beachten würden, was er ihnen verkündet, und dadurch dazu bewegt werden würden, sich auf ihn zu verlassen. Die große Absicht des Evangeliums ist, Menschen dazu zu bringen, auf den Namen Jesu Christi zu vertrauen, auf seinen Namen, „Jesus", „Heiland". Der Evangelist folgt hier der Septuaginta (einer griechischen Übersetzung des Alten Testaments) – oder vielleicht folgen die späteren Ausgaben der Septuaginta dem Evangelisten – und das Hebräisch in Jesaja 42,4 wird übersetzt: „Auf sein Gesetz warten die Inseln" (EÜ). Das Gesetz, auf das wir warten, ist das Gesetz des Glaubens, das Gesetz des Vertrauens auf seinen Namen. Dies ist nun sein großes Gebot, „dass wir glauben an den Namen seines Sohnes Jesus Christus" (1.Joh 3,23).

3.3 Die Weissagung über ihn, die ihn als mild und ruhig in der Durchführung seines Werkes beschreibt **(s. Vers 19-20)**.

Dass er sein Werk still und ohne Prahlerei fortführen würde: „Er wird nicht streiten noch schreien." Christus und sein Reich kamen „nicht so, dass man es beobachten könnte" (Lk 17,20). „Er war in der Welt ... doch die Welt erkannte ihn nicht" (Joh 1,10). Er sprach mit der „Stimme eines sanften Säuselns" (1.Kön 19,12), die für jeden anziehend, aber für niemanden erschreckend war. Er wollte keinen Lärm machen, sondern kam still herab, wie Tau (s. 5.Mose 32,2; Hos 14,6).

Dass er seine Unternehmung ohne Strenge und Härte fortführen würde: „Das geknickte Rohr wird er nicht zerbrechen" **(Vers 20)**. Manche verstehen dies als Verweis auf seine Geduld beim Ertragen von Übeltätern. Andere ziehen vor, es als Verweis auf seine Macht und Gnade bei der Hilfe für Schwache zu verstehen. Allgemein ist es die Absicht seines Evangeliums, einen Heilsweg einzurichten, der zu Aufrichtigkeit ermutigt, selbst wenn es viel Unvollkommenheit gibt. Es verlangt keinen sündlosen Gehorsam, sondern nimmt ein aufrechtes, bereitwilliges Herz an. Beachten Sie zu den einzelnen Personen, die Christus nachfolgen:

Wie sie beschrieben werden – sie sind wie ein geknicktes Rohr und wie ein glimmender Docht. Junge Anfänger im religiösen Glauben sind schwach wie ein geknicktes Rohr, und ihre Schwachheit ist anrüchig, wie ein glimmender Docht. Christi Jünger waren immer noch sehr schwach, und es gibt viele in seiner Familie, die dies sind.

Das Mitleid unseres Herrn Jesus mit ihnen. Er wird sie nicht entmutigen, noch viel weniger ablehnen; das Rohr, das geknickt ist, wird nicht zerbrochen und zertreten werden, sondern wird gestärkt und genauso kräftig gemacht werden wie eine Zeder oder ein sprossender Palmbaum (s. Ps 92,13). Die Kerze, die neu angezündet wird, selbst wenn sie nur qualmt und nicht in eine Flamme ausbricht, nicht ausgeblasen werden, sondern zu einer Flamme entfacht werden. Der „Tag geringer Anfänge" ist der Tag kostbarer Dinge (Sach 4,10).

Das gute Ergebnis und der Erfolg davon, was sich an dem Satzteil „bis er das Recht zum Sieg hinausführt" zeigt. Sowohl die Predigt des Evangeliums in der Welt als auch die Kraft des Evangeliums im Herzen wird wirksam sein. Die Gnade wird die Oberhand über die Verderbtheit gewinnen und schließlich in Herrlichkeit vollendet werden. Wahrheit und Sieg sind zum großen Teil dasselbe, denn „groß ist die Wahrheit und sie ist am mächtigsten!" (1.Esra 4,41; SepD).

Vers 22-37

In diesen Versen haben wir:

1. Christi glorreiche Bezwingung des Satans in seiner gnädigen Heilung von jemandem, der unter seiner Macht war.

1.1 Das Leben des Mannes war sehr traurig; er war dämonisch besessen. Dieser eine Mann, der besessen war, war blind und stumm, ein wahrhaft trauriger Fall. Er konnte weder sehen, um sich zu helfen, noch sprechen, um andere um Hilfe zu bitten. Satan macht das Auge des Glaubens blind und versiegelt die Lippen des Gebets.

1.2 Die Heilung Christi war sehr ungewöhnlich, und das umso mehr, weil sie plötzlich geschah: „... und er heilte ihn." Als die Ursache entfernt war, hörte auch umgehend die Wirkung auf, „sodass der Blinde und Stumme sowohl redete als auch sah". Wenn die Macht Satans in der Seele gebrochen ist, sind die Augen geöffnet, um Gottes Herrlichkeit zu sehen, und die Lippen sind geöffnet, sein Lob zu verkünden.

2. Die Überzeugung, die dies bei den Menschen hervorrief, bei allen Menschen: „Und die Volksmenge staunte." Sie schlossen daraus: „Ist dieser nicht etwa der Sohn Davids?" Dies können wir sehen:

2.1 Als eine erkundigende Frage. Sie begannen mit einer guten Frage, doch sie scheint bald verloren gegangen und nicht erörtert worden zu sein. Solche Überzeugungen sollten in den Kopf gelangen, und dann werden sie wahrscheinlich in das Herz gelangen. Oder:

2.2 Als eine bestätigende Frage: „‚Ist dieser nicht etwa der Sohn Davids?' Ja, er ist es zweifellos, es kann niemand anderes sein." Der Weg zu dieser großen Wahrheit, dass Christus der Messias und Heiland ist, war so klar und einfach zu sehen, dass die gewöhnlichen Menschen es nicht übersehen konnten: „... selbst Einfältige werden nicht irregehen" (Jes 35,8). Die Welt erkannte Gott durch die Weisheit nicht und die Weisen wurden durch törichte Dinge verwirrt (s. 1.Kor 1,21.27).

3. Den blasphemischen Einwand der Pharisäer **(Vers 24)**. Sie waren stolz auf den Ruf, den sie unter den Menschen hatten; er nährte ihren Stolz, stützte ihre Macht und füllte ihre Geldbeutel. Menschen, die ihr Glück an menschlichem Lob und Beifall festmachen, setzen sich selbst einem unaufhörlichen Unbehagen bei jedem vorteilhaften Wort aus, das sie über jemand anderen gesagt hören. Der Schatten der Ehre folgte Christus, der vor ihm floh, und er floh vor den Pharisäern, die ihm eifrig nachjagten. Beachten Sie:

3.1 Wie verächtlich sie über Christus sprachen: „Dieser." Es ist schlecht, mit Geringschätzung über gute Menschen zu sprechen, weil sie arm sind.

3.2 Wie blasphemisch sie über seine Wunder sprachen. Sie konnten die Tatsachen der Angelegenheit nicht leugnen; es war so klar wie das Tageslicht, dass durch das Wort Christi Dämonen ausgetrieben worden waren. Es gab keinen Weg für sie, die Schlussfolgerung zu vermeiden, dass dieser „der Sohn Davids" ist, außer sie behaupteten, dass Christus „die Dämonen nicht anders aus[treibt] als durch Beelzebul", dass es ein Abkommen zwischen Christus und Satan gäbe. Wenn sie das meinten, wäre der Dämon nicht ausgetrieben worden, sondern hätte sich freiwillig zurückgezogen.

4. Christi Antwort auf diese böse Anspielung **(s. Vers 25-30)**. „Da aber Jesus ihre Gedanken kannte." Jesus Christus weiß zu jeder Zeit, was wir denken; er weiß, was in uns ist, er versteht unsere „Gedanken von ferne" (Ps 139,2). Von Christi Erwiderung heißt es, dass sie auf ihre Gedanken hin geschah, denn er wusste, dass sie nicht unbesonnen gesprochen hatten, sondern aus einer tief verwurzelten Bösartigkeit. Christi Erwiderung auf diese Anschuldigung ist vollständig und vielsagend.

4.1 Es wäre sehr sonderbar und höchst unwahrscheinlich, dass Satan durch solch eine Vereinbarung ausgetrieben werden würde, denn dann wäre Satans Reich „mit sich selbst uneins" **(Vers 25-26)**.

Hier ist die allgemeine Regel niedergelegt, dass Streitigkeiten untereinander in allen Gesellschaften zu allgemeinem Ruin führen: „Jedes Reich, das mit sich selbst uneins ist, wird verwüstet." Spaltungen enden normalerweise in der Verwüstung. Wenn wir im Widerspruch zueinander stehen, brechen wir auseinander. Wenn wir uns voneinander trennen, werden wir ein leichtes Ziel für den gemeinsamen Feind. Kirchen und Völker haben dies durch traurige Erfahrungen kennengelernt.

Diese Regel wird auf diese Situation angewendet: „Wenn nun der Satan den Satan austreibt" **(Vers 26)**. Wenn der Fürst der Dämonen in Konflikt mit geringeren Dämonen wäre, wäre das ganze Reich und all seine Macht bald zerbrochen. In der Tat wäre es, wenn der Satan eine Übereinkunft mit Christus getroffen hätte, zu seiner eigenen Vernichtung gewesen, denn die klare Absicht und Neigung der Predigten und Wunder Christi war, das Reich Satans niederzureißen. Wenn er sich Christus anschließen würde, „wie kann dann sein Reich bestehen"? Er würde selbst zu seiner Besiegung beitragen. Dieser Sieg muss mit edleren Methoden erreicht worden sein. Selbst wenn der Fürst der Dämonen all seine Kräfte versammelt, wird Christus zu mächtig für seine vereinigten Kräfte sein und Satans Reich wird nicht bestehen.

4.2 Es war überhaupt nicht sonderbar oder unwahrscheinlich, dass Dämonen durch den Geist Gottes ausgetrieben werden würden, denn:
„... durch wen treiben" andernfalls *„eure Söhne sie aus?"* Es gab unter den Juden solche, die durch Anrufung des Namens des allerhöchsten Gottes oder des Gottes Abrahams, Isaaks und Jakobs manchmal Dämonen austrieben. Josephus spricht über einige in seiner Zeit, die dies taten; wir lesen von „jüdischen Beschwörern" (Apg 19,13) und von einigen Leuten, die in Christi Namen Dämonen austrieben, obwohl sie ihm nicht nachfolgten (s. Mk 9,38). Die Pharisäer verdammten diese nicht, sondern schrieben ihre Taten dem Geist Gottes zu. Es war also bloß aus Gehässigkeit und Neid gegenüber Christus, dass sie zugestehen wollten, dass andere Dämonen durch den Geist Gottes austrieben, aber behaupteten, dass er es in einem Bund mit Beelzebul tut. Die Urteile aus Neid werden nicht durch den Verstand gefällt, sondern durch Vorurteile.
Das Austreiben von Dämonen war ein sicheres Zeichen des Herannahens und Erscheinens des Reiches Gottes **(Vers 28):** „Wenn es aber stimmt, dass ich ‚die Dämonen durch den Geist Gottes austreibe', dann wird ja das Reich des Messias jetzt gerade unter euch errichtet." Andere Wunder, die Christus vollbrachte, bewiesen, dass er von Gott gesandt war, dieses eine aber bewies, dass er von Gott gesandt war, um das Reich des Satans und seine Werke zu zerstören. Wenn die Macht des Teufels in einer Seele durch den Geist Gottes als den Heiligenden gebrochen und untergegangen ist, gibt es keinen Zweifel, dass das Reich Gottes – das heißt, das Reich der Gnade – zu dieser Seele als seliges Unterpfand für das Reich der Herrlichkeit gekommen ist.
4.3 Der Vergleich der Wunder Christi mit seiner Lehre zeigte, dass er weit davon entfernt war, mit Satan im Bunde zu sein; dass er in offener Feindschaft und Feindseligkeit zu ihm stand. „Oder wie kann jemand in das Haus des Starken hineingehen und seinen Hausrat rauben" und ihn fortbringen, „wenn er nicht zuerst den Starken bindet? Erst dann" kann er mit seinem Hausrat tun, was ihm gefällt **(Vers 29)**. Die Welt war im Besitz Satans und unter seiner Macht, und so ist es bei jeder nicht erneuerten Seele; dort herrscht Satan. Das Ziel des Evangeliums Christi war, das Haus Satans zu plündern, welches er als Starker in der Welt unterhielt. Es sollte die Menschen bekehren „von der Finsternis zum Licht" (Apg 26,18), von der Sünde zur Heiligkeit. Und laut diesem Zweck band er den Starken, als er durch sein Wort Dämonen austrieb. Als er zeigte, wie leicht und mächtig er die Dämonen aus den Leibern der Menschen austreiben konnte, ermutigte er alle Gläubigen zu hoffen, dass Christus, egal welche Macht Satan in den Seelen von Menschen an sich reißt und ausübt, sie durch seine Gnade brechen würde. Als einige der schlimmsten Sünder geheiligt und gerechtfertigt und die besten Heiligen wurden, plünderte Christus das Haus des Teufels und er wird damit fortfahren, dies immer mehr zu tun.

4.4 Dieser heilige geistliche Krieg, den Christus mit Nachdruck gegen den Teufel und dessen Reich führte, war so, dass er keine Neutralität erlaubte: „Wer nicht mit mir ist, der ist gegen mich" **(Vers 30)**. Bei den kleineren Differenzen, die zwischen den Jüngern Christi selbst auftreten können, werden wir gelehrt, Frieden zu suchen, indem wir diejenigen, die nicht gegen uns sind, als für uns betrachten (s. Lk 9,50). Doch in dem großen Streit zwischen Christus und Satan darf kein Friede gesucht werden. Diejenigen, die nicht aufrichtig für Christus sind, werden als gegen ihn betrachtet: Diejenigen, die von der Sache Christi getrennt sind, werden als Feinde betrachtet. Wir müssen völlig, treu und unerschütterlich auf Christi Seite sein: Es ist die rechte Seite und wird letzten Endes die aufstrebende Seite sein. Der letzte Satzteil hat die gleiche Bedeutung: „... und wer nicht mit mir sammelt, der zerstreut!" Christi Auftrag in der Welt war, seine Ernte einzubringen, diejenigen einzusammeln, die ihm der Vater gegeben hatte (s. Joh 11,52; Eph 1,10). Christus erwartet und fordert von denen, die mit ihm sind, dass sie mit ihm sammeln und andere zu ihm sammeln. Wenn wir nicht mit Christus sammeln, dann zerstreuen wir; es genügt nicht, keinen Schaden anzurichten, wir müssen Gutes tun (s. Jes 1,16-17; Mk 3,4).

5. Christi Botschaft aus diesem Anlass zu der Sünde der Zunge: „Darum sage ich euch." Er warnte die Menschen in Bezug auf drei Sünden der Zunge.
5.1 Blasphemische Worte gegen den Heiligen Geist sind die schlimmste Sorte von Sünden der Zunge und sie sind unvergebbar **(s. Vers 31-32)**. Hier ist:
Eine gnädige Zusicherung der Vergebung aller Sünden unter den Bedingungen des Evangeliums. Die Größe der Sünde wird kein Hindernis für unsere Annahme bei Gott sein, wenn wir wirklich Buße tun und dem Evangelium glauben: „Jede Sünde und Lästerung wird den Menschen vergeben werden", selbst wenn sie „zum Himmel schreit" (2.Chr 28,9), denn Gottes Gnade ist „groß bis über die Himmel hinaus" (Ps 108,5; s. 36,6). Die Barmherzigkeit wird sich sogar auf Blasphemie ausdehnen, eine Sünde, welche direkt Gottes Namen und Ehre betrifft. Paulus, der „ein Lästerer" gewesen war, hat Barmherzigkeit erlangt (1.Tim 1,13). Wir können wohl sagen: „Wer ist ein Gott wie du, der die Sünden vergibt" (Mi 7,18)? Selbst „ein Wort" geredet „gegen den

Sohn des Menschen" wird vergeben werden, wie es bei den Leuten war, die ihn bei seinem Tod schmähten, von denen viele Buße taten und Barmherzigkeit fanden.

Die Ausnahme ist die „die Lästerung des Geistes", was hier als die einzige unvergebbare Sünde genannt wird. Beachten Sie:

Was diese Sünde ist; sie ist ein Reden „gegen den Heiligen Geist". Beachten Sie das Böse bei Sünden der Zunge: Die einzige unvergebbare Sünde ist dies. „Da aber Jesus ihre Gedanken kannte" **(Vers 25)**. Die hier genannte Sünde umfasst nicht alles Reden gegen die Person oder das Wesen des Heiligen Geistes oder bloßes Widerstehen gegen sein innerliches Wirken in dem Sünder, denn „wer kann dann überhaupt gerettet werden" (Mt 19,25)? Keiner ist von der Vergebung ausgeschlossen, die den Lästerern gewährt wird, sei es durch Benennung oder durch Beschreibung, außer der der „Lästerung des Geistes". Diese ist nicht aufgrund irgendeines Mangels an Barmherzigkeit bei Gott oder des Verdienstes bei Christus aus der allgemeinen Vergebung ausgeschlossen, sondern weil sie den Sünder zwangsläufig zu Unglauben und Verstocktheit führt. Diejenigen, die fürchten, dass sie diese Sünde begangen haben, weisen ein gutes Anzeichen auf, dass dies bei ihnen nicht der Fall ist. Daher können diejenigen, welche gegen dieses Geschenk des Heiligen Geistes lästern, unmöglich dazu gebracht werden, an Christus zu glauben; diejenigen, die glauben, dass er in einem geheimen Einverständnis mit Satan steht, wie es die Pharisäer in Bezug auf die Wunder taten – was könnte sie überzeugen? Das ist solch ein Bollwerk an Unglauben, dass man es niemals aus einem Menschen entfernen kann, und es ist unvergebbar, weil es die Buße vor den Augen des Sünders verbirgt (s. Lk 19,42).

Das Urteil, das darüber gefällt wird: „... dem wird nicht vergeben werden, weder in dieser Weltzeit noch in der zukünftigen." Es gibt keine Heilung für eine Sünde, die sich so direkt dem Heilmittel widersetzt.

5.2 Christus sprach hier in Bezug auf andere böse Worte, die Auswirkungen von Verderbtheit, die im Herzen regiert und von dort hervorbricht **(s. Vers 33-35)**. Jesus Christus kannte ihre Gedanken **(s. Vers 25)** und doch versuchten sie, sie zu verheimlichen, indem sie vorgaben, dass sie rechtschaffen wären. Unser Herr Jesus verweist darum auf die Quelle und heilt sie. Möge das Herz geheiligt werden und es wird sich in unseren Worten zeigen.

Das Herz ist die Wurzel, die Sprache ist die „Frucht" (Vers 33). Wenn die Natur des Baumes gut ist, wird er entsprechende Frucht hervorbringen. Was für sündiges Verlangen auch im Herzen regiert, es wird hervorbrechen; kranke Lungen sorgen für üblen Atem. Die Sprache einer Person offenbart, aus welchem Land sie kommt. „‚Entweder pflanzt einen guten Baum, so wird die Frucht gut' – reinigt eure Herzen und dann werdet ihr reine Lippen und ein reines Leben haben –, ‚oder pflanzt einen schlechten Baum, so wird die Frucht' entsprechend sein." Sie können aus einem wilden Apfelbaum einen guten Apfelbaum machen, indem Sie auf ihn einen Schößling von einem guten Baum pfropfen, und dann wird die Frucht gut sein. Wenn aber der Baum der gleiche bleibt, dann wird die Frucht, egal, wohin Sie ihn pflanzen, und egal, wie viel Sie ihn wässern, doch verdorben sein. Wenn das Herz nicht umgewandelt wird, wird das Leben nie vollkommen erneuert werden. Wir sollten mehr darum besorgt sein, in Wirklichkeit gut zu sein, als äußerlich gut zu erscheinen.

Das Herz ist die Quelle; die Worte sind die Ströme. „Denn wovon das Herz voll ist, davon redet der Mund" **(Vers 34)**, wie die Ströme der Überlauf der Quelle sind. Böse Worte sind das natürliche, aufrichtige Erzeugnis eines bösen Herzens. Nichts als das Salz der Gnade, welches in die Quelle gestreut wird, wird die Ströme heilen, das Wort würzen (s. Kol 4,6) und die schlechten Worte reinigen (s. Eph 4,29). Das fehlte ihnen, weil sie böse waren, „wie könnt ihr Gutes reden, da ihr böse seid?" Die Menschen betrachteten die Pharisäer als ein Geschlecht von Heiligen, Christus aber nannte sie eine „Schlangenbrut". Was konnte man von einer „Schlangenbrut" erwarten außer Giftiges und Bösartiges? Kann eine Viper etwas anderes als giftig sein? Von schlechten Menschen kann man schlechte Dinge erwarten. Christus wollte, dass seine Jünger erkennen, unter welcher Art von Menschen sie leben sollten, sodass sie wissen mögen, was zu erwarten haben. Sie würden „unter Skorpionen" sein, wie Hesekiel es war (s. Hes 2,6), und dürfen es nicht für sonderbar halten, wenn sie gekratzt und gebissen werden.

Das Herz ist der „Schatz"; die Worte sind die Dinge, die aus diesem „Schatz" hervorgeholt werden **(Vers 35)**. Es ist das Wesen eines guten Menschen, dass er einen „guten Schatz des Herzens" hat und „das Gute" dort hervorbringt, wie es sein muss. Gnadenwirkungen, Ermutigungen, Erfahrungen, gute Erkenntnis, gute Empfindungen, gute Entscheidungen: Dies ist der gute „Schatz des Herzens"; das Wort Gottes dort verborgen, das Gesetz Gottes dort geschrieben, göttliche Wahrheiten dort lebend und herrschend sind ein wertvoller und passender Schatz, der sicher und verborgen wie der Vorrat eines guten Hausbesitzers gehalten wird, bei allen Gelegenheiten für den Gebrauch verfügbar. Manche behaupten, teure Güter zu haben, die kein guter Schatz sind – solche Menschen werden bald bankrott gehen. Manche hoffen, dass sie gute Schätze in sich haben, und danken Gott, dass sie – wie auch immer ihre Worte und Taten sind – gute Herzen haben. Doch der Glaube ist „ohne die Werke tot" (Jak 2,20), und manche haben einen „guten Schatz" der Weisheit und Erkenntnis, teilen ihn aber nicht; sie haben ein Talent, wissen aber nicht, wie sie es nutzen sollen. Der vollständige Christ trägt sowohl durch Gutsein als auch durch Gutestun Gottes Bild in sich. Es ist das Wesen eines bösen Menschen, dass er einen „bösen Schatz" in seinem Herzen hat und „Böses" aus ihm hervorbringt.

5.3 Christus spricht hier von unnützen Worten und zeigt, was für Bosheit er enthalten. „Von jedem unnützen Wort", oder Satz oder Gespräch, „das sie geredet haben" werden die Menschen „Rechenschaft geben müssen" **(Vers 36)**. Gott achtet auf jedes Wort, das wir sagen, selbst das, was wir selbst nicht beachten. Nachlässiges und respektloses Reden missfällt Gott; es ist das Erzeugnis eines falschen und nichtswürdigen Herzens. Wir müssen bald für diese nachlässigen Worte Rechenschaft geben; sie werden beweisen, dass wir „unnütze Knechte" sind (Lk 17,10), die nicht die Fähigkeiten des Verstandes und der Sprache genutzt haben, die ein Teil der Talente sind, die uns anvertraut wurden (s. Mt 25,24-28). „Denn nach deinen Worten wirst du gerechtfertigt, und nach deinen Worten wirst du verurteilt werden!" Die gesamte Neigung wird entweder ein Beweis für uns oder gegen uns sein, abhängig davon, ob sie begnadet oder nicht begnadet war.

Vers 38-45

Es ist wahrscheinlich, dass diese Pharisäer nicht die gleichen waren wie die, die in Vers 24 spitzfindig mit ihm redeten und es ablehnten, den Zeichen zu glauben, die er gab, sondern eine andere Gruppe von ihnen, die sich nicht mit den Zeichen zufriedengeben wollten, die er gab, wenn er ihnen keine weiteren Beweise geben würde, wie sie verlangten. Hier gibt es:

1. Ihr Reden mit ihm **(s. Vers 38)**. Sie machten ihm Komplimente, indem sie den Titel „Meister" verwendeten, gaben vor, Respekt vor ihm zu haben, während sie in Wirklichkeit beabsichtigten, ihn zu beschimpfen; nicht alle, die Christus „Meister" nennen, sind seine wahren Diener. Ihre Bitte war: „... wir wollen von dir ein Zeichen sehen!" Es war für sie sehr vernünftig, ein Zeichen sehen zu wollen, und für ihn, Wunder zu benutzen, um seinen göttlichen Auftrag zu beweisen, doch es war äußerst unvernünftig von ihnen, jetzt ein Zeichen zu fordern, wo er bereits so viele Zeichen gegeben hatte. Für stolze Menschen ist es natürlich, Gott etwas vorzuschreiben und dies dann als Entschuldigung dafür zu nehmen, sich ihm nicht zu unterwerfen, doch das Vergehen eines Menschen wird nie seine Rechtfertigung sein.

2. Seine Antwort auf ihre Forderung.
2.1 Er verurteilte die Forderung als die Rede eines bösen und ehebrecherischen Geschlechts **(s. Vers 39)**. Er richtete die Mahnung nicht nur an die Schriftgelehrten und Pharisäer, sondern auch an das ganze Volk der Juden. Diejenigen, die sich nicht nur gegen die Überzeugung durch die Wunder Christi verhärteten, sondern sich auch daranmachten, ihn zu beschimpfen und seinen Wundern Verachtung zu erweisen, waren wirklich ein böses Geschlecht. Sie waren in dem Sinn ein „ehebrecherisches Geschlecht", indem sie ehebrecherische Kinder waren, so jämmerlich von dem Glauben und Gehorsam ihrer Vorfahren abgekommen, dass sich Abraham und Israel nicht zu ihnen bekannten (s. Jes 63,16). Sie waren auch eine ehebrecherische Frau, die von dem Gott fortgegangen war, mit dem sie in dem Bund versprochen worden war: Sie waren aller Arten von Frevel schuldig, und das ist Untreue; sie wandten sich nicht an Götter, die sie selbst gemacht hatten, doch sie suchten nach Zeichen, die sie selbst ersonnen hatten, und das war Ehebruch.

2.2 Er lehnte es ab, ihnen irgendein anderes Zeichen zu geben, als was er ihnen bereits gegeben hatte, außer dem „Zeichen des Propheten Jona". Obwohl Christus immer bereit ist, auf heilige Wünsche und Gebete zu hören und zu antworten, wird er keine verderbten, sündigen Wünsche und Einstellungen befriedigen. Diejenigen, die „in böser Absicht" bitten, bitten und bekommen es nicht (Jak 4,3). Zeichen werden denen gegeben, die sie möchten, um ihren Glauben zu stärken, wie bei Abraham und Gideon, doch sie werden denen verweigert, die sie als Entschuldigung für ihren Unglauben verlangen. Christus hätte zu Recht sagen können, sie würden nie ein weiteres Wunder sehen, doch beachten Sie seine wundervolle Güte. Jene würden ein Zeichen haben, das anders als all diese sein würde, und das war die Auferstehung Christi von den Toten aus eigener Kraft, das hier „das Zeichen des Propheten Jona" genannt wird. Dies war ein Zeichen, das alle anderen übertraf; es vollendete und krönte sie. Der Unglaube der Juden fand jedoch auch einen Weg, diesem einen auszuweichen, indem sie sagten: „... seine Jünger sind ... gekommen und haben ihn gestohlen" (Mt 28,13), denn niemand ist so unheilbar blind wie die, die entschlossen sind, nicht zu sehen. Er erläuterte weiter dieses Zeichen des Propheten Jona: „Denn gleichwie Jona drei Tage und drei Nächte im Bauch des Riesenfisches war" **(Vers 40)**, so lange würde Christus im Grab sein und dann würde er wiederauferstehen. So wie Jona am dritten Tag aus seinem Gefängnis freigelassen wurde und in das Land der Lebenden zurückkehrte, so würde Christus am dritten Tag ins Leben zurückkehren, aus seinem Grab aufstehen, um das Evangelium zu den Heiden zu senden.

2.3 Christus nutzte diesen Anlass, um den schlimmen Charakter und Zustand des Geschlechts zu beschreiben, in dem er lebte, ein Geschlecht, welches es ablehnte, gebessert zu werden. Menschen und Dinge erscheinen jetzt unter falschen Flaggen; Charakter und Beschaffenheiten sind hier veränderlich. Die Dinge sind in Wirklichkeit so, wie sie in der Ewigkeit sind. Christus beschreibt nun das jüdische Volk:

Als ein Geschlecht, das durch „die Männer von Ninive" verurteilt werden würde, deren „Buße auf die Verkündigung des Jona hin" im Gericht gegen sie vorgebracht werden würde **(Vers 41)**. Christi Auferstehung würde für sie das Zeichen des Propheten Jona sein, doch es würde keine so selige Wirkung auf sie haben, wie das von Jona auf die Niniviten hatte, denn die Niniviten wurden dadurch zu solch einer Buße gebracht, dass sie ihren Untergang verhinderte. Die Juden jedoch würden in einem Unglauben verhärtet werden, der ihren Untergang beschleunigen würde. Christus erneuerte den Aufruf Jonas, indem er in den Synagogen saß und lehrte. Neben der Warnung vor unserer Gefahr hat Christus uns gezeigt, wovon wir Buße tun müssen und uns die Annahme zugesichert, wenn wir Buße tun. Christus vollbrachte viele Wunder und alle waren Wunder der Barmherzigkeit. Und doch taten die Männer von Ninive „Buße auf die Verkündigung des Jonas hin", aber die Juden wurden nicht durch Christi Predigen überzeugt. Die Güte derer, die weniger Hilfen und Vorzüge für ihre Seelen hatten, wird die Schlechtigkeit von denen hervorheben, die viel mehr hatten. Diejenigen, die im Dämmerlicht erkennen, was zu ihrem Frieden dient (s. Lk 19,42), werden diejenigen beschämen, die mittags umhertappen.

Als ein Geschlecht, das von der Königin des Südens, der Königin von Saba, verurteilt werden würde **(s. Vers 42)**. Die Niniviten würden sie beschämen, weil sie nicht Buße tun; die Königin von Saba, weil sie nicht an Christus glauben. Sie kam aus einem fernen Land, um die Weisheit Salomos zu hören, doch manche Menschen wollten sich nicht – und selbst heute wollen manche nicht – überzeugen lassen, zu kommen und die Weisheit Christi zu hören. Die Königin von Saba hatte keine Einladung erhalten, um zu Salomo zu kommen, noch eine Verheißung, willkommen zu sein, wir aber sind zu Christus eingeladen, zu seinen Füßen zu sitzen und sein Wort zu hören. Sie konnte nicht wissen, ob es der Mühe wert ist, so weit auf diesen Botengang zu gehen; wir aber kommen nicht mit solchen Ungewissheiten zu Christus. „... denn sie kam vom Ende der Erde", wir aber haben Christus unter uns, und sein Wort ist uns sehr nahe (s. 5.Mose 30,14). „Siehe, ich stehe vor der Tür und klopfe an" (Offb 3,20). Es scheint, dass die Weisheit, für welche die Königin von Saba kam, reine menschliche Philosophie und Politik war, doch die Weisheit, die man in Christus finden kann, ist Weisheit zum Heil. Sie konnte Salomos Weisheit nur hören; er konnte ihr keine Weisheit geben. Christus jedoch wird denen Weisheit geben, die zu ihm kommen (s. Spr 2,3-6; Jak 1,5).

Als ein Geschlecht, das entschlossen war, unter der Macht Satans zu bleiben. Sie werden mit jemandem verglichen, von dem der Teufel gewichen ist, doch zu dem er mit doppelter Macht zurückkehrt **(s. Vers 43-45)**.

Das Gleichnis stellt dar, wie er menschliche Leiber besitzt. Da Christus gerade einen Dämon ausgetrieben hatte und sie gesagt hatten, er hätte einen Teufel, nutzte er die Gelegenheit zu zeigen, wie sehr sie unter der Macht Satans standen. Die Austreibung Christi von ihm war endgültig und schloss einen Wiedereintritt aus: Wir sehen, wie er dem bösen Geist gebietet, auszufahren und „nicht mehr in ihn hineinzufahren" (Mk 9,25).

Christus wandte das Gleichnis so an, dass es die Situation des größten Teils der jüdischen Gemeinde und Nation beschrieb: „So wird es auch sein mit diesem bösen Geschlecht', die jetzt dem Evangelium Christi widerstehen und es schließlich verwerfen werden." Dies möge eine Warnung für alle Völker und Kirchen sein, ihre erste Liebe zu verlassen (s. Offb 2,4), sich davor zu hüten, ein gutes Werk der Erneuerung außer Acht zu lassen, das unter ihnen begonnen wurde, und zu dem Übel zurückzukehren, das sie verlassen zu haben schienen: „... und es wird zuletzt mit diesem Menschen schlimmer als zuerst."

Vers 46-50

Viele vorzügliche, nützliche Aussprüche kommen bei besonderen Anlässen aus dem Mund unseres Herrn Jesus; selbst seine Abschweifungen waren lehrreich, wie auch seine festgelegten Reden, wie hier. Beachten Sie:

1. Wie Christus in seiner Predigt von seiner Mutter und seinen Brüdern unterbrochen wird, die draußen standen „und wollten mit ihm reden" **(Vers 46)** und ihren Wunsch durch die Menge überbrachten.

1.1 Er redete „noch zu dem Volk". Christi Predigen war Reden; es war ein klarer, einfacher und ungezwungener Stil, passend für ihr Vermögen und ihre Bedürfnisse. Der Widerstand, dem wir in unserer Arbeit begegnen, darf uns nicht aus ihr vertreiben. Er hörte auf, mit den Pharisäern zu sprechen, denn er sah, er konnte nichts Gutes bei ihnen erreichen, doch er redete weiter zu dem gewöhnlichen Volk. **1.2** Seine Mutter und seine Brüder standen draußen und baten, mit ihm zu sprechen, wo sie hätten drinnen sein sollen und bitten, ihn zu hören. Sie hatten den Vorzug des täglichen privaten Gesprächs mit ihm und waren deshalb weniger darum bemüht, sein öffentliches Predigen zu hören. Vertrautheit und Erreichbarkeit können Geringschätzung hervorbringen. In dem üblichen Sprichwort „Je näher die Gemeinde, desto weiter von Gott" ist allzu viel Wahrheit. Es ist traurig, dass es so sein soll. **1.3** Sie wollten ihn nicht nur selbst nicht hören; sie unterbrachen andere, die ihm „mit Freude" zuhörten (Mk 12,37). Wir treffen oft durch unsere Freunde, die um uns sind, auf Hindernisse und Hemmnisse in unserer Arbeit, und wir werden oft von unseren bürgerlichen Beziehungen von unseren geistlichen Angelegenheiten abgebracht. Diejenigen, die uns und unserer Arbeit wirklich Gutes wünschen, können sich manchmal durch ihre Unüberlegtheit als falsche Freunde erweisen und uns an unserer Pflicht hindern. Christus sagte einmal zu seiner Mutter: „Weshalb habt ihr mich gesucht? Wusstet ihr nicht, dass ich in dem sein muss, was meines Vaters ist?" (Lk 2,49). Es hieß dann, dass sie „alle diese Worte in ihrem Herzen" behielt, doch wenn sie diese Worte jetzt bedacht hätte, hätte sie ihn nicht unterbrochen, als er bei der Pflicht seines Vaters war. Viele gute Wahrheiten, die lohnend schienen, dass wir sie bewahren, als wir sie hörten, sind nicht zur Stelle, wenn wir sie nutzen wollen.

2. Wie er sich über diese Unterbrechung ärgerte **(s. Vers 48-50)**. **2.1** Er wollte nicht darauf hören: „Wer ist meine Mutter, und wer sind meine Brüder?" Nicht, dass man natürliche Empfindungen beiseitelegen sollte, sondern alles ist vortrefflich zu seiner Zeit (s. Pred 3,11) und die kleinere Pflicht muss beiseitegelegt werden, solange die größere erfüllt wird. Die engsten Verwandten müssen im Vergleich gehasst werden; das heißt, wir müssen sie weniger lieben als Christus (s. Lk 14,26) und unsere Pflicht gegenüber Gott muss den Vorrang haben. Wir dürfen uns durch unsere Freunde nicht gekränkt fühlen oder meinen, sie verhalten sich schlecht, wenn sie mehr Gott gefallen wollen, als sie uns gefallen wollen. Wir müssen in der Tat lieber uns selbst und unsere eigene Zufriedenheit verleugnen, als etwas zu tun, was unsere Freunde davon abbringen oder ablenken könnte, ihre Pflicht Gott gegenüber zu erfüllen. **2.2** Er nutzte diesen Anlass, um seine Jünger vor seine natürlichen Verwandten zu stellen; seine Jünger waren seine geistliche Familie. Er wollte lieber seinen Jüngern nützen als seinen Verwandten gefallen. Beachten Sie.

Die Beschreibung der Jünger Christi. Sie sind solche, die den Willen seines Vaters tun, ihn nicht nur hören, kennen, darüber reden, sondern ihn auch tun.

Die Stellung der Jünger Christi: „... der ist mir Bruder und Schwester und Mutter!" Seine Jünger, die alles verlassen hatten, um ihm zu folgen (s. Mk 10,28), und seine Lehre annahmen, waren ihm lieber als jeder natürliche Verwandte. Es war für Christus sehr liebenswert und ermutigend zu sagen: „Seht da, meine Mutter und meine Brüder!" Es war nicht alleine ihr Vorrecht, sondern: „Das ist eine Ehre für alle seine Getreuen" (Ps 149,9). Alle gehorsamen Gläubigen sind eng mit Christus verwandt. Er liebt sie und spricht freimütig mit ihnen als seinen Verwandten. Er heißt sie an seinem Tisch willkommen und schaut, dass ihnen nichts fehlt, was sie brauchen. Er wird sich nie seiner armen Verwandten schämen, sondern wird sich vor anderen Menschen, den Engeln und seinem Vater zu ihnen bekennen (s. Mt 10,32).

KAPITEL 13

In diesem Kapitel haben wir:
1. Die Gunst Christi, die er seinen Landsleuten erwies, indem er ihnen über das Himmelreich predigte (s. Vers 1-2). Er predigte zu ihnen in Gleichnissen und hier nannte er den Grund, warum er diese Art des Lehrens wählte (s. Vers 10-17). Der Evangelist nennt einen weiteren Grund (s. Vers 34-35). 1.1 Hier gibt es ein Gleichnis, das zeigt, wie Menschen enorm daran gehindert und sogar davon abgehalten werden, von dem Wort des Evangeliums zu profitieren, und das ist das Gleichnis von den vier Arten des Bodens, das in den Versen 3-9 erzählt und in den Versen 18-23 erläutert wird. 1.2 Hier gibt es zwei Gleichnisse, die zeigen sollten, dass es eine Mischung aus gut und schlecht geben wird: Das Gleichnis von dem Unkraut, das in den Versen 24-30 erzählt und auf Wunsch der Jünger in den Versen 36-43 erläutert wird, und das von dem Netz, welches ins Meer geworfen wird (s. Vers 47-50). 1.3 Hier gibt es zwei Gleichnisse, die zeigen sollten, dass die Gemeinde des Evangeliums zuerst sehr klein sein würde, dass sie aber im Lauf der Zeit bedeutend werden würde: das von dem Senfkorn (s. Vers 31-32) und das von dem Sauerteig (der Hefe) (s. Vers 33). 1.4 Zwei Gleichnisse, die zeigen sollten, dass diejenigen, die durch das Evangelium das Heil erwarten, bereit sein müssen, alles zu riskieren: das von dem Schatz, der im Acker verborgen ist (s. Vers 44), und das von der kostbaren Perle (s. Vers 45-46). 1.5 Hier gibt es ein Gleichnis,

das die Jünger dazu bringen soll, die Unterweisungen zu gebrauchen, die Christus ihnen zum Wohle anderer gegeben hat, und das ist das Gleichnis vom guten Hausvater (s. Vers 51-52). 2. Die Geringschätzung, die ihm seine Landsleute aufgrund der Niedrigkeit seiner Herkunft zeigten (s. Vers 53-58).

Vers 1-23

1. Wir haben die Predigt Christi und wir können beobachten:

1.1 Wann Christus diese Predigt hielt; es war der gleiche Tag, als er die Predigt hielt, die im vorigen Kapitel berichtet wird: Er war also unermüdlich dabei, Gutes zu tun (s. Apg 10,38). Christus verbrachte beide Enden des Tages predigend. Eine Predigt am Nachmittag, der gut zugehört wird, ist weit davon entfernt, von der Predigt am Morgen abzulenken, sondern sie wird vielmehr den Punkt noch sicherer zum Ziel bringen. Obwohl Christus am Morgen widerstanden wurde, er behindert und unterbrochen wurde, ging er mit seiner Arbeit weiter. Gegen Ende des Tages sehen wir nicht, dass ihm solche Entmutigungen begegnen. Diejenigen, die mit Mut und Eifer Schwierigkeiten im Dienst Gottes durchbrechen, werden vielleicht finden, dass die Schwierigkeitn nicht so sehr dazu neigen wiederzukommen, wie sie fürchten. Widerstehen Sie ihnen, und sie werden fliehen (s. Jak 4,7).

1.2 Wem er predigte; da war „eine große Volksmenge", die sich zu ihm versammelte **(Vers 2)**, und sie war die Zuhörerschaft. Manchmal gibt es in der Religion die größte Kraft, wo es am wenigsten Gepränge gibt. Als Christus an das Ufer des Sees kam, „versammelte sich" sofort eine „Volksmenge zu ihm". Wo der König ist, dort gibt es den Hof; wo Christus ist, dort ist die Gemeinde, selbst wenn es am Ufer des Sees ist. Diejenigen, die von dem Wort profitieren wollen, müssen bereit sein, ihm zu folgen, wo es auch hingeht; wenn die Bundeslade sich bewegt, dann folgen Sie ihr (s. Jos 3,3).

1.3 Wo er diese Predigt hielt. Sein Versammlungsort war das Seeufer. Er ging aus dem Haus, um an die frische Luft zu gehen, denn dort gab es keinen Raum für die Zuhörer. So wie er kein eigenes Haus hatte, um darin zu wohnen, so hatte er kein eigenes Gotteshaus, um darin zu predigen. Dies zeigt uns, dass wir bei den äußerlichen Bedingungen des Gottesdienstes nicht nach dem streben sollen, was eindrucksvoll ist, sondern was das Beste aus den Vorteilen macht, die uns Gott in seiner Vorsehung zugewiesen hat. Als Christus geboren wurde, wurde er in einen Stall gedrängt, und nun ging er ans Seeufer, wo jeder frei zu ihm kommen konnte. Seine Kanzel war ein Boot. Nirgendwo ist für solch einen Prediger der falsche Platz, dessen Gegenwart jede Stelle ehrte und weihte: Diejenigen, die Christus predigen, mögen sich nicht schämen, selbst wenn sie einfache und unbequeme Orte haben, an denen sie predigen.

1.4 Was und wie er predigte. „Und er redete zu ihnen vieles" **(Vers 3)**. Er sagte wahrscheinlich noch viel mehr Dinge, als hier berichtet wurden. Christus sprach nicht über leichtfertige Dinge, sondern über Themen von ewiger Bedeutung. Was er sprach, sagte er in Gleichnissen. Dies war ein Weg des Lehrens, der sehr oft benutzt wurde. Es wurde als sehr nützliches Werkzeug gesehen, umso mehr, weil es so angenehm war. Unser Heiland benutzte ihn oft, und indem er ihn benutzte, beugte er sich zu den Fähigkeiten gewöhnlicher Menschen herab und sprach in ihrer eigenen Sprache zu ihnen.

2. Hier haben wir den allgemeinen Grund, warum Christus in Gleichnissen lehrte. Die Jünger waren darüber etwas überrascht, denn bis zu diesem Zeitpunkt hatte er sie in seinen Predigten nicht viel benutzt, und deshalb fragten sie: „Warum redest du in Gleichnissen mit ihnen?" **(Vers 10)**. Sie fragten dies, weil sie wirklich wollten, dass die Menschen mit Verstand hören. Sie sagten nicht: „Warum sprichst du so mit *uns*?" – Sie wussten gut genug, wie die Gleichnisse zu erklären sind –, sondern: „mit *ihnen*"! Christus beantwortete diese Frage ausführlich **(s. Vers 11-17)** und sagte ihnen, er würde in Gleichnissen lehren, weil diese Methode die Dinge Gottes für diejenigen klarer und leichter machen würde, die bereit waren, belehrt zu werden, und zur gleichen Zeit schwerer und dunkler für die, welche willentlich unwissend waren. Ein Gleichnis wendet, wie die Wolkensäule und das Feuer, den Ägyptern eine dunkle Seite zu, die sie verwirrt, aber den Israeliten eine lichte Seite, die sie vergewissert (s. 2.Mose 14,20).

2.1 Es wurde dieser Grund genannt: „Weil es euch gegeben ist, die Geheimnisse des Reiches der Himmel zu verstehen; jenen aber ist es nicht gegeben" **(Vers 11)**. Das heißt:

Die Jünger hatten Erkenntnis, doch die Menschen nicht. „Die Menschen sind unwissend; sie sind immer noch Unmündige und müssen als solche durch entsprechende klare Vergleiche gelehrt werden." Einigen zufolge: „Obwohl sie Augen haben, wissen sie nicht, wie sie sie gebrauchen sollen." Oder:

Die Jünger waren gegenüber der Erkenntnis der Geheimnisse des Evangeliums wohlgesonnen und wollten die Gleichnisse erforschen; die weltlich gesinnten Hörer, die bei dem reinen Hören innehielten, würden niemals weiser werden und deshalb zu Recht unter ihrem Versäumnis leiden. Ein Gleichnis ist eine Muschel, welche die gute Frucht für den Gewissenhaften aufbewahrt, aber vor dem Trägen bewahrt. Es gibt Geheimnisse in Bezug auf das Reich der Himmel. Es war den ersten Jüngern Christi gnädig gegeben zu kommen, um diese Geheimnisse kennenzulernen. Erkenntnis ist das erste Geschenk Gottes; sie wurde den Aposteln gegeben, weil sie Christi stetige Nachfolger waren. Je näher wir Christus kommen und je mehr wir unser Leben mit ihm teilen, desto mehr werden wir die Geheimnisse des Evangeliums kennenlernen. Diese Erkenntnis ist auch allen wahren Gläubigen gegeben, die eine erfahrungsmäßige Erkenntnis der Geheimnisse des Evangeliums besitzen, und das ist ohne Zweifel die beste Erkenntnis.

2.2 Dieser Grund wurde weiter durch die Regel erläutert, die Gott bei der Zuteilung seiner Gaben befolgt; er gibt sie denen, die sie nutzen, doch er nimmt sie denen weg, die sie begraben. Hier:

Wird denen eine Verheißung gegeben, welche wahre Gnade haben und benutzen würden, was sie haben: Sie würden sogar noch Überfluss haben. Gottes Gunsterweise sind ein Unterpfand für weitere Gunsterweise; wo er den Grund legt, wird er darauf aufbauen.

Wurde denen gegenüber eine Drohung ausgesprochen, die sie nicht haben würden; die etwas haben, aber nicht benutzen, was sie hatten; ihnen würde, was sie hatten oder zu haben schienen, fortgenommen werden. Gott würde ihre Talente zurückfordern, wie ein Verleiher ein Darlehen zurückfordert, und sie würden bald völlig bankrott sein.

2.3 Dieser Grund wurde besonders mit Bezug auf die zwei Arten von Menschen erläutert, mit denen Christus zu tun hatte.

Manche waren willentlich unwissend und sie wurden durch die Gleichnisse unterhalten: „... weil sie sehen und doch nicht sehen" **(Vers 13)**. Sie hatten ihre Augen vor dem klaren Licht der Predigt Christi verschlossen und wurden deshalb nun in der Dunkelheit gelassen. Gott ist gerecht, dass er denen das Licht wegnimmt, die ihre Augen vor ihm verschließen. Hier würde sich die Schrift erfüllen **(s. Vers 14-15)**. Dies ist aus Jesaja 6,9-10 zitiert, worauf nicht weniger als sechsmal im Neuen Testament verwiesen wird. Was über die Sünder zur Zeit Jesajas gesagt wurde, erfüllte sich bei denen zur Zeit Christi, und es erfüllt sich immer noch jeden Tag. Hier gibt es:

Eine Beschreibung der vorsätzlichen Blindheit und Finsternis der Sünder, was ihre Sünde ist. „Denn das Herz dieses Volkes ist verstockt"; „ihr Herz ist fett geworden", wie man es auch wiedergeben kann, was sowohl auf Sinnlichkeit als auch auf Unempfindlichkeit verweist. Wenn das Herz so schwer ist, ist es kaum verwunderlich, dass die Ohren kaum hören können. Sie verschließen beide gelehrsamen Sinne, denn sie haben auch die Augen verschlossen, sich entschlossen, dass sie das Licht nicht sehen wollen, das in die Welt kommt (s. Joh 1,9), wenn die Sonne der Gerechtigkeit aufgeht (s. Mal 3,20).

Eine Beschreibung der gerichtsmäßigen Blindheit, welche die gerechte Bestrafung dafür ist: „Mit den Ohren werdet ihr hören und nicht verstehen'; was für Gnadenmittel ihr auch habt, sie werden unwirksam für euch sein, auch wenn sie weiterhin barmherzig anderen gewährt werden." Der schlimmste Zustand, in dem ein Mensch sein kann, ist, mit einem toten, unempfindlichen und ungerührten Herzen unter der lebendigsten Anbetung Gottes zu sitzen.

Die schrecklichen Wirkungen und Konsequenzen davon: „... dass sie nicht etwa mit den Augen sehen und mit den Ohren hören und mit dem Herzen verstehen und sich bekehren und ich sie heile." Dies zeigt uns, dass Sehen, Hören und Verstehen notwendig für die Bekehrung sind, weil Gott bei dem Wirken von Gnade mit Menschen menschlich umgeht, als vernunftbegabte Wesen; er zieht mit Banden menschlicher Freundlichkeit (s. Hos 11,4); verändert das Herz, indem er die Augen öffnet: Er bekehrt „von der Herrschaft des Satans zu Gott", indem er zuerst „von der Finsternis zum Licht" bekehrt (Apg 26,18). Alle diejenigen, die wirklich zu Gott bekehrt worden sind, werden sicherlich von ihm geheilt. „Wenn sie bekehrt sind, werde ich sie heilen. Ich werde sie retten."

Andere wurden wirksam berufen, Jünger Christi zu sein, und wollten wahrhaftig von ihm gelehrt werden. Durch diese Gleichnisse wurden die Dinge Gottes klarer und leichter gemacht, verständlicher und vertrauter und leichter zu merken. „... eure Augen ... sehen, und eure Ohren ... hören" **(Vers 16)**. Christus sprach darüber:

Als einem Segen: „,Aber glückselig sind eure Augen, dass sie sehen, und eure Ohren, dass sie hören!' Es ist eure Glückseligkeit, und es ist eine Glückseligkeit, für die ihr der besonderen Gunst und dem Segen Gottes zu Dank verpflichtet seid." Das hörende Ohr und das sehende Auge sind Gottes Werk (s. Spr 20,12). Sie sind das Ergebnis eines gesegneten Werkes, das mit Macht vollbracht werden wird, wenn diejenigen, die jetzt „mittels eines Spiegels" sehen, „dann aber von Angesicht zu Angesicht" sehen werden (1.Kor 13,12). Die Apostel sollten andere lehren und deshalb wurden sie mit den klarsten Offenbarungen der göttlichen Wahrheit gesegnet.

Als einem übernatürlichen Segen, der von vielen Propheten und gerechten Menschen begehrt, ihnen aber nicht erwiesen wurde **(s. Vers 17)**. Die Heiligen des Alten Testaments, die einen flüchtigen Blick, einen Schimmer von dem Licht des Evangeliums hatten, erstrebten ernsthaft weitere Offenbarung. Diejenigen, die etwas über Christus wissen, müssen mehr wissen wollen. Es gab da, wie es immer noch ist, Herrlichkeit zu offenbaren, etwas ist noch aufgespart, „damit sie nicht ohne uns vollendet würden"

(Hebr 11,40). Es ist gut, wenn wir bedenken, wie die Mittel, die wir besitzen, und die Offenbarungen, die uns unter dem Evangelium gegeben wurden, die übertreffen, welche die Seinen in der Zeit des Alten Testaments besaßen.

3. Wir haben hier eines der Gleichnisse, welches unser Heiland erzählte, das von dem Sämann und der Saat. Christi Gleichnisse sind aus alltäglichen, gewöhnlichen Dingen genommen, aus den naheliegendsten Dingen, Dinge, die im alltäglichen Leben beobachtet werden und die in Reichweite des geringsten Könnens sind. Christus entschied sich, sich auf diese Weise auszudrücken, damit:

3.1 Geistliche Dinge klarer würden und leichter von unserem Verstand aufgenommen werden könnten.

3.2 Wir diese Dinge, die wir so oft sehen, zum Anlass nehmen könnten, mit Freude über die Dinge Gottes nachzusinnen. Wenn also unsere Hände am meisten mit Dingen aus der Welt beschäftigt sind, können wir, ungeachtet dessen – tatsächlich mit der Hilfe davon – dazu gebracht werden, unsere Herzen im Himmel zu haben. Auf diese Weise möchte das Wort Gottes mit vertrauten Begriffen zu uns sprechen (s. Spr 6,22). Das Gleichnis von dem Sämann ist klar genug **(s. Vers 3-9)**. Wir haben seine Erläuterung von Christus selbst, der am besten wusste, was er meinte: „So hört nun ihr das Gleichnis vom Sämann'; ihr habt es gehört, doch jetzt lasst es uns noch einmal durchgehen" **(Vers 18)**. Wenn wir verstehen, was wir hören, hören wir das Wort richtig und mit gutem Erfolg; es wird nicht wirklich gehört, wenn es nicht mit Verständnis gehört wird (s. Neh 8,2). Es ist Gottes Gnade, die Verständnis gibt, doch es ist unsere Pflicht, unseren Sinn zu öffnen, um zu verstehen. Wir wollen deshalb das Gleichnis und seine Erläuterung vergleichen.

Der gesäte Same ist das Wort Gottes, das hier „das Wort vom Reich" genannt wird **(Vers 19)**, des Reiches der Himmel. Dieses Wort ist der Same, der gesät wird; er wirkt tot und trocken, doch das ganze Produkt steckt praktisch in ihm. Es ist unvergänglicher Samen (s. 1.Petr 1,23).

Der Sämann, der den Samen ausstreut, ist unser Herr Jesus Christus, entweder durch ihn selbst oder durch seine geistlichen Diener (s. Vers 37). Vor einer Menge predigen ist das Korn säen; wir wissen nicht, wohin es fallen muss; unsere Aufgabe ist nur zu sehen, dass es gut und sauber ist, und sicherzustellen, genug Samen auszustreuen.

Der Boden, in den diese Samen gesät werden, sind die Herzen der Menschen, die unterschiedlich befähigt und geneigt sind. Das menschliche Herz ist wie Erde, es kann gute Frucht tragen und verbessert werden; es ist schade für den Erdboden, brachzuliegen. So wie es mit der Erde ist – mancher Boden wird mühsam bearbeitet und mit sehr gutem Samen besät, bringt aber doch keine gute Frucht hervor, während gute Erde einen reichlichen Ertrag bringt –, ist es mit dem menschlichen Herzen. Hier werden verschiedene Charaktere durch vier verschiedene Arten von Boden dargestellt, von denen drei schlecht sind und nur einer gut. Die Zahl unfruchtbarer Hörer ist sehr groß, selbst bei denen, die Christus selbst hörten. Beachten Sie die Merkmale von diesen vier Arten von Boden:

Der Boden des Weges, „an den Weg" **(Vers 4.19)**. Die Bauern hatten Wege in ihren Kornfeldern (s. Mt 12,1) und der Same, der auf sie fiel, drang nie in den Boden ein, deshalb pickten ihn die Vögel auf. Beachten Sie:

Welche Art von Hörern mit dem Boden des Weges verglichen werden: Es ist der, welcher „das Wort vom Reich hört und nicht versteht". Er schenkt ihm keine Beachtung, ergreift es nicht; sie kommen ohne jede Absicht, davon zu profitieren. Sie schenken dem, was gesagt wird, keine Aufmerksamkeit; es geht zum einen Ohr rein und zum anderen Ohr heraus; es macht keinerlei Eindruck.

Wie sie zu nutzlosen Hörern werden. „… der Böse", das ist der Teufel, kommt „und raubt [schnappt] das, was" gesät wurde. Solche gedankenlosen, gleichgültigen und leichtfertigen Hörer sind ein leichtes Ziel für Satan. Weil er der große Mörder der Seelen ist, ist er der große Dieb der Predigten. Wenn wir den brachliegenden Boden nicht aufbrechen, indem wir unsere Herzen auf das Wort vorbereiten, und wenn wir nicht danach die Saat durch Nachsinnen und Gebet bedecken, wenn wir nicht „desto mehr auf das achten, was wir gehört haben" (Hebr 2,1), sind wir wie der Boden des Weges.

Der felsige Boden. „Anderes aber fiel auf den felsigen Boden" **(Vers 5)**, der die Situation von Hörern darstellt, die einige gute Eindrücke von dem Wort bekommen, in denen sie aber nicht bleiben **(s. Vers 20-21)**. Es ist möglich, dass wir ein gutes Stück besser sind als manche, doch nicht so gut, wie wir sein sollten. Beachten Sie:

Wie weit sie gehen.

Sie hören das Wort; sie kehren ihm weder den Rücken noch ein taubes Ohr zu. Das Hören des Wortes an sich wird uns niemals in den Himmel bringen.

Sie waren rasch im Hören; „es ging sogleich auf" **(Vers 5)**; es erschien schneller über dem Boden als das, was in die gute Erde gesät war. Heuchler haben in ihrem Bekenntnis oft einen Vorsprung vor wahren Christen und sind oft zu impulsiv, um sich zurückzuhalten. Er nimmt es „sogleich" auf, ohne es richtig zu schmecken; er verschlingt es, ohne zu kauen, und dann kann es nie gut verdaut werden.

Sie nehmen es mit Freuden auf. Es gibt viele, die

sich sehr freuen, eine gute Predigt zu hören, aber nicht davon profitieren. Viele schmecken „das gute Wort Gottes" (Hebr 6,5) und sagen, sie empfinden es als süß, bergen aber doch ein sündiges Verlangen unter ihrer Zunge (s. Hiob 20,12), das im Widerspruch zu dem Wort steht, und deshalb spucken sie es wieder aus.

Sie halten eine Zeit lang durch. Viele halten eine Zeit lang durch, halten aber nicht bis zum Ende durch; sie liefen gut, doch etwas hielt sie auf (s. Gal 5,7).

Wie sie abfallen, sodass keine Frucht zur Reife kommt. Sie haben „keine Wurzel in sich", keine festen, begründeten Beweggründe in ihren Urteilen, keine feste Entschlossenheit in ihrem Willen. Es kann die grünen Triebe des christlichen Bekenntnisses geben, wo es keine Wurzel der Gnade gibt. Wo es kein festes Fundament gibt, können wir, selbst wenn es ein Bekenntnis des Glaubens gibt, keine Ausdauer erwarten. Diejenigen, die keine Wurzeln haben, werden nur eine Zeit lang durchhalten. Es kommen Zeiten der Prüfung und dann zeigt sich bei ihnen nichts: „Wenn nun Bedrängnis oder Verfolgung entsteht um des Wortes willen, so nimmt er sogleich Anstoß." Auf einen schönen Wind der Möglichkeiten folgt in der Regel als ein Test, um zu sehen, wer das Wort aufrichtig angenommen hat und wer nicht, ein Sturm der Verfolgung. Es ist weise, sich auf solch einen Tag vorzubereiten. Wenn Zeiten der Prüfung kommen, stolpern diejenigen rasch, die keine Wurzel haben, und fallen ab; sie kämpfen zuerst mit ihrem Glauben und dann geben sie ihn auf. Die Verfolgung wird in dem Gleichnis durch die Sonne dargestellt, die verbrennt **(s. Vers 6)**; die gleiche Sonne, die gut Verwurzelte wärmt und pflegt, vertrocknet und verbrennt das, dem Wurzeln fehlen. Prüfungen, die manche schütteln, bestärken andere (s. Phil 1,12). Beachten Sie, wie rasch sie abfallen. Ein christlicher Glaube, der ohne Überlegung ergriffen wird, wird gewöhnlich ohne sie fallen gelassen. Wie gewonnen, so zerronnen.

Der dornige Boden. „Anderes aber fiel unter die Dornen." Dies ging weiter als der Same an dem Weg, denn es hatte Wurzeln. Wohlstand zerstört das Wort im Herzen genauso sehr, wie es Verfolgung tut, und gefährlicher, weil er stiller vorgeht. Die Steine verdarben die Wurzel, die Dornen verderben die Frucht. Was sind nun diese erstickenden Dornen?

„Die Sorge dieser Weltzeit." Die Sorge für eine andere Welt würde das Aufkommen guter Saat anregen, aber die Sorge für diese Welt erstickt sie. Weltliche Sorgen werden auf passende Weise mit Dornen verglichen. Sie sind verstrickend, unangenehm und kratzend. Und am Ende werden sie verbrannt (s. Hebr 6,8). Diese Dornen ersticken den guten Samen. Weltliche Sorgen sind ein großes Hindernis dafür, dass wir von dem Wort Gottes profitieren. Sie verzehren die Energie der Seele, die für göttliche Dinge gegeben werden sollte. Diejenigen, die sich „Sorge und Unruhe um vieles" machen, vernachlässigen gewöhnlich das eine, das not ist (s. Lk 10,40-42).

„Der Betrug des Reichtums." Diejenigen, die durch Sorge und Fleiß ihren Besitz vermehrt haben und für welche die Gefahr vorüber zu sein scheint, die durch die Sorge entsteht, neigen dazu, sich etwas zu erwarten, was der Reichtum nicht geben kann, und dies erstickt das Wort genauso sehr, wie es die Sorge tut. Es ist nicht so sehr der Reichtum wie „der Betrug des Reichtums", der diese Schwierigkeiten verursacht. Wir setzen unser Vertrauen auf ihn und richten unsere Hoffnungen auf ihn und dann geschieht es, dass er den guten Samen erstickt.

Der gute Boden: „Anderes aber fiel auf das gute Erdreich" **(Vers 8)**, und es ist schade, dass guter Samen nicht immer in gute Erde fällt, denn dann gibt es keinen Verlust. Dies ist der Hörer, „der das Wort hört und versteht" **(Vers 23)**. Was nun diesen guten Boden von dem Rest unterschied, war, in einem Wort, Fruchtbarkeit. Christus sagte nicht, dass dieser gute Boden keine Steine oder Dornen enthielt, sondern dass nichts ihn wirkungsvoll abhielt, fruchtbar zu sein. Heilige sind in dieser Welt nicht völlig frei von den Überresten der Sünde, doch sie sind glücklich von ihrer Herrschaft befreit. Die Hörer, die durch den guten Boden dargestellt werden, sind:

Einsichtsvolle Hörer. Sie hören und verstehen das Wort. Sie verstehen nicht nur den Sinn und die Bedeutung des Wortes, sondern auch, wie sie selbst davon betroffen sind; sie verstehen es, wie Geschäftsleute ihr Geschäft verstehen.

Fruchtbare Hörer, deren Fruchtbarkeit der Beleg für ihr gutes Verständnis ist; „... der bringt dann auch Frucht." Wir bringen Frucht, wenn wir das Wort in die Tat umsetzen und handeln, wie wir gelehrt werden. Doch:

Nicht alle sind in gleicher Weise fruchtbar; „etliches hundertfältig, etliches sechzigfältig und etliches dreißigfältig". Unter fruchtbaren Christen sind manche fruchtbarer als andere. Wo es echte Gnade gibt, da gibt es Grade davon; nicht alle Schüler Christi sind auf dem gleichen Stand. Wenn aber der Boden gut und die Frucht richtig ist, werden diejenigen, die sie nur dreißigfältig hervorbringen, von Gott gnädig angenommen und ihre Frucht wird als reichlich angesehen werden.

4. Er schloss das Gleichnis mit einem feierlichen Ruf zur Aufmerksamkeit: „Wer Ohren hat zu hören, der höre!" **(Vers 9)**. Der Gehörsinn kann auf keine bessere Weise genutzt werden als dem Hören des Wortes Gottes. Manche möchten Musik hören, eine süße Melodie: Ihre Ohren sind „Töchter des Gesangs" (Pred 12,4); es gibt keine Melodie wie die des Wortes Gottes. Andere möchten Neues hören (s. Apg 17,21) und es gibt keine Neuigkeiten wie die des Wortes Gottes.

Vers 24-43

In diesen Versen haben wir:

1. Einen weiteren Grund genannt, warum Christus in Gleichnissen lehrte **(s. Vers 34-35)**. „Dies alles redete Jesus in Gleichnissen." Weil die Zeit für klarere und verständlichere Offenbarungen der Geheimnisse des Reiches noch nicht gekommen war. Christus versucht, durch alle möglichen Wege den Seelen der Menschen Gutes zu tun. Wenn die Menschen es ablehnen, durch direktes Predigen unterwiesen und beeinflusst zu werden, wird er schauen, ob Gleichnisse eine Wirkung auf sie haben. Hier gibt es:

1.1 Was Christus predigte. Die Geheimnisse des Evangeliums waren „in Gott verborgen", in seinen Plänen und Verordnungen, „von den Ewigkeiten her" (Eph 3,9).

1.2 Wie Christus predigte: Er predigte, indem er Gleichnisse benutzte: weise Sprüche, aber bildliche, die helfen, unsere Aufmerksamkeit zu erregen und zu fleißigem Forschen anspornen.

2. Das Gleichnis vom Unkraut und seine Erläuterung. Beachten Sie:

2.1 Die Bitte der Jünger an ihren Meister, dass er ihnen dieses Gleichnis erklärt. Jesus „entließ ... die Volksmenge" **(Vers 36)** und es steht zu befürchten, dass viele von ihnen nicht weiser fortgingen, als sie gekommen waren. Es ist traurig, daran zu denken, wie viele von Predigten fortgehen mit dem Wort der Gnade in ihren Ohren, aber nicht mit dem Werk der Gnade in ihren Herzen. Christus „ging in das Haus", nicht so sehr, um selbst zu ruhen, sondern um sich mit einem Gespräch mit seinen Jüngern zu beschäftigen. Die Jünger ergriffen die Möglichkeit und „traten zu ihm". Diejenigen, die in allen Dingen weise sein wollen, müssen weise im Urteilen sein und darin, das Beste aus den Möglichkeiten zu machen, besonders den Möglichkeiten, mit Christus zu sprechen. Durch wertloses und nutzloses Gerede danach verlieren wir den Nutzen vieler Predigten (vgl. Lk 24,32; 5.Mose 6,6-7). Private Treffen könnten viel zu unserem Nutzen von öffentlicher Predigt hinzufügen. Die Bitte der Jünger an ihren Meister war: „Erkläre uns das Gleichnis vom Unkraut auf dem Acker!" Dies beinhaltete ein Eingeständnis ihrer Unwissenheit, die sie sich nicht schämten einzugestehen. Menschen, die sich ihrer Unwissenheit bewusst sind und aufrichtig gelehrt werden möchten, fühlen sich mit Recht von Christi Lehren angezogen. Christus hatte das vorige Gleichnis erläutert, ohne gebeten zu werden, doch sie bitten ihn, dieses eine zu erläutern. Das erste Licht und die erste Gnade sind gegeben; für weitere Quellen des Lichts und der Gnade muss man täglich beten.

2.2 Die Erläuterung, die Christus für dieses Gleichnis gab. Der allgemeine Sinn eines Gleichnisses ist es nun, uns den gegenwärtigen und zukünftigen Stand des Himmelreichs zu beschreiben, der Gemeinde des Evangeliums: der Sorge Christi für sie, der Feindschaft des Teufels gegen sie, der Mischung von sowohl gut als auch schlecht, die sie in dieser Welt enthält, und die Trennung zwischen diesem in der anderen Welt. Wir wollen nun die Einzelheiten in der Erläuterung dieses Gleichnisses betrachten.

„Der den guten Samen sät, ist der Sohn des Menschen." Jesus Christus ist der Herr des Feldes, der Herr der Ernte (s. Mt 9,38), der Sämann des guten Samens. Was immer es für guten Samen in der Welt gibt, er kommt vollständig aus der Hand Christi und muss von ihm gesät werden: gepredigte Wahrheiten, eingepflanzte Wirkungen der Gnade und geheiligte Seelen sind guter Samen und alle verdanken es Christus. Geistliche Diener sind Werkzeuge in Christi Hand, um guten Samen zu säen.

„Der Acker ist die Welt", die Welt des Menschengeschlechts, ein weites Ackerfeld, tauglich, gute Frucht hervorzubringen; deshalb ist es sehr beklagenswert, dass der Acker so viel schlechte Frucht hervorbringt. Es ist sein Acker, und weil es seiner ist, hat er dafür gesorgt, ihn mit gutem Samen zu besäen.

„... der gute Same sind die Kinder des Reichs", echte Heilige, nicht nur nach dem Bekenntnis Heilige, wie es die Juden waren (vgl. Mt 8,12), sondern auch aufrichtig. Sie sind der gute Same, kostbarer Samen (s. Ps 126,6). Der Same ist ausgestreut, wie es die Heiligen sind, verstreut, hier einer und dort ein anderer, wenn sie auch an manchen Orten dichter gesät sind als an anderen.

„... das Unkraut aber sind die Kinder des Bösen." Sie sind die Kinder des Teufels. Sie sind Unkraut im Acker dieser Welt. Sie tun nichts Gutes; sie schaden. Sie sind Unkraut im Garten, die den gleichen Regen, die gleiche Sonne und den gleichen Boden haben wie die guten Pflanzen, doch sie sind gut für nichts.

„Der Feind, der es sät, ist der Teufel." Er ist ein Feind des Ackers der Welt, welches er zu seinem eigenen zu machen versucht, indem er sein Unkraut darin aussät. Beachten Sie in Bezug auf das Aussäen des Unkrauts:

Es wird gesät, „während aber die Leute schliefen". Satan lauert auf jede Gelegenheit. Wir müssen deshalb nüchtern sein und wachen (s. 1.Petr 5,8).

Als der Feind das Unkraut gesät hatte, ging er davon **(s. Vers 25)**, sodass man nicht erkennen möge, wer es getan hat. Satan versucht sich am meisten zu verbergen, wenn er die größten Schwierigkeiten verursacht. Wenn der Feind sein Unkraut sät, wird es, selbst wenn er davongeht, von selbst aufgehen und Schaden verursachen, wohingegen, wenn guter Same gesät wird, er gehegt, gewässert und geschützt werden muss, denn sonst wird aus ihm nichts werden.

Das Unkraut zeigte sich nicht, bis „die Saat wuchs und Frucht ansetzte" **(Vers 26)**. Es gibt eine große Menge heimlicher Bosheit im menschlichen Herzen, was lange Zeit unter dem Mantel eines glaubhaften Bekenntnisses verborgen liegt, doch schließlich bricht es heraus. Wenn eine Zeit der Prüfung kommt, wenn Frucht hervorgebracht werden muss, wenn Sie dann zurückkehren, werden Sie den Aufrichtigen und den Heuchler erkennen können, dann können Sie sagen: „Das ist Weizen und das ist Unkraut."

Als es den Knechten bewusst wurde, klagten sie ihrem Meister: „Herr, hast du nicht guten Samen in deinen Acker gesät?" **(Vers 27)**. Er tat es ohne Zweifel. Wir können bei dem Samen, den Christus sät, wohl mit Verwunderung fragen: „Woher hat er denn das Unkraut?" Es ist traurig, solches Unkraut im Garten des Herrn zu sehen, so guten Boden verwildern, den guten Samen ersticken und solche Schande über den Namen und die Ehre Christi gebracht zu sehen.

Der Meister wusste bald, woher er kam: „Das hat der Feind getan!" **(Vers 28)**. Er gab nicht den Knechten die Schuld; sie konnten nichts dafür. Geistliche Diener Christi, die treu und gewissenhaft sind, werden von Christus nicht für die Mischung von gut und schlecht, Heuchlern mit denen, die aufrichtig sind, auf dem Feld der Gemeinde gerichtet werden. Es ist notwendig, „dass die Anstöße zur Sünde kommen" (Mt 18,7), und wir dürfen dafür nicht beschuldigt werden, wenn wir unsere Pflicht tun.

Die Knechte waren begierig darauf, dieses Unkraut auszureißen. „Willst du nun", dass wir hingehen und es sofort tun?

Der Meister verhinderte dies sehr weise: „Nein!, damit ihr nicht beim Zusammenlesen des Unkrauts zugleich mit ihm den Weizen ausreißt" **(Vers 29)**. Niemand kann unfehlbar zwischen Unkraut und Weizen unterscheiden. Zucht kann entweder so verkehrt in ihren Regeln oder so heikel in ihrer Anwendung sein, dass sie sich als unangenehm für viele erweist, die wirklich fromm und gewissenhaft sind. Wenn das Unkraut unter den Gnadenmitteln bleibt, wird es vielleicht zu gutem Korn; deshalb ist es gut, mit ihm Geduld zu haben.

„... die Ernte ist das Ende der Weltzeit" **(Vers 39)**. Diese Welt wird zu einem Ende kommen. Bei der Ernte ist alles reif und bereit, geschnitten zu werden: Sowohl Gute als auch Böse sind an jenem Tag reif (s. Offb 14,15). Bei der Ernte wird jeder das ernten, was er gesät hat. Es werden die Grundlage, der Samen, die Fähigkeiten und der Fleiß jedes Menschen enthüllt werden.

„... die Schnitter sind die Engel." Die Engel sind die Knechte Christi, heilige Feinde von Übeltätern und die treuen Freunde aller Heiligen, und damit sind sie geeignet, auf diese Weise eingesetzt zu werden.

Die Qualen der Hölle sind das Feuer, in das man das Unkraut wirft.

Dann wird dem Unkraut Einhalt geboten werden. Den Schnittern – deren hauptsächliche Arbeit es ist, den Weizen einzusammeln – wird zuerst gesagt werden, dass sie „das Unkraut" zusammenlesen sollen. Obwohl Gute und Schlechte nicht zu unterscheiden sind, solange sie zusammen in dieser Welt sind, werden sie an jenem Tag getrennt werden.

Dann wird „es in Bündel" gebunden werden **(Vers 30)**. Diejenigen, die sich in Sünde verbunden haben, werden in Schande und Kummer zusammensein.

Es wird „in den Feuerofen" geworfen; es ist zu nichts gut als für das Feuer. *„... dort wird das Heulen und das Zähneknirschen sein"*, trostloser Kummer und unheilbare Empörung über Gott.

Der Himmel ist die „Scheune". „... den Weizen aber sammelt in meine Scheune", wie es das Gleichnis ausdrückt **(Vers 30)**. Der ganze Weizen wird in Gottes Scheune zusammengebracht werden. Es wird Garben von Korn wie auch Bündel von Unkraut geben: Sie werden dann geschützt sein, nicht länger Wind und Wetter, Sünde und Kummer ausgesetzt. Sie werden nicht mehr länger weit entfernt auf dem Feld sein, sondern nahe in der Scheune. In der Erläuterung des Gleichnisses wird dies als herrlich dargestellt: *„Dann werden die Gerechten leuchten wie die Sonne im Reich ihres Vaters"* **(Vers 43)**. Die für sie aufbewahrte Ehre ist, dass sie in diesem Reich wie die Sonne leuchten werden. Hier sind sie unbekannt und verborgen (s. Kol 3,3), ihre Schönheit verfinstert durch ihre Armut und die Bescheidenheit ihrer äußerlichen Verfassung; dann werden sie strahlend leuchten, wie die Sonne hinter einer dunklen Wolke leuchtet. Sie werden leuchten wie die Sonne, das herrlichste aller sichtbaren Dinge. Diejenigen, welche in dieser Welt als Lichter scheinen, damit Gott verherrlicht werden möge, werden in der anderen Welt wie die Sonne leuchten, damit sie verherrlicht werden mögen. Unser Heiland schließt wie vorher mit einem Ruf zur Aufmerksamkeit: „Wer Ohren hat zu hören, der höre!"

3. Das Gleichnis von dem Senfkorn (s. Vers 31-32). Der Inhalt dieses Gleichnisses sollte zeigen, dass der Anfang des Evangeliums zwar klein sein wird, dass das „Ende aber herrlich groß" sein würde (Hiob 8,7; ZÜ). Beachten Sie bei dem Werk des Evangeliums:

3.1 Dass es im Allgemeinen zuerst sehr schwach und klein ist: Es „gleicht einem Senfkorn", das „von allen Samenkörnern das kleinste" ist. An einigen Orten ist der erste Aufbruch des Evangeliums nur wie das Dämmern des Tages. Junge Bekehrte sind wie „Lämmer", die „er in seinen Arm nehmen" muss (Jes 40,11).

3.2 Dass es dennoch wächst und zunimmt. Das Senfkorn ist klein, doch es ist trotzdem ein Same und hat in sich die Veranlagung, zu wachsen. Gnädige Gewohnheiten werden bekräftigt und angeregt; die Erkenntnis wird klarer werden, der Glaube mehr bestätigt und die Liebe flammender; hiermit wächst der Same.

3.3 Dass es schließlich sehr stark und nützlich werden wird: „Wenn es aber" zu einer gewissen Reife „wächst, so wird es ... ein Baum". Die Gemeinde ist wie ein großer Baum, zu dem die Vögel des Himmels kommen und in dessen Zweigen sie nisten; Gottes Kinder wenden sich ihnen zu, um Nahrung und Ruhe, Schatten und Obdach zu spenden. Bei einzelnen Personen wird die wachsende Gnade stark sein und viel erreichen. Erwachsene Christen müssen danach streben, für andere nützlich zu sein, wie es das voll entwickelte Senfkorn für die Vögel ist.

4. Das Gleichnis von dem Sauerteig (der Hefe; **s. Vers 33**).

4.1 „Eine Frau nahm" diesen „Sauerteig"; es war ihre Arbeit. Geistliche Diener werden dafür eingesetzt, Orte und Seelen mit dem Evangelium zu durchdringen.

4.2 Die Hefe wurde „heimlich in drei Scheffel Mehl" hineingemischt. Das Herz ist wie Mehl weich und fügsam; es ist das zarte Herz, das voraussichtlich von dem Wort profitieren wird. Es sind „drei Scheffel Mehl", eine große Menge, denn ein wenig Sauerteig durchsäuert den ganzen Teig (s. 1.Kor 5,6). Die Hefe muss im Herzen verborgen sein. Wir müssen sie ansammeln, wie Maria die Worte Christi in ihrem Herzen behielt (s. Lk 2,51).

4.3 Die Hefe, die im Teig verborgen ist, arbeitet dort. Die Hefe arbeitet schnell, wie das Wort, und doch nach und nach. Sie arbeitet still und unsichtbar (s. Mk 4,26-27), doch stark und unaufhaltsam. Wir müssen nur heimlich die Hefe in den Teig tun und die ganze Welt kann sie nicht davon abhalten, ihren Geschmack darin zu verbreiten. Niemand sieht, wie es geschieht, doch nach und nach ist „das Ganze durchsäuert".

So war es in der Welt. Durch ihr Predigen mischten die Apostel eine Hand voll Hefe in eine große Menge des Menschengeschlechts und sie hatte eine sonderbare Wirkung; sie brachte die Welt zur Gärung, versetzte sie in einem gewissen Sinn „in Aufruhr" (Apg 17,6). Es war auf diese Weise nicht durch äußerliche Gewalt wirksam – und deshalb konnte ihm eine solche Gewalt nicht widerstehen und es überwinden –, sondern durch den Geist des Herrn der Heerscharen, der wirkt, und niemand kann ihm wehren (s. Hiob 11,10).

So ist es im Herzen. Das Evangelium bewirkt keine Veränderung im Wesen des Herzens – der Teig bleibt der gleiche –, aber in seiner Qualität. Es erzeugt eine umfassende Veränderung; es verbreitet sich in alle Kräfte und Fähigkeiten der Seele. Diese Veränderung lässt die Seele an der Natur des Wortes teilhaben, wie Teig an der Natur des Sauerteigs teilhat. Es ist ein Wort des Glaubens und der Buße, der Heiligkeit und Liebe, und dies wird durch dieses Wort im Herzen hervorgebracht. Wenn der Teig mit der Hefe durchwirkt wurde, dann kommt er in den Backofen; diese Veränderung wird im Allgemeinen von Prüfungen und Nöten begleitet, doch auf diese Weise werden die Heiligen geeignet gemacht, um Brot für den Tisch unseres Herrn zu werden.

Vers 44-52

In diesen Versen haben wir vier kurze Gleichnisse:

1. Das von dem „verborgenen Schatz im Acker". Bis zu diesem Zeitpunkt hatte er „das Reich der Himmel" mit kleinen Dingen verglichen. In diesem Gleichnis und dem nächsten wird es als etwas dargestellt, was einen großen Wert in sich selbst hat. Hier wird es mit einem „verborgenen Schatz im Acker" verglichen, den wir, wenn wir ihn wählen, zu unserem eigenen machen können.

1.1 Jesus Christus ist der wahre Schatz. In ihm gibt es einen Überfluss an allem, was reich und nützlich ist, und wenn wir mit ihm vereinigt sind, gehört es alles uns.

1.2 Das Evangelium ist der Acker, in dem dieser Schatz verborgen ist. Es ist nicht in einem verschlossenen Garten verborgen (s. Hld 4,12), sondern auf dem Feld, in einem offenen Ackerfeld. Egal, was für königliche Minen wir finden, sie gehören alle uns, wenn wir dem richtigen Weg folgen.

1.3 Es ist eine große Sache, einen Schatz zu finden, der in diesem Acker verborgen ist, und seinen unschätzbaren Wert kennenzulernen. Die reichsten Minen sind oft in einem Boden, der äußerst öde erscheint. Wie ist doch die Bibel besser als andere gute Bücher? Diejenigen, welche „die Schriften" erforscht haben, sodass sie in ihnen Christus und „das ewige Leben" gefunden haben (s. Joh 5,39), haben in diesem Acker einen Schatz gefunden, der ihn unendlich wertvoller macht.

1.4 Diejenigen, die diesen Schatz im Acker entdecken und ihn daher recht bewerten, werden nie Frieden haben, bis sie ihn – egal, zu welchen Bedingungen – zu dem ihren gemacht haben. Derjenige, der diesen Schatz gefunden hat, freut sich an ihm, selbst wenn der Handel noch nicht abgeschlossen wurde; er ist glücklich, dass ein solcher Handel zulässig ist. Er entscheidet sich dafür, jenen Acker zu kaufen: Diejenigen, die das Angebot des Evangelium zu den Bedingungen des Evangeliums annehmen, kaufen diesen Acker. Sie machen ihn wegen des unsichtbaren Schatzes, den er enthält, zu ihrem eigenen. Der Mann im Gleichnis ist so sehr darauf bedacht, diesen Acker zu kaufen, dass er „alles" verkauft, „was er hat", um dies zu tun: Wer das kostbare Heil haben möchte, das in Christus zu finden ist, muss alles für Schaden erachten, damit er Christus gewinnt und in ihm erfunden wird (s. Phil 3,8-9).

2. Das von der kostbaren Perle (s. Vers 45-46).
2.1 Alle Menschen sind darauf aus, schöne Perlen zu suchen: Einer möchte reich sein, ein anderer ehrenwert, ein anderer gelehrt, doch die meisten werden getäuscht und entscheiden sich für falsche Perlen.
2.2 Jesus Christus ist „eine kostbare Perle"; wenn wir ihn haben, haben wir genug, um uns hier und für immer glücklich zu machen.
2.3 Ein echter Christ ist ein geistlicher Kaufmann, der diese kostbare Perle sucht und findet und der, als jemand, der entschlossen ist, geistlich reich zu werden, einen hohen Preis bezahlt: Er geht hin und kauft diese Perle. Er bittet nicht nur um sie, er kauft sie auch.
2.4 Diejenigen, die in rettender Weise Anteil an Christus haben möchten, müssen bereit sein, alles für ihn aufzugeben, alles zu verlassen und ihm nachzufolgen (s. Mk 10,28). Man kann zu viel für Gold ausgeben, doch nicht zu viel für diese kostbare Perle.

3. Das von dem „Netz, das ins Meer geworfen wurde" (Vers 47-49).
3.1 Hier ist das Gleichnis selbst. Die Welt ist ein weites Meer; die Predigt des Evangeliums ist das Herunterlassen des Netzes in dieses Meer, um etwas daraus zu fangen. Dieses Netz fängt alles Mögliche, wie es große Schleppnetze tun. In der sichtbaren Gemeinde gibt es eine große Menge Abfall und Müll, Schmutz, Unkraut und Ungeziefer wie auch Fisch. Es wird eine Zeit kommen, in der dieses Netz voll sein wird und es wird an den Strand gezogen werden. Jetzt wird das Netz gefüllt; manchmal füllt es sich schneller als zu anderen Zeiten, doch es füllt sich immer. Wenn das Netz voll ist und an den Strand gezogen wird, werden die Guten und die Schlechten, die darin gesammelt sind, getrennt werden. Die Guten werden als solche, die wertvoll sind, in Gefäße gesammelt werden und werden deshalb sorgfältig gehütet, die Schlechten aber werden fortgeworfen werden. Solange das Netz im Meer ist, weiß man nicht, was es enthält; selbst der Fischer kann es nicht sagen. Doch sie holen es um der Guten willen, die es enthält, vorsichtig an den Strand, mit allem, was darin ist.
3.2 Hier ist die Erläuterung des letzten Teils des Gleichnisses. Der erste Teil ist offensichtlich und klar genug, doch der letzte Teil bezieht sich auf das, was noch kommen soll, und wird deshalb ausführlicher erläutert **(s. Vers 49-50)**. „So wird es am Ende der Weltzeit sein." Wir dürfen nicht erwarten, dass das Netz voller gutem Fisch ist; die Gefäße werden es sein, im Netz aber sind die Fische gemischt. Beachten Sie:
Die Unterscheidung der Übeltäter von den Gerechten.
Das Schicksal von Übeltätern, wenn sie auf diese Weise getrennt worden sind. Sie werden „in den Feuerofen" geworfen werden.

4. Das von dem guten „Hausvater", das all die anderen verdeutlichen soll.
4.1 Sein Anlass war die große Tüchtigkeit, welche die Jünger im Wissen erlangt hatten, und der Gewinn, den sie von dieser Predigt im Besonderen hatten. Er fragte sie: „Habt ihr das alles verstanden?" Er war bereit, zu erklären, was sie nicht verstanden. Es ist der Wille Christi, dass alle, die das Wort lesen und hören, es verstehen, denn wie sollten sie sonst davon profitieren? Sie antworteten ihm: „Ja, Herr!" Wenn sie etwas nicht verstanden, baten sie um eine Erläuterung **(s. Vers 36)**. Die Erläuterung dieses Gleichnisses war ein Schlüssel für die anderen. Gute Wahrheiten erklären und veranschaulichen sich gegenseitig.
4.2 Der Inhalt des Gleichnisses sollte seine Anerkennung und sein Lob für ihre Leistungen zollen. Christus ist bereit, willig Lernende in seiner Schule zu ermutigen, selbst wenn sie schwach sind, und zu sagen: „Recht so", „gut gemacht", „gut gesagt" (s. Mt 25,21.23).
Er lobt sie als „Schriftgelehrte", die „für das Reich der Himmel unterrichtet" sind. Sie lernten nun, damit sie lehren könnten. Diejenigen, die andere unterweisen sollen, müssen selbst gut unterwiesen sein. Die Unterweisung eines Dieners am Evangelium muss „für das Reich der Himmel" sein. Wenn er nicht für das Reich der Himmel unterwiesen ist, wird er ein schlechter geistlicher Diener sein.
Er verglich solche Schriftgelehrten mit einem guten Hausvater, „der aus seinem Schatz Neues und Altes hervorholt", Früchte aus dem Anbau des letzten Jahres und aus der Ernte dieses Jahres, Überfluss und Vielfalt. Beachten Sie, was die Ausrüstung eines geistlichen Dieners sein sollte: ein Schatz aus Neuem und Altem. Alte Erfahrungen und neue Beobachtungen haben alle ihre Nutzen und wir dürfen nicht mit dem zufrieden sein, was wir vorher gefunden

haben, sondern müssen immer neue Entdeckungen hinzufügen. Lassen Sie uns leben und lernen. Wir nehmen auf, um auszugeben, damit andere profitieren mögen. Christus selbst empfing, damit er geben konnte (s. Ps 68,19; Eph 4,8-11); so müssen wir es tun, und wir werden mehr empfangen. Beim Herausarbeiten von Dingen passen neue und alte Dinge am besten zusammen; alte Wahrheiten, aber mitgeteilt, indem man neue Methoden und Ausdrücke verwendet.

Vers 53-58

Hier haben wir Christus in seinem eigenen Land. Seine eigenen Landsleute hatten ihn einst verworfen, doch er kam wieder zu ihnen. Christus nimmt diejenigen, die ihn ablehnen, nicht bei ihrem ersten Wort. Er wiederholt seine Angebote denen gegenüber, die ihn oft abgewiesen haben. Er hatte eine natürliche Zuneigung zu seinem eigenen Land. Die Weise, wie er dieses Mal behandelt wurde, glich sehr der davor, verächtlich und boshaft. Beachten Sie:

1. Wie sie ihre Geringschätzung ihm gegenüber ausdrückten. Sie staunten, als „er sie in ihrer Synagoge" lehrte **(Vers 54)**; sie hielten ihn für einen unmöglichen Lehrer. Sie warfen ihm zwei Dinge vor:

1.1 Seine fehlende akademische Ausbildung. Sie gaben zu, dass er weise war und dass er viele mächtige Werke tat, doch sie fragten: „Woher hat dieser solche Weisheit und solche Wunderkräfte?" Kleine und voreingenommene Leute neigen dazu, die Menschen nach ihrer Ausbildung zu beurteilen und mehr nach ihrem Hintergrund als nach ihren Beweggründen zu fragen. „Woher hat dieser solche ... Wunderkräfte?" Wären sie nicht halsstarrig blind gewesen, dann hätten sie schließen müssen, dass er göttlichen Beistand und göttliche Beauftragung hatte, denn er gab ohne die Hilfe der Ausbildung solch einen Beweis für außerordentliche Weisheit und Macht.

1.2 Die Bedeutungslosigkeit und Armut seiner Verwandten **(s. Vers 55-56)**. Sie tadelten ihn für seinen Vater: „Ist dieser nicht der Sohn des Zimmermanns?" Welches Übel lag darin? Es war nicht unter seiner Würde, Sohn eines ehrlichen Gewerbetreibenden zu sein. Dieser Zimmermann war „aus dem Haus Davids" (Lk 1,27), ein „Sohn Davids" (Mt 1,20). Selbst wenn er ein Zimmermann war, war er immer noch eine ehrenwerte Person. Manche verkehrte Menschen geben auf keinen Schössling acht, nicht einmal aus dem Stumpf Isais (s. Jes 11,1), wenn es nicht der oberste Schössling ist. Sie tadelten ihn wegen seiner Mutter. Es stimmt, dass „seine Mutter Maria" hieß, was ein sehr häufiger Name war, und sie kannten sie alle und wussten, dass sie eine gewöhnliche Frau war. Sie machten dies jedoch zu einer Beschimpfung, als könnte man die Menschen für nichts achten, außer sie weisen großartige Titel auf, was armselige Dinge sind, um echten Wert daran zu messen. Sie tadelten ihn für seine Brüder, deren Namen sie kannten, gute, aber arme Männer und deshalb verachtet wie Christus um ihretwillen. „Und sind nicht" auch „seine Schwestern alle bei uns?" Die Menschen hätten ihn aus diesem Grund umso mehr lieben und respektieren sollen, weil er einer der ihren war, doch stattdessen war es der Grund, weshalb sie ihn verachteten. „Und sie nahmen Anstoß an ihm."

2. Was er auf diese Verachtung erwiderte **(s. Vers 57-58)**.

2.1 Es beunruhigte nicht sein Herz. Er schrieb es milde üblichen menschlichen Haltungen zu, die hervorragende Menschen unterschätzen, die gewöhnlich und ortsansässig sind. Es ist in der Regel so. „Ein Prophet ist nirgends verachtet außer in seinem Vaterland." Dies zeigt, dass man Propheten Ehre erweisen sollte, und für gewöhnlich ist das so; Männer und Frauen Gottes sind groß und ehrenwert und verdienen Respekt. Ungeachtet dessen werden sie in ihrem eigenen Land oft am wenigsten geachtet und verehrt. Vertrautheit erzeugt Geringschätzung.

2.2 Es band ihm, für den Augenblick, tatsächlich – wenn wir dies ehrfurchtsvoll sagen dürfen – die Hände: „Und er tat dort nicht viele Wunder um ihres Unglaubens willen." Fehlender Glaube ist das große Hindernis für die Gunsterweise Christi. Wenn also in uns keine mächtigen Werke vollbracht werden, liegt das nicht an fehlender Macht oder Gnade in Christus, sondern an fehlendem Glauben in uns.

KAPITEL 14

Hier gibt es: 1. Das Martyrium von Johannes: seine Einkerkerung (s. Vers 1-5) und seine Enthauptung (s. Vers 6-12). 2. Die Wunder Christi: 2.1 Seine Speisung von fünftausend Männern mit fünf Broten und zwei Fischen (s. Vers 13-21). 2.2 Sein Wandeln auf den Wellen zu seinen Jüngern in einem Sturm (s. Vers 22-33). 2.3 Seine Heilung von Kranken, wenn sie den Saum seines Gewandes anrührten (s. Vers 34-36).

Vers 1-12

Hier haben wir den Bericht von dem Martyrium von Johannes. Beachten Sie:

1. Den Anlass für die Erzählung dieser Geschichte **(s. Vers 1-2)**. Hier gibt es:

1.1 Den Bericht, der Herodes von den Wundern gebracht wird, die Christus vollbringt.

Herodes der Vierfürst oder oberste Gouverneur von Galiläa hörte „das Gerücht von Jesus". Zu der Zeit, als die Landsleute von Jesus sich ihm gegenüber respektlos zeigten wegen seiner Niedrigkeit und unklaren Herkunft, begann er, am Hof berühmt zu sein. Das Evangelium gewinnt wie das Meer an einer Stelle, was es an anderer Stelle verliert. Herodes schien erst jetzt überhaupt von ihm gehört, geschweige denn, Berichte von ihm gehört zu haben. Es ist das Missgeschick großer Menschen in der Welt, dass sie meist außer Hörweite für die besten Dinge sind (s. 1.Kor 2,8).

1.2 Wie er dies deutete: „Das ist Johannes der Täufer, der ist aus den Toten auferstanden; darum wirken auch die Wunderkräfte in ihm!" **(Vers 2)**. Solange er lebte, hat Johannes „kein Zeichen getan" (Joh 10,41), doch Herodes schloss, dass Johannes, von den Toten auferstanden, nun größere Macht gegeben war, als er hatte, solange er am Leben war. Beachten Sie hier über Herodes:

Wie er in Bezug auf das enttäuscht war, was er mit der Enthauptung von Johannes beabsichtigt hatte. Er dachte, wenn er diesen lästigen Kerl aus dem Weg bekommen könnte, könnte er ungestört und unbeaufsichtigt mit seinen Sünden weitermachen. Doch kaum hatte er es getan, da hörte er, dass Jesus und seine Jünger genau die gleiche unverfälschte Botschaft predigten, die Johannes predigte. Man kann geistliche Diener zum Schweigen bringen, einkerkern, verbannen, töten, doch das Wort Gottes kann nicht gestoppt werden. Manchmal erhebt Gott aus der Asche von einem viele treue geistliche Diener.

Wie er mit grundlosen Ängsten erfüllt war, bloß durch die Schuld auf seinem Gewissen. Ein schuldiges Gewissen denkt an alles, was schrecklich ist, und saugt wie ein Strudel alles auf, was ihm nahekommt. Auf diese Weise flieht der Gottlose, „auch wenn niemand ihn jagt" (Spr 28,1).

Wie er ungeachtet dessen in seiner Bosheit verhärtet wurde. Er drückte immer noch nicht die leiseste Reue oder den kleinsten Kummer für seine Sünde aus, dass er ihn getötet hatte. Die Dämonen glauben und *zittern* (s. Jak 2,19), doch sie glauben niemals und tun niemals *Buße*.

2. Die Geschichte von der Einkerkerung und dem Martyrium von Johannes selbst. Wenn der Vorbote Christi auf diese Weise behandelt wurde, sollen seine Jünger nicht erwarten, von der Welt gütig behandelt zu werden. Beachten Sie:

2.1 Johannes' Treue bei der Zurechtweisung von Herodes **(s. Vers 3-4)**. Herodes war einer der Hörer von Johannes (s. Mk 6,20), und so konnte Johannes kühner ihm gegenüber sein. Die besondere Sünde, für die Johannes Herodes zurechtwies, war, dass er die Frau seines Bruders Philippus heiratete – nicht seine Witwe, denn das wäre nicht so verbrecherisch gewesen, sondern seine Frau. Philippus war nunmehr immer noch am Leben, doch Herodes nahm ihm seine Frau und nahm sie sich als seine eigene. Johannes tadelte ihn für diese Sünde. „Es ist dir nicht erlaubt, sie zu haben!" Er beschuldigte ihn einer Sünde: Es war nicht „erlaubt". Was nach dem Gesetz Gottes für andere Menschen unerlaubt ist, ist nach dem gleichen Gesetz auch für Herrscher, Leiter und andere große Menschen nicht erlaubt. Nicht einmal für die größten und despotischsten Könige gibt es ein Recht, Gottes Gesetze zu brechen. Wenn Herrscher oder Leiter Gottes Gesetz brechen, ist es richtig, dass ihnen dies die geeigneten Leute in geeigneter Weise sagen.

2.2 Die Einkerkerung von Johannes für seine Treue. „Denn Herodes hatte den Johannes ergreifen lassen und ihn binden und ins Gefängnis bringen lassen" **(Vers 3)**. Es war teils, um sein eigenes Verlangen nach Rache zu befriedigen, und teils, um Herodias zu gefallen. Wenn treue Zurechtweisung ihren Hörern nichts nützt, erzürnt sie sie oft. Es ist für Gottes geistliche Diener nichts Neues, für Gutestun Übles zu erleiden. Meistens bekommen diejenigen Schwierigkeiten, die am gewissenhaftesten und treusten ihre Pflicht erfüllen (vgl. Apg 20,20).

2.3 Dem Hemmnis, unter dem Herodes lag, weiter seinem Zorn Johannes gegenüber Ausdruck zu verleihen **(s. Vers 5)**.

Er wollte ihn töten. Vielleicht war dies nicht seine ursprüngliche Absicht, als er ihn einkerkerte, doch seine Rachsucht erreichte nach und nach diese Stufe.

Was ihn hinderte, war seine Furcht vor der „Volksmenge, denn sie hielten ihn für einen Propheten". Es war nicht, weil er Gott fürchtete – wenn er Gott gefürchtet hätte, hätte er Johannes nicht eingekerkert –, noch, weil er Johannes fürchtete, sondern weil er das Volk fürchtete. Er fürchtete um sich selbst, um seine eigene Sicherheit. Selbst Tyrannen haben ihre Ängste. Übeltäter werden nur durch ihre weltlichen Interessen davon abgehalten, die verdorbensten Taten zu begehen, und nicht von irgendeiner Achtung vor Gott. Die Gefahr der Sünde, die sich den Sinnen oder nur in der Vorstellung zeigt, beeinflusst die Menschen mehr, als was sich dem Glauben zeigt. Die Menschen fürchten, für das, was sie tun, gehängt zu werden, sie fürchten nicht, dafür verdammt zu werden.

2.4 Der Weg, wie Johannes zu Tode gebracht wird. Hier haben wir den Bericht seiner Erlösung, aber durch keine andere Freilassung als den Tod, dem Ende aller Mühen für einen guten Menschen. Herodias brütete den Komplott aus. Ihre unerbittliche Rachsucht dürstete nach Johannes' Blut und wollte sich mit nichts weniger zufriedengeben. Stellen Sie sich wie jener den Gelüsten des Fleisches entgegen, und diese werden zu den wildesten Leidenschaften. Herodias arbeitete aus, wie sie den Mord an Johannes so listig bewerkstelligen konnte, dass der Ruf von Herodes gerettet und damit das Volk besänftigt sein würde. Hier haben wir:

Die Nachsicht von Herodes beim Tanz des Mädchens bei einem Geburtstag. Zu Ehren dieses Tages musste es den üblichen Ball an seinem Hof geben. Um diesen Anlass zu schmücken, tanzte die Tochter der Herodias für sie alle, was mehr war, als sie für gewöhnlich getan hätte, denn sie war die Tochter der Königin. Der Tanz der jungen Dame gefiel Herodes.

Das übereilte und törichte Versprechen, das Herodes diesem rücksichtslosen Mädchen gab, ihr zu geben, was auch immer sie bittet, und dieses Versprechen wurde durch einen Eid bekräftigt **(s. Vers 7)**. Es war eine übertriebene Verpflichtung, die Herodes hier einging, und sie schickte sich in keiner Weise für einen weisen Mann.

Die blutdürstige Forderung der jungen Dame nach dem Kopf von Johannes dem Täufer **(s. Vers 8)**. Sie war vorher von ihrer Mutter angewiesen worden, dies zu tun. Die Sache steht sehr schlimm um Kinder, wenn ihre Eltern sie so beraten, dass sie gottlos handeln (s. 2.Chr 22,3). Nachdem Herodes ihr ihre Vollmacht und ihre Mutter ihr ihre Anweisungen gegeben hatte, forderte sie das Haupt von Johannes dem Täufer auf einer Schüssel. Johannes musste also enthauptet werden; dies war der Tod, durch den er Gott verherrlichen musste. Doch selbst dies war nicht genug; auch dem Mädchen musste nachgegeben und nicht nur die Rachgier, sondern auch ihre Laune musste befriedigt werden. Sein Haupt muss ihr „auf einer Schüssel" (einer Platte) gegeben werden, serviert mit Blut. Sein Haupt musste ihr gegeben werden, und sie würde es als Belohnung für ihren Tanz betrachten und nichts weiter verlangen.

Herodes Gewährung dieser Forderung: „Und der König wurde betrübt" – zumindest gab er vor, dies zu sein –, „doch um des Eides willen ... befahl er, es zu geben" (Vers 9). Hier gibt es:

Eine vorgetäuschte Sorge für Johannes. „Und der König wurde betrübt." Viele Menschen sündigen mit Bedauern, zeigen aber nie echte Reue für ihre Sünde. Er schien mit Widerstreben zu sündigen, sündigte aber immer noch weiter.

Eine vorgetäuschte Gewissenhaftigkeit gegenüber seinem Eid, mit einer unechten Zurschaustellung von Ehre und Rechtschaffenheit; er musste etwas wegen des Eides tun. Es ist ein großer Irrtum zu meinen, dass ein böser Eid eine böse Tat rechtfertigen wird. Niemand kann sich selbst unter eine Verpflichtung bringen zu sündigen, weil Gott bereits jeden Menschen so stark gegen die Sünde verpflichtet hat.

Eine echte Bosheit durch die Zustimmung gegenüber seinen bösen Gefährten. Herodes gewährte es nicht so sehr um des Eides willen, weil er öffentlich geleistet wurde und er sich denen empfehlen wollte, „die mit ihm zu Tisch saßen" (schmausten). Er gewährte die Forderung, damit es nicht so aussah, als habe er vor ihnen seine Verpflichtung gebrochen. Eine Frage der Ehre reicht bei vielen Menschen viel weiter als eine Frage des Gewissens.

Echter Hass gegenüber Johannes an der Wurzel dieses Zugeständnisses, denn sonst hätte er vielleicht einen Weg gefunden, von seinem Versprechen loszukommen. Er befahl, „es zu geben".

Die dementsprechende Hinrichtung von Johannes: „Und er sandte hin und ließ Johannes im Gefängnis enthaupten" **(Vers 10)**. Er muss in aller Eile enthauptet werden, um Herodias zufriedenzustellen. Es geschah bei Nacht. Es geschah aus Angst vor Aufruhr im Gefängnis, nicht an dem gewöhnlichen Hinrichtungsplatz. Eine große Menge unschuldigen Blutes, Blut von Märtyrern, hat sich in Ecken angesammelt. Und so wurde diese Stimme zum Schweigen gebracht, „die brennende und scheinende Leuchte" verlöschte (Joh 5,35); so fiel dieser Prophet, dieser Elia des Neuen Testaments, den Gefühlen einer herrischen Prostituierten zum Opfer.

2.5 Die Beseitigung der armseligen Überreste von diesem gesegneten Heiligen und Märtyrer.

Das Mädchen brachte das Haupt triumphierend zu ihrer Mutter als Trophäe für den Sieg ihres Hasses und ihrer Rachsucht **(s. Vers 11)**.

Die Jünger „nahmen den Leib und begruben ihn" und kamen und brachten mit Tränen unserem Herrn Jesus die Nachricht.

Sie begruben den Leib. Es gibt einen Respekt, der den Dienern Christi nicht nur gebührt, solange sie leben, sondern auch ihren Leibern und ihrem Gedächtnis, wenn sie gestorben sind.

Sie „gingen hin und verkündeten es Jesus", nicht so sehr wegen seiner eigenen Sicherheit, sondern um von ihm Ermutigung zu erhalten und in seine Jüngerschaft aufgenommen zu werden. Wenn uns irgendetwas zu irgendeiner Zeit leiden lässt, ist es unsere Pflicht und unser Vorrecht, Christus davon zu sagen. Es wird unsere beladenen Geister entlasten, uns einem vertrauten Freund anzuvertrauen, einem, bei dem wir offen sein können. Es müssen nicht die Schafe zerstreut werden, wenn der Hirte geschlagen wird (s. Sach 13,7; Mt 26,31), solange sie den großen Hirten der Schafe haben, zu dem sie gehen können, welcher derselbe bleibt (s. Hebr 13,8.20). Ermutigungen, die sonst sehr wertvoll sind, werden uns manchmal genommen, weil sie zwischen uns und Christus kommen und darauf abzielen, die Liebe und Achtung wegzunehmen, die nur ihm gebühren. Es ist besser, durch Not und Verlust zu Christus getrieben zu werden, als überhaupt nicht zu ihm zu kommen.

Vers 13-21

Dieser Abschnitt der Speisung von fünftausend Männern von Jesus mit fünf Broten und zwei Fischen wird bei allen vier Evangelisten berichtet. Beachten Sie:

1. Die große Zahl von Menschen, die sich zu Christus wandten, als er sich „an einen einsamen Ort" zurückzog **(Vers 13)**. Er zog sich nicht deshalb in die Einsamkeit zurück, weil er von dem Tod von Johannes gehört hatte, sondern weil er von den Gedanken gehört hatte, die sich Herodes über ihn machte, dass Herodes dachte, dass er „Johannes der Täufer" sei, der „aus den Toten auferstanden" ist. Jesus ging weiter fort, um aus der Gerichtsbarkeit von Herodes herauszukommen. Es ist in Zeiten der Gefahr richtig, wenn Gott eine Tür zum Entrinnen gibt (s. 1.Kor 10,13), zu fliehen, um unser Leben zu erretten, wenn wir nicht einen besonderen Ruf haben, uns preiszugeben. Er zog „in einem Schiff" fort, doch „als die Volksmenge es vernahm, folgte sie ihm aus den Städten zu Fuß" aus allen Teilen nach. Christus hatte einen solchen Einfluss auf die Massen, dass sein Rückzug von ihnen sie ihm nur eifriger folgen ließ. Nach dem Martyrium von Johannes scheinen sich die Leute mehr um Christus gedrängt zu haben als vorher. Manchmal wird das Leiden der Heiligen benutzt, um das Evangelium zu fördern (s. Phil 1,12). Wenn sich Christus und sein Wort von uns zurückziehen, ist das Beste für uns, was auch immer die Menschen Gegenteiliges sagen, ihm zu folgen. Die Gegenwart Christi und seines Evangeliums machen einen abgelegenen Ort nicht nur erträglich, sondern begehrenswert. Sie macht eine Wüste zu einem Garten Eden (s. Jes 41,19-20; 51,3).

2. Das zärtliche Mitleid unseres Herrn Jesus gegenüber denen, die ihm folgten **(s. Vers 14)**. Er ging heraus und zeigte sich ihnen öffentlich. Er ging aus seiner Abgeschiedenheit heraus, als er sah, dass Menschen ihn hören wollten, als einer, der bereit war, sich für das Wohl von Seelen sowohl anzustrengen als auch selbst zu geben. Als er eine große Menge sah, erbarmte er sich über sie. Der Anblick einer riesigen Menschenmenge kann zu Recht zu Mitleid bewegen. Niemand hat solches Erbarmen mit Seelen, wie Jesus es hat: „... denn seine Barmherzigkeit ist nicht zu Ende" (Klgl 3,22). Er hatte nicht nur Mitleid mit ihnen, sondern half ihnen auch; viele von ihnen waren krank, „und er erbarmte sich über sie und heilte" sie. Nach einer Weile wurden alle hungrig und er erbarmte sich über sie und speiste sie.

3. Den Vorschlag der Jünger, dass die Massen entlassen würden, und wie Christus diesen Vorschlag verwirft. Sie meinten, ein gutes Tageswerk wäre getan und es wäre Zeit, auseinanderzugehen. Christi Jünger sind oft mehr darauf bedacht, ihre Besonnenheit zu zeigen, als ihren Eifer. Christus wollte sie nicht entlassen, weil sie hungrig waren, sondern sagte seinen Jüngern, sie sollten für sie sorgen. Die ganze Zeit zeigte Christus mehr Fürsorge gegenüber den Menschen, als es seine Jünger taten. Beachten Sie, wie widerwillig Christus ist, sich von denen zu trennen, die entschlossen sind, bei ihm zu bleiben! „Sie haben es nicht nötig, wegzugehen." Doch wenn sie hungrig sind, müssen sie weggehen, denn Hunger ist eine Notwendigkeit, die kein Gesetz kennt, und deshalb sagte er zu seinen Jüngern: „Gebt ihr ihnen zu essen!" Der Leib ist „für den Herrn" (1.Kor 6,13); er ist „das Werk seiner Hände" (Hiob 34,19); er ist Teil von dem, was er erkauft hat. Er war selbst mit einem Leib bekleidet, um uns zu ermutigen, uns auf ihn zu verlassen, dass für unsere leiblichen Bedürfnisse gesorgt wird. Wenn wir zuerst „nach dem Reich Gottes" trachten, es zu unserem Hauptanliegen machen, können wir auf Gott vertrauen, dass uns „dies alles hinzugefügt" wird (s. Mt 6,33), soweit er es als richtig ansieht.

4. Die karge Versorgung, die es für diese Masse gab, und hier müssen wir die Zahl der geladenen Gäste mit dem verfügbaren Essen vergleichen.

4.1 Die Zahl der Gäste war „etwa 5.000 Männer, ohne Frauen und Kinder". Es war ein großes Publikum, zu dem Christus hier predigte, und wir haben Grund, zu meinen, dass sie aufmerksam waren, doch für die meisten scheint es nichts gebracht zu haben; sie gingen fort und folgten ihm nicht mehr. Wir sollten die Akzeptanz des Wortes bei den Hörern lieber an der Bekehrung seiner Hörer sehen als an ihrer Zahl, wenn auch der Anblick von riesigen Menschenmengen ein gutes Zeichen ist.

4.2 Die Menge an verfügbarem Essen war sehr unverhältnismäßig zu der Zahl der Gäste, nur „fünf Brote und zwei Fische". Die Jünger hatten diesen Vorrat bei sich zur Verwendung für die unmittelbare Gruppe, jetzt, wo sie sich „an einen einsamen Ort" zurückgezogen hatten. Es gab hier keine Fülle oder Vielfalt oder Delikatessen; ein Mahl aus Fisch war für die unter ihnen, die Fischer waren, nichts Seltenes. Doch für die Zwölf war es in Ordnung. Hier gab es keinen Wein oder Alkohol; ausreichend Wasser von den Flüssen in der Wüste war das Beste, was sie hatten, um es zu ihrem Essen zu trinken. Doch Christus wollte dies benutzen, um die Menschenmenge zu speisen. Wenn die Not drängend ist, müssen diejenigen, die nur wenig haben, andere unterstützen, selbst wenn sie nur wenig geben können, und das ist der Weg, um es zu mehren (s. 1.Kön 17,12-16).

5. Die allgemeine Verteilung dieses Vorrats unter der Menschenmenge. „Bringt sie mir hierher!" **(Vers 18).** Der Weg, um unsere Wohltaten aus der Schöpfung wirklich ermutigend für uns zu machen, ist, sie zu Christus zu bringen. Was wir der Obhut unseres Herrn Jesus anbefehlen, wird wahrscheinlich gedeihen und uns Gutes tun, sodass er es benutzen kann, wie es ihm gefällt und wir es von ihm zurückbekommen können, und dann wird es doppelt süß für uns sein. Beachten Sie bei diesem übernatürlichen Mahl:

5.1 Das Platznehmen der Gäste: „Und er befahl der Volksmenge, sich ... zu lagern" **(Vers 19).** Doch worauf sollten sie alle sitzen? Sie sollen sich in das Gras lagern. Hier wurde noch nicht einmal ein Tuch ausgebreitet, keine Teller oder Servietten, keine Messer und Gabeln ausgelegt, nicht einmal eine Bank, um sich darauf zu setzen; stattdessen „befahl" er „der Volksmenge, sich in das Gras zu lagern". Indem er alles in dieser Weise machte, ohne irgendwelchen Prunk oder Glanz, zeigte er klar, dass sein Reich „nicht von dieser Welt" ist (Joh 18,36).

5.2 Das Ersuchen des Segens. Er „sah zum Himmel auf, dankte", er pries Gott für die Versorgung, die sie hatten, und er betete zu Gott, dass er sie für sie segnet. Hier hat er uns die gute Pflicht gelehrt, bei den Mahlzeiten um Segen zu bitten und zu danken: Die guten Dinge, die Gott geschaffen hat, müssen „mit Danksagung empfangen" werden (1.Tim 4,4). Als Christus betete, sah er zum Himmel auf, um uns zu lehren, dass wir auch in unseren Gebeten zu Gott als einem „Vater im Himmel" (Mt 10,33) aufblicken sollen, und um uns zu lehren, dass wir dorthin blicken müssen, wenn wir unsere Wohltaten aus der Schöpfung erhalten, als solche, die aus Gottes Hand empfangen und von ihm für den Segen abhängig sind.

5.3 Die Verteilung des Essens. Der Herr des Festes war selbst der oberste Tranchierer, denn er „brach die Brote und gab sie den Jüngern; die Jünger aber gaben sie dem Volk". Geistliche Diener können niemals die Herzen der Menschen füllen, wenn Christus nicht zuerst ihre Hände füllt, und was er seinen Jüngern gegeben hat, müssen sie an die Menschenmenge weiterreichen. Und wir loben Gott, dass es, egal, wie groß die Menge ist, genug für alle und genug für jeden gibt.

5.4 Die Vermehrung des Essens. Hier wird nur von der Vermehrung Notiz genommen, nicht von ihrem Grund oder der Weise, wie sie geschah. Es wird kein Wort erwähnt, das Christus gesagt hat. Die Pläne und Absichten seines Willens und Sinnes werden selbst dann zustande kommen, wenn sie nicht ausgesprochen werden. Es ist aber bezeichnend, dass das Essen nicht vervielfacht wurde, als es ursprünglich alles zusammen war, sondern als es ausgeteilt wurde. Dies zeigt uns, dass Gnade wächst, wenn man mit ihr arbeitet, und dass geistliche Gaben, während andere Dinge dahinschwinden, wenn sie benutzt werden, zunehmen, wenn sie benutzt werden. Auf diese Weise teilt jemand „aus und wird doch reicher" (Spr 11,24).

6. Die überreiche Zufriedenstellung aller Gäste mit dieser Versorgung.

6.1 Es gab genug: „Und sie aßen alle und wurden satt." Die, welche Christus speist, werden durch ihn satt. So, wie es genug für alle gab, und sie alle aßen, gab es auch genug für jeden und alle wurden satt. Obwohl es nur wenig gab, war es genug, und das ist genauso gut wie ein Festmahl. Der Segen Gottes kann machen, dass wenig eine lange Zeit hält.

6.2 Es blieb etwas übrig: „... und sie hoben auf, was an Brocken übrig blieb, zwölf Körbe voll", ein Korb für jeden Apostel. So erhielten sie, was sie gegeben hatten, und darüber hinaus noch viel mehr. Dies sollte zeigen, dass die Versorgung, die Christus denen gewährt, die ihm gehören, nicht knapp und unzureichend ist, sondern reichlich und im Überfluss: eine überfließende Fülle. Es ist die gleiche göttliche Kraft, welche jedes Jahr den Samen mehrt, der in die Erde gesät wird, und das Land sein Gewächs geben lässt, sodass, was als Handvoll ausgebracht wurde, in Garben eingebracht wird. „Vom HERRN ist das geschehen" (Ps 118,23; Mk 12,11; s. Ps 67,7).

Vers 22-33

Hier haben wir die Geschichte eines weiteren Wunders, das Christus als Hilfe für seine Freunde und Nachfolger vollbrachte; sein Wandeln auf dem Wasser zu seinen Jüngern hin. Beachten Sie:

1. Wie Christus seine Jünger und die „Volksmenge" entlässt, nachdem er sie übernatürlich gespeist hatte. Er „nötigte ... seine Jünger, in das Schiff zu steigen und vor ihm ans jenseitige Ufer zu fahren" **(Vers 22).** Der Apostel Johannes nennt einen besonderen Grund für das eilige Abbrechen dieses Treffens: Die Menschen waren von dem Wunder mit den Brotlaiben so berührt, dass sie kurz davor waren, „ihn mit Gewalt zum König zu machen" (Joh 6,15).

1.1 Christus schickte die Leute fort. Er schickte sie mit einem Segen fort, mit ein paar Abschiedsworten der Ermahnung, des Rates und der Ermutigung.

1.2 Er nötigte seine Jünger, zuerst „in das Schiff zu steigen", denn die Leute würden nicht gehen, bis sie gegangen waren. Die Jünger wollten nicht gehen und wären nicht gegangen, wenn er sie nicht genötigt hätte.

2. Wie sich Christus dann zurückzog: Er „stieg ... auf den Berg, um abseits zu beten" (Vers 23). Beachten Sie hier, dass:

2.1 Er alleine war: „... und als es Abend geworden war, war er dort allein." Er wählte manchmal immer noch das Alleinsein, um uns ein Beispiel zu geben. Menschen, die nicht alleine sein möchten, die sich nicht an sich selbst in der Einsamkeit erfreuen können, wenn sie niemand anderes haben, mit dem sie reden können, keine Gemeinschaft haben außer der mit Gott und mit ihrem eigenen Herzen, sind keine Nachfolger Christi.

2.2 Er alleine im Gebet war. Die Tätigkeit in seiner Einsamkeit war das Gebet. Hier hat Christus uns ein Beispiel des privaten Gebets nach der Regel gegeben, die er in Matthäus 6,6 aufstellte. Als die Jünger auf den See gingen, ging ihr Meister zum Beten.

2.3 Er für lange Zeit alleine war. „... und als es Abend geworden war", war er dort, und es scheint, dass er bis zum Morgen dort blieb, bis „um die vierte Nachtwache". Die Nacht setzte sich, und es war eine stürmische Nacht, doch er blieb „beharrlich im Gebet" (Röm 12,12). Wenn wir sehen, dass unsere Herzen frei sind, ist es gut, lange im privaten Gebet zu verharren.

3. Die Umstände, in denen die armen Jünger in dieser Zeit waren. „Das Schiff aber war schon mitten auf dem See und litt Not von den Wellen" **(Vers 24)**.

3.1 Sie hatten die Mitte des Sees erreicht, als sich der Sturm erhob. Vielleicht haben wir schönes Wetter beim Beginn unserer Reise, treffen aber auf Stürme, ehe wir den Hafen erreichen, zu dem wir unterwegs sind. Erwarten Sie nach einer langen Ruhe den einen oder anderen Sturm.

3.2 Die Jünger waren jetzt dort, wohin Christus sie geschickt hatte, doch sie trafen trotzdem auf diesen Sturm. Für Christi Jünger ist es nichts Neues, auf Stürme zu treffen, wenn sie ihre Pflicht erfüllen, und auf das Meer geschickt zu werden, wenn ihr Meister einen Sturm vorhersieht, doch sie sollen dies nicht als herzlos ansehen. Christus möchte sich ihnen und für sie mit erstaunlicherer Gnade offenbaren.

3.3 Es war für sie jetzt eine große Entmutigung, dass sie Christus nicht bei sich hatten, wie sie es hatten, als sie vorher in einem Sturm waren. Hier sehen wir, wie Christus seine Jünger zuerst an kleine Schwierigkeiten gewöhnt und dann an größere; er erzog sie nach und nach dazu, aus Glauben zu leben (s. Gal 3,11).

3.4 Obwohl der Wind entgegenstand und sie Not litten in den Wellen, haben sie dennoch nicht gewendet und sind wieder zurückgefahren, weil sie von ihrem Meister „ans jenseitige Ufer" beordert worden waren, sondern fuhren so gut sie es konnten vorwärts. Auch wenn uns Mühen und Schwierigkeiten beunruhigen mögen, wenn wir unsere Pflicht tun, dürfen sie uns nicht von ihr vertreiben.

4. Wie sich Christus ihnen unter diesen Bedingungen näherte **(s. Vers 25)**, und hier haben wir ein Beispiel:

4.1 Für seine Güte, dass er als jemand zu ihnen ging, der ihre Situation erkannte und sich um sie sorgte. Christus betrachtet die verzweifelte Situation der Gemeinde als seine Gelegenheit, zu ihnen zu kommen und sich zu ihren Gunsten zu zeigen.

4.2 Für seine Macht, denn „Jesus [kam] zu ihnen und ging auf dem See". Dies zeigt die souveräne Herrschaft Christi über alle geschaffenen Dinge. Wir brauchen nicht zu fragen, wie dies getan wurde. Es reicht zu sagen, dass er seine göttliche Macht bewies. Christus kann jede Methode benutzen, die er möchte, um die Seinen zu retten.

5. Einen Bericht von dem, was zwischen Christus und seinen bedrängten Freunden geschah, als er kam.

5.1 Zwischen ihm und allen Jüngern. Hier wird uns gesagt:

Wie sie Angst bekamen: „Und als ihn die Jünger auf dem See gehen sahen, erschraken sie und sprachen: Es ist ein Gespenst!" **(Vers 26)**. Diese Jünger sagten: „Es ist ein Gespenst", als sie hätten sagen sollen: „Es ist der Herr; es kann niemand anderes sein."

Selbst das Auftreten und Nahen der Rettung ist manchmal Anlass für Unruhe und Verwirrung bei Gottes Kindern, die sich manchmal am meisten fürchten, wenn ihnen am wenigsten geschadet wird.

Das Erscheinen eines Geistes, oder der Gedanke daran, ist immer sehr erschreckend. Doch je mehr wir Gott kennen, den „Vater der Geister" (Hebr 12,9), und je bedachter wir sind, in seiner Liebe zu bleiben, desto besser werden wir in der Lage sein, mit diesen Ängsten umzugehen. In einem Sturm erschreckt uns eine kleine Sache. Die größte Gefahr durch äußerliche Schwierigkeiten entsteht durch ihr Potenzial, innerliche Unruhe zu verursachen.

Wie diese Ängste besänftigt wurden **(s. Vers 27)**. Er verzögerte seine Hilfe, als sie mit den Wellen rangen, doch er eilte, um ihnen zu helfen, ihre Angst zu überwinden, die gefährlicher war; er stillte diesen Sturm umgehend mit seinem Wort: „Seid getrost, ich bin's; fürchtet euch nicht!" Zuerst stellte er ihren Irrtum richtig, indem er sich ihnen vorstellte: „Ich bin's" (vgl. 1.Mose 45,3). Er nannte sich nicht mit Namen; es genügte, zu diesen Jüngern zu sagen: „Ich bin's." Als seine Schafe kannten sie seine Stimme (s. Joh 10,4), wie es Maria Magdalena tat (s. Joh 20,16). Zu verstehen, wer es war, den sie sahen, genügte, sie zu beruhigen. Richtige Erkenntnis, besonders die Erkenntnis Christi, öffnet die Tür für echten Trost. Er ermutigte sie in ihrer Panik: „Ich bin's", und deshalb „seid getrost". Wenn Christi Jünger in einem Sturm nicht getrost sind, ist es ihre eigene Schuld; er möchte, dass sie es sind. „Fürchtet euch nicht! Fürchtet euch nicht vor mir, jetzt wo ihr wisst, dass ich es bin." Christus wird für diejenigen kein Schrecken sein, denen er sich offenbart; wenn sie dazu kommen, ihn richtig zu verstehen, wird der Schrecken vorüber sein. „Fürchtet euch nicht' vor dem Sturm, den Winden und den Wellen; fürchtet sie nicht, da ich euch so nahe bin. Ich bin der Eine, der sich um euch kümmert, und ich werde nicht dabeistehen und zusehen, wie ihr umkommt." Nichts braucht für diejenigen ein Schrecken sein, die Christus nahe bei sich haben und wissen, dass er der ihre ist, nicht einmal der Tod.

5.2 Zwischen ihm und Petrus (s. Vers 28-31). Beachten Sie:

Den Mut von Petrus und Christi Ermutigung dazu. Es war sehr kühn von Petrus, sich zu Christus heraus „auf das Wasser" wagen zu wollen: „Herr, wenn du es bist, so befiehl mir, zu dir ... zu kommen!"* (Vers 28).* Mut war die charakteristische Gnadengabe von Petrus, und das machte ihn eifriger als die anderen, seine Liebe zu Christus auszudrücken, auch wenn ihn andere vielleicht genauso liebten.

Dass Petrus zu Christus kommen wollte, zeigt uns seine Ergebenheit ihm gegenüber. Als er Christus sah, konnte er nicht erwarten, bei ihm zu sein. Er sagte nicht: „Gebiete mir, auf dem Wasser zu wandeln", als wolle er es um des Wunders willen, sondern „befiehl mir, zu dir ... zu kommen", als wolle er es um Christi willen. Echte Liebe wird durch Feuer und Wasser hindurchbrechen, um zu Christus zu kommen. Diejenigen, die von Christus als Heiland Wohltaten erlangen möchten, müssen im Glauben zu ihm kommen. Wenn Christus für eine kurze Zeit seine Leute verlassen hat, ist seine Wiederkehr willkommen und wird sehr herzlich aufgenommen.

Dass er nicht ohne ein Gebot kommen wollte, zeigt seine Vorsicht und gebührende Befolgung des Willens Christi. Nicht: „Wenn du es bist, werde ich kommen", sondern: „Wenn du es bist, so befiehl mir ... zu kommen." Die kühnsten Geister müssen auf einen Ruf zu gewagten Unternehmungen warten und wir dürfen uns nicht übereilt und anmaßend in sie hineinstürzen.

Dass er sich auf das Wasser hinauswagte, als Christus es ihm gebot, zeigt seinen Glauben und seine Entschlossenheit. Welche Schwierigkeit oder Gefahr könnte sich angesichts eines solchen Glaubens und eines solchen Eifers erheben?

Es war sehr freundlich von Christus, dass er bereit war, ihm dies zuzugestehen **(s. Vers 29)**. Christus wusste, dass es aus aufrichtiger und inniger Zuneigung zu ihm kam, und nahm sie gnädig an. Christus gefällt der Ausdruck der Liebe seiner Kinder, selbst dann, wenn er mit vielen Schwächen vermischt ist, und er macht das Beste daraus. Er sagte ihm, er solle kommen. Als Petrus um ein Zeichen bat, erhielt er es, denn er tat es mit der Entschlossenheit, Christus zu vertrauen. Dann half Christus ihm, loszukommen: Petrus „ging auf dem Wasser". An anderer Stelle zeigt sich die Gemeinschaft wahrer Gläubiger mit Christus darin, dass sie mit ihm lebendig gemacht und erhoben werden. Ich denke, dies wird in dieser Geschichte durch ihr Wandeln mit ihm auf dem Wasser dargestellt. Durch die Kraft Christi werden wir über die Welt getragen, werden davor bewahrt, in ihr zu versinken und von ihr überwältigt zu werden und erlangen den Sieg über sie (s. 1.Joh 5,4). Petrus ging nicht wegen Zurschaustellung oder zur Unterhaltung auf dem Wasser, sondern um zu Jesus zu gehen. Genauso wenig können wir jemals zu Jesus kommen, wenn wir nicht durch seine Kraft gehalten werden; und wir müssen uns auf diese Kraft verlassen, wie es Petrus tat, als er „auf dem Wasser" ging, und es besteht nicht die Gefahr, zu sinken, solange ewige Arme unter uns sind (s. 5.Mose 33,27).

Die Feigheit von Petrus und wie Christus ihn zurechtwies und ihm half. Christus sagte ihm nicht nur deshalb, er solle kommen, damit er auf dem Wasser gehen und hierdurch die Macht Christi kennenlernen würde, sondern auch, damit er versinken und hierdurch seine Schwäche kennenlernen würde. Beachten Sie:

Die große Furcht von Petrus: Er fürchtete sich **(s. Vers 30)**. Der stärkste Glaube und der größte Mut sind mit Furcht vermischt. Diejenigen, die sagen können: „Ich glaube, Herr"; müssen auch sagen: „Hilf mir, loszukommen von meinem Unglauben!" (Mk 9,24). Petrus war zuerst sehr kühn, doch später versagte ihm der Mut. Die Vergrößerung der Prüfung offenbart die Schwäche des Glaubens. Hier gibt es:

Den Grund für diese Angst. „Als er aber den starken Wind sah." Solange Petrus seine Augen auf Christus und auf sein Wort und seine Macht richtete, ging er gut genug „auf dem Wasser", doch als er auch die Gefahr bemerkte, in der er war, da fürchtete er sich. Mehr mit seinen leiblichen Augen auf die Schwierigkeiten als mit den Augen des Glaubens auf die Gebote und Verheißungen zu schauen, ist die Wurzel all unserer übertriebenen Ängste. Als Petrus „den starken Wind sah", hätte er an das denken sollen, was er gesehen hatte (s. Mt 8,27), als die Winde und der See Christus gehorchten.

Die Auswirkung dieser Angst: Er fing an zu sinken. Solange sein Glaube aufrechterhalten wurde, blieb er über dem Wasser, doch als sein Glaube wankte, fing er an, zu sinken. Das Sinken unseres Geistes ist der Schwäche unseres Glaubens zuzuschreiben. Wir werden – wie wir gerettet werden – „durch den Glauben" aufrechterhalten (1.Petr 1,5). Es war die große Gnade Christi gegenüber Petrus, dass Christus ihn, als sein Glaube versagte, nicht völlig versinken, „auf den Grund wie ein Stein" sinken ließ (2.Mose 15,5), sondern ihm Zeit gab, auszurufen: „Herr, rette mich!" Solche Sorge hat Christus um echte Glaubende; obwohl sie schwach sind, beginnen sie nur, zu sinken!

Das Gegenmittel, das er in seiner Not anwandte, das alte, bewährte und geprüfte Heilmittel: Gebet. Er rief: „Herr, rette mich!" Beachten Sie, *wie* er betete; es war sowohl kühn als auch inbrünstig. Er *schrie*! Wenn unser Glaube schwach ist, sollte unser Gebet stark sein. Was er betete, war belangvoll und traf den Punkt: Er schrie „und sprach: Herr, rette mich!" Diejenigen, die gerettet werden möchten, müssen nicht nur zu ihm kommen, sondern auch zu ihm für das Heil rufen. Wir werden jedoch nie an einen solchen Punkt gebracht, bis wir sehen, dass wir sinken; unser Empfinden der Not wird uns zu ihm treiben.

Christi großer Gunsterweis Petrus gegenüber in seiner Furcht. Er rettete ihn: „Jesus aber streckte sogleich die Hand aus, ergriff ihn." Christi Zeit zu retten ist, wenn wir sinken; er hilft in einer Krise. Christi Hand ist immer noch zu allen Gläubigen hin ausgestreckt, um sie vor dem Sinken zu bewahren. Fürchten Sie sich nie; er wird die Seinen halten. Er wies Petrus zurecht, denn diejenigen, die er liebt, sind diejenigen, die er zurechtweist und züchtigt (s. Spr 3,12; Hebr 12,5-6). „Du Kleingläubiger, warum hast du gezweifelt?" Glaube kann echt und doch schwach sein; er kann zuerst wie ein Senfkorn sein. Petrus hatte genug Glauben, um ihn hinaus auf das Wasser zu bringen, doch weil er nicht genug war, um ihn durchzutragen, sagte Christus ihm, er habe nur einen kleinen. Unsere entmutigenden Zweifel und Ängste haben wir alle unserem schwachen Glauben zuzuschreiben: Wir zweifeln, weil wir kleingläubig sind. Wenn wir nur mehr glauben würden, würden wir weniger zweifeln. Es stimmt, dass er schwache Gläubige nicht zurückweist, doch es stimmt auch, dass er an schwachem Glauben keinen Gefallen hat, besonders nicht bei denen, die ihm am nächsten sind. „... warum hast du gezweifelt?" Welchen Grund gab es dafür? Es gibt keinen guten Grund, weshalb Christi Jünger ein zweifelndes Gemüt haben sollten, nicht einmal an stürmischen Tagen, weil er sogleich für sie verfügbar ist, „ein Helfer, bewährt in Nöten" (Ps 46,2).

6. Die Stillung des Sturms (s. Vers 32). Als Christus in das Boot kam, waren sie umgehend am Ufer. Christus „ging auf dem See", bis er zu dem Boot kam, und stieg dann hinein, wo er genauso leicht ans Ufer hätte gehen können. Als Christus in das Boot kam, kam Petrus mit ihm hinein. Die Gefährten Christi in seinem standhaften Ausharren werden die Gefährten in seinem Reich sein (s. Offb 1,9). Diejenigen, die mit ihm wandeln, werden mit ihm herrschen (s. 2.Tim 2,12). „Und als sie in das Schiff stiegen, legte sich der Wind." Wenn Christus in eine Seele kommt, lässt er die Winde und Stürme dort sich legen und gebietet Frieden. Wenn wir Christus willkommen heißen, wird „das Brausen ihrer Wellen" bald gestillt sein (Ps 65,8; s. 89,10-11). Der Weg, stille zu sein, ist, zu erkennen, dass er Gott ist (s. Ps 46,11), dass er der „Gott mit uns" ist (Mt 1,23).

7. Die Anbetung, die Christus dann erwiesen wird. „Da kamen die in dem Schiff waren, warfen sich anbetend vor ihm nieder und sprachen: Wahrhaftig, du bist Gottes Sohn!" **(Vers 33)**. Sie wandten diese Not und Rettung zweifach gut an:

7.1 Es war eine Bestätigung ihres Glaubens an Christus. Sie wussten vorher, dass er der Sohn Gottes war, doch jetzt wussten sie es besser. Manchmal ist der Glaube nach einem Kampf mit dem Unglauben aktiver und erreicht höhere Stufen der Kraft, wenn er geübt wird. Nun wussten sie es „wahrhaftig". Der Glaube wächst, wenn er die volle Gewissheit erlangt, wenn er klar sieht und sagt: „wahrhaftig".

7.2 Sie nahmen dies als Gelegenheit, ihm „die Ehre seines Namens" zu geben. Sie „warfen sich anbetend vor ihm nieder". Wenn Christus uns seine Herrlichkeit offenbart, sollten wir ihm seine Ehre zurückgeben (s. Ps 50,15). Und so ehrten und beteten die Jünger Christus auf diese Weise an: „Wahrhaftig, du bist Gottes Sohn!" Der Gegenstand unseres Glaubens kann und muss zum Gegenstand unseres Lobes werden. Glaube ist der geeignete Beweggrund in der Anbetung, und Anbetung ist das echte Produkt des Glaubens.

Vers 34-36

Hier ist ein Bericht von Wundern in großer Zahl, die Christus auf der anderen Seite des Sees, im Land Genezareth, vollbrachte. Wo immer Christus hinging, da tat er Gutes (s. Apg 10,38). Beachten Sie:

1. Den Eifer und Glauben der „Männer dieser Gegend". Diese waren edler als die Gergesener, ihre Nachbarn (vgl. Apg 17,11). Jene baten Christus, „aus ihrem Gebiet wegzugehen" (Mt 8,34); sie brauchten ihn nicht. Diese suchten ihn, damit er ihnen hilft. Sie erkannten, dass sie ihn brauchten. Christus sieht es als die größte Ehre an, die wir ihm erweisen können, wenn wir ihn in Anspruch nehmen. Uns wird hier gesagt:

1.1 Wie „die Männer dieser Gegend" zu Christus gebracht wurden: Sie „erkannten" ihn **(Vers 35)**. Es ist wahrscheinlich, dass sein übernatürlicher Gang auf dem Wasser half, ihm den Weg zu bereiten, sodass er in diesen Teilen willkommen geheißen wurde. Vielleicht war dies eine Sache, die Christus mit diesem Wunder beabsichtigte, denn er verfolgt mit den Dingen, die er tut, große Ziele. Diejenigen, die den Namen Christi kennen, werden sich zu ihm wenden: Wenn man Christus besser kennen würde, würde er nicht missachtet werden, wie er es wird; man vertraut ihm, soweit man ihn kennt. Sie erkannten ihn, dass er unter ihnen war. Wenn wir den Tag unserer Gelegenheit erkennen, ist das ein guter Schritt dahin, dass wir das Beste aus diesen Gelegenheiten machen. Es ist besser zu erkennen, dass unter uns ein Prophet *ist*, als dass einer unter uns *gewesen* ist (s. Hes 2,5).

1.2 Wie sie andere zu Christus brachten: Sie sandten „in die ganze Umgebung". Diejenigen, die selbst Christus kennen, sollten alles tun, was sie können, um andere dazu zu bringen, ihn auch kennenzulernen. Wir dürfen diese geistlichen Bissen nicht alleine essen; in Christus gibt es genug für uns alle, sodass man nichts dadurch gewinnt, dass man ihn an sich reißt. Wenn wir die Möglichkeit haben, Gutes für unsere Seelen zu erlangen, sollten wir so viele andere, wie wir können, dazu bringen, mit uns teilzuhaben. Mehr Menschen, als wir glauben, würden die Gelegenheit ergreifen, wenn sie aufgefordert und eingeladen werden, daran teilzuhaben. Nachbarschaft ist eine günstige Gelegenheit zum Gutestun, aus der man das meiste machen muss.

1.3 Was ihr Anliegen bei Christus war: Sie „brachten alle Kranken zu ihm". Wenn sie nicht die Liebe zu Christus und zu seiner Lehre zu ihm bringen würde, würde es die Liebe zum „Ich" tun. Wenn wir nur richtig unsere eigenen Dinge suchen würden, das, was zu unserem Frieden und Wohl dient (s. Lk 19,42), würden wir die Dinge Christi suchen.

1.4 Wie sie sich an ihn wandten: „Sie baten ihn, dass sie nur den Saum seines Gewandes anrühren dürften" **(Vers 36)**. Sie wandten sich an ihn:

Mit großer Kühnheit; sie baten ihn. Die größten Gunsterweise und Segnungen sind dadurch zu erhalten, dass man Christus sucht: „Bittet, so wird euch gegeben" (Mt 7,7).

Mit großer Demut. Ihr Wunsch, den Saum seines Gewandes anzurühren, legt nahe, dass sie sich sogar für unwürdig hielten, dass er mit ihrem Fall belästigt wird, noch viel weniger, dass er sie anrühren und heilen sollte; sie würden es als große Gunst ansehen, wenn er ihnen erlauben würde, „den Saum seines Gewandes" anzurühren.

Mit großer Gewissheit der Allgenugsamkeit seiner Macht, nicht zweifelnd, dass sie selbst durch das Berühren des Saumes seines Gewandes geheilt werden würden. Sie waren sicher, dass es in ihm solch eine überfließende Fülle an heilender Kraft gab, dass sie einfach geheilt werden mussten, wenn sie ihm nur nahekommen könnten. Es geschah in diesem Land und dieser Umgebung, dass die Frau, die blutflüssig war, dadurch geheilt wurde, dass sie „den Saum seines Gewandes" anrührte und für ihren Glauben gelobt wurde (s. Mt 9,20-22), und wahrscheinlich erinnerten sie sich daran, als sie ihre Bitte aussprachen. Es ist gut, die Mittel und Methoden zu benutzen, die bei anderen vor uns wirksam gewesen sind.

2. Die Frucht und den Erfolg davon, dass sie sich an Christus gewandt haben. Es war nicht vergeblich, denn „alle, die ihn anrührten, wurden ganz gesund". Die Heilungen Christi sind vollständig. Diejenigen, die er heilt, heilt er vollkommen. Er tut seine Arbeit nicht nur halb. In Christus gibt es einen Überfluss an heilender Kraft für alle, die sich an ihn wenden, selbst wenn es sehr viele sind. Die kleinste der Einrichtungen Christi, wie der Saum seines Gewandes, wird ständig mit der überfließenden Fülle seiner Gnade neu gefüllt. Die heilende Kraft, die in Christus ist, wird zum Nutzen derer gegeben, die ihn mit echtem und lebendigem Glauben anrühren. Christus ist im Himmel, doch sein Wort ist uns nahe (s. 5.Mose 30,11-14) und er ist selbst in diesem Wort. Wenn wir den Glauben mit dem Wort verbinden (s. Hebr 4,2) und uns seinen Wirkungen und Geboten unterwerfen, dann rühren wir den Saum von Christi Gewand an. Nur wenn wir dies anrühren, werden wir heil.

KAPITEL 15

In diesem Kapitel haben wir unseren Herrn Jesus als den großen lehrenden Propheten, den großen heilenden Arzt und den großen Hirten der Schafe, der sie speist (s. Hebr 13,20). Wir sehen ihn auch als den Vater der Geister (s. Hebr 12,9), der sie anweist; als den Bezwinger Satans, der ihn vertreibt; und als den Einen, der sich um die Leiber seiner Leute kümmert und für sie sorgt. Hier gibt es: 1. Das Gespräch Christi mit den Gesetzeslehrern und Pharisäern über menschliche Traditionen (s. Vers 1-9). 2. Sein Gespräch mit der Menschenmenge über die Dinge, welche verunreinigen (s. Vers 10-20). 3. Sein Austreiben des Dämons aus der Tochter der kanaanitischen Frau (s. Vers 21-28). 4. Sein Heilen von allen, die zu ihm gebracht wurden (s. Vers 29-31). 5. Seine Speisung von viertausend Männern (s. Vers 32-39).

Vers 1-9

1. Hier wird gegen die Jünger Christi von den Pharisäern und Schriftgelehrten der Einwand erhoben, dass sie mit ungewaschenen Händen essen. Diese Leiter waren gelehrte Männer und auch Geschäftsmänner und sie kamen aus Jerusalem, der heiligen Stadt. Sie hätten darum besser sein sollen als andere, doch sie waren schlimmer. Äußerliche Vorrechte lassen die Menschen gewöhnlich mit Stolz und Hass anschwellen, wenn sie nicht richtig gebraucht werden. Wenn nun diese Männer die großen Ankläger waren, was war dann die Anklage? Fehlende Übereinstimmung mit den Regeln ihrer Gemeinde: „Warum übertreten deine Jünger die Überlieferung der Alten?" **(Vers 2).** Sie belegten ihre Anklage, indem sie ein besonderes Beispiel anführten: „Denn sie waschen ihre Hände nicht, wenn sie Brot essen." Beachten Sie:

1.1 Was „die Überlieferung der Alten" war – dass die Menschen sich oft und immer, wenn sie essen, die Hände waschen sollten. Die Alten legten viel von ihrer Religion dort hinein und meinten, dass das Essen, das sie mit ungewaschenen Händen berühren würden, sie verunreinigen würde. Die Pharisäer praktizierten dies selbst und sie bürdeten es anderen mit einem großen Maß an Strenge auf. Sie würden tatsächlich nicht mit einem anderen essen, der sich vor dem Essen nicht gewaschen hatte.

1.2 Was der Bruch dieser Tradition oder Verfügung durch die Jünger war. Es scheint, als haben sie sich nicht die Hände gewaschen, wenn sie Brot aßen. Der Brauch war harmlos genug und hatte seine Tauglichkeit in der bürgerlichen Praxis. Als es jedoch als religiöse Zeremonie praktiziert und auferlegt und solcher Nachdruck darauf gelegt wurde, waren die Jünger, wenn sie auch schwach in der Erkenntnis waren, doch so gut gelehrt, dass sie dies nicht erfüllten, beachteten, oder nur bemerkten, wenn die Gesetzeslehrer und Pharisäer ein Auge auf sie hatten. Sie hatten bereits die Lektion gelernt von Paulus: „Alles ist mir erlaubt"; es ist ohne Zweifel erlaubt, sich vor dem Essen zu waschen, „aber ich will mich von nichts beherrschen lassen!" (1.Kor 6,12).

1.3 Was die Beschwerde der Gesetzeslehrer und Pharisäer gegen sie war. Sie stritten mit Christus über diese vermeintliche Übertretung. „Warum übertreten deine Jünger" die Regeln der Gemeinde? Es ist gut, dass Christus die Beschwerde vorgebracht wurde, denn die Jünger waren vielleicht selbst nicht so in der Lage, einen Grund für das anzugeben, was sie taten, wie man sich hätte wünschen können.

2. Hier haben wir die Antwort Christi auf diesen Einwand, seine Rechtfertigung der Jünger. Er antwortete ihnen auf zwei Weisen:

2.1 Auf dem Weg der Gegenbeschuldigung **(s. Vers 3-6).** Sie suchten Splitter von Sägemehl in den Augen der Jünger, doch Christus zeigte ihnen einen Balken in ihren eigenen (s. Mt 7,3). Es war eine solche Kritik an ihrer Tradition – und deren Autorität war es, worauf sie ihre Anklage gründeten –, die es nicht nur richtig machte, sich ihr nicht zu unterwerfen, sondern es zu einer Pflicht machte, ihr zu widerstehen.

Die Anklage allgemein war: „Ihr übertretet ‚das Gebot Gottes um eurer Überlieferung willen.'" Sie nannten es „die Überlieferung der Alten" und betonten das Alter des Brauches und die Autorität derer, die ihn auferlegt hatten, doch sie übertraten „das Gebot Gottes". Diejenigen, die sehr eifrig darin sind, ihre eigenen Vorstellungen durchzusetzen, sind in der Regel sehr nachlässig gegenüber Gottes Geboten.

Der Beweis dieser Anklage lag in dem besonderen Beispiel, ihrem Ungehorsam gegenüber dem fünften Gebot.
Wir wollen sehen, was dieses Gebot Gottes ist **(s. Vers 4)**, was das Gebot des Gesetzes und was der Anreiz ist, ihm zu gehorchen. Das Gebot ist: „Du sollst deinen Vater und deine Mutter ehren!" Dies wird von dem Vater des ganzen Menschengeschlechts gefordert. Die ganze Pflicht von Kindern gegenüber ihren Eltern ist in diesem Gebot eingeschlossen, sie zu ehren, was die Quelle und der Ursprung des ganzen Restes ist. Der Ansporn dafür, sich an dieses fünfte Gebot zu halten, ist eine Verheißung, „damit du lange lebst" (2.Mose 20,12), doch unser Heiland verzichtete darauf, damit niemand schließen konnte, dass es nur etwas Empfehlenswertes und Vorteilhaftes ist, und er bestand auf der Strafe, die an einer anderen Schriftstelle mit der Übertretung dieses Gebotes verbunden war, welche diese Pflicht als in höchstem Maß und unabdingbar nötig zeigt: „Wer Vater oder Mutter flucht, der soll des Todes sterben!" Aus der Anwendung unseres Heilands von diesem Gebot wird klar, dass das Verweigern eines Dienstes oder einer Hilfe gegenüber den Eltern in diesem ihnen Fluchen eingeschlossen ist. Was wird es uns nützen, selbst wenn die Sprache respektvoll genug ist, nichts Beleidigendes enthält, wenn die Taten damit nicht übereinstimmen?

Lassen Sie uns schauen, wie die Überlieferung der Alten diesem Gebot widersprach. Es war nicht unmittelbar und offen, aber stillschweigend; ihre Fachleute gaben ihnen Regeln, die ihnen einen leichten Weg gaben, um die Verbindlichkeit dieses Gebotes zu umgehen **(s. Vers 5-6).** Beachten Sie:

Was ihre Überlieferung war: Dass ein Mensch mit seinem weltlichen Besitz nichts Besseres tun konnte, als ihn den Priestern zu geben, ihn dem Tempeldienst zu weihen, und dass, wenn etwas auf diese Weise geweiht war, es nicht nur unrechtmäßig war, es jemand anderem zu geben, sondern auch alle anderen Verpflichtungen, egal, wie richtig und geheiligt sie waren, hierdurch aufgehoben wurden. *Wie sie die Anwendung davon auf die Situation der Kinder herausarbeiteten.* Wenn die Nöte ihrer Eltern ihre Hilfe erforderten, brachten sie vor, dass alles, was sie von sich und ihren Kindern entbehren konnten, das war, was sie dem Schatz des Tempels geweiht hatten. „Ich habe zur Weihegabe bestimmt, was dir von mir zugutekommen sollte (was für Hilfe du sonst als Gott geweihte Gabe von mir bekommen hättest)", und so durften ihre Eltern nichts von ihnen erwarten. Die Pharisäer lehrten, dass dies ein guter und stichhaltiger Vorwand war, und viele ungehorsame, abscheuliche Kinder benutzten es und die Pharisäer rechtfertigten sie in ihrem Tun und sagten – die nichtrevidierte Lutherübersetzung (LÜ 12) ergänzt diese angedeuteten Worte, wenn sie auch nicht im Original stehen: „... der tut wohl." Die Albernheit und Gottlosigkeit dieser Tradition war jedoch völlig klar, denn die offenbarte Religion sollte die natürliche Religion verbessern, nicht umstürzen. Eines der wesentlichen Gesetze der natürlichen Religion ist es, die Eltern zu ehren. Dies aber hieß, das Gebot Gottes wirkungslos machen. Dieses Gesetz zu brechen ist schlecht, doch die Leute so zu lehren, wie es die Gesetzeslehrer und Pharisäer taten, ist viel schlimmer (s. Mt 5,19). Warum ist das Gebot gegeben worden, wenn man ihm nicht gehorchen braucht?

2.2 Auf dem Weg der Rüge. Der andere Teil der Antwort Christi beschuldigte sie der Heuchelei. „Ihr Heuchler!" **(Vers 7)**. Es ist das Recht des Einen, der die Herzen erforscht und weiß, was in uns ist (s. 1.Chr 28,9; Röm 8,27; Offb 2,23), zu erklären, wer ein Heuchler ist. Wir können offene Gottlosigkeit bemerken, doch nur das Auge Christi kann Heuchelei erkennen (s. Lk 16,15). Genauso wie es eine Sünde ist, die sein Auge entdeckt, ist es auch eine Sünde, die seine Seele mehr als alle anderen hasst. Christus entnahm seine Rüge aus Jesaja 29,13: „Treffend hat Jesaja von euch geweissagt." Jesaja sprach über die Menschen seiner Generation, denen er prophezeite, doch Christus wandte es auf diese Gesetzeslehrer und Pharisäer an. Drohungen, die an andere gerichtet sind, gebühren uns, wenn wir der gleichen Sünden schuldig sind. Jesaja prophezeite nicht nur über sie, sondern über alle anderen Heuchler, gegen die sein Wort noch immer richtet und in Kraft ist. Die Prophezeiungen der Schrift werden jeden Tag erfüllt.

Die Beschreibung der Heuchler, in zweierlei Hinsicht:

In ihrer eigenen Art der Anbetung **(s. Vers 8)**. Wenn sich das Volk „mit seinem Mund" naht und ihn „mit den Lippen" ehrt, dann ist ihr Herz fern von ihm. Beachten Sie:

Wie weit die Heuchler gehen; sie nahen sich Gott und ehren ihn; sie sind von ihrem Bekenntnis her Anbeter Gottes. Der Pharisäer ging „hinauf in den Tempel, um zu beten" (Lk 18,10); er stand nicht so weit entfernt wie diejenigen, die „ohne Gott in der Welt" leben (Eph 2,12). Die Menschen ehrten ihn; das heißt, sie verpflichteten sich auch, Gott zu ehren, sich also anderen anzuschließen, die dies taten. Gott erhält sogar aus dem Dienst von Heuchlern etwas Ehre.

Was sie tun; ihre Taten werden nur mit dem Mund und den Lippen getan. Es ist eine Gottesfurcht von den Zähnen ab nach außen; sie *zeigen* viel Liebe, doch das ist alles. Es gibt keine echte Liebe *in ihren Herzen*. Heuchler sind solche, die in ihrem religiösen Glauben und ihrer Anbetung nur Lippendienst leisten.

Worin sie nicht entsprechen, und das ist die Hauptsache: „... ihr Herz ist fern von mir", ständig von Gott getrennt (s. Eph 4,18), tatsächlich abirrend und bei etwas anderem verweilend. Ein Heuchler sagt eines, denkt aber etwas anderes. Die große Sache, die Gott ansieht und fordert, ist das Herz (s. Spr 23,26).

In dem, was sie anderen vorschreiben. Es zeigt ihre Heuchelei, dass „sie Lehren vortragen, die Menschengebote sind". Wenn menschliche Erfindungen an Gottes Satzungen geheftet und entsprechend auferlegt werden, ist dies Heuchelei, eine rein menschliche Religion. Gott möchte, dass seine Arbeit nach seinen Regeln getan wird und akzeptiert nicht, was er selbst nicht festgelegt hat. Nur was von ihm kommt, wird annehmbar sein, wenn es zu ihm kommt.

Die Verurteilung der Heuchler; sie wird kurz ausgedrückt: „Vergeblich aber verehren sie mich." Ihre Verehrung erfüllt nicht den Zweck, für den sie bestimmt ist; sie wird weder Gott gefallen noch ihnen nutzen. Wenn es nicht „im Geist" geschieht, ist es nicht „in der Wahrheit" (Joh 4,23) und so ist es alles nichts. Lippendienst ist vergeudeter Dienst.

Vers 10-20

Beachten Sie:

1. Die ernste Einleitung zu dieser Botschaft: „Und er rief die Volksmenge zu sich" **(Vers 10)**. Christus beachtete die Menschenmenge. Der demütige Jesus nahm, um die Pharisäer zu demütigen, die an, welche die Pharisäer mit Verachtung ansahen. Er wandte sich von den Pharisäern ab, weil sie eigensinnig und unbelehrbar waren, und wandte sich der Menschenmenge zu, die, wenn sie auch schwach war, demütig und bereit war, gelehrt zu werden. Er sagte zu ihnen: „Hört und versteht!" Was wir aus dem Mund Christi hören, müssen wir so gründlich wie möglich zu verstehen suchen. Nicht nur Gelehrte, sondern selbst die Menschenmenge, die gewöhnlichen

Leute, müssen ihren Verstand anwenden, um die Worte Christi zu verstehen.

2. Die Wahrheit selbst wird in zwei Sätzen niedergelegt **(s. Vers 11)**:
2.1 „Nicht das, was zum Mund hineinkommt, verunreinigt den Menschen." Es ist nicht die Art oder Qualität unseres Essens oder der Zustand unserer Hände, der die Seele befleckt oder verunreinigt. „Denn das Reich Gottes ist nicht Essen und Trinken" (Röm 14,17). Was verunreinigt einen Menschen? Durch was zieht man sich Schuld vor Gott zu und wie wird ein Mensch für ihn widerwärtig und untauglich für die Gemeinschaft mit ihm? Was wir essen, bewirkt dies nicht. Christus begann nun, seine Nachfolger zu lehren, nichts „gemein oder unrein" zu nennen, und wenn Petrus an dieses Wort gedacht hätte, als ihm gesagt wurde, „schlachte und iss", hätte er nicht gesagt: „Keineswegs, Herr!" (Apg 10,13-15.28).
2.2 „... sondern was aus dem Mund herauskommt, das verunreinigt den Menschen." Wir werden nicht durch die Nahrung verunreinigt, die wir mit ungewaschenen Händen essen, sondern durch die Worte, die wir aus einem ungeheiligten Herzen heraus sprechen. Es waren nicht die Jünger, die sich durch das verunreinigten, was sie aßen, sondern die Pharisäer, die sich durch das verunreinigten, was sie boshaft und tadelsüchtig über sie sagten. Diejenigen, die andere beschuldigen, menschliche Gebote zu brechen, bringen viel größere Schuld über sich, indem sie Gottes Gesetz über voreiliges Richten brechen.

3. Den Anstoß, den diese Wahrheit erregte, und den Bericht von diesem Anstoß, der Christus gebracht wurde: „Da traten seine Jünger herzu und sprachen zu ihm: Weißt du, dass die Pharisäer Anstoß nahmen, als sie das Wort hörten?" (Vers 12).
3.1 Es ist nicht seltsam, dass die Pharisäer an dieser klaren Wahrheit Anstoß nehmen würden. Wunde Augen können das Licht nicht ertragen und nichts ist für stolze Betrüger beleidigender, als wenn diejenigen aufgeklärt werden, die sie blind gemacht und versklavt haben. Große Kämpfer für die Förmlichkeit der Religion sind oft diejenigen, die ihre Kernpunkte verurteilen.
3.2 Die Jünger hielten es für sonderbar, dass ihr Meister so etwas sagen sollte, von dem er wusste, dass es so viel Anstoß erregen würde; er sollte dies nicht tun. Doch er wusste, was er sagte und zu wem er es sagte. Er wollte uns lehren, dass wir zwar feinfühlig darin sein müssen, dass wir nicht Anstoß bei unwichtigen Dingen erregen, aber dennoch nicht, aus Furcht davor, irgendeiner eindeutigen Wahrheit oder Pflicht ausweichen dürfen. Die Wahrheit muss zugegeben und die Pflicht getan werden, und wenn jemand hierdurch gekränkt ist, ist er im Irrtum. Die Wahrheit ist nicht anstößig, sondern wurde hier übelgenommen. Vielleicht strauchelten die Jünger selbst über das Wort, welches Christus sagte. Vielleicht machten sie diesen Einwand bei Christus geltend, damit sie selbst besser unterrichtet werden könnten. Ferner schienen sie ein Interesse an diesen Pharisäern gehabt zu haben. Sie wollten nicht, dass die Pharisäer durch irgendetwas, das Christus gesagt hatte, verärgert weggehen, und deshalb hofften sie, wenn sie auch nicht wollten, dass er seine Worte zurücknimmt, dass er sie erläutern, korrigieren und abschwächen würde. Schwache Hörer sind manchmal mehr darum besorgt, als sie sollten, dass böse Hörer nicht beleidigt werden.

4. Die Verurteilung, die über die Pharisäer und ihre verderbten Überlieferungen ausgesprochen wird. Christus sagte zwei Dinge über sie voraus:
4.1 Das Ausreißen von ihnen und ihren Überlieferungen: „Jede Pflanze, die nicht mein himmlischer Vater gepflanzt hat, wird ausgerissen werden" **(Vers 13)**. Ihre Sekte, ihre Wege und ihre Verfassung waren Pflanzen, die Gott nicht gepflanzt hatte. Die Regeln ihres Bekenntnisses entsprachen nicht seinen Satzungen, sondern verdankten ihren Ursprung dem Stolz und der Förmlichkeit. Es ist nicht sonderbar, in der sichtbaren Gemeinde Pflanzen zu finden, die unser himmlischer Vater nicht gepflanzt hat. Selbst wenn der Bauer sehr sorgsam ist, wird der Boden aus sich selbst mehr oder weniger Unkraut hervorbringen und ein Feind ist fleißig dabei, es zu säen (s. Mt 13,25). Was verderbt ist – wenn auch von Gott zugelassen –, ist niemals von ihm gepflanzt worden; er sät nur guten Samen in seinen Acker. Wir wollen uns also nicht täuschen lassen, als ob alles, was wir in der Gemeinde finden, richtig sein muss, und all die Menschen und Dinge, die wir im Garten unseres Vaters finden, Pflanzen unseres Vaters sind. „Darum werdet ihr sie an ihren Früchten erkennen" (Mt 7,20). Die Pflanzen, die nicht von Gott gepflanzt sind, werden von ihm nicht geschützt werden, sondern ohne jeden Zweifel ausgerissen werden. Was nicht von Gott ist, wird nicht bestehen (s. Apg 5,38), doch das Evangelium der Wahrheit ist groß und wird am mächtigsten werden (s. 1.Esra 4,41). Es kann nicht ausgerissen werden.
4.2 Ihr Untergang zusammen mit dem ihrer Nachfolger **(s. Vers 14)**.
Christus sagte ihnen, sie sollten sie lassen: „Habt keinen Umgang mit ihnen oder Interesse an ihnen; sucht weder ihre Gunst noch fürchtet euch vor ihrem Missfallen. Sie werden ihren eigenen Wegen folgen, lasst sie mit dem Ergebnis zurechtkommen. Sie haben sich ih-

ren eigenen Einbildungen verschrieben und möchten, dass alles nach ihrer Weise geht; lasst sie alleine. Versucht nicht, einem Geschlecht zu gefallen, das Gott nicht gefällt" (s. 1.Thess 2,15). Der Fall von den Sündern, bei denen Christus seinen geistlichen Dienern gebietet, sie zu lassen, ist wahrhaftig schlimm.
Er gab ihnen zwei Gründe dafür, sie zu lassen, denn:
„Sie sind stolz und unwissend", zwei schlechte Eigenschaften, die oft zusammenkommen und einen Menschen unheilbar in seiner Torheit machen (s. Spr 26,12). „... sie sind blinde Blindenleiter!" Die Pharisäer waren völlig unwissend in den Dingen Gottes, aber so stolz, dass sie meinten, sie könnten besser und weiter sehen als jeder andere. Deshalb unternahmen sie es, andere zu leiten, anderen den Weg zum Himmel zu zeigen, wo sie selbst keinen einzigen Schritt des Weges kannten. Sie sagten jedem anderen den Weg, schlossen aber die aus, die ihnen nicht folgen wollten. Obwohl sie blind waren, hätten sie sehen können, wenn sie die Tatsache zugegeben hätten und zu Christus gekommen wären, dass er Salbe auf ihre Augen tut (s. Offb 3,18). „Sind denn auch wir blind?" (Joh 9,40). Sie trauten sich zu, „Leiter der Blinden zu sein", dass sie dazu bestimmt waren, dies zu sein, und geeignet seien, dies zu sein, dass alles, was sie sagten, maßgeblich und ein Gesetz war (s. Röm 2,19-20).
Sie steuern auf die Vernichtung zu: Beide werden „in die Grube fallen". Das muss notwendigerweise das Ergebnis sein, wenn beide dermaßen blind, doch dermaßen kühn sind, dass sie sich vorwärtswagen, sich aber nicht der Gefahr bewusst sind. Die blinden Leiter und die blinden Nachfolger würden zusammen sterben. Diejenigen, die durch ihre Schlauheit andere zu Sünde und Irrtum ziehen, werden mit all ihrer gerissenen Schläue selbst dem Verderben nicht entkommen. Wenn „beide in die Grube fallen", werden die blinden Blindenleiter zuunterst fallen und es wird ihnen dabei am schlimmsten ergehen. Diejenigen, die gegenseitig ihre Sünde vergrößert haben, werden sich gegenseitig das Verderben verschlimmern.

5. Weisungen an die Jünger in Bezug auf die Wahrheit, die Christus dargelegt hat **(s. Vers 10)**. Obwohl Christus solche zurückweist, die absichtlich unwissend sind und nicht gelehrt werden wollen, hatte er Mitleid mit den Unwissenden, die lernen wollten (s. Hebr 5,2). Hier gibt es:
5.1 Ihr Verlangen, in dieser Sache besser unterwiesen zu werden. In dieser Bitte war wie bei vielen anderen Petrus ihr Sprecher: „Erkläre uns dieses Gleichnis!" **(Vers 15)**. Was Christus sagte, war klar, doch sie nannten es ein Gleichnis, weil sie es nicht verstehen konnten. Dies zeigt uns, dass schwaches Verständnis dazu neigt, klare Wahrheiten zu Gleichnissen zu machen, Schwierigkeiten zu suchen, wo es keine gibt. Wo ein schwaches Haupt Zweifel in Bezug auf irgendein Wort Christi hat, wird ein rechtschaffenes Herz und ein williger Sinn Unterweisung suchen. Die Jünger suchten, obwohl sie Anstoß nahmen, Gewissheit, führten den Anstoß nicht auf die Lehre zurück, die sie erhielten, sondern auf die Seichtheit ihres eigenen Fassungsvermögens.
5.2 Die Rüge, die ihnen Christus wegen ihrer Schwäche und Unwissenheit erteilte: „Seid denn auch ihr noch unverständig?" **(Vers 16)**. Christus tadelt viele, die er liebt und lehrt (s. Spr 3,12; Hebr 12,6). Zwei Dinge macht ihre Torheit und Schwachheit im Verständnis deutlich:
Dass sie Jünger Christi waren: „Seid *ihr* auch ohne Verständnis? Ihr, denen ich eine so große Vertrautheit mit mir zugestanden habe, seid ihr so ungeschickt im Wort der Gerechtigkeit?" Die Unwissenheit und Irrtümer derer, die religiösen Glauben bekennen und die Vorrechte der Kirchenmitgliedschaft besitzen, sind für den Herrn Jesus zu Recht ein Kummer.
Dass sie lange Zeit von Christus geschult waren: „Seid ihr *noch* so, nachdem ihr so lange unter meiner Lehre wart?" Wären sie erst am Vortag in die Schule Christi gekommen, wäre es eine andere Sache gewesen. Christus erwartet von uns Erkenntnis, Gnade und Weisheit nach dem Maße der Zeit und den Mitteln, die wir hatten (s. Joh 14,9; Hebr 5,12; 2.Tim 3,7-8).
5.3 Die Erläuterung, die Christus ihnen von der Lehre der Verunreinigung gab. Er zeigt uns hier:
In welch geringer Gefahr wir sind, durch das verunreinigt zu werden, „was zum Mund hineinkommt" **(Vers 17)**. Ein übermäßiger Appetit, Maßlosigkeit und Übermaß beim Essen kommen aus dem Herzen und sind verunreinigend, doch das Essen in sich selbst ist es nicht, wie die Pharisäer dachten. Was von der Verunreinigung durch unser Essen bleibt, kann auf einem Weg beseitigt werden, den die Natur bietet – oder vielmehr der Gott der Natur; es kommt „in den Bauch" und wird „in den Abort geworfen", und nichts bleibt für uns als die reine Nahrung. Auf diese Weise wird nichts verunreinigt. Wenn wir mit ungewaschenen Händen essen und, durch dieses Versäumnis, sich irgendetwas Unreines in unser Essen mischt, wird die Natur es absondern und ausscheiden und es wird uns nicht verunreinigen. Es kann ein Akt der Reinlichkeit sein, doch es ist keine Frage des Gewissens, sich vor dem Essen zu waschen.
In welch großer Gefahr wir stehen, durch das verunreinigt zu werden, „was ... aus dem Mund herauskommt" **(Vers 18)**. Es gibt keine Verunreinigung in den Erzeugnissen von Gottes Güte;

die Verunreinigung kommt durch die Erzeugnisse unserer Verderbtheit. Hier haben wir:
Die verderbte Quelle dessen, was aus dem Mund herauskommt; es kommt aus dem Herzen. Es ist das Herz, das so schrecklich bösartig ist (s. Jer 17,9), denn es gibt keine Sünde im Wort und in der Tat, die nicht vorher im Herzen war. Alle bösen Worte kommen aus dem Herzen und verunreinigen.
Manche der verderbten Ströme, die aus dieser Quelle fließen, werden einzeln aufgeführt:

- „Böse Gedanken"; Sünden gegen alle Gebote. Es gibt eine große Menge Sünden, die im Herzen beginnen und enden und nicht weitergehen.
- „Mord." Dieser kommt aus Hass im Herzen gegen das Leben unseres Bruders oder unserer Schwester oder der Verachtung davon. Ein Mensch, der „seinen Bruder hasst", wird ein „Mörder" genannt und ist dies im Gericht Gottes (s. 1.Joh 3,15).
- „Ehebruch" und „Unzucht". Diese kommen aus einem wollüstigen, gottlosen Herzen und der Lust, die dort regiert. Es gibt zuerst im Herzen Ehebruch und dann in der Tat (s. Mt 5,28).
- „Diebstahl", betrügen, Unrecht tun, Raub und alle schädlichen Übereinkünfte. Die Quelle von all diesem liegt im Herzen. Achan gelüstete und nahm dann (s. Jos 7,20-21).
- „Falsche Zeugnisse." Wenn Wahrheit, Heiligkeit und Liebe, die Gott in dem Inneren eines jeden fordert, regieren würden, wie sie sollten, würde es kein falsches Zeugnis geben (vgl. Ps 64,7; Jer 9,7).
- „Lästerungen", böse von Gott und böse von unserem Nächsten sprechen. Dies ist das Überfließen von innerer Bitterkeit.

5.4 Die Schlussfolgerung aus der Predigt: „Das ist's, was den Menschen verunreinigt!" **(Vers 20)**. Sünde verunreinigt die Seele, macht sie unschön und abscheulich in den Augen des reinen und heiligen Gottes und ungeeignet für die Gemeinschaft mit ihm. Dies sind also die Dinge, die wir sorgfältig meiden müssen, und wir müssen jeden ersten Schritt zu ihnen vermeiden, und nicht das Waschen der Hände betonen, denn: „... mit ungewaschenen Händen essen; das verunreinigt den Menschen nicht." Wenn sich die Menschen waschen, sind sie nicht besser vor Gott; wenn sie sich nicht waschen, sind sie in keiner Weise schlimmer.

Vers 21-28

Hier haben wir die berühmte Geschichte, wie Christus den Teufel aus der Tochter der kanaanäischen Frau austreibt. Dieser Bericht enthält etwas Ungewöhnliches und Erstaunliches, betrachtet die armen Heiden wohlwollend und war ein Unterpfand der Barmherzigkeit, die Christus für sie vorrätig hatte. Hier gab es einen Schein des Lichts, das „zur Offenbarung für die Heiden" war (Lk 2,32).

1. „Jesus ging von dort weg"; er verließ diesen Ort. Das Licht wird zu Recht von denen genommen, die entweder Unsinn damit treiben oder sich dagegen auflehnen. Obwohl Christus lange Zeit geduldig ist, wird er nicht immer „solchen Widerspruch von den Sündern gegen sich" erdulden (Hebr 12,3). Verhärtete Vorurteile gegen das Evangelium und ständige Einwände dagegen bringen Christus oft dazu, sich zurückzuziehen (s. Apg 13,46.51).

2. Als er dort wegging, zog er sich „in die Gegend von Tyrus und Zidon zurück", nicht in diese Städte, sondern in den Teil des Landes Israel, der in dieser Richtung lag. Solange er umherging und Gutes tat (s. Apg 10,38), verließ er seine Pflicht nie. Die dunklen Ecken des Landes, die entfernten Orte, werden auch ihren Teil von seiner gütigen Macht bekommen. Hier war es, wo dieses Wunder vollbracht wurde. Beachten Sie:
2.1 Die Worte der kanaanäischen Frau an Christus **(s. Vers 22)**. Sie war eine Heidin, „ausgeschlossen von der Bürgerschaft Israels" (Eph 2,12). Gott wird in allen Völkern seinen Überrest bewahren, an jedem Ort seine Erwählten, selbst den Unwahrscheinlichsten. Wenn Christus nicht zu diesem Ort gekommen wäre, wäre sie wahrscheinlich nie zu ihm gekommen. Schlafender Glaube und Eifer wird oft angeregt, wenn sich für uns Möglichkeiten ergeben, Christus kennenzulernen. Ihre Worte waren kühn, sie „rief" Christus „an" als jemand, die es ernst meinte.
Sie beschrieb ihre Not: „Meine Tochter ist schlimm besessen!" Schwierigkeiten mit den Kindern sind die Schwierigkeiten ihrer Eltern. Liebevolle Eltern spüren sehr intensiv die Nöte derer, die ein Teil von ihnen sind. „Wenn sie auch von einem Dämon geplagt wird, ist sie immer noch meine Tochter." Die größten Heimsuchungen unserer Verwandten heben unsere Verpflichtungen ihnen gegenüber nicht auf und sollten deshalb unsere Empfindungen ihnen gegenüber wegnehmen. Es war der Kummer und die Last der Familie, welche diese Frau zu Christus brachten. Weil sie im Glauben kam, hat Christus sie nicht abgewiesen. Selbst wenn es Not ist, die uns zu Christus treibt, werden wir deshalb nicht von ihm vertrieben.
Sie bat um Erbarmen: „Erbarme dich über mich, Herr, du Sohn Davids!" Ihre Bitte war: „Erbarme dich über mich." Sie begrenzte nicht Christus auf dieses oder jenes Beispiel

des Erbarmens, sondern es war Erbarmen, das sie erbat. Sie brachte keinen Verdienst in sich selbst vor, sondern verließ sich alleine auf das Erbarmen. Erbarmen gegenüber den Kindern ist Erbarmen gegenüber den Eltern, Gunsterweise gegenüber unseren Familien sind Gunsterweise gegenüber uns. Es ist die Pflicht von Eltern, inbrünstig für ihre Kinder zu beten. Wir müssen sie im Glauben und im Gebet zu Christus bringen; nur er kann sie heilen.

2.2 Die Entmutigung, die sie durch seine Worte bekam; in der ganzen Geschichte des Dienstes Christi finden wir nichts wie dieses. Es war seine Gewohnheit, jeden willkommen zu heißen und zu ermutigen, der zu ihm kam, entweder zu antworten, „ehe sie rufen", oder zu erhören, „während sie noch reden" (Jes 65,24), hier war aber jemand, der anders behandelt wurde, und was könnte der Grund dafür sein? Manche meinen, Christus zeigte sich widerwillig, dieser armen Frau zu Willen zu sein, weil er keinen Anstoß bei den Juden erregen wollte, indem er den Heiden gegenüber genauso frei und eifrig in seiner Gunst ist wie ihnen gegenüber. Doch Christus behandelte sie vielmehr auf diese Weise, um sie zu prüfen; er wusste, was in ihrem Herzen war, kannte die Stärke ihres Glaubens, wie fähig sie durch seine Gnade war, solche Entmutigungen zu durchbrechen. Er legte sie ihr in den Weg, damit die Bewährung ihres Glaubens „Lob, Ehre und Herrlichkeit zur Folge habe" (1.Petr 1,7). Viele der dunklen und verwirrenden Wege der Vorsehung Christi, besonders seine Gnade im Umgang mit den Seinen, kann man mit dem Ton dieser Geschichte erzählen. Es kann Liebe im Herzen Christi geben, während es finstere Blicke in seinem Gesicht gibt. Beachten Sie die einzelnen Entmutigungen, die sie bekommt:

Als sie ihn anrief, antwortete er ihr „nicht ein Wort" **(Vers 23)**. Sein Ohr war gewöhnlich offen und merkte auf die Rufe derer, die demütige Bitten vorbrachten, doch dieser armen Frau wandte er ein taubes Ohr zu. Sie bekam weder Wohltätigkeit noch eine Antwort. Doch Christus wusste, was er tat, und er lehnte es ab zu antworten, damit sie sogar noch inbrünstiger beten würde. Indem er ihr scheinbar das erwünschte Erbarmen vorenthielt, sorgte er dafür, dass sie sogar noch kühner wurde, wenn sie darum bat. Nicht jedes angenommene Gebet wird umgehend beantwortet. Manchmal scheint Gott den Gebeten der Seinen keine Aufmerksamkeit zu schenken; das ist, um ihren Glauben zu erproben und damit zu mehren.

Als die Jünger ein gutes Wort für sie einlegten, nannte er den Grund, warum er sie abwies, was sogar noch entmutigender war.

Es kam als kleiner Trost, dass die Jünger sich zu ihren Gunsten verwendeten, sie sagten: „Fertige sie ab, denn sie schreit uns nach!" Die Jünger dachten, obwohl sie sich wünschten, dass sie bekäme, wofür sie gekommen war, mehr an ihre eigene Bequemlichkeit als an die Situation der armen Frau: „,Fertige sie ab' mit einer Heilung, ,denn sie schreit uns nach' und das ist uns lästig, beschämt uns." Unaufhörliche Kühnheit kann selbst für gute Menschen unangenehm sein, doch Christus liebt es, gesucht zu werden.

Christi Antwort an die Jünger machte all ihre Erwartungen zunichte: „Ich bin nur gesandt zu den verlorenen Schafen des Hauses Israel." Kühnheit überwindet selten den festen Grund eines weisen Menschen. Er antwortete ihr nicht nur nicht; er stritt auch noch gegen sie und brachte sie mit einer Begründung zum Schweigen. Es ist für uns eine große Prüfung, wenn wir Anlass zu der Frage haben, ob wir zu denen gehören, zu denen Christus gesandt war. Wir loben aber Gott dafür, dass kein Raum für diesen Zweifel bleibt; der Unterschied zwischen Juden und Heiden wurde weggenommen; wir sind gewiss, dass er sein Leben gab „als Lösegeld für viele" (Mt 20,28), und wenn für viele, warum dann nicht für mich?

Als sie weiterhin kühn war, bestand er auf ihrer Untauglichkeit, wies sie nicht nur ab, sondern schien sie auch zu tadeln: „Es ist nicht recht, dass man das Brot der Kinder nimmt und es den Hunden vorwirft" **(Vers 26)**. Dies schien sie von aller Hoffnung abzuschneiden, und es hätte sie zur Verzweiflung treiben können, wenn sie nicht sehr starken Glauben gehabt hätte. Die Gnade des Evangeliums und die Wunderheilungen – das Beiwerk dieser Gnade – waren das Brot der Kinder und standen nicht auf der gleichen Stufe wie der Regen vom Himmel und diese fruchtbaren Zeiten, die Gott den Völkern gab, denen er erlaubte, „ihre eigenen Wege" zu gehen (Apg 14,16). Nein, dies waren besondere Gunsterweise, die von seinen eigenen besonderen Kindern in Anspruch genommen werden sollten. Die Heiden wurden von den Juden mit großer Geringschätzung betrachtet; sie wurden Hunde genannt und als solche betrachtet. Christus schien hier diese Bezeichnung für die Heiden zu erlauben und es deshalb nicht für richtig zu halten, dass die Heiden an den Gunsterweisen teilhaben, die den Juden gegeben sind. Christus führte dies gegen die kanaanäische Frau ins Feld: „Wie kann sie erwarten, das Brot der Familie zu essen, wenn sie nicht zu der Familie gehört?" Daraus können wir lernen:

Diejenigen, die Christus am meisten ehren will, demütigt er zuerst mit einem Empfinden ihrer eigenen Niedrigkeit und Unwürdigkeit. Wir müssen uns zuerst als Hunde sehen, als „zu gering für alle Gnade und Treue" (1.Mose 32,11; s. Eph 3,8), ehe wir geeignet sind, durch sie geehrt und privilegiert zu werden.

Christus hat Freude daran, großen Glauben mit großen Prüfungen zu üben, und manchmal behält er die schärfste für zuletzt vor, damit wir geprüft „wie Gold hervorgehen" werden (Hiob 23,10).

2.3 Die Stärke ihres Glaubens und ihrer Entschlossenheit. Viele Menschen wären, wenn sie so geprüft worden wären, entweder still geworden oder in Wut geraten. Sie hätte sagen können: „Dies ist ein harter Trost für eine arme, bekümmerte Frau. Ich hätte genauso gut zu Hause bleiben wie hierherkommen können, dass ich nicht nur so erbärmlich beleidigt, sondern auch noch ein Hund genannt werde!" „Ist dies der ‚Sohn Davids'?", hätte sie fragen können. „Ist dies der Eine, der einen solchen Ruf hat, freundlich, sanft und mitleidig zu sein? Ich bin kein Hund, ich bin eine Frau, eine ehrliche Frau, und eine Frau in Not; außerdem bin ich sicher, dass es nicht richtig ist, mich Hund zu nennen." Doch eine demütige, glaubende Seele, die Christus wahrhaftig liebt, akzeptiert alles, was er sagt, und deutet es in der besten Weise. Sie durchbrach all diese Entmutigungen:

Mit einem inbrünstigen Verlangen, ihrer Bitte nachzugeben. Dies zeigte sich, als sie zuvor abgeschreckt wurde: „Da kam sie, fiel vor ihm nieder und sprach: Herr, hilf mir!" **(Vers 25).**

Sie betete weiterhin. Was Christus sagte, brachte die Jünger zum Schweigen. Sie hören nichts mehr von ihnen; sie akzeptierten die Antwort. Doch die Frau tat es nicht. Je mehr wir die Last spüren, desto entschlossener sollten wir beten, dass sie genommen wird.

Sie machte das meiste aus ihrem Gebet. Statt Christus zu beschuldigen oder ihn anzuklagen, unfreundlich zu sein, scheint sie vielmehr sich selbst misstraut zu haben. Sie fürchtete, dass sie nicht demütig oder ehrfurchtsvoll genug gewesen war, und so kam sie jetzt und „fiel vor ihm nieder"; oder sie fürchtete, dass sie nicht ernsthaft genug gewesen war, und deshalb rief sie aus: „Herr, hilf mir!" Wenn die Antwort auf Gebet aufgeschoben wird, lehrt Gott uns, mehr zu beten und besser zu beten. Enttäuschungen im Gebet müssen uns zu weiterem Gebet anregen. Als Christus in ringendem Kampf war, betete er inbrünstiger (s. Lk 22,44).

Sie verzichtete auf die Frage, ob sie zu denen gehörte, zu denen Christus gesandt war: „Ob ich eine Israelitin bin oder nicht, ich komme um Erbarmen zu dem Sohn Davids, und ‚ich lasse dich nicht, es sei denn, du segnest mich'!" (1.Mose 32,27). Viele schwache Christen sind durch Fragen und Zweifel in Bezug auf ihre Erwählung verwirrt; sie sollten lieber darum bemüht sein, Gott zu suchen und treu im Gebet um Barmherzigkeit und Gnade zu sein. Es wäre besser, sich im Glauben vor Jesu Füße zu werfen und zu sagen: „Komme ich um, so komme ich um!" (Est 4,16). Wenn wir unseren Unglauben nicht durch Denken unterwerfen, dann wollen wir ihn durch Beten unterwerfen.

Ihr Gebet war sehr kurz, aber umfassend und inbrünstig. „Herr, hilf mir!" Wir nehmen dies als:

Ihre Trauer über ihre Situation: Für gebrochene Herzen ist es nicht vergeblich, ihr eigenes Leben zu beklagen; Gott blickt da auf sie nieder (s. Jer 31,18). Oder:

Ihre Bitte um Gnade, ihr in dieser Stunde der Versuchung zu helfen. Sie fand es schwer, ihren Glauben zu behalten, wenn er so missbilligt wurde, und deshalb betete sie: „Herr, hilf mir!" Oder:

Sie verstärkte ihre ursprüngliche Bitte: „Herr, hilf mir!'; Herr, gib mir, wofür ich gekommen bin." Sie glaubte, dass Christus ihr helfen konnte und wollte. Sie behielt gute Gedanken über ihn und wollte ihren Griff nicht lockern. „Herr, hilf mir!" ist ein gutes Gebet, wenn es recht vorgebracht wird, und es ist schade, dass es zum Klischee geworden ist und dass wir Gottes Namen dabei unnütz nennen.

Mit heiliger Gewandtheit des Glaubens brachte sie eine sehr überraschende Verteidigung vor. Christus hatte die Juden an die Stelle der Kinder gesetzt, „wie junge Ölbäume rings um deinen Tisch" (Ps 128,3), und er hatte die Heiden mit den Hunden unter den Tisch gesetzt. Man gewinnt nichts, wenn man einem Wort Christi widerspricht, selbst wenn es uns hart vorkommt. Also, da diese arme Frau nichts dagegen einwenden konnte, entschied sie sich, das Beste daraus zu machen. „Ja, Herr; und doch essen die Hunde von den Brosamen, die vom Tisch ihrer Herren fallen!" **(Vers 27).** Beachten Sie hier:

Ihr Bekenntnis war sehr demütig: „Ja, Herr." Sie können nicht in solch niedriger Weise über eine demütige Gläubige sprechen, ohne dass sie bereit ist, in solch niedriger Weise über sich selbst zu sprechen. „Ja, Herr.' Ich kann es nicht leugnen; ich bin bloß ein Hund; ohne irgendwelche Rechte, das Brot der Kinder zu essen."

Wie sie dies zu einer Verteidigung machte, war sehr geistreich: „… und doch essen die Hunde von den Brosamen." Durch eine besondere, ungewöhnliche Gewandtheit und durch geistliche Forschheit und Einsicht machte sie aus dem, was wie eine Beleidigung aussah, den Kern eines Arguments. Ein lebendiger, aktiver Glaube wird das, was *gegen* uns zu sein scheint, zu etwas *für* uns machen. Der Glaube kann sogar darin etwas Ermutigendes finden, was entmutigend ist, und kann näher zu Gott kommen, indem er die Hand festhält, die ausgestreckt ist, um ihn fortzustoßen. Ihre Verteidigung ist: „… und doch essen die Hunde von den Brosamen." Es stimmt, dass die vollkommene und regelmäßige Versorgung nur für die Kinder bestimmt ist, doch bei den kleinen, unbeabsichtigt heruntergefallenen und missachteten Brosamen ist es erlaubt, sie den Hunden zu geben, und man missgönnt sie den Hunden nicht. Es können also gewiss einige der Stückchen Essen zu einer armen Heidin fallen. „Ich bitte darum, durch die Brosamen geheilt zu werden, die zufällig fallen; wenn sie auch klein und unbedeutend sind verglichen mit den Laiben, welche die Kinder haben, kommen doch selbst solche Brosamen von dem gleichen kostbaren Brot." Wenn wir bereit sind, uns an dem Brot der Kinder zu mästen, sollten wir daran denken, wie viele Menschen glücklich wären, bloß die Brosamen zu erhalten. Das zerbrochene Essen unserer geistlichen Vorrechte wäre für viele Menschen ein Festmahl (s. Apg 13,42).

Ihre Demut und ihre Zwangslage machten sie froh, die Brosamen zu bekommen. Diejenigen, denen bewusst ist, dass sie nichts verdienen, werden dankbar für alles sein. Das Wenigste von Christus ist für einen Gläubigen kostbar, und selbst die Brosamen sind das Brot des Lebens (s. Joh 6,35.48).

Ihr Glaube ermutigte sie, diese Brosamen zu verlangen. Warum sollte sie nicht an Christi Tisch als dem Tisch von jemand Großem essen, wo die Hunde genauso wie die Kinder ernährt werden? Sie nannte ihn den Tisch ihres „Herren"; wenn sie ein Hund war, dann war sie sein Hund. Es ist gut, in Gottes Haus zu sein, selbst wenn wir auf der Schwelle liegen.

2.4 Das glückliche Ergebnis und der Erfolg von all diesem. Sie ging mit einem großen Namen und großer Ermutigung aus diesem Kampf fort, und obwohl sie eine Kanaanäerin war, erwies sie sich als echte Tochter Israels, der wie ein Fürst „mit Gott und Menschen gekämpft" und gewonnen hat (1.Mose 32,29). „Da antwortete Jesus und sprach zu ihr: O Frau, dein Glaube ist groß." Jetzt begann er zu sprechen wie er selbst und sich so zu zeigen, wie er wirklich war.

Er lobte ihren Glauben: „O Frau, dein Glaube ist groß."

Es war ihr Glaube, den er lobte. Mehrere andere Gnadenwirkungen leuchteten hier hell in ihrem Verhalten – Weisheit, Demut, Sanftmut, Geduld, Ausdauer im Gebet –, doch diese waren die Auswirkungen ihres Glaubens. Weil der Glaube von allen Gnadenwirkungen Christus am meisten ehrt, ehrt er den Glauben mehr als jede andere Gnadengabe.

Es war die Größe ihres Glaubens. Obwohl der Glaube in allen Heiligen gleich kostbar ist, ist er nicht in allen gleich stark; nicht alle Gläubigen sind von gleicher Größe und Statur. Die Größe des Glaubens besteht aus entschlossener Treue zu Jesus Christus; sie besteht darin, ihn zu lieben und ihm als Freund zu vertrauen, selbst wenn er sich uns als Feind zu zeigen scheint. Zwar wird ein schwacher Glaube, wenn er echt ist, nicht verworfen werden, doch großer Glaube wird gelobt werden.

Er heilte ihre Tochter: „,... dir geschehe, wie du willst!' Ich kann dir nichts versagen; nimm, wofür du gekommen bist." Große Gläubige können empfangen, was sie sich mit ihrer Bitte wünschen. Wenn unser Wille mit dem Willen von Christi Gebot übereinstimmt, stimmt sein Wille mit dem Willen unseres Wunsches überein. Diejenigen, die Christus nichts versagen wollen, werden sehen, dass er ihnen schließlich nichts versagen will, selbst wenn er eine Zeit lang sein Angesicht vor ihnen zu verbergen scheint. Und es geschah nach dem Wort Christi: „Und ihre Tochter war geheilt von jener Stunde an"; der Glaube der Mutter war erfolgreich in der Heilung der Tochter. „... er sprach, und es geschah" (Ps 33,9).

Vers 29-39

Hier ist:

1. Ein allgemeiner Bericht der Heilungen Christi. Die Zeichen der Macht und Güte Christi sind weder knapp noch spärlich, denn in ihm ist eine überfließende Fülle. Beachten Sie:

1.1 Den Ort, wo diese Heilungen vollbracht wurden: Es war am „See von Galiläa". Außer der Austreibung des Dämons aus der Tochter der kanaanäischen Frau lesen wir nichts davon, was er in dem Gebiet von Tyrus und Zidon tat, als hätte er dies bewusst im Sinn gehabt, als er die Reise unternahm. Geistliche Diener sollen gegenüber niemandem unwillig in ihren Anstrengungen sein, Gutes zu tun, selbst wenn es nur ein paar Leute sind. Der Eine, der den Wert der Seelen kennt, wollte einen langen Weg gehen, um zu helfen, einen Menschen vom Tod und der Macht Satans zu erretten. Doch „Jesus zog von dort weiter". Nachdem er diese Brosamen unter den Tisch hat fallen lassen, kehrte er zurück, um den Kindern hier ein volles Festmahl zu bereiten. Wir können hin und wieder für einen Menschen etwas tun, woraus wir keine dauerhafte Praxis machen. Christus *zog* durch „die Gegend von Tyrus und Zidon", doch er *setzte* sich an den See von Galiläa **(Vers 29)**. Er setzte sich auf einen Berg, sodass ihn jeder sehen und freien Zugang zu ihm haben konnte, denn er ist ein offener Heiland. Er setzte sich dort wie jemand, der darauf wartet, gnädig zu sein (s. Jes 30,18). Er machte sich an dieses gute Werk.

1.2 Die Menschenmengen und Krankheiten, die von ihm geheilt wurden. „Und es kamen große Volksmengen zu ihm" **(Vers 30)**. Leiblicher Schmerz und Krankheiten sind uns schnell bewusst, doch nur wenige sind um ihre Seelen und ihre geistlichen Krankheiten besorgt.

Die Güte Christi war derart, dass er alle Arten von Menschen empfing; die Armen wie auch die Reichen sind bei Christus willkommen. Er blickte nie mit Geringschätzung auf gewöhnliche Leute herab – die Herde, wie sie manchmal genannt werden –, denn für ihn sind die

Seelen der Geringsten genauso kostbar wie die Seelen der Leiter.

Die Macht Christi war derart, dass er alle Arten von Krankheiten heilte; diejenigen, die zu ihm kamen, brachten ihre kranken Verwandten und Freunde mit sich und „legten sie zu Jesu Füßen" **(Vers 30)**. Wir lesen nichts davon, was ihm von denen gesagt wurde, die kamen, doch sie legten ihre Lieben vor ihm als Objekte des Mitleids nieder. Ihre Krankheiten sprachen beredter für sie, als es die Stimme des gewandtesten Redners hätte tun können. Egal, wie unsere Situation ist, der einzige Weg, um Frieden und Trost zu finden, ist, sie vor Jesu Füße zu legen und sie ihm für seine Entscheidung zu übergeben. Hier wurden Stumme, Krüppel, Lahme, Blinde und viele andere zu Christus gebracht. Beachten Sie, was für ein schreckliches Werk die Sünde getan hat! Was für einer Vielfalt an Krankheiten die menschlichen Leiber unterworfen sind! Beachten Sie, wie der Heiland wirkt. Er besiegt diese Kräfte, welche die Feinde des Menschengeschlechts sind. „Er sandte sein Wort und machte sie gesund" (Ps 107,20). Dies zeigt die Macht Christi, der uns in all unseren Schwächen stärken kann, und auch sein Mitgefühl, das uns in all unseren Nöten trösten kann.

1.3 Die Wirkung, die dies auf die Menschen hatte **(s. Vers 31)**.

Sie verwunderten sich (waren erstaunt) und das konnte gut sein. Die Werke Christi sollten uns erstaunen.

„Sie priesen den Gott Israels." Wunder, über die wir erstaunt sind, müssen das Thema unseres Lobes und unseres Preises sein; worüber wir uns freuen sollten, muss das Thema unseres Dankes sein. Wenn er unsere Gebrechen heilt, muss alles, was in uns ist, seinen heiligen Namen loben (s. Ps 103,1.3), und wenn wir gnädig vor Blindheit, Lahmheit und Stummheit bewahrt wurden, haben wir genauso viel Grund, Gott zu loben, als wären wir geheilt worden; hier haben in der Tat sogar die Zuschauer Gott verherrlicht. Man muss sich bei den Barmherzigkeiten für andere genauso wie bei uns selbst mit Lob und Dankbarkeit zu Gott bekennen.

2. Ein besonderer Bericht von seiner Speisung von viertausend Männern mit sieben Broten und ein paar Fischen, wie er gerade fünftausend mit fünf Broten gespeist hatte. Die Gäste waren nun nicht ganz so viele und der Proviant war ein wenig größer; er vollbrachte seine Wunder, wie es der Anlass erforderte. Sowohl früher als auch jetzt nahm er alle Menschen, die gespeist werden mussten, und er benutzte alles, was verfügbar war, sie zu speisen. Immer, wenn die größten Kräfte der Natur überschritten werden, müssen wir sagen: „Das ist der Finger Gottes" (2.Mose 8,15), und es ist nicht wichtig, wie weit sie übertroffen werden.

2.1 Christi Mitleid: „Ich bin voll Mitleid mit der Menge" **(Vers 32)**. Er sagte dies seinen Jüngern, um ihr Mitleid sowohl zu prüfen als auch zu erregen. Beachten Sie, wobei er es ihnen sagte.

Die Situation der Menschenmenge: „... sie verharren nun schon drei Tage bei mir und haben nichts zu essen." Sie zeigten nicht nur dadurch ihren Eifer und ihre Hingabe an Christus und sein Wort, dass sie ihr Gewerbe ließen, um ihn an Wochentagen zu hören, sondern auch dadurch, dass sie eine große Menge Härten erduldeten, um bei ihm zu bleiben; ihnen fehlte das notwendige Essen und sie hatten nicht kaum genug, um Leib und Seele zusammenzuhalten. Sie achteten die Worte Christi mehr als ihre notwendige Nahrung (s. Hiob 23,12; Hfa). Beachten Sie die Herzlichkeit Christi: „Ich bin voll Mitleid" mit ihnen. Es wäre besser gewesen, wenn sie Mitleid mit dem Einen gehabt hätten, der drei Tage lang so viel Anstrengung und Fürsorge für sie auf sich nahm, und es scheint, dass auch er fastete. Unser Herr Jesus führt Buch darüber, wie lange seine Nachfolger bei ihm bleiben, und er bemerkt die Schwierigkeit, die sie dabei aushalten. Die Not, in welche die Menschen gekommen sind, dient dazu hervorzuheben:

Die Barmherzigkeit, sie zu versorgen: Er speiste sie, als sie hungrig waren, und da war das Essen doppelt willkommen.

Das Wunder, sie zu versorgen. Wenn zwei karge Mahlzeiten die dritte zu einer unersättlichen machen, was werden dann drei hungrige Tage tun. Doch „sie aßen alle und wurden satt". In Christus ist genug Barmherzigkeit und Gnade, um das glühendste und ausgedehnteste Verlangen reichlich zu erfüllen. „Tue deinen Mund weit auf, so will ich ihn füllen!" (Ps 81,11).

Die Fürsorge unseres Meisters für sie: „... und ich will sie nicht ohne Speise entlassen, damit sie nicht auf dem Weg verschmachten." Es ist das Missgeschick unseres gegenwärtigen Standes, dass, wenn unsere Seelen zu einem gewissen Ausmaß erhöht und erweitert sind, unsere Leiber dann nicht mit ihnen im Tun von guten Werken Schritt halten können. Die Schwäche des Fleisches verursacht der Willigkeit des Geistes große Schwierigkeiten (s. Mt 26,41).

2.2 Christi Macht. Sein Mitleid mit ihren Bedürfnissen setzte seine Macht in Gang, diese Bedürfnisse zu stillen. Beachten Sie:

Wie dieser Macht von seinen Jüngern misstraut wurde: „Woher sollen wir in der Einöde so viele Brote nehmen?" Sie waren bei dem früheren Wunder nicht nur die Zeugen, sondern auch die geistlichen Diener gewesen; das vermehrte Brot war durch ihre Hände gegangen. Sie zeigten deshalb durch die Frage ihre große Schwäche: „Woher sollen wir Brot nehmen?" Konnten sie weder ein noch aus wissen, solange sie ihren Meister bei sich hatten? Wenn wir frühere Erfahrungen vergessen, wirft das Schatten des Zweifels auf unsere gegenwärtigen Erfahrungen. Christus wusste, wie dürftig der Proviant war, doch er wollte es von ihnen wissen: „Wie viele Brote habt ihr?" **(Vers 34)**. Bevor er sich ans Werk machte, wollte er, dass man sieht, wie wenig er hatte, um damit zu arbeiten, sodass seine Macht noch leuchtender scheinen würde. Was sie hatten, hatten sie für sich selbst, und es war wenig genug, doch Christus wollte, dass sie es alles der Menschenmenge geben. Es ist für Christi Jünger gut, großzügig zu sein; ihr Meister war es. Bei dem, was wir haben, sollten wir frei sein, es zu teilen. Der heutige Geiz, der von einer Sorge für Morgen angeregt wird, bewirkt eine Zusammensetzung verderbter Einstellungen, die in den Tod gegeben werden sollten. Die Jünger fragten: „Woher sollen wir Brot nehmen?" Christus fragte: „Wie viele Brote habt ihr?" Wir dürfen nicht so viel an das denken, was wir brauchen, wie an das, was wir haben.

Wie diese Macht gegenüber der Menschenmenge entfaltet wurde:

An dem Proviant, der verfügbar war: Sieben Brote „und ein paar Fische". Die Fische waren wahrscheinlich solche, die sie selbst gefangen hatten. Es ist befriedigend, von der Arbeit seiner Hände zu nähren (s. Ps 128,2). Was wir durch Gottes Segen mit unserer Arbeit erlangt haben, sollten wir freimütig nutzen und teilen, denn wir müssen arbeiten, damit wir „etwas zu geben" haben (Eph 4,28).

Indem er die Menschen in eine Lage bringt, sie zu empfangen: „Da gebot er dem Volk, sich auf die Erde zu lagern" **(Vers 35)**. Sie sahen nur einen sehr kleinen Proviant, doch sie mussten sich im Glauben niedersetzen, dass sie eine Mahlzeit davon erhalten würden.

In der Verteilung des Vorrats unter ihnen. Zuerst dankte er. Das Wort, das in dem früheren Wunder gebraucht wurde, war: Er „segnete" (Mt 14,19; Elb). Es kommt alles auf das Gleiche heraus; Gott danken ist ein geeigneter Weg, einen Segen von Gott zu suchen. Dann brach er sie „und gab sie seinen Jüngern; die Jünger aber gaben sie dem Volk". Obwohl die Jünger der Macht Christi misstraut hatten, gebrauchte er sie jetzt immer noch, wie er es vorher tat; er wurde nicht, wie er es hätte sein können, durch die Schwäche seiner geistlichen Diener dazu gebracht, sie fallen zu lassen, sondern gab ihnen weiterhin das Wort des Lebens und sie gaben es seinem Volk.

In der Fülle, die es unter ihnen gab: „Und sie aßen alle und wurden satt" **(Vers 37)**. Christus sättigt diejenigen, die er nährt. Solange wir in der Welt arbeiten, arbeiten wir für das, was nicht sättigt (s. Jes 55,2), doch diejenigen, die Christus in rechter Weise dienen, werden sich „sättigen von den Gütern deines Hauses" (Ps 65,5). Um zu zeigen, dass sie alle genug hatten, sorgte Christus dafür, dass eine große Menge „übrig blieb, sieben Körbe voll" Brocken; genug, um zu zeigen, dass bei Christus „Brot im Überfluss" ist (Lk 15,17), Vorräte an Gnade für mehr, als danach streben, und für diejenigen, die nach mehr streben.

In der Berechnung der Gäste, nicht damit sie für ihren Teil bezahlen könnten, sondern damit sie die Macht und Güte Christi bezeugen würden.

In der Entlassung der Menschenmenge und Christi Weggang an einen anderen Ort **(s. Vers 39)**. Er entließ die Volksmenge. Obwohl er sie zweimal gespeist hatte, durften sie nicht erwarten, dass Wunder ihr tägliches Brot sein würden. Jetzt mögen sie zurück in ihre eigenen Berufe gehen, zurück an ihre eigenen Tische.

KAPITEL 16

Wir haben hier: 1. Ein Gespräch mit den Pharisäern (s. Vers 1-4). 2. Ein weiteres mit seinen Jüngern über den Sauerteig der Pharisäer (s. Vers 5-12). 3. Ein weiteres mit ihnen über sich selbst (s. Vers 13-20). 4. Ein weiteres in Bezug auf sein Leiden für sie und ihres für ihn (s. Vers 21-28).

Vers 1-4

Hier haben wir Christi Gespräch mit den Pharisäern und Sadduzäern. Männer, die im Streit miteinander waren, doch übereinstimmend in ihrem Widerstand gegen Christus. Christus und das Christentum treffen von allen Seiten auf Widerstand. Beachten Sie:

1. Ihre Forderung und ihre Absicht.

1.1 Sie forderten ein Zeichen vom Himmel; bei ihrer Forderung gaben sie vor, dass sie bereit seien, zufriedengestellt und überzeugt zu werden.

Was sie behaupteten zu wollen, war ein anderes Zeichen, als was sie bereits gesehen hatten. Sie hatten jede Menge Zeichen gesehen; jedes Wunder, das Christus vollbrachte, war ein Zeichen. Dies war jedoch nicht genug; sie verachteten die Zeichen, welche die Bedürfnisse der Armen oder Kranken stillten, und sie bestanden darauf, dass er ein Zeichen geben würde, welches die Neugier der Hochmütigen befriedigen würde. Die gegebenen Beweise waren genug, um einen unvoreingenommenen Verstand zufriedenzustellen, doch sie hatten nicht die Absicht, eine eitle Laune zu befriedigen. Wir zeigen die Arglist unseres Herzens, wenn wir meinen, dass wir durch die Mittel und Vorzüge überzeugt werden würden, die wir nicht haben, während wir denjenigen gegenüber keine Achtung zeigen, die wir bereits haben.

Es muss ein Zeichen vom Himmel sein. Sie wollten als Beweis für seinen Auftrag Wunder wie die, welche beim Geben des Gesetzes am Berg Sinai vollbracht wurden: Donner, Blitze und die Stimme von Worten waren die Zeichen vom Himmel, die sie wollten.

1.2 Ihre Absicht war, ihn zu prüfen, nicht um von ihm gelehrt zu werden, sondern um ihm eine Falle zu stellen. Wenn er ihnen ein Zeichen vom Himmel zeigen würde, dann würden sie es einem Bündnis mit „dem Fürsten, der in der Luft herrscht" zuschreiben (Eph 2,2). Als sie Zeichen vom Himmel hatten, prüften sie Christus und sagten: „Kann Gott uns wohl einen Tisch bereiten in der Wüste?" (Ps 78,19). Als er nun einen Tisch in der Wüste bereitet hatte, prüften sie ihn und sprachen: „Kann er uns ein Zeichen vom Himmel geben?"

2. Christi Antwort auf diese Forderung:

2.1 Er verurteilte, dass sie die Zeichen übersahen, die sie hatten **(s. Vers 2-3)**. Sie suchten die Zeichen des Reiches Gottes, als sie bereits unter ihnen waren. Um dies darzulegen, zeigte er ihnen:

Ihre Fertigkeit und Kenntnis in anderen Dingen, besonders bei natürlichen Wettervorhersagen. Allgemeine Regeln, die aus der Beobachtung und Erfahrung stammen, machen es leicht zu sagen, wie das Wetter höchstwahrscheinlich sein wird. Wir verstehen nicht „das Schweben der Wolke" (Hiob 37,16), doch an ihrem Erscheinen können wir etwas erkennen.

Ihre Dummheit und Torheit in den Angelegenheiten ihrer Seelen. „Könnt ihr nicht ‚die Zeichen der Zeit' beurteilen? Seht ihr nicht, dass der Messias gekommen ist?" Die Wunder, die Christus vollbrachte, und wie sich die Leute um ihn sammelten, waren klare Zeichen, dass das Reich Gottes nahe ist (s. Mk 1,15), dass dies ihr „Tag der Untersuchung" war (1.Petr 2,12). Wir können daraus lernen, dass es sehr heuchlerisch ist, wenn wir, nachdem wir die Zeichen auf die leichte Schulter genommen haben, die Gott bestimmt hat, nach Zeichen suchen, die wir selbst vorgeschrieben haben. „Seht ihr nicht euer eigenes Verderben kommen, weil ihr ihn ablehnt?" Es ist das Verderben vieler Menschen, dass sie sich dessen nicht bewusst sind, was die Folge sein wird, dass sie Christus ablehnen.

2.2 Er lehnte es ab, ihnen irgendein weiteres Zeichen zu geben **(s. Vers 4)**. Er nannte sie ein „ehebrecherisches Geschlecht", denn obwohl sie bekannten, zur wahren Gemeinde und Braut Gottes zu gehören, waren sie ungläubig und lehnten sich gegen ihn auf, wichen von ihm ab und brachen ihre Bundesschlüsse mit ihm. Und deshalb lehnte er es ab, ihr Begehren zu erfüllen. Man kann Christus nicht etwas befehlen: „Ihr bittet und bekommt es nicht, weil ihr in böser Absicht bittet" (Jak 4,3). Er verwies sie auf das Zeichen des Propheten Jona, das ihnen gegeben werden würde: seine Auferstehung von den Toten und sein Predigen zu den Heiden durch seine Apostel. Es werden zwar nicht die Vorstellungen hochmütiger Leute befriedigt, doch der Glaube von Demütigen wird unterstützt werden. Dieses Gespräch wurde abrupt abgebrochen: „Und er verließ sie und ging davon." Christus wird nicht lange bei denen bleiben, die ihn prüfen; er zieht sich zu Recht von denen zurück, die mit ihm streiten wollen.

Vers 5-12

Hier haben wir das Gespräch Christi mit seinen Jüngern über Brot, in welchem er, wie in vielen anderen Gesprächen, über geistliche Dinge zu ihnen sprach, indem er eine Veranschaulichung benutzte, und sie ihn missverstanden, als würde er es wörtlich meinen. Der Anlass dafür war, dass sie vergessen hatten, Essen mit auf ihr Boot zu nehmen. Normalerweise nahmen sie Brot mit sich; diesmal aber vergaßen sie es; wir hoffen, es war, weil ihre Sinne und ihre Erinnerung mit besseren Dingen erfüllt waren. Christi Jünger sind oft von der Art, dass sie in den Dingen dieser Welt nicht viel Weitblick haben. Hier gibt es:

1. Die Warnung, die Christus ihnen gibt, sich „vor dem Sauerteig der Pharisäer" zu hüten. Jünger stehen in größter Gefahr durch Heuchler; sie sind am meisten vor denen auf der Hut, die offen unmoralisch sind, doch gegenüber solchen wie den Pharisäern und Sadduzäern sind sie oft unbedacht. Deshalb wurde die Warnung verdoppelt: „Habt acht und hütet euch." Die verderbten Grundsätze und Praktiken der Pharisäer und Sadduzäer werden mit „Sauerteig" (Hefe) verglichen; sie brachten alles zur Gärung, wo immer sie auch hingingen.

2. Ihr Missverständnis hinsichtlich dieser Warnung **(s. Vers 7)**. Sie meinten, Christus würde sie wegen ihrer mangelnde Voraussicht und Vergesslichkeit zurechtweisen. Oder sie nahmen es als Warnung, nicht zu vertraut mit den Pharisäern und Sadduzäern zu werden, nicht mit ihnen zu essen. Doch die Gefahr lag nicht in dem Brot der Pharisäer und Sadduzäer – Christus aß selbst mit ihnen (s. Lk 7,36; 11,37; 14,1) –, sondern in ihren Beweggründen.

3. Die Rüge, die ihnen Christus dafür erteilte.
3.1 Er tadelte sie für ihr Misstrauen in seine Fähigkeit und Bereitschaft, sie in dieser Schwierigkeit zu versorgen: „,Ihr Kleingläubigen', warum seid ihr so verwirrt, weil ihr ‚kein Brot mitgenommen habt', dass ihr an nichts anderes denken könnt?" **(Vers 8)**. Er tadelte sie nicht für ihre fehlende Voraussicht, wie sie

erwarteten, dass er es tun würde. Eltern und Herren dürfen nicht mehr als nötig über die Vergesslichkeit ihrer Kinder und Diener böse sein, um sie das nächste Mal sorgfältiger sein zu lassen; wir neigen dazu, unsere Pflicht zu vergessen. Beachten Sie, wie leicht Christus ihnen ihre Nachlässigkeit vergab; wir sollten entsprechend vergeben. Wofür er sie tadelte, das war ihr kleiner Glaube. Dies zeigt uns:
Er wollte, dass sie sich auf ihn verlassen, dass er sie versorgt. Obwohl die Jünger Christi durch ihre eigene Nachlässigkeit und Gedankenlosigkeit in große Not und Schwierigkeiten gebracht werden, ermutigt er sie immer noch, ihm zu vertrauen, dass er ihnen hilft. Wir dürfen dies jedoch nicht als Entschuldigung dafür benutzen, denen gegenüber einen Mangel an Freigebigkeit zu zeigen, die tatsächlich arm sind, und ihnen sagen, dass sie sich besser um ihre Angelegenheiten hätten kümmern müssen und sie dann nicht so notleidend sein würden. Das kann so sein, doch man darf sie nicht dem Verhungern überlassen, wenn sie in Not sind.
Ihm missfiel ihr Sorgen in dieser Sache. Die Schwachheit und fehlende Sorge guter Menschen in ihren weltlichen Angelegenheiten ist etwas, für das andere Menschen dazu neigen, sie zu verurteilen, doch für Christus ist sie nicht so ein Anstoß wie ihre übertriebene Besorgnis und Unruhe über diese Dinge. Wir müssen versuchen, die Balance zwischen den zwei Extremen der Nachlässigkeit und der Besorgnis zu halten, doch von den beiden ist die Sorge um die Dinge dieser Welt für Christi Jünger schlimmer.
Was ihr Misstrauen noch schlimmer machte, war die Erfahrung, die sie gerade von der Macht und Güte Christi gemacht hatten, dass er für sie sorgt (s. Vers 9-10). Sie hatten den Einen bei sich, der Brot für sie besorgen konnte. Wenn sie nicht die Zisterne hatten, dann hatten sie die Quelle. „Versteht ihr noch nicht, und denkt ihr nicht ... ?" Man muss Christi Jünger oft der Seichtheit ihres Verständnisses und der Unzuverlässigkeit ihres Gedächtnisses beschuldigen. „Bedenkt, ‚wie viele Körbe ihr da aufgehoben habt'." Diese Körbe sollten die Mittel sein, sich an diese Barmherzigkeit zu erinnern; der Eine, der sie da mit solch einem Überschuss versorgen konnte, konnte sie sicherlich auch mit dem versorgen, was nun nötig war. Wir sind durch unsere jetzigen Sorgen und unser Misstrauen bestürzt, weil wir uns nicht angemessen an unsere früheren Erfahrungen erinnern, die wir von Gottes Macht und Güte gemacht haben.
3.2 Er tadelte ihr Missverständnis der Warnung, die er ihnen gegeben hatte: „Warum versteht ihr denn nicht ... ?" **(Vers 11)**. Christi Jünger können sehr wohl beschämt sein, dass sie so schwerfällig und träge darin sind, göttliche Dinge zu erfassen: Ich habe es „euch nicht wegen des Brotes gesagt". Er nahm es schlecht auf:
Dass sie denken sollten, er wäre genauso um Brot besorgt wie sie, wo es doch seine Speise (Nahrung) war, den Willen dessen zu tun, der ihn gesandt hat (s. Joh 4,34).
Dass sie so wenig vertraut mit seiner Art des Predigens sein sollten, dass sie wörtlich nehmen, was er als Gleichnis sagte.

4. Die Richtigstellung des Irrtums durch seinen Tadel: „Da sahen sie ein", was er meinte **(Vers 12)**. Er sagte ihnen nicht ausdrücklich, was er meinte, sondern wiederholte, was er gesagt hatte, und so zwang er sie, durch ihr eigenes Denken auf den Sinn zu kommen. So lehrt Christus durch den Geist der Weisheit im Herzen, dass er das Verständnis für den Geist der Offenbarung im Wort öffnet (s. Lk 24,45; Eph 1,17). Die Wahrheiten, die wir selbst herausgefunden haben, sind am kostbarsten.

Vers 13-20

Hier haben wir eine private Diskussion, die Christus mit seinen Jüngern über sich selbst hatte. Es war in dem Gebiet von Cäsarea Philippi; dort, in diesem entfernten Winkel strömten vielleicht weniger Menschen zu ihm als an anderen Orten, was ihm mehr Gelegenheit gab, dieses private Gespräch mit seinen Jüngern zu haben.

1. Er fragte, was die Meinungen der anderen Leute über ihn waren: „Für wen halten die Leute mich, den Sohn des Menschen?"
1.1 Er nannte sich selbst den „Sohn des Menschen", was man entweder sehen kann:
Als eine Bezeichnung, die er mit anderen gemeinsam hat. Er wurde, und das zu Recht, „Gottes Sohn" genannt, denn er war es (s. Lk 1,35), doch er nannte sich selbst den Sohn des Menschen, denn er war wirklich und wahrhaftig „Mensch, von der Frau geboren" (Hiob 14,1; s. 15,14). Oder:
Als Bezeichnung, die ihn als Mittler kennzeichnete.
1.2 Er fragte, was die Haltung der Menschen ihm gegenüber war: „Für wen halten die Leute mich? Den Sohn des Menschen?" – Wie man es, wie ich denke, besser lesen könnte. „Erkennen sie mich als den Messias an?" Er fragte nicht: „Wer, sagen die Schriftgelehrten und Pharisäer, dass ich bin?", sondern: „Wer sagen die Leute, dass ich bin?" Er dachte an die gewöhnlichen Leute, die von den Pharisäern verachtet wurden. Die gewöhnlichen Leute sprachen vertrauter mit den Jüngern, als es mit ihrem Meister taten, und so würde er von ihnen besser erfahren, was die Leute sagten. Christus hatte nicht klar gesagt, wer er war; er überließ es anderen, seine Identität aus seinen Werken zu schließen (s. Joh 10,24-25). Nun wollte er wissen, was die Leute gefolgert hatten.

1.3 Die Jünger gaben ihm eine Antwort auf diese Frage: „Etliche für Johannes den Täufer" **(Vers 14)**. Die Menschen hatten unterschiedliche Meinungen; manche sagten die eine Sache, andere eine andere. Die Wahrheit ist einmalig, doch diejenigen, die davon abweichen, weichen für gewöhnlich auch voneinander ab. Da er solch eine bekannte Person war, war jeder bereit, ihn zu beurteilen, und es gibt so viele Meinungen, wie es Menschen gibt. Die Meinungen der Leute waren jedoch ehrenwert. Es ist möglich, dass die Menschen gute Gedanken über Christus haben, doch nicht die richtigen, eine hohe Meinung von ihm, aber nicht hoch genug. Sie alle glaubten, dass er einer sei, der vom Tod auferstanden ist, was vielleicht aus einer undeutlichen Vorstellung kam, dass der Messias vom Tod auferstehen würde. Es waren alles falsche Ansichten, die sich auf Irrtümern gründeten.

„Etliche für Johannes den Täufer." Herodes sagte dies (s. Mt 14,2), und die um ihn herum werden dazu neigen, das zu sagen, was er sagte.

„... andere aber für Elia." Diejenigen mit dieser Meinung gründeten sie ohne Zweifel auf die Prophetie von Maleachi: „Siehe, ich sende euch den Propheten Elia" (Mal 3,23).

„... noch andere für Jeremia."

„... oder einen der Propheten." Dies zeigt, was für eine ehrenwerte Vorstellung sie von den Propheten hatten, doch sie waren Söhne derer, welche jene verfolgten und erschlugen (s. Mt 23,31). Statt die Möglichkeit zuzulassen, dass Jesus von Nazareth, einer aus ihrem eigenen Land, ein solch außergewöhnlicher Mensch sein könnte, als den ihn seine Werke auswiesen, wollten sie lieber sagen: „Es ist nicht er, sondern ‚einer der alten Propheten'" (Lk 9,19).

2. Er fragte sie, was *ihre* Ansichten über ihn waren: „Ihr aber, für wen haltet ihr mich?" **(Vers 15)**.

2.1 Die Jünger selbst waren besser gelehrt als die anderen; durch ihre Vertrautheit mit Christus hatten sie bessere Gelegenheiten, Erkenntnis über ihn zu erlangen, als andere sie hatten. Diejenigen, die Christus besser kennen als andere, sollten wahrhaftigere Vorstellungen von ihm haben, und sie sollten in der Lage sein, ihn besser darzustellen als andere.

2.2 Die Jünger waren ausgebildet, andere zu schulen, und deshalb war es notwendig, dass sie selbst die Wahrheit verstanden. Dies ist eine Frage, die sich jeder von uns häufig stellen sollte: „Wer, sagen wir, welche Art von Mensch, sagen wir, ist der Herr Jesus?" Nach dem, ob unsere Ansichten über Jesus Christus richtig oder falsch sind, ist es gut oder schlecht um uns bestellt. Dies ist die Frage. Hier gibt es:

Die Antwort von Petrus auf diese Frage **(s. Vers 16)**. Petrus antwortete im Namen von allen übrigen, sie stimmten dem alle zu. Das Temperament von Petrus brachte ihn dazu, beim Sprechen bei solchen Anlässen der Vorderste von allen zu sein, und manchmal sprach er gut und manchmal schlecht. In allen Gruppen von Menschen gibt es welche, die leidenschaftlich und kühn sind, denen von Natur aus das Recht zufällt, im Namen der anderen zu sprechen. Petrus war solch ein Wortführer. Petrus' Antwort ist kurz, doch sie ist vollständig, wahr und trifft den Punkt: „Du bist der Christus, der Sohn des lebendigen Gottes!" Dies ist die Summe aus der ganzen Lehre (s. Pred 12,13). Die Leute nannten ihn einen Propheten, *den* Propheten (s. Joh 6,14), doch die Jünger erkannten ihn als Christus an, „den Gesalbten". Es war sehr bewundernswert, dies von einem zu glauben, dessen äußere Erscheinung so gegen die allgemeine Vorstellung war, welche die Juden von dem Messias hatten. Er nannte sich selbst den „Sohn des Menschen", doch sie erkannten ihn als den „Sohn des lebendigen Gottes" an. Sie wussten und glaubten, dass er „der Sohn des lebendigen Gottes" ist und das Leben der Welt. Stimmen wir zu? Dann lassen Sie uns zu Christus gehen und es ihm also sagen: „Herr Jesus, ‚du bist der Christus, der Sohn des lebendigen Gottes!'"

Die Anerkennung von Christus für diese Antwort (s. Vers 17-19). Christus antwortete ihm sowohl einem Gläubigen als auch als einem Apostel.

Als einem Gläubigen **(s. Vers 17)**. Christus zeigte sich sehr erfreut über das Bekenntnis von Petrus, dass es so klar und deutlich war. Christus zeigte Petrus, von woher er die Erkenntnis dieser Wahrheit empfangen hatte. Es war bei der ersten Offenbarung dieser Sache bei der Dämmerung des Tages des Evangeliums eine gewaltige Sache, das zu glauben. Petrus hatte die Freude davon: „Glückselig bist du, Simon, Sohn des Jona." Er erinnerte ihn an seinen Ursprung und seine Herkunft, er war ein „Sohn des Jona", „der Sohn einer Taube". Möge er „auf den Felsen" sehen, aus dem er gehauen ist (s. Jes 51,1), damit er sehen kann, dass er zu dieser Ehre nicht geboren, sondern durch Gottes Gunst zu dieser fortgeschritten ist; es war die freie Gnade, die ihn von anderen unterschied. Nachdem er ihn daran erinnert hat, machte Christus ihm bewusst, wie sehr er als Gläubiger gesegnet ist. „Glückselig bist du." Echte Gläubige sind wirklich glückselig, und diejenigen, die Christus glückselig nennt, sind wirklich glückselig. Jede Seligkeit ist eine Begleiterscheinung rechter Erkenntnis von Christus. Wenn Petrus die Freude davon hatte, muss Gott die Ehre dafür bekommen: „‚... denn Fleisch und Blut hat dir das nicht geoffenbart.' Dieses Licht entsprang weder der Natur noch der Erziehung, sondern kam von meinem Vater im Himmel." Dies zeigt uns, dass rettender Glaube eine Gabe

Gottes ist, und wo immer er ist, wurde er von ihm hervorgebracht. „Du bist glückselig, weil ‚mein Vater' dir dies offenbart hat." Diejenigen, die so sehr begünstigt sind, sind glückselig (s. Lk 1,28).

Als Apostel oder geistlicher Diener (s. Vers 18-19). Durch Eifer im Bekennen von Christus ist nichts verloren, denn diejenigen, die ihn auf diese Weise ehren, werden von ihm geehrt werden (s. 1.Sam 2,30).

3. Aus Anlass dieses großen Bekenntnisses, das Petrus von Christus macht, welches die Ehre und Untertanenpflicht der Gemeinde ist, unterzeichnet und verkündet Christus diese göttliche und königliche Urkunde, durch welche diese Gemeinschaft gegründet wird. Der Zweck dieser Urkunde war:

3.1 Die Existenz der Gemeinde zu begründen. „Und ich sage dir auch." Christus war es, der dies bewilligte, der Eine, welcher das Haupt der Gemeinde ist. Die Bewilligung wurde Petrus in die Hand gelegt: „Ich sage es dir." Die Urkunde des Neuen Testaments wurde hier Petrus als Bevollmächtigtem in die Hand gegeben, doch für den Nutzen und Vorteil der Gemeinde zu allen Zeiten gemäß den Zielen, die darin angegeben und enthalten sind. Hier wurde verheißen, dass:

Christus seine Gemeinde auf einem Felsen aufbauen würde. Diese Gemeinschaft wurde unter dem Titel „Gemeinde Christi" gegründet. Es ist eine Anzahl von Menschen, die aus der Welt herausgerufen, von ihr unterschieden und Christus geweiht sind.

Der Erbauer und Erschaffer dieser Gemeinde ist Christus selbst: „Ich will sie bauen, ihr seid Gottes Bau." Bauen ist ein fortschreitendes Werk; die Gemeinde ist in dieser Welt wie ein Haus, das gebaut wird. Es ist ein Trost, dass Christus, der göttliche Weisheit und Macht hat, es übernimmt, sie zu bauen (s. Spr 9,1; 24,3).

Das Fundament, auf welches sie gebaut wird, ist dieser „Felsen". Wenn das Fundament morsch ist, dann wird, selbst wenn der Architekt seine Aufgabe sehr gut macht, das Gebäude nicht standhalten; deshalb wollen wir schauen, was das Fundament ist.

Die Gemeinde wird auf einem „Felsen" gebaut, einem festen, starken und dauerhaften Fundament, welches die Zeit nicht verheeren wird, noch wird es unter dem Gewicht des Gebäudes zusammenbrechen. Christus wollte sein Haus nicht auf Sand bauen, denn er wusste, dass Stürme kommen würden (s. Mt 7,26-27). *Sie wird auf diesen Felsen gebaut;* „Du bist Petrus", was „ein Stein oder Fels" bedeutet. Christus gab ihm diesen Namen, als er ihn zuerst berief (s. Joh 1,42), und hier bekräftigt er ihn. Die Erwähnung dieses bedeutsamen Namens war für Christus der Anlass, diese Metapher vom Bauen auf einem Felsen zu verwenden.

Manche verstehen diesen Felsen als Verweis auf Petrus selbst als einen Apostel. Die Gemeinde ist auf der Grundlage der Apostel erbaut (s. Eph 2,20). Die ersten Steine dieses Gebäudes wurden in ihrem und durch ihren Dienst gelegt. Da nun Petrus der Apostel war, durch dessen Hand die ersten Steine der Gemeinde gelegt wurden, sowohl mit jüdischen Bekehrten (s. Apg 2) als auch mit heidnischen Bekehrten (s. Apg 10), könnte in einem gewissen Sinn gesagt werden, dass er der Felsen ist, auf den sie gebaut wurde.

Andere verstehen diesen Felsen als Verweis auf Christus. „Du bist Petrus', du hast den gleichen Namen wie ein Stein, doch ‚auf diesen Felsen'" – auf sich weisend, „will ich meine Gemeinde bauen". Er nahm das Beispiel von Petrus, um von sich selbst als dem Felsen zu sprechen. Christus ist sowohl der Gründer der Gemeinde als auch ihr Fundament; er zieht Seelen und er zieht sie zu sich; sie sind mit ihm vereinigt und sie ruhen in ihm und hängen beständig von ihm ab.

Andere verstehen diesen Felsen als das Bekenntnis, das Petrus von Christus machte, und dies kommt auf das Gleiche heraus wie es als Verweis auf Christus selbst zu verstehen. Christus sagte: „Dies ist nun die große Wahrheit, auf die ich meine Gemeinde bauen will." Wenn Sie diese Wahrheit wegnehmen, fällt die universale Gemeinde zu Boden. Wenn Christus nicht der Sohn Gottes ist, ist das Christentum eine Täuschung. Wenn Sie in irgendeiner einzelnen Gemeinde den Glauben an und das Bekenntnis zu dieser Wahrheit wegnehmen, hört sie auf, Teil der Gemeinde Christi zu sein. Durch die Zulassung oder Ablehnung dieser einen Klausel steht oder fällt die Gemeinde; sie ist das größte Scharnier, durch das sich die Tür des Heils dreht. Diejenigen, die dies aufgeben, behalten nicht das Fundament.

Christus würde seine Gemeinde bewahren und schützen, wenn sie gebaut war: „… und die Pforten des Totenreiches sollen sie nicht überwältigen."

Dies besagt, dass die Gemeinde Feinde hat, die gegen sie kämpfen und versuchen, ihr Verderben und ihren Sturz zu verursachen, hier dargestellt durch „die Pforten des Totenreiches", das ist, die Stadt der Hölle, der Einfluss des Teufels unter den Menschen; die Stadt der Hölle ist das genaue Gegenteil der himmlischen Stadt, dieser „Stadt des lebendigen Gottes" (Hebr 12,22).

Dies versichert uns, dass die Feinde der Gemeinde nicht siegreich sein werden. Solange die Welt besteht, wird Christus eine Gemeinde in ihr behalten. An dem einen oder anderen Ort wird es den christlichen Glauben geben; er wird nicht immer gleich rein und herrlich sein und doch wird er seinen Kern behalten, sodass seine Erbschaft nie völlig zerstört werden wird. Die Gemeinde kann durch verschiedene Schlachten zurückgeworfen werden, doch in dem hauptsächlichen Krieg wird sie als jemand gewinnen, der weit überwindet (s. Röm 8,37).

3.2 Die Führung der Gemeinde zu regeln (s. Vers 19). Eine Stadt ohne Regierung ist im Chaos. Diese Einsetzung der Führung der Gemeinde wird hier durch die Übergabe der Schlüssel ausgedrückt und, mit ihnen, einer Macht, zu binden und zu lösen. Dies stattet alle Apostel und ihre Nachfolger mit geistlicher Macht aus, die Gemeinde Christi zu leiten und zu regieren, wie sie sie in einzelnen Versammlungen und Kirchen nach den Richtlinien des Evangeliums gibt. Die Schlüssel wurden zuerst Petrus in Obhut gegeben, weil er der Erste war, welcher „den Heiden die Tür des Glaubens geöffnet" hat (Apg 14,27). Christus hat, als er seine Gemeinde gründete, das Amt des geistlichen Dienstes eingesetzt, um Ordnung und Kontrolle zu bewahren und dafür zu sorgen, dass seine Gesetze ordnungsgemäß befolgt werden. Er sagt nicht: „Die Schlüssel sollen gegeben werden", sondern: „Ich will sie geben", denn geistliche Diener bekommen ihre Autorität von Christus, und all ihre Macht muss in seinem Namen ausgeübt werden (s. 1.Kor 5,4).

Die Macht, die hier übertragen wird, ist eine geistliche Autorität; sie ist eine Macht, die das Reich Gottes betrifft (s. Apg 1,3; Elb 06), das heißt, zur Gemeinde, zum Zeitalter des Evangeliums.

Es ist die Macht der Schlüssel, die gegeben wird, was eine Anspielung auf den Brauch ist, Menschen an diesem oder jenem Ort mit Autorität auszustatten, indem man ihnen die Schlüssel von dem Ort übergibt. Oder, Christus gibt die Schlüssel der Gemeinde, wie der Herr des Hauses sie dem Haushalter gibt, die Schlüssel zu den Räumen, in denen die Vorräte gelagert werden.

Es ist die Macht, zu binden und zu lösen, das ist – um bei der Metapher mit den Schlüsseln zu bleiben –, zu schließen und zu öffnen.

Es ist eine Macht, bei der Christus verheißen hat, die rechte Anwendung von ihr anzuerkennen; „das wird im Himmel gebunden sein; und ... das wird im Himmel gelöst sein". Das Wort des Evangeliums im Mund treuer geistlicher Diener darf nicht als menschliches Wort, sondern muss als das Wort Gottes angesehen und als solches aufgenommen werden (s. 1.Thess 2,13). „Die Schlüssel des Reiches der Himmel" sind nun:

Die Schlüssel der Lehre, die auch die Schlüssel der Erkenntnis genannt werden. Die Apostel hatten nun eine außergewöhnliche Macht dieser Art; manche Dinge, die vom Gesetz des Mose verboten waren, mussten nun erlaubt werden; manche dort erlaubten Dinge mussten nun verboten werden, und die Apostel waren autorisiert, dies der Welt zu verkündigen. Als Petrus zuerst selbst gelehrt wurde und dann andere lehrte, nichts „gemein oder unrein" zu nennen (Apg 10,28), wurde diese Macht ausgeübt. Es gibt hier auch eine gewöhnliche Macht, die allen geistlichen Dienern gegeben wird, den Menschen im Namen Gottes und gemäß den Schriften zu sagen, „was gut ist und was der HERR von dir fordert" (Mi 6,8). Christus gab seinen Aposteln die Autorität, das Buch des Evangeliums für Menschen zu schließen oder zu öffnen, wie es die Situation erfordert. Wenn geistliche Diener den Bußfertigen in Christi Namen Frieden und Vergebung und den Unbußfertigen den Zorn und den Fluch verkündigen, handeln sie gemäß dieser Autorität des Bindens und Lösens.

Der Schlüssel der Zucht, der die Anwendung dieses vorhergehenden Schlüssels auf den einzelnen Menschen ist, die richtige Bewertung ihres Charakters und ihrer Taten. Der Richter macht das Gesetz nicht, sondern verkündet nur, was Gesetz ist und fällt danach das Urteil. Christi geistliche Diener haben die Autorität, Mitglieder in die Gemeinde aufzunehmen: „Geht ... macht zu Jüngern alle Völker, und tauft sie"; wenn Menschen den Glauben an Christus und Gehorsam gegenüber ihm bekennen, dann nehmt sie durch die Taufe auf" (Mt 28,19). Geistliche Diener sollen „die Geladenen zur Hochzeit" einlassen (Mt 22,3) und diejenigen draußen halten, die für eine solche heilige Gemeinschaft eindeutig nicht geeignet sind. Sie haben auch Autorität, diejenigen abzuweisen und auszuschließen, die ihre Kirchenmitgliedschaft verwirkt haben, und dann auf ihre Buße hin diejenigen wiederherzustellen und wieder aufzunehmen, die ausgeschlossen wurden, diejenigen zu lösen, die sie gebunden hatten. Die Apostel hatten eine übernatürliche Gabe, die „Geister zu unterscheiden" (1.Kor 12,10), doch selbst sie handelten nach dem Grundsatz „was vor Augen ist" (1.Sam 16,7; s. Apg 8,21; 1.Kor 5,1; 2.Kor 2,7; 1.Tim 1,20), was geistliche Diener, wenn sie kundig und treu sind, immer noch als Grundlage für ihre Entscheidungsfindung benutzen können.

4. Hier ist Christi Gebot an seine Jünger, diese Sache momentan geheim zu halten: Sie dürfen „niemand sagen ... dass er Jesus der Christus sei" **(Vers 20)**. Was sie ihm bekannt hatten, dürfen sie aus verschiedenen Gründen noch nicht der Welt verkündigen:

4.1 Weil dies die Zeit der Vorbereitung für sein Reich war; die große Sache, die nun gepredigt wurde, war, dass das Reich Gottes nahe ist (s. Mk 1,15). Alles ist vortrefflich zu seiner Zeit (s. Pred 3,1.11) und es ist ein guter Rat: „Besorge zuerst deine Arbeit und danach magst du bauen" (s. Spr 24,27).

4.2 Christus wollte, dass sich seine Messianität durch seine Werke beweist. Er war sich der

Überzeugungskraft seiner Wunder so sicher, dass er auf andere Zeugen verzichtete (s. Joh 10,25.38).

4.3 Christus wollte nicht, dass seine Apostel dies predigen, bis sie den überzeugendsten Beweis als Bestätigung dafür bringen konnten. Große Wahrheiten können Schaden erleiden, wenn man sie erklärt, ehe sie hinlänglich bewiesen werden können. Der große Beweis, dass Jesus der Christus ist, war nun seine Auferstehung (s. Röm 1,4).

4.4 Es war notwendig, dass die Prediger einer so großen Wahrheit mit einem größeren Maß des Geistes ausgestattet werden, als es die Apostel zu jener Zeit hatten. Als Christus verherrlicht war und der Geist ausgegossen wurde, sehen wir, wie Petrus das auf den Dächern verkündet, was hier ins Ohr gesagt wird (s. Mt 10,27). So wie es eine Zeit gibt zu schweigen, so gibt es auch eine Zeit zu sprechen (s. Pred 3,7).

Vers 21-23

Hier haben wir das Gespräch Christi mit seinen Jüngern über sein Leiden, worin Sie beachten sollten:

1. Christi Vorhersage seines Leidens. Er hatte bereits einige Hinweise auf sein Leiden gegeben. Jetzt jedoch begann er *zu zeigen*, wie er leiden muss, indem er klar und deutlich darüber zu sprechen begann. Bis zu dieser Zeit hatte er dies nicht berührt, weil seine Jünger schwach waren, doch jetzt, wo sie mehr wussten und stärker im Glauben waren, begann er, ihnen dies zu sagen. Christus enthüllt den Seinen nach und nach seine Absicht, lässt das Licht herein, wie sie es ertragen können und fähig sind, es aufzunehmen (s. Joh 16,12; Mk 4,33). „Von da an", das heißt, als sie dieses volle Bekenntnis von Christus abgelegt hatten; als er sah, dass sie eine Wahrheit kannten, lehrte er sie eine andere. Wenn sie nicht wohl in dem Glauben gegründet gewesen wären, dass Christus der Sohn Gottes ist, hätte diese neue Lehre ihren Glauben schwer erschüttert. Man kann nicht alle Wahrheiten allen Leuten zu jeder Zeit sagen, sondern so, wie es richtig und passend für ihren Stand zu dieser Zeit ist. Beachten Sie:

1.1 Was er über sein Leiden voraussagte, die Einzelheiten und Umstände, und alles dies war überraschend.

Der Ort, wo er leiden würde. Er muss nach Jerusalem gehen, der Hauptstadt, der heiligen Stadt, und dort leiden. Dort wurden alle Opfer dargebracht und deshalb muss er dort sterben, der Eine, welcher das große Opfer ist.

Die Menschen, durch deren Hand er leiden würde: die Ältesten, die obersten Priester und die Pharisäer. Diejenigen, welche die Eifrigsten hätten sein müssen, um Christus anzuerkennen und anzubeten, waren diejenigen, die ihn am bittersten verfolgten.

Was er leiden würde: dass er „viel leiden ... und getötet werden" müsse. Der unersättliche Hass seiner Feinde und seine eigene unüberwindliche Geduld zeigten sich in der Vielfalt und großen Zahl seines Leidens – er erlitt viele Dinge – und in ihrer extremen Natur; nichts weniger als der Tod würde sie zufriedenstellen: Er muss getötet werden.

Was das glückliche Ergebnis all seines Leidens sein würde: Er würde „am dritten Tag auferweckt werden". Sein Auferstehen am dritten Tag bewies, dass er, trotz seines Leidens, der Sohn Gottes ist, und deshalb erwähnte er dies, um ihren Glauben aufrechtzuerhalten. So müssen wir das Leiden Christi für uns betrachten, darin den Weg zu seiner Herrlichkeit sehen, und so müssen wir unser Leiden für Christus betrachten, durch das Leid hindurch auf die Belohnung schauen. „Wenn wir standhaft ausharren, so werden wir mitherrschen" (2.Tim 2,12).

1.2 Warum er sein Leiden vorhersagte.

Um zu zeigen, dass es das Ergebnis eines ewigen Plans und einer ewigen Zulassung war. Es kam nicht wie eine Schlinge; er sah es klar und sicher voraus, was seine Liebe sehr verherrlicht (s. Joh 18,4).

Um die Missverständnisse richtigzustellen, die seine Jünger über die äußerliche Pracht und Kraft seines Reiches hatten. Hier vermittelte Christus ihnen eine andere Lektion: Er erzählte ihnen von dem Kreuz und vom Leiden. Mit denen, die Christus nachfolgen, muss man offen umgehen; sie dürfen nicht dazu gebracht werden, in dieser Welt große Dinge zu erwarten.

Um sie auf die Teilhabe an zumindest Kummer und Furcht vorzubereiten, die sie an seinem Leiden haben müssen. Wenn er viele Dinge erlitt, würden die Jünger einiges erleiden müssen. Mögen sie es im Voraus wissen und vorgewarnt, gewappnet sein.

2. Der Anstoß, den Petrus daran nahm: Er sagte, „das widerfahre dir nur nicht". Er nahm „ihn beiseite und fing an, ihm zu wehren".

2.1 Es war nicht gut von Petrus, seinem Meister zu widersprechen oder zu meinen, dass er ihm Ratschläge erteilen könnte. Wenn Gottes Wege kompliziert sind oder auch unseren Wegen entgegenstehen, sollten wir sie still akzeptieren, nicht Gott vorschreiben, was er tun sollte; Gott weiß, was er tut, ohne dass wir ihn lehren.

2.2 Es weist hin auf große weltliche Weisheit. Es ist der verderbte Teil von uns, der so darum besorgt ist, uns vor dem Leiden zu retten. Wir neigen dazu, Leid so zu sehen, wie es sich auf das jetzige Leben bezieht, wo es unbequem ist, doch es gibt andere Regeln, um es daran zu messen. Petrus wollte, dass Christus das Leid fürchtet, so sehr er es tat, doch wir sind im Irrtum, wenn wir die Liebe und Geduld Christi an unserer eigenen messen.

3. Christi Missfallen mit Petrus aufgrund dieser Beeinflussung **(s. Vers 23)**. Wir lesen nirgends davon, was irgendeiner seiner Jünger zu irgendeiner Zeit sagte oder tat, dass er so dagegen war wie bei diesem. Beachten Sie, wie er sein Missfallen ausdrückte: „Weiche von mir, Satan!" Gerade eben hatte er gesagt: „Glückselig bist du, Simon", aber hier: „Weiche von mir, Satan", und es gab Grund für beides. Ein guter Mensch kann unerwartet von einer Versuchung ergriffen und rasch sich selbst sehr unähnlich werden. Es ist die Raffinesse Satans, dass er uns durch die unverdächtigen Hände unserer besten und liebsten Freunde Versuchungen schickt. Selbst die freundlichen Taten unserer Freunde uns gegenüber werden oft von Satan verdreht als Versuchungen benutzt. Wir sollten lernen, die Stimme des Teufels zu erkennen, wenn er durch einen Heiligen, wie auch, wenn er durch eine Schlange spricht. Wir müssen freimütig und treu darin sein, den liebsten Freund zurechtzuweisen, den wir haben. Wir dürfen irrige Höflichkeiten nicht begrüßen, sondern müssen sie zurechtweisen. Warum antwortete Christus so heftig auf einen Vorschlag, der nicht nur harmlos schien, sondern sogar freundlich? Es werden zwei Gründe genannt:

3.1 „Du bist ein Hindernis und ein Stolperstein für mich, du stehst mir im Weg." Christus fuhr fort mit dem Werk unserer Errettung und sein Herz war so darauf gerichtet, dass er es übelnahm, daran gehindert zu werden. Petrus wurde nicht so scharf dafür zurechtgewiesen, dass er seinen Meister in seinem Leiden verleugnet und dementiert hat, wie er es dafür wurde, dass er versuchte, ihm davon abzuraten. Unser Herr stellt sein Heil vor sein eigenes Wohlergehen und seine Sicherheit. Er kam nicht in die Welt, um sich zu schonen, wie Petrus es riet, sondern um sich selbst zu geben. „Du bist mir ein Ärgernis." Diejenigen, die zu einem großen und guten Werk verpflichtet sind, müssen erwarten, auf Hindernisse von Freunden und Feinden zu treffen, von innen und von außen. Diejenigen, die uns hindern, etwas für Gott zu tun oder zu leiden, wenn wir dazu berufen sind, sind – was sie auch sonst in anderen Dingen sein mögen – darin Satans, unsere Widersacher.

3.2 „... denn du denkst nicht göttlich, sondern menschlich!" Die Dinge Gottes geraten oft in Konflikt und liegen im Widerstreit mit menschlichen Dingen, das ist unser Besitz, Vergnügen und Ruf.

Vers 24-28

Nachdem er seinen Jüngern gezeigt hat, dass er leiden muss, zeigt Christus ihnen hier, dass sie auch leiden müssen.

1. Hier wurde das Gesetz der Jüngerschaft aufgerichtet und wurden die Bedingungen festgelegt, unter welchen wir ihre Ehre und ihren Nutzen haben können (Vers 24). Beachten Sie:

1.1 Was es heißt, Jünger Christi zu sein; es heißt, ihm nachzufolgen. Ein wahrer Jünger Christi ist jemand, der ihm in der Pflicht folgt und in die Herrlichkeit folgen wird. Ein Jünger folgt Christus und schreibt Christus nichts vor, wie Petrus es versuchte zu tun. Ein Jünger Christi folgt ihm, wie ein Schaf dem Hirten folgt. Diejenigen, die den gleichen Weg gehen wie er, folgen „dem Lamm ... wohin es auch geht" (Offb 14,4).

1.2 Was die großen Dinge sind, die von denen gefordert werden, die Christi Jünger sind: „Wenn jemand mir nachkommen will." Dies zeigt eine überlegte Wahl und eine Heiterkeit und Entschlossenheit in dieser Wahl. Christus möchte, dass seine Leute sich freiwillig melden, um ihm zu folgen (s. Ps 110,3; Elb 06).

„... so verleugne er sich selbst." Petrus hatte Christus geraten, sich zu schonen; Christus sagte zu ihnen allen, dass sie – weit entfernt davon, sich zu schonen – sich selbst verleugnen müssen. Wenn Selbstverleugnung auch eine harte Lektion ist, eine, die Fleisch und Blut gegen den Strich geht, so ist sie dennoch nichts mehr, als was unser Meister vor uns gelernt und praktiziert hat. Alle Jünger und Nachfolger von Jesus Christus müssen sich selbst verleugnen. Es ist ein grundlegendes Gesetz für die Aufnahme in die Schule Christi. Es ist die enge Pforte und der schmale Weg (s. Mt 7,14).

Wir müssen uns selbst völlig verleugnen. Wir dürfen nicht unseren eigenen Schatten bewundern, unsere eigene Laune befriedigen oder unsere Dinge oder unsere eigenen Ambitionen suchen.

Wir müssen uns selbst den Verhältnissen entsprechend verleugnen; wir müssen uns selbst um Christi willen verleugnen; wir müssen uns selbst um unserer Geschwister willen und zu ihrem Wohl verleugnen. Wir müssen uns selbst um unseretwillen verleugnen, wir müssen unsere leiblichen Gelüste verleugnen, um geistliche Wohltaten zu erlangen.

„... und nehme sein Kreuz auf sich." Das Kreuz steht hier für alles Leiden als Menschen oder als Christen: Schicksalsschläge, Unglücke, Verfolgungen um der Gerechtigkeit willen, jede Schwierigkeit, die uns begegnet, entweder dafür, Gutes zu tun, oder nichts Schlechtes zu tun. Zu wissen, dass sie das sind, was wir genau wie Christus tragen und die Art von Leiden sind, die er bereits vor uns getragen hat, sollte uns mit unseren Schwierigkeiten versöhnen und ihren Schrecken die Schärfe nehmen.

Jeder Jünger Christi hat sein Kreuz und muss damit rechnen; jeder hat seine besondere Pflicht zu erfüllen und jeder spürt seine eigene Last am meisten. Kreuze sind das gemeinsame Los von Gottes Kindern, doch von diesem gemeinsamen Los hat jedes seinen individuellen Anteil. Es ist für uns gut, das Kreuz, unter dem wir sind, unser eigenes zu nennen und es entsprechend anzunehmen. Wir neigen dazu, zu denken, wir könnten das Kreuz eines anderen Menschen besser tragen als unser eigenes, doch das beste Kreuz ist das, was wir tragen, und wir sollten das Beste daraus machen.

Jeder Jünger Christi muss das auf sich nehmen, was der weise Gott zu seinem Kreuz gemacht hat. Wir dürfen uns nicht selbst Kreuze machen, sondern müssen uns mit den Kreuzen aussöhnen, die Gott für uns gemacht hat. Unsere Regel ist, dass wir uns nicht einen Schritt von unserer Pflicht entfernen sollen, sei es, um auf ein Kreuz zu treffen, oder um eines zu vermeiden. Wir dürfen nicht durch unsere Unbesonnenheit und Unüberlegtheit Kreuze auf uns herabbringen, müssen sie aber auf uns nehmen, wenn sie uns in den Weg gestellt werden. Immer, wenn wir ein Missgeschick auf unserem Weg finden, müssen wir es von unserem Weg auf uns nehmen und dann mit ihm unseren Weg fortsetzen, selbst wenn es schwer ist. Was wir zu tun haben, ist nicht nur, das Kreuz zu tragen, sondern das Kreuz auch auf uns zu nehmen, es zu einem Gewinn zu machen. Wir sollten nicht sagen: „Dies ist ein Übel, und ich muss es tragen, weil ich nichts tun kann", sondern: „Dies ist ein Übel, und ich will es tragen, weil es zu meinem Besten dienen wird." Wenn wir uns in unseren Trübsalen freuen und rühmen, dann nehmen wir unser Kreuz auf uns.

„*... und folge mir nach*", auf diese Weise, indem er das Kreuz auf sich nimmt. Tragen wir das Kreuz? Wir müssen Christus nachfolgen, indem wir dies tun; er trägt es *vor* uns, er trägt es *für* uns und trägt es damit *von* uns. Er trug das schwere Ende des Kreuzes, das Ende, das den Fluch auf sich hatte, das ein schweres Ende war, und damit machte er das andere Ende für uns verhältnismäßig leicht und angenehm. Oder wir können das Gebot allgemeiner nehmen, dass wir Christus in jedem Bereich der Heiligkeit und des Gehorsams folgen müssen. Gutes tun und Unrecht zu leiden heißt Christus nachfolgen. Diejenigen, die hinter Christus nachkommen, müssen ihm nachfolgen.

2. Selbstverleugnung und geduldiges Leiden sind harte Lektionen, die niemals gelernt werden, wenn wir „mit Fleisch und Blut zu Rate" gehen (Gal 1,16), deshalb wollen wir in Bezug auf einige angemessene Überlegungen zu den Pflichten der Selbstverleugnung und des Leidens für ihn mit unserem Herrn Jesus zu Rate gehen. Er gibt uns hier:

2.1 Einige angemessene Überlegungen zu den Pflichten der Selbstverleugnung und des Leidens für Christus. Beachten Sie:

Die Bedeutung der Ewigkeit, die von unserer jetzigen Wahl abhängt: „Denn wer sein Leben retten will", indem er Christus verleugnet, „der wird es verlieren; wer aber sein Leben verliert um meinetwillen", indem er sich zu Christus bekennt, „der wird es finden" **(Vers 25)**. Hier sind Leben und Tod, das Gute und das Böse, Segen und Fluch, vor uns gestellt (s. 5.Mose 30,15.19). Beachten Sie:

Das Unglück, das den offensichtlichsten Abfall vom Glauben (Apostasie) begleitet. „Denn wer sein Leben retten will" in dieser Welt, wird, wenn es durch Sünde ist, „es verlieren" in einer anderen. Derjenige, der Christus für ein weltliches Leben verlässt und einen leiblichen Tod vermeidet, wird sicherlich nicht das ewige Leben erreichen, wird Schaden durch den zweiten Tod erleiden und er wird von ihm in Ewigkeit festgehalten werden (s. Offb 2,11). Das gerettete Leben ist nur für einen Augenblick gerettet, der vermiedene Tod ist nur wie ein Schlaf, doch das verlorene Leben ist ewig, und der Tod, auf den man trifft, ist eine endlose Trennung von allem Guten.

Der Nutzen, der die gefährlichste und kostspieligste Treue begleitet. „... wer aber sein Leben verliert" in dieser Welt um Christi willen, wird es in einer besseren Welt finden. Viele Leben werden um Christi willen verloren. Der heilige Glaube Christi ist uns mit dem Blut Tausender besiegelt überliefert. Selbst wenn viele für Christus Verlierer waren, sogar das Leben selbst verloren haben, war niemals jemand und wird niemals jemand am Ende durch ihn Verlierer sein. Leidende Heilige haben zu aller Zeit gesehen, dass die Gewissheit des Lebens, das sie in ihm anstelle des Lebens finden würden, das sie aufs Spiel setzten, sie befähigte, über den Tod mit all seinem Schrecken zu siegen, lächelnd auf das Schafott zu steigen und singend zu ertragen, wenn sie auf dem Scheiterhaufen verbrannt wurden.

Der Wert der Seele, die auf dem Spiel steht, und die Wertlosigkeit der Welt im Vergleich zu ihr: „Denn was hilft es dem Menschen, wenn er die ganze Welt gewinnt, aber sein Leben verliert?" **(Vers 26)**. Dies weist auf das allgemeine Prinzip hin, dass, was immer ein Mensch bekommt, es ihm, wenn er sein Leben verliert, nichts Gutes tun wird; er kann sich nicht an dem erfreuen, was er gewonnen hat. Doch es blickt höher und spricht von der Seele als unsterblich und von einem Verlust von ihr über den Tod hinaus, der nicht durch den Gewinn der ganzen Welt ausgeglichen werden kann. Wir können daraus lernen:

Unsere Seelen gehören uns nicht in Bezug auf die Macht und das Eigentumsrecht, sondern in Bezug auf Vertrautheit und Wichtigkeit, denn sie sind wir selbst.

Es ist für die Seele möglich, verlorenzugehen, und es besteht die große Gefahr, dass dies geschieht. Die Seele ist verloren, wenn sie ewig von allem Guten getrennt ist, um all das Böse zu tun, wozu eine Seele fähig ist, wenn sie von der Gunst Gottes getrennt ist.

Wenn die Seele verloren ist, ist der Sünder derjenige, der sie verliert. Der Mensch verliert sein Leben, denn er tut Dinge, die sie sicherlich zerstören, und missachtet, was alleine sie retten würde (s. Hos 13,9).

Eine Seele ist mehr wert als die ganze Welt. Unsere eigenen Seelen sind für uns wertvoller, als es aller Wohlstand, alle Ehre und alles Vergnügen dieser Welt wären, wenn wir sie hätten.

Das Gewinnen der Welt bedeutet oft, die Seele zu verlieren. Viele Menschen haben durch ihre übermäßige Sorge, ihre weltlichen Interessen zu schützen und voranzubringen, ihren Anteil an der Ewigkeit zunichtegemacht.

Der Verlust der Seele ist ein so großer Verlust, dass der Gewinn der ganzen Welt dies nicht aufwiegen wird. Der Mensch, der seine Seele verliert, macht, selbst wenn es geschieht, um die Welt zu gewinnen, ein sehr schlechtes Geschäft. Wenn dieser Mensch die Rechnung bezahlen muss, Gewinn und Verlust vergleicht, wird er sehen, dass er in jeder Hinsicht ruiniert ist, unwiderruflich bankrott. „Oder was kann der Mensch als Lösegeld für sein Leben geben?" Ist die Seele einmal verloren, ist sie für immer verloren. Es ist ein Verlust, der niemals ersetzt oder wiedererlangt werden kann. Deshalb ist es gut, in der Zeit weise zu sein und uns selbst Gutes zu tun (s. Spr 9,11-12).

2.2 Einige angemessene Überlegungen, um uns in unserer Selbstverleugnung und unserem Leiden für Christus zu ermutigen.

Die Gewissheit, die wir von der Herrlichkeit Christi bei seinem zweiten Kommen haben, um die Welt zu richten **(s. Vers 27).** Wenn wir die Dinge sehen, wie sie dann erscheinen *werden*, werden wir sie so sehen, wie sie jetzt erscheinen *sollten*. Die große Ermutigung, in unserem religiösen Glauben fest zu sein, kommt aus dem zweiten Kommen Christi, wenn wir es betrachten:

Als seine Ehre: „Denn der Sohn des Menschen wird in der Herrlichkeit seines Vaters mit seinen Engeln kommen." Christus in diesem Stand seiner Erniedrigung zu betrachten, würde seine Nachfolger entmutigen, für ihn irgendwelche Mühen auf sich zu nehmen oder Risiken einzugehen; doch wenn wir im Glauben blicken, dass wir den Urheber unseres Heils (s. Hebr 2,10) in seiner Herrlichkeit kommen sehen, wird uns das motivieren und denken lassen, dass es nichts gibt, das im Hinblick auf ihn zu viel ist zu tun oder zu schwer zu leiden.

Als unser Anliegen: „... und dann wird er jedem Einzelnen vergelten nach seinem Tun." Jesus Christus wird als Richter kommen, um zu belohnen und zu strafen. Die Menschen werden dann nicht gemäß dem belohnt werden, was sie in dieser Welt erlangt haben, sondern gemäß ihrer Werke, gemäß dem, was sie waren und taten, und die Treue gläubiger Seelen wird mit einer Krone des Lebens belohnt werden (s. Jak 1,12; Offb 2,10). Die beste Vorbereitung auf diesen Tag ist, sich selbst zu verleugnen, sein Kreuz auf sich zu nehmen und Christus nachzufolgen **(s. Vers 24)**, denn so werden wir in dem Richter zu unserem Freund machen. Die Belohnung der Menschen gemäß ihren Werken wird bis auf jenen Tag verschoben. Hier scheint Gut und Böse wahllos verteilt zu werden; an jenem Tag wird alles richtiggestellt werden.

Das nahe bevorstehende Kommen seines Reiches in dieser Welt **(s. Vers 28).** Es war so nah, dass zu jener Zeit einige bei ihm waren, die leben würden, um es zu sehen. Am Ende der Zeit wird er in der Herrlichkeit seines Vaters kommen, doch nun, in der Fülle der Zeit (s. Gal 4,4; Eph 1,10), sollte er in seinem eigenen Reich kommen, seinem Reich als Mittler. Ein kleines Beispiel seiner Herrlichkeit wurde ein paar Tage später bei seiner Verklärung gegeben (s. Mt 17,1). Dieser Vers weist jedoch auf das Kommen Christi zur Gründung der Gemeinde des Evangeliums. Die Apostel wurden dazu eingesetzt, das Reich Christi zu errichten; sie mögen zu ihrer Ermutigung wissen, dass, egal, auf welchen Widerstand sie treffen würden, sie immer noch erfolgreich sein würden. Für leidende Heilige ist es eine große Ermutigung, nicht nur die Beständigkeit, sondern auch das Fortschreiten des Reiches Christi auf der Erde zugesichert zu bekommen, und nicht nur *trotz*, sondern auch *durch* ihr Leiden. Dies wird bald geschehen, in der gegenwärtigen Zeit. Je näher die Errettung der Gemeinde ist, desto fröhlicher sollten wir in unserem Leiden für Christus sein. Denjenigen, die diese gegenwärtige trübe Zeit überleben würden, wird die Gunst einer Gewissheit erwiesen, dass sie bessere Tage sehen würden.

KAPITEL 17

Hier haben wir: 1. Christus verklärt in seiner Pracht und Herrlichkeit (s. Vers 1-13). 2. Christus in seiner Macht und Gnade, der einen Dämon aus einem Kind austreibt (s. Vers 14-21). 3. Christus in seiner Armut und großen Demut: 3.1 Wie er sein Leiden vorhersagt (s. Vers 22-23). 3.2 Wie er Steuern zahlt (s. Vers 24-27). Hier sind mehrere Bekundungen der gnädigen Absichten Christi wunderbar eingewoben.

Vers 1-13

Hier haben wir einen Bericht von der Verklärung Christi. Er hatte gesagt, dass der „Sohn des Menschen" bald „in seinem Reich" kommen würde (s. Mt 16,28); eine Verheißung, mit der alle drei der synoptischen Autoren insbesondere diese Geschichte verbinden. Als Christus hier in seinem Stand der Erniedrigung war, war dieser mit einigen Eindrücken seiner Herrlichkeit vermischt, obwohl er vorwiegend erniedrigt und geplagt war. Weil aber sein öffentlicher Dienst ein Stand beständiger erniedrigender Umstände war, kam hier, in seiner Mitte, eine Offenbarung seiner Herrlichkeit. Beachten Sie in Bezug auf die Verklärung Christi:

1. Ihre Umstände (s. Vers 1):
1.1 Die Zeit: Sechs Tage, nachdem er dieses bedeutsame Treffen mit seinen Jüngern hatte (s. Mt 16,21). Es wird nicht berichtet, was unser Herr Jesus in den sechs Tagen vor der Verklärung gesagt oder getan hat. Wenn Christus nichts für seine Gemeinde zu tun scheint, sollten wir erwarten, in Kürze etwas Außergewöhnliches zu sehen.
1.2 Der Ort; er führte sie „beiseite auf einen hohen Berg". Christus wählte einen Berg:
Als einsamen Ort: Er ging beiseite. Christus wählte einen abgeschiedenen Ort, um verklärt zu werden, weil es nicht vereinbar mit seinem gegenwärtigen Stand war, öffentlich in seiner Herrlichkeit zu erscheinen, und so wollte er uns lehren, dass Alleinsein ein großer Freund unserer Gemeinschaft mit Gott ist.
Doch es ist auch ein erhabener Ort, erhoben über die unteren Dinge. Diejenigen, die ihre Gemeinschaft mit dem Himmel aufrechterhalten wollen, müssen sich häufig zurückziehen. Sie werden sich niemals weniger alleine finden, als wenn sie alleine sind, denn der Vater ist bei ihnen. Sie werden weit davon entfernt sein, allein zu sein, denn der Vater ist bei ihnen. Diejenigen, die eine umwandelnde Gemeinschaft mit Gott haben möchten, müssen sich nicht nur zurückziehen, sondern emporsteigen; wir müssen unsere Herzen erheben und das suchen, „was droben ist" (Kol 3,1).
1.3 Ihre Zeugen. Er nahm Petrus, Jakobus und Johannes mit sich. Er nahm drei, eine ausreichende Zahl, um zu bezeugen, was sie sehen würden. Christus machte seine Erscheinungen ausreichend gewiss, aber nicht zu öffentlich, damit diejenigen, die nicht sahen und doch glaubten, glückselig sein würden (s. Joh 20,29). Er nahm diese drei, weil sie die Obersten seiner Jünger waren. Später waren sie die Zeugen seines Todeskampfes und dies sollte sie darauf vorbereiten. Ein Blick auf Christi Herrlichkeit, solange wir hier in dieser Welt sind, ist eine gute Vorbereitung auf unser Leiden für ihn, so wie diese Leiden die Vorbereitungen sind, seine Herrlichkeit in der anderen Welt zu sehen.

2. Die Weise: „Und er wurde vor ihnen verklärt" **(Vers 2)**. Das Wesen seines Leibes blieb das Gleiche; er wurde nicht zu einem Geist gewandelt. Doch sein Leib, der in Schwäche und Schmach erschienen war, zeigte sich nun in Kraft und Herrlichkeit (s. 1.Kor 15,43). In den Tagen seines Fleisches zog er einen Schleier über die Herrlichkeit seiner Gottheit (s. Hebr 10,20), jetzt aber, bei seiner Verklärung, gab er seinen Jüngern einen Eindruck seiner Herrlichkeit, die seine Gestalt verändern muss. Seine Verklärung zeigte sich nun in zwei Dingen:
2.1 „... sein Angesicht leuchtete wie die Sonne." Das Angesicht ist der hauptsächliche Teil des Leibes, durch den wir erkannt werden; deshalb wurde solch ein Glanz auf das Angesicht Christi gelegt. Es leuchtete wie die Sonne, wenn sie in ihrer Kraft hervorgeht (s. Offb 1,16; Ps 19,7), so klar, strahlend und blendend, sogar noch erkennbarer herrlich, weil sie sozusagen plötzlich hinter einer schwarzen Wolke hervorbrach.
2.2 „... seine Kleider wurden weiß wie das Licht." Das Leuchten auf dem Angesicht Moses war so schwach, dass es leicht durch eine dünne Decke verborgen werden konnte (s. 2.Mose 34,33.35), doch die Herrlichkeit des Leibes Christi war derart, dass seine Kleider von ihr erleuchtet wurden.

3. Ihre Begleiter. Dort „erschienen ihnen Mose und Elia, die redeten mit ihm" **(Vers 3)**. Es waren verherrlichte Heilige bei ihm, sodass, da drei bei ihm waren, um es auf der Erde zu bezeugen – Petrus, Jakobus und Johannes –, es auch einige geben würde, um vom Himmel Zeugnis abzulegen. Wir sehen hier, dass diejenigen, die in Christus entschlafen sind, nicht verloren sind (s. 1.Kor 15,18). Die Juden hatten große Achtung an das Gedenken von Mose und Elia, und so waren es diese beiden, die kamen, um ihn zu bezeugen. In ihnen wurden das Gesetz und die Propheten geehrt und sie bezeugten Christus. Mose und Elia erschienen den Jüngern; die Jünger sahen sie, hörten sie reden und wussten, dass sie Mose und Elia waren; verherrlichte Heilige werden einander im Himmel erkennen. Diese beiden sprachen mit Christus. Christus hat Gemeinschaft mit den Seligen.

4. Die große Freude und Gewissheit, welche die Jünger durch diesen Blick auf die Herrlichkeit Christi bekamen. Petrus sprach wie gewöhnlich für die Übrigen: „Herr, es ist gut, dass wir hier sind!" Petrus drückte hier aus:
4.1 Ihr Entzücken über dieses Gespräch. „Herr, es ist gut, dass wir hier sind." Er sagte, was seine Mitjünger dachten: „Es ist nicht nur für mich gut, sondern auch für uns." Er versuchte nicht, diese Gunst an sich zu reißen, sondern schloss sie gerne mit ein. Er sagte dies zu Christus. Die Seele, die Christus liebt und es liebt, bei ihm zu sein, liebt es hinzugehen und ihm dies zu sagen: „Herr, es ist gut, dass wir hier sind!" Alle Jünger des Herrn Jesus sehen es als gut für sich an, mit ihm auf dem heiligen

Berg zu sein. Es ist gut zu sein, wo Christus ist; es ist gut, hier zu sein, zurückgezogen und allein mit Christus, an einem Ort zu sein, wo wir die Lieblichkeit des Herrn Jesus sehen können (s. Ps 27,4).

4.2 Ihr Verlangen, dass dies anhalten möge: „... so lass uns hier drei Hütten bauen." Hierin gab es, wie bei vielen anderen Aussprüchen von Petrus, mehr Eifer als Besonnenheit.

Hier gab es Eifer für diese Verbindung zu himmlischen Dingen. Diejenigen, die durch den Glauben „die Lieblichkeit des HERRN" in seinem Haus geschaut haben, möchten dort auch ihr ganzes Leben lang wohnen (Ps 27,4). Es ist gut, sich bei heiliger Anbetung zu Hause zu fühlen und nicht wie ein Reisender.

In diesem Eifer verriet er jedoch ein großes Maß an Schwäche und Unwissenheit. Was für Obdach brauchten Mose und Elia? Christus hatte gerade sein Leiden vorhergesagt; Petrus vergaß dies, oder wollte, um es zu verhindern, Hütten auf dem herrlichen Berg bauen, außer Reichweite von Schwierigkeiten. Es gibt in guten Menschen die Neigung, die Krone ohne das Kreuz zu erwarten. Wir suchen nicht richtig, wenn wir den Himmel hier auf der Erde erwarten. Für Fremdlinge und Pilger ist es unpassend, darüber zu sprechen, eine Stadt zu bauen oder eine bleibende Stadt zu erwarten (s. Hebr 13,14). Es ist jedoch eine Entschuldigung für die Unangemessenheit des Vorschlags von Petrus, dass er nicht wusste, was er sagte (s. Lk 9,33) und dass er den Vorschlag der Weisheit Christi unterordnete: „Wenn du willst, so lass uns hier ... Hütten bauen." Beachten Sie, dass keine Antwort auf das gegeben wurde, was Petrus sagte; das Verschwinden der Herrlichkeit würde es rasch beantworten.

5. Das herrliche Zeugnis, das Gott der Vater unserem Herrn Jesus gab. Beachten Sie nun in Bezug auf dieses Zeugnis vom Himmel für Christus:

5.1 Wie es kam und eingeleitet wurde. Dort war eine Wolke. Im Alten Testament sehen wir oft, dass eine Wolke das sichtbare Zeichen der Gegenwart Gottes ist. In einer Wolke nahm er die Stiftshütte und später den Tempel in Besitz; wo Christus in seiner Herrlichkeit war, war der Tempel, und dort zeigte sich Gott gegenwärtig. Es war eine leuchtende Wolke. Unter dem Gesetz war es für gewöhnlich eine dunkle, dichte Wolke, die Gott zum Zeichen seiner Gegenwart machte. Wir aber sind „zu dem Berg gekommen" (vgl. Hebr 12,18), der mit einer leuchtenden Wolke gekrönt ist. Die vorige war eine Epoche der Finsternis, des Schreckens und der Sklaverei, die letztere ist eine des Lichts, der Liebe und der Freiheit. Die Wolke überschattete sie. Wenn Gott sich den Seinen offenbart, bedenkt er, wie sie gemacht sind (s. Ps 103,14). Diese Wolke war für ihre Augen, was die Gleichnisse für ihren Verstand waren: die Übermittlung geistlicher Dinge durch fassbare Dinge, so wie sie in der Lage waren, es zu ertragen (s. Mk 4,33; Joh 16,12). Es kam „eine Stimme aus der Wolke", und es war die Stimme Gottes. Hier war kein Donner, Blitzen, oder der Schall einer Posaune, wie es war, als das Gesetz durch Mose gegeben wurde, sondern nur die Stimme eines sanften Säuselns (s. 1.Kön 19,11-12).

5.2 Was dieses Zeugnis vom Himmel war: „Dies ist mein geliebter Sohn ... auf ihn sollt ihr hören!" **(Vers 5)**. Hier haben wir:

Das große Geheimnis des Evangeliums offenbart: „Dies ist mein geliebter Sohn, an dem ich Wohlgefallen habe." Dies war das Gleiche wie das, was bei seiner Taufe vom Himmel gesprochen wurde (s. Mt 3,17). Mose und Elia waren große Lieblinge im Himmel, doch sie waren nur Diener; Christus andererseits ist der „Sohn", und Gott hatte immer Gefallen an ihm. Mose war ein großer Fürsprecher und Elia ein großer Reformer, doch in Christus versöhnte Gott die Welt mit sich (s. 2.Kor 5,19). Die Fürsprache Christi ist wirkungsvoller als die von Mose und seine Erneuerung wirkungsvoller als die von Elia. Diese Wiederholung der gleichen Stimme, die bei seiner Taufe vom Himmel kam, sollte zeigen, dass die Sache verbürgt war. Was Gott „einmal und zum zweiten Mal" gesagt hat (Hiob 33,14), zeigt, dass er ohne Zweifel dazu stehen wird. Es wurde nun wiederholt, weil er zu seinem Leiden kam, um ihn vor dem Schrecken des Kreuzes und seine Jünger vor dem Anstoß davon zu schützen. Wenn Leiden beginnen, sich über unser Leben zu ergießen, fließt auch der Trost reichlicher (s. 2.Kor 1,5).

Die große geforderte Pflicht des Evangeliums: „... auf ihn sollt ihr hören!" Gott hat an niemandem in Christus Wohlgefallen, außer an denen, die auf ihn hören. Es genügt nicht, ihn bloß zu hören – was für Gutes wird das tun? –, wir müssen *auf* ihn hören und ihm gehorchen. Wer das Gemüt Gottes kennenlernen möchte, muss auf Jesus Christus hören, denn Gott hat in diesen letzten Tagen durch ihn zu uns gesprochen (s. Hebr 1,2). Hier hat Gott uns sozusagen Christus für alle Offenbarungen seines Sinnes übergeben. Christus erschien nun in Herrlichkeit, und je mehr wir von der Herrlichkeit Christi sehen, desto mehr Grund werden wir haben, auf ihn zu hören. Mose und Elia – das Gesetz und die Propheten – waren nun bei Christus, und bis zu diesem Zeitpunkt wurde gesagt: „... auf diese sollen sie hören!" (Lk 16,29). „Nein", sagte Gott nun, „hört auf ihn, und das ist genug, *ihn*, nicht Mose oder Elia." Hören Sie auf Christus, und Sie werden die Propheten nicht missachten.

6. Den Schreck, der den Jüngern durch diese Stimme eingejagt wurde, und die Ermutigung, die Christus ihnen gab.

6.1 Die Jünger „fielen ... auf ihr Angesicht und fürchteten sich sehr". Die Größe des Lichts und ihre Überraschung, als sie es sahen, konnte sie entmutigt haben. Doch das war nicht alles; außerordentliche Erscheinungen Gottes sind für die Menschen immer schrecklich gewesen, die, in dem Wissen, dass sie keinen Grund hatten, irgendetwas Gutes zu erwarten, sich fürchteten, etwas direkt von Gott zu hören. Es ist gut, dass Gott durch Menschen wie wir selbst zu uns spricht (s. 2.Mose 20,19), bei denen uns keine Furcht vor ihnen schreckt (s. Hiob 33,7).

6.2 Christus richtete sie gnädig mit viel Sanftheit auf. Beachten Sie hier:
Was er tat: Er „trat herzu, rührte sie an". Sein Nahen vertrieb ihre Ängste. Die Berührungen Christi brachten oft Heilung, und hier brachten sie Kraft, Trost und Ermutigung.
Was er sagte: „Steht auf und fürchtet euch nicht!" Es ist Christus, der durch sein Wort und die Kraft seiner Gnade, die es begleitet, die Seinen aus ihrer Niedergeschlagenheit herausholt und ihre Ängste zum Schweigen bringt. Und niemand anderes als Christus vermag dies: „Steht auf und fürchtet euch nicht!" Ängste, die keine Grundlage haben, würden bald verschwinden, wenn wir es ablehnen würden, ihnen nachzugeben. Wenn sie bedachten, was sie gesehen und gehört hatten, hatten sie mehr Grund zur Freude als zur Furcht. Durch die Schwäche des Fleisches erschrecken wir uns selbst mit genau den Dingen, durch die wir uns ermutigen sollten. Nachdem sie ein klares Gebot vom Himmel bekommen hatten, auf Christus zu hören, war das erste Wort, das sie von ihm hörten: „Fürchtet euch nicht!"

7. Das Verschwinden der Vision. Sie erhoben sich und dann erhoben sie ihre Augen und sahen „niemand als Jesus allein" **(Vers 8)**. Es ist nicht weise, zu hohe Erwartungen in dieser Welt zu haben, denn das wertvollste an unserer Herrlichkeit und unseren Freuden hier verblasst. Selbst bei denen in enger Gemeinschaft mit Gott ist es so; es gibt nicht immer ein Festmahl (s. Spr 15,15), sondern ein hastiges Festessen. Zwei Himmel sind zu viel zu erwarten für solche, die niemals einen verdienen. Jetzt „sahen sie niemand als Jesus allein". Christus wird bei uns bleiben, wenn Mose und Elia gegangen sind.

8. Das Gespräch zwischen Christus und seinen Jüngern, als sie den Berg herunterkamen **(s. Vers 9-13)**. „Und als sie den Berg hinabgingen." Wir müssen von den heiligen Bergen herunterkommen, wo wir enge Gemeinschaft mit Gott genossen haben; selbst dort haben wir keine bleibende Stadt (s. Hebr 13,14). Als die Jünger herabkamen, kam Jesus mit ihnen. Wenn wir nach einer Zeit der Anbetung in die Welt zurückkehren, muss es unser Anliegen sein, Christus mit uns zu nehmen. Als sie herabkamen, sprachen sie über Christus. Wenn wir von unseren Gottesdiensten der Anbetung zurückkehren, ist es gut für uns, wenn wir uns mit Gesprächen beschäftigen, die zu dem passen, was wir getan haben. Hier gibt es:

8.1 Das Gebot, das Christus seinen Jüngern gab, die Vision für den Augenblick geheim zu halten: „Sagt niemand von dem Gesicht, bis der Sohn des Menschen aus den Toten auferstanden ist!" **(Vers 9)**. Wenn sie es verkündigt hätten, wäre ihre Glaubwürdigkeit durch sein Leiden beschädigt worden, welches nun schnell kam. Möge die Verkündigung dieser Erscheinung bis nach seiner Auferstehung verschoben werden, und dann würde diese und seine spätere Herrlichkeit die Verkündigung sehr bekräftigen. Alles ist vortrefflich zu seiner Zeit (s. Pred 3,1.11). Christi Zeit ist die beste und passendste für ihn, um sich zu offenbaren, und wir sollten auf sie achtgeben.

8.2 Ein Einwand, den die Jünger gegen etwas erhoben, was Christus gesagt hatte: „Warum sagen denn die Schriftgelehrten, dass zuvor Elia kommen müsse?" (Vers 10). Wenn die Jünger das, was Christus sagte, nicht mit dem in Einklang bringen konnten, was sie vom Alten Testament gehört hatten, wollten sie, dass er es ihnen erläutert. Wenn wir durch schwierige Stellen der Schrift verwirrt sind, müssen wir uns im Gebet um seinen Geist an Christus wenden, dass er uns das Verständnis öffnet und uns in alle Wahrheit leitet (s. Lk 24,45; Joh 16,13).

8.3 Das Ausräumen dieses Einwands. „Bittet, so wird euch gegeben" (Mt 7,7); bitten Sie um Unterweisung, und Sie wird Ihnen gegeben werden.
Christus erkannte an, dass die Weissagung wahr war: „,Elia kommt freilich zuvor und wird alles wiederherstellen'; soweit habt ihr recht" **(Vers 11)**. Christus kam nicht, um etwas zu ändern oder außer Kraft zu setzen, was im Alten Testament vorhergesagt wurde. Johannes der Täufer kam, um die Dinge geistlich wiederherzustellen, den schwindenden religiösen Glauben wiederherzustellen, was das Gleiche bedeutet wie, er „wird alles wiederherstellen". Johannes predigte Buße, und das stellt alles wieder her.
Er erklärte die Erfüllung. „Die Gesetzeslehrer sagen es richtig, ,Elia kommt freilich zuvor ... ich sage euch aber', was die Gesetzeslehrer nicht sagen konnten, ,dass Elia schon gekommen ist'" **(Vers 11-12)**. Es geschieht oft, dass Gottes Verheißungen erfüllt werden; und die Menschen erkennen nicht, dass sie es sind, und deshalb fragen sie: „Wo ist die Verheißung?", wenn sie bereits erfüllt worden ist. Die Gesetzeslehrer waren mit einer kritischen Diskussion über die Schriften beschäftigt, doch sie deuteten nicht die Zeichen

der Zeit (s. Mt 16,3) und erkannten nicht die Erfüllung der Schrift. Es ist leichter, das Wort Gottes zu erläutern, als es anzuwenden und richtig zu benutzen. Weil sie ihn nicht erkannten, haben sie „mit ihm gemacht, was sie wollten"; wenn sie ihn erkannt hätten, hätten sie Christus nicht gekreuzigt oder Johannes enthauptet (s. 1.Kor 2,8). Christus fügte hinzu: „Ebenso wird auch der Sohn des Menschen von ihnen leiden müssen." Als sie ihre Hände mit dem Blut von Johannes dem Täufer getränkt hatten, waren sie bereit, das Gleiche mit Christus zu tun. Wie die Menschen mit Christi Diener umgehen, so werden sie mit ihm selbst umgehen.

8.4 Die Zufriedenheit der Jünger über Christi Antwort auf ihren Einwand: „Da verstanden die Jünger, dass er zu ihnen von Johannes dem Täufer redete" **(Vers 13)**. Er nannte Johannes nicht, doch er gab eine solche Beschreibung von ihm, dass es sie an das erinnern würde, was er vorher über ihn gesagt hatte: „Er ist der Elia." Wie wunderbar die Nebel zerstreut und Irrtümer berichtigt, wenn wir gewissenhaft die Mittel des Verstandes anwenden!

Vers 14-21

Hier haben wir die übernatürliche Heilung eines Kindes, das Anfälle hatte und sehr an einem Dämon litt. Beachten Sie:

1. Die traurige Beschreibung des Zustandes des Kindes, die der niedergeschlagene Vater Christus gab. Dies war unmittelbar, nachdem Christus von dem Berg gekommen war, wo er verklärt worden war. Die Herrlichkeit Christi lässt uns, unsere Bedürfnisse und unsere Nöte nicht vernachlässigen. Die Worte dieses armen Mannes an ihn waren kühn; er kam kniend zu Christus. Ein Empfinden der Not wird die Menschen auf die Knie bringen. Christus liebt es, so von den Menschen mit einbezogen zu werden. Der Vater des Kindes beklagte sich über zwei Dinge:

1.1 Das Leid seines Kindes: „Herr, erbarme dich über meinen Sohn" **(Vers 15)**. Wenn Eltern darum besorgt sind, für ihre Kinder zu beten, die schwach sind und nicht für sich selbst beten können, wie viel mehr sollten sie dann darum besorgt sein, für die zu beten, die böse sind und nicht für sich selbst beten werden.

Das Wesen der Krankheit des Kindes war sehr schlimm: „... denn er ist mondsüchtig und leidet schwer" (hatte Anfälle und litt schwer). Die Krankheit des Kindes lag in seinem Gehirn. Das Kind hatte oft Anfälle und darin lag die Hand Satans. Satan plagte diejenigen, von denen er Besitz ergriff, mit diesen leiblichen Krankheiten, die das Gemüt am meisten beeinträchtigten, denn es ist die Seele, der er Schwierigkeiten machen will. In seiner Klage sagte der Vater: „... er ist mondsüchtig", achtete auf die Wirkung, doch Christus rügte bei seiner Heilung den Dämon und ging an die Ursache. Auf diese Weise heilt er geistlich.

Die Auswirkungen der Krankheit waren bedauernswert: „... er fällt nämlich oft ins Feuer und oft ins Wasser!"

1.2 Seine Enttäuschung über die Jünger: „Und ich habe ihn zu deinen Jüngern gebracht, aber sie konnten ihn nicht heilen" **(Vers 16)**. Christus gab seinen Jüngern die Macht, Dämonen auszutreiben (s. Mt 10,1.8), und im Allgemeinen waren sie darin erfolgreich (s. Lk 10,17), hier aber versagten sie, obwohl neun von ihnen zusammen waren. Es gereicht Christus zur Ehre, in einer Krise zu Hilfe zu kommen, wenn andere Helfer nicht helfen können. Manchmal lässt er die Zisterne leer, damit er uns zu sich selbst bringen kann, der Quelle. Das Versagen seiner Werkzeuge wird aber nicht das Wirken seiner Gnade behindern, die, wenn nicht durch sie, dann ohne sie wirksam sein wird.

2. Die Zurechtweisungen, die Christus erteilte.
2.1 Er wies diejenigen um sich herum zurecht: „O du ungläubiges und verkehrtes Geschlecht!" **(Vers 17)**. Das ist nicht zu den Jüngern, sondern zu den Leuten gesprochen, vielleicht besonders zu den Gesetzeslehrern. Christus konnte selbst nicht viele mächtige Werke unter Leuten tun, die wenig Glauben hatten (s. Mk 6,5-6). Hier war es wegen der Treulosigkeit dieses Geschlechtes, dass sie nicht die Segnungen Gottes haben konnten, die sie sonst hätten haben können, genauso wie es an der Schwäche des Glaubens der Jünger lag, dass sie nicht die Werke für Gott tun konnten, die sie sonst hätten tun können. Christus tadelte die Menschen für zwei Dinge:
Seine lange Gegenwart bei ihnen: „Wie lange soll ich bei euch sein?' Werdet ihr immer meine leibliche Gegenwart brauchen und niemals so reif werden, dass es für euch in Ordnung sein wird, wenn man euch alleine lässt? Muss das Kind immer getragen werden? Wird es niemals lernen, selbst zu laufen?
Seine lange Geduld mit ihnen: „Wie lange soll ich euch ertragen?" Dies zeigt uns, dass der Unglaube und die Verkehrtheit jener, welche die Gnadenmittel besitzen, dem Herrn Jesus großen Kummer bereiten. Er ist Gott und nicht ein Mensch, denn sonst würde er es nicht so lange und so viel ertragen, wie er es tut.
2.2 Er heilte das Kind und brachte ihn wieder zu rechtem Verstand zurück. Er rief aus: „Bringt ihn her zu mir!" Obwohl die Menschen verkehrt waren und Christus aufgebracht war, kümmerte er sich immer noch um das Kind. Wenn Christus auch ärgerlich sein kann, ist er niemals unfreundlich. „Bringt ihn ... zu mir!" Wenn alle anderen Hilfen

versagen, sind wir bei Christus willkommen. Achten Sie hier auf die Zeichen des Wirkens Christi als unserem Erlöser.

Er bricht die Macht des Satans: „Jesus befahl dem Dämon" als jemand, der Vollmacht hat (s. Mk 1,25-27). Christi Siege über Satan werden durch die Macht seines Wortes errungen. Satan kann angesichts der Befehle Christi nicht bestehen, selbst wenn die Besessenheit durch ihn bereits eine sehr lange Zeit andauerte.

Er bringt die Leiden der Menschen zurecht: „... und der Knabe war gesund von jener Stunde an." Es war eine unmittelbare und vollständige Heilung. Dies ist eine Ermutigung für Eltern, ihre Kinder Christus zu bringen. Wir müssen sie nicht nur im Gebet zu Christus bringen; wir müssen sie auch zu dem Wort Christi bringen. Christi Zurechtweisungen, die ins Herz treffen, werden dort die Macht Satans zerstören.

3. Christi Gespräch mit seinen Jüngern.

3.1 Sie fragten, warum sie den Dämon nicht hatten austreiben können: „Da traten die Jünger allein zu Jesus" **(Vers 19)**. Geistliche Diener, die öffentlich für Christus arbeiten, müssen ihre private Gemeinschaft mit ihm aufrechterhalten. Wir sollten freimütig den Zutritt nutzen, den wir haben, alleine zu Jesus zu kommen, wo wir offen und konkret bei ihm sein können. Wenn man das herausfindet, was falsch ist, kann es richtiggestellt werden.

3.2 Christus nannte ihnen zwei Gründe, warum sie versagten:

„Um eures Unglaubens willen!" **(Vers 20)**. Als er mit dem Vater und den Leuten sprach, beschuldigte er sie des Unglaubens; als er mit seinen Jüngern sprach, beschuldigte er sie der gleichen Sache, denn die Wahrheit war, dass es Fehler auf beiden Seiten gab. Wenn die Predigt des Evangeliums nicht so erfolgreich ist, wie sie manchmal gewesen zu sein scheint, neigen die Leute dazu, den geistlichen Dienern alle Schuld zu geben, und die geistlichen Diener den Leuten, wohingegen es besser ist, wenn jede Seite ihre eigene Fehlerhaftigkeit zugibt und sagt: „Es liegt an mir." Obwohl die Jünger Glauben hatten, war dieser Glaube schwach und wirkungslos. Dies zeigt uns:

Wenn der Glaube nicht seine gebührende Stärke, Kraft und Lebhaftigkeit erreicht, kann wahrhaftig gesagt werden: „Es gibt Unglauben." Man kann viele des Unglaubens beschuldigen, die man doch nicht Ungläubige nennen kann.

Es liegt an unserem Unglauben, dass wir in unserem Glauben so wenig zustande bringen und nicht das erreichen, was gut ist. Unser Herr Jesus ergriff die Gelegenheit, um ihnen die Macht des Glaubens zu zeigen: „Wenn ihr Glauben hättet wie ein Senfkorn' würdet ihr Wunder vollbringen" **(Vers 20)**. Manche verstehen den Vergleich als Hinweis auf die Eigenschaft des Senfkorns, das scharf und durchdringend ist, wenn es zerstoßen wird. „Wenn ihr einen aktiven, wachsenden Glauben habt, nicht einen toten, leblosen oder schalen Glauben, wärt ihr nicht so enttäuscht." Es bezieht sich jedoch vielmehr auf die Größe: „Wenn ihr nur ein Korn echten Glauben hättet, selbst so klein wie der kleinste Samen, würdet ihr Wunder tun." Der hier geforderte Glauben war der Glaube, der diese besondere Offenbarung zum Gegenstand hatte, durch die Christus seinen Jüngern die Macht gab, in seinem Namen Wunder zu vollbringen. Es war ein Glaube an diese Offenbarung, worin sie mangelhaft waren. Vielleicht brachte die Abwesenheit ihres Meisters mit den drei wichtigsten Jüngern sie dazu, an ihrer Macht zu zweifeln, diese Heilung zu vollbringen. Es ist für uns gut, wenn wir in Bezug auf uns selbst und unsere eigene Kraft bescheiden sind, doch es missfällt Christus, wenn wir einer Macht misstrauen, die wir von ihm bekommen haben oder die er uns gewährt hat. „Wenn ihr nur einen sehr kleinen aufrichtigen Glauben habt, ‚so würdet ihr zu diesem Berg sprechen: Hebe dich weg von hier.'" Dies ist ein sprichwörtlicher Ausdruck, der auf das verweist, was folgt, und nicht mehr: „... und nichts würde euch unmöglich sein." Sie misstrauten der Macht, die sie empfangen hatten, und deshalb versagten sie. Um sie davon zu überzeugen, zeigte Christus ihnen, was sie hätten tun können. Ein aktiver Glaube kann Berge versetzen, nicht durch sich selbst, sondern durch die göttliche Macht, die durch eine göttliche Verheißung in Anspruch genommen wird.

Weil es an dieser Art von Krankheit etwas gab, das die Heilung besonders schwierig machte: „Aber diese Art fährt nicht aus außer durch Gebet und Fasten" **(Vers 21)**. Die außerordentliche Macht Satans darf unseren Glauben nicht entmutigen, sondern muss uns zu größerer Heftigkeit anregen, nach ihm zu handeln, und zu tieferer Inbrunst, zu Gott zu beten, dass er wächst. Fasten und Gebet sind die richtigen Mittel, um Gottes Macht zu unserer Hilfe herzuzuholen. Fasten ist nützlich, um uns Schärfe im Gebet zu geben; es zeigt die Demut, die wir im Gebet brauchen. Fasten muss mit Gebet verbunden sein, um den Leib in Schranken zu halten (s. 1.Kor 9,27).

Vers 22-23

Christus sagt hier sein eigenes Leiden voraus; er hatte vorher begonnen, dies zu tun (s. Mt 16,21), und weil er sah, dass seine Jünger es für eine Aussage hielten, die schwer zu verstehen war, sah er es als notwendig an, sie zu wiederholen. Beachten Sie:

1. Was er hier über sich selbst vorhersagte – dass er ausgeliefert und getötet werden würde.

Er sagte ihnen, dass:

1.1 Er „in die Hände der Menschen ausgeliefert werden" würde, Menschen, mit denen er in Bezug auf die Natur verbunden war und von denen er deshalb hätte erwarten können, mit Erbarmen und Sanftheit behandelt zu werden; doch diese waren seine Verfolger und Mörder.

1.2 Sie ihn töten werden; nichts weniger als das würde ihre Wut zufriedenstellen. Sie dürsteten nach seinem kostbaren Blut. Wenn er ein Sühnopfer war, musste er getötet werden; ohne Blutvergießen gibt es keine Sündenvergebung (s. Hebr 9,22).

1.3 Er „am dritten Tag ... auferweckt werden" wird. Als er über seinen Tod sprach, gab er einen Hinweis auf seine Auferstehung. Dies war nicht nur für ihn, sondern auch für seine Jünger eine Ermutigung, denn wenn er am dritten Tag auferstehen würde, wäre seine Abwesenheit von ihnen nicht lang und seine Rückkehr zu ihnen wäre herrlich.

2. Wie die Jünger dies aufnahmen: „Und sie wurden sehr betrübt." Hier sehen wir ihre Liebe zu ihrem Meister als Person, aber auch ihre Unwissenheit und ihre Irrtümer in Bezug auf sein Unterfangen.

Vers 24-27

Hier haben wir einen Bericht darüber, wie Christus Steuern zahlt. Beachten Sie:

1. Wie sie gefordert wurden **(s. Vers 24)**. Christus war nun in Kapernaum, wo er die meiste Zeit lebte, und er versuchte dem Zahlen von Steuern nicht aus dem Weg zu gehen.

1.1 Die geforderte Steuer war keine bürgerliche Entrichtung an die römischen Gewalten, sondern die Abgabe an die Gemeinde, die von jedem Menschen für den Tempeldienst und zur Bestreitung der Unkosten des dortigen Gottesdienstes verlangt wurde.

1.2 Die Forderung war sehr maßvoll. Ihre Frage lautete: „Zahlt euer Meister nicht auch die zwei Drachmen?" Manche meinen, dass sie einen Vorwand suchten, um Jesus anzuklagen. Es scheint vielmehr, dass sie mit Achtung sprachen und zu verstehen gaben, dass sie, wenn er irgendein Vorrecht hätte, das ihn von der Zahlung dieser Steuer befreien würde, sie nicht darauf dringen würden. Petrus sprach für seinen Meister: „Doch, sicherlich zahlt mein Meister die zwei Drachmen." Er war „unter das Gesetz getan" (s. Gal 4,4); es war aus diesem Grund, dass unter diesem Gesetz für ihn eine Steuer bezahlt wurde, als er vierzig Tage alt war (s. Lk 2,22), und jetzt zahlte er für sich selbst. Diese Steuer an den Tempel wird nun eine Sühne für die Seele genannt (s. 2.Mose 30,15). Christus zahlte sie, obwohl er keine Sünde hatte, für die er sühnen musste, damit er in allem „in der gleichen Gestalt wie das Fleisch der Sünde" (Röm 8,3) wäre. Er tat dies, um uns ein Beispiel zu geben, jedermann zu geben, was wir schuldig sind: Steuer, dem die Steuer gebührt (s. Röm 13,7), und an den Orten, wo wir sind, zur Unterstützung des öffentlichen Gottesdienstes beizutragen. Wenn wir geistliche Dinge ernten, ist es richtig, dass wir irdische Dinge zurückerstatten. Wer kann behaupten, befreit zu sein, wenn Christus Steuern zahlte?

2. Wie es besprochen wurde **(s. Vers 25)**. Christus besprach es nicht mit den Einnehmern selbst, sondern mit Petrus, damit er von dem Grund überzeugt wäre, warum Christus die Steuer zahlte. Petrus brachte die Einnehmer in das Haus, doch Christus kam ihm zuvor. Die Jünger Christi werden niemals ohne seine Kenntnis angegriffen. Zuerst verwies Christus auf den Weg der Könige der Erde, welcher ist, von denen Steuern zu nehmen, die ihnen nicht nahestehen. Dann wandte er dies auf sich selbst an: „So sind also die Söhne frei!" Christus ist der Sohn und Erbe aller Dinge (s. Hebr 1,2) und deshalb ist er nicht gezwungen, diese Steuer für den Tempeldienst zu zahlen. Auf diese Weise erklärte Christus sein Recht. Gottes Kinder aber sind, obwohl sie durch die Gnade und die Adoption von der Sklaverei der Sünde und von Satan befreit sind, in staatlichen Dingen nicht ihrer Unterordnung unter staatliche Beamte befreit; hier ist das Gesetz Christi deutlich: „Gebt dem Kaiser, was des Kaisers ist" (Mk 12,17).

3. Wie sie dennoch bezahlt wurde **(s. Vers 27)**. Beachten Sie:

3.1 Warum Christus auf sein Vorrecht verzichtete und diese Steuer bezahlte: „Damit wir ihnen aber keinen Anstoß geben." Christus meinte, wenn er diese Zahlung verweigern würde, würde dies die Vorurteile der Menschen gegen ihn und seine Lehre verstärken und sie von ihm entfremden und so entschied er sich, sie zu zahlen. Die christliche Weisheit und Demut lehren uns, uns in vielen Fällen lieber davon zurückzuziehen, unsere Rechte einzufordern, als Anstoß zu erregen, indem wir auf ihnen bestehen. Wir dürfen es aus Furcht, Anstoß zu erregen, niemals ablehnen, unsere Pflicht zu tun, doch manchmal müssen wir uns lieber in unseren irdischen Interessen selbst verleugnen, statt Anstoß zu erregen; wir folgen dem Beispiel von Paulus (s. 1.Kor 8,13; Röm 14,13).

3.2 Was er tat, um diese Steuer zu zahlen **(s. Vers 27)**, was zeigt:

Wie arm Christus war. Obwohl er sehr viele Leute geheilt hat, die krank waren, scheint er dies alles umsonst getan zu haben.

Welche Macht Christus hatte, dass er zu diesem Zweck Geld aus dem Maul eines Fisches holte. Es zeigte, dass er Gott ist, der Herr der Heerscharen. Die Geschöpfe, die am weitesten von den Menschen entfernt sind, stehen unter dem Gebot Christi: Selbst die Fische im See sind seinen Füßen unterworfen (s. Ps 8,7; Hebr 2,6-9). Beachten Sie:

Petrus muss den Fisch durch Angeln fangen. Petrus hatte etwas zu tun, und es war auch entsprechend seinem Beruf. Christus möchte uns lehren, fleißig in der Arbeit zu sein, zu der und in die wir berufen sind. Erwarten wir, dass Christus einfach etwas gibt? Wir wollen bereit sein, für ihn darin zu arbeiten.

Der Fisch kam mit Geld in seinem Maul. Die Arbeit, die wir auf Christi Gebot hin tun, bringt ihren eigenen Lohn mit sich.

Das Geldstück war gerade genug, um die Steuer für Christus und Petrus zu bezahlen. Er wollte uns lehren, nicht nach zu viel zu streben, sondern damit zufrieden zu sein, wenn wir genug für unsere gegenwärtigen Bedürfnisse haben, und Gott nicht zu misstrauen, selbst wenn wir von der Hand in den Mund leben müssen. Petrus angelte nach diesem Geld und so war ein Teil davon zu seinem Gebrauch. Diejenigen, die bei der Gewinnung von Seelen Mitarbeiter Christi sind (s. 2.Kor 6,1), werden an seiner Herrlichkeit teilhaben. „... und gib ihn für mich und dich" **(Vers 27).** Was Christus für sich selbst bezahlte, wurde als Verpflichtung betrachtet; was er für Petrus zahlte, geschah aus Liebenswürdigkeit gegenüber ihm. Wenn es Gott gefällt, ist es erstrebenswert, die Mittel an Gütern dieser Welt zu haben, nicht nur, um gerecht, sondern auch, um gütig zu sein, nicht nur, um gütig gegenüber den Armen, sondern auch, um gefällig gegenüber unseren Freunden zu sein.

KAPITEL 18

Hier haben wir Unterweisungen in Bezug auf: 1. Demut (s. Vers 1-6). 2. Anstöße im Allgemeinen (s. Vers 7) und besonders Anstoß, der erregt wird: 2.1 Von uns gegenüber uns selbst (s. Vers 8-9). 2.2 Von uns gegenüber anderen (s. Vers 10-14). 2.3 Von anderen gegenüber uns: Und diese letzten in zwei Arten: 2.3.1 Scheußliche Sünden (s. Vers 15-20). 2.3.2 Persönliche Kränkungen (s. Vers 21-35).

Vers 1-6

Es gab niemals ein größeres Vorbild für Demut als Christus; er ergriff jede Gelegenheit, sie seinen Jüngern und Nachfolgern zu gebieten und zu empfehlen.

1. Der Anlass für diese Botschaft über Demut war eine unpassende Kontroverse zwischen seinen Jüngern über ihren Stand. „Wer ist wohl der Größte im Reich der Himmel?" Sie meinten nicht: „Vom Charakter her", sondern: „Vom Namen her." Sie hatten von dem Reich der Himmel viel gehört und viel gepredigt, doch bis dahin waren sie so weit davon entfernt, irgendeine klare Vorstellung davon zu haben, dass sie von einem weltlichen Reich mit all seiner äußerlichen Zurschaustellung und Pracht träumten. Sie erwarteten, dass das Reich Christi beginnen würde, wenn er von den Toten aufersteht, und jetzt meinten sie, dass es Zeit ist, sich um ihre Plätze darin zu bewerben; in solchen Fällen ist es gut, schnell kein Blatt vor den Mund zu nehmen. Statt zu fragen, wie sie Kraft und Gnade haben könnten, um mit ihm zu leiden, fragten sie ihn: „Wer wird der Herrschaft mit dir der Größte sein?" Viele lieben es, über Vorrechte und Herrlichkeit zu hören und zu sprechen, doch sie möchten jeden Gedanken an Arbeit und Mühe vergessen.

1.1 Sie glaubten, dass alle groß wären, die einen Platz in diesem Reich haben. Diejenigen, die wahrhaft gut sind, sind wahrhaft groß.
1.2 Sie glaubten, dass es Stufen dieser Größe gibt. Alle Heiligen sind ehrenwert, doch nicht alle Heiligen sind gleich ehrenwert.
1.3 Sie meinten, dass es einige von ihnen sein müssen, welche Premierminister des Staates sind.
1.4 Sie bemühten sich zu sehen, wer es sein würde, wobei jeder den einen oder anderen Anspruch darauf erhob. Wir neigen nur zu oft dazu, uns durch das törichte Vorstellen von Dingen zu unterhalten, die nie sein werden.

2. Die Predigt selbst war ein berechtigter Tadel auf die Frage: „Wer wird der Größte sein?" Christus lehrte sie, hier demütig zu sein:
2.1 Durch ein Zeichen: „Und Jesus rief ein Kind herbei, stellte es in ihre Mitte" **(Vers 2).** Demut ist eine so schwer zu lernende Lektion, dass wir alle möglichen Wege nötig haben, um sie zu lernen. Wenn wir ein kleines Kind anschauen, sollten wir uns daran erinnern, wie Christus dieses Kind nahm. Er „stellte es in ihre Mitte", nicht deshalb, damit sie mit ihm spielen könnten, sondern damit sie von ihm lernen könnten. Erwachsene, auch große Erwachsene, sollten nicht die Gesellschaft kleiner Kinder verachten. Sie können entweder zu ihnen sprechen und sie unterweisen oder sie anschauen und von ihnen Unterweisung bekommen.
2.2 Durch eine Predigt über dieses Zeichen, in der er ihnen und uns zeigte:

Die Notwendigkeit der Demut. „Wahrlich, ich sage euch: Wenn ihr nicht umkehrt und werdet wie die Kinder, so werdet ihr nicht in das Reich der Himmel kommen!" **(Vers 3).** Beachten Sie hier:
Was er forderte und worauf er bestand.
„Ihr müsst umkehren, ihr müsst verändert werden." Neben der ersten Bekehrung einer Seele gibt es spätere Bekehrungen von einzelnen Wegen des Rückfalls. Jeder Schritt vom Weg

ab durch Sünde muss von einem Schritt auf ihn zurück durch Buße gefolgt werden.
„Ihr müsst ‚wie die Kinder' werden." Die bekehrende Gnade macht uns wie kleine Kinder. Wie Kinder dürfen wir uns um nichts sorgen, sondern müssen es unserem himmlischen Vater überlassen, für uns zu sorgen (s. Mt 6,31). Wir müssen demütig sein wie kleine Kinder. Das Kind eines Ehrenmannes ist zufrieden, wenn es mit dem Kind eines Bettlers spielt (vgl. Röm 12,16). Dies ist eine Haltung, die zu anderen guten Haltungen führt; die Zeit der Kindheit ist die Zeit des Lernens.
Welchen Nachdruck er hierauf legte: Ohne dies „werdet ihr nicht in das Reich der Himmel kommen!" Als die Jünger ihre Frage stellten **(s. Vers 1)**, meinten sie, dass ihnen das Reich der Himmel sicher ist. Sie strebten danach, „der Größte im Reich der Himmel" zu sein; Christus sagte ihnen, wenn sie nicht eine andere Haltung haben würden, würden sie dort nie ankommen. Unser Herr möchte uns hier die große Gefahr von Stolz und Ehrgeiz zeigen. Stolz warf die Engel, die gesündigt hatten, aus dem Himmel, und Stolz wird uns fernhalten, wenn wir nicht von ihm bekehrt werden.
Die Ehre und der Aufstieg, welche die Demut begleiten. Derjenige, der sich selbst erniedrigt wie ein Kind, „der ist der Größte im Reich der Himmel" **(Vers 4)**. Die demütigsten Christen sind die besten Christen; sie sind am meisten wie Christus und am höchsten in seiner Gunst, und sie sind am besten befähigt, Gott in dieser Welt zu dienen und sich in der nächsten an ihm zu freuen.
Die besondere Fürsorge, die Christus für diejenigen zeigt, die demütig sind. Diejenigen, die sich selbst auf diese Weise erniedrigen, werden fürchten:
Dass sie niemand aufnehmen wird, doch „wer ein solches Kind in meinem Namen aufnimmt, der nimmt mich auf" **(Vers 5)**. Die Güte, die man solchen Menschen erweist, wird von Christus als ihm gegenüber erwiesen gesehen. Selbst wenn es nur ein solches kleines Kind ist, das in Christi Namen aufgenommen wird, wird dies angenommen werden. Je geringer die, denen wir Güte erweisen, in sich selbst sind, desto mehr Wohlwollen gegenüber Christus liegt in dieser Güte; je weniger wir es aufgrund dessen tun, wer sie sind und wie wir davon profitieren können, wenn wir ihnen Güte erweisen, desto mehr tun wir es aufgrund dessen, wer er ist, und er nimmt es als entsprechend an.
Dass jeder sie falsch behandeln wird. Er ging auf diesen Einwand ein, als er jeden warnte, keinem von diesen Kleinen irgendeinen Schaden zuzufügen. Dieses Wort stellt eine schützende Wand aus Feuer um die Demütigen; jeder, der sie anrührt, rührt Gottes Augapfel an (s. Sach 2,12). Hier:
Wird der Frevel vorgestellt: „... einem von diesen Kleinen, die an mich glauben, Anstoß zur Sünde" zu geben. Ihr Vertrauen in Christus vereinigt sie mit ihm, sodass, wie sie an dem Nutzen seines Leidens teilhaben, er auch an dem Unrecht des ihren teilhat. Unter den Glaubenden haben die Kleinen die gleichen Vorrechte wie die Großen. Die besten Leute mussten oft die schlimmste Behandlung in dieser Welt hinnehmen.
Die Strafe für diesen Frevel wird durch die Worte angezeigt: Für ihn „wäre es besser, dass ... er in die Tiefe des Meeres versenkt würde". Die Sünde ist so schrecklich und das Verderben entsprechend so groß, dass es für ihn besser wäre, wenn sie die strengste Strafe hinnehmen müssten, die dem schlimmsten Übeltäter aufgebürdet wird, welche nur den Leib töten kann (s. Mt 10,28).

Vers 7-14
Unser Herr sprach hier über „Anstöße" oder Stolpersteine – Dinge, die Menschen dazu bringen, zu sündigen:

1. Im Allgemeinen **(s. Vers 7)**. Eine Tat ist ein Stolperstein, wenn sie Schuld und Leid bringt. Christus sagt ihnen hier:
1.1 Dass Stolpersteine zweifellos kommen würden: „Denn es ist zwar notwendig, dass die Anstöße zur Sünde kommen"; sie werden sicherlich kommen. Wenn wir uns sicher sind, dass es Gefahr gibt, sollten wir uns umso besser wappnen. Nicht, dass das Wort Christi es für jemanden nötig macht, jemand anderes dazu zu bringen zu sündigen, sondern dies ist eine Weissagung im Hinblick auf die Gründe. Es ist praktisch unmöglich, dass es keine Dinge gibt, die Menschen dazu bringen zu sündigen; deshalb wollen wir auf der Hut sein (s. Mt 24,24; Apg 20,29-30).
1.2 Dass dies schreckliche Dinge sein würden. Hier gibt es:
Einen Wehruf über diejenigen, die nachlässig und unbedacht sind, denen der Anstoß zur Sünde bereitet wird: „Wehe der Welt wegen der Anstöße zur Sünde!" Diese gegenwärtige Welt ist eine böse Welt; sie ist so voller Anstöße zur Sünde, zu Sünden, Schlingen und Unglücken. Wir wandeln auf einem gefährlichen Weg voller Stolpersteine, Klippen und falscher Führer. Diese Welt ist in einem verzweifelten Zustand. Was diejenigen anbetrifft, die Gott erwählt hat, die Macht Gottes bewahrt sie und hilft ihnen, all diese Stolpersteine zu überwinden.
Ein Wehruf über Übeltäter, die vorsätzlich Anstoß zur Sünde geben: „... aber wehe jenem Menschen, durch den der Anstoß zur Sünde kommt!" Es müssen zwar Anstöße zur Sünde kommen, doch dies ist keine Entschuldigung für jene, durch die sie kommen. Die Schuld wird jenen zur Last gelegt werden, die Anstoß dazu geben, auch wenn diejenigen, die sie annehmen, auch unter einen Wehruf fallen. Gott wird in seiner Gerechtigkeit diejenigen

richten, welche die ewigen Interessen von kostbaren Seelen und die irdischen Interessen von kostbaren Heiligen verderben. Die Menschen werden nicht nur für ihr Tun gerichtet werden, sondern auch für „die Frucht ihrer Taten" (Jes 3,10; s. Jer 17,10; Mi 7,13 usw.).

2. Christus sprach hier im Einzelnen über:
2.1 Wege, auf denen wir uns selbst Anstoß zur Sünde geben, auf die hier als Hand oder Fuß verwiesen wird, die Anstoß zur Sünde geben; in solchen Fällen müssen die Hand oder der Fuß abgehauen werden **(s. Vers 8-9)**. Christus hatte dies vorher gesagt (s. Mt 5,29-30). Die harten Aussagen von Christus müssen immer wieder uns gegenüber wiederholt werden und all das ist immer noch wenig genug. Beachten Sie:
Was hier geboten wird. Wir müssen uns von einem Auge, einer Hand oder einem Fuß trennen, was immer uns auch lieb ist, wenn es uns unvermeidlich sündigen lässt. Dies zeigt uns, dass viele erfolgreiche Versuchungen zur Sünde in uns selbst entstehen; wenn es überhaupt keinen Teufel gäbe, um uns zu versuchen, würden wir durch unser eigenes sündiges Verlangen weggelockt werden (s. Jak 1,14). Wir müssen, soweit es von Recht her möglich ist, uns von dem trennen, was wir nicht behalten können, ohne dadurch in Sünde verwickelt zu werden. Es ist sicher, dass sündige Begierden in den Tod gegeben werden müssen. Verderbte Neigungen und Gelüste müssen unterdrückt und abgetötet werden. Äußere Anlässe zur Sünde müssen so weit wie möglich vermieden werden, selbst wenn wir uns gegenüber genauso Gewalt anwenden, als würden wir eine Hand abhauen oder ein Auge ausreißen. Wir dürfen nichts für zu teuer halten, um uns davon zu trennen, um ein gutes Gewissen zu behalten.
Der Grund, warum dies gefordert wird: „Es ist besser für dich, dass du lahm oder verstümmelt in das Leben eingehst, als dass du zwei Hände oder zwei Füße hast und in das ewige Feuer geworfen wirst." Das Argument ist das gleiche wie das von dem Apostel Paulus: „Denn wenn ihr gemäß dem Fleisch lebt, so müsst ihr sterben; wenn ihr aber durch den Geist die Taten des Leibes tötet, so werdet ihr leben" (Röm 8,13), das heißt, wir werden „verstümmelt in das Leben" eingehen, mit dem Leib der Sünde verletzt, doch solange wir in dieser Welt bleiben, ist er zu unserem Besten verletzt. Diejenigen, die Christus gehören, haben die sündige Natur ans Kreuz geheftet (s. Kol 2,14), aber sie ist nicht tot; doch obwohl ihr Leben verlängert ist, ist ihre Herrschaft vergangen (s. Dan 7,12).
2.2 Wege, auf denen wir anderen Anstoß zur Sünde bereiten **(s. Vers 10-11)**. Beachten Sie:
Die Warnung selbst: „Seht zu, dass ihr keinen dieser Kleinen verachtet!" Er wird Missfallen an den Großen der Gemeinde haben, wenn sie diese Kleinen verachten. Wir können es wörtlich verstehen, dass es sich auf kleine Kinder bezieht; Christus sprach in **Vers 2 und 4** von ihnen. Oder man kann es übertragen verstehen: Diese Kleinen sind echte, aber schwache Gläubige, die wie kleine Kinder sind, die Lämmer der Herde Christi. Wir dürfen sie nicht verachten noch auf sie herabblicken. Wir dürfen uns nicht über ihre Schwächen lustig machen, nicht verächtlich oder geringschätzig auf sie blicken, als würde uns nicht interessieren, was aus ihnen wird. Wir dürfen nicht unsere eigenen Standpunkte den Gewissen von anderen aufbürden. Es gibt eine Achtung, die dem Gewissen von jedem Menschen gebührt, der gewissenhaft zu sein scheint. Wir müssen zusehen, dass wir sie nicht verachten, vorsichtig mit dem sein, was wir sagen und tun, damit wir nicht unabsichtlich den Kleinen Christi Anstoß zur Sünde geben.
Die Gründe, um diese Warnung zu unterstützen. Wir dürfen nicht auf diese Kleinen als nichtswürdig herabblicken. Wir wollen nicht auf die mit Geringschätzung herabblicken, die Gott ehrt. Um zu beweisen, dass die Kleinen, die an Christus glauben, des Respekts würdig sind, bedenken Sie:
Den Dienst der guten Engel für sie: „Ihre Engel im Himmel schauen allezeit das Angesicht meines Vaters im Himmel." Christus lässt uns zwei Dinge über diese Engel wissen:
Dass sie die Engel der Kleinen sind. Gottes Engel sind die ihren; die Kleinen können im Glauben auf die himmlischen Heerscharen blicken und sie die ihren nennen. Es ist schlecht, ein Feind derer zu sein, die auf solche Weise bewacht werden, und es ist gut, Gott als unseren Gott zu haben, denn dann haben wir seine Engel als unsere Engel.
Dass sie „allezeit das Angesicht meines Vaters im Himmel" schauen. Dies zeigt:
Die beständige Seligkeit und Ehre der Engel. Die Seligkeit des Himmels besteht in der Schau Gottes, dem Blick auf seine Schönheit (s. Ps 27,4).
Ihre fortwährende Bereitschaft, den Heiligen zu dienen. Sie sehen das Angesicht Gottes und erwarten, Anordnungen von ihm zu bekommen, was sie für das Wohl der Heiligen tun sollen. Wenn wir in Zukunft das Angesicht Gottes in Herrlichkeit sehen möchten, müssen wir jetzt das Angesicht Gottes mit der Bereitschaft sehen, unsere Pflicht zu erfüllen, wie sie es tun (s. Apg 9,6).
Die gnädige Absicht Christi in Bezug auf sie: „Denn der Sohn des Menschen ist gekommen, um das Verlorene zu retten" **(Vers 11)**. Dies ist ein Grund:
Warum die Engel der Kleinen solche Verantwortung für sie haben und ihnen zur Verfügung stehen; dies entspricht der Absicht Christi, sie zu retten.

Warum die Kleinen nicht verachtet werden dürfen: Weil Christus kam, um sie zu retten, diejenigen zu retten, die verloren sind. Unsere Seelen sind von Natur aus verloren, wie Reisende verloren sind, die ihren Weg verloren haben. Christi Auftrag in der Welt war, „das Verlorene zu retten", uns auf den richtigen Weg zu bringen, den Weg, der zu unserem großen Bestimmungsort führt. Dies ist ein großer Grund, warum der kleinste und schwächste Gläubige nicht verachtet oder gekränkt werden sollte. Wenn Christus ihnen solchen Wert beimisst, dürfen wir sie nicht unterbewerten. *Die zärtliche Rücksicht unseres himmlischen Vaters für die Kleinen und seine Sorge für ihr Wohlergehen.* Dies wird durch einen Vergleich veranschaulicht **(s. Vers 12-14)**. Hier gibt es:
Den Vergleich **(s. Vers 12-13)**. Der Eigentümer, der ein Schaf von hundert verliert, sucht gewissenhaft nach ihm, und ist sehr erfreut, wenn er es gefunden hat und hat eine tiefe Freude an dem Schaf, das er gefunden hat, mehr als an den neunundneunzig, die nicht abgeirrt sind. Dies lässt sich nun anwenden:
Auf den Stand der gefallenen Menschheit allgemein; wir sind abgeirrt wie verlorene Schafe. Man sucht nach einem Abgeirrten auf den Bergen, die Christus in großer Mühe auf der Suche nach ihm durchquert, um ihn endlich zu finden, was eine Angelegenheit von großer Freude ist. Aufgrund der umkehrenden Sünder ist größere Freude im Himmel als für die verbleibenden Engel (s. Lk 15,7).
Auf einzelne Gläubige. Gott kümmert sich gnädig nicht nur um seine Herde im Allgemeinen, sondern auch um jedes Lamm oder Schaf, das zu ihr gehört. Obwohl es viele sind und er aus diesen vielen Schafen leicht eines entbehren kann, denn er ist ein *großer* Hirte (s. Hebr 13,20), wird er es doch nicht so leicht verlieren, denn er ist ein *guter* Hirte (s. Joh 10,14).
Die Anwendung dieses Vergleichs: „So ist es auch nicht der Wille eures Vaters im Himmel, dass eines dieser Kleinen verlorengeht" **(Vers 14)**. Es ist sein Wille, dass diese Kleinen gerettet werden; das sind seine Absicht und Freude. Diese Fürsorge dehnt sich auf jedes einzelne Mitglied der Herde aus, selbst dem Niedrigsten. Später nennt Christus Gott seinen Vater im Himmel **(s. Vers 19)**, hier nennt er ihn „euren Vater im Himmel" **(Vers 14)** und zeigt, dass er sich nicht schämte, seine armen Jünger „Brüder" zu nennen (s. Hebr 2,11). Dies zeigt auch, dass die Grundlage der Sicherheit seiner Kleinen ist, dass Gott ihr Vater ist. Ein Vater kümmert sich um alle seine Kinder, doch er ist besonders zärtlich gegenüber den Kleinen (s. 1.Mose 33,13).

Vers 15-20

Nachdem er seine Jünger gewarnt hat, keinen Anstoß zur Sünde zu geben, macht sich Christus als Nächstes daran, sie zu unterweisen, was sie tun müssen, wenn andere gegen sie gesündigt haben.

1. Wir wollen dies auf die Streitigkeiten anwenden, die aus irgendeinem Grund unter Christen entstehen.
1.1 „... so geh hin und weise ihn zurecht unter vier Augen." Erlauben Sie Ihrem Zorn nicht, sich zu verborgener Bosheit zu entwickeln – wie eine Wunde, die am gefährlichsten ist, wenn sie innerlich blutet –, sondern drücken Sie ihn in einer milden und ernsten Warnung aus. Gestatten Sie, dass solche Gefühle abgeleitet werden, und sie werden rasch aufhören. Wenn Ihr Mitchrist Ihnen tatsächlich merkliches Unrecht getan hat, dann versuchen Sie, es ihm bewusst zu machen, doch möge der Tadel persönlich geschehen, zwischen Ihnen und ihm allein; wenn Sie ihn überzeugen wollen, dann stellen Sie ihn nicht bloß, denn das wird ihn nur wütender machen. „Hört er auf dich", wunderbar, „so hast du deinen Bruder gewonnen", Sie haben ihn für sich gewonnen und die Kontroverse beendet und das ist ein glückliches Ende. Sagen Sie nichts weiter dazu, sondern lassen Sie den Streit unter Freunden zu einer Erneuerung der Freundschaft werden.
1.2 „Hört er aber nicht", wenn er nicht zugibt, dass er im Irrtum ist, dann verzweifeln Sie nicht, sondern versuchen Sie zu sehen, wie seine Antwort sein wird, wenn Sie „noch einen oder zwei" mit sich nehmen, nicht nur als Zeugen für das, was geschieht, sondern auch, um den Fall weiter mit ihm zu besprechen.
1.3 „Hört er aber auf diese nicht', lehnt es ab, die Sache ihrem Schiedsspruch zu übergeben, ,so sage es der Gemeinde"; rufe nicht sofort das Gericht an oder erwirke einen Erlass gegen ihn." Dies wird von dem Apostel Paulus in 1.Korinther 6,1-20 vollständig erläutert, wo er diejenigen tadelt, die ihre Kontroversen vor die Gottlosen zur Beurteilung bringen statt vor die Heiligen (s. 1.Kor 6,1). Diese Regel war besonders nötig, wenn die staatliche Regierung in den Händen derer war, die nicht nur Fremdlinge, sondern auch Feinde waren.
1.4 „Hört er aber auch auf die Gemeinde nicht', sondern verharrt in dem Unrecht, das er dir angetan hat, ,so sei er für dich wie ein Heide und ein Zöllner.' Ihr könnt, wenn ihr möchtet, eure Freundschaft mit ihm abbrechen; ihr dürft zwar auf keinen Fall Rache an ihm suchen, doch ihr könnt dennoch wählen, ob oder ob ihr nicht weiterhin mit ihm zu tun haben wollt. Ihr wolltet die Freundschaft bewahren, doch er wollte dies nicht, damit hat er sie verwirkt." Wenn mich jemand einmal betrügt und schlecht behandelt, ist es seine Schuld; wenn zweimal, ist es meine eigene.

2. Lassen Sie es uns auf Sünden anwenden, die wirklich „skandalös" sind, das heißt solche, die Stolpersteine sind, welche „diesen Kleinen ... Anstoß zur Sünde" geben [das Wort, das in Vers 6 mit „Anstoß zur Sünde" übersetzt wird, ist *skandalon*]. Christus wollte in der Welt eine Gemeinde für sich errichten und deshalb sorgte er hier dafür, sowohl die Reinheit der Gemeinde als auch ihren Frieden und ihre Ordnung zu bewahren. Nun wollen wir sehen:

2.1 Welcher Fall diskutiert wird. „Wenn aber dein Bruder an dir gesündigt hat." Gemeindezucht gilt für Kirchenmitglieder. „Die aber außerhalb sind", außerhalb der Gemeinde, richtet Gott (s. 1.Kor 5,12-13). Die Interessen Christi und der Gläubigen sind miteinander verwoben; was ihnen angetan wird, fasst Christus so auf, als habe man es ihm angetan; und was ihm angetan wird, das müssen sie so auffassen, als habe man es ihnen angetan.

2.2 Was in solchen Situationen zu tun ist. *Hier sind die Regeln vorgeschrieben* (**s. Vers 15-17**).

„,... *so geh hin und weise ihn zurecht unter vier Augen.*' Wartet nicht, bis er zu euch kommt, sondern geht zu ihm, so wie ein Arzt den Patienten besucht. Nennt ihm seine Schuld, erinnert ihn an das, was er getan hat und dessen Bosheit." Die Menschen sind unwillig, ihre Fehler zu sehen, und sie müssen ihnen gesagt werden. Große Sünden gefallen oft dem Gewissen, und sie betäuben es für den Augenblick und bringen es zum Schweigen und es braucht Hilfe, um es wieder aufzuwecken. „... *und weise ihn auf seinen Fehler hin*" (**Vers 15**; NLB) oder „erörtere den Fall mit ihm", wie man ihn auch deuten kann. Wo die Schuld klar und groß ist und wir die geeignete Person sind, um dies zu behandeln, müssen wir den Menschen mit Sanftmut und Treue sagen, was bei ihnen falsch ist. Der christliche Tadel ist eine geheiligte Ordnung Christi, um Sünder zur Buße zu führen. „Lasst den Tadel im Verborgenen sein, damit klar ist, dass ihr nicht seine Beschämung sucht, sondern seine Buße." Es ist eine gute Regel, *nicht mit anderen* über die Fehler unseres Bruders oder unserer Schwester zu sprechen, bis wir nicht zuerst über sie *mit unserem Bruder oder unserer Schwester* gesprochen haben. Wenn wir diesem Grundsatz folgen würden, wäre es weniger ein Vorwurf und mehr eine Zurechtweisung. Ein Missetäter lässt sich wahrscheinlich beeinflussen, wenn er sieht, dass der Zurechtweisende nicht nur für sein Heil Sorge trägt, indem er ihm von verborgener Schuld sagt, sondern auch für seinen Ruf, indem er ihm persönlich davon sagt. „Hört er auf dich, so hast du deinen Bruder gewonnen'; du hast geholfen, ihn von der Sünde und vor dem Verderben zu retten, und das wird dein Verdienst und Trost sein" (s. Jak 5,19-20). Wenn der Verlust einer Seele ein großer Verlust ist, so ist der Gewinn einer Seele sicherlich kein kleiner Gewinn.

Wenn das nicht wirkt, „so nimm noch einen oder zwei mit dir" (**Vers 16**). Wir dürfen nicht müde werden, Gutes zu tun (s. Gal 6,9), selbst wenn wir vielleicht keinen unmittelbaren Erfolg unserer Anstrengungen sehen. „Wenn euer Bruder nicht auf euch hören will, dann gebt ihn nicht als hoffnungslosen Fall auf. Benutzt weiter andere Mittel: ,... so nimm noch einen oder zwei mit dir:'"

„Dass sie euch helfen; vielleicht sagen sie ein sachdienliches, überzeugendes Wort, an das ihr nicht denkt, und regeln die Sache vielleicht weiser, als ihr es tatet." Christen sollten sehen, dass sie bei dem guten Werk der Zurechtweisung genauso, wie sie es bei anderen guten Werken brauchen, Hilfe nötig haben.

„Um Einfluss auf ihn zu haben; es ist wahrscheinlicher, dass er für seine Schuld gedemütigt wird, wenn sie „von zwei oder drei Zeugen" bezeugt wird (5.Mose 19,15). Es ist zwar selten, dass man einen guten Menschen findet, von dem jeder in einer Welt wie dieser gut spricht, doch ist es noch seltener, einen guten Menschen zu finden, von dem jeder schlecht spricht.

„Um für den Fall, dass die Sache später vor die Gemeinde gebracht wird, sein Verhalten bezeugen zu können."

„Hört er aber auf diese nicht" und wird nicht gedemütigt, *„so sage es der Gemeinde"* (**Vers 17**). Es gibt einige halsstarrige Menschen, bei denen sich die vielversprechendsten Mittel der Überführung als unwirksam erweisen; doch solche Menschen dürfen nicht als unheilbar aufgegeben werden. Persönliche Warnungen müssen immer öffentlicher Kritik vorausgehen; wenn freundlichere Methoden wirksam sind, dürfen strengere und schärfere nicht benutzt werden (s. Tit 3,10). Diejenigen, die durch gutes Zureden von ihren Sünden lassen, müssen nicht beschämt werden, damit sie sie lassen. Möge Gottes Werk wirkungsvoll getan werden, doch mit so wenig Lärm wie möglich. Wo persönliche Warnungen nicht wirksam sind, muss es aber zu öffentlicher Zucht kommen. „.... *so sage es der Gemeinde.*" Die große Frage ist, welcher Gemeinde muss es gesagt werden? Dem Sanhedrin? Aus dem, was folgt (**s. Vers 18**), wird klar, dass er eine christliche Gemeinde meinte, denn obwohl sie noch nicht gegründet war, war die Gemeinde im Entstehen. „,... *so sage es der Gemeinde',* der einzelnen Gemeinde, mit welcher der Übeltäter verbunden ist. Sage es den Leitern und Führern der Gemeinde, sie sollen die Sache untersuchen, und wenn sie finden, dass die Klage leichtfertig und ohne Grundlage ist, dann mögen sie den zurechtweisen, der die Klage vorbringt; wenn sie sie berechtigt finden, mögen sie den Missetäter zurechtweisen und zur Buße rufen."

„Hört er aber auch auf die Gemeinde nicht, so sei er für dich wie ein Heide und ein Zöllner' (be-

handelt ihn, wie ihr einen Heiden oder Zöllner behandeln würdet); er möge aus der Gemeinschaft der Gemeinde ausgeschlossen werden." Diejenigen, die den Regeln und Ordnungen einer Gemeinschaft Missachtung gegenüber zeigen, bringen Schande über sie, büßen ihre Ehren und Vorrechte ein. Beachten Sie aber, dass Christus nicht sagt: „Dieser Bruder oder diese Schwester sei für dich wie ein Dämon", sondern: „Er sei für dich wie ein Heide oder Zöllner, wie jemand, der in einer Situation ist, in der er angenommen und wiederhergestellt werden soll." Wenn der Bruder jedoch durch diese Mittel gedemütigt und gewonnen wird, muss er wieder in die Gemeinschaft aufgenommen werden und alles wird in Ordnung sein.

Hier ist eine Anordnung zur Durchführung gezeichnet, um alle Gemeindeverfahren nach diesen Regeln zu bevollmächtigen **(s. Vers 18)**. Was vorher zu Petrus gesagt wurde, wird hier zu allen Jüngern gesagt. Solange geistliche Diener das Wort Christi treu predigen und in ihrer Leitung der Gemeinde absolut treu gegenüber seinen Gesetzen bleiben, können sie sicher sein, dass er sie anerkennen und ihnen zur Seite stehen wird. Er wird sie anerkennen:

In ihrem Urteil, das Kirchenmitglied auszuschließen: „Was ihr auf Erden binden werdet, das wird im Himmel gebunden sein" **(Vers 18)**. Wenn die Zucht der Gemeinde ordnungsgemäß der Satzung von Christus folgt, werden seine Urteile der Zucht der Gemeinde folgen, denn Christus wird nicht zulassen, dass auf seinen eigenen Verordnungen herumgetrampelt wird. Christus wird diejenigen nicht als die Seinen anerkennen oder annehmen, welche die Gemeinde ordnungsgemäß dem Satan übergeben hat (s. 1.Tim 1,20), wenn aber die Zucht der Gemeinde durch Irrtum oder Missgunst ungerecht gewesen ist, wird Christus gnädig diejenigen finden, die ausgestoßen wurden (s. Mt 9,35-36).

In ihrem Urteil des Sündenerlasses: „... und was ihr auf Erden lösen werdet, das wird im Himmel gelöst sein." Keine Gemeindezucht bindet so sehr, dass ein Sünder auf seine Buße und Besserung hin nicht wieder gelöst werden kann. Die Strafe reicht aus, die ihren Zweck erfüllt hat, und dem Übeltäter muss dann vergeben und er muss ermutigt werden (s. 2.Kor 2,6). Wenn diejenigen, die Buße getan haben und von der Gemeinde zurück in die Gemeinschaft aufgenommen wurden, rechtschaffene Herzen vor Gott haben, können sie durch ihren Sündenerlass im Himmel ermutigt werden.

3. Christus verleiht der Gemeinde nun hier eine große Ehre und in den folgenden Versen haben wir zwei Gründe dafür.

3.1 Gottes Bereitschaft, die Gebete der Gemeinde zu beantworten: „Wenn zwei von euch auf Erden übereinkommen über irgendeine Sache, für die sie bitten wollen, so soll sie ihnen zuteilwerden" **(Vers 19)**. Wir können dies anwenden:

Im Allgemeinen, auf alle Gesuche des treu betenden Samens Jakobs; sie werden Gottes Angesicht nicht vergeblich suchen (s. Jes 45,19). Wir haben in der Schrift viele Verheißungen von gnädigen Antworten auf gläubige Gebete, diese aber ist eine besondere Ermutigung für gemeinsam geleistete Gebete. Kein Gesetz des Himmels begrenzt die Zahl der Bittsteller. Wenn sie sich in dem gleichen Gebet verbinden oder, selbst wenn sie weit voneinander entfernt sind, in einem einzelnen Gegenstand des Gebets miteinander übereinstimmen, werden sie wirkungsvoll sein.

Im Besonderen auf die Bitten, die Gott bezüglich des Bindens und Lösens vorgebracht werden. Die Macht der Gemeindezucht ist nicht einer einzelnen Person in die Hände gegeben; es sind mindestens zwei darin einbezogen. Streitfragen und Feindseligkeiten unter denen, deren Arbeit es ist, Ärgernisse auszuräumen, werden das größte Ärgernis von allen sein. Gebet muss die Gemeindezucht immer begleiten. Wir sollten kein Urteil fällen, bei dem wir Gott nicht im Glauben bitten können, es zu bestätigen. All unsere Bemühungen für die Bekehrung von Sündern müssen von Gebet begleitet sein (s. Jak 5,16). Die einmütigen Bitten der Gemeinde, ihre gerechte Zucht zu bestätigen, werden im Himmel gehört werden. Gott würdigt uns und nimmt uns an, wenn wir für die beten, die ihn und uns gekränkt haben. „Und der HERR wendete Hiobs Geschick" (machte ihn wieder wohlhabend; Hiob 42,10), nicht als er für sich selbst betete, sondern als er für seine Freunde betete, die ihm Unrecht getan hatten.

3.2 Die Gegenwart Christi in den Zusammenkünften der Christen **(s. Vers 20)**. Hier werden Zusammenkünfte von Christen zu heiligen Zwecken festgesetzt, verfügt und dazu ermutigt.

Sie werden festgesetzt; die Gemeinde Christi in der Welt existiert am meisten sichtbar bei ihren religiösen Treffen. Es ist der Wille Christi, dass diese gegründet und aufrechterhalten werden. Wenn es keine Freiheit und Gelegenheit gibt, sich in großen und zahlreichen Zusammenkünften zu versammeln, dann ist es Gottes Wille, dass sich zwei oder drei versammeln sollten. Wenn wir in Angelegenheiten unseres religiösen Glaubens nicht tun können, was wir tun möchten, müssen wir tun, was wir können, und Gott wird uns annehmen.

Es wird verfügt, sich in Christi Namen zu versammeln. Bei der Ausübung der Gemeindezucht müssen sie „im Namen unseres Herrn Jesus Christus" zusammenkommen (s. 1.Kor 5,4). Bei unseren Treffen zum Gottesdienst müssen wir uns an jedem Ort in Gemeinschaft mit jedem, der ihn anruft, an Christus wenden. Wenn wir zusammenkommen, um in Abhängigkeit des Geistes und der Gnade Christi Gott anzubeten und ihn als unseren Weg zum Vater (s. Joh 14,6) und unseren Fürsprecher bei dem Vater achten (s. 1.Joh 2,1), dann kommen wir in seinem Namen zusammen.

Sie werden durch die Gewissheit der Gegenwart Christi ermutigt. „… da bin ich in ihrer Mitte." Sein Heiligtum ist dort, wo die Seinen sind, und dort wird er wohnen. Er ist „in ihrer Mitte", das heißt, in ihren Herzen. Es ist eine geistliche Gegenwart, die Gegenwart seines Geistes mit ihrem Geist, das ist hier gemeint. „… da bin ich"; nicht nur „da werde ich sein", sondern „ich bin dort", als käme er zuerst und ist vor ihnen bereit und sie werden ihn dort finden. Selbst wenn nur zwei oder drei zusammenkommen, ist Christus unter ihnen; dies ist die Ermutigung für Zusammenkünfte von Wenigen, sei es nun:

Aus freier Wahl. Es mag manchmal Gelegenheiten für zwei oder drei geben, sich zu treffen, sei es für gegenseitige Hilfe in Besprechungen oder für gemeinsame Hilfe im Gebet. Christus wird dort gegenwärtig sein. Oder:

Gezwungenermaßen, wenn es nicht mehr als zwei oder drei gibt, um zusammenzukommen, oder sie es nicht wagen, wenn es sie gibt. Es ist nicht die große Zahl der Anbetenden, sondern ihr Glaube und ihre aufrichtige Hingabe, welche die Gegenwart Christi hereinbittet. Selbst wenn es nur zwei oder drei sind, die kleinste mögliche Zahl, so ist Christus, der Wichtigste, einer von ihnen, denn ihr Treffen ist genauso rechtschaffen und gut, als wären sie zwei- oder dreitausend.

Vers 21-35

Dieser Teil der Predigt über Anstöße muss zweifellos als Bezug auf persönliches Unrecht verstanden werden, bei dem es in unserer Macht steht zu vergeben. Beachten Sie:

1. Die Frage von Petrus in dieser Angelegenheit: „Herr, wie oft soll ich meinem Bruder vergeben, der gegen mich sündigt?" **(Vers 21)**. Ist es genug, dies „siebenmal" zu tun? Dies zeigt uns:

1.1 Er setzte voraus, dass er vergeben muss. Er wusste, dass er nicht nur keinen Groll gegen seinen Bruder und seine Schwester hegen oder aushecken durfte, wie er sich rächen könnte, sondern auch ein so guter Freund wie immer sein und das Unrecht vergessen musste.

1.2 Er dachte, es wäre eine große Sache, bis zu siebenmal zu vergeben. Er meinte nicht „siebenmal am Tag", wie Christus sagte (s. Lk 17,4), sondern siebenmal in seinem Leben. Unsere verderbte Natur lässt uns dazu neigen, knauserig im Gutestun zu sein – lässt uns die kleinste Menge tun, mit der wir davonkommen können – und lässt uns befürchten, zu viel in den Angelegenheiten unseres religiösen Glaubens zu tun, besonders, zu viel zu vergeben, selbst wenn uns selbst so viel vergeben wurde.

2. Christi direkte Antwort auf die Frage von Petrus: „Ich sage dir, nicht bis siebenmal, sondern bis siebzigmalsiebenmal", eine bestimmte Zahl, die für eine unbestimmte steht, aber nichtsdestotrotz eine große. Es steht uns nicht gut zu, über die Kränkungen Buch zu führen, die von unseren Geschwistern gegen uns begangen werden. Es läuft etwas falsch, wenn wir die Beleidigungen aufrechnen, die wir vergeben, als würden wir uns gestatten, Vergeltung zu üben, wenn die Grenze erreicht wurde. Wir müssen die Verletzungen übersehen, ohne zu zählen, wie oft wir dies tun – vergeben und vergessen. Gottes Vergebungen sind so zahlreich und unsere sollten dies auch sein. Wir sollten es zu unserer beständigen Praxis machen, Unrecht zu vergeben, und an sie gewöhnt werden, bis sie zu einer Gewohnheit wird.

3. Eine weitere Botschaft von unserem Heiland in Form eines Gleichnisses, um die Notwendigkeit zu zeigen, die Beleidigungen zu vergeben, die uns angetan wurden. Das Gleichnis ist eine Erläuterung der fünften Bitte des Gebets des Herrn: „Und vergib uns unsere Schulden, wie auch wir vergeben unseren Schuldnern" (Mt 6,12). Diejenigen, und nur diejenigen, die ihren Geschwistern vergeben, dürfen erwarten, dass Gott ihnen vergibt. In dem Gleichnis sind drei Dinge.

3.1 Die wunderbare Barmherzigkeit des Königs gegenüber seinem Knecht, der bei ihm verschuldet war. Aus reinem Mitleid mit ihm erließ er ihm zehntausend Talente **(s. Vers 23-27)**. Beachten Sie:

Jede Sünde, die wir begehen, ist eine Schuld vor Gott, nicht wie eine Schuld gegenüber einem Ebenbürtigen, die sich auf kaufen und leihen beschränkt, sondern eine, die man gegenüber einem Höherstehenden auf sich lädt, wie eine Schuld bei einem Fürsten, wenn eine Bürgschaft verfallen ist, oder eine Strafe, die man sich für eine Verletzung des Gesetzes zuzieht. Wir sind alle Schuldner; wir schulden Bezahlung und sind einem entsprechenden Gerichtsverfahren preisgegeben.

Von dieser Schuld wird ein Bericht angefertigt. Dieser König wollte „mit seinen Knechten abrechnen". Gott handelt mit uns nun anhand unseres Gewissens; das Gewissen ist ein Revisor für Gott in der Seele, um uns zur Rechenschaft zu ziehen und mit uns abzurechnen. Eine der ersten Fragen, die ein erweckter Christ stellt, ist: „Wie viel bist du meinem

Herrn schuldig?" (Lk 16,5). Wenn das Herz nicht bestochen wurde, wird es die Wahrheit sagen, es wird nicht fünfzig statt hundert sagen.

Die Schuld der Sünde ist sehr groß, und manche haben mehr Schuld aufgrund ihrer Sünde als andere. „Und als er anfing abzurechnen", sah er, dass einer der ersten Schuldner ihm „10 000 Talente schuldig" war, eine gewaltige Summe, eine Riesensumme oder das Vermögen eines Reiches. Schauen Sie, wie unsere Sünden sind in Bezug auf:

Ihr abscheuliches Wesen; sie sind Talente, die größte Einheit, die man je benutzte, um Geld oder Gewicht zu zählen.

Ihre ungeheure Zahl; sie sind zehntausend, eine Unzahl.

Die Schuld der Sünde ist so groß, dass wir nicht in der Lage sind, sie zu bezahlen. „Weil er aber nicht bezahlen konnte." Sünder sind bankrotte Schuldner.

Wenn Gott nach seiner strikten Gerechtigkeit verfahren würde, würden wir alle als bankrotte Schuldner verdammt werden. Die Gerechtigkeit verlangt Genugtuung. Der Knecht hatte seine Schuld durch seine Verschwendungssucht und Halsstarrigkeit erlangt, und so hätte man ihn zu Recht „die Suppe auslöffeln lassen können, die er sich selbst eingebrockt hat". Sein Herr befahl, „ihn und seine Frau und seine Kinder und alles, was er hatte, zu verkaufen und so zu bezahlen". Hier sehen wir, was jede Sünde verdient; dies ist „der Lohn der Sünde" (Röm 6,23). Auf diese Weise wollte der König, dass bezahlt wird, das heißt, dass etwas dagegen unternommen wird, obwohl es unmöglich ist, dass sich der Verkauf von so jemand Wertlosen auf einen solchen Betrag beläuft, dass dies eine so große Schuld zurückzahlen würde.

Der Knecht warf sich nieder vor seinem königlichen Herrn und „huldigte ihm"; oder, wie manche Abschriften lesen, er „flehte ihn an". Seine Worte an ihn waren kühn und unterwürfig: „Herr, habe Geduld mit mir, so will ich dir alles bezahlen!" **(Vers 26)**. Der Knecht wusste vorher, dass er so sehr verschuldet war, doch er war darum nicht besorgt, bis er zur Rechenschaft gezogen wurde. Sünder sind für gewöhnlich gleichgültig gegenüber der Vergebung ihrer Sünden, bis sie von einem erweckenden Wort, einer erschreckenden Vorsehung oder dem Herannahen des Todes gefangen genommen werden. Das tapferste Herz wird versagen, wenn Gott seine Sünden aufzeigt. Er bat um Zeit: „Herr, habe Geduld mit mir." Geduld ist eine große Gunst, doch es ist töricht zu denken, dass dies alleine uns retten wird; ein Aufschub ist keine Vergebung. Er versprach zu bezahlen: „Herr, habe Geduld mit mir, so will ich dir alles bezahlen!" Derjenige, der „nicht bezahlen konnte" **(Vers 25)**, dachte, er könne „alles" zurückzahlen. Beachten Sie, wie stolz selbst erweckte Sünder sind; sie sind überführt, doch nicht gedemütigt.

Der Gott der unendlichen Barmherzigkeit ist sehr bereit, denen, die sich vor ihm demütigen, die Sünden aus reinem Mitleid zu vergeben **(s. Vers 27)**. Der Herr dieses Knechtes würde, da er nicht durch die Bezahlung der Schuld entschädigt werden konnte, verherrlicht werden, indem er sie vergab. Das Gebet des Knechtes war: „Herr, habe Geduld mit mir." Die Bewilligung des Herrn war ein vollständiger Erlass. Die Vergebung der Sünden haben wir dem bloßen zärtlichen Mitleid Gottes zu verdanken: Er erbarmte sich über diesen Knecht (vgl. Lk 1,77-78). Bei Gott gibt es Vergebung für die größten Sünden, wenn man Buße von ihnen tut. Obwohl die Schuld unermesslich war, erließ sie der König ganz **(s. Vers 32)**. Die Vergebung der Schuld ist die Freilassung des Schuldners: Er „gab ihn frei". Die Zahlungsverpflichtung wurde aufgehoben, das Urteil annulliert. Doch obwohl er ihn von der Strafe als Schuldner befreite, befreite er ihn nicht von seiner Pflicht als Diener. Die Vergebung der Sünden vermindert nicht, sondern verstärkt unsere Verpflichtung zum Gehorsam.

3.2 Die unangemessene Strenge des Knechtes gegenüber seinem Mitknecht trotz der Barmherzigkeit seines Herrn ihm gegenüber **(s. Vers 28-30)**. Dies stellt die Sünde all derer dar, die hart und unbarmherzig sind, wenn sie fordern, was ihnen gebührt, die bis zum Äußersten auf ihren Rechten bestehen, was sich manchmal als wirkliches Unrecht erweist. Rein aus Rache die Begleichung der Schuld des Unrechts zu verlangen – selbst, wenn es das Gesetz erlaubt –, zeigt keinen christlichen Geist. Beachten Sie hier:

Wie absolut klein die Schuld verglichen mit den zehntausend Talenten war, die ihm sein Herr vergab: Der Mitknecht „war ihm 100 Denare schuldig". Kränkungen gegenüber Menschen sind nichts im Vergleich mit denen, die Gott gegenüber begangen werden. Das heißt nicht, dass wir es leicht nehmen sollten, wenn wir unserem Nächsten Unrecht tun, denn auch das ist eine Sünde gegen Gott. Wir sollten es leicht nehmen, wenn uns unser Nächster Unrecht tut, es nicht hervorheben oder Vergeltung suchen.

Wie streng die Forderung war: „... den ergriff er, würgte ihn." Welche Notwendigkeit gab es für all diese Gewalt? Man hätte die Schuld verlangen können, ohne dem Schuldner an die Kehle zu gehen. Wie großspurig tritt dieser Mann auf, doch wie verderbt und gemein ist sein Geist! Wenn er selbst für seine Schuld ins Gefängnis gekommen wäre, hätte er vielleicht einen Vorwand gehabt, ein solch extremes Maß bei der Forderung von dem anzulegen, was geschuldet war, doch Stolz und Hass bewegen die Menschen oft mehr zur Strenge, als es die drängendste Not machen würde.

Wie unterwürfig der Schuldner war: „Da warf sich ihm sein Mitknecht zu Füßen" und demütigte sich für seine winzige Schuld vor ihm, wie es sein Gläubiger vor seinem eigenen Herrn für diese große Schuld tat. Die Bitte des armen Mannes war: „Habe Geduld mit mir"; er bekannte ehrlich die Schuld, bat nur um Zeit. Geduld ist manchmal ein notwendiger und empfehlenswerter Akt der Nächstenliebe, wenn sie auch kein Freispruch ist. Wir dürfen in unseren Forderungen weder hart noch heftig sein, sondern müssen daran denken, wie geduldig Gott mit uns ist.

Wie unerbittlich und wütend der Gläubiger war: „Er aber wollte nicht" **(Vers 30)**, sondern „warf ihn ins Gefängnis" ohne Erbarmen. Wie anmaßend trat er auf jemanden, der genauso gut war wie er selbst, der sich ihm unterwarf!

Wie sehr die anderen Knechte besorgt waren: Sie „wurden ... sehr betrübt" **(Vers 31)**. Die Sünden und Leiden unserer Mitknechte sollten für uns ein Anlass für Kummer und Unruhe sein. Einen Mitknecht entweder wie ein Bär toben oder wie einen Wurm zertrampelt zu sehen, muss jedem großen Schmerz bereiten, der irgendwelche Achtung vor der Ehre dessen Wesens oder aber dessen religiösen Glaubens hat.

Wie dem Herrn davon Mitteilung gemacht wurde: Sie „kamen und berichteten ihrem Herrn den ganzen Vorfall". Sie wagten es nicht, ihren Mitknecht dafür zurechtzuweisen, weil er so unangemessen und unerhört agierte, und deshalb gingen sie zu ihrem Herrn. Mögen sowohl unsere Klagen von der Bosheit von Übeltätern als auch der Kummer der Niedergeschlagenen zu Gott gebracht und bei ihm gelassen werden.

3.3 Der gerechte Zorn des Herrn über seinen Knecht. Beachten Sie:

Wie er die Grausamkeit seines Knechtes tadelte: „Du böser Knecht!" **(Vers 32)**. Unbarmherzigkeit ist eine große Sünde. Er rügte den Knecht angesichts der Barmherzigkeit, welche der Knecht bei seinem eigenen Herrn gefunden hatte: „Jene ganze Schuld habe ich dir erlassen." Diejenigen, die Gottes Gunsterweise annehmen wollen, werden dafür nie getadelt, doch diejenigen, die sie missbrauchen, können erwarten, gescholten zu werden (s. Mt 11,20). Die Größe der Sünde erhöht den Reichtum der vergebenden Barmherzigkeit: Wir sollten daran denken, wie viel uns vergeben wurde (s. Lk 7,47). Der König zeigte dem Knecht, dass die Barmherzigkeit, die er empfangen hatte, ihn verpflichtete, barmherzig gegenüber seinem Mitknecht zu sein. „Solltest denn nicht auch du dich über deinen Mitknecht erbarmen, wie ich mich über dich erbarmt habe?" Man erwartet zu Recht, dass diejenigen, die Barmherzigkeit empfangen haben, auch Barmherzigkeit zeigen sollten. Er zeigte ihm:

Dass er hätte mitleidsvoller gegenüber dem Elend seines Mitknechts hätte sein müssen, weil er selbst das gleiche Elend erlebt hatte. Bei dem, was wir selbst gefühlt haben, können wir besser mit unserem Bruder oder unserer Schwester mitfühlen.

Dass er mehr nach dem Beispiel der Sanftheit hätte handeln müssen, das sein Herr ihm gegeben hatte. Das ermutigende Bewusstsein der vergebenden Barmherzigkeit bewegt unsere Herzen stark dazu, unseren Geschwistern zu vergeben. Wir müssen mit ihnen Mitleid haben, wie Gott es mit uns hatte.

Wie er diese Vergebung widerrief: „Und voll Zorn übergab ihn sein Herr den Folterknechten, bis er alles bezahlt hätte, was er ihm schuldig war" **(Vers 34)**. Obwohl die Sünde sehr groß war, legte ihm sein Herr keine andere Strafe auf, als die Bezahlung seiner eigenen Schuld. Beachten Sie, wie die Strafe der Schuld entspricht; dem, der sich weigert zu vergeben, wird nicht vergeben. Unsere Schulden vor Gott werden nie aufgeteilt; entweder alles wird vergeben oder alles wird eingefordert. Verherrlichten Heiligen im Himmel ist durch Christi vollständige Sühne komplett vergeben.

Die Anwendung des ganzen Gleichnisses: „So wird auch mein himmlischer Vater euch behandeln" **(Vers 35)**. Wenn Gottes Herrschaft väterlich ist, dann folgt daraus, dass sie gerecht ist, doch daraus folgt nicht, dass sie nicht streng ist. Wenn wir zu Gott als unserem Vater im Himmel beten, werden wir auch gelehrt zu bitten: „Und vergib uns unsere Schulden, wie auch wir vergeben unseren Schuldnern" (Mt 6,12). Beachten Sie hier:

Die Pflicht der Vergebung: Wir müssen „von Herzen" vergeben. Wenn wir unserem sündigenden Bruder oder unserer sündigenden Schwester nicht von Herzen vergeben, vergeben wir ihnen nicht richtig oder annehmbar, denn das Herz ist das, was Gott ansieht (s. 1.Sam 16,7). Dort darf kein Hass gehegt werden, noch irgendein Groll gegenüber irgendeinem Menschen. Doch all dies ist nicht genug; wir müssen von Herzen das Wohlergehen selbst derer wollen und danach streben, die uns beleidigt haben.

Die Gefahr des Nichtvergebens: „So wird auch mein himmlischer Vater euch behandeln." Das soll uns nicht lehren, dass Gott bei irgendjemanden die Vergebung aufhebt, sondern dass er sie denen versagt, die für sie nicht geeignet sind. Wir haben in der Schrift genug Hinweise auf den Verlust der Vergebung, um zu zeigen, dass wir sie als Warnungen nehmen sollen, nicht überheblich zu sein. Wir haben jedoch auch genug Gewissheit ihrer Beständigkeit, um diejenigen zu ermutigen, die aufrichtig, aber furchtsam sind; die einen mögen sich fürchten und die anderen hoffen. Derjenige, der nicht „seinem Bruder ... seine Verfehlungen" vergibt, hat nie wirklich von seinen eigenen Buße getan, und deshalb ist das, was ihm weggenommen wird, nur das, „was er zu haben meint" (Lk 8,18). Dies soll uns lehren, dass „das Gericht ... unbarmherzig ergehen [wird] über den, der keine Barmherzigkeit geübt hat" (Jak 2,13). Für Vergebung und Frieden ist es absolut notwendig, dass wir nicht nur „Recht tun", sondern auch „Liebe üben" (Mi 6,8).

KAPITEL 19

Hier haben wir: 1. Wie Christus den Ort wechselt, wo er sich aufhält (s. Vers 1-2). 2. Seine Kontroverse mit den Pharisäern über die Scheidung und sein Gespräch mit seinen Jüngern zu diesem Anlass (s. Vers 3-12). 3. Den freundlichen Empfang, den er einigen kleinen Kindern bot, die zu ihm gebracht wurden (s. Vers 13-15). 4. Einen Bericht darüber, was zwischen Christus und einem verheißungsvollen jungen Mann geschah, der sich an ihn wandte (s. Vers 16-22). 5. Seine Worte zu seinen Jüngern aus diesem Anlass (s. Vers 23-30).

Vers 1-2

Hier haben wir einen Bericht darüber, dass Christus diesen Ort verließ. Beachten Sie:

1. Er verließ Galiläa. Er war dort aufgewachsen und hatte die meiste Zeit seines Lebens in diesem abgelegenen und bedeutungslosen Teil des Landes verbracht. Darin, wie auch in anderen Dingen, erschien er in niedrigem Stand, sodass er als Galiläer bekannt war, ein Landsmann aus dem Norden, einer aus dem am wenigsten gebildeten und kultivierten Teil des Landes. Als er nun „diese Worte beendet hatte, verließ er Galiläa", und es war ein endgültiger Abschied, denn bis nach seiner Auferstehung kam er nie wieder nach Galiläa.

2. Er „kam in das Gebiet von Judäa jenseits des Jordan", sodass die Menschen dort ihn genauso wie die in Galiläa annehmen konnten, denn auch sie gehörten „zu den verlorenen Schafen des Hauses Israel" (Mt 10,6).

3. „Und es folgte ihm eine große Volksmenge nach." Wenn Christus fortgeht, ist es für uns am besten, ihm zu folgen. Er zog umher und tat Gutes (s. Apg 10,38), denn, wie es darauf heißt, „er heilte sie dort". Dies zeigt den Grund, warum sie ihm folgten – damit ihre Kranken geheilt werden – und sie fanden ihn hier genauso bereit und in der Lage zu helfen, wie er es in Galiläa gewesen war.

Vers 3-12

Hier haben wir das Gesetz Christi für den Fall einer Scheidung, veranlasst, wie es einige andere Erklärungen seines Willens waren, durch einen Angriff der Pharisäer. Beachten Sie hier:

1. Den von den Pharisäern vorgegebenen Fall: „Ist es einem Mann erlaubt ... seine Frau zu entlassen?" **(Vers 3)**. Sie fragten dies, um ihn zu versuchen, nicht, um von ihm gelehrt zu werden. Wenn er sich nun gegen die Scheidung aussprechen würde, würden sie dies benutzen, um die Menschen dieses Landes ungehalten und voreingenommen gegen ihn zu machen, sie misstrauisch auf denjenigen blicken lassen, der versuchte, eine der Freiheiten zu zerstören, die sie mochten. Wenn er sagen würde, dass Scheidungen nicht rechtmäßig sind, würde ihn dies als Feind des Gesetzes Mose zeigen, das sie erlaubte. Wenn er andererseits sagen würde, dass sie rechtmäßig sind, würden sie sagen, dass seine Lehre nicht die Vollkommenheit beinhaltet, welche von der Lehre des Messias erwartet wird, denn obwohl Scheidungen hingenommen wurden, wurden sie von den strengeren Leuten als anrüchig gesehen. Ihre Frage war: „Ist es einem Mann erlaubt, aus irgendeinem Grund seine Frau zu entlassen?" Dass es aus manchen Gründen, nämlich Ehebruch, geschehen durfte, wurde eingeräumt, doch konnte es, wie es jetzt durch den liberalen Teil der Leute gewöhnlich getan wurde, aus jedem Grund geschehen, den ein Mann für geeignet halten würde, selbst einen, der sehr leichtfertig war?

2. Christi Antwort auf diese Frage; obwohl der Fall vorgebracht wurde, um ihn zu prüfen, gab er eine volle Antwort auf die Frage – keine direkte Antwort, sondern eine wirksame. Sein Argument war Folgendes: „Wenn Mann und Frau durch den Willen und die Anordnung Gottes miteinander in der strengsten und engsten Einheit verbunden sind, dann dürfen sie nicht leichtfertig und einfach aus jedem Grund getrennt werden." Er führte drei Dinge an:

2.1 Die Schöpfung von Adam und Eva, bei der er an ihre eigene Kenntnis der Schriften appellierte: „Habt ihr nicht gelesen' – ihr habt es gelesen, aber nicht bedacht –, ,dass der Schöpfer sie am Anfang als Mann und Frau erschuf?'" (s. 1.Mose 1,27; 5,2). Er schuf sie „als Mann und Frau", eine Frau für einen Mann; das bedeutet, dass Adam sich nicht von seiner Frau scheiden und eine andere nehmen konnte, denn es gab keine andere Frau, um sie zu nehmen. Es zeigt auch eine unzertrennliche Einheit zwischen ihnen; Eva war eine Rippe aus Adams Seite, was hieß, er konnte sie nicht fortschicken, ohne einen Teil von sich fortzuschicken.

2.2 Das grundsätzliche Gesetz der Ehe, welches darin besteht, dass „ein Mann Vater und Mutter verlassen und seiner Frau anhängen" wird **(Vers 5)**. Die Beziehung zwischen Ehemann und Ehefrau ist enger als die zwischen Eltern und Kindern. Wenn man nun die kindliche Beziehung nicht leicht brechen kann, dann kann man noch weniger die Einheit der Ehe zerbrechen. Kann ein Kind aus irgendeinem Grund, aus jedem Grund, seine Eltern verlassen oder Eltern ihr Kind im Stich lassen? Nein, sicherlich nicht.

2.3 Das Wesen der Vereinbarung der Ehe; sie ist eine Vereinigung von Menschen: „,... und die zwei werden ein Fleisch sein.' So sind sie nicht mehr zwei, sondern ein Fleisch" **(Vers 5-6)**. Die Kinder eines Mannes sind ein Teil von ihm selbst, doch seine Frau ist er selbst. Da die Einheit der Ehe enger ist als die zwischen Eltern und Kindern, ist sie in gewisser Weise gleichbedeutend zu der von einem Glied zu einem anderen Glied des natürlichen stofflichen Leibes. Daraus schließt er: „Was nun Gott zusammengefügt hat, das soll der Mensch nicht scheiden!" Ehemann und Ehefrau sind von Gott zusammengefügt, der wörtliche Sinn ist: „Er hat sie miteinander verbunden." Gott selbst hat die Beziehung zwischen Ehemann und Ehefrau eingesetzt. Die Ehe ist zwar nicht kennzeichnend für die Gemeinde, sondern für die Welt üblich, doch sie sollte dennoch „in gottgewollter Weise" gehandhabt (2.Kor 7,11) und durch Gottes Wort und Gebet geheiligt werden (s. 1.Tim 4,5). Gewissenhafte Achtung vor Gott in dieser Ordnung hätte einen guten Einfluss auf die Pflicht und so auf die Ermutigung zu dieser Beziehung. Weil Ehemann und Ehefrau in dieser Ordnung von Gott zusammengefügt sind, dürfen sie nicht von einer menschlichen Ordnung getrennt werden.

3. Ein Einwand, der von den Pharisäern hiergegen erhoben wurde: „,Warum hat denn Mose befohlen, ihr einen Scheidebrief zu geben' für den Fall, dass sich ein Mann von seiner Frau scheidet?" **(Vers 7)**. Er führte einen Grund aus der Schrift *gegen* die Scheidung an; sie machten die Autorität der Schrift *für* die Scheidung geltend. Die scheinbaren Widersprüche, die es im Wort Gottes gibt, sind für Menschen mit verkehrtem Sinn große Stolpersteine.

4. Christi Antwort auf diesen Einwand:

4.1 Er stellte ihren Irrtum über das Gesetz von Mose richtig. Sie nannten es einen Befehl; Christus nannte es nur eine Erlaubnis. Weltliche Herzen werden eine Meile nehmen, wenn ihnen nur ein Zoll gegeben wird. Christus sagte ihnen aber, dass es einen Grund für diese Duldung gibt, die überhaupt nicht zu ihrem Lob ist: „Es geschah ‚wegen der Härtigkeit eures Herzens', dass euch erlaubt wurde, ‚eure Frauen zu entlassen'." Mose beklagte sich zu seiner Zeit über das Volk Israel, dass es „ein halsstarriges Volk" ist (5.Mose 9,6; s. 31,27), halsstarrig Gott gegenüber. Hier bezieht sich der Ausdruck auf ihre Härtigkeit gegenüber ihren Verwandten. Es gibt in der Welt keinen größeren Akt der Härtigkeit des Herzens, als wenn ein Ehemann hart und streng mit seiner eigenen Ehefrau ist. Die Juden, scheint es, waren dafür berüchtigt, und deshalb wurde ihnen erlaubt, sich von ihren Frauen zu scheiden; besser sich von ihnen scheiden, als Schlimmeres zu tun. Eine kleine Nachsicht gegenüber jemandem, der außer sich oder rasend ist, kann größere Schwierigkeiten verhindern. Das Gesetz Moses bedachte die Härte des menschlichen Herzens, doch das Evangelium Christi heilt sie. Durch das Gesetz kam die Erkenntnis der Sünde (s. Röm 3,20), doch durch das Evangelium kam die Bezwingung der Sünde.

4.2 Er führte sie zurück zur ursprünglichen Einrichtung: „... von Anfang an aber ist es nicht so gewesen." Verderbtheiten, die sich in eine Ordnung Gottes geschlichen haben, müssen gereinigt werden, indem man zur ursprünglichen Einrichtung zurückkehrt. Wenn die Abschrift verdorben ist, muss sie durch das Original überprüft und korrigiert werden.

4.3 Er machte den Punkt durch ein ausdrückliches Gesetz deutlich, beginnend mit: „Ich sage euch aber", und es stimmt mit dem überein, was er vorher sagte (s. Mt 5,32). An diesen beiden Stellen:

Erlaubt er Scheidung im Fall von Ehebruch. Der Grund für das Gesetz gegen Scheidung war: „... die zwei werden ein Fleisch sein." Wenn die Frau untreu ist und ein Fleisch mit einem Ehebrecher wird, verschwindet der Grund für dieses Gesetz und damit das Gesetz.

Er verweigerte es in allen anderen Fällen: „Wer seine Frau entlässt, es sei denn wegen Unzucht, und eine andere heiratet, der bricht die Ehe." Dies ist eine direkte Antwort auf ihre Frage: Scheidung ist nicht rechtmäßig. Es werden keine Scheidungen nötig sein, wenn wir einander als solche in Liebe ertragen und vergeben (s. Eph 4,32; Kol 3,13), denen vergeben wurde bzw. die darauf hoffen. Scheidungen sind unnötig, wenn Männer ihre Frauen lieben und Frauen sich ihren Männern unterordnen (s. Kol 3,18-19) und sie als Erben der Gnade des Lebens zusammenleben (s. 1.Petr 3,7).

5. Ein Einwand der Jünger gegen dieses Gesetz Christi: „Wenn ein Mann solche Pflichten gegen seine Frau hat, so ist es nicht gut, zu heiraten!" **(Vers 10)**. Es scheint, dass die Jünger selbst unwillig waren, die Freiheit zur Scheidung aufzugeben und sie für einen guten Weg hielten, die Sicherheit im Stand der Ehe zu bewahren. Wenn sie nicht frei wären, sich scheiden zu lassen, hielten sie es für gut für einen Mann, von vornherein nicht zu heiraten. Dies zeigt uns, dass die verderbte Natur ungehalten gegenüber Einschränkungen ist. Es ist töricht und verdreht von Menschen, auf die Behaglichkeiten dieses Lebens wegen der Kreuze zu verzichten, die man im Allgemeinen erlebt. Nein; in was für einem Stand wir auch sind, wir müssen unseren Sinn dazu bewegen, dankbar für seine Begünstigungen sein, uns seinen Widrigkeiten unterwerfen und das Beste aus dem machen, was da ist (s. Pred 7,14). Wenn man das Joch der Ehe nicht nach Belieben ablegen kann, heißt das nicht, dass wir nicht darunter sein dürfen; vielmehr müssen wir, wenn wir darunter sind, entschlossen sein, es in Liebe, Demut und Geduld zu tragen, was die Scheidung zur unnötigsten und unerwünschtesten möglichen Sache macht.

6. Christi Antwort auf diesen Einwand (s. Vers 11-12). Er gab zu, dass es für manche gut ist, nicht zu heiraten: „Wer es fassen kann, der fasse es!" Christus zog das in Betracht, was die Jünger gesagt hatten, „... so ist es nicht gut, zu heiraten", um ihnen eine Regel zu geben, dass diejenigen, welche die Gabe der Selbstbeherrschung haben, am besten handeln, wenn sie alleine bleiben. Das Wachstum in der Gnade ist besser als das Wachstum der Familie und die Gemeinschaft mit dem Vater und mit seinem Sohn Jesus Christus muss vor jede andere Gemeinschaft gestellt werden. Doch er untersagte als absolut schädlich das Verbot der Ehe, denn „nicht alle fassen dieses Wort". Christus sprach hier von einer zweifachen Abneigung zu heiraten:

6.1 Was eine Widrigkeit durch Gottes Vorsehung ist, die denen zustößt, die von Geburt an Verschnittene sind oder von Menschen dazu gemacht werden.

6.2 Was eine Tugend durch Gottes Gnade ist; das ist die Tugend derer, „die sich selbst verschnitten haben um des Reiches der Himmel willen". Dies ist als Verweis auf eine Untauglichkeit zur Ehe gemeint, die nicht aus dem Leib, sondern aus dem Herzen kommt. Diejenigen, die sich selbst verschnitten haben, haben eine heilige Gleichgültigkeit gegenüber allen Freuden des Standes der Ehe und sind durch die Kraft der Gnade Gottes entschlossen, sich gänzlich von ihnen zu enthalten. Das sind diejenigen, die dieses Wort fassen können. Diese Zuneigung zu dem Stand des Alleinseins muss von Gott gegeben werden, denn niemand kann es fassen, „sondern nur die, denen es gegeben ist". Selbstbeherrschung ist eine besondere Gabe Gottes, die manchen Menschen gegeben wird und anderen nicht. Der Stand des Alleinseins muss um des Reiches der Himmel willen gewählt werden. Wenn es um des religiösen Glaubens willen geschieht, wird es von Gott gutgeheißen und angenommen. Der Stand, der am besten für uns und damit zu wählen und beizubehalten ist, ist der, der am besten für unsere Seelen ist und am meisten dazu führt, uns für das Reich der Himmel vorzubereiten und zu bewahren.

Vers 13-15

Hier haben wir den Empfang, den Christus einigen kleinen Kindern bereitet, die zu ihm gebracht werden. Beachten Sie:

1. Den Glauben derer, die sie brachten. Es wird davon berichtet, dass „Kinder zu ihm gebracht [wurden], damit er die Hände auf sie lege und bete" **(Vers 13)**. Diejenigen, welche die Kinder brachten, zeigten die Achtung, die sie vor Christus hatten, und den Wert, den sie seiner Gunst und seinem Segen beimaßen. Sie zeigten auch Freundlichkeit gegenüber ihren Kindern. Andere brachten ihre Kinder zu Christus, damit sie geheilt werden, wenn sie krank waren, doch diese Kinder litten zu der Zeit unter keiner Krankheit; diejenigen, die sie brachten, wollten nur einen Segen für sie. Es ist gut, selbst zu Christus zu kommen und unsere Kinder zu ihm zu bringen, bevor wir durch eine besondere Not zu ihm getrieben werden. Sie wollten, dass er ihnen die Hände auflegt und betet. Das Auflegen der Hände war eine Zeremonie, die besonders bei väterlichen Segnungen benutzt wurde. Es zeigt etwas Liebe und Vertraulichkeit gemischt mit Macht und Autorität und spricht für die Wirksamkeit des Segens. Wir können nichts Besseres für unsere Kinder tun, als sie dem Herrn Jesus zu übergeben, dass er für sie betet und ihnen hilft. Wir können nur um einen Segen für sie bitten; es ist nur Christus, der dem Segen gebieten kann (s. 3.Mose 25,21; 5.Mose 28,8; Ps 133,3).

2. Der Fehler der Jünger, dass sie jene zurechtwiesen. Sie missbilligten diesen Auftrag als wertlos und nicht ernst zu nehmen, und sie tadelten diejenigen, die deshalb kamen, als unverschämt und lästig. Es ist gut für uns, dass Christus mehr Liebe und Herzlichkeit in sich hat, als es der beste seiner Jünger hat. Wir wollen von ihm lernen, keine willigen, wohlmeinenden Seelen vom Suchen zu entmutigen, selbst wenn sie schwach sein mögen. Wenn *er* das geknickte Rohr nicht zerbrechen will (s. Jes 42,3; Mt 12,20), sollten *wir* dies auch nicht tun.

3. Das Wohlwollen unseres Herrn Jesus.
3.1 Er wies die Jünger zurecht: „Lasst die Kinder und wehrt ihnen nicht", und er stellte den Fehler der Jünger richtig: „... denn solcher ist das Reich der Himmel!" **(Vers 14)**.
Die Kinder von gläubigen Eltern gehören zum Reich der Himmel und sind Glieder der sichtbaren Kirche.

Deshalb sind sie bei Christus willkommen, der bereit ist, die zu empfangen, die, wenn sie selbst nicht kommen können, zu ihm gebracht werden. Er ist bereit, Kinder zu empfangen:
Aus Achtung gegenüber den kleinen Kindern selbst, für die er zu allen Gelegenheiten Interesse ausgedrückt hat.
Mit einem Auge für den Glauben der Eltern, die sie bringen. Eltern sind Treuhänder für den Willen ihrer Kinder. Christus fasst deshalb den Einsatz der Eltern ihrer Kinder als die Handlung und Tat der Kinder auf. Deshalb ist er verärgert, wenn Menschen ihnen wehren, diejenigen ausschließen, die er angenommen hat.

3.2 Er empfing die kleinen Kinder und tat, wie jene es von ihm wollten, die sie brachten: Er legte ihnen die Hände auf; das heißt, segnete sie. Der stärkste Gläubige lebt nicht so sehr davon, dass er Christus ergreift, wie dass er von ihm ergriffen wird (s. Phil 3,12), und dazu ist das kleinste Kind in der Lage. Wenn sie nicht ihre Hände zu Christus ausstrecken können, kann er ihnen still immer noch die Hände auflegen, sie zu seinem Eigentum machen und als sein Eigentum anerkennen.

Vers 16-22

Hier ist ein Bericht davon, was zwischen Christus und einem verheißungsvollen jungen Mann geschah; es heißt von ihm, dass er ein junger Mann **(s. Vers 20)**, und wir nennen ihn einen Herrn, nicht nur, weil er großen Besitz hatte, sondern auch, weil er ein Oberster war (s. Lk 18,18). Uns wird nun bezüglich dieses jungen Mannes gesagt, wie er nach dem Himmel strebte, ihn aber nicht erreichte. Beachten Sie:

1. Wie er nach dem Himmel strebte und wie freundlich und sanft ihn Christus behandelte. Hier gibt es:

1.1 Die ernsthafte Anrede des Mannes an Jesus Christus: „Guter Meister, was soll ich Gutes tun, um das ewige Leben zu erlangen?" **(Vers 16)**. Man könnte keine bessere Frage stellen und sie ernsthafter stellen.
Er gab Christus einen ehrenwerten Titel: „Guter Meister." Das meint keinen herrschenden Meister, sondern einen lehrenden Meister. Indem er ihn „Meister" nannte, zeigte der Mann seine Unterwürfigkeit und Bereitschaft, gelehrt zu werden, und indem er ihn „guter Meister" nannte, zeigte er seine Zuneigung und besondere Achtung für den Lehrer. Es ist gut, wenn die Leistung und der Aufstieg von Menschen ihre Höflichkeit und ihren Anstand erhöhen. Es war vornehm, Christus diesen Titel der Achtung zu geben. Es war bei den Juden ungewöhnlich, ihre Lehrer mit dem Titel „gut" anzusprechen. Dass er dies tat, zeigte deshalb die außerordentliche Achtung, die dieser Mann vor Christus hatte.

Er kam in einer ernsten Angelegenheit zu Christus – nichts konnte ernster sein – und er kam nicht, um ihn zu versuchen, sondern wollte aufrichtig von ihm gelehrt werden. Seine Frage war: „… was soll ich Gutes tun, um das ewige Leben zu erlangen?" Er war überzeugt, dass es in der anderen Welt eine Seligkeit für diejenigen gibt, welche in dieser Welt darauf vorbereitet sind. Es war bei jemandem seines Alters und seiner Klasse selten, so besorgt um die nächste Welt zu erscheinen. Reiche Menschen neigen dazu zu denken, es sei unter ihrer Würde, eine solche Frage zu stellen, und junge Menschen denken, sie hätten jede Menge Zeit, um darüber nachzusinnen, doch hier war ein junger Mann, und ein reicher Mann, der sich um seine Seele und die Ewigkeit sorgte. Er war sich bewusst, dass etwas getan werden musste, etwas Gutes, um diese Seligkeit zu erlangen. Wir müssen aktiv sein, das tun, was gut ist. Das Blut Christi ist der Preis, der für das ewige Leben bezahlt wurde – er verdiente es für uns –, doch Gehorsam gegenüber Christus ist der festgesetzte Weg dorthin (s. Hebr 5,9). Diejenigen, die wissen, was es heißt, ewiges Leben zu haben, und was es bedeutet, es nicht zu erreichen, werden glücklich sein, es zu allen Bedingungen anzunehmen. Das ist die Art von glühendem Eifer, mit welchem das Reich der Himmel gestürmt wird (s. Mt 11,12; Albr). Da diese Welt das nicht hat, was uns selig machen wird, sollte unsere große Frage sein: „Was müssen wir tun, damit wir ewiges Leben haben?"

1.2 Die Ermutigung, die Jesus Christus auf seine Worte hin gab. Es ist nicht seine Art, jemanden ohne Antwort fortzuschicken, der in solch einer Mission zu ihm kommt, denn nichts gefällt ihm mehr, als eine Antwort zu geben **(s. Vers 17)**.
Er unterstützte sanft seinen Glauben, denn er meinte es ohne Zweifel nicht als Zurechtweisung, als er sagte: „Was nennst du mich gut?" Der junge Mann beabsichtigte nicht mehr, als Christus als guten Menschen anzuerkennen und zu ehren, doch Christus wollte ihn dahin führen, ihn als guten Gott anzuerkennen und zu ehren, denn „niemand ist gut als Gott allein"! So, wie Christus in seiner Gnade bereit ist, das Beste, was er kann, aus dem zu machen, was falsch getan oder gesagt wird, ist er gewillt, das meiste aus dem zu machen, was gut gesagt oder getan wird. Seine Deutungen sind oft besser als unsere Absichten. Alle Kronen müssen vor seinem Thron liegen (s. Offb 4,10). Nur Gott ist gut. Wir nennen ihn in unserer Sprache Gott, weil er gut ist.
Er gab ihm klare Anweisungen für seinen Lebensweg. Christi Antwort lautete kurz und knapp: „Willst du aber in das Leben eingehen, so halte die Gebote!"
Das Ziel, das angestrebt wird, ist das Eingehen in das Leben. In seiner Frage sprach der junge

Mann über das ewige Leben; in seiner Antwort sprach Christus über das „Leben"; dies lehrt uns, dass das ewige Leben das einzig wahre Leben ist. Der junge Mann wollte wissen, wie er das ewige Leben „haben" konnte (Elb 06); Christus erklärte ihm, wie er darin „eingehen" kann. Christus führt uns auf den Weg, in das Leben einzugehen, das ist, durch Gehorsam. Christus, der unser Leben ist, ist der Weg zum Vater (s. Joh 14,6). Christus ist der einzige Weg zum Vater, doch die Pflicht und der Gehorsam des Glaubens sind der Weg zu Christus.

Der vorgeschriebene Weg ist das Halten der Gebote. Die Gebote Gottes halten, wie sie uns offenbart und bekannt gemacht wurden, ist der einzige Weg zum Leben und zum Heil. Das Halten der Gebote schließt den Glauben an Jesus Christus mit ein, denn das ist das große Gebot (s. 1.Joh 3,23). Es ist für uns nicht genug, die Gebote zu kennen; wir müssen sie auch halten, in ihnen bleiben als unserem Lebensstil und uns an sie halten als unsere Regel.

Auf das weitere Ersuchen und Bitten des Mannes hin erwähnte Christus einige einzelne Gebote, die er halten muss: „Er sagt zu ihm: Welche?" **(Vers 18)**. Als Antwort darauf führte Christus mehrere auf, besonders die Gebote der zweiten Tafel der Zehn Gebote, welche betreffen:
Unser eigenes Leben und das unseres Nächsten: „Du sollst nicht töten!"
Unsere eigene Reinheit und die unseres Nächsten: „Du sollst nicht ehebrechen!"
Unser eigenes Vermögen und äußerlichen Besitz und den unseres Nächsten: „Du sollst nicht stehlen!"
Die Wahrheit und unser eigener guter Name und der unseres Nächsten: „Du sollst nicht falsches Zeugnis reden!"
Die Pflichten in besonderen Beziehungen: „Ehre deinen Vater und deine Mutter!"
Das umfassende Gesetz der Liebe, dieses „königliche Gesetz" (Jak 2,8), in welchem sie alle erfüllt sind: „Du sollst deinen Nächsten lieben wie dich selbst!" (Gal 5,14; Röm 13,9).
Unser Heiland führt nur Pflichten der zweiten Tafel an; nicht, als wären die der ersten Tafel weniger wichtig, doch:
Diejenigen, die jetzt auf dem Stuhl Moses saßen, vernachlässigten diese Gebote völlig oder verdrehten sie sehr in ihrer Predigt. Während sie auf der Verzehntung für „die Minze und den Anis und den Kümmel" drängten, übersahen sie „das Recht und das Erbarmen und den Glauben", die Zusammenfassung der Pflichten der zweiten Tafel. Ihr Predigen war ganz und gar rituell und in keiner Weise moralisch.
Er wollte den jungen Mann und uns alle lehren, dass moralische Rechtschaffenheit ein notwendiger Zweig echten Christentums ist. Zwar bleibt ein bloß moralischer Mensch dahinter zurück, ein vollständiger Christ zu sein, doch ein unmoralischer Mensch ist gewiss kein Christ. In der Tat enthalten die Verpflichtungen der zweiten Tafel, obwohl die der ersten Tafel mehr den Kern der Religion enthalten, mehr den Erweis davon. Unser Licht brennt in der Liebe zu Gott, doch es scheint in der Liebe zu unserem Nächsten.

2. Wie er es nicht erreichte und worin er versagte.
2.1 Durch Stolz und eine verdrehte Sicht von seiner eigenen Güte und Stärke. Als Christus ihm sagte, welche Gebote er halten muss, antwortete er verächtlich: „Das habe ich alles gehalten von meiner Jugend an" **(Vers 20)**. Christus wusste es, denn er widersprach ihm nicht; in der Tat wird in Markus gesagt, dass er ihn lieb gewann (s. Mk 10,21), und so weit war er sehr gut und wohlgefällig für Christus. Die Befolgung dieser Gebote dieses jungen Mannes war umfassend: „Das habe ich alles gehalten." Er begann früh im Leben und war gewissenhaft: „... von meiner Jugend an." Ein Mensch kann frei von groben Sünden sein und doch die Gnade und Herrlichkeit nicht erreichen. Es war auch lobenswert, dass der Mann mehr davon wissen wollte, was seine Pflicht war: „... was fehlt mir noch?" Er war überzeugt, dass ihm etwas fehlte, um seine Werke vor Gott aufzufüllen, und er wollte es wissen, und – wenn er sich nicht in Bezug auf sein Herz irrte – er war bereit, es zu tun. Er schien vorwärtszudrängen, wenn er auch das Ziel noch nicht erreicht hatte. Und es war lobenswert, dass er sich mit seiner Frage an Christus wandte. Wer könnte sich besser mühen? Doch sogar in dem, was er sagte, offenbarte er seine Unwissenheit und Torheit. Wenn er den Umfang und die geistliche Bedeutung des Gesetzes gekannt hätte, dann hätte er, statt zu sagen: „Das habe ich alles gehalten ...; was fehlt mir noch?" voller Scham und Kummer gesagt: „All das habe ich gebrochen; was muss ich tun, damit mir meine Sünden vergeben werden?" Wie man es auch dreht und wendet, was er sagte, schmeckte nach Stolz und Rühmen und es enthielt zu viel von dem Rühmen, welches durch das Gesetz des Glaubens ausgeschlossen ist (s. Röm 3,27). Die Worte „.... was fehlt mir noch?" waren vielleicht nicht so sehr eine Bitte um weitere Unterweisung als die Forderung, seine gegenwärtige eingebildete Vollkommenheit zu loben.
2.2 Durch eine übermäßige Liebe zur Welt und zu ihren Freuden. Das war der entscheidende Felsen, über den er fiel (s. Jes 8,14; 1.Petr 2,8). Beachten Sie:
Wie er in dieser Sache geprüft wurde: „Jesus sprach zu ihm: Willst du vollkommen sein, so geh hin, verkaufe, was du hast" **(Vers 21)**. Christus stellte die Angelegenheit seines prahlerischen Gehorsams gegenüber dem Gesetz

zurück; er ließ dies fallen, denn dies würde ein wirkungsvollerer Weg sein, um dem Mann seinen wahren Charakter zu offenbaren, als eine Kontroverse über den Umfang des Gesetzes. Was Christus zu ihm sagte, hat er zu uns allen gesagt, dass wir, wenn wir zeigen wollen, dass wir echte Christen sind, am Jüngsten Tag als Erben des ewigen Lebens erfunden werden möchten, diese zwei Dinge tun müssen:

Wir müssen in unserem Handeln himmlische Schätze allem Wohlstand und allen Reichtümern dieser Welt vorziehen. Als Beleg dafür nun:

Wir müssen das, was wir in dieser Welt haben, zur Ehre Gottes und für seinen Dienst einsetzen. „'... verkaufe, was du hast, und gib es den Armen.' Verkaufe, was du für frommen Gebrauch entbehren kannst, all die Dinge, die du nicht wirklich brauchst; wenn du anders nichts Gutes damit tun kannst, dann verkaufe es. Klebe nicht an deinem Besitz, sondern sei bereit, dich um der Ehre Gottes willen von diesem zu trennen und um den Armen Hilfe zu bringen." Diejenigen, welche die Mittel dazu haben, müssen denen geben, die in Not sind, um ihre Geringschätzung der Welt zu zeigen, und wir müssen aus dem gleichen Grund gegenüber unseren Geschwistern Mitleid zeigen. Wenn wir Christus annehmen, müssen wir die Dinge dieser Welt loslassen, denn wir können nicht Gott dienen und dem Mammon (s. Mt 6,24). Christus wusste, dass Habsucht die Sünde war, die diesen jungen Mann so leicht umstrickte (s. Hebr 12,1), dass er zwar ehrlich erlangt hatte, was er hatte, doch sich nicht frohen Sinnes davon trennen konnte, und hierdurch enthüllte er ihm seine Unaufrichtigkeit.

Wir müssen uns auf das verlassen, worauf wir in der anderen Welt als reichlichen Lohn für alles hoffen, was wir in dieser Welt gelassen, verloren oder für Gott ausgegeben haben. „... so wirst du einen Schatz im Himmel haben." Wir müssen auf Gott für eine Seligkeit vertrauen, die nicht gesehen werden kann, die uns reich machen und uns für all unseren Aufwand in Gottes Dienst entschädigen wird. Christus fügte unmittelbar diese Gewissheit eines Schatzes im Himmel ein. Die Verheißungen Christi machen seine Gebote leicht und sein Joch nicht nur erträglich, sondern angenehm, süß und sehr bequem (s. Mt 11,30).

Wir müssen uns selbst völlig der Leitung und Führung unseres Herrn Jesus weihen: „... und komm, folge mir nach!" **(Vers 21)**. Dies scheint sich hier auf ein enges und ständiges Begleiten seiner Person zu beziehen, die Art des Folgens, für die es nötig war, dass er das verkaufte, was er in der Welt hatte. Von uns aber wird gefordert, dass wir Christus folgen, indem wir uns streng nach seinem Vorbild richten und seine Gesetze halten. All dies muss aus einem Motiv der Liebe zu ihm und der Abhängigkeit von ihm und aus heiliger Geringschätzung für alles andere im Vergleich zu ihm geschehen. Dies heißt Christus vollkommen nachfolgen. Alles zu verkaufen und es den Armen zu geben, wird nicht genug sein, wenn wir nicht kommen und Christus nachfolgen. Wenn ich all meine Habe gäbe, um die Armen zu speisen, und habe keine Liebe, würde es mir nichts nützen (s. 1.Kor 13,3).

Wie diese schwache Stelle aufgedeckt wurde. Dies traf ihn an einem wunden Punkt: „Als aber der junge Mann das Wort hörte, ging er betrübt davon; denn er hatte viele Güter" **(Vers 22)**. Er war ein reicher Mann und liebte seinen Reichtum, und das war der Grund, warum er fortging. Diejenigen, die viel in der Welt haben, sind in der größten Versuchung, es zu lieben. Die fesselnde Natur von weltlichem Wohlstand ist derart, dass diejenigen ihn am wenigsten begehren, denen er fehlt. Eine beherrschende Liebe zu dieser Welt hält viele Menschen von Christus ab, die ein gutes Verlangen nach ihm zu haben scheinen. Wenn wir viel Besitz haben, haben wir die Wahl: Wenn wir auf der einen Seite das Verlangen nach mehr überwinden, ist er eine große Unterstützung auf unserem Weg zum Himmel, doch wenn wir auf der anderen Seite von der Liebe zu ihm umstrickt werden, ist er ein großes Hindernis auf unserem Weg dorthin. Bei diesem Mann gab es jedoch ein wenig Aufrichtigkeit. Er ging fort und wollte nicht vorgeben, etwas zu haben, was er nicht in seinem Herzen fand, dass es diese Strenge erreichte. Da er kein vollständiger Christ sein konnte, wollte er kein Heuchler sein. Doch er war ein nachdenklicher Mann und wohlgesonnen, und deshalb „ging er betrübt davon". Er hatte ein wenig Neigung, Christus nachzufolgen, und zögerte, sich von ihm zu trennen. Viele Menschen wurden durch die Sünde ruiniert, die sie mit Widerstreben begingen. Sie verlassen Christus bekümmert, doch sind nie wahrhaft betrübt darüber, dass sie ihn verlassen haben, denn wenn sie es wären, würden sie zu ihm zurückkehren.

Vers 23-30

Hier haben wir das Gespräch Christi mit seinen Jüngern aus dem Anlass, dass ihn der reiche Mann verlassen hat.

1. Christus nutzte diesen Anlass, um zu zeigen, wie schwierig es ist, dass reiche Menschen gerettet werden **(s. Vers 23-26)**.

1.1 Für reiche Menschen ist es sehr schwer, in den Himmel zu kommen. Es ist gut für uns, Lektionen aus den Schwierigkeiten und dem Fall von anderen anzuwenden, damit wir daraus Warnungen für uns schließen. Jetzt:

Wird dies von unserem Heiland leidenschaftlich erklärt. Er sagt dies zu seinen Jüngern, die arm sind. Je weniger weltlichen Wohlstand sie besitzen, desto weniger Hindernis haben sie auf ihrem Weg zum Himmel. Christus bekräftigt diesen Ausspruch in **Vers 23**: „Wahrlich, ich sage euch." Er wiederholt ihn: „Und wiederum sage ich euch" **(Vers 24)**. Er „redet einmal und zum zweiten Mal" (Hiob 33,14), was die Menschen zögernd begreifen und noch zögerlicher glauben.

Er sagt, dass es für reiche Menschen schwer ist, in das Reich der Himmel zu kommen, sei es hier oder in der Zukunft. Der Weg zum Himmel ist für alle ein schmaler Weg, und die Pforte, die zu ihm führt, ist eine enge Pforte (s. Mt 7,14), doch das gilt besonders für reiche Menschen. Reiche Menschen sind großen, raffinierten, durchdringenden Versuchungen ausgesetzt, denen man schwer widerstehen kann, und es ist schwierig, nicht von einer lächelnden Welt verzaubert zu werden. Es muss ein großes Maß an göttlicher Gnade sein, das jemanden befähigt, diese Schwierigkeiten zu überwinden.

Er sagt, dass die Bekehrung und Errettung von reichen Menschen so extrem schwierig ist, dass es leichter ist, „dass ein Kamel durch ein Nadelöhr geht" **(Vers 24)**. Nichts weniger als die allmächtige Gnade wird einen reichen Menschen befähigen, diese Schwierigkeit zu überwinden. Es ist bei einem Menschen sehr selten, dass er reich ist und nicht sein Herz an seinen Reichtum hängt, und für jemanden, der sein Herz an seinen Reichtum hängt, ist es völlig unmöglich, in den Himmel zu kommen. Der Weg zum Himmel wird passenderweise mit einem Nadelöhr verglichen, welches schwer zu treffen und schwer zu durchqueren ist. Ein reicher Mensch wird passend mit einem Kamel verglichen, einem Lasttier, denn sie haben Reichtümer, so wie ein Kamel seine Ladung hat.

Diese Wahrheit ist erstaunlich für die Jünger, die sie kaum glauben können: Sie „entsetzten ... sich sehr und sprachen: Wer kann dann überhaupt gerettet werden?" **(Vers 25)**. Christus hat ihnen viele überraschende Wahrheiten gesagt, über die sie erstaunt waren und von denen sie nicht wussten, was sie daraus machen sollten. Es ist nicht, um Christus zu widersprechen, sondern um sich selbst wachzurütteln, dass sie sprechen: „Wer kann dann überhaupt gerettet werden?" Wenn wir daran denken, wie gut Gott ist, kann es erstaunlich erscheinen, dass ihm so wenig gehören, doch wenn wir daran denken, wie schlecht die Menschen sind, ist es noch erstaunlicher, dass es so viele sind. „Wer kann dann überhaupt gerettet werden?" Da so viele Menschen reich sind und so großen Besitz haben und so viel mehr reich sein wollen und gegenüber großem Besitz wohlgesonnen sind, wer kann dann gerettet werden? Dies ist ein guter Grund, warum reiche Menschen gegen den Strom schwimmen sollten.

1.2 Auch wenn es schwer ist, ist es für Reiche nicht unmöglich, gerettet zu werden. „Jesus aber sah sie an"; er drehte sich um und sah seine Jünger aufmerksam an, „und sprach zu ihnen: Bei den Menschen ist dies unmöglich; aber bei Gott sind alle Dinge möglich" **(Vers 26)**. Dies ist allgemein eine große Wahrheit. Nichts ist für Gott zu schwer (s. 1.Mose 18,14; 4.Mose 11,23). Wenn Menschen nicht mehr weiterwissen, ist das bei Gott nicht so. Doch diese Wahrheit wird hier angewendet:

Auf die Errettung von jedermann. „Wer kann ... gerettet werden?", fragen die Jünger. „Niemand", sagt Christus, „durch irgendeine erschaffene Macht. ‚Bei den Menschen ist dies unmöglich.'" Es ist ein Akt der Schöpfung (s. Ps 51,12; Gal 6,15), eine Auferstehung, und für Menschen ist dies unmöglich; „aber bei Gott sind alle Dinge möglich".

Besonders auf die Errettung von reichen Menschen. Für Reiche ist es unmöglich, gerettet zu werden, doch bei Gott ist selbst dies möglich. Bei der Heiligung und Errettung von reichen Menschen, die von den Versuchungen dieser Welt umgeben sind, muss man nicht die Hoffnungen aufgeben; es ist möglich. In diesen Worten Christi gibt es einen Hinweis auf die Barmherzigkeit, die Christus immer noch für diesen jungen Mann vorrätig hatte, der nun traurig fortgegangen war; für Gott war es nicht unmöglich, ihn zurückzubringen.

2. Petrus nutzt diesen Anlass, um zu fragen, was sie dadurch gewinnen werden, dass sie alles verlassen haben, um ihm zu folgen **(s. Vers 27)**.

2.1 Wir haben ihre Erwartungen Christus gegenüber: „Siehe, wir haben alles verlassen und sind dir nachgefolgt; was wird uns dafür zuteil?" Petrus möchte wissen:

Ob sie diese Bedingungen hinlänglich erfüllt haben: Sie haben nicht alles verkauft – denn viele von ihnen hatten Frauen und Familien, für die sie sorgen mussten –, doch sie haben „alles verlassen". Wenn wir hören, was der Charakter von denen ist, die gerettet werden, sollten wir fragen, ob diese Beschreibung durch die Gnade auf uns zutrifft. „Herr", sagt Petrus, „wir haben alles verlassen." Unglücklicherweise war alles, was sie verließen, armselig. Beachten Sie aber, wie Petrus darüber spricht, als wäre es etwas Großes: „Siehe, wir haben alles verlassen." Wir neigen dazu, viel zu viel aus unserem Dienst und Leiden für Christus zu machen, unsere Kosten und Verluste für ihn, und zu denken, wir haben ihn zu unserem Schuldner gemacht. Doch Christus weist sie dafür nicht zurecht. Es war alles, was sie hatten, wie die zwei sehr kleinen Scherflein der Witwe, und es war ihnen so teuer, als wäre es mehr gewesen, und so fasst Christus es freundlich auf, dass sie es für ihn verlassen haben.

Ob sie deshalb diesen Schatz erwarten können, den der junge Mann gehabt hätte, wenn er alles verkauft hätte. Alle Menschen sind nach dem aus, was sie bekommen können, und den Nachfolgern Christi wird erlaubt, ihre eigenen wahren Interessen zu bedenken und zu fragen: „… was wird uns … zuteil?" Christus ermutigt uns zu fragen, was wir gewinnen werden, wenn wir alles verlassen, um ihm nachzufolgen, damit wir sehen, dass er uns nicht zu unserem Schaden beruft, sondern in unbeschreiblicher Weise zu unserem Vorteil. Es ist die Sprache eines überzeugten, vertrauenden Glaubens zu fragen: „Was werden wir bekommen?" Die Jünger haben bis jetzt nicht gefragt: „… was wird uns … zuteil?" Sie sind sich seiner Güte so sicher, dass sie wissen, dass sie am Ende durch ihn nicht verlieren werden, und deshalb haben sie ihre Arbeit begonnen und haben nicht gefragt, was ihr Lohn sein wird. Wir ehren Christus, wenn wir ihm vertrauen und ihm dienen und nicht mit ihm handeln.

2.2 Hier haben wir Christi Verheißung an sie und an alle anderen, die ihrem Beispiel des Glaubens und Gehorsams folgen. Er nutzt diesen Anlass, um die Gewissheit einer Verheißung zu geben:

Für seine unmittelbaren Nachfolger. Er verheißt ihnen nicht nur einen Schatz, sondern auch Ehre. „Ihr, die ihr mir nachgefolgt seid, werdet in der Wiedergeburt … auf zwölf Thronen sitzen" **(Vers 28)**. Beachten Sie:

Die Einleitung zu der Verheißung oder die „In-Anbetracht-von"-Klausel des Gewinns, welcher, wie gewöhnlich, eine Darstellung ihres Dienstes ist. „Ihr seid mir in der Wiedergeburt (der Erneuerung aller Dinge) nachgefolgt, und deshalb werde ich dies für euch tun" (vgl. KJV). Die Jünger sind Christus nachgefolgt, solange der Tempel des Evangeliums gebaut wurde. Sie folgen ihm nun mit ständigen Mühen, wo es wenige tun, und deshalb wird er ihnen diese besonderen Kennzeichen der Ehre geben. Christus hat besonderes Wohlwollen gegenüber denen, die ihr Leben mit ihm beginnen, die ihm mehr vertrauen, als sie ihn sehen können. Petrus spricht davon, dass sie alles verließen, um ihm nachzufolgen; Christus spricht nur davon, dass sie ihm nachfolgen, was die Hauptsache ist.

Der Zeitpunkt ihrer Ehrung: „… wenn der Sohn des Menschen auf dem Thron seiner Herrlichkeit sitzen wird." Alle, die an der Wiedergeburt in der Gnade teilhaben, werden an der Erneuerung in Herrlichkeit teilhaben. Ihr Warten auf die Ehre, bis der Sohn des Menschen auf dem Thron seiner Herrlichkeit sitzen wird, zeigt nun:

Dass sie bis dann auf ihre Erhöhung warten müssen. Solange sich die Herrlichkeit unseres Meisters verzögert, ist es für uns richtig, dass es auch bei uns so ist. Wir müssen in Glauben, Hoffnung und Geduld leben, arbeiten und leiden.

Dass sie an Christus in seiner Erhöhung teilhaben müssen. Nachdem sie mit einem leidenden Christus mitgelitten haben, müssen sie mit einem herrschenden Christus herrschen (s. 2.Tim 2,12). Die längsten Reisen fahren den größten Ertrag ein.

Die Ehre selbst, die gewährt wird: Sie werden „auch auf zwölf Thronen sitzen und die zwölf Stämme Israels richten". Die allgemeine Absicht dieser Verheißung ist, die Herrlichkeit und Stellung zu zeigen, die für die Heiligen im Himmel reserviert sind, die eine reichliche Belohnung für die Schande sein werden, die sie hier um der Sache Christi willen erlitten. Für diejenigen, die am meisten getan und gelitten haben, gibt es höhere Grade an Herrlichkeit. Hier warten „Fesseln und Bedrängnisse" auf sie (Apg 20,23), dort aber werden sie auf Thronen der Herrlichkeit sitzen. Wird dies kein ausreichender Lohn sein, um all ihre Verluste und Ausgaben für Christus auszugleichen (s. Lk 22,29)? Diese Gewährung ist bestätigt und gewiss; sie ist unverletzlich und unwandelbar sicher, denn Christus hat gesagt: „Wahrlich, ich sage euch."

Für alle, die alles verlassen, um Christus nachzufolgen. „Das ist eine Ehre für alle seine Getreuen" (Ps 149,9). Christus wird Sorge tragen, dass keiner von ihnen verlieren wird **(s. Vers 29)**.

Hier wird an Verluste um Christi willen gedacht. Christus hat ihnen gesagt, dass sich seine Jünger selbst verleugnen müssen; hier geht er nun ins Detail, denn es ist gut, das schlimmstmögliche Szenario in Betracht zu ziehen. Wenn sie nicht alles verlassen haben, um Christus nachzufolgen, haben sie immer noch eine ganze Menge verlassen; zum Beispiel Häuser. Oder sie haben ihre engen Verwandten verlassen, die nicht mit ihnen gehen wollten. Diese werden einzeln erwähnt, weil sie für einen empfindsamen, begnadeten Geist am schwersten zu verlassen sind: „Brüder oder Schwestern oder Vater oder Mutter oder Frau oder Kinder"; und „Äcker" werden am Schluss hinzugefügt, deren Ertrag die Familie unterhalten sollte.

Es wird vorausgesetzt, dass der Verlust dieser Dinge um des Namens Christi willen geschieht, denn sonst verpflichtet er sich nicht, ihn auszugleichen. Viele verlassen Brüder und Schwestern, Frau und Kinder aus einer veränderten Haltung oder aus Zorn; das ist ein sündiges Imstichlassen. Wenn wir sie jedoch um Christi willen verlassen, weil wir entweder sie oder unseren Anteil an Christus lassen müssen, wenn wir lieber unsere Beziehung zu ihnen, unsere Pflicht ihnen gegenüber oder unseren Trost durch sie verlassen, als Christus zu verleugnen, ist es das, was belohnt werden wird. Es ist nicht das Leid, sondern der Grund, der sowohl den Märtyrer als auch den Bekenner macht.

Es wird vorausgesetzt, dass es ein großer Verlust ist, aber dennoch unternimmt es Christus, ihn auszugleichen.

Hier wird eine Belohnung für diese Verluste garantiert. Tausende haben eine Beziehung zu Christus angefangen und ihm in vielem vertraut, doch niemals hat jemand durch ihn verloren; immer hat jeder unbeschreiblichen Gewinn durch ihn gemacht. Sie werden empfangen:

Er wird es „hundertfältig empfangen" in diesem Leben, manchmal in der Art wie die Dinge selbst, von denen sie sich getrennt haben. Gott wird für seine leidenden Diener mehr Freunde erwecken, die um Christi willen freundlicher zu ihnen sein werden als die, die sie verlassen haben, die um ihrer selbst willen Freunde waren. Wo immer die Apostel hinkamen, trafen sie auf einige Leute, die freundlich zu ihnen waren, sie aufnahmen und ihnen ihre Herzen und Türen öffneten. Sie werden aber „hundertfältig empfangen" an Freundlichkeit. Die Wirkungen der Gnade werden bei ihnen zunehmen und es wird reichlich Trost geben; sie werden Zeichen von Gottes Liebe haben. Dann können sie wahrhaftig sagen, dass sie in Gott und Christus hundertmal mehr Trost empfangen haben, als sie an Frau oder Kindern haben könnten.

Am Ende „das ewige Leben". Die für dieses Leben verheißene Belohnung wäre genug, wenn es nicht mehr gäbe, doch dies kommt sozusagen zusätzlich und obendrein in dieses Geschäft. Wenn wir nun nur an diese Verheißung glauben könnten, Christus für seine Erfüllung vertrauen würden, würden wir sicherlich meinen, dass es seinetwegen nichts gibt, für das man zu viel tun und zu viel leiden könnte und das zu teuer ist, um sich davon zu trennen.

3. Im letzten Vers beseitigt Christus einen Fehler, den manche Menschen machen, indem er sagt: „Aber viele von den Ersten werden Letzte, und Letzte werden Erste sein" **(Vers 30)**. Gott wird einen Austausch vornehmen. Das himmlische Erbe wird nicht so gegeben, wie irdische Erbschaften normalerweise gegeben werden, durch das höhere Alter und den Vorrang der Geburt, sondern nach Gottes Wohlgefallen. Dies ist der Text einer weiteren Predigt, auf die wir im nächsten Kapitel treffen werden.

KAPITEL 20

Hier haben wir: 1. Das Gleichnis von den Arbeitern im Weinberg (s. Vers 1-16). 2. Eine Weissagung über Christi nahendes Leiden (s. Vers 17-19). 3. Den Tadel einer Bitte, welche die Mutter zweier seiner Jünger für sie vorbrachte (s. Vers 20-28). 4. Die Gewährung einer Bitte von zwei blinden Männern (s. Vers 29-34).

Vers 1-16

1. Mit diesem Gleichnis von den Arbeitern im Weinberg wird beabsichtigt:

1.1 Uns „das Reich der Himmel" darzustellen **(Vers 1)**. Die Gesetze dieses Reiches sind nicht in Gleichnisse gehüllt, sondern klar niedergelegt, wie in der Bergpredigt, doch seine Geheimnisse werden in Gleichnissen mitgeteilt. Es müssen mehr seine Vorstellungen erläutert werden als seine Pflichten, und solch eine Erläuterung ist die Absicht von Gleichnissen.

1.2 Uns insbesondere darzulegen, was Christus am Ende des vorigen Kapitels über das Reich der Himmel gesagt hat, „viele von den Ersten werden Letzte, und Letzte werden Erste sein" (s. Mt 19,30). Dieses Gleichnis zeigt uns:

Dass Gott niemandem gegenüber etwas schuldig ist, was eine große Wahrheit ist.

Dass viele, die zuletzt beginnen und wenig im religiösen Glauben versprechen, dennoch durch Gottes Segen größere Fertigkeiten an Erkenntnis, Gnade und Nützlichkeit erreichen als andere, deren Eintritt früher war und die größere Dinge versprachen. Johannes ist schneller unterwegs und „kam zuerst zum Grab", doch Petrus hatte mehr Mut und geht zuerst darin hinein (s. Joh 20,4.6). Auf diese Weise werden „viele von den Ersten ... Letzte" sein. Manche betrachten Christi Worte hier als Warnung an die Jünger. Sie sollen sichergehen, dass sie ihren Eifer behalten, denn sonst wird ihnen ihr guter Beginn nichts nützen; diejenigen, welche die „Ersten" zu sein schienen, würden „Letzte" sein. Manchmal überholen diejenigen, die später ihre Bekehrung erfuhren, in ihrem Leben diejenigen, die früher ihre Bekehrung erfuhren.

Dass die „große Belohnung" (s. Hebr 10,35; 11,26) den Heiligen nicht nach dem Zeitpunkt ihrer Bekehrung und ihrem Alter gegeben wird, sondern nach dem „Maß der vollen Größe des Christus" (Eph 4,13). Leidende für Christus in den letzten Tagen werden den gleichen Lohn erhalten wie Märtyrer und Bekenner in den frühen Tagen, wenn auch Letztere mehr gerühmt werden, und treue geistliche Diener werden den gleichen Lohn bekommen wie die ersten Kirchenväter.

2. Wir haben im Gleichnis zwei Dinge: die getroffene Vereinbarung mit den Arbeitern und das Abrechnen mit ihnen.

2.1 Hier ist die Vereinbarung, die mit den Arbeitern getroffen wird **(s. Vers 1-7)**; und hier kann man fragen:

Wer stellt sie ein? Ein Hausherr. Gott ist der große Hausherr, und wie ein Hausherr hat er Arbeit, die er getan haben möchte, und Knechte, von denen er möchte, dass sie sie tun. Gott stellt Arbeiter aus Güte ihnen gegenüber ein, um sie aus Untätigkeit und Armut zu retten, und er wird sie für die Arbeit bezahlen.

Wo werden sie eingestellt? „Auf dem Markt", wo sie, bis sie in Gottes Dienst angestellt wurden, untätig standen **(Vers 3)**, „den ganzen Tag untätig" **(Vers 6)**. Dies zeigt uns, dass die menschliche Seele bereitsteht, um für den einen oder anderen Dienst eingestellt zu werden. Sie wurde, wie es alle Geschöpfe wurden, zur Arbeit geschaffen, und steht entweder im „Dienst der Unreinheit" oder im „Dienst der Gerechtigkeit" (Röm 6,19). Der Teufel stellt durch seine Versuchungen Arbeiter ein, um „Schweine zu hüten" (Lk 15,15). Gott stellt durch sein Evangelium „Arbeiter in seinen Weinberg" ein **(Vers 1)**, um ihn zu bebauen und zu bewahren, eine Arbeit des Paradieses (s. 1.Mose 2,15). Bis wir in den Dienst Gottes eingestellt werden, stehen wir den ganzen Tag herum. Der Ruf des Evangeliums ergeht an die, die „auf dem Markt untätig stehen". Der Markt ist ein Platz im „ärgsten Straßenlärm" (Spr 1,21); er ist auch ein Ort der Freude, auf dem die Kinder spielen (s. Sach 8,5; Mt 11,16). Es ist ein Platz der Geschäftigkeit, des Lärms und der Eile. „Kommt, kommt weg von diesem Marktplatz."

Wozu werden sie eingestellt? Um in seinem Weinberg zu arbeiten. Die Gemeinde ist Gottes Weinberg; er hat sie gepflanzt, gewässert und eingezäunt. Wir sind alle berufen, Arbeiter in diesem Weinberg zu sein. Jeder von uns hat seinen eigenen Weinberg zu erhalten, unsere eigene Seele; sie gehört zu Gott und man muss sie für ihn gut bearbeiten und für sie Sorge tragen. In dieser Arbeit dürfen wir nicht faul sein oder herumlungern, sondern müssen „Arbeiter" sein, arbeiten. Arbeit für Gott erlaubt keine Faulheit. Ein Mensch kann müßig zur Hölle fahren, doch diejenigen, die in den Himmel kommen wollen, müssen tätig sein.

Was wird ihr Lohn sein? Er verheißt:

„… einen Denar" **(Vers 2)**, einen Tageslohn für einen Tag Arbeit, und der Lohn war genug für den Unterhalt eines Tages. Das beweist nicht, dass der Lohn für unseren Gehorsam Gott gegenüber für Arbeit oder eine Schuld ist. Das soll uns zeigen, dass uns ein Lohn gegeben wird, und er ist ausreichend.

„… was recht ist" **(Vers 4.7)**. Gott wird sicherstellen, bei niemandem die Zahlung für den Dienst zu verzögern, den sie ihm leisten: Niemals hat jemand dadurch verloren, dass er für Gott arbeitet.

Für wie lange sind sie eingestellt? „… für den Tag." Es ist nur die Arbeit eines Tages, die hier auf der Erde getan wird. Die Lebenszeit ist der Tag. Es ist eine kurze Zeit; der Lohn ist für die Ewigkeit, doch die Arbeit ist nur „für den Tag". Es sollte uns zu Tüchtigkeit und Fleiß in unserer Arbeit antreiben, wenn wir daran denken, dass wir nur eine kurze Zeit haben, in der wir arbeiten. Wir sollten auch hinsichtlich der Härten und Schwierigkeiten in unserer Arbeit ermutigt werden, wenn wir daran denken, dass sie nur den Tag dauert; der nahende „Schatten" wird Ruhe und „seinen Lohn" mit sich bringen (Hiob 7,2). Behalten Sie noch für eine kurze Weile Ihren Glauben und Ihre Geduld.

Zu welchen Tageszeiten wurden sie eingestellt? Dies lässt sich auf die verschiedenen Lebensalter anwenden – und wird im Allgemeinen hierauf bezogen –, in welchen Seelen zu Christus bekehrt werden. Der wirksame Ruf ist besonders und er ist wirksam, wenn wir antworten.

Manche werden, wenn sie sehr jung sind, wirksam berufen und beginnen die Arbeit im Weinberg; sie werden früh am Morgen ausgesandt. Diejenigen, die eine solche Reise zu machen haben, müssen früh aufbrechen; je früher, desto besser.

Andere werden im mittleren Alter gerettet: „Geht und arbeitet im Weinberg ‚um die sechste und um die neunte Stunde'." Bei manchen Menschen, wie bei Paulus, erhebt sich die Macht der göttlichen Gnade, wenn sie mitten in ihren Vergnügungen und weltlichen Arbeiten sind. Gott hat Arbeit für Menschen allen Alters; keine Zeit ist für uns verkehrt, um uns zu Gott zu wenden. Die Zeit bis zu diesem Punkt in unserem Leben genügt, um der Sünde zu dienen: „Geht auch ihr in den Weinberg." Gott weist niemanden ab, der bereit ist, angestellt zu werden.

Andere werden in fortgeschrittenem Alter für den Weinberg eingestellt, „um die elfte Stunde", wenn der Tag des Lebens weit fortgeschritten ist und nur noch eine Stunde von den Zwölfen bleibt. „Solange es Leben gibt, gibt es Hoffnung." Es gibt Hoffnung für alte Sünder; echte Buße ist nie zu spät. Es gibt Hoffnung für alte Sünder, dass sie zu echter Buße gebracht werden können; für die allmächtige Gnade ist nichts zu schwer, um es zu tun; sie kann diejenigen an die Arbeit setzen, die sich der Untätigkeit verschrieben haben. Nikodemus kann „geboren werden, wenn er alt ist" (Joh 3,4). Möge dies niemand missbrauchen, um anmaßend seine Buße zu verschieben, bis er alt ist. Es stimmt, diese wurden zur elften Stunde in den Weinberg geschickt, doch niemand hatte sie vorher eingestellt oder ihnen angeboten, sie einzustellen.

2.2 Hier ist das Abrechnen mit den Arbeitern. Beachten Sie:

Wann die Abrechnung begann: „Als es aber Abend geworden war", dann wurden wie gewöhnlich diejenigen, die während des Tages gearbeitet hatten, gerufen und bezahlt. Die Abendzeit ist die Zeit der Abrechnung. Treue Arbeiter werden ihren Lohn bekommen, wenn sie sterben; er wird bis dahin aufgeschoben, sodass sie mit Geduld darauf warten mögen. Geistliche Diener rufen sie in den Weinberg, um an ihre Arbeit zu gehen; der Tod ruft sie aus dem Weinberg heraus, dass sie ihre Bezahlung bekommen. Diejenigen, bei denen der Ruf in den Weinberg wirksam ist, werden sehen, dass der Ruf aus ihm heraus erfreulich sein wird. Die Arbeiter im Weinberg kamen nicht zur Bezahlung, bis sie gerufen wurden; wir müssen für unsere Ruhe und unseren Lohn geduldig auf Gottes Zeit warten. Wir müssen uns nach der Uhr unseres Meisters richten.

Wie der Abschluss war, beachten Sie darin:
Die allgemeine Bezahlung: Sie „empfingen jeder einen Denar" **(Vers 9)**. Obwohl es Grade der Herrlichkeit im Himmel gibt, wird es für jeden die vollständige Seligkeit sein. Im Himmel wird jedes Gefäß voll bis zum Rand sein, obwohl nicht jedes Gefäß gleich groß und umfassend ist. Dass denen ein ganzer Tageslohn gegeben wird, die nicht einmal den zehnten Teil der Arbeit eines Tages getan haben, soll uns zeigen, dass Gott seinen Lohn aus Gnade und Souveränität austeilt und nicht nach Schuld. Weil wir nicht unter dem Gesetz sind, sondern unter der Gnade stehen (s. Röm 6,14), wird sogar solch ein unvollkommener Dienst angenommen werden, wenn er aufrichtig getan wird, und nicht nur angenommen, sondern auch durch die freie Gnade reich belohnt werden.

Die besondere Unterhandlung mit denen, die an dieser Austeilung des Lohns Anstoß nahmen. Hier haben wir:

Den Anstoß, der genommen wird: Da „murrten sie gegen den Hausherrn" **(Vers 11)**; nicht, dass es *im* Himmel irgendwelche Unzufriedenheit oder irgendwelches Murren geben kann oder gibt, doch es kann und gibt oft Unzufriedenheit und Murren *über* den Himmel und himmlische Dinge, solange man sie *in dieser Welt* sieht und sie in dieser Welt verheißen sind. Diese Arbeiter stritten nicht mit ihrem Meister, weil sie nicht genug hatten, sondern weil ihnen andere gleichgestellt wurden. Sie prahlten mit ihrem guten Dienst: Wir haben „die Last und Hitze des Tages getragen". „Diese Letzten haben nur eine Stunde gearbeitet", und das in der Kühle des Tages, „und du hast sie uns gleich gemacht." Es gibt in uns eine große Neigung zu denken, dass wir zu wenig Zeichen von Gottes Gunst haben und andere zu viel. Wir sind alle nur allzu bereit, das unterzubewerten, worum sich andere verdient gemacht haben, und das überzubewerten, worum wir uns verdient gemacht haben. Vielleicht gab Christus hier Petrus einen Hinweis, sich nicht zu sehr zu rühmen, dass sie, weil er und der Rest der Zwölf die Last und Hitze des Tages getragen hatten, einen Himmel für sich selbst verdienten. Für diejenigen, die für Gott mehr als gewöhnlich tun oder leiden, ist es schwer, nicht zu sehr durch das Denken daran erhoben zu werden (s. 2.Kor 12,7).

Wie der Anstoß beseitigt wird. Der Hausherr bringt drei Dinge vor:

Die sich Beklagenden hatten überhaupt keinen Grund zu sagen, dass ihnen irgendein Unrecht angetan worden war. „Freund, ich tue dir nicht unrecht." **(Vers 13)**. Er nannte ihn Freund, denn wenn wir mit anderen etwas erörtern, sollten wir sanfte Worte und harte Argumente benutzen. Es ist unzweifelhaft wahr, dass Gott kein Unrecht tun kann. Was immer uns Gott tut oder vorenthält, er tut uns kein Unrecht. Wenn Gott anderen die Gnade gibt, die er uns verwehrt, ist das ein Akt der Güte ihnen gegenüber, aber kein Unrecht uns gegenüber. Und Güte anderen gegenüber sollte, solange es kein Unrecht uns gegenüber ist, keinen Einspruch von uns erregen. Um die Nörgler zu überzeugen, verwies sie der Herr auf die Bedingungen, zu denen sie eingestellt wurden: „'Bist du nicht um einen Denar mit mir übereingekommen?' Du wirst die vereinbarte Bezahlung erhalten." Es ist für uns gut, zu bedenken, was es war, worin wir uns mit Gott einig wurden. Weltliche Menschen werden mit Gott für ihren Denar in dieser Welt einig; sie sind Menschen, „deren Teil in diesem Leben ist" (Ps 17,14). Gläubige kommen mit Gott für ihren Denar in der anderen Welt überein, und sie müssen daran denken, dass sie sich damit einverstanden erklärt haben. Deshalb band er ihn an sein Abkommen: „Nimm das Deine und geh hin!" **(Vers 14)**. Wenn wir verstehen, dass „das Deine" ein Verweis auf das ist, was uns als Geschenk gehört, lehrt uns das, uns „mit dem" zu begnügen, „was vorhanden ist" (Hebr 13,5). Wenn Gott in irgendeiner Hinsicht besser zu anderen als zu uns ist, haben wir keinen Grund, uns zu beklagen, solange er zu uns so viel besser ist, als wir es verdienen. Der Herr erklärte dem Arbeiter, dass es denjenigen, auf die er neidisch war, genauso gut ergehen würde wie ihm: „Ich will aber diesem Letzten so viel geben wie dir."

Er hatte keinen Grund, mit seinem Meister zu streiten, denn was dieser ihm gab, war ganz und gar sein Eigentum. So, wie er seine Gerechtigkeit geltend gemacht hat, führt er nun seine Souveränität an. „Oder habe ich nicht Macht, mit dem Meinen zu tun, was ich will?" **(Vers 15)**. Gott ist der Eigentümer von allem Guten. Deshalb kann er seinen Segen geben oder zurückhalten, wie es ihm gefällt. Was Gott hat, ist sein Eigentum, und das wird ihn in jedem Aspekt der Vorsehung rechtfertigen. Wenn Gott uns das wegnimmt, was uns teuer ist, müssen wir unsere Unzufriedenheit so zum Schweigen bringen: Hat er nicht die Macht, mit dem Seinen zu tun, was er will? Er hat genommen, doch ursprünglich hat er es gegeben (s. Hiob 1,21). Wir sind in seiner Hand wie Ton in der Hand des Töpfers, und es geziemt sich für uns nicht, Anweisungen zu geben oder mit ihm zu streiten (s. Röm 9,21). *Er hatte keinen Grund, böse zu sein, dass sein Mitknecht nicht früher in den Weinberg kam* – der Grund hierfür war, dass er nicht früher dazu berufen wurde – und er hatte keinen Grund, böse zu sein, dass der Meister ihm Lohn für den ganzen Tag gegeben hat. „Blickst du darum neidisch, weil ich gütig bin?" Hier sehen wir die Natur der Missgunst. Das Auge ist oft sowohl Eingang als auch Ausgang dieser Sünde. Ein neidisches Auge hat Missfallen an dem Guten für andere und wünscht ihnen Böses. Wir sehen auch die Verschlimmerung der Missgunst: „Du bist neidisch, weil ich gütig bin." Neid ist Gott unähnlich, der gut ist, Gutes tut und Freude daran hat, Gutes zu tun. Es ist eine direkte Übertretung der beiden großen Gebote auf einmal, sowohl das der Liebe zu Gott, dessen Willen wir annehmen sollten, als auch der Liebe zu unserem Nächsten, über dessen Wohlergehen wir uns freuen sollten.

3. Hier ist die Anwendung des Gleichnisses durch eine Wiederholung der Bemerkung, die es veranlasst hat (s. Mt 19,30): „So werden die Letzten die Ersten und die Ersten die Letzten sein" **(Vers 16)**. Um mit ihrem Rühmen umzugehen und es zum Schweigen zu bringen, sagte Christus ihnen:
3.1 Dass sie von ihren Nachfolgern im Glauben übertroffen werden können; sie können in Erkenntnis, Gnade und Heiligkeit als geringer als sie erfunden werden. Wer weiß, ob die Gemeinde in ihren alten Tagen vielleicht reicher und gedeihender ist als je zuvor? Welche „Arbeiter" werden vielleicht noch „um die elfte Stunde" in den Weinberg gesandt, und was für reichliche Ausgießungen des Geistes kann es dann geben, die größer sind als die, die es bis dahin gab? Wer kann es sagen?
3.2 Dass sie Grund hatten zu fürchten, dass sie selbst vielleicht als Heuchler erfunden werden, „denn viele sind berufen, aber wenige auserwählt". Was die äußerliche Berufung anbetrifft, sind viele berufen, lehnen aber ab (s. Spr 1,24). Im Vergleich zu den vielen, die Christen genannt werden, gibt es nur wenige auserwählte Christen.

Vers 17-19

Das war das dritte Mal, dass Christus seinen Jüngern von seinem nahenden Leiden verkündete. Beachten Sie:

1. Die Heimlichkeit dieser Weissagung: Er „nahm ... die zwölf Jünger auf dem Weg beiseite". Das Geheimnis war für sie als seine Freunde (s. Ps 25,14; Spr 3,32). Das war eine harte Rede, und wenn sie jemand hören konnte, dann sie (s. Joh 6,60). Es war notwendig, dass sie davon wussten, damit sie als Vorgewarnte gewappnet sein mögen. Es war noch nicht die Zeit, um öffentlich darüber zu sprechen, weil viele, die ihm gegenüber gleichgültig waren, dazu gebracht worden wären, ihm den Rücken zuzukehren, und weil viele, die ihm inbrünstig folgten, dazu gebracht worden wären, zu seiner Verteidigung zu den Waffen zu greifen, und es vielleicht einen „Aufruhr unter dem Volk" verursacht hätte (s. Mt 26,5). Er unterstützte nie etwas, das ihn von seinem Leiden abhalten würde.

2. Die Weissagung selbst (s. Vers 18-19).
2.1 Es war eine Wiederholung dessen, was er vorher zweimal gesagt hatte (s. Mt 16,21; 17,22-23). Das zeigt, dass er nicht nur klarsah, was für Schwierigkeiten vor ihm lagen, sondern auch sein Herz fest auf sein Werk des Leidens richtete; es erfüllte ihn nicht mit Furcht, sondern mit Verlangen und Erwartung. Er sprach so oft über sein Leiden, weil er durch dieses in seine Herrlichkeit eingehen würde.
2.2 Er ging bei der Vorhersage seines Leidens mehr ins Detail, als er es vorher gemacht hatte. Er hatte gesagt, dass er „viel leiden müsse" und „getötet werden" würde (Mt 16,21). Hier fügte er hinzu, dass sie ihn „verurteilen" und „ihn den Heiden ausliefern", „ihn verspotten und geißeln und kreuzigen" würden. Er sollte für die Errettung der Juden wie der Heiden leiden; beide hatten Anteil an seinem Tod, weil er beide durch sein Kreuz versöhnen würde (s. Eph 2,16).
2.3 Er erwähnte hier wie zuvor zusätzlich zu seinem Tod und seinem Leiden seine Auferstehung und seine Herrlichkeit: „... und am dritten Tag wird er auferstehen." Er bezog dies mit ein:
Um sich in seinem Leiden zu ermutigen und damit es ihn frohen Sinnes hindurch trägt. Er erduldete „um der vor ihm liegenden Freude willen das Kreuz" (Hebr 12,2); er sah voraus, dass er wiederauferstehen würde, und schnell auferstehen würde, am dritten Tag. Die Belohnung war nicht nur gewiss, sondern auch sehr nah.
Um seine Jünger zu ermutigen und sie zu trösten.
Um uns anzuweisen, in allen „Leiden der jetzigen Zeit" (Röm 8,18) „auf das Unsichtbare" zu sehen, was ewig ist (2.Kor 4,18), was uns befähigen wird, unsere gegenwärtigen Bedrängnisse schnell vorübergehend und leicht zu nennen (s. 2.Kor 4,17).

Vers 20-28

Hier ist die Bitte der beiden Jünger an Christus **(s. Vers 20-23)**. Die Söhne des Zebedäus waren Jakobus und Johannes, zwei der ersten drei von Christi Jüngern. Petrus und diese beiden waren seine bevorzugten Jünger; Johannes war der Jünger, den Jesus liebte. Doch keiner wurde so oft zurechtgewiesen wie sie; diejenigen, die Christus liebt, weist er am meisten zurecht (s. Offb 3,19).

1. Hier ist die ambitionierte Bitte, die sie Christus vorbrachten **(s. Vers 20-21)**. Sie zeigten großen Glauben, dass sie seines Reiches so gewiss waren, obwohl er nun in Niedrigkeit erschien, doch sie zeigten auch große Unwissenheit, dass sie weiterhin ein weltliches Reich mit irdischer Zurschaustellung und Macht erwarteten. Sie erwarteten, eine hohe Stellung in diesem Reich zu haben. Sie baten nicht um Arbeit in diesem Reich, sondern nur um Ehre. Das letzte Wort in der vorigen Botschaft von Christus, dass er „am dritten Tag ... auferstehen" wird, hat wahrscheinlich diese Bitte veranlasst. Und so wurden sie durch das aufgeblasen, was sie ermutigen sollte. Manche können keinen Trost ertragen, ohne ihn zu einem falschen Zweck zu verdrehen, so wie Bonbons in einem kranken Magen Gallenflüssigkeit hervorrufen. Beachten Sie:

1.1 Sie waren bei der Ausübung ihrer Bitte ziemlich gewieft. Sie baten ihre Mutter, sie vorzubringen, sodass man sie mehr als ihre Bitte als die von den beiden ansehen würde. Sie war eine der Frauen, die Christus begleiteten und ihn unterstützten, und sie dachten, dass er ihr nichts abschlagen könne. Deshalb machten sie sie zu ihrem Fürsprecher. Es war die Schwäche der Mutter, dass sie das Werkzeug ihres Ehrgeizes wurde. Diejenigen, die weise und gut sind, sollten darauf achten, dass sie nicht in eine falsch motivierte Gefälligkeit hineingezogen werden. Bei Bitten um Gnade sollten wir die Weisheit lernen, die Gebete derer zu suchen, die Einfluss vor dem Thron der Gnade haben; wir sollten unsere betenden Freunde bitten, für uns zu beten und das als echte Gefälligkeit sehen.

1.2 Stolz lag der Wurzel zugrunde. Stolz ist eine Sünde, die uns äußerst leicht umstrickt und bei der es sehr schwer ist, ihr aus dem Weg zu gehen. Es ist ein heiliger Ehrgeiz, danach zu streben, andere in Gnade und Heiligkeit zu übertreffen, doch es ist sündiger Ehrgeiz, danach zu trachten, andere an Pomp und Größe auszustechen.

2. Hier ist Christi Antwort auf diese Bitte, die nicht an die Mutter, sondern an die Söhne gerichtet war, die sie dazu brachten, diese Frage zu stellen **(s. Vers 22-23)**.

2.1 Er tadelte die Unwissenheit und den Irrtum in ihrer Bitte: „Ihr wisst nicht, um was ihr bittet!"

Sie waren sehr stark im Unklaren über das Reich, auf das sie ihr Auge warfen. Sie wussten nicht, was es hieß, zu seiner Rechten und seiner Linken zu sitzen; sie sprachen darüber, wie blinde Menschen über die Farbe. Unsere Auffassung von der Herrlichkeit, die noch offenbart werden soll, gleicht den Vorstellungen, die ein Kind von den fortgeschrittenen Gedanken von Erwachsenen hat. Für jetzt können wir nur um das Gute bitten, wie es verheißen ist (s. Tit 1,2). Wie es sein wird, wenn die Verheißung erfüllt wird, hat kein Auge gesehen noch ein Ohr gehört (s. 1.Kor 2,9; Jes 64,3).

Sie waren sehr stark im Unklaren über den Weg in dieses Reich. Sie wussten nicht, worum sie baten. Sie baten um ein Ziel, doch sie übersahen die Mittel zu diesem Ziel. Die Jünger glaubten, wenn sie das Wenige, was sie hatten, für Christus verlassen hatten, wäre all ihr Dienst und ihr Leiden vorüber, und nun wäre es Zeit zu fragen: „Was wird uns ... zuteil?" Sie stellten sich vor, ihr Dienst wäre vollendet, wo er kaum begonnen hatte; bis jetzt waren sie nur „mit Fußgängern gelaufen" (Jer 12,5). Wir wissen nicht, worum wir bitten, wenn wir um die Ehre bitten, die Krone zu tragen, und nicht um Gnade bitten, um das Kreuz auf unserem Weg zu tragen, um sie zu erlangen.

2.2 Er wies die Eitelkeit und den Ehrgeiz ihrer Bitte in die Schranken.

Er führte sie zu Gedanken über ihr Leiden. Sie hatten über diese Dinge nicht nachgedacht, wie sie sollten, und so erachtete er es für nötig, sie an die Widrigkeiten zu erinnern, die vor ihnen lagen, damit sie nicht durch sie überrascht oder erschreckt werden würden. Beachten Sie:

Wie ehrlich er ihnen die Sache sagte. „‚Könnt ihr den Kelch trinken, den ich trinke?' Könnt ihr bis zum Ende durchhalten? Stellt euch ernsthaft diese Frage." Sie wussten nicht, welches Geistes Kinder sie waren, als sie von eingebildetem Ehrgeiz erhoben wurden (s. Lk 9,55). Christus sieht den Stolz in uns, den wir nicht in uns erkennen können. Daraus können wir lernen:

Für Christus leiden ist einen Kelch trinken und mit einer Taufe getauft werden. Es wird vorausgesetzt, dass dies ein bitterer Kelch ist, diese Wasser des vollen Kelches, die vom Volk Gottes aufgesogen werden (s. Ps 73,10). Es wird vorausgesetzt, dass es eine Taufe ist, ein Waschen mit dem Wasser der Bedrängnis: Manche werden dahin hineingetaucht, andere bekommen nur Spritzer davon ab. Beides indes sind Taufen. Manche werden von ihr überschüttet wie bei einer Überschwemmung, andere werden durchtränkt wie in einem schweren Schauer. Doch selbst darin „fließt auch ... reichlich unser Trost" (2.Kor 1,5). Es ist nur ein Kelch, vielleicht ein bitterer, doch wir werden seinen Boden sehen; es ist ein Kelch in der Hand eines Vaters (s. Joh 18,11). Es ist bloß eine Taufe. Wenn die Menschen in sie eingetaucht werden, ist dies das Schlimmste, was sie tun kann: Sie werden nicht ertrinken. Sie sind vielleicht bestürzt, doch sie werden nicht zur Verzweiflung getrieben werden.

Es heißt, den gleichen Kelch zu trinken, den Christus trank, und mit der gleichen Taufe getauft zu werden, mit der er getauft wurde. Christus geht uns im Leid voran. Die Herablassung eines leidenden Christus zeigt sich darin, dass er einen solchen Kelch trinken (s. Joh 18,11) und mit einer solchen Taufe getauft werden wollte. Der Trost von leidenden Christen zeigt sich darin, dass sie nur den bittern Kelch teilen, welcher der seine ist, und damit ihre Treue geloben.

Es ist gut für uns, wenn wir uns oft fragen, ob wir in der Lage sind, diesen Kelch zu trinken und mit dieser Taufe getauft zu werden. Wir müssen Leiden erwarten. Sind wir in der Lage, frohen Sinnes zu leiden? Von was sind wir in der Lage, uns um Christi willen zu trennen? Die Wahrheit ist, dass, wenn der religiöse Glaube etwas wert ist, er alles wert ist, doch wenn er wenig wert ist, dann ist es nicht wert, dafür zu leiden. Wir wollen uns hinsetzen und die Kosten berechnen, was es heißt, für Christus zu sterben statt ihn zu verleugnen (s. Lk 14,28), und fragen: „Wollen wir ihm zu diesen Bedingungen nachfolgen?"

Wie kühn sie sich selbst banden; sie sagten: „Wir können es!" Doch sie waren so töricht zu hoffen, dass sie nie in solch eine Prüfung gebracht werden würden. So wie sie vorher nicht wussten, worum sie baten, so wussten sie jetzt nicht, was sie antworteten. Es sind diejenigen, die am wenigsten mit dem Kreuz vertraut sind, die im Allgemeinen am meisten selbstsicher sind.

Wie klar und ausdrücklich ihr Leiden vorhergesagt wurde: „Ihr werdet zwar meinen Kelch trinken ..." **(Vers 23)**. Vorhergesehenes Leid wird leichter zu tragen sein. Christus möchte, dass wir das Schlimmste kennen, damit wir das Beste aus unserem Weg zum Himmel machen. „Ihr werdet ... trinken", das heißt: „Ihr werdet leiden."

Er ließ sie im Unklaren über den Grad ihrer Herrlichkeit. Um sie frohen Sinnes durch ihr Leiden zu tragen, war es genug, ihnen zu versichern, dass sie einen Platz in seinem Reich haben würden. Der geringste Sitz im Himmel ist ein reichlicher Lohn für das größte Leiden auf der Erde. „Aber das Sitzen zu meiner Rechten und zu meiner Linken zu verleihen, steht nicht mir zu', und deshalb ist es von euch nicht richtig, darum zu bitten oder darüber zu wissen. Es steht mir nicht zu, es denen zu geben, die danach streben und ehrgeizig sind, es zu erlangen, sondern nur denen, die darauf vorbereitet sind, es in großer Selbstverleugnung und Demut zu empfangen."

3. Hier sind die Zurechtweisung und die Unterweisung, die Christus den anderen zehn Jüngern für ihr Missfallen über die Bitte von Jakobus und Johannes gab. Beachten Sie:

3.1 Den Zorn der zehn Jünger: Sie wurden „unwillig über die beiden Brüder" **(Vers 24)**, nicht, weil Jakobus und Johannes vorrücken wollten, sondern weil sie vor dem Rest vorrücken wollten. Viele scheinen unwillig über Sünde zu sein, doch es ist nicht, weil es Sünde ist, sondern weil es Folgen für sie selber hat. Diese Jünger waren böse über den Ehrgeiz ihrer Brüder, obwohl sie selbst – in der Tat, weil sie selbst – genauso ehrgeizig waren wie die beiden. Es ist bei Menschen üblich, bei anderen böse über die Sünden zu werden, denen sie selbst nachgeben und sie bei sich gestatten. Nichts verursacht unter Geschwistern mehr Schwierigkeiten oder ist der Grund für mehr Zorn und Streit als Ehrgeiz.

3.2 Die Beschränkung, die Christus ihnen auferlegt. Er hatte genau diese Sünde vorher getadelt, ihnen gesagt, dass sie wie kleine Kinder werden müssen (s. Mt 18,3); doch sie versäumten dies und er tadelte sie dafür immer noch so milde. „Aber Jesus rief sie zu sich ...", was große Sanftheit und Vertrautheit zeigt. Er sagte nicht im Zorn, dass sie aus seiner Gegenwart verschwinden sollen, sondern rief sie in Liebe, in seine Gegenwart zu treten.

Sie dürfen nicht wie „die Fürsten der Heidenvölker" sein. Christi Jünger dürfen nicht wie Heiden sein, nicht einmal wie die Herrscher der Heiden. Beachten Sie, was die Weise der Herrscher der Heiden war: ihre Untertanen zu unterdrücken und Gewalt über sie auszuüben **(s. Vers 25)**. Was sie darin trug, war, dass sie groß waren, und große Menschen denken, sie können alles tun. Sehen Sie, was der Wille Christi in dieser Angelegenheit ist. „‚Unter euch aber soll es nicht so sein.' Ihr sollt die Untertanen dieses Reiches lehren, euch mit ihnen Mühe geben und mit ihnen leiden; ihr sollt nicht über Gottes Erbteil herrschen, sondern darin arbeiten" (s. 1.Petr 5,3). Es ist für Christi Jünger falsch, den Stolz und die Erhabenheit von Herrschern der Heiden zu haben. Wie soll es dann unter den Jüngern Christi sein? Christus selbst hatte angedeutet, dass es unter ihnen Größe geben konnte, und hier erläuterte er es: „... wer unter euch groß werden will, der sei euer Diener, und wer unter euch der Erste sein will, der sei euer Knecht" **(Vers 26-27)**. Es ist die Pflicht von Christi Jüngern, einander zu dienen, damit alle erbaut werden mögen. Das umfasst sowohl Demut als auch Nützlichkeit. Es ist die ehrenwerte Berufung der Jünger Christi, diese Pflicht treu zu erfüllen. Der Weg, groß und der Erste zu sein ist, demütig und nützlich zu sein, sich selbst zu verleugnen und immer Gutes zu tun. Diejenigen, die so sind, gelten als die Besten und werden am meisten geachtet. Sie ehren Gott am meisten und er wird sie ehren (s. 1.Sam 2,30). So, wie diejenigen, die weise werden wollen, töricht werden müssen (s. 1.Kor 3,18), müssen diejenigen, welche die Ersten sein wollen, zu Dienern werden.

Sie müssen wie der Meister selbst sein; wie „der Sohn des Menschen nicht gekommen ist, um sich dienen zu lassen, sondern um zu dienen und sein Leben zu geben als Lösegeld für viele" **(Vers 28)**. Unser Herr Jesus stellte sich hier seinen Jüngern als Beispiel für diese beiden Dinge vor Augen, die vorher empfohlen wurden: Demut und Nützlichkeit.

Niemals gab es so ein Beispiel der Demut und Herablassung, wie es im Leben Christi war, der „nicht gekommen ist, um sich dienen zu lassen, sondern um zu dienen" **(Vers 28).** Ihm wurde wahrhaftig als armem Mann gedient; ihm wurde nie als großem Mann gedient. Er wusch einmal seinen Jüngern die Füße, doch wir lesen nirgends, dass sie ihm die Füße wuschen. Er kam, um jedem zu dienen, der in Not war; er machte sich zu einem Diener für diejenigen, die krank und elend waren. Er war genauso bereit, ihre Bitten zu erfüllen, wie es jeder Diener war, auf den Wink und Ruf seines Herrn hin zu kommen, und nahm genauso große Mühe auf sich, um ihnen zu dienen.

Es gab nie ein solches Beispiel an Nützlichkeit und Edelmut wie im Tod Christi, der sein Leben „als Lösegeld für viele" gab. Er lebte als Knecht und zog umher und tat Gutes (s. Apg 10,38), doch er starb als ein Opfer, und mit diesem Tod tat er das Beste von allem. Er kam bewusst in die Welt, um sein Leben als Lösegeld zu geben. Er gibt seine Ehre und auch sein Leben als ein Lösegeld für seine Untertanen. Es war ein Lösegeld für viele: ausreichend für alle, wirksam für viele. Und wenn für viele, dann, sagt die arme zweifelnde Seele: „Warum nicht für mich?" Dies ist nun ein guter Grund, warum wir nicht nach Vorrang streben sollten, denn unser Banner ist das Kreuz und der Tod unseres Meisters ist unser Leben. Es ist ein guter Grund, warum wir danach streben sollten, Gutes zu tun. Je enger wir uns mit der Demut und Erniedrigung Christi beschäftigen und je mehr wir von ihr profitieren, desto bereiter und sorgsamer sollten wir sein, sie nachzuahmen.

Vers 29-34

Hier haben wir einen Bericht von der Heilung von zwei armen blinden Bettlern, in dem wir beachten können:

1. Was sie zu Christus sagten **(s. Vers 29-30).**
1.1 Die Umstände sind bezeichnend. Es war, als Christus und seine Jünger aus Jericho weggingen. Beim Verlassen dieses Ortes, der dem Bann verfallen war (s. Jos 6,17-18) und unter einem Fluch wiederaufgebaut wurde (s. Jos 6,26; 1.Kön 16,34), ließ er diesen Segen zurück. Es geschah in Gegenwart einer großen Volksmenge, die ihm folgte. Christus hatte zahlreiche Menschen, die ihm folgten, und er tat ihnen Gutes. Diese Menschenmenge, die Christus folgte, war „viel Mischvolk" (s. 2.Mose 12,38). Manche folgten ihm wegen des Brotes und manche aus Liebe; manche aus Neugier, doch sehr wenige mit dem Verlangen, ihre Pflicht gelehrt zu bekommen. Doch um dieser wenigen willen bestätigte er seine Lehre durch Wunder, die er in der Gegenwart großer Menschenmengen vollbrachte. Zwei blinde Männer kamen in ihrer Bitte überein, denn vereinigte Gebete gefallen Christus (s. Mt 18,19). Da sie teil an derselben Last hatten, hatten sie teil an der gleichen Bitte. Für diejenigen, die an der gleichen Widrigkeit oder leiblichen oder mentalen Schwäche leiden, ist es gut, sich darin zu verbinden, das gleiche Gebet um Hilfe vor Gott zu bringen, damit sie einander in der Inbrunst und im Glauben ermutigen mögen. In Christus ist genug Barmherzigkeit für alle, die ihn suchen. Diese zwei Blinden „saßen am Weg". Es ist für uns gut, nahe bei Christus zu sein, an den Wegen zu sein, die er entlanggeht. „Als sie hörten, dass Jesus vorüberziehe ..." Obwohl sie blind waren, waren sie nicht taub. Sehen und Hören sind die Sinne, die wir für das Lernen benutzen. Diese Blinden hatten vom Hören her von Jesus gehört, doch sie wollten, dass ihre Augen ihn sehen. „Als sie hörten, dass Jesus vorüberziehe ...", stellten sie keine Fragen mehr, sondern „riefen" sofort. Es ist gut, das Beste aus unseren gegenwärtigen Gelegenheiten zu machen. Diese blinden Männer taten dies, und sie handelten weise, denn wir sehen nicht, dass Christus jemals wieder nach Jericho kam. „Siehe, jetzt ist die angenehme Zeit" (s. 2.Kor 6,2).

1.2 Ihre Worte selbst sind sogar noch bedeutsamer: „Herr, du Sohn Davids, erbarme dich über uns!"; und sie wiederholten sie **(Vers 31-32).** In diesen Worten werden uns vier Dinge als Beispiel empfohlen. Hier ist ein Beispiel für:

Kühnheit im Gebet. Sie riefen als solche, die es ernst meinten; Menschen in Not meinen es ernst. Kalte Wünsche rufen danach, abgelehnt zu werden. Als sie in ihrem Gebet entmutigt wurden, riefen sie nur umso mehr. Wenn man den Strom ihrer Inbrunst stoppen würde, würde er sich erheben und stärker anschwellen. Das ist Ringen mit Gott im Gebet und es macht uns geeigneter, Barmherzigkeit zu empfangen, denn je mehr man sich darum bemüht, desto mehr wird sie geschätzt und dankbar anerkannt werden.

Demut im Gebet in diesen Worten: „Erbarme dich über uns", mit denen sie die Gunst nicht festlegten oder vorschrieben, was Gott tun möge. „Erbarme dich nur." Sie baten nicht um Silber und Gold (s. Apg 3,6), obwohl sie arm waren, sondern nur um Barmherzigkeit, reine Barmherzigkeit. Das ist es, worauf wir unsere Herzen richten müssen.

Glaube im Gebet; beachten Sie den Titel, den sie Christus gaben, der in der Form eines Gesuchs war: „Herr, du Sohn Davids." Sie bekannten, dass Jesus Christus der Herr ist (s. Röm 10,9). Und so schöpften sie im Gebet ihre Ermutigung aus seiner Macht, wie sie, indem sie ihn Sohn Davids nannten, Ermutigung aus seiner Güte als den Messias schöpften, über den so viele freundliche und herzliche Dinge vorhergesagt wurden. Es ist vorzüglich, Christus im Gebet in der Gnade und Herrlichkeit seiner Messianität zu betrachten, daran zu denken, dass er der Sohn Davids ist, dessen Rolle es ist, zu helfen und zu retten.

Ausdauer im Gebet trotz Entmutigung. „Aber das Volk gebot ihnen, sie sollten schweigen." Wenn wir Christus im Gebet folgen, müssen wir erwarten, auf Hindernisse und viele Entmutigungen zu treffen. Solche Tadel werden zugelassen, damit der Glaube und die Inbrunst, die Geduld und die Ausdauer geprüft werden mögen. Diese armen blinden Männer wurden von der Menschenmenge getadelt, die Christus nachfolgte. Doch die beiden ließen sich nicht auf diese Weise abweisen. Sie wollten beim Nachjagen nach solcher Barmherzigkeit nicht aufgeben: „Sie aber riefen nur noch mehr." Es ist nötig, „allezeit zu beten und nicht nachlässig zu werden" (Lk 18,1).

2. Die Antwort Christi auf ihre Bitte. Die Menschenmenge tadelte sie, doch Christus ermutigte sie. Es wäre für uns traurig, wenn der Meister nicht freundlicher und herzlicher wäre als die Menschenmenge. Er wird nicht zulassen, dass seine demütigen Bittsteller gekränkt oder entmutigt werden.

2.1 „Und Jesus stand still, rief sie ..." **(Vers 32)**. Er ging nun hinauf nach Jerusalem, eifrig, sein Werk zu vollbringen, und doch stand er still, um diese blinden Männer zu heilen. Wenn wir in irgendeiner Arbeit in Eile sind, sollten wir immer noch bereit sein, stillzustehen und Gutes zu tun. Er „rief sie". Christus sagt uns nicht nur, wir sollen beten, sondern lädt uns auch dazu ein. Er streckt das goldene Zepter aus und weist uns an, seine Spitze zu berühren (s. Est 5,2).

2.2 Er erkundigte sich weiter nach ihrem Fall: „Was wollt ihr, dass ich euch tun soll?" „Hier bin ich; lasst mich wissen, was ihr möchtet, und ihr werdet es haben." Was könnten wir uns mehr wünschen? „Bittet, so wird euch gegeben" (Mt 7,7). Man könnte dies für eine seltsame Frage halten: Jeder konnte sagen, was diese Männer wollten. Christus wusste es gut genug, doch er wollte es von ihnen wissen, ob sie um Almosen baten, wie von einem gewöhnlichen Menschen, oder um Heilung, wie von dem Messias. Der Fährmann in dem Boot, der seinen Haken benutzt, um zum Ufer zu gelangen, zieht nicht das Ufer zum Boot, sondern das Boot zum Ufer. So ist es im Gebet: Wir ziehen nicht die Barmherzigkeit zu uns selbst, sondern uns selbst zur Barmherzigkeit. Sie sagten ihm unverzüglich, was ihre Bitte war: „Herr, dass unsere Augen geöffnet werden!" Wir sind uns alle nur zu sehr der Nöte und Lasten des Leibes bewusst und können sogleich über sie sprechen. Oh, dass wir uns unserer geistlichen Krankheiten so bewusst wären und genauso lebhaft über sie klagen könnten, besonders über unsere geistliche Blindheit! Herr, öffne die Augen unseres Herzens! Wenn wir uns nur unserer Finsternis bewusst wären, würden wir uns unverzüglich an ihn wenden: „Herr, dass unsere Augen geöffnet werden!"

2.3 Er heilte sie. Was er tat, zeigte:

Sein Mitleid: „Da erbarmte sich Jesus über sie." Elend ist der Gegenstand der Barmherzigkeit. Es war die herzliche Barmherzigkeit unseres Gottes, die den Menschen Licht und Sicht gab, die in Finsternis saßen (s. Lk 1,78-79).

Seine Macht. Er tat es mühelos; er rührte ihre Augen an. Er tat es wirksam: „... und sogleich wurden ihre Augen wieder sehend." Als diese blinden Männer ihr Augenlicht bekamen, folgten sie ihm nach. Niemand kann Christus mit verbundenen Augen folgen. Zuerst öffnet er durch seine Gnade den Menschen die Augen und zieht so ihre Herzen zu sich.

KAPITEL 21

Der Bericht über das Leiden Christi, sogar bis zum Tod (s. Phil 2,8), und seine Auferstehung werden von allen Evangelisten ausführlicher berichtet als jeder andere Teil seines Lebens, und dem wendet sich dieser Schreiber nun rasch zu. Christus war endgültig nach Jerusalem gekommen. Hier haben wir: 1. Seinen öffentlichen Einzug in Jerusalem (s. Vers 1-11). 2. Die Vollmacht, die er dort ausübte, indem er den Tempel reinigte (s. Vers 12-16). 3. Das Zeichen, das er über den Zustand der jüdischen Gemeinde gab, indem er den unfruchtbaren Feigenbaum verfluchte, und sein Gespräch mit den Jüngern darüber (s. Vers 17-22). 4. Seine Rechtfertigung seiner Vollmacht (s. Vers 23-27). 5. Sein Beschämen der Hohepriester und Ältesten, indem er auf die Buße der Zöllner verwies, veranschaulicht durch das Gleichnis von den zwei Söhnen (s. Vers 28-32). 6. Das Gleichnis von dem Weinberg, der an undankbare Weingärtner verpachtet war (s. Vers 33-46).

Vers 1-11

Alle vier Evangelisten berichten von dem triumphalen Einzug fünf Tage vor seinem Tod. Er war einige Zeit in Bethanien gewesen, einem Dorf nicht weit von Jerusalem. Beim Abendessen am Abend zuvor hatte dort Maria seine Füße gesalbt (s. Joh 12,3). Unser Herr Jesus reiste viel, und es war seine Gewohnheit, zu Fuß von Galiläa nach Jerusalem zu reisen; er machte viele staubige Schritte, als er „umherzog und Gutes tat" (Apg 10,38). Christen sollten deshalb nicht übermäßig um ihre eigene Bequemlichkeit besorgt sein. Doch einmal in seinem Leben ritt er im Triumph, und das war jetzt, als er nach Jerusalem ging, um zu leiden und zu sterben. Wir haben hier:

1. Die Vorsorge, die für diese Zeremonie getroffen wurde, und sie war sehr armselig und gewöhnlich.

1.1 Die Vorbereitung war unvermutet und zwanglos, denn seine Herrlichkeit in der nächsten Welt war die Herrlichkeit, auf die sein Herz gerichtet war; er war tot für jede Herrlichkeit in dieser Welt. Sie waren nach Bethphage gekommen. Ein langer, sich schlängelnder Weg führt zum Ölberg, und als er diesen Weg betrat, sandte er zwei seiner Jünger aus, um für ihn einen Esel zu holen.

1.2 Sie war sehr einfach. Er sandte nur nach einer Eselin und ihrem Füllen **(s. Vers 2)**. Esel wurden in diesem Land viel zum Reisen benutzt; Pferde wurden nur von wohlhabenden Leuten und für den Krieg gehalten. In seinem Stand der Erniedrigung ritt er auf einem Esel.

1.3 Es war nicht sein eigener Esel, sondern ein entliehener. Er hatte nichts von den Gütern dieser Welt außer dem, was ihm gegeben oder geliehen wurde. Die Jünger, die gesandt wurden, diesen Esel zu holen, wurden angehalten zu sagen: „Der Herr braucht sie!" Bei dem Entleihen dieses Esels:

Sehen wir die Kenntnis Christi. Christus konnte seinen Jüngern sagen, wo sie eine Eselin angebunden und ein Füllen bei ihr finden würden.

Wir sehen seine Macht über den Geist des Menschen. Christus erklärte sein Recht, diesen Esel zu benutzen, indem er ihnen sagte, sie sollten ihn ihm bringen; er sah ein Hindernis voraus, dem die Jünger in diesem Dienst gegenüberstehen könnten. „Und wenn euch jemand etwas sagt, so sprecht: Der Herr braucht sie!" Christus wird uns darin unterstützen, das zu tun, was er für uns zu tun angeordnet hat. „... dann wird er sie sogleich senden."

Wir sehen seine Gerechtigkeit und Rechtschaffenheit, dass er den Esel nicht ohne Zustimmung des Eigentümers benutzte.

2. Die Weissagung, die sich darin erfüllte **(s. Vers 4-5)**. In allem, was Christus tat und litt, hatte er dies sehr stark im Sinn: „... damit die Schriften der Propheten erfüllt würden" (s. Mt 26,56), besonders das, was in Sacharja 9,9 über ihn geschrieben stand, wo eine lange Weissagung über das Reich des Messias eröffnet wird, „sagt der Tochter Zion: Siehe, dein König kommt zu dir", muss erfüllt werden. Beachten Sie:

2.1 Wie das Kommen Christi vorhergesagt wurde. „Sagt der Tochter Zion: Siehe, dein König kommt zu dir." Jesus Christus ist der König der Gemeinde. Christus, der König seiner Gemeinde, kam zu seiner Gemeinde, selbst in dieser niederen Welt. Vor dem Kommen ihres Königs war der Gemeinde dies gesagt worden: „Sagt der Tochter Zion." Christus wollte, dass man sein Kommen erwartet und damit rechnet und dass seine Untertanen voller Erwartung darauf sind.

2.2 Wie sein Kommen beschrieben wurde. Wenn ein König kommt, wird etwas Großes und Prächtiges erwartet. Doch davon gab es hier nichts: „... demütig und reitend auf einem Esel." Als man meinte, dass Christus in seiner Herrlichkeit erscheinen wird, erschien er in Niedrigkeit, nicht in Majestät. Dies zeigt uns:

Seine Haltung war sehr freundlich. Er war in seiner Erniedrigung bereit, um Zions willen die größten Demütigungen und Kränkungen zu erleiden. Er war zugänglich und leicht zu bitten. Seine Herrschaft ist mild und freundlich und seine Gesetze sind nicht im Blut seiner Untertanen geschrieben, sondern in seinem eigenen. Sein Joch ist leicht (s. Mt 11,30).

Als Beleg dafür war sein Auftreten sehr unscheinbar; er kam auf einem Esel sitzend, ein Geschöpf, das nicht für den Dienst bei staatlichen Anlässen gemacht war, sondern für Schlachten und um Lasten zu tragen; es bewegt sich langsam, aber sicher, ungefährlich und gleichbleibend. Zions König kam nicht auf einem stolzierenden Pferd reitend, dem sich ein zaghafter Bittsteller nicht zu nähern wagen würde, oder einem galoppierenden Pferd, mit dem der langsame Bittsteller nicht Schritt halten könnte, sondern auf einem ruhigen Esel, sodass die ärmsten Untertanen nicht entmutigt sein würden, zu ihm zu kommen.

3. Die Prozession selbst, die entsprechend frei von weltlichem Pomp, aber von geistlicher Macht begleitet war. Beachten Sie:

3.1 Seine Ausrüstung: „Die Jünger ... taten, wie Jesus ihnen befohlen hatte" **(Vers 6)**. Die Anweisungen Christi dürfen nicht angezweifelt werden, sondern man muss ihnen gehorchen, und diejenigen, die ihnen aufrichtig gehorchen, werden in ihrem Gehorsam nicht außer Acht gelassen oder beschämt werden. Die Jünger hatten nicht noch nicht einmal einen Sattel für den Esel, sondern warfen einige ihrer Mäntel auf ihn und das musste anstelle von besserem Geschirr dienen. Wir sollten in äußerlichen Dingen nicht fein, wählerisch oder pedantisch sein. Eine heilige Gleichgültigkeit oder Missachtung ist in solchen Dingen gut für uns. Die Jünger indes gaben ihm das Beste, was sie hatten, und hatten nichts gegen die Verwendung ihrer Mäntel, wenn der Herr sie brauchte. Wir dürfen die Kleider auf unserem Rücken nicht für zu kostbar halten, um sie für den Dienst Christi abzugeben, um seine armen, mittellosen und geplagten Glieder zu kleiden. Christus entblößte sich für uns.

3.2 Sein Gefolge; darin gab es nichts, was stattlich oder prächtig war; er hatte diejenigen, die bei ihm waren, eine „Menge"; nur die gewöhnlichen Menschen, der Mob oder Pöbel, zierte die Zeremonie des triumphalen Einzugs Christi. Christus wird mehr durch die Anzahl seiner Nachfolger als durch ihre Großartigkeit geehrt, denn er bewertet Menschen nach ihrer Seele, nicht nach ihrem Aufstieg, ihren Namen oder Ehrentiteln. Hier wird uns bezüglich dieser großen Menschenmenge gesagt:

Was sie taten; sie suchten nach ihrem besten Vermögen die Ehre Christi. Sie „breiteten ihre Kleider aus auf dem Weg", damit er auf ihnen reiten konnte. Als Jehu zum König ausgerufen wurde, legten die Offiziere als Zeichen ihrer Ergebenheit ihm gegenüber ihre Kleider unter ihn (s. 2.Kön 9,13). Diejenigen, die Christus als ihren König annehmen, müssen als Zeichen des Herzens alles, was sie haben, auch ihre Kleider, unter seine Füße legen. Wie wollen wir unsere Achtung vor Christus ausdrücken? Welche Ehre und welche Würde werden wir ihm geben? „... andere hieben Zweige von den Bäumen und streuten sie auf den Weg", wie sie es beim Laubhüttenfest zu tun pflegten (s. 3.Mose 23,40), als ein Zeichen für Freiheit, Sieg und Freude.

Was sie sagten: „Und die Volksmenge, die vorausging, und die, welche nachfolgten, riefen und sprachen: Hosianna dem Sohn Davids!" **(Vers 9)**. Wenn sie beim Laubhüttenfest Zweige herumtrugen, pflegten sie zu rufen: „Hosianna", und von da an nannten sie die Bündel Zweige ihre Hosiannas. „Hosianna" bedeutet mit Verweis auf Psalm 118,22-26: „Rette jetzt, wir bitten dich." Die Hosiannas, die Christus dargeboten wurden, zeigten zwei Dinge:

Wie die Menschen sein Reich willkommen hießen. „Hosianna" meint das Gleiche wie: „Gepriesen sei der, welcher kommt im Namen des HERRN!" (Ps 118,26). „... sie werden ihn glücklich preisen!" (Ps 72,17). Diese Menschen begannen hier, ihn glücklich zu preisen, und alle wahren Gläubigen in aller Zeit stimmen darin ein und preisen ihn glücklich; es ist die authentische Sprache des Glaubens. Wir können gut sagen, er sei gesegnet (vgl. NGÜ), denn in ihm sind wir gesegnet. Wir können mit unserem Segen wohl dem folgen, der uns mit seinem entgegenkommt.

Mit ihren Hosiannas brachten sie ihre guten Wünsche für sein Reich zum Ausdruck – ihre inbrünstigen Wünsche, dass es siegreich sein möge. Wenn sie Christi Reich als weltliches Reich verstanden, waren sie im Irrtum, und in kurzer Zeit würde ihr Irrtum richtiggestellt werden; ihr guter Wille wurde indes angenommen. Es ist unsere Pflicht, inbrünstig das Wohlergehen und den Erfolg des Reiches Christi in der Welt zu wünschen und dafür zu beten. Dies meinen wir, wenn wir beten: „Dein Reich komme." Sie fügten hinzu: „Hosianna in der Höhe!" Er möge einen Namen über allen Namen haben (s. Phil 2,9), einen Thron über jedem Thron.

3.3 Seinen Empfang in Jerusalem: „Und als er in Jerusalem einzog, kam die ganze Stadt in Bewegung" **(Vers 10)**; jeder nahm von ihm Notiz: Manche waren von Verwunderung ergriffen wegen der Neuheit der Sache, andere voll Gelächter über seine Bescheidenheit; manche vielleicht von Freude bewegt; andere, von den Pharisäern, waren voller Neid und Empörung. Auf das Nahen des Reiches Christi gibt es so viel unterschiedliche Antworten in menschlichen Herzen. Ferner wird uns bezüglich dieses Tumults gesagt:

Was die Bürger sagten: „Wer ist dieser?" Sie scheinen nichts über Christus gewusst zu haben. Der Heilige nicht bekannt in der Heiligen Stadt! Es gibt an Orten, wo das klarste Licht scheint und das größte Bekenntnis zum religiösen Glauben geleistet wird, mehr Unwissenheit, als uns bewusst ist. Doch sie waren neugierig in Bezug auf ihn. „Wer ist dieser König der Herrlichkeit?" (Ps 24,8).

Wie die Menschenmenge ihnen antwortete: „Das ist Jesus" **(Vers 11)**. Nach der Beschreibung, die sie ihm gaben, hatten sie recht, ihn den Propheten, diesen großen Propheten zu nennen. Sie verfehlten aber das Ziel, als sie hinzufügten, dass er „von Nazareth" wäre, und das half die Vorurteile von einigen Bürgern gegen ihn zu bekräftigen. Manche, die Christus ehren und ihn bezeugen wollen, haben immer noch unter Irrtümern über ihn zu leiden.

Vers 12-17

Als Christus nach Jerusalem kam, ging er „in den Tempel", denn er herrscht in heiligen Dingen; er übt im Tempel Gottes Vollmacht aus. Was hat er nun dort getan?

1. Er trieb die Käufer und Verkäufer von dort hinaus. Zuerst müssen Missbräuche beseitigt werden, ehe das eingerichtet werden kann, was richtig ist. Hier wird uns gesagt:

1.1 *Was er tat:* Er „trieb alle hinaus, die im Tempel verkauften und kauften" **(Vers 12)**; er hatte dies schon einmal getan (s. Joh 2,14-15). Aus dem Tempel vertriebene Käufer und Verkäufer werden zurückkehren und sich dort wieder niederlassen, wenn dem ersten Schlag nichts folgt und man ihn nicht oft wiederholt. *Der Missbrauch war kaufen und verkaufen und Geld wechseln im Tempel.* Rechtmäßige Dinge können zur falschen Zeit und am falschen Ort sündig werden. Die Kaufleute verkauften Tiere für die Opfer zur Bequemlichkeit derer, die leichter ihr Geld als ihre Tiere mit sich bringen konnten, und sie wechselten Geld für diejenigen, die einen halben Schekel brauchten. Für manche mag dies als das äußerliche Gewerbe des Hauses Gottes durchgehen, doch Christus wollte es nicht gestatten. Es kommen durch die Praktiken derer große Verderbtheiten und Missbräuche in die Gemeinde, die aus der Gottesfurcht ein Mittel zur Bereicherung machen, das heißt, die weltlichen Reichtum zum Ziel ihrer Gottesfurcht machen und falsche Gottesfurcht zu ihrem Weg zu weltlichem Gewinn (s. 1.Tim 6,5).

Christus beseitigte diesen Missbrauch. Er „trieb alle hinaus, die im Tempel verkauften". Er hatte dies vorher mit einer „Geißel aus Stricken" getan (Joh 2,15); jetzt tat er es mit einem Blick, einem Stirnrunzeln, einem gebietenden Wort. Manche sehen es nicht als das geringste von Christi Wundern an, dass er den Tempel auf diese Weise reinigte. Es zeigt Christi Macht über die Geister der Menschen und welche Gewalt er durch ihr Gewissen über sie hat. Er „stieß die Tische der Wechsler um"; er nahm nicht das Geld für sich selbst, sondern verstreute es, warf es auf den Boden, der beste Ort dafür.

1.2 Was er sagte, um sich zu rechtfertigen und sie zu überführen: „Es steht geschrieben" **(Vers 13)**. Das Auge muss auf der Schrift sein, und diese muss fest als Richtschnur genommen werden, das Vorbild auf dem Berg (s. 2.Mose 25,40).

Er zeigte aus einer Prophetie der Schrift, wie der Tempel sein sollte, zu was er beabsichtigt war: „Mein Haus soll ein Bethaus genannt werden!" Er zitierte aus Jesaja 56,7. All die feierlichen Satzungen sollten den moralischen Pflichten untergeordnet sein; das Haus der Opfer sollte ein Bethaus sein, denn das war der Kern all dieser Dienste.

Er zeigte, wie sie den Tempel missbraucht und seinen Zweck verdreht hatten: „Ihr aber habt eine Räuberhöhle daraus gemacht!" Märkte sind oft Räuberhöhlen: Es gibt dort so viele verderbte und betrügerische Praktiken beim Kaufen und Verkaufen, doch Märkte im Tempel sind dies zweifellos, denn sie rauben Gott seine Ehre und sind die schlimmsten Diebe (s. Mal 3,8).

2. Dort, im Tempel, heilte er „Blinde und Lahme" **(Vers 14)**. Als er die Käufer und Verkäufer aus dem Tempel herausgetrieben hatte, lud er die Blinden und Lahmen dahin ein. Es ist gut, in den Tempel zu kommen, wenn Christus dort ist, der sich, genauso wie er sich eifrig für die Ehre seines Tempels zeigt, indem er die vertreibt, die ihn entweihen, sich auch denen gegenüber gnädig zeigt, die ihn demütig suchen. Die Blinden und Lahmen wurden aus dem Palast Davids ausgeschlossen (s. 2.Sam 5,8), wurden aber zu Gottes Haus zugelassen. Der Tempel wurde entweiht und missbraucht, wenn er zu einem Marktplatz wurde, doch er wurde geziert und geehrt, wenn er zu einem Krankenhaus wurde. In Gottes Haus Gutes zu tun ist ehrenwerter und vereinbarer mit dem, was es ist, als dort Geld zu verdienen. Christi Heilen war eine wirkliche Antwort auf diese Frage: „Wer ist dieser?" Seine Werke bezeugten mehr über ihn als die Hosiannas. Dort brachte er auch den Anstoß zum Schweigen, den die obersten Priester und Gesetzeslehrer an den Beifallsrufen nahmen, mit denen er begrüßt wurde **(s. Vers 15-16)**. Diejenigen, die am eifrigsten hätten sein sollen, ihm die Ehre zu geben, waren seine schlimmsten Feinde.

2.1 Sie waren entrüstet über die wunderbaren Dinge, die er tat. Wenn sie etwas Verstand gehabt hätten, hätten sie anerkennen müssen, dass diese Taten übernatürlich waren. Und wenn sie irgendeinen guten Charakter gehabt hätten, hätten sie sie aufgrund ihrer Barmherzigkeit lieben müssen, doch sie waren entschlossen, sich ihm zu widersetzen, denn sie beneideten ihn und hegten Groll gegen ihn.

2.2 Sie haderten offen mit den Hosiannas der Kinder; sie glaubten, dass die Hosiannas ihm eine Ehre gaben, die ihm nicht zustand. Stolze Menschen können es nicht ertragen, wenn jemand anderem als ihnen selbst Ehre gegeben wird, und sie sind über nichts mehr beunruhigt als über den gerechten Lobpreis für diejenigen, die es verdienen, gelobt zu werden. Wenn Christus am meisten geehrt wird, sind seine Feinde am meisten verärgert.

3. Hier sehen wir, wie er für die Kinder gegen die Priester und Gesetzeslehrer Partei ergreift **(s. Vers 16)**.

3.1 Die Kinder waren im Tempel. Es ist gut, Kinder von einem frühen Alter an in ein Bethaus zu bringen, „denn solcher ist das Reich der Himmel" (Mt 19,14). Mögen die Kinder gelehrt werden, die Form der Gottesfurcht beizubehalten; es wird ihnen helfen, sie zu ihrer Kraft zu führen (s. 2.Tim 3,5). Christus zeigt den Lämmern seiner Herde gegenüber Zärtlichkeit (s. Jes 40,11; Joh 21,15).

3.2 Dort riefen sie: „Hosianna dem Sohn Davids!" Sie lernten dies von den Erwachsenen. Kleine Kinder sagen und tun, was sie andere sagen hören und tun sehen; sie ahmen so leicht nach und man muss so sehr darauf achten, ihnen gute Beispiele und keine schlechten zu geben. Die Kinder werden von denen, die bei ihnen sind, entweder Fluchen und Schimpfen lernen oder Beten und Loben.

3.3 Unser Herr Jesus ließ es nicht nur zu; er hatte auch sehr großen Gefallen daran und zitierte eine Schriftstelle, die dadurch erfüllt wurde (s. Ps 8,3) oder zumindest damit in Einklang gebracht werden kann: „Aus dem Mund der Unmündigen und Säuglinge hast du ein Lob bereitet."

Christus ist so weit davon entfernt, sich für den Dienst von kleinen Kindern zu schämen, dass er sie besonders beachtet – und Kinder lieben es, beachtet zu werden – und sehr großes Wohlgefallen an ihnen hat.

Aus den Mündern dieser wird der Lobpreis vervollkommnet. Es hat den ausgeprägten Hang,

Gott zu ehren und zu verherrlichen, wenn kleine Kinder an diesem Lobpreis teilhaben. Man hätte den Lobpreis als mangelhaft und unvollkommen angesehen, wenn sie nicht daran teilgenommen hätten, was für die Kinder eine Ermutigung ist, von einem frühen Alter an gut zu sein, und für ihre Eltern, sie zu lehren, so zu sein. In dem Psalm heißt es: „... hast du eine Macht zugerichtet" (Schl). Gott vervollkommnet den Lobpreis, indem er „aus dem Mund der Unmündigen und Säuglinge" eine Macht zurichtet. Wenn durch schwache und ungeeignete Werkzeuge große Dinge bewirkt werden, dann wird Gott sehr geehrt, denn seine „Kraft wird in der Schwachheit vollkommen" (2.Kor 12,9).

Nachdem Christus sie auf diese Weise zum Schweigen gebracht hatte, verließ er sie **(s. Vers 17)**. Wenn wir uns über das Lob für Christus beklagen, treiben wir ihn von uns fort. „Und er verließ sie" und „ging zur Stadt hinaus nach Bethanien", einem ruhigeren, mehr zurückgezogenen Ort; er ging dort nicht so sehr hin, um ungestört schlafen zu können, sondern, um ungestört beten zu können.

Vers 18-22

Beachten Sie:

1. Christus kehrte „am Morgen in die Stadt" zurück **(Vers 18)**. Da er dort Arbeit zu tun hatte, kehrte er zurück.

2. Als er ging, „hatte er Hunger". Christus war ein Mensch und unterwarf sich den Schwächen des Menschseins, „doch ohne Sünde" (Hebr 4,15). Er war ein armer Mann und hatte keine verfügbaren Vorräte. Christus war hungrig, damit er einen Grund hatte, dieses Wunder zu vollbringen, um uns seine Gerechtigkeit und Macht zu zeigen.

2.1 Beachten Sie seine Gerechtigkeit **(s. Vers 19)**. Er ging zu dem Baum und erwartete Früchte, weil er Blätter hatte, doch weil er keine fand, verurteilte er ihn zu immerwährender Unfruchtbarkeit. Alle Wunder Christi bis zu dieser Zeit wurden für das Wohl der Menschen vollbracht und bewiesen die Macht seiner Gnade und seines Segens. Nun zeigte er zuletzt die Macht seines Zornes und Fluches, doch er zeigte sie nicht an einem Mann, einer Frau oder einem Kind, sondern an einem unbeseelten Baum. Dies ist als ein Beispiel gegeben.

Dieses Verfluchen des unfruchtbaren Feigenbaumes verkörpert den Zustand von Heuchlern im Allgemeinen, und so lehrt es uns, dass:

Man die Frucht des Feigenbaumes zu Recht von denen erwarten kann, welche die Blätter haben. Christus sucht bei denen die Kraft des religiösen Glaubens, die sich dazu bekennen.

Die begründeten Erwartungen Christi von vorankommenden Bekennern oft frustriert oder enttäuscht werden. Viele Menschen haben den Namen, dass sie leben, tun dies aber nicht wirklich.

Die Sünde der Unfruchtbarkeit wird zu Recht mit dem Fluch und der Heimsuchung der Unfruchtbarkeit bestraft: „Nun soll von dir keine Frucht mehr kommen in Ewigkeit!" Genauso wie einer der wichtigsten Segen und der erste lautet: „Seid fruchtbar" (1.Mose 1,28), so ist einer der schlimmsten Flüche: „Sei nie mehr fruchtbar."

Ein falsches und heuchlerisches Bekenntnis verdorrt für gewöhnlich in dieser Welt; der Feigenbaum, der keine Früchte hatte, verlor bald seine Blätter. Heuchler können eine Zeit lang gut aussehen, doch ihr Bekenntnis des Glaubens wird bald zunichtewerden; ihre Gaben verdorren, gewöhnliche Gnadenwirkungen verfallen und die Falschheit und Torheit des Täuschers wird für jeden deutlich.

Er verkörpert im Besonderen den Zustand der Nation und des Volkes der Juden; sie waren ein Feigenbaum, der auf Christi Weg gepflanzt war. Sie enttäuschten unseren Herrn Jesus. Er kam zu ihnen und erwartete, etwas Frucht zu finden, etwas, das ihm gefallen würde. Diese Erwartungen wurden jedoch enttäuscht; er fand nichts als Blätter. Sie behaupteten, den verheißenen Messias zu erwarten, doch als er kam, nahmen sie ihn nicht auf und hießen ihn nicht willkommen. Und deshalb sehen wir die Verdammnis, die er an sie weitergab, dass von nun an keine Frucht mehr von ihnen kommen soll in Ewigkeit. Von ihnen kam nie etwas Gutes – außer den einzelnen Menschen unter ihnen, die glaubten –, nachdem sie Christus verwarfen; sie wurden schlimmer und schlimmer. Blindheit und Verhärtung kroch in ihnen hoch. Wie rasch vertrocknete ihr Feigenbaum, nachdem sie gesagt hatten: „Sein Blut komme über uns und über unsere Kinder!" (Mt 27,25).

2.2 Beachten Sie die Macht Christi:

Die Jünger wunderten sich über die Wirkung des Fluches Christi, sie verwunderten sich. Sie wunderten sich über die Plötzlichkeit der Sache: „Wie ist der Feigenbaum so plötzlich verdorrt?" **(Vers 20)**.

Christus bevollmächtigte sie durch den Glauben, das Gleiche zu tun **(s. Vers 21-22)**. Beachten Sie:

Die Beschreibung dieses Wunder wirkenden Glaubens: „Wenn ihr Glauben habt und nicht zweifelt." Die Macht und die Verheißungen Gottes anzuzweifeln ist die große Sache, welche die Wirksamkeit und den Erfolg des Glaubens verdirbt. So wie die Verheißung gewiss ist, so sollte unser Glaube zuversichtlich sein.

Die Macht und Wirksamkeit dieses Glaubens drückt sich bildlich aus: „... wenn ihr zu diesem Berg sagt: Hebe dich und wirf dich ins Meer!, so wird es geschehen." Dies ist ein sprichwörtlicher Ausdruck, der bedeutet, dass wir glauben sollen, dass für Gott nichts unmöglich ist und dass sich das sicher erfüllen wird, was er verheißen hat, selbst wenn es uns unmöglich erscheint.

Der Weg und die Mittel, diesen Glauben auszuüben: „Und alles, was ihr glaubend erbittet im Gebet, das werdet ihr empfangen!" Glaube ist die Seele, Gebet ist der Leib; beides zusammen macht einen Menschen vollkommen für jeden Dienst. Glaube wird, wenn er recht ist, das Gebet anregen, und das Gebet ist nicht recht, wenn es nicht dem Glauben entspringt. Dies ist die Bedingung dafür, dass wir empfangen – wir müssen glaubend im Gebet erbitten. Die Bitten des Gebets werden nicht abgelehnt werden; die Erwartungen des Glaubens werden nicht enttäuscht werden. Es ist einfach bitten und haben, glauben und empfangen, und was brauchen wir mehr? Beachten Sie, wie umfassend diese Verheißung ist: „Und alles, was ihr glaubend erbittet." „Alles" im Allgemeinen, „was" im Besonderen. Unser Unglaube ist so töricht, dass, obwohl wir meinen, Verheißungen allgemein zustimmen zu können, wir zögern, wenn es zu einer genauen Anwendung kommt, und deshalb wird die Verheißung vollständig ausgedrückt: „Alles, was."

Vers 23-27

Unser Herr Jesus predigte – wie der Apostel Paulus nach ihm – sein Evangelium „unter viel Kampf" (1.Thess 2,2), und hier, kurz vor seinem Tod, sehen wir, wie er in eine Kontroverse verwickelt ist. Diejenigen, die sehr mit ihm kämpften, waren die obersten Priester und die Ältesten, die Richter von zwei verschiedenen Räten. Die obersten Priester hatten den Vorsitz in dem geistlichen Rat, und die Ältesten des Volkes waren die Richter der staatlichen Räte. Diese verbanden sich, um Christus anzugreifen, und meinten, sie würden ihn entweder dem einen oder dem anderen ausliefern. Hier sehen wir, wie sie ihn stören, als er predigte **(s. Vers 23)**. Sie wollten weder selbst von ihm Unterweisung annehmen noch anderen erlauben, sie anzunehmen.

1. Sobald er nach Jerusalem kam, ging er, obwohl ihm am Tag zuvor dort große Respektlosigkeit erwiesen wurde, in den Tempel, unter seine Feinde und in die größte Gefahr.

2. Im Tempel lehrte er. Er hatte ihn „ein Bethaus" genannt (Mt 21,13) und hier sehen wir ihn dort predigen. Beten und Predigen müssen zusammengehen und keines darf das andere einschränken oder verdrängen. Wir müssen, um unsere Gemeinschaft mit Gott aufzurichten, nicht nur im Gebet zu ihm sprechen, sondern auch hören, was er uns aus seinem Wort zu sagen hat; geistliche Diener müssen „im Gebet und im Dienst des Wortes bleiben" (Apg 6,4).

3. Als Christus die Leute lehrte, kamen die Priester und Ältesten zu ihm und forderten ihn auf, seine Bevollmächtigung zu zeigen. Doch aus dem Bösen kam Gutes, denn es gab Christus die Gelegenheit, die Einwände zu zerstreuen, die gegen ihn vorgebracht wurden, und während seine Feinde dachten, sie hätten ihn durch ihre Macht zum Schweigen gebracht, war *er* es, der *sie* durch Weisheit zum Schweigen brachte. Beachten Sie:

3.1 Wie er von ihrer anmaßenden Forderung überfallen wurde: „In welcher Vollmacht tust du dies, und wer hat dir diese Vollmacht gegeben?" Wenn sie seine Wunder gründlich bedacht hätten und die Macht, durch die er sie vollbrachte, hätten sie diese Frage nicht zu stellen brauchen. Für alle, die Autorität ausüben, ist es gut, sich diese Frage zu stellen: „Wer gab uns diese Autorität?" Diejenigen, die ihre Befugnis überschreiten, bleiben ohne Segen (s. Jer 23,21-22). Christus hatte oft gesagt und unstrittig bewiesen, dass er ein Lehrer war, „der von Gott gekommen ist" (Joh 3,2); doch jetzt, so spät am Tag, als dieser Punkt so vollkommen geklärt und geregelt war, kamen sie dennoch mit dieser Frage zu ihm:

Um mit ihrer Macht zu protzen. Sie fragten hochmütig: „... und wer hat dir diese Vollmacht gegeben", und deuteten an, dass er keine Vollmacht haben könne, weil er keine von ihnen bekommen hatte (s. 1.Kön 22,24; Jer 20,1-2). Bei denjenigen, die ihre Macht schwer missbrauchen, die stolz auf alles sind und Wohlgefallen an allem haben, was nach der Ausübung von ihr aussieht, ist es üblich, dass sie diejenigen sind, welche die ihre am meisten zur Geltung bringen.

Um zu versuchen, ihm eine Falle zu stellen. Wenn er es ablehnen würde, diese Frage zu beantworten, würden sie die Menschen glauben lassen, dass er durch sein Schweigen stillschweigend eingestand, ein Eindringling zu sein. Wenn er Vollmacht von Gott geltend machte, würden sie, wie vorher, ein Zeichen vom Himmel fordern oder ihn deshalb der Blasphemie beschuldigen.

3.2 Wie er diese Forderung mit einer anderen Frage beantwortete, die helfen würde, dass sie sie selbst beantworten: „Auch ich will euch ein Wort fragen" **(Vers 24)**. Er lehnte es ab, ihnen eine direkte Antwort zu geben, denn dann hätten sie ihn übervorteilen können, sondern er antwortete ihnen mit einer eigenen Frage. Die Frage, die er stellte, handelte von der Taufe von Johannes, die hier für seinen ganzen Dienst stand. „War diese ‚vom Himmel oder von Menschen'? Es muss eines von beiden sein." Diese Frage sollte nicht ausweichend sein, um die ihre zu meiden; vielmehr würde es, wenn sie diese Frage beantworten, ihre eigene beantworten. Wenn sie gegen ihr Gewissen gesagt hätten, dass die Taufe von Johannes von Menschen sei, hätte man leicht antworten können: „Johannes hat ... kein Zeichen getan" (Joh 10,41); Christus tat viele Zeichen. Wenn sie aber sagen würden, wie sie zugeben müssen, dass die Taufe von Johannes vom Himmel war, dann war ihre Nachfrage beantwortet, denn er bezeugte Christus. Wenn sie sich weigerten, darauf zu antworten, wäre das ein guter Grund, weshalb er keine Beweise für seine Vollmacht vorbringen würde; er brauchte denen nicht zu antworten, die gegen die stärkste Überführung halsstarrig voreingenommen waren.

3.3 Wie sie hierdurch verwirrt wurden und daran scheiterten. Beachten Sie:

Wie sie „bei sich selbst" überlegten, wenn auch nicht bezüglich der Gesichtspunkte der Sache; nein, ihr Interesse war, wie sie sich erfolgreich gegen Christus verteidigen könnten. Sie überlegten und diskutierten zwei Dinge: ihren Ruf und ihre Sicherheit, die gleichen Dinge, die vor allem diejenigen anstreben, die „das Ihre" suchen (Phil 2,21).

Sie dachten an ihren Ruf, den sie riskieren würden, wenn sie anerkennen, dass die Taufe von Johannes von Gott war, denn dann würde sie Christus vor allen Menschen fragen: „Warum habt ihr ihm dann nicht geglaubt?"

Sie dachten an ihre eigene Sicherheit und fürchteten den Groll der Menschen, wenn sie sagen würden, dass die Taufe von Johannes sei. „... so müssen wir die Volksmenge fürchten, denn alle halten Johannes für einen Propheten." Es scheint also, dass:

Die Menschen wahrhaftigere Antworten zu Johannes hatten, als es die obersten Priester und die Ältesten hatten. Das Volk, so scheint es, über das die Leiter in ihrem Stolz sagten, dass es das Gesetz nicht kennt und unter dem Fluch steht (s. Joh 7,49), kannte das Evangelium und war gesegnet.

- Die obersten Priester und Ältesten standen voller Scheu vor den gewöhnlichen Leuten, was zeigt, dass die Dinge bei ihnen durcheinander waren. Wenn sie ihre Integrität beibehalten und ihre Pflicht getan hätten, hätten sie ihre Autorität behalten und das Volk nicht zu fürchten brauchen.
- Selbst gewöhnliche Menschen vertreten in der Regel die Einstellung, dass sie für die Ehre der Dinge eifern, die sie als heilig und göttlich ansehen. Deshalb gibt es die stärksten Kontroversen über heilige Dinge.
- Die obersten Priester und Ältesten wurden nicht durch Gottesfurcht davon abgehalten, offen die Wahrheit zu leugnen, sondern bloß aus Furcht vor Menschen. Viele schlechte Menschen wären viel schlimmer als sie sind, wenn sie es wagen würden.

Wie sie unserem Heiland antworteten und so die Frage fallen ließen. Sie bekannten halbwegs: „Wir wissen es nicht!", das heißt: „Wir wollen es nicht sagen." Mögen sie sich umso mehr schämen. Wenn sie nicht ihr Wissen bekennen wollten, dann waren sie gezwungen, ihr Unwissen zu bekennen. Beachten Sie nebenbei, dass sie, als sie sagten, „wir wissen es nicht", logen, denn sie wussten, dass die Taufe von Johannes von Gott ist. Viele fürchten sich mehr vor der Schande der Lüge als vor der Sünde von ihr, und deshalb haben sie keine Skrupel, das über ihre eigenen Gedanken und ihr Verständnis zu sagen, von dem sie wissen, dass es falsch ist, denn sie wissen, dass sie in diesen Dingen niemand widerlegen kann.

Und so vermied Christus die Falle, die sie ihm gestellt hatten, und rechtfertigte sich darin, dass er es ablehnte, auf ihre Launen einzugehen. „So sage ich euch auch nicht, in welcher Vollmacht ich dies tue." Sie waren nicht fähig, über die Vollmacht Christi zu diskutieren, denn Menschen mit einer solchen Disposition konnten nicht von der Wahrheit überzeugt werden. Denjenigen, welche die Wahrheiten, die sie kennen, durch Ungerechtigkeit aufhalten, werden zu Recht die weiteren Wahrheiten verweigert, die sie suchen (s. Röm 1,18-19). Dem, der das Talent vergraben hat, soll es weggenommen werden (s. Mt 25,28); diejenigen, die sich weigern zu sehen, werden nicht sehen.

Vers 28-32

So, wie Christus seine Jünger unterwies, indem er Gleichnisse verwendete, überführte er manchmal auch seine Feinde durch die Verwendung von Gleichnissen, die den Tadel eingehender machen und die Menschen, ehe sie sich dessen bewusst sind, sich selbst tadeln lassen. Dies war die Absicht Christi hier, wie man aus den ersten Worten sehen kann: „Was meint ihr aber?" **(Vers 28)**. Beachten Sie:

1. Das Gleichnis selbst, das zwei Arten von Menschen darstellt: Manche, die sich als besser erweisen, als man erhoffen konnte, und andere, die mehr versprachen als das, als was sie sich erwiesen.

1.1 Sie hatten beide den gleichen Vater. Es gibt Begünstigungen, die alle gleich von Gott bekommen, und es gibt Verpflichtungen, die alle gleich ihm gegenüber haben. Doch es gibt einen gewaltigen Unterschied zwischen den menschlichen Charakteren.

1.2 Sie erhielten beide das gleiche Gebot: „Sohn, mache dich auf und arbeite heute in meinem Weinberg!" Gott stellt seine Kinder an die Arbeit, wenn sie auch alle Erben sind.

Das Werk des religiösen Glaubens, zu dem wir berufen sind, uns dazu zu verpflichten, ist Arbeit im Weinberg: lobenswert, einträglich und angenehm. Durch die Sünde Adams wurden wir vertrieben, dass wir auf gewöhnlichem Land arbeiten und die Früchte des Feldes essen müssen, doch durch die Gnade unseres Herrn Jesus werden wir dazu berufen, wieder im Weinberg zu arbeiten.

Der Ruf des Evangeliums zur Arbeit im Weinberg erfordert augenblicklichen Gehorsam: „Sohn, ... arbeite heute." Wir sind nicht in die Welt gesandt, um faul zu sein, noch wurde uns das Tageslicht gegeben, um dabei zu spielen.

Wir werden ermutigend als Kinder angesprochen: „Sohn, ... arbeite." Es ist das Gebot eines Vaters, der es sowohl mit Autorität als auch mit Zuneigung vorbringt; es ist das Gebot eines Vaters, der sehr herzlich gegenüber dem Sohn ist, „der ihm dient" (Mal 3,17).

1.3 Ihr Verhalten war sehr unterschiedlich.

Einer der Söhne handelte besser, als er sagte, erwies sich als besser, als man erhoffen konnte. Seine Antwort war schlecht, doch seine Taten waren gut.

Hier haben wir die verstockte Antwort, die er seinem Vater gab; er sagte rundweg und direkt: „Ich will nicht!" Entschuldigungen sind schlecht, doch eine völlige Weigerung ist schlimmer; der Ruf des Evangeliums trifft jedoch oft auf solche totale Ablehnung. Manche Menschen lieben ihre Bequemlichkeit und lehnen es ab zu arbeiten. Ihre Herzen sind so sehr auf ihre eigenen Felder gerichtet, dass sie nicht in Gottes Weinberg arbeiten möchten. Sie lieben das Gewerbe der Welt mehr als das Gewerbe ihres religiösen Glaubens.

Hier haben wir sowohl die vorteilhafte Sinnesänderung von ihm als auch seinen Weg zu einem zweiten Nachdenken: „Danach aber reute es ihn, und er ging." Buße tun ist *metanoia*, eine Rückbesinnung, und *metamelomai*, der Wunsch nach einem Rückgängigmachen. Besser spät als nie. Als es ihn reute, ging er; dies war seine Frucht, „die der Buße würdig" war (Mt 3,8). Der einzige wirkliche Beleg unserer Buße für früheren Widerstand ist, der Arbeit sofort nachzukommen und an sie zu gehen, und dann wird das vergeben sein, was vergangen war, und alles wird in Ordnung sein. Der Herr wartet darauf zu begnadigen (s. Jes 30,18), und er wird uns trotz unserer früheren Torheit wohlgesonnen annehmen, wenn wir Buße tun und unsere Wege bessern. Loben Sie Gott dafür, dass wir unter einem Bund sind, der Raum für eine solche Buße lässt.

Der andere Sohn sprach besser als er handelte; seine Antwort war gut, doch seine Taten schlecht. Der Vater sagte zu ihm dasselbe **(s. Vers 30)**. Der Ruf des Evangeliums ist, wenn er auch in gewissem Sinn für jeden Menschen sehr unterschiedlich ist, im Wesentlichen für alle gleich. Beachten Sie:

Wie verheißungsvoll dieser andere Sohn war: Er „sprach: Ich gehe, Herr!" Er gab seinem Vater einen achtungsvollen Titel, „Herr". Er erklärte sofortigen Gehorsam: „Ich gehe." Nicht: „Ich werde bald gehen", sondern: „Ich bin jetzt bereit, Herr, du kannst dich darauf verlassen; ich gehe jetzt."

Wie er bei der Erfüllung seines Versprechens versagte: Er „ging nicht". Sagen und Tun sind zwei verschiedene Dinge, und es gibt viele, die es sagen, aber nicht tun. Viele Menschen zeigen mit ihrem Mund viel Liebe, doch ihr Herz läuft in eine andere Richtung. Knospen und Blüten sind nicht das Gleiche wie Früchte.

2. Eine allgemeine Mahnung auf der Grundlage dieses Gleichnisses: „Wer von diesen beiden hat den Willen des Vaters getan?" **(Vers 31)**. Sie hatten beide ihre Fehler: Der eine war grob, der andere unaufrichtig. Die Frage lautet indes: Wer war der Bessere von den beiden? Wer hatte weniger Schuld? Das war rasch beantwortet: Der Erste, weil seine Taten besser waren als seine Worte und sein Ende besser war als sein Beginn. Der ganze Tenor der Schrift gibt uns zu verstehen, dass diejenigen, denen ihre Wege leidtun, auf denen sie versagt haben, den Willen des Vaters zu tun, und die dann besser handeln, als solche angenommen werden, die den Willen des Vaters tun.

3. Eine besondere Anwendung davon auf die vorliegende Sache **(s. Vers 31-32)**. Der erste Anwendungsbereich des Gleichnisses ist, zu zeigen, wie die Zöllner und Huren sich der Zucht durch Johannes dem Täufer, seines Vorboten, unterwarfen und seine Lehre annahmen, während die Priester und Ältesten Johannes den Täufer beschimpften und sich den Zielen seiner Mission widersetzten. Beachten Sie bei der Anwendung Christi von diesem Gleichnis:

3.1 Wie er bewies, dass die Taufe von Johannes „vom Himmel" war und nicht „von Menschen". „Wenn ihr es nicht wisst", sagt Christus, „so hättet ihr es wissen können."

Durch den Inhalt seines Dienstes: „‚Denn Johannes ist zu euch gekommen mit dem Weg der Gerechtigkeit.' Denkt an den Test: ‚An ihren Früchten werdet ihr sie erkennen', die Früchte ihrer Lehre, ‚die Frucht ihrer Taten'" (Mt 7,16; Jes 3,10; s. Jer 17,10 u.a.). Es war klar, dass Johannes „mit dem Weg der Gerechtigkeit" gekommen ist. Er lehrte die Menschen in seinem Dienst, Buße zu tun und die Werke der Gerechtigkeit zu tun.

Durch den Erfolg seines Dienstes. „Die Zöllner und die Huren aber glaubten ihm." Wenn Gott Johannes den Täufer nicht gesandt hätte, hätte er sein Bemühen nicht mit so wunderbaren Erfolgen gekrönt. Der Nutzen für die Menschen ist das beste Zeugnis für den geistlichen Diener.

3.2 Wie er sie für ihre Verachtung für die Taufe von Johannes tadelte. Zu ihrer Schande stellte er den Glauben, die Buße und den Gehorsam der Zöllner und Huren vor sie, was nur dazu diente, ihren Unglauben und ihre Unbußfertigkeit zu betonen.

Die Zöllner und Huren waren wie der erste Sohn im Gleichnis, von dem wenig religiöser Glaube erwartet wurde. Sie verhießen wenig Gutes, und diejenigen, die sie kannten, versprachen sich wenig Gutes von ihnen. Es wurden aber viele von ihnen durch den Dienst von Johannes überzeugt.

Die Gesetzeslehrer und die Pharisäer, die obersten Priester und die Ältesten und in der Tat das jüdische Volk allgemein waren wie der andere Sohn, der mit guten Worten antwortete. Ein Heuchler ist härter zu überzeugen und zu bekehren als ein grober Sünder. Es unterstrich ihren Unglauben:

Dass Johannes ein vorzüglicher Mensch war. Je besser die Mittel sind, desto größer wird die Forderung dort sein, wenn die Mittel nicht angewendet werden.

Dass sie, als sie sahen, dass die Zöllner und Huren vor ihnen in das Reich der Himmel gingen, nicht später bereuten und glaubten. Sie wollten nicht ihr Gesicht verlieren; sie lehnten es ab, Gott und Christus zu suchen (s. Ps 10,4; Schl).

Vers 33-46

Dieses Gleichnis zeigt deutlich die Sünde und das Verderben des jüdischen Volkes. Hier haben wir:

1. Die Vorrechte der jüdischen Gemeinde, dargestellt durch das Mieten eines Weinbergs durch Pächter. Beachten Sie:

1.1 Wie Gott für sich in der Welt eine Gemeinde gründete. Das Reich Gottes auf der Erde wird hier mit einem Weinberg verglichen, der mit allem ausgestattet ist, was für seinen vorteilhaften Betrieb und Nutzen nötig ist.

Er pflanzte diesen Weinberg. Die Kirche bzw. Gemeinde ist eine „Pflanzung des HERRN" (Jes 61,3). Die Erde bringt von selbst „Dornen und Disteln" hervor (1.Mose 3,18), Weinreben aber müssen gepflanzt werden.

Er zog einen Zaun um ihn. Gottes Kirche bzw. Gemeinde steht in der Welt unter seinem besonderen Schutz, der ein Zaun darum ist. Er möchte nicht, dass sein Weinberg für alle offen liegt, sodass diejenigen, die draußen sind, sich ihren Weg in ihn erzwingen können, wann immer sie es wollen. Er möchte nicht, dass er ohne Einschränkungen ist, sodass diejenigen, die drinnen sind, ausbrechen können, wann immer sie es wollen.

Er „grub eine Kelter darin" und „baute einen Wachtturm". Gott setzte Ordnungen in seiner Kirche bzw. Gemeinde ein, um für eine geeignete Aufsicht zu sorgen und ihre Fruchtbarkeit zu fördern.

1.2 Wie er diese sichtbaren Vorrechte der Kirche bzw. Gemeinde der Nation und dem Volk der Juden anvertraute; er gab sie ihnen als Pächtern, weil er sie prüfen und von ihnen geehrt werden wollte. Dann reiste er außer Landes. Als Gott am Berg Sinai sichtbar die jüdische Gemeinde eingesetzt hatte, zog er sich in gewisser Weise zurück. Sie hatten nicht mehr länger so viele Visionen, sondern waren dem geschriebenen Wort überlassen.

2. Wie Gott von diesen Pächtern Pacht erwartete **(s. Vers 34)**. Es war eine angemessene Erwartung.

2.1 Seine Erwartungen waren nicht übereilt; er wartete, bis „die Zeit der Früchte nahte". Gott wartet darauf zu begnadigen (s. Jes 30,18), damit er uns Zeit geben kann.

2.2 Seine Erwartungen waren nicht groß. Er verlangte nicht, dass sie zu ihm kommen; er sandte „seine Knechte" zu ihnen, um sie an ihre Pflicht und an den Tag zu erinnern, an dem die Pacht fällig war; ihnen zu helfen, die Früchte zu sammeln und Gewinn durch sie zu machen.

2.3 Seine Erwartungen waren nicht hart; er wollte nur „seine Früchte in Empfang ... nehmen". Er forderte nicht mehr, als sie geben konnten, nur einige Früchte von dem, was er selbst pflanzte – die Befolgung der Gesetze und Vorschriften, die er ihnen gegeben hatte.

3. Die Bosheit der Pächter, dass sie die Boten schlecht behandelten, die zu ihnen geschickt wurden.

3.1 Als er seine Knechte zu ihnen sandte, misshandelten sie jene. Wenn die Rufe und Tadel des Wortes diejenigen nicht erreichen, die sie hören, werden sie sie nur wütend machen. Beachten Sie hier, was schon immer mehr oder weniger das Los von Gottes treuen Boten war:

Zu leiden: „... denn ebenso haben sie die Propheten verfolgt" (Mt 5,12). Sie verachteten und verspotteten sie nicht nur, sondern behandelten sie wie die schlimmsten Übeltäter. Wenn Menschen, „die gottesfürchtig leben wollen in Christus Jesus ... Verfolgung erleiden" werden (2.Tim 3,12), dann noch viel mehr die Menschen, die andere dazu drängen, auch so zu leben.

Zu leiden durch die eigenen Pächter ihres Meisters; die Zuhörer Christi hier waren die Pächter, welche die Knechte auf diese Weise behandelten. Wir sehen nun:

Wie Gott an seiner Güte zu ihnen festhielt. Er sandte andere Knechte, mehr als das erste Mal, obwohl es der ersten Gruppe nicht gut ergangen war – sie in der Tat misshandelt worden war.

Wie sie in ihrer Bosheit verharrten. „... und sie behandelten sie ebenso." Eine Sünde bereitet den Weg für eine andere der gleichen Art.

3.2 Schließlich sandte er seinen Sohn zu ihnen. Wir haben Gottes Güte bei der Sendung seiner Knechte und die Bosheit der Pächter

gesehen, dass sie jene misshandelten, doch in letzter Instanz haben sie beide sich selbst übertroffen.
Niemals zeigte sich die Gnade gnädiger als in der Sendung des Sohnes. Dies wurde „zuletzt" getan, denn wenn nichts anderes bei ihnen wirken würde, dann würde sicherlich dieses wirken. „'Sie werden sich vor meinem Sohn scheuen!', und deshalb sende ich ihn. Wenn sie nur den Sohn achten werden, wird es Gelingen geben. ‚Sie werden sich vor meinem Sohn scheuen', denn er kommt mit mehr Vollmacht, als es die Knechte konnten."
Nie zeigte sich die Sünde sündiger als in der schlechten Behandlung von ihm. Beachten Sie:
Wie es ausgeheckt wurde: „Als aber die Weingärtner den Sohn sahen" **(Vers 38)**. Seine Ankunft, um die Pacht einzusammeln, betraf ihre Rechte als Pächter, denn man müsste ihn entweder bezahlen oder er würde ihren Besitz als Bezahlung pfänden, und so entschlossen sie sich, einen weiteren dreisten Versuch zu unternehmen, ihren Wohlstand und ihre Größe zu bewahren, indem sie ihn aus dem Weg schaffen. „Das ist der Erbe! Kommt, lasst uns ihn töten." Pilatus und Herodes, die „Herrscher dieser Weltzeit", erkannten ihn nicht (1.Kor 2,8). Doch die obersten Priester und die Ältesten wussten, dass dieser „der Erbe" ist, und deshalb sagten sie: „Kommt, lasst uns ihn töten." Viele werden wegen dem getötet, was sie haben. Die hauptsächliche Sache, um die sie ihn beneideten, der Hauptgrund, weshalb sie ihn hassten und fürchteten, war sein Einfluss unter den Leuten. „Deshalb ‚lasst uns ihn töten', und" – als müsste die Hinterlassenschaft selbstverständlich an den Besetzer gehen – „sein Erbteil in Besitz nehmen!" Sie dachten, wenn sie nur diesen Jesus loswerden könnten, könnten sie tun, was immer sie wollten. Doch während sie meinten, sie würden ihn töten und sein Erbe in Besitz nehmen, ging er durch sein Kreuz zu seiner Krone.
Wie diese Intrige ausgeführt wurde **(s. Vers 39)**. Es überraschte kaum, dass sie ihn bald ergriffen und töteten. In der Tat stießen sie, da sie ihn für genauso unwürdig zu leben ansahen wie sie unwillig waren, ihn leben zu lassen, „ihn zum Weinberg hinaus", der heiligen Gemeinde und aus der Heiligen Stadt, denn er wurde „außerhalb des Tores" gekreuzigt (Hebr 13,12), als wäre er die Schande und Schmach seines Volkes Israel gewesen, wo er doch seine größte Herrlichkeit war.

4. Ihr Urteil aus ihrem eigenen Mund gesprochen. Er legte es ihnen vor: „Wenn nun der Herr des Weinbergs kommt, was wird er mit diesen Weingärtnern tun?" **(Vers 40)**. Er legte es den obersten Priestern und Ältesten selbst vor, um sie stärker zu überführen. Gottes Wege sind so untadelig, dass man nur an die Sünder selbst bezüglich der Klarheit dieser Wege appellieren muss. Diese Sünder konnten sogleich antworten: „Er wird die Übeltäter auf üble Weise umbringen." Viele können leicht die schlimmen Folgen der Sünden anderer Menschen vorhersagen, weigern sich aber, das Ende ihrer eigenen vorherzusehen.

4.1 Unser Heiland hatte in seiner Frage vorausgesetzt, dass „der Herr des Weinbergs kommt" und mit ihnen abrechnet. Peiniger sprechen in ihren Herzen: „Mein Herr säumt zu kommen!" (Mt 24,48). Doch obwohl er eine lange Zeit mit ihnen Geduld hat, wird er nicht immer so sein.

4.2 In ihrer Antwort vermuteten sie, dass es eine schreckliche Abrechnung sein würde:
Dass der Herr „die Übeltäter auf üble Weise umbringen" würde. Die Menschen mögen nie denken, dass es ihnen gut ergehen wird, obwohl sie Unrecht tun. Dies erfüllte sich an den Juden in der traurigen Zerstörung, die durch die Römer über sie gebracht wurde.
Dass er seinen „Weinberg anderen Weingärtnern verpachten" würde. Gott wird eine Kirche bzw. Gemeinde in der Welt haben. Menschlicher Unglaube und menschliche Verderbtheit werden das Wort Gottes nicht null und nichtig machen.

5. Die weitere Erläuterung und Anwendung davon durch Christus selbst, der ihnen im Wesentlichen sagt, dass sie richtig geurteilt haben.

5.1 Er erläuterte dies, indem er auf eine Schriftstelle verwies, die sich hierin erfüllte: „Habt ihr noch nie in den Schriften gelesen …?" **(Vers 42)**. Die Schriftstelle, die er zitierte, ist Psalm 118,22-23, der gleiche Kontext, aus dem die Kinder ihre Hosiannas hatten. Das gleiche Wort ist ein Gegenstand der Ermutigung und des Trostes für Christi Freunde und seine Nachfolger und Überführung und Schrecken für seine Feinde. Das Wort Gottes ist solch ein zweischneidiges Schwert (s. Hebr 4,12).
Dass die Erbauer den Stein verwerfen, ist das Gleiche wie die schlimme Behandlung des Sohnes, der zu ihnen gesandt war, durch die Pächter. Sie wollten Christus keinen Platz in ihrem Gebäude zugestehen. Sie ließen ihn als verworfenes, zertrümmertes Gefäß fallen (s. Jer 22,28), einen Stein, der nur als Trittstein dienen würde, auf dem herumgetrampelt wird.
Dass dieser Stein erhöht wird, sodass er der Eckstein wird, ist das Gleiche wie „den Weinberg anderen Weingärtnern" zu verpachten. Der Eine, welcher von den Juden verworfen wurde, wurde von den Heiden angenommen, und für die Kirche bzw. Gemeinde, die sie einschließt, heißt es: „… alles und in allen Christus" (Kol 3,11).
In all dem war die Hand Gottes: „Vom Herrn ist das geschehen, und es ist wunderbar in un-

seren Augen." Die Bosheit der Juden, die ihn verwarfen, ist ein Wunder. Die Ehre, die ihm von der heidnischen Welt erwiesen wird, ist ein Wunder – dass der Eine, den das Volk verachtete und verabscheute, von Königen angebetet werden sollte! Doch „vom Herrn ist das geschehen".

5.2 Er wandte es auf sie an, und die Anwendung ist das Leben der Predigt.

Er wandte das Urteil an, das sie gefällt hatten **(s. Vers 41)**; er ließ es auf sie zurückfallen; nicht den ersten Teil über die traurige Vernichtung der Pächter – er konnte es nicht ertragen, darüber zu sprechen –, sondern den letzten Teil, von der Verpachtung des Weinbergs an andere Weingärtner. Sie mögen also wissen:

Dass den Juden die Kirche bzw. Gemeinde weggenommen werden würde: „Das Reich Gottes wird von euch genommen." „Die Sohnschaft und die Herrlichkeit" hatten für lange Zeit den Juden gehört (Röm 9,4); ihnen war das geheiligte Gut der offenbarten Religion anvertraut und dass sie den Namen Gottes in der Welt tragen, doch jetzt würde es nicht mehr so sein. Sie versagten nicht darin, durch den Gebrauch ihrer Vorrechte Frucht hervorzubringen, sondern widersetzten sich auch dem Evangelium Christi und verloren so das Recht an diesen Vorrechten.

Dass die Heiden aufgenommen werden würden. Wenn Gottes Weinrebe an einer Stelle ausgerissen wird, wird er eine andere finden, um sie dort zu pflanzen. Der Fall der Juden war Reichtum für die Heiden (s. Röm 11,12). Die Heiden würden bessere Früchte hervorbringen, als es die Juden getan hatten. Gott verliert nie, wenn er eine Sache durch eine andere austauscht.

Er wandte die Schriftstelle, die er zitiert hatte, zu ihrem Entsetzen an **(s. Vers 42.44)**. Hier haben wir das Verhängnis von zwei Arten von Menschen.

Manche straucheln in ihrer Unwissenheit über Christus in seiner Erniedrigung. Durch ihre Blindheit und Unbedachtheit fallen sie auf ihn und fallen über ihn und werden „zerschmettert werden". Der Unglaube von Sündern wird ihr Verderben sein.

Andere widersetzen sich Christus, trotzen ihm in seiner Erhöhung, wenn dieser Stein zum Eckstein erhoben ist, und er wird auf sie fallen, denn sie werden ihn auf ihre Köpfe herabbringen, und er wird sie zermalmen. Das Reich Christi wird für all die ein Laststein sein, die versuchen, es zu stürzen oder es von seinem Platz zu verrücken (s. Sach 12,3). Niemand hat je sein Herz für Gott verhärtet und ist heil davongekommen (s. Hiob 9,4).

6. Wie diese Botschaft Christi von den obersten Priestern und Ältesten aufgenommen wurde.

6.1 Sie erkannten, „dass er von ihnen redete" **(Vers 45)** und dass sie in dem, was sie sagten **(s. Vers 41)**, nur ihr eigenes Urteil gesprochen hatten. Ein schuldiges Gewissen braucht keinen Ankläger.

6.2 „Und sie suchten ihn zu ergreifen." Wenn diejenigen, welche die Zurechtweisungen des Wortes hören, erfassen, dass es über sie spricht, dann wird es ihnen sicherlich, wenn es ihnen nicht viel Gutes tut, viel Schaden zufügen.

6.3 Sie wagten nicht, dies zu tun, denn sie fürchteten „die Volksmenge, weil sie ihn für einen Propheten hielt". Gott hat viele Wege, den Rest des Grimmes in Schranken zu halten, wie er das, was geschieht, zu seinem Lobpreis beitragen lässt (s. Ps 76,11; Elb 06).

KAPITEL 22

Dieses Kapitel ist eine Fortsetzung der Botschaften Christi im Tempel. Hier haben wir: 1. Gegebene Unterweisung. 1.1 Über die Verwerfung der Juden und die Berufung der Heiden durch das Gleichnis vom Hochzeitsmahl (s. Vers 1-10). 1.2 Über die Gefahr von Heuchelei beim Bekenntnis zum Christentum (s. Vers 11-14). 2. Debatten über das Zahlen von Steuern an Cäsar (s. Vers 15-22), über die Auferstehung von den Toten und den zukünftigen Stand (s. Vers 23-33), über das größte Gebot im Gesetz (s. Vers 34-40) und über die Beziehung des Messias zu David (s. Vers 41-46).

Vers 1-14

Hier ist das Gleichnis von den Gästen, die zum Hochzeitsmahl geladen sind. Es heißt, dass Jesus antwortete **(s. Vers 1**; Elb): Er antwortete nicht auf das, was seine Widersacher sagten, sondern auf das, was sie dachten. Christus weiß, wie er auf die Gedanken der Menschen antworten kann, denn er erkennt sie (s. Hebr 4,12). Dieses Gleichnis stellt das Angebot des Evangeliums dar und die Aufnahme, auf die es trifft.

1. Die Vorbereitungen auf das Evangelium werden hier durch ein Festmahl dargestellt, das ein König zur Hochzeit seines Sohnes abhielt.

1.1 Hier wird eine Hochzeit (ein Hochzeitsmahl) für seinen Sohn ausgerichtet: Christus ist der Bräutigam; die Gemeinde ist seine Braut. Der Bund des Evangeliums ist ein Ehebund zwischen Christus und den Gläubigen.

1.2 Hier ist eine Mahlzeit für die Hochzeit seines Sohnes bereitet **(s. Vers 4)**: alle Segnungen des Neuen Bundes, einschließlich der Vergebung der Sünden, der Gunst Gottes, Frieden im Gewissen, die Verheißungen des Evangeliums, die Gewissheit des Geistes und eine wohlbegründete Hoffnung auf das ewige Leben. Dies sind die Vorbereitungen auf dieses Mahl, die wir jetzt erleben, die ein Himmel auf Erden sind; und bald werden wir einen Himmel im Himmel haben.

Es war ein Festmahl. Ochsen und Mastvieh wurden für dieses Mahl geschlachtet; es gab keine Delikatessen, sondern nahrhaftes Essen, genug von dem besten Essen. Aus Liebe wurde ein Mahl bereitet (s. Hld 2,4); es war ein Mahl der Versöhnung. Es wurde für das Lachen gemacht; es war ein Mahl der Freude. Es wurde für die Fülle gemacht; die Absicht des Evangeliums war es, jede hungrige Seele mit guten Dingen zu füllen (s. Lk 1,53). Es war für die Gemeinschaft gemacht.

Es war ein Hochzeitsfestmahl. Hochzeitsmahle sind normalerweise reichhaltig, frei und fröhlich. Das erste Wunder, das Christus vollbrachte, war, eine reichliche Versorgung bei einem Hochzeitsmahl zu schaffen (s. Joh 2,7), und sicherlich wird er bei seinem eigenen Hochzeitsmahl nicht mangelhaft vorsorgen.

Es war ein königliches Hochzeitsmahl; es war das Festmahl eines Königs, nicht für die Hochzeit eines Knechtes, sondern eines Sohnes. Die Vorkehrungen, die für den Gläubigen im Bund der Gnade getroffen werden, sind so, wie es für den König der Herrlichkeit recht ist zu geben (s. Ps 24,7-10). Er gibt, wie er selbst ist, denn er gibt sich selbst: ein echtes Festessen für die Seele.

2. Der Ruf und das Angebot des Evangeliums werden durch die Einladungen des Königs zu diesem Mahl dargestellt. Diejenigen, die ein Festessen geben, möchten Gäste haben, um mit ihnen das Festessen zu zieren. Gottes Gäste sind die Menschen. Herr, was ist der Mensch, dass er auf diese Weise geehrt werden sollte (s. Hiob 7,17; Ps 8,5)! Nun:

2.1 Werden die Gäste gerufen, eingeladen, zur Hochzeit zu kommen. Alle, die in Hörweite des lieblichen Klanges des Evangeliums sind (s. Ps 89,16), erhalten die Botschaft von dieser Einladung. Niemand ist ausgeschlossen außer diejenigen, die sich selbst ausschließen.

2.2 Werden die Gäste ersucht, denn das Evangelium enthält nicht nur gnädige Vorschläge, sondern auch gnädige Überredungen. Beachten Sie, wie sehr das Herz Christi nach der Seligkeit für arme Seelen drängt! Er sorgt nicht nur angesichts ihrer Nöte für sie, sondern gibt ihnen auch angesichts ihrer Schwäche und Vergesslichkeit Bescheid. Als die eingeladenen Gäste es versäumten zu kommen, sandte der König andere Knechte aus **(s. Vers 4)**. Man hätte meinen können, es wäre genug, den Leuten eine Anzeige zu geben, dass sie die Erlaubnis haben zu kommen, dass sie willkommen sein würden, dass der König während der Hochzeitszeremonie ein offenes Haus haben würde. Doch weil der natürliche Mensch kein Verlangen nach den Dingen Gottes hat (s. 1.Kor 2,14), werden wir durch die mächtigsten Anreize gedrängt, den Ruf anzunehmen. Siehe, das Mahl ist bereitet, die Ochsen und das Mastvieh sind geschlachtet und alles ist bereit, Ermutigung ist bereit; die Verheißungen sind bereit; und am Ende ist der Himmel bereit, uns zu empfangen. Ist all dies bereit und wir sind nicht bereit? Sind alle Vorbereitungen für uns getroffen und gibt es irgendeinen Raum, an unserem Willkommensein zu zweifeln?

3. Der kühle Empfang, dem das Evangelium Christi oft unter den Menschen bereitet wird, wird hier durch die kühle Behandlung dargestellt, die diese Botschaft erfährt, und die heftige Behandlung, welche die Boten erfahren.

3.1 Die Botschaft wurde hart abgewiesen: „… aber sie wollten nicht kommen" **(s. Vers 3)**. Der Grund, warum Sünder nicht zu Christus und dem Heil in ihm kommen, ist nicht, dass sie nicht kommen können, sondern dass sie nicht wollen. Dies war jedoch nicht alles: Sie achteten es gering **(s. Vers 5)**. Sie schenkten dem Ruf keine Beachtung, meinten, das Festmahl sei es nicht wert zu kommen; sie könnten genauso gut zu Hause feiern. Viele, die keine direkte Abneigung gegenüber geistlichen Dingen haben, verlieren durch bloße Unbedachtheit die Ewigkeit, eine grundlegende Gleichgültigkeit gegenüber solchen Dingen. Der Grund, warum sie das Hochzeitsmahl gering achteten, war, dass sie andere Dinge hatten, an denen sie mehr interessiert waren: Sie gingen ihrer Wege, der eine auf seinen Acker, der andere zu seinem Gewerbe. Niemand wendet dem Festmahl ohne die eine oder andere einleuchtende Entschuldigung den Rücken zu (s. Lk 14,18). Die Landleute haben ihre Äcker, nach denen sie sehen müssen, auf denen es immer etwas zu tun gibt; die Stadtleute müssen nach ihren Geschäften sehen, die ständiges Arbeiten erfordern. Es ist wahr, dass sowohl die Bauern als auch die Geschäftsleute fleißig in ihrer Arbeit sein müssen, doch nicht so, dass es sie davon abhält, den religiösen Glauben zu ihrer hauptsächlichen Arbeit zu machen. Sowohl die Stadt als auch das Land haben ihre Versuchungen, das Geschäft in dem einen und die Landwirtschaft in dem anderen, sodass es, egal, welchem Beruf wir nachgehen, unser Interesse sein muss, ihn von unserem Herzen fernzuhalten, damit er nicht zwischen uns und Christus kommt.

3.2 Die Boten wurden grausam misshandelt: Die Übrigen **(s. Vers 6)** – die Gesetzeslehrer, Pharisäer und obersten Priester – waren die Peiniger. Sie nahmen die Knechte, behandelten sie boshaft und töteten sie. Niemals könnte jemand so roh und grausam gegenüber Knechten sein, die kamen, um sie zu einem Festmahl einzuladen, doch gemäß der Anwendung des Gleichnisses war es eine Tatsache. Die Propheten und Johannes der Täufer waren bereits grausam misshandelt worden und die Apostel und geistlichen Diener Christi mussten damit rechnen, sich dem gleichen Empfang gegenüberzusehen.

4. Die vollständige Zerstörung, die über die jüdische Gemeinde und das jüdische Volk kommen würde, wird hier durch die Vergeltung dargestellt, die der König in seinem Zorn an diesen anmaßenden Empörern übt: Er wurde zornig **(s. Vers 7)**. Beachten Sie:

4.1 Was die offenkundige Sünde war, welche dieses Verderben brachte; es war, dass sie Mörder waren. Christus sagte nicht, dass der König die vernichtete, die seinen Ruf verschmähten, sondern diese Mörder seiner Knechte. Es ist, als wäre Gott besorgter um das Leben seiner geistlichen Diener als um die Ehre seines Evangeliums. Die Verfolgung der treuen geistlichen Diener Christi macht das Maß der Schuld eher voll, als es irgendetwas anderes tut (s. 1.Mose 15,16; Mt 23,32).

4.2 Was das Verderben selbst war, das kam: Er sandte seine Heere aus. Die römischen Heere waren seine Heere, von ihm erweckt. Gott ist der Herr über die menschlichen Heere und er macht von ihnen Gebrauch, wie es ihm gefällt, um seinen Zwecken zu dienen. Es wurde allen als Beispiel bekannt gegeben, die sich Christus und seinem Evangelium widersetzen würden.

5. Das Hereinbringen der Heiden wird hier durch das Zusammenbringen von Gästen von den Straßen dargestellt **(s. Vers 8-10)**. Hier ist:

5.1 Die Klage des Herrn des Festmahls über die, welche ursprünglich eingeladen waren: Die Hochzeit ist bereit **(s. Vers 8)**, außer, dass diejenigen, die eingeladen wurden – das sind die Juden –, nicht würdig waren. Sie waren vollkommen unwürdig und hatten alle Vorrechte verwirkt, zu denen sie geladen waren. Es liegt nicht an Gott, dass Sünder zugrunde gehen; der Fehler liegt bei den Sündern selbst.

5.2 Den Auftrag, den er den Knechten gab, andere Gäste einzuladen. Die Einwohner der Stadt **(s. Vers 7)** hatten abgelehnt; „darum geht an die Straßen, auf die Straße der Heiden" – welche sie zuerst meiden sollten (s. Mt 10,5). So kam durch den Fall der Juden das Heil zu den Heiden (s. Röm 11,11-12; Eph 3,8). Christus wird ein Reich in der Welt haben, wenn auch viele die Gnade dieses Reiches ablehnen und seiner Macht widerstehen. Das Angebot Christi und das Heil für die Heiden war:

Unerwartet und unvorhergesehen, wie die Überraschung bei Reisenden auf einer Straße wäre, wenn sie eine Einladung zu einem Hochzeitsmahl bekämen. Es war für die Heiden alles neu, etwas, wovon sie vorher nie gehört hatten (s. Apg 17,19-20), und deshalb etwas, von dem sie sich nicht vorstellen konnten, dass es zu ihnen gehört.

Umfassend und unterschiedslos: „Geht und ladet so viele ein, wie ihr könnt. Die Straßen sind öffentliche Orte. Fragt diejenigen, die auf dem Weg gehen; fragt jeden, sagt ihnen allen, dass sie willkommen sein werden. Jeder, der es möchte, kann kommen, ohne Ausnahme" (s. Hiob 21,29).

5.3 Der Erfolg dieser zweiten Einladung: Sie brachten alle zusammen, so viele sie fanden **(s. Vers 10)**. Die Absicht des Evangeliums war:

Seelen zusammenzubringen, nicht nur das Volk der Juden, sondern auch alle Kinder Gottes, die auswärts zerstreut waren (s. Joh 11,52). Die anderen Schafe waren nicht aus dieser Schafhürde (s. Joh 10,16).

Sie zu dem Hochzeitsmahl zusammenzubringen, damit sie an den Vorrechten des Neuen Bundes teilhaben mögen. Wo es Geschenke gibt, werden sich die Armen sammeln, um sie zu empfangen. Die Gäste, die zusammengebracht wurden, waren eine große Zahl, alle, so viel man finden konnte, so viele, dass der Saal voll wurde. Es gab viel „Mischvolk" (s. 2.Mose 12,38; 4.Mose 11,4; Elb), sowohl Gute als auch Böse. Es gab einige, die vor ihrer Bekehrung nüchtern und wohlgesonnen waren und andere, die in eine Flut von Ausschweifungen eingetaucht waren (s. 1.Petr 4,4), wie die Korinther – „solche sind etliche von euch gewesen" (s. 1.Kor 6,11). Oder es gab einige, die sich nach ihrer Bekehrung als schlecht erwiesen und andere, die rechtschaffen und aufrichtig waren und sich als von großem Format erwiesen. Geistliche Diener fangen sowohl gute als auch schlechte Fische, wenn sie das Netz des Evangeliums auswerfen.

6. Der Fall der Heuchler, die in der Kirche bzw. Gemeinde, aber nicht von ihr sind, wird durch den Gast dargestellt, der kein hochzeitliches Gewand hatte, einer der Schlechten, die zusammengebracht wurden. Beachten Sie bei diesem Heuchler:

6.1 Wie er entlarvt wurde **(s. Vers 11)**.

Der König kam herein, um die Gäste zu sehen, um die willkommen zu heißen, die vorbereitet kamen, und diejenigen herauszuwerfen, die nicht vorbereitet kamen. Möge dies für uns eine Warnung vor Heuchelei sein, eine Warnung, dass die Masken bald ausgezogen werden. Und möge dies eine Ermutigung für uns in unserer Aufrichtigkeit sein, dass Gott sie bestätigt. Man hat nie gesehen, dass dieser Heuchler kein Hochzeitsgewand hat, bis der König selbst hereinkam, um die Gäste zu sehen. Es ist Gottes Recht, diejenigen zu erkennen, deren Herzen zuverlässig in ihrem Bekenntnis sind, und die, deren Herzen es nicht sind. Wir können auf die eine oder andere Weise von anderen Menschen getäuscht werden, doch er kann es nicht.

Sobald er hereinkam, sah er dort einen Mann, der kein Hochzeitsgewand anhatte. Es gibt keine Hoffnung, sich in einer Menschenmenge vor der prüfenden Macht der göttlichen Gerechtigkeit zu verbergen. Dieser Gast trug kein Hochzeitsgewand; er hatte nicht seine besten Kleider an. Wenn das Evangelium das Hochzeitsmahl ist, dann sind die Hochzeitsgewänder eine Herzenshaltung und ein Lebensstil, der mit dem Evangelium in Einklang ist. Der Mann war nicht nackt oder in Lumpen; er trug Kleider; doch es war kein Hochzeitsgewand. Diejenigen, und nur diejenigen, den Herrn Jesus anziehen (s. Röm 13,14) und für die er alles ist, tragen Hochzeitsgewänder.

6.2 Seine Überprüfung (s. Vers 12). Beachten Sie:

Wie er beschuldigt wurde: „Freund, wie bist du hier hereingekommen und hast doch kein hochzeitliches Gewand an?" **(Vers 12)**. Eine erschreckende Frage für jemanden, der sich etwas auf den Platz eingebildet hat, den er fest bei dem Mahl innehatte. Freund! Das Wort war schneidend: ein scheinbarer Freund, unter vielen Lasten und Verpflichtungen, ein Freund zu sein. „… wie bist du hier hereingekommen?" Er tadelte nicht die Knechte, dass sie ihn hereingelassen hatten, sondern er zügelte die Anmaßung des Gastes, dass sie auf das Fest drängten, denn er wusste, dass das Herz des Menschen nicht aufrecht war. Verachtete Sabbate und missbrauchte Sakramente müssen gerichtet werden. „Wie bist du zu so einer Zeit wie dieser an den Tisch des Herrn gekommen, wenn du nicht gedemütigt und nicht geheiligt bist? Wie bist du hereingekommen? Nicht durch die Tür, sondern auf einem anderen Weg, wie ein Dieb und Räuber!" (s. Joh 10,1). Für diejenigen, die einen Platz in der Gemeinde haben, ist es gut, sich oft zu fragen: „Wie bin ich hier hereingekommen? Trage ich das Hochzeitsgewand?" Wenn wir uns selbst auf diese Weise richten würden, würden wir nicht gerichtet werden (s. 1.Kor 11,31).

Wie er überführt wurde: Er war sprachlos: Der Mann stand stumm bei dieser Anschuldigung, überführt und verdammt von seinem eigenen Gewissen. Diejenigen, die nie ein Wort von diesem Hochzeitsmahl gehört haben, werden mehr für sich sagen können; ihre Sünde wird entschuldbarer sein als die von denen, die zu dem Festmahl kamen, ohne Hochzeitsgewänder zu tragen, und so gegen das klarste Licht und die innigste Liebe sündigten.

6.3 Sein Urteil: „Bindet ihm Hände und Füße" (Vers 13).

Es wurde angeordnet, ihn zu binden, wie man es mit verurteilten Übeltätern tut – dass ihm Hand- und Fußfesseln angelegt werden. Diejenigen, die nicht so arbeiten und wandeln, wie sie sollten, können erwarten, an Händen und Füßen gebunden zu werden. Sie können ihrer Bestrafung weder widerstehen noch davonlaufen.

Man ordnete an, ihn von dem Hochzeitsmahl wegzuführen: „… führt ihn weg." Dies zeigt die Strafe des Verlustes in der anderen Welt; solche Gäste werden von dem König, aus dem Reich und vom Hochzeitsmahl weggeführt. Diejenigen, die ihres christlichen Glaubens unwürdig wandeln (s. Eph 4,1), verwirken alle Seligkeit, die sie anmaßend beanspruchen.

Es wurde angeordnet, ihn in ein grausames Verlies zu werfen: „… und werft ihn hinaus in die äußerste Finsternis!" Die Hölle ist äußerste Finsternis außerhalb des Himmels, des Landes des Lichtes, oder sie ist völlige Finsternis, Finsternis bis zum letzten Grad, ohne den kleinsten Strahl oder Funken Licht oder die Hoffnung darauf. „Da wird das Heulen und Zähneknirschen sein" **(Vers 13)**. Weinen ist ein Ausdruck großen Kummers und Schmerzes. Das Zähneknirschen drückt die größte Wut und Empörung aus.

Das Gleichnis wurde mit dem bemerkenswerten Spruch abgeschlossen, den wir vorher hatten (s. Mt 20,16): „Denn viele sind berufen, aber wenige sind auserwählt!" **(Vers 14)**. Viele sind zu dem Hochzeitsmahl berufen, doch wenige sind auserwählt, Hochzeitsgewänder zu tragen.

Vers 15-22

In diesen Versen sehen wir, wie Christus von den Pharisäern und den Herodianern mit einer Frage über das Zahlen von Steuern an den römischen Kaiser angegriffen wird. Beachten Sie:

1. Ihre Absicht: Sie „hielten Rat, wie sie ihn in der Rede fangen könnten". Er wurde jetzt von einer anderen Seite angegriffen; die Pharisäer wollten sehen, ob sie ihn durch ihre Kenntnis des Gesetzes fangen könnten. Es ist für die weisesten und besten Menschen aussichtslos zu meinen, dass sie durch ihre Findigkeit, ihren Einfluss oder ihren Fleiß oder gar durch ihre Unschuld und Integrität dem Hass von Übeltätern entkommen oder „vor dem Gezänk der Zungen" schützen können (s. Ps 31,21). Beachten Sie, wie unermüdlich die Feinde Christi und seines Reiches in ihrem Widerstand sind!

1.1. Sie „hielten Rat". Je mehr Verschwörung und Intrige es bei der Sünde gibt, desto schlimmer ist sie. Je mehr Böses es bei dem Ersinnen von Sünde gibt, desto mehr Böses enthält sie bei ihrer Ausführung.

1.2 Was sie beabsichtigten, war, „ihn in der Rede" zu fangen. Sie sahen, dass er freimütig und kühn seine Meinung sagte, und sie hofften, hierdurch einen Vorteil über ihn zu erlangen. Es war die alte Praxis von Satans Vertretern und Gesandten, zu sehen, ob sie jemandem durch ein Wort eine Schlinge legen können (s. Jes 29,21), ein unangebrachtes, verfehltes oder missverstandenes Wort. Sie verdrehen durch überspannte Unterstellungen ein Wort, das mit unschuldigen Absichten gesagt wurde. Es gibt zwei Wege, auf denen sich die Feinde Christi an ihm rächen und ihn loswerden können, entweder durch das Gesetz oder durch Gewalt. Sie konnten es nicht durch das Gesetz tun, wenn sie ihn nicht für die staatliche Regierung untragbar machten. Das Volk sah Christus als Propheten an und deshalb konnten seine Feinde nicht den Mob gegen ihn aufwiegeln. Der Plan war, ihn in ein solches Dilemma zu bringen, dass er sich entweder dem Missfallen der jüdischen Menge oder der römischen Richter aussetzen musste; welcher Seite er auch in seiner Antwort auf die Frage folgen würde, sie würden ihr Ziel erreichen und seine eigenen Worte auf ihn zurückfallen lassen.

2. Die Frage, die sie ihm stellten (s. Vers 16-17). Beachten Sie:

2.1 Die Menschen, die sie benutzten. Sie gingen nicht selbst; sie schickten ihre Jünger, die weniger wie Versucher als wie Lernende aussehen würden. Übeltätern wird es nie an Werkzeugen fehlen, die sie benutzen können, um ihre bösen Absichten auszuführen. Zusammen mit ihren Jüngern sandten sie die Herodianer, eine Gruppe von Juden, die es sich zur Aufgabe machten, die Menschen mit der römischen Regierung zu versöhnen und jeden drängten, seine Steuern zu zahlen. Sie gingen unter diesem Vorwand mit den Pharisäern zu Christus: Obwohl die Herodianer die Steuer forderten und die Pharisäer sie ablehnten, waren sie beide bereit, die Sache Christus als geeignetem Richter zu übergeben, um den Streit zu entscheiden. Wenn es Christus nun befürwortete, die Steuer zu zahlen, würden die Pharisäer die Menschen gegen ihn aufbringen; wenn er es missbilligte oder nicht erlaubte, würden die Herodianer die Regierung gegen ihn aufbringen. Denen, die sich einander widersetzen, ist es gemeinsam, sich Christus und seinem Reich zu widersetzen. Simsons Schakale blickten zwar in verschiedene Richtungen, doch sie waren durch eine Fackel verbunden (s. Ri 15,4).

2.2 Die Einleitung; sie war sehr höflich gegenüber unserem Heiland: „Meister, wir wissen, dass du wahrhaftig bist und den Weg Gottes in Wahrheit lehrst" **(Vers 16)**. Es ist bei den boshaftesten Plänen üblich, dass sie in die trügerischsten Vorwände gehüllt werden. Wenn sie mit einer völlig ernsten Frage und mit absolut aufrichtigen Absichten zu Christus gekommen wären, hätten sie sich nicht besser ausdrücken können. Was sie über Christus sagten, war richtig: Jesus Christus war ein treuer Lehrer. „Du bist wahrhaftig und lehrst den Weg Gottes in Wahrheit." Er ist die Wahrheit selbst. Was seine Lehre anging, so war ihr Thema der Weg Gottes, der zur Seligkeit führt. Die Weise seines Lehrens war in Wahrheit; er führte die Menschen den rechten Weg. Er war ein kühner Mahner. Beim Predigen kümmerte er sich um niemanden; er beachtete nicht, wer sie waren, er achtete bei niemandem auf finstere Blicke oder Lächeln. Er suchte und fürchtete weder die Großen noch die Vielen. Er tadelte mit Gerechtigkeit (s. Jes 11,4) und niemals mit Parteilichkeit. Doch obwohl alles wahr war, was sie sagten, soweit es das Thema betraf, gab es in der Absicht nichts als Schmeichelei und Verrat. Sie nannten ihn Meister (Lehrer), doch sie planten, ihn als den schlimmsten Übeltäter zu behandeln. Sie gaben vor, ihm Achtung zu zollen, doch in Wirklichkeit beabsichtigten sie, ihm Schwierigkeiten zu bereiten, und sie beleidigten seine Weisheit, wenn sie sich einbildeten, dass sie ihn mit diesen Vortäuschungen blenden könnten.

2.3 Das Vorbringen der Sache: „... was meinst du?" Es ist, als hätten sie gesagt: „Viele Menschen sind in dieser Sache unterschiedlicher Meinung; es ist eine Sache, die sich auf die Praxis bezieht und täglich vorkommt. Sag uns frei deine Gedanken zu dieser Sache: Ist es rechtmäßig, dem Kaiser die Abgabe zu geben oder nicht?" Das beinhaltet eine weitere Frage: Hat der Kaiser ein Recht, sie zu fordern? Die Frage war nun, ob es recht war, freiwillig diese Steuer zu bezahlen, oder ob sie auf der alten Freiheit ihres Volkes bestehen und stattdessen zulassen sollten, dass ihr Besitz gepfändet wird. Sie hofften indes, Christus mit dieser Frage eine Falle zu stellen und ihn, egal, auf welche Weise er sie löst, entweder der Wut der eifernden Juden oder der eifernden Römer auszuliefern.

3. Der Ausbruch aus dieser Falle durch die Weisheit unseres Herrn Jesus.

3.1 Er erkannte sie: „Da aber Jesus ihre Bosheit erkannte" **(Vers 18)**. Eine erkannte Versuchung ist eine, die halb überwunden ist, denn uns droht am meisten Gefahr von Schlangen im grünen Gras, und er sagte: „Ihr Heuchler, was versucht ihr mich?" Was für eine Maske der Heuchler auch trägt, unser Herr Jesus sieht durch sie hindurch. Er kann nicht durch Schmeichelei oder geschickte Vortäuschungen geblendet werden, wie wir es oft sind. „Ihr Heuchler, was versucht ihr mich?" Diejenigen, die sich herausnehmen, Christus zu prüfen, werden sicherlich feststellen, dass er zu stark für sie ist und seine Augen zu durchdringend und zu rein sind, als dass sie nicht die verdeckte Bosheit von Heuchlern sehen und hassen, welche tief gräbt, um ihre Absichten vor ihm zu verstecken (s. Hab 1,13).

3.2 Er vermied sie. Solche verschlagenen Fragen verdienen einen Tadel, nicht eine Antwort, doch unser Herr Jesus gab eine vollständige Antwort auf ihre Frage und leitete sie mit einem Argument ein, das ausreichte, um sie zu stützen.

Ehe sie sich dessen bewusst wurden, zwang er sie, die Herrschaft des Kaisers über sie einzugestehen (s. Vers 19-20). Beim Umgang mit solchen, die auf diese Weise verschlagen sind, ist es gut, wenn wir unsere Gründe nennen – starke überzeugende Gründe, wenn möglich –, ehe wir unsere Entscheidungen sagen. Auf diese Weise kann das Zeugnis der Wahrheit unvermutet diejenigen zum Schweigen bringen, die sich widersetzen, während sie auf der Hut vor der Wahrheit selbst sind und nicht vor den Gründen dafür: „Zeigt mir die Steuermünze!" Die Römer forderten ihre Steuer in ihrem eigenen Geld, das unter den Juden zu dieser Zeit im Umlauf war; deshalb wurde es die Steuermünze genannt – Geld, das benutzt wurde, um die Steuer zu bezahlen. Sie brachten ihm einen Denar, einen römischen Silberdenar, die damals am häufigsten im Umlauf befindliche Münze; sie war mit dem Bild des Kaisers und einer Inschrift geprägt, was dem Wert der Münzen vor der Welt Vollmacht verlieh, die auf diese Weise geprägt waren. Christus fragte sie: „Wessen ist dieses Bild?" Sie erkannten an, dass es vom Kaiser war.

Von hier aus schloss er auf die Rechtmäßigkeit, dem Kaiser Steuern zu bezahlen. „Erstattet deshalb dem Kaiser die Dinge, die dem Kaiser gehören" **(Vers 21**; KJV); nicht: „Gebt es ihm", wie sie es ausdrückten **(Vers 17)**, sondern: „Erstattet es; überlasst es; wenn der Kaiser den Geldbeutel füllt, dann lasst den Kaiser darüber bestimmen. Wenn eine Beziehung einmal akzeptiert worden ist, muss ihre Pflicht erfüllt werden. Erstattet jedem das ihm Gebührende, insbesondere ‚Steuer, dem die Steuer' gebührt" (Röm 13,7). Mit dieser Antwort:

Wurde kein Anstoß erregt. Er trat nicht als Richter oder Schlichter in diesen Dingen auf. Christus diskutierte nicht den Anspruch des Kaisers, sondern gebot eine friedliche Unterordnung unter die Gewalten, die es gibt (s. Röm 13,1). Die Regierung hatte damit Grund, keinen Anstoß an seiner Festsetzung zu nehmen, sondern ihm zu danken, denn sie würde den Einfluss des Kaisers auf das Volk stärken, das Christus für einen Propheten hielt. Was das Volk anbetraf, so konnten ihn die Pharisäer nicht vor ihm anklagen, denn sie selbst hatten sich, ohne sich dessen bewusst zu sein, diesem Grundsatz untergeordnet. Die Wahrheit trachtet nicht, durch trügerisches Verheimlichen jede Kränkung zu vermeiden, aber sie muss sich bisweilen weiser Geschicklichkeit befleißigen.

Wurden seine Gegner zurechtgewiesen. Viele entschuldigen sich selbst bei den Dingen, die sie tun müssen, indem sie diskutieren, ob sie dies tun könnten oder nicht. Sie enthielten alle Gott das ihm Gebührende vor und sie wurden alle dafür zurechtgewiesen.

Wurden seine Jünger unterwiesen:
Dass der christliche Glaube kein Feind der staatlichen Regierung ist, sondern ihr Freund.
Dass es die Pflicht von Untertanen ist, den Staatsdienern das zu überlassen, was ihnen nach den Gesetzen ihres Landes gebührt. Weil die höheren Mächte mit der öffentlichen Wohlfahrt betraut sind, haben sie einen Anspruch auf einen gerechten Anteil am öffentlichen Wohlstand, um die Kosten dafür zu decken. Es ist ohne Zweifel eine größere Sünde, eine Regierung zu betrügen, als einen einzelnen Menschen zu betrügen. Mein Mantel ist per menschlichem Gesetz mein Mantel, doch der Mensch, der ihn mir nimmt, ist nach dem Gesetz Gottes ein Dieb.

Wenn wir dem Kaiser die Dinge erstatten, die dem Kaiser gehören, müssen wir auch daran denken, Gott die Dinge zu erstatten, die ihm gehören. Wenn unsere Geldbeutel des Kaisers sind, so gehören unsere Gewissen Gott. Wir müssen Gott das geben, was ihm von unserer Zeit und unserem Besitz gebührt; er muss genauso seinen Teil davon haben wie der Kaiser seinen, und wenn sich die Gebote des Kaisers mit seinen überkreuzen, müssen wir Gott mehr gehorchen als Menschen (s. Apg 5,29).

Beachten Sie, wie sie durch diese Antwort ratlos wurden. Sie „verwunderten ... sich, und sie ließen ab von ihm und gingen davon" **(Vers 22)**. Sie waren erstaunt über seine Weisheit in dem Erkennen und Vermeiden einer Falle, von der sie meinten, dass sie sie so listig gestellt hatten. Man hätte meinen können, sie würden verblüfft sein und ihm nachfolgen, aber nein, sie waren verblüfft und verließen ihn. Es gibt viele Menschen, in deren Augen Christus erstaunlich ist, doch nicht wertvoll. Sie wunderten sich über seine Weisheit, wollten sich aber nicht von ihr führen lassen. Sie gingen als solche davon, die beschämt waren, unternahmen einen unrühmlichen Rückzug. Sie verließen das Feld. Beim Disputieren mit Christus lässt sich nichts gewinnen.

Vers 23-33

Hier haben wir die Kontroverse Christi mit den Sadduzäern über die Auferstehung. Beachten Sie:

1. Den Widerstand, den die Sadduzäer gegen eine sehr große Wahrheit der Religion leisteten, sie sagten, „es gebe keine Auferstehung". Sie kamen als solche an die Macht, die einen verderbten und ausschweifenden Lebensstil hatten und von verschiedenen Schreibern ihres eigenen Volkes heftig kritisiert wurden. Sie hatten die geringste Zahl an Anhängern von allen jüdischen Sekten, doch waren sie allgemein Menschen von Rang und Namen.

Sie sagten: „Es gibt keinen zukünftigen Stand; kein Leben nach dem Tod. Wenn der Leib stirbt, wird die Seele vernichtet und stirbt mit ihm." Sie behaupteten, dass es abgesehen von Gott keinen Geist gebe (s. Apg 23,8). Die Pharisäer und die Sadduzäer bekämpften einander, doch sie verbündeten sich gegen Christus.

2. Den Einwand, den sie gegen die Wahrheit vorbrachten, der aus einem angenommenen Fall einer Frau stammte, die hintereinander sieben Ehemänner hatte. Die Sadduzäer betrachteten es als selbstverständlich, dass es, wenn es eine Auferstehung gibt, eine Rückkehr zu dem Stand sein muss, in dem wir jetzt sind. Wenn dem so ist, wäre es für diese Frau unbestreitbar unsinnig, in dem zukünftigen Stand sieben Ehemänner zu haben, und die Frage, mit welchem von ihnen sie verheiratet wäre, war eine unüberwindliche Schwierigkeit. Würde es der Mann sein, mit dem sie zuerst verheiratet war, der Mann, den sie zuletzt heiratete, derjenige, den sie am meisten liebte, oder derjenige, mit dem sie am längsten lebte?

2.1 Sie führten in dieser Sache das Gesetz Mose an **(s. Vers 24)**, dass der Nächste in einer Familie die Witwe des Mannes heiraten musste, der kinderlos starb (s. 5.Mose 25,5). Es war ein politisches Gesetz, um die Aufteilung von Familien und Erbteilen zu bewahren.

2.2 Sie brachten einen Fall nach dieser Vorschrift vor. Wenn es nicht wirklich passiert ist, könnte es so sein. Dieser Fall setzt nun voraus:

Die Verwüstung, die der Tod in manchen Familien anrichtet. Er fegt oft in kurzer Zeit eine ganze Familie von Brüdern hinweg.

Den Gehorsam dieser sieben Brüder gegenüber dem Gesetz. Viele würden sagen, dass der siebte Bruder, welcher der letzte war, der die Witwe heiraten musste, ein tapferer Mann war. Ich würde sagen, wenn er dies rein aus Gehorsam Gott gegenüber machte, war er ein guter Mann, jemand, der sorgfältig darin war, seine Pflicht zu tun. Doch als Letzte von allen starb auch die Frau. Das Überleben ist nur eine Gnadenfrist. Der saure Kelch des Todes geht herum und früher oder später müssen wir ihn alle trinken (s. Jer 25,26).

2.3 Sie brachten eine Schwierigkeit in diesem Fall vor: „,Wem von den Sieben wird sie nun in der Auferstehung als Frau angehören'? Du kannst nicht sagen, welchem, und deshalb müssen wir schließen, dass es keine Auferstehung gibt" **(Vers 28)**. Die Pharisäer, die bekannten, an die Auferstehung zu glauben, hatten verkehrte und weltliche Vorstellungen von dem zukünftigen Stand und erwarteten, dort die Freuden und Vergnügungen des kreatürlichen Lebens zu finden, was vielleicht die Sadduzäer dazu brachte, die Sache selbst zu leugnen. Während diejenigen, die im Irrtum sind, die Wahrheit leugnen, verleiten diejenigen sie dazu, die abergläubisch sind. Wenn die Wahrheit in ein klares Licht gerückt wird, dann wird sie in ihrer vollen Stärke erscheinen.

3. Die Antwort Christi auf diesen Einwand.

3.1 Er tadelte ihre Unwissenheit: „Ihr irrt" **(Vers 29)**. Diejenigen, welche die Auferstehung und einen zukünftigen Stand leugnen, sind in ihrem Urteil über Christus schwer im Irrtum. Hier tadelte Christus mit der Demut der Weisheit und war nicht so scharf zu ihnen – aus was für einem Grund auch immer –, wie er es manchmal mit den obersten Priestern und Ältesten war. „Ihr irrt"; wisst es nicht. Unwissenheit ist der Grund für Irrtum; diejenigen, die im Dunkeln sind, verlieren ihren Weg. Unwissenheit ist die Ursache für Irrtum über die Auferstehung und den zukünftigen Stand. Wie sie im Einzelfall ist, wissen die weisesten und besten Menschen nicht: Es wird noch nicht offenbar, was wir sein werden (s. 1.Joh 3,2). Es ist eine Herrlichkeit, die immer noch offenbart werden muss. Doch loben wir Gott darüber, dass sie nicht etwas ist, über das wir im Unklaren gelassen werden. Beachten Sie:

Die Sadduzäer kannten nicht die Kraft Gottes, deren Kenntnis die Menschen zu der Folgerung bringen würde, dass es eine Auferstehung und einen zukünftigen Stand geben kann. Unwissenheit oder Unglaube oder schwacher Glaube in Bezug auf Gottes Kraft liegt an der Wurzel vieler Irrtümer, besonders solcher, welche die Auferstehung leugnen. Wenn uns etwas über die Existenz der Seele gesagt wird und ihr Wirken in einem Zustand der Trennung vom Leib, dann sind wir im Begriff zu sagen: „Wie kann das geschehen?" (Joh 3,9). „Aber wird denn der Mensch, wenn er stirbt, wieder leben?" (Hiob 14,14). Weil nichtswürdige Menschen nicht verstehen können, wie das sein kann, stellen sie die Wahrheit davon infrage. Wir müssen uns deshalb in erster Linie auf die Tatsache konzentrieren, dass Gott allmächtig ist, dass er tun kann, was immer sein Wille ist. Dann ist kein Raum für Zweifel, ob es tun wird, was er verheißen hat. Seine Kraft überschreitet bei Weitem die Kraft der Natur.

Die Sadduzäer kannten auch nicht die Schriften, die entschieden bekräftigen, dass es eine Auferstehung und einen künftigen Stand geben wird. Die Schriften sagen nun eindeutig, dass die Seele unsterblich ist und dass es ein anderes Leben nach diesem gibt. Christus stand gemäß der Schrift wieder auf (s. 1.Kor 15,4) und so wird es auch mit uns sein. Unwissenheit über die Schrift ist die Ursache für viele Schwierigkeiten.

3.2 Er stellte ihren Irrtum richtig **(s. Vers 30)**, korrigierte die verdrehten Vorstellungen, die sie von der Auferstehung und dem zukünftigen Stand hatten.

Der zukünftige Stand ist nicht wie unser gegenwärtiger auf der Erde: Dort „heiraten sie nicht, noch werden sie verheiratet". In unserem gegenwärtigen Stand ist die Ehe nötig. Alle zivilisierten Völker hatten ein Bewusstsein für die Verbindlichkeit des Ehebundes. In der Auferstehung aber wird es keine Notwendigkeit für die Ehe geben. Im Himmel, wo es keinen Tod mehr geben wird (s. Offb 21,4), gibt es keine Notwendigkeit mehr für Geburten.

Der zukünftige Stand ist wie der Stand, in dem die Engel jetzt im Himmel sind: „... sondern sie sind wie die Engel Gottes im Himmel." Als die Sterblichen geschaffen wurden, wurden sie ein wenig niedriger gemacht als die Engel (s. Ps 8,6), doch bei ihrer vollständigen Erlösung und Erneuerung werden sie wie die Engel sein, genauso rein und geistlich wie die Engel, wissend und liebend, und werden wie sie und mit ihnen immer Gott preisen. Wir sollten versuchen wollen, den Willen Gottes jetzt so zu tun, wie ihn die Engel im Himmel tun, denn wir hoffen, bald wie die Engel zu sein, die immer das Angesicht unseres Vaters sehen (s. Mt 18,10).

4. Christi Argument, um diese große Wahrheit zu bekräftigen. Weil die Angelegenheit von großer Wichtigkeit war, hielt er es nicht für ausreichend, die falsche Argumentation des Einwandes zu enthüllen, sondern unterstützte die Wahrheit durch ein kräftiges Argument. Beachten Sie:

4.1 Wo er sein Argument hernimmt – aus der Schrift. „Es steht geschrieben" (s. Mt 4,4) ist Goliaths Schwert: „Es gibt nicht seinesgleichen" (1.Sam 21,10). „... habt ihr nicht gelesen, was euch von Gott gesagt ist?" **(Vers 31)**. Daraus können wir lernen:
Was die Schrift sagt, ist von Gott gesagt.
Was zu Mose gesagt wurde, wurde zu uns gesagt. Wir sollten lesen und hören, was Gott gesagt hat, denn es ist zu uns gesagt worden. Das Argument wurde den Büchern Moses entnommen, weil die Sadduzäer nur diese, wie manche meinen, als kanonische Schriften anerkannten. Die späteren Propheten haben deutlichere Beweise für einen zukünftigen Stand, als es das Gesetz von Mose hat; im Gesetz von Mose gibt es keine ausdrückliche Offenbarung davon. Doch unser Heiland findet selbst in den Schriften von Mose ein sehr kräftiges Argument für die Auferstehung. Viele Reichtümer der Schrift liegen verborgen und man muss nach ihnen forschen.

4.2 Was sein Argument war: „Ich bin der Gott Abrahams" **(Vers 32)**. Das war kein ausdrücklicher Beweis, doch es war wirklich ein schlüssiges Argument. Schlussfolgerungen aus der Schrift müssen, wenn sie richtig gezogen werden, als Schrift angenommen werden, denn die Schrift wurde für die geschrieben, die ihren Verstand nutzen können. Die Stoßrichtung des Arguments war es, zu beweisen: *Dass es einen zukünftigen Stand gibt, ein weiteres Leben nach diesem.* Dies wurde durch das bewiesen, was Gott sagte: „Ich bin der Gott Abrahams."

Wenn Gott jemandes Gott ist, setzt das ein außergewöhnliches Vorrecht und außergewöhnliche Seligkeit voraus. Der Gott Israels ist ein Gott für Israel (s. 1.Chr 17,24), ein geistlicher Geber, ein allgenugsamer, großzügiger Geber, ein Gott, der genug ist, ein perfekter Gott und ein ewiger Wohltäter, denn er ist selbst ewig und wird zu denen ewig gut sein, die im Bund mit ihm stehen.

Es ist klar, dass diese guten Menschen keine außergewöhnliche Seligkeit in diesem Leben hatten, die irgendwie nach einer Erfüllung eines solch großen Wortes aussah wie: „Ich werde dein Gott sein." Sie waren Fremdlinge in dem verheißenen Land; sie hatten außer einer Begräbnisstelle keinen Boden, den sie ihr eigen nennen konnten (s. 1.Mose 23), was sie dazu führte, nach etwas jenseits dieses Lebens zu suchen (s. Hebr 11,10-16). In Bezug auf gegenwärtige Freuden blieben sie hinter ihren Nächsten weit zurück, die Fremdlinge für diesen Bund waren. Welchen Vorteil genossen sie in dieser Welt, der sie von anderen Menschen unterschied? Was gab es, das in irgendeiner Weise der Ehre und Auszeichnung dieses Bundes angemessen war?

Es muss deshalb zweifellos einen zukünftigen Stand geben, in welchem, genauso wie Gott immer leben wird, um der Eine zu sein, der ewiglich belohnt, so auch Abraham, Isaak und Jakob immer leben werden, um ewiglich belohnt zu werden.

Dass die Seele unsterblich ist und der Leib wiederauferstehen wird, damit sie vereint sein mögen; wenn der vorherige Punkt erreicht ist, werden diese folgen, doch es wird auch bewiesen in Anbetracht der Zeit, wann Gott dies sagte. Es war zu Mose bei dem Busch, lange nachdem Abraham, Isaak und Jakob gestorben und begraben waren. Gott sagte aber nicht „ich war" oder „ich bin gewesen", sondern: „Ich bin der Gott ... Abrahams ...!" (2.Mose 3,6). Gott ist nun nicht ein Gott der Toten, sondern der Lebenden. Dies beweist, dass die Seele von jemandem, der gestorben ist, am Leben und in einem Stand der Seligkeit bleibt, das setzt dann wieder die Auferstehung des Leibes voraus.

5. Das Ergebnis dieser Debatte. Die Sadduzäer wurden zum Schweigen gebracht **(s. Vers 34)** und damit beschämt. Die Menge war indes erstaunt über seine Lehre **(s. Vers 33)**:

5.1 Weil sie neu für sie war. Die Gesetzeslehrer waren nutzlos, oder dies wäre für die Leute nichts Neues gewesen.

5.2 Weil es etwas sehr Gutes und Großes enthielt. Die Wahrheit scheint oft leuchtender und wird stärker bewundert, wenn ihr widerstanden wird.

Vers 34-40

Hier ist ein Gespräch, das Christus mit einem Gesetzesgelehrten der Pharisäer über das große Gebot des Gesetzes hatte. Beachten Sie:

1. Das Bündnis der Pharisäer gegen Christus (s. Vers 34). Sie hörten, dass er die Sadduzäer zum Schweigen gebracht hatte. Doch die Pharisäer versammelten sich nicht, um ihm zu danken, dass er die Wahrheit gegen die Sadduzäer erfolgreich behauptet und bekräftigt hatte, sondern um ihn in der Hoffnung zu versuchen (zu prüfen), ihren Ruf zu steigern, indem sie den einen verwirren, der die Sadduzäer verwirrt hatte. Sie waren mehr durch die Tatsache beunruhigt, dass Christus geehrt wurde, als erfreut, dass die Sadduzäer zum Schweigen gebracht wurden. Es zeigt pharisäischen Neid und Bosheit, wenn wir uns ungehalten über die Aufrechterhaltung einer anerkannten Wahrheit zeigen, wenn dies durch diejenigen geschieht, die wir nicht mögen.

2. Die Frage, welche der Gesetzesgelehrte Christus stellte. Die Gesetzesgelehrten waren Studenten und Lehrer des Gesetzes von Mose, wie es die Schriftgelehrten waren. Dieser Experte des Gesetzes stellte ihm eine Frage, versuchte ihn; er hatte nicht die Absicht, ihm eine Falle zu stellen, wie man bei der Schilderung von Markus von dieser Geschichte sehen kann, wo wir sehen, dass dies der eine war, zu dem Christus sagte: „Du bist nicht fern vom Reich Gottes!" (Mk 12,34). Er wollte nur sehen, was Christus sagen würde, und ihn beiseitenehmen, um weiter mit ihm zu sprechen, um seine Neugier und die seiner Freunde zufriedenzustellen.

2.1 Die Frage war: „Meister [Lehrer], welches ist das größte Gebot im Gesetz?" Es ist wahr, dass manche Gebote, welche die Grundregeln von Gottes Weissagungen sind, umfassender und allgemeiner sind als andere.

2.2 Seine Absicht war es, ihn zu prüfen – nicht so sehr seine Erkenntnis wie sein Urteilsvermögen zu prüfen. Es war eine Frage, um welche die Kommentatoren des Gesetzes stritten. Sie wollten nun wissen, wie Christus auf diese Frage antworten würde, und wenn er ein Gebot erheben würde, dann würden sie ihn kritisieren, dass er den Rest schmähen würde. Die Frage war harmlos genug, und wenn man diesen Bericht mit Lukas 10,27-28 vergleicht, scheint es, dass es unter den Gesetzesgelehrten eine feste Meinung war, dass die Liebe zu Gott und zu unserem Nächsten das große Gebot und die Zusammenfassung aller anderen ist.

3. Christi Antwort auf diese Frage. Christus empfiehlt uns als große Gebote nun nicht solche, die andere ausschließen, sondern solche, die groß sind, weil sie andere einschließen. Beachten Sie:

3.1 Welches diese großen Gebote waren (s. Vers 37-39). Es war die Liebe zu Gott und zu unserem Nächsten, welche die Quelle und die Grundlage für alle anderen ist, denn wenn man diese voraussetzt, werden die anderen natürlicherweise folgen.

Das ganze Gesetz wird in einem Wort erfüllt, und das ist Liebe (s. Röm 13,10). Aller Gehorsam beginnt im Herzen und wenn es nicht zuerst dort getan wird, wird nichts in der Religion richtig getan. Liebe ist die maßgebliche Empfindung und deshalb ist sie die Hauptfestung und muss die erste sein, die für Gott befestigt und in Beschlag genommen wird. Menschen sind Geschöpfe, die dafür geschaffen sind zu lieben; das Gesetz, das ins Herz geschrieben ist, ist deshalb ein Gesetz der Liebe (s. 5.Mose 30,14; Spr 3,3; Jer 31,33). Liebe ist ein kurzes und süßes Wort, und wenn dieses die Erfüllung des Gesetzes ist (s. Röm 13,10), dann ist sicherlich das Joch der Herrschaft sehr leicht (s. Mt 11,30). Liebe ist die Ruhe und Erfüllung der Seele; wenn wir auf diesem guten alten Weg wandeln, werden wir Ruhe für uns finden (s. Jer 6,16).

Die Liebe zu Gott ist das erste und größte Gebot von allen. Weil Gott nun unendlich, schon immer und ewig gut ist, muss er an erster Stelle geliebt werden und nichts darf neben ihm geliebt werden, außer was seinetwegen geliebt wird. Liebe ist die erste und große Sache, die Gott von uns fordert, und deshalb ist sie die erste und große Sache, die wir ihm weihen sollten. Wir werden hier unterwiesen:

Gott als den unseren zu lieben: „Du sollst den Herrn deinen Gott als den deinigen lieben." Gott als den unseren lieben heißt, ihn zu lieben, weil er der unsere ist, und uns ihm gegenüber im Gehorsam ihm gegenüber und in der Abhängigkeit von ihm als dem unseren zu verhalten.

Ihn von ganzem Herzen, ganzer Seele und mit dem ganzen Denken zu lieben. Manche sagen, das meint ein und dieselbe Sache; ihn mit all unseren Kräften zu lieben. Andere unterscheiden zwischen ihnen und behaupten, dass das Herz, die Seele und das Denken in dieser Reihenfolge der Wille, die Empfindungen und der Verstand sind. Unsere Liebe zu Gott muss eine aufrichtige Liebe sein, nicht nur mit dem Wort und der Zunge. Es muss eine starke Liebe sein: Wir müssen ihn äußerst heftig lieben. Es muss eine besondere und überragende Liebe sein: Wir müssen ihn mehr als alles andere lieben; der Strom unserer Empfindungen muss ganz und gar diesen Weg fließen. Das Herz muss darin vereint sein, Gott zu lieben. Es muss sich widersetzen, geteilt zu werden. All unsere Liebe ist zu wenig, um sie ihm zu geben, deshalb müssen alle geistlichen Kräfte für ihn in den Dienst gestellt und um seinetwillen ausgeübt werden. Dies ist das erste und große Gebot, denn der Gehorsam zu diesem einen ist die Quelle des Gehorsams gegenüber dem Rest, der nur dann annehmbar ist, wenn er aus der Liebe kommt.

Unseren Nächsten wie uns selbst zu lieben, ist das zweite große Gebot **(s. Vers 39):** Es ist wie das erste; es umfasst alle Gebote der zweiten Tafel, wie das vorige all die der ersten umfasst. Es ist wie das erste, denn es gründet sich darauf und entspringt ihm. Es besagt, dass wir uns selbst lieben sollen und es tun. Es gibt eine Selbstliebe, die schlecht ist, und sie muss abgelegt und in den Tod gegeben werden, doch es gibt auch eine Selbstliebe, die natürlich ist, die Richtschnur der größten Pflicht, und sie muss behütet und geheiligt werden. Wir müssen uns selbst lieben, das heißt, wir müssen die Würde unserer eigenen Natur gebührend beachten und in richtiger Weise für das Wohlergehen unserer eigenen Seelen und Leiber sorgen. Es ist festgelegt, dass wir unseren Nächsten lieben sollen wie uns selbst. Wir müssen alle Menschen ehren und achten und dürfen niemandem Unrecht tun und kränken, und wir müssen allen Gutes tun, so wie wir die Gelegenheit dazu haben. Wir müssen unseren Nächsten lieben wie uns selbst, genauso wahrhaftig und aufrichtig, wie wir uns selbst lieben, und mit den gleichen Merkmalen; tatsächlich müssen wir uns in vielen Fällen für das Wohl unseres Nächsten selbst verleugnen.

3.2 Was die Bedeutung und die Größe dieser Gebote ist: „An diesen zwei Geboten hängen das ganze Gesetz und die Propheten" **(Vers 40)**. Alle hängen von dem Gesetz der Liebe ab; wenn Sie dieses fortnehmen, fällt alles zu Boden und führt zu nichts. Die Liebe ist der vortrefflichere Weg (s. 1.Kor 12,31). Dies ist der Geist des Gesetzes, der es beseelt; es ist die Wurzel und die Quelle aller anderen Pflichten, die Zusammenfassung der ganzen Bibel, nicht nur des Gesetzes und der Propheten, sondern auch des Evangeliums. Alles hängt von diesen zwei Geboten ab. „Die Liebe hört niemals auf" (1.Kor 13,8). Wir wollen also unsere Herzen in diese beiden Gebote wie in eine Form hineingeben. Wir wollen für die Verteidigung und den Erweis dieser eifern und nicht für den Disput über geringere Punkte. Möge alles andere dazu gebracht werden, sich der gebietenden Macht dieser zu beugen.

Vers 41-46

Die Pharisäer hatten Christus viele Fragen gestellt, doch jetzt möge *er* ihnen eine Frage stellen, und er wollte es tun, als sie versammelt waren **(s. Vers 41)**. Er nahm sie alle zusammen, als sie sich darin vereint hatten, um Pläne gegen ihn zu schmieden. Gott liebt es, seine Feinde zu verwirren, wenn sie meinen, am stärksten zu sein. Er gibt ihnen alle Vorteile, die sie sich wünschen können, doch er überwindet sie immer noch.

1. Christus stellte ihnen eine Frage, die in ihrem eigenen Katechismus stand: „Was denkt ihr von dem Christus? Wessen Sohn ist er?" Dies konnten sie leicht beantworten: „Der Sohn Davids." Es war der übliche Ausdruck für den Messias. „Was denkt ihr von dem Christus?" Sie hatten ihm Fragen aus dem Gesetz gestellt, eine nach der anderen, doch er kam und stellte ihnen eine Frage über die Verheißung. Viele sind so voll mit dem Gesetz, dass sie Christus vergessen, als würden ihre Pflichten sie ohne sein Verdienst und seine Gnade retten. Jeder von uns sollte sich diese Frage ernstlich stellen: „Was denken wir von dem Christus?" Manche denken überhaupt nicht an ihn, manche denken gering von ihm, manche haben schroffe Gedanken über ihn, doch für diejenigen, die glauben, ist er kostbar (s. 1.Petr 2,7), und wie kostbar sind dann die Gedanken über ihn (s. Ps 139,17)!

2. Er zeigt ihnen ein Problem auf, das sie nicht so leicht lösen konnten **(s. Vers 43-45)**. Viele Menschen meinen, sie haben genug Erkenntnis, auf die sie stolz sein können, weil sie ohne Weiteres die Wahrheit beteuern können, doch wenn sie dazu aufgerufen werden, die Wahrheit zu bestätigen, zeigen sie, dass sie unwissend genug sind, um beschämt zu werden. Der Einwand, den Christus erhob, war: „Wenn Christus Davids Sohn ist, wieso nennt ihn denn David im Geist «Herr»?" Er wollte ihnen keine Falle stellen, wie sie es bei ihm wollten, sondern er wollte sie unterweisen.

2.1 Es ist leicht zu sehen, dass David den Christus „Herr" nannte. Um nun zu beweisen, dass David dies tat, wenn er durch den Geist sprach, zitierte Jesus Psalm 110, einen Psalm, den die Gesetzeslehrer selbst als Verweis auf Christus verstanden. Es ist eine prophetische Zusammenfassung der Lehre Christi. Es beschreibt ihn, wie er die Ämter als Prophet, Priester und König erfüllt. Christus zitierte Vers 1, der den Erlöser in seiner Erhöhung zeigt:

Sitzend zur Rechten Gottes. Sein Sitzen zeigt sowohl Ruhe als auch Herrschaft; sein Sitzen zur Rechten Gottes zeigt höchste Ehre und souveräne Macht.

Wie er seine Feinde unterwirft. Er wird dort sitzen, bis sie alle entweder zu seinen Freunden oder zu seinem Fußschemel geworden sind. Dieser Vers wird also zitiert, um zu zeigen, dass David den Messias seinen Herrn nannte. „Der HERR [Jahwe] hat zu meinem Herrn gesagt" (Vers 44).

2.2 Wenn Christus Davids Sohn ist, ist es für diejenigen, die nicht an die Gottheit des Messias glauben, nicht so leicht, die Unsinnigkeit der Aussage auszuräumen, dass David ihn „Herr" nennt. Wenn nun aber David ihn „Herr" nennt, ist dieses Herr-Sein als die klarere Wahrheit bewiesen. Wir müssen entschieden festhalten, dass er Davids Herr ist, und von daher erläutern, dass er Davids Sohn ist.

3. Wir sehen den Erfolg dieser freundlichen Prüfung der Kenntnis der Pharisäer in zwei Dingen.

3.1 *Es verwirrte sie:* „Und niemand konnte ihm ein Wort erwidern" **(Vers 46)**. Entweder wussten sie aufgrund ihrer Unkenntnis nicht, dass der Messias Gott ist, oder sie wollten es wegen ihrer Gottlosigkeit nicht anerkennen, und diese Wahrheit war der einzige Schlüssel, um diese Schwierigkeit zu lösen. Christus war als Gott Davids Herr und Christus als Mensch war Davids Sohn. Er hat dies nun nicht selbst erläutert, sondern sparte es auf, bis der Beweis dazu durch seine Auferstehung vollendet war. Christus war als Gott Davids Ursprung; Christus als Mensch war Davids Nachkomme.

3.2 Es brachte sie und alle anderen zum Schweigen, die meinten, ihn übervorteilen zu können. „Auch getraute sich von jenem Tag an niemand mehr, ihn zu fragen." Viele werden durch das Wort überführt, doch nicht durch dieses bekehrt. Wenn diese Menschen bekehrt worden wären, hätten sie ihm mehr Fragen gestellt, besonders diese große Frage: „... was muss ich tun, dass ich gerettet werde?" (Apg 16,30). Da sie aber ihre Sache nicht gewinnen konnten, wollten sie nichts mehr mit ihm zu tun haben.

KAPITEL 23

Im vorigen Kapitel hatten wir die Gespräche unseres Heilands mit den Gesetzeslehrern und Pharisäern; hier haben wir seine Botschaft über sie. 1. Er erkennt ihr Amt an (s. Vers 2-3). 2. Er warnt seine Jünger, nicht ihre Heuchelei und ihren Stolz nachzuahmen (s. Vers 4-12). 3. Er bringt Anklagen gegen sie vor wegen schwerer und kleinerer Vergehen und leitet jeden Abschnitt mit einem „Wehe" ein (s. Vers 13-33). 4. Er spricht ein Urteil über Jerusalem (s. Vers 34-39).

Vers 1-12

Wir sehen Christus in allen seinen Predigten nicht so schonungslos mit irgendeiner Art von Menschen, wie er es mit diesen Gesetzeslehrern und Pharisäern war. Doch diese Männer waren die Idole und Lieblinge der Menschen, die meinten, dass, wenn nur zwei Menschen in den Himmel kämen, einer ein Pharisäer wäre. Jetzt richtete Christus seine Worte hier an die Volksmenge und an seine Jünger **(s. Vers 1)**, um ihre Irrtümer über diese Gesetzeslehrer und Pharisäer richtigzustellen, indem er sie in ihren richtigen Farben malte. Es ist gut zu wissen, wie der wahre Charakter von Menschen ist, damit wir nicht von großen und mächtigen Namen, Titeln und Machtansprüchen getäuscht werden mögen. Selbst die Jünger brauchten diese Warnungen, denn gute Menschen neigen dazu, dass ihre Augen durch weltliche Prahlerei geblendet werden.

1. Christus erkannte das Amt dieser Leiter als Erklärer des Gesetzes an: „Die Schriftgelehrten und Pharisäer haben sich auf Moses Stuhl gesetzt" **(Vers 2)** als öffentliche Lehrer und Ausleger des Gesetzes. Sie waren wie Richter oder ein Gerichtshof; Lehren und Richten scheint äquivalent zu sein (s. 2.Chr 17,7.9; 19,5-6.8). Oder wir können diese Aussage nicht auf den Sanhedrin, sondern auf die anderen Gesetzeslehrer und Pharisäer anwenden, die das Gesetz erläuterten und die Menschen lehrten, wie es auf einzelne Fälle anzuwenden ist. Mose hatte in jeder Stadt solche –, wie es in Apostelgeschichte 15,21 ausgedrückt wird –, die ihn verkündigten; dies war ihr Beruf, und er war gerecht und ehrenwert. Es war notwendig, dass es ein paar Menschen gibt, aus deren Mund die Menschen das Gesetz erfragen konnten (s. Mal 2,7).

1.1 Viele gute Positionen sind mit schlechten Menschen besetzt. Dann sind die Leiter nicht so sehr durch den Sitz geehrt, wie der Sitz durch die Leiter verunehrt wird.

1.2 Gute und nützliche Positionen und Mächte soll man nicht missbilligen und abschaffen, weil sie manchmal in die Hände von schlechten Menschen fallen, die sie missbrauchen. Christus schloss daraus: „,Alles nun, was sie euch sagen, dass ihr halten sollt, das haltet und tut.' Solange sie auf dem Stuhl Moses sitzen, das heißt, solange sie das Gesetz lesen und predigen, das von Mose gegeben wurde, müsst ihr auf sie hören" **(Vers 3)**. Christus wollte, dass die Menschen die Hilfen, welche die Pharisäer ihnen gaben, die Schrift zu verstehen, benutzen und in die Praxis umsetzen. In dem Maße, wie ihre Kommentare den Text erläuterten, das Gebot Gottes klarmachten – statt es aufzuheben (s. Mt 15,6) –, müssen sie beachtet und befolgt werden. Wir dürfen nicht umso schlimmer von guten Wahrheiten denken, weil sie von schlechten geistlichen Dienern gepredigt, noch von guten Gesetzen, weil sie von schlechten Richtern vollstreckt werden. Es ist zwar äußerst wünschenswert, dass uns das Essen von Engeln gebracht wird, aber wir müssen doch, wenn Gott es uns durch Raben sendet und es gut und gesund ist, es annehmen und Gott dafür danken (s. 1.Kön 17,4-6).

2. Er verurteilte die Gesetzeslehrer und Pharisäer. Er hatte der Menge geboten, zu tun, was sie lehrten, hier aber fügte er eine Warnung hinzu, nicht so zu handeln, wie sie es taten, sich vor ihrem Sauerteig zu hüten (s. Mt 16,6): „... aber nach ihren Werken tut nicht." So, wie wir verkehrte Lehre nicht wegen irgendwelcher lobenswerter Handlungen derer schlucken sollen, die sie lehren, dürfen wir auch nicht das schlechte Vorbild um der einleuchtenden Lehre derer willen nachahmen, die ein solches Vorbild geben. Unser Heiland führte hier und in den folgenden Versen mehrere Einzelheiten ihrer Werke an, in denen wir sie nicht nachahmen dürfen. Im Allgemeinen beschuldigte er sie der Heuchelei, der Vortäuschung und des Betrugs in der Religion. Die Pharisäer wurden in diesen Versen viererlei Dinge beschuldigt:

2.1 Was sie sagten und was sie taten, waren zwei verschiedene Dinge. Sie sagten es und taten es nicht **(s. Vers 3)**. Sie praktizierten nicht, was sie sagten. Sie lehrten von dem Gesetz, was gut war, doch ihr Lebensstil widersprach dieser Lehre. Diejenigen, die sich selbst erlauben, die Sünden zu begehen, die sie in anderen verurteilen, oder sogar Schlimmeres tun, sind von allen Sündern die am meisten unentschuldbaren. Dies wird besonders zu schlechten geistlichen Dienern gesagt, denn was für größere Heuchelei kann es geben, als andere zu etwas anzuspornen, dass sie selbst nicht glauben und missachten, eine Tat in ihrer Predigt als empfehlenswert aufzubauen, sie aber dadurch niederzureißen, dass sie es selbst nicht tun; so gut zu predigen, dass man sich wünscht, sie würden nicht aufhören, doch so schlecht zu leben, dass man wünscht, sie würden nie wieder predigen, wie Kirchenglocken zu sein, die andere zum Gottesdienst rufen, aber selbst nicht Teil davon sind? Christi Worte hier sind auf alle anderen anzuwenden, die nicht tun, was sie predigen, die den religiösen Glauben einleuchtend bekennen, aber selbst nicht diesem Bekenntnis entsprechen, die große Redner, aber schlechte Täter sind.

2.2 Sie waren sehr hart darin, anderen die Dinge aufzuerlegen, deren Last sie sich selbst nicht unterordnen wollten: „Sie binden nämlich schwere und kaum erträgliche Bürden" **(Vers 4)**. Sie taten dies nicht nur, indem sie auf den kleinsten Einzelheiten des Gesetzes bestanden, sondern auch, indem sie ihre eigenen Erfindungen und Traditionen mit den höchsten Strafen aufbürdeten, wenn man ihnen nicht gehorchte. Sie liebten es, ihre Autorität zu zeigen und ihre Macht auszuüben, doch beachten Sie ihre Heuchelei: „... sie aber wollen sie nicht mit einem Finger anrühren" (wollen keinen Finger rühren, um sie zu tun). Sie spornten die Menschen zu einer Strenge in religiösen Angelegenheiten an, wobei sie selbst es ablehnten, sich dazu zu verpflichten. Sie gaben sich ihrem Stolz hin, indem sie für andere das Gesetz festlegten, doch sie folgten in ihrem eigenen Verhalten ihrer persönlichen Bequemlichkeit. Sie wollten die Menschen in diesen Dingen nicht entlasten, noch einen Finger heben, um ihre Last leichter zu machen, wenn sie sahen, dass jene in Schwierigkeiten waren.

2.3 Alles, woran sie in ihrer Religion interessiert waren, war bloße Zurschaustellung, nichts Wesentliches: „Alle ihre Werke tun sie aber, um von den Leuten gesehen zu werden" **(Vers 5)**. Wir müssen in der Tat solche guten Werke tun, dass diejenigen, die sie sehen, Gott preisen mögen (s. Mt 5,16), doch wir dürfen unsere guten Werke nicht zu dem Zweck bekannt machen, dass andere sie sehen und uns preisen mögen. Der ganze Ehrgeiz der Pharisäer bestand darin, von Menschen gelobt zu werden, und so hatten all ihre Anstrengungen dieses Ziel: von Menschen gesehen zu werden. Die Form der Gottesfurcht würde ihnen einen Namen geben, nach dem sie leben konnten, was alles war, was sie erstrebten, und so kümmerten sie sich nicht um deren Kraft, die wesentlich für ein wahrhaftiges Leben ist (s. 2.Tim 3,5). Diejenigen, die alles machen, um gesehen zu werden, tun nichts tatsächlich. Christus führte zwei Dinge an, die sie taten, bei denen sie von den Menschen gesehen werden wollten.

Sie machten ihre Gebetsriemen breit. Gebetsriemen waren kleine Schriftrollen aus Papier oder Pergament, auf die sehr fein vier Abschnitte des Gesetzes geschrieben waren (s. 2.Mose 13,2-11; 13,11-16; 5.Mose 6,4-9; 11,13-21). Diese wurden in Leder eingenäht und auf der Stirn und am linken Arm getragen. Die Pharisäer machten nun diese Gebetsriemen breit, damit man sie für heiliger, strenger und eifernder für das Gesetz halten möge als andere. Es ist ein begnadeter Ehrgeiz, danach zu streben, wirklich heiliger zu sein als andere, doch es ist stolzer Ehrgeiz, so erscheinen zu wollen. Es ist gut, in echter Frömmigkeit herauszuragen, aber nicht, andere nur in der äußerlichen Zurschaustellung zu übertreffen.

Sie machten die Säume an ihren Gewändern groß. Gott schrieb den Juden vor, sich Borten oder Quasten an ihre Gewänder zu machen (s. 4.Mose 15,38), um sie daran zu erinnern, dass sie ein besonderes Volk sind, doch die Pharisäer waren nicht damit zufrieden, Quasten wie die anderen Leute zu haben; sie mussten größer sein als die gewöhnlichen, damit sie beachtet würden, als wären sie religiöser als die anderen.

2.4 Sie hielten viel von einer gekünstelten Überlegenheit und Erhabenheit. Stolz war bei den Pharisäern die liebste und vorherrschende Sünde.

Christus beschrieb ihren Stolz **(s. Vers 6-7)**. Sie suchten:

Ehrenwerte und geachtete Plätze. Bei allem öffentlichen Auftreten, wie bei Festmahlen und in den Synagogen, erwarteten und hatten sie zu ihrem Entzücken die obersten Plätze und die ersten Sitze. Sie nahmen die wichtigsten Plätze ein und ihnen wurde der Vorrang gegeben als Menschen, die äußerst bedeutend waren und die sie am meisten verdienten. Doch es war nicht das Innehaben der obersten Plätze und ersten Sitze, das verurteilt wurde – jemand musste dort sitzen! –, sondern sie zu lieben. Was ist das anderes, als einen Götzen aus sich selbst zu machen und dann niederzufallen und ihn anzubeten – die schlimmste Form des Götzendienstes! Das ist überall schlecht, doch besonders in den Synagogen. An der Stelle Ehre für sich selbst zu suchen, wo wir hinkommen, um Gott die Ehre zu geben und uns vor ihm zu demütigen, heißt, wahrhaftig Gott zu verspotten, anstatt ihm zu dienen. Es riecht nach großem Stolz und großer Heuchelei, wenn es die Menschen nicht interessiert, zur Kirche zu gehen, wenn sie nicht großartig aussehen und dort als wichtig angesehen werden können.

Titel der Ehre und Achtung. Sie liebten die Begrüßungen auf den Märkten, liebten es, dass die Menschen ihre Hüte vor ihnen zogen und ihnen Respekt zollten, wenn sie sie auf der Straße trafen. Das war für sie Speise, Trank und eine raffinierte Delikatesse. Die Begrüßungen hätten ihnen nicht halb so gut getan, wenn dies nicht auf den Märkten gewesen wäre, wo jeder sehen würde, wie sehr sie geachtet waren und wie hoch sie in der Meinung der Leute standen. Es ist für Studenten des Wortes ziemlich empfehlenswert, ihre Lehrer zu achten, doch es ist sündig und abscheulich für Lehrer, diese Achtung zu lieben, zu fordern und mit ihr zu protzen, und ein Lehrer, der dies tut, anstatt andere zu lehren, muss zurück in die Grundschule Christi und seine erste Lektion lernen, welche die Demut ist.

Er warnte seine Jünger davor, in dieser Hinsicht wie die Pharisäer zu sein: „‚Ihr aber sollt euch nicht Rabbi nennen lassen', denn ihr sollt nicht von solch einem Geist sein" (**Vers 8**; vgl. Lk 9,55). Hier gibt es:

Ein Verbot des Stolzes. Ihnen wurde verboten:

Ehrentitel und Macht für sich zu fordern (**s. Vers 8-10**). Er wiederholte es: „Lasst euch nicht Rabbi nennen, lasst euch auch nicht Meister oder Lehrer nennen." Die geistlichen Diener Christi dürfen sich nicht den Namen Rabbi oder Meister anmaßen, um sich von anderen Menschen zu unterscheiden; das ist nicht mit der Einfalt des Evangeliums vereinbar. Sie dürfen sich auch nicht die Autorität und Macht zulegen, die diese Namen beinhalten, denn: „... einer ist euer Meister", nämlich Christus. Nur Christus ist unser Meister und Lehrer; geistliche Diener sind nur Hilfslehrer in der Schule.

„... ihr aber seid alle Brüder.' Ihr seid alle Geschwister, genauso wie ihr alle Jünger des gleichen Lehrers seid." Mitstudenten sind Geschwister und sollten als solche einander helfen, ihre Lektionen zu lernen, doch keinem Studenten ist es erlaubt, an die Stelle seines Lehrers zu treten und das Gesetz für die Schule festzulegen.

Anderen solche Titel beizulegen: „‚Nennt auch niemand auf Erden euren Vater'; macht niemanden zum Vater eurer Religion" (**Vers 9**). Nur Gott muss gestattet werden, der „Vater [unserer] Geister" genannt zu werden (Hebr 12,9). Unser religiöser Glaube darf nicht von einem anderen Menschen hergeleitet werden oder dazu gebracht werden, von einem anderen Menschen abzuhängen. Wir dürfen nicht unseren ganzen Glauben an einem Menschen festmachen, um von ihm Unterstützung und Hilfe zu bekommen, denn wir wissen nicht, wie er damit umgeht. Der Apostel Paulus nennt sich selbst einen Vater derer, bei deren Bekehrung er behilflich war (s. 1.Kor 4,15; Phlm 1,10), doch er benutzt diesen Titel nicht, um Autorität zu zeigen, sondern Zuneigung; deshalb nennt er sie nicht seine zu Dank verpflichteten Kinder, sondern seine geliebten Kinder (s. 1.Kor 4,14). Der Grund, den Christus für dieses Gebot nannte, war: „... denn einer ist euer Vater, der im Himmel ist." Er ist Quelle und Gründer unseres religiösen Glaubens, dessen Leben und dessen Herr, von dem allein als seinem Ursprung unser geistliches Leben herzuleiten ist und von dem es abhängt. Weil Christus uns gelehrt hat zu sagen: „Unser Vater, der du bist im Himmel" (Mt 6,9), wollen wir niemand auf Erden „Vater" nennen.

Lehre über Demut und gegenseitige Unterordnung: „Der Größte aber unter euch soll euer Diener sein" (**Vers 11**). Wir können es als Verheißung verstehen: „Wer sich am meisten unterordnet und am nützlichsten ist, wird am höchsten in der Gunst Gottes stehen." Oder wir können es als Gebot verstehen: „Wer auf einen Platz mit Würde erhoben wurde, möge euer Diener sein. Wer am größten ist, der ist kein Herr, sondern ein geistlicher Diener bzw. Knecht" (s. Mt 20,27).

Einen guten Grund für all dies (**s. Vers 12**). Bedenken Sie:

Die Strafe, die für die Stolzen bestimmt ist: „Wer sich aber selbst erhöht, der wird erniedrigt werden." Wenn Gott ihnen Buße gibt (s. Apg 5,31; 11,18; 2.Tim 2,25), werden sie in ihren Augen gedemütigt werden und sich selbst für ihre Sünde hassen. Wenn sie nicht Buße tun, werden sie früher oder später vor der Welt gedemütigt werden.

Die Erhöhung, die für die Demütigen bestimmt ist: „... und wer sich selbst erniedrigt, der wird erhöht werden." In dieser Welt haben die Demütigen die Ehre, dass sie von dem heiligen Gott angenommen und von allen weisen und guten Menschen geachtet werden, dass sie für die ehrenwertesten Dienste geeignet sind und oft zu ihnen berufen werden, denn Ehre ist wie der Schatten, der von denen flieht, die ihm nachjagen und nach ihm greifen, doch denen folgt, die vor ihm fliehen. In der kommenden Welt aber werden diejenigen, die sich selbst in Zerknirschung für ihre Sünde gedemütigt haben, erhöht werden, um den Thron der Herrlichkeit zu erben.

Vers 13-33

In diesen Versen haben wir acht Wehrufe von unserem Herrn Jesus Christus, die gegen die Gesetzeslehrer und Pharisäer gerichtet sind, die vielen Donnerschlägen oder dem Aufleuchten von Blitzen vom Berg Sinai gleichen – acht Wehrufe, die acht Seligpreisungen gegenübergestellt sind (s. Mt 5,3). Diese Wehrufe sind umso bemerkenswerter, weil sie durch die Demut und Güte des Einen unterstützt werden, der sie verkündigte. Er kam, um zu segnen, und er liebte es zu segnen, doch wenn sein Zorn entbrannt war (s. Ps 2,12), gab es sicherlich einen gerechten Grund dafür. Dies war der schwerwiegende Kehrreim des Liedes: „Aber wehe euch, ihr Schriftgelehrten und Pharisäer, ihr Heuchler." Die Schriftgelehrten und Pharisäer waren Heuchler; dies war es, was ihren Charakter ausmachte. Ein Heuchler ist ein Schauspieler in der Religion – das ist die ursprüngliche Bedeutung des Wortes –, Heuchler imitieren oder spielen die Rollen von Menschen, die sie weder sind noch sein können. Jedem dieser Wehrufe gegen die Gesetzeslehrer und Pharisäer ist ein Grund beigefügt, der das Urteil Christi über sie rechtfertigt, denn seine Wehrufe, seine Verwünschungen, sind niemals ohne Ursache.

1. Sie waren die Todfeinde des Evangeliums Christi und damit des Heils für den Menschen. Sie schließen das Reich der Himmel vor den Menschen zu **(s. Vers 13)**. Christus kam, um das Himmelreich aufzuschließen, damit Menschen zu Untertanen dieses Reiches gemacht werden. Nun hätten die Gesetzeslehrer und Pharisäer, die auf dem Stuhl Moses saßen und behaupteten, den Schlüssel der Erkenntnis zu besitzen, daran mitwirken und den Menschen in dieser Sache helfen sollen. Diejenigen, die es unternahmen, Mose und die Propheten zu erläutern, hätten den Menschen zeigen sollen, wie diese Schriften Christus bezeugten. Auf diese Weise hätten sie dieses große Werk fördern und Tausenden auf ihrem Weg zum Himmel helfen können, doch stattdessen verschlossen sie vor dem Angesicht der Leute das Reich der Himmel; sie machten es zu ihrem Gewerbe, in den Gemütern der Menschen Vorurteile gegen Christus und seine Lehre zu erzeugen und zu nähren.

1.1 Sie wollten selbst nicht hineingehen: „Glaubt auch einer von den Obersten oder von den Pharisäern an ihn?" (Joh 7,48). Nein, sie waren zu stolz, um sich zu seiner Niedrigkeit zu bücken. Sie mochten keinen religiösen Glauben, der so sehr auf Demut drang. Buße war die Zugangstür zu diesem Reich und nichts hätte für die Pharisäer widerwärtiger sein können, als Buße zu tun. Deshalb gingen sie selbst nicht in das Reich, doch das war nicht alles.

1.2 Sie wollten die nicht hineinlassen, die hinein wollten. Es ist schlecht, sich selbst von Christus fernzuhalten, doch es ist umso schlimmer, andere von ihm fernzuhalten. Dass sie selbst nicht hineingingen, hinderte viele andere daran, dies zu tun; viele verwarfen das Evangelium nur, weil es ihre Leiter taten. Sie widersetzten sich dem, dass Christus Sünder aufnahm (s. Lk 7,39) und auch, dass die Sünder Christus aufnahmen, und sie benutzten all ihre Erkenntnis und Macht, um ihren Hass auf ihn auszudrücken. Auf diese Weise verschlossen sie das Reich der Himmel, sodass diejenigen, die in dieses Reich hineinwollen, Gewalt leiden (s. Mt 11,12) und mit glühendem Eifer hineindrängen müssen (s. Lk 16,16).

2. Sie machten die Religion und den äußeren Schein der Gottesfurcht (s. 2.Tim 3,5) zu einem Deckmantel und Vorwand für ihr habsüchtiges Handeln und Verlangen **(s. Vers 14)**. Beachten Sie:

2.1 Was ihre bösen Praktiken waren: Sie „fraßen" die Häuser der Witwen, entweder, indem sie verlangten, dass sie diesen Leitern und ihren Begleitern einen Ort zum Wohnen geben sollten, oder indem sie sich die Zuneigung der Witwen erschlichen und so zu Verwaltern ihres Vermögens wurden, das ihnen leicht zur Beute fiel. Ihr Ziel war es, sich zu bereichern. Ohne Zweifel taten sie dies alles auch im Namen des Gesetzes, denn sie machten es so geschickt, dass es ohne Kritik durchging.

2.2 Was der Vorwand war, den sie benutzten, um ihr böses Handeln zu tarnen: Zum Schein verrichteten sie lange Gebete – in der Tat sehr lange, wenn das wahr ist, was uns manche jüdischen Schreiber sagen, dass sie drei Stunden auf einmal in den Äußerlichkeiten des Gebets und der Meditation verbrachten, dreimal am Tag. Auf diese Weise erlangten sie hinterlistig ihren Wohlstand und behielten ihre Größe bei. Christus verurteilt hier lange Gebete nicht an sich als heuchlerisch. Christus verharrte die ganze Nacht im Gebet zu Gott (s. Lk 6,12). Wo man viele Sünden bekennen muss, wo für die Versorgung vieler Nöte gebetet werden muss und man für viele Barmherzigkeiten danken muss, braucht es lange Gebete. Die langen Gebete der Pharisäer aber waren ein Vorwand; durch sie erlangten sie den Ruf, fromm und andächtig zu sein, Männer, die das Gebet lieben und Günstlinge des Himmels waren. Auf diese Weise wurden die Leute glauben gemacht, dass die Pharisäer sie unmöglich betrügen konnten. Auf diese Weise war, während sie sich auf den Flügeln des Gebets zum Himmel zu erheben schienen, ihr Auge wie das des Adlers die ganze Zeit auf ihre Beute auf der Erde gerichtet, das Haus einer Witwe oder anderes, das günstig für sie lag, um sich darauf zu stürzen. Es ist bei der Zurschaustellung und dem äußerlichen Anschein von Gottesfurcht (s. 2.Tim 3,5) nichts Neues, dass es zur Tarnung für die schrecklichsten Gräuel wird.

2.3 Die Verurteilung, die dafür über sie ausgesprochen wurde: „Darum werdet ihr ein schwereres Gericht empfangen!" (werdet ihr strenger bestraft werden). Der Vorwand der Religion, mit dem Heuchler ihre Sünde jetzt tarnen oder entschuldigen, wird bald ihre Strafe verschlimmern.

3. Sie verschlossen das Reich der Himmel vor denen, die sich zu Christus wenden wollten, doch zur gleichen Zeit durchzogen sie Land und Meer, um Proselyten für sich zu machen **(s. Vers 15)**. Beachten Sie:

3.1 Ihren lobenswerten Fleiß, Proselyten für die jüdische Religion zu machen. Dafür, für einen solchen Menschen – selbst nur für einen –, durchzogen sie Land und Meer. Doch was war ihr Ziel mit all dem? Nicht die Herrlichkeit Gottes und das Wohl von Seelen, sondern das Ansehen, Proselyten für sich zu machen. Das Bekehren von Menschen, wenn es zur Wahrheit und zu echter Gottesfurcht ist und mit guter Absicht getan wird, ist ein gutes Werk. Der Wert von Seelen ist derart, dass man nichts für zu viel halten darf, um es zu tun, eine Seele vor dem Tod zu retten. Die harte Arbeit der Pharisäer in dieser Hinsicht entlarvt die Nachlässigkeit vieler, von denen man meinen würde, dass sie aus besseren Motiven handeln, aber keine Anstrengung unternehmen oder Kosten auf sich nehmen, um das Evangelium zu verbreiten.

3.2 Ihre verwünschte Gottlosigkeit, dass sie die Bekehrten falsch behandelten, wenn sie einmal gemacht worden waren: Dann „macht ihr einen Sohn der Hölle aus ihm, zweimal mehr, als ihr es seid!" Heuchler werden wegen ihrer tief verwurzelten Feindschaft dem Reich der Himmel gegenüber, welches das bewegende Prinzip des Pharisäismus war, „Kinder der Hölle" genannt. Verderbte Bekehrte sind für gewöhnlich die schlimmsten Fanatiker; die Schüler übertrafen ihre Lehrer:

In der Liebe zum Ritual. Menschen mit wenig Verstand bewundern im Allgemeinen die Zurschaustellungen und Zeremonien, die die Weise nur verachten kann.

In ihrer Wut gegen das Christentum. Paulus, ein Jünger der Pharisäer, war „über die Maßen wütend" gegen die Christen (Apg 26,11), während sein Meister, Gamaliel, moderater gewesen zu sein schien (s. Apg 5,34-39).

4. Sie führten die Menschen in gefährliche Irrtümer, besonders in Bezug auf Eide, die von allen Völkern als geheiligt betrachtet wurden: „... ihr blinden Führer" **(Vers 16)**. Christus sprach einen Wehruf aus über die blinden Führer, die für das Blut so vieler Seelen Rechenschaft ablegen mussten.

4.1 Er legte die Lehre dar, die sie lehrten. Sie unterschieden zwischen einem Eid bei dem Tempel und einem Eid bei dem Gold des Tempels und zwischen einem Eid bei dem Altar und bei der Gabe auf dem Altar und erklärten die letzteren Eide für bindend, die ersteren aber nicht. Hier war eine doppelte Bosheit:

Dass es Eide gab, die für sie nicht bindend waren und die sie gering achteten und meinten, dass die Menschen bei solchen Eiden nicht gebunden waren, die Wahrheit zu sagen oder ein Versprechen zu erfüllen. Eine Lehre, die in irgendeinem Fall einen Verstoß gegen den Glauben unterstützt, kann nicht aus Gottes Wahrheit kommen. Eide sind Werkzeuge mit scharfen Schneiden und man darf nicht mit ihnen spielen.

Dass sie das Gold des Tempels und die Gabe auf dem Altar vorzogen, um die Menschen zu ermutigen, Gaben zum Altar und Gold in den Tempelschatz zu bringen, wovon sie hofften zu profitieren.

4.2 Er zeigte die Torheit und Albernheit dieser Unterscheidung: „Ihr Narren und Blinden!" **(Vers 17-19)**. Um sie der Torheit zu überführen, wandte er sich an sie: „... was ist denn größer, das Gold oder der Tempel, der das Gold heiligt? ... das Opfer oder der Brandopferaltar, der das Opfer heiligt?" Diejenigen, die bei dem Gold des Tempels schworen, betrachteten es als heilig, doch was war es, das es heilig machte, wenn nicht die Heiligkeit des Tempels, in dessen Dienst es gestellt wurde? Der Tempel konnte deshalb nicht weniger heilig sein als das Gold, sondern musste dies eher sein.

4.3 Er stellte ihren Irrtum richtig **(s. Vers 20-22)**, indem er alle Eide, die sie ersonnen hatten, auf die wahre Absicht eines Eides reduzierte, die ist: Beim Namen des Herrn. Das bedeutet, selbst wenn ein Eid bei dem Tempel, dem Altar oder dem Himmel formal schlecht war, war er doch bindend. Wenn ein Mensch bei dem Altar schwor, würde sein Eid so ausgelegt werden, als wäre er bei dem Altar und allem, was darauf ist, geleistet. Außerdem, weil die Dinge darauf Gott dargebracht waren, hieß bei ihnen und ihm zu schwören eigentlich, Gott selbst zum Zeugen zu rufen, denn es war der Altar Gottes, und diejenigen, die zu ihm kamen, kamen zu Gott (s. Ps 26,6; 43,4). Der Mensch, der beim Tempel schwor, musste, wenn er verstand, was er tat, sehen, dass der Grund für eine solche Achtung für diesen war, dass dieser das Haus Gottes war, der Ort, den der Herr erwählt hatte, um seinen Namen dorthin zu setzen (s. 1.Kön 11,36), und wenn also ein Mensch bei ihm schwor, schwor er bei dem, der darin wohnte **(s. Vers 21)**. Wenn ein Mensch beim Himmel schwört, sündigt er (s. Mt 5,34), doch deshalb wird er nicht von der Verpflichtung durch seinen Eid entbunden sein. Nein, Gott wird ihn verstehen lassen, dass der Himmel, bei dem er schwört, sein Thron ist (s. Jes 66,1), und wer bei dem Thron schwört, ruft den als Zeugen an, der darauf sitzt.

5. Sie waren streng und genau in den kleineren Dingen des Gesetzes, doch im gleichen Maße nachlässig und locker in den wichtigeren Dingen **(s. Vers 23-24)**. Sie waren einseitig beim Gesetz. Aufrichtiger Gehorsam ist allumfassend, und diejenigen, die aus einem richtigen Beweggrund irgendeinem Gebot Gottes gehorchen, werden sie alle achten (s. Ps 119,6). Die Einseitigkeit der Gesetzeslehrer und Pharisäer zeigte sich hier an zwei Beispielen:

5.1 Sie beachteten die kleineren Pflichten, ließen aber die größeren Pflichten aus; sie waren sehr genau im Zahlen von Zehnten, wenn es um Minze, Anis und Kümmel ging; die Genauigkeit beim Verzehnten dieser Dinge würde sie nicht viel kosten, würde aber gelobt werden und ihnen rasch einen guten Ruf verschaffen. Der Pharisäer prahlte damit: „Ich ... gebe den Zehnten von allem, was ich einnehme!" (Lk 18,12).

Das Zahlen des Zehnten war ihre Pflicht; Christus sagte ihnen, sie sollten es nicht unerledigt lassen. Jeder sollte zur Unterstützung und zum Unterhalt eines bestehenden Dienstes beitragen, wo er ist. Diejenigen, die im Wort unterrichtet werden, aber nicht denen geben, die sie unterrichten (s. Gal 6,6), die ein billiges Evangelium lieben, bleiben hinter den Pharisäern zurück.

Doch wofür sie Christus hier verurteilt, ist, dass sie die gewichtigeren Dinge im Gesetz ausließen, das Recht (die Gerechtigkeit), das Erbarmen und den Glauben. Alle Dinge im Gesetz Gottes sind von Bedeutung, doch diejenigen, die am meisten die innerliche Heiligkeit im Herzen ausdrücken, sind am bedeutendsten. Gerechtigkeit und Barmherzigkeit gegenüber den Menschen und Glaube und Treue gegenüber Gott sind die bedeutenderen Dinge im Gesetz, die guten Dinge, welche der Herr unser Gott fordert (s. Mi 6,8), recht zu tun, Barmherzigkeit zu lieben und demütig im Glauben an Gott zu wandeln. Dies ist der Gehorsam, welcher besser ist als Opfer oder Zehnter (s. 1.Sam 15,22). Barmherzigkeit wird Opfern vorgezogen (s. Hos 6,6). Noch weniger wird die Barmherzigkeit und Gerechtigkeit ohne Glauben an die göttliche Offenbarung genügen, denn Gott möchte genauso in seinen Wahrheiten wie in seinen Gesetzen geehrt werden.

5.2 Sie vermieden kleinere Sünden, doch begingen größere: „Ihr blinden Führer" **(Vers 24)**. Er hatte sie vorher so genannt **(s. Vers 16)** wegen ihrer verkehrten Lehre; hier nannte er sie so wegen ihres verkehrten Lebens. Sie waren blind und einseitig. Sie siebten „eine Mücke" aus und verschluckten „ein Kamel". Mit ihrer Lehre siebten sie „Mücken" aus, warnten die Menschen vor jeder kleinen Verletzung der Tradition der Ältesten. In ihrem Leben siebten sie „Mücken" aus, entfernten sie mit sichtbarer Scheu, als hätten sie großen Hass auf die Sünde und würden sich vor ihr in ihren leichtesten Fällen fürchten, doch sie hatten keine Schwierigkeiten, jene Sünden zu begehen, die im Vergleich wie ein Kamel gegenüber einer Mücke waren. Es war nicht das Sichfernhalten von einer kleinen Sünde, das Christus hier tadelte – wenn es Sünde ist, wenn auch nur „eine Mücke", muss es „ausgesiebt" werden –, sondern das Tun des einen und das darauf folgende „Verschlucken" eines „Kamels".

6. Sie kümmerten sich nur um das Äußerliche des religiösen Glaubens und überhaupt nicht um das Innerliche. Dies zeigt sich an zwei Veranschaulichungen.

6.1 Christus verglich sie mit einem Becher oder einer Schüssel, die äußerlich gewaschen werden, aber innerlich immer noch schmutzig sind **(s. Vers 25-26)**. Wie töricht ist es nun von einem Menschen, nur das Äußere eines Bechers zu waschen, das man bloß anschaut, und das Innere schmutzig zu lassen, das man benutzt. Doch das ist es, was die Menschen tun, wenn sie schändliche Sünden vermeiden, die ihren Ruf bei denen um sie herum beschädigen würden, doch sich selbst gestatten, Verderbtheit im Herzen zu behalten, die sie für Gott in seiner Reinheit und Heiligkeit widerlich macht. Beachten Sie mit Hinweis darauf:

Die Praxis der Pharisäer: Sie reinigten das Äußere. Bei Dingen, die von ihren Nächsten beobachtet wurden, schienen sie sehr genau zu sein; die Menschen hielten sie allgemein für sehr gute Menschen. Doch innerlich waren sie voller Raub und Unmäßigkeit. Während sie fromm erscheinen wollten, waren sie tatsächlich weder nüchtern noch rechtschaffen, und wir sind in Wirklichkeit das, was wir innerlich sind.

Die Regel, die Christus entgegen dieser Praxis aufstellte **(s. Vers 26)**. Aus Christi Sicht sind diejenigen blind, die mit der Bosheit in ihrem eigenen Herzen nicht vertraut und nicht verfeindet sind, welche die heimliche Sünde, die dort logiert, nicht sehen und nicht hassen. Unwissenheit über sich selbst ist die schändlichste und schädlichste Form der Unwissenheit (s. Offb 3,17). Die Regel lautet: „... reinige zuerst das Inwendige." Die wichtigste Arbeit, ein Christ zu sein, liegt im Innern, von der Befleckung des Geistes gereinigt zu werden (s. 2.Kor 7,1). Wir müssen uns gewissenhaft von den Sünden enthalten, die nur durch das Auge Gottes beobachtet werden, der das Herz erforscht (s. Jer 17,10; Offb 2,23). Reinigen Sie zuerst das Inwendige; nicht nur das, doch das zuerst, denn wenn man gebührend dafür gesorgt hat, dann wird auch das Äußerliche rein sein. Wenn uns die erneuernde, heiligende Gnade innerlich rein macht, wird das auch das Äußerliche beeinflussen, denn das bewegende Prinzip ist in uns. Wenn das Herz gut behütet wird, ist alles in Ordnung, „von ihm geht das Leben aus" (Spr 4,23). Zuerst wollen wir das reinigen, was in uns ist; unsere Reinigung wird erfolgreich sein, wenn wir uns zuerst an die Reinigung des Herzens machen.

6.2 Er verglich sie mit getünchten Gräbern **(s. Vers 27-28)**.

Äußerlich sahen sie schön aus, wie Grabmale, die äußerlich schön aussehen. Manche meinen, das bezieht sich auf den jüdischen Brauch, Grabmale weiß zu streichen, um sie zu markieren, damit die Menschen die zeremonielle Verunreinigung vermeiden konnten, die damit verbunden war, ein Grab zu berühren (s. 4.Mose 19,16). Die Förmlichkeit von Heuchlern lässt alle weisen und guten Menschen sorgfältiger darauf bedacht sein, sie zu meiden. Doch in Wirklichkeit spielt es auf den Brauch an, die Grabmale wohlbekannter Personen zu übertünchen, um sie zu verschönern. Hier wird gesagt, dass sie die Grabmäler der Gerechten schmückten **(s. Vers 29)**. Die Gerechtigkeit der Gesetzeslehrer und Pharisäer wird mit dem Schmücken eines Grabes verglichen, was nur zum Vorzeigen ist. Das Ziel ihres Ehrgeizes war, gerecht vor den Menschen zu erscheinen und von ihnen bewundert und beklatscht zu werden.

Innerlich waren sie widerlich, wie Grabmale, voller Totengebeine und aller Unreinheit. Sie waren also voller Heuchelei und Sünde. Es ist möglich, dass diejenigen, deren Herz voller Sünde ist, tadellos in ihrem Leben sind und sehr gut erscheinen. Doch was wird es uns nützen, wenn wir von unseren Mitknechten gelobt werden, wenn unser Meister nicht sagt: „Recht so" (s. Mt 25,21)?

7. Sie gaben vor, liebevoll der Propheten zu gedenken, die gestorben und gegangen waren, während sie diejenigen hassten und verfolgten, die im Augenblick bei ihnen waren. Gott wacht eifersüchtig über seine Ehre in seinen Gesetzen und Satzungen, doch er hat oft eine genauso eifersüchtige Wachsamkeit über seine Ehre bei seinen Propheten und geistlichen Dienern zum Ausdruck gebracht. Als deshalb unser Herr Jesus begann, über dieses Thema zu sprechen, sprach er darüber ausführlicher als über jedes andere **(s. Vers 29-37)**. Beachten Sie hier:

7.1 Die Achtung, welche die Gesetzeslehrer und Pharisäer vorgaben, für die Propheten zu haben, die gestorben waren **(s. Vers 29-30)**. *Sie ehrten die Überreste der Propheten, bauten ihre Gräber und schmückten ihre Denkmäler.* „Das Andenken des Gerechten bleibt im Segen" (Spr 10,7), wenn die Namen derer, die sie gehasst und verfolgt haben, mit Schande bedeckt sein werden. Doch die Ehrerbietung, welche die Gesetzeslehrer und Pharisäer den verstorbenen Propheten zollten, war ein Beispiel für ihre Heuchelei. Wie die Heuchler zu jeder Zeit konnten sie den Schriften der verstorbenen Propheten Respekt zollen, die ihnen sagten, was sie sein sollten, doch nicht den Zurechtweisungen der lebenden Propheten, die ihnen sagten, was sie waren.

Sie protestierten gegen deren Ermordung: „Hätten wir in den Tagen unserer Väter gelebt, wir hätten uns nicht mit ihnen des Blutes der Propheten schuldig gemacht" **(Vers 30)**. Nein, sie nicht; sie hätten lieber ihre rechte Hand verloren, als so etwas zu tun. Doch zu dieser Zeit planten sie Christus zu ermorden, von dem alle Propheten Zeugnis ablegten (s. Apg 10,43). Die Hinterlist der Herzen von Sündern lässt sich sehr stark darin sehen, dass sie, während sie dem Strom der Sünde ihrer Zeit folgen, eingebildet meinen, sie hätten gegen den Strom der Sünde früherer Zeiten geschwommen. Sie denken, wenn sie die Gelegenheiten anderer Menschen gehabt hätten, hätten sie sie gewissenhafter genutzt. Wir denken manchmal, dass, wenn wir gelebt hätten, als Christus auf der Erde war, wir ihm treu nachgefolgt wären; wir hätten ihn nicht verachtet und abgelehnt, wie sie es dann taten. Doch Christus wird in seinem Geist, in seinem Wort und in seinen geistlichen Dienern immer noch nicht besser behandelt.

7.2 Ihre Feindschaft und ihr Widerstand Christus gegenüber und seinem Evangelium, nichtsdestotrotz, und das Verderben, das sie durch diesen Widerstand über sich und über dieses Geschlecht brachten **(s. Vers 31-33)**. Beachten Sie hier:

Wie die Beschuldigung bewiesen wird: „So gebt ihr ja euch selbst das Zeugnis." Sünder können nicht hoffen, aus Mangel an Beweisen dem Urteil Christi über sie zu entgehen, denn man kann leicht sehen, dass sie gegen sich selbst Zeugnis ablegen; durch ihr eigenes Bekenntnis, dass es die große Bosheit ihrer Vorfahren war, die Propheten zu töten. Diejenigen, die bei anderen Sünde verurteilen, doch bei sich die gleiche oder schlimmere Sünde zulassen, sind von allen Menschen am unverantwortlichsten (s. Röm 1,32-2,1). Nach ihrem eigenen Bekenntnis waren diese offenkundigen Verfolger ihre Vorfahren: „Ihr seid ihre Söhne." Christus brachte es auf sie zurück: Sie waren nicht nur dem Blut, sondern auch dem Geist und der Haltung nach die Kinder dieser Verfolger. „Sie waren, wie ihr sagt, eure Vorfahren, und ihr ähnelt euren Vorfahren; das ist die Sünde, die in dem Blut unter euch fließt."

Das Urteil, das über sie gefällt wird. Christus fährt hier damit fort:

Sie als unverbesserlich der Sünde zu übergeben: „Ja, macht ihr nur das Maß eurer Väter voll!" (Vers 32). Christus wusste, dass sie gerade seinen Tod planten und ihn in ein paar Tagen herbeiführen würden. „Also gut", sagte er, „macht mit eurem Komplott weiter, folgt dem Weg eures Herzens und richtet nach dem Augenschein (s. Jes 11,3) und seht, was daraus wird. Ihr werdet nur das Maß eurer Schuld vollmachen."

Es gibt ein Maß der Sünde, das vollgemacht wird. Gott wird lange Zeit geduldig sein, doch es wird die Zeit kommen, in der er es nicht länger ertragen kann (s. Jer 44,22).

Falls – wenn ihre Vorfahren gestorben sind – die Kinder in Sünden verharren, die gleich oder ähnlich wie die ihrer Vorfahren sind, machen sie das Maß der Sünde ihrer Vorfahren voll. Die nationale Schuld, welche nationales Verderben bringt, setzt sich aus den Sünden vieler Menschen zu verschiedenen Zeiten zusammen. Gott bringt zu Recht über die Kinder die Strafe für die Sünde ihrer Vorfahren, die ihren Fußstapfen folgen.

Christus und die Seinen und seine geistlichen Diener zu verfolgen ist eine Sünde, welche das Maß der Schuld in einem Volk schneller vollmacht als jede andere.

Wenn Menschen halsstarrig darin beharren, den sündigen Begierden ihres Herzens nachzugeben, ist es von Gott recht, sie diesen Begierden dahinzugeben.

Sie als unwiederbringlich dem Verderben dahinzugeben, dem persönlichen Verderben in einer anderen Welt: „Ihr Schlangen! Ihr Otterngezücht! Wie wollt ihr dem Gericht der Hölle entgehen?" **(Vers 33)**. Das sind sonderbare Worte aus dem Mund Christi, über dessen Lippen Gnade ausgegossen war (s. Ps 45,3). Doch Christus kann und wird schreckliche Worte sagen. Hier gibt es:

Seine Bezeichnung für sie: „Ihr Schlangen!" Beschimpft Christus Menschen? Ja, doch das ermächtigt uns nicht, dies zu tun. Er wusste unfehlbar, was in den Menschen war. Sie waren Otterngezücht; sie und diejenigen, die sich ihnen anschlossen, waren ein Geschlecht von verbitterten, wütenden und boshaften Feinden von Christus und seinem Evangelium. Christus nannte sie Schlangen und Otterngezücht, weil er den Menschen sagt, wie sie wirklich sind, und es liebt, dem Stolzen Geringschätzung zu zeigen.

Ihr Verhängnis. „Wie wollt ihr dem Gericht der Hölle entgehen?" Christus predigte selbst Hölle und Verdammnis, wofür seine geistlichen Diener oft von denen zurechtgewiesen wurden, die darüber nichts hören wollen. Weil diese Verurteilung von Christus kam, war sie schrecklicher, als wenn sie von irgendeinem Propheten oder geistlichen Diener gekommen wäre, der je gelebt hat, denn er ist der Richter, in dessen Händen die Schlüssel des Totenreiches und des Todes gelegt sind (s. Offb 1,18). Es gibt einen Weg, dieser Verdammnis zur Hölle zu entkommen: Für dieses Entkommen sind Buße und Glaube nötig. Wie werden Menschen, die den Geist der Gesetzeslehrer und Pharisäer haben, zur Buße gebracht werden, wenn sie solche eingebildeten Gedanken über sich haben, wie sie diese Leiter hatten, und so voreingenommen gegen Christus und sein Evangelium sind, wie sie es waren? Zöllner und Prostituierte, die sich ihrer Krankheit bewusst waren und sich zu dem großen Arzt wandten, würden eher der Verdammnis der Hölle entkommen als diejenigen, die, obwohl sie sich auf dem schnellsten Weg dorthin befanden, überzeugt waren, dass sie auf dem Weg zum Himmel waren.

Vers 34-39

Wir haben die blinden Blindenleiter verlassen, die in die Grube gefallen sind (s. Mt 15,14); jetzt wollen wir sehen, was aus den blinden Nachfolgern werden musste, besonders aus Jerusalem.

1. Jesus Christus wollte sie mit den Gnadenmitteln prüfen: „Siehe, darum sende ich zu euch Propheten und Weise und Schriftgelehrte." Man würde meinen, dass nun folgen würde: „Darum wird zu euch niemals wieder ein Prophet gesandt"; doch nein: „Siehe, darum sende ich zu euch Propheten', um zu sehen, ob ihr schließlich überzeugt werdet; andernfalls werdet ihr keine Entschuldigung haben."

1.1 Es war Christus, der sie senden wollte: „... sende ich ..." Dadurch bekräftigte er, dass er Gott war, der die Vollmacht hat, Propheten mit Gaben auszustatten und sie zu beauftragen. Es war ein Akt seiner königlichen Stellung. Nach seiner Auferstehung erfüllte er dieses Wort, als er sagte: „... so sende ich euch" (Joh 20,21).

1.2 Er wollte sie zuerst zu den Juden senden: „Siehe, darum sende ich zu euch." Sie begannen in Jerusalem, und wo auch immer sie hingingen, war es ihre Regel, das Evangelium der Gnade zuerst den Juden anzubieten (s. Apg 13,46).

1.3 Diejenigen, die er senden würde, würde er Propheten, Weise und Schriftgelehrte nennen, alttestamentliche Namen für Amtsträger des Neuen Testaments. Wir können die Apostel und Evangelisten als die Propheten und Weisen sehen und die Hirten und Lehrer als die Schriftgelehrten, die für das Reich der Himmel unterrichtet sind (s. Mt 13,52), denn die Stellung eines Schriftgelehrten war ehrenwert, bis die Menschen sie verunehrten.

2. Er sah die grausame Behandlung voraus, auf die seine Boten bei ihnen stoßen würden, und sagte sie voraus. „‚... und etliche von ihnen werdet ihr töten und kreuzigen‘, doch ich werde sie immer noch senden." Christus weiß im Voraus, wie brutal seine Knechte behandelt werden, doch er sendet sie immer noch. Er liebt sie jedoch nicht weniger, denn er will sich durch ihr Leiden verherrlichen und sie nach ihrem Leiden verherrlichen; er wird ihr Leiden wiedergutmachen, wenn er es auch nicht verhindert. Beachten Sie:
2.1 Die Grausamkeit dieser Verfolger: „... und etliche ... werdet ihr töten und kreuzigen." Sie dürsteten nach nichts weniger als dem Blut, dem Herzblut. Auf diese Weise teilten die Glieder das Leiden des Hauptes: Er wurde getötet und gekreuzigt und das wurden sie auch. Christen müssen damit rechnen, bis aufs Blut zu widerstehen (s. Hebr 12,4).
2.2 Ihren unermüdlichen Eifer: Sie werden „sie verfolgen von einer Stadt zur anderen". Als die Apostel von Stadt zu Stadt gingen, um das Evangelium zu predigen, folgten ihnen die Juden heimlich, verfolgten sie und erweckten Verfolgungen gegen sie (s. Apg 14,19; 17,13).
2.3 Den Vorwand der Religion in dieser Sache. Sie geißelten die Nachfolger Christi in ihren Synagogen und taten dies als einen Akt des Dienstes an der Gemeinde.

3. Er lastete ihnen die Sünde ihrer Vorfahren an, weil sie sie nachahmten: „... damit über euch alles gerechte Blut kommt, das auf Erden vergossen worden ist" (**Vers 35-36**). Obwohl Gott lange Zeit mit einem Geschlecht Geduld hat, das verfolgt, wird er nicht immer geduldig sein, und wenn die Geduld missbraucht wird, wendet sie sich zum größten Zorn. Beachten Sie:
3.1 Das Ausmaß dieser Zurechnung: Es beinhaltet alles gerechte Blut, das auf Erden vergossen wurde, das ist das Blut, welches um der Gerechtigkeit willen vergossen wurde. Er datierte die Liste von dem Blut des gerechten Abel an. Beachten Sie, wie rasch das Martyrium in die Welt kam! Er dehnte sie aus bis zu dem Blut von Zacharias, dem Sohn Barachias (**s. Vers 35**), wahrscheinlich Sacharja, der Sohn von Jojada, der im Vorhof am Haus des Herrn umgebracht wurde (s. 2.Chr 24,20-21). Sein Vater wird Barachia genannt, was ziemlich dasselbe wie Jojada bedeutet, und es war unter den Juden üblich, für die gleiche Person zwei Namen zu haben. Dieser Sacharja war jemand, „den ihr getötet habt, ihr von diesem Volk, wenn auch nicht von diesem Geschlecht".
3.2 Die Wirkung von dem: All diese Dinge werden kommen; all die Schuld für das Vergießen dieses Blutes, all die Strafe dafür, würde über dieses Geschlecht kommen. Die Zerstörung würde so furchtbar sein, dass es wäre, als würde Gott sie ein für alle Mal für all das gerechte Blut zur Rechenschaft ziehen, das in der Welt vergossen wurde. Das würde über *dieses* Geschlecht kommen, was darauf hindeutet, dass es schnell kommen würde; einige hier würden leben, um es zu sehen. Je strenger und näher die Strafe für Sünde ist, desto lauter ist der Ruf zu Buße und Besserung.

4. Er trauerte über die Bosheit von Jerusalem und tadelte sie zu Recht durch die vielen freundlichen Angebote, die er ihnen gemacht hatte (**s. Vers 37**). Beachten Sie, mit welcher Sorge er über diese Stadt sprach: „Jerusalem, Jerusalem!" Die Wiederholung ist nachdrücklich und zeigt großes Erbarmen. Einen oder zwei Tage früher hatte Christus über Jerusalem geweint; nun seufzte und stöhnte er über diese Stadt. Jerusalem, „das Bild des Friedens", was der Name bedeutet, muss jetzt zur Stätte des Krieges und des Aufruhrs werden. Doch warum sollte der Herr all dies an Jerusalem tun? Warum? „Jerusalem hat schwer gesündigt" (Klgl 1,8).
4.1 Sie verfolgte Gottes Boten: „... die du die Propheten tötest und steinigst, die zu dir gesandt sind!" Jerusalem wurde besonders dieser Sünde beschuldigt, denn dort war der Sitz des Sanhedrin oder der Hohe Rat, der sich um gemeindliche Angelegenheiten kümmerte, und deshalb ging es nicht an, dass ein Prophet außerhalb von Jerusalem umkam (s. Lk 13,33). Sie töteten die Propheten in Volksunruhen, attackierten sie, wie sie es bei Stephanus taten, und stachelten die römischen Mächte an, sie zu töten. In Jerusalem, wo das Evangelium zuerst gepredigt wurde, entstand die erste Verfolgung (s. Apg 8,1); es war das Hauptquartier der Verfolger; und dorthin wurden die Heiligen gebunden gebracht (s. Apg 9,2). Es steinigt sie. Es gab noch viel andere Schlechtigkeit in Jerusalem, doch das war die Sünde, die am lautesten schrie und mit der sich Gott mehr befasste als mit jeder anderen.
4.2 Sie verwarfen Christus und das Angebot des Evangeliums und lehnten es ab. Die vorige war eine Sünde *ohne* Heilmittel (s. 2.Chr 36,16), sodass es nichts retten konnte; dies war eine Sünde *gegen* das Heilmittel, gegen den Weg, um gerettet zu werden. Hier gibt es: *Die wundervolle Gnade und Gunst Christi ihnen gegenüber:* „Wie oft habe ich deine Kinder sammeln wollen, wie eine Henne ihre Küken unter die Flügel sammelt." Die beabsichtigte Gunst war, sie zu sammeln. Es ist Christi Absicht, arme Seelen zu sammeln, sie von ihrem

Umherschweifen zu sammeln, sie heim zu sich zu sammeln. Dies wird hier durch einen demütigen Vergleich veranschaulicht: „... wie eine Henne ihre Küken ... sammelt." Christus hatte sich danach gesehnt, sie zu sammeln: *Mit solch einer sanften Liebe, wie es eine Henne tut, die instinktiv eine besondere Sorge um ihre Jungen hat.* Christi Sammeln von Seelen kommt durch seine Liebe (s. Jer 31,3).
Zu dem gleichen Ziel. Die Henne sammelt ihre Küken unter ihre Flügel, um ihnen Schutz und Sicherheit, Wärme und Trost zu geben. Wenn sie von Raubvögeln bedroht sind, rennen Küken von Natur aus zur Henne als Zuflucht; vielleicht bezog sich Christus auf diese Verheißung in Psalm 91,4: „Er wird dich mit seinen Fittichen decken." Unter Christi Flügeln ist Heilung (s. Mal 3,20), die mehr ist, als was die Henne für ihre Küken hat.
Der Eifer Christi, diese Gunst zu erweisen. Seine Angebote sind völlig frei: Er wollte es tun. Seine Angebote ergehen sehr häufig: „wie oft". Christus kam oft herauf nach Jerusalem, predigte dort und vollbrachte Wunder. So oft, wie wir den Klang des Evangeliums gehört haben, so oft, wie wir das Ringen des Geistes gespürt haben, so oft hat sich Christus danach gesehnt, uns zu sammeln.
Ihre halsstarrige Ablehnung dieser Gnade und Gunst. „... aber ihr habt nicht gewollt! Ich habe nach euch gesehnt, doch ihr habt mich abgelehnt." Er sehnte sich danach, sie zu retten, doch sie wollten sich nicht durch ihn retten lassen.

5. Er verlas die Verurteilung von Jerusalem: „Siehe, euer Haus wird euch verwüstet gelassen werden" **(Vers 38)**. Sowohl die Stadt als auch der Tempel, Gottes Haus und der eigenes, würden verwüstet werden. Es bezieht sich jedoch besonders auf den Tempel, dessen sie sich rühmten und auf den sie vertrauten.
5.1 Ihr Haus würde verlassen werden: Es „wird euch verwüstet gelassen werden". Christus ging nun aus dem Tempel fort und kehrte nie zu ihm zurück. Sie waren in ihn vernarrt, wollten ihn nur für sich selbst; Christus darf dort keinen Raum oder Anteil haben. „Nun", sagt Christus, „er wird euch überlassen; nehmt ihn und macht das Beste aus ihm. Ich werde nie mehr etwas mit ihm zu tun haben." Auch ihre Stadt wurde ihnen überlassen, entleert von Gottes Gegenwart und Gnade.
5.2 Er würde verwüstet sein. Es „wird euch verwüstet gelassen werden". In den Augen aller, die es verstanden, war er umgeben ein trauriger bedrückender Ort, als Christus ihn verließ. Christi Fortgang macht den am besten ausgestatteten, am besten eingerichteten Ort zu einer Wüste. Denn welchen Trost kann es an einem Ort geben, an dem Christus nicht lebt? Dies kommt, wenn Menschen Christus verwerfen und ihn von sich forttreiben. Der Tempel wurde nicht lange danach zerstört und vernichtet, wobei kein Stein auf dem anderen blieb (s. Mt 24,2). Der Tempel, dieses heilige und schöne Haus, wurde verwüstet. Wenn Gott einen Ort verlässt, brechen alle Feinde herein.

6. Er sagte ihnen und dem Tempel endgültig Lebewohl: „Ihr werdet mich von jetzt an nicht mehr sehen, bis ihr sprechen werdet: ‚Gepriesen sei der, welcher kommt.'" Dies zeigt:
6.1 Seinen Fortgang von ihnen. Die Zeit war nahe, wenn er die Welt verlassen würde, um zu seinem Vater zu gehen (s. Joh 16,28), und nicht mehr gesehen werden würde. Nach seiner Auferstehung wurde er nur von wenigen erwählten Zeugen gesehen (s. Apg 10,41), und sie sahen ihn lange nicht mehr; er ging bald in die unsichtbare Welt und wird dort „bis zu den Zeiten der Wiederherstellung" von allem bleiben (s. Apg 3,21), wenn das Willkommen bei seinem ersten Kommen mit lautem Rufen wiederholt werden wird: „Gepriesen sei der, welcher kommt im Namen des Herrn!" **(Vers 39)**. Wenn wir bei denen sein wollen, die sprechen, „gepriesen sei der, welcher kommt", dann wollen wir uns jetzt denen anschließen, die Jesus Christus wahrhaftig anbeten und willkommen heißen.
6.2 Ihre anhaltende Blindheit und Halsstarrigkeit: „Ihr werdet mich ... nicht mehr sehen", das heißt, nicht das Licht der Wahrheit über ihn sehen noch die Dinge, die zu ihrem Frieden dienen (s. Lk 19,42), „... bis ihr sprechen werdet: ‚Gepriesen sei der, welcher kommt'" **(Vers 39)**. Vorsätzliche Blindheit wird oft mit Blindheit im Urteil bestraft. Wenn sie es ablehnten zu sehen, werden sie damit bestraft werden, dass sie nicht sehen. Christus schloss sein öffentliches Predigen mit diesen Worten ab. Wenn der Herr mit „seinen heiligen Zehntausenden" kommt (Jud 1,14), wird er sie alle überzeugen. Diejenigen, welche jetzt die Hosiannas der Heiligen schmähen und verspotten, werden bald eines anderen Sinnes sein; es wäre besser, wenn sie nun dieses Sinnes gewesen wären.

KAPITEL 24

In diesem Kapitel haben wir prophetische Lehre, die nicht die Neugier seiner Jünger befriedigen, sondern ihr Gewissen führen sollte. Hier ist: 1. Der Anlass für diese Lehre (s. Vers 1-3). 2. Die Lehre selbst, in der wir haben: 2.1 Die Prophetie von mehreren Ereignissen, die sich besonders auf die Zerstörung von Jerusalem beziehen; auf den Beginn dieser Zerstörung, die Umstände, die sie begleiten würden und die Folgen, die sie haben würde; und, sogar noch weiter blickend, auf Christi zweites Kommen am Ende der Zeit und die Vollendung aller Dinge (s. Vers 4-31). 2.2 Die praktische Anwendung dieser Prophetie (s. Vers 32-51).

Vers 1-3

Hier ist:

1. Wie Christus den Tempel und sein öffentliches Wirken dort verlässt. Er hatte gesagt, wie am Ende des vorigen Kapitels berichtet wird: „Siehe, euer Haus wird euch verwüstet gelassen werden" (s. Mt 23,39), und hier erfüllte er seine Worte: Er zog aus und ging von dem Tempel fort. Er ging von ihm fort und kehrte nie mehr zu ihm zurück und dann folgte unmittelbar eine Weissagung von dessen Vernichtung. Das Haus, das Christus verlässt, wird wirklich verwüstet gelassen. Doch Christus ging nicht fort, bis sie ihn hinaustrieben; er verwarf sie nicht, bis sie nicht zuerst ihn verwarfen.

2. Seine private Unterhaltung mit seinen Jüngern; er verließ den Tempel, doch er verließ nicht die Zwölf. Als er den Tempel verließ, verließen ihn auch seine Jünger und kamen zu ihm. Es ist gut, dort zu sein, wo Christus ist, und das zu verlassen, was er verlässt.

2.1 Seine Jünger kamen zu ihm, um ihm die Gebäude des Tempels zu zeigen. Der Tempel war ein eindrucksvolles, schönes Bauwerk. Er war reichlich mit Gaben und Opfern ausgestattet. Sie zeigten Christus diese Dinge und lenkten seine Aufmerksamkeit auf sie, entweder:

Weil sie selbst großen Gefallen daran hatten und dies auch von ihm erwarteten. Sie hatten hauptsächlich in Galiläa gelebt, weit weg vom Tempel, und hatten ihn selten gesehen und waren deshalb umso mehr mit Staunen über ihn erfüllt, und sie meinten, er müsse all diese Herrlichkeit genauso bewundern, wie sie es taten (s. 1.Mose 31,1). Selbst gute Menschen neigen dazu, zu sehr von äußerlicher Pracht und Zurschaustellung ergriffen zu sein und sie zu hoch einzuschätzen, selbst bei den Dingen Gottes. Der Tempel war wahrhaftig herrlich, doch diese Herrlichkeit war durch die Sünde der Priester und der Leute befleckt und besudelt; und seine Herrlichkeit wurde durch die Gegenwart Christi in ihm überragt und übertroffen. Oder:

Weil sie bekümmert waren, dass dieses Haus verwüstet gelassen werden würde. Sie zeigten ihm die Gebäude, als könnte ihn dazu bewegen, das Urteil aufzuheben. Christus hatte gerade auf die kostbaren Seelen geschaut (s. Ps 49,9) und um sie geweint (s. Lk 19,41). Die Jünger schauten auf die prächtigen Gebäude und waren bereit, um sie zu weinen. Darin sind, wie in anderen Dingen, seine Gedanken nicht wie unsere Gedanken (s. Jes 55,8).

2.2 Christus sagte dann die vollständige Vernichtung und Zerstörung voraus, die über diesen Ort kommen würde **(s. Vers 2)**. Eine glaubende Voraussicht auf die Zerstörung aller weltlichen Herrlichkeit wird helfen, uns davon fernzuhalten, sie überzubewerten. „Seht ihr nicht dies alles?" Sie lenkten die Aufmerksamkeit Christi darauf und wollten, dass es genauso liebt wie sie; er wollte, dass sie es anschauen und dem genauso gestorben sind, wie er es war. Es gibt eine Sicht dieser Dinge, die uns gut tun wird, sie so zu sehen, dass wir durch sie hindurchsehen und auf ihr Ende sehen. Statt das Urteil aufzuheben, bestätigte Christus es: „Wahrlich, ich sage euch: Hier wird kein Stein auf dem anderen bleiben."

Er sprach davon als einer gewissen Zerstörung. „Ich sage euch.' Ich, der weiß, was ich sage."

Er sprach davon als von einer völligen Zerstörung. Der Tempel würde nicht nur beraubt, geplündert und beschädigt, sondern auch vollständig niedergerissen und verwüstet werden: Nicht ein Stein sollte auf dem anderen bleiben. Obwohl Titus, als er die Stadt einnahm, tat, was er konnte, um den Tempel zu bewahren, konnte er die aufgebrachten Soldaten nicht davon zurückhalten, ihn vollständig zu zerstören, und das geschah in einem solchen Maß, dass Turnus Rufus den Boden umpflügte, an dem er stand.

2.3 Die Jünger baten um weitere Einzelheiten über die Zeit, wenn dies geschehen würde, und über die Zeichen für ihr Kommen **(s. Vers 3)**. Beachten Sie:

Wo sie diese Frage stellten: privat, als er auf dem Ölberg saß. Vermutlich kehrte er nach Bethanien zurück und setzte sich dort neben den Weg, um auszuruhen. Der Ölberg lag dem Tempel direkt gegenüber und von dort konnte er ihn aus einiger Entfernung vollständig sehen.

Wie die Frage selbst lautete: „Sage uns, wann wird dies geschehen, und was wird das Zeichen deiner Wiederkunft und des Endes der Weltzeit sein?" Hier gibt es drei Fragen:

Manche meinen, dass diese Fragen alle auf ein und dieselbe Sache weisen – die Zerstörung des Tempels. Oder sie meinten, die Zerstörung des Tempels müsse das Ende der Welt sein.

Andere meinen, ihre Frage „... wann wird dies geschehen ...?" bezieht sich auf die Zerstörung von Jerusalem und die anderen beiden auf das Ende der Welt. Die Zwölf hatten verworrene Gedanken über zukünftige Ereignisse und deshalb ist es vielleicht nicht möglich, ihre Fragen irgendwie sicher zu deuten.

Vers 4-31

Die Jünger hatten über die Zeit gefragt: „Sage uns, wann wird dies geschehen ...?" Christus gab ihnen keine Antwort darauf. Doch sie hatten auch gefragt: „... und was wird das Zeichen ... sein?" Diese Frage beantwortete er vollständig. Die Prophetie war in erster Linie über die nahe bevorstehenden Ereignisse. So wie die Prophetien des Alten Testaments, die sich unmittelbar auf die Verhältnisse der Juden beziehen, auch typologisch weiter auf die Gemeinde des Evangeliums und das Reich des Messias weisen und auf diese Weise im Neuen Testament erläutert werden, so benutzt diese Weissagung die Zerstörung von Jerusalem als Typus und blickt so weit voraus bis zum allgemeinen Gericht. Was Christus zu seinen Jüngern sagte, war mehr darauf gerichtet, sie zur Vorsicht zu verpflichten, als ihre Neugier zu befriedigen; mehr auf die Ereignisse vorzubereiten, die geschehen würden, als ihnen eine klare Vorstellung von den Ereignissen selbst zu geben.

1. Christus begann mit einer Warnung: „Habt acht, dass euch niemand verführt!" Sie erwarteten, dass ihnen gesagt wird, wann diese Dinge geschehen werden, in dieses Geheimnis eingeführt zu werden, doch diese Warnung diente dazu, ihre Neugier zu zügeln. „Was geht das euch an? Ihr solltet euch um eure eigenen Aufgaben kümmern, folgt mir und lasst euch nicht davon abbringen, mir zu folgen." Betrüger sind für die Gemeinde gefährlichere Feinde als Verfolger. Dreimal in diesem Gespräch erwähnte er das Auftreten falscher Propheten, was war:

1.1 Ein Zeichen für das kommende Verderben von Jerusalem. Es wäre für diejenigen gerecht, welche die wahren Propheten töteten, dass sie dem überlassen werden, von falschen Propheten in einer Falle gefangen zu werden, und für diejenigen, welche den echten Messias kreuzigten, dem überlassen zu werden, von falschen Christussen getäuscht und zerbrochen zu werden **(s. Vers 24)**.

1.2 Eine Prüfung für die Jünger Christi und damit entsprechend ihrem Stand der Prüfung in der Welt und gemäß Gottes Absicht, dass diejenigen offenbar werden, die bewährt sind (s. 1.Kor 11,19). Beachten Sie hinsichtlich dieser Betrüger:

Die Ansprüche, die sie erheben würden: Satan bringt große Unruhe, wenn er als Engel des Lichts auftritt (s. 2.Kor 11,14). Der Anschein des größten Guten verdeckt oft die schlimmste Bosheit.

Es würden falsche Propheten auftreten **(s. Vers 11-24)**; die Betrüger würden göttliche Erleuchtung beanspruchen, obwohl alles falsch sein würde. Manche meinen, dass die Betrüger, auf die hier verwiesen wird, eingesessene Lehrer in der Gemeinde waren, sich dann aber dem Irrtum zugewandt hatten; von solchen Menschen ist die Gefahr größer, weil man es am wenigsten für möglich hält. Ein treuloser Verräter kann in einer Garnison mehr Schaden anrichten als tausend hartnäckige Feinde von außen.

Es würden falsche Christusse auftreten **(s. Vers 24)**, die in Christi Namen kommen **(s. Vers 5)** und für sich selbst seinen besonderen Namen in Anspruch nehmen und sagen: „Ich bin der Christus!" Sie würden falsche Christusse sein. Zu dieser Zeit gab es eine allgemeine Erwartung für das Auftreten des Messias; die Menschen sprachen über ihn als den, „der kommen soll" (Mt 11,3). Doch als er kam, verwarf ihn der größte Teil des Volkes; diejenigen, die den Ehrgeiz hatten, sich einen Namen zu machen, zogen aus dieser Ablehnung Nutzen und setzten sich selbst als Christus ein.

Diese falschen Christusse und falschen Propheten würden dafür sorgen, dass ihre Bevollmächtigten und Gesandten überall tätig sind, um Menschen zu ihnen zu ziehen **(s. Vers 23)**. Wenn die öffentliche Unruhe groß und bedrohlich ist und die Menschen bereit sind, nach allem zu greifen, das nach Rettung aussieht, wird Satan ihre Verzweiflung ausnutzen und sie täuschen; dann werden sie sagen: „Siehe, hier ist der Christus, oder dort." Der echte Christus hat nicht gestritten noch geschrien (s. Mt 12,19; Jes 42,2); von ihm wurde nicht gesagt: „Siehe hier! oder: Siehe dort!" (s. Lk 17,21). Christus ist alles in allem, nicht hier oder dort (s. Eph 1,23; Kol 3,11), und er kommt zu seinen Leuten an allen Orten mit einem Segen, wo er seines Namens gedenken lässt (s. 2.Mose 20,24).

Den Beweis, den sie zur Verteidigung dieses Anspruchs bringen würden: Sie „werden große Zeichen und Wundertaten zeigen" (s. Vers 24; KJV), keine echten Wunder: Die haben ein göttliches Siegel und werden durch die Lehre Christi bestätigt. Es hieß nicht, dass diese Betrüger Wunder vollbringen würden, sondern dass sie große Zeichen zeigen; diese waren bloß Zurschaustellung.

Der Erfolg, den sie mit ihren Bemühungen haben würden: „Und sie werden viele verführen" (**Vers 5** und noch einmal **Vers 11**). Der Teufel und seine Werkzeuge können darin erfolgreich sein, arme Seelen zu täuschen. Wenige finden die enge Pforte und viele werden auf den breiten Weg gezogen (s. Mt 7,13-14). Sie würden, wenn es möglich wäre, sogar die Auserwählten verführen **(s. Vers 24)**. Dies zeigt:

Die Stärke der Täuschung; sie ist derart, dass viele von ihr verleitet werden. Wenn die Flut so stark fließt, wird sie sogar die mitreißen, die meinten, sie stehen fest. Nichts als die allmächtige Gnade Gottes nach seinem ewigen Vorsatz wird als Schutz dienen.

Die Sicherheit für Gottes Auserwählten inmitten dieser Gefahr, die in dem Ausdruck in der Einfügung vorausgesetzt wird, „wenn möglich", der eindeutig besagt, dass es nicht möglich ist, denn sie werden durch die Kraft Gottes bewahrt (s. 1.Petr 1,5). Dieser Ausdruck wurde sprichwörtlich von Galen benutzt, der, wenn er etwas sehr Schwieriges und praktisch Unmögliches ausdrücken wollte, sagte: „Eher können Sie einen Christen von Christus wegziehen."

Die wiederholten Warnungen, die unser Heiland gab. Er gab ihnen diese Warnungen, damit sie wachsam sein konnten: „Siehe, ich habe es euch vorhergesagt" **(Vers 25)**. Die, denen im Voraus gesagt wird, wo sie angegriffen werden, können sich retten. Christi Warnungen sollen uns zur Wachsamkeit verpflichten. Wir werden durch den Glauben gehalten, den Glauben an Christi Wort, das er uns vor der Zeit gesagt hat. Wir dürfen denen nicht glauben, die sagen: „Siehe, hier ist der Christus, oder dort" **(Vers 23)**. Wir glauben, dass der echte Christus zur Rechten Gottes ist und dass seine geistliche Gegenwart dort ist, wo zwei oder drei in seinem Namen versammelt sind (s. Mt 18,20). Für den echten Glauben gibt es keinen größeren Feind als unnütze Leichtgläubigkeit. Einfältige Menschen glauben jedes Wort und laufen jedem Ruf hinterher. Wir dürfen nicht zu denen herausgehen, die sagen: „Siehe, er ist in der Wüste! ... Siehe, er ist in den Kammern!" **(Vers 26)**. Wir dürfen nicht jedem folgen, der versucht, uns zu einem neuen Christus und einem neuen Evangelium zu weisen. Die fruchtlose Neugier vieler Menschen, herauszugehen, hat sie in einen verhängnisvollen Abfall vom Glauben (Apostasie) geführt.

2. Er sagte Kriege und große Unruhen unter den Völkern voraus **(s. Vers 6-7)**. Als Christus geboren wurde, gab es umfassenden Frieden im Imperium: Der Tempel des Janus war geschlossen (der römische Gott Janus war Hüter der Tore und Türen und sein Tempel in Rom war in Friedenszeiten geschlossen [Hrsg.]), doch meinen Sie nicht, dass Christus kam, um einen solchen Frieden zu senden oder fortzuführen (s. Lk 12,51). Nein, seine Stadt und seine Mauer müssen auch in unruhigen Zeiten gebaut werden und selbst Kriege werden sein Werk fördern. Hier gibt es:

2.1 Eine Weissagung des Geschehens an diesem Tag: „Ihr werdet nun bald von Kriegen und Kriegsgerüchten hören." Wenn Kriege toben, wird man davon hören. Beachten Sie, wie schrecklich Krieg ist. Selbst diejenigen, die ein ruhiges Leben auf dem Land führen, müssen von Kriegsgerüchten hören. Beachten Sie, was durch die Ablehnung des Evangeliums kommt! Diejenigen, die nicht auf die Friedensboten hören möchten, werden dazu gebracht werden, auf Kriegsboten zu hören.

2.2 Eine Weisung über ihre Verpflichtung an diesem Tag: „... erschreckt nicht." Ist es möglich, solch schlimme Nachrichten zu hören und nicht zu erschrecken? Doch wo das Herz standhaft ist und auf Gott vertraut, wird ihm der Frieden bewahrt und es fürchtet sich nicht (s. Ps 112,7; Jes 26,3). Es ist gegen den Sinn Christi (s. 1.Kor 2,16) für die Seinen, erschreckte Herzen zu haben (s. Joh 14,1.27), selbst in unruhigen Zeiten. Wir dürfen aus zwei Gründen nicht erschrecken:

Weil uns gesagt wird, dass wir dies erwarten sollen: Die Juden müssen gestraft werden. So müssen die Gerechtigkeit Gottes und die Ehre des Erlösers verteidigt werden und deshalb müssen all diese Dinge geschehen. Gott vollbringt nur die Sache, die für uns bestimmt ist. Wir wollen deshalb seinen Willen annehmen. Das alte Haus muss niedergerissen werden – obwohl das nicht ohne Lärm, Staub und Gefahr getan werden kann –, ehe das neue Gebäude errichtet werden kann: Die Dinge, die erschüttert werden – und sie wurden schwer erschüttert –, müssen entfernt werden, damit die Dinge bleiben mögen, die nicht erschüttert werden können (s. Hebr 12,27).

Weil wir immer noch Schlimmeres erwarten müssen: „... aber es ist noch nicht das Ende." Das Ende des Zeitalters ist noch nicht gekommen, und solange dieses Zeitalter dauert, müssen wir Unruhe erwarten, oder: „Das Ende dieser Unruhen ist noch nicht gekommen. Gebt Furcht und Erschrecken nicht nach, sinkt nicht unter der jetzigen Last nieder, sondern sammelt alle Kräfte und allen Geist, den ihr habt, um dem entgegenzutreten, was vor euch liegt." Wenn uns das Laufen mit den Fußgängern ermüdet, wie werden wir mit Rossen um die Wette laufen? Ferner, wenn uns ein kleiner Bach auf unserem Weg erschreckt, wie werden wir dann das Dickicht des Jordan bewältigen (s. Jer 12,5)?

3. Er sagte andere Gerichte voraus, die unmittelbarer von Gott geschickt wurden: Hungersnöte, Seuchen und Erdbeben. Das waren die drei Gerichte, aus denen David wählen sollte, und er war in großer Verlegenheit, denn er wusste nicht, was das Schlimmste war. Neben dem Krieg – und das ist genug – wird es geben:

3.1 Hungersnot, dargestellt durch das schwarze Pferd bei dem dritten Siegel (s. Offb 6,5-6). Während der Belagerung gab es die schlimmste Hungersnot in Jerusalem.

3.2 Seuchen, dargestellt durch das fahle Pferd mit dem Tod darauf, und das Totenreich folgte ihm nach bei dem vierten Siegel (s. Offb 6,7-8).

3.3 Erdbeben an etlichen Orten. Manchmal wurde durch Erdbeben schwere Verwüstung verursacht; sie haben den Tod von vielen Menschen verursacht und Schrecken für noch viel mehr. Hier wird jedoch von ihnen gesprochen als furchtbaren Gerichten, die erst der „Anfang der Wehen" sind.

4. Er sagte die Verfolgung der Seinen und seiner geistlichen Diener und einen allgemeinen Abfall vom Glauben (Apostasie) und Verfall in der Religion unmittelbar danach voraus **(s. Vers 9-10.12)**. Beachten Sie:

4.1 Das vorausgesagte Kreuz selbst (s. Vers 9). Es ist genauso sehr in unserem Interesse – obwohl wir nicht sehr daran interessiert sind –, über unser Leiden zu erfahren, wie etwas über irgendein zukünftiges Ereignis zu erfahren. Christus hatte seinen Jüngern gesagt, welche schweren Dinge sie erleiden würden, doch bis zu dieser Zeit hatten sie davon wenig erlebt, und deshalb erinnerte er sie wieder daran. Sie würden mit Fesseln und Haft geplagt werden. Sie würden getötet werden. Sie würden um des Namens Christi willen von allen Völkern gehasst werden, wie er ihnen zuvor schon gesagt hatte (s. Mt 10,22). Die Welt war allgemein mit Hass und Feindschaft gegen die Christen erfüllt. Was sollen wir von dieser Welt denken, wenn wir bedenken, dass die besten Menschen in ihr die schlimmste Behandlung erfahren? Das ist der Grund, der sowohl Märtyrer macht als auch sie tröstet; es geschah um Christi willen, dass sie so gehasst wurden.

4.2 Den Anstoß des Kreuzes (s. Vers 10-12). Die nachteiligen Auswirkungen von Verfolgung werden hier vorhergesagt:

Der Abfall vom Glauben (Apostasie) von manchen. Als das Bekenntnis zum Christentum beginnen würde, den Leuten teuer zu stehen zu bekommen, würden viele Anstoß nehmen. Sie würden zuerst von ihrem Bekenntnis abfallen und sich dann davon abwenden. Es ist nichts Neues, wenn es auch sonderbar ist, dass diejenigen, die den Weg der Gerechtigkeit kennengelernt haben, sich von ihm abwenden. Zeiten des Leids sind Zeiten der Unruhe, und diejenigen, die bei schönem Wetter standen, fallen im Sturm. Viele, die Christus im Sonnenschein folgen, werden ihn an wolkigen und finstern Tagen verlassen, um für sich selbst zu sorgen.

Der Hass von anderen. Dann werden sie einander verraten; das heißt: „Diejenigen, die ihren religiösen Glauben verraten haben, werden diejenigen hassen und verraten, die ihm treu bleiben." Solche, die sich vom Glauben abkehrten, waren gewöhnlich die erbittertsten und heftigsten Verfolger. Verfolgungszeiten sind Zeiten der Offenbarung. Wölfe im Schafspelz werden dann ihre Tarnung abwerfen und sich als das zeigen, was sie wirklich sind: Wölfe. Sie werden einander verraten und hassen.

Das allgemeine Erkalten der meisten Menschen (s. Vers 12). Diese zwei Dinge muss man erwarten:

Die Zunahme von Sünde; obwohl die Welt immer im Argen ist, gibt es Zeiten, in denen man sagen kann, dass das Böse besonders zunimmt.

Die Abnahme der Liebe; dies ist die Folge der vorigen Veränderung: „Und weil die Gesetzlosigkeit überhandnimmt, wird die Liebe in vielen erkalten." Dies kann man so verstehen, dass es allgemein auf echte, ernsthafte Gottesfurcht verweist, die man ganz mit Liebe zusammenfassen kann. Es ist für diejenigen, die den religiösen Glauben bekennen, nur zu gewöhnlich, in ihrem Bekenntnis kalt zu werden, wenn Übeltäter heiß in ihrer Bosheit sind. Oder man kann es so verstehen, dass es sich eher auf die gegenseitige Liebe zwischen Gläubigen bezieht. Wenn die Bosheit zunimmt – Bosheit, die täuscht und verfolgt –, dann erkaltet diese Gnadengabe oft. Christen beginnen, einander gegenüber schüchtern und misstrauisch zu werden, und so hört die Liebe auf. Dass es ein solch allgemeines Abnehmen der Liebe geben wird, ist eine schlimme Aussicht für die Zeit, doch:

- Es ist die Liebe vieler, nicht aller. In den schlimmsten Zeiten behält Gott immer noch seinen Überrest, der an seiner Rechtschaffenheit festhält und seinen Eifer behält wie in den Tagen Elias, als er meinte, alleine zu sein (s. 1.Kön 19,10.14).
- Diese Liebe erkaltet, doch sie ist nicht tot. In den Wurzeln ist noch Leben, das sich zeigen wird, wenn der Winter vorüber ist (s. Hld 2,11-13).

4.3 Die Ermutigung, die in Bezug auf den Anstoß des Kreuzes gegeben wird, um das Volk des Herrn darunter zu unterstützen: „Wer aber ausharrt bis ans Ende, der wird gerettet werden" **(Vers 13).** Das ist für diejenigen ermutigend, die der Sache Christi allgemein Gutes wünschen, dass, obwohl sich viele abwenden werden, manche bis zum Ende ausharren werden. Es ist für diejenigen ermutigend, die auf diese Weise bis zum Ende ausharren, die für ihre Treue leiden, dass sie gerettet werden sollen. Die Beharrlichkeit gewinnt die Krone, durch die freie Gnade, und wird sie tragen. Sie werden gerettet werden. Die Krone der Herrlichkeit wird alles wettmachen. Ziehen Sie es vor, lieber auf dem Scheiterhaufen mit den Verfolgten zu sterben, als mit den Verfolgern in einem Palast zu leben (s. Ps 84,11).

5. Er sagte die Predigt des Evangeliums in der ganzen Welt voraus: „Und dieses Evangelium vom Reich wird ... verkündigt werden ... und dann wird das Ende kommen" **(Vers 14).** Es wird das Evangelium vom Reich genannt, denn es offenbart das Reich der Gnade, welches in das Reich der Herrlichkeit führt. Dieses Evangelium muss, früher oder später, in der ganzen Welt der ganzen Schöpfung gepredigt werden (s. Mk 16,15). Das Evangelium wird zum Zeugnis für alle Völker gepredigt, das heißt als eine getreue Kundgebung des Sinnes und Willens Gottes.

5.1 Es wurde hier darauf hingewiesen, dass man zumindest in der damals bekannten Welt vor der Zerstörung Jerusalems von dem

Evangelium reden oder es selber hören würde. Innerhalb von vierzig Jahren nach dem Tod Christi war der Schall des Evangeliums bis an die Enden der Erde gedrungen (s. Röm 10,18). Der Apostel Paulus predigte das Evangelium völlig von Jerusalem und ringsumher bis nach Illyrien (s. Röm 15,19), auch die anderen Apostel waren nicht untätig. Die Verfolgung der Heiligen in Jerusalem förderte ihre Zerstreuung, sodass sie überall umherzogen und das Wort verkündigten (s. Apg 8,1-4).

5.2 Es wurde auch angezeigt, dass selbst in Zeiten der Versuchung, Unruhe und Verfolgung sich das Evangelium des Reiches seinen Weg durch den größten Widerstand bahnen würde. Obwohl die Feinde der Gemeinde ihren Hass mit großer Intensität zeigen würden und die Liebe viele ihrer Freunde erkalten würde, würde das Evangelium immer noch gepredigt werden. Dann würden diejenigen, die ihren Gott kennen würden, gestärkt werden, die größten Taten überhaupt zu vollbringen.

5.3 Was hier vor allem gemeint zu sein scheint, ist, dass das Ende der Welt kommen würde, wenn das Evangelium sein Werk in der Welt vollendet haben würde, und nicht vorher. Wenn das Geheimnis Gottes vollendet ist, der mystische Leib vollendet ist, dann wird das Ende kommen, von dem er vorher gesagt hatte, dass es noch nicht da sei **(s. Vers 6)**.

6. Er sagte ausdrücklicher das Verderben voraus, welches über das Volk der Juden kommen sollte: ihre Stadt, den Tempel und die Nation **(s. Vers 15)**. Was er hier sagte, würde für seine Jünger sowohl für ihr Verhalten als auch für ihren Trost in Bezug auf dieses große Ereignis nützlich sein. Er beschrieb die verschiedenen Stufen dieser Katastrophe:

6.1 Die Römer stellen den „Gräuel der Verwüstung ... an heiliger Stätte" auf **(Vers 15)**.

Manche verstehen das so, dass es sich auf einen Götzen oder eine Statue bezieht, die von manchen römischen Statthaltern im Tempel aufgestellt wurde, was für die Juden sehr anstößig war. Seit dem babylonischen Exil war oder konnte für die Juden nichts widerlicher sein als ein Götze an heiliger Stätte.

Andere entschließen sich, es durch die Parallelstelle zu erklären: „Wenn ihr aber Jerusalem von Kriegsheeren belagert seht" (Lk 21,20). Jerusalem war die heilige Stadt, Kanaan war das heilige Land, und der Berg Morija, der in der Nähe von Jerusalem lag, war, so meinten sie, besonders heiliger Boden wegen seiner Nähe zum Tempel. Die römische Armee lagerte auf dem Gebiet, das um Jerusalem herumlag, und nach dieser Auslegung war ihre dortige Gegenwart der Gräuel, der Verwüstung anrichten würde.

Es heißt nun, dass dies Daniel sagte, der Prophet, der klarer über den Messias und sein Reich sprach, als es jeder andere alttestamentliche Prophet tat. Christus verwies seine Zuhörer auf diese Prophetie von Daniel, damit sie sehen konnten, wie im Alten Testament über das Verderben für ihre Stadt und ihren Tempel gesprochen wurde, was diese Weissagung bekräftigen würde. So, wie Christus durch seine Gebote das Gesetz bestätigte, bekräftigte er durch seine Weissagungen die Prophetien des Alten Testaments, und es wird von Nutzen sein, die beiden zu vergleichen.

Weil hier auf eine Prophetie verwiesen wurde und Prophetien für gewöhnlich geheimnisvoll und dunkel sind, führte Christus diese Bemerkung ein: „... wer es liest, der achte darauf!" Diejenigen, welche die Schriften lesen, sollten danach streben, sie zu verstehen; denn sonst wird ihnen ihr Lesen nicht viel Gutes tun; wir können nicht anwenden, was wir nicht verstanden haben (s. Joh 5,39; Apg 8,30). Wir dürfen nicht die Hoffnung aufgeben, selbst verwirrende Prophetien zu verstehen; die große Prophetie des Neuen Testaments wird eine Offenbarung genannt, nicht ein Geheimnis. Die offenbarten Dinge nun gehören uns (s. 5.Mose 29,28; 1.Petr 1,12), und deshalb müssen sie demütig und sorgfältig erforscht werden.

6.2 Die Mittel zur Bewahrung, welche denkende Menschen anwenden sollten: „Dann fliehe auf die Berge, wer in Judäa ist" **(Vers 16)**. Dies können wir verstehen:

Als eine Weissagung über das Verderben selbst: dass es unaufhaltsam sein würde, dass es für die unerschrockensten Herzen unmöglich sein würde, sich ihm zu widersetzen, dass sie stattdessen darauf zurückgreifen müssten, ihm aus dem Weg zu gehen. Um zu zeigen, wie vergeblich der Versuch sein würde, dem zu widerstehen, sagte Christus hier jedem Einzelnen, wie er so gut wie möglich einen Ausweg finden konnte.

Als eine Anleitung für die Nachfolger Christi, was zu tun ist. Sie sollen den Ratschluss akzeptieren, der verfügt worden war, und die Stadt und das Land so schnell wie möglich verlassen, so, wie sie ein einstürzendes Haus oder ein sinkendes Schiff preisgeben würden und wie Lot Sodom verlassen hat (s. 1.Mose 19). Er zeigte ihnen:

Wohin sie fliehen müssen – von Judäa in die Berge. In Zeiten drohender Gefahr und Unsicherheit ist es nicht nur rechtmäßig, sondern auch unsere Pflicht, dass wir durch alle guten und redlichen Mittel unseren eigenen Schutz suchen, und wenn Gott eine Tür des Entrinnens öffnet (s. 1.Kor 10,13), sollten wir entrinnen; andernfalls vertrauen wir Gott nicht, sondern versuchen ihn. Solange wir nur vor der Gefahr fliehen und nicht vor unserer Pflicht, können wir Gott vertrauen, dass er uns versorgt. Wer flieht, lebt, um einen neuen Tag zu sehen und kann wieder kämpfen.

Wie rasch sie entkommen müssen **(s. Vers 17-18).** Das Leben wird in Gefahr sein und deshalb sollen diejenigen, die auf dem Dach sind, wenn der Warnruf kommt, nicht hinunter in das Haus laufen, sondern den nächsten Weg herunter nehmen, um zu entkommen. Für diejenigen, die auf dem Feld sind, wird es das weiseste Handeln sein, sofort fortzulaufen. Dies hat zwei Gründe:
Die Zeit, die es brauchen würde, um ihre Sachen zu ergreifen, würde ihr Entkommen verzögern. Wenn der Tod vor der Tür steht, sind Verzögerungen gefährlich.
Das Nehmen der Kleidung und anderer persönlicher Habe mit sich würde ihre Flucht behindern. Die Aramäer warfen auf ihrer Flucht ihre Kleider fort (s. 2.Kön 7,15). Diejenigen, die das Wenigste mitnehmen, würden auf ihrer Flucht am sichersten sein. Diejenigen, die Gnade im Herzen haben, nehmen alles Nötige mit sich, wenn ihnen alle irdischen Besitztümer genommen sind. Nun haben diejenigen, denen Christus dies direkt sagte, nicht gelebt, um diesen traurigen Tag zu sehen, keiner der Zwölf außer Johannes, doch sie gaben diese Anleitung ihren Nachfolgern in der Berufung, die sich danach richteten, und sie war nützlich für sie, denn als die Christen in Jerusalem und Judäa sahen, wie das Verderben herannahte, zogen sich alle in eine Stadt namens Pella zurück, auf der anderen Seite des Jordan, wo sie sicher waren. Das Ergebnis war, dass unter den Tausenden, die bei der Zerstörung Jerusalems umkamen, nicht einmal ein Christ war.
Wem es in dieser Zeit schlimm ergehen würde: „Wehe aber den Schwangeren und den Stillenden in jenen Tagen!" **(Vers 19).** Der Spruch von Jesus bei seinem Tod bezieht sich genau auf dieses Ereignis: Sie werden sagen: „Glückselig sind ... die Leiber, die nicht geboren, und die Brüste, die nicht gestillt haben!" (Lk 23,29). Der Mangel wird für sie am schlimmsten sein, wenn sie sehen, wie die Zunge des Säuglings vor Durst an seinem Gaumen klebt. Das Schwert würde für sie am schlimmsten sein, da es in den Händen derer wäre, die schlimmer als brutal wüten würden. Auch die Flucht wäre für sie äußerst mühsam. Schwangere Frauen können sich nicht schnell bewegen oder weit gehen; das gestillte Kind kann nicht zurückgelassen werden, oder wenn man es tut, kann eine Frau es vergessen, dass sie sich seiner nicht erbarmen (s. Jes 49,15)? Wenn das Kind mit der Mutter mitgenommen wird, verlangsamt es die Flucht der Mutter und gefährdet so ihr Leben.
Wofür sie in dieser Zeit beten sollten – „... dass eure Flucht nicht im Winter noch am Sabbat geschieht" **(Vers 20).** Es ist allgemein gut für Christi Jünger, in Zeiten der Unruhe und Not im Gebet zu sein; dies ist eine Lotion für jede Wunde und niemals unpassend.

„Es gibt kein Heilmittel außer der Flucht; der Ratschluss ist beschlossen. Strebt danach, das Beste aus dem zu machen, was ist, und wenn ihr nicht im Glauben beten könnt, dass ihr nicht gezwungen sein möget, zu fliehen, dann betet doch, dass die Umstände eurer Flucht in gnädiger Weise so geordnet werden, dass ihr vor dem äußersten Gericht bewahrt werdet, wenn dieser Kelch auch nicht an euch vorübergehen kann" (s. Mt 26,39). Gott hat die Entscheidung über die Umstände des Ereignisses, was manchmal auf die eine oder andere Weise einen großen Unterschied macht, und deshalb müssen unsere Augen in diesen Angelegenheiten immer auf ihn gerichtet sein. Dass Christus ihnen sagte, sie sollten um diese Gunst beten, zeigt seine Absicht, sie ihnen zu gewähren, und in einer allgemeinen Katastrophe dürfen wir nicht die Güte in den begleitenden Umständen übersehen, sondern sehen und anerkennen, wie die Katastrophe noch schlimmer hätte sein können. Wenn in großer Entfernung Schwierigkeiten in Sicht sind, ist es gut, im Voraus einen Vorrat an Gebeten zu haben; sie müssen beten:
Dass ihre Flucht, wenn es Gottes Wille wäre, nicht im Winter sein möge, wenn die Tage kurz, das Wetter kalt und die Wege schmutzig sind und das Reisen deshalb sehr unbequem ist, besonders für ganze Familien. Obwohl leibliche Bequemlichkeit nicht die Hauptüberlegung ist, sollte sie gebührend bedacht werden; obwohl wir annehmen müssen, was Gott schickt und wenn er es schickt, können wir doch gegen leibliche Unannehmlichkeiten beten und werden ermutigt, dies zu tun.
Dass sie nicht am Sabbat sein möge. Christus zeigt oft Interesse für den Sabbat. Hier zeigte er, dass er wollte, dass der Sabbat in der Regel als ein Tag der Ruhe vom Reisen und von weltlicher Arbeit beachtet werden soll, dass aber notwendige Arbeiten am Sabbat rechtmäßig seien wie dieses Werk der Flucht vor einem Feind, um unser Leben zu retten. Es wird aber auch gezeigt, dass es für gute Menschen sehr unbequem ist, durch irgendeine notwendige Arbeit am Sabbat von dem feierlichen Gottesdienst und der Anbetung Gottes ferngehalten zu werden. Wir sollten beten, dass wir ruhige, ungestörte Sabbate haben und am Sabbat keine andere Arbeit zu tun haben als Werke des Sabbats, damit wir ohne Ablenkung die Gegenwart des Herrn beachten können. Im Winter zu fliehen ist unbehaglich für den Leib, doch am Sabbat zu fliehen ist unbehaglich für die Seele.

6.3 Die Größe der Schwierigkeiten, die unmittelbar folgen würden: „Denn dann wird eine große Drangsal sein" **(Vers 21);** wenn das Maß der Sünde vollgefüllt ist, dann kommt die Not. Es wird eine große Drangsal geben. Wahrhaftig groß, wenn in der Stadt Seuchen und Hunger wüten und, noch schlimmer,

Zwietracht und Spaltungen entstehen, sodass jeder sein Schwert gegen seinen Mitmenschen richtet; da und dort war es, dass die bedauernswerten Frauen ihre eigenen Kinder häuteten. Josephus Geschichte des Jüdischen Krieges enthält mehr tragische Passagen als vielleicht jede andere Geschichte.

Es war eine beispiellose Verwüstung, wie es sie nicht gab seit Beginn der Welt noch jemals geben wird. Viele Städte und Reiche wurden verwüstet, doch es hat nie eine solche Verwüstung wie diese gegeben. Es überrascht kaum, dass die Zerstörung von Jerusalem eine beispiellose Zerstörung war, da die Sünde Jerusalems eine beispiellose Sünde war – nämlich, dass sie Christus kreuzigten. Je näher die Menschen Gott im Bekenntnis und in den Vorrechten sind, desto größer und schärfer werden seine Gerichte über sie sein.

Es war eine Verwüstung, die unerträglich gewesen wäre, wenn sie lange Zeit angehalten hätte, sodass „kein Fleisch gerettet werden" würde **(Vers 22)**. Kein Fleisch soll gerettet werden; Christus sagte nicht: „Keine Seele wird gerettet werden", denn die Zerstörung des Fleisches kann für die Errettung des Geistes am Tag des Herrn Jesus sein (s. 1.Kor 5,5). Hier gibt es jedoch ein Wort des Trostes inmitten all dieses Schreckens – dass um der Auserwählten willen diese Tage verkürzt werden sollen, nicht kürzer gemacht, als wie Gott sie beschlossen hat, sondern kürzer, als er sie hätte verfügen können, wenn er mit ihnen gemäß ihrer Sünden umgegangen wäre. In Zeiten der allgemeinen Katastrophe offenbart Gott seine Gunst für seinen auserwählten Überrest, sein besonderes Eigentum (s. 2.Mose 19,5; Ps 135,4), das er bewahren wird, wenn die Beutestücke geplündert worden sind. Das Verkürzen der Katastrophe ist eine Gunst, die Gott oft gewährt. Wenn wir unsere Schwächen bedenken würden, dann würden wir, statt zu beklagen, dass unsere Nöte so lange anhalten, Grund haben, dafür dankbar zu sein, dass sie nicht für immer anhalten. Wenn die Dinge bei uns so schlecht laufen, ist es für uns gut zu sagen: „Gottlob sind sie nicht schlimmer." Jetzt kommt die wiederholte Warnung, sich davor zu hüten, von falschen Christussen und Propheten umgarnt zu werden **(s. Vers 23)**. Zeiten großer Unruhe sind Zeiten großer Versuchung und deshalb müssen wir dann doppelt wachsam sein. Schenken Sie diesen Betrügern keine Aufmerksamkeit; es ist alles bloßes Geschwätz.

7. Er sagte die plötzliche Ausbreitung des Evangeliums in der Welt um die Zeit dieser großen Ereignisse voraus: „Denn wie der Blitz ausgeht vom Osten ... so wird auch das Kommen des Menschensohns sein" **(Vers 27**; LÜ 84**)**.

7.1 Es scheint sich in erster Linie auf sein Kommen zu beziehen, um sein geistliches Reich in der Welt zu gründen. Das Evangelium würde auf zwei Weisen auffallend sein:

Seine rasche Geschwindigkeit: Es würde ausfahren wie ein Blitz. Das Evangelium ist Licht (s. Joh 3,19), doch nicht darin wie ein Blitz, dass der Blitz ein plötzliches Aufleuchten und dann fort ist; denn das Evangelium ist Sonnenlicht und Tageslicht. Es gleicht in dieser Hinsicht einem Blitz:

Es ist Licht vom Himmel, wie es der Blitz ist. Blitze werden von Gott gesandt, nicht von Menschen; er ruft sie.

Es ist genauso sichtbar und auffallend wie ein Blitz. Die Wahrheit sucht keine verborgenen Winkel, wie oft sie vielleicht auch manchmal in sie hineingezwungen wird. Christus predigte offen sein Evangelium (s. Joh 18,20) und seine Apostel predigten auf den Dächern (s. Mt 10,27).

Es kommt so plötzlich und unerwartet in die Welt wie ein Blitz. Die Kräfte der Finsternis wurden durch das Licht des Evangeliums versprengt und besiegt.

Es breitete sich weit und breit aus, schnell und unaufhaltsam wie ein Blitz, der, wie wir annehmen, vom Osten kommt – von Christus heißt es, dass er von Osten heraufsteigt (s. Offb 7,2; Jes 41,2) – und gibt Licht bis zum Westen. Das Licht des Evangeliums erhob sich mit der Sonne und erhebt sich weiter, sodass seine Strahlen bis an die Enden der Erde reichen (s. Röm 10,18). Obwohl das Evangelium bekämpft wurde, konnte es nie in einer Wüste oder einem geheimen Ort eingepfercht werden, wie es die Betrüger waren, sondern es bewies nach der Regel von Gamaliel, dass es von Gott ist: Es konnte nicht vernichtet werden (s. Apg 5,38-39). Wie rasch erreichte dieser Blitz des Evangeliums dieses Land – Großbritannien! Tertullian, der im zweiten Jahrhundert schrieb, nimmt davon Notiz: „Die Festungen Britanniens wurden von Jesus Christus in Besitz genommen, obwohl sie für die Römer unerreichbar waren." Dies war vom Herrn geschehen (s. Ps 118,23).

Sein sonderbarer Erfolg an den Orten, auf die es sich verbreitet; es sammelte Massen. Die Erhöhung von Christus von der Erde, das heißt die Predigt von dem gekreuzigten Christus, von der man meinen sollte, dass sie die Menschen von ihm forttreibt, würde alle Menschen zu ihm hinziehen (s. Joh 12,32). Wohin sollte die Seele gehen außer zu Jesus Christus, der Worte des ewigen Lebens hat (s. Joh 6,68)? Diejenigen, deren geistliche Sinne geübt sind, werden die Stimme des guten Hirten von der eines Diebes und Räubers unterscheiden. Heilige werden dort sein, wo der echte Christus ist, nicht wo die falschen Christusse sind. In allen Heiligen ist die Motivation der Gnade eine Art natürlicher Instinkt, der sie immer näher zu Christus zieht, um von ihm zu leben.

7.2 Manche verstehen diese Verse als Verweis

auf das Kommen des Sohnes des Menschen, um Jerusalem zu zerstören (s. Mal 3,1-2.5). Hier werden zwei Dinge darüber angekündigt:
Dass es für die meisten Menschen so unerwartet kommen würde wie ein Blitz, der ja wirklich vor dem folgenden Donnerschlag warnt, selbst aber überraschend ist.
Dass man dies genauso gut erwarten konnte, wie man erwartet, dass Geier zum Aas fliegen. Die Verwüstung würde genauso gewiss kommen, wie Raubvögel über einen toten Kadaver herfallen. Die Juden waren so verkommen und degeneriert, dass sie wie Aas geworden waren, dem gerechten Gericht Gottes unterworfen. Die Römer waren wie ein Adler und die Standarte ihrer Armeen war ein Adler. Die Vernichtung würde die Juden finden, wo sie auch sind, so wie Adler ihre Beute wittern.

7.3 Es passt sehr gut auf den Tag des Gerichts, das Kommen unseres Herrn Jesus an diesem Tag. Beachten Sie hier:
Wie er kommen wird: wie der Blitz. Diejenigen, die nach Christus suchen, dürfen deshalb nicht in die Wüste oder an geheime Orte gehen noch auf jemanden hören, der einen Finger hebt, um sie zu rufen, Christus zu sehen; sie sollen vielmehr aufwärts blicken, denn die Himmel müssen ihn aufnehmen (s. Apg 3,21), und von dort her erwarten wir den Heiland (s. Phil 3,20).
Wie die Heiligen zu ihm mit der größtmöglichen Geschwindigkeit versammelt werden.

8. Er sagte sein zweites Kommen am Ende der Zeit voraus **(s. Vers 29-31)**. Die Sonne wird verfinstert werden.

8.1 Manche meinen, dies ist so zu verstehen, dass es sich nur auf die Zerstörung Jerusalems und des jüdischen Volkes bezieht; die Verfinsterung der Sonne, des Mondes und der Sterne zeigt nach dieser Sicht den Niedergang der Herrlichkeit dieses Staates, „das Zeichen des Menschensohnes" **(Vers 30)** meint ein merkliches Auftreten der Macht und Gerechtigkeit des Herrn Jesus darin, und das Versammeln seiner Auserwählten **(s. Vers 31)** stellt die Rettung eines Überrestes aus dieser Sünde und diesem Verderben dar.

8.2 Ich meine jedoch, dass es sich auf das zweite Kommen Christi bezieht. Der einzige Einwand dagegen ist, dass es heißt, es sei „bald ... nach der Drangsal jener Tage", doch dazu:
Es ist für den prophetischen Stil üblich, über große und sichere Dinge als nahe und kurz bevorstehend zu sprechen, einfach um ihre Größe und Gewissheit auszudrücken.
Tausend Jahre sind aus Gottes Sicht wie ein Tag (s. 2.Petr 3,8). Das wurde von Petrus als Verweis genau auf diese Sache gesagt, und so konnte man sagen, dass es unmittelbar darauf folgt. Über das zweite Kommen Christi wurde hier vorausgesagt:
Dass es dann eine große und erstaunliche Veränderung bei geschaffenen Dingen geben wird, besonders bei den Himmelskörpern **(s. Vers 29)**.
„... wird die Sonne verfinstert werden, und der Mond wird seinen Schein nicht geben, und die Sterne werden vom Himmel fallen und die Kräfte des Himmels erschüttert werden." Dies zeigt, dass:
Es eine große Veränderung sein wird, sodass alle Dinge neu gemacht werden.
Es eine sichtbare Veränderung sein wird, eine, welche die ganze Welt bemerken muss, denn die Verfinsterung der Sonne und des Mondes müssen eine solche Wirkung haben. Es wird auch eine erstaunliche Veränderung sein. „Die Tage des Himmels" (s. Ps 89,30) und das Bestehen der Sonne und des Mondes (s. Ps 72,5) werden benutzt, um auszudrücken, was dauerhaft und unveränderlich ist, und selbst dies wird auf diese Weise erschüttert werden.
Es eine umfassende Veränderung sein wird. Die Natur wird einen allgemeinen Schock und eine allgemeine Erschütterung erleiden, doch das wird die Freude und das Frohlocken des Himmels und der Erde vor dem Herrn nicht behindern, wenn er kommt, um die Welt zu richten.
Das Verfinstern der Sonne, des Mondes und der Sterne, die gemacht wurden, um über den Tag und über die Nacht zu herrschen (s. 1.Mose 1,16-18), stellt die Beseitigung aller Herrschaften, Gewalten und Mächte dar (s. 1.Kor 15,24.28). Die Sonne wurde beim Tod Christi verfinstert, denn das war in gewissem Sinn das Gericht über die Welt (s. Joh 12,31).
Das herrliche Auftreten unseres Herrn Jesus wird die Sonne und den Mond verfinstern, wie eine Kerze durch die Strahlen der mittäglichen Sonne verfinstert wird.
Die Sonne und der Mond werden verfinstert werden, weil sie nicht mehr gebraucht werden. Für die Heiligen, die ihren Schatz oben haben, wird ein solches Licht der Freude und Ermutigung gegeben werden, dass es das Licht der Sonne und des Mondes ersetzen und nutzlos machen wird.
Dass dann am Himmel das Zeichen des Menschensohnes erscheinen und der Menschensohn selbst erscheinen wird, wie hieraus folgt: „... und sie werden den Sohn des Menschen kommen sehen auf den Wolken" **(Vers 30)**. Bei seinem ersten Kommen wurde er als ein Zeichen gesetzt, dem widersprochen wurde (s. Lk 2,34), doch bei seinem zweiten Kommen wird er ein Zeichen sein, über das man staunen wird.
Dass dann alle Geschlechter der Erde trauern werden **(s. Vers 30)**. Einige von allen Menschen der Erde werden trauern, während der auserwählte Überrest voller Freude sein Haupt erheben wird, weil er weiß, dass seine Erlösung und sein Erlöser nahegekommen ist. Bußfertige Sünder blicken auf Christus und trauern

mit gottgewollter Betrübnis (s. 2.Kor 7,10), und diejenigen, die mit Tränen säen, werden bald mit Freuden ernten (s. Ps 126,5).

Dass sie dann den Menschensohn auf den Wolken des Himmels mit großer Kraft und Herrlichkeit kommen sehen werden. Dies zeigt uns:

Das Gericht dieses großen Tages wird dem Sohn übergeben (s. Joh 5,22).

Der Menschensohn wird an diesem Tag mit den Wolken des Himmels kommen. Ein großer Teil der physikalischen Wechselwirkung zwischen Himmel und Erde geschieht durch die Wolken, welche vom Himmel von der Erde gezogen werden und sich durch den Himmel auf die Erde niederschlagen. Christus ging in einer Wolke in den Himmel und wird in gleicher Weise von dort zurückkommen (s. Apg 1,9.11).

Er wird mit großer Kraft und Herrlichkeit kommen: Sein erstes Kommen war in Schwachheit und großer Niedrigkeit (s. 2.Kor 13,4), doch sein zweites Kommen wird mit Kraft und Herrlichkeit sein.

Der Menschensohn wird der Richter sein, sodass man ihn sehen kann, sodass die Sünder hierdurch vielleicht sogar noch mehr bestürzt sein werden. „Ist dies derjenige, den wir beleidigt und abgelehnt und gegen den wir uns aufgelehnt haben; derjenige, den wir für uns selbst neu gekreuzigt haben; der Eine, welcher unser Heiland hätte sein können, nun aber unser Richter ist?"

Dass er mit starkem Posaunenschall seine Engel aussenden wird **(s. Vers 31)**. Die Engel werden bei seinem zweiten Kommen Christi Diener sein; sie werden nötig sein, um ihm zu dienen. Sie sind jetzt dienstbare Geister, die von ihm ausgesandt (s. Hebr 1,14), und genauso werden sie dann ausgesendet. Ihr Dienst wird von starkem Posaunenschall eingeleitet werden. Nach dem Gesetz sollten die Posaunen bei der Verkündigung des Jubeljahres erschallen (s. 3.Mose 25,9); deshalb ist es äußerst passend, dass am letzten Tag eine Posaune erschallt, wenn die Heiligen in ihr ewiges Jubeljahr eintreten werden.

Dass sie seine Auserwählten von den vier Himmelsrichtungen her sammeln werden. Beim zweiten Kommen Christi wird es ein allgemeines Zusammentreffen aller Heiligen geben. Diese, die Christus vom Vater aus Liebe für die Ewigkeit gegeben wurden, sind die Erfüllung seines von Ewigkeit her aus Liebe gefassten Ratschlusses und der Herr kennt die Seinen (s. 2.Tim 2,19). Die Engel werden als Diener Christi und Freunde der Heiligen dazu benutzt werden, um die Heiligen zusammenzubringen. Sie werden von einem Ende des Himmels bis zum anderen versammelt werden; diejenigen, die Gott erwählt hat, sind zerstreut (s. Joh 11,52), doch wenn der große Tag des Sammelns kommt, wird nicht einer von ihnen fehlen; die größte Entfernung eines Ortes wird niemanden vom Himmel fernhalten, solange nicht sein Herz auf Distanz zu Gott ist.

Vers 32-51

Hier ist die praktische Anwendung der vorangehenden Weissagung; wir müssen allgemein die vorhergesagten Ereignisse erwarten und uns auf sie vorbereiten.

1. Wir müssen sie erwarten: „,Von dem Feigenbaum aber lernt das Gleichnis.' Lernt, wie ihr die Dinge anwenden könnt, die ihr gehört habt, damit ihr erkennen könnt, was vor der Tür steht und euch entsprechend darauf vorbereiten könnt" **(Vers 32)**. Das Gleichnis von dem Feigenbaum ist nicht mehr, als dass sein Sprossen und Blühen Zeichen sind, dass der Sommer kommt. Wenn Gott Prophetien erfüllt, dann wird er sie anfangen und vollenden (s. 1.Sam 3,12). Wenn die Zweige saftig werden, erwarten wir die Winde des März und die Schauer des April, ehe der Sommer kommt; wir sind indes sicher, dass er kommt. „Ähnlich wird, wenn der Tag des Evangeliums dämmert, auch der volle Tag kommen. Wisst, dass er nahe ist" (s. Spr 4,18). Wenn die „Bäume der Gerechtigkeit" (Jes 61,3) zu sprießen und zu blühen beginnen, wenn Gottes Kinder Treue verheißen, ist das ein glückliches Zeichen für kommende gute Zeiten. Gott beginnt in ihnen sein Werk (s. Phil 1,6); er bereitet zuerst ihr Herz vor und dann wird er sein Werk fortführen. In Bezug auf die hier vorhergesagten Ereignisse, die wir erwarten müssen:

1.1 Versichert Christus uns ihre Gewissheit: „Himmel und Erde werden vergehen, aber meine Worte werden nicht vergehen" **(Vers 35)**. Das Wort Christi ist sicherer und bleibender als Himmel und Erde. Wir können mit größerer Gewissheit auf das Wort Christi bauen, als wir es auf die Säulen des Himmels oder die Grundmauern der Erde können, denn wenn sie nicht mehr sind, wird das Wort Christi bleiben. Zu Gottes Zeit, welches die beste Zeit ist, und auf Gottes Weise, welches die beste Weise ist, wird es sich sicherlich erfüllen. Jedes Wort Christi ist sehr rein und deshalb auch sehr gewiss.

1.2 Belehrt er uns hier, was ihre Zeit betrifft **(s. Vers 34-36)**.

Was dies anbetrifft, gibt es eine klare Unterscheidung zwischen diesen Dingen **(s. Vers 34)** *und jenem Tag und der Stunde* **(s. Vers 36)**, was helfen wird, diese Prophetie zu erklären. Was diese Dinge anbetrifft, besonders das Verderben des jüdischen Volkes: „Dieses Geschlecht wird nicht vergehen, bis dies alles geschehen ist" **(Vers 34)**. Es gibt jetzt lebende Menschen, die sehen werden, wie Jerusalem zerstört wird. Weil dies sonderbar erscheinen könnte, unterstützt er es mit einer feierlichen Zusicherung: „,Wahrlich, ich sage euch.' Ihr könnt mich

dafür beim Wort nehmen, diese Dinge stehen direkt vor der Tür."
Was jedoch jenen Tag und die Stunde betrifft, welche der Zeit ein Ende setzen werden, so kennt ihn kein Mensch **(s. Vers 36)**. Ein bestimmter Tag und eine bestimmte Stunde sind für das kommende Gericht festgelegt; es wird „der Tag des Herrn" genannt. Dieser Tag und diese Stunde sind ein großes Geheimnis. Kein Mensch weiß es: nicht der weiseste Mensch durch seine Weisheit, nicht der beste Mensch durch irgendeine göttliche Offenbarung. „Niemand weiß es außer meinem Vater." Für diejenigen, die wachsam sind, ist die Ungewissheit der Zeit des Kommens Christi Geruch des Lebens zum Leben, der sie wachsamer macht, doch für die Nachlässigen ist es ein Geruch des Todes zum Tod, der sie nachlässiger macht (s. 2.Kor 2,16).

2. Deshalb müssen wir zeigen, dass wir diese Ereignisse erwarten, indem wir uns auf sie vorbereiten **(s. Vers 37-41)**. In diesen Versen hier wird uns eine Vorstellung von dem Tag des Gerichts gegeben, die dazu dienen kann, uns aufzuschrecken und aufzuwecken. Es wird ein Tag sein, der überrascht, und ein Tag, der trennt.

2.1 Es wird ein Tag sein, der überrascht, wie es die Flut für die alte Welt war **(s. Vers 37-39)**. Neben seinem ersten Kommen zur Rettung gibt es weitere Kommen zum Richten. Er sagt: „Ich bin zum Gericht ... gekommen" (s. Joh 9,39), und er wird zum Gericht kommen. Dies hier lässt sich nun anwenden auf:
Zeitliche Gerichte, besonders auf das, welches nun rasch über das jüdische Volk und die jüdische Nation kommen sollte; obwohl sie eine deutliche Warnung vor diesem Gericht bekommen hatten, waren sie dabei selbstbewusst und riefen: „Friede und Sicherheit" (s. 1.Thess 5,3). Menschlicher Unglaube wird Gottes Drohungen nicht aufheben.
Das ewige Gericht, wie das Gericht des großen Tages genannt wird (s. Hebr 6,2). Christus zeigt hier, wie die Haltung der Menschen in der alten Welt war, als die Flut kam.
Sie waren weltlich: Sie „aßen und tranken, heirateten und verheirateten". Alle außer Noah waren völlig von der Welt in Anspruch genommen, schenkten dem Wort Gottes keine Aufmerksamkeit, und dies war ihr Verderben. Allgemeine Missachtung des religiösen Glaubens bei Menschen ist ein gefährlicheres Zeichen als hier und dort einzelne Fälle von unverschämten gottlosen Taten. Essen und Trinken sind notwendig, um das Leben des Menschen zu erhalten; Heiraten und Verheiraten sind notwendig, um das Menschengeschlecht zu erhalten. Diese Menschen aber waren unmäßig in ihren Taten, übermäßig und vollkommen damit beschäftigt, weltlichen Vergnügungen nachzujagen. Sie waren in diesen Dingen in ihrem Element, als ob Essen und Trinken der einzige Grund für ihre Existenz sei (s. Jes 56,12). Sie waren auch in ihren Handlungen unmäßig; sie waren von ganzem Herzen auf die Welt und das Fleisch ausgerichtet. Sie aßen und tranken, wo sie hätten Buße tun und beten sollen.
Sie waren selbstbewusst und unbekümmert: Sie „wussten nicht" (vgl. KJV; sie wussten nichts darüber, was geschehen würde), „bis die Sintflut kam" **(Vers 39)**. Sie wussten nicht! Sicherlich hätten sie es wissen müssen. Hatte er sie nicht zur Buße gerufen, solange seine Langmut zuwartete (s. 1.Petr 3,19-20)? Dass sie nicht wussten, war es mit ihrem Essen und Trinken, Heiraten und Verheiraten verknüpft, denn:
Sie waren weltlich, weil sie selbstbewusst waren. Sie waren selbstbewusst, weil sie weltlich waren; sie waren so mit diesen Dingen beschäftigt, dass sie weder die Zeit noch das Herz hatten, sich mit den Dingen zu beschäftigen, die man noch nicht sehen kann (s. 2.Kor 4,18; Hebr 11,1-3), vor denen sie gewarnt wurden. Sie merkten nichts, „bis die Sintflut kam" **(Vers 39)**. Die Flut kam, obwohl sie sich weigerten, sie vorauszusehen. Der Tag des Unheils ist niemals deshalb weiter weg, weil ihn die Menschen hinausschieben wollen (s. Am 6,3). Sie merkten nicht, dass es kam, bis es zu spät war, dem vorzubeugen. Gerichte sind für die selbstbewussten und diejenigen, die sich am meisten über sie lustig gemacht haben, am schrecklichsten und furchtbarsten. In den Worten „... so wird auch die Wiederkunft des Menschensohnes sein" haben wir die Anwendung dieses Berichts aus der alten Welt. Vertrauen auf sich selbst und Weltlichkeit werden voraussichtlich die grassierenden Krankheiten in den letzten Tagen sein. Alle werden ihre Wachsamkeit aufgeben und es sich bequem machen. So, wie die Flut die Sünder der alten Welt unaufhaltsam und unwiederbringlich fortriss, werden die selbstbewussten Sünder, die Christus und sein Kommen verspotteten, fortgerissen werden.

2.2 Es wird ein Tag der Trennung sein: „Dann werden zwei auf dem Feld sein; der eine wird genommen, und der andere wird zurückgelassen" **(Vers 40)**.
Wir können das auf den Erfolg des Evangeliums anwenden, besonders als es das erste Mal gepredigt wurde. Es teilte die Welt: Manche glaubten den Dingen, die gesagt wurden, und wurden zu Christus gebracht, andere glaubten nicht (s. Apg 28,24) und wurden gelassen, dass sie in ihrem Unglauben umkommen. Als das Verderben nach Jerusalem kam, wurde gemäß dem, was vorher durch die göttliche Gnade gewirkt worden war, durch die göttliche Vorsehung eine Unterscheidung zwischen ihnen gemacht, denn alle Christen unter ihnen wurden davor gerettet, in diesem Unglück umzu-

kommen. Wenn wir sicher sind, wenn an unserer Seite und zu unserer Rechten Tausende fallen (s. Ps 91,7), wenn wir nicht verzehrt werden, wenn andere um uns herum verzehrt werden, sodass wir wie ein Brandscheit sind, „das aus dem Feuer herausgerissen ist" (s. Sach 3,2), haben wir guten Grund zu sagen: „Gnadenbeweise des HERRN sind's" (s. Klgl 3,22), und es ist eine große Gnade.

Wir können es auf das zweite Kommen von Jesus Christus und die Absonderung anwenden, die an jenem Tag gemacht werden wird. Er hatte vorher gesagt, dass die Auserwählten versammelt werden **(s. Vers 31)**. Hier wird es auf Menschen angewendet, die noch leben werden. Christus wird unerwartet kommen; er wird die Menschen bei ihren gewöhnlichen Beschäftigungen finden, auf dem Feld, auf der Mühle. Dies ist eine große Ermutigung für Gottes Volk. Sind sie in der Welt niedrig und verachtet wie der Knecht auf dem Feld oder die Magd an der Mühle (s. 2.Mose 11,5)? Sie werden an jenem Tag nicht vergessen oder übersehen werden! Sind sie an entfernten und unmöglichen Orten verstreut, wo Sie nicht erwarten würden, Erben der Herrlichkeit zu finden – auf dem Feld, an der Mühle? Die Engel werden sie dort finden; es wird ein sehr großer Wechsel sein vom Pflügen und Mahlen dazu, in den Himmel zu gehen! Sind sie schwach und in sich selbst nicht fähig, sich zum Himmel zu bewegen? Sie werden genommen werden. Christus wird die niemals loslassen, die er einst ergriffen hat. Vermischen sie sich mit anderen? Sind sie mit ihnen durch die gleichen Häuser, Gemeinwesen oder Arbeitsstellen verbunden? Dies möge keinen echten Christen entmutigen; Gott weiß, wie er den Weizen und die Spreu auf der gleichen Tenne trennen kann.

3. Hier gibt es für uns eine allgemeine Ermutigung, wachsam und bereit zu sein **(s. Vers 42)**. Beachten Sie:

3.1 Die geforderte Pflicht: Wachen und bereit sein **(s. Vers 42.44)**.

„So wacht nun" **(s. Vers 42)**. Alle Jünger Christi haben die große Verantwortung, wachsam zu sein, wach zu sein und wach zu bleiben. So, wie ein Zustand oder Weg in Sünde mit dem Schlaf verglichen wird – einem Zustand der Unbewusstheit und Trägheit –, wird ein begnadeter Stand und Weg mit Wachsamkeit und Wachsein verglichen. Wir müssen nach dem Kommen unseres Herrn Ausschau halten. Ausschau halten beinhaltet nicht nur zu glauben, dass unser Herr kommen wird, sondern sich auch zu wünschen, dass er kommt, oft an sein Kommen zu denken. Nach dem Kommen Christi Ausschau zu halten, heißt, diese gnädige Haltung zu behalten, von der wir möchten, dass unser Herr uns in ihr findet, wenn er kommt. Beim Wachehalten wird unterstellt, dass es bei Nacht geschieht, welche die Zeit zum Schlafen ist; solange wir in dieser Welt sind, ist es für uns Nacht und wir müssen sicherstellen, dass wir wach bleiben.

„Darum seid auch ihr bereit!" Wir sind vergeblich wach, wenn wir uns nicht auch bereit machen. Es ist nicht genug, solche Dinge zu erwarten; wir müssen ihnen auch viel Sorgfalt widmen (s. 2.Petr 3,11.14). Es gibt ein Erbteil, das wir zu ergreifen hoffen, und wir müssen uns darauf vorbereiten, daran teilzuhaben (s. Kol 1,12).

3.2 Diese zwei Gründe ermutigen uns dazu, wachsam zu sein:

Die Zeit für das Kommen unseres Herrn ist ungewiss. Wir wollen also bedenken:

Dass wir nicht wissen, zu welcher Stunde er kommen wird **(s. Vers 42)**. Wir können nicht wissen, ob wir lange Zeit zu leben haben. Noch können wir wissen, wie wenig Zeit wir noch zu leben haben, denn es könnte sich als weniger erweisen, als wir erwarten.

Dass er zu einer Stunde kommen könnte, in der wir es nicht meinen **(s. Vers 44)**. Obwohl wir nicht wissen, wann er kommen wird, sind wir sicher, dass er kommen wird. Zu einer Stunde, in der wir es nicht meinen, das heißt, zu solch einer Stunde, in der diejenigen, die nicht bereit sind und nicht vorbereitet sind, ihn nicht erwarten **(s. Vers 50)**; in der Tat zu solch einer Stunde, welche man in seinen lebhaftesten Erwartungen für am wenigsten wahrscheinlich hält.

Dass die Kinder dieser Weltzeit ihrem Geschlecht gegenüber so weise sind (s. Lk 16,8), dass sie, wenn sie von einer nahenden Gefahr wissen, wach bleiben und davor auf der Hut sein werden. Er zeigt dies an einem besonderen Beispiel **(s. Vers 43)**. Wenn der Hausherr wüsste, dass der Dieb in einer bestimmten Nacht und zu einer bestimmten Zeit in der Nacht kommen würde, so würde er, selbst wenn das um die Zeit der Mitternacht sein würde, wenn er am müdesten sein würde, doch auf sein, auf jedes Geräusch in jedem Raum lauschen und auf den Dieb gefasst sein. Auch wenn wir nicht genau wissen, wann unser Herr kommen wird, sollten wir nichtsdestotrotz, da wir wissen, dass er kommt, immer Wache halten. Der Tag des Herrn kommt unerwartet, wie ein Dieb in der Nacht. Wenn Christus, wenn er kommt, uns schlafend und nicht bereit findet, wird unser Haus zusammenbrechen und wir werden alles verlieren, was wir in Wert haben. Seien Sie bereit, so zu jeder Zeit bereit, wie es der Hausherr zu der Stunde sein würde, in der er den Dieb erwartet.

Das Ergebnis des Kommens unseres Herrn wird für diejenigen sehr glücklich und ermutigend sein, die bereit erfunden werden, doch sehr schlimm und fürchterlich für diejenigen, die es nicht sind **(s. Vers 45)**. Dies wird durch den unterschiedlichen Zustand von guten und schlechten

Knechten dargestellt, wenn ihr Herr kommt, um sie zu richten. Diese Warnung scheint nun besonders als Warnung für geistliche Diener beabsichtigt zu sein, denn der Knecht, von dem gesprochen wird, ist ein Haushalter. Beachten Sie, was Christus hier sagt:

Über den guten Knecht. Er zeigt hier, was er ist: ein Gebieter über den Haushalt; er zeigt, was er – da er ein solcher Gebieter ist – sein sollte: treu und weise. Und er zeigt, was er sein wird – wenn er treu und weise ist –: ewig gesegnet. Hier haben wir:

Die Position und das Amt des geistlichen Dieners. Er ist jemand, den der Herr zum Gebieter über seine Dienerschaft gemacht hat, „damit er ihnen die Speise gibt zur rechten Zeit". Die Gemeinde Christi ist diese Dienerschaft oder Familie und er ist ihr Vater und Herr. Die geistlichen Diener des Evangeliums sind in diesem Haushalt eingesetzte Gebieter; nicht als Könige herrschend, sondern als Haushalter (Verwalter), oder andere untergeordnete Amtsträger, nicht als Herren, sondern als Leiter. Sie sind Gebieter durch Christus; jede Macht, die sie haben, ist von ihm hergeleitet. Die Arbeit der geistlichen Diener des Evangeliums ist es, wie Haushalter der Dienerschaft Christi ihre Speise zur rechten Zeit zu geben. Ihre Arbeit besteht darin zu geben; nicht darin, für sich selbst zu behalten, sondern der Familie zu geben, was der Herr für sie erworben hat, zu verteilen, was Christus erworben hat. Die Arbeit besteht darin, Speise zu geben; sie sollen kein Gesetz geben – das ist Christi Werk –, sondern der Gemeinde die Lehren vermitteln, die, wenn sie richtig aufgenommen werden, ihren Seelen Nahrung geben werden. Sie müssen Speise geben, die gesund und nützlich ist. Sie muss „zur rechten Zeit" gegeben werden **(Vers 45)**, zur richtigen Zeit, das heißt, wann immer sich irgendeine Gelegenheit bietet; oder immer wieder, gemäß der Schuldigkeit eines jeden Tages.

Die richtige Erfüllung des Amtes von geistlichen Dienern. Der gute Diener wird, wenn er erhoben wird, ein guter Haushalter sein, denn:

Er ist treu; Haushalter müssen so sein (s. 1.Kor 4,2). Diejenigen, auf die man vertraut, müssen vertrauenswürdig sein, und je mehr ihnen anvertraut wird, desto mehr wird von ihnen erwartet. Es ist ein großes und edles Gut, welches geistlichen Dienern anvertraut ist (s. 2.Tim 1,14), und sie müssen treu damit umgehen. Christus betrachtet nur diejenigen als seine geistlichen Diener, die treu sind (s. 1.Tim 1,12). Ein treuer geistlicher Diener von Jesus Christus ist jemand, der aufrichtig die Ehre seines Herrn will, nicht seine eigene. Er gibt den Niedrigsten die rechte Aufmerksamkeit und weist die Größten zurecht, ohne Voreingenommenheit zu zeigen.

Er ist weise und versteht seine Pflicht. Bei der Leitung der Herde braucht es nicht nur Integrität des Herzens, sondern auch Geschick der Hände. Ehrlichkeit kann genug sein für einen guten Knecht, doch für einen guten Haushalter ist Weisheit nötig.

Er ist aktiv. Der Dienst ist ein gutes Werk, und diejenigen, deren Amt er ist, haben immer etwas zu tun; sie dürfen sich nicht der Untätigkeit hingeben, sondern müssen aktiv sein, effektiv arbeiten; nicht reden, sondern tun.

Er wird bei solchem Tun gefunden, wenn sein Herr kommt, was zeigt:

Treue in seiner Arbeit. Zu welcher Stunde sein Herr auch kommt, wird er damit beschäftigt gefunden, die Arbeit des Tages zu tun. Genauso wie bei einem guten Gott das Ende einer Barmherzigkeit den Beginn einer anderen bedeutet, so sollte bei guten Menschen, guten geistlichen Dienern, das Ende einer Pflicht den Beginn einer anderen bedeuten.

Beharrlichkeit in seiner Arbeit bis der Herr kommt. Die große Belohnung, welche dafür für einen geistlichen Diener vorgesehen ist (s. Hebr 10,35; 11,26).

Man wird von ihm Notiz nehmen. Dies wird durch die Worte angedeutet: „Wer ist nun der treue und kluge Knecht …?" Das beinhaltet, dass es nur wenige sind, welche diese Beschreibung erfüllen. Diejenigen, welche sich jetzt auf diese Weise in ihrer Arbeit durch Demut, Fleiß und Aufrichtigkeit auszeichnen, werden sowohl geehrt als auch ausgezeichnet werden durch die Herrlichkeit, die ihnen an jenem Tag von Christus gegeben wird.

Er wird glückselig sein. „Glückselig ist jener Knecht." Alle Toten, die im Herrn sterben, sind glückselig (s. Offb 14,13). Doch es wird für diejenigen eine besondere Glückseligkeit sicher aufbewahrt, die sich als treue Haushalter zeigen, die bei solchem Tun gefunden werden. Gleich nach der Ehre für diejenigen, die auf dem Schlachtfeld sterben – die für Christus als Märtyrer leiden –, kommt die Ehre für diejenigen, die auf dem Feld des Dienstes sterben – die für Christus pflügen, säen und ernten.

Er wird aufsteigen: Er wird ihn zum Gebieter über alle seine Güter machen **(s. Vers 47)**. Wenn die Haushalter ihres Hauses sich an dieser Stelle gut verhalten, befördern große Menschen sie oft zu Verwaltern über ihren Besitz. Doch die größte Ehre, welche der freundlichste Herr je in dieser Welt seinem bewährtesten und erprobtesten Knecht erwiesen hat, ist nichts im Vergleich zu dieser gewichtigen Herrlichkeit (s. 2.Kor 4,17), welche der Herr Jesus seinen treuen, wachsamen Knechten in der kommenden Welt geben wird.

Bezüglich des bösen Knechtes. Hier haben wir:

Eine Beschreibung von ihm gegeben **(s. Vers 48-49)**. Ein Übeltäter ist das schändlichste Geschöpf, ein böser Christ ist die schändlichste Person, und der Schändlichste von ihnen ist ein böser geistlicher Diener. Hier sehen wir:

Den Grund für seine Bosheit. Er sprach in seinem Herzen: „Mein Herr säumt zu kommen!" Und so beginnt er zu denken, dass sein Herr niemals kommen wird. Obwohl die Säumnis des Kommens Christi ein gnädiges Beispiel für seine große Geduld ist, wird es von Übeltätern sehr missbraucht. Diejenigen, die nach ihren eigenen natürlichen Instinkten leben, sind geneigt, über den unsichtbaren Jesus zu sprechen, wie es die Leute über Mose taten, als er auf dem Berg blieb: „Wir wissen nicht, was aus ihm geworden ist. ‚Auf, mache uns Götter'" (2.Mose 32,1), und sie machen die Welt zu einem Gott, ihren Bauch zu einem Gott (s. Phil 3,19), alles außer dem Einen, der es sein sollte.

Die Einzelheiten seiner Bosheit. Er ist ein Sklave seiner sündigen Begierden und Gelüste. Er wird hier beschuldigt:

Der Verfolgung. Er fängt an, seine Mitknechte zu schlagen. Es ist nichts Neues, dass man sieht, dass böse Knechte ihre Mitknechte schlagen, sowohl einzelne Christen als auch treue geistliche Diener. Der böse Knecht schlägt sie entweder, weil sie ihn zurechtweisen, oder weil sie sich ihm nicht unterwerfen und ihn nicht ehren wollen. Wenn der böse Haushalter seine Mitknechte schlägt, tut er es im Namen ihres Herrn, doch man wird ihn erkennen lassen, dass er seinen Herrn nicht schlimmer beleidigen konnte.

Der Weltlichkeit und Unmoral: Er beginnt, „mit den Schlemmern zu essen und zu trinken".

Er schließt sich den schlimmsten Sündern an. Die Betrunkenen sind eine lustige und gemütliche Gesellschaft und er möchte in der Gesellschaft mit ihnen bleiben und verhärtet sie so in ihrer Bosheit.

Er handelt wie sie; er isst, trinkt und ist betrunken. Dies führt zu allen Arten von Sünden. Trunkenheit ist ein Übel, das andere Übel mit sich führt; diejenigen, die davon Sklaven sind, können sich niemals in irgendetwas anderem kontrollieren. Dies ist tragischerweise die Beschreibung eines bösen geistlichen Dieners: Er kann immer noch mehr als andere die normalen Gaben der Lehre und der Rede haben; vielleicht predigt er, wie von manchen gesagt wird, auf der Kanzel so gut, dass es schade ist, dass er je von ihr herunterkommt, lebt aber außerhalb der Kanzel so schlecht, dass es schade ist, dass er jemals auf sie steigt.

Sein verhängtes Schicksal (s. Vers 50-51). Beachten Sie:

Die Überraschung, die sein Schicksal begleiten wird: „So wird der Herr jenes Knechtes ... kommen" **(Vers 50)**. Wenn wir die Gedanken an Christi Kommen von uns schieben, wird dies sein Kommen nicht aufschieben. Mit was für eingebildeten Gedanken sich der böse Knecht auch täuscht, sein Herr wird doch kommen. Das Kommen des Herrn wird für die selbstbewussten, unbekümmerten Sünder eine absolut schreckliche Überraschung sein, besonders für böse geistliche Diener: Er wird „an einem Tag kommen, da er es nicht erwartet". Schauen Sie, er hat es uns vor der Zeit gesagt **(s. Vers 25)**.

Die Härte seines Schicksals **(s. Vers 51)**. Es ist nicht strenger als gerecht, doch es ist ein Schicksal, welches die völlige Vernichtung mit sich bringt:

Den Tod. Sein Herr wird ihn entzweihauen (in Stücke hauen); er wird ihn von dem Land der Lebenden abschneiden, aus „der Gemeinde der Gerechten" (Ps 1,5); er wird ihn für das Unglück beiseitestellen. Der Tod schneidet gute Menschen ab, wie ein guter Schößling abgeschnitten wird, um auf einen besseren Stamm gepfropft zu werden, doch einen Übeltäter schneidet er ab, wie ein verdorrter Ast für das Feuer abgeschnitten wird. Oder, wie es unsere Übersetzung liest, er wird ihn entzweihauen, das heißt, Leib und Seele trennen. Die Seele und der Leib eines frommen Menschen werden beim Tod völlig getrennt, die eine wird fröhlich zu Gott emporgehoben, der andere wird dem Staub überlassen, doch die Seele und der Leib eines Übeltäters werden in Stücke gerissen, auseinandergerissen.

Die Verdammnis. Er wird „ihm seinen Teil mit den Heuchlern geben", und es wird ein elendes Erbteil sein, denn dort wird das Heulen sein.

Dort ist ein Ort und ein Stand, wo es nur Heulen und Zähneknirschen gibt. Dies bezeichnet die Qual und den Schmerz der Seele unter Gottes Unwillen und Zorn.

Das göttliche Urteil wird diesen Ort und diesen Stand denen als Erbteil geben, die durch ihre eigene Sünde für ihn zubereitet wurden. Der Eine, der jetzt der Heiland ist, wird dann der Richter sein, und der ewige Stand der Menschen wird so sein, wie er es bestimmt.

Die Hölle ist der richtige Ort für Heuchler; sie ist ihr Teil. Sie haben dort echtes Besitzrecht; die anderen Sünder sind bloß ihre Mitbewohner. Als Christus die strengste Strafe in der nächsten Welt bezeichnen wollte, nannte er sie den „Teil mit den Heuchlern" **(Vers 51)**.

Böse geistliche Diener werden in der nächsten Welt ihr Erbteil bei den schlimmsten Sündern haben, nämlich Heuchlern, und das zu Recht, denn sie sind die schlimmsten Heuchler. „Sohn, bedenke" (Lk 16,25) wird für geistliche Diener genauso ein schneidendes Wort sein, wenn sie verloren gehen, wie für jeden anderen Sünder. Deshalb sollen sich diejenigen, die anderen predigen, fürchten, damit sie selbst nicht im Glauben Schiffbruch erleiden.

KAPITEL 25

Dieses Kapitel führt die Lehre unseres Heilands über sein zweites Kommen und das Ende der Welt weiter und schließt sie ab.

Dies war seine warnende Abschiedspredigt. Die Anwendung der Lehre von Kapitel 24 war: „So wacht nun" (Mt 24,42) und: „Darum seid auch ihr bereit!" (Mt 24,44). Hier haben wir drei Gleichnisse, die alle den gleichen Bereich der Anwendung haben – uns alle dazu anzuspornen, bei der Vorbereitung auf das zweite Kommen Christi mit größter Sorge und Sorgfalt vorzugehen: 1. Damit wir bereit sein mögen, ihm zu dienen, und das zeigt sich in dem Gleichnis von den zehn Jungfrauen (s. Vers 1-13). 2. Damit wir bereit sein mögen, ihm Rechenschaft abzulegen, und das zeigt sich in dem Gleichnis von den drei Knechten (s. Vers 14-30). 3. Damit wir bereit sein mögen, von ihm unser endgültiges Urteil zu empfangen, und dass es zum ewigen Leben sein möge, und dies wird durch die klare Beschreibung des Prozesses im letzten Gericht gezeigt (s. Vers 31-46).

Vers 1-13

Hier:

1. Was allgemein veranschaulicht ist, ist „das Reich der Himmel". Einige der Gleichnisse Christi, wie die in Matthäus 13,1-52, haben uns gezeigt, wie dieses Reich jetzt ist, bei der Aufnahme, auf die es trifft. Dieses hier zeigt uns, wie es sein wird, wenn das Geheimnis Gottes erfüllt ist und dieses Reich dem Vater übergeben wird.

2. Wodurch es veranschaulicht wird, ist durch eine Hochzeitsfeier. Es war manchmal bei den jüdischen Hochzeiten Brauch, dass der Bräutigam spät in der Nacht von seinen Freunden begleitet zum Haus der Braut kommt, wo sie mit ihren Brautjungfern auf ihn wartete. Wenn man das Nahen des Bräutigams bekannt machte, mussten die Brautjungfern mit Lampen in ihren Händen hinausgehen, um mit Feierlichkeit und Förmlichkeit seinen Weg zum Haus zu beleuchten, damit die Hochzeit mit großer Freude gefeiert werden kann.
2.1 Der „Bräutigam" ist unser Herr Jesus Christus. Dieses Bild zeigt seine besondere, unübertreffliche Liebe zu und seinen zuverlässigen und unverbrüchlichen Bund mit seiner Braut – der Gemeinde.
2.2 Die Jungfrauen sind diejenigen, die sich zu dem religiösen Glauben bekennen; sie sind die Mitglieder der Gemeinde, wenn sie hier auch als ihre Begleiter dargestellt werden.
2.3 Die Aufgabe dieser Jungfrauen war es, dem Bräutigam entgegenzugehen, was genauso ihre Freude wie ihre Pflicht war. Sie kamen, um dem Bräutigam zu dienen, wenn er erscheint, und in der Zwischenzeit auf ihn zu warten. Als Christen bekennen wir, dass wir:
Diener Christi sind, um ihn zu ehren. Den Namen des erhöhten Jesus hochhalten und sein Lob verbreiten – dies ist unsere Aufgabe.
Wartende auf Christus und sein zweites Kommen sind. Das zweite Kommen Christi ist das Zentrum, in welchem sich alle Linien unseres religiösen Glaubens treffen und auf welches das gesamte göttliche Leben beständig verweist und zu dem es führt.
2.4 Ihre Hauptsorge war es, Lampen in den Händen zu haben, wenn sie den Bräutigam begleiten, ihm dadurch Ehre zu geben und ihm zu dienen. Christen sind Kinder des Lichts (s. Joh 12,36; Eph 5,8; 1.Thess 5,5). Beachten Sie bezüglich dieser zehn Jungfrauen:
Ihr unterschiedliches Wesen mit Beweisen und Belegen für diesen Unterschied.
Ihr Wesen war: „Fünf von ihnen aber waren klug und fünf töricht" **(Vers 2)**. Diejenigen, die das gleiche Bekenntnis und die gleiche Denomination haben, können aus der Sicht Gottes doch gewaltig unterschiedlichen Wesens sein. Diejenigen, die in geistlichen Dingen klug sind, sind wahrhaft klug, und diejenigen, die in geistlichen Dingen töricht sind, sind wahrhaft töricht. Echte Religion ist echte Weisheit; Sünde ist Torheit.
Der Beleg für dieses Wesen lag in genau der Sache, um die sie sich zu kümmern hatten.
Die törichten Jungfrauen waren insofern töricht, dass sie „zwar ihre Lampen [nahmen], aber sie nahmen kein Öl mit sich" **(Vers 3)**. Sie hatten gerade genug Öl, um ihre Lampen jetzt brennen zu lassen, sie zur Schau zu stellen, als hätten sie die Absicht, dem Bräutigam entgegenzugehen, doch sie nahmen kein Gefäß oder keine Flasche mit Öl mit sich, damit sie einen frischen Vorrat haben, wenn der Bräutigam lange Zeit braucht, um zu kommen. So sind die Heuchler.
Sie haben keine Motivation in sich. Sie haben eine Lampe des Bekenntnisses in ihren Händen, haben aber in ihrem Herzen nicht den Vorrat an guter Lehre, der nötig ist, um sie durch die Dienste und Prüfungen des gegenwärtigen Standes zu tragen.
Sie haben keinen Blick für das, was kommen muss, und sie treffen keine Vorsorge dafür. Die törichten Jungfrauen nehmen Lampen zum Zurschaustellen in der Gegenwart, aber kein Öl für den späteren Gebrauch. Heuchler sorgen nicht für die Zukunft, wie es die Ameisen tun (s. Spr 30,25). Sie sammeln sich keine „gute Grundlage für die Zukunft" (1.Tim 6,19).
Es war die Weisheit der klugen Jungfrauen, dass sie „Öl in ihren Gefäßen mitsamt ihren Lampen" nahmen **(Vers 4)**. Sie hatten in sich eine gute Motivation, die ihr Bekenntnis des Glaubens bewahren und aufrechterhalten würde.
Das Herz ist das Gefäß, bei dem wir weise sind, wenn wir es gefüllt haben, denn wenn dort ein guter Schatz ist, werden die guten Dinge sicherlich hervorgebracht werden (s. Mt 12,35), doch wenn diese Wurzel wie Moder ist, wird ihre Blüte nur Staub sein (s. Jes 5,24).

Die Gnade ist das Öl, welches wir in diesem Gefäß haben müssen. Unser Licht muss durch gute Werke vor den Menschen leuchten (s. Mt 5,16), doch dies kann nicht geschehen oder kann nicht für lange Zeit geschehen, wenn es im Herzen keine feste und aktive Motivation des Glaubens an Christus und der Liebe Gott und unseren Geschwistern gegenüber gibt. Diejenigen, die in ihren Gefäßen Öl mitnahmen, taten es, weil sie meinten, dass der Bräutigam vielleicht für lange Zeit nicht kommt. Bei der Vorausschau ist es gut, sich auf das Schlimmste vorzubereiten, Vorräte für eine lange Belagerung einzulagern.

Ihr gemeinsamer Fehler bei der Verzögerung des Bräutigams: Sie wurden „alle schläfrig und schliefen ein" **(Vers 5)**.

Der Bräutigam kam spät; das heißt, er kam nicht so rasch, wie sie es erwarteten. Wir neigen dazu zu denken, dass das, was wir sicher erwarten, sehr nahe ist. Für uns scheint sich Christus zu verzögern, doch in Wirklichkeit tut er es nicht (s. Hab 2,3). Obwohl Christus nach unserer Berechnung spät ist, wird er nichtsdestotrotz nicht später als zur rechten Zeit kommen.

Während er sich verzögerte, wurden die, welche auf ihn warteten, unbekümmert und vergaßen, worauf sie warteten: Sie wurden „alle schläfrig und schliefen ein", als hätten sie aufgehört, ihn zu erwarten. Diejenigen, welche aus der Gewissheit seines Kommens schlossen, dass es rasch sein würde, und die dann sahen, dass diese Erwartung nicht erfüllt wurde, neigten dazu, aus der Verzögerung zu schließen, dass sein Kommen ungewiss war. Die klugen Jungfrauen ließen ihre Lampen brennen, doch sie blieben selbst nicht wach. Zu viele Christen werden nachlässig, wenn sie ihren Glauben eine lange Zeit bekannt haben; ihre Gnadenwirkungen sind nicht so aktiv, noch sind ihre Werke vor Gott vollständig, und obwohl nicht alle Liebe verloren ist, haben sie ihre erste Liebe verlassen (s. Offb 2,4).

Die plötzliche Aufforderung an sie lautet, hinaus dem Bräutigam entgegenzugehen: „Um Mitternacht aber entstand ein Geschrei: Siehe, der Bräutigam kommt!" **(Vers 6)**.

Selbst wenn Christus für lange Zeit nicht kommt, wird er schließlich kommen; obwohl er langsam scheint, ist es sicher, dass er kommt. Seine Freunde werden zu ihrer Ermutigung finden, dass „die Offenbarung ... noch auf die bestimmte Zeit [wartet]" (s. Hab 2,3). Das Jahr der Erlösten ist festgelegt (s. Jes 63,4), und es wird sicherlich kommen.

Das Kommen Christi wird zu unserer Mitternacht sein, wenn wir ihn am wenigsten erwarten. Er kommt oft, um den Seinen zu helfen und sie zu ermutigen, wenn das geplante Gute am weitesten entfernt scheint. Christus wird, um seine Souveränität zu zeigen, kommen, wenn es ihm gefällt, und um uns unsere Pflicht zu lehren, wird er uns nicht sagen wann.

Wenn Christus kommt, müssen wir ausgehen, ihm entgegen. „Geht aus, ihm entgegen!" ist ein Ruf an diejenigen, die ständig vorbereitet sind, wirklich bereit zu sein.

Sowohl das Bekanntmachen des Nahens Christi als auch der Ruf, ihm entgegenzugehen, werden erweckend sein; es „entstand ein Geschrei". Sein erstes Kommen wurde überhaupt nicht bemerkt (s. Lk 17,20), noch sagten sie: „Siehe, hier ist der Christus, oder dort" (s. Mt 24,23). „Er war in der Welt ... doch die Welt erkannte ihn nicht" (s. Joh 1,10). Doch sein zweites Kommen wird von der ganzen Welt bemerkt werden.

Die Reaktion, die sie alle auf diese Aufforderung zeigten: „Da erwachten alle jene Jungfrauen und machten ihre Lampen bereit" **(Vers 7)**. Sie machten die Dochte zurecht, füllten den Behälter mit Öl auf und bereiteten sich selbst so schnell wie möglich darauf vor, den Bräutigam zu empfangen.

Bei den klugen Jungfrauen zeigt dies eine tatsächliche Vorbereitung auf das Kommen des Bräutigams. Selbst diejenigen, die am besten auf den Tod vorbereitet sind, müssen etwas tun, um wirklich bereit zu sein, damit sie in Frieden erfunden (s. 2.Petr 3,14), „bei solchem Tun" gefunden (Mt 24,46) und „nicht unbekleidet erfunden werden" (s. 2.Kor 5,3). Es wird ein Tag des Forschens und Fragens sein (s. Hiob 10,6), und wir sollten jetzt darüber nachdenken, wie wir dann erfunden werden.

Bei den törichten Jungfrauen zeigt es ein nutzloses Vertrauen und ein falsches Denken über die Güte ihres Zustandes und ihrer Bereitschaft für eine andere Welt.

Die Not, in der die törichten Jungfrauen waren, weil ihnen Öl fehlte **(s. Vers 8-9)**. Dies zeigt:

Die Ahnung, welche manche Heuchler von dem Elend ihres Zustandes haben, selbst auf dieser Seite des Todes, wenn Gott ihnen die Augen öffnet, dass sie ihre Torheit sehen. Oder:

Das wirkliche Elend ihres Zustandes auf der anderen Seite des Todes und im Gericht:

Die Lampen der törichten Jungfrauen erloschen. Die Lampen der Heuchler erlöschen oft in diesem Leben, wenn diejenigen, die im Geist begonnen haben, es im Fleisch vollenden. Das Bekenntnis verdorrt; sein Ruf ist dahin. Die Hoffnung versagt und ihre Ermutigung ist fort. Die Vorteile eines heuchlerischen Bekenntnisses werden einem Menschen nicht in das Gericht folgen (s. Mt 7,22-23).

Ihnen fehlte Öl, um sie zu versorgen, als sie erloschen. Ein äußerliches Bekenntnis, das überzeugend vorgebracht wird, kann jemanden eine weite Strecke bringen; es kann sie durch diese Welt tragen. Doch die feuchten Flecken des Tales der Todesschatten werden es auslöschen.

Sie hätten sich gerne bei den klugen Jungfrauen verschuldet, um einen Vorrat aus deren Gefäßen zu bekommen. „Gebt uns von eurem Öl." Diejenigen, welche jetzt die Strenge der Religion hassen, werden sich bei Tod und Gericht ihren kräftigen Trost wünschen. Dort sind jene, die nicht das Leben der Gerechten führen und doch ihren Tod sterben möchten. „Gebt uns von eurem Öl"; das heißt gemäß manchen, „legt ein gutes Wort für uns ein", doch an jenem großen Tag gibt es keinen Bedarf, dass ein Mensch für einen anderen bürgt: Der Richter kennt das wahre Wesen von jedem. Diejenigen, die jetzt nicht sehen, dass sie Gnade brauchen, die sie heiligen und regieren würde, werden in der Zukunft ihren Mangel an Gnade sehen, die sie gerettet hätte. Diese Bitte kommt zu spät. Das Öl kann nicht gekauft werden, wenn der Markt geschlossen ist; es gibt kein Bieten mehr, wenn die Auktion beendet ist.

Ihnen wurde ein Anteil an dem Öl ihrer Kameradinnen verweigert. „Aber die klugen antworteten und sprachen: Nein"; dieses endgültige, ablehnende „Nein" ist nicht im Original, sondern von den Übersetzern hinzugefügt worden. Diese klugen Jungfrauen würden vielmehr einen Grund ohne eine ausdrückliche Ablehnung nennen als, wie es viele tun, eine ausdrückliche Ablehnung ohne einen Grund zu geben. Sie waren wohl geneigt, ihren Nächsten in der Not zu helfen, doch: „Wir dürfen es nicht, wir können es nicht, wir wagen nicht, es zu tun, denn ‚es würde nicht reichen für uns und für euch'. Wohltätigkeit beginnt zu Hause: ‚Geht ... und kauft für euch selbst!'"

Diejenigen, die gerettet werden möchten, müssen selbst Gnade haben. Wir haben zwar Nutzen durch die Gemeinschaft der Heiligen und von ihrem Glauben und ihren Gebeten, doch für unser eigenes Heil ist unsere eigene Heiligung unerlässlich notwendig. Jeder muss für sich selbst Rechenschaft ablegen, denn sie können nicht eine andere Person haben, die sie an jenem Tag für sie heranziehen.

Diejenigen, die am meisten Gnade haben, können keine erübrigen; alles, was wir haben, ist wenig genug für uns selbst, um darin vor Gott zu erscheinen. Die Besten müssen von Christus borgen, doch sie haben nichts, was sie einem ihrer Nächsten leihen können. Diese klugen Jungfrauen tadelten die törichten nicht mit ihrer Weigerung, sondern gaben ihnen den besten Rat, den man in der Situation geben konnte: „Geht doch vielmehr hin zu den Händlern." Wenn geistliche Diener denen helfen, die sich in ihrem Leben nicht um Gott und um ihre Seelen kümmerten, doch auf ihrem Totenbett davon überführt sind, und wenn sie ihnen sagen, sie sollten Buße tun, sich Gott zuwenden und Christus annehmen, dann handeln solche geistlichen Diener nur, wie es diese klugen Jungfrauen gegenüber den törichten taten, dass sie das Beste aus einer schlechten Situation machen. Sie können ihnen nur sagen, was getan werden muss. Es ist nun ein guter Rat, wenn er rechtzeitig angenommen wird: „Geht doch vielmehr hin zu den Händlern und kauft für euch selbst!"

Das Kommen des Bräutigams und die Folge dieses unterschiedlichen Wesens.

„*Während sie aber hingingen, um zu kaufen, kam der Bräutigam*" **(Vers 10)**. Es ist sehr unwahrscheinlich, dass diejenigen, welche ihre große Arbeit bis zuletzt aufschieben, Zeit haben, sie dann zu tun. Gnade zu erlangen ist eine Arbeit, die Zeit benötigt, und sie kann nicht hastig getan werden. Wenn sich auch die arme, erweckte Seele in schrecklicher Verwirrung auf einem Krankenbett der Buße und dem Gebet zuwendet, so weiß sie doch kaum, an welchem Ende sie beginnen soll. Das kommt davon, wenn man erst Öl kaufen muss, während wir es verbrennen sollten, und Gnade erlangen muss, während wir sie benutzen sollten. Der Bräutigam kam. Unser Herr Jesus wird zu den Seinen an jenem großen Tag als der Bräutigam kommen; er wird in reichen und prächtigen Gewändern mit seinen Freunden kommen.

„*... und die bereit waren, gingen mit ihm hinein zur Hochzeit.*" Ewig verherrlicht zu werden, heißt, in unmittelbarer Gegenwart Christi zu sein, in der vertrautesten Gemeinschaft mit ihm. Diejenigen, und nur diejenigen, die hier für den Himmel bereit gemacht werden, werden in der Zukunft in den Himmel gehen.

„*... und die Tür wurde verschlossen*", wie es üblich ist, wenn die ganze Gesellschaft gekommen ist. Die Tür wurde verschlossen:

Um die drinnen zu schützen. Adam wurde in das Paradies gesetzt, doch die Tür wurde offen gelassen, und deshalb ging er wieder hinaus, doch wenn die verherrlichten Heiligen in das himmlische Paradies gesetzt werden, sind sie eingeschlossen.

Um diejenigen draußen auszuschließen. Nun ist die Pforte eng (s. Mt 7,14), doch sie ist offen, doch dann wird sie geschlossen und verriegelt sein und „eine große Kluft befestigt" (s. Lk 16,26).

Die törichten Jungfrauen kamen, als es zu spät war: „Danach kommen auch die übrigen Jungfrauen" **(Vers 11)**. Es gibt viele, die Einlass für den Himmel erstreben werden, wenn es zu spät ist, wie der weltliche Esau, der „nachher verworfen wurde, als er den Segen erben wollte" (Hebr 12,17). Das nutzlose Vertrauen der Heuchler wird sie in ihren Erwartungen der Seligkeit weit bringen: Sie gehen den ganzen Weg zu den Toren des Himmels und fordern Einlass; doch sie sind ausgeschlossen.

Sie wurden verworfen, wie es Esau wurde: „Ich kenne euch nicht!" **(Vers 12)**. Wir sollten alle den Herrn suchen, „solange er zu finden ist" (Jes 55,6). Es war Zeit, wenn das „Herr, Herr, tue uns auf!" auf der Grundlage der Verheißung „klopft an, so wird euch aufgetan" (Mt

7,7) wirksam gewesen wäre, doch jetzt kommt es zu spät.
Hier gibt es eine praktische Schlussfolgerung, die aus diesem Gleichnis gezogen wird: „Darum wacht!" **(Vers 13)**. Wir hatten sie vorher (s. Mt 24,42), und hier wird sie als die am meisten notwendige Warnung wiederholt. Es ist unsere große Pflicht, wachsam zu sein. Seien Sie wach und seien Sie wachsam. Ein guter Grund für unsere Wachsamkeit ist, dass der Zeitpunkt des Kommens unseres Herrn ungewiss ist: Wir wissen weder Tag noch Stunde.

Vers 14-30

Hier ist das Gleichnis von den Talenten, die den drei Knechten anvertraut werden. Dieses Gleichnis besagt, dass wir an unsere Arbeit und unser Gewerbe gehen müssen, wie das vorige Gleichnis besagt, dass wir erwartungsvoll sein müssen. Jenes Gleichnis zeigte, dass es nötig ist, dass wir ständig vorbereitet sind; dieses Gleichnis zeigt die Notwendigkeit von tatsächlichem Eifer in unserer jetzigen Arbeit und unserem jetzigen Dienst. Der Mensch ist Christus, die Knechte sind Christen, seine eigenen Knechte, wie sie genannt werden. Wir haben in diesem Gleichnis allgemein drei Dinge:

1. Das Gut, welches diesen Knechten anvertraut wird: Dieser Mensch übergab „ihnen seine Güter": Nachdem er sie für die Arbeit eingestellt hat – Christus lässt keinen seiner Knechte untätig –, verlässt er sie mit etwas, mit dem sie arbeiten sollen.
1.1 Christi Knechte haben und bekommen alles, was sie haben, von ihm; auch haben sie nichts, was sie ihr eigen nennen können, außer ihrer Sünde.
1.2 Wir bekommen etwas von Christus, damit wir für ihn arbeiten können.
1.3 Was auch immer wir bekommen, muss für Christus gebraucht werden, obwohl das Eigentumsrecht bei ihm bleibt. Beachten Sie:
Aus was für einem Anlass dieses Gut diesen Knechten gegeben wurde: Ihr Herr wollte „außer Landes reisen". „Er ist emporgestiegen zur Höhe, hat ... den Menschen Gaben gegeben" (Eph 4,8). Als Christus in den Himmel ging, war er ein Mensch, der „außer Landes" reiste. Als er ging, sorgte er dafür, dass seine Gemeinde mit allem versorgt ist, was sie während seiner persönlichen Abwesenheit braucht. Auf diese Weise überließ Christus seiner Gemeinde bei seiner Himmelfahrt seine Güter.
In welchem Verhältnis dieses Gut übergeben wurde. Er übergab Talente. Dies zeigt uns, dass die Gaben Christi reich und kostbar sind, die Errungenschaften seines Blutes unermesslich, und keine von ihnen ist wertlos. Er gab den einen mehr und den anderen weniger, und jedem gemäß ihrer unterschiedlichen Fähigkeit. Wenn die göttliche Vorsehung eine Unterscheidung in der Fähigkeit der Menschen gemacht hat, verteilt die Gnade die geistlichen Gaben entsprechend, doch die Fähigkeit selbst bleibt eine, die von ihm kommt. Jeder hatte wenigstens ein Talent, und das ist keine gering zu achtende Summe für einen armen Knecht, um damit zu beginnen. Eine eigene Seele ist das eine Talent, mit dem jeder von uns betraut wurde, und es wird uns Arbeit verschaffen. Es ist unsere menschliche Pflicht, dass Menschen sich für diejenigen um sie herum als nützlich erweisen sollen. Der Mensch, der für andere nützlich ist, kann als jemand betrachtet werden, der allen Gutes tut. Es hatte nicht jeder das Gleiche, denn sie hatten nicht alle die gleichen Fähigkeiten und Möglichkeiten. Manche sind für die eine Art Dienst gemacht, andere für eine andere, so wie die Teile unseres natürlichen Leibes unterschiedliche Funktionen erfüllen.

2. Die unterschiedliche Verwendung und Verwaltung dieser Güter **(s. Vers 16-18)**.
2.1 Zwei der Knechte handelten gut.
Sie waren fleißig und treu: Sie gingen hin und handelten. Sobald ihr Herr gegangen war, kamen sie sofort zur Sache. Diejenigen, die so viel Arbeit zu tun haben – wie es jeder Christ hat –, müssen sich schnell daran machen und dürfen keine Zeit verlieren. Sie gingen hin und handelten. Ein echter Christ ist ein geistlicher Händler. Ein Händler ist jemand, der, nachdem er ein bestimmtes Gewerbe gewählt und sich Mühe gegeben hat, es zu erlernen, es zu seinem Beruf macht, ihm nachzugehen, alle anderen Bereiche des Lebens dem unterwirft und von seinem Gewinn lebt. Wir haben kein eigenes Inventar, womit wir handeln können, sondern handeln als Vertreter mit den Gütern unseres Herrn. Die Begabungen des Verstandes und die Freuden der Welt müssen zur Ehre Christi gebraucht werden. Die Ordnungen des Evangeliums und unsere Gelegenheiten, bei ihnen anwesend zu sein, müssen für den Zweck gebraucht werden, für den sie eingerichtet wurden, und es muss durch sie die Gemeinschaft mit Gott aufrechterhalten werden durch die Ausübung der Gaben und Gnadenerweise des Geistes.
Sie waren erfolgreich; sie verdoppelten ihr Inventar. „... eine fleißige Hand macht reich" (Spr 10,4) an Gnadenwirkungen, Ermutigungen und Schätzen guter Werke. Durch harte Arbeit im religiösen Glauben kann man eine große Menge gewinnen.
Das Entgelt stand im Verhältnis zu dem, was sie bekommen hatten. Je größer die Gaben sind, die jemand hat, desto größere Anstrengungen sollte er unternehmen, wie es diejenigen tun müssen, die ein großes Kapital verwalten müssen. Von denjenigen, denen er nur zwei Talente gegeben hat, erwartet er nur den

Gebrauch von zweien. Wenn sie sich daranmachen, nach ihren besten Fähigkeiten und Möglichkeiten Gutes zu tun, werden sie angenommen werden, wenn sie auch nicht so viel Gutes getan haben wie andere.

2.2 Der Dritte handelte schlecht: „Aber der, welcher das eine empfangen hatte, ging hin ... und verbarg das Geld seines Herrn" **(Vers 18)**. Der untreue Knecht war derjenige, der nur ein Talent hatte: Ohne Zweifel gibt es viele, die fünf Talente haben und sie alle vergraben, die große Fähigkeiten und große Vorzüge haben, doch mit ihnen nichts Gutes tun. Christus indes wollte uns nahelegen:

Dass wenn der eine, der nur ein Talent hatte, dafür zur Rechenschaft gezogen wurde, dass er dieses eine vergraben hat, dann werden die, welche mehr oder viele haben und sie vergraben, noch viel mehr als Missetäter gerechnet werden.

Dass diejenigen, die am wenigsten für Gott zu tun haben, oft am wenigsten mit dem tun, was sie haben. Manche entschuldigen sich damit, sagen, dass sie deshalb, weil sie nicht die Mittel haben, um zu tun, was sie – wie sie sagen – tun wollten, nicht das tun wollen, bei dem wir sicher sind, dass sie es tun können, und so lehnen sie sich zurück und tun nichts. Es betont wirklich ihre Faulheit, dass sie, wenn sie nur ein Talent haben, nach dem sie schauen müssen, dieses eine vernachlässigen. Er „grub die Erde auf und verbarg das Geld", aus Furcht, dass es gestohlen werden könnte. Geld ist wie Dung, wie Lord Bacon zu sagen pflegte: zu nichts gut, wenn auf einen Haufen gehäuft; es muss ausgebreitet werden. So ist es mit geistlichen Gaben; viele haben sie, doch benutzen sie überhaupt nicht für den Zweck, für den sie gegeben wurden. Er verbarg das Geld seines Herrn; wenn es sein eigenes gewesen wäre, hätte er damit tun können, was ihm gefällt. Seine Mitknechte waren tätig und erfolgreich darin, ihre Talente arbeiten zu lassen, und deren Eifer hätte ihn herausfordern sollen, ähnlich fleißig zu sein. Werden wir untätig bleiben, wenn andere aktiv sind?

3. Die Abrechnung für diesen Gebrauch **(s. Vers 19)**.

3.1 Die Rechenschaft wurde aufgeschoben. Es war erst „nach langer Zeit", dass abgerechnet wurde.

3.2 Doch zuletzt kam der Tag der Abrechnung: Es „kommt der Herr dieser Knechte und hält Abrechnung mit ihnen". Wir müssen alle Rechenschaft ablegen, von uns wird gefordert, dass wir zeigen, welches Gutes wir für unsere Seele erworben haben und welches Gutes wir anderen getan haben. Hier haben wir:

Die gute Rechenschaft von den treuen Knechten, und beachten Sie hier:

Die Knechte legen Rechenschaft ab: „Herr, du hast mir fünf Talente übergeben" – „und ‚mir zwei'; ‚siehe, ich habe mit ihnen fünf weitere Talente gewonnen"* – „und ich ‚zwei andere Talente'" **(Vers 20.22)**. Dies zeigt uns:

Christi treue Knechte erkennen mit Dankbarkeit seine Segnungen ihnen gegenüber an: „Herr, du hast mir" diese und jene Sachen übergeben. Es ist gut, sich an das zu erinnern, was wir empfangen haben, damit wir wissen können, was von uns erwartet wird, und ihm gemäß den Wohltaten zurückgeben können, die wir empfangen haben. Wir dürfen nie schauen, wie wir Gottes Gaben gebraucht haben, ohne Gottes Gunst uns gegenüber und die Ehre, die er uns erwiesen hat, dass er uns mit seinen Gütern betraut hat, generell zu erwähnen. Die Wahrheit ist, dass wir, je mehr wir für Gott tun, umso mehr ihm gegenüber zu Dank verpflichtet sind, dass er uns gebraucht hat.

Sie holen als Beleg für ihre Treue hervor, was sie gewonnen haben. Gottes gute Haushalter haben für ihren Fleiß etwas zu zeigen: „Beweise mir doch deinen Glauben aus deinen Werken", und was den anbetrifft, der gut ist, der zeige es (Jak 2,18; s. 3,13). Es ist auch bezeichnend, dass der Knecht, der nur zwei Talente hatte, seinen Bericht genauso fröhlich abgibt wie der, der fünf hatte. Dies ermutigt uns zu erwarten, dass wir am Tag des Gerichts nach unserer Treue, unserer Aufrichtigkeit und nicht nach unserem Erfolg gerichtet werden, nach der Rechtschaffenheit unseres Herzens, nicht nach dem Ausmaß unserer Möglichkeiten.

Wie der Herr ihre Rechenschaft annahm und billigte **(s. Vers 21.23)**:

Er lobte sie: „Recht so, du guter und treuer Knecht!" Diejenigen, die sich zu Gott bekennen und ihn ehren, zu denen wird er sich bald bekennen und sie ehren (s. 1.Sam 2,30).

Sie werden als Person angenommen werden: „... du guter und treuer Knecht!" Christus wird ihnen ihre gerechte Charakterisierung geben: gut und treu.

Ihre Leistungen werden angenommen werden: „Recht so." Diejenigen, und nur diejenigen, die gut gehandelt haben, werden von Christus gute Knechte genannt werden. Wenn wir tun, was gut ist, und dies gut tun, werden wir Lob dafür empfangen (s. Röm 13,3). Manche Herren sind so mürrisch, dass sie es ablehnen, ihre Knechte zu loben; es wird als genug erachtet, nicht zu tadeln. Christus jedoch wird seine Knechte loben, die gut handeln; ob sie nun Lob von anderen Menschen erhalten oder nicht, es wird sicherlich von ihm Lob kommen. Wenn er sagt „recht so", sind wir glücklich.

Er belohnte sie. All die Werke und Bemühungen der Liebe von Christi treuen Dienern werden belohnt werden (s. Hebr 6,10). Diese Belohnung wird hier auf zwei Weisen ausgedrückt:

In einer Ausdrucksweise, die dem Gleichnis entspricht: „Du bist über wenigem treu gewesen, ich will dich über vieles setzen." Es ist an den

Höfen von Herrschern und in der Gruppe eines Leiters üblich, diejenigen in höhere Ämter zu befördern, die in niedrigeren treu gewesen sind. Christus ist ein Herr, der seine Knechte befördern wird, die ihre Sache gut machen. Christus hat für diejenigen Ehre vorrätig, die ihn ehren (s. 1.Sam 2,30). Hier sind sie Bettler; im Himmel werden sie Herrscher sein. Beachten Sie das Missverhältnis zwischen der Arbeit und dem Lohn; es gibt nur wenige Dinge, in denen Heilige für die Herrlichkeit Gottes nützlich sind, doch es gibt viele Dinge, in denen sie mit Gott verherrlicht werden. Die Verpflichtungen, die wir von Gott bekommen, die Arbeit, die wir in dieser Welt für Gott tun, ist nur wenig – sehr wenig –, verglichen mit der vor uns liegenden Freude (s. Hebr 12,2).

Ein weiterer Ausdruck, der aus dem Gleichnis zu der Sache wird, auf die er verweist: „... geh ein zur Freude deines Herrn!" Der Stand der Seligen ist ein Stand der Freude. Wo es die Sicht und die Freude an Gott gibt – den Besitz vollkommener Heiligkeit und die Gemeinschaft der Seligen –, dort muss es die Fülle der Freude geben. Diese Freude ist die Freude ihres Herrn, die Freude, die er selbst für sie erworben und bereitgestellt hat, die Freude der Erlösten, die durch das Leid des Erlösers erworben wurde. Christus lässt seine treuen Haushalter in seine eigene Freude ein, dass sie mit ihm gemeinsam Erben sind. Verherrlichte Heilige werden in diese Freude eingehen, werden sie vollständig und vollkommen besitzen, wie diejenigen, welche bereit waren und zum Hochzeitsmahl eingingen. Sie werden bald dazu hineingehen, und sie werden in Ewigkeit dabei sein und vollkommen darin beheimatet sein.

Die schlechte Rechenschaft des faulen Knechtes. Hier haben wir:

Seine Rechtfertigung von sich selbst **(s. Vers 24-25)**. Obwohl er nur ein Talent bekommen hatte, wurde er dazu aufgerufen, für dieses eine Rechenschaft abzulegen. Niemand wird für mehr zur Rechenschaft gezogen werden, als er bekommen hat, doch wir müssen alle Rechenschaft für das ablegen, was wir bekommen haben. Beachten Sie:

Worauf er vertraute. „Siehe, da hast du das Deine!' Wenn ich es auch nicht vermehrt habe, wie es die anderen getan haben, so kann ich doch dies sagen: Ich habe es nicht weniger gemacht." Er meinte, das wäre genug, um ihm, wenn auch kein Lob, so doch Sicherheit zu geben. Diejenigen, die ihren Glauben träge bekennen, die Angst haben, zu viel für Gott zu tun, hoffen immer noch, genauso gut abzuschneiden wie diejenigen, die sich sehr in ihrem Glauben bemühen. Dieser Knecht meinte, dass diese Rechenschaft dafür sorgen würde, dass er gut genug durchkommt, weil er sagen konnte: „Siehe, da hast du das Deine!" Viele, die Christen genannt werden, hegen große Hoffnung, den Himmel zu erreichen, wenn sie eine solche Rechenschaft ablegen können, als würde nichts mehr gefordert oder könnte nichts weiter erwartet werden.

Was er bekannte. Er gestand das Vergraben seines Talentes ein: Ich „verbarg dein Talent in der Erde". Er sprach, als wäre es kein großes Verschulden; in der Tat sprach er, als würde er Lob für seine Umsicht verdienen, dass er es an einen sicheren Ort gelegt hat und kein Risiko damit eingegangen ist.

Was er zu seiner Entschuldigung anbot: „Herr, ich kannte dich, dass du ein harter Mann bist ... und ich fürchtete mich." Gute Gedanken über Gott würden Liebe hervorbringen, und diese Liebe würde uns fleißig und treu machen, aber harte Gedanken über Gott bringen Furcht hervor, und diese Furcht macht uns faul und treulos. Seine Entschuldigung zeigt:

Die Gefühle eines Feindes: „Herr, ich kannte dich, dass du ein harter Mann bist." Auf diese Weise machte er seine Verteidigung zu einer Beleidigung. Beachten Sie, wie überzeugt er sprach: „Ich kannte dich, dass du so bist." Wie konnte er wissen, dass er so ist? Weiß nicht die ganze Welt das Gegenteil, dass Gott weit davon entfernt ist, ein harter Herr zu sein, dass „die Erde ist erfüllt von der Güte des HERRN" (Ps 33,5), dass er, weit davon entfernt, zu ernten, wo er nicht gesät hat, eine große Menge sät, wo er nichts erntet? „Denn er lässt seine Sonne aufgehen über Böse und Gute und lässt es regnen über Gerechte und Ungerechte" (Mt 5,45) und hat die Herzen von denen „erfüllt mit Speise und Freude" (Apg 14,17), die zu dem Allmächtigen sprechen: „Weiche von uns" (Hiob 21,14). Diese Andeutung zeigt die gewöhnliche Kritik, welche Übeltäter an Gott richten, als würden sie ihm die Schuld für ihre ganze Sünde und ihr ganzes Verderben zuschieben, weil er ihnen seine Gnade verweigerte. Doch wenn wir verlorengehen, ist es unsere eigene Schuld.

Den Geist eines Sklaven: „... und ich fürchtete mich." Diese falsche Haltung Gott gegenüber entstand durch seine falschen Gedanken über Gott. Harte Gedanken über Gott treiben uns von ihm weg und behindern uns in seinem Dienst. Diejenigen, die meinen, dass es unmöglich ist, ihm zu gefallen, dass sie ihm vergeblich dienen (s. Ps 73,13; Jes 49,4; 65,23; 1.Kor 15,58), werden in ihrer Religion nichts wirklich ausrichten.

Die Antwort seines Herrn auf seine Rechtfertigung. Seine Ausrede wird gegen ihn gewendet und er wird dadurch sprachlos gemacht. Hier gibt es:

Seine Überführung **(s. Vers 26-27)**. Er wird zweier Dinge überführt:

Der Faulheit: „Du böser und fauler Knecht!" Faule Knechte sind böse Knechte. Diejenigen, die in der Arbeit Gottes nachlässig sind, werden eng mit denen verbunden, welche damit beschäftigt sind, die Arbeit des Teufels zu tun. Versäumnisse sind Sünden und müssen gerichtet werden; Faulheit bahnt der Bosheit den Weg. Wenn das Haus leer ist, nimmt es der böse Geist in Besitz (s. Mt 12,43-45). Wenn die Menschen schlafen, sät der Feind Unkraut (s. Mt 13,25).

Eines Widerspruchs in sich selbst: „Wusstest du, dass ich ernte, wo ich nicht gesät ... habe? Dann hättest du mein Geld den Wechslern bringen sollen" **(Vers 26-27)**. Dies kann man auf drei Weisen verstehen.

„Angenommen, ich wäre ein solch harter Arbeitgeber: Hättest du dann nicht eifriger und mehr darauf bedacht sein sollen, mir zu gefallen, wenn nicht aus Liebe, dann aus Furcht?"

„Wenn du dachtest, dass ich ein solch harter Arbeitgeber bin und aus diesem Grund nicht gewagt hast, selbst mit dem Geld zu arbeiten, weil du fürchtetest, dabei in Verlust zu geraten, dann hättest du es nichtsdestotrotz als Guthaben auf eine Bank einzahlen können, und dann hätte ich bei meinem Kommen ‚das Meine mit Zinsen zurückerhalten'." Wird es uns, wenn wir nicht das Herz dazu haben, die schwierigeren und gefährlicheren Dienste zu riskieren, dafür rechtfertigen, dass wir vor denen zurückschrecken, die sicherer und leichter sind? Etwas ist besser als nichts; wenn wir darin versagen, unseren Mut bei kühnen Unternehmungen zu beweisen, dürfen wir nicht darin versagen, durch ehrliche Bemühungen unseren guten Willen zu erweisen.

„Angenommen, ich ernte dort, ‚wo ich nicht gesät' habe: Das gilt nicht für dich, denn ich hatte auf dich gesät, und das Talent war mein Geld, welches dir anvertraut war, nicht nur, um es zu erhalten, sondern um es anzulegen."

Seine Verdammung. Der faule Knecht wurde verurteilt:

Dass ihm sein Talent entzogen wird: „Darum nehmt ihm das Talent weg" **(Vers 28)**. Der Sinn dieses Teils des Gleichnisses wird durch den Grund klar, der für das Urteil gegeben wurde: „Denn wer hat, dem wird gegeben werden" **(Vers 29)**. Dies kann man anwenden:

Auf die Segnungen dieses Lebens – weltlichen Wohlstand und Besitz. Dieser wird uns anvertraut, dass wir ihn zur Ehre Gottes und zum Wohl derer um uns herum benutzen. Doch „von dem aber, der nicht hat", das heißt, der diese Dinge hat, als hätte er sie nicht, werden sie „genommen werden".

Auf die Gnadenmittel. Menschen, die eifrig die Möglichkeiten nutzen, die sie haben, werden sehen, dass Gott sie erweitern wird.

Die gewöhnlichen Gaben des Geistes. Diejenigen, welche diese haben und mit ihnen Gutes tun, werden Überfluss haben; diese Gaben wachsen, wenn sie ausgeübt werden, und werden leuchtender, wenn sie benutzt werden; je mehr wir im religiösen Glauben tun, desto mehr können wir tun. Doch diejenigen, welche nicht die Gabe anregen, die in ihnen ist, werden sehen, dass ihre Gaben einrosten, abnehmen und wie ein vernachlässigtes Feuer ausgehen.

„... in die äußerste Finsternis" geworfen zu werden **(Vers 30)**.

Seine Charakterisierung war die, dass er ein unnützer Knecht war. Faule Knechte werden als nutzlos beurteilt werden. Ein fauler Knecht ist ein verdorrtes Glied des Leibes (s. Joh 15,6), für nichts gut. In gewissem Sinn sind wir alle „unnütze Knechte" (Lk 17,10); wir können Gott nichts nützen (s. Hiob 22,2). Doch es ist nicht genug, keinen Schaden anzurichten; wir müssen auch Gutes tun; wir müssen Frucht hervorbringen. Und wenn Gott davon auch keinen Nutzen hat, wird er nichtsdestotrotz verherrlicht (s. Joh 15,8).

Seine Strafe war, „in die äußerste Finsternis" geworfen zu werden. Der Zustand derjenigen, die zur Hölle verdammt sind, ist:

Sehr düster; es ist die „äußerste Finsternis". In der Nacht kann niemand wirken (s. Joh 9,4), eine passende Strafe für einen faulen Knecht. Es ist äußerste Finsternis, weit weg vom Licht des Himmels, weit weg vom Festmahl, weit weg von der Freude ihres Herrn, in welche die treuen Knechte gelassen wurden.

Sehr schlimm; dort ist Heulen und Zähneknirschen. Das wird das Erbteil des faulen Knechtes sein.

Vers 31-46

Hier ist eine Beschreibung des Prozesses in dem letzten Gericht an dem großen Tag. Sie ist sozusagen die Erläuterung der vorangehenden Gleichnisse. Wir haben hier:

1. Die Einsetzung des Richters auf den Richterstuhl: „Wenn aber der Sohn des Menschen ... kommen wird" **(Vers 31)**. Beachten Sie hier:

1.1 Dass ein Gericht kommen wird, in dem jeder nach dem verurteilt werden wird, was er in dieser Welt der Prüfung getan hat.

1.2 Die Durchführung des Gerichts an jenem großen Tag ist dem Sohn des Menschen übergeben (s. Joh 5,22). Hier wird, wie anderswo, wenn über das Letzte Gericht gesprochen wird, Jesus Christus „der Sohn des Menschen" genannt, weil er die Menschen richten soll – und weil er, da er selbst von gleicher Natur ist, völlig ausreichend ist.

1.3 Das Erscheinen Christi, um die Welt zu richten, wird prächtig und herrlich sein. Christus wird in echter Herrlichkeit auf dem Richterstuhl kommen, nicht nur „mit großem Prunk" (s. Apg 25,23). Die ganze Welt wird dann sehen, was die Heiligen jetzt glauben – dass er die Ausstrahlung der Herrlichkeit des Vaters ist (s. Hebr 1,3). Sein erstes Kommen geschah unter einer dunklen Wolke der Unklarheit; sein zweites wird in einer leuchtenden Wolke der Herrlichkeit sein.

1.4 Wenn Christus in seiner Herrlichkeit kommt, um die Welt zu richten, wird er all seine heiligen Engel mit sich bringen (s. Mk 8,38). Diese herrliche Person wird ein herrliches Gefolge haben, Myriaden seiner heiligen Engel.

1.5 Er wird dann auf dem Thron seiner Herrlichkeit sitzen. Er sitzt jetzt mit dem Vater auf dessen Thron, und es ist ein Thron der Gnade, zu dem wir freimütig hinzutreten können (s. Hebr 4,16). Wenn er wiederkommt, wird er auf dem Thron der Herrlichkeit sitzen, dem Thron des Gerichts. In „den Tagen seines Fleisches" (Hebr 5,7) wurde Christus als Gefangener auf die Anklagebank geführt, doch bei seinem zweiten Kommen wird er als Richter auf dem Richterstuhl sitzen.

2. Das Erscheinen aller Menschen vor ihm: „Und vor ihm werden alle Heidenvölker versammelt werden" **(Vers 32)**. Das Gericht des großen Tages wird umfassend sein. Jeder muss vorgeladen werden, dass er vor Christi Tribunal erscheint: alle Menschen, alle Völker, all die Völker, die aus einem Blut gemacht sind, „dass sie auf dem ganzen Erdboden wohnen sollen" (Apg 17,26).

3. Die Trennung, die dann gemacht werden wird: „Und er wird sie voneinander scheiden", wie bei der Ernte Weizen und Unkraut voneinander getrennt werden (s. Mt 13,25-30), guter Fisch und schlechter Fisch am Ufer, das Korn und die Spreu auf der Tenne. Übeltäter und Fromme leben hier zusammen und sind nicht eindeutig voneinander zu unterscheiden, doch an jenem Tag werden sie für immer getrennt werden. Sie können sich nicht selbst in dieser Welt voneinander trennen (s. 1.Kor 5,10), noch kann sie jemand anderes trennen (s. Mt 13,29), doch der Herr kennt die Seinen (s. 2.Tim 2,19) und er kann sie trennen. Dies wird damit verglichen, wie ein Hirte die Schafe von den Böcken scheidet.

3.1 Jesus Christus ist der große Hirte der Schafe (s. Hebr 13,20); er weidet jetzt seine Herde wie ein Hirte (s. Jes 40,11) und er wird bald zwischen denen unterscheiden, die ihm gehören und die ihm nicht gehören.

3.2 Die Frommen sind wie Schafe – unschuldig, sanft, geduldig, nützlich; Übeltäter sind wie Böcke, eine mehr verdorbene Art von Tier, unangenehm und ungebärdig. Die Schafe und die Böcke weiden hier den ganzen Tag lang auf der gleichen Weide, doch in der Nacht werden sie in verschiedene Pferche kommen. Nachdem er sie auf diese Weise geschieden hat, wird der Hirte „die Schafe zu seiner Rechten stellen, die Böcke aber zu seiner Linken" **(Vers 33)**. Christus ehrt die Frommen, wie wir denen gegenüber Respekt erweisen, die wir zu unserer Rechten stellen. Alle Teilungen und Unterteilungen werden dann abgeschafft bis auf die große Unterscheidung der Menschen in Heilige und Sünder, geheiligte und nicht geheiligte, die für immer bleiben wird.

4. Der Gerichtsprozess bei jeder von diesen Gruppen.

4.1 Die Frommen zur Rechten betreffend. Beachten Sie hier:

Die Herrlichkeit, die ihnen gegeben wird: „Dann wird der König denen zu seiner Rechten sagen" **(Vers 34)**. Der Eine, welcher der Hirte war – was die Fürsorge und Sanftheit zeigt, mit der er diese Untersuchung durchführen wird –, ist hier der König. Das Wort dieses Königs ist mächtig (s. Pred 8,4). Dieses Urteil enthält zwei Dinge:

Die Anerkennung der Heiligen als die Gesegneten des Herrn: „Kommt her, ihr Gesegneten meines Vaters." Er nennt sie gesegnet, und seine Aussage, dass sie gesegnet sind, macht sie dazu. Sie sind Gesegnete seines Vaters, verachtet und verflucht von der Welt, doch von Gott gesegnet. All unsere Segnungen in himmlischen Dingen kommen von Gott als dem Vater unseres Herrn Jesus Christus (s. Eph 1,3) zu uns. Christus ruft die Heiligen, dass sie kommen sollen. Dieses „kommt" ist eigentlich: „Willkommen, zehntausendmal willkommen zu den Segnungen meines Vaters. Kommt zu mir, um für immer mit mir zu sein; ihr, die ihr mir gefolgt seid und das Kreuz getragen habt, kommt jetzt mit mir, um die Krone zu tragen." Jetzt kommen wir freimütig zum Thron der Gnade (s. Hebr 4,16), dann aber werden wir freimütig zum Thron der Herrlichkeit kommen.

Der Einlass der Heiligen zu der Seligkeit und dem Reich des Vaters: „... und erbt das Reich, das euch bereitet ist." Dies zeigt:

Die Glückseligkeit, die sie besitzen werden, ist sehr reich. Es ist ein Reich, und ein Reich wird zu den wertvollsten Besitztümern auf der Erde gerechnet und umfasst den größten Wohlstand und die größte Ehre. Diejenigen, die hier Bettler und Gefangene sind und als Abschaum aller angesehen werden (s. 1.Kor 4,13), werden dann ein Reich erben. Es ist ein bereitetes Reich: Die Seligkeit muss groß sein, denn sie ist das Ergebnis göttlicher Pläne. Es ist für sie bereitet. Dies zeigt die Angemessenheit dieser Seligkeit. Sie gehört ihnen; sie ist bewusst für sie bereitet: „Nicht nur für Menschen wie euch, sondern für euch selbst, namentlich euch." Es ist „seit Grundlegung [Schöpfung] der Welt" bereitet. Diese Seligkeit war für die Heiligen beabsichtigt und die Heiligen für sie, ehe die Zeit begann, von aller Ewigkeit her (s. Eph 1,4).

Der Anspruch, aufgrund dessen sie es erhalten und besitzen werden, ist sehr gut; sie werden kommen und es erben. Gott macht zum Erben, zum Erben des Himmels. Wir kommen aufgrund unserer Sohnschaft zur Erbschaft, unserer Adoption: „Wenn wir aber Kinder sind, so sind wir auch Erben" (Röm 8,17). Ein durch Erbschaft erlangter Titel ist der lieblichste und sicherste. In dieser Welt sind die Heiligen wie minderjährige Erben, unter Vormündern und Verwaltern bis zu der vom Vater festgelegten Zeit (s. Gal 4,1-2), und dann wird ihnen der volle Besitz von dem gegeben werden, worauf sie jetzt durch die Gnade Anrecht haben: „Kommt her ... und erbt."

Die Grundlage dafür: „**Denn ich bin hungrig gewesen, und ihr habt mich gespeist**" **(Vers 35)**. Wir können daraus nicht schließen, dass gute Werke von uns die Seligkeit des Himmels verdienen. Es ist jedoch klar, dass Jesus Christus die Welt nach der gleichen Regel richten wird, durch die er sie regiert, und deshalb wird er die belohnen, die diesem Gesetz gehorsam waren. Diese Seligkeit wird gehorsamen Gläubigen auf der Grundlage der Verheißung Gottes zuerkannt werden, die durch Jesus Christus erworben wurde. Der Loskauf und die Verheißung sind es, die den Anspruch verleihen; Gehorsam ist nur die Voraussetzung für den Erben. Die guten Werke, die hier erwähnt werden, sind solche, die wir gewöhnlich für Werke der Freundlichkeit gegenüber den Armen halten, und das lehrt uns allgemein, dass der durch die Liebe wirksame Glaube der Kern des Christentums ist (s. Gal 5,6). „Beweise mir doch deinen Glauben aus deinen Werken" (Jak 2,18). Die guten Werke, die hier beschrieben werden, beinhalten drei Dinge, die sich bei allen finden müssen, die gerettet sind:

Selbstverleugnung und Geringschätzung für die Welt, dass man die Dinge dieser Welt nur insoweit für gut erachtet, wie sie uns befähigen, mit ihnen Gutes zu tun. Diejenigen, die nicht die Mittel haben, Gutes zu tun, müssen die gleiche Haltung zeigen, indem sie zufrieden und frohen Sinnes arm sind.

Liebe zu unseren Geschwistern, welche das zweite große Gebot ist (s. Mt 22,39). Wir müssen diese Liebe durch unsere Bereitschaft beweisen, Gutes zu tun und mit anderen zu teilen; gute Wünsche sind ohne gute Werke ein Hohn (s. Jak 2,15-16; 1.Joh 3,17). Diejenigen, die nicht geben können, müssen auf irgendeine andere Weise die gleiche Haltung zeigen.

Eine ehrliche Achtung vor Christus. Was hier belohnt wird, ist das Trösten der Armen um Christi willen, aus Liebe zu ihm. Diese guten Werke, die im Namen des Herrn getan werden, werden angenommen werden (s. Kol 3,17). „Denn ich bin hungrig gewesen, und ihr habt mich gespeist." Dies zeigt uns:

Es ist für diejenigen, die sich an einem Festmahl mit den feinen Dingen des Himmels erfreuen, nichts Neues, hungrig und durstig umherzugehen und Mangel an täglicher Nahrung zu haben, denn diejenigen, die bei Gott daheim sind, leben als Fremdlinge in einem fremden Land (s. 2.Mose 2,22). Für diejenigen, die Christus angezogen haben (s. Gal 3,27) ist es nichts Neues, Mangel an Kleidern zu haben, um sich zu wärmen; für diejenigen, die gesunde Seelen haben, kranke Leiber zu haben; und für diejenigen, die Christus befreit hat, im Gefängnis zu sein.

Werke der Freundlichkeit und Großzügigkeit sind, nach unserem Vermögen, sie zu geben, notwendig für das Heil. Sie müssen die Beweise für unsere Liebe und unsere erklärte Unterordnung unter das Evangelium Christi sein (s. 2.Kor 9,13). Diejenigen aber, die keine Barmherzigkeit zeigen, werden unbarmherzig gerichtet werden (s. Jak 2,13). Gegen diesen Grund wird von den Gerechten bescheiden protestiert werden, doch er wird von dem Richter selbst erklärt werden.

Der Grund wird von den Gerechten angezweifelt **(s. Vers 37-39)**. Es ist nicht, dass sie das Reich ungern erben oder sich ihrer guten Taten schämen, sondern:

Die Aussagen sind in der Form eines Gleichnisses ausgedrückt und sollen diese großen Wahrheiten einführen und einprägen: dass Christus hohe Achtung vor Werken der Freundlichkeit hat und dass ihm besonders solche Freundlichkeiten gefallen, die um seinetwillen den Seinen getan werden.

Sie zeigen das demütige Erstaunen, mit dem die verherrlichten Heiligen erfüllt werden, wenn sie sehen, dass ein solch armseliger und wertloser Dienst wie der ihre so sehr gepriesen und so reich belohnt wird: „Herr, wann haben wir dich hungrig gesehen und haben dich gespeist?" Seelen der Gnade neigen dazu, eine geringe Meinung von ihren guten Taten zu haben und betrachten sie als besonders unwürdig, wenn sie mit der Herrlichkeit verglichen wird, die offenbart werden soll (s. Röm 8,18). Die Heiligen im Himmel werden sich wundern, was sie dorthin brachte, und warum Gott sie und ihren Dienst beachten würde. „Herr, wann haben wir dich hungrig gesehen ...?' Wir haben viele Male den Armen in Not gesehen, doch wann haben wir dich gesehen?" Christus ist mehr unter uns, als wir denken.

Es wird von dem Richter selbst erklärt: „Was ihr einem dieser meiner ... Brüder getan habt" – dem geringsten, dem einen unter den geringsten von ihnen –, „das habt ihr mir getan!" **(Vers 40)**. Wenn an jenem großen Tag die guten Werke der Heiligen hervorgeholt werden, wird man sich an sie alle erinnern und nicht das kleinste wird übersehen werden, nicht einmal das Reichen eines Bechers kalten Wassers (s. Mt 10,42). Und alle ihre Werke werden so sehr wie möglich zu ihrem Vorteil ausgelegt werden. So, wie Christus das Beste aus ihren Schwächen gemacht hat, macht er auch das meiste aus ihrem Dienst. Doch was wird aus den frommen Armen, welche nicht die Mittel haben, um die Hungrigen zu speisen und die Nackten zu kleiden? Müssen sie ausgeschlossen werden? Nein:

Christus wird sie, selbst den Geringsten unter ihnen, als seine Geschwister anerkennen; er wird sich nicht schämen oder es für unter seiner Würde halten, „sie Brüder zu nennen" (Hebr 2,11). Er wird nicht auf der Höhe seiner Herrlichkeit seine armen Verwandten verstoßen.

Er wird die Freundlichkeit, die ihnen erwiesen wurde, als an ihm getan sehen: „... das habt ihr mir getan!" Und indem er dies sagt, wird er den Armen Respekt erweisen, denen geholfen wurde, wie auch den Reichen, die ihnen halfen.

4.2 Bezüglich der Übeltäter zu seiner Linken. Wir haben:

Das über sie gefällte Urteil. Er wird zu ihnen sagen: „Geht hinweg von mir, ihr Verfluchten" **(Vers 41)**.

Derart in der Nähe Christi zu sein – wenn auch unter seinen finsteren Blicken –, mag eine gewisse Zufriedenstellung sein, aber jene werden nicht lange dort geduldet. „Geht hinweg von mir." In dieser Welt wurden sie oft gerufen, zu Christus zu kommen, um Leben und Ruhe zu bekommen, doch sie wandten seinen Rufen ein taubes Ohr zu. Sie hatten zu dem Allmächtigen gesagt: „Weiche von uns" (Hiob 21,14); dann wird er zu ihnen sagen: „Geht hinweg von mir."

Könnten sie, wenn sie weichen müssen, und aus Christi Gegenwart weichen müssen, dann nicht mit einem Segen entlassen werden, mit zumindest einem freundlichen und mitleidsvollen Wort? Nein. „Geht hinweg von mir, ihr Verfluchten." Diejenigen, die es ablehnten, zu Christus zu kommen, um einen Segen zu ererben, müssen unter der Last eines Fluches von ihm hinweggehen. Die Gerechten werden „ihr Gesegneten meines Vaters" genannt, weil sie ihren Segen rein der Gnade Gottes und seinem Segen zu verdanken haben, doch Übeltäter werden nur „ihr Verfluchten" genannt, weil ihre Verdammnis aus ihnen selbst kommt.

Können sie, wenn sie hinweggehen müssen, nicht an einen Ort des Trostes, der Erleichterung und der Ruhe gehen? Wird es für sie nicht traurig genug sein, ihren Verlust zu beklagen? Nein, sie müssen hinweggehen, in das Feuer. Dieses Feuer ist der Zorn des ewigen Gottes.

Wenn sie in ein bereitetes Feuer fallen, kann es dann nur eine kurze Zeit dauern, müssen sie vielleicht nur durch das Feuer hindurchgehen? Nein, weil die Ströme der Barmherzigkeit und Gnade für immer ausgeschlossen sind, gibt es nichts, um es auszulöschen.

Wenn sie zu solch einem Stand unendlichen Jammers verdammt werden müssen, können sie dann dort nicht etwas gute Gesellschaft haben? Nein, niemanden außer „dem Teufel und seinen Engeln". Sie dienten dem Teufel, während sie lebten, und so werden sie gerechterweise dazu verurteilt, da zu sein, wo er ist, so wie diejenigen, die Christus dienten, genommen werden, dass sie dort bei ihm sind, wo er ist.

Der Grund für dieses ausgesprochene Urteil.
Alles, wessen sie beschuldigt werden, die ganze Grundlage des Urteils, ist Unterlassung. „Als ich in deinen Nöten war, wart ihr so selbstsüchtig, dass ihr nicht gedient habt, wie ihr es hättet tun können, um mir zu helfen und mich zu trösten." Unterlassungen sind das Verderben für Tausende von Menschen.

Es ist das Unterlassen von Werken der Freundlichkeit gegenüber den Armen und anderen wichtigen Dingen des Gesetzes, wie „das Recht und das Erbarmen und den Glauben" (s. Mt 23,23). Hartherzigkeit gegenüber den Armen ist eine Sünde, die Verdammnis bringt. „Denn das Gericht wird unbarmherzig ergehen über den, der keine Barmherzigkeit geübt hat" (Jak 2,13). Die Sünder werden an dem großen Tag für das Unterlassen des Guten verurteilt werden, was in ihrer Macht stand zu tun. Der Grund für dieses Urteil wird:

Von den Angeklagten angezweifelt: „Herr, wann haben wir dich hungrig oder durstig ... oder ohne Kleidung ... gesehen ...?" **(Vers 44)**. Obwohl verdammte Sünder keine Ausrede haben, die sie unterstützen wird, werden sie vergeblich versuchen, Entschuldigungen vorzubringen. „Herr, wann haben wir dich hungrig oder durstig ... oder ohne Kleidung ... gesehen ...?" Sie sind nicht daran interessiert, die komplette Anklage zu wiederholen, weil sie sich selbst ihrer Schuld bewusst sind. Der Inhalt ihres Vorwandes zeigt ihre frühere Unbekümmertheit bei dem, was sie hätten wissen können, es aber bis jetzt ablehnten, darüber nachzudenken, wo es zu spät ist. Sie bildeten sich ein, dass es nur eine Gesellschaft von armen, schwachen, törichten und nichtswürdigen Leuten war, die sie beleidigten, doch diejenigen, die auf solche Weise denken, wird man erkennen lassen, dass es Jesus war, den sie verfolgten (s. Apg 9,5).

Von dem Richter gerechtfertigt. Er verfährt nach dieser Regel: „Was ihr einem dieser Geringsten nicht getan habt, das habt ihr mir auch nicht getan!" **(Vers 45)**. Was den treuen Jüngern und Nachfolgern Christi angetan wird, selbst den Geringsten unter ihnen, fasst er so auf, als habe man es ihm selbst angetan. „Bei all ihrer Bedrängnis war er auch bedrängt" (Jes 63,9). Diejenigen, die sie bedrücken, tasten seinen kostbaren Augapfel an (s. Sach 2,12).

4.3 Hier ist die Vollstreckung dieser beiden Urteile **(s. Vers 46)**:

„Und sie werden in die ewige Strafe hingehen." Das Urteil wird rasch vollstreckt werden. Es ist nicht daran zu denken, dass entweder Sünder ihre eigene Natur ändern könnten oder Gott ihnen seine Gnade geben wollte, um sie zu ändern, denn der Tag der Gnade wurde in dieser Welt vergeudet.

„... *die Gerechten aber in das ewige Leben*", das heißt, sie werden das Reich erben **(s. Vers 34)**. Der Himmel ist Leben; er ist völlige Seligkeit. Er ist ewiges Leben. Dort ist kein Tod, der dem Leben selbst ein Ende setzt, noch Alter, der seiner Annehmlichkeit ein Ende setzt, noch irgendwelcher Kummer, um es bitter zu machen. So sind das Leben und der Tod, Gut und Böse, Segen und Fluch vor uns gesetzt, damit wir unseren Weg wählen können (s. 5.Mose 30,15.19), und unser Ende wird entsprechend unserer Wahl sein.

KAPITEL 26

Die Erzählung von dem Tod und den Leiden Christi wird bei allen vier Evangelisten ausführlicher und vollständiger berichtet als jeder andere Teil seines Lebens. Dieses Kapitel beginnt diesem denkwürdigen Bericht. In diesem Kapitel haben wir: 1. Die Anbahnung der Leiden Christi: 1.1 Die Ankündigung, die er seinen Jüngern vorher davon machte (s. Vers 1-2). 1.2 Das Komplott der Herrschenden gegen ihn (s. Vers 3-5). 1.3 Die Salbung seines Hauptes bei einem Abendessen in Bethanien (s. Vers 6-13). 1.4 Das Abkommen von Judas mit den Priestern, ihn zu verraten (s. Vers 14-16). 1.5 Das Passahmahl Christi mit seinen Jüngern (s. Vers 17-25). 1.6 Seine Einsetzung des Herrenmahls und sein Gespräch danach mit seinen Jüngern (s. Vers 26-35). 2. Den Eintritt in sein Leiden einschließlich einiger der Einzelheiten: 2.1 Seine Qual in dem Garten (s. Vers 36-46). 2.2 Seine Ergreifung durch die Wachleute mit der Hilfe von Judas (s. Vers 47-56). 2.3 Sein Prozess vor dem Hohepriester und seine Verurteilung in seinem Hof (s. Vers 58-68). 2.4 Die Verleugnung von ihm durch Petrus (s. Vers 69-75).

Vers 1-5

Hier gibt es:

1. Die Ankündigung, die Christus seinen Jüngern machte, dass seine Leiden bald beginnen würden **(s. Vers 1-2)**. Er hatte ihnen oft mit zeitlichem Abstand über sein Leiden berichtet, doch jetzt sprach er von ihm als nahe bevorstehend: „in zwei Tagen". Beachten Sie:
1.1 Die Zeit, als er diese Warnung gab: als er „alle diese Worte beendet hatte". Die Zeugen Christi sterben nicht, bis sie ihr Zeugnis beendet haben (s. Offb 11,7). Er hatte seinen Jüngern gesagt, sie sollten schlimme Zeiten erwarten, Fesseln und Leiden, und dann sagte er ihnen: „... dann wird der Sohn des Menschen ausgeliefert." Dies sollte ihnen zeigen, dass es ihnen nicht schlimmer ergehen würde als ihm und dass seine Leiden den Stachel aus den ihrigen nehmen würden.

1.2 Die Sache selbst, die er ihnen ankündigte: „... dann wird der Sohn des Menschen ausgeliefert." Die Sache war nicht nur so gewiss, sondern auch so nahe bevorstehend, dass sie so gut wie geschehen war. Es ist gut, die Leiden, die immer noch kommen werden, als für uns gegenwärtig zu betrachten.

2. Das Komplott der obersten Priester, Schriftgelehrten und der Ältesten des Volkes gegen das Leben unseres Herrn Jesus **(s. Vers 3-5)**. Viele Pläne waren gegen das Leben Christi geschmiedet worden, doch dieses Komplott war tiefgründiger ausgelegt als alle vor dieser Zeit, denn die Leiter waren alle daran beteiligt. Beachten Sie:
2.1 Den Ort, an dem sie zusammentrafen: „... im Hof des Hohepriesters."
2.2 Das Komplott selbst: „... Jesus mit List ergreifen und töten"; nichts weniger als das Blut seines Lebens wäre ihnen genug.
2.3 Den Plan der Verschwörer: „Nicht während des Festes, damit kein Aufruhr unter dem Volk entsteht!" Sie hatten keine Scheu aus Gottesfurcht, sondern aus Furcht vor den Menschen; ihr einziges Interesse war ihre eigene Sicherheit, nicht Gottes Ehre.

Vers 6-13

In diesem Abschnitt der Geschichte haben wir:

1. Die besondere Freundlichkeit einer guten Frau gegenüber unserem Herrn Jesus, dass sie ihn salbte (s. Vers 6-7). Es war in „Bethanien", einem Dorf nahe Jerusalem, und „im Haus Simons des Aussätzigen". Vermutlich war dieser Simon jemand, der durch ein Wunder von unserem Herrn Jesus Christus von seiner Hautkrankheit gereinigt worden war, und er wollte seine Dankbarkeit ihm gegenüber zeigen, indem er ihn willkommen hieß. Christus hielt es nicht für unter seiner Würde, zu ihm zu kommen und mit ihm zu essen. Die Frau, die dies tat – meint man –, ist Maria gewesen, die Schwester von Marta und Lazarus. Sie kam „mit einer alabasternen Flasche voll kostbaren Salböls" (einem Gefäß mit sehr teurem Parfüm), welches sie „auf sein Haupt" goss, als er zu Tisch saß. Unter uns wäre dies eine sonderbare Art von Ehrenbezeigung, doch es wurde damals als die höchste Form der Achtung angesehen. Diese Handlung kann man nun betrachten:
1.1 Als einen Akt des Glaubens an unseren Herrn Jesus, den Christus, den Messias, den Gesalbten.
1.2 Als einen Akt der Liebe und Achtung ihm gegenüber. Manche meinen, dass dies die Frau war, die „viel Liebe erwiesen" hat und Christi Füße mit Tränen benetzte (s. Lk 7,38.47) und dass sie ihre erste Liebe nicht verlassen hatte (s. Offb 2,4). Wo es echte Liebe zu Jesus Chris-

tus im Herzen gibt, wird man nichts für zu gut halten – noch in Wirklichkeit gut genug –, um es ihm zu geben.

2. Den Anstoß, den die Jünger daran nahmen: Sie wurden unwillig **(s. Vers 8-9)**.

2.1 Beachten Sie, wie sie ihren Anstoß daran ausdrückten. Sie sagten: „Wozu diese Verschwendung?" Dies zeigt nun:
Fehlende Sanftheit gegenüber dieser guten Frau, indem man ihre übermäßige Güte – selbst angenommen, dass sie dies war – als Verschwendung deutet. Freundlichkeit und Liebe lehren uns, allem die bestmögliche Deutung zu geben, die geht. Es ist wahr, dass es beim Gutestun eine Übertreibung geben kann; wir dürfen jedoch nicht daraus lernen, anderen gegenüber kritisch zu sein, sondern selbst vorsichtig zu sein, damit wir nicht in Extreme fallen, denn was wir vielleicht einem Mangel an Weisheit zuschreiben, kann Gott als ein Beispiel überfließender Liebe annehmen. Wir dürfen nicht sagen: „Diese Menschen tun zu viel in ihrem religiösen Glauben", wenn sie mehr tun als wir, sondern müssen vielmehr danach streben, so viel zu tun wie sie.
Fehlenden Respekt gegenüber ihrem Meister. Es war nicht richtig, dass sie es Verschwendung nannten, als sie erkannten, dass er es als Zeichen der Liebe eines seiner Freunde zuließ und annahm. Wir müssen uns davor hüten, dass wir irgendetwas, das dem Herrn Jesus gegeben wird, für Verschwendung halten, sei es von anderen oder von uns selbst.

2.2 Beachten Sie, womit sie ihren Anstoß daran entschuldigten. „Man hätte dieses Salböl doch teuer verkaufen und den Armen geben können!"

3. Den Tadel, den Christus seinen Jüngern dafür gab, dass sie Anstoß an dieser guten Frau nahmen: „Warum bekümmert ihr diese Frau?" **(Vers 10)**. Es ist für gute Leute ein großer Kummer, wenn ihre guten Taten kritisiert und falsch gedeutet werden, und es ist eine Sache, gegen die Jesus Christus protestiert. Er schlug sich hier gegen all seine Jünger auf die Seite der Frau; genauso aufrichtig nimmt er sich des Falls „dieser Kleinen" an, die verachtet werden (s. Mt 18,10). Achten Sie auf seine Begründung: „Denn die Armen habt ihr allezeit bei euch."

3.1 Es gibt Möglichkeiten, Gutes zu tun und zu erreichen, die es ständig gibt und bei denen wir beständig danach streben müssen, das meiste aus ihnen zu machen. Diejenigen, die ein Herz haben, um Gutes zu tun, brauchen sich nie über einen Mangel an Gelegenheiten zu beklagen.

3.2 Es gibt andere Möglichkeiten, Gutes zu tun und zu erreichen, die seltener kommen und die den anderen vorgezogen werden sollten. „,... mich aber habt ihr nicht allezeit', deshalb macht das Beste daraus, solange ihr mich bei euch habt." Manchmal sollten besondere Werke der frommen Hingabe an die Stelle gewöhnlicher Werke der Freundlichkeit treten.

4. Christi Billigung und Lob der Freundlichkeit dieser guten Frau. Er nannte es „ein gutes Werk" **(Vers 10)** und sagte mehr zum Lob davon, als man sich hätte vorstellen können, besonders:

4.1 Dass die Bedeutung davon symbolisch ist: „Damit ... hat sie mich zum Begräbnis bereitet" **(Vers 12)**. Manche meinen, dass sie dies bezweckte, und dass die Frau besser die häufigen Weissagungen Christi von seinem Leiden und Tod verstand, als es die Apostel taten. Christus deutete es so, und er ist immer bereit, das Beste aus den wohlgemeinten Worten und Taten der Seinen zu machen.

4.2 Dass die Erinnerung an sie ehrenwert sein würde: „... da wird man auch von dem sprechen, was sie getan hat" **(Vers 13)**. Diese Tat des Glaubens und der Liebe war so bemerkenswert, dass die Prediger des gekreuzigten Christus (s. 1.Kor 2,2) und die inspirierten Schreiber der Berichte seines Leidens diesen Teil beachten würden. Keine aller ruhmreichen Posaunen klingt so laut und so lange wie das ewige Evangelium. Obwohl Christus der Eine ist, den das Evangelium vor allem ehren will, wird doch die Ehre seiner Heiligen und Knechte nicht völlig übersehen. Das Gedenken an diese Frau sollte bewahrt werden, indem man bei der Predigt des Evangeliums ihren Glauben und ihre Hingabe als ein Beispiel für andere erwähnt (s. Hebr 6,12).

Vers 14-16

Unmittelbar nach einem Beispiel der größten Freundlichkeit, die Christus erwiesen wurde, kommt ein Beispiel der größten Unfreundlichkeit. Unter den Nachfolgern Christi gibt es eine solche Mischung aus Guten und Schlechten.

1. Der Verräter war Judas Ischariot; es hieß, er sei „einer der Zwölf", um seine Treulosigkeit zu betonen. Als „die Zahl der Jünger wuchs" (s. Apg 6,1), war es kaum überraschend, wenn es einige unter ihnen gab, die ihnen Schande und Mühe bereiteten, doch als es nur zwölf gab und einer von ihnen ein Teufel war, dürfen wir sicherlich nicht erwarten, dass irgendeine Gemeinschaft auf dieser Seite des Himmels vollkommen rein ist. Die Zwölf waren die auserwählten Freunde Christi, doch einer von ihnen verriet ihn. Keine Ketten der Dankbarkeit oder der Pflicht werden denjenigen halten, der dämonisch besessen ist (s. Mk 5,3-4).

2. Hier ist das Angebot, welches Judas den obersten Priestern machte: Er ging zu ihnen

„und sprach: Was wollt ihr mir geben ...?" **(Vers 15)**. Sie sandten nicht nach ihm oder machten ihm den Vorschlag; sie hätten sich nicht vorstellen können, dass einer von Christi eigenen Jüngern treulos ihm gegenüber sein könnte. Hier haben wir:

2.1 Was Judas versprach: „Ich werde ihn euch verraten, damit ihr ihn ohne Lärm oder Gefahr eines Aufruhrs ergreifen könnt." Dies war es, worin sie bei ihrer Verschwörung gegen Christus nicht weiterwussten **(s. Vers 4-5)**. Sie wagten nicht, öffentlich mit ihm zusammenzutreffen, und wussten nicht, wo sie ihn allein finden konnten. So war der Stand der Dinge und die Schwierigkeit war unüberwindlich, bis Judas kam und ihnen seine Dienste anbot. Diejenigen, die sich selbst dazu hingeben, dass sie vom Teufel geleitet werden, sehen ihn bereiter, ihnen in solch einer kritischen Situation zu helfen, als sie sich vorstellen können. Obwohl die Herrschenden durch ihre Macht und ihren Einfluss hätten töten können, als er in ihren Händen gewesen war, konnte ihn niemand außer einem Jünger verraten. „Ich werde ihn euch verraten." Er bot sich nicht als Zeuge gegen Christus an, obwohl ihnen Beweise fehlten (s. Mt 26,59). Es ist ein Beleg für die Unschuld unseres Herrn Jesus, dass sein eigener Jünger, der treulos ihm gegenüber war, ihn nicht irgendetwas verbrecherischem beschuldigen konnte, obwohl es dazu gedient hätte, seinen Verrat zu rechtfertigen.

2.2 Was er bei der Überlegung seines Unterfangens verlangte: „Was wollt ihr mir geben ...?" Das war die einzige Sache, die Judas seinen Meister verraten ließ: Er hoffte, dadurch Geld zu bekommen. Es war nicht der Hass auf seinen Meister oder ein Streit mit ihm, sondern reine Geldliebe. „Was wollt ihr mir geben ...?" Warum, was fehlte ihm? Weder Brot zum Essen noch Kleider zum Anziehen; weder Notwendigkeiten noch Luxusartikel. Dieser habsüchtige Schuft konnte nicht zufrieden sein, sondern kam bestechlich und kriecherisch zu den Priestern mit der Frage: „Was wollt ihr mir geben ...?" Es ist nicht der Mangel an Geld, sondern die Geldgier, die eine Wurzel alles Bösen ist (s. 1.Tim 6,10).

3. Hier ist das Abkommen, das die obersten Priester mit ihm trafen: „Und sie setzten ihm 30 Silberlinge fest." Nach dem Gesetz (s. 2.Mose 21,32) waren dreißig Silberlinge der Preis für einen Sklaven, ein herrlicher Preis, dessen Christus wert geachtet wurde (s. Sach 11,13)! Sie „setzten ihm ... fest"; „sie bezahlten sofort" nach manchen. Sie zahlten ihm seinen Lohn in die Hand, um ihn geneigt zu halten und ihn zu ermutigen.

4. Hier ist der Eifer von Judas, seine Seite des Abkommens zu erfüllen: „Und von da an suchte er eine gute Gelegenheit, ihn zu verraten" **(Vers 16)**. Er arbeitete immer noch einen Plan aus, um es wirkungsvoll zu tun. Es ist äußerst böse, eine Möglichkeit zu suchen, zu sündigen und Schwierigkeiten zu verursachen, denn es zeigt, dass das Herz der Menschenkinder davon erfüllt ist, Böses zu tun (s. Pred 8,11). Er hatte immer noch Zeit, Buße zu tun, doch jetzt sagte der Teufel ihm wegen seiner Vereinbarung, er müsse treu zu seinem Wort stehen, obwohl er gegenüber seinem Meister treulos sein würde.

Vers 17-25

Hier ist ein Bericht, wie Christus das Passah feiert.

1. Die Zeit, in der Christus das Passah aß, war die gewöhnliche von Gott festgelegte und von den Juden beachtete Zeit: „Am ersten Tag der ungesäuerten Brote" **(Vers 17)**.

2. Der Ort war von ihm besonders festgelegt und wurde den Jüngern genannt, als sie fragten: „Wo willst du, dass wir dir das Passahmahl zu essen bereiten?" **(Vers 17)**.

2.1 Sie setzten voraus, dass ihr Meister das Passah essen würde, obwohl er zu dieser Zeit von den obersten Priestern verfolgt wurde, die ihm nach dem Leben trachteten. Sie wussten, dass er seine Pflicht nicht aufgeben würde, sei es durch Schrecken von außen oder durch Ängste von innen.

2.2 Sie wussten sehr gut, dass man dafür Vorbereitungen treffen musste und dass dies ihre Aufgabe war. „Wo willst du, dass wir [es] zu essen bereiten"? Ehe wir an geheiligten Diensten der Anbetung teilhaben, muss es ernstliche Vorbereitungen geben.

2.3 Sie wussten, dass er kein eigenes Haus hatte, in dem er das Passah essen konnte.

2.4 Sie wollten keinen Ort auswählen, ohne von ihm Anweisungen zu bekommen, und sie erhielten diese Anweisung von ihm; er schickte sie „zu dem und dem" **(Vers 18)**, der vermutlich einer seiner Freunde und Nachfolger war, und der Mann lud Christus und seine Jünger in sein Haus ein.

„... *spricht zu ihm: ... Meine Zeit ist nahe*"; er meinte die Zeit seines Todes. Er wusste, wann sie nahe war, und war darum tätig. Wir kennen unsere Zeit nicht (s. Pred 9,12) und deshalb dürfen wir unsere Wachsamkeit nie aufgeben. Unsere Zeit „ist immer bereit" (Joh 7,6) und deshalb müssen wir immer vorbereitet sein. Als unser Herr Jesus sich selbst in das Haus dieses guten Mannes einlud, sandte er ihm die Nachricht, dass seine Zeit nahe war. Das Geheimnis Christi ist für diejenigen, die ihn in ihrem Herzen aufnehmen (s. Ps 25,14).

„... *spricht zu ihm: ... bei dir will ich ... das Passah halten!*" Dies zeigte seine Autorität als „der Meister"; er bat nicht, sondern gebot die

Benutzung des Hauses des Mannes für diesen Zweck. Auf diese Weise fordert Christus Einlass, wenn er durch seinen Geist in das Herz kommt, als derjenige, dem das Herz gehört und der nicht abgewiesen werden kann. Sein Volk ist willig (s. Ps 110,3; Elb 06), denn er macht die Seinen so. „... bei dir will ich mit meinen Jüngern das Passah halten!" Überall, wo Christus willkommen ist, erwartet er, dass auch seine Jünger willkommen sind. Wenn wir Gott als unseren Gott annehmen, nehmen wir sein Volk als unser Volk an.

3. Die Vorbereitung wurde von seinen Jüngern getroffen: „Und die Jünger machten es, wie Jesus ihnen befohlen hatte" **(Vers 19)**. Sie bereiteten das Passah; sie ließen das Lamm schlachten und machten alles bereit für solch ein geheiligtes Fest.

4. Sie aßen das Passah gemäß dem Gesetz. Er setzte sich „zu Tisch" **(Vers 20)**. Sein Setzen zeigt, wie ruhig sein Geist war, als er sich diesem Fest zuwandte. Er setzte „sich mit den Zwölfen zu Tisch", einschließlich Judas. Unter dem Gesetz mussten sie „ein Lamm für jedes Haus" nehmen (2.Mose 12,3). Christi Jünger waren sein Haus (s. Mt 12,48-50). Diejenigen, denen Gott Verantwortung für ihre Familien gegeben hat, müssen gemeinsam mit ihrem Haus Gott dienen.

5. Christus lehrte seine Jünger über das Passahmahl. Der gewöhnliche Anlass war die Rettung Israels aus Ägypten (s. 2.Mose 12,26-27), doch jetzt war das große Passah bereit, geopfert zu werden, und die Botschaft davon verschluckte alles Reden von dem anderen (s. Jer 16,14-15). Hier ist:
5.1 Die allgemeine Ankündigung, die Christus seinen Jüngern von dem Verrat machte, der unter ihnen geschehen würde: „Einer von euch wird mich verraten!" **(Vers 21)**.
Christus wusste es. Wir wissen nicht, welche Schwierigkeiten uns zustoßen werden, noch von woher sie kommen werden; Christus aber wusste alles über die Schwierigkeiten, die über ihn kommen würden. Es vergrößert seine Liebe, dass er alle Dinge wusste, die mit ihm geschehen würden, und sich trotzdem nicht zurückzog.
Als es nötig war, sagte er es denen, die bei ihm waren. Er hatte ihnen oft gesagt, dass der Sohn des Menschen verraten werden würde; jetzt sagte er ihnen, dass dies einer von ihnen tun würde.
5.2 Die Gefühle der Jünger bei diesem Ereignis **(s. Vers 22)**.
„*Da wurden sie sehr betrübt."* Es beunruhigte sie sehr zu hören, dass ihr Meister verraten werden würde. Als Petrus dies das erste Mal gesagt wurde, sagte er: „Das widerfahre dir nur nicht!" (s. Mt 16,22). Es beunruhigte sie mehr zu hören, dass es einer von ihnen tun würde. Seelen der Gnade grämen sich wegen der Sünden anderer, besonders von denen, die ein größeres Glaubensbekenntnis abgelegt hatten, als es üblich ist (s. 2.Kor 11,29). Es beunruhigte sie am meisten von allem, dass sie in Ungewissheit darüber gelassen wurden, wer von ihnen es war.
„... und jeder von ihnen fing an, ihn zu fragen: Herr, doch nicht ich?" Sie waren nicht veranlasst, Judas zu verdächtigen. Obwohl er ein Dieb war (s. Joh 12,6), scheint er ein im Großen und Ganzen so annehmbares Leben geführt zu haben, dass keiner von ihnen überhaupt auf ihn schaute und viel weniger sagte: „Herr, ist es Judas?" Es ist möglich, dass ein Heuchler nicht nur unentdeckt durch die Welt geht, sondern auch nicht verdächtigt wird, wie Falschgeld, das so geschickt gemacht ist, dass niemand seine Echtheit anzweifelt. Sie waren geneigt, sich selbst zu verdächtigen: „Herr, doch nicht ich?" Sie fürchteten das Schlimmste und fragten deshalb den Einen, der uns besser kennt als wir uns selbst: „Herr, doch nicht ich?" Wir wissen nicht, wie stark wir versucht werden können noch wie weit Gott uns uns selbst überlassen wird und deshalb haben wir Grund, nicht hochmütig zu sein, sondern uns zu fürchten (s. Röm 11,20).
5.3 In den **Versen 23 und 24** werden ihnen weitere Informationen über diese Angelegenheit gegeben, wo Christus ihnen sagte:
Dass der Verräter ein vertrauter Freund sein würde: „... *der mein Brot aß"* **(Ps 41,10)**, das heißt, „einer von euch, die jetzt mit mir an diesem Tisch sind". Es ist eine verderbte Undankbarkeit, mit Christus Brot zu essen und ihn zu verraten.
Dass dies gemäß der Schrift geschah, was ihn daran hindern würde, daran Anstoß zu nehmen. Je mehr wir in unseren Schwierigkeiten die Schrift erfüllen sehen, desto besser können wir sie bewältigen.
Dass es den Verräter teuer zu stehen kommen würde: „... aber wehe jenem Menschen, durch den der Sohn des Menschen verraten wird!" Obwohl Gott durch die Sünden der Menschen seine eigenen Pläne verfolgen kann, macht das den Zustand des Sünders nicht weniger schrecklich: „Es wäre für jenen Menschen besser, wenn er nicht geboren wäre."
5.4 Die Überführung von Judas **(Vers 25)**: Er fragte: „Rabbi, doch nicht ich?", um zu vermeiden, durch sein Schweigen unter den Verdacht einer Schuld zu kommen. Er wusste sehr gut, dass er derjenige war, doch er wollte einem solchen Komplott fremd erscheinen. Viele Menschen, deren Gewissen sie verdammen, arbeiten hart daran, sich vor anderen Menschen zu rechtfertigen und ein unerschrockenes Gesicht aufzusetzen mit: „Herr, doch nicht ich?" Christus antwortete schnell auf diese Frage: „Du hast es gesagt!" Das war genug,

um ihn zu überführen und ihn – wenn sein Herz nicht entsetzlich verhärtet gewesen wäre – sein Komplott aufgeben zu lassen, wenn er sah, dass sein Meister davon wusste.

Vers 26-30

Hier ist die Einsetzung des Herrenmahls, der großen Ordnung des Evangeliums. Beachten Sie:

1. Den Zeitpunkt, als es eingesetzt wurde – „als sie nun aßen", gegen Ende des Passahmahls doch bevor die Teller vom Tisch genommen wurden, denn es sollte an die Stelle dieser Ordnung treten. Christus ist das Passahopfer für uns, durch welches Sühnung geschieht. „Denn unser Passahlamm ist ja für uns geschlachtet worden: Christus" (1.Kor 5,7).

2. Die Einsetzung selbst. Ein Sakrament muss eingesetzt werden; es hat seine Existenz wie auch seine Bedeutung durch göttliche Einsetzung. Deshalb nennt ein Apostel in seiner Botschaft über diese Ordnung die ganze Zeit Jesus Christus den „Herrn" (1.Kor 11,23), denn als Herr setzte er diese Ordnung ein.

2.1 Durch das Brot wird der Leib Christi dargestellt und angezeigt. Er hatte früher gesagt: „Ich bin das Brot des Lebens" (Joh 6,35). So, wie das Leben des Leibes durch Brot ernährt wird, so wird das geistliche Leben durch die Fürsprache Christi ernährt und erhalten.

Jesus „nahm ... das Brot", den Brotlaib, einen Laib, der verfügbar und für den Zweck passend war. Sein Nehmen des Brotes war eine feierliche Handlung und wurde wahrscheinlich in solch einer Weise getan, dass es von denen beachtet wurde, die bei ihm saßen.

Er „sprach den Segen", bestimmte es durch Gebet und Danksagung für diesen Zweck. Wir finden keine festgelegte Form von Worten, die er bei diesem Anlass benutzte. Christus konnte dem Segen gebieten (s. 3.Mose 25,21; 5.Mose 28,8; Ps 133,3) und wir werden in seinem Namen freimütig gemacht, den Segen zu suchen.
Er „brach es", was zeigt:
Das Brechen des Leibes Jesu für uns, damit er passend gemacht wurde und wir ihn in Anspruch nehmen können: Er wurde „wegen unserer Missetaten zerschlagen" (Jes 53,5).
Das Brechen des Leibes Jesu für uns, so wie der Vater der Familie für die Kinder das Brot bricht.
Er „gab es den Jüngern", wie der Herr der Familie und dieses Festes. „... den Jüngern", weil alle Jünger Christi ein Anrecht auf diese Ordnung haben. Diejenigen, die seine wahren Jünger sind, werden sich an dem Nutzen aus dieser Ordnung erfreuen, doch er gab diese den Zwölfen, wie er es mit den vermehrten Broten tat, damit sie durch jene an alle anderen Nachfolger übergeben wird.
Er „sprach: Nehmt, esst! Das ist mein Leib" **(Vers 26)**. Hier sagte er ihnen:
Was sie damit machen sollten: „,Nehmt, esst!'; nehmt Christus an, wie er euch angeboten wird, nehmt die Sühnung an, erklärt dazu eure Anerkennung und euer Einverständnis." An Christus zu glauben, wird dadurch ausgedrückt, ihn aufzunehmen (s. Joh 1,12) und ihn zu essen (s. Joh 6,57-58). Essen, das man ansieht, wird, selbst wenn alle Zutaten auf dem Teller sind, uns nicht nähren; das Essen selbst muss gegessen werden, wie die Lehre von Christus in unser Leben aufgenommen werden muss.
Was sie damit haben würden: „Das ist mein Leib", nicht „dieses Brot", sondern dieses „Essen und Trinken". Der Glaube bringt die ganze Wirksamkeit von Christi Tod zu unseren Seelen. „,Das ist mein Leib', geistlich und sakramental; dies zeigt meinen Leib an und stellt ihn dar." Er gebrauchte eine sakramentale Sprache. Das widerspricht der römisch-katholischen Lehre von der Transsubstantiation, welche besagt, dass das Brot in die Substanz des Leibes Christi gewandelt wird. Wir haben nicht dadurch an der Sonne Anteil, dass wir die Form und den Leib der Sonne in unsere Hände gelegt bekommen, sondern indem wir ihre Strahlen auf uns empfangen. In der gleichen Weise haben wir dadurch Anteil an Christus, dass wir an seiner Gnade und an den seligen Früchten des Brechens seines Leibes Anteil haben.

2.2 Der Wein stellt das Blut Christi dar und repräsentiert es. Nachdem gemäß dem Brauch der Juden beim Passah Dank gesagt worden war, nahm er den Kelch **(s. Vers 27-28)**, den Kelch der Gnade, der bereit war, getrunken zu werden, und machte ihn zu einem sakramentalen Kelch. Er dankte, um uns zu lehren, nicht nur in jeder Ordnung auf Gott zu achten, sondern auch in jedem Teil der Ordnung.
Er gab diesen Kelch den Jüngern:
Mit einem Gebot: „Trinkt alle daraus!" So heißt er seine Gäste an seinem Tisch willkommen und lässt sie alle aus seinem Kelch trinken.
Mit einer Erläuterung: „Denn das ist mein Blut, das des Neuen Bundes." Bis zu diesem Zeitpunkt war das Blut Christi durch das Blut von Tieren dargestellt worden, echtes Blut; doch nachdem es tatsächlich vergossen wurde, wurde es durch das Blut von Trauben dargestellt, sinnbildlichem Blut.
„Denn das ist mein Blut, das des Neuen Bundes." Den Bund, den Gott mit uns schließen möchte, haben wir mit allen Vorrechten und Wohltaten den Verdiensten des Todes Christi zu verdanken.
Es wird „vergossen"; vor dem nächsten Tag wurde es nicht vergossen, doch es war jetzt an dem Punkt, wo es vergossen wurde; es war so gut wie geschehen.
Es wird „für viele vergossen". Christus kam, um „mit den Vielen einen festen Bund" zu schließen (Dan 9,27). Das Blut des Alten Testaments

wurde für wenige vergossen, doch Jesus Christus ist ein Sühneopfer für die Sünden „der ganzen Welt" (1.Joh 2,2).
Es wird „zur Vergebung der Sünden" vergossen, das heißt, um Vergebung der Sünden für uns zu erwerben. Der Neue Bund, der durch das Blut Christi in Kraft tritt und bestätigt wird, ist eine Charta der Gnade und Vergebung, ein Akt der Entschädigung, um eine Versöhnung zwischen Gott und den Menschen zustande zu bringen. Die Vergebung der Sünden ist der große Segen, der mit dem Herrenmahl allen echten Gläubigen gegeben wird; sie ist die Grundlage aller anderen Segnungen und die Quelle ewigen Trostes (s. Hebr 9,22-23). Jetzt wurde dem Gewächs des Weinstocks Lebewohl gesagt **(s. Vers 29)**. Wie gut war es, hier zu sein (s. Mk 9,5)! Es gab nie einen solchen Himmel auf Erden wie an diesem Tisch, aber es war nicht beabsichtigt, für immer anzuhalten.
Er verabschiedete sich von einer solchen Gemeinschaft. „Ich werde von jetzt an von diesem Gewächs des Weinstocks nicht mehr trinken.' Lebewohl, Gewächs des Weinstocks, Passahkelch, sakramentaler Wein." Sterbende Heilige verabschieden sich von den Sakramenten und den anderen Ordnungen der Gemeinschaft, die sie in dieser Welt voller Trost genießen, denn die Freude und die Herrlichkeit, in die sie eintreten, ersetzen sie alle; wenn die Sonne aufgeht, können wir den Kerzen Lebewohl sagen.
Er sicherte ihnen eine glückliche Wiederbegegnung am Ende zu. „... bis zu jenem Tag, da ich es neu mit euch trinken werde." Manche sehen dies als Verweis auf die Begegnungen, die er nach seiner Auferstehung mit ihnen hatte. Andere verstehen es als Verweis auf die Freuden und Herrlichkeiten des zukünftigen Standes, an denen die Heiligen in ewiger Gemeinschaft mit dem Herrn Jesus Christus Anteil haben werden. Christus selbst wird an dieser Freude Anteil haben; es war die vor ihm liegende Freude (s. Hebr 12,2), auf die er sich freute und die all seine treuen Freunde und Nachfolger mit ihm teilen werden.
Sie beschlossen die Zeremonie mit einem Lobgesang: „Und nachdem sie den Lobgesang [oder einen Psalm] gesungen hatten" **(Vers 30)**. Das Singen von Psalmen ist eine Ordnung des Evangeliums. Es ist sehr angemessen, nach dem Herrenmahl unsere Freude an Gott durch Jesus Christus und unsere dankbare Anerkennung der großen Liebe auszudrücken, mit der Gott uns in ihm geliebt hat. Das ist nicht unangebracht, selbst in Zeiten des Kummers und Leides. Unsere geistliche Freude sollte durch äußerliches Leid keinen Abbruch erfahren.
Als dies getan war, „gingen sie hinaus an den Ölberg". Er wollte nicht im Haus bleiben, um ergriffen zu werden, denn wenn er dies getan hätte, hätte er dem Herrn des Hauses Schwierigkeiten machen können; er zog sich in das angrenzende Gebiet zurück, den Ölberg. Sie hatten für diese Wanderung den Vorteil des Mondlichts, denn das Passah war immer bei Vollmond. Es ist für uns gut, nachdem wir das Herrenmahl empfangen haben, uns zu Gebet und Meditation zurückzuziehen und alleine mit Gott zu sein.

Vers 31-35
Hier ist das Gespräch Christi mit seinen Jüngern auf dem Weg, bei dem wir haben:

1. Eine Vorhersage der Prüfung, die sowohl er als auch seine Jünger nun durchmachen würden. Er sagte hier voraus:
1.1 Es würde ein schlimmer, zerstreuender Sturm erheben **(s. Vers 31)**.
Dass sie „in dieser Nacht alle an [Christus] Anstoß nehmen" würden; sie würden nicht den Mut haben, ihm treu zu bleiben, sondern würden ihn alle schimpflich verlassen. In Zeiten der Prüfung und Versuchung werden Gründe zum Straucheln unter den Jüngern Christi aufkommen; das muss so sein, einfach weil die Jünger schwach sind. Selbst diejenigen, deren Herzen rechtschaffen sind, werden manchmal dazu gebracht werden, zu straucheln. Es gibt Versuchungen und Verführungen, deren Auswirkungen umfassend sind: „Ihr werdet ... alle ... Anstoß nehmen." Obwohl es nur einen Verräter geben würde, würden sie alle Christus verlassen. Wir müssen uns auf unvermutete Prüfungen vorbereiten, die sich sehr schnell zuspitzen können. Beachten Sie, wie schnell sich ein Sturm erheben kann! Das Kreuz Christi ist für viele Menschen, die als seine Jünger gelten, der große Stolperstein.
Dass sich darin die Schrift erfüllen würde. „Ich werde den Hirten schlagen." Das ist aus Sacharja 13,7 zitiert. Hier geschieht das Schlagen des Hirten durch die Leiden Christi und hier ist die Zerstreuung der Schafe, wenn die Jünger fliehen. Jeder unternahm es, für sich selbst zu sorgen, und glücklich der Mann, der am weitesten vom Kreuz wegkommt.
1.2 Die Aussicht auf ein ermutigendes Wiedersehen nach dem Sturm: „'Aber nachdem ich auferweckt worden bin, will ich euch ... vorangehen.' Obwohl ihr mich verlassen werdet, werde ich euch nicht verlassen; obwohl ihr fallt und euch entfernt, werde ich dafür Sorge tragen, dass ihr nicht endgültig abfallt. Wir werden uns in Galiläa wiedertreffen. Ich werde euch vorangehen, wie der Hirte vor den Schafen hergeht" **(Vers 32)**. Der Urheber unseres Heils weiß, wie er seine Truppen sammeln muss (s. Hebr 2,10), wenn sie aus Feigheit in einen Zustand der Verwirrung geraten sind.

2. Die Vermessenheit von Petrus: „Wenn auch alle an dir Anstoß nehmen, so werde doch ich niemals Anstoß nehmen!" **(Vers 33)**. Petrus hatte große Zuversicht und war begierig darauf, zu jeder Gelegenheit zu sprechen. Manchmal tat es ihm Gutes, doch zu anderen Zeiten verleitete es ihn, wie es dies hier tat. Beachten Sie:

2.1 Wie er sich mit einem Versprechen verpflichtete, dass er nie von Christus abfallen würde. Vor dem Herrenmahl brachte Christus seine Jünger dazu, sich selbst zu prüfen mit der Frage: „Herr, doch nicht ich?" Denn das ist unsere Pflicht zur Vorbereitung auf diese Ordnung. Danach brachte er sie dazu, sich darauf einzulassen, aufs Engste mit ihm zu wandeln, denn das ist unsere darauf folgende Pflicht.

2.2 Wie er sich für besser gewappnet gegen Versuchungen hielt als jeder andere: „Wenn auch alle an dir Anstoß nehmen, so werde doch ich niemals Anstoß nehmen!" Petrus hielt es für möglich, dass manche – in der Tat alle anderen – zu Fall kommen würden, doch dass er besser entkommen würde als jeder andere. Wir sollten vielmehr sagen: „Wenn es möglich ist, dass andere zu Fall kommen können, besteht die Gefahr, dass ich dies auch tue."

3. Die besondere Warnung, die Christus Petrus vor dem gab, was er tun würde **(s. Vers 34)**. Petrus bildete sich ein, dass er in der Stunde der Versuchung besser abschneiden würde als irgendeiner von ihnen, doch Christus sagte ihm, dass er schlimmer abschneiden würde. „Wahrlich, ich sage dir'; du hast mein Wort darauf, ich, der ich dich besser kenne als du dich selbst kennst ..." Er sagte Petrus:

3.1 Dass Petrus ihn verleugnen würde. Petrus sagte: „Wenn auch alle, ich nicht", doch er tat es schneller als alle anderen.

3.2 Wie rasch er es tun würde: „In dieser Nacht", tatsächlich vor dem Morgen, „ehe der Hahn kräht." Genauso, wie wir nicht wissen, wie nahe uns Schwierigkeiten bevorstehen, wissen wir auch nicht, wie kurz wir vielleicht davor stehen, zu sündigen; wenn Gott uns unseren eigenen Kunstgriffen überlässt, sind wir immer in Gefahr.

3.3 Wie oft er es tun würde: dreimal. Christus sagte ihm, dass er es wieder und wieder tun würde, denn wenn unsere Füße beginnen zu rutschen, ist es schwer, wieder unseren sicheren Stand zurückzugewinnen (s. Ps 73,2).

4. Petrus wiederholte Zusicherungen seiner Treue: „Und wenn ich auch mit dir sterben müsste" **(Vers 35)**. Er wusste, was er tun sollte – lieber mit Christus sterben als ihn verleugnen. Und er meinte zu wissen, was er tun würde – niemals seinem Meister gegenüber treulos sein, was es ihn auch kostet. Doch es stellte sich heraus, dass er treulos war. Es ist leicht, freimütig und unbekümmert über den Tod zu sprechen, wenn er weit weg ist – „ich würde lieber sterben, als so etwas zu tun" –, doch dies ist nicht so rasch getan wie gesagt, wenn die Zeit da ist und sich der Tod in seiner wahren Gestalt zeigt. Der Rest stimmte dem zu, was Petrus sagte: „Ebenso sprachen auch alle Jünger." Es gibt in guten Leuten die Neigung, zu sehr auf ihre eigene Kraft und Standfestigkeit zu vertrauen. Diejenigen, die am meisten auf sich selbst vertrauen, sind oft diejenigen, die als Erste fallen und am schlimmsten sündigen. Diejenigen, die am selbstsichersten sind, sind am wenigsten sicher.

Vers 36-46

In diesen Versen haben wir den Bericht von seinem Ringen in dem Garten Gethsemane. Die Wolken hatten sich lange zusammengezogen und erschienen schwarz. Doch jetzt begann der Sturm ernsthaft loszubrechen. Beachten Sie:

1. Den Ort, wo er diese schreckliche Qual erlebte; es war auf einem „Grundstück, das Gethsemane genannt wird". Der Name bedeutet „Olivenpresse" – wie eine Weinpresse –, wo sie die „Oliven pressen" (Mi 6,15). Dort begann das Leiden unseres Herrn; dort gefiel es dem Herrn, ihn zu zerschlagen und leiden zu lassen (s. Jes 53,10), sodass von ihm frisches Öl zu allen Gläubigen fließen könne.

2. Die Begleitung, die er bei sich hatte, als er in dieser Qual war.

2.1 Er nahm die ganzen Zwölf mit sich in den Garten außer Judas, der zu dieser Zeit anderweitig beschäftigt war.

2.2 Er nahm nur Petrus, Jakobus und Johannes in jenen Winkel des Gartens mit sich, wo er seine Qualen litt. Er ließ den Rest in einiger Entfernung und sagte ihnen: „Setzt euch hier hin, während ich weggehe und dort bete!" Christus ging, um alleine zu beten, obwohl er gerade mit seinen Jüngern gebetet hatte (s. Joh 17,1). Er nahm diese drei mit sich, weil sie die Zeugen seiner Herrlichkeit bei seiner Verklärung gewesen waren (s. Mt 17,1-2), und das würde sie darauf vorbereiten, Zeugen seines Ringens zu sein. Diejenigen, die im Glauben die Herrlichkeit Christi gesehen haben, sind am besten darauf vorbereitet, mit ihm zu leiden. Warum sollten wir, wenn wir hoffen, mit ihm zu herrschen, dann nicht auch erwarten, mit ihm zu leiden (s. 2.Tim 2,12)?

3. Die Qual selbst, in der er war: „... und er fing an, betrübt zu werden, und ihm graute sehr." Es wird ein ringender Kampf genannt (s. Lk 22,44), eine Qual. Er war nicht unter irgendwelchen leiblichen Schmerzen oder Martern; es kam aus seinem Innern; er wurde bewegt (s. Joh 11,33). Die Worte, die hier benutzt werden, sind eindrücklich. Er fing an, betrübt zu werden und Qualen zu leiden. Er hatte eine sehr schwere Last auf seinem Geist. Doch was war der Grund für all dies? Was war es, das ihn in dieses Ringen brachte? Warum bist du so betrübt, gelobter Jesus, und warum ist deine Seele so unruhig in dir (s. Ps 42,6.8; 43,5)? Es war sicherlich keine Hoffnungslosigkeit oder Misstrauen gegenüber seinem Vater, viel weniger eine Auseinandersetzung oder ein Kampf mit ihm. So, wie ihn der Vater liebte, weil er sein Leben für die Schafe lässt (s. Joh 10,15.17), war er darin auch völlig dem Willen des Vaters ergeben. Jedoch:

3.1 Er stand in einem Kampf mit den Mächten der Finsternis; er gibt dies in Lukas 22,53 zu verstehen. „,... wie es mir der Vater geboten hat.' Gleichgültig wie, ich muss mit dem Feind kämpfen. ‚Steht auf und lasst uns von hier fortgehen!' Wir wollen schnell auf das Schlachtfeld gehen, um ihm entgegenzutreten" (Joh 14,31). Christus wird, als er das Heil bewirkte, als ein Kämpfer beschrieben, der auf das Feld geht.

3.2 Hier trug er die Schuld, die der Vater auf ihn geworfen hatte (s. Jes 53,6), und durch seinen Kummer und seine Bestürzung passte er sich diesem Teil seines Werkes an. Die Leiden, in die er eintrat, geschahen für unsere Sünden; sie sollten alle in ihm zusammentreffen, und er wusste es. So, wie wir verpflichtet sind, traurig über unsere einzelnen Sünden zu sein, war er bekümmert über die Sünde von uns allen.

3.3 Er hatte eine vollständige und klare Sicht von allen Leiden, die vor ihm lagen. Er sah den Verrat von Judas voraus, die Unfreundlichkeit von Petrus und den Hass und die verderbte Undankbarkeit der Juden. Der Tod in seinen schrecklichsten Erscheinungen, der Tod als Zurschaustellung, begleitet von all seinem Schrecken, blickte ihm ins Gesicht, und das überwältigte ihn mit Kummer, besonders, weil es der Lohn für unsere Sünde war (s. Röm 6,23), für die er es unternommen hatte, Sühnung zu erwirken. Es ist wahr, dass die Märtyrer für Christus ohne solchen Kummer und solche Qualen gelitten haben; sie waren dem Tod frohen Sinnes entgegengetreten. Aber:

Christus wurde der Beistand und Trost verweigert, den sie hatten; das heißt, er verweigerte ihn sich. Ihr Frohsinn unter dem Kreuz war Gottes Gunst geschuldet, die für den Herrn Jesus für den Augenblick unterbrochen war.

Seine Leiden waren von anderer Art als die ihren. Über das Kreuz der Heiligen ist ein Segen verkündet, der sie befähigt, darunter zu frohlocken (s. Mt 5,10.12), doch an Christi Kreuz war ein Fluch geheftet, der ihn darunter mit Kummer überwältigte. Sein Kummer unter dem Kreuz war die Grundlage ihrer Freude darunter.

4. Sein Klagen über diese Qual. Er ging zu seinen Jüngern **(s. Vers 38)** und:

4.1 Er berichtete ihnen von seinem Zustand: „Meine Seele ist tief betrübt bis zum Tod." Es gibt einem beunruhigten Geist ein wenig Erleichterung, einen Freund parat zu haben, mit dem man die innersten Gedanken teilen und ihm seinen Kummer mitteilen kann. Christus sagte ihnen hier:

Die Grundlage für diesen Kummer; es war seine Seele, die jetzt in Qualen war. Christus litt genauso in seiner Seele wie in seinem Leib.

Das Maß seines Kummers. Er war „tief betrübt". Es war überaus heftiger Kummer, sogar bis zum Tod; es war ein mörderischer Kummer, ein solcher Kummer, den kein Sterblicher ertragen und leben kann.

Seine Dauer; er würde anhalten bis zum Tod. Er begann nun, bekümmert zu sein, doch er hörte nie auf, dies zu sein, bis er sagte: „Es ist vollbracht!" (Joh 19,30). Es wurde über Christus prophezeit, dass er „ein Mann der Schmerzen" war (s. Jes 53,3).

4.2 Er bat sie, bei ihm zu bleiben: „Bleibt hier und wacht mit mir!" Er war sicherlich ohne Hilfe, wenn er die Hilfe derer suchte, von denen er wusste, dass sie leidige Tröster sein würden (s. Hiob 16,2). Es ist gut, die Hilfe von Geschwistern zu haben, und deshalb gut, sie zu suchen, wenn wir einmal zu einer Zeit Qualen leiden.

5. Was zwischen ihm und seinem Vater geschah, als er in dieser Qual war: „Und er war in ringendem Kampf und betete" (Lk 22,44). Gebet ist niemals unangebracht, doch wenn man Qualen leidet, ist es besonders angebracht. Beachten Sie:

5.1 Den Ort, wo er betete: „Und er ging ein wenig weiter"; er zog sich von ihnen zurück. Er zog sich zum Gebet zurück; eine beunruhigte Seele findet am meisten Trost, wenn sie mit Gott alleine ist, der das gebrochene Seufzen und Stöhnen versteht. Christus hat uns gelehrt, dass das vertrauliche Gebet alleine verrichtet werden muss.

5.2 Seine Haltung im Gebet: Er „warf sich auf sein Angesicht". Dass er mit dem Angesicht auf dem Boden lag, zeigt seine Qual, die Intensität seines Kummers und seine Demut im Gebet.

5.3 Das Gebet selbst, bei dem wir drei Dinge bemerken können:

Der Titel, den er Gott gab: „Mein Vater!" So dick die Wolke auch war, er konnte immer noch durch sie Gott als Vater sehen. Das ist eine angenehme Saite der Harfe, um sie in solch einer Zeit zu zupfen – „mein Vater"; wohin sollten Kinder sich wenden, wenn sie etwas betrübt sind, wenn nicht zu ihrem Vater?

Die Gunst, die er erbat: „Ist es möglich, so gehe dieser Kelch an mir vorüber." Er nannte sein Leiden einen Kelch; nicht einen Fluss oder ein Meer, sondern einen Kelch, von dem wir bald den Boden sehen werden. Wenn wir

Schwierigkeiten erleiden, sollten wir aus ihnen das Beste, das Geringste machen, nicht sie schlimmer machen, als sie wirklich sind. Er bat darum, dass dieser Kelch an ihm vorübergehen möge, das heißt, dass er das Leiden vermeiden könnte, was nun vor ihm lag, oder dass es zumindest verkürzt werden würde. Dies zeigt nichts mehr, als dass er wirklich und wahrhaftig Mensch war, und als Mensch müssen ihm Leid und Schmerz zuwider sein. Ein Gebet des Glaubens gegen eine Heimsuchung kann sehr wohl im Einklang mit der Geduld der Hoffnung im Leid stehen. Doch beachten Sie die Bedingung: „Ist es möglich." Wenn Gott verherrlicht, die Menschen gerettet und die Ziele seines Unternehmens erfüllt werden könnten, ohne dass er diesen bitteren Kelch trinkt, verlangte er danach, davon befreit zu werden; sonst nicht. Was wir nicht tun können, während wir unser großes Ziel erreichen, müssen wir als etwas betrachten, was tatsächlich unmöglich ist; Christus tat es so.

Seine vollständige Unterordnung unter und Annahme des Willens Gottes: „… doch nicht wie ich will, sondern wie du willst!" Obwohl unser Herr Jesus Christus ein deutliches Bewusstsein von der extremen Bitterkeit des Leidens hatte, das er erleben würde, war er doch freimütig bereit, sich für unsere Erlösung und für unser Heil ihnen zu unterwerfen. Der Grund für die Unterordnung Christi unter sein Leiden war der Wille seines Vaters: „… sondern wie du willst!" **(Vers 39)**. Er gründet seine eigene Bereitschaft auf den Willen des Vaters. Er tat einfach deshalb, was er tat, und er tat es mit Freude, weil es der Wille Gottes war (s. Ps 40,9). Er hatte oft darauf als das verwiesen, was ihn sein ganzes Unternehmen durchziehen ließ und ihn hindurchtrug. In Übereinstimmung mit diesem Beispiel Christi müssen wir von dem bitteren Kelch trinken, den uns Gott in die Hand gibt, selbst wenn er sehr bitter ist; obwohl sich die Natur wehrt, wird sich die Gnade unterwerfen.

5.4 Die Wiederholung des Gebets. „Wiederum ging er zum zweiten Mal hin, betete und sprach" **(Vers 42)** und wieder ein drittes Mal **(s. Vers 44)**. Obwohl wir zu Gott beten können, um eine Not zu verhindern und zu entfernen, muss es unser Hauptanliegen sein, dass er uns Gnade gibt, sie gut zu tragen. Wir sollten mehr darum besorgt sein, dass unsere Schwierigkeiten in sich geheiligt und unsere Herzen in ihnen ermutigt werden, als dass sie weggenommen werden. Er „betete und sprach: Mein Vater, … so geschehe dein Wille!" Gebet bedeutet, Gott nicht nur unsere Wünsche darzubieten, sondern auch unsere Unterwerfung. Er betete „zum dritten Mal und sprach dieselben Worte". Von **Vers 40** her scheint es so, dass er eine Stunde in der Qual und im Gebet blieb, doch was immer er mehr sagte, so hatte es diesen Inhalt, er betete, dass er, wenn es möglich wäre, vor dem herannahenden Leid gerettet werden möge, doch er unterwarf sich darin dem Willen Gottes. Was für eine Antwort erhielt er indes auf dieses Gebet? Es war sicherlich nicht umsonst gesprochen; der Eine, der ihn allezeit erhörte (s. Joh 11,42), verleugnete ihn jetzt nicht. Es stimmt, dass der Kelch nicht an ihm vorüberging, doch er erhielt eine Antwort auf sein Gebet, denn er wurde mit Kraft in seiner Seele gestärkt, und das war eine echte Antwort (s. Lk 22,43). Als Antwort auf sein Gebet sorgte Gott dafür, dass er nicht versagen oder entmutigt werden würde.

6. Was zwischen ihm und seinen drei Jüngern in dieser Zeit geschah.

6.1 Die Schuld, derer sie sich schuldig machten: dass sie, als er in Qualen war, sich so wenig darum kümmerten, dass sie nicht einmal wach bleiben konnten. Er kam und „findet sie schlafend" **(Vers 40)**. Noch mehr hätte sie ihre Liebe und Fürsorge für ihren Meister genauer und aufmerksamer über ihn wachen lassen sollen, doch sie waren so schläfrig, dass sie ihre Augen nicht offenhalten konnten. Was wäre aus uns geworden, wenn Christus nun so schläfrig gewesen wäre wie seine Jünger? Christus wollte, dass sie mit ihm wachen, als erwartete er Hilfe von ihnen, doch sie schliefen; sicherlich war dies die herzloseste Sache, die sie tun konnten. Seine Feinde, die auf ihn lauerten, waren wach genug (s. Mk 14,43), doch seine Jünger, die mit ihm hätten wachen sollen, waren eingeschlafen.

6.2 Nichtsdestotrotz das Wohlwollen Christi ihnen gegenüber. Bekümmerte Menschen sind oft mürrisch und missgelaunt gegenüber denen um sie her. Christus blieb in seiner Qual genauso demütig wie immer und war nicht dazu geneigt, Anstoß zu nehmen. Als Christi Jünger ihm diese Respektlosigkeit erwiesen:

Kommt er zu ihnen, als erwarte er, Ermutigung von ihnen zu bekommen, doch stattdessen fügten sie zu seinem Schmerz noch Kummer hinzu (s. Jer 45,3). Doch er kam immer noch zu ihnen, mehr um sie besorgt, als sie es selbst waren; als er am meisten beschäftigt war, kam er immer noch, um nach ihnen zu sehen, denn diejenigen, die ihm gegeben worden waren (s. Joh 17,2.6.9.24), lagen ihm auf dem Herzen, ob er nun lebte oder starb.

Er tadelte sie sanft. Er richtete seinen Tadel an Petrus, der in der Regel für sie sprach; jetzt möge er für sie hören. „Könnt ihr also nicht eine Stunde mit mir wachen?" Er sprach als jemand, der bestürzt war, sie so töricht zu sehen. Bedenken Sie:

Wer sie waren. „Konntet ihr nicht wachen – ihr, meine Jünger und Nachfolger? Ich erwartete Besseres von euch."

Wer er war. „Wacht mit mir, eurem Meister, der lange zu eurem Guten über euch gewacht hat" (s. Jer 24,6; 31,28). Er wachte aus seinem Schlaf auf, um ihnen zu helfen, als sie in Not waren (s. Mt 8,25-26); konnten sie nicht wach bleiben, zumindest, um ihm ihren guten Willen zu zeigen?

Wie klein die Sache war, die er von ihnen erwartete – nur, mit ihm zu wachen. Wenn er ihnen gesagt hätte, sie sollten etwas Großes tun oder mit ihm sterben, so meinten sie, dass sie es hätten tun können, doch sie konnten nicht tun, worum er sie bat, wenn es nur das war, mit ihm zu wachen (s. 2.Kön 5,13).

Welch kurze Zeit es war, die er erwartete, dass sie es tun – nur „eine Stunde". Sie sollten nicht eine ganze Nacht auf Wache sein, nur eine Stunde.

Er gab ihnen einen guten Rat: „Wacht und betet, damit ihr nicht in Versuchung kommt!" **(Vers 41)**. Es nahte eine Stunde der Versuchung, war sehr nahe, die Mühen Christi waren für seine Nachfolger Versuchungen, ihm zu misstrauen und an ihm zu zweifeln, ihn zu verleugnen und zu verlassen und aller Beziehung zu ihm abzuschwören. Es war gefährlich, wenn sie wie in eine Schlinge oder Falle in die Versuchung traten. Deshalb ermutigte er sie, zu wachen und zu beten: „Wacht und betet." Solange sie schliefen, verloren sie den Nutzen davon, an Christi Gebet teilzuhaben. „Wacht selbst und betet selbst. Betet, dass ihr wachen möget. Bittet Gott, euch durch seine Gnade wachzuhalten, jetzt, wo es notwendig ist."

Er verzieh ihnen freundlich. „Der Geist ist willig, aber das Fleisch ist schwach." Wir lesen nicht von einem Wort, das sie für sich selbst sagen konnten, doch er hatte dann ein sanftes Wort zu ihren Gunsten; hier gibt er uns ein Beispiel der Liebe, die „eine Menge von Sünden zudecken" wird (s. 1.Petr 4,8). Er bedachte, was sie für ein Gebilde waren (s. Ps 103,14), und tadelte sie nicht, denn er dachte daran, dass sie nur Fleisch und Blut waren und „der Geist ... willig, aber das Fleisch ... schwach" (s. Ps 78,38-39). Es ist das Elend und die Last der Jünger Christi, dass ihre Seelen mit ihren Leibern in den Werken der Frömmigkeit und Hingabe mithalten können; viele Male verfinstern und behindern ihre Leiber ihre Seelen. Wenn der Geist frei und zu dem geneigt ist, was gut ist, dann ist das Fleisch abgeneigt und nicht dazu aufgelegt. Es ist aber unser Trost, dass unser Meister dies gnädig bedenkt und die Bereitschaft des Geistes annimmt und Mitleid hat mit der Schwachheit und Gebrechlichkeit des Fleisches und verzeiht, denn wir sind „nicht unter dem Gesetz ... sondern unter der Gnade" (s. Röm 6,14).

Obwohl sie weiterhin schläfrig und verschlafen waren, tadelte er sie nicht weiter dafür, denn obwohl wir täglich straucheln, wird er nicht immer tadeln (s. Ps 103,9).

Als er das zweite Mal zu ihnen kam, sehen wir nicht, dass er etwas zu ihnen sagte: Er „findet sie wieder schlafend" **(Vers 43)**. Man hätte meinen können, dass er genug zu ihnen gesagt hatte, um sie wachzuhalten, doch es ist schwer, sich von einem Geist der Betäubung zu befreien (s. Röm 11,8). „... denn die Augen waren ihnen schwer geworden", was zeigt, dass sie dagegen ankämpften, so gut sie konnten, doch davon überwunden wurden, und deshalb betrachtete er sie mit Mitleid.

Als er das dritte Mal kam, überließ er sie dem Schrecken der herannahenden Gefahr: „,Schlaft ihr noch immer und ruht?' Schlaft nur, wenn ihr es wagt; ich würde euch nicht stören, wenn sich nicht Judas und seine Bande nähern würden" **(Vers 45)**. Beachten Sie, wie Christus mit denen umgeht, die zulassen, dass sie von Selbstvertrauen überwunden werden und sich nicht daraus aufwecken lassen wollen. Manchmal übergibt er sie ihrer Macht: „Schlaft ihr noch immer?" Mögen diejenigen, die schlafen wollen, ruhig tun. Der Fluch des geistlichen Schlafes ist die gerechte Strafe für diese Sünde (s. Röm 11,8; Hos 4,17). Er sendet viele Male ein aufschreckendes Gericht. Es ist für Menschen, die nicht von Argumenten und Einsichten aufgeschreckt werden wollen, besser, von Schwertern und Stöcken aufgeschreckt als dem Untergang in ihrem Selbstvertrauen überlassen zu werden. Diejenigen, die es ablehnen zu glauben, sollen dazu gebracht werden, etwas zu spüren. Was die Jünger hier anbetrifft, so macht sie ihr Meister auf das Herannahen seiner Feinde aufmerksam. „... der Sohn des Menschen wird in die Hände der Sünder ausgeliefert." Und ferner: „... der mich verrät, ist nahe." Sein Leiden kam für Christus nicht überraschend. Er sagte ihnen, sie sollten aufstehen und gehen, nicht: „Steht auf und lasst uns vor der Gefahr fliehen", sondern: „Steht auf und lasst uns ihr entgegengehen." Er erinnerte sie daran, wie töricht sie gewesen waren, die Zeit zu verschlafen, die sie mit der Vorbereitung hätten zubringen sollen; jetzt traf das Ereignis sie unvorbereitet und war für sie ein Schrecken.

Vers 47-56

Hier wird uns gesagt, wie Jesus ergriffen und in Gewahrsam genommen wird. Dies folgte unmittelbar auf seine Qual, „während er noch redete", denn vom Beginn bis zum Ende seines Leidens gab es nicht die kleinste Unterbrechung oder Atempause. Beachten Sie bei der Gefangennahme des Herrn Jesus:

1. Wer die Menschen waren, die darin verwickelt waren. Hier war „Judas, einer der Zwölf", der diese verrufene Wachmannschaft leitete: Er wurde „denen, die Jesus gefangen nahmen, zum Wegweiser" (Apg 1,16); ohne diese Hilfe hätten sie ihn nicht finden können, als er sich an einen ruhigen Ort zurückgezogen hatte. Hier war „eine große Schar" (eine große Menschenmenge) bei ihm. Diese Menschenmenge setzte sich zum Teil aus einer Abordnung der Wachen zusammen; diese waren Heiden, Sünder, wie Christus sie nennt **(s. Vers 45)**. Der Rest waren die Knechte und Beamten des Hohepriesters, die Juden waren. Diejenigen, die miteinander im Streit lagen, waren sich in ihrem Widerstand gegen Christus einig.

2. Wie sie für diese Aufgabe bewaffnet waren:
2.1 Mit was für Waffen sie bewaffnet waren: Sie kamen „mit Schwertern und Stöcken" (Knüppeln). Sie waren keine regulären Truppen, sondern ein ungeordneter Mob. Doch warum dieser ganze Wirbel? Weil seine Stunde gekommen war, die Zeit, in der er sich selbst hingeben sollte, war all diese Gewalt unnötig. Hebt ein Schlachter, wenn er hinaus auf ein Feld geht, um ein Lamm zu nehmen, dass es geschlachtet wird, eine Bürgerwehr aus und kommt bewaffnet? Nein, er braucht sie nicht, doch all diese Gewalt wurde benutzt, um das Lamm Gottes zu ergreifen (s. Joh 1,29.36).
2.2 In welcher Autorität sie kamen: Sie kamen „gesandt von den obersten Priestern und Ältesten des Volkes". Er wurde als jemand, der sich ihr unterwerfen musste, mit der Autorität des großen Sanhedrin festgenommen. Der römische Statthalter Pilatus gab ihnen keine Vollmacht. Nein, diejenigen, die in dieser Verfolgung tätig waren, die gehässigsten Feinde, die Christus je hatte, waren Männer, die behaupteten, religiös zu sein, welche die Angelegenheiten der Gemeinde leiteten. Pilatus tadelte sie dafür: „Dein Volk und die obersten Priester haben dich mir ausgeliefert!" (s. Joh 18,35).

3. Die Weise, auf die es vollführt wurde, und was zu diesem Zeitpunkt geschah.
3.1 Wie Judas ihn verriet; er erledigte seine Pflicht wirkungsvoll, und seine Entschlossenheit in dieser Bosheit kann alle diejenigen unter uns beschämen, die darin versagen, das zu tun, was gut ist. Beachten Sie:
Die Anweisungen, die er den Soldaten gab: Er „hatte ihnen ein Zeichen gegeben" **(Vers 48)**, damit sie keinen Fehler machen und statt ihm einen der Jünger ergreifen würden. Was für große Sorgfalt war nötig, um zu vermeiden, ihn zu verpassen – „der ist's" – und was für große Sorgfalt war nötig, wenn sie ihn in Händen hatten, ihn nicht gehen zu lassen – „den ergreift!". Durch seinen Kuss wollte ihn Judas nicht nur herausstellen, sondern ihn auch aufhalten, während hinter ihm die anderen herankamen, um ihn zu ergreifen.
Das täuschende Kompliment, das er seinem Meister gab. Er kam nahe zu Jesus; sicherlich würde er, wenn er ihm ins Gesicht schaut, entweder von seiner Majestät eingeschüchtert oder von seiner Schönheit verzaubert. Wagte er es, genau in seine Sicht und Gegenwart zu kommen und ihn zu verraten? Petrus verleugnete Christus, doch als der Herr sich umwandte und ihn ansah, tat er sofort Buße. Judas aber kam zu seinem Meister heran und verriet ihn. Judas sagte: „Sei gegrüßt, Rabbi!' und küsste ihn." Ein Kuss ist ein Zeichen der Loyalität und Freundschaft (s. Ps 2,12). Judas aber entweihte, als er alle Gesetze der Liebe und der Pflicht brach, das geheiligte Zeichen, um seinem Zweck zu dienen.
Der Empfang, den ihm sein Meister bot **(s. Vers 50)**. Er nannte ihn „Freund". Er wollte uns lehren, selbst unter der größten Provokation Bitterkeit zu vermeiden. Er nannte Judas Freund, weil Judas sein Leiden lancierte und ihm so behilflich war, wohingegen er Petrus Satan nannte, weil er versuchte, ihn abzuhalten. Er fragte Judas: „,... wozu bist du hier?' Ist es Frieden, Judas? Erkläre dich selbst; wenn du als Feind kommst, was bedeutet dann ein Kuss? Wenn du als Freund kommst, was bedeuten dann diese Schwerter und Stöcke? Warum bist du hier? Warum hattest du nicht genug Scham, außer Sichtweite zu bleiben, was du hättest tun und immer noch dem Offizier sagen können, wo ich bin?"
3.2 Wie ihn die Beamten und Soldaten ergriffen: „Da traten sie hinzu, legten Hand an Jesus und nahmen ihn fest"; sie nahmen ihn gefangen. Wir können uns gut vorstellen, was für rohe Hände diese wilde Masse an Christus legte. Und jetzt gingen sie vermutlich grober mit ihm um, um zu vergelten, dass sie in ihren vorherigen Versuchen so oft enttäuscht worden sind. Sie hätten ihn nicht fassen können, wenn er sich nicht selbst ergeben hätte und „nach Gottes festgesetztem Ratschluss und Vorsehung dahingegeben worden" wäre (Apg 2,23). Unser Herr Jesus wurde gefangengenommen, weil er in allen Dingen wie ein Übeltäter behandelt werden wollte, wenn er für unsere Frevel bestraft wird. Er wurde ein Gefangener, um uns zu befreien, denn er sagte: „Wenn ihr nun mich sucht, so lasst diese gehen!" (Joh 18,8). Und welche er freimacht, die sind wirklich frei (s. Joh 8,36).
3.3 Wie Petrus für Christus kämpfte und für diese Mühe damit belohnt wurde, dass ihm Einhalt geboten wurde. Es heißt hier nur, dass der Angreifer „einer von denen [war], die bei Jesus waren", doch in Johannes 18,10 wird uns gesagt, dass es Petrus war, der sich selbst bei dieser Gelegenheit hervortat. Beachten Sie:
Die Unbesonnenheit von Petrus: Er „zog sein Schwert" **(Vers 51)**. Sie hatten unter sich nur zwei Schwerter (s. Lk 22,38), und eines von ihnen, so scheint es, fiel Petrus zu, und nun meinte er, dass er etwas Großes damit tun würde. Alles, was er jedoch tat, war, dass er dem Knecht des Hohepriesters ein Ohr ab-

schlug; er wollte ihm vermutlich den Kopf abschlagen, doch er verfehlte sein Ziel. Petrus hatte viel darüber gesprochen, was er für seinen Meister tun wollte, und hatte erklärt, er wolle sein Leben für ihn lassen (s. Joh 13,37), und er hätte es in der Tat getan; jetzt würde er sich an sein Schwert halten und sein Leben riskieren, um seinen Meister zu retten. Er hatte großen „Eifer" für Christus und für seine Ehre und Sicherheit, doch es war „nicht nach der rechten Erkenntnis" (Röm 10,2) oder von Besonnenheit geleitet, denn:

Er tat es ohne Bevollmächtigung. Ehe wir das Schwert ziehen, müssen wir nicht nur schauen, dass unsere Sache gut ist, sondern auch, dass unsere Berufung klar ist.

Er setzte sich und seine Mitjünger unbesonnen der Wut der Menschenmenge aus, denn was sollten sie mit zwei Schwertern gegen eine Menge tun, die bewaffnet ist?

Der Tadel, den ihm unser Herr Jesus gab: „Stecke dein Schwert an seinen Platz!" **(Vers 52).** Er gebot Petrus, sein Schwert zurückzustecken. Er tadelte ihn nicht für das, was er getan hatte, weil es aus gutem Willen getan worden war, doch er stoppte den Fortgang davon, dass er zu den Waffen griff. Der Auftrag Christi bei seinem Kommen in die Welt war, Frieden zu machen (s. Eph 2,15). So, wie Christus seinen Jüngern das Schwert der Gerechtigkeit verbot (s. Mt 20,25-26), so verbot er hier das Schwert des Krieges. Christus sagte Petrus, er soll sein Schwert zurückstecken, und er sagte ihm nie, er soll es wieder ziehen. Christus nannte Petrus drei Gründe für diesen Tadel:

Sein Ziehen des Schwertes wäre gefährlich für ihn und seine Mitjünger: „Denn alle, die zum Schwert greifen, werden durch das Schwert umkommen"; diejenigen, die Gewalt gebrauchen, werden durch Gewalt fallen, und die Menschen vergrößern rasch ihre eigenen Schwierigkeiten, wenn sie ein Vorgehen für ihre Selbstverteidigung ergreifen, das Blutvergießen beinhaltet. Grotius nennt eine andere und einleuchtende Bedeutung für diesen Schwerthieb und meint, dass nicht Petrus, sondern die Wachleute und Soldaten, die mit Schwertern kamen, um Christus zu fangen, diejenigen waren, die das Schwert zogen. Sie „werden durch das Schwert umkommen". Sie ergriffen das römische Schwert, um damit Christus zu ergreifen, und nicht lange danach wurden sie, ihr Ort und ihr Volk durch das römische Schwert zerstört.

Es war unnötig, dass er sein Schwert zog, um seinen Meister zu verteidigen, der, wenn es ihm beliebte, alle Kräfte des Himmels zu seinem Dienst rufen könnte. „Oder meinst du, ich könnte nicht jetzt meinen Vater bitten, und er würde mir' vom Himmel wirkungsvolle Hilfe schicken? Petrus, wenn du meinst, ich möchte dieses Leiden vermeiden, könnte ich das leicht ohne deine Hand und dein Schwert tun" **(Vers 53)**. Gott braucht unseren Dienst nicht und noch viel weniger unsere Sünden, um seine Pläne zu verwirklichen. Gott kann sein Werk ohne uns tun. Obwohl Christus in Schwachheit gekreuzigt wurde, war es doch eine freiwillige Schwäche; er unterwarf sich nicht dem Tod, weil er nicht gegen ihn kämpfen konnte, sondern weil er nicht wollte. Christus sagt uns hier:

Welche Vollmacht er bei seinem Vater hatte: „… ich könnte … jetzt meinen Vater bitten, und er würde" Hilfe senden. Es ist für Gottes Kinder, wenn sie von allen Seiten von Feinden umringt sind, eine große Ermutigung, dass für sie ein Weg zum Himmel geöffnet ist; wenn sie nichts anderes tun können, dann können sie immer noch zu dem Einen beten, der alles kann. Diejenigen, die zu anderen Zeiten viel im Gebet sind, haben die größten Ermutigungen zu beten, wenn beschwerliche Zeiten kommen. Christus sagte nicht nur, dass Gott ihm helfen könnte, sondern auch, dass er es tun würde, wenn er darauf bestehen würde; er könnte immer noch von dem Dienst befreit werden. Doch er liebte ihn und deshalb verwarf er diesen Weg, und so war er nur durch die Bande seiner eigenen Liebe an den Altar gebunden (s. 1.Mose 22,9).

Welche Vollmacht er bei den himmlischen Mächten hatte: „… und er würde mir mehr als zwölf Legionen Engel schicken." Es gibt Zehntausende von Engeln (s. Hebr 12,22), die alle zur Verfügung unseres himmlischen Vaters stehen und Freude daran haben, seinen Willen zu tun (s. Ps 103,20-21). Diese Engelscharen waren bereit, zu kommen, um unserem Herrn Jesus in seinem Leiden zu helfen, wenn er brauchte oder wünschte. „… und er würde mir … schicken"; deshalb darf man nicht zu Engeln beten, der Herr der Engel ist der Eine, zu dem man beten muss (s. Ps 91,11). Er würde sie ihm jetzt (unmittelbar) geben. Beachten Sie, wie bereit der Vater war, sein Gebet zu hören.

Es war nicht die Zeit, sich überhaupt zu verteidigen, noch sich anzuschicken, den Schlag zu vermeiden: „Wie würden dann aber die Schriften erfüllt, dass es so kommen muss?" **(Vers 54).** Es stand geschrieben, dass Christus wie ein Lamm zur Schlachtbank geführt würde (s. Jes 53,7). Das Wort Gottes muss in allen schwierigen Situationen maßgeblich gegenüber unseren eigenen Zielen sein und es darf nichts getan werden, nichts versucht werden, was der Erfüllung der Schrift entgegenwirkt. Wir sollten sagen: „Möge Gottes Wort und Wille zustande kommen, möge sein Gesetz erhöht und geehrt werden, was auch immer mit uns geschieht." So hielt Christus Petrus zurück, als er sich als Verfechter und Führer seiner Leibgarde einsetzte.

3.4 Als Nächstes wird uns gesagt, wie Christus in der Sache mit denen diskutierte, die kamen, um ihn zu ergreifen **(s. Vers 55)**; obwohl er sich ihnen nicht widersetzte, diskutierte er doch mit ihnen. Es steht in Einklang mit der christlichen Geduld, dass wir uns in unseren Leiden ruhig vor unseren Feinden und Verfolgern verteidigen. „... seid ihr ausgezogen ...": *„Mit Wut und Feindschaft, ‚wie gegen einen Räuber', als wäre ich ein Bandit oder der Anführer einer Rebellion, der zu Recht auf diese Weise leiden würde?"* Wenn er das Unglück für sein Land gewesen wäre, hätte er nicht mit heftigerer Gewalt gejagt werden können.

„Mit aller dieser Gewalt und Macht, wie gegen die schlimmsten Banditen, die dem Gesetz trotzen, sich der öffentlichen Gerechtigkeit widersetzen und zu ihrer Sünde Frevel hinzufügen?" (s. Hiob 34,37). Weiter verteidigte er sich vor ihnen, indem er sie daran erinnerte, wie er sich bis zu dieser Zeit ihnen gegenüber und sie sich ihm gegenüber verhalten hatten. „Täglich bin ich bei euch im Tempel gesessen und habe gelehrt, und ihr habt mich nicht ergriffen." Wie kam es dann zu diesem Wechsel? Es war sehr unbillig von ihnen, dass sie ihn behandelten, wie sie es taten. Er hatte ihnen keine Veranlassung gegeben, ihn als Dieb zu betrachten, denn er hatte im Tempel gelehrt. Die begnadeten Worte, die aus seinem Mund kamen, waren nicht die Worte eines Räubers oder von jemandem, der dämonisch besessen war. Er hatte ihnen auch keine Veranlassung gegeben, ihn als jemanden zu betrachten, der sich heimlich davonmacht oder vor der Gerechtigkeit flieht und deshalb bei Nacht ergriffen werden muss. Sie hätten ihn jeden Tag im Tempel finden können; dort konnten sie mit ihm tun, wie es ihnen gefällt, denn die obersten Priester hatten die Aufsicht über den Tempel. Auf solch heimliche Weise zu ihm zu kommen, wenn er sich an einen einsamen Ort zurückgezogen hat, war feige und unehrenhaft. Der größte Held kann schändlich in einem Winkel von jemandem meuchlings ermordet werden, der zittern würde, diesem auf offenem Feld ins Gesicht zu sehen. „Das alles aber ist geschehen", wie in **Vers 56** folgt, „damit die Schriften der Propheten erfüllt würden." Es ist schwer zu sagen, ob das als ein Kommentar zu diesem Bericht die Worte des geheiligten Schreibers sind, oder ob es die Worte von Christus selbst sind, die als Begründung genannt werden, warum er sich dieser Behandlung unterwarf.

3.5 Wie er mitten in dieser Not schmachvoll von seinen Jüngern verlassen wurde: „Da verließen ihn alle Jünger und flohen" **(Vers 56)**. *Das war ihre Sünde – und es war eine große Sünde für sie, die alles verlassen hatten, um ihm nachzufolgen (s. Mk 10,28) –, ihn jetzt zu verlassen, denn sie wussten nicht für was. Es zeigte sowohl Unfreundlichkeit als auch Treulosigkeit, denn sie hatten feierlich versprochen, ihm treu zu bleiben und ihn nie zu verlassen.*

Es war ein Teil von seinem Leid, auf diese Weise im Stich gelassen zu werden, was seinen Fesseln noch Bedrängnis hinzufügte (s. Phil 1,16). Sie hätten bei ihm bleiben sollen, um ihm zu dienen und, wenn es nötig wäre, bei seinem Prozess für ihn auszusagen. Christus wurde als ein Opfer für Sünden auf diese Weise im Stich gelassen. Der Hirsch, der für die Jagd ausersehen ist und von dem Pfeil des Wildhüters zur Strecke gebracht wird, wird sofort von der ganzen Herde verlassen. Auf diesem Weg war Christus als der Heiland der Seelen alleine. Er trug und tat alles selbst.

Vers 57-68
Hier haben wir den Prozess unseres Herrn Jesus vor dem kirchlichen Gericht, dem großen Sanhedrin. Beachten Sie:

1. Die Sitzung dieses Gerichts. Die Gesetzeslehrer und Ältesten waren versammelt, obwohl es mitten in der Nacht war. Sie waren die ganze Nacht auf, um ihre Bosheit Christus gegenüber zu befriedigen, bereit zu sein, auf die Beute herabzustoßen. Schauen Sie:
1.1 Wer sich versammelt hatte: die Schriftgelehrten, die obersten Gesetzeslehrer; und die Ältesten, die obersten Leiter der jüdischen Gemeinde. Diese waren die erbittertsten Feinde Christi, unseres großen Lehrers und Fürsten.
1.2 Wo sie sich versammelt hatten: im „Hof des Hohepriesters". Dort waren sie vor zwei Tagen versammelt gewesen, um das Komplott auszuhecken (s. Mt 26,3), und jetzt trafen sie dort wieder zusammen, um es auszuführen. Sein Haus hätte eine Zufluchtsstätte für unterdrückte Unschuldige sein sollen, doch es war zum Thron der Sünde geworden, und es überrascht kaum, wenn sogar Gottes Haus des Gebets zu einer Räuberhöhle geworden ist (s. Mt 21,13).

2. Das Abführen des Gefangenen in den Hof. „Die aber Jesus festgenommen hatten, führten ihn ab", trieben ihn, zweifellos nicht ohne Gewalt. Er wurde durch das Tor, welches man das Schaftor nannte, nach Jerusalem gebracht, denn das war der Weg in die Stadt vom Ölberg aus. Es wurde so genannt, weil die für das Opfer bestimmten Schafe auf diesem Weg zum Tempel gebracht wurden. Es war deshalb sehr passend, dass Christus diesen Weg geführt wurde.

3. Die Feigheit und Furchtsamkeit von Petrus **(s. Vers 58)**.
3.1 Er folgte Christus, doch es war „von ferne". In ihm waren einige Funken von Liebe und Sorge für seinen Meister, und deshalb folgte er ihm, doch die Furcht und die Sorge um seine eigene Sicherheit waren vorherrschender, und deshalb folgte er ihm von Weitem. Es sieht schlecht aus und lässt

Schlimmes ahnen, wenn diejenigen, die bereit sind, Christi Jünger zu sein, nicht bereit sind, als solche erkannt zu werden. Ihm von Weitem zu folgen, hieß, dass er nach und nach vor ihm zurückschreckte. Es liegt Gefahr im Zurückweichen – tatsächlich sogar im Zurückschauen.

3.2 Er folgte ihm, doch er „ging hinein und setzte sich zu den Dienern". Er ging zu einem Ort, wo es ein gutes Feuer gab und setzte sich zu den Dienern, nicht, um ihre Kritik zum Schweigen zu bringen, sondern um sich zu schützen. Es war überheblich von Petrus, sich an den Ort der Versuchung zu begeben; wer dies tut, stößt sich selbst aus Gottes Schutz heraus.

3.3 Er folgte ihm, doch es war nur, „um den Ausgang der Sache zu sehen". Er wurde mehr durch Neugierde als durch sein Gewissen geleitet. Er war mehr als ein unbeschäftigter Zuschauer dort denn als Jünger. Er ging nur hinein, um sich umzusehen. Es ist nicht unwahrscheinlich, dass Petrus in der Erwartung hineinging, dass Christus auf übernatürliche Weise den Händen seiner Verfolger entkommen würde, sodass Petrus, der gerade auf die eingeschlagen hatte, die kamen, um Christus zu ergreifen, jetzt diejenigen totschlagen konnte, die über ihn zu Gericht saßen; das wäre dann der „Ausgang", den Petrus sehen wollte. Wenn dem so war, dann war es töricht von Petrus, zu meinen, einen anderen Ausgang zu sehen als den, den Christus vorhergesagt hatte, dass er getötet werden würde. Wir sollten mehr darum besorgt sein, uns auf den Ausgang vorzubereiten, wie er auch sein mag, als neugierig wissen zu wollen, wie der Ausgang sein wird. Der Ausgang steht bei Gott, doch uns gebührt die Pflicht.

4. Der Prozess unseres Herrn Jesus in diesem Hof.

4.1 Sie schafften Zeugen gegen ihn herbei. Die Verbrechen, die an ihrem Gerichtshof ordnungsgemäß verhandelt wurden, waren falsche Lehre und Gotteslästerung; diese versuchten sie deshalb ihm gegenüber zu beweisen. Beachten Sie:
Ihre Suche nach einem Beweis: Sie „suchten ein falsches Zeugnis gegen Jesus". Sie hatten ihn ergriffen, gebunden und misshandelt und dann versuchten sie etwas zu finden, um ihn dessen anzuklagen, doch sie konnten keinen Grund dafür finden, ihn den Römern auszuliefern. Sie verkündeten, wenn jemand Informationen über den Gefangenen auf der Anklagebank geben könne, wären sie bereit, sie anzunehmen, und sofort legten viele Leute falsches Zeugnis gegen ihn ab **(s. Vers 60)**.
Wie es ihnen bei dieser Suche erging. Mehrere ihrer Versuche wurden durchkreuzt; sie suchten nach falschen Zeugnissen unter sich selbst und andere kamen herzu, um ihnen zu helfen, doch sie fanden keines. Sie trafen jedoch schließlich auf zwei Zeugen, die, wie es scheint, in ihrem Beweis übereinstimmten, und so hörten sie den beiden in der Hoffnung zu, dass sie jetzt ihr Ziel erreicht hätten. Die Zeugen schworen, dass Christus gesagt hatte: „Ich kann den Tempel Gottes zerstören und ihn in drei Tagen aufbauen!" **(Vers 61)**. Sie wollten ihn hier anklagen:
Als einen Feind des Tempels, jemanden, der ihn zerstören wollte.
Als jemand, der mit Zauberei oder anderen magischen ungesetzlichen Künsten umging, mit deren Hilfe er ein solches Bauwerk in drei Tagen aufbauen konnte. Was nun dies betrifft:
Die Worte waren falsch zitiert. Er sagte: „Brecht diesen Tempel ab" (Joh 2,19). Sie kamen und schworen, dass er gesagt hatte: „Ich kann den Tempel ... zerstören", als ob es seine Absicht wäre, ihn zu zerstören. Er sagte: „In drei Tagen will ich ihn aufrichten" und benutzte ein griechisches Wort, das einen lebenden Tempel passend beschrieb: „Ich werde ihn zum Leben erwecken." Sie kamen und schworen, dass er gesagt hatte: „Ich kann ‚ihn in drei Tagen aufbauen'", und benutzten ein Wort, das einen Tempel als Haus passend beschrieb.
Die Worte wurden missverstanden. „Er aber redete von dem Tempel seines Leibes" (Joh 2,21), sie aber schworen, dass er auf den Tempel Gottes verwies, diesen heiligen Ort. Es gab und gibt immer noch Leute, welche die Aussagen Christi „zu ihrem eigenen Verderben" verdrehen (2.Petr 3,16). Er wurde angeklagt, damit wir nicht verdammt werden mögen, und wenn wir zu irgendeiner Zeit in solch einer Weise leiden, dass wir nicht nur jede Art von Bosheit gesagt hätten, sondern auch lügnerisch gegen uns geredet wird (s. Mt 5,11), dann wollen wir daran denken, dass wir nicht erwarten können, dem zu entkommen, was unser Meister zu erleiden hatte.
Christi Schweigen bei all diesen Anschuldigungen zur Bestürzung des Gerichts **(s. Vers 62)**. Der Hohepriester, der Richter dieses Gerichts, stand wütend auf und sagte: „‚Antwortest du nichts' (wirst du nichts antworten)? Komm, du Gefangener auf der Anklagebank, du hast gehört, was gegen dich geschworen wurde. Was kannst du nun für dich selbst sagen?" – „Jesus aber schwieg" **(Vers 63)**, nicht, weil er nichts sagen konnte oder nicht wusste, wie er es ausdrücken sollte, sondern, damit die Schrift erfüllt würde: „Wie ein Schaf, das verstummt vor seinem Scherer" (Jes 53,7) und vor dem Schlachter, „tat [er] seinen Mund nicht auf." Er blieb stumm, weil seine Stunde gekommen war; er wollte die Anklage nicht bestreiten, weil er bereit war, sich dem Urteil zu beugen. Er blieb vor diesem Gericht stumm, damit wir in der Lage wären, vor Gottes Gerichtshof etwas zu sagen.

4.2 Sie verhörten unseren Herrn Jesus selbst unter Eid. Sie versuchten entgegen dem Rechtsgrundsatz, ihn dazu zu bringen, sich selbst zu beschuldigen.

Hier ist die Frage, die ihm vom Hohepriester gestellt wurde. Beachten Sie:

Die Frage selbst: „... ob du der Christus bist, der Sohn Gottes!" Das heißt, „ob du behauptest, dies zu sein", denn sie wollten keineswegs darüber nachdenken, ob er dies wirklich war oder nicht. Sie wollten nur, dass er bekennt, sich so zu nennen, sodass sie dies als Grundlage benutzen konnten, um ihn als Betrüger anzuklagen. Zu welchen Schritten werden nicht Stolz und Hass die Menschen bringen?

Die Feierlichkeit dieser Beeinflussung: „Ich beschwöre dich bei dem lebendigen Gott, dass du uns sagst." Nicht, dass er irgendwelche Achtung vor dem lebendigen Gott hatte, er missbrauchte diesen Namen. Sein einziger Wunsch war es, daraus einen Anklagepunkt gegen unseren Herrn Jesus zu machen. Wenn es Jesus ablehnen würde, auf die Frage zu antworten, wenn er auf diese Weise unter Eid gestellt wird, dann hätten sie ihn der Missachtung des gelobten Namens Gottes angeklagt.

Hier ist Christi Antwort auf diese Frage **(s. Vers 64),** bei der:

Er zugab, dass er der Christus ist, der Sohn Gottes. „Du hast es gesagt!" Das heißt: „Es ist so, wie du gesagt hast", denn im Evangelium von Markus heißt es: „Ich bin's" (Mk 14,62). Bis zu diesem Zeitpunkt hatte er selten klar erklärt, dass er der Christus ist, der Sohn Gottes, doch jetzt wollte er es nicht unterlassen, es zu bekennen, denn das hätte ausgesehen, als würde er die Wahrheit verleugnen, für die er in die Welt gekommen war, um von ihr Zeugnis zu geben (s. Joh 18,37), und es hätte so ausgesehen, als würde er sein Leiden ablehnen. Er bekannte sich in dieser Weise, um seinen Nachfolgern ein Beispiel und eine Ermutigung zu geben, auf die sie blicken sollten, wenn sie berufen sein würden, sich „vor den Menschen" zu ihm zu bekennen (s. Mt 10,32), in welcher Gefahr sie auch dadurch sein mögen.

Um dies zu beweisen, bezog er sich auf sein zweites Kommen. Sie betrachteten ihn wahrscheinlich mit spöttischem, verächtlichem Lächeln, als er sagte: „Ich bin's." Jesus antwortete nichtsdestotrotz auf ihren Spott: „Obwohl ihr mich jetzt in diesem niedrigen und elenden Zustand seht, so kommt nichtsdestotrotz der Tag, an dem ich anders erscheinen werde. ‚Künftig werdet ihr den Sohn des Menschen sitzen sehen zur Rechten der Macht'", um die Welt zu richten, und sein baldiges Kommen, um das jüdische Volk zu richten und zu zerstören, wäre ein Typus und ein Unterpfand für dieses Gericht. Beachten Sie:

Wen sie sehen würden: „... den Sohn des Menschen ..." Nachdem er zugegeben hatte, dass er selbst in diesem Zustand der Erniedrigung der Sohn Gottes ist, sprach er von sich als dem Sohn des Menschen selbst in seinem Stand der Erhöhung, denn er hatte diese beiden unterschiedlichen Naturen in seiner einen Person. Er ist „Immanuel", Gott mit uns (s. Mt 1,23).

In welcher Stellung sie ihn sehen würden: „... sitzen ... zur Rechten der Macht und kommen auf den Wolken des Himmels!" Obwohl er jetzt vor Gericht stand, würden sie bald sehen, wie er auf dem Thron sitzt. Obwohl sie ihn jetzt richteten, würde er sie dann richten. Er hatte einige Zeit vorher zu seinen Jüngern von diesem Tag gesprochen, um sie zu ermutigen, und er hatte ihnen gesagt, sie sollten vor Freude ihre Häupter erheben, wenn sie ihn sehen würden (s. Lk 21,27-28). Nun sprach er zu seinen Feinden davon, zu ihrem Schrecken.

5. Seine Verurteilung vor diesem Gericht: „Da zerriss der Hohepriester seine Kleider" nach dem Brauch der Juden, wenn sie etwas gesagt oder getan hörten oder sahen, was sie als etwas betrachteten, das dem Namen Gottes Schande bringt (s. Jes 36,22; 37,1; Apg 14,14). Beachten Sie:

5.1 Das Verbrechen, dessen er für schuldig befunden würde: Lästerung. „Er hat gelästert!" Als Christus „für uns zur Sünde gemacht" wurde (2.Kor 5,21), wurde er für die Wahrheit, die er ihnen gesagt hatte, als Lästerer verurteilt.

5.2 Den Beweis, aufgrund dessen sie ihn für schuldig befanden: „Siehe, nun habt ihr seine Lästerung gehört.' Warum sollten wir uns weiter bemühen, Zeugen zu vernehmen?" Auf diese Weise wurde er vor ihrem Gericht nach den Worten seines Mundes gerichtet (s. Lk 19,22), weil wir dem Gericht an Gottes Gerichtshof unterlagen. Man braucht keine Zeugen gegen uns anführen; unsere eigenen Gewissen zeugen an der Stelle von tausend Zeugen gegen uns.

6. Das Urteil, das für diesen Schuldspruch gefällt wurde (s. Vers 66). Hier ist:

6.1 Der Appell von Kajaphas an die Richterbank: „Was meint ihr?" Als er den Fall bereits im Voraus beurteilt und Christus einen Lästerer genannt hatte, fragte er dann – als sei er willens, beraten zu werden – nach dem Urteil seiner Brüder. Er wusste, dass er mit der Autorität seiner Position den Rest beeinflussen konnte, und deshalb erklärte er sein Urteil und setzte dann voraus, dass sie alle seine Meinung teilten.

6.2 Ihre Zustimmung zu ihm; sie sagten: „Er ist des Todes schuldig!" Vielleicht stimmten nicht alle zu: Zweifellos stimmte Joseph von Arimathia nicht zu, falls er anwesend war (s. Lk 23,51); und Nikodemus tat dasselbe und vermutlich andere mit ihnen. Doch die Mehrheit stimmte ihm zu. Das Urteil lautete:

„Er ist des Todes schuldig!' Nach dem Gesetz verdient er zu sterben." Obwohl sie jetzt nicht die Macht hatten, jemanden zu töten, machten sie nichtsdestotrotz bei diesem Gericht einen Menschen zu einem Vogelfreien unter seinem Volk und gaben ihm entweder dem Zorn eines öffentlichen Aufruhrs preis, wie Stephanus preisgegeben wurde, oder dass man gegen ihn vor dem Statthalter protestierte, wie es bei Christus war.

7. Die Misshandlungen und Demütigungen, die ihm angetan wurden, nachdem das Urteil gefällt worden war: Als er für schuldig befunden worden war, „spuckten sie ihm ins Angesicht" **(Vers 67)**. Weil sie nicht die Macht hatten, ihn zu töten, und nicht sicher sein konnten, dass sie den Statthalter dazu bewegen könnten, ihr Henker zu sein, wollten sie Christus so viel Schwierigkeiten machen, wie sie konnten, jetzt, wo sie ihn in ihren Händen hatten. Als sie das Urteil über unseren Herrn Jesus gefällt hatten, wurde er behandelt, als wäre er nicht nur des Todes würdig, sondern – weil das zu gut für ihn war – als wäre er des Mitleids unwürdig, das man selbst den schlimmsten Übeltätern gegenüber zeigt. Beachten Sie, wie sie ihn misshandelten.

7.1 Sie „spuckten ... ihm ins Angesicht". Das ist ein Ausdruck der größtmöglichen Verachtung und Demütigung, der zeigte, dass sie ihn als verachtenswerter als den bloßen Boden betrachteten, auf den sie spuckten. Christus unterwarf sich dem. Auf diese Weise wurde über sein Angesicht Bestürzung gebracht, damit unseres nicht mit ewiger Schmach und Schande erfüllt sein würde (s. Dan 12,2).

7.2 Sie „schlugen ihn mit Fäusten; andere gaben ihm Backenstreiche". Dies fügte der Schande Schmerz hinzu, und beides kam mit Sünde herzu. Hier steht in der Randbemerkung (KJV): „Sie schlugen ihn mit Ruten", und er unterwarf sich dem.

7.3 Sie forderten ihn auf, ihnen zu sagen, wer ihn schlug, nachdem sie ihm zuerst die Augen verbunden hatten: „Christus, weissage uns! Wer ist's, der dich geschlagen hat?" Sie machten ihren Späße mit ihm, wie es die Philister mit Simson gemacht hatten; es ist für Menschen, die in Not sind, schmerzlich zu sehen, dass die Leute um sie herum ihren Spaß haben, doch es ist noch schlimmer, wenn sie sich über sie und ihre Not lustig machen. Sie hatten gehört, wie er ein Prophet genannt wurde; sie tadelten ihn dafür und gaben vor, zu prüfen, ob das stimmt, als müsse sich Gottes Allwissenheit auf das Niveau eines Kinderspiels herabbeugen.

Vers 69-75

Hier ist der Bericht, wie Petrus seinen Meister verleugnet, und er ist als Teil der Leiden Christi aufgenommen. Beachten Sie, wie er fiel und wie er sich durch Buße wieder aufrichtete.

1. Hier ist seine Sünde. Beachten Sie:

1.1 Den unmittelbaren Anlass für die Sünde von Petrus. Er saß draußen im Hof, unter den Knechten des Hohepriesters. Schlechte Gesellschaft bringt viele Menschen dazu, zu sündigen, und wer sich unnötig in eine solche Lage bringt, betritt den Boden des Teufels. Man kann kaum ohne Kummer oder Sünde oder beides aus solch einer Gesellschaft herauskommen.

1.2 Die Versuchung zur Sünde. Er wurde beschuldigt, ein Nachfolger von Jesus aus Galiläa zu sein. Zuerst beschuldigte ihn eine Magd dessen und dann eine weitere und dann alle anderen: „Auch du warst mit Jesus, dem Galiläer!" **(Vers 69)**; und weiter: „Auch dieser war mit Jesus, dem Nazarener!" **(Vers 71)** und wieder: „... du bist auch einer von ihnen; denn auch deine Sprache verrät dich", dass du ein Galiläer bist **(Vers 73)**. Glücklich sind die, deren Sprache verrät, dass sie Christi Jünger sind. Beachten Sie, wie verächtlich sie von Christus sprachen: „Jesus, dem Galiläer" und „dem Nazarener" und warfen ihm die Gegend vor, aus der er kam. Beachten Sie, wie geringschätzig sie von Petrus sprachen: „dieser", als hielten sie es für eine Schande, eine solche Person in ihrer Gesellschaft zu haben.

1.3 Die Sünde selbst. Als er beschuldigt wurde, einer von Christi Jüngern zu sein, leugnete er es. Er schämte und fürchtete sich, es zuzugeben.

Bei der ersten Erwähnung davon sagte er: „Ich weiß nicht, was du sagst!" Das war eine ausweichende Antwort; er behauptete, die Anschuldigung nicht zu verstehen. Es ist ein Fehler, vorzugeben, das nicht zu verstehen oder nicht daran gedacht zu haben oder uns nicht an das zu erinnern, was wir verstehen und woran wir dachten und woran wir uns erinnern. Das ist eine Form der Lüge, zu der wir mehr neigen als zu jeder anderen, weil ein Mensch hier nicht leicht widerlegt werden kann. Es ist sogar noch eine größere Schuld, sich Christi zu schämen, unsere Kenntnis von ihm zu vertuschen; das heißt in der Tat, ihn zu verleugnen.

Beim nächsten Angriff leugnete er es rundweg und eindeutig: „Ich kenne den Menschen nicht!"; und er bekräftigte es mit einem Schwur **(Vers 72)**. Das hieß tatsächlich zu sagen: „Ich lehne es ab, mich zu ihm zu bekennen." Warum, Petrus? Kannst du wirklich auf den Angeklagten schauen und sagen, dass du ihn nicht kennst? Hast du all die freundlichen und sanften Blicke vergessen, die du von ihm hattest, und all die innige Gemeinschaft, die du mit ihm hattest? Kannst du ihm dennoch ins Gesicht sehen und sagen, dass du ihn nicht kennst?

Beim dritten Angriff „fing er an, sich zu verflu-

chen und zu schwören: Ich kenne den Menschen nicht!" **(Vers 74)**. Das war das Schlimmste von allem, denn der Weg der Sünde führt abwärts. Er verfluchte sich und schwor:
Um das zu unterstützen, was er sagte, um ihm Glaubwürdigkeit zu verleihen, doch was er sagte war falsch. Wenn etwas durch hastige Flüche oder Schwüre bekräftigt wird, haben wir Grund, die Wahrheit davon anzuzweifeln. Nur die Aussagen des Teufels brauchen die Beweise des Teufels.
Um zu beweisen, dass er keiner der Jünger Christi war, denn das war nicht ihre Art von Sprache. Dies ist geschrieben, um uns zu warnen, dass wir nicht sündigen, wie Petrus es tat, damit wir niemals, sei es direkt oder indirekt, Christus den Herrn verleugnen, indem wir unsere Kenntnis von ihm verheimlichen und uns seiner und seiner Worte schämen (s. Mk 8,38).
1.4 Was seine Sünde sogar noch schlimmer machte. Bedenken Sie:
Wer er war; ein Apostel, einer der ersten drei. Je größer das Bekenntnis ist, das wir im religiösen Glauben ablegen, desto größer ist die Sünde, wenn wir in irgendetwas unwürdig wandeln (s. Eph 4,1).
Welche deutliche Warnung ihm der Herr von seiner Gefahr gegeben hatte.
Wie feierlich er versprochen hatte, Christus in dieser Nacht der Prüfung treu zu sein. Er hatte wieder und wieder gesagt: „Ich werde dich nicht verleugnen."
Wie kurz nach dem Herrenmahl er in diese Sünde fiel. Dort solch ein Unterpfand der erlösenden Liebe zu empfangen und doch in der gleichen Nacht vor dem Morgen seinen Erlöser verleugnen, war in der Tat schnell von dem Weg abzuweichen (s. 2.Mose 32,8).
Wie verhältnismäßig schwach die Versuchung war; es war nicht der Richter oder einer der Wachleute des Gerichts, die ihn beschuldigten, ein Jünger Jesu zu sein, sondern ein oder zwei einfältige Mägde.
Wie viele Male er es wiederholte; selbst als der Hahn einmal gekräht hatte, blieb er in der Versuchung und fiel ein zweites und ein drittes Mal in Sünde. Auf diese Weise wurde seine Sünde verschlimmert, doch andererseits gibt es dies, um sie abzumildern: Was er sagte, sagte er in seiner Bestürzung (s. Ps 116,11). Er fiel durch Überrumpelung in diese Sünde, nicht wie Judas mit Absicht: Sein Herz war dagegen.

2. Hier ist seine Buße für diese Sünde **(s. Vers 75)**. Beachten Sie nun:
2.1 Was Petrus zur Buße brachte.
„Und sogleich krähte der Hahn" **(Vers 74)**. Das Wort Christi kann jedem Zeichen Bedeutung geben, bei dem es ihm gefällt, es zu wählen. Das Krähen des Hahns nahm für Petrus die Stelle von Johannes dem Täufer ein, die Stimme von jemandem, der zur Buße ruft. Das Gewissen sollte für uns wie das Krähen des Hahns sein, um uns an das zu erinnern, was wir vergessen hatten. Wo es einen lebendigen Geist der Gnade in der Seele gibt, wird, obwohl sie für eine Weile von einer Versuchung überwältigt werden kann, ein kleiner Hinweis dazu dienen – wenn Gott darin tätig ist –, sie von den Abwegen der Sünde wiederherzustellen. Hier wurde das Krähen eines Hahns zum seligen Anlass der Bekehrung einer Seele. Manchmal kommt Christus in Barmherzigkeit zur Zeit des Hahnenschreis (s. Mk 13,35).
Er „erinnerte sich an das Wort Jesu"; dies brachte ihn zu sich selbst (s. Lk 15,17), einem Bewusstsein seiner Undankbarkeit Christus gegenüber. Nichts betrübt Bußfertige mehr, als dass sie gegen die Gnade des Herrn Jesus und die Zeichen seiner Liebe gesündigt haben.
2.2 Wie seine Buße ausgedrückt wurde: „Und er ging hinaus und weinte bitterlich."
Sein Kummer war privat; er ging heraus aus dem Hof des Hohepriesters, wütend über sich selbst, dass er je in ihn hineingekommen war. Vorher ging er hinaus in den Vorhof (s. Vers 71), und wenn er dann vollkommen fortgegangen wäre, wären sein zweites und drittes Verleugnen verhindert worden, doch er kam dann wieder hinein. Jetzt aber ging er hinaus und kam nicht wieder herein.
Sein Kummer war ernstlich: Er „weinte bitterlich". Kummer für Sünde darf nicht leicht sein, sondern muss groß und tief sein. Diejenigen, die schwer gesündigt haben, müssen bitterlich weinen, denn früher oder später wird Sünde zu Bitterkeit werden. Dieser tiefe Kummer ist nötig, um zu zeigen, dass es eine wirkliche Sinnesänderung gibt. Petrus, der so bitterlich darüber weinte, dass er Christus verleugnet hatte, verleugnete ihn nie wieder, sondern bekannte ihn oft und öffentlich und in Zeiten der Gefahr. Echte Buße für eine Sünde wird sich am besten darin zeigen, dass wir reich in der entgegengesetzten Gnadengabe und Pflicht sind. Manche der alten Kommentatoren sagen, dass Petrus, solange er lebte, niemals einen Hahn schreien hörte, ohne dass ihn dies zum Weinen brachte. Diejenigen, die echten Kummer für Sünde erfahren haben, werden sich bei jeder Erinnerung daran grämen, doch nicht so, dass es ihre Freude an Gott, seiner Barmherzigkeit und seiner Gnade behindert, sondern vielmehr, dass es sie verstärkt.

KAPITEL 27

In diesem Kapitel wird eine sehr bewegende Geschichte über das Leiden und den Tod unseres Herrn Jesus berichtet. Es ist jedoch, wenn man die Absicht und das Ergebnis der Leiden Christi bedenkt, eine gute Nachricht, und es gibt nichts, bei dem wir mehr Grund haben, uns dessen zu rühmen, als das Kreuz Christi (s. Gal 6,14). Beachten Sie in diesem Kapitel: 1. Wie er verfolgt wurde. 1.1 Seine Auslieferung an Pilatus (s. Vers 1-2). 1.2 Die Verzweiflung von Judas (s. Vers 3-10). 1.3 Die Vernehmung und der Prozess Christi vor Pilatus (s. Vers 11-14). 1.4 Die Schreie der Menschen gegen ihn (s. Vers 15-25). 1.5 Das Sprechen des Urteils und das Ausstellen der Befugnis für die Hinrichtung (s. Vers 26). 2. Wie er hingerichtet wurde: 2.1 Er wurde grausam verspottet (s. Vers 27-30). 2.2 Er wurde zum Hinrichtungsplatz geführt (s. Vers 31-33). 2.3 Dort wurde ihm jede mögliche Demütigung angetan (s. Vers 34-44). 2.4 Der Himmel blickte finster auf ihn (s. Vers 45-49). 2.5 Viele ungewöhnliche Dinge begleiteten seinen Tod (s. Vers 50-56). 2.6 Er wurde begraben und vor seinem Grab wurde eine Wache aufgestellt (s. Vers 57-66).

Vers 1-10

Das letzte Kapitel endete damit, wie Christus in den Händen der obersten Priester und Ältesten war, zum Tod verurteilt, doch sie konnten ihm nur ihre Feindseligkeit zeigen; die Römer hatten den Juden die Macht für die Todesstrafe weggenommen. Sie konnten niemanden töten, und so wurde früh am Morgen ein weiterer Rat abgehalten, um zu überlegen, was zu tun sei.

1. Christus wurde Pilatus ausgehändigt, sodass er das Urteil ausführen würde, welches sie gefällt hatten. Pilatus wurde von den römischen Schreibern jener Zeit als hart und hochmütig, eigensinnig und unerbittlich beschrieben. Die Juden hegten große Feindschaft ihm gegenüber und waren seiner Regierung überdrüssig, doch sie benutzten ihn als Werkzeug ihres Hasses gegen Christus.

1.1 „Sie banden" Jesus. Nachdem sie ihn für schuldig befunden hatten, banden sie ihm die Hände hinten zusammen, wie es für gewöhnlich mit verurteilten Verbrechern gemacht wird. Er war bereits durch Bande der Liebe an uns gebunden, die er sich selbst angelegt hatte; sonst hätte er diese Fesseln rasch zerrissen, wie es Simson mit seinen tat (s. Ri 16,9.12).

1.2 Sie „führten ihn ab" in einer Art von Triumphzug, „wie ein Lamm, das zur Schlachtbank geführt wird". Es waren fast zwei Kilometer vom Haus von Kajaphas zu dem von Pilatus. Diese ganze Strecke führten sie ihn durch die Straßen von Jerusalem, als diese begannen, sich mit dem morgendlichen Verkehr zu füllen, um ihn der Welt zur Schau zu stellen.

1.3 Sie „lieferten ihn dem Statthalter Pontius Pilatus aus" nach den Worten, die Christus oft gesagt hatte, dass er „den Heiden" ausgeliefert werden würde (Mk 10,33). Christus war der Heiland der Juden wie der Heiden und deshalb wurde er unter das Gericht der Juden wie der Heiden gebracht und beide waren an seinem Tod beteiligt.

2. Das Geld, welches sie Judas dafür bezahlt hatten, dass er Christus verrät, wurde ihnen von ihm zurückgegeben und Judas erhängte sich voller Verzweiflung. Die obersten Priester und die Ältesten rechtfertigten sich in ihrer Verfolgung mit der Tatsache, dass ihn sein eigener Jünger verriet, doch jetzt hatte diese Methode mitten in der Verfolgung versagt und selbst er wurde zum Zeugen für die Unschuld Christi und zum Denkmal für Gottes Gerechtigkeit, welches dazu diente:

2.1 Christus in seinem Leiden zu verherrlichen und ein Beispiel seines Sieges über Satan zu geben, der in Judas gefahren war.

2.2 Als Warnung an seine Verfolger und um sie unentschuldbarer zu machen. Beachten Sie hier:

Die Art, wie Judas bereute: Nicht wie Petrus, der bereute, glaubte und Vergebung bekam. Nein, er bereute, verzweifelte und wurde ins Verderben gestürzt. Schauen Sie:

Was ihn dazu veranlasste zu bereuen. Es war, als er „sah, dass [Jesus] verurteilt war".

Judas erwartete vermutlich, dass Christus entweder aus ihren Händen entkommen oder seinen Fall in einer solchen Weise verfechten würde, dass er freigesprochen werden würde, und dann hätten Christus die Ehre, die Juden die Schmach und Judas das Geld gehabt und es wäre kein Schaden geschehen. Er hatte keinen Grund, dies zu erwarten, denn er hatte seinen Meister so oft sagen hören, dass er gekreuzigt werden muss. Wer seine Taten nach ihren Folgen und nicht nach dem göttlichen Gesetz beurteilt, wird sich in seinem Handeln fehlgeleitet sehen. Der Weg der Sünde führt abwärts, und wenn wir uns selbst einfach nicht bremsen können, dann können wir noch viel weniger andere bremsen, die wir dazu gebracht haben, auf dem Weg der Sünde zu wandeln.

Es reute ihn. Als er versucht wurde, seinen Meister zu verraten, sahen die 30 Silberlinge sehr schön und glitzernd aus, „wie der Wein rötlich schimmert, wie er im Becher perlt" (Spr 23,31). Doch als die Tat getan und das Geld gezahlt war, war das Silber wertlos geworden. Jetzt musste er sich seinem Gewissen stellen: „Was habe ich getan? Wie töricht, wie erbärmlich bin ich, dass ich meinen Meister für solch eine unbedeutende Summe verkauft habe! Wegen mir wurde er gebunden und verurteilt, bespuckt und geschlagen. Ich hätte kaum gedacht, dass es so kommen würde, als ich dieses böse Geschäft machte." Die Erinnerung der Güte seines Meisters ihm gegenüber, welche er schimpflich zurückgezahlt hatte, verhärtete seine Überführung und machte sie schärfer. Nun sah er, dass die Worte seines Meisters wahr geworden waren: „Es wäre für jenen Menschen besser, wenn er nicht gebo-

ren wäre" (Mt 26,24). Sünde wird ihren Geschmack rasch ändern.
Was die Zeichen seiner Reue waren.
Er leistete eine Wiedergutmachung: „... und er brachte die 30 Silberlinge den obersten Priestern und den Ältesten zurück", als sie alle öffentlich zusammen waren. Jetzt brannte das Geld in seinem Gewissen und er war dessen genauso überdrüssig, wie er es je geliebt hatte. Böse erlangter Gewinn wird denen nie Gutes tun, die ihn erlangen (s. Jer 13,10; Hiob 20,15). Wenn er bereut und das Geld zurückgebracht hätte, bevor er Christus verraten hätte, hätte er es mit etwas Ermutigung tun können, jetzt aber war es zu spät; jetzt konnte er es nicht ohne Grausen tun. Was unrechtmäßig erlangt wurde, darf nicht behalten werden, denn das ist eine Fortsetzung der Sünde, durch die es erlangt wurde. Er brachte es zu denen, von denen er es bekommen hatte, um sie wissen zu lassen, dass er seine Meinung über das Geschäft geändert hatte.
Er machte ein Bekenntnis: „Ich habe gesündigt, dass ich unschuldiges Blut verraten habe!" **(Vers 4)**.
Zu Christi Ehre erklärte er dessen Blut für unschuldig – und das aus freien Stücken heraus und ohne dazu gedrängt zu werden und gegenüber denen, die Christus für schuldig erklärt hatten.
Er bekannte zu seiner Schande, dass er darin gesündigt hatte, dass er dieses Blut verriet. Er beschuldigte nicht jemand anderen, sondern nahm es alles auf sich selbst: „Ich habe gesündigt, dass ich dies getan habe." Judas ging ein Stück zur Buße, doch es war nicht zum Heil. Er bekannte, doch nicht Gott; er ging nicht zu ihm und sagte: „Vater, ich habe gesündigt gegen den Himmel" (Lk 15,18).
Die Art, in der die obersten Priester und Ältesten das bußfertige Bekenntnis von Judas aufnahmen; sie sagten: „Was geht das uns an? Da sieh du zu!" (das ist deine Verantwortung). Schauen Sie:
Wie gleichgültig sie über den Verrat Christi sprachen. „Was geht das uns an?" Ging es sie nichts an, dass sie nach seinem Blut gedürstet hatten, Judas anheuerten, um ihn zu verraten, und es jetzt als unrechtmäßig vergossenes Blut verurteilt hatten?
Wie gleichgültig sie über die Sünde von Judas sprachen. Er sagte: „Ich habe gesündigt", und sie sagten: „,Was geht das uns an?' Was hat das mit uns zu tun? Was interessiert uns deine Sünde, dass du uns davon erzählst?" Es ist von uns töricht zu denken, dass uns die Sünden anderer nichts angehen, besonders die Sünden, bei denen wir in irgendeiner Weise unser Teil beigesteuert haben oder daran Anteil haben. Die Schuld der Sünde lässt sich nicht so leicht abschieben, wie manche Leute denken, dass es ist. Wenn es Schuld in dieser Sache gäbe, sagten sie, muss Judas sich darum kümmern; er muss sie allein tragen (s. Spr 9,12):
Weil er Jesus an sie verraten hatte. Doch obwohl dies tatsächlich die „größere Schuld" war (Joh 19,11), folgte daraus deshalb nicht, dass sie keine Sünde hatten.
Weil er wusste und glaubte, dass Jesus unschuldig ist. „Wenn Jesus unschuldig ist, dann sieh du zu; das ist mehr, als wir wissen. Wir haben ihn schuldig gesprochen und deshalb können wir ihn zu Recht als solchen verfolgen." Böses Handeln wird von bösen Prinzipien unterstützt, insbesondere dem Prinzip, dass Sünde nur für diejenigen Sünde ist, die meinen, dass sie dies ist; dass es nicht schändlich ist, gute Menschen zu verfolgen, wenn wir sie für schlecht halten.
Wie gleichgültig sie über die Überführung, den Schrecken und die Gewissensbisse sprachen, die Judas spürte. Sie waren froh, ihn für die Sünde zu benutzen, und haben ihn da sehr gemocht. Doch jetzt, wo ihn seine Sünde schockiert hatte, waren sie sehr respektlos ihm gegenüber; sie hatten ihm nichts zu sagen, sondern überließen ihn seinem eigenen Schrecken. Halsstarrige Sünder sind auf der Hut vor Überführungen und diejenigen, die entschlossen sind, unbußfertig zu sein, betrachten diejenigen mit Verachtung, die bußfertig sind. Als sie ihn in die Falle gelockt hatten, verließen sie ihn nicht nur, sondern lachten ihn aus. Sünder unter Überführung ihres Gewissens werden sehen, dass ihre alten Gefährten in der Sünde leidige Tröster sind (s. Hiob 16,2). Bei denen, die den Verrat lieben, ist es üblich, den Verräter zu hassen.
Die völlige Verzweiflung, zu der Judas getrieben wurde **(s. Vers 5)**.
„Da warf er die Silberlinge im Tempel hin." Aus Angst, die ganze Schuld auf sich zu nehmen, von der sie wollten, dass Judas die Last davon trägt, wollten die obersten Priester das Geld nicht annehmen. Judas wollte es nicht behalten, denn es war für ihn zu gefährlich, es zu haben; und deshalb warf er es im Tempel hin, sodass es, ob sie es wollten oder nicht, in die Hände der obersten Priester kommen würde.
Er „ging hin und erhängte sich".
Er zog sich zurück; er ging an einen einsamen Ort. Wehe dem, der verzweifelt und alleine ist. Wenn Judas zu Christus oder zu einem der Jünger gegangen wäre, hätte er vielleicht etwas Trost bekommen können, so schlimm seine Situation auch war.
Er wurde sein eigener Henker: Er „erhängte sich". Judas hatte eine Sicht und ein Bewusstsein der Sünde, doch keinen Begriff von der Barmherzigkeit Gottes in Christus. Wir können annehmen, dass seine Sünde nicht unvergebbar war, doch wie es Kain tat, schloss *er*, dass seine Sünde größer war, als dass sie vergeben werden könnte (s. 1.Mose 4,13). Manche sagten, dass Judas darin mehr sündigte, dass er an der Barmherzigkeit Gottes verzweifelte, als dass er

das Blut seines Meisters verriet. Er warf sich in das Feuer, um die Flammen zu vermeiden, doch die Situation dessen ist erbärmlich, der für Trost in die Hölle fahren muss. Wir können nun in diesem Bericht ein Beispiel sehen für:
Das klägliche Ende derer, in die der Satan fährt (s. Joh 13,27), besonders derjenigen, die der Geldliebe hingegeben sind.
Den Zorn Gottes. So, wie wir in dem Bericht über Petrus die Güte Gottes und den Sieg der Gnade Christi bei der Bekehrung von Sündern sehen, sehen wir in dem Bericht über Judas die Strenge Gottes.
Die schrecklichen Auswirkungen von Verzweiflung; sie endet oft im Selbstmord. Wir wollen von der Sünde so schlecht denken, wie wir können, vorausgesetzt, wir halten sie nicht für unvergebbar; wir wollen daran verzweifeln, in uns selbst Hilfe zu bekommen, aber nicht, bei Gott Hilfe zu bekommen. Der Selbstmord ist, obwohl er von manchen heidnischen Sittenlehrern vorgeschrieben wird, zweifellos eine Arznei, die schlimmer ist als die Krankheit, wie schlimm die Krankheit auch sein mag.
Die Verwendung des Geldes, das Judas zurückbrachte (s. Vers 6-10). Es wurde genommen, um einen Acker zu kaufen, welcher der „Acker des Töpfers" genannt wurde. Dieser Acker sollte eine Begräbnisstätte für Fremdlinge sein. Es sieht wie ein Beispiel für die Menschlichkeit der Juden aus, dass sie für das Begräbnis der Fremdlinge Sorge trugen, doch es war kein Beispiel für ihre Demut, dass sie Fremdlinge an einem Ort für sich begraben wollten. Die Fremdlinge müssen, so meinten sie, Abstand halten, lebend und tot, und dieser Grundsatz muss mit ihnen ins Grab hinabgehen. Dieses Kaufen des Ackers des Töpfers geschah nicht lange danach, denn Petrus sprach kurz nach der Himmelfahrt Christi davon. Es wird indes hier berichtet:
Um die Heuchelei der obersten Priester und Ältesten zu zeigen. Sie zögerten, es in den Opferkasten – oder „Korban" (Mk 7,11) – im Tempel zu geben, das Geld, mit dem sie den Verräter angeheuert hatten. Sie wollten kein Geld dort hineinlegen, welches „Blutgeld" war **(Vers 6)**. Sie meinten, das Anheuern eines Verräters komme dem Engagieren einer Prostituierten gleich, und sie hielten den Preis für einen Übeltäter – und sie betrachteten Christus als eine solche Person – als gleichwertig dem Preis für einen Hund, und keines von beidem durfte „in das Haus des HERRN" gebracht werden (5.Mose 23,19). Auf diese Weise siebten sie die Mücke aus, verschluckten aber das Kamel (s. Mt 23,24). Sie meinten durch diese öffentliche gute Tat, dass sie, wenn auch nicht auf ihre Kosten, für eine Begräbnisstätte für Fremdlinge sorgten, für das sühnen zu können, was sie getan hatten.
Um die Gunst Gottes zu zeigen, die Sündern der Heiden durch das Blut Christi erwiesen werden sollte. Durch den Preis seines Blutes wurde für sie ein Ruheort nach ihrem Tod geschaffen. Das Grab ist der Acker des Töpfers, doch Christus erwarb es durch sein Blut. Er hat sein „Eigentum" gewechselt, wie es ein Käufer tut, sodass nun der Tod uns gehört, das Grab uns gehört und es ein Ruhelager für uns ist.
Um die Schande derer, die das Blut Jesu kauften und verkauften, für immer andauern zu lassen. Dieser Acker wurde im Allgemeinen *Akeldama*, „Blutacker", genannt, nicht von den obersten Priestern – sie hofften, die Erinnerung an ihr eigenes Verbrechen in dieser Begräbnisstätte zu begraben –, sondern von den Leuten. Sie hielten sich für immer diesen Namen für den Acker vor Augen.
Um uns zu zeigen, wie die Schrift erfüllt wurde: „Da wurde erfüllt, was durch den Propheten Jeremia gesagt ist" **(Vers 9)**. Die zitierten Worte finden sich in der Prophetie von Sacharja (s. Sach 11,13). Es ist eine schwierige Frage, was hier damit gemeint ist, dass sie durch Jeremia gesagt wurden. Die alte syrische Übersetzung liest nur: „Es wurde von dem Propheten gesagt" und benennt keinen der Propheten. Die Juden pflegten zu sagen: „Der Geist von Jeremia war in Sacharja." Wie auch immer, was damit nur bildlich ausgedrückt wurde, fand hier nun in Wirklichkeit statt. Die Geldsumme ist die gleiche – „30 Silberlinge". Sie wogen dies als seinen Preis dar und dies wurde „ins Haus des HERRN, dem Töpfer hin" geworfen (s. Sach 11,13); und diese Prophetie wurde hier in Matthäus wörtlich erfüllt. Die Tatsache, dass hier in Matthäus der „Wert dessen, der geschätzt wurde", nicht für ihn, sondern für „den Acker des Töpfers" gegeben wurde, zeigt:
Den hohen Wert, den man Christus beimisst. Er ist nicht „um Gold von Ophir" zu haben (Hiob 28,16); dieses unbeschreibliche Geschenk kann nicht mit Geld gekauft werden.
Der geringe Wert, der ihm beigemessen wurde. „... die Kinder Israels ..." **(Vers 9)** haben ihn sonderbar unterbewertet, haben seinen Preis gerade hoch genug angesetzt, um den Acker eines Töpfers zu kaufen, ein erbärmliches, trauriges Stückchen Erde, das nicht wert ist, dass man darauf schaut. „Wirf ihn dem Töpfer hin" – wie es bei Sacharja steht –, ein nichtswürdiger, unbedeutender Händler, nicht der Großhändler, der mit wertvollen Dingen handelt. Er gab das Lösegeld eines Königs für sie, doch sie gaben das Lösegeld eines Sklaven für ihn (s. 2.Mose 21,32), veranschlagten ihn nur auf den Preis für einen Acker des Töpfers. Doch dies geschah alles, „wie der Herr mir befohlen hatte".

Vers 11-25

Hier haben wir einen Bericht von dem, was an dem Gerichtshof von Pilatus geschah. Wir haben hier:

1. Den Prozess, den Christus vor Pilatus hatte.

1.1 Er wurde vor das Gericht gebracht: „Jesus aber stand vor dem Statthalter", wie der Angeklagte vor dem Richter steht. Wir könnten wegen unserer Sünden nicht vor Gott stehen, wenn Christus nicht in dieser Weise für uns zur Sünde gemacht worden wäre (s. 2.Kor 5,21). Er wurde vor Gericht gebracht, damit wir freigelassen werden können.

1.2 Er wurde angeklagt: „Bist du der König der Juden?" Nun glaubten die Juden, dass derjenige, welcher der Christus ist, der „König der Juden" sein muss und sie von der römischen Macht retten und die weltliche Macht für sie wiederherstellen würde. Sie beschuldigten unseren Herrn Jesus, dass er sich im Widerspruch zum römischen Joch zum König der Juden machen würde. Sie versicherten dem Statthalter, dass, wenn Jesus behauptete, Christus zu sein, er beanspruchte, der König der Juden zu sein, und so unterstellte der Statthalter, dass Jesus umherzog und das Volk verführte und die Regierung untergrub. „Bist du ein König?"

1.3 Er brachte seine Verteidigung vor: „Jesus sprach zu ihm: Du sagst es!' Es ist, wie du es sagst, wenn auch nicht, wie du es meinst; ich bin ein König, doch nicht solch ein König, wie du mich verdächtigst, dass ich einer bin."

1.4 Es wurden Beweise gegen ihn vorgebracht: Er wurde „von den obersten Priestern" verklagt **(Vers 12)**. Pilatus fand „keine Schuld an ihm" (Joh 19,4); bei allem, was gesagt wurde, wurde nichts bewiesen, und deshalb glichen sie das, was an Substanz fehlte, durch Lärm und Heftigkeit aus.

1.5 Der Angeklagte war als Reaktion auf die Anschuldigungen der Verfolger still: Er antwortete nichts, weil dazu keine Notwendigkeit bestand; es wurde nichts vorgebracht, was nicht seine eigene Widerlegung in sich selbst mit sich brachte. Seine Stunde war gekommen und er unterwarf sich dem Willen seines Vaters. „... doch nicht wie ich will, sondern wie du willst!" (Mt 26,39). Pilatus drängte ihn, etwas zu erwidern: „Hörst du nicht, was sie alles gegen dich aussagen?" **(Vers 13)**. Weil Pilatus ihn überhaupt nicht hasste, wollte er, dass er sich entlastet und drängte ihn dazu, dies zu tun. Er wunderte sich über sein Schweigen und hielt es nicht so sehr für Geringschätzung des Gerichts wie für Geringschätzung von sich selbst. Deshalb wird von Pilatus nicht gesagt, dass er böse darüber war, sondern dass er „sich sehr verwunderte" (sehr erstaunt war) darüber **(Vers 14)** als etwas sehr Ungewöhnliches. Er hielt es für sonderbar, dass Jesus nicht ein Wort für sich selbst sagte.

2. Den Frevel und die Brutalität des Volkes, dass sie den Statthalter drängten, Christus zu kreuzigen. Die obersten Priester hatten durch die Macht des Mobs Erfolg, wo sie es sonst nicht geschafft hätten. Hier gibt es zwei Beispiele für den Frevel des Volkes:

2.1 Dass sie Barabbas Jesus vorzogen, sich entschlossen, ihn statt Jesus freizubekommen.

Es scheint eine Gewohnheit bei den römischen Statthaltern geworden zu sein, das Passahfest mit der Freigabe eines Gefangenen zu zieren **(s. Vers 15)**, *um den Juden gefällig zu sein.*

Der Gefangene, der als Konkurrent zu unserem Herrn Jesus gestellt wurde, war Barabbas; er wird hier ein berüchtigter Gefangener genannt **(s. Vers 16)**. Hochverrat, Mord und Schwerverbrechen sind die drei abscheulichsten Verbrechen, die normalerweise von dem Schwert der Gerechtigkeit gestraft werden, und Barabbas war aller drei schuldig (s. Lk 23,19; Joh 18,40). Ein Mensch, dessen Verbrechen so komplex waren, war wirklich ein berüchtigter Gefangener.

Der Vorschlag, welchen der Statthalter Pilatus machte: „Welchen wollt ihr, dass ich euch freilasse?" **(Vers 17)**. Pilatus schlug ihnen vor, dass Jesus freigelassen werden sollte, weil er von seiner Unschuld überzeugt war und davon, dass diese Verfolgung boshaft war. Er hatte jedoch nicht den Mut, wie er hätte haben sollen, ihn durch seine eigene Macht freizusprechen, sondern wollte, dass er durch die Wahl des Volkes freigelassen wird, und auf diese Weise hoffte er, sowohl sein eigenes Gewissen als auch das Volk zufriedenzustellen. Solche kleinen Tricks und Kunstgriffe sind jedoch die übliche Praxis solcher, die mehr den Menschen als Gott gefallen wollen (s. Apg 5,29). „Was soll ich denn mit Jesus tun", sagte Pilatus, „den man Christus nennt?" Er erinnerte das Volk daran, dass dieser Jesus, dessen Freilassung er vorschlug, von manchen von ihnen als der Messias betrachtet wurde. Der Grund, warum Pilatus danach strebte, Jesus auf diese Weise freizubekommen, war, dass er wusste, „dass sie ihn aus Neid ausgeliefert hatten" **(Vers 18)**. Er wusste, dass es nicht seine Schuld war, sondern seine Güte, die sie kränkte. Jeder, der die Hosiannas der Leute gehört hatte, mit denen Christus nur wenige Tage vorher nach Jerusalem gebracht worden war, hätte gemeint, dass Pilatus sicherlich dem gewöhnlichen Volk gegenüber auf diese Sache verweisen konnte. Doch der Ausgang erwies sich als anders.

Während Pilatus über die Sache nachgedacht hatte, wurde er durch eine Botschaft in seinem Widerwillen bestärkt, Jesus zu verurteilen, die ihm seine Frau als Warnung sandte: „Habe du nichts zu schaffen mit diesem Gerechten; denn ich habe heute im Traum seinetwegen viel gelitten!" **(Vers 19)**. Beachten Sie:

Die besondere Vorsehung Gottes, durch die er der Frau von Pilatus diesen Traum schickte. Es ist nicht wahrscheinlich, dass sie vorher etwas über Christus gehört hatte. Vielleicht war sie eine der „gottesfürchtigen Frauen" (Apg

13,50), die etwas Empfinden für die Religion hatten. Sie hatte in diesem Traum „seinetwegen viel gelitten". Es scheint, dass es ein schrecklicher Traum war, und ihre Gedanken erschreckten sie (s. Dan 2,1; 4,16).

Die Zärtlichkeit und Fürsorge der Frau von Pilatus, dass sie ihrem Mann diese Warnung schickte: „Habe du nichts zu schaffen mit diesem Gerechten." Dies war ein ehrenwertes Zeugnis für unseren Herrn Jesus, dass er ein Gerechter war. Als seine Freunde sich fürchteten, sich für ihn einzusetzen, um ihn zu verteidigen, ließ Gott sogar diejenigen, die Fremdlinge und Feinde waren, zu seinen Gunsten sprechen. Als Petrus ihn verleugnete, bekannte Judas ihn; als die obersten Priester ihn des Todes schuldig befanden, erklärte Pilatus, dass er keine Schuld an ihm fand. Als die Frauen, die ihn liebten, entfernt standen, zeigte die Frau von Pilatus, die wenig von ihm wusste, Sorge um ihn. Es war eine deutliche Warnung an Pilatus: „Habe du nichts zu schaffen" mit ihm. Gott hat viele Wege, Sünder in ihrem sündigen Trachten zurückzuhalten, und es ist eine große Barmherzigkeit, solche Hemmnisse zu bekommen. Es ist auch unsere große Pflicht, auf sie zu hören. Die Frau von Pilatus sandte ihm diese Warnung aus der Liebe heraus, die sie zu ihm hatte; sie fürchtete keine Zurechtweisung von ihm, dass sie sich in etwas einmischte, was sie nichts anging; vielmehr wollte sie ihm die Warnung geben, egal, wie er antworten mochte. Wir erweisen unseren Freunden und Verwandten echte Liebe, wenn wir alles tun, was wir können, um sie von Sünde abzuhalten, und je näher uns jemand ist und desto tiefere Zuneigung wir für ihn haben, desto mehr sollten wir darauf bedacht sein, die Sünde nicht zu gestatten, über sie zu kommen oder sich auf ihnen niederzulassen (s. 3.Mose 19,17). Die beste Freundschaft ist Freundschaft zu unserer Seele.

Die obersten Priester und die Ältesten waren diese ganze Zeit damit beschäftigt, die Menschen zugunsten von Barabbas zu beeinflussen. Sie „überredeten die Volksmenge, den Barabbas zu erbitten, Jesus aber umbringen zu lassen" **(Vers 20)**. Auf diese Weise kontrollierten sie die Massen, die sonst Jesus gegenüber zugeneigt waren, und hätten sie nicht so sehr ihren Priestern auf den leisesten Wink gehorcht, hätten sie niemals eine solch absurde Sache getan, dass sie Barabbas Jesus vorziehen. Wir müssen diese bösen Priester mit Empörung betrachten. Sie haben die große Macht schändlich missbraucht, die ihnen in die Hand gegeben war, und die Führer des Volkes brachten es dazu, in die Irre zu gehen. Wir müssen die betrogenen Menschen mit Mitleid betrachten: „Ich bin voll Mitleid mit der Menge', zu sehen, wie sie so heftig zu so einer großen Bosheit getrieben werden" (Mt 15,32).

Von den Priestern umgestimmt trafen sie schließlich ihre Wahl: „Welchen von diesen beiden", fragte Pilatus, „wollt ihr, dass ich euch freilasse?" **(Vers 21)**. Er hoffte, dass es ihm glücken würde, Jesus freizubekommen, doch zu seiner großen Überraschung riefen sie: „Den Barabbas!" Gab es je Menschen, die behaupteten, Verstand oder Religion zu haben und doch einer solch ungeheuerlichen Tollheit, solch schrecklicher Bosheit schuldig waren? Dessen hat sie Petrus beschuldigt: „Ihr habt ... verlangt, dass euch ein Mörder geschenkt werde" (Apg 3,14).

2.2 Ihr ernstliches Bestehen darauf, dass Jesus gekreuzigt wird (s. Vers 22-23). Pilatus war verblüfft, dass sie Barabbas wählten, und so fragte er sie: „Was soll ich denn mit Jesus tun, den man Christus nennt? Sie sprachen alle zu ihm: Kreuzige ihn!" Sie wollten, dass er diesen Tod stirbt, weil er als der schändlichste und berüchtigste betrachtet wurde, und sie hofften, seine Nachfolger beschämt zu machen, sich zu ihm zu bekennen. Ihr finsterer Hass ließ sie alle Regeln der Ordnung und des Anstands vergessen und machte eine Gerichtsverhandlung zu einer aufrührerischen, tumultuarischen und umstürzlerischen Versammlung. Schauen Sie, welche Meinungsänderung bei den Leuten in solch einer kurzen Zeit bewirkt wurde. Als er triumphal nach Jerusalem einritt, waren die Lobpreisungen so allgemein, dass man gemeint hätte, er hatte keine Feinde, doch als er jetzt triumphal vor den Richterstuhl von Pilatus geführt wurde, waren die Schreie der Feindschaft so allseitig, dass man meinen konnte, er hatte keine Freunde. Diese wankelmütige Welt kennt solche Umwälzungen, und doch geht unser Weg zum Himmel durch sie hindurch, wie der Weg unseres Meisters, wechselweise „unter Ehre und Schande, bei böser und guter Nachrede" (2.Kor 6,8). Nun wird uns in Bezug auf diese Forderung weiter gesagt:

Wie Pilatus dagegen protestierte: „Was hat er denn Böses getan?" Das war eine angemessene Frage für einen Richter, sie zu stellen, bevor er ein Todesurteil fällt. Es gereicht sehr zur Ehre unseres Herrn Jesus, dass, obwohl er als ein Übeltäter litt, weder sein Richter noch seine Verfolger sehen konnten, dass er irgendetwas Böses getan hat. Diese wiederholte Erklärung seiner makellosen Unschuld zeigt klar, dass er starb, um für die Sünden anderer zu sühnen, denn wenn er nicht um unserer Missetaten willen zerschlagen (s. Jes 53,5) und „um unserer Übertretungen willen dahingegeben" wurde (Röm 4,25) und er aus eigenem Entschluss für sie sühnte, sehe ich nicht, wie man diese außerordentlichen Leiden eines Menschen, der nie irgendetwas Verkehrtes gedacht, gesagt oder getan hatte, mit der Gerechtigkeit Gottes versöhnen könnte, der die Welt in seiner Vorsehung regiert und der zumindest zuließ, dass dies darin getan wird.

Wie sie darauf bestanden: „Sie aber schrien noch viel mehr und sprachen: Kreuzige ihn!" Sie unternahmen es nicht einmal, irgendetwas Böses zu zeigen, was er getan hatte; richtig oder falsch, er musste gekreuzigt werden. Dieser ungerechte Richter war durch ihre Beharrlichkeit ermüdet und musste ein ungerechtes Urteil fällen, so wie der ungerechte Richter im Gleichnis Gerechtigkeit gewähren musste (s. Lk 18,4-5).

3. Das Übertragen der Schuld an Christi Blut auf das Volk und die Priester.
3.1 Pilatus versuchte, sie von sich selbst abzuwälzen **(s. Vers 24)**.
Er sah, dass es nutzlos war zu kämpfen. Was er sagte:
Würde nichts nützen; er konnte sie nicht dazu bewegen, ihre Meinung zu ändern. Er konnte sie nicht davon überzeugen, wie ungerecht und unvernünftig es für ihn war, einen Menschen zu verurteilen, den er für unschuldig hielt und dessen Schuld sie nicht beweisen konnten. Beachten Sie, wie stark der Strom der Begierde und des Zorns manchmal ist; weder Amtsgewalt noch der Verstand werden darin wirkungsvoll sein, ihn zurückzuhalten. In der Tat:
War es wahrscheinlicher, dass es schadet: Er sah, „dass vielmehr ein Aufruhr entstand". Diese rohen und grausamen Leute griffen zu extremer Sprache und begannen, Pilatus mit dem zu drohen, was sie tun würden, wenn er sie nicht zufriedenstellen würde. Diese wilde, tumultuarische Haltung der Juden trug mehr als alles andere zur Zerstörung der Nation nicht lange danach bei, weil ihre häufigen Aufstände die Römer provozierten, sie zu zerstören, und ihre unverbesserlichen Streitereien unter sich sie zu einem leichten Ziel für den gemeinsamen Feind machten. Ihre Sünde war ihr Verderben. Die Priester waren besorgt, dass ihre Versuche, Christus zu ergreifen, Aufruhr auslösen würden, besonders „während des Festes" (Mt 26,5), doch es zeigte sich, dass der Versuch von Pilatus, ihn zu retten, einen Aufruhr auslöste während des Festes; die Gefühle der Massen sind also unstet.
Das brachte ihn in ein großes Dilemma: Ob er den Frieden seines Gemüts oder den Frieden der Stadt bewahren sollte. Wenn er gegenüber den geheiligten Gesetzen der Gerechtigkeit gleichbleibend und entschlossen treu geblieben wäre, wäre er nicht in solch einer Verlegenheit gewesen. Ein Mann, an dem sich keine Schuld findet, sollte aus überhaupt keinem Grund gekreuzigt werden, noch muss man Ungerechtigkeit tun, um irgendjemanden oder irgendeine Gruppe von Menschen in der Welt zufriedenzustellen.
Pilatus meinte, einen Weg gefunden zu haben, sowohl die Leute als auch sein eigenes Gewissen zu besänftigen: indem er tat, worum sie baten, aber gleichzeitig nichts damit zu tun haben wollte. Er bemühte sich, sich von der Schuld reinzuwaschen:
Durch ein Zeichen. Er nahm „Wasser und wusch sich vor der Volksmenge die Hände". Es war nicht, dass er dachte, sich von jeder Schuld zu reinigen, die er gegen Gott beging, sondern es war ein Zeichen, um sich selbst vor dem Volk freizusprechen. Er entlieh diese Zeremonie dem Gesetz, dass festlegte, dass man sie benutzte, um das Land von der Schuld eines unbeobachteten Mordes zu reinigen (s. 5.Mose 21,6-7), und er benutzte sie noch mehr, um das Volk zur Überzeugung von der Unschuld des Angeklagten zu bewegen, wie er sie hatte.
Durch einen Ausspruch. Hier:
Wusch er sich selbst rein: „Ich bin unschuldig an dem Blut dieses Gerechten." Was für ein Unsinn war dies, Jesus zu verurteilen, sich aber gleichzeitig daran unschuldig zu erklären, sein Blut zu vergießen! Gegen eine Tat zu protestieren und sie doch zu tun, heißt, nur zu erklären, dass man gegen sein Gewissen sündigt.
Er gab den Priestern und dem Volk die Verantwortung. „,... seht ihr zu!' Ihr müsst es vor Gott und der Welt verantworten." Die Sünde ist ein Schrecken, den sich niemand aneignen möchte. Viele Menschen täuschen sich selbst, indem sie meinen, dass sie keine Verantwortung haben, wenn sie nur jemand anderen finden können, dem sie die Verantwortung geben können, doch es ist nicht so leicht, die Schuld der Sünde zu übertragen, wie viele denken. Die Priester schoben die Verantwortung auf Judas: „Da sieh du zu!" Und jetzt schob Pilatus die Verantwortung auf sie.
3.2 Die Priester und die Leute willigten ein, die Schuld auf sich zu nehmen; sie sagten alle: „Sein Blut komme über uns und über unsere Kinder!" Sie stimmten dem in der Leidenschaft ihres Zornes zu, um nicht das Opfer loszugeben, dass sie in Händen hatten, und riefen aus: „Sein Blut komme über uns."
Damit beabsichtigten sie, Pilatus zu entlasten. Doch diejenigen, die selbst heruntergekommen und Bettler sind, werden niemals als Sicherheit für andere akzeptiert. Niemand kann die Sünde anderer tragen außer dem Einen, der selbst keine Sünde hatte, für die er sich verantworten musste. Es ist ein kühnes Unterfangen und zu groß für jedes Geschöpf (s. Ps 49,8-9), gegenüber dem allmächtigen Gott die Verantwortung für einen Sünder zu tragen.
In Wirklichkeit riefen sie Zorn und Vergeltung auf sich und ihre Nachkommen herab. Christus hatte ihnen gerade gesagt, dass „alles gerechte Blut ..., das auf Erden vergossen worden ist", über sie kommen würde (Mt 23,35) - „vom Blut Abels, des Gerechten" an -, doch als ob das zu wenig wäre, riefen sie hier auf sich die Schuld des Blutes herab, das kostbarer war als

alles andere, die Schuld, die schwerer auf ihnen liegen würde. Beachten Sie:

Wie grausam sie in ihrer Rechnung waren. Sie riefen die Strafe für diese Sünde nicht nur auf sich selbst herab, sondern auch auf ihre Kinder. Es war Tollheit, sie auf sich selbst herabzubringen, doch es war der Gipfel der Grausamkeit, sie an ihre Nachkommen weiterzugeben. Beachten Sie, was für Feinde Übeltäter gegenüber ihren eigenen Kindern und Familien sind.

Wie gerecht Gott in seiner Vergeltung gemäß dieser Anrufung war. Von der Zeit an, in der sie dieses Blut auf sich herabriefen, wurden sie von einem Gericht nach dem anderen verfolgt. Jedoch über einige von ihnen und über einige ihrer Familien kam dieses Blut nicht, um sie zu verdammen, sondern um sie zu retten. Wenn sie Buße taten und glaubten, schnitt die göttliche Barmherzigkeit das Erbe dieses Fluches ab und dann erfüllte sich an ihnen und ihren Kindern wieder die Verheißung (s. Apg 2,39). Gott ist zu uns und zu unseren Familien besser, als wir es sind.

Vers 26-32

Hier ist:

1. Das gefällte Urteil und die unterzeichnete Vollmacht für Christi Hinrichtung. Dies geschah unmittelbar, zur gleichen Stunde.

1.1 Barabbas wurde freigelassen, um zu zeigen, dass Christus verurteilt wurde, damit Sünder, selbst der größte der Sünder (s. 1.Tim 1,5), freigelassen werden könnten. Er wurde ausgeliefert, damit wir befreit werden können. Bei diesem beispiellosen Fall der göttlichen Gnade ist der Rechtschaffene ein Lösegeld für den Missetäter (s. Jes 53,12), der Gerechte für die Ungerechten (s. 1.Petr 3,18).

1.2 Jesus wurde gegeißelt; das war eine schändliche und grausame Bestrafung, besonders, wenn sie von den Römern auferlegt wurde, die sich nicht an die Mäßigung des jüdischen Gesetzes hielten, das eine Geißelung mit mehr als vierzig Hieben verbot.

1.3 Dann wurde er „zur Kreuzigung" übergeben, eine Todesart, die nur unter den Römern üblich war. Die Weise, in der das Sterben am Kreuz stattfand, war derart, dass es das Ergebnis einer Vereinigung aus Grausamkeit und Intelligenz gewesen zu sein scheint, um den Tod im höchsten Maß elend und schrecklich zu machen. Ein Kreuz wurde am Boden montiert, an das die Hände und Füße genagelt wurden, und an dem hing das Gewicht des Leibes, bis der Gekreuzigte unter Schmerzen starb. Es war ein blutiger, schmachvoller und verfluchter Tod (s. 5.Mose 21,23; Gal 3,13). Es war ein so elender Tod, dass gnädige Herrscher anordneten, diejenigen, die per Gesetz zu ihm verurteilt wurden, zuerst zu strangulieren und dann an das Kreuz zu nageln.

2. Die barbarische Weise, auf die ihn die Soldaten behandelten. Als er verurteilt wurde, hätte er etwas Zeit für sich haben sollen, um sich auf den Tod vorzubereiten. Durch den römischen Senat wurde in der Zeit von Tiberius, vielleicht durch eine Klage über diese und ähnliche übereilte Aktionen, ein Gesetz erlassen, dass die Hinrichtung verurteilter Krimineller um mindestens zehn Tage nach dem Urteil verschoben werden muss. Unserem Herrn Jesus wurden jedoch kaum so viele Minuten gestattet; der Sturm hielt ohne Unterbrechung an. Als er zur Kreuzigung übergeben wurde, war das genug. Diejenigen, die den Leib töten, geben zu, dass sie nicht mehr tun können (s. Mt 10,28), doch die Feinde Christi würden mehr tun, wenn sie könnten. Die Wachen von Pilatus machten sich selbst daran, Christus zu misshandeln. Vielleicht geschah es nicht so sehr aus Gehässigkeit ihm gegenüber, sondern weil sie sich einen Spaß daraus machten, dass sie ihn misshandelten, wie sie es taten. Sie verstanden, dass er das Recht auf eine Krone beanspruchte. Ihn damit zu verspotten, unterhielt sie ein wenig und gab ihnen die Gelegenheit zur Belustigung. Beachten Sie:

2.1 Wo dies getan wurde im Prätorium. Das Haus des Statthalters, welches eine Zuflucht für diejenigen sein sollte, die ungerecht behandelt und misshandelt wurden, wurde zu einer Bühne für diese Barbarei gemacht. Diejenigen, die Autorität haben, werden nicht nur für das Böse verantwortlich gemacht werden, was sie tun oder anordnen, sondern auch für das Böse, das sie nicht in Schranken weisen.

2.2 Wer darin mit einbezogen wurde. Sie „versammelten die ganze Schar", die Soldaten, die bei der Hinrichtung anwesend sein würden.

2.3 Welche besondere Demütigung ihm angetan wurde.

„Sie zogen ihn aus" **(s. Vers 28)**. Die Scham vor der Nacktheit kam mit der Sünde (s. 1.Mose 3,7).

Sie „legten ihm einen Purpurmantel um", einen alten roten Umhang, wie ihn die römischen Soldaten trugen, eine Nachbildung der Purpurmäntel, die Könige und Kaiser trugen, und maßregelten ihn so dafür, dass er ein König genannt wurde. Sie hüllten ihn in diese vorgetäuschte Majestät als seine neue Kleidung, um ihn vor den Zuschauern zur Schau zu stellen und ihn noch lächerlicher aussehen zu lassen.

Sie „flochten eine Krone aus Dornen, setzten sie auf sein Haupt" **(Vers 29)**. Dies geschah weiter in der Absicht, ihn zu einem falschen König zu machen; doch wenn sie es nur als Beleidigung beabsichtigt hätten, hätten sie eine Krone aus Stroh oder Binsen flechten können, doch sie wollten, dass sie für ihn schmerzlich ist. Die Dornen stellen Heimsuchungen dar (s. 2.Chr 33,11; KJV). Christus nahm diese auf eine Krone; er veränderte für die, die ihm gehören, ihre Natur und gab ihnen Grund, sich in den Bedrängnissen zu rühmen (s. Röm 5,3) und lässt sie für sie eine über alle Maßen gewichtige Herrlichkeit verschaffen (s. 2.Kor 4,17). Christus wurde mit Dornen gekrönt, um zu zeigen, dass sein Reich „nicht von dieser Welt" war (Joh 18,36) und dass seine Herrlichkeit keine weltliche Herrlichkeit war, sondern hier von Fesseln und Bedrängnissen begleitet war (s. Phil 1,16), während seine Herrlichkeit immer noch „geoffenbart werden" sollte und soll (s. Röm 8,18).

Sie „gaben ihm ein Rohr in die rechte Hand"; dies sollte ein nachgemachtes Zepter sein; ein weiteres der Insignien der Majestät, mit der sie ihn aufzogen. Es war, als wäre dies ein Zepter, das für einen solchen König gut genug ist; so wie das Zepter schwach und wankend, vergehend und wertlos war, so war, meinten sie, das Reich. Sie waren jedoch völlig im Irrtum, denn sein Thron „bleibt immer und ewig" (Ps 45,7).

Sie „beugten vor ihm die Knie, verspotteten ihn und sprachen: Sei gegrüßt, König der Juden!" Nachdem sie ihn zu einem Scheinkönig gemacht hatten, machten sie sich darüber lustig, indem sie ihm huldigten und so seinen Anspruch auf Souveränität verspotteten.

Dann „spuckten sie ihn an"; auf diese Weise war er in der Halle des Hohepriesters misshandelt worden (s. Mt 26,67). Bei der Huldigung küsste der Untertan den Monarchen als Zeichen der Gefolgschaft; aus diesem Grund küsste Samuel Saul und uns wird gesagt, wir sollen den Sohn küssen (s. Ps 2,12); doch in dieser Scheinhuldigung spuckten sie ihm ins Gesicht, anstatt ihn zu küssen. Es ist sonderbar, dass die Menschen so hinterhältig handeln und dass der Sohn Gottes je solche Schmach und Schande erleiden sollte.

Sie „nahmen das Rohr und schlugen ihn auf das Haupt". Was sie zu einem nachgemachten Zeichen seiner Königswürde gemacht hatten, machten sie nun zu echten Werkzeugen ihrer Grausamkeit und seines Schmerzes. Sie schlugen ihn vermutlich auf die „Krone aus Dornen" und schlugen diese so in seinen Kopf, um ihn tiefer zu verwunden, was für sie ein größerer Spaß war, denen sein Schmerz das größte Vergnügen bereitete. Er ertrug all dieses Elend und diese Schande, damit er für uns ewiges Leben, ewige Freude und Herrlichkeit erkaufen könnte.

3. Wie er an den Ort der Hinrichtung gebracht wird. Nachdem sie ihn so lange verspottet und misshandelt hatten, wie sie es für passend hielten, „zogen sie ihm den Mantel aus". Dies bedeutete, dass sie ihn aller königlichen Autorität entkleideten, mit der sie ihn bedeckt hatten, als sie ihm diesen anlegten. Sie legten ihm seine Kleider an, denn diese sollten der Anteil der Soldaten werden, die für die Hinrichtung eingesetzt waren. Sie zogen ihm den Mantel aus, doch es wird nicht erwähnt, dass sie ihm die „Krone aus Dornen" abnahmen, von der allgemein angenommen wird, wenn es auch nicht sicher ist, dass er mit ihr auf dem Haupt gekreuzigt wurde.

3.1 „Und sie führten ihn ab, um ihn zu kreuzigen." Er war „wie ein Lamm, das zur Schlachtbank geführt wird" (Jes 53,7), wie ein Opfer zum Altar. Wir können uns gut vorstellen, wie sie ihn hastig antrieben, ihn so schnell wie möglich fortschleppten. Sie zogen hinaus, denn Christus litt „außerhalb des Tores" (Hebr 13,12).

3.2 Sie zwangen Simon von Kyrene, „ihm das Kreuz zu tragen" (**Vers 32**). Es scheint, dass Jesus das Kreuz zuerst selbst getragen hat. Dies sollte ihm, wie andere Dinge, sowohl Schmerz als auch Schande bereiten. Doch nach einer Weile nahmen sie ihm das Kreuz ab, entweder:
Aus Mitleid mit ihm, weil sie sahen, dass es für ihn eine zu große Last war. Wir können uns kaum denken, dass sie irgendwie so dachten. Oder:
Weil er nicht so schnell mit dem Kreuz auf seinem Rücken weitergehen konnte, wie sie es wollten. Oder:
Aus Furcht, dass er unter der Last seines Kreuzes ermatten und sterben könnte und so das verhinderte, was ihr Hass weiter mit ihm machen wollte. Sie nahmen das Kreuz von ihm und „zwangen" Simon von Kyrene, es zu tragen. Es brachte Schande und niemand hätte es außer durch Zwang getan. Manche meinen, dass dieser Simon ein Jünger Christi oder zumindest einer derer war, die ihm wohlgesonnen waren, und dass sie dies wussten und es deshalb auf ihn legten. Jeder, der sich als wahrer Jünger zeigen will, muss Christus folgen und „sein Kreuz auf sich" nehmen (Mt 16,24).

Vers 33-49
Hier haben wir die Kreuzigung unseres Herrn Jesus. Beachten Sie:

1. Den Ort, wo unser Herr Jesus zu Tode gebracht wurde.
1.1 Sie kamen an einen Ort namens „Golgatha", nahe Jerusalem, vermutlich der übliche Ort der Hinrichtung. An der gleichen Stelle, an der Verbrecher für die Gerechtigkeit der Regierung geopfert wurden, wurde unser Herr Jesus für die Gerechtigkeit Gottes gekreuzigt. Manche meinen, dieser Ort wurde „Schädelstätte" genannt, weil es das öffentliche Leichenhaus war, wo die Gebeine und Knochen der Toten zusammen aus dem Weg geschafft wurden, damit die Menschen sie nicht berühren und durch sie verunreinigt werden. Hier waren die Trophäen des Sieges des Todes über viele Menschen, und als Christus durch sein Sterben den Tod vernichtete, fügte er zu seinem Sieg die Ehre hinzu, dass er auf dem

eigenen Abfallhaufen des Todes über den Tod triumphierte.

1.2 Dort kreuzigten sie ihn **(s. Vers 35)**, nagelten seine Hände und Füße an das Kreuz und richteten es dann mit ihm daran hängend auf, denn so inszenierten die Römer eine Kreuzigung. Unsere Herzen mögen durch den heftigen Schmerz bewegt sein, den unser gelobter Heiland jetzt erduldete, und wir wollen ihn, der auf diese Weise durchstochen wurde, ansehen und über ihn Leid tragen (s. Sach 12,10). Gab es jemals einen Schmerz wie diesen Schmerz (s. Klgl 1,12)? Und wenn wir sehen, wie er starb, wollen wir mit Verwunderung die Liebe betrachten, die er uns erwiesen hat (s. 1.Joh 3,1).

2. Die barbarische und schmähliche Weise, wie sie ihn behandelten. Als ob der Tod – ein so großer Tod (s. 2.Kor 1,10; Elb) – nicht schlimm genug wäre, versuchten sie, seiner Bitterkeit und seinem Schrecken noch etwas hinzuzufügen:

2.1 Durch das, was sie ihm zu trinken gaben, bevor sie ihn an das Kreuz nagelten **(s. Vers 34)**. Es war für die üblich, die getötet wurden, dass man ihnen einen Becher gewürzten Wein gab, um daraus zu trinken, doch in den Wein, den Christus trinken sollte, mischten sie „Essig mit Galle", um ihn sauer und bitter zu machen. Er kostete davon und hatte damit das Schlimmste davon, als er den bitteren Geschmack in seinen Mund bekam; jetzt schmeckte er den Tod in seiner ganzen Bitterkeit. Doch er wollte es „nicht trinken", denn er wollte nicht das Beste davon haben, er wollte nichts, was seinen Schmerz verminderte, denn er wollte so sterben, dass er spürt, wie er stirbt.

2.2 Durch das Teilen seiner Kleider **(s. Vers 35)**. Als sie ihn an das Kreuz nagelten, zogen sie ihm seine Kleider aus. Wenn uns zu irgendeiner Zeit um Christi willen unsere Bequemlichkeit genommen wird, wollen wir das geduldig tragen; er wurde für uns ausgezogen. Die Feinde können uns unsere Kleider ausziehen, doch sie können uns nicht unsere besten Stützen und Ermutigungen nehmen; sie können uns nicht unsere „Feierkleider" nehmen (Jes 61,3). Die Kleider dessen, der hingerichtet wurde, waren das Eigentum des Henkers. Vier Soldaten waren mit der Hinrichtung von Christus beschäftigt und jeder von ihnen musste seinen Anteil bekommen: Das Obergewand Christi wäre für niemand von ihnen von Nutzen, wenn es zerteilt werden würde, und deshalb kamen sie darin überein, „das Los" darüber zu werfen.

Manche meinen, dieses Gewand war so fein und reich, dass es wert war, darum zu kämpfen, doch das stimmt nicht mit der Armut des Auftretens Christi überein.

Vielleicht hatten sie von denen gehört, die dadurch geheilt worden waren, dass sie den Saum seines Gewandes anrührten, und sie hielten es aufgrund einer Kraft für wertvoll, die es enthielt.
Oder:
Sie hofften, von seinen Freunden für solch ein geheiligtes Relikt Geld zu bekommen. Oder:
Es war eine Art Belustigung; sie wollten sich die Zeit vertreiben, während sie auf seinen Tod warteten; sie würden ein Würfelspiel um die Kleider spielen. Was auch immer die Absicht war, hierin erfüllte sich das Wort Gottes. In diesem berühmten Psalm, dessen erste Worte Christus am Kreuz sprach, wurde gesagt: „Sie teilen meine Kleider unter sich und werfen das Los über mein Gewand" (Ps 22,19). Christus entkleidete sich seiner Herrlichkeit, um sie unter uns zu verteilen. „Und sie saßen dort und bewachten ihn" **(Vers 36)**. Der Allmächtige fügte die Dinge in seiner Vorsehung jedoch so, dass diejenigen, die dafür eingesetzt waren, ihn zu bewachen, zufriedenstellende Zeugen für ihn wurden, welche die Gelegenheit hatten, das zu sehen und zu hören, was ihnen dieses edle Bekenntnis entlockte: „Wahrhaftig, dieser war Gottes Sohn!" (Mt 27,54).

2.3 Durch die Inschrift, die sie über seinem Haupt anbrachten **(s. Vers 37)**. Das Verbrechen von Übeltätern, die hingerichtet wurden, wurde für gewöhnlich nicht nur durch einen Ausrufer vor ihnen her verkündet, sondern auch durch eine Inschrift über ihrem Kopf, die es beschrieb. Deshalb befestigten sie die geschriebene Anklage über Christi Haupt, um die Beschuldigung gegen ihn öffentlich bekannt zu machen: „Dies ist Jesus, der König der Juden." Hier wurde kein Verbrechen gegen ihn behauptet. Es wurde nicht gesagt, dass er ein falscher Heiland oder ein widerrechtlicher König sei, sondern: Das ist Jesus, ein Heiland; das war zweifellos kein Verbrechen. Und es hieß: „Dies ist ... der König der Juden." Das war ebenso kein Verbrechen, denn sie erwarteten, dass der Messias dies sein würde. Hier wurde über ihn eine sehr herrliche Wahrheit behauptet – dass er Jesus war; „der König der Juden", der König, den die Juden erwarteten und dem sie sich hätten unterwerfen sollen. Anstatt Christus als Kriminellen anzuklagen, erklärte Pilatus dreimal, dass er ein König ist – mit drei Inschriften (s. Lk 23,38). Das ist die Art und Weise, wie Gott bewirkt, dass Menschen seinen Plänen dienen, die weit über deren eigene hinausgehen.

2.4 Durch seine Gefährten in seinem Leiden. Es „wurden mit ihm zwei Räuber gekreuzigt", zur gleichen Zeit, am gleichen Ort, unter der gleichen Wache; zwei Straßenräuber. Dieser Tag war vermutlich als der Tag der Hinrichtung festgesetzt; wie dem auch sei, darin erfüllte sich die Schrift: Er ließ „sich unter die Übeltäter zählen" (Jes 53,12).

Es war für ihn eine Schande, dass sie „mit ihm" gekreuzigt wurden; er musste in dem, was er litt, mit den schlimmsten Missetätern Anteil haben, als hätte er mit ihnen an ihren Sünden teilgehabt. Er wurde bei seinem Tod unter die Übeltäter gezählt (s. Jes 53,12) und teilte sein Schicksal mit Missetätern, damit wir bei unserem Tod unter die Heiligen gezählt werden können.

Es war für ihn eine zusätzliche Schande, dass er zwischen ihnen gekreuzigt wurde, als wäre er der Schlimmste der drei gewesen, der oberste Übeltäter, denn bei dreien ist die Mitte der Platz für den Obersten. Jede Einzelheit diente seiner Verunehrung, als wäre der große Heiland der größte Sünder von allen. Es sollte ihn auch in seinen letzten Augenblicken durch die Schreie, das Stöhnen und die Lästerungen dieser Übeltäter aus der Fassung bringen und beunruhigen. Dies war aber, wie Christus durch das Elend der Sünder in Mitleidenschaft gezogen werden wollte, als er für ihr Heil litt.

2.5 Durch die Lästerungen und Beleidigungen, die sie ihm an den Kopf warfen, als er am Kreuz hing. Man hätte meinen können, dass sie das Schlimmste getan hätten, als sie ihn ans Kreuz genagelt hatten. Ein sterbender Mensch, selbst ein berüchtigter Übeltäter, sollte mit Mitleid behandelt werden. Es scheint, dass keiner seiner Freunde, die noch vor einigen Tagen „Hosianna" gerufen hatten (s. Mt 21,9), es wagte, jetzt gesehen zu werden, um ihm irgendwelchen Respekt zu erweisen.

„Aber die Vorübergehenden lästerten ihn" (warfen ihm Beleidigungen an den Kopf). Seine extreme Not und musterhafte Geduld bei all diesem ließ sie nicht still werden oder Buße tun. Diejenigen, die ihn durch ihre lauten Schreie in diese Lage gebracht hatten, meinten nun, dass sie berechtigt wären, Beschimpfungen zu rufen, als täten sie damit etwas Gutes, ihn zu verdammen. Beachten Sie hier:

Die Menschen, die ihm Beschimpfungen an den Kopf warfen: Es waren „die Vorübergehenden", die Reisenden, welche die Straße entlanggingen. Sie waren durch die Berichte und den Tumult der Handlanger des Hohepriesters von Vorurteilen gegen ihn beherrscht. Es ist schwierig, eine gute Meinung von Menschen und Dingen zu behalten, wenn sie überall kritisiert werden und schlecht über sie gesprochen wird. Jeder neigt dazu, der Masse zu folgen und zu sagen, was die anderen anderen Menschen sagen, und einen Stein darauf zu werfen, was einen schlechten Ruf hat.

Die Geste, die sie benutzten, um ihre Verachtung von ihm zu zeigen – sie „schüttelten den Kopf", was ihre Schadenfreude und ihren Spott über seinen Fall zeigten.

Der Hohn und Spott, mit dem sie ihn bedachten, der hier berichtet wird.

Sie tadelten ihn dafür, dass er sagte, er werde den Tempel zerstören. Um ihn widerwärtig zu machen, verbreiteten sie unter den Leuten fleißig den Bericht, dass er den Tempel zerstören wolle, was die Leute mehr als alles andere über ihn erzürnen würde. „‚Der du den Tempel zerstörst' – dieses gewaltige und starke Bauwerk. Beweise nun deine Kraft, indem du dieses Kreuz aus dem Boden ziehst und diese Nägel herausziehst und dich so selbst rettest! Wenn du die Macht hast, derer du dich gerühmt hast, dann ist jetzt die richtige Zeit, um sie zu gebrauchen und zu beweisen." Er wurde „aus Schwachheit gekreuzigt", so schien es ihnen (2.Kor 13,4); doch der gekreuzigte Christus ist in der Tat „Gottes Kraft" (1.Kor 1,24).

Sie tadelten ihn, weil er sagte, er ist Gottes Sohn. „Wenn du das wirklich bist", sagten sie, „so steige vom Kreuz herab!" Hier nahmen sie dem Teufel die Worte aus dem Mund, die Worte, mit denen er ihn in der Wüste versuchte (s. Mt 4,3.6), und so wiederholten sie den gleichen Angriff: „Wenn du Gottes Sohn bist." Sie meinten, dass er jetzt oder nie beweisen müsse, dass er der Sohn Gottes ist. Sie vergaßen, dass er es durch die Wunder bewiesen hatte, die er vollbrachte. Sie wollten nicht auf seinen vollständigen Beweis durch seine Auferstehung warten, auf die er so oft selbst verwiesen hatte. Das kommt davon, wenn man die Dinge nach ihrem gegenwärtigen Erscheinungsbild beurteilt, ohne richtig die Vergangenheit zu bedenken und geduldig zu erwarten, was weiter bewirkt werden mag.

„... die obersten Priester samt den Schriftgelehrten" – die Leiter der jüdischen Gemeinde – „und Ältesten" – die staatlichen Leiter – verspotteten ihn alle **(Vers 41)**. Sie hielten es nicht für genug, das Volk einzuladen, dies zu tun. Sie hätten im Tempel bei ihren Andachten sein sollen, denn es war der erste Tag des Festes der ungesäuerten Brote, doch sie waren hier am Ort der Hinrichtung und spuckten ihr Gift gegen den Herrn Jesus aus. Sie haben sich selbst große Schande bereitet, indem sie Christus so verächtlich behandelten. Die Priester und Ältesten verspotteten ihn mit zwei Dingen:

Dass er „sich selbst ... nicht retten" konnte **(Vers 42)**.

Sie sahen es als erwiesen an, dass er sich selbst nicht retten konnte und deshalb nicht die Macht hatte, die er beanspruchte, wohingegen er sich in Wirklichkeit nicht retten wollte, weil er sterben wollte, um uns zu retten.

Sie wollten damit sagen, dass, weil er sich nun nicht selbst rettete, alle seine Behauptungen, andere retten zu können, falsche Wahnvorstellungen waren.

Sie verhöhnten ihn dafür, dass er beansprucht hatte, „der König Israels" zu sein. Viele Menschen würden den „König Israels" ganz gut mögen, wenn er nur vom Kreuz herabsteigen würde. Doch die Angelegenheit war entschieden;

wenn es kein Kreuz geben würde, könnte es keinen Christus und keine Krone geben. Diejenigen, die mit ihm herrschen wollen, müssen bereit sein, mit ihm zu leiden (s. 2.Tim 2,12), denn Christus und sein Kreuz sind in dieser Welt zusammengenagelt.

Sie forderten ihn auf, vom Kreuz herabzusteigen. Doch die unwandelbare Liebe und Entschlossenheit stellte ihn über diese Versuchung und stärkte ihn gegen sie, sodass er nicht ermattete und nicht zusammenbrach (s. Jes 42,4).

Sie versprachen, wenn er vom Kreuz herabsteigen würde, wollten sie an ihn glauben. Als sie vormals ein Zeichen von ihm gefordert hatten, hatte er ihnen gesagt, dass das Zeichen, das er ihnen geben würde, nicht sein Herabkommen vom Kreuz sein würde, sondern etwas, das seine Macht größer zeigen würde – sein Herauskommen aus dem Grab. Unser Versprechen, dass wir glauben würden, wenn wir diese und jene Mittel und Beweggründe zum Glauben hätten, die wir selbst vorschreiben wollen, ist nicht nur ein Zeichen für die verderbte Hinterlist unserer Herzen, sondern auch eine armselige Zuflucht oder vielmehr ein Vorwand für halsstarrigen, zerstörerischen Unglauben.

Dass Gott, sein Vater, ihn nicht retten wollte. „Er hat auf Gott vertraut; ... denn er hat ja gesagt: Ich bin Gottes Sohn!" **(Vers 43)**. Diejenigen, die Gott Vater und sich selbst seine Kinder nennen, erklären, dass sie auf ihr Vertrauen setzen (s. Ps 9,11). Die obersten Priester und Schriftgelehrten behaupteten nun, dass Jesus nur sich selbst und andere getäuscht habe, denn wenn er der Sohn Gottes gewesen wäre, wäre er nicht all diesem Elend preisgegeben und noch viel weniger darin verlassen worden. Dieser Spott hatte die Absicht: *Ihn zu diffamieren, die Zuschauer glauben zu lassen, dass er ein Betrüger und ein Hochstapler war. Ihm Angst einzujagen, ihn dazu zu bringen, der Liebe und Macht seines Vaters zu misstrauen und daran zu verzweifeln.*

Um den Spott zu vervollständigen, der über ihm ausgeschüttet wurde, wurden „die Räuber, die mit ihm gekreuzigt waren", nicht nur nicht so beleidigt, wie er es wurde – als wären sie im Vergleich mit ihm Heilige gewesen –, sondern „schmähten ihn auch" **(Vers 44)**; das heißt, einer von ihnen tat es, der sagte: „Bist du der Christus, so rette dich selbst und uns!" (Lk 23,39). Man hätte meinen können, dass dieser Räuber von allen Leuten am wenigsten Anlass und das geringste Verlangen haben sollte, Christus zu verspotten.

Weil es unser Herr Jesus unternommen hatte, die Gerechtigkeit Gottes in Bezug auf das Unrecht zufriedenzustellen, das seiner Ehre durch die Sünde angetan wurde, tat er es, indem er in seiner Ehre litt, und unterwarf sich der größtmöglichen Schmach, die man dem schlimmsten Übeltäter zufügen könnte. Weil er für uns zur Sünde gemacht wurde (s. 2.Kor 5,21), wurde er um unsertwillen zum Fluch gemacht (s. Gal 3,13).

3. Das Missfallen des Himmels, dass unser Herr Jesus in all diesem schmachvollen menschlichen Unrecht litt, beachten Sie dabei:

3.1 Wie dies gezeigt wurde – durch eine ungewöhnliche und übernatürliche Verfinsterung der Sonne, die drei Stunden anhielt **(s. Vers 45)**. Ein ungewöhnliches Licht gab Nachricht von der Geburt Christi (s. Mt 2,2), und deshalb war es angemessen, dass eine ungewöhnliche Finsternis seinen Tod ankündigen würde, denn er ist „das Licht der Welt" (Joh 8,12). Diese überraschende, erschreckende Finsternis sollte die Mäuler dieser Lästerer stopfen, die Christus Beleidigungen an den Kopf warfen, als er am Kreuz hing. Obwohl ihre Herzen nicht verändert waren, waren sie still und standen verwundert, was dies alles bedeutete, bis sich nach drei Stunden die Finsternis zerstreute und sie dann, wie sich in Vers 47 zeigt, ihre Herzen wie Pharao verhärteten, als die Plage vorüber war (s. 2.Mose 8,15.28). Diese Finsternis sollte indes hauptsächlich zeigen:

Den momentanen Kampf Christi mit den Mächten der Finsternis. Er bekämpfte sie auf ihrem eigenen Terrain; mit dieser Finsternis gab er ihnen jeden erdenklichen Vorteil, den sie nur gegen ihn haben konnten. Er ließ sie den Wind und die Sonne nehmen, doch er vernichtete sie dennoch und überwand deshalb weit (s. Röm 8,37).

Das momentane Fehlen von himmlischen Tröstungen für ihn. Diese Finsternis stellte die finstere Wolke dar, unter der die menschliche Seele unseres Herrn Jesus nun war. Gott lässt die Sonne über Gerechte und Ungerechte scheinen (s. Mt 5,45), doch selbst das Licht der Sonne wurde von unserem Heiland zurückgehalten, als er „für uns zur Sünde gemacht" wurde (s. 2.Kor 5,21). Als die Erde ihm einen Tropfen kühlen Wassers verwehrte, verweigerte ihm der Himmel einen Lichtstrahl. Da er uns aus der völligen Finsternis retten musste, wandelte er selbst im Finstern und es schien ihm kein Licht (s. Jes 50,10). Wir sehen nicht, dass er während der drei Stunden, die diese Finsternis anhielt, ein Wort sagte; er verbrachte diese Zeit in einem schweigenden Rückzug in seiner Seele. Seit dem Tag, an dem Gott Menschen auf der Erde schuf, hat es nie solche drei Stunden gegeben; niemals gab es eine solch finstere und schreckliche Szene; dies war der entscheidende Augenblick in diesem großen Werk der Erlösung und Errettung des Menschen.

3.2 Wie er darüber klagte: „Und um die neunte Stunde", als es nach einem langen und schweigenden Kampf aufzuklaren begann, „rief Jesus mit lauter Stimme: Eli, Eli, lama sabachthani?" **(Vers 46)**. Die Worte sind uns wegen der verdrehten Übersetzung, die seine

Feinde ihnen beimaßen, indem sie „Eli" als „Elias" verstanden, das meint „Elia", in dem aramäischen Dialekt überliefert, in dem sie gesprochen wurden. Beachten Sie hier:

Von wo er diese Klage nahm: Psalm 22,2. Diese und andere Worte – „Vater, in deine Hände befehle ich meinen Geist" (Lk 23,46; s. Ps 31,6) – nahm er aus den Psalmen Davids, um uns zu lehren, dass wir das Wort Gottes als Führer im Gebet benutzen sollten, das „unseren Schwachheiten zu Hilfe" kommen wird (s. Röm 8,26).

Wie er sie sprach – „mit lauter Stimme", was das höchste Maß seines Schmerzes und seiner Qual zeigte und die natürliche Kraft, die in ihm blieb, und die große Inbrunst in seinem Geist bei diesem Flehen.

Was die Klage war: „Mein Gott, mein Gott, warum hast du mich verlassen?" Das war eine seltsame Klage aus dem Mund unseres Herrn Jesus, der, dessen sind wir sicher, der Eine war, an dem der Vater immer Wohlgefallen hatte (s. Mt 3,17). Der Vater liebte ihn jetzt; in der Tat wusste er, weil er sein Leben für die Schafe hingab, dass dies selbst ein Grund dafür war, dass der Vater ihn liebte (vgl. 1.Joh 3,16). Was? Ist er auch von seinem Vater verlassen, preisgegeben und alleine gelassen worden, und das noch mitten in seinem Leiden? Sicherlich gab es nie einen Schmerz wie diesen Schmerz (s. Klgl 1,12), der eine solche Klage in dem Einen auslöste, der, da er sündlos war, niemals ein Schrecken für sich selbst sein konnte. Es überrascht kaum, dass eine solche Klage die Erde erbeben und die Felsen sich spalten ließ. Daraus können wir lernen:

Dass unser Herr Jesus in seinem Leiden eine Zeit lang von seinem Vater verlassen war. Dies ist es, was er selbst sagte, und wir sind uns sicher, dass er sich in Bezug auf seine eigene Lage nicht irrte. Es ist nicht so, dass es in der Liebe seines Vaters zu ihm oder von ihm zu seinem Vater ein Nachlassen gegeben hätte, doch sein Vater verließ ihn. Er überließ ihn seinen Feinden und erschien nicht, um ihn aus ihren Händen zu retten. Es wurde kein Engel vom Himmel gesandt, um ihn zu retten, noch erhob sich irgendein Freund auf der Erde, um für ihn einzutreten. Als seine Seele erstmals „erschüttert" war, „kam eine Stimme vom Himmel", um ihn zu trösten (s. Joh 12,27-28); als er im Garten Gethsemane in Qualen war, erschien ein Engel vom Himmel, um ihn zu stärken; jetzt aber hatte er keines von beidem. Christus wurde „für uns zur Sünde gemacht" (2.Kor 5,21) und wurde ein Fluch „um unsertwillen" (Gal 3,13), und so kam es, dass Gott, obwohl er ihn als Sohn liebte, ihn als Bürgen (s. Hebr 7,22) finster anblickte.

Dass Christus von seinem Vater verlassen wurde, war das schmerzlichste seiner Leiden. Dies betonte er am traurigsten, denn es war dies, was „den Wermut und das Gift" in die Heimsuchung und die Not brachte (s. Klgl 3,19).

Dass unser Herr Jesus, selbst als er auf diese Weise von seinem Vater verlassen wurde, immer noch nichtsdestotrotz an ihm als seinem Gott festhielt: „‚Mein Gott, mein Gott.' Obwohl du mich alleine lässt, bist du doch immer noch mein." Er wurde von der Gewissheit getragen, dass Gott selbst in der Tiefe seines Leidens sein Gott war, und er war entschlossen, daran festzuhalten.

Wie seine Feinde diese Klage gottlos verspotteten. Sie sagten: „Der ruft den Elia!" **(Vers 47)**. Manche meinen, dass dies der unwissende Irrtum der römischen Soldaten war, die von Elia hatten reden hören, aber nicht die Bedeutung von „Eli, Eli" kannten und so diesen irrtümlichen Kommentar zu den Worten Christi gaben. Vieles von der Verachtung, die dem Wort Gottes und dem Volk Gottes gezeigt wird, entsteht durch grobe Irrtümer. Diejenigen, die unvollständig hören, verdrehen, was sie hören. Andere meinen jedoch, dass es ein vorsätzlicher Fehler von einigen der Juden war, die sehr wohl wussten, was er sagte, aber dazu aufgelegt waren, ihn zu misshandeln, sich selbst und ihre Gefährten zum Lachen zu bringen, und ihn als jemanden zu entstellen, der, nachdem er von Gott verlassen wurde, dazu getrieben wurde, auf geschaffene Dinge zu vertrauen. Es ist nichts Neues bei den gottesfürchtigsten Andachten der besten Leute, dass sie von weltlichen Spöttern lächerlich gemacht und missbraucht werden. Christi Worte wurden es, obwohl er so gesprochen hat, wie niemand zuvor gesprochen hatte.

4. Den kühlen Trost, den ihm seine Feinde in seiner Qual darreichten.

4.1 Einer nahm „Essig ... und gab ihm zu trinken" **(Vers 48)**. Statt ihm etwas erfrischendes Wasser zu geben, um ihn unter dieser schweren Last wiederzubeleben, peinigten sie ihn damit.

4.2 Andere verwiesen ihn mit der gleichen Absicht, ihn aufzuschrecken und zu beleidigen, auf Elia: „‚Halt, lasst uns sehen, ob Elia kommt, um ihn zu retten!' **(Vers 49)**. Kommt, lasst ihn, seine Situation ist verzweifelt; er hat Elia angerufen und zu Elia soll er gehen."

Vers 50-56

Hier haben wir schließlich einen Bericht von dem Tod von Christus und mehreren bemerkenswerten Ereignissen, die ihn begleiteten. Beachten Sie:

1. Wie er seinen letzten Atemzug tat **(s. Vers 50)**. Zwischen der dritten und der sechsten Stunde – das ist nach unserer Zeitrechnung zwischen neun und zwölf Uhr – wurde er an das Kreuz genagelt, und bald nach der neunten Stunde – das ist zwischen drei und vier Uhr nachmittags – starb er. Das war die Zeit der Darbringung des Abendopfers und die

Zeit, in der das Passahlamm getötet wurde. Christus unser Passah wurde für uns geopfert. Zwei Dinge sind hier darüber vermerkt, wie Christus starb:

1.1 Dass er wie zuvor „mit lauter Stimme" schrie **(Vers 46.50)**. Nun:

Dies war ein Zeichen, dass nach all seinem Schmerz und seinen Mühen sein Leben immer noch vollkommen in ihm und seine Konstitution immer noch stark war. Die Stimme eines Sterbenden ist eines der ersten Dinge, die schwächer werden; mit schnaufendem Atem und stockender Zunge werden voller Mühe ein paar gebrochene Worte gesprochen und mit noch größerer Mühe gehört. Doch Christus sprach, bevor er verschied, wie ein Mann „im Vollbesitz seiner Kraft" (Hiob 21,23), um zu zeigen, dass sein Leben nicht aus ihm getrieben wurde, sondern von ihm freiwillig in die Hände seines Vaters übergeben wurde.

Es war von Bedeutung. Sein Aufschreien mit lauter Stimme, als er starb, zeigte, dass sein Tod der ganzen Welt verkündet werden würde. Der laute Schrei Christi war wie das In-die-Trompete-Stoßen bei dem Opfer (s. 4.Mose 10,10).

1.2 Dass er dann den Geist aufgab. Dies ist die übliche Weise, den Tod auszudrücken, die hier benutzt wird, um zu zeigen, dass der Sohn Gottes am Kreuz wahrhaftig und richtig durch die Gewalt des Schmerzes, in der er war, starb. Seine Seele wurde vom Leib getrennt und so blieb sein Leib wirklich und wahrhaftig tot zurück. Er hatte es unternommen, seine Seele „zum Schuldopfer" zu geben (Jes 53,10).

2. Die Wunder, die seinen Tod begleiteten. Es wurden von ihm in seinem Leben so viele Wunder vollbracht, dass wir wohl erwarten können, dass einige vollbracht wurden und mit seinem Tod einhergingen.

2.1 „Und siehe, der Vorhang im Tempel riss von oben bis unten entzwei" (der Vorhang im Tempel wurde in zwei Teile zerrissen). Gerade als unser Herr Jesus verschied, zur Zeit der Darbringung des Abendopfers, wurde der Vorhang im Tempel von einer unsichtbaren Macht zerrissen – der Vorhang, der das Heiligtum und das Allerheiligste trennte. In diesem lag – wie in den anderen Wundern Christi – ein Geheimnis:

Der Tempel entspricht dem Tempel des Leibes Christi, der nun abgebrochen war. Der Tod ist das Zerreißen des Vorhangs des Fleisches, der zwischen uns und dem Allerheiligsten steht (s. Hebr 10,20). Der Tod von Christus war so; der Tod von echten Christen ist so.

Es zeigte die Offenbarung der Geheimnisse des Alten Testaments. Der Vorhang des Tempels sollte Verborgenheit bieten, und niemand außer dem Hohepriester konnte die Gefäße des Allerheiligsten ansehen, ohne sich große Strafe zuzuziehen – und jener auch nur einmal im Jahr mit einer großen Zeremonie und durch eine Wolke von Rauch. Nun jedoch, beim Tod von Christus, war alles enthüllt und die Geheimnisse wurden aufgedeckt, sodass nun ein Bote laufen, ihre Bedeutung lesen und verkünden kann (s. Hab 2,2).

Es kündigte die Vereinigung von Juden und Heiden an durch die Hinwegnahme der Scheidewand der Feindschaft zwischen ihnen (s. Eph 2,14), die das Zeremonialgesetz war. Mit seinem Tod setzte Christus das Zeremonialgesetz außer Kraft, schaffte es aus dem Weg, nagelte es an sein Kreuz. Er starb, um alle trennenden Vorhänge zu zerreißen und sein ganzes Volk eins zu machen (s. Joh 17,21).

Es zeigt die Einweihung eines „neuen und lebendigen" Weges zu Gott (Hebr 10,20). Der Vorhang im Tempel hielt die Menschen davon ab, sich dem Allerheiligsten zu nahen, wo die *Schekina* war, die sichtbare Offenbarung der Herrlichkeit Gottes. Doch sein Zerreißen zeigte, dass Christus durch seinen Tod einen Weg zu Gott eröffnet hatte:

Für sich selbst. Als nun sein Opfer im äußeren Vorhof dargebracht war, musste sein Blut auf den Sühnedeckel innerhalb des Vorhangs gesprengt werden. Obwohl er erst mehr als vierzig Tage später (s. Apg 1,3) persönlich in das Heiligtum aufgefahren ist, welches nicht mit Händen gemacht ist (s. Hebr 9,11.24), erwarb er sofort das Recht, hineinzugehen, und hatte es tatsächlich Zutritt.

Für uns in ihm: So wendet es der Schreiber des Hebräerbriefes an (s. Hebr 10,19-20). Er starb, „damit er uns zu Gott führte" (1.Petr 3,18) und um zu diesem Zweck diesen Vorhang aus Schuld und Zorn zu zerreißen, der zwischen uns und ihm kam. Durch Christus haben wir jetzt freien Zugang zum Thron der Gnade oder Sühnedeckel und in der Zukunft zum Thron der Herrlichkeit (s. Hebr 4,16; 6,20). Wie es ein alter Choral ausdrückt: „Als Christus die Schärfe des Todes überwunden hatte, öffnete er für alle Gläubigen das Reich der Himmel." Nichts kann unseren Zugang zum Himmel versperren oder beeinträchtigen.

2.2 „... und die Erde erbebte"; dieses Erdbeben zeigte zwei Dinge:

Die schreckliche Bosheit derer, die Christus kreuzigten. Indem sie unter einer solchen Bürde erzitterte, bezeugte sie die Unschuld desjenigen, der verfolgt wurde, und zeugte gegen die Gottlosigkeit derjenigen, die ihn verfolgten.

Die herrlichen Errungenschaften von Christi Kreuz. Dieses Erdbeben zeigte den mächtigen Schock – in der Tat den tödlichen Schlag –, der dem Reich des Teufels versetzt wurde. Gott erschüttert alle Heidenvölker, wenn „das Ersehnte aller Heidenvölker" kommen wird (Hag 2,7.21).

2.3 „... und die Felsen spalteten sich"; die härtesten und stärksten Teile der Erde wurden dazu gebracht, diese mächtige Erschütterung zu spüren. Christus hatte gesagt, wenn die Kinder aufhören würden, Hosianna zu rufen, „dann würden die Steine schreien" (Lk 19,40), und jetzt taten sie dies tatsächlich und verkündeten die Herrlichkeit des leidenden Jesus. Jesus Christus ist der Felsen (s. 1.Kor 10,4) und das Spalten dieser Felsen zeigte das Spalten dieses Felsens.

Sodass wir uns in den Spalten bergen können, wie Mose in der Felsenkluft am Horeb verborgen wurde, damit wir die Herrlichkeit des Herrn sehen können, wie er es tat (s. 2.Mose 33,22).

Damit aus den Rissen Ströme lebendigen Wassers fließen und uns in dieser Wüste folgen mögen (s. 1.Kor 10,4). Wenn wir die Gedenkfeier an Christi Tod halten, müssen unsere harten und felsigen Herzen gebrochen werden – das Herz und nicht die Kleider (s. Joel 2,13). Das Herz, das sich nicht beugt oder schmilzt, wenn es deutlich Christus gekreuzigt sieht, ist härter als ein Fels.

2.4 „Und die Gräber öffneten sich." Es scheint, dass das gleiche Erdbeben, welches die Felsen spaltete, auch die Gräber öffnete und „viele Leiber der entschlafenen Heiligen wurden auferweckt". Der Tod ist für die Heiligen nur der Schlaf des Leibes und das Grab das Bett, in dem sie schlafen. Sie erwachten durch die Macht des Herrn Jesus „und gingen aus den Gräbern hervor nach seiner Auferstehung und kamen in die heilige Stadt und erschienen vielen" **(Vers 53)**.

Wir können dazu viele Fragen stellen, die wir nicht lösen können, wie:

Wer diese Heiligen waren, die auferweckt wurden. Manche meinen, es waren die alten Patriarchen, die so sehr darauf bedacht waren, im Land Kanaan begraben zu werden (s. 1.Mose 49,29-32; 50,25). Andere meinen, dass die Menschen, die zum Leben erweckt wurden, neue Heilige waren, solche, die mit Christus im Fleisch gewesen, doch vor ihm gestorben waren. Was, wenn wir vermuten, dass die Menschen die Märtyrer waren, diejenigen, die zur Zeit des Alten Testaments die Wahrheiten Gottes mit ihrem Blut besiegelt hatten? Christus verwies besonders auf sie als seinen Vorläufern (s. Mt 23,35). Die mit Christus leiden werden als Erste mit ihm herrschen (s. 2.Tim 2,12).

Ob sie nun erweckt wurden oder erst bei Jesu eigener Auferstehung. Manche meinen, sie wurden jetzt beim Tod Christi zum Leben erweckt, blieben aber anderswo und kamen erst nach seiner Auferstehung „in die heilige Stadt". Andere meinen, sie wurden erst bei der Auferstehung Jesu zum Leben erweckt und erhoben sich; nach dieser Sicht wird ihre Auferstehung hier nur um der Kürze willen bei dem Verweis auf das Öffnen der Gräber erwähnt.

Ob sie ein zweites Mal starben. Manche meinen, dass sie nur zum Leben erweckt wurden, um denen die Auferstehung Christi zu bezeugen, denen sie erschienen, und dass sie sich, nachdem sie ihr Zeugnis vollendet hatten (s. Offb 11,7), in ihre Gräber zurückzogen. Doch es ist mehr im Einklang sowohl mit Christi Ehre als auch der ihren, wenn man annimmt, dass sie, wenn wir es auch nicht beweisen können, so zum Leben erweckt wurden, wie es Christus wurde, um nicht wieder zu sterben. Sicherlich hat ein zweiter Tod keine Macht über diejenigen, die an seiner ersten Auferstehung teilhatten.

Wem sie erschienen, ob Freunden oder Feinden, wie sie erschienen, wie oft, und was sie sagten oder taten und wie sie verschwanden. All das sind verborgene Dinge, die uns nicht bekannt sind (s. 5.Mose 29,28). Dass so kurz auf diese Angelegenheit verwiesen wird, ist für uns ein klarer Hinweis, dass wir nicht auf diesem Weg suchen dürfen, um unseren Glauben zu bekräftigen. Wir haben ein prophetisches Wort, das gewisser ist (s. Lk 16,31).

Wir können jedoch viele gute Lektionen daraus lernen:

Dass selbst diejenigen, die vor dem Tod und der Auferstehung Christi lebten und starben, sich genauso wie diejenigen, die seitdem gelebt haben, der rettenden Wohltaten dieser Ereignisse erfreuten.

Dass der Tod Jesu Christi den Tod besiegt, entwaffnet und kampfunfähig gemacht hat. Diese Heiligen, die zum Leben erweckt wurden, waren die augenblicklichen Siegeszeichen des Sieges des Kreuzes Christi über die Mächte des Todes.

Dass aufgrund der Auferstehung Christi die Leiber aller Heiligen in der Fülle der Zeit wiederauferstehen werden. Diese Auferstehung der wenigen war eine Verheißung auf eine allgemeine Auferstehung am letzten Tag.

3. Die Überzeugung seiner Feinde, die für die Hinrichtung eingesetzt waren **(s. Vers 54)**. Beachten Sie:

3.1 Die Menschen, die überzeugt wurden: „… der Hauptmann und die, welche mit ihm Jesus bewachten."

Sie waren Soldaten, deren Beruf für gewöhnlich hart und deren Gefühle normalerweise nicht so wie die anderer für die Eindrücke von Furcht und auch von Mitleid empfänglich sind. Es ist jedoch kein Geist zu groß, zu unerschrocken, dass ihn die Macht Christi nicht brechen und demütigen kann.

Sie waren Römer, Heiden, doch nur sie wurden überzeugt. Hier wurden die Heiden weich gemacht und die Juden verhärtet.

Sie waren die Verfolger von Christus, diejenigen, die ihn kurz vorher verspottet hatten, wie man aus Lukas 23,36 sehen kann. Wie rasch kann Gott durch die Macht, die er über die Gewissen der Menschen hat, ihre Sprache ändern.

3.2 Die Mittel ihrer Überführung; sie sahen „das Erdbeben", das sie erschreckte, „und was da geschah". Dies erfüllte bei diesen Soldaten seinen Zweck, was auch immer es für eine Wirkung auf andere gehabt haben mag.

3.3 Der Ausdruck dieser Überzeugung in zwei Dingen:

Das Entsetzen, das sie packte. Sie „fürchteten ... sich sehr", fürchteten, dass sie in der Finsternis begraben oder von der Erde verschlungen werden könnten. Gott kann seine kühnsten Feinde leicht erschrecken. Schuld lässt die Menschen sich fürchten, während es solche gibt, die sich nicht fürchten, „wenn auch die Erde umgekehrt wird" (Ps 46,3).

Das Zeugnis, das ihnen entlockt wurde. Sie sagten: „Wahrhaftig, dieser war Gottes Sohn!" **(Vers 54)**. Das war die große Sache, über die nun gestritten wurde. Es war der Punkt, über den sich seine Feinde und er auseinandergesetzt hatten (s. Mt 26,63-64). Seine Jünger glaubten es, doch sie wagten in dieser Zeit nicht, es zu bekennen. Unser Heiland selbst wurde versucht, es infrage zu stellen, als er sagte: „Mein Gott, mein Gott, warum hast du mich verlassen?" (Mt 27,46). Als er nun am Kreuz starb, betrachteten die Juden die Frage als klar gegen ihn entschieden: Er war nicht der Sohn Gottes, denn er war nicht vom Kreuz herabgestiegen. Doch jetzt gaben der Hauptmann und die Soldaten dieses spontane Bekenntnis des christlichen Glaubens: „Wahrhaftig, dieser war Gottes Sohn!" Die besten seiner Jünger hätten zu irgendeiner Zeit nicht mehr sagen können und zu dieser Zeit hatten sie nicht genug Glauben und Mut, um so viel zu sagen.

4. Die Anwesenheit seiner Freunde bei ihm, die seinen Tod bezeugten **(s. Vers 55-56)**. Beachten Sie:

4.1 Wer sie waren: „... viele Frauen ... welche Jesus von Galiläa her gefolgt waren." Nicht seine Apostel, obwohl wir an anderer Stelle Johannes bei dem Kreuz finden (s. Joh 19,26); nein, ihre Herzen ließen sie versagen; sie wagten es nicht zu erscheinen. Doch hier war eine Gruppe von Frauen – manche würden sie töricht genannt haben –, die unerschrocken bei Christus standen, als ihn die anderen Jünger unehrenhaft verlassen hatten. Selbst die von dem schwächeren Geschlecht werden oft durch die Gnade Gottes im Glauben stark gemacht. Es hat weibliche Märtyrer gegeben, die berühmt für ihren Mut und ihre Entschlossenheit in der Sache Christi gewesen sind. Über diese Frauen wird gesagt:

Dass sie „Jesus von Galiläa her gefolgt waren" – aus der großen Liebe heraus, die sie für ihn hatten; sonst waren nur die Männer verpflichtet, heraufzukommen, um beim Fest anzubeten. Nachdem sie ihm eine so weite Strecke gefolgt waren, waren sie entschlossen, ihn jetzt nicht im Stich zu lassen. Unser früherer Dienst und unser früheres Leiden für Christus sollte ein Argument für uns sein, treu bei ihm bis zum Ende auszuharren.

Dass sie ihm auf dem Weg „gedient hatten", aus ihren Mitteln für seinen Lebensunterhalt gesorgt hatten. Wie gerne hätten sie ihm jetzt gedient, wenn es ihnen erlaubt worden wäre! Wenn wir an dem gehindert werden, was wir im Dienst für Christus tun möchten, müssen wir das tun, was wir können.

Einige von ihnen werden besonders erwähnt. Es sind diejenigen, die wir mehrere Male zuvor getroffen haben, und es gereicht ihnen zur Ehre, dass wir sie am Ende treffen.

4.2 Was sie taten; sie sahen „von ferne" zu.

Sie standen „von ferne". Es betont das Leiden Christi, dass seine Lieben und Freunde abseitsstehen wegen seiner Plage (s. Ps 38,12; Hiob 19,13). Vielleicht hätten sie näher kommen können, wenn sie es gewollt hätten, doch wenn gute Menschen schwer leiden, dann dürfen sie es nicht für sonderlich erachten, wenn es einigen ihrer besten Freunde widerstrebt, bei ihnen zu sein. Wenn wir sonderlich angesehen werden, müssen wir uns daran erinnern, dass unser Meister in der gleichen Weise angesehen wurde.

Sie schauten von dort aus zu. Als es ihnen verboten war, irgendeine andere Art der Liebe für ihn auszuüben, schauten sie mit einem liebevollen Blick auf ihn. Es war ein trauriger Blick. Wir können uns gut vorstellen, wie es ihnen das Herz zerschnitt, ihn in dieser Qual zu sehen. Wir wollen das Auge des Glaubens haben, damit wir Christus und ihn gekreuzigt sehen (s. 1.Kor 2,2), und wir wollen von der großen Liebe bewegt sein, mit der er uns geliebt hat. Doch es war nicht mehr als ein Blick; sie sahen ihn, aber sie konnten ihm nicht helfen. Als Christus litt, waren sogar seine besten Freunde nur Zuschauer und Dabeistehende.

Vers 57-66

Hier haben wir einen Bericht von dem Begräbnis Christi. Beachten Sie die Freundlichkeit und den guten Willen seiner Freunde, die ihn ins Grab legten, und auch den Hass und den bösen Willen seiner Feinde, die darauf bedacht waren, ihn dort zu halten.

1. Seine Freunde sorgten für ein anständiges Begräbnis für ihn. Beachten Sie:

1.1 Jesus Christus wurde begraben; als seine kostbare Seele in das Paradies gegangen war, wurde sein Leib in die Kammern des Grabes gelegt. Er wurde begraben, um seinen Tod gewisser zu machen und seine Auferstehung ruhmreicher hervorzuheben. Pilatus hätte seinen Leib nicht gegeben, um ihn zu begraben, wenn ihm nicht versichert worden wäre, dass er wirklich tot war. Er wurde begraben, damit er den Schrecken des Grabes wegnehmen und es für uns angenehm machen konnte, damit er das kalte, schlimme Bett für uns wärmen und mit Wohlgeruch erfüllen mag und damit wir „mit ihm begraben" werden könnten (s. Röm 6,4; Kol 2,12).

1.2 Die besonderen Umstände dieses Begräbnisses, die hier genannt werden.

Die Zeit, in der er begraben wurde, war, „als es nun Abend geworden war", derselbe Abend, an dem er starb, vor Sonnenuntergang, wie es bei der Bestattung von Übeltätern üblich ist. Es wurde nicht auf den nächsten Tag verschoben, weil das der Sabbat war.

Die Person, die für die Beerdigung sorgte, war Joseph von Arimathia. Die Apostel waren alle geflohen. Die Frauen, die ihm gefolgt waren, wagten nicht, etwas zu tun. Deshalb rührte Gott diesen guten Mann an, es zu tun, denn für jede Arbeit, die Gott zu tun hat, wird er Werkzeuge finden, sie zu tun. Joseph war geeignet, denn:

Er hatte die Mittel, es zu tun, da er reich war, bereit, für eine Tat des Dienstes eingesetzt zu werden, die einen Mann mit Besitz erforderte. Weltlicher Besitz ist bei manchen Diensten, die für Christus getan werden, ein Vorteil und eine Gelegenheit, und diejenigen, die ihn haben, werden gut daran tun, wenn sie auch ein Herz haben, ihn für Gottes Herrlichkeit zu benutzen.

Er war gegenüber unserem Herrn Jesus wohlgesonnen, denn er war selbst „ein Jünger Jesu" und glaubte an ihn, wenn er es auch nicht offen bekannte. Christus hat mehr heimliche Jünger, als uns bewusst ist.

Der tote Leib wurde durch eine Erlaubnis von Pilatus erlangt (s. Vers 58). Joseph ging zu Pilatus, die richtige Person, an die man sich aus diesem Anlass wenden musste. Pilatus war bereit, den Leib jemandem zu geben, der ihn anständig zur Ruhe legen würde. Mit Josephs Bitte und Pilatus bereitwilliger Erlaubnis wurde Christus Ehre erwiesen und ein Zeugnis von seiner Rechtschaffenheit abgelegt.

Der Leib wurde in seine Grabtücher gewickelt (s. Vers 59). Obwohl er ein ehrenwertes Ratsmitglied war, nahm er selbst, wie es scheint, den Leib in seine eigenen Arme, von dem verrufenen und verfluchten Holz (s. Apg 13,29), denn wo es echte Liebe zu Christus gibt, wird man keinen Dienst für zu gering erachten, um sich für ihn dazu herabzulassen. Nachdem er ihn genommen hatte, wickelte er „ihn in reine Leinwand", denn es war zu jener Zeit Brauch, in Linen zu bestatten. Dieser allgemeine Akt der Menschlichkeit kann, wenn er in frommer Weise getan wird, zu einer annehmbaren christlichen Tat werden.

Er wurde in die Grabstätte gelegt (s. Vers 60). Eine private Beerdigung war für den Einen sehr passend, dessen Reich nicht so kam, dass man es beobachten konnte (s. Lk 17,20).

Er wurde in ein Grab gelegt, das geliehen war, in die Gruft von Joseph; so wie er zu Lebzeiten kein eigenes Haus hatte, „wo er sein Haupt hinlegen" konnte (s. Mt 8,20), so hatte er kein eigenes Grab, in das man seinen Leib legen konnte, als er starb. Das Grab ist die besondere Erbschaft des Sünders (s. Hiob 24,19; KJV). Außer unseren Sünden und unseren Gräbern gibt es nichts, was wir wirklich unser eigen nennen können. Wenn wir ins Grab gehen, dann gehen wir an unseren eigenen Ort, doch unser Herr Jesus, der selbst keine Sünde hatte, hatte kein eigenes Grab; da er in ihm zugerechneter Sünde starb, war es richtig, dass er in einem geliehenen Grab begraben werden sollte.

Er wurde in ein „neues Grab" gelegt, das Joseph wahrscheinlich für sich selbst bezweckt hatte; es würde aber dadurch, dass Christus darin liegt, in keiner Weise schlechter werden, da er so rasch auferstehen sollte. Es würde in der Tat ein großes Stück besser sein, zu demjenigen hineingelegt zu werden, der die Bedeutung des Grabes verändert hat.

Es war ein im Felsen ausgehauenes Grab. Das Grab Christi würde in einem festen, einfachen Felsen sein, sodass kein Raum für den Verdacht bleiben würde, dass seine Jünger durch einen unterirdischen Durchgang oder indem sie durch seine Hinterwand brachen, Zugang dazu bekommen konnten, um den Leib zu stehlen, denn es gab keinen Zugang dazu außer durch den Eingang, der bewacht war.

„… und er wälzte einen großen Stein vor den Eingang des Grabes." Dies geschah auch nach dem Brauch der Juden bei der Beerdigung ihrer Toten, wie man anhand der Beschreibung des Grabes von Lazarus sehen kann (s. Joh 11,38). Wenn das Grab sein Gefängnis war, dann war das Gefängnistor jetzt verschlossen und verriegelt. Das Rollen des Steins vor den Eingang des Grabes war das, was das Auffüllen des Grabes mit Erde für uns ist: Es vollendete die Beerdigung. Der traurigste Moment bei den Beerdigungen unserer christlichen Freunde kommt, wenn wir, nachdem wir ihren Leib in das dunkle und stille Grab gelegt haben, nach Hause gehen und sie zurücklassen. Doch, ach, nicht wir sind es, die nach Hause gehen und sie zurücklassen; sie sind es, die zu einem besseren Zuhause gegangen sind und uns zurückgelassen haben.

Eine sehr kleine und unbedeutende Zahl von Leuten war bei der Beerdigung anwesend. Hier gab es einige gute Frauen, die echte Trauernde waren – „Maria Magdalena und Maria" **(Vers 56)**. So, wie sie mit ihm zum Kreuz gegangen waren, folgten sie ihm zum Grab. Echte Liebe zu Christus wird uns durch das Äußerste hindurchbringen, wenn wir ihm folgen. Selbst der Tod kann dieses göttliche Feuer nicht löschen (s. Hld 8,6-7).

2. Seine Feinde taten, was sie konnten, um seine Auferstehung zu verhindern. Was sie taten, das taten sie „am anderen Tag ... der auf den Rüsttag folgt" **(Vers 62)**. Das war der siebte Tag der Woche, der jüdische Sabbat. Diesen ganzen Tag lag Jesus tot im Grab. An diesem Tag nun haben „die obersten Priester und die Pharisäer", als sie bei ihren Andachten hätten sein und um Vergebung für ihre Sünden der vorhergehenden Woche bitten sollen, mit Pilatus über den Schutz für das Grab verhandelt. Beachten Sie hier:

2.1 Ihre Worte an Pilatus; sie wollten, dass eine Wache postiert wird, die das Grab sichern würde.

In ihrer Bitte sagten sie, „dass dieser Verführer sprach, als er noch lebte: Nach drei Tagen werde ich auferstehen". Er hatte dies gesagt und seine Jünger erinnerten sich an genau diese Worte, um ihren Glauben zu stärken, seine Verfolger aber erinnerten sich an sie, um von Neuem ihre Wut und ihre Bosheit anzuregen. Auf diese Weise wurde das gleiche Wort Christi für den einen zum Wohlgeruch des Lebens, doch für den anderen zum Geruch des Todes (s. 2.Kor 2,16).

Es zeigte auch ihre Eifersucht: „... damit nicht etwa seine Jünger in der Nacht kommen, ihn stehlen und zum Volk sagen: Er ist aus den Toten auferstanden!"

Wovor sie sich wirklich fürchteten, war seine Auferstehung; was für Christus die größte Ehre und die Freude der Seinen ist, ist für seine Feinde der größte Schrecken. „Kommt", sagen sie, „und lasst uns ihn töten ... dann wollen wir sehen, was aus seinen Träumen wird!" (1.Mose 37,20). In ähnlicher Weise strebten die obersten Priester und Pharisäer danach, die Voraussagen von Christi Auferstehung zu vereiteln; wenn er auferstehen würde, würde dies all ihre Pläne durchkreuzen. Selbst wenn Christi Feinde gewonnen haben, haben sie immer noch Angst, wieder zu verlieren. Vielleicht waren die Priester von der Achtung überrascht, die dem toten Leib Christi von Joseph und Nikodemus erwiesen wurde, zwei ehrenwerten Leuten; sie konnten auch nicht vergessen, wie Lazarus von den Toten auferweckte, was sie niedergeschmettert hatte.

Wovor sie sich zu fürchten vorgaben, war, „damit nicht etwa seine Jünger in der Nacht kommen, ihn stehlen", was höchst unwahrscheinlich war, denn sie hatten nicht den Mut, sich zu ihm zu bekennen, solange er lebte, und es war unwahrscheinlich, dass sein Tod solchen Feiglingen Mut geben würde. Was konnten sie sich davon versprechen, wenn sie seinen Leib stehlen und dem Volk sagen, dass er auferstanden ist? Was würde es ihnen Gutes tun, sich weiter selbst zu täuschen, seinen Leib zu stehlen und zu sagen: „Er ist aus den Toten auferstanden"? Die obersten Priester realisierten, dass, wenn die Lehre von der Auferstehung Christi erst einmal gepredigt und geglaubt würde, „der letzte Betrug schlimmer wird als der erste". Diejenigen, die Christus und seinem Reich widerstehen, werden nicht nur sehen, wie ihre Bemühungen durchkreuzt werden, sondern auch, wie sie armselig überwältigt und durcheinandergebracht werden, ihre Irrtümer jeder schlimmer als der letzte und der letzte der schlimmste von allen (s. Ps 2,4-5).

In Anbetracht dieser Überlegungen schlugen sie demütig vor, dass man eine Wache aufstellen sollte, um das Grab bis zum dritten Tag zu sichern: „So befiehl nun, dass das Grab sicher bewacht wird" **(Vers 64)**. Man hätte meinen können, dass die Gefangenen des Todes keine weitere Wache brauchen und dass das Grab sicher genug in sich selbst sein würde.

2.2 Die Antwort von Pilatus auf diese Worte: „Ihr sollt eine Wache haben! Geht hin und bewacht es" so gut wie möglich **(Vers 65)**. Er war bereit, die Freunde Christi zufriedenzustellen, indem er ihnen erlaubte, den Leib zu haben, und seine Feinde zufriedenzustellen, indem er eine Wache aufstellt, wobei er allen Seiten gefallen wollte und die Hoffnungen der einen und die Ängste der anderen Seite in gleicher Weise als lächerlich betrachtete. „Ihr sollt eine Wache haben!" Doch als würde er sich schämen, dass man sich selbst bei so einer Sache sieht, überließ er ihnen völlig die Durchführung. Es scheint mir, dass die Worte „... bewacht es, so gut ihr könnt!" so aussehen, als würden sie entweder lächerlich machen:

Ihre Ängste: „Stellt sicher, dass ihr den Toten streng bewacht." Oder vielmehr:

Ihre Hoffnungen: „Tut euer Bestes, doch wenn er von Gott ist, wird er trotz euch und all eurer Wachen wiederauferstehen." Wenn er über Pilatus spricht, sagt Tertullian: „In seinem Gewissen war er ein Christ", und es ist möglich, dass er zu dieser Zeit auf der Grundlage des Berichts des Hauptmanns unter solchen Überzeugungen stand, doch niemals völlig überzeugt wurde, ein Christ zu werden, nicht mehr, als er Agrippa (s. Apg 26,28-32) oder Felix (s. Apg 24,24-27) waren.

2.3 Die erstaunliche Sorge, die sie dann dafür trugen, dass das Grab gesichert wurde. Sie „versiegelten den Stein" **(Vers 66)**. Darauf vertrauten sie jedoch nicht sehr viel, sie bewachten auch „das Grab mit der Wache", um seine Jünger daran zu hindern, ihn zu stehlen. Das war ihre Absicht, doch Gott machte dieses Gute daraus: Diejenigen, die seiner Auferstehung widerstehen sollten, hatten eine Gelegenheit, sie zu sehen, und sie taten es und sagten den obersten Priestern, was sie sahen. Es war töricht, das Grab gegen die armen, schwachen Jünger zu bewachen, denn es war unnötig; doch zu meinen, man könne es vor der Kraft Gottes schützen, war auch töricht, denn es war sinnlos, und doch meinten sie, sie würden „kluge Maßnahmen" ergreifen (2.Mose 1,10).

KAPITEL 28

In dem vorigen Kapitel sahen wir den Urheber unseres Heils (s. Hebr 2,10) in einer Schlacht mit den Mächten der Finsternis. Der Sieg schien zwischen den Kämpfern hin- und herzugehen; er neigte sich schließlich tatsächlich zur Seite des Feindes hin und unser Held fiel vor ihnen. Doch dann „erwachte der Herr wie ein Schlafender" (Ps 78,65). In diesem Kapitel sammelt sich unser „Friedefürst" (Jes 9,5) und kommt als Sieger aus dem Grab heraus. Da nun die Auferstehung Christi eines der großen Fundamente unseres Glaubens ist, brauchen wir unfehlbare Beweise dafür. In diesem Kapitel werden vier solche Beweise gegeben, die nur ein paar aus vielen sind, denn Lukas und Johannes geben einen vollständigeren Bericht von den Beweisen für Christi Auferstehung als Matthäus und Markus. Hier ist: 1. Die Bezeugung der Engel der Auferstehung Christi (s. Vers 1-8). 2. Wie Christus selbst den Frauen erscheint (s. Vers 9-10). 3. Das Bekenntnis der Wachen (s. Vers 11-15). 4. Christi Erscheinen vor den Jüngern und der Auftrag, den er ihnen gab (s. Vers 16-20).

Vers 1-10

Um die Auferstehung Christi zu beweisen, gibt es hier das Zeugnis der Engel und von Christus selbst. Wir wollen der unendlichen Weisheit nichts vorschreiben, die es so lenkte, dass die Zeugen seiner Auferstehung ihn auferstanden sehen würden, doch nicht, wie er von den Toten auferstand. Seine Inkarnation war ein Geheimnis wie auch diese „zweite Inkarnation". Wir haben hier:

1. Das Kommen der treuen Frauen zum Grab.
1.1 Wann sie kamen: „Nach dem Sabbat ... als der erste Tag der Woche anbrach" **(Vers 1)**. Dies setzt die Zeit der Auferstehung Christi fest.
Er stand „am dritten Tag" nach seinem Tod auf (Mk 9,31). Er wurde am Abend des sechsten Tages der Woche begraben und er stand am Morgen des ersten Tages der folgenden Woche auf.
Er stand nach dem jüdischen Sabbat wieder auf, und es war der Sabbat des Passah. Am sechsten Tag vollendete Christus sein Werk und sagte: „Es ist vollbracht!" Am siebten Tag ruhte er (s. 1.Mose 2,2). Und dann begann er sozusagen am ersten Tag der folgenden Woche eine neue Welt und machte sich an ein neues Werk. Die Zeit, in der die Heiligen im Grab liegen, ist für sie ein Sabbat, denn „dort finden die Erschöpften Ruhe" (Hiob 3,17).
Er stand am ersten Tag der Woche wieder auf. Am ersten Tag der Schöpfungswoche gebot Gott dem Licht, „aus der Finsternis hervorzuleuchten" (2.Kor 4,6; s. 1.Mose 1,3). An diesem Tag schien deshalb der Eine, der das Licht der Welt ist, aus der Finsternis des Grabes heraus, und weil der Sabbat am siebten Tag mit Christus begraben wurde, stand er als der Sabbat am ersten Tag wieder auf und wurde der „Tag des Herrn" genannt (Offb 1,10). Und von dieser Zeit an wird im ganzen Neuen Testament kein anderer Tag der Woche erwähnt als dieser. Der Sabbat wurde als Erinnerung an die Vollendung des Werkes der Schöpfung eingesetzt (s. 1.Mose 2,1). Die Menschen haben durch ihre Rebellion dieses vollkommene Werk zerbrochen, das niemals vollständig wiederhergestellt wurde, bis Christus von den Toten auferstand. Der Eine, der an diesem Tag von den Toten auferstand, ist der Gleiche, durch den und für den zuerst alle Dinge geschaffen wurden (s. Kol 1,16) und jetzt neu geschaffen werden (s. Gal 6,15; Offb 21,5).
Er stand wieder auf, „als der erste Tag der Woche anbrach"; er stand wieder auf, sobald man sagen konnte, dass der dritte Tag gekommen war. Christus stand auf, als der Tag anbrach, weil uns dann „besucht hat der Aufgang aus der Höhe" (die aufgehende Sonne vom Himmel zu uns kam; Lk 1,78). Sein Leiden begann in der Nacht; als er am Kreuz hing, wurde die Sonne verfinstert; er wurde bei Einbruch der Dunkelheit ins Grab gelegt; doch er stand von dem Grab auf, als die Sonne gerade dabei war aufzugehen, denn er ist „der leuchtende Morgenstern" (Offb 22,16), „das wahre Licht" (Joh 1,9; 1.Joh 2,8).

1.2 Wer sie waren: „Maria Magdalena und die andere Maria", die Gleichen, die bei der Beerdigung anwesend waren und „dem Grab gegenüber" gesessen haben (Mt 27,61), wie sie vorher dem Kreuz gegenüber gesessen hatten. Sie drückten weiterhin ihre Liebe zu Christus aus. Dass sie Christus nicht nur auf dem Weg zum Grab begleiteten, sondern auch im Grab, repräsentiert seine ähnliche Sorge für die, die ihm gehören. So wie Christus im Grab von den Heiligen geliebt wurde, so werden die Heiligen im Grab von Christus geliebt, denn der Tod und das Grab können die Bande der Liebe zwischen ihnen nicht lösen.

1.3 Wozu sie gekommen waren: Die anderen Evangelisten sagen, dass sie kamen, um den Leib zu salben; Matthäus sagt, sie kamen, „um das Grab zu besehen". Sie kamen, um ihren guten Willen zu zeigen, um den teuren Überresten ihres geliebten Meisters einen weiteren Besuch abzustatten. Besuche am Grab sind für Christen sehr nützlich, besonders Besuche am Grab unseres Herrn Jesus, wo wir die Sünde außer Sichtweite begraben sehen können und wo der große Beweis der erlösenden Liebe erhaben sogar „in das Land der Düsternis" scheint (Hiob 10,21).

2. Wie ihnen ein Engel des Herrn erschien (s. Vers 2-4). Hier haben wir einen Bericht darüber, wie die Auferstehung Christi vonstattenging.

2.1 „Und siehe, es geschah ein großes Erdbeben." Als er starb, erbebte die Erde, die ihn empfing, vor Furcht; als er nun auferstand, ließ ihn die Erde fahren und sprang vor Freude bei seiner Erhöhung. Es war das Signal des Sieges Christi. Diejenigen, die geheiligt und so zu einem geistlichen Leben erweckt sind, werden in sich ein Erdbeben erleben, wenn dies geschieht, wie es bei Paulus war, der „mit Zittern und Schrecken" sprach (Apg 9,6).

2.2 „... denn ein Engel des Herrn stieg vom Himmel herab." Die Engel kamen oft zu unserem Herrn Jesus, doch am Kreuz finden wir keinen Engel bei ihm. Als sein Vater ihn verließ, zogen sich die Engel von ihm zurück. Doch jetzt, wo er wieder seine Herrlichkeit beanspruchte, siehe, da beteten ihn die Engel Gottes an (s. Hebr 1,6).

2.3 Er kam, wälzte den Stein von dem Eingang weg und setzte sich darauf. Der Stein unserer Sünden wurde vor den Eingang des Grabes unseres Herrn Jesus gewälzt, doch um zu demonstrieren, dass die göttliche Gerechtigkeit befriedigt ist, wurde ein Engel beauftragt, den Stein wegzuwälzen. Alle Mächte des Todes und der Finsternis sind unter der Kontrolle des Gottes des Lichts und des Lebens. Ein Engel vom Himmel hat die Macht, das „Siegel zu brechen" (Offb 5,2), selbst wenn es das große Siegel Israels wäre, und kann jeden Stein hinwegwälzen, egal, wie groß er ist. Dass der Engel auf dem Stein saß, als er ihn fortgewälzt hatte, ist bedeutsam. Er saß dort ungeachtet aller Mächte der Hölle, die den Stein zurück vor das Grab wälzen wollten. Der Engel saß als Wächter vor dem Grab, der die Diener des Feindes vertrieben hatte. Er saß in Erwartung der Frauen und war bereit, ihnen Kunde von der Auferstehung Christi zu geben.

2.4 „Sein Aussehen war wie der Blitz und sein Gewand weiß wie der Schnee" **(Vers 3).** Sein Aussehen war für die Wachen wie Lichtblitze. Das Weiß seiner Kleider war nicht nur ein Zeichen seiner Reinheit, sondern auch von Freude und Triumph. Als Christus starb, geriet der himmlische Hof in tiefe Trauer, was durch die Verfinsterung der Sonne dargestellt wird, doch als er auferstand, legten sie wieder „Feierkleider" an (Jes 61,3). Die Herrlichkeit dieses Engels stellt die Herrlichkeit Christi dar, zu der er nun auferstanden war, denn es ist die gleiche Beschreibung, wie sie von ihm bei seiner Verklärung gegeben wurde (s. Mt 17,2), doch als er nach seiner Auferstehung mit seinen Jüngern sprach, zog er einen Schleier darüber.

2.5 „Vor seinem furchtbaren Anblick aber erbebten die Wächter und wurden wie tot" **(Vers 4).** Sie waren Soldaten, die sich selbst für abgehärtet gegenüber der Furcht hielten, doch der bloße Anblick eines Engels erfüllte sie mit Schrecken. So, wie die Auferstehung Christi die Freude seiner Freunde ist, ist sie auch Schrecken und Verwirrung für seine Feinde. Sie erbebten; das Wort ist das gleiche wie das, das für das Erdbeben benutzt wird **(s. Vers 2).** Als die Erde erbebte, haben diese Kinder der Erde, deren Erbteil auf Erden war, auch gebebt, wohingegen diejenigen, die ihr Glück in den Dingen droben haben, sich nicht fürchten, „wenn auch die Erde umgekehrt wird" (Ps 46,3). Sie waren hier postiert, um einen toten Mann in seinem Grab zu halten – sicher die leichteste Aufgabe, die ihnen je erteilt worden war, doch sie erwies sich als zu schwer für sie.

3. Die Botschaft, die dieser Engel den Frauen verkündigte (s. Vers 5-7).

3.1 Er ermutigte sie entgegen ihrer Ängste **(s. Vers 5).** An Gräber und Grabstätten heranzugehen, besonders in Stille und Einsamkeit, hat etwas Erschreckendes an sich, und für diese Frauen war dies umso mehr der Fall, als sie einen Engel bei dem Grab entdeckten, doch er beruhigte sie schnell mit den Worten: „Fürchtet ihr euch nicht!" Die Wachen erbebten und wurden wie tot, doch: „Fürchtet ihr euch nicht!' Die Neuigkeiten, die ich euch zu sagen habe, sollen nicht irgendwie überraschend für euch sein; mögen diese euch nicht erschrecken, denn seine Auferstehung wird euer Trost sein. ‚Fürchtet ihr euch nicht! Ich weiß wohl, dass ihr Jesus, den Gekreuzigten, sucht.' Ich bin nicht gekommen, um euch zu erschrecken, sondern um euch zu ermutigen." Diejenigen, die Jesus suchen, haben keinen Grund, sich zu fürchten, denn wenn sie ihn „von ganzem Herzen" suchen, werden sie ihn finden (Jer 29,13; s. Hebr 11,6). „Ich weiß wohl, dass ihr Jesus, den Gekreuzigten, sucht." Er erwähnte seine Kreuzigung, um ihre Liebe zu ihm zu loben. Sie suchten ihn immer noch, obwohl er gekreuzigt wurde. Echte Gläubige lieben und suchen Christus nicht nur, *obwohl* er gekreuzigt wurde, sondern auch, *weil* er dies wurde.

3.2 Er vergewisserte sie der Auferstehung Christi, und darin lag genug, um ihre Ängste zum Schweigen zu bringen **(s. Vers 6).** Gesagt zu bekommen, „er ist nicht hier", wäre für diejenigen keine willkommene Neuigkeit gewesen, die ihn suchten, wenn nicht hinzugefügt worden wäre: „... denn er ist auferstanden." Wir dürfen nicht auf die hören, die sagen: „Siehe, hier ist der Christus, oder dort" (Mt 24,23), weil er nicht hier und nicht dort ist – er ist auferstanden! Wir müssen ihn als denjenigen suchen, der auferstanden ist. Diejenigen, die Bilder und Säulen von Christus machen, vergessen, dass er „nicht hier" ist, „er ist auferstanden"; unsere Gemeinschaft mit ihm muss geistlich sein, durch den Glauben an sein Wort (s. Röm 10,6.9). Wir müssen ihn mit großer Ehrfurcht und Demut und einer ehrfürchtigen Achtung für seine Herrlichkeit suchen, denn er ist auferstanden. Wir müssen ihn mit einem himmlischen Sinn suchen. Wenn wir bereit sind, diese Welt zu unserem Zuhause zu machen und sprechen: „… es ist gut, dass wir hier sind" (Mt 17,4), dann wollen wir daran denken, dass unser Herr Jesus nicht hier ist, „er ist auferstanden", deshalb mögen unsere Herzen nicht hier sein, sondern mögen auch auferstehen.

3.3 Der Engel verwies diese Frauen auf zwei Dinge, um ihren Glauben zu stärken.

Auf das jetzt erfüllte Wort Christi, an das sie sich erinnern konnten: „,… denn er ist auferstanden, wie er gesagt hat.' Er hat gesagt, er würde auferstehen, warum solltet ihr zögern, das zu glauben, was er zu euch gesagt hat, dass es geschehen würde?" Wir wollen niemals etwas als sonderbar ansehen, bei dem das Wort Gottes unsere Hoffnung geweckt hat. Wenn wir uns erinnern, was Christus uns gesagt hat, werden wir weniger über das überrascht sein, was er mit uns tut.

Auf sein jetzt leeres Grab, wo sie hereinschauen konnten: „Kommt her, seht den Ort, wo der Herr gelegen hat!' Vergleicht das, was ihr gehört habt, mit dem, was ihr seht, und bringt beides zueinander, dann werdet ihr glauben!" Es kann einen guten Einfluss auf uns haben, zu kommen und mit dem Auge des Glaubens zu schauen, um „den Ort" zu sehen, „wo der Herr gelegen hat". Wenn wir in das Grab schauen, wo wir alle erwarten, darin zu liegen, dann wollen wir, um seinen Schrecken wegzunehmen, in das Grab schauen, wo der Herr lag, der Ort, an dem unser Herr lag.

3.4 Er sagte ihnen, dass sie die Nachricht davon seinen Jüngern bringen sollen. „Und geht schnell hin und sagt seinen Jüngern" **(Vers 7)**. Es war gut, hier zu sein (s. Mt 17,4), doch sie hatten andere Arbeit, die für sie bestimmt war. Sie dürfen kein Monopol auf die Ermutigung beanspruchen, die sie bekommen hatten, dürfen sie nicht für sich selbst behalten. Sie müssen gehen und es den Jüngern sagen. Der öffentliche Nutzen für andere muss vor den Freuden unserer privaten Gemeinschaft mit Gott stehen.

Zuerst muss den Jüngern die Nachricht gebracht werden. Sie sollen nicht hingehen und es den obersten Priestern und den Pharisäern sagen, damit sie bestürzt sein mögen, sondern es den Jüngern sagen, damit sie getröstet sein mögen. Gott strebt mehr nach der Freude seiner Freunde als nach der Scham seiner Feinde. „… und sagt seinen Jüngern …":

Damit sie sich in ihrem jetzigen Kummer und Durcheinander ermutigen können. Es war für sie eine schlimme Zeit, gefangen zwischen Schmerz und Furcht; was würde das für sie jetzt für eine Erleichterung sein, zu hören, dass ihr Meister auferstanden war!

Damit sie es selbst weiter prüfen können. Dies sollte sie dazu bringen, ihn zu suchen, und sie darauf vorbereiten, dass er ihnen erscheint. Allgemeine Hinweise bringen uns dazu, genauer nachzuforschen. Sie würden jetzt von ihm hören, doch sehr bald würden sie ihn sehen.

Die Frauen wurden gesandt, es ihnen zu sagen. Das war eine Belohnung für ihre gleichbleibende, liebevolle Treue ihm gegenüber beim Kreuz und im Grab, und es war ein Tadel für die Jünger, die ihn im Stich gelassen hatten. So, wie die Frau als Erste in Übertretung geriet (s. 1.Tim 2,14), waren diese Frauen die Ersten, die an die Erlösung von der Übertretung glaubten durch die Auferstehung Christi.

Ihnen wurde gesagt, sie sollten in diesem Auftrag schnell hingehen. Warum war große Geschwindigkeit nötig? Würde die Neuigkeit nicht bleiben und zu jeder Zeit willkommen sein? Ja, doch die anderen Jünger waren jetzt von Kummer überwältigt und Christus wollte, dass sie diese gute Nachricht schnell erhalten. Wir müssen immer bereit und eifrig sein, unseren Geschwistern Gutes zu tun und ihnen Trost zu bringen, nun, „… geht schnell hin …"

Sie sollten den Jüngern sagen, dass sie ihn in Galiläa treffen würden. Diese allgemeine Zusammenkunft war nun für Galiläa vorgesehen, etwa 130 km von Jerusalem entfernt:

Aus Güte gegenüber denen unter seinen Jüngern, die in Galiläa geblieben waren und nicht nach Jerusalem heraufgekommen waren – vielleicht nicht heraufkommen konnten. Christus weiß, wo seine Jünger leben, und er wird sie dort aufsuchen. Selbst demjenigen, der wenig von den Gnadenmitteln zu haben scheint, wird er sich gnädig offenbaren (s. Joh 14,21).

In Anbetracht der Schwäche der Jünger, die jetzt in Jerusalem waren, die sich immer noch vor den Juden fürchteten und nicht wagten, öffentlich aufzutreten. Christus kennt unsere Ängste und bedenkt, „was für ein Gebilde wir sind" (Ps 103,14). Und deshalb plante er seine Zusammenkunft dort, wo es die geringste Gefahr einer Störung gab. Der Engel bestätigte ihnen feierlich mit seinem Wort die Wahrheit von dem, was er ihnen gesagt hatte. „Siehe, ich habe es euch gesagt!" Sie können dessen gewiss sein. Dieser Engel war nun dazu gesandt, um die Auferstehung Christi zu bestätigen und es so in ihre Obhut zu geben, es der Welt zu verkünden (s. 2.Kor 4,7). „Ich habe meinen Auftrag ausgeführt, ich habe meine Mission treu erfüllt. ‚Siehe, ich habe es euch gesagt.'" Die Botschafter Gottes, die das ihnen anvertraute Gut treu überbringen, können sich hierdurch trösten lassen, was auch immer das Ergebnis ihrer Bemühungen sein mag (s. Apg 20,26-27).

4. Das Fortgehen der Frauen vom Grab, um es den Jüngern zu sagen **(s. Vers 8)**. Beachten Sie:

4.1 In welcher Stimmung sie waren; sie gingen „mit Furcht und großer Freude", einer sonderbaren Mischung, Furcht und Freude zur gleichen Zeit in der gleichen Seele. Zu hören, dass Christus auferstanden war, war eine freudige Sache, doch in das Grab geführt zu werden und dann einen Engel zu sehen und mit ihm darüber zu sprechen, muss Furcht verursacht haben. Es waren gute Nachrichten, doch sie hatten Angst, dass sie zu gut waren, um wahr zu sein. Beachten Sie aber, dass von ihrer Freude gesagt wird, dass sie groß war; das wird nicht von ihrer Furcht gesagt. Heilige Furcht wird von Freude begleitet. Nur die vollkommene Liebe und Freude wird alle Furcht austreiben.

4.2 Wie rasch sie gingen: Sie liefen. Die Furcht und die Freude zusammen beschleunigten ihre Schritte und verliehen ihrer Bewegung Flügel. Diejenigen, die in Gottes Auftrag gesandt sind, dürfen nicht trödeln oder Zeit verlieren.

4.3 In was für einem Auftrag sie gingen; sie „liefen, um es seinen Jüngern zu verkünden". Sie liefen, um sie mit dem gleichen Trost zu trösten, mit dem sie selbst von Gott getröstet worden waren (s. 2.Kor 1,4). Die Jünger Christi sollten eifrig sein, ihre Erfahrungen miteinander zu teilen. Sie sollten anderen erzählen, was Gott an ihrer Seele getan (s. Ps 66,16) und zu ihnen gesagt hat. Freude an Christus wird sich selbst verraten (s. Spr 27,16; KJV).

5. Das Erscheinen Christi vor den Frauen, um das Zeugnis des Engels zu bestätigen **(s. Vers 9-10)**. Diese eifrigen guten Frauen hörten nicht nur als Erste die Nachricht von ihm nach seiner Auferstehung, sondern sie sahen ihn auch als Erste. Jesus Christus ist oft besser als sein Wort, aber niemals schlechter. Er kommt den gläubigen Hoffnungen seiner Leute oft zuvor, doch er enttäuscht sie nie. Hier ist:

5.1 Das überraschende Erscheinen Christi bei den Frauen: „Und als sie gingen, um es seinen Jüngern zu verkünden, siehe, da begegnete ihnen Jesus." Gott kommt in der Regel gnädig zu uns, wenn wir unsere Pflicht erfüllen, und denen, die das, was sie haben, für das Wohl anderer benutzen, wird mehr gegeben werden. Dieses Treffen mit Christus war unerwartet. Christus ist seinen Leuten näher, als sie meinen. Christus war ihnen nahe und ist uns immer noch in seinem Wort nahe (s. Röm 10,8; 5.Mose 30,11-14).

5.2 Der Gruß, mit dem er auf sie traf. „Alles Heil" (s. KJV). Wir benutzen diese alte englische Grußformel, wenn wir denen „alle Gesundheit" wünschen, die wir treffen, denn dies ist es, was „alles Heil" meint. Dies zeigt:

Das Wohlwollen Christi uns gegenüber und unserem Glück.

Die Freiheit und heilige Vertrautheit, die er in der Gemeinschaft mit seinen Jüngern hatte, denn er nannte sie Freunde. Das griechische Wort, das hier mit „alles Heil" übersetzt wird, bedeutet „freut euch". Sie waren sowohl von Furcht als auch von Freude bewegt; was er zu ihnen sagte, führte dazu, ihre Freude zu ermutigen – „Freuet euch" **(Vers 9**; KNT) – und ihre Ängste zum Schweigen zu bringen: „Fürchtet euch nicht!" **(Vers 10)**. Es ist der Wille Christi, dass die Seinen ein heiteres und fröhliches Volk sein sollen und seine Auferstehung gibt ihnen viel Grund zur Freude.

5.3 Die liebevolle Achtung, die sie ihm zollten: „Sie aber traten herzu und umfassten seine Füße und beteten ihn an." Sie drückten auf diese Weise aus:

Die Ehrfurcht und Ehre, die sie ihm erweisen wollten.

Die Liebe und Zuneigung, die sie für ihn hatten; sie hielten ihn fest und ließen ihn nicht mehr los (s. Hld 3,4).

Den Zustand des freudigen Entzückens, in dem sie waren, jetzt, wo sie diese weitere Gewissheit seiner Auferstehung hatten.

5.4 Die ermutigenden Worte, die Christus zu ihnen sagte **(s. Vers 10)**. Wir sehen nicht, dass sie irgendetwas zu ihm sagten; ihre liebevollen Umarmungen und ihre Anbetung sprachen deutlich genug. Was er zu ihnen sagte, war nicht mehr, als was der Engel gesagt hatte **(s. Vers 5-6)**. Beachten Sie hier:

Wie er ihre Furcht tadelte: „Fürchtet euch nicht!" Die Nachricht war zwar sonderbar, aber sowohl wahr als auch gut. Christus stand vom Tod auf, um die Ängste seiner Leute zum Schweigen zu bringen, und darin gibt es genug, um sie zum Schweigen zu bringen.

Wie er die Botschaft wiederholte, die sie bringen sollten: „Geht hin, verkündet meinen Brüdern, dass sie sich auf eine Reise nach Galiläa vorbereiten müssen und ‚dort werden sie mich sehen.'" Wenn es Gemeinschaft zwischen unserer Seele und Christus gibt, ist er derjenige, der das Zusammenkommen festlegt und er wird die Verabredung einhalten. Was hier aber besonders bedeutsam ist, ist, dass er seine Jünger seine Brüder nennt. Bis nach seiner Auferstehung hat er sie nie so genannt, hier und in Johannes 20,17. Christus sprach nun nicht so unaufhörlich und vertraut mit seinen Jüngern, wie er es vor seinem Tod getan hatte, doch er gab ihnen diesen liebenswerten Titel. Sie sollten zu „meinen Brüdern" (Ps 22,23) gehen. Sie hatten ihn in seinem Leiden schimpflich verlassen, doch er blieb nicht nur bei seinem Plan, sie zu treffen, sondern nannte sie auch Brüder.

Vers 11-15

Hier haben wir das Bekenntnis der Feinde, die auf Wache standen, und es gibt zwei Dinge, die dieses Zeugnis bekräftigen: dass sie Augenzeugen und dass sie Feinde waren, die dort hingestellt waren, um seine Auferstehung zu bekämpfen und zu verhindern. Beachten Sie:

1. Wie den obersten Priestern dieses Zeugnis gegeben wurde. „... etliche von der Wache [kamen] in die Stadt" (**Vers 11**) und brachten denen den Bericht ihres Scheiterns, die sie eingesetzt hatten. Sie „verkündeten den obersten Priestern alles, was geschehen war". Sie erzählten ihnen von dem Erdbeben, dem Herabsteigen des Engels, dem Fortwälzen des Steins und dem Kommen des Leibes Jesu lebendig aus dem Grab [Anm. d. dt. Hrsg.: so die Schlussfolgerung von Matthew Henry]. Den obersten Priestern wurden die größten Mittel zur Überzeugung gegeben. Man hätte zu Recht erwarten können, dass sie nun an Christus geglaubt hätten, doch sie waren halsstarrig in ihrem Unglauben und wurden deshalb in ihm versiegelt.

2. Wie es von ihnen hintertrieben und unterdrückt wurde. Sie beriefen ein Treffen ein und überlegten, was zu tun war. Von ihrer Seite aus waren sie entschlossen, nicht zu glauben, dass Jesus auferstanden war, doch sie waren auch daran interessiert, andere vom Glauben abzuhalten. Das Ergebnis ihrer Debatte war, dass diese Soldaten mit allen Mitteln bestochen und verpflichtet werden mussten, keine Geschichten zu erzählen.

2.1 Da „gaben sie den Kriegsknechten Geld genug". Sie gaben den Soldaten viel Geld. Diese obersten Priester liebten ihr Geld genauso viel, wie es die meisten Menschen taten, und waren genauso widerwillig, es aufzugeben, doch um ihre boshaften Absichten gegen das Evangelium Christi zu verfolgen, waren sie damit sehr verschwenderisch. Ihr vieles Geld wurde gegeben, um das voranzubringen, von dem beide Parteien wussten, dass es eine Lüge ist, aber viele Leute sind unwillig, ein wenig Geld zu geben, um das voranzubringen, von dem sie wissen, dass es die Wahrheit ist. Wir wollen eine gute Sache nie verkümmern lassen, wenn wir sehen, wie eine schlechte so großzügig unterstützt wird.

2.2 Sie legten ihnen eine Lüge in den Mund: Sie „sprachen: Sagt, seine Jünger sind bei Nacht gekommen und haben ihn gestohlen, während wir schliefen" (**Vers 13**); eine erbärmliche Ausrede ist besser als gar keine, doch dies war wahrhaftig eine erbärmliche.
Der Schwindel war lächerlich und trug seine eigene Widerlegung in sich. Wie hätten die Wachen, wenn sie geschlafen hätten, etwas über die Sache wissen oder sagen können, wer gekommen ist? Doch selbst wenn es sehr einleuchtend gewesen wäre:
Es war sehr böse von diesen Priestern und Ältesten, diese Soldaten anzustellen, eine bewusste Lüge gegen ihr eigenes Gewissen zu erzählen – selbst wenn es in einer Sache von sehr geringer Bedeutung gewesen wäre. Jedoch:
Dies war tatsächlich eine Lästerung des Heiligen Geistes (s. Mk 3,29) – das der Unredlichkeit der Jünger zuzuschreiben, was durch die Kraft des Heiligen Geistes bewirkt worden war. Für den Fall, dass die Soldaten Einwände wegen der zu erwartenden Strafe für das Schlafen auf Wache erheben würden – die sie sich nach dem römischen Gesetz zuziehen würden, welche sehr streng war (s. Apg 12,19) –, versprachen die obersten Priester, sich beim Statthalter für sie zu verwenden: „... so wollen wir ihn besänftigen und machen, dass ihr ohne Sorge sein könnt." Wenn die Soldaten wirklich geschlafen und so zugelassen hätten, dass die Jünger den Leib stehlen, dann wären die obersten Priester und Ältesten zweifellos diejenigen gewesen, die den Statthalter am eifrigsten bitten würden, sie für ihren Verrat zu strafen, deshalb widersprach ihre Sorge für die Sicherheit der Soldaten klar der Geschichte.

2.3 Dies war nun, wie das Komplott geschmiedet wurde. Hatte es Erfolg?
Diejenigen, die bereit waren zu betrügen, nahmen das Geld und taten, wie ihnen gesagt wurde. „Sie aber nahmen das Geld"; das war ihr Ziel und nichts anderes. Geld verlockt die Menschen, dass sie in die schwärzeste Versuchung fallen. Gedungene Zungen werden die Wahrheit für Geld verkaufen (s. Spr 23,23). Das große Argument, um zu beweisen, dass Christus der Sohn Gottes ist, ist seine Auferstehung, und niemand hätte überzeugendere Beweise für diese Wahrheit haben können, als sie diese Soldaten hatten. Sie sahen den Engel vom Himmel herabsteigen, den Stein fortgewälzt und den Leib Christi, der aus dem Grab kommt [Anm. d. dt. Hrsg.: so die Schlussfolgerung von Matthew Henry], und doch waren sie so weit davon entfernt, selbst davon überzeugt zu werden, dass sie angeheuert wurden, Lügen zu erzählen und andere daran zu hindern, an ihn zu glauben. Die klarsten Beweise werden die Menschen nicht überzeugen, ohne dass das Wirken des Heiligen Geistes diesen Beweis begleitet.

Diejenigen, die bereit waren, sich täuschen zu lassen und nicht nur dem Bericht glaubten, sondern ihn auch verbreiteten: „Und so wurde dieses Wort unter den Juden verbreitet bis zum heutigen Tag." Die Geschichte wurde gut genug angenommen und erfüllte ihren Zweck. Wenn die Juden mit dem Argument der Auferstehung Christi in die Enge getrieben wurden, hatten sie eine Erwiderung parat: „Seine Jünger sind gekommen und haben ihn gestohlen." Wenn eine Lüge einmal in die Welt gesetzt ist, weiß niemand, wie weit sie sich verbreiten wird, wie lange sie bleiben oder welche Schwierigkeiten sie verursachen wird.

Vers 16-20

Der Evangelist übergeht mehrere andere Erscheinungen Christi, die bei Lukas und Johannes berichtet werden, und kommt rasch zu dieser, der feierlichsten von allen, denn sie war die eine, die vor seinem Tod und nach seiner Auferstehung immer wieder verheißen und festgelegt wurde. Beachten Sie:

1. Wie die Jünger anwesend waren, als er gemäß der Verabredung erschien: Sie „aber gingen nach Galiläa" **(Vers 16)**, eine lange Reise, um einen Blick auf Christus zu haben, doch es war der Mühe wert:

1.1 Weil er es ihnen gesagt hatte. Obwohl es unnötig erschien, nach Galiläa zu gehen, hatten sie gelernt, den Geboten Christi zu gehorchen und nicht gegen sie zu protestieren. Diejenigen, die ihre Gemeinschaft mit Christus aufrechterhalten wollen, müssen an dem Ort bei ihm sein, den er festgelegt hat.

1.2 Weil dies eine öffentliche und allgemeine Zusammenkunft sein sollte. Der Ort war ein Berg in Galiläa, wahrscheinlich der gleiche Berg, auf dem er verklärt wurde. Dort trafen sie sich in der Abgeschiedenheit und vielleicht, um sich seinen erhöhten Stand vor Augen zu führen.

2. Wie sie von dem Erscheinen Christi bewegt wurden **(s. Vers 17)**. Jetzt war die Zeit, in der er „mehr als 500 Brüdern auf einmal erschienen" ist (1.Kor 15,6). Uns wird gesagt:

2.1 Dass „sie sich anbetend vor ihm" niederwarfen. Viele von ihnen haben dies getan – es scheint in der Tat, dass sie es alle taten. Alle, die den Herrn Jesus mit dem Auge des Glaubens sehen, müssen ihn anbeten.

2.2 „... etliche aber zweifelten." Selbst unter denen, die sich anbetend niederwerfen, gibt es einige, die zweifeln. Der Glaube derer, die aufrichtig sind, kann immer noch sehr schwach und schwankend sein. Sie schwebten in der Ungewissheit wie die Waagschalen einer Waage, wenn man schwer sagen kann, welche Seite schwerer ist. Es trägt sehr zur Ehre Christi bei, dass die Jünger zweifelten, bevor sie glaubten. Weil sie zweifelten, kann man von ihnen nicht sagen, dass sie allzu bereit waren zu glauben und willens, sich betrügen zu lassen, denn sie hinterfragten erst, prüften alles und behielten dann das, was wahr ist und was sie als solches erkannten (s. 1.Thess 5,21).

3. Was Christus zu ihnen sagte: „Und Jesus trat herzu, redete mit ihnen und sprach" **(Vers 18)**. Er stand nicht weit entfernt, sondern kam näher und gab ihnen solch überzeugende Beweise von seiner Auferstehung, dass sie die zögerlichen Waagschalen niederdrücken und ihren Glauben über die Zweifel triumphieren lassen würde. Er „trat herzu, redete [vertraut] mit ihnen", wie ein Freund mit dem anderen spricht (s. 2.Mose 33,11). Christus übergab seinen Aposteln nun die große Charta seines Reiches in der Welt; er sandte sie als seine Botschafter aus und hier gab er ihnen ihre Beglaubigungsschreiben. Bei der Erläuterung dieses großen Abschnittes können wir zwei Dinge beachten:

3.1 Die Vollmacht, die unser Herr Jesus selbst vom Vater empfing. Weil er dabei war, seine Apostel zu bevollmächtigen, sagte er uns hier: „Mir ist gegeben alle Macht im Himmel und auf Erden." Hier erklärte er seine umfassende Befugnis als Mittler. Er hat „alle Macht" (Vollmacht). Beachten Sie:

Von wo er diese Vollmacht bekam. Sie wurde ihm durch Übertragung von dem Einen „gegeben", der die Quelle allen Seins und folglich aller Vollmacht ist. Als Gott, der dem Vater gleich ist, hatte er ursprünglich und eigentlich alle Vollmacht, doch als Mittler, als Gott-Mensch, wurde ihm alle Macht gegeben. Diese Macht (Vollmacht) war ihm „über alles Fleisch [gegeben], damit er allen ewiges Leben gebe", die ihm gegeben worden waren (Joh 17,2). Er war jetzt, nach seiner Auferstehung, merklicher mit dieser Macht bekleidet (s. Apg 13,33).

Wo er diese Macht ausübte: „im Himmel und auf Erden", was das ganze Universum umfasst. Er ist „Herr über alle" (Apg 10,36). Er hat „alle Macht im Himmel". Er hat Autorität und Macht über die Engel. Er hat die Macht der Fürbitte bei seinem Vater; er tritt nicht als jemand ein, der bittet, sondern der verlangt: „Vater, ich will" (Joh 17,24). Er hat auch „alle Macht ... auf Erden". Durch seinen Dienst der Versöhnung (s. 2.Kor 5,18) erreicht er sein Ziel bei Menschen und handelt als jemand mit Vollmacht an ihnen. Alle Seelen gehören ihm und ihm muss „sich jedes Knie beugen, und jede Zunge" muss ihn als Herrn bekennen (Jes 45,23; s. Röm 14,11). Unser Herr Jesus sagte ihnen das auch, um den Stolperstein des Kreuzes wegzunehmen; sie hatten keinen Grund, sich Christus des Gekreuzigten zu schämen (s. 1.Kor 1,23), wenn sie ihn „verherrlicht" sahen (Joh 13,31).

3.2 Den Auftrag, den er denen gab, die er aussandte: „So geht nun hin." Dieser Auftrag wurde gegeben:

In erster Linie den Aposteln. Sie waren die Baumeister, die das Fundament der Gemeinde legten. Es war nicht nur ein gebietendes Wort wie: „Sohn, mache dich auf und arbeite" (Mt 21,28), sondern auch ein Wort der Ermutigung: Sie sollten gehen und sich nicht fürchten, denn hatte er sie nicht gesandt (s. Ri 6,14)? Sie müssen das Evangelium den Völ-

kern an die Tür bringen: „So geht nun ..."
„... wie ein Adler seine Nestbrut aufscheucht, über seinen Jungen schwebt", um sie zum Fliegen zu ermutigen (5.Mose 32,11), so regt Christus seine Jünger an, sich über die Welt zu verstreuen.
An ihre Nachfolger, die Diener des Evangeliums, deren Aufgabe es ist, das Evangelium von Generation zu Generation weiterzugeben bis zum Ende der Zeit. Bei seiner Himmelfahrt gab Christus nicht nur Apostel und Propheten, sondern auch „Hirten und Lehrer" (Eph 4,11). Beachten Sie:
Wie weit sich sein Auftrag erstreckt: auf „alle Völker". „Geht und macht zu Jüngern alle Völker." Dies zeigt klar, dass es der Wille Christi war:
Dass der Bund, der ausdrücklich mit den Juden geschlossen war, jetzt aufgehoben und widerrufen war. Während den Aposteln, als sie das erste Mal ausgesandt wurden, verboten war, „auf die Straße der Heiden" zu gehen (Mt 10,5), wurden sie jetzt zu allen Völkern gesandt.
Dass das Heil in Christus allen angeboten werden würde und niemanden ausschloss außer die, die sich durch ihren Unglauben und ihre Unbußfertigkeit selbst ausschlossen. Das Heil, das sie predigen sollten, ist ein Heil für alle.
Dass das Christentum in ihre nationalen Verfassungen eingewoben sein würde, dass die Königreiche der Welt Königreiche Christi werden würden (s. Offb 11,15) und ihre Könige die Wärter der Gemeinde (s. Jes 49,23).
Was die Hauptabsicht dieses Auftrags ist: alle Völker zu Jüngern zu machen. Sie sollen sie als Jünger aufnehmen; ihr Bestes geben, um die Völker zu christlichen Völkern zu machen. Christus der Mittler richtet ein Reich in der Welt auf. Sie sollen die Völker als seine Untertanen bringen; eine Schule gründen und die Völker dazu bringen, seine Schüler zu sein. Sie sollen ein Heer aufstellen. Sie sollen die Völker der Erde für dieses Banner gewinnen. Das Werk, welches die Apostel zu tun hatten, war, an allen Orten den christlichen Glauben zu errichten, und es war ein ehrenwertes Werk; die Errungenschaften der alten Helden waren im Vergleich dazu nichts. Diese Helden eroberten die Völker für sich selbst und machten sie unglücklich; die Apostel eroberten sie für Christus und machten sie glücklich.
Die Anweisungen an sie, um diesen Auftrag auszuführen.
Sie müssen die Jünger durch den geheiligten Ritus der Taufe aufnehmen. „Geht zu allen Völkern, predigt ihnen das Evangelium, vollbringt Wunder unter ihnen und überzeugt sie davon, sowohl selbst in die Gemeinde Christi zu kommen als auch ihre Kinder mit sich zu bringen, und dann sollt ihr sie und ihre Familien in die Gemeinde aufnehmen, indem ihr sie mit Wasser wascht."

Diese Taufe muss „auf den Namen des Vaters und des Sohnes und des Heiligen Geistes" vollzogen werden. Das heißt:
In der Vollmacht des Himmels und nicht in menschlicher Vollmacht, denn seine geistlichen Diener handeln in der Vollmacht der drei Personen der Gottheit.
Die Anrufung des Namens des Vaters, des Sohnes und des Heiligen Geistes. Alles wird durch Gebet geheiligt, insbesondere die Wasser der Taufe. Doch:
„... auf den Namen des Vaters und des Sohnes und des Heiligen Geistes." Dies war als Zusammenfassung der grundlegenden Prinzipien des christlichen Glaubens gedacht. Durch unsere Taufe bekennen wir feierlich:
Unsere Zustimmung zu der Offenbarung der Schrift von Gott dem Vater, dem Sohn und dem Heiligen Geist.
Unsere Einwilligung zu einer Bundesbeziehung zu Gott, dem Vater, dem Sohn und dem Heiligen Geist. Die Taufe ist ein Sakrament, das heißt ein Eid. Es ist ein Eid der Entsagung, mit dem wir dem Fleisch und der Welt als Nebenbuhlern zu Gott für den Thron unseres Herzens entsagen, und es ist ein Eid der Gefolgschaft, mit dem wir uns selbst Gott geben, um mit Leib, Seele und Geist sein zu sein, von seinem Willen beherrscht zu werden und über seine Gunst glücklich zu sein. „Wir werden seine Männer", wie es in unserer Fassung für den Eid der Huldigung heißt.
Sie geschieht „auf den Namen des Vaters" in dem Glauben, dass er sowohl der „Vater unseres Herrn Jesus Christus" (Röm 15,6) ist als auch unser Vater, wie auch unser Schöpfer, Erhalter und Wohltäter. Ihm geben wir uns deshalb, damit er durch sein Gesetz über uns als frei Handelnde herrschen möge; und er ist es, den wir als unser höchstes Gut und unser größtes Ziel betrachten sollen.
Sie geschieht auf den Namen „des Sohnes", des Herrn Jesus Christus, welcher „der Sohn Gottes ist" (Joh 20,31). In der Taufe pflichten wir dem bei, was Petrus sagte: „Du bist der Christus, der Sohn des lebendigen Gottes!" (Mt 16,16). Und wir bekennen, wie es Thomas tat: „Mein Herr und mein Gott!" (Joh 20,28). Wir nehmen Christus als unseren Propheten, Priester und König an und geben uns selbst dazu, von ihm gelehrt, gerettet und regiert zu werden.
Sie geschieht auf den Namen „des Heiligen Geistes". Wir übergeben uns seiner Leitung und Führung als dem, der uns heiligt, als unserem Lehrer, Führer und Tröster.
Diejenigen, die auf diese Weise getauft und somit bei den Jüngern Christi eingeschrieben sind, müssen gelehrt werden: „... und lehrt sie alles halten, was ich euch befohlen habe" **(Vers 20)**. Dies zeigt zwei Dinge:
Die Pflicht der Jünger, von allen getauften Christen; sie müssen alle Dinge halten, die Christus

geboten hat, und für diesen Zweck müssen sie sich dem Lehren derer unterziehen, die er gesandt hat. Er schreibt Soldaten ein, damit er sie schulen kann, ihm zu dienen. Alle, die getauft sind, sind verpflichtet:

Das Gebot Christi zu ihrer Richtschnur zu machen. Wir sind durch die Taufe gebunden und müssen gehorchen.

Zu halten, was Christus geboten hat. Angemessener Gehorsam gegenüber den Geboten Christi erfordert sorgfältige Beachtung.

Alles zu halten, was er geboten hat, ohne Ausnahme: alle moralischen Pflichten und eingesetzten Ordnungen.

Sich auf die Gebote Christi zu beschränken, nichts von ihnen wegzunehmen und ihnen nichts hinzuzufügen.

Ihre Pflicht gemäß dem Gesetz Christi von denen zu lernen, die er als Lehrer in seiner Schule eingesetzt hat.

Die Pflicht der Apostel Christi und seiner Pastoren und das ist, die Gebote Christi zu lehren. Sie müssen sie lehren und Christen müssen in der Kenntnis von ihnen geschult werden (s. Spr 22,6). Bis die Erben des Himmels die Reife erreichen, müssen sie unter Vormündern sein.

3.3 Die Gewissheit seiner geistlichen Gegenwart bei ihnen, die er ihnen gab, wenn sie diesen Auftrag erfüllen. „Und siehe, ich bin bei euch alle Tage bis an das Ende der Weltzeit!" Beachten Sie:

Die ihnen verheißene Gunst: „... ich bin bei euch", nicht: „Ich werde bei euch sein, sondern ‚ich bin'." Er stand nun kurz davor, sie zu verlassen; seine leibliche Gegenwart würde ihnen nun genommen werden und das bekümmerte sie, doch er sicherte ihnen seine geistliche Gegenwart zu. „Ich bin bei euch", das heißt: „Mein Geist ist bei euch, der Beistand wird bei euch bleiben. Ich bin bei euch und nicht gegen euch. Ich bin bei euch, um mich auf eure Seite zu stellen, auf eurer Seite zu sein. Ich bin bei euch und nicht abwesend von euch, nicht weit entfernt; ich bin sehr ‚bewährt in Nöten'" (s. Joh 16,7; Ps 46,2). Christus sandte sie nun aus, um in der Welt sein Reich aufzubauen. Dann, verhieß er, würde seine Gegenwart immer mit ihnen sein:

Um sie durch die Schwierigkeiten zu führen, denen sie sich wahrscheinlich gegenübersehen würden. „Ich bin bei euch, um euch zu stützen, um für eure Sache einzutreten, um in eurem ganzen Dienst, in all eurem Leiden bei euch zu sein."

Um ihnen bei diesem großen Unternehmen Erfolg zu geben: „‚Siehe, ich bin bei euch', um eurem Dienst Wirksamkeit zu verleihen, zu Jüngern alle Völker zu machen." Es war unwahrscheinlich, dass sie Menschen überzeugen würden, Jünger eines gekreuzigten Jesus zu werden, doch „siehe, ich bin bei euch" und so werden sie triumphieren.

Die Fortdauer der Gunst: „... alle Tage bis an das Ende der Weltzeit!"

Sie würden diese unaufhörliche Gegenwart haben. Sie würden sie „alle Tage" haben, jeden Tag. „Ich werde bei euren Sabbaten und an Werktagen, an schönen und an schlechten Tagen, Winter- und Sommertagen bei euch sein." Seit seiner Auferstehung war er ihnen von Zeit zu Zeit erschienen. Jetzt aber sicherte er ihnen zu, dass seine geistliche Gegenwart ohne Unterbrechung fortwährend bei ihnen sein würde. Der Gott Israels ist manchmal „ein Gott, der sich verborgen hält" (Jes 45,15), doch nie ein Gott, der sich entfernt, manchmal im Dunkeln, doch nie auf Abstand.

Sie würden seine unaufhörliche Gegenwart haben, eben „bis an das Ende der Weltzeit". Diese Weltzeit bewegt sich schnell auf ihr Ende zu und bis dahin wird der christliche Glaube in dem einen oder dem anderen Teil der Welt erhalten bleiben und Christus wird weiterhin bei seinen geistlichen Dienern gegenwärtig sein. „Ich bin bei euch ... bis an das Ende der Weltzeit!" Das heißt:

Er wird bei ihnen sein und in dem, was sie schrieben. Die Schriften des Neuen Testaments werden von einer göttlichen Macht begleitet, die sie nicht nur in ihrem Fortbestand bewahrt, sondern auch durch sie ungewöhnliche Wirkungen erzielt, die bis ans Ende der Zeit anhalten werden.

Er wird auch bei ihnen und ihren Nachfolgern sein, mit allen, die auf die Weise taufen und lehren, die er angeordnet hat. Das ist ein ermutigendes Wort für alle treuen geistlichen Diener Christi, dass das, was zu den Aposteln gesagt wurde, zu ihnen allen gesagt wurde: „Ich will dich nicht aufgeben und dich niemals verlassen!" (Hebr 13,5).

4. Unser Herr Jesus gab seiner Gemeinde zwei feierliche Abschiedsgrüße und sein Abschiedswort in beiden ist sehr ermutigend. Das eine war hier: „Und siehe, ich bin bei euch alle Tage." Er verlässt sie, doch er ist immer noch bei ihnen. Das andere war: „Ja, ich komme bald!" Er verlässt sie für eine Weile, doch er wird bald wieder bei ihnen sein (Offb 22,20). Dies zeigt, dass er nicht im Zorn schied, sondern in Liebe, und dass es sein Wille ist, dass wir sowohl unsere Gemeinschaft mit ihm als auch unsere Erwartung von ihm aufrechterhalten.

5. Ein weiteres Wort bleibt, das nicht übersehen werden darf, und das ist „Amen", was keine reine Formalität ist, die nur als Abschluss gedacht ist, wie „Ende" am Ende eines Buches. Es zeigt die Bekräftigung Christi von dieser Verheißung: „Und siehe, ich bin bei euch." Es ist das „Amen" desjenigen, in dem alle Verheißungen „das Ja, und ... auch das Amen" sind (2.Kor 1,20). Es zeigt auch die Zustimmung der Gemeinde zu dieser Verheißung in ihrem Verlangen, Gebet und in ihrer Erwartung. Es ist das „Amen" des Evangelisten. „So sei es, gelobter Herr." Unser Amen zu Christi Verheißungen macht sie zu Gebeten.

Eine praktische und erbauliche Darlegung des Evangeliums von
Markus

Wir haben das Zeugnis gehört, welches der erste Zeuge von der Lehre und den Wundern unseres Herrn Jesus Christus gegeben hat, und hier kommt nun ein anderer Zeuge, der nach unserer Aufmerksamkeit verlangt. Wir wollen nun das untersuchen:

1. Was sein Zeugnis anbetrifft. Sein Name ist Markus. Markus war ein sehr gewöhnlicher römischer Name, doch wir haben keinen Grund für die Annahme, dass Markus kein gebürtiger Jude war. Wie Saulus den römischen Namen Paulus annahm, so nahm dieser Evangelist den römischen Namen Markus an. Wir lesen von einem Johannes, dessen Beiname Markus war, welcher der Sohn von Barnabas Schwester war und mit dem Paulus unzufrieden war (s. Apg 15,37-38), später aber große Freundlichkeit ihm gegenüber zeigte und nicht nur die Gemeinden anwies, ihn aufzunehmen (s. Kol 4,10), sondern auch mit dieser Empfehlung nach ihm sandte, dass er sein Gehilfe sei: „… denn er ist mir sehr nützlich zum Dienst" (2.Tim 4,11). Paulus zählte diesen Johannes Markus auch zu seinen Mitarbeitern (s. Phlm 1,24). Wir lesen von einem Markus, den Petrus seinen Sohn nannte (s. 1.Petr 5,13); ob dieser Markus der Gleiche war wie der, den Paulus kannte, ist unsicher. Es ist eine von den alten Kommentatoren überlieferte Tradition, dass Markus dieses Evangelium unter der Anleitung von Petrus geschrieben hat und dass es durch die Autorität von Petrus bestätigt wurde, dies ist die Sicht von Hieronymus. „Markus, der Jünger und Dolmetscher von Petrus, der von den Brüdern aus Rom gesandt wurde, schrieb ein kurzes Evangelium." Und Tertullian sagte: „Markus, der Dolmetscher von Petrus, machte sich daran, die Dinge aufzuschreiben, die von Petrus gepredigt wurden." Es stimmt, dass Markus kein Apostel war, doch wir haben immer noch guten Grund zur Annahme, dass sowohl er als auch Lukas zu den siebzig Jüngern gehörten, die einen Auftrag erhielten wie der von den Aposteln (vgl. Mk 16,18; Lk 10,19). Hieronymus sagt, dass Markus, nachdem er dieses Evangelium geschrieben hat, nach Ägypten ging, wo er der Erste wurde, welcher in Alexandria das Evangelium predigte, und dort eine Gemeinde gründete, für die er ein großes Vorbild für ein heiliges Leben war.

2. Über dieses Zeugnis. Das Evangelium von Markus:
2.1 Ist kurz, viel kürzer als das von Matthäus, und gibt keinen so vollständigen Bericht von den Predigten Christi, wie es Matthäus tat, sondern legt die Betonung hauptsächlich auf seine Wunder.
2.2 Ist sehr stark eine Wiederholung von dem, was wir bei Matthäus hatten. Den dort berichteten Geschichten sind viele bemerkenswerte Einzelheiten beigefügt, doch nicht viele neue Dinge. Es war richtig, dass so große Dinge wie diese „einmal und zum zweiten Mal" gesagt werden (Hiob 33,14), weil wir so abgeneigt sind, sie zu verstehen, und so geneigt, sie zu vergessen. Obwohl es in Rom geschrieben wurde, ist es in Griechisch verfasst wie der Brief von Paulus an die Römer, weil Griechisch die weltumfassendere Sprache war.

KAPITEL 1

Der Bericht von Markus beginnt nicht so früh, wie es die von Matthäus und Lukas tun; er beginnt mit der Taufe von Johannes dem Täufer. Wir haben hier: 1. Das Wirken von Johannes dem Täufer, erläutert durch die Prophetie über ihn (s. Vers 1-3) und den Bericht über ihn (s. Vers 4-8). 2. Die Taufe Christi und seine Anerkennung durch den Himmel (s. Vers 9-11). 3. Seine Versuchung (s. Vers 12-13). 4. Sein Predigen (s. Vers 14-15.21-22.38-39). 5. Seine Berufung der Jüngern (s. Vers 16-20). 6. Sein Beten (s. Vers 35). 7. Sein Wirken von Wundern: 7.1 Sein Schelten eines bösen Geistes (s. Vers 23-28). 7.2 Sein Heilen der Schwiegermutter von Petrus, die an Fieber erkrankt war (s. Vers 29-31). 7.3 Sein Heilen von allen, die zu ihm kamen (s. Vers 32.34). 7.4 Sein Reinigen eines Mannes mit Aussatz (s. Vers 40-45).

Vers 1-8

Wir können hier bemerken:

1. Was das Neue Testament ist. Es ist das Evangelium „von Jesus Christus, dem Sohn Gottes" **(Vers 1)**.
1.1 Es ist ein Evangelium (die „Gute Nachricht"). Es ist ein gutes Wort „und aller Annahme wert" (1.Tim 1,15), es bringt uns gute Nachrichten.
1.2 Es ist das Evangelium „von Jesus Christus". Das vorhergehende Evangelium begann mit dem „Geschlechtsregister Jesu Christi" (Mt 1,1); das war nur eine Einleitung. Dieses kommt sofort zur Sache – das Evangelium von Christus.
1.3 Dieser Jesus ist der „Sohn Gottes". Diese Wahrheit ist die Grundlage, auf der das Evangelium aufgebaut ist und das geschrieben wurde, um dies darzulegen.

2. Wie sich das Neue Testament auf das Alte bezieht. Das Evangelium von Jesus Christus beginnt, und wir werden sehen, dass es so weitergeht, „wie geschrieben steht in den Propheten" **(Vers 2)**, was am geeignetsten und mächtigsten war, um die Juden zu überzeugen, die glaubten, dass die Propheten des Alten Testaments von Gott gesandt worden waren. Es ist indes für uns alle von Nutzen, um unseren Glauben sowohl in das Alte Testament als auch das Neue zu stärken. Hier sind aus zwei Prophezeiungen Zitate entnommen – der von Jesaja und der von Maleachi, die beide mit der gleichen Absicht über den „Anfang des Evangeliums von Jesus Christus" mit dem Dienst des Johannes sprachen.
2.1 Maleachi sprach sehr deutlich von Johannes dem Täufer (s. Mal 3,1). „Siehe, ich sende meinen Boten vor deinem Angesicht her" **(Vers 2)**. Christus selbst hatte es bemerkt und es auf Johannes angewandt (s. Mt 11,10), der Gottes Bote war, gesandt, um Christus den Weg zu bereiten.
2.2 Jesaja, der von allen Propheten am meisten evangeliumsgemäß weissagte, beginnt den evangeliumsgemäßen Teil seiner Prophetie mit dem Zitat, welches auf den „Anfang des Evangeliums von Jesus Christus" weist: „Die Stimme eines Rufenden ertönt in der Wüste" **(Vers 3**; s. Jes 40,3). Matthäus hat es bemerkt und wandte es genauso auf Johannes an (s. Mt 3,3). Die Verderbtheit der Welt ist derart, dass man etwas tun muss, um ihm Raum zu schaffen. Als Gott seinen Sohn in die Welt sandte, sorgte er dafür – und wenn er ihn in das Herz sendet, sorgt er wirksam dafür –, den Weg vor ihm zu bereiten. Die Irrtümer im Urteil werden richtiggestellt und die krummen Wege des Verlangens werden gerade gemacht: Dann ist der Weg geöffnet, um die Tröstungen Christi zu empfangen. Es ist in einer Wüste – denn eine solche ist die Welt – wie die Wüste, die Israel auf seinem Weg nach Kanaan durchquerte –, in welcher der Weg Christi bereitet wird, und der Weg derer, die ihm folgen, liegt in ähnlichem Gelände. Diejenigen, die gesandt sind, in solch einer ausgedehnten, öden Wüste dem Herrn den Weg zu bereiten, müssen laut rufen.

3. Was der Beginn des Neuen Testaments war. Das Evangelium begann mit Johannes dem Täufer. Seine Taufe war die Dämmerung des Tages des Evangeliums.
3.1 In dem Lebensstil von Johannes gab es den Beginn eines guten Geistes des Evangeliums, denn diese Lebensweise zeigte große Selbstverleugnung, eine heilige Geringschätzung der Welt und fehlende Übereinstimmung mit ihr. Je mehr wir von unserem Leib loskommen und über den Dingen dieser Welt stehen, desto besser sind wir auf Jesus Christus vorbereitet.
3.2 In der Predigt und der Taufe von Johannes war der Anfang der Lehre und der Ordnungen des Evangeliums:
Er predigte die „Vergebung der Sünden", welches das große Vorrecht des Evangeliums ist.
Er predigte „Buße" als das, was ein Mensch braucht, um die Vergebung der Sünden zu erfahren. Er sagte den Menschen, dass es eine Erneuerung ihrer Herzen und eine Besserung ihres Lebens geben müsse.
Er predigte Christus und er sagte seinen Hörern, dass sie erwarten sollen, dass er bald erscheint, und dass sie große Dinge von ihm erwarten sollen. Er predigte:
Die große Vorrangstellung, zu der Christus erhoben war; Christus ist so hoch und groß, dass Johannes sich für unwürdig hielt, dafür angestellt zu werden, die niedrigsten Arbeiten für ihn zu verrichten, sogar „ihm gebückt seinen Schuhriemen zu lösen".

Die große Macht, mit der Christus ausgestattet war: „Er kommt ‚nach mir' – der Zeit nach –, doch er ist stärker als ich, denn er kann ‚mit Heiligem Geist taufen'."

Die große Verheißung, die Christus in seinem Evangelium denen gibt, die Buße getan haben und denen die Sünden vergeben worden sind: Sie werden „mit Heiligem Geist" getauft werden. *All diejenigen, die seine Lehre annahmen und sich seiner Satzung unterwarfen, taufte er mit Wasser,* wie es die Juden taten, wenn sie Proselyten aufnahmen, als ein Zeichen, dass sie sich durch Buße und Besserung gereinigt hatten und dafür, dass Gott sie durch Vergebung wie auch durch Heiligung gereinigt hat.

3.3 In dem Erfolg der Predigt von Johannes und seiner Aufnahme von Jüngern durch die Taufe lag der Anfang einer Gemeinde des Evangeliums. Er taufte „in der Wüste ... und es ging zu ihm hinaus das ganze Land Judäa und die Bewohner von Jerusalem", und sie wurden alle von ihm getauft. Sie verpflichteten sich, seine Jünger zu sein, und unterwarfen sich seiner Zucht und bekannten als Zeichen dafür ihre Sünden. Er nahm sie als seine Jünger auf und taufte sie als Zeichen dafür. Viele von ihnen wurden später Nachfolger Christi und Prediger seines Evangeliums; dieses Senfkorn wurde ein Baum (s. Mk 4,31-32).

Vers 9-13

Hier ist ein kurzer Bericht von der Taufe und Versuchung Christi, von der ausführlich in Matthäus 3-4 berichtet wurde.

1. Seine Taufe fand bei seinem ersten öffentlichen Auftreten statt, nachdem er lange in Verborgenheit in Nazareth gelebt hatte.

1.1 Beachten Sie, wie demütig er sich zu Gott bekannte, indem er kam, „und sich von Johannes ... taufen ließ". Obwohl er vollkommen rein und unbefleckt war, wurde er gewaschen, als wäre er beschmutzt.

1.2 Beachten Sie, wie ehrenvoll sich Gott zu ihm bekannte, als er sich der Taufe von Johannes unterwarf.

Er sah „den Himmel zerrissen"; auf diese Weise wurde anerkannt, dass er der Herr des Himmels ist. Matthäus sagte: „... da öffnete sich ihm der Himmel." Markus sagte, er sah ihn zerrissen. Bei vielen ist der Himmel geöffnet, um sie aufzunehmen, doch sie sehen es nicht.

Er sah „den Geist wie eine Taube auf ihn herabsteigen". Es ist eine alte Tradition, dass um den Ort herum ein großes Licht schien.

Er hörte eine Stimme, die ihn ermutigen sollte, mit seinem Unternehmen fortzufahren, und deshalb wird sie hier als an ihn gerichtet beschrieben: „Du bist mein geliebter Sohn." Gott hat „Wohlgefallen" an ihm – und solches Wohlgefallen an ihm, wie er an uns in ihm Wohlgefallen hat.

2. Seine Versuchung. „Der Geist", der auf ihn herabstieg, trieb ihn „in die Wüste hinaus" **(Vers 12)**. Der Rückzug aus der Welt bietet die Gelegenheit für freie Gemeinschaft mit Gott und muss darum manchmal selbst von denen gewählt werden, die am meisten beschäftigt sind. Markus bemerkt in Bezug auf Jesu Weilen „in der Wüste", dass er „bei den wilden Tieren" war. Sein Vater zeigte ihm seine Fürsorge für ihn, dass er ihn davor bewahrte, von den wilden Tieren in Stücke gerissen zu werden, und das ermutigte ihn zu glauben, dass sein Vater für ihn sorgen werde, wenn er hungrig war. Besondere Formen des Schutzes sind ein Unterpfand für rechtzeitige Versorgung. In dieser Wüste:

2.1 Waren die *bösen* Geister darin aktiv, ihm zu widerstehen; er wurde „von dem Satan versucht". Christus wurde nicht nur selbst versucht, um uns zu lehren, dass es keine Sünde ist, versucht zu werden, sondern auch, um uns anzuleiten, wohin wir für Hilfe gehen sollen, wenn wir versucht werden – zu dem Einen, der gelitten hat, als er versucht wurde (s. Hebr 2,18; 4,15).

2.2 Waren die *guten* Geister aktiv bei ihm; „die Engel dienten ihm", versorgten ihn mit dem, was er brauchte. Dies zeigt uns, dass der Dienst der guten Engel um uns herum ein großer Gegenstand des Trostes bezüglich der schädlichen Absichten der bösen Engel uns gegenüber ist.

Vers 14-22

Hier ist:

1. Ein allgemeiner Bericht von dem Predigen Christi in Galiläa. Beachten Sie:

1.1 Wann Jesus in Galiläa zu predigen begann: „Nachdem aber Johannes gefangen genommen worden war." Als Johannes sein Zeugnis beendet hatte (s. Off 11,7), begann Jesus mit seinem.

1.2 Was er predigte: „... das Evangelium vom Reich Gottes." Christus kam, um unter den Menschen das Reich Gottes zu gründen, und er errichtete es durch die Predigt seines Evangeliums mit begleitender Macht. Beachten Sie:

Die großen Wahrheiten, die Christus predigte: „Die Zeit ist erfüllt, und das Reich Gottes ist nahe." Christus erläuterte ihnen die Weissagungen und Zeichen der Zeit. Die im Voraus festgelegte Zeit ist jetzt nahe; jetzt werden herrliche Offenbarungen göttlichen Lichts, Lebens und göttlicher Liebe gegeben. Gott hält sich an seine Zeit; wenn die Zeit erfüllt ist, dann ist das Reich Gottes nahe **(s. Vers 15)**.

Die großen Pflichten, die daraus abgeleitet werden. Christus half ihnen, die Zeiten zu verstehen, damit Israel wissen würde, was es tun sollte (s. 1.Chr 12,33). Sie hofften kühn, dass der Messias mit einer Entfaltung von Macht erscheinen würde. Sie meinten darum, wenn das Reich Gottes nahe ist, dann müssten sie sich auf Krieg und Sieg vorbereiten. Christus sagte ihnen jedoch, dass sie in der Vorausschau auf dieses Reich Buße tun und „an das Evangelium" glauben müssen. Bei der Buße müssen wir trauern und unsere Sünden verlassen und im Glauben müssen wir ihre Vergebung empfangen. Das muss zusammengehen. Wir dürfen nicht meinen, dass uns entweder die Besserung unseres Lebens retten wird, ohne auf die Gerechtigkeit und Gnade Christi zu vertrauen, oder dass uns das Vertrauen auf Christus retten wird ohne die Besserung unseres Herzens und Lebens. Christus hat diese beiden zusammengefügt und deshalb sollte niemand daran denken, sie zu scheiden (s. Mk 10,9). So begann die Predigt des Evangeliums und auf diese Weise ging sie weiter; der Ruf bleibt: „Tut Buße und glaubt, führt ein Leben der Buße und des Glaubens!"

2. Christi Auftreten als Lehrer und seine Berufung von Jüngern **(s. Vers 16-20)**. Beachten Sie:
2.1 Christus möchte Nachfolger haben. Wenn er eine Schule gründen will, dann möchte er Schüler; wenn er seine Flagge aufrichtet, dann möchte er Soldaten; wenn er predigt, möchte er Zuhörer.
2.2 Die Werkzeuge, die Christus auswählte, um sie dafür einzusetzen, sein Reich zu errichten, waren „das Törichte" und „das Schwache der Welt" (s. 1.Kor 1,27). Sie wurden nicht aus dem großen Sanhedrin oder den Schulen der Rabbiner berufen, sondern von den Fischern an der Küste des Sees genommen.
2.3 Obwohl Christus keine menschliche Hilfe nötig hat, gefällt es ihm dennoch, sie bei der Errichtung seines Reiches zu gebrauchen.
2.4 Christus ehrt diejenigen, die fleißig in ihrem Gewerbe und liebevoll zueinander sind, wie es die waren, die er zu Anfang berief. Er fand sie arbeitend und zusammenarbeitend. Fleiß und Eintracht sind gut und lieblich (s. Ps 133,1), und wo es sie gibt, gebietet der Herr Jesus dem Segen: „Folgt mir nach."
2.5 Es ist die Arbeit von geistlichen Dienern, nach Seelen zu fischen und sie für Christus zu gewinnen. Wenn geistliche Diener das Evangelium predigen, sollten sie das Netz ins Meer werfen (s. Mt 13,47). Manche Fische werden gefangen und ans Ufer gebracht, doch die meisten von ihnen entkommen. Wenn die Fischer, nachdem sie viele Male das Netz hochgezogen haben, nichts heraufgebracht haben, müssen sie dennoch weitermachen.
2.6 Diejenigen, die Christus beruft, müssen alles verlassen, um ihm nachzufolgen, und er macht sie durch seine Gnade geneigt, dies zu tun. Wir dürfen nicht an den Dingen dieser Welt hängen; wir müssen alles verlassen, was unvereinbar mit unserer Pflicht Christus gegenüber ist. Markus merkt an, dass Jakobus und Johannes nicht nur „ihren Vater" verließen – was wir in Matthäus lesen –, sondern auch die Tagelöhner, die ihre Mitarbeiter und angenehmen Gefährten waren; nicht nur Verwandte sondern auch alte Freunde müssen für Christus verlassen werden.

3. Ein besonderer Bericht von seinem Predigen in Kapernaum. Beachten Sie:
3.1 Als Christus „sich nach Kapernaum" begab, machte er sich sofort an seine Arbeit dort und ergriff die erste Gelegenheit, das Evangelium zu predigen. Diejenigen, die bedenken, wie viel Arbeit sie immer noch zu tun haben und wie wenig Zeit bleibt, um sie zu tun, werden meinen, sie dürfen keine Zeit verlieren.
3.2 Christus hielt in religiöser Weise den Sabbat.
3.3 Sabbate müssen durch die Teilnahme an den religiösen Versammlungen geheiligt werden, wenn wir die Gelegenheit dazu haben; er soll uns „heilig sein" (s. 2.Mose 35,2).
3.4 Bei den religiösen Zusammenkünften am Sabbattag muss das Evangelium gepredigt werden.
3.5 Christus war ein einzigartiger Prediger; er predigte „nicht wie die Schriftgelehrten" **(Vers 22)**, die auswendig das Gesetz Moses rezitierten. Ihre Lehre kam nicht von Herzen und deshalb nicht mit Autorität. Doch Christus lehrte „wie einer, der Vollmacht hat".

Vers 23-28
Sobald Christus zu predigen begann, begann er Wunder zu vollbringen, um seine Lehre zu bestätigen. Hier haben wir:

1. Wie Christus aus einem Menschen in der Synagoge in Kapernaum, der besessen war, einen Teufel austreibt. „Und es war in ihrer Synagoge ein Mensch mit einem unreinen Geist", mit einem bösen Geist, denn der Geist besetzte den Mann und hielt ihn für seinen Willen gefangen. Dieser Mensch war „in ihrer Synagoge", doch er kam nicht, um entweder gelehrt oder geheilt zu werden. Wir haben hier:
1.1 Die Wut, die der böse Geist Christus gegenüber ausdrückte: „... der schrie" als jemand in Qualen in der Gegenwart Christi. Uns wird berichtet, was er sagte **(s. Vers 24)**; er suchte keine Worte, sondern sprach als jemand, der sein Schicksal kannte.
Er nannte ihn Jesus den Nazarener. Vielleicht war er der Erste, der ihn so nannte, und er tat es, um den Sinn der Menschen mit schlechten Gedanken über Jesus zu erfüllen, weil man nicht erwartete, dass aus Nazareth etwas Gutes kommt.
Es wurde ihm jedoch ein Bekenntnis abgenötigt – dass er „der Heilige Gottes" war. Diejenigen,

die nur eine Vorstellung von Christus, aber keinen Glauben an ihn oder Liebe zu ihm haben, gehen nicht weiter als der Teufel.

Er erkannte tatsächlich an, dass er vor der Macht Christi nicht bestehen konnte. „Lass ab!" Denn wenn er sie sich vornimmt, sind sie ruiniert, denn er kann sie „verderben".

Er wollte nichts mit Christus zu tun haben, denn er hatte keine Hoffnung, von ihm gerettet zu werden, und fürchtete, von ihm vernichtet zu werden.

1.2 Den Sieg, den Christus über den bösen Geist errang. Es ist für Satan nutzlos, zu betteln und zu beten: „Lass ab!" Seine Macht muss gebrochen und der arme Mensch muss befreit werden.

Jesus gebot. Genauso, wie er sie mit Vollmacht lehrte, so heilte er auch mit Vollmacht. Jesus „sprach: Verstumme". Christus hat einen Maulkorb für diesen bösen Geist, sowohl wenn er sie schwänzelt als auch wenn er bellt. Dies war jedoch nicht alles. Der Geist muss nicht nur verstummen, sondern auch von dem Menschen ausfahren.

Der böse Geist ergab sich, denn er fand kein Mittel dagegen **(s. Vers 26).** Er „zerrte ihn", schüttelte den Menschen heftig. Er wollte Christus nicht anrühren, doch er ließ seinen Zorn aus, indem er arme Geschöpf schrecklich quälte. Wenn Christus durch seine Gnade arme Seelen aus der Hand Satans rettet, geschieht das nicht ohne schrecklichen Aufruhr in der Seele. Der Geist „schrie mit lauter Stimme" (mit einem schrillen Schrei), um die Zuschauer zu erschrecken und sich schrecklich erscheinen zu lassen.

2. Den Eindruck, den dieses Wunder auf das Gemüt der Menschen machte **(s. Vers 27-28).**

2.1 Es verblüffte alle, die es sahen: „Und sie erstaunten alle." Das war für sie überraschend und ließ sie die Angelegenheit untereinander diskutieren und einander fragen: „Was für eine neue Lehre ist dies?" Denn sie muss sicherlich von Gott kommen, da sie auf diese Weise bestätigt wird. Die jüdischen Exorzisten benutzten ihre Zauberformeln oder Anrufungen, um böse Geister auszutreiben, doch dies war vollkommen anders: „Mit Vollmacht gebietet er" ihnen. Es liegt sicherlich in unserem Interesse, den Einen zu unserem Freund zu machen, der die Kontrolle über böse Geister hat.

2.2 Es verbreitete den Ruf Christi unter allen, die ihn hörten: „Und das Gerücht von ihm verbreitete sich sogleich in das ganze umliegende Gebiet von Galiläa." Die Geschichte hatte bald jeder auf den Lippen verbunden mit dem Kommentar: „Was für eine neue Lehre ist dies?" Darum wurde allgemein geschlossen, dass er ein Lehrer ist, „der von Gott gekommen ist" (Joh 3,2). Auf diese Weise bereitete er sich selbst den Weg, nun, wo Johannes, der sein Bote war, im Gefängnis war.

Vers 29-39
In diesen Versen haben wir:

1. Einen besonderen Bericht von einem Wunder, das Christus vollbrachte, die Heilung von der Schwiegermutter von Petrus.

1.1 Als Christus das getan hatte, was dazu führte, dass sich die Nachricht von ihm überall verbreitete, lehnte er sich dann nicht zurück, wie es manche tun, die meinen, sie könnten im Bett liegen, wenn sie wohlbekannt sind. Nein; er fuhr damit fort, Gutes zu tun (s. Apg 10,38). Diejenigen, die einen guten Ruf genießen, müssen damit beschäftigt und darauf bedacht sein, ihre guten Taten beizubehalten.

1.2 Als er aus der Synagoge herauskam, wo er mit göttlicher Vollmacht gelehrt und geheilt hatte, sprach er immer noch in freundlicher Weise mit den armen Fischern, die bei ihm waren.

1.3 Er ging in das Haus von Petrus; er war dort wahrscheinlich eingeladen, um mit einer solchen Gastfreundschaft empfangen zu werden, wie sie ein armer Fischer bieten konnte, und er nahm sie an.

1.4 Er heilte die Schwiegermutter von Petrus, die krank war. Wo immer Christus hinkommt, kommt er, um Gutes zu tun, und er wird sicherstellen, dass er die reichlich belohnt, die ihn aufnehmen. Die gleiche Hand, welche die Schwiegermutter heilte, stärkte sie auch, sodass sie ihnen dienen konnte. Die Heilungen werden vollbracht, damit wir tauglich für die Arbeit sind.

2. Einen allgemeinen Bericht von vielen Heilungen, die er vollbrachte – Krankheiten wurden geheilt, Dämonen ausgetrieben. Es war am Abend des Sabbats, als „die Sonne untergegangen war"; vielleicht hatten viele Skrupel, ihre Kranken zu ihm zu bringen, und meinten, sie müssten warten, bis der Sabbat vorbei ist, doch ihre Schwäche in dieser Angelegenheit schreckte sie nicht ab. Beachten Sie:

2.1 Wie zahlreich seine Patienten waren: „Und die ganze Stadt war vor der Tür versammelt", wie solche, die um eine milde Gabe bitten. Der Eine, welcher in der Synagoge geheilt hatte, brachte diese Menge dazu, zu ihm zu kommen. Die Tatsache, dass es anderen bei Christus gut geht, sollte uns dazu bewegen, ihn zu suchen. Viele Menschen strömten zu Christus in einem Privathaus wie auch in der Synagoge; wo immer er ist, mögen auch seine Diener, seine Patienten, sein.

2.2 Wie mächtig der Arzt war. Er „heilte alle" (Mt 8,16), die zu ihm gebracht wurden, obwohl es sehr viele waren. Es war auch nicht nur eine bestimmte Krankheit, die Christus heilte; er heilte diejenigen, „die an mancherlei Krankheiten litten". Er wiederholte in der Nacht in dem Haus das Wunder, das er in der Synagoge vollbracht hatte, denn er „trieb viele Dämonen aus und ließ die Dämonen nicht reden".

3. Seinen Rückzug zu seiner privaten Andacht **(s. Vers 35)**: Er betete alleine, um uns ein Beispiel für das Gebet im Verborgenen zu geben. Obwohl man zu ihm als Gott betete, betete er auch als Mensch. Er fand immer noch Zeit, um mit seinem Vater alleine zu sein. Beachten Sie:

3.1 Die Zeit, in der Christus betete.
Es war „am Morgen", dem Morgen nach dem Sabbattag. Wir müssen jeden Tag der Woche zum „Thron der Gnade" gehen (Hebr 4,16). Dieser Morgen war der Morgen des ersten Tages der Woche, den er später durch ein anderes Auf(er)stehen in der Frühe heiligte und außergewöhnlich machte (s. Mk 16,9).
Es war früh, „als es noch sehr dunkel war". Als andere noch in ihren Betten schliefen, betete er. Wir sollten uns dann Zeit für fromme Übungen nehmen, wenn unser Geist am meisten frisch und vital ist.

3.2 Den Ort, wo er betete. Er ging an einen „einsamen Ort". Das Gebet im Verborgenen muss allein gemacht werden. Diejenigen, die am meisten in der Öffentlichkeit zu tun haben, selbst Dinge von der besten Art, müssen manchmal mit Gott alleine sein.

4. Seine Rückkehr an sein öffentliches Wirken. Die Jünger meinten, früh auf zu sein, doch sie sahen, dass ihr Meister bereits vor ihnen auf war und „folgten ihm" an den „einsamen Ort" und fanden ihn dort im Gebet. Sie sagten ihm, dass er von vielen Leuten gesucht werden würde. „Jedermann sucht dich!" **(Vers 37)**. Sie waren stolz, dass ihr Meister bereits so beliebt geworden war und sie wollten, dass er öffentlich auftritt, überhaupt noch mehr an diesem Ort, denn es war ihre Stadt. Christus sagte: „Nein, ‚lasst uns in die umliegenden Orte gehen, damit ich auch dort verkündige; denn dazu bin ich gekommen ... umherzuziehen und Gutes zu tun'" **(Vers 38**; Apg 10,38). „Er verkündigte in ihren Synagogen in ganz Galiläa", und um seine Lehre zu veranschaulichen und zu bestätigen, trieb er „die Dämonen aus".

Vers 40-45

Hier haben wir den Bericht, wie Christus einen Aussätzigen reinigt [das griechische Wort wurde für mehrere Krankheiten verwendet, welche die Haut betrafen – nicht notwendigerweise Lepra]. Dies lehrt uns:

1. Wie wir uns an Christus wenden sollen – zu kommen, wie es dieser Aussätzige tat:

1.1 Mit großer Demut. Dieser Aussätzige kam und „bat ihn, fiel vor ihm auf die Knie" **(Vers 40)**. Das lehrt uns, dass diejenigen, die Gnade und Barmherzigkeit von Christus bekommen möchten, sich ihm mit Demut und Ehrfurcht nahen müssen.

1.2 Mit einem festen Glauben an seine Macht: Christus kann ihn reinigen. Er glaubte dies in Bezug auf sich selbst. Er glaubte nicht nur allgemein, dass Jesus alle Dinge tun kann (s. Joh 11,22), sondern dass dieser ihn reinigen kann. Was wir über die Macht Christi glauben, müssen wir auf unsere besondere Situation anwenden. Er kann dies für mich tun.

1.3 Mit Unterordnung unter den Willen Christi: „Wenn du willst." Mit einer Bescheidenheit, die sich für einen armem Bittsteller geziemt, überließ er ihm seine eigene besondere Situation.

2. Was wir von Christus erwarten sollen: dass mit uns nach unserem Glauben geschehen wird (s. Mt 9,29). Seine Worte hatten nicht die Form eines Gebets, doch Christus beantwortete sie als eine Bitte.

2.1 Christus „erbarmte sich ... über ihn". Dies ist hier in Markus hinzugefügt, um zu zeigen, dass das Erbarmen Christi seine Macht benutzt und arme Seelen befreit. Unser Elend macht uns zu Objekten für seine Barmherzigkeit. Ferner tut er das, was er für uns tut, mit der größtmöglichen Sanftheit.

2.2 Er „streckte die Hand aus, rührte ihn an". Bei der Heilung von Seelen rührt Christus sie an (s. 1.Sam 10,26). Christus rührt an und heilt auch.

2.3 Er sagte: „Ich will; sei gereinigt!" Der arme Aussätzige versah den Willen Christi mit einem „Wenn": „Wenn du willst"; doch dieser Zweifel wurde bald ausgeräumt: „Ich will." Christus will denen absolut bereitwillig Gunst erweisen, die sich absolut bereitwillig seinem Willen ausliefern. Der Mann vertraute auf Christi Macht; er könne ihn reinigen; und Christus zeigte, wie sehr der Glaube der Seinen seine Macht in Bewegung setzt: „... sei gereinigt." Dieses Wort wurde mit Macht begleitet und die Heilung war in einem Augenblick vollständig: Und sogleich „wich der Aussatz ... von ihm" und es blieb kein weiteres Anzeichen von ihm **(Vers 42)**.

3. Was zu tun ist, wenn wir von Christus Barmherzigkeit empfangen haben. Zusammen mit seinen Gunsterweisen müssen wir seine Gebote annehmen. Als Christus ihn geheilt hatte, „ermahnte [er] ihn ernstlich". Es ist möglich, dass sich dies nicht auf die Weisungen Christi bezieht, die er ihm gab, es geheim zu halten **(s. Vers 44)** – denn diese werden extra aufgeführt –, sondern dass sich dieses ernstliche Ermahnen auf die Art von Gebot bezieht, die er dem Kranken gab, den er heilte: „Sündige hinfort nicht mehr, damit dir nicht etwas Schlimmeres widerfährt!" (Joh 5,14). Er wies ihn auch an:

3.1 Sich dem Priester zu zeigen.

3.2 Niemandem etwas davon zu sagen, bis er dies getan hat. Er darf es nicht verkünden, weil das die Menge sehr stark vergrößern würde, die Christus folgte, die er bereits für zu groß hielt. Nicht, dass er unwillig war, jedermann Gutes zu tun, so vielen, wie sie kamen, sondern er wollte es mit so wenig Lärm wie möglich tun. Ich weiß nicht, was ich davon halten soll, dass der Aussätzige überall frei davon erzählte und die Nachricht verbreitete. Er hätte die Anordnungen Christi befolgen sollen; doch er meinte es zweifellos gut, als er frei von der Heilung erzählte, und die einzige nachteilige Wirkung war, dass es die Massen, die Christus folgten, bis zu dem Ausmaß vergrößerte, dass er „nicht mehr öffentlich in eine Stadt hineingehen konnte". Dies ließ ihn an einsame Orte gehen. Dies zeigt, wie nötig es für uns war, dass Christus fortgeht, denn er konnte leiblich nur an einem Ort gleichzeitig gegenwärtig sein. Durch seine geistliche Gegenwart ist er bei den Seinen, wo immer sie sind, und kommt überall zu ihnen.

Kapitel 2

In diesem Kapitel haben wir: 1. Christi Heilung eines Gelähmten (s. Vers 1-12). 2. Seine Berufung von Matthäus vom Zollstand weg und sein Essen mit Zöllnern und Sündern (s. Vers 13-17). 3. Wie er seine Jünger rechtfertigt, dass sie nicht so viel gefastet haben, wie es die Jünger der Pharisäer taten (s. Vers 18-22). 4. Wie er sie rechtfertigt, dass sie am Sabbat Kornähren abstreiften (s. Vers 23-28).

Vers 1-12

Nachdem er einige Zeit auf dem Land gepredigt hatte, kehrte Christus nach Kapernaum zurück, seinem Hauptquartier. Beachten Sie:

1. Wie viele ihn dort aufsuchten. Obwohl er „im Haus" war, kamen die Menschen dennoch zu ihm, sobald berichtet wurde, dass er in der Stadt ist. „Da versammelten sich sogleich viele." Wo der König ist, dort ist der Hof. Dort waren so viele Menschen, „sodass kein Platz mehr war, auch nicht draußen bei der Tür". Es ist wunderbar zu sehen, wie Menschen auf diese Weise „gleich einer Wolke" (Jes 60,8) zu Christi Haus drängen.

2. Der gute Empfang, den ihnen Christus bereitete; „... und er verkündigte ihnen das Wort" **(Vers 2)**. Viele von ihnen kamen vielleicht nur wegen einer Heilung und viele vielleicht nur aus Neugier, um einen kurzen Eindruck von ihm zu bekommen, doch als er sie alle zusammenhatte, verkündigte er ihnen. Er hielt es nicht für völlig verkehrt, in einem Haus am Wochentag zu predigen, obwohl manche es vielleicht als einen unpassenden Ort und eine unpassende Zeit angesehen haben.

3. Das Vorstellen eines armen Gelähmten vor ihm, damit er ihm hilft. Der Patient war gelähmt, vollständig invalide, sodass er von vier Leuten auf einer Matte getragen wurde, als wäre er auf einer Trage. Dass er auf diese Weise getragen werden musste, zeigte seinen elenden Zustand; die Männer trugen ihn aus Liebe und Freundlichkeit. Diese freundlichen Verwandten oder Nächsten meinten, wenn sie diesen armen Mann nur einmal zu Christus tragen würden, dann würden sie ihn nicht mehr tragen müssen, und deshalb unternahmen sie eine große Anstrengung, ihn zu ihm hinzukommen. Sie „deckten ... dort, wo er war, das Dach ab" **(Vers 4)**. Das Haus war wahrscheinlich so klein und unbedeutend, dass es keinen oberen Raum hatte, sondern das untere Geschoss bis zum Dach reichte, und diese Bittsteller für den armen Gelähmten, die nicht durch die Menge an der Tür hineingehen konnten, brachten durch das eine oder andere Mittel ihren Freund auf das Dach, nahmen einige der Ziegel weg und ließen ihn so auf seiner Matte mit Seilen in das Haus herab, wo Christus predigte. Dies zeigte sowohl ihren Glauben als auch ihre Inbrunst. Hier wurde klar, dass sie ernstlich waren und weder fortgehen noch Christus ohne einen Segen gehen lassen würden (s. 1.Mose 32,27).

4. Die freundlichen Worte, die Christus zu diesem armen Patienten sagte. Er sah ihren Glauben, den Glauben von denjenigen, die ihn brachten. Er lobte ihren Glauben, weil sie ihren Freund durch so viele Schwierigkeiten brachten. Echter und starker Glaube kann auf verschiedene Weisen wirken, überwindet manchmal die Einwände des Verstandes, manchmal die der Vernunft, doch wie er sich auch zeigt, er wird von Jesus Christus angenommen und gutgeheißen werden. Christus sagte: „Sohn, deine Sünden sind dir vergeben!" Die Bezeichnung ist sehr sanft: „Sohn." Christus erkennt echte Gläubige als seine Kinder an: Kinder, aber auch Gelähmte. Die Worte Christi sollten die Gedanken des Gelähmten von der Krankheit wegbringen, welche die Auswirkung war, und sie auf die Sünde lenken, welche die Ursache war, sodass er mehr darum besorgt ist, sie vergeben zu bekommen. Genesung von Krankheit ist eine echte Barmherzigkeit, wenn der Weg dahin durch die Vergebung der Sünden bereitet ist. Der Weg, um die Auswirkung zu entfernen, ist, die Ursache zu entfernen. Die Vergebung der Sünde trifft die Wurzel aller Krankheiten, indem sie diese entweder heilt oder ihre Wirkung verändert.

5. Den Einwand einiger Gesetzeslehrer gegenüber dem, was Christus sagte. Ihre Arbeit war, das Gesetz zu erläutern, und ihre Lehre war wahr, doch ihre Anwendung war falsch. Es war wahr, dass niemand Sünden vergeben kann „als nur Gott allein", doch es war falsch, dass es Christus darum nicht konnte. Christus indes „erkannte ... in seinem Geist, dass sie so bei sich dachten", und das bewies, dass er Gott war. Gottes königliche Kräfte sind untrennbar, und der Eine, der die Gedanken erkennen konnte, konnte auch Sünden vergeben. Jetzt bewies er seine Macht, Sünden zu vergeben, indem er seine Macht demonstrierte, den an einer Lähmung Erkrankten zu heilen **(s. Vers 9-11)**. Er hätte nicht beansprucht, das eine zu tun, wenn er nicht das andere tun könnte. „Damit ihr aber wisst, dass der Sohn des Menschen Vollmacht hat, auf Erden Sünden zu vergeben", darum spricht er zu dem, der gelähmt ist: „Steh auf und nimm deine Liegematte." Er hätte nicht die Krankheit heilen können, welche die Auswirkung war, wenn er nicht die Sünde wegnehmen konnte, welche die Ursache war. Derjenige, der durch ein Wort das Zeichen vollbringen konnte, konnte zweifelsohne auch die bezeichnete Sache tun. Es war deshalb durchaus angemessen, sie zu fragen, ob es leichter sei zu sagen: „Dir sind die Sünden vergeben!", oder zu sagen: „Steh auf und nimm deine Liegematte und geh umher?" Das Wegnehmen der Bestrafung als solcher war die Vergebung der Sünden; der Eine, welcher in der Heilung so weit gehen konnte, konnte sie ohne Zweifel vollenden.

6. Die Heilung des Gelähmten und der Eindruck, den sie auf die Leute machte **(s. Vers 12)**. Er stand nicht nur von seiner Liegematte auf, vollständig in Ordnung, sondern nahm auch „seine Liegematte und ging vor aller Augen hinaus, sodass sie alle erstaunten, Gott priesen und sprachen: So etwas haben wir noch nie gesehen"! Christi Werke waren ohne Präzedenzfall. Wenn wir sehen, was er bei der Heilung von Seelen tut, müssen wir anerkennen, dass wir nie so etwas wie dies gesehen haben.

Vers 13-17

Hier ist:

1. Das Predigen von Christus am See **(s. Vers 13)**, wo er hinging, um Platz zu haben. Am Strand konnten so viele zu ihm kommen, wie es wollten. Es scheint daher, dass unser Herr Jesus eine starke Stimme hatte und laut sprechen konnte und es tat.

2. Seine Berufung von Levi, die gleiche Person wie Matthäus, der eine Stelle an einer Zollstätte in Kapernaum hatte und darum ein Zöllner genannt wurde. Seine Stellung erforderte es, dass er am Seeufer ist, und Christus ging, um ihn dort zu treffen. Matthäus war wahrscheinlich ein liederlicher und zügelloser junger Mann, denn sonst wäre er als Jude niemals Zöllner geworden. Christus rief ihn, dass er ihm folgt. Bei Gott gibt es durch Christus Barmherzigkeit, um die größten Sünden zu vergeben, und Gnade, um die größten Sünder zu heiligen. Matthäus, der Zöllner war, wurde Evangelist. Große Sünde und Ärgernisse vor der Bekehrung sind kein Hindernis für große Gaben, Gnadenwirkungen und großen Aufstieg nach der Bekehrung; in der Tat kann Gott auf diese Weise sogar mehr verherrlicht werden. Christus wurde gewöhnlich wegen leiblicher Heilungen gesucht, doch bei diesen geistlichen Heilungen wurde er von denen gefunden, die ihn nicht suchten (s. Jes 65,1; 1.Chr 15,13). Denn das große Übel und die Gefahr der Krankheit der Sünde ist, dass diejenigen, die ihr unterliegen, nicht heil gemacht werden wollen.

3. Sein enger Umgang mit Zöllnern und Sündern **(s. Vers 15)**. Uns wird hier gesagt:

3.1 Dass Christus „in dessen Haus zu Tisch saß", weil Levi ihn und seine Jünger zu dem Abschiedsfest eingeladen hatte, das er für seine Freunde gab, als er alles verließ, um bei Christus zu sein.

3.2 Dass „viele Zöllner und Sünder" mit Christus im Haus von Levi saßen und „ihm nachfolgten". Sie folgten Levi, wie es manche verstehen. Ich denke vielmehr, dass sie Jesus folgten aufgrund der Nachrichten, die sie von ihm gehört hatten. Sie verließen nicht alles, um ihm wegen des Gewissens zu folgen, sondern kamen aus Neugier zu dem Fest von Levi, um ihn zu sehen. Die Zöllner werden hier und anderswo zu den schlimmsten Sündern gezählt:

Weil sie im Allgemeinen die schlimmsten Sünder waren; so beherrschend war die Verderbtheit derer, die dieses Amt innehatten: schikanierend, anspruchsvoll, nahmen Bestechungsgelder oder unmäßige Gebühren und erhoben „falsche Anklage" (Lk 3,14).

Weil die Juden besonderen Hass gegen sie und ihre Arbeit hegten. Das Einziehen von Steuern von den Juden zeigte Verachtung gegenüber der Freiheit ihres Volkes und deshalb hielt man es für anstößig, in ihrer Gesellschaft gesehen zu werden. Doch unserem Herrn Jesus gefiel es, sich mit solchen Leuten zu unterhalten, als er „in der gleichen Gestalt wie das Fleisch der Sünde" erschien (Röm 8,3).

4. Der Anstoß, den die Schriftgelehrten und Pharisäer daran nahmen **(s. Vers 16)**. Sie lehnten es ab zu kommen, um ihn predigen zu hören, wodurch sie überzeugt und aufgebaut hätten werden können, doch sie waren bereit zu kommen, um ihn mit Zöllnern und Sündern sitzen zu sehen, wodurch sie provoziert werden würden. Sie wollten die Jünger unzufrieden mit ihrem Meister machen und deshalb stellten sie ihnen die Frage: „Warum isst und trinkt er mit den Zöllnern und Sündern?"

5. Christi Rechtfertigung von sich **(s. Vers 17)**. Er stand zu dem, was er tat, und wollte nichts zurücknehmen. Diejenigen, die es ablehnen, ein gutes Werk zu tun, weil es zu tun ihrem Ruf bei anspruchsvollen Menschen schaden könnte, sind zu sehr um ihren Ruf besorgt. Christus war das Gegenteil. Die Schriftgelehrten und Pharisäer meinten, die Zöllner müssten gehasst werden. „Nein", sagte Christus, „sie sind zu bedauern; sie sind krank und ‚brauchen den Arzt'. Sie sind Sünder und brauchen einen Heiland." Diese Führer meinten, der Charakter Christi sollte ihn von ihnen trennen. „Nein", sagte Christus, ‚ich bin nicht gekommen, Gerechte zu berufen, sondern Sünder zur Buße.' ich wurde in eine sündige Welt gesandt und deshalb liegt meine Arbeit am meisten bei denen, die ihre größten Sünder sind." Oder: „Ich bin nicht gekommen, Gerechte zu berufen', die stolzen Pharisäer, die meinen, dass sie gerecht sind, sondern arme Zöllner, die zugeben, dass sie Sünder sind, und froh sind, zur Buße eingeladen und ermutigt zu werden." Es ist gut, mit denen umzugehen, für die es Hoffnung gibt.

Vers 18-28

Hier wurde Christus aufgefordert, seine Jünger zu rechtfertigen, und er wollte sie in dem rechtfertigen und unterstützen, was sie nach seinem Willen taten und tut dies noch immer.

1. Er rechtfertigte sie, dass sie nicht fasteten. Warum fasteten die Pharisäer und die Jünger von Johannes? Sie waren gewohnt zu fasten; es war der Brauch der Pharisäer, „zweimal in der Woche" zu fasten (Lk 18,12), und wahrscheinlich taten dies auch die Jünger von Johannes. Auf diese Weise neigen strenge Bekenner des Glaubens dazu, ihre eigene Praxis zu einem Maßstab zu machen und alle zu kritisieren und zu verdammen, die dem nicht entsprechen. Die Pharisäer und Jünger des Johannes behaupteten boshaft, selbst wenn Christus sich unter Sündern aufhält, um ihnen Gutes zu tun, so taten es die Jünger, um ihren Gelüsten nachzugeben, denn sie fasteten nie. Bosheit wird immer das Schlimmste argwöhnen. Christus brachte zwei Dinge vor, um seine Jünger vom Fasten zu entschuldigen.
1.1 Dass dies leichte Tage für sie waren, Tage der verhältnismäßigen Behaglichkeit, und das

Fasten war da nicht so angemessen, wie es dies später sein würde **(s. Vers 19-20)**. Es gibt eine Zeit für alle Dinge.
1.2 Dass dies frühe Tage für sie waren und sie nicht in der Lage waren, sich den strengen Übungen des religiösen Glaubens zu unterziehen, denen sie später unterworfen sein würden. Die Pharisäer sind lange vorher an eine solche Enthaltsamkeit gewöhnt worden und Johannes der Täufer kam selbst und hat nicht gegessen und getrunken (s. Mt 11,18). So war es aber nicht mit Christi Jüngern. Ihr Meister kam und aß und trank (s. Mt 11,19) und hatte sie noch nicht gelehrt, die schwierigen Dienste des religiösen Glaubens zu ertragen. Sie von Beginn an dazu zu rufen, sich einem so häufigen Fasten zu unterziehen, würde sie entmutigen. Es wäre genauso schädlich, wie „neuen Wein in alte Schläuche" zu füllen oder „einen Lappen von neuem Tuch" auf etwas zu nähen, was dünn und abgetragen geworden ist **(Vers 21-22)**. Gott beachtet gnädig, „was für ein Gebilde" junge Christen sind (Ps 103,14), die schwach und jung sind, und dies müssen wir auch. Wir dürfen auch nicht mehr als das Werk des Tages an seinem Tag gemäß der gegebenen Stärke erwarten. Schwache Christen müssen sicherstellen, dass sie sich nicht überstrapazieren und das Joch Christi schwerer machen, als es wirklich ist, wenn es leicht, süß und angenehm ist (s. Mt 11,30).

2. Er rechtfertigte sie, als sie am Sabbat Ähren abstreiften, was, dessen bin ich mir sicher, ein Jünger der Pharisäer nicht wagen würde zu tun, weil es sich gegen eine klare Tradition ihrer Ältesten richtet. Die Pharisäer kritisierten die Zucht der Schule Christi als zu leicht. Es ist bei denen üblich, welche die Kraft der Gottesfurcht verleugnen, eifersüchtig auf ihren „äußeren Schein" zu achten und denen gegenüber kritisch zu sein, die ihrer Form davon nicht folgen (2.Tim 3,5; Elb 06). Beachten Sie:
2.1 Was für ein armseliges Frühstück die Jünger Christi am Morgen des Sabbat hatten, als sie zur Gemeinde gingen. Sie „fingen an ... die Ähren abzustreifen" **(Vers 23)**, und das war das Beste, was sie hatten. Sie waren so sehr auf die geistlichen Delikatessen erpicht, die bei der Anbetung für sie bereitgehalten wurden, dass sie sogar ihr notwendiges Essen vergaßen (s. Hiob 23,12; Hfa).
2.2 Wie selbst dies von den Pharisäern missgönnt wurde, die es für nicht erlaubt hielten, Kornähren am Sabbat abzustreifen, denn das war genauso eine Arbeit, wie es das Ernten war: „... warum tun sie am Sabbat, was nicht erlaubt ist?" **(Vers 24)**. Wenn die Jünger Christi etwas tun, was nicht erlaubt ist, wird das ein schlechtes Licht auf Christus werfen. Es ist bezeichnend, dass die Pharisäer, als sie dachten, Christus handelte falsch, es den Jüngern sagten (s. Mk 2,16), und jetzt, als sie

meinten, die Jünger handelten falsch, sprachen sie mit Christus.
2.3 Wie Christus sie verteidigte.
Durch ein Beispiel: Sie hatten dafür einen guten Präzedenzfall darin, wie David die Schaubrote (die geheiligten Brote) aß (s. 1.Sam 21,7): „Habt ihr nie gelesen?" **(Vers 25)**. Rituelle Vorschriften müssen moralischen Verpflichtungen weichen und im Fall einer Notwendigkeit gibt es Dinge, die man tun kann, die man sonst nicht tun darf.
Durch ein Argument. Um sie hinsichtlich des Abstreifens von Ähren seitens der Jünger zu beruhigen, mögen sie bedenken:
Für wen der Sabbat gemacht wurde: Er „wurde um des Menschen willen geschaffen, nicht der Mensch um des Sabbats willen" **(Vers 27)**. Der Sabbat ist eine geheiligte und göttliche Satzung, doch wir müssen ihn als Vorrecht und Wohltat empfangen und annehmen, nicht als Arbeit und Groll.
Gott hat ihn nie als Belastung für uns beabsichtigt und deshalb dürfen wir ihn nicht selbst für uns dazu machen. Die Menschen wurden für Gott geschaffen, für seine Ehre und für seinen Dienst, doch die Menschen wurden nicht „um des Sabbats willen" geschaffen.
Gott beabsichtigte ihn als Wohltat für uns. Er schuf ihn für die Menschen. Er nahm Rücksicht auf unsere Leiber, als er den Sabbat einsetzte; er wollte, dass sie ruhen können und nicht durch die unaufhörlichen Aufgaben dieser Welt erschöpft werden. Er nahm viel mehr Rücksicht auf unsere Seelen. Der Sabbat wurde nur deshalb zu einem Tag der Ruhe gemacht, damit ein Tag der heiligen Arbeit sein konnte, ein Tag der Gemeinschaft mit Gott, ein Tag des Lobpreises und der Danksagung. Ruhe von weltlichen Tätigkeiten ist notwendig, damit wir uns eingehender dieser Arbeit zuwenden können. Sehen Sie hier:
Was für einem guten Meister wir dienen, dessen Satzungen alle zu unserem Nutzen sind. Es ist nicht er, sondern wir sind es, die durch unseren Dienst gewinnen.
Was wir mit unserer Arbeit am Sabbat erstreben sollten. Wenn der Sabbat für die Menschen geschaffen wurde, dann sollten wir uns am Ende des Sabbats fragen: Auf welche Weise habe ich aufgrund dieses Sabbats Besserung erfahren?
Welche Sorge wir dafür tragen sollten, dass wir nicht religiöse Übungen zu einer Last für uns selbst oder andere machen, wenn Gott sie als Segnungen bestimmt hat.
Von wem der Sabbat geschaffen wurde: „Also ist der Sohn des Menschen Herr auch über den Sabbat" **(Vers 28)**. Die Sabbattage sind „Tage des Menschensohnes" (Lk 17,22); er ist der Herr des Tages und dieser muss zu seiner Ehre beachtet werden. Er würde im Gedenken an seine Auferstehung einen Tag weiter – auf den ersten Tag der Woche – verschoben werden und deshalb würde der christliche Sabbat der „Tag des Herrn" genannt werden (Offb 1,10).

KAPITEL 3

Hier haben wir: 1. Wie Christus am Sabbat einen Menschen mit einer verdorrten Hand heilt (s. Vers 1-6). 2. Das Herzuströmen der Menschen zu ihm von überall her, um geheilt zu werden (s. Vers 7-12). 3. Seine Einsetzung der zwölf Apostel (s. Vers 13-21). 4. Seine Antwort auf die Schriftgelehrten, die seine Macht, Dämonen auszutreiben, einem Bündnis mit dem Obersten der Dämonen zuschrieben (s. Vers 22-30). 5. Sein Anerkennen seiner Jünger als seine engsten und kostbarsten Verwandten (s. Vers 31-35).

Vers 1-12

Hier sehen wir unseren Herrn Jesus fleißig bei der Arbeit wie zuvor, zuerst in der Synagoge, dann am See. Dies lehrt uns, dass seine Gegenwart weder auf das eine noch das andere beschränkt werden sollte, sondern dass er, wo immer welche in seinem Namen versammelt sind, dort in ihrer Mitte ist (s. Mt 18,20).

1. Als er „wiederum in die Synagoge" ging, nutzte er die Gelegenheit, Gutes zu tun.
1.1 Der Fall des Patienten war bemitleidenswert. Er hatte eine verdorrte (geschrumpfte) Hand, was ihn unfähig machte, für seinen Lebensunterhalt zu arbeiten. Möge denen, die sich selbst nicht helfen können, geholfen werden.
1.2 Die Zuschauer waren sehr herzlos, sowohl dem Patienten als auch dem Arzt gegenüber. Statt sich für einen armen Nächsten einzusetzen, taten sie, was sie konnten, seine Heilung zu verhindern. Sie gaben zu verstehen, dass, wenn Christus ihn nun am Sabbat heilen würde, sie ihn beschuldigen würden, den Sabbat zu brechen.
1.3 Christus ging mit seinen Zuschauern sehr ehrlich um und er befasste sich zuerst mit ihnen, damit er, falls möglich, den Anstoß vermeiden kann.
Er suchte, sie in ihrem Urteilsvermögen zu überführen. Er sagte dem Menschen, er solle „in die Mitte" kommen (sich vor alle stellen; **Vers 3**), dass sie vielleicht, wenn sie ihn sehen, von Mitleid bewegt werden. Dann appellierte er an ihr eigenes Gewissen: „Darf man am Sabbat Gutes tun oder Böses tun ...?" Was ist besser, „das Leben retten oder töten?" Was für eine deutlichere Frage könnte man stellen? Weil sie aber sahen, dass sich die Sache gegen sie wenden würde, schwiegen sie.
Als sie sich gegen das Licht auflehnten, beklagt er ihre Halsstarrigkeit: „Und indem er sie rings-

umher mit Zorn ansah, betrübt wegen der Verstocktheit ihres Herzens ..." **(Vers 5)**. Die Sünde, die er sah, war die Verstocktheit ihres Herzens. Wir hören, was falsch gesagt, und sehen, was falsch getan wird, aber Christus blickt auf die bittere Wurzel im Herzen (s. 5.Mose 29,18; Hebr 12,15), die Blindheit und Härte des Herzens. Beachten Sie:

Wie er durch die Sünde gereizt wurde. Er sah sie an, er blickte „mit Zorn"; sein Zorn war wahrscheinlich auf seinem Gesicht sichtbar. Die Sünde von Sündern ist für Jesus Christus sehr unangenehm, und der Weg, zornig zu sein und nicht zu sündigen (s. Ps 4,5), besteht darin, zornig zu sein – wie es Christus war – auf nichts außer die Sünde.

Wie er die Sünder beklagte; er war „betrübt wegen der Verstocktheit ihres Herzens". Es bedrückt unseren Herrn Jesus sehr, Sünder zu sehen, die versessen auf ihre eigene Zerstörung sind, denn er möchte nicht, dass jemand verloren geht (s. 2.Petr 3,9). Dies ist ein guter Grund, dass uns die Härte unseres Herzens und der Herzen anderer tief bedrückt machen sollte.

1.4 Christus ging mit dem Patienten sehr freundlich um. Er sagte ihm, er solle seine Hand ausstrecken und sie wurde umgehend „wieder gesund". Christus lehrt uns hier, weiterhin entschlossen zu sein, unsere Pflicht zu tun, wie heftig der Widerstand auch sein mag, dem wir begegnen. Wir dürfen uns nicht die Befriedigung verwehren, Gott zu dienen und Gutes zu tun, auch wenn man vielleicht zu Unrecht daran Anstoß nimmt. Niemand als Christus konnte rücksichtsvoller in der Hinsicht sein, keinen Anstoß zu erregen, aber statt diesen armen Mann ungeheilt fortzuschicken, wollte er es lieber riskieren, alle Schriftgelehrten und Pharisäer um ihn herum zu verärgern. Damit hat er uns ein Beispiel von der Heilung gegeben, die durch seine Gnade an armen Seelen bewirkt wird. Unsere Hände sind geistlich verdorrt: Die Kräfte unserer Seele sind durch die Sünde geschwächt. Obwohl unsere Hände verdorrt sind und wir sie selbst nicht ausstrecken können, müssen wir versuchen, dies zu tun; wir müssen sie, so gut wir können, zu Gott im Gebet erheben, Christus und „das ewige Leben ergreifen" (1.Tim 6,19) und sie für gute Werke benutzen. Wenn wir das tun, wird das Wort Christi von Macht begleitet und er bewirkt die Heilung. Wenn wir sie nicht ausstrecken, ist es unsere eigene Schuld, dass wir nicht geheilt werden.

1.5 Die Feinde Christi gingen sehr grausam mit ihm um. Solch ein Werk der Barmherzigkeit hätte ihre Liebe zu ihm anregen und solch ein Wunder hätte ihren Glauben an ihn anregen sollen. Doch stattdessen hielten die Pharisäer „sogleich mit den Herodianern Rat gegen ihn, wie sie ihn umbringen könnten".

2. Als er sich „an den See" zurückzog, tat er dort Gutes **(Vers 7)**. Als jetzt seine Feinde versuchten, ihn umzubringen, verließ er diesen Ort, um uns zu lehren, in schwierigen Zeiten für unsere eigene Sicherheit zu sorgen. Beachten Sie hier:

2.1 Wie man ihm an den Ort folgte, an den er sich zurückzog. Als manche Menschen so feindlich ihm gegenüber waren, dass sie ihn aus ihrem Land vertrieben, schätzten ihn andere so sehr, dass sie ihm folgten, wo immer er hinging. „... eine große Menge" aus allen Teilen des Landes folgte ihm nach. Beachten Sie:

Was sie bewegte, ihm nachzufolgen: die Nachrichten, die sie davon gehört hatten, dass „wie viel er tat". Manche wollten die Person sehen, die solch große Dinge getan hatte, und andere hofften, dass er für sie große Dinge tun würde. Die Erwägung der großen Dinge, die Christus getan hat, sollte uns zu ihm kommen lassen.

Wofür sie ihm folgten: „... alle, die eine Plage hatten", drängten sich an ihn heran, „um ihn anzurühren" **(Vers 10)**. Krankheiten werden hier Plagen genannt; das griechische Wort ist *mastigas*, Strafen, Züchtigungen. Diejenigen, die auf diese Weise litten, kamen zu Jesus; dies ist die Mission, wofür Krankheit geschickt wird: uns Christus suchen und uns an ihn als unseren Arzt wenden zu lassen. Die Menschen drängten vorwärts, jeder versuchte, ganz dicht an ihn heranzukommen, dass ihm als Erster geholfen wird. Sie wollten, dass ihnen erlaubt wird, ihn einfach anzurühren, da sie glaubten, dass sie nicht nur dann geheilt würden, wenn er sie anrührt, sondern selbst, wenn sie ihn anrühren.

Welche Vorkehrung er traf, um bei ihnen zu sein. „Und er befahl seinen Jüngern, ihm ein kleines Schiff bereitzuhalten" **(Vers 9)**, das ihn an der gleichen Küste von Ort zu Ort brachte, ohne sich durch die Mengen zu drängen, die ihm aus Neugier folgten. Weise Menschen vermeiden so weit wie möglich eine Menschenmenge.

2.2 Wie viel Gutes er tat, als er sich zurückgezogen hatte. Er zog sich nicht zurück, um untätig zu sein, noch schickte er diejenigen zurück, die sich heftig um ihn drängten, als er sich zurückzog; er nahm es freundlich auf und gab ihnen, wofür sie gekommen waren, denn er sagte niemals zu jemandem, der ihn gewissenhaft suchte: „Sucht mich vergeblich!" (Jes 45,19).

Krankheiten wurde machtvoll geheilt: „Er heilte viele."

Dämonen wurden machtvoll besiegt; als diejenigen, die von unreinen Geistern besessen waren, ihn „erblickten", erzitterten sie bei seiner Gegenwart, und sie fielen auch „vor ihm nieder", nicht um seine Gunst zu suchen, sondern um dafür zu beten, vor seinem Zorn verschont zu werden.

Christus strebte nicht danach, dafür Lob für sich zu bekommen, indem er diese großen Dinge tat, denn er gebot diesen Leuten streng, „dass sie ihn nicht offenbar machen sollten" **(Vers 12)**, dass sie nicht danach trachten sollten, die Heilung durch ihn bekannt zu machen – sozusagen keine „Annoncen" in die „Zeitungen" zu setzen –, sondern seine eigenen Werke ihn loben lassen, die Nachricht davon sich selbst ausbreiten und selbst laufen lassen. Mögen die Zuschauer die Nachricht davon mitnehmen.

Vers 13-21

In diesen Versen haben wir:

1. Wie Christus die zwölf Apostel auswählt, dass sie als seine ständigen Nachfolger bei ihm sein sollen. Beachten Sie:

1.1 Die Einführung zu dieser Berufung, oder Beförderung, von Jüngern; Christus „stieg auf den Berg", seine Absicht war, dort zu beten (s. Lk 6,12).

1.2 Die Regel, der er bei seiner Auswahl folgte, bestand darin, dass er diejenigen auswählte, die er wollte: „... und rief zu sich, welche er wollte"; nicht diejenigen, die wir vielleicht für am geeignetsten halten würden, berufen zu werden, sondern diejenigen, die er für geeignet hielt zu berufen; diejenigen, bei denen er entschieden hatte, sie für den Dienst auszurüsten, zu dem er sie berufen hatte. Christus beruft, „welche er will" (Joh 5,21).

1.3 Die Wirksamkeit der Berufung: Er berief sie, um sie von der Masse abzusondern und sie vor sich zu stellen – „... und sie kamen zu ihm". Er machte die willig zu kommen, bei denen es sein Wille war, sie zu berufen (s. Ps 110,3; Elb 06).

1.4 Das Ziel und die Absicht dieser Berufung: Er bestimmt, dass sie immer „bei ihm sein sollten", dass sie Zeugen seiner Lehre, Lebensführung und Langmut seien und diesem nachfolgen könnten (s. 2.Tim 3,10). Sie müssen bei ihm sein, um Anweisungen von ihm zu bekommen, damit sie befähigt wären, anderen Anweisungen zu geben. Es würde Zeit erfordern, um sie für den Zweck auszurüsten, für den er sie vorgesehen hatte. Die geistlichen Diener Christi müssen eine Menge Zeit mit ihm verbringen.

1.5 Die Macht, die er ihnen gab, Wunder zu vollbringen. Er bestimmte sie dazu, „die Krankheiten zu heilen und die Dämonen auszutreiben". Dies zeigte, dass Christi Macht, diese Wunder zu wirken, eine ursprüngliche Macht ist; er empfing sie nicht als Knecht, sondern „als Sohn über sein eigenes Haus" (Hebr 3,6). Unser Herr Jesus hatte „das Leben in sich selbst" (Joh 5,26) und „den Geist nicht nach Maß" (Joh 3,34), und so konnte er diese Macht selbst dem Schwachen und Törichten der Welt geben (s. 1.Kor 1,27).

1.6 Ihre Zahl und ihre Namen; „er bestimmte zwölf", nach der Zahl der zwölf Stämme Israels. Sie werden hier nicht in genau der gleichen Reihenfolge wie in Matthäus erwähnt und doch kommt hier genau wie dort Petrus an erster und Judas an letzter Stelle. Hier wird Matthäus vor Thomas gestellt, doch in der Liste, die Matthäus selbst aufstellte, setzte er sich nach Thomas. Was indes nur Markus in dieser Liste der Apostel beachtet, ist, dass Christus Jakobus und Johannes „Boanerges" nannte, was „Donnersöhne" heißt; vielleicht hatten sie ungewöhnlich laute, gebieterische Stimmen – waren donnernde Prediger – oder es zeigte vielmehr den Eifer und die Inbrunst ihres Geistes. Doch Johannes, einer dieser „Donnersöhne", war voller Liebe und Sanftheit – wie man aus seinen Briefen sehen kann – und war der Jünger, den Christus besonders liebte.

1.7 Ihr Sichzurückziehen mit ihrem Meister und ihre große Treue ihm gegenüber: „Und sie traten in das Haus." Jetzt, wo diese Geschworenen eingeschrieben waren, waren sie zusammen, um das Zeugnis zu hören.

2. Die ständigen Massen, die überall gegenwärtig waren, wo Christus hinging: „... und es kam nochmals eine Volksmenge zusammen" **(Vers 20)**, ungebeten und zu einer ungelegenen Zeit zu ihm drängend. Das Ergebnis war, dass er und seine Jünger nicht einmal genug Zeit hatten, um „Speise zu sich nehmen" zu können. Er verschloss jedoch nicht seine Tür vor denen, die ihn suchten, sondern hieß sie willkommen. Diejenigen, deren Herz für das Werk Gottes freigesetzt wurde, können bei der Verfolgung dieser Arbeit große Unbequemlichkeiten ertragen. Es ist wohltuend, wenn eifrige Hörer und eifrige Prediger auf diese Weise zusammentreffen und einander ermutigen. Das war ein günstiger Wind der Gelegenheit, der es wert war, dass man guten Gebrauch davon macht. Es ist gut zu schmieden, solange das Eisen heiß ist.

3. Die Sorge seiner Verwandten um ihn: „Und als die, welche um ihn waren", in Kapernaum hörten, wie man ihm folgte, „gingen sie aus, um ihn zu ergreifen" und ihn nach Hause zu bringen, „denn sie sagten: Er ist von Sinnen!" **(Vers 21)**.

3.1 Manche verstehen dies als Verweis auf eine absurde und widersinnige Sorge, die mehr Geringschätzung als Achtung vor ihm zeigte, und so müssen wir es verstehen, wie unsere Übersetzung liest: „Er ist von Sinnen." Seine Familie war gewillt, auf diese Fehleinschätzung zu hören, die manche seinem Eifer zumaßen, und zu schließen, dass er verrückt geworden war.

3.2 Andere verstehen es so, dass es eine wohlmeinende Sorge zeigt, und dann übersetzen sie *exeste* mit: „Er ermattet." Er hat keine Zeit, um Speise zu essen, und deshalb wird ihn seine Kraft verlassen. Er wird in der Masse der Menschen umkommen. Deshalb wollten sie ihn freundlich zwingen und ihm etwas Platz zum Atmen geben. Diejenigen, die mit Eifer und Nachdruck das Werk Gottes verfolgen, müssen erwarten, auf Hindernisse zu treffen, sowohl durch die grundlose Abneigung ihrer Feinde als auch durch verfehlte Zuneigung ihrer Freunde.

Vers 22-30

Hier ist:

1. Die gottlose und arrogante Verleumdung, mit der die Schriftgelehrten sein Austreiben von Dämonen versahen. Diese Schriftgelehrten waren „von Jerusalem herabgekommen" **(Vers 22)**. Es scheint, dass sie bewusst diese lange Reise unternahmen, um den Fortschritt der Lehre Christi zu verlangsamen. Da sie von Jerusalem gekommen waren, welches die Heimat der feinsten und gelehrtesten Schriftgelehrten war, waren sie in einer besseren Lage, Schwierigkeiten zu verursachen. Der Ruf der Schriftgelehrten aus Jerusalem würde nicht nur auf die Leute auf dem Land, sondern auch auf die Schriftgelehrten auf dem Land Einfluss haben. Sie konnten nicht leugnen, dass er Dämonen austrieb, doch sie gaben zu verstehen, dass er „Beelzebul" auf seiner Seite hatte und „durch den Obersten der Dämonen" die Dämonen austreiben würde. In diesem Fall gäbe es eine Täuschung: Satan würde nicht ausgetrieben, er ginge nur im Einverständnis heraus.

2. Die einleuchtende Antwort, die Christus auf diesen Einwand gab.
2.1 Satan ist so schlau, dass er niemals freiwillig seinen Besitz hergeben wird: Wenn Satan den Satan austreibt, dann ist sein „Reich in sich selbst uneins" und kann „nicht bestehen" **(Vers 23-26)**. Er „rief ... sie zu sich"; er ließ sich herab, vernünftig mit ihnen zu reden, „damit jeder Mund verstopft werde" (Röm 3,19). Es war klar, dass die Lehre Christi für das Reich Satans Krieg bedeutete und direkt darauf ausgelegt war, dessen Macht zu brechen, und es war genauso klar, dass das Austreiben von Dämonen aus den Leibern der Menschen diese Lehre bestätigte. Jeder weiß, dass Satan kein Narr ist, noch wird er so direkt gegen seine Interessen handeln.
2.2 Christus ist so weise, dass er, da er im Krieg mit Satan steht, dessen Streitmacht angreifen wird, wo immer er sie trifft, sei es in den Leibern von Menschen oder in ihren Seelen **(s. Vers 27)**. Es wird deutlich, dass es die Absicht Christi ist, „in das Haus des Starken" hineinzugehen „und seinen Hausrat" zu rauben. Darum ist es nur folgerichtig anzunehmen, dass er den Starken bindet und so zeigt, dass er einen Sieg über ihn erlangt hat.

3. Die schreckliche Warnung, die Christus ihnen gab, damit sie sich hüten, solche gefährlichen Worte zu sagen. Wie sehr sie sie auch als bloße Vermutungen, als Sprache frei denkender Menschen, herunterspielen mögen, so würden sie doch für sie fatale Folgen haben, wenn sie auf solchen Worten beharren. Es würde sich als eine Sünde gegen das letzte mögliche Heilmittel erweisen und deshalb als unvergebbar. Es stimmt, dass das Evangelium Verheißungen macht, weil Christus die Vergebung für die größten Sünden und Sünder erworben hat **(s. Vers 28)**. Viele von denen, die Christus am Kreuz geschmäht haben, fanden Barmherzigkeit, und Christus selbst betete: „Vater, vergib ihnen" (Lk 23,34). Doch dies war ein Lästern gegen den Heiligen Geist, denn durch den Heiligen Geist trieb er die Teufel aus und sie sagten: Es geschah durch „einen unreinen Geist" **(Vers 30)**.

Vers 31-33

Hier ist:

1. Die Respektlosigkeit, die Christi natürliche Verwandte ihm erwiesen, als er predigte. Sie blieben nicht nur draußen, sondern schickten auch „zu ihm und ließen ihn rufen" **(Vers 31)**.

2. Der Respekt, den Christus seinen geistlichen Verwandten bei diesem Anlass erwies. Jetzt zeigte er wie zu anderen Zeiten eine verhältnismäßige Nichtbeachtung gegenüber seiner Mutter. Er blickte auf diejenigen, die um ihn herum waren, und erklärte, dass diejenigen unter ihnen, welche den Willen Gottes nicht nur hörten, sondern ihm auch gehorchten, wie „mein Bruder und meine Schwester und Mutter" sind: genauso geachtet, geliebt und umsorgt wie seine engsten Verwandten **(s. Vers 33-35)**. Wir haben guten Grund, diejenigen zu ehren, die den Herrn fürchten, denn wenn wir es tun, werden wir zusammen mit den Heiligen diese Ehre empfangen (s. Ps 149,9), dass wir zu seiner Familie gehören.

KAPITEL 4

Hier haben wir: 1. Das Gleichnis von der Aussaat und den vier Arten des Bodens (s. Vers 1-9) mit seiner Erläuterung (s. Vers 10-20) und seiner Anwendung (s. Vers 21-25). 2. Das Gleichnis von der Saat, die nach und nach aufwächst (s. Vers 26-29). 3. Das Gleichnis von dem Senfkorn (s. Vers 30-34). 4. Das Wunder, wie Christus auf dem See unvermittelt den Sturm stillt (s. Vers 35-41).

Vers 1-20

Das vorige Kapitel begann damit, dass Christus „in die Synagoge" ging (Mk 3,1); dieses Kapitel beginnt damit, dass er wiederum anfing, „am See zu lehren". Hier sehen wir, dass er seine Methode änderte, damit er, wenn möglich, alle Mittel benutzen und dadurch jeden überzeugen würde. Hier scheint er eine neue und geeignete Strategie zu verwenden, die vorher nicht benutzt worden war, dass er in einem Boot stand, während seine Zuhörer an Land standen. Beachten Sie hier:

1. Die Art des Lehrens, die Christus bei dieser Menschenmenge benutzte: „Und er lehrte sie vieles" **(Vers 2)**, doch war es „in Gleichnissen", was sie dazu anregen würde zuzuhören, denn die Menschen lieben es, wenn man in ihrer Sprache zu ihnen spricht, und gleichgültige Hörer werden eines klaren Gleichnisses ansichtig, das alltägliche Dinge benutzt. Doch wenn sie sich nicht die Mühe machen würden, es zu prüfen, würde es sie nur unterhalten: „... damit sie mit sehenden Augen sehen und doch nicht erkennen" **(Vers 12)**. Sie verschließen bewusst ihre Augen vor dem Licht und deshalb war es recht von Christus, es in die dunkle Leuchtkammer eines Gleichnisses zu tun, welche denen eine leuchtende Seite zuwandte, die es auf sich anwandten, doch denen nur einen gelegentlichen Blitz des Lichtes gab, die nur gewillt waren, damit eine Zeit lang zu spielen, was sie fort in die Finsternis schickte.

2. Die Art der Erläuterung, die er bei seinen Jüngern benutzte: „Als er aber allein war" – nicht nur mit den Zwölfen, sondern auch mit anderen, die „um ihn waren, samt den Zwölfen" –, ergriffen sie die Gelegenheit, um ihn nach der Bedeutung der Gleichnisse zu fragen **(Vers 10)**. Er sagte ihnen, was für eine ausgesprochene Gunst es für sie war, dass ihnen das „Geheimnis des Reiches Gottes" bekannt sei **(Vers 11)**. Durch das, was andere nur unterhielt, wurden sie unterwiesen. Diejenigen, die das Geheimnis des Himmelreichs kennen, müssen anerkennen, dass ihnen dies *gegeben* ist; sie empfangen von Jesus Christus sowohl Erkenntnis als auch Sehvermögen. Wir haben hier:

2.1 Das Gleichnis von dem Sämann, wie wir es in Matthäus 13,3-9 hatten. Er begann mit: „Hört zu!" **(Vers 3)**. Und schloss mit: „Wer Ohren hat zu hören, der höre!" **(Vers 9)**. Die Worte Christi rufen zur Aufmerksamkeit. Wir müssen selbst dem sorgfältige Aufmerksamkeit schenken, was wir jetzt noch nicht völlig oder nicht richtig verstehen. Wir werden in Christi Reden mehr finden, als dort zuerst zu sein schien.

2.2 Seine Erläuterung gegenüber den Jüngern. Hier gibt es eine Frage, die Christus ihnen stellt, bevor er das Gleichnis erklärt, eine Frage, die wir in Matthäus nicht haben: „Wenn ihr dieses Gleichnis nicht versteht, wie wollt ihr dann alle Gleichnisse verstehen?" **(Vers 13)**. Wenn sie dies nicht wissen, was so klar ist, wie würden sie dann andere Gleichnisse verstehen, die verborgener und dunkler sein würden? Dies sollte uns sowohl zum Gebet als auch zu harter Arbeit anregen, damit wir in der Erkenntnis wachsen mögen. Wie werden wir, wenn wir nicht die klaren Wahrheiten des Evangeliums verstehen, die erfassen, die schwieriger sind? Dieses Gleichnis sollte sie lehren, achtsam auf das Wort zu sein und von ihm ergriffen zu werden, damit sie es verstehen mögen. Wenn sie dies nicht annehmen, werden sie nicht wissen, wie sie den Schlüssel benutzen sollen, durch den sie in alle anderen eingeführt werden müssen. Ehe Christus das Gleichnis erklärte:

Zeigte er ihnen, wie schlimm der Fall derer war, die nicht in die Bedeutung der Lehre Christi eingeführt wurden: „Euch ist es gegeben", ihnen aber nicht. Es wird uns helfen, die Vorrechte zu schätzen, die wir als Jünger Christi haben, wenn wir den traurigen Zustand derer bedenken, denen solche Vorrechte fehlen, die von dem normalen Weg der Bekehrung abgehalten werden, „damit sie nicht etwa umkehren und ihnen die Sünden vergeben werden" **(Vers 12)**. Nur bei denen, die bekehrt sind, sind ihre Sünden vergeben.

Er zeigte ihnen, was es für eine Schande war, dass sie das Wort, welches sie gehört haben, nicht verstanden, als sie es hörten, sondern solche ausführlichen Erläuterungen davon benötigten. Die ihre Erkenntnis verbessern wollen, müssen sich zuerst ihrer Unwissenheit bewusst werden. Er gab ihnen die Auslegung des Gleichnisses vom Sämann, wie wir sie vorher in Matthäus hatten. Wir wollen hier nur beachten:

Dass in dem großen Feld der Kirche das Wort an alle ohne Diskriminierung ausgeteilt wird: „Der Sämann sät das Wort" **(Vers 14)**, sät es allgemein und weiß nicht, wohin es fällt oder welche Frucht es hervorbringen wird. Er verstreut es, damit es zunehmen kann. Christus säte eine Zeit lang selbst, als er sich daran machte, zu lehren und zu predigen; jetzt sendet er seine geistlichen Diener aus und sät durch ihre Hände.

Dass von den vielen Menschen, die das Wort des Evangeliums hören, nur verhältnismäßig wenige es in solch einer Weise aufnehmen, dass sie dadurch Frucht hervorbringen; hier ist es nur einer von vieren, der fruchtbar ist. Es ist traurig, wenn man bedenkt, wie viel von dem kostbaren Samen des Wortes Gottes verloren ist und umsonst gesät wird, doch es kommt ein Tag, an dem man für entgangene Predigten Rechenschaft geben muss.

Viele sind durch das Wort eine kurze Zeit sehr bewegt, erlangen aber keinen bleibenden Nutzen

davon. Sie schlagen leichte geistliche Wellen, die dem entsprechen, was sie hören, doch sie sind nur ein Strohfeuer und wie Knistern von Dornen unter dem Topf (s. Pred 7,6). Diese werden hier durch den „steinigen Boden" dargestellt, die das Wort „mit Freuden aufnehmen", doch nichts hervorbringen **(Vers 16)**.
Der Grund, warum das Wort keine beherrschenden, bleibenden Eindrücke auf den Gemütern der Menschen hinterlässt, ist, dass ihre Herzen nicht angemessen geneigt und vorbereitet sind, es zu empfangen. Manche sind achtlose, vergessliche Hörer und die haben überhaupt keinen Nutzen von dem Wort; es geht zum einen Ohr rein und zum anderen raus. Bei anderen wird ihre Überführung durch ihre Verderbtheiten zunichtegemacht und sie verlieren die guten Wirkungen, welche das Wort auf sie gemacht hatte, sodass es keinen bleibenden Nutzen bei ihnen hinterlässt.
Der Teufel ist bei lockeren, achtlosen Hörern sehr geschäftig, so wie sich Vögel auf die Samen stürzen, die oberhalb des Bodens liegen. Wie „die Vögel des Himmels" kommt er rasch und nimmt das Wort fort, ehe wir Zeit haben, davon Notiz zu nehmen. Wir müssen diese Vögel verscheuchen, sodass wir, wenn wir sie auch nicht davon abhalten können, über unseren Köpfen zu schweben, sie doch nicht in unseren Herzen nisten lassen.
Bei vielen, die nicht offen straucheln, dass sie ihr Bekenntnis zum Glauben fortwerfen, wie es die auf dem steinigen Boden taten, wird doch seine Wirksamkeit heimlich erstickt und abgewürgt, sodass es nichts hervorbringt.
Eindrücke, die nicht tief sind, werden nicht bleiben. Viele, die an schönen Tagen ihr Glaubensbekenntnis beibehalten, verlieren es in den Stürmen des Lebens wie diejenigen, die nur zum Vergnügen zur See fahren und wieder zurückkommen, wenn sich der Wind erhebt. Heuchler gehen zugrunde, weil sie „keine Wurzel" haben **(Vers 17)**; sie handeln nicht nach lebendigen, festgelegten Prinzipien. Diejenigen, die echte Christen sind, sind inwendig Christen.
Viele werden daran gehindert, vom Wort Gottes zu profitieren, weil sie so viel von der Welt haben. Viele gute Lektionen werden durch eine mächtige Freude an den Dingen dieser Welt erstickt und gehen verloren, eine Freude, zu der diejenigen neigen, auf welche die Welt freundlich blickt.
Diejenigen, die nicht von den Sorgen dieser Welt und dem Betrug des Reichtums niedergedrückt sind, können immer noch durch „die Begierden nach anderen Dingen" den Nutzen ihres Bekenntnisses verlieren; dies wird hier bei Markus hinzugefügt **(s. Vers 19)**; es bezieht sich auf ein übermäßiges Verlangen nach den Dingen, die für die Sinne oder die Fantasie angenehm sind. Diejenigen, die nur wenig von den Dingen dieser Welt haben, können immer noch durch die Genusssucht des Leibes zerstört werden.
Frucht ist das, was Gott von denen erwartet und fordert, die sich entsprechend dem Samen an der Frucht des Evangeliums erfreuen: Eine Haltung und Rechtschaffenheit, die mit dem Evangelium übereinstimmen. Dies ist Frucht, und sie wird uns reichlich zugute gerechnet.
Außer von gutem Samen wird keine gute Frucht erwartet. Wenn der Same auf guten Boden gesät ist, wenn das Herz demütig, heilig und himmlisch ist, wird es gute Frucht und es wird eine reiche Ernte geben, manchmal sogar hundertfältig.

Vers 21-34

Die Lektionen, die uns unser Heiland hier durch Gleichnisse und bildliche Ausdrücke lehren will, sind folgende:

1. Diejenigen, die gut sind, sollten Gutes tun, das heißt, Frucht bringen. Gott erwartet eine wohlgefällige Erstattung seiner Gaben an uns und eine nützliche Anwendung seiner Gaben in uns. „Kommt etwa das Licht, damit es unter den Scheffel oder unter das Bett gestellt wird?" **(Vers 21)**. Nein, es wird gebracht, damit „man es auf den Leuchter setzt". Alle Christen müssen einander mit der Gnadengabe dienen, die sie empfangen haben (s. 1.Petr 4,10). Gaben und Gnadenwirkungen machen einen Menschen zu einem Licht; die herausragendsten Menschen sind bloß Kerzen, armselige Lichter verglichen mit der „Sonne der Gerechtigkeit" (Mal 3,20). Eine Kerze spendet nur eine kurze Strecke und nur eine kurze Zeit Licht. Man kann sie auch leicht ausblasen und sie wird fortwährend schwächer und brennt herunter. Viele, die wie eine Kerze entzündet sind, stellen sich „unter den Scheffel oder unter das Bett": weder erweisen sie sich selbst gegenüber eine Gnade noch dienen sie anderen mit ihrer Gnadengabe. Wie eine Kerze in der Vase brennen sie nur für sich selbst. Diejenigen, die wie Kerzen entzündet sind, sollten sich „auf den Leuchter" setzen, das heißt, das Beste aus jeder Gelegenheit machen, Gutes zu tun. Wir wurden nicht um unserer selbst willen geboren. Der Grund, der dafür genannt wird, ist: „... denn nichts ist verborgen, das nicht offenbar gemacht wird." Der Schatz an Geschenken und Gnadenwirkungen in jedem von uns ist so gegeben, dass wir sie mit anderen teilen werden. Das Evangelium wurde nicht zu einem Geheimnis für die Apostel gemacht; es sollte ins Freie kommen, heraus in die Öffentlichkeit, um der ganzen Welt enthüllt zu werden. Obwohl Christus seinen Jüngern im Vertrauten die Gleichnisse erläuterte, geschah dies mit der Absicht, sie in größerer Weise nützlich zu machen; die Jünger wurden gelehrt, damit sie andere lehren konnten.

2. Es ist das Interesse derer, die das Wort des Evangeliums hören, zur Kenntnis zu nehmen, was sie hören, und guten Gebrauch davon zu machen: „Wer Ohren hat zu hören, der höre!" **(Vers 23).** Es wird hinzugefügt: „Achtet auf das, was ihr hört!" **(Vers 24);** sie sollen ihm gebührende Beachtung schenken. Sie sollen bedenken, was sie hören. Was wir hören, tut uns nichts Gutes, wenn wir es nicht auch bedenken; diejenigen, die andere lehren sollen, müssen besonders auf die Dinge Gottes achten. Wir müssen auch darauf achten, was wir hören, indem wir alles prüfen, um das Gute zu behalten (s. 1.Thess 5,21). Wie wir mit Gott umgehen, so wird Gott mit uns umgehen. „Mit demselben Maß, mit dem ihr anderen zumesst, wird auch euch zugemessen werden." Wenn wir die Talente benutzen, die uns anvertraut sind, werden wir sie vermehren. Wenn wir die Erkenntnis benutzen, die wir haben, wird sie wachsen und wir werden Wachstum sehen, wie Güter durch Tätigkeiten zunehmen. Ihnen, die Sie hören, wird mehr gegeben werden; Ihnen, die Sie haben, wird gegeben werden **(s. Vers 25).** Geschenke und Gnadenwirkungen vermehren sich, wenn sie ausgeübt werden. Wenn wir nicht benutzen, was wir haben, verlieren wir es: „Wer aber nicht hat, von dem wird auch das genommen werden, was er hat." Ein Talent zu vergraben, heißt, ein anvertrautes Gut zu verraten und führt zu dessen Verlust (s. Mt 25,24-30). Geschenke und Gnadenwirkungen „rosten", wenn sie nicht angewendet und benutzt werden.

3. Wenn der gute Samen des Evangeliums in der Welt und im Herzen gesät wird, bringt er allmählich, doch still, wunderbare Wirkungen hervor: „Mit dem Reich Gottes ist es so" **(Vers 26).**
3.1 Er wird aufgehen; obwohl er verloren und im Unterboden vergraben scheint, wird er seinen Weg dort hindurch finden oder gehen. Der auf die Erde geworfene Same keimt. Wie rasch verändert sich die Oberfläche eines Feldes, nachdem man es mit Korn besät hat! Wenn es mit grün bedeckt ist, sieht es sehr strahlend und schön aus.
3.2 Der Bauer kann nicht beschreiben, wie die Saat wächst; das ist eines der Geheimnisse der Natur. „... und der Same keimt und geht auf, ohne dass er es weiß" **(Vers 27).** Ähnlich wissen wir nicht, wie der Geist durch das Wort eine Veränderung im Herzen bewirkt, genauso wenig wie wir das Wehen des Windes erklären können, von dem wir das Sausen hören, aber nicht sagen können, woher er kommt und wohin er geht (s. Joh 3,8).
3.3 Wenn der Bauer den Samen gesät hat, tut er nichts dazu, ihn keimen zu lassen. Er schläft und steht auf, Nacht und Tag, und denkt vielleicht nie an den Samen, den er gesät hat, sondern „die Erde trägt von selbst Frucht" nach dem gewöhnlichen Lauf der Natur. In ähnlicher Weise ist das Wort der Gnade, wenn es im Glauben angenommen wird, ein Werk der Gnade im Herzen.
3.4 Er wächst allmählich: „... zuerst den Halm, danach die Ähre, dann den vollen Weizen in der Ähre" **(Vers 28).** Wenn er aufgegangen ist, wird er reifen; die Natur wird ihren Lauf nehmen wie auch die Gnade. Der Einfluss Christi ist und wird ein wachsender Einfluss sein und obwohl der Beginn klein ist, wird das spätere Ergebnis stark gewachsen sein (s. Hiob 8,7; LÜ 84). Obwohl er zuerst nur ein zarter Halm (Stängel) ist, den der Frost vernichten oder ein Fuß zerdrücken kann, wird er nichtsdestotrotz bis zur Ähre wachsen und dann zum vollen Korn in der Ähre. Gott führt sein Werk unmerklich und still fort, doch seine Wege können nicht überwunden werden und werden nicht versagen.
3.5 Es gelangt schließlich zur Reife: „Wenn aber die Frucht es zulässt", schickt der Bauer „sogleich die Sichel hin" **(Vers 29).** Von der Frucht des Evangeliums, die in der Seele erfolgt und dort wirkt, sammelt Christus eine Ernte ein. Wenn diejenigen, die das Evangelium angenommen haben, ihren Lauf in rechter Weise vollendet haben, kommt die Ernte, wenn sie als Weizen in Gottes Scheune gesammelt werden (s. Mt 13,30).

4. Das Werk der Gnade ist klein in seinem Beginn, wird aber schließlich groß und bedeutend **(s. Vers 30-32):** „Womit sollen wir das Reich Gottes vergleichen?" Wie soll er sie die beabsichtigte Planmäßigkeit verstehen lassen? „Es ist einem Senfkorn gleich." Er hatte es vorher mit gesätem Samen verglichen; hier vergleicht er es mit einem besonderen Samen, womit er zeigen will:
4.1 Dass der Beginn des Reichs des Evangeliums sehr klein sein wird, wie das Senfkorn „das kleinste ist unter allen Samen". Das Werk der Gnade in der Seele ist zuerst ein „Tag geringer Anfänge" (Sach 4,10); eine kleine Wolke „wie die Hand eines Mannes" (1.Kön 18,44). Niemals wurden durch solch eine unbedeutende Handvoll Leute so große Dinge unternommen, wie als durch den Dienst der Apostel die Völker zu Jüngern gemacht wurden.
4.2 Dass es in der Zeit seiner Reife sehr groß sein würde. Und es „wird größer als alle Gartengewächse". Das Reich des Evangeliums in der Welt wird zunehmen und sich zu den entferntesten Völkern der Erde ausbreiten. Der Unterschied zwischen einem Senfkorn und einem großen Baum ist nichts im Vergleich zu dem zwischen einem jungen Bekehrten auf Erden und einem verherrlichten Heiligen im Himmel.

5. „Und in vielen solchen Gleichnissen sagte er ihnen das Wort" **(Vers 33)**. Er sprach in Gleichnissen, „wie sie es zu hören vermochten". Er zog seine Vergleiche aus den Dingen, die ihnen vertraut waren. Seine Ausdrucksweise war leicht, damit sie sich später zur Erbauung an seine Aussprüche erinnern konnten. Doch für den Augenblick redete er nicht ohne Gleichnis zu ihnen **(s. Vers 34)**. Die Jünger verstanden diese Aussprüche Christi später selbst, die sie zuerst nicht richtig erfassten. Diese Gleichnisse legte er seinen Jüngern aus, wenn sie alleine waren. Wir können nicht anders, als uns zu wünschen, dass wir die Erläuterung dieser anderen Gleichnisse hätten, wie wir das von dem Gleichnis von dem Sämann haben, doch es war nicht so notwendig, denn als sich die Gemeinde ausbreitete, würde ihre Ausbreitung uns diese Gleichnisse ohne weitere Schwierigkeit erläutern.

Vers 35-41

Wir hatten dieses Wunder vorher, bei dem Christus seinen Jüngern half, indem er den Sturm stillte (s. Mt 8,23-27), doch es wird hier ausführlicher berichtet. Beachten Sie:

1. Es war „an jenem Tag, als es Abend geworden war" **(Vers 35)**. Als er den ganzen Tag hart in der Lehre gearbeitet hatte, brachte er sich – anstatt zu ruhen – in eine angreifbare Lage. Das Ende der Mühe kann der Anfang eines Sturzes sein.

2. Er regte selbst an, sich bei Nacht auf den See zu begeben, weil er keine Zeit verlieren wollte: „Lasst uns hinüberfahren an das jenseitige Ufer!" Er hatte dort Arbeit zu tun. Christus zog umher und tat Gutes (s. Apg 10,38) und keine Schwierigkeit auf seinem Weg konnte ihn daran hindern.

3. Sie begaben sich nicht auf den See, bis „sie die Volksmenge entlassen hatten", das heißt, bis sie all ihr Ansinnen erfüllt hatten, denn Christus sandte niemanden mit der Klage nach Hause, dass er bei ihm war und nichts erreicht hatte.

4. Sie nahmen ihn mit, wie er war – ohne einen Umhang, um ihn sich überzuwerfen, den er hätte haben sollen, um sich warm zu halten, wenn er sich nachts auf den See begibt. Wir können davon lernen, nicht zu wählerisch oder übermäßig besorgt in Bezug auf den Leib zu sein.

5. Der Sturm war so schwer, dass das Boot sich mit Wasser „zu füllen begann" **(Vers 37)**. Weil das Boot so klein war, brachen die Wellen über die Wände und brachten es beinahe zum Sinken.

6. „Es waren aber auch andere kleine Schiffe [Boote] bei ihm", die zweifellos in der gleichen Not und Gefahr waren. Die Menge ging fort, als er auf den See ging, doch einige, die sich auf das Wasser hinauswagen wollten, blieben bei ihm. Sie können sich kühn und fröhlich in der Gesellschaft Christi auf einen See begeben, selbst wenn ein Sturm vorhergesagt wird.

7. Christus war in diesem Sturm eingeschlafen. Es war „hinten auf dem Schiff" (im Heck), dem Platz des Lotsen: Christus lag am Steuer. Er hatte dort ein Kissen. Er schlief, um den Glauben der Jünger zu prüfen und sie zum Gebet anzuregen: Bei der Prüfung zeigte sich ihr Glaube als schwach und ihr Gebet als stark. Wenn die Gemeinde in einem Sturm ist, scheint Christus manchmal, als wäre er eingeschlafen, als würden ihn die Schwierigkeiten der Seinen nicht kümmern und er ihren Gebeten keine Aufmerksamkeit schenken. Doch wenn er schläft, dann schläft er nicht, der Hüter Israels schlummert nicht einmal (s. Ps 121,3-4); er schlief, doch sein Herz war wach.

8. Seine Jünger ermutigten sich in dem Wissen, dass er bei ihnen war, und sie meinten, der beste Weg sei, das meiste daraus zu machen, sich daran zu halten, mehr das Ruder des Gebets als ihre anderen Ruder zu gebrauchen. Ihr Vertrauen lag in dem Wissen, dass ihr Meister bei ihnen war, und das Boot, auf dem sich Christus befindet, kann nicht sinken, selbst wenn es vielleicht hin und her geschleudert wird. Sie weckten Christus. Als Christus so scheint, als wäre er in einem Sturm eingeschlafen, wird er durch die Gebete der Seinen geweckt. Wir können mit unserer Weisheit am Ende sein, doch wir werden nicht mit unserem Glauben am Ende sein, solange wir einen solchen Heiland haben, an den wir uns wenden können. Ihre Worte an Christus sind hier sehr eindrücklich ausgedrückt: „Meister, kümmert es dich nicht, dass wir umkommen?" Ich gebe zu, dass das irgendwie schroff klingt, dass sie ihn mehr dafür tadeln, dass er schläft, als dass sie ihn bitten aufzuwachen. Ich kenne keine Entschuldigung dafür außer der momentanen Not, in der sie waren, die sie in eine solche Panik versetzte, dass sie nicht wussten, was sie sagen. Diejenigen, die Christus verdächtigen, dass er sich nicht um die Seinen kümmert, die in Not sind, tun Christus ein großes Unrecht.

9. Das gebietende Wort, mit dem Christus hier den Sturm in die Schranken wies, welches wir in Matthäus nicht haben. Er sagte: „Schweig, werde still!" **(Vers 39)**. Er soll ruhig, still, stumm sein. Der Wind soll nicht länger brüllen, noch der See länger toben. Der Lärm war bedrohlich und erschreckend und der See sollte sie nichts mehr davon hören lassen. Dies ist:

9.1 Ein gebietendes Wort an uns. Wenn unser verderbtes und böses Herz „wie das aufgewühlte Meer [ist], das nicht ruhig sein kann" (Jes 57,20), dann wollen wir meinen, wir hören das Gesetz Christi sagen: „Werde still!" Es soll nicht wirre Gedanken haben, nicht hastig sprechen, sondern still werden.

9.2 Ein tröstendes Wort an uns, dass selbst, wenn der Sturm der Unruhe sehr laut oder sehr stark ist, Jesus Christus ihn stillen kann, indem er nur ein Wort spricht. Der Eine, welcher die Meere gemacht hat, kann sie beruhigen.

10. Die Zurechtweisung, die Christus ihnen für ihre Ängste erteilte, geht hier weiter als bei Matthäus. Dort heißt es: „Warum seid ihr furchtsam ...?" (Elb 06). Hier: „Was seid ihr *so* furchtsam?" In Matthäus heißt es: „Ihr Kleingläubigen." Hier: „Wie, habt ihr keinen Glauben [habt ihr immer noch keinen Glauben]?" Nicht, dass die Jünger ohne Glauben gewesen wären. Doch zu diesem Zeitpunkt waren ihre Ängste so groß, dass sie überhaupt keinen Glauben zu haben schienen. Ihr Maß des Glaubens entsprach nicht dem, was bei diesem Ereignis gefordert wurde, und deshalb schien es, als hätten sie ihn nicht. Diejenigen, die einen solchen Gedanken hegen können, wie der, dass Christus es nicht kümmert, wenn die Seinen umkommen, können ihrem Glauben misstrauen.

11. Der Eindruck, den dieses Wunder auf die Jünger machte, wird hier anders ausgedrückt. Bei Matthäus heißt es: „Die Menschen aber verwunderten sich." Hier wird gesagt: „Und sie gerieten in große Furcht [sie waren erschreckt]." Jetzt wurde ihre Furcht durch ihren Glauben zurechtgerückt. Als sie den Wind und den See fürchteten, geschah dies aus Mangel an der Ehrfurcht, die sie für Christus hätten sollen. Doch als sie jetzt eine Demonstration seiner Macht über den Wind und den See sahen, fürchteten sie diese weniger und ihn mehr. Sie fürchteten im Sturm die Macht und den Zorn des Schöpfers, und diese Furcht enthielt überwältigende Qual, doch jetzt fürchteten sie die Macht und Gnade des Erlösers in der Ruhe, und das brachte Freude und Zufriedenheit mit sich. Sie sagten: „Wer ist denn dieser" – sicherlich mehr als ein Mensch –, „dass auch der Wind und der See ihm gehorsam sind?"

KAPITEL 5

In diesem Kapitel haben wir: 1. Wie Christus die Legion von Dämonen aus einem dämonisch besessenen Mann austreibt und ihnen erlaubt, in eine Herde Schweine zu fahren (s. Vers 1-20). 2. Wie Christus die Frau heilt, die blutflüssig war, als er auf dem Weg war, um die Tochter von Jairus zum Leben zu erwecken (s. Vers 21-43).

Vers 1-20

Wir haben hier, wie Christus den Starken bindet (s. Mk 3,27). Er tat dies, als er „ans andere Ufer" kam, wohin er durch einen Sturm ging; es war dort seine Aufgabe, dieses arme Geschöpf aus den Händen Satans zu retten. Beachten Sie:

1. Den erbärmlichen Zustand, in dem der Mensch war; er stand unter der Macht eines unreinen Geistes, wütete wahnsinnig; sein Zustand scheint schlimmer als der von jedem anderen dämonisch besessenen Patienten Christi gewesen zu sein.

1.1 Er hatte „seine Wohnung in den Gräbern", zwischen den Gräbern, die außerhalb der Stadt waren, an verlassenen Orten (s. Hiob 3,14; LÜ 84). Vielleicht trieb ihn Satan zu den Gräbern. Der Kontakt mit den Gräbern war verunreinigend (s. 4.Mose 19,16). Der böse Geist treibt Menschen in Gesellschaft, die verunreinigend ist, und hält sie in seinem Besitz. Indem er Seelen von der Macht Satans rettet, rettet Christus die Lebenden heraus aus den Toten.

1.2 Er war sehr stark, unkontrollierbar: „... und niemand konnte ihn bändigen." Es war nicht nur so, dass ihn Stricke nicht hielten, selbst „Fußfesseln und Ketten" taten dies nicht **(Vers 4)**. Dies zeigt den schlimmen Zustand von Seelen, die der Satan kontrolliert. Manche offenkundigen halsstarrigen Sünder sind wie dieser Verrückte. Die Gebote und Flüche des Gesetzes sind wie Fußfesseln und Ketten, um Sünder von ihren bösen Wegen zurückzuhalten, doch sie zerreißen diese Bande (s. Ps 2,3).

1.3 Er war für sich selbst ein Schrecken und eine Qual und für jeden um ihn herum. Der Teufel ist ein grausamer Meister. Dieser unglückliche Mensch war „allezeit, Tag und Nacht, auf den Bergen und in den Gräbern, schrie und schlug sich selbst mit Steinen" **(Vers 5)**. Was ist der Mensch, wenn der Verstand entthront und Satan auf den Thron gesetzt ist?

2. Sein Sichwenden zu Christus: „Als er aber Jesus von ferne sah, lief er und warf sich vor ihm nieder" **(Vers 6)**. Normalerweise fuhr er tobend auf andere los, doch hier lief er mit Ehrfurcht zu Christus. Was nicht mit Fußfesseln und Ketten geschafft werden konnte, wurde durch die unsichtbare Hand Christi getan; die Heftigkeit des Mannes wurde unvermutet vollkommen im Zaum gehalten. Der arme Mensch kam und warf sich vor Christus nieder, spürte, dass er Hilfe brauchte, während die Macht Satans in und über ihn für einen Augenblick ausgesetzt wurde.

3. Das gebietende Wort, das Christus gab: „Fahre aus dem Menschen aus, du unreiner Geist!" **(Vers 8)**. Er sorgte dafür, dass der Mann befreit werden wollte, als er ihn fähig machte, zu laufen und sich vor ihm niederzuwerfen, und dann zeigte er seine Macht, ihm zu helfen. Wenn Christus in uns ein aufrichtiges Verlangen bewirkt, um Erlösung vom Satan zu beten, wird er diese Erlösung für uns bewirken.

4. Die Furcht des Teufels vor Christus. Der Mensch lief und warf sich vor Christus nieder, doch es war der Dämon in dem Menschen, der „mit lauter Stimme" schrie – die Stimme des armen Menschen benutzte –: „... was habe ich mit dir zu tun?" **(s. Vers 7)**.
4.1 Er nannte Gott den Höchsten, über allen anderen Göttern.
4.2 Er anerkannte Jesus als „Sohn Gottes". Es ist nicht ungewöhnlich, die besten Worte aus den schlimmsten Mündern kommen zu hören. Äußerliche Frömmigkeit durch den Mund ist relativ einfach. Der freundlichste Heuchler kann nichts Besseres sagen als „Jesus, Sohn Gottes", doch dies tat auch der Dämon.
4.3 Er leugnete jedwede Pläne gegen Christus: „... was habe ich mit dir zu tun?"
4.4 Er betete, dass er vor dem Zorn gerettet wird; „Ich beschwöre dich, wenn du mich auch von hier austreibst, quäle mich nicht!"

5. Wie Christus den Namen dieses bösen Geistes beachtet. Dies haben wir nicht in Matthäus. Christus fragte ihn: „Was ist dein Name? Und er antwortete und sprach: Legion ist mein Name; denn wir sind viele!" Dies zeigt nun, dass die Dämonen:
5.1 Militärische Kräfte sind. Die Dämonen führen Krieg gegen Gott und seine Herrlichkeit, Christus und sein Evangelium, Menschen und ihre Heiligkeit und Seligkeit.
5.2 Zahlreich sind; der Mensch gab zu oder rühmte sich vielmehr: „... denn wir sind viele." Es war, als hoffte er, zu viele für Christus allein zu sein, um damit fertig zu werden.
5.3 Einmütig sind; es gibt viele Teufel, doch sie sind nur eine Legion, die sich für die gleiche böse Sache einsetzen.
5.4 Sehr mächtig sind; wer kann vor einer Legion bestehen? Wir sind unseren geistlichen Feinden in unserer eigenen Kraft nicht ebenbürtig, doch „in dem Herrn und in der Macht seiner Stärke" werden wir ihnen standhalten können (Eph 6,10).

6. Die Bitte dieser Legion, dass Christus ihnen erlauben möge, in eine Herde Schweine zu fahren, die „dort an den Bergen ... zur Weide" war **(Vers 11)**. Ihre Bitte war:
6.1 „... sie nicht aus dem Land zu verweisen" **(Vers 10)**, nicht nur, dass er sie nicht „vor der Zeit" quälen möge (Mt 8,29), sondern auch, dass er sie nicht aus diesem Land verbannen möge. Sie scheinen eine besondere Hingabe für dieses Land gehabt zu haben oder vielmehr besonderen Hass darauf.
6.2 Dass er ihnen erlauben möge, „in die Schweine" zu fahren.

7. Die Erlaubnis, die Christus ihnen gab, in die Herde Schweine zu fahren, und die unmittelbare Vernichtung dieser Schweine: Er erlaubte es ihnen sogleich (s. Vers 13). Sofort fuhren die unreinen Geister „in die Schweine", die nach dem Gesetz unreine Geschöpfe waren. Diejenigen, die wie Schweine an dem Schlamm sündiger leiblicher Begierden Freude haben, sind passende Wohnorte für Satan. Die Folge, dass die Dämonen in die Herde Schweine fuhr, war, dass sie alle sofort verrückt wurden und kopfüber in den angrenzenden See rannten, wo alle zweitausend ertranken.

8. Den Bericht von all diesem, der sich unmittelbar im ganzen Land verbreitete. „Die Schweinehirten aber" rannten schnell zu den Eigentümern, um zu berichten, was mit den Tieren passiert war, die in ihrer Obhut standen **(Vers 14)**. Dies trieb die Menschen zusammen, um zu sehen, was geschehen war. Als sie sahen, wie wunderbar der arme Besessene geheilt worden war, begannen sie Christus zu achten **(s. Vers 15)**. Sie sahen den Menschen, der dämonisch besessen gewesen war, „dasitzen, bekleidet und vernünftig"; als Satan ausgetrieben war, kam er zu sich selbst (s. Lk 15,17) und war sofort er selbst. Diejenigen, die es ernst meinen, die mit Überlegung ein rechtschaffenes Leben führen, zeigen, dass in ihren Seelen die Macht des Teufels durch die Macht Christi zerbrochen wurde. Der Anblick von ihm ließ jene sich fürchten; es überraschte sie und zwang sie anzuerkennen, dass Christus mächtig und wert war zu fürchten. Als sie aber sahen, dass ihre Schweine verloren waren, begannen sie, Christus nicht zu mögen. Sie baten ihn, „er möge aus ihrem Gebiet weggehen", denn sie konnten nicht glauben, dass er ihnen ausreichend Gutes tun konnte, um den Verlust von so vielen ihrer Schweine zu ersetzen, die vielleicht fett und fertig für den Markt waren. Nun hatten die Dämonen, was sie wollten, denn es gibt kein Mittel, durch das böse Geister mächtiger sündige Seelen führen als durch die Liebe zur Welt. Wenn diese Menschen sich nur von ihren Sünden trennen würden, hätte er Leben und Seligkeit für sie. Da sie aber unwillig waren, entweder ihre Sünden oder ihre

Schweine zu verlassen, zogen sie es vor, lieber auf ihren Heiland zu verzichten. So ergeht es Menschen, die lieber ihren Anteil an Christus fortwerfen als ein verderbtes, sündiges Verlangen aufzugeben. Sie wünschten, dass er fortgehen möge.

9. Einen Bericht von dem, was dieser arme Mensch nach seiner Erlösung tat.
9.1 Er wollte mit Christus mitkommen **(s. Vers 18)**.
9.2 Doch „Jesus ließ es ihm nicht zu" (erlaubte ihm nicht), mit ihm zu kommen. Er hatte für ihn eine andere Arbeit zu tun. Der geheilte Mensch muss nach Hause zu seinen Freunden gehen und ihnen sagen, „welch große Dinge der Herr an [ihm] getan" hat, damit seine Nächsten und Freunde auferbaut und eingeladen würden, an Christus zu glauben. Er muss mehr Christi Mitleid als seine Macht beachten; er muss ihnen sagen, wie sich der Herr über ihn in seinem erbärmlichen Zustand „erbarmt" hat.
9.3 Der Mensch machte verzückt vor Freude im Land bekannt, „welch große Dinge Jesus an ihm getan hatte" **(Vers 20)**. Achten Sie auf die Wirkung dieses Berichtes: „... und jedermann verwunderte sich" (alle Leute waren erstaunt), doch wenige von ihnen gingen darüber hinaus. Viele wundern sich über Christi Werke, doch sie gehen nicht, wie sie sollten, von dieser Verwunderung weiter und suchen ihn.

Vers 21-34

Weil die Gadarener wollten, dass er ihr Land verlässt, blieb er nicht lange dort, um sie zu beunruhigen, sondern fuhr unmittelbar über das Wasser zurück „ans jenseitige Ufer" und dort „versammelte sich eine große Volksmenge bei ihm" **(Vers 21)**. Wenn es manche gibt, die Christus ablehnen, gibt es auch andere, die ihn aufnehmen und willkommen heißen.

1. Hier war jemand, der offen kam, um für die Heilung eines kranken Kindes zu bitten, und es war kein Geringerer als „einer der Obersten der Synagoge". Er wurde in Matthäus nicht benannt, doch hier heißt er Jairus oder Jair (s. Ri 10,3). Er sprach mit großer Demut und Ehrfurcht zu Christus: „... und als er ihn erblickte, warf er sich ihm zu Füßen." Er flehte ihn kühn und inbrünstig an. Er hatte eine kleine Tochter, etwa zwölf Jahre alt, der Liebling der Familie, und sie lag im Sterben, doch er glaubte, dass wenn nur Christus kommen und „ihr die Hände" auflegen würde, würde sie selbst von den Toren des Grabes zurückkehren. Als der Oberste zuerst kam, sagte er: Sie „liegt in den letzten Zügen" (wie in Markus), doch später: Sie „ist eben gestorben" (wie in Matthäus), verfolgte aber immer noch seinen Plan. Christus willigte bereitwillig ein und ging mit ihm **(s. Vers 24)**.

2. Hier gibt es eine weitere Person, die heimlich kommt, um eine Heilung für sich einzuheimsen – wenn wir es so ausdrücken dürfen –, und sie erlangte die Hilfe, für die sie gekommen war. Diese Heilung wurde vollbracht, als er den Weg entlangging, als er ging, um die Tochter des Obersten zu erwecken. Es wird von vielen seiner Botschaften und einigen seiner Wunder berichtet, dass sie stattfanden, als er einen Weg irgendwohin entlangging; wir sollten nicht nur Gutes tun, wenn wir im Haus sitzen, sondern auch, wenn wir auf dem Weg gehen (s. 5.Mose 6,7). Beachten Sie:
2.1 Den bedauernswerten Fall dieser armen Frau. Sie erlag „seit zwölf Jahren" einem unaufhörlichen Blutfluss. Sie hatte den besten Rat von Ärzten geholt, den sie bekommen konnte, und viele Arzneien und Methoden benutzt, die sie verschrieben bekam, doch nun, als sie all ihr Geld bei ihnen ausgegeben hatte, gaben sie sie als unheilbar auf. Die Menschen wenden sich normalerweise nicht an Christus, bis sie nicht vergeblich alle anderen Hilfsmittel benutzt haben, bis sie gesehen haben, was sie sicherlich werden, dass diese Ärzte „nichts als Quacksalber" sind (s. Hiob 13,4). Christus jedoch wird sich sogar für diejenigen als sichere Zuflucht erweisen, die ihn zu ihrer letzten Zuflucht machen.
2.2 Den starken Glauben, den sie an die Macht Christi hatte, sie zu heilen: „Wenn ich nur sein Gewand anrühre, so werde ich geheilt!" **(Vers 28)**. Sie strebte nach einer heimlichen Heilung und ihr Glaube entsprach der Sache.
2.3 Die wunderbare Wirkung, die hierdurch hervorgebracht wurde: Sie kam „unter dem Volk von hinten heran" und schaffte es schließlich „und rührte sein Gewand an" **(Vers 27)** und sofort spürte sie, dass die Heilung vollbracht war **(s. Vers 29)**. Der Quell des Blutes vertrocknete und sie fühlte sich in einem Augenblick vollkommen in Ordnung. Diejenigen, die Christus von der Krankheit der Sünde heilt, diesem blutigen, schuldigen Fluss, müssen in sich eine umfassende Veränderung zum Besseren erfahren.
2.4 Wie Christus seine verborgene Patientin sucht und ermutigt. Christus hatte in sich selbst erkannt, „dass eine Kraft von ihm ausgegangen war" **(Vers 30)**. Weil er seine Patientin sehen wollte, fragte er – nicht mit Missfallen wie jemand, der beleidigt ist, sondern in Sanftheit, als jemand, der interessiert ist –: „Wer hat mein Gewand angerührt?" Die Jünger lachten fast über die Frage: „Du siehst, wie das Volk dich drängt, und sprichst: Wer hat mich angerührt?" **(Vers 31)**. Christus ignorierte diesen Mangel an Respekt und „sah sich um nach der, die das getan hatte", nicht um sie für ihre Vermessenheit zu tadeln, sondern damit er ihren Glauben loben und ermutigen und, durch sein eigenes Handeln, die Heilung

rechtfertigen und bestätigen konnte. So wie dem Herrn Jesus heimliche sündige Taten bekannt sind, so sieht er auch heimliche Taten des Glaubens; sie sind ihm stets vor Augen. Die arme Frau zeigte sich dann dem Herrn Jesus „mit Furcht und Zittern" **(Vers 33)**, weil sie nicht wusste, wie er reagieren würde. Die Patienten Christi kommen oft zitternd zu ihm, wenn sie Grund haben zu jubeln. „... weil sie wusste, was an ihr geschehen war", hätte sie unerschrocken kommen können, doch stattdessen ließ sie die Erkenntnis zittern und sich fürchten. Es war eine Überraschung und noch nicht, wie es hätte sein sollen, eine angenehme Überraschung. Sie warf sich indes „vor ihm nieder". Für diejenigen, die sich fürchten und zittern, gibt es nichts Besseres, als sich zu Füßen des Herrn Jesus zu werfen. Sie sagte ihm dann „die ganze Wahrheit". Wir dürfen uns nicht schämen, die heimlichen Wechselbeziehungen zwischen Christus und unserer Seele zuzugeben, sondern müssen, wenn wir dazu berufen werden, sagen, was er für unsere Seele getan hat, die Erfahrung, die wir von der heilenden Kraft gemacht haben, die von ihm kam. Was für ein ermutigendes Wort sprach er zu ihr: „Tochter, dein Glaube hat dich gerettet!" **(Vers 34)**. Gottes Gnade wird das Siegel ihres Amen auf die Gebete und Hoffnungen des Glaubens setzen und sagen: „So sei es und so wird es für dich sein. Deshalb ‚geh hin im Frieden!'"

Vers 35-43
Nachdem er eine unheilbare Krankheit geheilt hatte, machte Christus weiter, um hier über den Tod zu triumphieren.

1. Die traurige Nachricht, die Jairus gebracht wurde, dass seine Tochter gestorben war. Solange es Leben gibt, gibt es noch Hoffnung und die Möglichkeit, Mittel anzuwenden, doch wenn das Leben gegangen ist, ist es unwiderruflich. „... was bemühst du den Meister noch?" **(Vers 35)**. Normalerweise ist der angemessene Gedanke in einer solchen Situation: Die Sache ist bereits entschieden, der Wille Gottes ist geschehen, und ich unterwerfe mich ihm, ich nehme ihn an; „der HERR hat gegeben, der HERR hat genommen" (Hiob 1,21). Hier aber war die Situation außergewöhnlich; hier bedeutete der Tod des Kindes nicht, wie es gewöhnlich ist, das Ende der Geschichte.

2. Christus ermutigte den heimgesuchten Vater, doch noch zu hoffen. Christus hatte auf dem Weg angehalten, um zu heilen, doch der Vater würde nicht dadurch leiden, würde nicht durch den Gewinn von jemand anderem verlieren. „Fürchte dich nicht, glaube nur!" Wir können uns vorstellen, dass Jairus innehielt, um nachzudenken, ob es wert war, Christus zu bitten weiterzugehen oder nicht, doch brauchen wir Gottes Trost und Gnade nicht genauso viel, wenn der Tod im Haus ist, wie wenn Krankheit dort ist? Deshalb entschied Christus diese Angelegenheit rasch: „Fürchte dich nicht!" – dass sein Kommen nutzlos ist –, „glaube nur!" – dass er es zum Guten wenden will. „... glaube nur!" Er soll sein Vertrauen in Christus behalten, weiterhin von ihm abhängig sein, und er wird tun, was das Beste ist. Er soll an die Auferstehung glauben und sich dann nicht fürchten.

3. Er kam mit einer ausgewählten Gesellschaft zu dem Haus, wo das tote Kind lag. Jetzt trieb er die Menge hinaus und „ließ niemand mitgehen" außer seinen drei engsten Jüngern namens Petrus, Jakobus und Johannes.

4. Er erweckte das tote Kind zum Leben. Hier können wir bemerken:
4.1 Dass das Kind sehr geliebt wurde, denn die Verwandten und Nachbarn „weinten und heulten" sehr.
4.2 Dass es außer Frage stand, dass das Kind wirklich und wahrhaftig gestorben war. Das beweist ihr Lachen, um Christus zu verspotten, als er sagte: „Das Kind ist nicht gestorben, sondern es schläft!"
4.3 Dass Christus diejenigen hinaustrieb, welche die Dinge Gottes nicht kannten und sie für unwürdig erachtete, Zeugen des Wunders zu sein; sie verstanden ihn nicht, als er über den Tod als Schlaf sprach, oder sie waren so spöttisch, dass sie ihn dafür lächerlich machten.
4.4 Dass er die Eltern des Kindes mitnahm, dass sie Zeugen des Wunders wurden, was er zu ihrem Trost bezweckte, denn sie waren die wahrhaft Trauernden, die still Trauernden.
4.5 Dass Christus das Kind durch ein machtvolles Wort zum Leben erweckte, das hier berichtet wird, und in Aramäisch berichtet wird, der Sprache, die Christus sprach, um seine größere Bestimmtheit zu betonen: „Talita kumi!, das heißt übersetzt: Mädchen, ich sage dir, steh auf!" Er gebot ihr aufzustehen. Die Toten haben nicht das Vermögen aufzustehen und deshalb wird dieses Wort von Macht begleitet, um es wirksam zu machen. Christus wirkt, wenn er gebietet, und er wirkt gemäß dem Gebot und deshalb kann er gebieten, was er will, selbst den Toten aufzustehen. In dieser Art geschieht der Ruf des Evangeliums an diejenigen, die durch Übertretungen und Sünden tot sind (s. Eph 2,1) und nicht mehr von diesem Tod auferstehen können, als es dieses Kind konnte.
4.6 Dass das junge Mädchen, sobald das Leben zurückkehrte, aufstand und umherging **(s. Vers 42)**. Wenn wir von unserem Bett der Teilnahmslosigkeit und Gleichgültigkeit aufstehen und in Christi Namen und Stärke

wandeln (s. Sach 10,12), wird sich geistliches Leben zeigen.

4.7 Dass sich alle, die davon hörten und es sahen, über dieses Wunder und den einen wunderten, der es vollbrachte: „Und sie gerieten außer sich vor Staunen." Sie mussten anerkennen, dass daran etwas Außergewöhnliches und Großes war, doch sie wussten nicht, was sie daraus machen oder wie sie es verstehen sollten.

4.8 Dass Christus versuchte, es zu verbergen: „Und er gebot ihnen ernstlich, dass es niemand erfahren dürfe." Es war genügend Leuten ausreichend bekannt, doch er wollte noch nicht, dass es weiter bekannt wird.

4.9 Dass Christus sicherstellte, dass ihr etwas zu essen gegeben wurde. Dass sie Appetit auf Essen hatte, zeigte, dass sie nicht nur zum Leben, sondern auch zu guter Gesundheit erweckt worden war. Wo Christus geistliches Leben gibt, wird er Speise geben, um es bis zum ewigen Leben zu stützen und zu ernähren, denn er wird das Werk seiner Hände niemals im Stich lassen und aufgeben (s. Ps 138,8; Hebr 13,5).

KAPITEL 6

Wir haben hier: 1. Wie Christus von seinen Landsleuten verworfen wird, weil er einer von ihnen war (s. Vers 1-6). 2. Die gehörige Macht, die er seinen Aposteln über unreine Geister gab (s. Vers 7-13). 3. Eine sonderbare Vorstellung, die Herodes und andere über Christus hatten und den Bericht über das Martyrium von Johannes dem Täufer (s. Vers 14-29). 4. Christi Rückzug an einen ruhigen Ort, die Massen, die ihm folgten, und wie er fünftausend von ihnen mit fünf Broten und zwei Fischen speist (s. Vers 30-44). 5. Christi Wandeln auf dem See zu seinen Jüngern und die vielen Heilungen, die er auf der anderen Seite des Wassers vollbrachte (s. Vers 45-56).

Vers 1-6

Hier:

1. Besucht Christus „seine Vaterstadt", Nazareth, wo seine Verwandten waren. Sein Leben war unter ihnen in Gefahr gewesen (s. Lk 4,29), doch er kam zu ihnen zurück; aus unserer Perspektive ist es sonderbar, dass er so sehr wartet, dass er begnadigen kann (s. Jes 30,18).

2. Fing er an, am Sabbat „in der Synagoge zu lehren" **(Vers 2)**. An den Sabbaten muss das Wort Gottes gepredigt werden, um dem Beispiel Christi zu folgen.

3. Mussten sie etwas anerkennen, was für ihn sehr ehrenwert war: Er sprach mit großer Weisheit und vollbrachte Wundertaten. Sie anerkannten die zwei großen Beweise des göttlichen Ursprungs seines Evangeliums, dessen göttliche Weisheit und göttliche Macht, doch obwohl sie das Obenstehende nicht leugnen konnten, weigerten sie sich, die Schlussfolgerung anzunehmen.

4. Machten sie sich lustig über ihn. Sie meinten, dass all diese Weisheit und diese Wundertaten keinen Wert hätten. „Ist dieser nicht der Zimmermann …?" Bei Matthäus tadelten sie ihn dafür, dass er der Sohn des Zimmermanns ist; es scheint, dass sie auch sagen konnten: „Ist dieser nicht der Zimmermann …?" Unser Herr Jesus war wahrscheinlich als Zimmermann tätig, zumindest vor seinem öffentlichen Dienst. Er tat dies:

4.1 Um sich zu erniedrigen als jemand, der die Gestalt eines Knechtes angenommen hat.

4.2 Um uns zu lehren, Untätigkeit zu hassen und uns in dieser Welt etwas zu tun zu suchen. Nichts ist für junge Menschen schädlicher, als sich daran zu gewöhnen, planlos umherzustreifen. Die Juden hatten hierfür eine gute Regel, dass ihre jungen Leute, die Gelehrte werden wollten, auch dazu erzogen werden mussten, irgendein Handwerk auszuüben – Paulus war zum Beispiel Zeltmacher –, damit sie ein Gewerbe hatten, um damit ihre Zeit auszufüllen.

4.3 Um die verachtete Handarbeit zu ehren und diejenigen zu ermutigen, die von der Arbeit ihrer Hände leben (s. Ps 128,2), selbst wenn manche Menschen mit Verachtung auf sie herabschauen.

5. Tadelten sie ihn für eine weitere Sache, die Niedrigkeit seiner Verwandten: Er ist „der Sohn der Maria" und „seine Schwestern [sind] hier bei uns". Sie kannten seine Familie und seine Verwandten, und deshalb nahmen sie, obwohl sie über seine Lehre erstaunt waren **(s. Vers 2)**, dennoch Anstoß an seiner Person **(s. Vers 6)**. Deshalb wollten sie seine Lehre nicht annehmen. Wir wollen nun sehen, wie Christus diese Verachtung trug:

5.1 Er entschuldigte es zum Teil: „Ein Prophet ist nirgends verachtet außer in seiner Vaterstadt" **(Vers 4)**. Ohne Zweifel haben viele dieses Vorurteil überwunden, doch normalerweise sind geistliche Diener in ihrem Land nicht so willkommen und erfolgreich wie unter Fremden. Vertrautheit in den jüngeren Jahren bringt Geringschätzung hervor, der Aufstieg von jemandem, der untergeordnet war, gebiert Neid und die Menschen werden kaum diejenigen unter die Führer ihrer Seelen zählen, deren Väter man nur für Wert achtete, sie neben die Hunde der Herde zu setzen (s. Hiob 30,1).

5.2 Er tat trotz der Beleidigungen, die sie ihm erwiesen, etwas Gutes unter ihnen, denn er ist selbst gegenüber undankbaren Übeltätern freundlich: Er legte „wenigen Kranken die Hände" auf und heilte sie.

5.3 Doch „er konnte dort kein Wunder tun" **(Vers 5)** wie an anderen Orten oder zumindest nicht so viele wegen des Unglaubens, der unter den Leuten vorherrschte. Es ist ein sonderbarer Ausdruck, als würde der Unglaube die Hände des allmächtigen Gottes binden; er hätte so viele Wunder dort getan, wie er woanders getan hatte, doch er konnte nicht. Die Menschen verwirkten die Ehre, dass für sie Wunder vollbracht werden. Unglaube und Geringschätzung errichten eine Barriere vor den eigenen Türen der Menschen und stoppen den Fluss der Gunsterweise Christi zu ihnen.

5.4 „Und er verwunderte sich wegen ihres Unglaubens" **(Vers 6)**. Wir sehen sonst nie, dass Christus sich wundert, außer über den Glauben der Heiden, die Fremdlinge waren, wie der Hauptmann (s. Mt 8,10), und über den Unglauben der Juden, die sein eigenes Volk waren.

5.5 „Und er zog durch die Dörfer ringsumher und lehrte." Wenn wir dort nicht Gutes tun können, wo wir möchten, müssen wir es tun, wo immer wir es können, selbst wenn es in Dörfern ist. Manchmal wird das Evangelium Christi besser in den Dörfern aufgenommen als in den geschäftigen Städten.

Vers 7-13

Hier ist:

1. Der Auftrag, der den zwölf Aposteln gegeben wird, zu predigen und Wunder zu tun. Bis zu dieser Zeit waren sie vertraut mit Christus gewesen, hatten zu seinen Füßen gesessen, seine Lehre gehört und seine Wunder gesehen. Doch sie hatten empfangen, damit sie anderen geben konnten; sie hatten gelernt, damit sie andere lehren konnten. Nun begann er deshalb, sie auszusenden. Sie dürfen nicht immer auf der Akademie studieren, um das Wissen zu vergrößern; sie müssen jetzt mit dem Wissen, das sie erlangt hatten, Gutes tun. Obwohl sie noch nicht so vollendet waren, wie sie sein sollten, müssen sie dennoch gemäß ihren momentanen Fähigkeiten an die Arbeit gesetzt werden und sich später weiter verbessern. Beachten Sie hier:

1.1 Christus sandte sie „je zwei und zwei" aus; Markus notiert dies. Sie gingen an jeden Ort zu zweit, damit sie einander Gesellschaft leisten konnten, wenn sie unter Fremden sind, und einander die Hände stärken (s. 1.Sam 23,16; Neh 2,18) und einander das Herz ermutigen konnten. Sie konnten einander auch helfen, die Ruhe zu bewahren, wenn etwas falsch lief. Es ist eine erprobte Maxime, dass es besser ist, „dass man zu zweit ist als allein" (Pred 4,9). Christus wollte seine geistlichen Diener lehren, einander Gesellschaft zu leisten, sich sowohl Hilfe zu geben als auch um Hilfe zu bitten.

1.2 Er „gab ihnen Vollmacht über die unreinen Geister". Er beauftragte sie, das Reich des Satans anzugreifen, indem sie ihn aus den Leibern von denen austrieben, die von ihm besessen waren.

1.3 Er „befahl ihnen", keine Vorräte mit sich zu nehmen, weder Essen noch Geld, sodass, wo immer sie hinkommen, klar sein würde, dass sie arm sind. Als er ihnen später sagte, sie sollten Beutel und Tasche nehmen (s. Lk 22,36), war das kein Hinweis darauf, dass seine Fürsorge für sie geringer war, als sie gewesen war, sondern dass ihnen schlimme Zeiten und kein so guter Empfang begegnen würden, wie sie ihn bei ihrer ersten Mission hatten. Bei Matthäus und Lukas wurde ihnen verboten, Stäbe (Stöcke) mitzunehmen – das sind Stöcke für den Kampf –, doch hier in Markus wird ihnen gesagt, sie sollten nichts mitnehmen außer einem Stab – das ist ein Wanderstab, wie ihn die Pilger trugen. Sie dürfen keine Schuhe anziehen, nur Sandalen. Sie müssen in den greifbarsten und schlichtesten Kleidern wie möglich gehen und dürfen nicht einmal zwei Hemden haben. Was ihnen fehlte, würde ihnen freudig von denen gegeben werden, denen sie predigten.

1.4 Er sagte ihnen, dass sie, immer, wenn sie in eine Stadt kommen, ihr erstes Quartier zu ihrem Hauptquartier machen sollten: „,... da bleibt, bis ihr von dort weggeht' **(Vers 10)**. Da ihr wisst, dass ihr in einem Auftrag kommt, der ausreicht, um euch willkommen zu machen, solltet ihr zu euren Freunden so freundlich sein, die euch zuerst eingeladen haben, und glauben, dass sie euch nicht für eine Last halten.

1.5 Er verkündete eine schwere Verdammnis über diejenigen, die das Evangelium ablehnten, das sie predigten: „Und von allen, die euch nicht aufnehmen noch hören wollen, zieht fort und schüttelt den Staub von euren Füßen, ihnen zum Zeugnis" **(Vers 11)**. Dieser Staub würde, wie der Staub Ägyptens (s. 2.Mose 9,9), zu einer Plage für sie werden und ihre Verdammnis an dem großen Tag würde für sie unerträglicher sein als die von Sodom.

2. Das Verhalten der Apostel bei der Verfolgung ihres Auftrags. Obwohl sie sich ihrer großen Schwäche bewusst waren, zogen sie doch im Gehorsam gegenüber den Anordnungen ihres Meisters und abhängig von seiner Stärke wie Abraham aus und wussten nicht, wohin sie gingen (s. Hebr 11,8). Beachten Sie:

2.1 Die Botschaft, die sie predigten. Sie „verkündigten, man solle Buße tun" **(Vers 12)**, dass die Menschen ihren Sinn ändern und ihr Leben bessern sollten. Die große Absicht der Prediger des Evangeliums und das große

Ziel der Predigt des Evangeliums sollte es sein, Menschen zur Buße zu bringen, damit sie ein neues Herz haben und einem neuen Weg folgen werden. Die Apostel unterhielten die Menschen nicht mit sinnlosen Mutmaßungen, sondern sagten ihnen, dass sie für ihre Sünden Buße tun und sich zu Gott wenden müssen.

2.2 Die Wunder, die sie vollbrachten. Die Vollmacht, die Christus ihnen über böse Geister gab, war nicht unwirksam, noch empfingen sie sie vergeblich; sie benutzten sie, denn sie „trieben viele Dämonen aus und salbten viele Kranke mit Öl und heilten sie" **(Vers 13)**.

Vers 14-29

Hier sehen wir:

1. Die törichten Vorstellungen, welche die Menschen über den Herrn Jesus Christus hatten **(s. Vers 15)**. Seine Landsleute konnten nichts Großes über ihn glauben, weil sie seine armen Verwandten kannten, doch andere waren bereit, alles außer der Wahrheit zu glauben. Sie sagten, er sei Elia, den sie erwarteten, oder: „Er ist ein Prophet", einer der Propheten des Alten Testaments zum Leben erweckt, „oder wie einer der Propheten", ein jetzt aufgekommener Prophet.

2. Die Meinung von Herodes über ihn. Er sagte, zweifellos ist er Johannes der Täufer **(s. Vers 14)**. „Er ist Johannes, den ich enthauptet habe" **(Vers 16)**. Er ist „aus den Toten auferstanden", er ist mit größerer Macht zurückgekehrt und jetzt „wirken auch die Wunderkräfte in ihm!" Daraus können wir lernen:

2.1 Wo es unbestimmten Glauben gibt, gibt es oft eine lebhafte Fantasie. Die Menschen sagten, dass ein Prophet von den Toten auferstanden war. Herodes sagte: „Johannes [der Täufer] ... ist aus den Toten auferstanden!" Sie scheinen erwartet zu haben, dass ein Prophet von den Toten aufersteht und mächtige Werke tut und hielten dies weder für unmöglich noch für unwahrscheinlich. Es wurde jetzt gern für möglich gehalten, als es nicht stimmte, doch später, als es auf Christus zutraf, wurde es hartnäckig bestritten und geleugnet. Diejenigen, die am bereitwilligsten die Wahrheit anzweifeln, sind im Allgemeinen am leichtgläubigsten im Glauben an Irrtümer und eingebildete Lehren.

2.2 Diejenigen, die gegen die Sache Gottes kämpfen, werden sehen, wie dies vereitelt wird, selbst wenn sie meinen, die Sieger zu sein.

2.3 Ein schuldiges Gewissen braucht keinen Ankläger oder Peiniger als sich selbst: „... den ich enthauptet habe." Der Schrecken dieser Selbstanklage ließ ihn sich vorstellen, dass Christus der auferstandene Johannes sei. Er fürchtete Johannes, als er lebte, und jetzt, als er tot war, fürchtete er ihn zehnmal mehr. Man kann genauso von Gespenstern und rächenden Geistern verfolgt werden wie von dem Grausen eines anklagenden Gewissens.

2.4 Es kann den Schrecken einer starken Überführung geben, wo es in Wahrheit keine rettende Bekehrung gibt.

3. Einen Bericht, wie Herodes Johannes den Täufer zu Tode brachte. Beachten Sie:

3.1 Die große Achtung und Ehrfurcht, die Herodes für Johannes hatte, die nur von diesem Evangelisten berichtet wird **(s. Vers 20)**.
Herodes fürchtete den Johannes, weil er wusste, dass er ein gerechter und heiliger Mann war. Ein Mensch kann große Achtung vor guten Menschen haben, besonders vor guten geistlichen Dienern und was gut in ihnen ist, und doch schlecht in sich selbst sein.
Johannes war „ein gerechter und heiliger Mann". Um einen vollkommen guten Menschen auszumachen, sind sowohl Heiligkeit als auch Gerechtigkeit nötig: Heiligkeit gegenüber Gott und Gerechtigkeit gegenüber den Menschen.
Er wusste dies aufgrund persönlicher Bekanntschaft mit ihm. Diejenigen, die nur wenig Gerechtigkeit und Heiligkeit in sich selbst haben, können dies doch in anderen erkennen.
Er fürchtete ihn deshalb; er ehrte ihn. Viele, die selbst nicht gut sind, haben Achtung vor denen, die es sind.
Er beachtete ihn. Er beachtete das, was an ihm löblich war und empfahl es dem Hören derer, die um ihn herum waren; er machte klar, dass er das beachtete, was Johannes sagte und tat.
Er hörte ihn predigen, was ein Ausdruck für sein großes Herablassen war.
Er tat viele von den Dingen, die Johannes in seinen Predigten lehrte. Er war nicht nur „Hörer des Wortes", sondern auch zum Teil Täter (s. Jak 1,22-23). Doch es wird nicht genug sein, *vieles* zu tun, wenn wir nicht *alle* Gebote achten (s. Ps 119,6).
Er „hörte ihn gern". Es gibt eine kurze, seichte Freude, die Heuchler an dem Hören des Wortes haben kann. Der felsige Grund nahm das Wort mit Freuden auf (s. Lk 8,13).

3.2 Die Treue von Johannes Herodes gegenüber, dass er ihm von seinen Fehlern sagte. Herodes hatte die Frau seines Bruders Philippus geheiratet **(s. Vers 17)**. Johannes tadelte ihn (s. Lk 3,19) und sagte ihm klar: „Es ist dir nicht erlaubt, die Frau deines Bruders zu haben!" **(Vers 18)**. Dies war die eigene Sünde von Herodes, auf die er nicht verzichten wollte, obwohl er viele Dinge tat, die ihn Johannes lehrte. Doch obwohl er der König war, wollte Johannes ihn nicht schonen, genauso wenig wie Elia Ahab schonte. Obwohl es gefährlich war, Herodes zu kränken, und noch mehr, Herodias zu kränken, wollte er doch lieber dieses

Risiko eingehen, als in seiner Pflicht versagen. Die geistlichen Diener, die als treu im Werk Gottes erfunden werden wollen, dürfen sich nicht vor Menschen fürchten.

3.3 Der Hass dafür von Herodias gegenüber Johannes: Sie „stellte ihm nach und wollte ihn töten" **(Vers 19)**, doch als sie das nicht zustande bringen konnte, hatte sie ihn ins Gefängnis gebracht **(s. Vers 17)**. Viele, die behaupten, Prophetie zu ehren, möchten nur angenehme Dinge hören; sie lieben gute Predigten, solange sie weit genug an ihrer Lieblingssünde vorbeisteuern. Es ist jedoch besser, dass Sünder jetzt geistliche Diener um deren Treue willen verfolgen, als dass jene sie ewig für ihre Untreue verfluchen.

3.4 Die Verschwörung, um Johannes den Kopf abzuschlagen. Es heißt, es geschah, „als ... ein gelegener Tag kam" **(Vers 21)**. Am Geburtstag des Königs muss es am königlichen Hof einen Ball geben. Um die Feier noch schöner zu machen, muss die Tochter von Herodias öffentlich tanzen und Herodes muss eine Schau daraus machen, dass er von ihrem Tanz wunderbar entzückt ist. Der König muss ihr dann ein übertriebenes Versprechen geben, ihr zu geben, was sie will, sogar „bis zur Hälfte meines Königreichs". Dieses Versprechen wurde durch einen Eid bestätigt: „Und er schwor ihr: Was du auch von mir erbitten wirst, das will ich dir geben." Da sie von ihrer Mutter Herodias unterwiesen war, bat sie um „das Haupt Johannes des Täufers" und es musste ihr „auf einer Schüssel" (auf einer Servierschale) gebracht werden als etwas Niedliches für sie, um damit zu spielen **(Vers 25)**. Es darf keine Verzögerung geben, keine Zeit verloren werden; sie muss es „jetzt gleich" haben. Herodes gewährte es und die Hinrichtung wurde sofort ausgeführt, solange die Gesellschaft immer noch beisammen war. Er behauptete jedoch:
Sich sehr zu sträuben, es zu tun und dass er es nicht für die ganze Welt getan hätte, wenn er nicht dazu verleitet worden wäre, ein solches Versprechen zu machen: „Da wurde der König betrübt." Er konnte es nur mit viel Bedauern und Widerwillen tun; das natürliche Gewissen wird den Menschen nicht erlauben, leicht zu sündigen.
Sehr sensibel in Bezug auf die Verpflichtung seines Eides zu sein. Das Versprechen wurde übereilt gegeben und konnte ihn nicht verpflichten, etwas Unrechtes zu tun. Von sündigen Eiden muss man Buße tun und sie damit nicht erfüllen. Vermutlich wurde er von denen in seiner Umgebung dazu getrieben, nur um dann dieser Schwäche nachzugeben, denn er tat es „um derer willen, die mit ihm zu Tisch saßen". Auf diese Weise machen sich Herrscher oft zu Sklaven von denen, nach deren Achtung sie trachten. Der König sandte einen Henker, einen Soldaten seiner Wache. Blutige Tyrannen haben Henker zur Verfügung, die ihren überaus grausamen und ungerechten Dekreten gehorchen.

3.5 Die Wirkung davon war, dass am bösen Hof von Herodes alles jubelte und das Haupt dem Mädchen als Geschenk und dann von ihr ihrer Mutter gegeben wurde **(s. Vers 28)**. Und die geheiligte Schule von Johannes war ganz in Tränen. Als dessen Jünger davon hörten, kamen sie und legten seinen außer Acht gelassenen Leichnam „in ein Grab".

Vers 30-44
In diesen Versen haben wir:

1. Die Rückkehr der Apostel, die er ausgesandt hatte (s. Vers 7), zu Christus. Sie „versammelten sich" und kehrten zu Jesus zurück, um zu berichten, was sie getan hatten. Sie „verkündeten ihm alles, was sie getan und was sie gelehrt hatten". Geistliche Diener sind sowohl für das verantwortlich, was sie tun, als auch für das, was sie lehren. Sie mögen weder etwas tun noch lehren außer dem, von dem sie bereit sind, dass man es dem Herrn Jesus berichtet.

2. Die liebevolle Fürsorge, die Christus dafür trug, dass sie nach ihrer harten Arbeit ruhten: „Und er sprach zu ihnen: Kommt ihr allein abseits an einen einsamen Ort und ruht ein wenig!" **(Vers 31)**. Es scheint, dass die Jünger von Johannes etwa zur gleichen Zeit mit der traurigen Nachricht von dem Tod ihres Meisters zu Christus kamen, wie seine eigenen Jünger zu ihm kamen. Christus beachtet die Ängste von einigen seiner Jünger und die harte Arbeit von anderen Jüngern und er gibt beiden angemessene Hilfe, Ruhe für diejenigen, die müde sind, und Zuflucht für diejenigen, die Angst haben. Beachten Sie das Mitleid und die Freundlichkeit, mit denen Christus zu ihnen sagte: „Kommt ... und ruht ...!" Die aktivsten Diener Christi können sich in ihrer Arbeit nicht immer anstrengen; sie haben, wie jeder andere, Leiber, die etwas Entspannung, etwas Raum zum Atmen brauchen. Der Herr versteht unseren Leib, er weiß, was für ein Gebilde wir sind (s. Ps 103,14), und er erlaubt uns nicht nur Zeit zum Ruhen, sondern erinnert uns auch daran, dass wir Ruhe brauchen. Diejenigen, die emsig und treu arbeiten, können sich fröhlich zur Ruhe zurückziehen.

2.1 Christus sagte ihnen, sie sollten „allein abseits" kommen. Wenn sie ruhen müssen, dann müssen sie alleine sein.

2.2 Er lud sie nicht in ein freundliches Landhaus ein, sondern „an einen einsamen Ort". Es ist nicht überraschend, dass der Eine, welcher bloß ein Boot als Platz zum Predigen hatte, nur einen einsamen Ort als Ruheplatz hatte.

2.3 Er rief sie dazu, nur „ein wenig" zu ruhen, nur Atem zu schöpfen, und dann wieder zurück an die Arbeit zu gehen.

2.4 Der Grund, der dafür genannt wird, war: „Denn es waren viele, die gingen und kamen, und sie hatten nicht einmal Zeit zu essen." Wenn für alles die richtige Zeit eingehalten und eingesetzt wird, lässt sich relativ bequem eine große Menge Arbeit tun, doch wenn die Menschen ständig kommen und gehen, wird sich selbst wenig Arbeit nicht ohne viel Mühe tun lassen.

2.5 Sie zogen sich deshalb in ein Schiff zurück **(Vers 32)**. Über das Wasser zu fahren war viel weniger anstrengend, als es das Ziehen über Land gewesen wäre. Sie gingen alleine fort. Die Leute, die am meisten in der Öffentlichkeit stehen, wünschen manchmal, für sich selbst zu sein.

3. Den Eifer der Leute, ihm zu folgen. Sie wurden dafür weder getadelt noch zurückgeschickt, sondern willkommen geheißen. Bei denen, die Christus folgen, wird ein Fehlen von guten Manieren leicht entschuldigt werden, wenn es durch überfließende leidenschaftliche Gefühle wettgemacht wird. Sie folgten ihm aus allen Städten, verließen ihre Häuser und Geschäfte, ihre Berufe und ihren Lebensunterhalt. Sie folgten ihm zu Fuß, obwohl er über den See gefahren war; sie klemmten sich an seine Fersen. Sie liefen zu Fuß, so schnell, dass sie den Jüngern zuvorkamen. Sie folgten ihm, obwohl es ein einsamer Ort war. Die Gegenwart Christi wird eine Wüste zu einem Paradies machen.

4. Den Empfang, den ihnen Christus bereitete. Als er „eine große Volksmenge" sah, hatte er, statt von Missfallen bewegt zu sein, „Erbarmen mit ihnen, denn sie waren wie Schafe, die keinen Hirten haben" **(Vers 34)**. Sie schienen wohlgesinnt und genauso fügsam wie Schafe zu sein. Doch sie hatten „keinen Hirten", keinen, der sie auf dem richtigen Weg führte und leitete, und so heilte er aus Mitleid mit ihnen nicht nur ihre Kranken, wie es in Matthäus steht, sondern fing auch an, „sie vieles zu lehren".

5. Die Vorkehrung, die er für sie alle traf; er machte großzügig alle seine Hörer zu seinen Gästen und bereitete ihnen einen herrlichen Empfang – wie man es wahrhaftig nennen könnte, denn er war übernatürlich.

5.1 Die Jünger schlugen vor, dass die Volksmenge entlassen werden sollte. „Und als nun der Tag fast vergangen war", sagten sie: „Dieser Ort ist einsam, und der Tag ist fast vergangen. Entlasse sie, damit sie ... sich Brot kaufen" **(Vers 35-36)**. Die Jünger schlugen dies Christus vor, doch wir sehen nicht, dass es die Menge selbst tat. Die Jünger meinten, es wäre gütig gegenüber den Menschen, wenn er sie entlassen würde. Menschen mit willigem Geist werden mehr tun und länger auf dem Pfad des Guten aushalten, als man von ihnen erwarten würde.

5.2 Christus ordnete an, dass sie alle gespeist werden sollten: „Gebt ihr ihnen zu essen!" **(Vers 37)**. Um uns zu lehren, denen gegenüber freundlich zu sein, die unhöflich zu uns sind, ordnete er an, dass für sie gesorgt werden sollte. Er ordnete an, dass die Menschen an dem Brot teilhaben sollten, welches die Jünger und Christus mit sich an den ruhigen Ort nahmen, um es als ruhiges Mahl selbst zu essen. Schauen Sie, wie sehr er der Gastfreundschaft ergeben war. Sie hörten auf die geistliche Nahrung seines Wortes und stellte er sicher, dass es ihnen nicht an leiblicher Nahrung fehlte. Wie der Weg der Pflicht der Weg der Sicherheit ist, so ist es auch der Weg, versorgt zu werden. Der Allmächtige hat, wenn er nicht versucht, sondern ihm gebührend vertraut wurde, nie einen der treuen Diener Gottes im Stich gelassen, sondern hat viele mit rechtzeitiger und unerwarteter Hilfe erfrischt.

5.3 Die Jünger beanstandeten diesen Vorschlag als undurchführbar: „Sollen wir hingehen und für 200 Denare Brot kaufen und ihnen zu essen geben?" Statt auf Anweisungen von Christus zu warten, machten sie die Sache durch eigene Pläne verworren. Christus wollte sie ihre Torheit – bei sich selbst Dinge zu prognostizieren – erkennen lassen, damit sie seine Versorgung für sie mehr schätzen würden.

5.4 Christus ließ es zu jedermanns Zufriedenheit geschehen. Sie hatten fünf Brote und zwei Fische bei sich: Dies war das Menü. Das war nur ein wenig für Christus und seine Jünger, doch sie mussten es weggeben. Wir sehen oft, wie Christus am Tisch anderer Leute empfangen wird, hier aber haben wir, wie er sehr viele auf eigene Kosten speist.

Die Versorgung war einfach. Hier gab es keine Delikatessen. Wenn wir haben, was wir brauchen, ist es nicht wichtig, ob wir aufwändige Leckereien haben. Die Verheißung an diejenigen, die den Herrn fürchten, lautet: „... und wahrlich, sie sollen gespeist werden" (Ps 37,3; KJV); er sagt nicht, dass sie sich an einem Festmahl erfreuen werden.

Die Gäste waren ordentlich, denn sie setzten „sich alle in Gruppen ins grüne Gras" **(Vers 39)** „zu hundert und zu fünfzig" **(Vers 40)**. Gott ist ein Gott der Ordnung, nicht der Unordnung (s. 1.Kor 14,33.40).

Der Segen für das Essen wurde gesucht: Er „blickte zum Himmel auf und dankte" **(Vers 41)**. Christus rief nicht einen der Jünger, um für einen Segen zu bitten; er tat es selbst und durch die Macht dieses Segens vervielfachte sich das Brot wie auch der Fisch auf wundersame Weise, denn „sie aßen alle und wurden satt", obwohl es „etwa 5000 Männer" waren **(Vers 42.44)**. Christus kam in die Welt, um

der Eine zu sein, der Menschen speist und genauso auch heilt. In ihm gibt es genug für alle, die zu ihm kommen. Niemand wird leer von Christus fortgeschickt außer denen, die zu ihm kommen und völlig von sich selbst erfüllt sind (s. Lk 1,53).
Es wurde für die Brocken Sorge getragen, die übrig blieben; die Jünger füllten mit ihnen „zwölf Körbe". Obwohl Christus auf sein Gebot hin genug Brot hatte, wollte er uns lehren, es nicht zu verschwenden.

Vers 45-56
Wir lesen diesen Bericht außerdem in Matthäus 14,22-36, wenn auch das, was dort über Petrus berichtet wird, hier ausgelassen ist. Hier:

1. Zerstreute sich die Menge. Christus ließ seine Jünger ihm voran nach Bethsaida gehen. Die Menschen waren unwillig auseinanderzugehen. Jetzt, wo sie ein gutes Mahl gegessen hatten, hatten sie keine Eile, ihn zu verlassen.

2. Ging Christus „auf einen Berg, um zu beten". Er war immer noch sehr viel im Gebet; er betete oft und lange. Er zog sich allein zum Gebet zurück, um uns ein gutes Beispiel zu geben und uns zu ermutigen, uns persönlich an Gott zu wenden. Ein guter Mensch ist weit davon entfernt, allein zu sein, wenn er mit Gott allein ist.

3. Waren die Jünger auf dem See in Not: „Der Wind stand ihnen entgegen", sodass „sie beim Rudern Not litten" **(Vers 48)**. Dies war ein Beispiel für die Härten, die sie erwarten mussten, als er sie später sandte, um das Evangelium zu predigen. Die Gemeinde ist oft wie ein Schiff auf dem Meer, sturmbewegt und ungetröstet (s. Jes 54,11); wir können Christus für uns und doch den Wind und die Strömung gegen uns haben. Nichtsdestotrotz ist es für Christi Jünger in einem Sturm ermutigend, dass ihr Meister auf dem himmlischen Berg ist und für sie eintritt.

4. Zollte Christus ihnen einen gütigen Besuch auf dem Wasser. Er entschloss sich, ihnen in der liebenswertesten Weise zu helfen, die möglich war, indem er selbst zu ihnen kam.

4.1 Er kam erst „um die vierte Nachtwache" zu ihnen, erst nach drei Uhr morgens, doch dann kam er. Auch wenn sich Christi Besuche bei den Seinen eine lange Zeit verzögern mögen, wird er schließlich kommen.

4.2 Er kam auf dem Wasser gehend. Der See war nun von Wellen aufgewühlt, doch Christus kam darauf gehend. Keine Schwierigkeiten können Christi gnädiges Erscheinen für seine Leute verhindern. Er wird entweder einen Weg durch die stürmischste See finden oder erzwingen, um sie zu retten (s. Ps 42,8-9).

4.3 „... und er wollte bei ihnen vorübergehen." Wenn der Allmächtige in seiner Vorsehung bewusst und unmittelbar handelt, um Gottes Kindern zu helfen, scheint es manchmal, als würde er sie nicht beachten. Sie meinten, dass er an ihnen vorübergehen werde, doch wir können sicher sein, dass er dies nicht getan hätte.

4.4 Sie waren bei seinem Anblick angsterfüllt und nahmen an, er sei ein Gespenst. „Denn sie sahen ihn alle und erschraken" (Vers 50). Wir verwirren und erschrecken uns oft mit unheimlichen Hirngespinsten, den Einbildungen unserer Fantasie.

4.5 Er ermutigte sie und brachte ihre Ängste zum Schweigen, indem er sich ihnen zu erkennen gab: „Seid getrost, ich bin's; fürchtet euch nicht!" Wir kennen Christus nicht, bis er sich uns offenbart. Er ist es, ihr Meister, ihr Freund. Die Erkenntnis Christi, wer er in sich selbst und wie nah er uns ist, reicht aus, um die Jünger Christi heiter sogar in einem Sturm zu machen und sich nicht länger zu fürchten. Christi Gegenwart bei uns an einem stürmischen Tag ist genug, um uns Mut zu geben, selbst wenn um uns herum Finsternis und Wolken sind. Er sagte ihnen nicht, wer er war – sie kannten seine Stimme, so, wie die Schafe die Stimme ihres Hirten kennen (s. Joh 10,4). Als Christus zu denen, die kamen, um ihn mit Gewalt festzunehmen, sagte, „Ich bin's", wurden sie zu Boden geworfen (s. Joh 18,6). Wenn er zu denen, die im Glauben zu ihm kommen, um ihn im Glauben zu ergreifen, sagt, „Ich bin's", werden sie dadurch aufgerichtet und getröstet.

4.6 „Und er stieg zu ihnen in das Schiff." Mögen sie nur ihren Meister bei sich haben und alles ist gut. Sobald er in das Schiff gekommen war, legte sich der Wind. Der Wind ließ sofort nach. Wenn der Wind nachlässt und wir den Trost einer Windstille haben, dann sagen wir – obwohl wir das Gebot nicht hören, das erging –, dass dies deshalb so ist, weil Christus im Boot ist.

4.7 Sie waren über dieses Wunder mehr überrascht und verblüfft, als angemessen war. „Und sie erstaunten bei sich selbst über die Maßen", waren verblüfft, als wäre es etwas Neues und Unerklärliches. Doch warum waren sie darüber so verwirrt? Es war, weil sie „nicht verständig geworden [waren] durch die Brote". Wenn sie diesem die angemessene Bedeutung gegeben hätten, wären sie über dieses Wunder nicht so sehr überrascht gewesen, denn Christi Vervielfachung der Brote war genauso eine große Demonstration seiner Macht, wie es sein Wandeln auf dem Wasser war. Weil uns das rechte Verständnis von Christi früheren Werken fehlt, sind wir durch seine jetzigen Werke überrascht, als hätte es vorher dergleichen nie gegeben.

5. Hießen die Menschen sie sehr willkommen, als sie in das Land Genezareth kamen. Die Menschen an diesem Ort erkannten Jesus **(s. Vers 54)** und sie wussten, welche Wunder er vollbrachte, wo immer er auch hinkam. Sie wussten auch, dass er für gewöhnlich nur eine kleine Weile an einem Ort blieb und deshalb durchliefen sie „die ganze umliegende Gegend", so schnell wie möglich, „und fingen an, die Kranken auf den Liegematten dorthin zu tragen" **(s. Vers 55)**. Wo immer er hinging, wurde er von Patienten bedrängt. Sie „legten ... die Kranken auf die freien Plätze", damit sie in seinem Weg seien, und baten ihn, dass sie „nur den Saum seines Gewandes anrühren dürften". „Und alle, die ihn anrührten, wurden gesund." Wir sehen nicht, dass sie von ihm gelehrt werden wollten, nur, dass sie geheilt werden wollten. Welche großen Massen würden geistliche Diener hören, wenn diese heute die leiblichen Krankheiten der Menschen heilen könnten! Es ist jedoch traurig zu denken, wie viel mehr die meisten Menschen um ihre Leiber besorgt sind als um ihre Seelen.

KAPITEL 7

Hier haben wir: 1. Christi Kontroverse mit den Schriftgelehrten und Pharisäern über das Essen mit ungewaschenen Händen (s. Vers 1-13) und die notwendigen Unterweisungen, die er den Leuten bei diesem Anlass gab (s. Vers 14-23). 2. Seine Heilung der Tochter der kanaanäischen Frau (s. Vers 24-30). 3. Die Heilung eines Mannes, der taub war und kaum reden konnte (s. Vers 31-37).

Vers 1-23

Ein großes Ziel des Kommens Christi war, das Zeremonialgesetz, welches *Gott* gemacht hatte, beiseite zu tun und zu einem Ende zu bringen. Um diesem den Weg zu bahnen, begann er mit dem Zeremonialgesetz, welches *die Menschen* gemacht und zu dem Gesetz *hinzugefügt* hatten, welches Gott gemacht hatte. Von diesen Pharisäern und Schriftgelehrten, mit denen er die vorliegende Diskussion hatte, heißt es, sie waren „von Jerusalem" nach Galiläa gekommen – etwa 150 km –, um unseren Heiland dort zu kritisieren. Beachten Sie:

1. Was die Überlieferung der Alten war: Alle wurden angewiesen, sich vor dem Essen „gründlich die Hände" zu waschen – ein hygienischer Brauch, der nichts Schädliches an sich hatte, doch die Schriftgelehrten und Pharisäer legten ihren Glauben in diese Sache. Sie schritten mit ihrer Autorität ein und geboten jedem bei Strafe der Exkommunikation, es zu tun; sie hielten es als die „Überlieferung der Alten". Hier haben wir einen Bericht über die Praxis der Pharisäer und aller Juden **(s. Vers 3-4)**.

1.1 Sie waschen sich gründlich die Hände.

1.2 Sie waschen sich insbesondere die Hände, bevor sie essen, denn das war die Regel. Sie mussten sichergehen, sich zu waschen, bevor sie das Brot aßen, für das sie um einen Segen baten; ansonsten wurden sie für unrein gehalten.

1.3 Sie sorgten besonders dafür, sich die Hände zu waschen, „wenn sie vom Markt kommen". Das bezieht sich auf jeden Versammlungsort, wo alle Sorten von Menschen zugegen waren, wo sie, so könnte man denken, dadurch, dass sie Heiden oder Juden unter einer zeremoniellen Verunreinigung nahekommen, verunreinigt werden würden. Es heißt, dass die Regel der Rabbis war, dass – wenn sie sich am Morgen gut die Hände waschen, wenn dies das Erste ist, was sie tun – es genug für den ganzen Tag wäre, vorausgesetzt sie blieben unter sich, doch wenn sie zu einer Gesellschaft gingen und zurückkehrten, durfen sie weder essen noch beten, bis sie sich die Hände gewaschen hatten.

1.4 Dem fügten sie das Waschen „von Bechern und Krügen und ehernem Geschirr" hinzu; sie wuschen in der Tat sogar die Polster, auf denen sie ihr Brot aßen. Das Gesetz Mose hat in vielen Fällen Waschungen festgelegt, doch diese Leiter fügten ihnen etwas hinzu und erzwangen genauso die Einhaltung ihrer eigenen Auflagen wie die von Gottes Satzungen.

2. Was die Praxis der Jünger Christi war; sie wussten, was dieses Gesetz und die übliche Sitte war, doch sie waren hieran nicht gebunden: Sie aßen das Brot mit „unreinen", mit „ungewaschenen Händen" **(s. Vers 2)**. Die Jünger wussten wahrscheinlich, dass die Pharisäer sie beobachteten, doch sie wollten ihnen nicht zu Willen sein, indem sie deren Überlieferungen befolgten. Hier hat ihre Gerechtigkeit – so schlecht wie sie hier auch wegzukommen scheint – wirklich die der Schriftgelehrten und Pharisäer weit übertroffen (s. Mt 5,20).

3. Den Anstoß, den die Pharisäer daran nahmen; sie tadelten es **(s. Vers 2)**. Sie brachten dem Meister eine Klage gegen die Jünger vor und erwarteten, dass er ihnen Einhalt gebietet und von ihnen verlangt, sich anzupassen. Sie fragten nicht, warum seine Jünger nicht so handelten wie sie, sondern, warum sie nicht „nach der Überlieferung der Alten" wandelten **(Vers 5)**.

4. Wie Christus seine Jünger darin rechtfertigt, wobei:

4.1 Er mit den Pharisäern über die Autorität stritt, mit der diese Zeremonie auferlegt wurde. Er sprach darüber jedoch nicht öffentlich zu der Menge – was man daran sehen kann, dass er „die ganze Volksmenge" erst in **Vers 14** zu sich rief –, damit es nicht so schien, als würde er sie aufstacheln, eine Splittergruppe zu werden; er wies die Leute stattdessen aus Besorgnis zurecht.

Er wies sie für ihre Heuchelei zurecht, dass sie vorgaben, Gott zu ehren, wenn sie in Wirklichkeit mit ihren religiösen Gebräuchen keine solche Absicht verfolgten **(s. Vers 6-7)**. „Dieses Volk ehrt mich mit den Lippen", behauptet, es ist zur Ehre Gottes, doch in Wirklichkeit ist „ihr Herz ... fern von mir". Sie waren von den Äußerlichkeiten ihrer religiösen Übungen abhängig und ihre Herzen waren darin nicht recht vor Gott und dies bedeutete, Gott vergeblich anzubeten, denn weder gefiel ihm solche falsche Hingabe noch nützte es ihnen.

Er wies sie dafür zurecht, dass sie ihre Religion an den Erfindungen und Verfügungen ihrer Alten und Herrscher festmachten; sie lehrten die „Überlieferung der Menschen" als Lehrsatz. Sie vollstreckten die Regeln ihrer Gemeinde und sie urteilten auf der Grundlage, ob sich die Leute diesen Regeln anpassten oder nicht, ob die Menschen Juden waren oder nicht, und überlegten überhaupt nicht, ob sie im Gehorsam gegenüber Gottes Gesetzen lebten. Statt für die Substanz zu sorgen, fügten sie anmaßend der Zeremonie etwas hinzu und waren sehr pedantisch in Bezug auf „Waschungen von Krügen und Bechern". Beachten Sie, er fügt hinzu: „... und viele andere ähnliche Dinge tut ihr" **(Vers 8)**. Aberglaube ist endlos!

Er wies sie dafür zurecht, dass sie „das Gebot Gottes" verwarfen, es nicht beachteten und in ihrer Disziplin die Augen davor verschlossen, wenn es missachtet wurde, als wäre es nicht länger in Kraft **(s. Vers 8)**. Die durch von Menschen auferlegten Regeln verursachten Schwierigkeiten bestehen darin, dass diejenigen, die so sehr dafür eifern, zu oft wenig Eifer für die wesentlichen Pflichten des religiösen Glaubens besitzen.

Die Pharisäer verwarfen in der Tat das Gebot Gottes **(s. Vers 9)**. „Und so hebt ihr mit eurer Überlieferung ... das Wort Gottes auf" **(Vers 13)**. Sie waren damit betraut, das Gesetz zu erläutern und diesem Geltung zu verschaffen, und doch brachen sie, indem sie behaupteten, diese Vollmacht anzuwenden, das Gesetz und lösten seine Verpflichtungen auf.

Christus gab ihnen ein besonderes Beispiel davon und es war ein ungeheuerliches. Gott gebot den Kindern nicht nur durch das Gesetz Moses, sondern auch durch das Gesetz der Natur, ihre Eltern zu ehren, und „wer Vater oder Mutter flucht, der soll des Todes sterben!" **(Vers 10)**. Wenn ihre Eltern arm sind, ist es die Pflicht von Kindern, sie nach ihrem Vermögen zu unterstützen, und wenn die Kinder, die ihren Eltern fluchen, des Todes würdig sind, dann sind das umso mehr diejenigen, die sie verhungern lassen. Die Pharisäer wollten jedoch einen Weg finden, um sie von dieser Verpflichtung zu befreien. Wenn die Eltern von jemandem in Not waren und diese Person die Mittel hatte, ihnen zu helfen, dies aber nicht wollte, konnte sie bei dem „Korban" **(Vers 11)**, das heißt „beim Gold des Tempels" oder bei dem Opfer auf dem Brandopferaltar schwören (s. Mt 23,16-22), dass ihre Eltern von ihnen nichts bekommen würden; und wenn die Eltern etwas von ihnen erbaten, wäre es genug, ihren Eltern das zu sagen. Es war, als hätten sie sich durch die Verpflichtung dieses bösen Gelübdes davon befreit, diese Verpflichtung zu erfüllen.

Er schloss: „... und viele ähnliche Dinge tut ihr." Wo wird das alles enden, wenn die Menschen erst einmal ihren Überlieferungen den Vorrang gegenüber dem Wort Gottes eingeräumt haben? Die so eifrig solche Zeremonien auferlegen, *spielen* zuerst Gottes Gebote im Vergleich zu ihren Überlieferungen *herunter*, aber später *heben* sie Gottes Gebote *auf*, als stünden die Überlieferungen in Konkurrenz zu den Geboten.

4.2 Er die Menschen über die Grundlagen unterwies, auf der diese Zeremonie basierte. Es war notwendig, dass dieser Teil seiner Botschaft öffentlich geschah. Darum rief er „die ganze Volksmenge zu sich" und sagte ihnen: „Hört mir alle zu und versteht!" Es reicht für die normalen Menschen nicht aus, nur zu hören; sie müssen auch verstehen, was sie hören. Verdrehte Bräuche werden am besten dadurch kuriert, dass man die verdrehten Vorstellungen richtigstellt. Was er nun tat, um sie richtigzustellen, war, dass er ihnen sagte, was es für eine Verunreinigung ist, durch die wir in der Gefahr stehen, Schaden zu erleiden **(s. Vers 15)**.

Nicht durch das Essen, das wir zu uns nehmen; das ist nur äußerlich und durchläuft einen Menschen. Doch:

Durch das Aufbrechen der Verderbtheit, die in unserem Herzen ist; wir werden in Gottes Augen durch das abscheulich, was aus uns herauskommt. Unsere verderbten Gedanken, Standpunkte, Worte und Taten verunreinigen uns, und nur diese. Deshalb müssen wir darum besorgt sein, unser Herz von unserer Bosheit reinzuwaschen (s. Jer 4,14).

4.3 Er seinen Jüngern – persönlich – eine Erläuterung dieser Unterweisungen gab, die er den Leuten gab. Sie fragten ihn über das Gleichnis **(s. Vers 17)** und als Antwort auf ihre Frage:

Tadelte er ihre Trägheit: „Seid auch ihr so unverständlich?" Er erwartete nicht, dass sie alles verstehen, doch: „Seid ihr so schwach, dass ihr dies nicht verstehen könnt?"

Er erläuterte ihnen diese Wahrheit, sodass sie diese verstehen konnten, und dann würden sie glauben:
Dass das, was wir essen und trinken, uns nicht „verunreinigen" kann, sodass es irgendeiner religiösen Waschung bedürfen würde. Es kommt „in den Bauch" und alles, was daran vielleicht unrein ist, wird man los und wird ausgeschieden.
Dass es das ist, was aus dem Herzen – dem verderbten Herzen – kommt, das uns „verunreinigt". Was aus dem Gemüt eines Menschen kommt, ist das, was einen Menschen vor Gott verunreinigt und einer religiösen Waschung bedarf. „Denn von innen, aus dem Herzen des Menschen" **(Vers 21)** – was verunreinigt, geht daraus hervor und verursacht all die Schwierigkeiten. Wie eine vergiftete Quelle vergiftetes Wasser hervorsprudelt, so strömt ein trügerisches Herz trügerisches Denken, verderbte Gefühle und böse Worte und Taten aus. Es werden verschiedene Einzelheiten genannt, wie in Matthäus; dort hatten wir eine, die hier nicht erwähnt wird, und das sind „falsche Zeugnisse" (Mt 15,19), doch hier werden sieben erwähnt, die denen hinzugefügt werden, die wir dort hatten.
Habsucht (Elb 06), die hier im Plural steht: Unmäßiges Verlangen nach mehr von dem Wohlstand dieser Welt und leiblichen Genüssen und das immer mehr, stets rufend: „Gib her, gib her!" (Spr 30,15).
Bosheit – Groll und Hass, ein Verlangen danach, Ärger hervorzurufen und eine Freude an verursachtem Ärger.
Betrug, was vertuschte und verkleidete Bosheit ist, sodass man sie vielleicht sicherer und effektiver verüben kann.
Zügellosigkeit (sexuelle Unmoral): die Schmutzigkeit und das törichte Reden, welches der Apostel verdammt, Augen voller ehebrecherischer Gedanken und alles unmoralische und unanständige Verhalten, einschließlich Flirten.
Neid: das missgünstige Auge und das begehrliche Auge, das anderen das Gute missgönnt, das wir ihnen geben, oder über das Gute bekümmert ist, das sie tun oder dessen sie sich erfreuen.
Hochmut: uns in unserer Meinung über andere zu erheben und mit Verachtung und Geringschätzung auf andere herabzublicken.
Unvernunft: Leichtsinn, Unbesonnenheit, manche verstehen dies so, dass es insbesondere Prahlen bedeutet.

5. Das falsche Denken wird an die erste Stelle gesetzt als das, was die Quelle all unserer begangenen Sünden ist, und Gedankenlosigkeit wird als Letztes genannt als das, was die Quelle all unserer Sünden der Unterlassung ist. In Bezug auf all diese schließt er, dass sie „von innen heraus" **(Vers 23)** kommen, aus dem verderbten Wesen, und dass sie den Menschen verunreinigen. Sie machen einen Menschen ungeeignet für die Gemeinschaft mit Gott und beflecken das Gewissen.

Vers 24-30

Beachten Sie hier:

1. Wie demütig Christus bereit war, sich zu verbergen. Niemals wurde ein Mensch in Galiläa so gepriesen wie er und deshalb zog er, um uns zu lehren, nicht den allgemeinen Beifall zu lieben, von dort fort „in die Gegend von Tyrus und Zidon", wo er wenig bekannt war. Dort ging er in ein Privathaus, „wollte aber nicht, dass es jemand erfuhr". Wie es eine Zeit gibt, um aufzutreten, so gibt es auch eine Zeit, um sich zurückzuziehen. Oder der Grund, warum er nicht erkannt werden wollte, war, dass er unter den Heiden war, bei denen es nicht so sehr sein Anliegen war, sich zu zeigen, wie bei den Stämmen Israels.

2. Wie gnädig er dennoch bereit war, sich zu offenbaren. Wenn er auch in diesen Landesteilen keine Ernte an Wunderheilungen bringen wollte, ließ er doch diese eine geschehen, von der wir hier den Bericht haben. Er „konnte doch nicht verborgen bleiben", denn man kann zwar ein Licht unter den Scheffel stellen, dies aber nicht mit der Sonne tun (s. Ps 19,7). Christus war zu gut bekannt, um sich irgendwo lange zu verbergen. Beachten Sie hier:

2.1 Die Bitte, die ihm eine arme Frau in Not und Schwierigkeiten vortrug. Sie war eine Heidin, eine Griechin, „fremd den Bündnissen der Verheißung" (Eph 2,12). Sie war von ihrem Hintergrund her eine Syrophönizierin und sie hatte eine Tochter, eine junge Tochter, die von einem bösen Geist besessen war. Ihre Bitte war:
Sehr demütig, eindringlich und kühn: Sie hatte von ihm gehört und „kam und fiel ihm zu Füßen". Christus treibt niemals jemanden fort, der ihm zu Füßen fällt, was eine arme zitternde Seele vielleicht tut, wenn sie nicht die Kühnheit und das Zutrauen hat, sich in seine Arme zu werfen.
Sehr genau. Sie sagte ihm, was sie wollte. „… sie bat ihn, den Dämon aus ihrer Tochter auszutreiben" **(Vers 26)**. Den größten Segen, den wir für unsere Kinder von Christus erbitten können, ist, dass er die Macht des Satans, das ist die Macht der Sünde, in ihren Seelen brechen möge.

2.2 Wie er diese Bitte entmutigte. Er sagte ihr: „Lass zuvor die Kinder satt werden!" **(Vers 27)**. Zuerst sollen all die Wunder für die Juden vollbracht werden, die sie brauchen. Man soll nicht das, was für sie bestimmt ist, denen vorwerfen, die nicht zu Gottes Familie gehören, die im Vergleich zu ihnen wie Hunde sind, die sie anknurren und bereit sind, sie anzugreifen. Wenn Christus weiß, dass der

Glaube der armen Bittsteller stark ist, hat er manchmal Freude daran, ihn hervorzuziehen, um ihn zu prüfen. Doch sein Satz „Lass zuvor die Kinder satt werden" deutet hier darauf hin, dass Barmherzigkeit für die Heiden aufgespart war, und die war nicht weit entfernt, denn die Juden hatten beinahe ihr vollständiges Evangelium Christi gehabt und manche von ihnen hatten gewollt, dass er aus ihrem Gebiet weggehen möge (s. Mk 5,17). Die Kinder begannen, mit ihrem Essen zu spielen, und ihre Überbleibsel würden für die Heiden ein Festmahl sein.

2.3 Die Antwort, die sie auf diese Aussage Christi gegen sie gab, wie sie sich diese dienstbar machte **(s. Vers 28)**. Sie sagte: „Ja, Herr, ich stimme dem zu, dass es wahr ist, dass man ‚das Brot der Kinder' nicht den Hunden hinwerfen sollte, doch den Hunden würde man nie die ‚Brosamen' verwehren und ihnen wird ein Platz ‚unter dem Tisch' zugestanden, damit sie sich bereithalten, diese zu bekommen. Ich bitte nicht um einen Laib, nicht einmal um einen Brocken, nur um einen Brosamen." Und sie bat, ihn ihr nicht zu verweigern. Sie sagte dies, um die Menge der Wunderheilungen, von denen sie gehört hatte, dass die Juden sie genossen, im Vergleich zu dieser einen Heilung zu erhöhen, die bloß ein Brosame war. Vielleicht hatte sie gerade gehört, wie Christus die Fünftausend speiste, wonach einige Brosamen für die Hunde übrig geblieben sein müssen.

2.4 Die wohlgesonnene Antwort, die Christus ihr auf ihre Bitte gab: „Um dieses Wortes willen geh hin" **(Vers 29)**. Er sagte ihr, sie würde haben, wofür sie gekommen war, denn „der Dämon ist aus deiner Tochter ausgefahren!" Dies ermutigt uns zu beten und nicht aufzugeben (s. Lk 18,1), nicht zu zweifeln, dass unsere Gebete schließlich beantwortet werden. Christi Aussage hier, dass es geschehen *war*, war genauso wirksam wie seine Aussage zu anderer Zeit, dass es geschehen *möge*, denn als sie – sich auf das Wort Christi verlassend – in ihr Haus kam, war es dies, was sie fand: „dass der Dämon ausgefahren war" **(Vers 30)**. Christus kann den Satan aus der Ferne besiegen. Sie fand ihre Tochter nicht hin- und hergeschüttelt oder aufgewühlt, sondern sehr ruhig „auf dem Bett" liegend, ruhend, auf die Rückkehr ihrer Mutter wartend, um sich mit ihr zu freuen, dass es ihr so vollkommen gut ging.

Vers 31-37

Unser Herr Jesus blieb selten lange an einem Ort. Als er die Tochter der kananäischen Frau geheilt hatte (wie sie in Mt 15,22 genannt wird), hatte er das getan, was er an diesem Ort zu tun gehabt hatte, und kehrte an den See von Galiläa zurück. Er ging nicht direkt dorthin, sondern ging umher „mitten durch das Gebiet der Zehn Städte", die größtenteils auf der anderen Seite des Jordan lagen. Hier haben wir einen Bericht von einer Heilung von Christus, die von keinem der anderen Evangelisten berichtet wird, die Heilung eines Mannes, der taubstumm war.

1. Sein Fall war schlimm. Einige Menschen brachten jemanden zu Christus, „einen Tauben ... der kaum reden konnte" **(Vers 32)**. Er war vollkommen unfähig zu einer normalen Unterhaltung, beraubt sowohl ihres Vergnügens als auch ihres Nutzens; er hatte nicht die Befriedigung, entweder andere Menschen sprechen zu hören oder seine Meinung zu äußern. Wir wollen dies deshalb als Gelegenheit benutzen, Gott dafür zu danken, dass er uns den Gehörsinn erhalten hat, besonders, damit wir in der Lage sein können, das Wort Gottes zu hören; und wir wollen ihm dafür danken, dass er uns die Fähigkeit des Sprechens erhalten hat, vor allem, damit wir in der Lage sein können, Gott zu loben. Diejenigen, die diesen armen Mann zu ihm brachten, „baten ihn, ihm die Hand aufzulegen". Es wird nicht gesagt, dass sie ihn baten, ihn zu heilen, sondern dass sie ihn baten, „ihm die Hand aufzulegen", von dieser Sache Notiz zu nehmen und seine Macht zu zeigen, an ihm zu tun, wie es ihm gefällt.

2. Seine Heilung war erhaben und einige ihrer Umstände waren bemerkenswert.

2.1 Christus „nahm ihn beiseite, weg von der Volksmenge" **(Vers 33)**. Normalerweise vollbrachte er seine Wunder in der Öffentlichkeit, doch dieses tat er im Verborgenen. Wir wollen von Christus lernen, Gutes zu tun, wo niemand hinschaut außer dem Einen, der alles sieht.

2.2 Er benutzte bedeutsamere Handlungen als gewöhnlich, als er diese Heilung vollbrachte.
Er „legte seine Finger in seine Ohren".
Er spuckte auf seinen Finger und „berührte seine Zunge", als wolle er das lösen, was die Zunge bindet. In keiner Weise konnten diese Handlungen zu der Geringste zu der Heilung beitragen. Sie waren nur Zeichen, um den Glauben des Mannes und derer zu ermutigen, die ihn brachten.

2.3 „Dann blickte er zum Himmel auf." Auf diese Weise zeigte er, dass es durch göttliche Kraft geschah. Er unterwies durch diese Geste auch seinen Patienten – der sehen konnte, wenn er auch nicht hören konnte –, zum Himmel um Hilfe zu schauen.

2.4 Er seufzte. Nicht, dass er irgendwelche Schwierigkeiten hatte, dieses Wunder zu vollbringen, sondern so drückte er sein Mitleid für die Trübsale des menschlichen Lebens und sein Mitgefühl mit den Leidenden aus als der Eine, der „Mitleid haben könnte mit unseren Schwachheiten" (Hebr 4,15).

2.5 Er sagte: „Ephata!, das heißt: Tu dich auf!" „Tu dich auf" dient beiden Teilen der Heilung: Mögen sich die Ohren auftun und die Lippen auftun; möge er frei hören und sprechen. Und die Wirkung entsprach den gesprochenen Worten: „Und sogleich wurden seine Ohren aufgetan und das Band seiner Zunge gelöst" **(Vers 35)**. Glücklich war dieser, der, sobald ihm die Sinne der Sprache und des Gehörs gegeben worden waren, Jesus so nahe hatte, dass er mit ihm sprechen konnte. Diese Heilung war:

Der Beweis, dass Christus der Messias war, denn es wurde vorhergesagt, dass durch seine Macht „die Ohren der Tauben geöffnet werden" und „die Zunge des Stummen lobsingen" wird (Jes 35,5-6).

Ein Beispiel für die Wirkung seines Evangeliums auf die Gemüter der Menschen. Das große Gebot des Evangeliums und der Gnade Christi für arme Sünder lautet: „Ephata! Tu dich auf!" Er öffnet das Herz und so öffnet er die Ohren, um das Wort Gottes aufzunehmen, und öffnet den Mund für Gebet und Lobpreis.

2.6 Er ordnete an, dass dies absolut geheim gehalten werden sollte, doch es wurde ganz und gar bekannt gemacht. Aufgrund seiner Demut gebot er ihnen, „sie sollten es niemand sagen" **(Vers 36)**. Die meisten Menschen werden ihre eigene Güte bekannt machen oder zumindest möchten sie, dass andere sie bekannt machen. Wir sollten daran Gefallen finden, Gutes zu tun, doch nicht daran, dass es bekannt wird. Aufgrund ihres Eifers verkündeten diese Zeugen, was Christus für sie getan hatte, ehe er wollte, dass es breit bekannt gemacht wird. Ihre Absichten waren jedoch aufrichtig, und so muss man es mehr als einen Akt der Unüberlegtheit als einen Akt des Ungehorsams ansehen. Diejenigen, die es erzählten, und diejenigen, die es hörten, „erstaunten über die Maßen" **(Vers 37)**. Jedermann sagte – es war das allgemeine Urteil –: „Er hat alles wohlgemacht!" Sie waren bereit, nicht nur für ihn zu bezeugen, dass er nichts Böses getan hatte, sondern auch, dass er eine große Menge Gutes getan hatte und alles gut und es frei getan hatte, „ohne Geld und umsonst" (Jes 55,1). Er macht sowohl die Tauben „hören und die Sprachlosen reden" und das ist etwas Gutes, und somit sind diejenigen, die schlecht von ihm sprechen möchten, ohne Entschuldigung (s. Röm 2,1).

KAPITEL 8

Hier haben wir: 1. Christi Speisung von viertausend Leuten mit sieben Broten und ein paar kleinen Fischen (s. Vers 1-9). 2. Seine Weigerung, den Pharisäern ein Zeichen vom Himmel zu geben (s. Vers 10-13). 3. Seine Warnung an seine Jünger, sich vor dem Sauerteig der Pharisäer und Herodianer in Acht zu nehmen (s. Vers 14-21). 4. Wie er einem Blinden in Bethsaida das Augenlicht gibt (s. Vers 22-26). 5. Das Bekenntnis des Petrus von ihm (s. Vers 27-30). 6. Wie er seinen Jüngern sein eigenes bevorstehendes Leiden ankündigt (s. Vers 31-33) und die Warnung, die er ihnen gab, sich auf ähnliches Leiden vorzubereiten (s. Vers 34-38).

Vers 1-9

Wir hatten vorher in diesem Evangelium die Geschichte eines Wunders, welches dem vorliegenden sehr ähnelte (s. Mk 6,35-44), und den Bericht des gleichen Wunders in Matthäus 15,32-39.

1. Viele folgten unserem Herrn Jesus: Es war „eine sehr große Volksmenge zugegen" **(Vers 1)**. Die gewöhnlichen Leute, die mehr Aufrichtigkeit und deshalb mehr echte Weisheit besaßen als ihre Leiter, behielten ihre hohe Meinung von ihm bei. Beachten Sie, mit wem Christus Umgang hatte und mit wem er vertraut war; das ermutigte die Geringsten, in Bezug auf Leben und Gnade zu ihm zu kommen.

2. Sie waren drei Tage bei ihm und hatten nichts zu essen; das war harter Dienst. Mögen die Pharisäer niemals sagen, dass die Jünger Christi nicht fasten (s. Mk 2,18). Sie blieben jedoch bei Christus; sie sprachen nicht davon, ihn zu verlassen, bis er davon sprach, sie zu entlassen. Echter Eifer macht sich nichts aus den Härten auf dem Weg der Pflicht. Es war unter den Puritanern ein alter Spruch: Schwarzbrot und das Evangelium sind gute Nahrung.

3. Christus sagte: „Ich bin voll Mitleid mit der Menge." Der demütige Jesus blickte mit Mitleid und Sanftheit auf diejenigen, welche die stolzen Pharisäer mit Verachtung betrachteten. Woran er hauptsächlich dachte, war indes: „… sie verharren nun schon drei Tage bei mir und haben nichts zu essen." Was für Verluste wir auch ertragen und durch welche Härten wir auch gehen um Christi willen und wegen unserer Liebe zu ihm, er wird sicherstellen, dass sie uns auf die eine oder andere Weise ersetzt werden. Beachten Sie das Mitgefühl, mit dem Christus sprach: „Und wenn ich sie ohne Speise nach Hause entlasse, so werden sie auf dem Weg verschmachten" **(Vers 3)**. Er bedachte, dass viele von ihnen „von weit her gekommen" waren und einen langen Nachhauseweg hatten. Wenn wir sehen, wie Menschenmengen der Predigt des Wortes zuhören, ist es ermutigend zu denken, dass Christus weiß, wo sie alle herkommen, selbst wenn wir dies nicht tun. Christus wollte nicht, dass sie hungrig nach Hause gehen, denn es ist nicht seine Art, diejenigen leer von sich fortzuschicken, die mit Recht bei ihm waren (s. Lk 1,53).

4. Die Zweifel von Christen werden manchmal zur Erhöhung der Macht Christi benutzt. Die Jünger konnten sich nicht vorstellen, von woher man an diesem entlegenen Ort so viele Menschen „mit Brot sättigen" könnte **(Vers 4)**. Da die Jünger es für unmöglich hielten, dies zu tun, musste es wunderbar sein, dass Christus es tat.

5. Christi Zeit, um zu handeln, um den Seinen zu helfen, ist, wenn die Dinge an ihre absolute Grenze gekommen sind. Damit sie ihm nicht nur wegen des Essens folgen, gab er es nicht, bis sie am Ende ihrer eigenen Mittel waren, und dann schickte er sie fort.

6. Die Güte Christi ist unerschöpflich. Christus wiederholte dieses Wunder. Seine Gunsterweise werden erneuert, so wie auch unsere Nöte von Neuem entstehen. In dem vorigen Wunder der Speisung benutzte Christus alles Brot, das er hatte, was fünf Brote waren, und speiste alle Gäste, die er hatte, die fünftausend waren. Er hätte nun sagen können: Wenn fünf Brote fünftausend gespeist haben, können vier viertausend speisen, doch er nahm alle sieben Brote und gab sie viertausend zu essen, weil er uns lehren wollte, sowohl das zu benutzen, was wir haben, als auch das Beste aus dem zu machen, was verfügbar ist.

7. Im Haus unseres Vaters ist „Brot im Überfluss" (Lk 15,17). Diejenigen, die Christus haben, um durch ihn zu leben, brauchen nicht fürchten, dass ihnen etwas fehlen wird.

8. Für diejenigen, die Christus folgen, ist es gut zusammenzuhalten. Christus speiste sie alle. Christi Schafe müssen in der Herde bleiben und sie werden wahrlich gespeist werden (s. Ps 37,3; KJV).

Vers 10-21

Christus blieb weiter in Bewegung. Jetzt besuchte er das Gebiet von Dalmanutha. Da er dort auf Feindseligkeit traf und keine Gelegenheit hatte, Gutes zu tun, „stieg [er] wieder in das Schiff" und kehrte zurück. Uns wird hier gesagt:

1. Wie er sich weigerte, die Pharisäer zufriedenzustellen, die ihn aufforderten, ihnen „ein Zeichen vom Himmel" zu geben. Sie kamen bewusst heraus, um „mit ihm zu streiten", um ihm eine Falle zu stellen.

1.1 Sie forderten von ihm „ein Zeichen vom Himmel", als ob die Zeichen, die er ihnen auf der Erde gegeben hat, nicht ausreichend waren. Sie verlangten dieses Zeichen, „um ihn zu versuchen" (ihn zu prüfen), nicht in der Hoffnung, dass er es ihnen geben würde, sondern damit sie sich einbilden könnten, sie hätten einen Vorwand für ihren Unglauben.

1.2 Er verweigerte ihnen ihre Forderung; „er seufzte in seinem Geist" **(Vers 12)**. Er stöhnte, nach manchen, bekümmert „wegen der Verstocktheit ihres Herzens" (Mk 3,5). Es macht ihm Kummer, dass Sünder so in ihren eigenen Augen sind und vor ihrer eigenen Tür eine Barriere errichten.

Er sprach mit ihnen über diese Forderung: „Warum fordert dieses Geschlecht ein Zeichen?" – dieses Geschlecht, das so unwürdig ist, dass ihnen das Evangelium gebracht wird, noch viel weniger irgendein begleitendes Zeichen zu bekommen; dieses Geschlecht, das so viele erkennbare Zeichen der Barmherzigkeit mit der Heilung ihrer Kranken empfangen hat? Wie unsinnig ist es, um ein Zeichen zu bitten!

Er weigerte sich, ihrer Forderung zu entsprechen: „Wahrlich, ich sage euch: Es wird diesem Geschlecht kein Zeichen gegeben werden!" Er verwehrte es ihnen und verließ sie dann als Menschen, mit denen man nicht reden kann; wenn sie sich weigerten, überzeugt zu werden, würden sie es nicht werden; mögen sie ihren eigenen schlimmen Lügen glauben (s. 2.Thess 2,11).

2. Wie er seine Jünger vor dem Sauerteig der Pharisäer und von Herodes warnte. Beachten Sie hier:

2.1 Was die Warnung war: „Seht euch vor, hütet euch", damit sie nicht an „dem Sauerteig der Pharisäer" teilhaben **(Vers 15)**! Matthäus fügt hinzu: „und Sadduzäer"; Markus fügt hinzu: „und vor dem Sauerteig des Herodes." Der Sauerteig von beiden war der gleiche; sie waren unzufrieden mit den Zeichen, die sie hatten, und wollten andere, die sie selbst ersonnen hatten. Sie sollten sich vor diesem Sauerteig hüten, sagte Christus, und von den Wundern überzeugt sein, die sie gesehen haben.

2.2 Wie sie diese Warnung missverstanden. Es scheint, dass sie, als sie sich dieses Mal auf den See begaben, vergessen hatten, „Brote mitzunehmen, und hatten nur ein Brot bei sich im Schiff" **(Vers 14)**. Sie „besprachen sich untereinander", was diese Warnung bedeutete und schlossen, das ist, „weil wir kein Brot haben!" Sie sprachen darüber, sie stritten darüber, der eine sagte: „Wegen dir kommt es, dass wir so schlecht für diese Reise vorbereitet sind!" Und der andere sagte: „Du bist schuld daran!" Auf diese Weise lässt Misstrauen Gott gegenüber die Jünger untereinander zanken.

2.3 Die Zurechtweisung, die ihnen Christus für ihr Unbehagen in dieser Sache gab. Der Tadel wurde mit einer gewissen Schärfe erteilt, denn er kannte ihre Herzen und wusste, dass sie so kräftig zurechtgewiesen werden mussten. „Versteht ihr noch nicht und begreift ihr noch nicht? Habt ihr noch euer verhärtetes Herz? Habt Augen und seht nicht, Ohren und hört nicht?" Er meinte, wie ungewöhnlich töricht sie wären! „Und denkt ihr nicht daran, als ich die fünf Brote brach für die Fünftausend" und wenig später „die sieben für die Viertausend brach …?" Ob sie sich nicht daran erinnern, „wie viel Körbe voll Brocken habt ihr aufgehoben?" Ja, sie erinnerten sich, und sie konnten ihm sagen, dass sie das eine Mal zwölf Körbe voll und das andere Mal sieben Körbe voll aufgehoben hatten. Und so fragte er: „Warum seid ihr denn so unverständig?" Als ob der, welcher die fünf und die sieben Brote vermehrt hatte, nicht eines vermehren könne. Sie schienen zu befürchten, dass eines nicht genug sei, um damit zu arbeiten, als wäre es für den Herrn nicht dasselbe, „durch viele oder durch wenige zu retten" (1.Sam 14,6), als ob es nicht genauso leicht wäre, mit einem Brot fünftausend zu speisen, wie es war, mit einem Brot fünf zu speisen. Deshalb war es gut, sie nicht nur an die Hinlänglichkeit, sondern an den Überfluss früherer Mahlzeiten zu erinnern. Die Erfahrungen, die wir von Gottes Güte uns gegenüber in unserer Pflicht gemacht haben, machen unser Misstrauen ihm gegenüber schlimmer. Dass wir die wahre Absicht der Gunsterweise Gottes uns gegenüber nicht verstehen, ist gleichbedeutend damit, dass wir uns nicht an sie entsinnen. Wir werden von momentanen Sorgen und von Misstrauen überwältigt, weil wir das nicht verstehen und uns nicht daran erinnern, was wir von der Güte unseres Herrn Jesus kennengelernt und gesehen haben. Wenn wir „seine Macht und seine Wunder" (s. Ps 78,4) in dieser Weise vergessen und unserem Herrn misstrauen, sollten wir uns selbst streng zurechtweisen, wie Christus dies bei seinen Jüngern tat.

Vers 22-26

Die hier beschriebene Heilung wird nur von diesem Evangelisten berichtet und an ihren Umständen ist etwas Bemerkenswertes. Wir haben hier:

1. Einen Blinden, der von seinen Freunden mit dem Wunsch zu Christus gebracht wurde, „dass er ihn anrühre" **(Vers 22)**. Hier ist der Glaube derer offensichtlich, die ihn brachten, doch der Mann selbst zeigte nicht die Inbrunst oder die Erwartung einer Heilung, wie es andere Blinde taten. Wenn diejenigen, die geistlich blind sind, nicht für sich selbst beten, mögen ihre Freunde und Verwandten für sie beten, damit Christus sie anrühren möge.

2. Wie Christus den Blinden führt **(s. Vers 23)**. Er sagte nicht seinen Freunden, sie sollen ihn führen; er nahm ihn selbst „bei der Hand und führte ihn". Niemals hatte ein armer Blinder einen solchen Führer. Er führte ihn „vor das Dorf hinaus". Wenn er damit nur Heimlichkeit beabsichtigt hätte, hätte er ihn in ein Haus, in einen inneren Raum führen können. Vielleicht nahm Christus den Blinden aus dem Dorf heraus, damit er eine bessere Aussicht auf die offenen Felder haben würde, um sein Sehvermögen zu prüfen, als er es in den engen Straßen haben könnte.

3. Die Heilung des Blinden. Beachten Sie bei dieser Heilung:
3.1 Christus benutzte ein Zeichen; er „spie ihm in die Augen, legte ihm die Hände auf". Er hätte ihn durch ein Wort heilen können, wie er es bei anderen tat, doch auf diese Weise wollte er dem schwachen Glauben des Mannes aufhelfen, ihm helfen, loszukommen von seinem Unglauben (s. Mk 9,24).
3.2 Die Heilung wurde schrittweise vollbracht, was bei den Wundern Christi üblich war. Er „fragte ihn, ob er etwas sehe" **(Vers 23)**. Jener „blickte auf und sprach: Ich sehe die Leute, als sähe ich wandelnde Bäume!" Er war nicht in der Lage, Menschen von Bäumen zu unterscheiden, außer, dass er erkennen konnte, dass sie sich bewegen. Er hatte einige Schimmer von Sehvermögen und konnte zwischen sich und dem Himmel jemanden aufrecht wie einen Baum stehen sehen.
3.3 Sie wurde rasch vollendet. Christus macht bei seinem Werk keine halben Sachen. Er legte „noch einmal die Hände auf seine Augen", um die verbleibende Finsternis zu zerstreuen und sagte ihm, er solle noch einmal aufblicken und er „sah jedermann deutlich" **(Vers 25)**. Christus benutzte diese Methode:
Weil er sich nicht auf einen Weg beschränken wollte. Er heilte nicht nach einem bestimmten festgelegten Muster. Der Allmächtige schafft in seiner Vorsehung das gleiche Ziel auf verschiedene Weisen, sodass die Menschen den Fortgang mit vorbehaltlosem Glauben beobachten können.
Weil sie dem Glauben des Patienten entsprach und vielleicht war der Glaube dieses Mannes zuerst sehr schwach, gewann aber später an Stärke und seine Heilung geschah dementsprechend.
Weil Christus so zeigen wollte, wie diejenigen, die von Natur aus geistlich blind sind, durch seine Gnade geheilt werden; zuerst ist die Erkenntnis verwirrt und sie sehen Menschen als „wandelnde Bäume", doch wie der Glanz des Morgenlichts leuchtet sie immer heller „bis zum vollen Tag" (Spr 4,18).

4. Die Weisungen, die Christus dem Mann gab, den er geheilt hatte, er solle es niemandem im Dorf sagen, noch überhaupt „ins Dorf hineingehen". Diejenigen, die keinen

Schritt aus dem Dorf heraus tun wollten, um zu sehen, wie diese Heilung vollbracht wird, mögen nicht durch den Anblick des Blinden befriedigt werden, als er geheilt war. Christus verbat ihm nicht, es anderen zu sagen, sondern er darf es nicht „jemand im Dorf sagen". Gegenüber den Gunsterweisen Christi Respektlosigkeit zu zeigen, heißt, sie zu verwirken, und wenn die Menschen es ablehnen, den Wert ihrer Vorrechte zu erkennen, wird Christus ihnen diesen Wert durch das Fehlen von ihnen erkennen lassen. Bethsaida weigerte sich zu sehen und deshalb würde es nicht sehen.

Vers 27-38

Wir haben eine ganze Menge über die Lehre gelesen, die Christus predigte, und über die Wunder, die er vollbrachte. Jetzt ist es für uns an der Zeit, ein wenig innezuhalten und zu überlegen, was diese Dinge bedeuten. Was halten wir davon? Soll uns der Bericht davon nur unterhalten oder uns etwas Diskussionsstoff bieten? Nein; diese Dinge sind zweifellos geschrieben, „damit ihr glaubt, dass Jesus der Christus, der Sohn Gottes ist" (Joh 20,31). Wir werden hier drei Dinge gelehrt, welche die Wunder Christi bewirkten.

1. Sie bewiesen, dass er der Sohn Gottes und der Heiland der Welt war. Hier bekannten seine Jünger, die Augenzeugen dieser Wunder waren, ihren Glauben an ihn.

1.1 Christus fragte sie: „Für wen halten mich die Leute?" **(Vers 27)**. Obwohl es für uns eine verhältnismäßig kleine Sache ist, von anderen Menschen beurteilt zu werden, kann es uns manchmal gut tun zu wissen, was die Menschen über uns sagen, nicht, damit wir unsere eigene Ehre suchen, sondern damit wir über unsere Fehler hören können.

1.2 Der Bericht, den sie ihm gaben, zeigte deutlich die hohe Meinung, welche die Leute von ihm hatten. Obwohl sie hinter der Wahrheit zurückblieben, wurden sie durch seine Wunder doch überzeugt, dass er ein außerordentlicher Mensch mit einem göttlichen Auftrag war. Keiner der Menschen sagte, dass er ein Verführer war (s. Mt 27,63); manche sagten, dass er Johannes der Täufer sei, andere Elia, andere einer der Propheten **(s. Vers 28)**. Alle stimmten darin überein, dass er jemand sei, der von den Toten auferstanden ist.

1.3 Der Bericht, den ihm die Jünger von ihrer eigenen Haltung ihm gegenüber gaben, zeigte, wie froh sie waren, alles verlassen zu haben, um ihm zu folgen. „Ihr aber, für wen haltet ihr mich?" Sie hatten darauf eine Antwort parat: „Du bist der Christus!", der Messias, der oft verheißen und lange erwartet wurde **(Vers 29)**. Sie wussten dies und sie würden es bald weit bekannt machen, doch für den Augenblick mussten sie es geheim halten **(s. Vers 30)**, bis der Beweis dafür völlig erbracht und sie vollständig befähigt waren, es bekannt zu machen.

2. Diese Wunder Christi nehmen den Anstoß des Kreuzes fort und vergewissern uns, dass Christus darin nicht besiegt wurde, sondern Sieger war. Jetzt, wo die Jünger überzeugt waren, dass Jesus der Christus ist, konnten sie es ertragen, von seinem Leiden zu hören **(s. Vers 31)**.

2.1 Christus lehrte seine Jünger, dass er „viel leiden" müsse. Zwar hatten sie den allgemeinen Irrtum überwunden, dass der Messias ein weltlicher Herrscher war, doch sie behielten ihn so weit bei, dass sie erwarteten, er werde bald „für Israel die Königsherrschaft wieder" herstellen (Apg 1,6). Christus zeigte ihnen hier das Gegenteil, dass er „von den Ältesten und den obersten Priestern und Schriftgelehrten", statt gekrönt zu werden, „verworfen und getötet" – gekreuzigt – „werden und nach drei Tagen" zu einem himmlischen Leben wiederauferstehen muss, um „nicht mehr in der Welt" zu sein (Joh 17,11). Dies redete er „ganz offen" **(Vers 32)**. Er sagte es frei und klar, verpackte es nicht in zweideutige Ausdrücke. Er sagte es frohen Sinnes und ohne irgendwelchen Schrecken und wollte, dass sie es auf diese Weise hören; er sagte es kühn, als jemand, der nicht nur wusste, dass er leiden und sterben muss, sondern auch sich entschlossen hatte, dass er es würde und es zu seiner eigenen Tat machte.

2.2. Petrus widersetzte sich dem: Er nahm „ihn beiseite und fing an, ihm zu wehren". Hier zeigte Petrus mehr Liebe als Besonnenheit, Eifer für Christus und seine Sicherheit, „aber nicht nach der rechten Erkenntnis" (s. Röm 10,2). Er ergriff ihn sozusagen, um ihn zu stoppen und aufzuhalten, nahm ihn in die Arme und umschloss ihn, wie manche es verstehen. Oder, er nahm ihn beiseite, heimlich, und begann, ihn zu tadeln. Dies war nicht die Sprache geringer Autorität, sondern der größten Zuneigung. Unser Herr Jesus erlaubte seinen Jüngern, freimütig mit ihm zu sein, doch hier nahm sich Petrus eine zu große Freiheit.

2.3 Christus gebot ihm Einhalt in seinem Widerstand: „Er aber wandte sich um und sah seine Jünger an" **(Vers 33)**, um zu sehen, ob der Rest von ihnen diese Meinung teilte und mit ihr übereinstimmte. Er sagte: „Weiche von mir, Satan!" Petrus hatte kaum erwartet, eine solch scharfe Zurechtweisung zu bekommen; vielleicht erwartete er jetzt genauso viel Lob für seine Liebe, wie er es gerade für seinen Glauben gehabt hatte. Christus weiß, „welches Geistes Kinder" wir sind (s. Lk 9,55), selbst wenn wir selbst es nicht wissen.

Petrus sprach als jemand, der die Pläne Gottes nicht richtig verstand. Die mächtigsten Feinde konnten den Einen nicht besiegen, dem

Krankheiten und Tode, Wind, Wellen und Dämonen gezwungen waren zu gehorchen und sich zu unterwerfen. Doch Petrus betrachtete den Tod Christi nur als Martyrium, bei dem er meinte, dass man es verhindern könne. Er wusste nicht, dass die Sache für die Herrlichkeit Gottes, die Vernichtung des Satans und das Heil der Menschen nötig war, dass der „Urheber ihres Heils" durch Leiden vollendet werden musste (Hebr 2,10). Die menschliche Weisheit ist völlige Torheit, wenn sie beansprucht, Gottes Plänen Rat zu erteilen. Das Kreuz Christi war für manche ein Ärgernis und für andere Torheit (s. 1.Kor 1,23).

Petrus sprach als jemand, der das Wesen des Reiches Christi nicht richtig verstand; er betrachtete es als irdisch und menschlich, während es geistlich und göttlich war. „Du denkst nicht göttlich, sondern menschlich!" Petrus schien mehr um die Dinge besorgt zu sein, die zu dieser niedrigeren Welt gehörten, als um die, welche die obere Welt und das kommende Leben betreffen. Seinen Sinn mehr auf die menschlichen Dinge als auf göttliche Dinge zu richten – mehr als auf Gottes Herrlichkeit und Reich –, ist eine sehr große Sünde und die Wurzel vieler Sünden und ist unter Christi Jüngern sehr häufig. Petrus ist, wie man es auch lesen kann, nicht weise in den Dingen Gottes, sondern in denen der Menschen. Es scheint ratsam, Schwierigkeiten zu vermeiden, doch wenn wir, indem wir das tun, unsere Pflicht umgehen, wird es sogar zu noch größerer Torheit führen.

3. Diese Wunder Christi sollten uns alle ermutigen, ihm zu folgen, was immer es uns kosten mag, nicht nur, weil sie seinen Auftrag bestätigten, sondern auch, weil sie seinen Plan erläuterten. Sie zeigten klar, dass er für unsere blinden, tauben, lahmen, aussätzigen, kranken besessenen Seelen das durch seinen Geist tun wollte, was er für die Leiber von den vielen Menschen tat, die in ihrer Not zu ihm kamen. Dies ist geschrieben, damit wir glauben mögen (s. Joh 20,31), dass er der große Arzt unserer Seelen ist, und damit wir seine Patienten werden mögen. „Und er rief die Volksmenge samt seinen Jüngern zu sich", damit sie das hören. Dies ist, was alle wissen und bedenken sollten, die erwarten, dass Christus ihre Seele heilt.

3.1 Sie dürfen sich nicht leiblichen Annehmlichkeiten hingeben, denn: „Wer mir nachkommen will, der verleugne sich selbst" **(Vers 34)** und führe ein Leben der Selbstverleugnung. Er soll vergeben, sein eigener Arzt zu sein, und er soll „sein Kreuz auf sich" nehmen. Er soll Christus weiterhin auf diesem Weg nachfolgen. Diejenigen, die Christi Patienten sein wollen, müssen bei ihm sein, ihr Leben mit ihm teilen, Lehre und Zurechtweisung von ihm annehmen und sich entschließen, ihn niemals zu verlassen.

3.2 Sie dürfen nicht um das Leben des Leibes besorgt sein, wenn sie es nicht erhalten können, ohne Christus zu verlassen **(s. Vers 35)**. Sind wir durch die Worte und Werke Christi berufen, ihm zu folgen? Wir wollen uns niedersetzen und die Kosten überschlagen (s. Lk 14,28), um zu sehen, ob wir unsere Wohltaten durch Christus vor das Leben selbst stellen können. Wenn Satan Jünger und Knechte fortzieht, um ihm zu dienen, kaschiert er das Schlimmste davon, doch Christus sagt uns im Voraus von den Schwierigkeiten und Gefahren, die es mit sich bringt, ihm zu dienen. Er hat keine Furcht davor, dass wir das Schlimmste wissen, weil die Vorteile, ihm zu dienen, die Schwierigkeiten völlig aufwiegen, wenn wir nur unvoreingenommen das eine dem anderen gegenüberstellen.

Wir dürfen uns nicht fürchten, unser Leben für die Sache Christi zu verlieren; „denn wer sein Leben retten will", indem er Christus ablehnt oder ihn verleugnet, nachdem er bekannt hat, zu ihm zu gehören, wird es und alle Hoffnungen auf ewiges Leben verlieren **(Vers 35)**; er wird für sich ein schlechtes Geschäft machen. „Wer aber sein Leben verliert", wer wahrhaftig bereit ist, es zu verlieren, wenn er es nicht erhalten kann, ohne Christus zu verleugnen, „der wird es retten", wird unbeschreiblich gewinnen. Man meint, dass diejenigen, die ihr Leben verlieren, wenn sie ihrem König und ihrem Land dienen, in einem gewissen Umfang belohnt werden, indem ihr Gedenken geehrt und ihre Familien versorgt werden, doch was ist das verglichen mit der Belohnung, die Christus mit dem ewigen Leben für alle gibt, die für ihn sterben?

Wir müssen den Verlust unserer Seelen fürchten. „Denn was wird es einem Menschen helfen, wenn er die ganze Welt gewinnt", indem er Christus verleugnet, „und sein Leben verliert?" **(Vers 36)**. „Es ist wahr", sagte Bischof Hooper eine Nacht vor dem erlittenen Martyrium, „dass das Leben süß und der Tod bitter ist, doch der ewige Tod ist bitterer und das ewige Leben ist süßer." Der Gewinn der ganzen Welt in Sünde ist nicht genug, um das Verderben der Seele durch die Sünde zu ersetzen. Er sagt uns hier, was es ist, was die Menschen tun, um ihr Leben zu retten und die Welt zu gewinnen. „Denn wer sich meiner und meiner Worte schämt unter diesem ehebrecherischen und sündigen Geschlecht, dessen wird sich auch der Sohn des Menschen schämen" **(Vers 38)**. Der Nachteil, unter dem die Sache Christi in dieser Welt leidet, ist, dass man es unter einem „ehebrecherischen und sündigen Geschlecht" anerkennen und bekennen muss. Manche Generationen und manche Orte sind besonders sündig, wie die, unter und in denen Christus lebte. In solch einer Generation wird der Sache Christi widerstanden und sie unterdrückt und diejenigen, die sich zu ihr bekennen, sind Spott und Verachtung ausgesetzt und werden lächerlich gemacht und ihnen wird „überall widersprochen" (Apg 28,22). Es gibt viele, die, obwohl sie anerkennen müssen, dass die Sache Christi gerecht ist, sich ihrer schämen. Sie schämen sich ihrer Beziehung zu Christus. Sie können es nicht vertragen, missbilligt und verachtet zu werden, und deshalb werfen sie ihr Bekenntnis zum Glauben fort. Es kommt der Tag, an dem die Sache Christi so leuchtend und herrlich erscheinen wird, wie sie jetzt niedrig und verachtenswert erscheint. Diejenigen, die nicht bereit sind, jetzt an seiner Schande mit ihm teilzuhaben, werden dann nicht an seiner Herrlichkeit teilhaben.

KAPITEL 9

Wir haben hier: 1. Die Verklärung Christi auf einem Berg (s. Vers 1-13). 2. Wie er einen bösen Geist aus einem Kind austreibt, als die Jünger es nicht tun konnten (s. Vers 14-29). 3. Seine Vorhersage seines eigenen Leidens und Todes (s. Vers 30-32). 4. Wie er seinen Jüngern Einhalt gebietet, weil sie darum stritten, wer der Größte sein sollte (s. Vers 33-37), und Johannes zurückhält, dass er jemanden tadelte, der im Namen Jesu Dämonen austrieb, aber ihnen nicht nachfolgte (s. Vers 38-41). 5. Christi Rede vor seinen Jüngern über die Gefahr, einem seiner Kleinen Anstoß zur Sünde zu geben (s. Vers 42) und bei uns selbst gegenüber dem nachgiebig zu sein, was ein Anstoß ist und uns zur Sünde verleitet (s. Vers 43-50).

Vers 1-13

Hier ist:

1. Eine Vorhersage, dass das Reich Christi nun nahe herbeikommen würde **(s. Vers 1)**. Was ihnen vorhergesagt wurde, war, dass das „Reich Gottes" kommen würde, und so kommen würde, dass man es sehen kann; dass es „in Kraft" kommen und den Widerstand überwinden würde, der sich hiergegen erhoben hat; und dass es kommen würde, solange einige augenblicklich Anwesende noch am Leben waren. Es gab „einige unter denen, die hier stehen, die den Tod nicht schmecken werden", bis sie es gesehen haben.

2. Ein Beispiel für dieses Reich in der Verklärung Christi, sechs Tage, nachdem er diese Vorhersage gemacht hatte. Er gab ihnen einen kurzen Eindruck seiner Herrlichkeit, um zu zeigen, dass sein Leiden freiwillig geschah, und um dem „Ärgernis des Kreuzes" vorzubeugen (Gal 5,11). Beachten Sie:

2.1 Es war auf dem Gipfel eines hohen Berges. Die Tradition besagt, dass es auf dem Gipfel des Berges Tabor war, wo Christus verklärt wurde.

2.2 Die Zeugen davon waren Petrus, Jakobus und Johannes; diese waren die drei, die es mit Bezug auf Mose und Elia und der Stimme vom Himmel auf der Erde berichten sollten. Wie manche charakteristischen Gunsterweise den Jüngern und nicht der Welt erwiesen werden, so werden auch manche bestimmten Jüngern gegeben und anderen nicht. Alle Heiligen sind ein Volk, das nahe bei Christus ist, doch manche sind ihm am nächsten. Jakobus war der Erste der ganzen zwölf, der für Christus starb, und Johannes überlebte sie alle, um der letzte Augenzeuge dieser Herrlichkeit zu sein; er bezeugte: „Wir sahen seine Herrlichkeit" (Joh 1,14), wie es auch Petrus tat (s. 2.Petr 1,16-18).

2.3 Wie es geschah: „Und er wurde vor ihnen verklärt." Schauen Sie, zu was für einer großen Veränderung menschliche Leiber fähig sind, wenn Gott sie ehrt. „Und seine Kleider wurden glänzend, sehr weiß wie Schnee", über das Weißeste hinaus, was man bleichen kann.

2.4 Seine Gefährten in dieser Herrlichkeit waren Mose und Elia, sie erschienen und „redeten mit Jesus", um ihm zu bezeugen. Mose und Elia lebten viele Jahre vorher, doch das ist im Himmel nicht wichtig, wo die Ersten Letzte und die Letzten Erste sein werden (s. Mt 19,30), das heißt, wo alle eins in Christus sind.

2.5 Die große Freude, welche die Jünger daran hatten, diesen Anblick zu sehen und diese Botschaft zu hören, wurde durch Petrus ausgedrückt. Er „sprach zu Jesus: Rabbi, es ist gut, dass wir hier sind!" **(Vers 5)**. Obwohl Christus verklärt war und mit Mose und Elia sprach, erlaubte er Petrus doch, mit ihm zu sprechen. Viele Menschen möchten, wenn sie groß geworden sind, dass ihre Freunde Abstand von ihnen halten. Doch wahre Gläubige haben Zutritt, sodass sie sogar zu dem verherrlichten Jesus mit Kühnheit kommen können (s. Eph 3,12). Sogar bei dieser himmlischen Unterhaltung gab es Raum für Petrus, ein Wort einzuwerfen, und das ist: „Rabbi, es ist gut, dass wir hier sind! So lass uns drei Hütten bauen." Eine Seele der Gnade betrachtet es als gut, in Gemeinschaft mit Christus zu sein, gut, mit ihm auf dem Berg zu sein. Wenn es gut ist, mit dem verklärten Christus zu sein, auf einem Berg nur mit Mose und Elia, wie gut wird es sein, mit dem verherrlichten Christus im Himmel mit all den Heiligen zu sein! Doch beachten Sie auch, dass Petrus, während er dort bleiben wollte, die Notwendigkeit der Gegenwart Christi unter den Menschen vergaß. Genau zu dieser Zeit vermissten die anderen Jünger sehr ihre Gegenwart **(s. Vers 14)**. Wenn die

Dinge bei uns gut laufen, neigen wir dazu, die anderen zu vergessen. Es war eine Schwäche von Petrus, die alleinige Gemeinschaft mit Gott vor die öffentliche Nützlichkeit zu stellen. Petrus sprach darüber, drei verschiedene Behausungen zu bauen, je eine für Mose, Elia und für Christus, was keine gute Idee war. Eine Hütte hätte sie alle aufgenommen, sie leben zusammen in Einheit. Was es auch immer für Widersprüche in dem gegeben haben mag, was er sagte, es kann entschuldigt werden, „denn sie waren voller Furcht" und er für seinen Teil „wusste nämlich nicht, was er sagen sollte" **(Vers 6).**

2.6 Die Stimme, die vom Himmel kam, bestätigte Christus als Mittler. „Da kam eine Wolke, die überschattete sie" **(Vers 7).** Petrus hatte davon gesprochen, Unterkünfte für Christus und für seine Freunde zu machen, doch „als er noch redete" (Mt 17,5), schuf Gott einen Bau, der „nicht mit Händen gemacht" ist (2.Kor 5,1). Nun wurde aus dieser Wolke heraus gesagt: „Dies ist mein geliebter Sohn; auf ihn sollt ihr hören!" Gott würdigt Christus als seinen geliebten Sohn und erkennt ihn als diesen an.

2.7 Die Vision verschwand. „Und plötzlich, als sie umherblickten" **(Vers 8)**, war alles vorbei, sie sahen „niemand mehr". Nur Jesus blieb bei ihnen, und er war nicht verklärt, sondern hatte sein normales Erscheinungsbild. Christus verlässt die Seele nicht, selbst wenn außergewöhnliche Freuden und Ermutigungen sie verlassen haben. Christi Jünger haben immer seine gewöhnliche Gegenwart bei sich und werden sie immer bei sich haben, sogar bis an das Ende der Weltzeit (s. Mt 28,20). Wir wollen Gott für unser täglich Brot danken und nicht erwarten, auf dieser Seite des Himmels „immer ein Festmahl" zu haben (Spr 15,15).

2.8 Die Unterhaltung zwischen Christus und seinen Jüngern, als sie den Berg herunterkamen.

Er gebot ihnen, diese Sache geheim zu halten, bis er „aus den Toten auferstanden sei" **(Vers 9)**. Weil er jetzt in einem Stand der Erniedrigung war, wollte er nicht, dass man von etwas öffentlich Notiz nimmt, was mit diesem Stand unvereinbar scheinen könnte. Dass er seinen Jüngern sagte, sie sollten hierüber Stille bewahren, würde auch für sie nützlich sein, um sie von Prahlerei abzuhalten. Es ist für einen Menschen demütigend, davon zurückgehalten zu werden, über seinen Aufstieg zu sprechen, und es kann dabei helfen, ihn vom Stolz abzuhalten.

Die Jünger wussten überhaupt nicht, was die Auferstehung von den Toten bedeutete. Hier war eine weitere Sache, die sie verwirrte. „Warum sagen die Schriftgelehrten, dass zuvor Elia kommen müsse?" **(Vers 11)**. Elia war gegangen und Mose auch. Die Gesetzeslehrer hatten sie gelehrt, die Person Elia zu erwarten, während sich die Prophetie auf den einen „im Geist und in der Kraft Elias" bezog (s. Lk 1,17).

Christus gab ihnen den Schlüssel zu der Prophetie über Elia **(s. Vers 12-13)**. Er sagte, es stimmt, dass prophezeit ist, dass Elia kommen wird und alles wiederherstellt. Genauso sei auch prophezeit, dass der Sohn des Menschen „viel leiden und verachtet werden muss". Auch wenn ihnen die Schriftgelehrten dies nicht sagen würden, tun dies die Schriften, und sie würden genauso viel Grund haben, dies zu erwarten, wie das Kommen von Elia zu erwarten. Was Elia anbetrifft, so sagte er ihnen, dass er „schon gekommen ist", und wenn sie innehalten und einen Moment darüber nachdenken würden, würden sie verstehen, wen er meint, dass es derjenige ist, mit dem sie gemacht haben, „was sie wollten". Der wahre Elia wie auch der wahre verheißene Messias waren gekommen und wir sollen auf keinen anderen warten (s. Mt 11,3-6). Er ist gekommen, ist gewesen und hat so gehandelt, „wie über ihn geschrieben steht".

Vers 14-29

Hier ist der Bericht, wie Christus einen bösen Geist aus einem Kind austreibt, das etwas ausführlicher berichtet wird, als es in Matthäus 17,14-21 wurde. Beachten Sie hier:

1. Christus kehrte zu seinen Jüngern zurück und fand sie in Verwirrung. Christi obere Herrlichkeit lässt ihn nicht die Sorgen seiner Gemeinde unten vergessen **(s. Vers 14)**. Er kam sehr schnell, als sich die Jünger abquälten. Ein von einem bösen Geist besessenes Kind war zu ihnen gebracht worden und sie konnten den Geist nicht austreiben und so waren die Schriftgelehrten hämisch, als hätten sie die Schlacht gewonnen. Christus fand die Schriftgelehrten sich mit ihnen streiten. Seine Rückkehr war für die Jünger sehr willkommen, ohne Zweifel, doch sie war für die Schriftgelehrten unwillkommen. Es wird besonders davon Notiz genommen, dass sie für die Menschen sehr überraschend war. Als sie ihn sahen, gerieten sie sogleich in Bewegung und liefen herzu „und begrüßten ihn". Es ist leicht, einen Grund zu nennen, warum sie froh sein sollten, ihn zu sehen, doch warum gerieten sie sogleich in Bewegung, als sie ihn sahen? Wahrscheinlich blieb eine ungewöhnliche Erscheinung auf seinem Gesicht. Statt müde zu wirken, wirkte sein Gesicht wunderbar lebendig, was sie erstaunte.

2. Ihm wurde ein Fall vorgetragen, der die Jünger verwirrte. Er fragte die Schriftgelehrten: „Was streitet ihr euch mit ihnen?" Was ist nun der Streitpunkt? Die Schriftgelehrten gaben keine Antwort, denn sie waren bestürzt über seine Anwesenheit; auch die Jünger gaben keine Antwort, denn sie waren getröstet und überließen nun alles ihm. Doch der Vater des Kindes sprach vor **(s. Vers 17-18)**.

2.1 Sein Kind war von einem Geist besessen, der ihn seiner Sprache beraubt hatte und er konnte in seinen Anfällen nicht sprechen. Wann immer er ihn ergriff, warf er „ihn nieder", warf ihn in solche Krämpfe, dass sie ihn fast in Stücke rissen; „und er schäumt" aus seinem Mund „und knirscht mit seinen Zähnen". Obwohl die Anfälle rasch abklangen, hinterließen sie ihn doch so schwach, dass er starr wurde, zu einem Gerippe entkräftet war.

2.2 Die Jünger konnten ihm nicht helfen: „Und ich habe deinen Jüngern gesagt, sie sollten ihn austreiben; aber sie konnten es nicht", und so hätte Christus zu keiner besseren Zeit kommen können. „Meister, ich habe meinen Sohn zu dir gebracht."

3. Er tadelte sie alle: „O du ungläubiges Geschlecht! Wie lange soll ich bei euch sein?" **(Vers 19)**. Er nannte sie ein „ungläubiges Geschlecht" und sprach wie jemand, der es leid war, bei ihnen zu sein und sie zu ertragen. Er fragte sich, wie lange er unter diesen ungläubigen Leuten sein wird, wie lange er sie hinnehmen muss.

4. Als das Kind zu Christus gebracht wurde, war es in einem bedauernswerten Zustand; wir sehen es und hören dann die bekümmerte Beschreibung des Vaters von ihm. Als das Kind Christus sah, geriet es sofort in einen Anfall. Der Geist zerrte es, als wolle er sich Christus widersetzen und hoffte auch, zu schwer für ihn zu sein, hoffte, den Besitz trotz ihm behalten zu können. Das Kind „fiel auf die Erde, wälzte sich und schäumte". Christus fragte: „Wie lange geht es ihm schon so?" Die Krankheit schien lange gewährt zu haben; der Junge hatte sie seit seiner Kindheit **(s. Vers 21)**, was den Fall sogar noch trauriger und die Heilung schwieriger machte.

5. Der Vater brachte mit Dringlichkeit vor, dass das Kind eine Heilung brauchte: „Und er hat ihn oft ins Feuer und ins Wasser geworfen, um ihn umzubringen; doch wenn du etwas kannst, so erbarme dich über uns und hilf uns!" **(Vers 22)**. Der Aussätzige vertraute auf Christi Macht, setzte aber ein „wenn" für seinen Willen ein: „Herr, wenn du willst, kannst du" (Mt 8,2). Dieser arme Mann überantwortete sich seinem Wohlwollen, setzte aber ein „wenn" vor seine Macht.

6. Christus antwortete auf seine Bitte: „Wenn du glauben kannst – alles ist möglich dem, der glaubt!" **(Vers 23)**. Er tadelte stillschweigend die Schwäche des Glaubens des Vaters. Der Leidende stellte Christi Macht infrage – wenn er kann, soll er etwas tun –, doch Christus kehrte die Frage zu jenem zurück und ließ jenen seinen Glauben infrage stellen: Er wollte, dass der Vater die Enttäuschung einem Mangel an Glauben zuschrieb: „Wenn du glauben kannst." Doch er unterstützte gnädig die Stärke seines Verlangens: „... alles ist möglich dem, der glaubt" an die Allmacht Gottes, dem alle Dinge möglich sind. Bei der Beziehung zu Christus wird großes Gewicht auf unseren Glauben gelegt und diesbezüglich ist sehr viel verheißen. Es wird gefragt, ob man glauben kann, ob man es wagt zu glauben. Wenn man glauben kann, ist es möglich, dass das harte Herz weich gemacht wird, dass die geistlichen Krankheiten geheilt werden können und dass man, schwach wie man ist, in der Lage ist, bis zum Ende durchzuhalten.

7. Der arme Mann bekannte dann seinen Glauben. Er rief aus: „Ich glaube, Herr" **(Vers 24)**. Die Heilung sollte nicht durch einen Mangel an Glauben verhindert werden. „Ich glaube, Herr." Er fügte ein Gebet um Gnade hinzu, um fähig zu sein, sich fester auf die Rettung Christi zu verlassen: „Hilf mir, loszukommen von meinem Unglauben!" Diejenigen, die sich über ihren Unglauben beklagen, müssen auf Christus um Gnade blicken, um ihnen dagegen zu helfen, und seine Gnade wird für sie genügen (s. 2.Kor 12,9). „Hilf mir, loszukommen von meinem Unglauben!" Christus soll mit seiner Gnade ausgleichen, was ihm in seinem Glauben fehlt, dessen Kraft in unserer Schwachheit vollkommen gemacht wird.

8. Das Kind wurde geheilt. Christus sah eine Volksmenge herbeilaufen und ließ sie darum nicht länger in Ungewissheit, sondern befahl dem unreinen Geist. Beachten Sie:

8.1 Das Gebot, das Christus diesem unreinen Geist gab: „Du sprachloser und tauber Geist, ich gebiete dir: Fahre [sofort] aus von ihm und fahre nicht mehr in ihn hinein!" Er soll nicht nur aus diesem Anfall herausgebracht werden, sondern seine Anfälle sollen nie wiederkehren. Diejenigen, die Christus heilt, werden von ihm vollständig geheilt. Satan kann aus eigenem Antrieb herausgehen und später den Besitz wiedererlangen, doch wenn Christus ihn austreibt, wird er ihn draußen halten.

8.2 Wie der unreine Geist es aufnahm; er wurde sogar noch gewalttätiger. Er schrie „und zerrte ihn heftig", erschütterte ihn so brutal, dass er „wurde wie tot, sodass viele sagten: Er ist tot!"

8.3 Wie das Kind vollkommen wiederhergestellt wurde: „Aber Jesus ergriff ihn bei der Hand" **(Vers 27)**, er ergriff ihn fest, richtete ihn kräftig auf, und er stand auf und war genesen und alles war gut.

9. Christus sagte seinen Jüngern, warum sie diesen bösen Geist nicht austreiben konnten. Sie fragten ihn für sich allein, warum sie es nicht konnten, und er sagte ihnen: „Diese Art kann durch nichts ausfahren außer durch Gebet und Fasten" **(Vers 29)**. Die Jünger dürfen nicht meinen, dass sie immer ähnlich bequem ihre Arbeit tun können. Christus aber kann durch das Sprechen eines Wortes das tun, was sie „durch Gebet und Fasten" erstreben müssen.

Vers 30-40

Hier:

1. Sagt Christus sein bevorstehendes Leiden voraus. Er zog durch Galiläa „und er wollte nicht, dass es jemand erfuhr" **(Vers 30)**. Die Zeit seines Leidens näherte sich und deshalb wollte er nur mit seinen Jüngern sprechen, um sie auf die bevorstehende Zeit der Prüfung vorzubereiten. Er sagte zu ihnen: „Der Sohn des Menschen wird in die Hände der Menschen ausgeliefert; und sie werden ihn töten" **(Vers 31)**. Es ist unerklärlich, dass Menschen, die Einsicht besitzen und Liebe haben sollten, so abscheulich gegenüber dem Sohn des Menschen sein sollten, der kam, um sie zu erlösen und zu retten. Es ist jedoch immer noch bedeutsam, dass, wenn Christus über seinen Tod sprach, er immer über seine Auferstehung sprach. „Sie aber verstanden das Wort nicht" (verstanden nicht, was er meinte; **Vers 32**). Die Worte waren klar genug, doch sie konnten nicht mit Ereignissen in Einklang gebracht werden und sie „fürchteten sich, ihn zu fragen". Viele bleiben unwissend, weil sie sich schämen zu fragen.

2. Tadelte er seine Jünger dafür, dass sie sich selbst erhöhten. Als sie nach Kapernaum kamen, fragte er seine Jünger allein, was sie „unterwegs miteinander verhandelt" haben **(Vers 33)**. An alles, was wir untereinander in unserem Leben sprechen, wird erinnert werden, besonders an unsere Kontroversen, und wir werden für sie zur Rechenschaft gezogen werden. Von allen Kontroversen wird Christus sicherstellen, dass er seine Jünger für die richtet, die sich um den Vorrang und die Überlegenheit drehen: Dies war das Thema der Diskussion hier, „wer der Größte sei" **(Vers 34)**. Nichts könnte mehr gegen die beiden großen Gesetze des Reiches Christi sein, welche Demut und Liebe sind, als Aufstieg in der Welt zu wollen und darüber zu streiten. Er nutzte jede Gelegenheit, dieser schlechten Haltung Einhalt zu gebieten. Sie wollten diese Schuld vertuschen: „Sie aber schwiegen." Wie sie nicht fragen wollten, weil sie sich schämten, ihre Unwissenheit zu bekennen **(s. Vers 32)**, so wollten sie hier nicht antworten, weil sie sich schämten, ihren Stolz zu bekennen. Christus andererseits wollte diesen Fehler in ihnen richtigstellen und deshalb setzte er sich, um ernstlich und ausführlich mit ihnen zu sprechen. Er „rief die Zwölf und sprach zu ihnen":

2.1 Dass Ehrgeiz, anstatt ihnen in seinem Reich den Aufstieg zu bringen, ihren Aufstieg nur aufschieben würde: „Wenn jemand der Erste sein will" und danach strebt, soll er der Letzte sein. Diejenigen, die sich selbst erhöhen, werden erniedrigt werden (s. Mt 23,12).

2.2 Dass man bei ihm keine Beförderung erlangen kann außer einer Gelegenheit für und eine Verpflichtung zu viel mehr Arbeit und Demut.

2.3 Dass diejenigen, die am demütigsten sind und sich am meisten selbst verleugnen, am meisten wie Christus sind und von ihm auf die liebevollste Weise anerkannt werden. „Und er nahm ein Kind ... in die Arme" und sagte: „Schaut her! Wer einen Menschen wie dieses Kind aufnimmt, ‚der nimmt mich auf'. Diejenigen, die eine demütige und gütige Haltung haben, sind diejenigen, die ich anerkennen und unterstützen werde – und Gleiches gilt für meinen Vater –, denn ‚wer mich aufnimmt, der nimmt ... den [auf], der mich gesandt hat'."

3. Wollten sie, als sie stritten, wer von ihnen der Größte war, denjenigen, die nicht zu ihrer Gemeinschaft gehörten, nicht gestatten, etwas zu sein. Beachten Sie:

3.1 Den Bericht, den Johannes ihm gab, wie sie einen Menschen davon abgehalten haben, den Namen Christi zu benutzen, weil er nicht zu ihrer Gruppe gehörte. „Meister", sagte Johannes, „wir sahen einen, der uns nicht nachfolgt, in deinem Namen Dämonen austreiben" **(Vers 38)**.

Es war ungewöhnlich, dass jemand, der kein erklärter Jünger und Nachfolger Christi war, doch die Macht haben würde, in seinem Namen Dämonen auszutreiben, denn das schien eine kennzeichnende Eigenschaft derer gewesen zu sein, die er berief (s. Mk 6,7). Doch es erscheint wahrscheinlich, dass er den Namen Jesu benutzte, weil er glaubte, dass er der Christus ist, wie es die anderen Jünger taten. Warum könnte er dann nicht diese Kraft von Christus bekommen – dessen Geist, wie der Wind, „weht, wo er will" (Joh 3,8) –, ohne eine äußerliche Berufung, wie sie die Apostel hatten? Außerdem gab es vielleicht viel mehr solche Leute, denn Christi Gnade ist nicht auf die sichtbare Kirche begrenzt.

Es war ungewöhnlich, dass jemand, der im Namen Christi Dämonen austrieb, sich nicht den Aposteln anschloss und mit ihnen Christus nachfolgte, sondern weiterhin getrennt von ihnen agierte. Wir wissen nichts davon, was ihn abhalten konnte, ihnen zu folgen, außer, dass er sich sträubte, alles zu verlassen, um ihnen zu folgen. Die Sache sah nicht gut aus und deshalb verbaten ihm die Jünger, den Namen Christi zu benutzen, wie sie es taten, solange er ihm nicht nachfolgte, wie sie es taten. Wir neigen dazu zu denken, dass diejenigen, die Christus nicht so nachfolgen, wie wir es tun, ihm überhaupt nicht nachfolgen, und dass diejenigen, die nicht unseren Wegen folgen, nichts Gutes tun, doch „der Herr kennt die Seinen" (2.Tim 2,19), wie verstreut sie auch sind.

3.2 Den Tadel, den Christus ihnen dafür gab: „Jesus aber sprach: Wehrt es ihm nicht!" **(Vers 39)**. Was gut ist und Gutes bewirkt, darf nicht verboten werden, selbst wenn es vielleicht einen Fehler oder eine Unregelmäßigkeit darin gibt, wie es getan wird. Wenn Christus gepredigt wurde, freute sich Paulus darüber, selbst wenn er dadurch in den Schatten gestellt wird (s. Phil 1,18). Christus nannte zwei Gründe, warum man es solchen Leuten nicht verbieten sollte:

Weil wir nicht voraussetzen können, dass jemand, der den Namen Christi benutzt, um Wunder zu tun, seinen Namen lästert, wie es die Schriftgelehrten und Pharisäer taten.

Denn solange diejenigen, die in Bezug auf die Gemeinschaft abweichen, darin übereinstimmen, unter dem Banner Christi gegen den Satan zu kämpfen, sollten sie einander als auf der gleichen Seite stehend betrachten. „Denn wer nicht gegen uns ist, der ist für uns" **(Vers 40)**. Was den großen Streit zwischen ihm und Beelzebub betrifft, da hatte er gesagt: „Wer nicht mit mir ist, der ist gegen mich" (s. Mt 12,30). Wer Christus nicht anerkennt, erkennt den Satan an. Doch was diejenigen betrifft, die Christus anerkennen, die ihm folgen – wenn auch nicht mit uns –, so müssen wir sie nicht so ansehen, als wären sie gegen uns, sondern damit als auf unserer Seite stehend.

Vers 41-50

Hier:

1. Verheißt Christus all denen eine Belohnung, die in irgendeiner Weise freundlich zu seinen Jüngern sind. „Denn wer euch einen Becher Wasser in meinem Namen zu trinken gibt, weil ihr Christus angehört, wahrlich, ich sage euch: Ihm wird sein Lohn nicht ausbleiben" **(Vers 41)**. Es ist die Ehre und die Seligkeit von Christen, dass sie zu Christus gehören. Sie tragen seine Uniform und sind seine Knechte; in der Tat sind sie enger mit ihm verbunden, sie sind „Glieder seines Leibes" (Eph 5,30). Die Armen Christi in ihrer Not zu trösten ist eine gute Tat; er nimmt sie an und wird sie belohnen. Welche Freundlichkeit den Armen Christi erwiesen wird, muss um seinetwillen getan werden und weil sie zu ihm gehören, denn das heiligt die Freundlichkeit. Das ist ein Grund, warum wir diejenigen nicht entmutigen dürfen, welche den Interessen des Reiches Christi dienen, selbst wenn sie nicht alles so tun, wie wir es tun würden. Wenn Christus Freundlichkeit uns gegenüber als Dienst ihm gegenüber ansieht, sollten wir Dienst an ihm als Freundlichkeit uns gegenüber ansehen und wir sollten dazu ermutigen, selbst wenn er von denen getan wird, die uns nicht folgen.

2. Drohte er denen, die „einem der Kleinen" Anstoß geben **(Vers 42)**. Wer auch immer einen echten Christen betrübt, selbst den Schwächsten, sei es, dass er ihn davon abhält, Gutes zu tun, oder ihn dazu bringt zu sündigen, „für den wäre es besser, dass ein Mühlstein um seinen Hals gelegt und er ins Meer geworfen würde". Seine Strafe wird sehr schwer sein.

3. Warnte er seine Nachfolger, darauf achtzugeben, dass sie ihre Seelen nicht verderben. Diese Güte muss zu Hause beginnen; wenn wir sicherstellen müssen, dass wir nichts tun, um andere daran zu hindern, Gutes zu tun, müssen wir noch sorgfältiger alles vermeiden, das uns daran hindern wird, unsere Pflicht zu tun oder uns zur Sünde führen wird; und wenn es zu uns gehört, müssen wir uns davon trennen, selbst wenn es uns sehr lieb ist. Beachten Sie:

3.1 Die betrachtete Lage: dass uns unsere eigene Hand, unser Auge oder Fuß zum Anstoß werden können, dass die Sünde, der wir nachgeben, genauso kostbar und uns ist wie ein Auge oder eine Hand. Angenommen, das Geliebte ist zu einer Sünde geworden oder die Sünde wurde zu etwas Geliebtem. Angenommen, wir müssen uns entweder davon oder von Christus und einem guten Gewissen trennen.

3.2 Die beschriebene Pflicht in einem solchen Fall: das Auge ausreißen, die Hand und den Fuß abhauen, das sehr geliebte sündige Verlangen in den Tod geben; es töten, kreuzigen. Mögen die Götzen, die Lieblinge gewesen sind (s. Jes 44,9), als Scheusale verworfen werden (s. Hes 37,23). Das Glied, das vom Brand befallen ist, muss abgeschnitten werden, um das Ganze zu bewahren. Das „Ich" muss verleugnet werden, damit es nicht zerstören kann.

3.3 Die Notwendigkeit, dies zu tun. Das Fleisch, das sündige Wesen, muss in den Tod gegeben werden, damit wir in das Leben eingehen können **(s. Vers 43.45)**, in das Reich Gottes **(s. Vers 47)**. Auch wenn wir durch das Verlassen von Sünde dafür sorgen, dass wir uns für den Augenblick fühlen, als wären wir verkrüppelt, lahm und einäugig, so geschieht es doch in Hinblick auf das Leben, dass sie verlassen haben. Die Menschen werden alles, was sie haben, für ihr Leben geben (s. Hiob 2,4). Diese Verkrüppelungen und Lähmungen werden „die Malzeichen des Herrn Jesus" an uns sein (s. Gal 6,17), sie werden die ehrenvollen Narben in diesem Reich sein.

3.4 Die Gefahr, wenn man dies nicht tut. Man wird vor die Entscheidung gestellt: Entweder muss die Sünde sterben oder wir müssen sterben. Wenn wir von der Sünde regiert werden, werden wir unvermeidlich von ihr ruiniert werden. Beachten Sie den Nachdruck auf dem Schrecken in der dreimaligen Wiederholung dieser Worte hier. Es ist ein Ort, „wo ihr Wurm nicht stirbt und das Feuer nicht erlischt". Die Erwägungen und die Schmach des eigenen Gewissens des Sünders sind der Wurm, der nicht stirbt. Der Zorn Gottes, der sich auf ein schuldiges und beflecktes Gewissen richtet, ist das Feuer, das nicht erlischt, denn es ist der Zorn des lebendigen Gottes, in dessen Hände es schrecklich ist zu fallen (s. Hebr 10,31). Philo sagt, die Strafe für Übeltäter ist, für immer sterbend zu leben.

4. Sind die letzten Verse etwas schwierig und Ausleger stimmen in ihrer Bedeutung nicht überein. „Denn jeder muss mit Feuer gesalzen werden, wie jedes Opfer mit Salz gesalzen wird." Deshalb „habt Salz in euch". Es war durch das Gesetz Moses festgelegt, dass jedes Opfer mit Salz gewürzt werden muss, nicht, um es zu konservieren, sondern weil es das Essen für Gottes Tisch war. Unsere Hauptsorge ist, uns der Barmherzigkeit Gottes als lebendiges Opfer darzubringen (s. Röm 12,1) und für diesen Zweck muss die Natur des Menschen, die verderbt ist und als solche Fleisch genannt wird, irgendwie gesalzen werden. Wir müssen das Aroma der Gnade in unserer Seele haben. Diejenigen, die das Salz der Gnade haben, müssen zeigen, dass sie es haben. Sie müssen Salz in sich haben **(s. Vers 50)**, einen lebendigen Antrieb der Gnade in ihren Herzen, der alle verderbten Neigungen ausrottet. Unser Wort muss allezeit „in Gnade" sein, „mit Salz gewürzt" (Kol 4,6), damit keine schlechten Worte aus unserem Mund kommen mögen (s. Eph 4,29), sondern dass wir sie stattdessen so sehr verabscheuen, wie wir es verabscheuen würden, verdorbenes Fleisch in den Mund zu nehmen. Wie dieses begnadete Salz unser Gewissen frei von Anstößen halten wird, so wird es auch unsere Gespräche mit anderen so halten, damit wir keinen der Kleinen Christi dazu bringen zu sündigen. Wir müssen nicht nur dieses Salz der Gnade haben, wir müssen immer seinen Geschmack und sein Aroma behalten, denn wenn „das Salz salzlos wird, womit wollt ihr es würzen"? Diejenigen, die nicht mit dem Salz der göttlichen Gnade gesalzen werden, werden „mit Feuer gesalzen werden". Die Vergnügungen, in denen sie gelebt haben, werden ihr „Fleisch fressen wie Feuer" (Jak 5,3). Dies wird nun zweifellos das Schicksal derer sein, die nicht das Fleisch mit den sündigen Leidenschaften kreuzigen (s. Gal 5,24). Darum wollen wir, da wir wissen, „dass der Herr zu fürchten ist", uns überzeugen lassen, dies zu tun (2.Kor 5,11).

KAPITEL 10

Wir haben hier: 1. Christi Diskussion mit den Pharisäern über die Scheidung (s. Vers 1-12). 2. Das freundliche Willkommen, das er kleinen Kindern bot, die zu ihm gebracht wurden, um gesegnet zu werden (s. Vers 13-16). 3. Wie er den reichen Jüngling prüfte, der fragte, was er tun muss, um in den Himmel zu kommen (s. Vers 17-22). 4. Seine Diskussion mit seinen Jüngern aus diesem Anlass (s. Vers 23-27) über den Vorteil, um seinetwillen arm zu sein (s. Vers 28-31). 5. Die wiederholte Ankündigung seines Leidens und seines bevorstehenden Todes (s. Vers 32-34). 6. Den Rat, den er Jakobus und Johannes gab, daran zu denken, mit ihm zu leiden (s. Vers 35-45). 7. Die Heilung von Bartimäus (s. Vers 46-52).

Vers 1-12
Unser Herr Jesus blieb nicht lange an einem Ort, denn das ganze Land Kanaan war sein „Pfarrbezirk" und deshalb wollte er jeden Teil besuchen. Hier haben wir ihn in dem östlichen Gebiet von Judäa, nicht lange davor war er in dem westlichen Gebiet, nahe Tyrus und Zidon. Somit war seine Bahn wie die der Sonne, vor deren Licht und Hitze nichts verborgen ist (s. Ps 19,7). Wir haben ihn:

1. Wie sich die Menschen ihm zuwenden. Sie kamen wieder zu ihm, und „wie er es gewohnt war" **(Vers 1)**, lehrte er sie wieder. Er tat, „wie er es gewohnt war". In Matthäus wird gesagt, dass er sie heilte; hier wird gesagt, dass er sie lehrte. Sein Lehren war Heilen von armen Seelen. „... und er lehrte sie wieder." Die Fülle der christlichen Lehre ist derart, dass man immer noch mehr lernen kann, und unsere Vergesslichkeit ist derart, dass wir an das erinnert werden müssen, was wir wissen.

2. Wie er in eine Auseinandersetzung mit den Pharisäern gezogen wird. Hier ist:
2.1 Eine Frage, die sie über die Scheidung stellten: „Ist es einem Mann erlaubt, seine Frau zu entlassen?" **(Vers 2)**. Sie hatten vor, „ihn zu versuchen", suchten einen Vorwand, um ihn anzuklagen, auf welche Weise er die Frage auch beantworten würde. Geistliche Diener müssen auf der Hut sein; andernfalls können sie, unter dem Vorwand, um Rat gefragt zu werden, gefangen werden.
2.2 Christi Antwort an sie mit einer Frage: „Was hat euch Mose geboten?" **(Vers 3)**. Er fragte sie dies, um zu zeigen, dass er das Gesetz Moses achtete, und nicht gekommen war, um es zu zerstören.
2.3 Die verständige Darstellung, die sie von dem gaben, was sie im Gesetz des Mose ausdrücklich zur Ehe fanden **(s. Vers 4)**. Chris-

tus fragte: „Was hat euch Mose geboten?" Sie gaben zu, dass Mose nur erlaubt hat, dass ein Mann seiner Frau einen Scheidebrief ausstellt und sie entlässt (s. 5.Mose 24,1).

2.4 Die Antwort, die Christus auf ihre Frage gab, bei der er der Lehre treu war, die er vorher in dieser Sache niedergelegt hatte: „Wer sich von seiner Frau scheidet, ausgenommen wegen Unzucht, der macht, dass sie die Ehe bricht" (s. Mt 5,32). Er zeigte hier:

Dass der Grund dafür, dass Mose in seinem Gesetz die Scheidung erlaubt hatte, nur die „Härte eures Herzens" war **(Vers 5).**

Dass die Beschreibung, die Mose in seinem Bericht von der Einrichtung der Ehe gab, solch ein Argument gegen die Scheidung gab, dass es auf ihr Verbot hinauslief. Mose sagt uns, dass Gott den Menschen „als Mann und Frau" erschuf, einen Mann und eine Frau, sodass Adam sich nicht von seiner Frau scheiden und eine andere Frau nehmen konnte. Das Gesetz legte fest, dass ein Mann „seinen Vater und seine Mutter verlassen und seiner Frau anhängen" (mit ihr vereint sein) muss **(Vers 7).** Dies zeigt nicht nur die Intimität der Beziehung, sondern auch die Tatsache, dass sie für immer anhält. Das Ergebnis der Beziehung ist, dass obwohl sie zwei sind, sie eins sind, „ein Fleisch" **(Vers 8).** Die Einheit zwischen ihnen ist eine geheiligte Sache, die man nicht brechen darf. Gott selbst hat sie zusammengefügt, um in Liebe zusammenzuleben, bis der Tod sie scheidet. Die Ehe ist keine menschliche Erfindung, sondern eine göttliche Institution. Das Band, das Gott selbst geknüpft hat, darf nicht leichtfertig gelöst werden.

2.5 Die Diskussion Christi allein mit seinen Jüngern über diese Angelegenheit **(s. Vers 10-12).** Es war für sie ein Vorteil, dass sie die Gelegenheit für ein persönliches Gespräch mit Christus hatten, und nicht nur über die Geheimnisse des Evangeliums, sondern auch über moralische Pflichten. Neben dem Gesetz, das Christus in dieser Sache niederlegt, wird hier nichts über dieses persönliche Treffen berichtet – dass es Ehebruch ist, wenn man seine Frau entlässt und eine andere Frau heiratet; es ist Ehebruch der Frau gegenüber, von der er sich scheidet **(s. Vers 11).** Er fügte hinzu: „Und wenn eine Frau ihren Mann entlässt und sich mit einem anderen verheiratet, so bricht sie die Ehe" **(Vers 12).** Wenn Weisheit und Gnade, Heiligkeit und Liebe im Herzen regieren, werden sie diese Gebote leicht machen, die für das sündige Herz wie ein schweres Joch sein können.

Vers 13-16

Man betrachtet es als ein Zeichen für eine freundliche und feinfühlige Veranlagung, wenn man kleine Kinder beachtet, und solch eine Haltung wurde bei unserem Herrn Jesus beobachtet, was nicht nur für kleine Kinder eine Ermutigung ist, sich zu Christus zu wenden, sondern auch für Erwachsene, die sich ihrer eigenen schwachen und kindischen Wege bewusst sind und davon, dass sie hilflos und zu wenig zu gebrauchen sind, wie kleine Kinder. Wir haben hier:

1. Kleine Kinder, die zu Christus gebracht werden **(s. Vers 13).** Es hat nicht den Anschein, dass sie irgendeine besondere leibliche Heilung benötigten, noch waren sie in der Lage, gelehrt zu werden. Diejenigen, die sich um sie kümmerten, waren zum größten Teil um ihre Seelen besorgt, ihren besseren Teil. Sie glaubten, dass der Segen Christi den Seelen der Kinder Gutes tun würde und deshalb brachten sie sie zu ihm, damit er sie anrühren möge, und wussten, dass er ihre Herzen erreichen konnte, wenn nichts sie erreichen würde, was ihre Eltern sagen oder für sie tun konnten. Wir können unsere Kinder immer noch Christus vorstellen, jetzt, wo er im Himmel ist; wir können Glauben an die Fülle und das Ausmaß seiner Gnade und an die Verheißung für uns und unsere Kinder haben (s. Apg 2,39).

2. Wie die Jünger entmutigten, Kinder zu Christus zu bringen: Sie „tadelten die, welche sie brachten".

3. Wie Christus dazu ermutigte. Er war ungehalten, dass seine Jünger sie fernhalten wollten: „Als das Jesus sah, wurde er unwillig" **(Vers 14).** Christus ist sehr böse auf seine Jünger, wenn sie jemanden entmutigen, entweder selbst zu ihm zu kommen oder ihre Kinder zu ihm zu bringen. Er ordnete an, dass die Kinder zu ihm gebracht werden: „Lasst die Kinder zu mir kommen." Kleine Kinder sind in einem frühen Alter willkommen, mit ihren Hosiannas zum Thron der Gnade zu kommen. Christus kam, um das Reich Gottes auf der Erde zu errichten und er ergriff die Gelegenheit, um zu erklären, dass dieses Reich kleine Kinder als seine Untertanen zuließ. Etwas von der Haltung und Disposition von kleinen Kindern muss man bei allen finden, die Christus anerkennen und segnen wird. Wir müssen das Reich Gottes annehmen wie ein Kind **(s. Vers 15),** das heißt, wir müssen zu Christus und seiner Gnade stehen, wie kleine Kinder zu ihren Eltern, Lehrern und allen stehen, die sich um sie kümmern. Wir müssen wissbegierig sein, wie es Kinder sind; wir müssen lernen, wie es Kinder tun, und bei unserem Lernen müssen wir glauben: Ein Lernender muss lernen. Der Sinn eines Kindes ist eine „Tabula rasa", ein unbeschriebenes Blatt; Sie können darauf schreiben, was immer Sie möchten. Das ist der Zustand, in dem unsere Gemüter sein müssen, um das Schreiben des Stiftes des Heiligen Geistes aufzunehmen. Kinder müssen unterwiesen werden; genauso müssen wir es. Kleine Kinder sind abhängig von der Weisheit und Fürsorge ihrer Eltern und sie werden auf ihren Armen getragen und nehmen an, was jene für sie beschaffen; auf diese Weise müssen wir das Reich Gottes annehmen, indem wir uns demütig Jesus Christus unterwerfen und klar und aufrichtig von ihm abhängig sind. Er nahm die Kinder an und gab ihnen, was sie begehrten: „Und er nahm sie auf die Arme, legte ihnen die Hände auf und segnete sie" **(Vers 16)**. Ihre Eltern baten, dass er sie anrühren möge, doch er tat mehr als dies. Er „nahm sie auf die Arme". „Die Lämmer wird er in seinen Arm nehmen und im Bausch seines Gewandes tragen" (Jes 40,11). Es gab eine Zeit, in der Christus selbst auf die Arme des alten Simeon genommen wurde (s. Lk 2,28). Jetzt nahm er diese Kinder hoch und beklagte sich nicht über die Last, sondern hatte Gefallen an ihr. Er „legte ihnen die Hände auf". Er segnete sie. Unsere Kinder sind glücklich, wenn sie nur den Segen des Mittlers als den ihren haben.

Vers 17-31

Hier ist:

1. Ein verheißungsvolles Treffen zwischen Christus und einem jungen Mann; so wird er in Matthäus 19,20.22 genannt und in Lukas „ein Oberster" (Lk 18,18).

1.1 Er kam zu Christus herzugelaufen; er stellte die Bedeutung und Vornehmheit eines Obersten beiseite und zeigte seine Inbrunst und Kühnheit; er lief wie jemand in Eile. Er hatte jetzt die Gelegenheit, Rat von diesem großen Propheten zu suchen und er ließ diese Gelegenheit nicht vorübergehen.

1.2 Er kam zu ihm, als er zusammen mit anderen den Weg entlangging.

1.3 Er kniete vor ihm als Zeichen seiner großen Wertschätzung und Achtung, die er vor ihm hatte, und seines aufrichtigen Verlangens, von ihm belehrt zu werden. Er fiel als jemand vor ihm auf seine Knie, der sich ihm unterwarf.

1.4 Seine Anrede an ihn war ernsthaft und bedeutsam: „Guter Meister, was soll ich tun, um das ewige Leben zu erben?" Er hielt es für möglich, „das ewige Leben zu erben", betrachtete es als etwas, das uns nicht nur vorgelegt, sondern auch angeboten wird. Die meisten Menschen bitten um Gutes, um es in dieser Welt zu genießen, doch er fragte nach Gutem, was man in dieser Welt *tun* sollte. Nicht: „Wer wird uns Gutes sehen lassen?" (Ps 4,7), sondern: Wer wird uns Gutes tun lassen? Er fragte nach Glückseligkeit beim Tun seiner Pflicht. Dies war nun:

Eine sehr ernste Frage. Wenn Menschen beginnen, mit großer Sorge nach dem zu fragen, was sie tun müssen, um in den Himmel zu kommen, ist das der Beginn, dass es etwas Hoffnung für sie gibt.

Die richtige Person, die gefragt wurde, jemand, der in jeder Hinsicht geeignet war, sie zu beantworten und welcher selbst „der Weg und die Wahrheit und das Leben" ist (s. Joh 14,6); derjenige, der mit der bewussten Absicht vom Himmel kam, zuerst den Weg zum Himmel zu schaffen und ihn dann bekannt zu machen. Es ist ein charakteristisches Merkmal des christlichen Glaubens, dass er sowohl das ewige Leben offenbart als auch den Weg dorthin. *Mit guter Absicht vorgetragen* – damit er unterwiesen werden möge. Wir finden dieselbe Frage von einem Gesetzesgelehrten mit schlechter Absicht gestellt. Er „versuchte ihn und sprach: Meister, was muss ich tun?" (Lk 10,25). Es sind nicht so sehr die guten Werke wie ihre gute Absicht, auf die Christus schaut.

1.5 Christus ermutigte die Anfrage des jungen Mannes, indem er dessen Glauben half **(s. Vers 18)**. Der Mann nannte ihn „guter Meister". Christus wollte, dass er damit meinte, dass er Christus als Gott ansieht, da es niemanden gibt, der gut ist, außer einem, Gott selbst. Unser englisches Wort für „Gott" hat ohne Zweifel eine gewisse Verwandtschaft zu dem Wort „gut". Ferner lenkte er die Taten des Mannes: „Du kennst die Gebote" **(Vers 19)**. Er nannte die sechs Gebote der zweiten Tafel der Zehn Gebote, welche unsere Pflicht gegenüber unserem Nächsten beschreiben. Das fünfte Gebot wird hier als Letztes genannt als etwas, was man besonders bedenken und beachten sollte, damit wir uns an den ganzen Rest halten.

1.6 Der junge Mann war ein verheißungsvoller Anwärter auf den Himmel, da er frei von irgendwelchen offenen und schweren Übertretungen der göttlichen Gebote war. „Meister, das alles habe ich gehalten von meiner Jugend an." Er dachte, er hätte es, und seine Nächsten dachten dies auch. Wer sagen konnte, er sei frei von offenkundigen Sünden, war auf dem Weg zum ewigen Leben weiter gegangen als viele Leute.

1.7 Christus spürte Zuneigung ihm gegenüber: „Da blickte ihn Jesus an und gewann ihn lieb" **(Vers 21)**. Christus liebt es besonders, junge und reiche Menschen nach dem Weg zum Himmel fragen zu sehen, die ihr Leben auf dieses Ziel ausrichten.

2. Eine traurige Trennung zwischen Christus und diesem jungen Mann.

2.1 Christus gab ihm ein Gebot, um ihn zu prüfen. Hatte er wirklich sein Herz darauf ausgerichtet? Wir wollen ihn prüfen. Konnte es in seinem Herzen finden, sich von seinem Reichtum für Christus zu trennen? Er möge jetzt die schlechten Nachrichten wissen; wenn er diese Bedingungen nicht erfüllen möchte, möge er jetzt seinen Anspruch aufgeben; es wäre besser für ihn, es früher zu tun als später. „Geh hin, verkaufe alles, was du hast" und er möge zum „Vater des Armen" werden (Hiob 29,16). Jeder muss nach seinen Möglichkeiten die Armen unterstützen. Weltlicher Wohlstand ist uns als Talent gegeben (s. Mt 25,14-30), um für die Ehre unseres großen Lehrers in der Welt benutzt zu werden, der die Dinge so geordnet hat, dass die Armen, die wir immer bei uns haben werden (s. 5.Mose 15,11; Mk 14,7), von ihm bekommen sollten. Konnte der junge Mann es in seinem Herzen finden, dass er den härtesten, kostspieligsten Dienst durchmachen würde, zu dem er als Jünger Christi berufen werden könnte, ihn zu leisten, und konnte er von ihm für eine Belohnung im Himmel abhängig sein? Glaubte er wirklich, dass es einen Schatz im Himmel gab, der genug war, um all das Verlassen, Verlieren oder Drangeben um Christi willen auszugleichen? War er willens, mit Christus auf Treu und Glauben zu handeln? Konnte er ihm vertrauen, so gut er es vermochte, und war er bereit, gegenwärtig ein Kreuz zu tragen in der Erwartung einer zukünftigen Krone?

2.2 Als er das hörte, ging er fort: „Er aber wurde traurig über dieses Wort" (Vers 22). Er war bekümmert, dass er nicht zu leichteren Bedingungen ein Nachfolger Christi sein konnte, dass er nicht das ewige Leben ergreifen und genauso seinen weltlichen Besitz behalten konnte. Doch weil er die Bedingungen der Jüngerschaft nicht erfüllen konnte, war er vernünftig genug, nicht vorzugeben, es zu tun. Er „ging betrübt davon". Hier kann man die Wahrheit der Aussage in Matthäus 6,24 sehen: „Ihr könnt nicht Gott dienen und dem Mammon!" Solange er am Mammon festhielt, verachtete er in der Tat Christus. Er bat auf dem Markt um das, was er wollte, doch er ging traurig fort und ließ es zurück, weil er es nicht zu seinem Preis haben konnte.

3. Christi Unterredung mit seinen Jüngern. Wir sind versucht, uns zu wünschen, dass Christus seine Herangehensweise abgemildert hätte, um die Härte zu vermindern, doch er wusste, wie das menschliche Herz ist. Er wollte nicht danach streben, dass der junge Mann sein Nachfolger wird, weil er reich und ein Oberster war; wenn er gehen wollte, dann möge er gehen. Christus wird niemanden gegen seinen Willen halten. Jesus lehrte dann:
3.1 Die Schwierigkeit der Errettung von denjenigen, die viele Güter dieser Welt haben, weil es wenige gibt, die eine große Menge zu verlassen haben, die überzeugt werden können, es alles für Christus zu verlassen.
Christus machte dies hier als Erstes geltend; er blickte umher zu seinen Jüngern und sagte: **„Wie schwer werden die Reichen in das Reich Gottes eingehen!" (Vers 23).** Sie haben sich mit vielen Versuchungen herumzuschlagen und viele Schwierigkeiten zu überwinden, die sich armen Menschen nicht in den Weg stellen. Dann erklärte er sich **(s. Vers 24)**, nannte seine Jünger Kinder, denn als Kinder mussten sie von ihm gelehrt werden. Obwohl er gerade gesagt hatte, wie schwer es für diejenigen sei, die Reichtümer besitzen, in den Himmel zu kommen, sagte er ihnen hier, dass die Gefahr nicht so sehr dadurch kam, dass jene Reichtümer besitzen, als davon, dass jene auf sie vertrauen. Diejenigen, die dem Wohlstand der Welt den falschen Wert beimessen, werden nie dazu gebracht werden, Christus und seine Gnade richtig einzuschätzen. Diejenigen, die große Reichtümer besitzen, doch nicht auf sie vertrauen, haben die Schwierigkeit überwunden und können sich leicht um Christi willen von ihnen trennen, doch diejenigen, die sehr wenig haben, wird es, wenn sie ihr Herz an dieses Wenige hängen, von Christus fernhalten. Zuletzt unterstützte er diese Erklärung mit: „Es ist leichter, dass ein Kamel durch das Nadelöhr geht, als dass ein Reicher in das Reich Gottes hineinkommt" **(Vers 25)**. Manche haben den Versuch unternommen, das Kamel und Nadelöhr etwas näher zusammenzubringen:

Manche Leute meinen, es könnte irgendein kleines Pförtchen oder einen anderen Zugang nach Jerusalem gegeben haben, welches allgemein für seine Enge als das Nadelöhr bekannt war, durch das ein Kamel nur kommen konnte, wenn es nicht beladen war. In der gleichen Weise kann der Reiche nach dieser Sicht nicht in den Himmel kommen, wenn er nicht bereit ist, sich von der Last des weltlichen Reichtums zu trennen und sich zu den Pflichten einer demütigen Religion herabzubeugen.

Andere legen nahe, dass sich das Wort, welches wir mit „Kamel" übersetzen, manchmal auf ein starkes, dickes Seil bezieht. Die Reichen sind nach dieser Sicht, wenn sie mit den Armen verglichen werden, wie ein dickes Seil verglichen mit einem einzelnen Faden, und dieses Seil wird nicht durch ein Nadelöhr passen, wenn es nicht aufgeflochten wird. Auf die gleiche Weise müssen die Reichen gelöst und befreit werden, damit ein Faden für Faden durch das Nadelöhr passen können; sonst sind sie zu nichts gut und werden auf die Erde fallen.

Diese Wahrheit war für die Jünger sehr überraschend: **„Die Jünger aber erstaunten über seine Worte" (Vers 24).** „Sie aber entsetzten sich sehr und sprachen untereinander: Wer kann dann überhaupt errettet werden?" **(Vers 26)**. Sie wussten, wie viele Verheißungen über gute weltliche Dinge es im Alten Testament gab. Sie wussten auch, dass diejenigen, die reich sind, so viel mehr Möglichkeiten haben, Gutes zu tun, und deshalb waren sie erstaunt zu hören, dass es für reiche Menschen so schwer war, in den Himmel zu kommen.

Christus versöhnte sie damit, indem er zu verstehen gab, dass die Notwendigkeit, welche es eben *bei reichen Menschen nach Hilfe gibt, die Schwierigkeiten zu überwinden, die ihrer Errettung im Weg stehen, der allmächtigen Kraft Gottes übergeben werden muss:* Er „blickte sie an und sprach: Bei den Menschen ist es unmöglich, aber nicht bei Gott!" **(Vers 27)**.

3.2 Die Größe des Heils für diejenigen, die nur wenig von dieser Welt haben und es für Christus verlassen. Er sprach darüber, als Petrus erwähnte, was er und die anderen Jünger verlassen hatten, um ihm zu folgen. „Siehe", sagte Petrus, „wir haben alles verlassen und sind dir nachgefolgt!" **(s. Vers 28)**. Christus antwortete: „Ihr habt wohl daran getan! Ihr werdet reichlich belohnt werden, und nicht nur ihr, die ihr wenig verlassen habt, werdet entschädigt werden, sondern auch diejenigen, die sehr viel verlassen, selbst wenn es so viel ist wie das, was dieser junge Mann besessen hatte."

Der Verlust wurde als sehr groß vorgestellt. Christus führte auf:

Weltlichen Wohlstand. Häuser werden hier als Erstes angeführt und Äcker als Letztes: Er wollte, dass sie sich einen Menschen vorstellen, der sein Haus verlässt, das sein Zuhause sein sollte, und seinen Acker, der ihn versorgen sollte. Das war die Wahl der leidenden Heiligen gewesen.

Liebe Verwandte, „Brüder oder Schwestern oder Vater oder Mutter oder Frau oder Kinder". Ohne diese Menschen wäre die Welt für uns eine Wüste. Wenn wir jedoch entweder diese oder Christus verlassen müssen, müssen wir daran denken, dass wir eine engere Beziehung zu Christus haben, als wir es zu irgendeiner geschaffenen Sache haben. Die größte Prüfung der Treue eines guten Menschen ist, wenn ihre Liebe zu Christus in Konkurrenz mit einer Liebe gerät, die rechtmäßig oder die ihre Pflicht ist. Es ist für einen solchen Menschen leicht, ein sündiges Verlangen um Christi willen aufzugeben, doch Vater, Bruder oder Frau für Christus aufzugeben – das heißt, diejenigen zu verlassen, von denen wir wissen, dass sie sie lieben müssen –, ist schwer. Doch sie müssen dies tun, statt Christus zu verleugnen oder zu verstoßen. Es ist nicht das Leid, sondern der Grund, der den Märtyrer macht. Deshalb:

Der Gewinn wird groß sein. Sie werden hundertfältig empfangen, „jetzt in dieser Zeit Häuser und Brüder und Schwestern". Sie werden in ihrem Leben große Ermutigungen haben, die genug sind, um sie für all ihre Verluste zu entschädigen. Leidende Christen werden hundertfältig von den Tröstungen des Geistes haben, die ihre weltlichen Tröstungen versüßen. „... unter Verfolgungen" wird hier bei Markus hinzugefügt. Selbst wenn sie durch Christus gewinnen, müssen sie immer noch erwarten, für ihn zu leiden. Sie werden „in der zukünftigen Weltzeit ewiges Leben" bekommen. Wenn sie hundertmal so viel in dieser jetzigen Welt bekommen würden, würde man meinen, dass sie nicht ermutigt werden würden, noch mehr zu erwarten. Doch als ob das etwas Geringes wäre, werden sie auch das ewige Leben haben. Weil jedoch die Jünger so viel darüber sprachen – und wirklich mehr, als sie hätten tun sollen –, dass sie alles für Christus verlassen haben, sagte er ihnen, dass es, obwohl sie als Erste berufen wurden, Jünger geben würde, die nach ihnen berufen wurden, die über sie erhöht werden würden. Dann würden die Ersten Letzte und die Letzten Erste sein **(s. Vers 31)**.

Vers 32-45

Hier ist:

1. Christi Vorhersage seines Leidens. Beachten Sie hier:

1.1 Wie mutig er war; als sie nach Jerusalem heraufzogen, ging Jesus „ihnen voran" **(Vers 32)**. Als nun die Zeit nahe bevorstand, mehr als je zuvor, drängte er vorwärts: „Jesus ging ihnen voran, und sie entsetzten sich." Sie zogen nun in Betracht, in welche drohende Gefahr sie liefen, indem sie nach Jerusalem gingen, und sie erzitterten bereits beim Gedanken daran. Deshalb ging Christus, um sie zu ermutigen, „ihnen voran". Wenn wir sehen, dass Leid auf uns zukommt, ist es für uns ermutigend zu sehen, dass uns unser Meister vorangeht. Oder: Er ging „ihnen voran" und deshalb entsetzten sie sich; sie bewunderten seinen Eifer und seinen Frohsinn, als er ging. Der Mut und die Treue Christi sind und werden für all seine Jünger das Wunder bleiben.

1.2 Wie furchtsam und feige seine Jünger waren. Sie „folgten ihm mit Bangen". Der Mut ihres Meisters hätte sie ermutigen sollen.

1.3 Wie er ihre Ängste zum Schweigen brachte. Er versuchte nicht, die Dinge besser aussehen zu lassen, als sie waren, sondern sagte ihnen noch einmal, „was mit ihm geschehen werde". Er kannte das Schlimmste davon und das war der Grund, warum er so unerschrocken voranschritt, und er wollte sie das Schlimmste davon wissen lassen. „Kommt, fürchtet euch nicht! Der Sohn des Menschen wird wieder auferstehen; das Ergebnis seines Leidens wird sowohl herrlich sein für ihn als auch von großem Nutzen für alle, die ihm gehören" **(s. Vers 33-34)**. Die Art und die Einzelheiten der Leiden Christi werden hier in größerer Tiefe vorhergesagt als bei allen anderen der Voraussagen. Christus hatte nicht nur eine vollkommene Voraussicht seines eigenen Todes, sondern auch aller erschwerenden Umstände, und doch ging er voran, um sich diesem zu stellen.

2. Der Verweis, den Christus zweien seiner Jünger für ihre ehrgeizige Bitte erteilte. Die

Geschichte ist hier zum großen Teil die gleiche, die wir in Matthäus 20,20-28 hatten. Dort wird gesagt, dass sie ihre Bitte durch ihre Mutter vorbrachten; hier wird gesagt, dass sie sie selbst vortrugen. Dies zeigt uns:

2.1 Wie es auf der einen Seite manche gibt, die nicht die großen Ermutigungen nutzen, die uns Christus für das Gebet gegeben hat, so gibt es andererseits manche, die diese Ermutigungen missbrauchen. Es war eine unverantwortliche Vermessenheit dieser Jünger, ihrem Meister solch ein grenzenloses Ersuchen vorzubringen. „Meister, wir wünschen, dass du uns gewährst, um was wir bitten!" Wir würden viel besser handeln, wenn wir es ihm überlassen, das für uns zu tun, was er als passend ansieht, und er wird mehr tun, als wir verlangen können (s. Eph 3,20).

2.2 Wir müssen vorsichtig sein, wie wir umfassende Versprechen machen. Christus würde sich nicht verpflichten: „Was wünscht ihr, das ich euch tun soll?" Er wollte, dass sie mit ihrer Bitte fortfahren, damit sie darüber beschämt werden würden.

2.3 Viele wurden dadurch in eine Falle gelockt, dass sie meinten, das Reich Christi sei von dieser Welt (s. Joh 18,36). Jakobus und Johannes schlossen, dass, wenn Christus wieder auferstehen würde, er ein König sein muss, und wenn er ein König sein muss, müssten seine Apostel Herren sein und entweder Jakobus oder Johannes würden gern der höchste Herr im Land sein und der andere wäre glücklich, der Nächste nach ihm zu sein.

2.4 Weltliche Ehre hat oft die Augen der Jünger Christi geblendet. Wir sollten jedoch mehr danach trachten, gut zu sein, als groß auszusehen oder Vorrang zu haben.

2.5 Unsere Schwachheit und Kurzsichtigkeit zeigen sich in unseren Gebeten genauso viel wie woanders. Es ist von uns töricht, Gott Vorschriften zu machen, und es ist weise, sich ihm zu unterwerfen.

2.6 Es ist der Wille Christi, dass wir uns auf Leiden vorbereiten und es ihm überlassen, uns dafür zu belohnen. Unsere Sorge muss sein, Weisheit und Gnade dafür zu haben und zu wissen, wie wir für ihn leiden sollen, und dann können wir ihm vertrauen, dass er auf die beste Weise dafür sorgt, wie wir mit ihm herrschen werden (s. 2.Tim 2,12).

3. Der Verweis, den er dem Rest seiner Jünger für ihren Unwillen darüber erteilte. Und sie fingen an, „über Jakobus und Johannes unwillig zu werden" **(Vers 41)**. Sie waren böse über sie, dass sie den Vorzug gesucht hatten, weil jeder von ihnen hoffte, ihn selbst zu bekommen. Hier, in ihrer Empörung über den Ehrgeiz von Jakobus und Johannes, sehen wir, wie die Jünger ihren Ehrgeiz zeigen, und Christus nutzte die Gelegenheit, um sie davor zu warnen **(s. Vers 42-44)**. Er „rief sie zu sich", auf ungezwungene Weise, um ihnen ein Beispiel seines Herablassens zu geben. Er zeigte ihnen:

3.1 Dass Herrschaft in der Welt allgemein missbraucht wurde: „Ihr wisst, dass diejenigen, welche als Herrscher der Heidenvölker gelten, sie unterdrücken" **(Vers 42)**; das ist alles, wonach sie streben. Ihr Interesse ist, was sie aus ihren Untertanen herausbekommen können, um ihren eigenen Stolz und ihre Größe zu stärken, nicht, was sie für jene tun können.

3.2 Dass deshalb in der Gemeinde keine Herrschaft zugelassen werden sollte: „,Unter euch aber soll es nicht so sein'; diejenigen, die eurer Verantwortung unterstellt werden, müssen wie Schafe unter der Obhut eines Hirten sein, der nach ihnen schauen und sie weiden muss, um ihr Diener zu sein; nicht wie die von Pferden unter dem Kommando des Kutschers, der sie zur Arbeit treibt und schlägt, um den Wert seines Geldes aus ihnen herauszubekommen. Derjenige, der groß und wichtig sein will, ,der sei aller Knecht'. Derjenige, der wirklich groß und wichtig sein will, muss sein Leben damit verbringen, allen Gutes zu tun. Diejenigen, die am nützlichsten sind, werden nicht nur später am meisten geehrt werden, sondern auch jetzt am ehrenwertesten sein." Um sie zu überzeugen, stellte er ihnen sein eigenes Beispiel vor Augen **(s. Vers 45)**: „nahm die Gestalt eines Knechtes an" (Phil 2,7), kam nicht, „um sich dienen zu lassen, sondern um zu dienen"; und er „wurde gehorsam bis zum Tod" (s. Phil 2,8), indem er sein Leben „als Lösegeld für viele" gab.

Vers 46-52

Dieser Abschnitt stimmt mit Matthäus 20,29-34 überein. Der Unterschied ist, dass uns dort über zwei Blinde berichtet wird, während uns hier und in Lukas 18,35-43 nur von einem erzählt wird, doch wenn es zwei gab, dann gab es einen und dieser wird hier benannt. Er wurde Bartimäus genannt, das ist der Sohn von Timäus.

1. Dieser Blinde saß und bettelte. Diejenigen, die nicht in der Lage sind, sich durch eigene Arbeit einen Lebensunterhalt zu verdienen, sind die angemessensten Objekte für Wohltätigkeit und man sollte sich besonders um sie kümmern.

2. Er rief aus: „Jesus, du Sohn Davids, erbarme dich über mich!" Not ist der Gegenstand von Barmherzigkeit.

3. Christus ermutigte ihn. Er „stand still und ließ ihn zu sich rufen". Wir dürfen es in unserem Leben nie als Hindernis ansehen, still zu stehen, wenn der Grund dafür ist, dass wir ein gutes Werk zu tun haben. Die um Bartimäus herum, die ihn zuerst entmutigt hatten, waren jetzt vielleicht die Leute, die ihm Christi gnädigen Ruf ausrichteten. „Sei getrost, steh auf; er ruft dich!" Die gnädigen Einladungen, die uns Christus gibt, zu ihm zu kommen, sind große Ermutigungen für unsere Hoffnung, dass wir das haben werden, wofür wir gekommen sind.

4. Der arme Mann „warf [dann] seinen Mantel ab ... und kam zu Jesus" **(Vers 50)**; er warf alles ab, das ihn zurückhalten oder in irgendeiner Weise behindern konnte. Diejenigen, die zu Jesus kommen möchten, müssen den Mantel ihrer Selbstgenügsamkeit abwerfen und sie müssen die Sünde abwerfen, die, wie lange Kleidung, „uns so leicht umstrickt" (Hebr 12,1).

5. Die besondere Gunst, um die er bat, war, dass er „sehend werde", damit er in der Lage wäre, für seinen Lebensunterhalt zu arbeiten, und nicht länger eine Last für andere wäre.

6. Diese Gunst wurde ihm erwiesen; er wurde sehend: „Dein Glaube hat dich gerettet!" **(Vers 52)**. Es war nicht seine Kühnheit, sondern sein Glaube, der Christus sich ans Werk machen ließ, oder vielmehr Christus, der seinen Glauben sich ans Werk machen ließ. Die Dinge, die wir durch den Glauben bekommen, sind am meisten ermutigend. Als er sehend geworden war, „folgte [er] Jesus nach auf dem Weg". Er zeigte hierdurch, dass er vollkommen geheilt war, dass er nicht mehr länger jemanden brauchte, um ihn zu führen. Er zeigte auch seine Dankbarkeit, indem er sein Augenlicht benutzte, um Christus zu folgen. Es ist nicht genug, für eine geistliche Heilung zu Christus zu kommen; wenn wir geheilt sind, müssen wir ihm auch weiterhin folgen. Diejenigen, die geistliches Augenlicht haben, sehen in Christus eine Schönheit, die sie wirksam dazu bringen wird, ihm nachzulaufen (s. Hld 1,4).

KAPITEL 11

Wir haben nun die Passionswoche und die großen Ereignisse dieser Woche erreicht. Hier haben wir: 1. Christi triumphalen Einzug in Jerusalem (s. Vers 1-11). 2. Sein Verfluchen des unfruchtbaren Feigenbaums (s. Vers 12-14). 3. Sein Vertreiben von denjenigen aus dem Tempel, die ihn zu einer Wechselstube machten (s. Vers 15-19). 4. Seine Botschaft an seine Jünger aus Anlass, dass der Feigenbaum vertrocknet war, den er verflucht hatte (s. Vers 20-26). 5. Seine Erwiderung denjenigen gegenüber, die seine Autorität infrage stellten (s. Vers 27-33).

Vers 1-11

Hier haben wir den Bericht von Christi öffentlichem Einzug in Jerusalem.

1. Er kam öffentlich in die Stadt:
1.1 Um zu zeigen, dass er sich nicht vor der Macht und dem Hass seiner Feinde in Jerusalem fürchtete. Er kam nicht inkognito in die Stadt wie jemand, der es nicht wagt, sein Gesicht zu zeigen.
1.2 Um zu zeigen, dass er durch den Gedanken an sein bevorstehendes Leiden nicht beunruhigt war. Er kam nicht nur öffentlich, sondern auch frohen Sinnes.

2. Das Erscheinungsbild seines Triumphs war sehr demütig; er ritt auf dem Füllen eines Esels, und dazu noch einem geborgten. Christus fuhr in einem geborgten Boot auf den See hinaus, aß das Passah in einem geborgten Raum, wurde in einem geborgten Grab begraben und ritt hier auf einem geborgten Esel. Christen mögen sich nicht verachten, wenn sie untereinander Schulden haben, sie sollen es auch nicht für unter ihrer Würde halten zu borgen, wie unser Meister solche Taten nicht für unter seiner Würde hielt. Er hatte kein reiches Geschirr; sie legten ihre Kleider auf das Füllen „und er setzte sich darauf" **(Vers 7)**. Die ganze Zurschaustellung, welche die Jünger machen konnten, war, dass sie Kleider „auf dem Weg" ausbreiteten und „Zweige von den Bäumen" hieben und sie auf den Weg „streuten" (Vers 8), wie sie es in der Regel beim Laubhüttenfest taten. Diese Umstände sind Weisungen für uns, „nicht nach hohen Dingen" zu trachten, sondern uns „herunter zu den Niedrigen" zu halten (Röm 12,16). Wie ungeziemend ist es für Christen, stolz zu werden, da Christus so weit davon entfernt war!

3. Die Bedeutung dieses Triumphs war sehr groß:
3.1 Christus zeigte seine Kenntnis von entfernten Dingen und seine Macht über den menschlichen Willen, als er seine Jünger sandte, um das Füllen zu holen **(s. Vers 1-3)**.
3.2 Er zeigte seine Macht über Tiere, als er auf einem Füllen ritt, das noch nie geritten worden war. Vielleicht wollte Christus, indem er auf dem Füllen eines Esels ritt, einen Schatten seiner Macht über die Menschen zeigen, die wie „ein Eselhengst ... geboren werden" (Hiob 11,12).
3.3 Das Füllen wurde von einem Ort geholt, der an einem „Scheideweg" war **(Vers 4)**, als wollte Christus zeigen, dass er kam, um die auf den richtigen Weg zu führen, die zwei Wege vor sich hatten und in der Gefahr standen, den falschen zu nehmen.
3.4 Christus empfing die freudigen Hosiannas der Leute. Es war Gott, der es in die Herzen dieser Leute gelegt hatte, Hosianna zu rufen.

Sie hießen seine Person willkommen: „Gepriesen sei der, welcher kommt" **(Vers 9)**, derjenige, der so oft verheißen und so lange erwartet wurde; er kam „im Namen des Herrn", gepriesen ist er: Möge unser Lob und unsere Liebe bekommen; er ist ein gesegneter Heiland und bringt uns Segnungen. Und möge derjenige, der ihn gesandt hat, gepriesen sein.

Sie wünschten seiner Sache Gutes **(s. Vers 10)**. Sie glaubten, dass er ein Reich hat, dass es das Reich ihres Vaters David war, ein Reich, das „im Namen des Herrn" kam. Gepriesen sei dieses Reich; möge es in Macht kommen. Möge es siegreich voranschreiten und er ausziehen „als ein Sieger und um zu siegen" (Offb 6,2). Hosianna diesem Reich; möge alles Glück zu ihm kommen!

4. Christus kam unter dem Beifall derer in die Stadt, die zugegen waren, und ging direkt „in den Tempel". Er kam in den Tempel und betrachtete dessen momentanen Zustand **(s. Vers 11)**. Er betrachtete alles, sagte aber noch nichts. Er ließ für diese Nacht die Dinge, wie sie waren, und beabsichtigte, am nächsten Morgen zurückzukehren und die notwendige Reformation durchzuführen. Wir können gewiss sein, dass Gott alles Böse in der Welt sieht, selbst wenn er es nicht sofort richtet oder verwirft. Christus, der von dem Notiz genommen hatte, was er im Tempel sah, zog sich am Abend in das Haus eines Freundes in Bethanien zurück.

Vers 12-26

Hier ist:

1. Wie Christus den fruchtlosen Feigenbaum verflucht. Er kehrte am Morgen zurück, zur Arbeitszeit. Er war so erpicht auf sein Werk, dass er Bethanien verließ, ohne zu frühstücken: Er hatte Hunger **(s. Vers 12)**. Er ging zu einem Feigenbaum, bei dem er, da er schön mit grünen Blättern geschmückt war, hoffte, dass er mit ein paar Früchten geziert ist. Doch er fand „nichts als Blätter". Er hoffte, Frucht zu finden, denn obwohl es noch „nicht die Zeit der Feigen" war, war sie nah. Doch man konnte auf ihm nicht einmal eine Feige finden, obwohl er so voller Blätter war. Christus machte aus ihm darum ein Beispiel, nicht um der Bäume willen, sondern um der Menschen dieses Geschlechts willen, und er verfluchte ihn. Er sagte zu ihm: „Es esse in Ewigkeit niemand mehr eine Frucht von dir!" **(Vers 14)**. Dies sollte ein Typus für die Verdammnis sein, die über die jüdische Gemeinde kam, zu der er kam „und suchte Frucht darauf und fand keine" (Lk 13,6). Die Jünger hörten das Urteil, das Christus über diesen Baum fällte, und schenkten diesem Beachtung. Man muss der Wehrufe aus Christi Mund genauso wie der Segnungen gedenken und sie beachten.

2. Seine Reinigung des Tempels von den Geschäftsleuten, die ihn oft aufsuchten, und von denjenigen, die ihn zu einer Hauptverkehrsstraße machten. Er kam, hungrig wie er war, nach Jerusalem, ging direkt zum Tempel und begann, diese Missbräuche zu beseitigen, die er am Tag zuvor bemerkt hatte. Er kam nicht, wie man ihn falsch beschuldigte, dass er es gesagt hatte, um den Tempel zu zerstören (s. Mt 26,61), sondern um ihn zu reinigen und zu läutern.

2.1 Er trieb die hinaus, die „verkauften und kauften" und „stieß die Tische der Wechsler um" – warf das Geld auf den Boden, den besseren Ort dafür – und stieß „die Stühle der Taubenverkäufer" um. Er tat dies alles ungehindert, denn was er tat, wurde als gut und richtig angesehen, selbst in dem Gewissen von denen, die es absichtlich übersehen und dazu ermutigt hatten, weil sie dadurch Geld verdienten. Es kann für eifrige Reformer eine Ermutigung sein, dass das wiederholte Reinigen von Korruption und die Korrektur von Missbräuchen sich als ein leichteres Werk erweist, als man dachte. Manche Versuche zeigen sich erfolgreicher, als wir erwartet haben.

2.2 „Und er ließ nicht zu, dass jemand ein Gerät durch den Tempel trug" **(Vers 16)**. Die Juden erkannten selbst an, dass es die dem Tempel gebührende Ehre erforderte, dass „der Berg des Hauses" (Mi 4,1) oder der Hof der Heiden nicht zu einer Straße oder gewöhnlichen Durchfahrt gemacht wird und dass niemand mit irgendwelchen Gütern in ihn hineinkommt.

2.3 Er nannte dafür einen guten Grund, nämlich, dass geschrieben steht: „Mein Haus soll ein Bethaus für alle Völker genannt werden". Unter diesem Namen sollte unter allen Völkern von ihm gesprochen werden. Er „soll ein Bethaus für alle Völker" sein; so war er, als er zuerst errichtet wurde. Christus wollte, dass der Tempel:

Ein Bethaus ist. Nachdem er das Vieh und die Tauben vertrieben hatte, welche Dinge für das Opfer waren, ließ er seine Bestimmung als Bethaus wiederaufleben, um uns zu lehren, dass nur die geistlichen Opfer des Gebets und des Lobpreises andauern und für immer bleiben würden.

Ein „Bethaus für alle Völker" ist und nicht nur für die Juden, denn „jeder, der den Namen des Herrn anruft, wird errettet werden" (Apg 2,21). Als Christus zu Beginn seines Dienstes die Käufer und Verkäufer hinaustrieb, beschuldigte er sie nur, den Tempel „zu einem Kaufhaus" zu machen (Joh 2,16), jetzt aber beschuldigte er sie, ihn zu einer Räuberhöhle zu machen. Diejenigen, die wertlosen Gedanken erlauben, in ihnen zu bleiben, wenn sie in ihren Gebeten sind, machen das Bethaus zu einem Kaufhaus, doch diejenigen, die zum Vorwand lange Gebete sprechen, um die Häuser der Witwen zu fressen (s. Mk 12,40), machen es zu einer Räuberhöhle.

2.4 Die Schriftgelehrten und die obersten Priester waren darüber sehr verärgert. Sie hassten ihn, doch „sie fürchteten ihn" **(Vers 18)**; fürchteten, dass er als Nächstes ihre Sitze umstößt und sie vertreibt. Sie sahen, dass „die ganze Volksmenge über seine Lehre staunte" und dass alles, was er sagte, für sie vollmächtig und ein Gesetz war und was würde er nicht wagen in Angriff zu nehmen, wenn er auf diese Weise unterstützt wurde. Sie suchten deshalb nicht, wie sie ihren Frieden mit ihm machen könnten, sondern, „wie sie ihn umbringen könnten". Es kümmerte sie nicht, was sie taten, solange es ihre eigene Macht und Erhabenheit unterstützte.

3. Sein Gespräch mit seinen Jüngern aus dem Anlass, dass der Feigenbaum vertrocknet war. Als der Abend kam, ging er wie gewöhnlich „aus der Stadt hinaus", nach Bethanien. Als sie am nächsten Morgen vorbeikamen, bemerkten sie, „dass der Feigenbaum von den Wurzeln an verdorrt war" **(Vers 20)**. Der Fluch besagte nicht mehr, als dass er nie wieder Frucht tragen würde, doch die Wirkung ging weiter: Er war „von den Wurzeln an verdorrt". Wenn er keine Frucht tragen würde, würde er keine Blätter haben, um Menschen zu täuschen. Beachten Sie:

3.1 Wie bewegt die Jünger davon waren. Petrus erinnerte sich an Christi Worte und sagte voller Überraschung: „Rabbi, siehe, der Feigenbaum, den du verflucht hast, ist verdorrt!" **(Vers 21)**. Christi Flüche haben wundersame Auswirkungen und er kann das sofortige Verdorren von denjenigen zustande bringen, die sich ausgebreitet haben wie ein grünender, tiefwurzelnder Baum (s. Ps 37,35). Dies wirkte auf die Jünger sehr sonderbar. Sie konnten sich nicht vorstellen, wie dieser Feigenbaum so rasch verdorren konnte, doch das war es, was durch die Verwerfung Christi durch die Juden und ihrer Verwerfung durch ihn kam.

3.2 Die guten Unterweisungen, die ihnen Christus hierdurch gab; der vertrocknete Baum war wenigstens auf diese Weise fruchtbar.

Christus lehrte sie hieraus, im Glauben zu beten: „Habt Glauben an Gott!" **(Vers 22)**. Sie wunderten sich über die Macht von Christi gebietendem Wort. Christus fragte sie: „Warum? Ein lebendiger, aktiver Glaube würde euren Gebeten genauso viel Macht verleihen. ‚Wenn jemand zu diesem Berg spricht: Hebe dich und wirf dich ins Meer!‘, und in seinem Herzen nicht zweifelt, sondern glaubt, dass das, was er sagt, geschieht, so wird ihm zuteilwerden, was immer er sagt'" **(s. Vers 23-24)**. Durch die Kraft und Macht Gottes in Christus wird die größte Schwierigkeit überwunden werden und die Sache wird zustandekommen. Darum: „‚Alles, was ihr auch immer im Gebet erbittet, glaubt, dass ihr es empfangt, so wird es euch zuteilwerden!' Glaubt tatsächlich, dass ihr es empfangt, und der Eine, welcher die Macht hat zu geben, sagt: ‚Wahrlich, ich sage euch ... dass das ... geschieht.'" Dies sollte angewendet werden:

Auf jenen Wunder wirkenden Glauben, mit dem die Apostel und ersten Prediger des Evangeliums ausgestattet waren, der sie befähigte, bei natürlichen Dingen Wunder zu vollbringen.

Auf dieses Wunder des Glaubens, mit dem alle wahren Christen ausgestattet sind. Er rechtfertigt uns (s. Röm 5,1) und hebt so die Berge der Schuld hinweg und wirft sie ins Meer. Er reinigt unsere Herzen und hebt so Berge der Verderbtheit hinweg (s. Apg 15,9). Durch den Glauben wird die Welt besiegt, werden Satans feurige Pfeile ausgelöscht (s. Eph 6,16), und eine Seele, obwohl mit Christus gekreuzigt, lebt dennoch (s. Röm 6,6; Gal 2,20).

Dem fügt er hier die notwendige Voraussetzung für wirksames Gebet hinzu, dass wir freimütig vergeben und gegenüber allen liebevoll sein müssen: „Und wenn ihr dasteht und betet, so vergebt" **(Vers 25)**. Wenn wir beten, müssen wir daran denken, für andere zu beten, besonders für unsere Feinde und die, welche uns Unrecht getan haben. Wenn wir anderen Unrecht getan haben, bevor wir beten, müssen wir hingehen und uns mit ihm versöhnen (s. Mt 5,23-24). Doch wenn sie uns Unrecht getan haben, müssen wir tiefer zu Werke gehen und müssen ihnen unmittelbar von Herzen vergeben:

Denn dies ist ein guter Schritt dahin, die Vergebung für unsere eigenen Sünden zu bekommen. „Vergebt ... damit auch euer Vater im Himmel euch ... vergibt."

Weil das Fehlen davon ein sicheres Hindernis dafür ist, dass wir die Vergebung unserer Sünden erhalten: „Wenn ihr aber nicht vergebt, so wird auch euer Vater im Himmel eure Verfehlungen nicht vergeben." Wir sollten an diese Bedingung für Vergebung denken, wenn wir beten, denn ein großer Auftrag, den wir vor dem Thron der Gnade haben, ist, für die Vergebung unserer Sünden zu beten. Und unser Heiland betonte oft diese Pflicht der Vergebung, denn es war seine große Absicht, seine Jünger zu verpflichten, einander zu lieben.

Vers 27-33

Hier wurde Christus vor dem großen Sanhedrin in Bezug auf seine Vollmacht vernommen. Sie kamen zu ihm, „als er im Tempel umherging" und die Leute lehrte. Die Säulengänge der Höfe des Tempels waren für diesen Zweck geeignet. Die großen Männer kamen zu ihm und beschuldigten ihn sozusagen in diesem Hof mit dieser Frage: „In welcher Vollmacht tust du dies?" **(Vers 28)**. Beachten Sie:

1. Wie sie beabsichtigten, ihn in Verlegenheit und zum Scheitern zu bringen. Wenn sie vor den Leuten begründen könnten, dass er keinen legalen Auftrag hatte, dass er nicht anständig ordiniert wurde, dann würden sie den Leuten sagen, dass sie nicht auf ihn hören sollten. Das war die letzte Zuflucht für ihren halsstarrigen Unglauben. Sie hatten sich entschlossen, irgendeinen Fehler oder irgendetwas anderes an seinem Auftrag zu finden. Das ist in der Tat eine Frage, auf die alle, die entweder als Richter oder als geistliche Diener fungieren, eine gute Antwort bereit haben sollten: In welcher Vollmacht tue ich diese ganzen Dinge? Denn „wie sollen sie aber verkündigen, wenn sie nicht ausgesandt werden?" (Röm 10,15).

2. Wie er sie mit dieser Frage wirksam in Verlegenheit brachte und Scheitern ließ: „Wie denkt ihr über die Taufe des Johannes? War sie ‚vom Himmel oder von Menschen? Antwortet mir!'" **(Vers 30)**. Indem er ihre Frage auf diese Weise beantwortete, zeigte unser Heiland, wie eng seine Lehre und Taufe mit der von Johannes verbunden waren. Sie hatten beide das gleiche Ziel und verfolgten den gleichen Zweck – das Reich des Evangeliums einzuführen. Die ihn fragten, wussten, was sie über diese Frage dachten; sie müssen gedacht haben, dass Johannes der Täufer ein von Gott gesandter Mann war. Doch die Schwierigkeit war, was sie jetzt dazu sagen sollten.

2.1 Wenn sie zugaben, dass die Taufe von Johannes vom Himmel war, würden sie Schande über sich bringen, weil Christus ihnen im Gegenzug sofort die Frage stellen würde: „Warum habt ihr ihm dann nicht geglaubt?" Sie konnten es nicht ertragen, dass Christus dies sagt, obwohl sie es ertragen konnten, dass ihr Gewissen so spricht.

2.2 Wenn sie sagen würden: „‚Von Menschen', er war nicht von Gott gesandt", würden sie sich angreifbar machen; die Menschen würden im Begriff stehen, ihnen Schwierigkeiten zu machen, „denn alle meinten, dass Johannes wirklich ein Prophet gewesen war". Es gibt eine weltliche, sklavische Furcht, der nicht nur böse Untertanen, sondern auch böse Herrscher unterworfen sind. Sie waren nun in der Klemme:

Bestürzt und gezwungen, sich unehrenhaft zurückzuziehen. Sie mussten Unwissenheit vorgeben – „wir wissen es nicht!" Was Christus durch seine Weisheit tat, müssen wir versuchen, durch unser Gutestun zu tun: „... die Unwissenheit der unverständigen Menschen zum Schweigen" bringen (1.Petr 2,15).

Christus rechtfertigte sich, dass er es ablehnte, auf ihre anmaßenden Nachfragen zu antworten: „So sage ich euch auch nicht, in welcher Vollmacht ich dies tue!" Sie verdienten es nicht, dass man es ihnen sagt, und er brauchte es auch nicht zu sagen, da niemand die Wunder tun konnte, die er tat, wenn Gott nicht mit ihm war.

KAPITEL 12

Hier haben wir: 1. Das Gleichnis von dem Weinberg, der an undankbare Weingärtner verpachtet war (s. Vers 1-12). 2. Eine Frage über das Zahlen von Steuern an den Kaiser (s. Vers 13-17). 3. Wie Christus die Sadduzäer zum Schweigen brachte (s. Vers 18-27). 4. Seine Diskussion mit einem Schriftgelehrten über das wichtigste Gebot im Gesetz (s. Vers 28-34). 5. Eine Frage darüber, dass Christus der Sohn Davids ist (s. Vers 35-37). 6. Die Warnung, die er den Leuten gab, sich vor den Schriftgelehrten zu hüten (s. Vers 38-40). 7. Sein Lob der armen Witwe, welche die zwei Scherflein in den Opferkasten legte (s. Vers 41-44).

Vers 1-12

Christus hatte vorher Gleichnisse benutzt, um zu zeigen, wie er die Gemeinde des Evangeliums gründen wollte. Jetzt begann er Gleichnisse zu benutzen, um zu zeigen, wie er die jüdische Gemeinde verwerfen würde. Beachten Sie:

1. Diejenigen, die sich der Vorrechte der sichtbaren Kirche erfreuen, haben einen Weinberg, der an sie verpachtet ist. Von den Mietern des Weinbergs wird zu Recht Pacht erwartet. Die Mitglieder der Gemeinde sind Gottes Pächter, und sie haben sowohl einen guten Grundbesitzer und machen auch ein gutes Geschäft und sie können gut damit leben, wenn sie nicht in Sünde fallen.

2. Zu denjenigen, denen Gott den Weinberg verpachtet, sendet er seine Diener, um sie an seine gerechten Erwartungen an sie zu erinnern **(s. Vers 2)**.

3. Es ist traurig, daran zu denken, welch grausame Behandlung treue geistliche Diener zu allen Zeiten erlebt haben. Die Propheten des Alten Testaments wurden verfolgt. Die Pächter „ergriffen" einen solchen, „schlugen ihn und schickten ihn mit leeren Händen fort" **(Vers 3)**; das war schlimm genug. Sie steinigten ihn, „schlugen ihn auf den Kopf und schickten ihn entehrt fort" **(Vers 4)**; das war schlimmer. Schließlich erreichten sie ein solches Maß an Bosheit, dass sie jene töteten **(s. Vers 5)**.

4. Es überrascht kaum, dass diejenigen, welche die Propheten misshandelten, Christus selbst misshandelten. Schließlich sandte Gott ihnen seinen „Sohn, seinen geliebten". Man hätte erwarten können, dass sie den einen respektieren und lieben, den ihr Meister liebt: „Sie werden sich vor meinem Sohn scheuen!" **(Vers 6)**. Doch statt ihn zu achten, weil er der Sohn und Erbe war, machten sie dies zu einem Grund, um ihn zu hassen **(s. Vers 7)**. Weil Christus sie mit mehr Vollmacht zur Buße und Besserung rief, als es die Propheten taten, waren die Pächter nur umso wütender auf ihn und umso mehr entschlossen, ihn zu Tode zu bringen, damit sie alle Achtung und allen Gehorsam der Menschen für sich verlangen konnten: „... so wird das Erbgut uns gehören!" Es gibt ein Erbe, welches das ihre gewesen wäre, wenn sie den Sohn angemessen geachtet hätten: ein himmlisches Erbe. Doch sie „ergriffen ihn, töteten ihn und warfen ihn zum Weinberg hinaus".

5. Für solch sündige und schändliche Taten kann man nichts erwarten als eine schreckliche Verurteilung: „Was wird nun der Herr des Weinbergs tun?" **(Vers 9)**.
5.1 Er würde kommen und die Pächter vernichten. Wenn sie seine Knechte und seinen Sohn töteten, dann war er entschlossen, sie zu vernichten; dies erfüllte sich, als Jerusalem verwüstet wurde.
5.2 Er würde „den Weinberg anderen geben". Dies erfüllte sich, als die Heiden hereingenommen wurden und das Evangelium „in der ganzen Welt" große Frucht brachte (Kol 1,6). Wenn manche sich als schlecht erweisen, von denen wir Gutes erwarteten, dann wird es sicher andere geben, die besser sind.
5.3 Ihr Widerstand gegen die Erhöhung Christi würde diese nicht verhindern: „Der Stein, den die Bauleute verworfen haben, der ist zum Eckstein geworden" **(Vers 10)**. Gott wird Christus als seinen König auf seinen heiligen Berg einsetzen (s. Ps 2,6). Die ganze Welt wird dies sehen und bekennen, dass es vom Herrn geschehen ist (s. Ps 118,23).

6. Welche Wirkung hatte dieses Gleichnis auf die obersten Priester und Schriftgelehrten? Sie „erkannten, dass er das Gleichnis gegen sie gesagt hatte" **(Vers 12)**. Sie müssen ihr eigenes Gesicht im Spiegel gesehen haben.
6.1 Sie suchten „ihn zu ergreifen" und ihn sofort gefangen zu nehmen, um das zu erfüllen, was er gerade jetzt gesagt hatte, dass sie es mit ihm tun würden **(s. Vers 8)**.
6.2 Die einzige Sache, die sie davon zurückhielt, dies zu tun, war ihre Scheu vor den Leuten; weder achteten sie Christus noch war irgendwelche „Gottesfurcht vor ihren Augen" (Röm 3,18).
6.3 „Und sie ließen ab von ihm und gingen davon." Wenn sie ihm nicht schaden konnten, hatten sie beschlossen, ihn daran zu hindern, ihnen irgendetwas Gutes zu tun, und so gingen sie außer Hörweite dieser machtvollen Predigt. Wenn die Vorurteile der Menschen nicht durch die Erweise der Wahrheit besiegt werden, werden diese Vorurteile nur bekräftigt. Wenn das Evangelium kein „Geruch des Lebens zum Leben" ist, wird es „ein Geruch des Todes zum Tode" sein (2.Kor 2,16).

Vers 13-17
Hier versuchten die Feinde Christi ihn mit einer Frage über die Rechtmäßigkeit des Zahlens von Steuern an den Kaiser zu fangen.

1. Die Leute, die sie benutzten, waren die Pharisäer und die Herodianer. Die Pharisäer betonten sehr die Freiheit der Juden, und wenn Christus sagen würde, dass es rechtens ist, dem Kaiser Steuern zu zahlen, würden die Pharisäer das gewöhnliche Volk gegen ihn aufbringen. Die Herodianer beharrten sehr auf der römischen Macht und wenn Christus davon abraten würde, an den Kaiser Steuern zu zahlen, würden sie den Statthalter gegen ihn aufbringen. Es ist für diejenigen, die in anderen Dingen im Konflikt miteinander stehen, nichts Neues, sich gegen Christus zu verbinden.

2. Der Vorwand, den sie vorbrachten, war, dass sie wollten, dass er eine Gewissensfrage entscheidet **(s. Vers 14)**. Sie machten ihm große Komplimente, nannten ihn Meister, erkannten ihn als Lehrer des Weges Gottes an – ein Lehrer dieses Weges in Wahrheit –, der sich durch den Beifall oder die Missbilligung anderer nicht einen Schritt von den Regeln der Gerechtigkeit und der Güte abbringen lassen würde. „Du nimmst ‚auf niemand Rücksicht', denn du siehst ‚die Person der Menschen nicht an'. Du bist rechtschaffen (ein Mann von Integrität) und erklärst in rechter Weise Gut und Böse, Wahrheit und Falschheit." Sie wussten, dass er den Weg Gottes der Wahrheit gemäß lehrte, doch sie verwarfen die Pläne Gottes gegen sich selbst.

3. Die Frage, die sie stellten, war: „Ist es erlaubt, dem Kaiser die Steuer zu geben, oder nicht?" Sie wollten, dass man wisse, sie wollten ihre Pflicht erkennen. In Wirklichkeit wollten sie nur wissen, was er sagen würde, und hofften, dass sie - egal, auf welche Seite er sich mit der Antwort auf diese Frage stellen würde – dies ausnutzen und ihn anklagen könnten. Sie schienen die Festlegung dieser Sache Christus zu überlassen. Sie stellten die Frage deutlich: „Sollen wir sie geben oder nicht geben?" Sie schienen entschlossen, sich an seine Antwort zu halten. Viele scheinen ihre Pflicht erfahren zu wollen, sind aber in keiner Weise dazu geneigt, sie zu tun.

4. Christus klärte die Frage und umging die Falle **(s. Vers 15-17)**. Er erkannte ihre Heuchelei. Heuchelei kann, selbst wenn sie gewandt gehandhabt wird, vor dem Herrn Jesus nicht verborgen werden. Er sieht „Silberglasur über ein irdenes Gefäß gezogen" (s. Spr 26,23). Er wusste, dass sie die Absicht hatten, ihm eine Falle zu stellen, und so ließ er die Dinge so ausgehen, dass sie sich selbst in die Falle gingen. Er ließ sie anerkennen, dass die Währung ihres Volkes das römische Geld war, dass es das Bild des Kaisers auf der einen Seite und seine Inschrift auf der anderen trug, und wenn dem so war:

4.1 Konnte der Kaiser über ihr Geld für den öffentlichen Nutzen verfügen: „Gebt dem Kaiser, was des Kaisers ist." Die Verbreitung des Geldes kam von ihm als Quelle und deshalb muss es zu ihm zurückkehren.

4.2 Der Kaiser konnte nicht über ihr Gewissen verfügen, doch das beanspruchte er auch nicht. Deshalb sollten sie ohne zu klagen ihre Steuern zahlen, aber sicherstellen, dass sie Gott geben, „was Gottes ist". Viele, die darauf bedacht scheinen, anderen Menschen das ihnen Gebührende zu geben, kümmern sich nicht darum, Gott „die Ehre seines Namens" zu geben (s. Ps 29,2). Alle, die Christus hörten, waren über die Klugheit seiner Antwort verwundert, doch ich bezweifle, dass es jemanden dazu brachte, sich selbst und ihre Hingabe Gott zu weihen, wie sie es hätten tun sollen. Viele werden sich wohlgesonnen über die leichtere Seite einer Predigt äußern, werden aber den göttlichen Gesetzen nicht gehorchen, die gepredigt wurden.

Vers 18-27

Hier griffen die Sadduzäer, die Deisten dieser Zeit, unseren Herrn Jesus an. Sie waren nicht Fanatiker und Verfolger, sondern Skeptiker und Ungläubige, und ihr Anschlag richtete sich gegen seine Lehre. Sie leugneten die Auferstehung, jede geistliche Welt und jeden Stand der Belohnung oder der Strafe jenseits des Todes. Christus hatte es zu seiner Aufgabe gemacht, diese großen, grundlegenden Wahrheiten zu begründen und zu beweisen, die sie leugneten, und so stellten sie sich selbst die Aufgabe, seine Lehre durcheinanderzubringen. Beachten Sie hier:

1. Wie sie versuchten, Christi Lehre zu verwirren; sie zitierten das alte Gesetz, welches forderte, dass, wenn ein Mann ohne Kinder stirbt, dessen Bruder dessen Witwe heiraten muss **(s. Vers 19)**. Sie gaben eine Situation vor, in der, in Übereinstimmung mit diesem Gesetz, sieben Brüder nacheinander die Ehemänner einer Frau waren **(s. Vers 20)**. Die Sadduzäer hatten vermutlich die Absicht, dieses Gesetz zum Spott zu machen. Diejenigen, die göttliche Wahrheiten leugnen, spielen sich im Allgemeinen als solche auf, welche die göttlichen Gesetze und Ordnungen lächerlich machen. Ihre Absicht war, die Lehre von der Auferstehung bloßzustellen, denn sie stellten sich vor, dass, wenn es einen zukünftigen Stand geben würde, er wie dieser sein müsse, und dann wurde die Lehre, meinten sie, entweder durch eine unüberwindliche Absurdität blockiert, dass eine Frau in diesem Stand sieben Ehemänner haben muss, oder ansonsten durch diese unlösbare Schwierigkeit: Wessen Frau soll sie sein? Beachten Sie die Gerissenheit, mit der diese Häretiker die Wahrheit untergruben. Sie leugneten sie nicht; sie schienen sie nicht anzuzweifeln. Sie gaben vor, die Wahrheit anzuerkennen, als wären sie keine Sadduzäer. Sie setzten voraus, dass es eine Auferstehung gibt, und gaben sich den Anschein, darüber gelehrt werden zu wollen, während sie in Wirklichkeit versuchten, ihr einen tödlichen Schlag zu versetzen, und sie meinten, sie würden das schaffen. Es ist ein üblicher Trick von Häretikern und Sadduzäern, dass sie versuchen, die Wahrheit zu verwirren und durcheinanderzubringen, bei der sie nicht die Unverschämtheit besitzen, sie zu leugnen.

2. Wie Christus einen klaren Weg verfolgte, diese Wahrheit zu begründen. Dies war eine bedeutende Angelegenheit und so hat Christus sie nicht leichtfertig übergangen, sondern ist weitläufig darauf eingegangen.

2.1 Er beschuldigte die Sadduzäer des Irrtums und schrieb ihren Irrtum ihrer Unwissenheit zu. „Irrt ihr nicht darum?" Sie müssen sich selbst dessen bewusst werden und der Grund für ihren Irrtum ist:

Dass sie die Schriften nicht kennen. Nicht, dass die Sadduzäer die Schriften nicht gelesen hatten und vielleicht mit ihnen vertraut geworden waren, aber dennoch konnte man wahrhaftig sagen, dass sie die Schriften nicht wirklich kannten, weil sie nicht ihren Sinn und ihre Bedeutung kannten, sondern ihn missdeuteten. Eine rechte Erkenntnis der Schrift als der Quelle, aus der nun alle offenbarte Religion fließt, und als dem Fundament, auf dem sie aufgebaut ist, ist der beste Schutz vor Irrtum. Halten Sie sich an die Wahrheit der Schrift, und sie wird Sie erhalten.

Dass sie „die Kraft Gottes" nicht kennen. Sie mussten anerkennen, dass Gott allmächtig ist; doch sie wollten diese Lehre nicht auf dieses Thema anwenden. Sie gaben die Wahrheit auf, überließen sie dem Einwand, dass sie nicht wahr sein konnte. Die Kraft Gottes, die man an der Rückkehr des Frühlings (s. Ps 104,30), der Wiederbelebung des Weizenkorns (s. Joh 12,24), der Wiederherstellung eines niedrigen Volkes zu seinem Wohlstand (s. Hes 37,12-14), in der Auferweckung von so vielen zum Leben auf wundersame Weise, sowohl im Alten als auch im Neuen Testament, und besonders an der Auferstehung Christi sehen kann (s. Eph 1,19-20) – all diese Dinge waren Zeichen und Verheißungen für unsere Auferstehung, „vermöge der Kraft, durch die er sich selbst auch alles unterwerfen kann" (Phil 3,21).

2.2 Er hob die ganze Kraft ihrer Einwände auf, indem er die Lehre von dem zukünftigen Stand in ihr richtiges Licht rückte: „Denn wenn sie aus den Toten auferstehen, so heiraten sie nicht noch werden sie verheiratet" **(Vers 25)**. Es war töricht zu fragen, mit welchem der sieben Männer jene Frau verheiratet wäre. Es ist kein Wunder, dass wir uns selbst mit unaufhörlichen Albernheiten verwirren, wenn wir unsere Vorstellungen der geistlichen Welt an den Verhältnissen dieser physischen Welt messen.

3. Er gründete die Lehre von einem zukünftigen Stand und der Glückseligkeit der Gerechten in diesem Stand auf den Bund Gottes mit Abraham, zu dem sich Gott nach dessen Tod bekannte **(s. Vers 26-27)**. Er verwies auf die Schriften: „Habt ihr nicht gelesen im Buch Mose?" Beachten Sie, worauf er sie verweist, auf das, was Gott zu Mose am brennenden Busch sagte: „Ich bin der Gott ... Abrahams" (2.Mose 3,6); nicht nur: „Ich *war*", sondern: „Ich *bin*." Es ist absurd zu denken, dass Gottes Beziehung zu Abraham fortgeführt und so feierlich anerkannt werden würde, wenn Abraham vernichtet war, oder dass der lebendige Gott die Seligkeit und Belohnung eines Mannes sein würde, der tot war und dies für immer bleiben muss. Deshalb muss man daraus schließen:

3.1 Abrahams Seele existiert und handelt in einem Stand der Trennung vom Leib.

3.2 Zu der einen oder anderen Zeit muss sein Leib wiederauferstehen. Bei der ganzen Sache schloss er: „Darum irrt ihr sehr." Diejenigen, welche die Auferstehung leugnen, sind schwer im Irrtum und man sollte ihnen dies sagen.

Vers 28-34

Hier haben wir einen Bericht über einen von ihnen, einen Schriftgelehrten, der so höflich war, dass er die Antwort Christi an die Sadduzäer zur Kenntnis nahm und anerkannte, dass er ihnen gut und trefflich geantwortet hatte **(s. Vers 28)**. Hier sehen wir, wie er sich zur Belehrung an Christus wandte, und die Art, wie er sich an Christus richtete, ziemte sich für ihn als Schriftgelehrten; er wollte Christus mehr kennenlernen.

1. Er fragte: „Welches ist das erste Gebot unter allen?" **(Vers 28)**. Er meinte nicht das erste in der Anordnung, sondern das erste in der Wichtigkeit und Ehre. Nicht, dass irgendein Gebot von Gott klein ist, doch manche sind größer als die anderen; moralische Regeln sind größer als Rituale und von manchen können wir sagen, dass sie die größten von allen sind.

2. Christus gab ihm eine direkte Antwort auf diese Frage **(s. Vers 29-31)**. Diejenigen, die aufrichtig über ihre Pflicht belehrt werden möchten, werden von Christus „in Gerechtigkeit" geleitet und „seinen Weg" gelehrt werden (s. Ps 25,9). Er sagte diesem Lehrer:

2.1 Dass das allerwichtigste Gebot, welches in der Tat alle einschließt, das ist, Gott mit ganzem Herzen zu lieben. Wo dies die leitende Motivation in der Seele ist, gibt es eine Disposition zu jeder anderen Verpflichtung. Liebe ist die führende Empfindung der Seele. Die Liebe zu Gott ist die führende Gnadengabe in der erneuerten Seele. Wo dies nicht die leitende Motivation in der Seele ist, wird nichts anderes Gutes getan. Gott mit ganzem Herzen zu lieben, wird uns wirksam von all den Dingen fernhalten, die seine Konkurrenten für den Thron in unserer Seele sind. Es wird kein Gebot erdrückend sein, wo diese Motivation die stärkste ist. Jetzt führt unser Heiland hier in Markus dieses Gebot durch die große lehrmäßige Wahrheit ein, auf die es gegründet ist: „Höre, Israel, der Herr, unser Gott, ist Herr allein" **(Vers 29)**; wenn wir dies fest glauben, wird daraus folgen, dass wir ihn mit ganzem Herzen lieben werden. Wenn er der einzige Herr ist, müssen unsere Herzen mit ihm eins sein, und da es keinen Gott außer ihm gibt, darf neben ihm auf dem Thron kein Konkurrent zugelassen werden.

2.2 Dass das zweite große Gebot ist, unseren Nächsten wie uns selbst zu lieben **(s. Vers 31)**, und wir müssen es dadurch zeigen, dass wir an ihnen tun, wie wir möchten, dass sie an uns tun. Genauso wie wir Gott mehr lieben müssen als uns selbst, weil er ein unendlich besseres Wesen ist als wir, müssen wir unseren Nächsten wie uns selbst lieben, denn unser Nächster hat das gleiche Wesen wie wir; und wenn der Nächste ein Mitchrist ist, von der gleichen heiligen Gemeinschaft, von der wir sind, dann ist die Verpflichtung sogar noch stärker. „Hat uns nicht ein Gott erschaffen?" (Mal 2,10). Hat uns nicht ein Christus erlöst? Christus kann gut sagen: „Größer als diese ist kein anderes Gebot", denn in diesen ist das ganze Gesetz erfüllt und wenn wir diese gewissenhaft tun, werden alle anderen Arten von Gehorsam natürlich folgen.

3. Der Schriftgelehrte stimmte mit dem überein, was Christus sagte **(s. Vers 32-33)**.

3.1 Er lobte Christi Urteil in dieser Frage: „Recht so, Meister! Es ist in Wahrheit so, wie du sagst." Es wird als Beweis gegen die vorgebracht werden, die Christus als Verführer verfolgten (s. Mt 27,63), dass einer der ihren bekannte, dass Christus die Wahrheit sagte und sie recht sagte. So müssen wir uns den

Aussagen Christi unterordnen; wir müssen unser Siegel auf sie setzen, bestätigen, dass sie wahr sind.

3.2 Er äußerte sich dazu. Christus hatte die große Lehre zitiert, dass der Herr, unser Gott, allein Herr ist, und der Schriftgelehrte pflichtete dem nicht nur bei, sondern fügte auch hinzu, es gibt „keinen anderen außer ihm". Diese Lehre schließt jede Konkurrenz zu ihm aus und erhält den Thron des Herzens gänzlich für ihn. Christus hatte das große Gesetz niedergelegt, Gott mit ganzem Herzen zu lieben, und der Lehrer erläutert dies auch – dass das bedeutet, ihn mit ganzem Verständnis zu lieben. Wie unsere Liebe zu Gott rückhaltlos sein muss, so muss sie auch eine verständige Liebe sein, wir müssen ihn mit unserem ganzen Verständnis lieben. Unsere rationalen Kräfte und Fähigkeiten müssen sich alle ans Werk machen, um die Hingabe unserer Seele an Gott zu leiten. Christus hatte gesagt, Gott und unseren Nächsten zu lieben sei das größte Gebot von allen. „Ja", sagt der Schriftgelehrte, „das ist mehr als alle Brandopfer und Schlachtopfer", mehr für Gott annehmbar. Es gab jene, welche die Meinung vertraten, dass das Opfergesetz das größte Gebot von allen war, doch dieser Schriftgelehrte stimmte unserem Heiland sogleich zu, dass das Gesetz der Liebe zu Gott und zu unserem Nächsten größer ist als das der Opfer, selbst als das der Brandopfer.

4. Christus hieß das gut, was der Lehrer sagte, und ermutigte ihn, ihm weiter Fragen zu stellen **(s. Vers 34)**.

4.1 Er erkannte an, dass der Lehrer es gut verstanden hatte, soweit er ging; so weit, so gut. „Und da Jesus sah, dass er verständig geantwortet hatte", und er hatte umso mehr daran Gefallen, weil er gerade so viele getroffen hatte, die töricht antworteten. Dieser Lehrer antwortete wie einer, der Verstand hatte, als jemand, der seine fünf Sinne beisammen hatte, dessen Urteilsvermögen nicht voreingenommen war. Er antwortete als jemand, der sich die Freiheit und Zeit zugestand nachzudenken und der in der Tat nachgedacht hatte.

4.2 Er erkannte an, dass er in einer guten Position war, weitere Fortschritte zu machen: „Du bist nicht fern vom Reich Gottes", dem Reich der Gnade und Herrlichkeit. Für diejenigen, welche das Licht gut benutzen, welches sie haben – die so weit gehen, wie dieses sie bringen wird –, gibt es Hoffnung, dass sie durch die Gnade Gottes weitergeführt werden. Uns wird nicht gesagt, was aus diesem Schriftgelehrten wurde, doch wir hoffen, dass er den Fingerzeig annahm, den Christus ihm gab, und dass er damit fortfuhr, ihn auch zu fragen, was das große Gebot des Evangeliums war. Wenn er es aber nicht tat, sollte uns dies nicht sonderbar vorkommen, denn es gibt viele, die „nicht fern vom Reich Gottes" sind, es aber nie erreichen. „Und es getraute sich niemand mehr, ihn weiter zu fragen." Diejenigen, die lernen wollten, schämten sich zu fragen, und diejenigen, die Einwände vorbringen wollten, fürchteten sich zu fragen.

Vers 35-40

Hier:

1. Zeigte Christus den Leuten, wie schwach und unvollkommen die Schriftgelehrten in ihrer Predigt waren und wie unfähig, die Schwierigkeiten der Schriften des Alten Testaments zu lösen. Er gab dafür ein Beispiel, das hier nicht so ausführlich berichtet wird, wie es in Matthäus wurde.

1.1 Sie sagten den Menschen, dass der Messias „Davids Sohn" sein müsse **(Vers 35)** und sie hatten recht. Die Menschen nahmen es so, wie es die Schriftgelehrten sagten, obgleich die Wahrheiten Gottes mehr aus unseren Bibeln als von unseren geistlichen Dienern zitiert werden sollten, weil die Bibel deren Ursprung ist.

1.2 Doch sie konnten den Menschen nicht sagen, wie der Christus Davids Sohn sein konnte, obwohl es für David im Geist der Prophetie sehr richtig war, ihn seinen Herrn zu nennen, wie er es tat (s. Ps 110,1). Sie hatten die Menschen die Wahrheit über den Messias gelehrt, die ihrem Volk zur Ehre gereichen würde, dass er ein Spross ihrer königlichen Familie sein würde, doch sie hatten nicht dafür Sorge getragen, sie das zu lehren, was dem Messias selbst zur Ehre gereichen würde, dass er der Sohn Gottes sein und – als solcher und nicht anders – Davids Herr sein würde. Wenn jemand den Einwand erheben sollte, „wieso nennt ihn denn David ... ,Herr' ...?" (Mt 22,43), dann wüssten sie nicht, wie sie den Einwand entkräften könnten. Diejenigen, die, wenn sie auch die Wahrheit predigen können, nicht in der Lage sind, sie in einem gewissen Maß zu verteidigen, wenn sie sie gepredigt haben, und diejenigen zu überzeugen, die ihr widersprechen, sind unwürdig, auf dem Stuhl von Mose zu sitzen (s. Mt 23,2). Es ärgerte die Schriftgelehrten, dass ihre Unwissenheit auf diese Weise bloßgestellt wurde, doch „die große Volksmenge hörte ihm mit Freude zu" **(Vers 37)**. Was er predigte, war überraschend und bewegend und sie hatten nie solches Predigen gehört. Es war wahrscheinlich etwas außerordentlich Eindrucksvolles und Bezauberndes in seiner Stimme und Vortragsweise, das ihn der Zuneigung der gewöhnlichen Leute empfahl, denn wo immer jemand überzeugt wurde, ihm zu glauben und zu folgen, war er für sie „wie einer, der eine schöne Stimme hat und gut die Saiten spielen kann" (Hes 33,32). Vielleicht riefen einige von diesen später „kreuzige ihn" (Mk 15,13), wie Herodes Johannes den Täufer gerne hörte und ihm doch den Kopf abschlug.

2. Mahnte er die Leute achtzugeben, damit sie nicht durch die Schriftgelehrten getäuscht werden. „Und er sagte ihnen in seiner Lehre: Hütet euch vor den Schriftgelehrten" **(Vers 38)**.

2.1 Sie versuchten, sehr wichtig zu erscheinen, gingen als Herrscher oder Richter „gern im Talar" einher. Dass sie in solchen Kleidern einhergingen, war nicht sündig, doch dass sie es liebten, in ihnen einherzugehen, war die Folge ihres Stolzes. Christus zieht es vor, dass seine Jünger mit den „Lenden umgürtet" gehen (den Gürtel der Wahrheit um ihre Hüften haben; Eph 6,14).

2.2 Sie versuchten, sehr gut zu erscheinen, sprachen „lange Gebete". Sie sorgten dafür, dass bekannt wurde, dass sie beteten und dass sie lange beteten. Doch dies war alles bloße Zurschaustellung; sie taten es, damit es so aussehen würde, als liebten sie das Gebet.

2.3 Sie liebten die Anerkennung und mochten sie gern. Sie liebten es, „auf den Märkten sich grüßen [zu] lassen" und nahmen gern „die ersten Sitze in den Synagogen und die obersten Plätze bei den Mahlzeiten" ein. Dass ihnen diese gegeben wurden, so meinten sie, drückte die Wertschätzung aus, die diejenigen für sie hatten, die sie kannten, und brachte ihnen die Achtung derer, die sie nicht kannten.

2.4 Sie beabsichtigten, sich zu bereichern. Sie fraßen die Häuser der Witwen. Es geschah, um sie vom Verdacht der Unehrlichkeit zu schützen, dass sie die Maske der Frömmigkeit aufsetzten. Sie wollten nicht für so schlecht wie die Schlimmsten gehalten werden und deshalb achteten sie sorgfältig darauf, so gut wie die Besten zu erscheinen. Man soll nicht von Gebeten – nicht einmal langen Gebeten, wenn sie demütig und aufrichtig dargebracht werden – schlimm denken, weil sie von manchen missbraucht worden sind. Ungerechtigkeit, die sich durch zur Schau gestellte Frömmigkeit verkleidet, ist doppelte Ungerechtigkeit und ihre Verdammung wird doppelt schwer sein: „Diese werden ein umso schwereres Gericht empfangen!"

Vers 41-44

Dieser Abschnitt war nicht in Matthäus enthalten, doch er findet sich hier und in Lukas. Es ist das Lob Christi für die arme Witwe, die „zwei Scherflein" in den Opferkasten legte.

1. Es gab einen öffentlichen Fond für Almosen. Beiträge für diesen Fond wurden in einen Kasten gelegt und dieser Kasten war im Tempel, weil Werke der Liebe und Werke der Gottesfurcht gut zusammenpassen. Wir sehen oft, dass Gebete und den Bedürftigen geben zusammen einhergehen (s. Apg 10,2.4). Es ist gut für einen Menschen, etwas beiseitezulegen und zu sammeln, „je nachdem er Gedeihen hat" (1.Kor 16,2), damit er, wenn eine Not offenbar wird, in der Lage ist zu geben, da er vor der Zeit Mittel einem solchen Gebrauch gewidmet hat.

2. Christus hatte ein Auge darauf. Er „setzte sich dem Opferkasten gegenüber und schaute zu, wie die Leute Geld in den Opferkasten legten". Unser Herr Jesus achtet auf das, was wir zu gottesfürchtigen und wohltätigen Zwecken beitragen: ob wir großzügig geben oder sparsam, ob wir es „als für den Herrn" tun (Kol 3,23) oder nur, um von den Menschen gesehen zu werden.

3. Er sah viele, die reich waren und viel einwarfen und es war ein guter Anblick, reiche Menschen so freundlich zu sehen und wie sie viel einwarfen. Wer reich ist, sollte reichlich geben; wenn Gott uns reichlich gegeben hat, erwartet er von uns, dass wir reichlich geben.

4. Dort war „eine arme Witwe, die legte zwei Scherflein ein, das ist ein Groschen" **(Vers 42)**. Unser Herr Jesus lobte sie sehr; er „rief ... seine Jünger zu sich" und sagte ihnen, sie sollten darauf achten **(s. Vers 43)**. Er sagte ihnen, dass sie kaum entbehren konnte, was sie gegeben hatte; es war ihr ganzer Lebensunterhalt. Er meinte, es war mehr, als all diese reichen Leute zusammengenommen gegeben hatten – denn sie hatten „von ihrem Überfluss eingelegt; diese aber hat von ihrer Armut alles eingelegt" **(Vers 44)**. Viele Menschen wären bereit gewesen, diese arme Witwe zu kritisieren; warum sollte sie anderen geben, wenn sie kaum genug für sich selbst hatte? Wohltätigkeit beginnt zu Hause. Man findet selten jemanden, der diese arme Witwe nicht beschuldigen würde, deshalb können wir nicht erwarten, jemanden zu finden, der sie nachahmen wird, doch unser Heiland lobte sie. Wir müssen lernen:

4.1 Dass den Bedürftigen geben für den Herrn Jesus vorzüglich ist und ihm sehr gefällt. Er wird es gnädig annehmen, selbst wenn es unter manchen Umständen nicht das Weiseste in der Welt ist.

4.2 Diejenigen, die nur wenig haben, sollten den Bedürftigen aus ihrem Wenigen geben. Wir sollten in vielen Fällen das einschränken, was wir für uns selbst ausgeben, damit wir die Bedürfnisse anderer stillen können; das heißt, unseren Nächsten wie uns selbst zu lieben.

4.3 Öffentliche Wohltätigkeit sollte unterstützt werden, und obwohl es darin viel Misswirtschaft geben mag, ist das kein guter Grund, warum wir nicht unsere Gaben dazu beitragen sollten.

4.4 Selbst wenn wir nur wenig für Wohltätigkeit geben können, wird es von Christus angenommen werden, der von einem Menschen nur entsprechend dem fordert, „was er hat, nicht entsprechend dem, was er nicht hat" (2.Kor 8,12). Wenn sie in richtiger Weise gegeben werden, werden zwei Cent wahrgenommen und so geachtet werden, als wären sie zwei Euro gewesen.

4.5 Es trägt viel zum Lob der Wohltat bei, wenn wir nicht nur nach unseren Möglichkeiten geben, sondern sogar über sie hinaus, wie es die mazedonischen Gemeinden taten, deren „tiefe Armut die Schätze ihrer Freigebigkeit zutage" förderte (2.Kor 8,2). Und wenn wir Gott vertrauen, dass er uns auf irgendeine andere Weise versorgt, dann ist dies lobenswert und verdient Anerkennung (s. 1.Petr 2,19; NGÜ).

KAPITEL 13

Hier ist die prophetische Predigt, die unser Herr Jesus hielt, in der er auf die Zerstörung Jerusalems und die Vollendung aller Dinge hinwies. Sie wurde nur vier von seinen Jüngern gehalten. Hier ist: 1. Der Anlass für diese Weissagung – dass seine Jünger die Gebäude des Tempels bewunderten (s. Vers 1-2) und sie über die Zeit fragten, wann er zerstört wird (s. Vers 3-4). 2. Die Weissagungen selbst: 2.1 Von dem Aufkommen von Verführern (s. Vers 5-6.21-23). 2.2 Von den Kriegen der Völker (s. Vers 7-8). 2.3 Von der Verfolgung von Christen (s. Vers 9-13). 2.4 Von der Zerstörung von Jerusalem (s. Vers 14-20). 2.5 Von dem Ende der Welt (s. Vers 24-27). 3. Einige allgemeine Hinweise über den Zeitpunkt dieser Ereignisse (s. Vers 28-32). 4. Einige praktische Anwendungen von all dem (s. Vers 33-37).

Vers 1-4

Wir können hier sehen:

1. Wie geneigt viele von Christi eigenen Jüngern sind, Dinge zu vergöttern, die groß aussehen und lange als heilig betrachtet wurden. Hier sagte einer von ihnen zu ihm: „‚Meister, sieh nur! Was für Steine! Und was für Gebäude sind das!' Wir sahen nie etwas wie dies in Galiläa; verlasse diesen prächtigen Ort nicht."

2. Wie gering Christus äußerliche Zurschaustellung bewertet, wo es keine echte Reinheit gibt: „Siehst du diese großen Gebäude?", sagte er. Er sagte ihm, die Zeit sei nahe, wenn „kein einziger Stein auf dem anderen bleiben [wird], der nicht abgebrochen wird!" **(Vers 2)**. Er blickt mit Mitleid auf das Verderben kostbarer Seelen und er weint über sie, denn er hat ihnen hohen Wert gegeben, doch wir sehen nicht, dass er mit Mitleid auf das Verderben eines prächtigen Hauses blickt, wenn er durch die Sünde aus diesem hinausgetrieben wird. Beachten Sie, mit wie wenig Interesse er sagte: „Es wird kein einziger Stein auf dem anderen bleiben." Solange irgendein Teil stehenbleibt, gibt es etwas Hoffnung auf seine Wiederherstellung, doch welche Hoffnung gibt es, wenn „kein einziger Stein auf dem anderen" bleibt?

3. Wie natürlich es für uns ist, etwas über zukünftige Dinge und ihre Zeit erfahren zu wollen; wir neigen dazu, in Bezug auf sie wissbegieriger zu sein als über unsere Pflicht. Seine Jünger wussten nicht, wie sie seine Lehre aufnehmen sollten. Sie wollten ihn darum alleine sprechen, um ihn dazu zu bringen, mehr über diese Sache zu sagen. Als er nach Bethanien zurückkehrte, setzte er sich darum auf den Ölberg, „dem Tempel gegenüber". Vier von ihnen kamen überein, ihn „für sich allein" zu fragen, was er mit der Zerstörung des Tempels meinte. Christi Predigt als Antwort wurde wahrscheinlich in Hörweite der anderen Jünger gehalten, doch immer noch allein, das heißt, fern von der Menge. Ihre Frage war: „... wann wird dies geschehen?" Sie wollten nicht fragen, ob die Dinge, die Jesus vorhersagte, stattfinden würden oder nicht, doch sie waren gewillt zu hoffen, dass es lange Zeit entfernt war. Sie baten ihn, ihnen zusagen, was das Zeichen sein wird, „wann dies alles vollendet werden soll".

Vers 5-13

Als Antwort auf die Frage der Jünger machte sich unser Herr Jesus nicht so sehr daran, ihre Neugier zu befriedigen, wie ihr Gewissen zu leiten. Er gab ihnen bezüglich der Ereignisse, die dann bald geschehen würden, die Warnungen, die sie brauchten.

1. Sie müssen achtgeben, dass sie nicht von Verführern und Schwindlern getäuscht werden, die jetzt bald aufkommen würden: „Habt acht, dass euch niemand verführt! Denn viele werden unter meinem Namen kommen und sagen: Ich bin es!" **(Vers 5-6)**. Nachdem die Juden den wahren Christus verworfen hatten, wurden sie durch viele falsche Christusse verführt. Diese falschen Christusse verführten viele. Deshalb geben Sie acht, damit sie Sie nicht verführen. Wenn viele Menschen verführt werden, sollten wir wach werden, um auf uns selbst zu achten.

2. Sie müssen darauf achtgeben, sich nicht durch Kriegsgeschrei beunruhigen zu lassen, das sie alarmieren würde **(s. Vers 7-8)**. Zu manchen Zeiten sind die Völker mehr durch Kriege beunruhigt und verwüstet als zu anderen; so würde es jetzt sein. Christus wurde zu einer Zeit des allgemeinen Friedens in die Welt geboren, doch kurz nachdem er die Welt verließ, gab es allgemeine Kriege. „‚Ein Heidenvolk wird sich gegen das andere erheben und ein Königreich gegen das andere', aber darüber ‚erschreckt nicht'."

2.1 „Dies soll euch nicht überraschen; solche Dinge müssen geschehen."

2.2 „Dies soll euch nicht erschrecken; ihr befasst euch nicht mit der Welt und deshalb braucht ihr keinen Schaden durch sie fürchten." Diejenigen, welche die Anerkennung der Welt verschmähen und sie nicht erstreben, können auch die Missbilligung der Welt verschmähen und brauchen sich davor nicht fürchten.

2.3 „Dies sollte von euch nicht als Zeichen für das herannahende Ende der Welt angesehen werden, denn ‚es ist noch nicht das Ende'. Meint nicht, dass diese Kriege die Welt zu ihrem Ende bringen" **(Vers 7)**.

2.4 „Seht diese Kriege nicht so an, als hätte Gott darin das Schlimmste getan, was er tun kann. Lasst euch von den Kriegen nicht beunruhigen, von denen ihr hört, denn sie sind nur ‚die Anfänge der Wehen' und deshalb sollt ihr euch auf Schlimmeres vorbereiten, denn es wird auch ‚hier und dort Erdbeben geben, und Hungersnöte und Unruhen werden geschehen'. Die Welt wird voller Unruhe sein, aber ihr ‚erschreckt nicht', fürchtet euch nicht davor." Die Jünger Christi können sich einer heiligen Sicherheit und Frieden des Gemüts erfreuen, wenn alles um sie herum im Zustand der größten Verwirrung ist.

3. Sie müssen darauf achten, dass sie durch die Leiden, die ihnen um Christi willen begegnen, nicht von Christus fortgezogen werden. Wieder sagte er: „‚... habt acht auf euch selbst!' Selbst wenn ihr besser als einige eurer Nächsten dem Schwert des Krieges entkommen mögt, sollt ihr dennoch nicht meinen, dass ihr sicher seid; mehr als andere werdet ihr dem Schwert des Rechtes ausgeliefert sein. Deshalb sollt ihr euch hüten, dass ihr euch nicht mit der Hoffnung auf äußerlichen Wohlstand selbst betrügt, denn ihr müsst ‚durch viele Bedrängnisse in das Reich Gottes eingehen'. Gebt darauf acht, was ihr sagt und tut, weil viele Augen auf euch gerichtet sein werden" **(Vers 9**; Apg 14,22). Beachten Sie:

3.1 Welche Schwierigkeiten sie erwarten müssen. Sie werden „von allen gehasst sein"; es wird genug Schwierigkeiten geben! Der Gedanke, gehasst zu sein, ist für einen empfindsamen Geist eine Last; diejenigen, die boshaft sind, werden Schwierigkeiten machen. Es war nicht aufgrund von irgendetwas Schlechtem in ihnen oder dass sie etwas Schlechtes getan hätten, dass sie gehasst würden, sondern um des Namens Christi willen. Die Welt hasste sie, weil er seine Jünger liebte. Die eigenen Verwandten würden sie ausliefern, diejenigen, mit denen sie am engsten verbunden waren und von denen sie deshalb für Schutz abhängig waren. Ihre Gemeindeleiter würden ihnen ihr Urteil auflegen. „Ihr werdet den Synagogen ausgeliefert und mit vierzig Schlägen als Übeltäter gegen das Gesetz geschlagen werden." Es ist bezüglich der Waffen der Gemeinde nichts Neues, dass sie durch die Treulosigkeit ihrer Amtsträger gegen einige ihrer besten Freunde gerichtet werden. „Fürsten und Könige" würden ihre Macht gegen die Jünger Christi gebrauchen. Sie werden sie als Feinde des Reiches „töten helfen". Sie müssen bis aufs Blut widerstehen (s. Hebr 12,4) und dann immer noch widerstehen.

3.2 Womit sie sich selbst trösten könnten.

Dass die Arbeit, zu der sie berufen sind, weitergeführt und gedeihen wird **(s. Vers 10)**: Das Evangelium wird, trotz all diesem, allen Heidenvölkern verkündigt werden und sein Schall wird ausgehen „über die ganze Erde" (Röm 10,18). Es ist für diejenigen, die für das Evangelium leiden müssen, ermutigend, dass selbst, obwohl sie überwältigt und unterdrückt werden mögen, dies dem Evangelium nicht geschehen kann; es wird seinen Boden behaupten und den Sieg davontragen.

Dass ihr Leiden, statt ihre Arbeit zu behindern, diese fördern würde. „Dass ihr ‚vor Fürsten und Könige' gestellt werdet, wird ‚ihnen zum Zeugnis' sein. Es wird euch eine Gelegenheit geben, denen das Evangelium zu predigen, vor die ihr als Kriminelle gestellt werdet" **(Vers 9)**. Oder, wie es unsere Übersetzung (KJV) liest, es wird ein Zeugnis gegen sie sein, gegen die Richter wie die Verfolger. Das Evangelium ist für uns ein Zeugnis von Christus und dem Himmel. Wenn wir es annehmen, wird es ein Zeugnis für uns sein: Es wird uns rechtfertigen und retten; wenn nicht, wird es an jenem großen Tag ein Zeugnis gegen uns sein.

Dass sie, wenn sie vor Fürsten und Könige gestellt werden, besondere Hilfe vom Himmel bekommen würden: „So sorgt nicht im Voraus, was ihr reden sollt ... sondern was euch zu jener Stunde gegeben wird, das redet", und habt keine Angst, dass es nicht sein Ziel erreicht, weil es aus dem Stehgreif gesprochen ist, ‚denn nicht ihr seid es, die reden, sondern der Heilige Geist'" **(Vers 11)**. Wenn wir im Dienst Christi engagiert sind, können wir uns auf die Hilfe des Geistes Christi verlassen.

Dass der Himmel schließlich alles entschädigen würde. „Wer aber ausharrt bis ans Ende, der wird gerettet werden" **(Vers 13)**. Ausdauer wird die Krone gewinnen. Das hier verheißene Heil ist mehr als eine Erlösung vom Bösen; es ist eine ewige Glückseligkeit.

Vers 14-23

Mit ihrer Rebellion gegen die Römer und ihrer Verfolgung der Christen brachten die Juden sowohl Gott als auch Menschen gegen sich auf. Hier haben wir eine Vorhersage des Verderbens, das über sie innerhalb von vierzig Jahren hiernach kam. Beachten Sie:

1. Was darüber vorhergesagt wurde.
1.1 Dass die römischen Armeen Judäa angreifen und Jerusalem, die heilige Stadt, belagern würden. Dies war der „Gräuel der Verwüstung". Die Juden hatten Christus als einen Gräuel verworfen, obwohl er ihr Heil gewesen wäre, jetzt führte Gott einen Gräuel über sie herbei, der ihre Verwüstung sein würde. Diese Armee stand dort, wo sie nicht sollte, in und um die Heilige Stadt, der sich die Völker nicht hätten nahen sollen. Die Sünde schlug die Bresche, durch welche die Herrlichkeit herausging und der „Gräuel der Verwüstung" einbrach und dort stand, „wo er nicht soll".
1.2 Dass, als die römische Armee in das Land kam, es keine Sicherheit geben würde, außer das Land zu verlassen – so schnell wie möglich. Ein Mensch würde entkommen können, indem er aus Judäa „auf die Berge" flieht; er möge der ersten Warnung vor Gefahr Beachtung schenken und so gut er kann seinen Weg gehen. Wenn er auf dem Dach ist und sie kommen sieht, soll er nicht hinabgehen, „um etwas aus seinem Haus zu holen", denn er würde dadurch kostbare Zeit verlieren. Wenn er auf dem Feld ist, soll er gerade so, wie er ist, davoneilen, nicht einmal zurückkehren, „um sein Gewand zu holen" **(Vers 16)**. Wenn er sein Leben retten konnte, möge er das als gutes Geschäft ansehen, selbst wenn er sonst nichts retten konnte. Er möge Gott dankbar sein, dass er nicht abgeschnitten wurde, wenn er auch gestutzt wurde.
1.3 Dass die Dinge für arme Mütter und Ammen sehr schwer sein würden: „Wehe aber den Schwangeren ... in jenen Tagen!" **(Vers 17)**, die nicht für sich selbst sorgen oder sich so schnell bewegen können wie andere. Und „Wehe ... den Stillenden", die nicht wissen, wie sie entweder schwache Säuglinge zurücklassen oder wie sie diese mit sich nehmen können. Es kann die Zeit kommen, in der sich die größten Tröstungen als die größten Lasten erweisen. Es wäre auch sehr unangenehm, wenn sie gezwungen wären, „im Winter" zu fliehen **(Vers 18)**. Wenn es keinen Weg gibt, Schwierigkeiten zu vermeiden, dürfen wir uns doch wünschen und dafür beten, dass die Umstände so geordnet werden, dass die Schwierigkeiten gemindert werden, und wenn die Dinge schlecht laufen, sollten wir daran denken, dass sie noch schlimmer hätten sein könnten.
1.4 Es würde eine in der Geschichte einmalige Zerstörung und Verwüstung geben: „Denn jene Tage werden eine Drangsal sein, wie es keine gegeben hat von Anfang der Schöpfung, die Gott erschuf, bis jetzt, und wie es auch keine mehr geben wird" **(Vers 19)**. Die Zerstörung Jerusalems durch die Römer kündigte ein umfassendes Gemetzel unter allen Juden an; wie sie einander und wie die Römer sie verschlangen, war so barbarisch, dass „kein Mensch gerettet werden" würde, wenn ihre Kriege noch etwas länger gedauert hätten. Doch Gott war im Zorn seiner Barmherzigkeit eingedenk (s. Hab 3,2). Er „hat ... die Tage verkürzt". Viele Personen retteten ihr Leben, weil der Sturm abflaute, wie es dann der Fall war. Es war „um der Auserwählten willen", dass diese Tage verkürzt wurden. Vielen von den Juden erging es um der wenigen willen besser, die an Christus glaubten. Es gab die Verheißung, dass „ein Überrest" gerettet werden würde (s. Jes 10,22). Gottes Auserwählte rufen „Tag und Nacht zu ihm" und ihre Gebete müssen beantwortet werden (Lk 18,7).

2. Welche Weisungen den Jüngern mit Verweis hierauf gegeben wurden.
2.1 Sie müssen für ihre eigene Sicherheit sorgen. „Wenn ihr seht, dass man in das Land einfällt und die Stadt belagert wird, dann sollt ihr weder zögern noch darüber nachdenken – bloß fortlaufen! Rennt um euer Leben –, dann fliehe auf die Berge, wer in Judäa ist'. Verlasst das sinkende Schiff!" **(Vers 14)**.
2.2 Sie müssen für die Sicherheit ihrer Seelen sorgen: „Und wenn dann jemand zu euch sagen wird: Siehe, hier ist der Christus! oder: Siehe, dort!, so glaubt es nicht. Denn es werden falsche Christusse und falsche Propheten auftreten" **(Vers 21-22)**. Falsche Christusse werden zusammen mit falschen Propheten auftreten, die sie verkündigen – oder solche, die sich selbst als Propheten einsetzen –, und sie werden Zeichen und gefälschte Wunder tun. Sie würden, wenn es möglich wäre, „auch die Auserwählten ... verführen". Ihre Behauptungen werden so einleuchtend sein, dass sie viele fortziehen werden, die eifrige und ernstliche Bekenner der Religion waren, viele, die sehr wahrscheinlich ausgeharrt hätten. Sie werden dies tun, „um, wenn möglich, auch die Auserwählten zu verführen", doch das ist in der Tat nicht möglich. Die Jünger mögen, wenn sie darüber nachdenken, vorsichtig sein, wem sie glauben: „Ihr aber, habt acht!" (Vers 23). Christus wusste, dass sie zu den Auserwählten gehörten, doch er sagte ihnen dennoch, sie sollten achtgeben. Eine Gewissheit des Ausharrens und Warnungen vor Apostasie passen sehr gut zusammen. Gott würde sie bewahren, doch sie müssen sich auch selbst bewahren. „Siehe, ich habe euch alles vorhergesagt", damit sie, vorgewarnt, gewappnet sein mögen.

Vers 24-27

Diese Verse scheinen auf Christi zweites Kommen zu weisen, um die Welt zu richten; in ihrer Frage hatten die Jünger die Zerstörung

Jerusalems und das Ende der Weltzeit (s. Mt 24,3) durcheinandergebracht und diese Verwirrung beruhte auf einem Irrtum, der Annahme, dass der Tempel solange bestehen muss, wie die Welt besteht. Christus stellt diesen Irrtum richtig. Er sagte hier voraus:

1. Die endgültige Auflösung der gegenwärtigen Struktur der Welt. „... wird die Sonne verfinstert werden, und der Mond wird seinen Schein nicht geben" **(Vers 24)**. „... die Sterne des Himmels werden herabfallen" wie Blätter im Herbst „und die Kräfte im Himmel erschüttert werden" **(Vers 25)**.

2. Das sichtbare Auftreten des Herrn Jesus, dem das Gericht an jenem Tag übertragen sein wird (s. Joh 5,22): „Und dann wird man den Sohn des Menschen in den Wolken kommen sehen" **(Vers 26)**. Er wird „mit großer Kraft und Herrlichkeit" kommen. „Jedes Auge wird ihn sehen" (Offb 1,7).

3. Die Sammlung all seiner Erwählten zu ihm: Er wird „seine Engel aussenden und seine Auserwählten sammeln" **(Vers 27)** zu ihm. Sie werden gesammelt „vom äußersten Ende der Erde" – am weitesten entfernt von dem Ort, wo Christi Tribunal aufgerichtet wird – und „bis zum äußersten Ende des Himmels" gebracht werden. Ein treuer Israelit wird sicher genommen werden, selbst von den entferntesten Grenzen des Landes der Sklaverei zu den entferntesten Grenzen des Landes der Verheißung.

Vers 28-37

Hier ist die Anwendung dieser prophetischen Predigt; sie sollten nun lernen, in rechter Weise nach vorne zu schauen.

1. „Was die Zerstörung von Jerusalem anbetrifft, so erwartet diese sehr bald, dass sie sehr rasch kommt, so wie ihr erwartet, dass der Sommer rasch kommt, ‚wenn sein Zweig schon saftig wird und Blätter treibt ... Wenn ihr seht, dass dies geschieht', wenn ihr seht, dass das jüdische Volk in Kriege verwickelt, von falschen Christussen und falschen Propheten aufgewühlt ist und das Missfallen der Römer auf sich zieht, dann sollt ihr sagen, dass dessen Verderben nahe ist, ‚nahe vor der Türe ist', und für euch selbst sorgen." In der Tat wurden alle Jünger außer Johannes vor dem Bösen fortgenommen, das kommen sollte, doch die nächste Generation würde leben, um es zu sehen. „‚Dieses Geschlecht', das jetzt entsteht, wird nicht ganz vergehen, ‚bis dies alles geschehen ist'. Diese Zerstörung ist genauso sicher, wie sie nahe und in Sicht ist." Christus sagte diese Dinge nicht einfach, um sie zu erschrecken. Nein; sie waren die Verkündigung von Gottes festen Plänen: „Himmel und Erde werden vergehen, aber meine Worte werden nicht vergehen" **(Vers 31)**.

2. „Was das Ende der Welt anbetrifft, sollt ihr nicht fragen, wann das sein wird, denn ‚um jenen Tag aber und die Stunde weiß niemand'. Dieser Tag wurde von keinem Wort Gottes offenbart, weder Menschen auf der Erde noch Engeln im Himmel." Doch es folgt, „auch nicht der Sohn". Gibt es etwas, das der Sohn nicht weiß? Es gab in früheren Zeiten solche, die von diesem Text her lehrten, dass es manche Dinge gab, welche Christus, als Mensch, nicht wusste. Sie sagten: „Es ist nicht unsinnig, das zu sagen, wie zu sagen, dass seine menschliche Seele Kummer und Furcht erlitt." Erzbischof Tillotson sagt: „Christus konnte als Gott nicht irgendetwas nicht wissen, doch die göttliche Weisheit, die in unserem Heiland wohnte, teilte sich gemäß dem göttlichen Wohlgefallen seiner menschlichen Seele mit, sodass seine menschliche Natur manchmal manche Dinge nicht wissen würde; deshalb heißt es, dass Christus an Weisheit zunahm" (s. Lk 2,52).

3. „Was beides anbetrifft, so ist es eure Pflicht, zu wachen und zu beten. ‚Habt acht' auf alles, was euch für das Kommen eures Meisters untauglich machen würde. Gebt acht auf das Kommen des Menschensohnes, sodass, egal, wann es geschieht, es für euch keine Überraschung sein mag. Und betet um die Gnade, die nötig ist, um euch dafür zu befähigen, ‚denn ihr wisst nicht, wann die Zeit da ist', und ihr müsst selber darauf vorbereitet sein, jeden Tag für das bereit zu sein, was jeden Tag kommen kann" **(Vers 33)**. Er illustrierte dies am Schluss mit einem Gleichnis:

3.1 Unser Meister ist fortgegangen und hat uns etwas zurückgelassen, über das wir Rechenschaft ablegen müssen. Er ist wie ein Mensch, „der außer Landes reiste" **(Vers 34)**. Er hat sein Haus auf der Erde verlassen und hat jeden seiner Knechte gelassen, dass jeder seine zugeteilte Pflicht erfüllt, wobei er manchen Vollmacht und anderen Arbeit gegeben hat. Diejenigen, denen von ihm Vollmacht gegeben wurde, haben Arbeit, die ihnen zugeteilt ist, denn diejenigen, welche die größte Macht haben, sind in die meisten Aufgaben eingebunden, und denjenigen, denen er Arbeit gab, gab er die Vollmacht, diese Arbeit zu tun. Als er endgültig Abschied nahm, befahl er dem Türhüter, „dass er wachen solle", um sicherzugehen, bereit zu sein, ihm die Tür zu öffnen, wenn er wiederkehren würde. Auf diese Weise hinterließ unser Herr Jesus, als er zur Höhe emporgestiegen ist (s. Eph 4,8), all seinen Knechten etwas zu tun. Alle sind zur Arbeit berufen und manche haben die Vollmacht zu herrschen.

3.2 Wir sollten immer in Erwartung seiner

Rückkehr wachsam sein **(s. Vers 35-37)**. Unser Herr wird als „der Herr des Hauses" kommen, um von seinen Knechten Rechenschaft zu fordern. Wir wissen nicht, wann er kommt. Dies kann man auf sein besonderes Kommen zu uns anwenden, bei unserem Tod, wie auch auf das allgemeine Gericht. Unser gegenwärtiges Leben ist verglichen mit dem anderen Leben eine Nacht, eine dunkle Nacht. Wir wissen nicht, in welcher Wache der Nacht unser Meister kommen wird, sei es in den Tagen der Jugend, im mittleren Alter oder im hohen Alter, doch sobald wir geboren sind, beginnen wir zu sterben, und sobald wir in der Lage sind, etwas zu erwarten, müssen wir den Tod erwarten. Unsere große Sorge muss sein, dass, wann immer unser Herr kommt, er uns nicht „schlafend findet", auf uns selbst vertrauend, abseits unseres Postens, geneigt zu sagen, dass er nicht kommen wird, und nicht bereit, ihn zu treffen. Sein Kommen wird wirklich unversehens sein. Es ist darum die unerlässliche Pflicht aller Jünger Christi, wachsam zu sein, wach zu sein und wach zu bleiben: „Was ich aber euch [vieren] sage, das sage ich allen. Was ich euch in dieser Generation sage, das sage ich zu allen, die in jedem Zeitalter an mich glauben werden: Wacht! Wacht! Erwartet mein zweites Kommen, bereitet euch darauf vor, damit ihr in Frieden erfunden werdet, unbefleckt und tadellos" **(Vers 37**; s. 2.Petr 3,14).

KAPITEL 14

Dieses Kapitel blickt auf den Beginn des Berichts von den Leiden und dem Tod unseres Herrn Jesus Christus. Wir haben hier: 1. Die Verschwörung der obersten Priester und Schriftgelehrten gegen Christus (s. Vers 1-2). 2. Die Salbung des Hauptes Jesu bei einem Abendessen in Bethanien (s. Vers 3-9). 3. Die Vereinbarung, die Judas einging, ihn zu verraten (s. Vers 10-11). 4. Wie Christus mit seinen Jüngern das Passah isst, seine Einsetzung des Herrenmahls und seine Worte an seine Jünger (s. Vers 12-31). 5. Christi Qual im Garten (s. Vers 32-42). 6. Judas' Verrat von Christus sowie die Gefangennahme und Verhaftung Christi durch die Beauftragten der obersten Priester (s. Vers 43-52). 7. Sein Prozess vor dem Hohepriester, seine Verurteilung und die Schmähungen, denen er unterworfen war (s. Vers 53-65). 8. Wie Petrus ihn verleugnet (s. Vers 66-72).

Vers 1-11

Hier haben wir Beispiele:

1. Für die Freundlichkeit der Freunde Christi. Selbst in und um Jerusalem herum hatte er einige Freunde, Menschen, die ihn liebten und nie meinten, sie könnten genug für ihn tun.

1.1 Hier war ein Freund, der freundlich genug war, ihn einzuladen, mit ihm zu essen. Obwohl er seinen Tod als nahe bevorstehend sah, überließ er sich nicht einem traurigen Rückzug aus aller Gesellschaft.

1.2 Hier war ein weiterer Freund, der freundlich genug war, sein Haupt mit sehr kostbarem Öl zu salben, als er „zu Tisch saß". Das war eine außerordentliche Handlung der Achtung, die ihm von einer guten Frau erwiesen wurde, die nichts für zu gut hielt, um es Christus zu geben. Wenn er seine Seele ausgeschüttet hat, um für uns zu sterben, sollen wir dann ein Gefäß mit Salböl für zu kostbar erachten, um es auf ihn auszuschütten? Es ist bezeichnend, dass sie Sorge dafür trug, es alles auf Christi Haupt zu schütten; „sie zerbrach das Alabasterfläschchen". Christus muss mit allem geehrt werden, was wir haben. Geben wir ihm das kostbare Salböl unserer besten Hingabe? Lassen Sie ihn alles haben; wir müssen ihn mit unserem ganzen Herzen lieben (s. Mk 12,30).

Es gab solche, welche diese Tat schlimmer deuteten, als sie es verdiente. Sie nannten sie eine „Verschwendung des Salböls" **(Vers 4)**. Doch das Edle und Vornehme sollte nicht verschwenderisch genannt werden (s. Jes 32,5). Die Gegner beanstandeten, dass man das Salböl verkaufen und das Geld dann den Armen hätte geben können **(s. Vers 5)**. Doch allgemeine Güte gegenüber den Armen wird einen nicht von einem besonderen Akt der Hingabe an den Herrn Jesus befreien.

Unser Herr Jesus deutete es als etwas Besseres, soweit wir sagen können, als es tatsächlich beabsichtigt war. Christus betrachtete es sowohl als Akt des großen Glaubens als auch der großen Liebe: „Sie hat meinen Leib im Voraus zum Begräbnis gesalbt" **(Vers 8)**. Beachten Sie, wie das Herz Christi mit Gedanken an seinen Tod erfüllt war, wie ungezwungen er bei jeder Gelegenheit über ihn sprach. Für diejenigen, die dem Tod verfallen sind, ist es gewöhnlich, dass ihre Särge vorbereitet sind und andere Vorkehrungen für ihre Beerdigung getroffen werden, solange sie noch am Leben sind, und so verstand Christus es. Christus ritt nie im Triumph nach Jerusalem hinein, außer als er dorthin kam, um zu leiden; auch wurde sein Haupt nie gesalbt, außer für sein Begräbnis.

Er empfahl diesen Akt der kühnen Hingabe für alle Zeiten: „Wo immer dieses Evangelium verkündigt wird in der ganzen Welt, da wird man auch von dem sprechen, was diese getan hat, zu ihrem Gedenken!" **(Vers 9)**. Auf diese Weise wurde die gute Frau für ihr Fläschchen Öl belohnt. Weder ihr Öl noch ihre Mühe gingen verloren. Sie erlangte hierdurch den guten Namen, der besser ist „als wohlriechendes Salböl" (Pred 7,1). Diejenigen, die Christus ehren, werden von ihm geehrt werden (s. 1.Sam 2,30).

2. Für die Bosheit der Feinde Christi.
2.1 Die obersten Priester, seine offenen Feinde, diskutierten, „wie sie ihn ... töten könnten" **(Vers 1)**. Es war nun das Passahfest nahe und er musste bei diesem Fest gekreuzigt werden, damit:
Sein Tod und sein Leiden mehr öffentlich geschehen würden.
Die Erfüllung dem Typus entsprechen würde. Christus, unser Passahlamm, wurde für uns zur gleichen Zeit geopfert (s. 1.Kor 5,7), als das Passahlamm geopfert wurde und man der Rettung Israels aus Ägypten gedachte. Wir sehen nun:
Wie gehässig die Feinde Christi waren, denn sie bezweckten nicht nur, ihn zum Schweigen zu bringen, sondern sich an ihm für all das Gute zu rächen, was er getan hatte.
Wie raffiniert sie waren: „Nicht während des Festes, damit kein Aufruhr unter dem Volk entsteht!" **(Vers 2)**, damit sich die Menschen nicht zusammenrotten und ihn retten. Diejenigen, die nach nichts mehr verlangten als nach dem Lob der Menschen, fürchteten nichts mehr als den Zorn und das Missfallen der Menschen.
2.2 Judas, sein maskierter Feind, traf mit ihnen eine Vereinbarung, ihn zu verraten. Er ging „hin zu den obersten Priestern" **(Vers 10)**, um in dieser Sache seine Dienste anzubieten.
Was Judas den obersten Priestern und Schriftgelehrten vorschlug, war, ihnen Christus zu verraten, ohne einen „Aufruhr unter dem Volk" zu verursachen, wovor sie Angst hatten. Wussten die obersten Priester und Schriftgelehrten, dass er daran gedacht hatte, ihnen zu helfen und Jesus zu täuschen? Nein; sie konnten sich nicht vorstellen, dass einer seiner engen Gefährten so böse sein würde. Der Geist, der in allen Söhnen des Ungehorsams wirkt (s. Eph 2,2), weiß, wie er sie dazu bringt, einander bei einem bösen Vorhaben zu helfen.
Was er sich selbst davon versprach, war, durch die Vereinbarung, die er traf, Geld zu bekommen; sie „versprachen, ihm Geld zu geben". Habgier war das herrschende sündige Verlangen von Judas. Vielleicht war es die Habgier von Judas, die ihn zuerst dazu brachte, Jesus nachzufolgen, als ihm versprochen wurde, dass er der Aufseher über das Geld oder Kassenwart der Gemeinschaft würde; er liebte in seinem Herzen den Umgang mit Geld. Als nun nebenbei Geld zu verdienen war, war er genauso bereit, Christus zu verraten, wie er es je gewesen war, ihm nachzufolgen.
Nachdem er das Geld bekommen hatte, machte er sich daran, seine Seite des Abkommens zu erfüllen; er „suchte eine gute Gelegenheit, um ihn zu verraten". Beachten Sie, wie sehr wir darauf aufpassen müssen, dass wir nicht in sündigen Verpflichtungen gefangen werden. Es ist wie in unserem Gesetz so auch in unserer Religion eine Regel, dass eine Verpflichtung, Böses zu tun, null und nichtig ist; sie erfordert Buße und nicht Erfüllung. Achten Sie darauf, wie der Weg der Sünde abwärts führt: Wenn die Menschen auf ihm wandeln, werden sie dazu gebracht, auf ihm weiterzugehen.

Vers 12-31
In diesen Versen haben wir:

1. Wie Christus in der Nacht, bevor er starb, mit seinen Jüngern das Passah aß. Keine Vorahnung von Schwierigkeiten, die gekommen sind oder kommen, sollten uns davon abhalten, entweder an den Diensten heiliger Anbetung teilzunehmen, oder uns aus der Stimmung bringen, an ihnen teilzunehmen.
1.1 Christus aß das Passah zur gewöhnlichen Zeit, als es die anderen Juden taten. Es war der erste Tag jenes Festes, welches das Fest „der ungesäuerten Brote" genannt wurde, der Tag, „als man das Passahlamm schlachtete" **(Vers 12)**.
1.2 Er sagte seinen Jüngern, wie sie den Ort finden konnten, an dem er das Passah essen wollte. „Geht in die Stadt; da wird euch ein Mensch begegnen, der einen Wasserkrug trägt.' Folgt ihm, wohin er geht, und fragt nach dessen Meister, den Hausherrn, und bittet ihn, euch einen Raum zu zeigen" **(Vers 13)**. Die Einwohner Jerusalems hatten ohne Zweifel Räume, die geeignet waren, dass man sie für solche Anlässe an jene vermietet, die vom Land kamen, um das Passah zu feiern, und Christus nutzte einen davon. Wahrscheinlich ging er dorthin, wo er nicht bekannt war, damit er mit seinen Jüngern ungestört sein würde. Vielleicht bestimmte er den Ort durch dieses besondere Zeichen, um zu zeigen, dass es ihm gefällt, in dem reinen Herzen zu leben, das heißt, in einem, das „gewaschen [ist] mit reinem Wasser" (Hebr 10,22). Wo er wohnen will, muss ihm ein Gefäß Wasser vorangehen.
1.3 Er aß das Passah in einem mit Polstern belegten Obersaal. Beim Essen seiner gewöhnlichen Mahlzeiten wählte er, was normal war – er setzte sich zum Beispiel in das Gras (s. Mk 6,39) –, doch als er ein heiliges Fest zu feiern hatte, nahm er dann zu dessen Ehren die Kosten auf sich, einen so guten Raum wie möglich zu bekommen.
1.4 Er aß es „mit den Zwölfen". Wenn Christus mit den Zwölfen kam, dann war Judas bei ihnen, obwohl er zu dieser Zeit danach trachtete, seinen Meister zu verraten, und aus dem Folgenden wird klar, dass er dort war **(s. Vers 20)**. Er blieb nicht fern, denn dann hätte man ihn verdächtigen können. Christus schloss ihn nicht von dem Fest aus, obwohl er seine

Bosheit kannte, denn diese Bosheit war noch nicht öffentlich geworden.

2. Christi Worte an seine Jünger, als sie das Passah aßen.

2.1 Sie hatten Gefallen an der Gesellschaft ihres Meisters, doch er sagte ihnen, dass sie ihn nun bald verlieren müssen: Der Sohn des Menschen wird verraten. Wenn er verraten wird, dann wird das Nächste sein, was sie von ihm hören, dass er gekreuzigt und getötet würde. „Der Sohn des Menschen geht ... dahin, wie von ihm geschrieben steht" **(Vers 21)**.

2.2 Sie erfreuten sich an der Gesellschaft voneinander, doch Christus verpasste ihrer Freude einen Dämpfer, indem er ihnen sagte: „Einer von euch, der mit mir isst, wird mich verraten!" **(Vers 18)**. Christus sagte dies, um das Gewissen von Judas aufzuschrecken – wenn es möglich wäre – und ihn zur Buße zu erwecken und von dem Rand des Abgrunds zurückzuziehen. Doch es scheint, dass derjenige, der am meisten von der Warnung betroffen war, sich am wenigsten um sie kümmerte. Alle anderen waren davon bewegt. Sie fingen an, betrübt zu werden. Dies waren die bitteren Kräuter (s. 2.Mose 12,8), mit denen das Passahfest gefeiert wurde. Sie begannen sich selbst zu verdächtigen. Sie „fragten einer nach dem anderen: Doch nicht ich? Und der Nächste: Doch nicht ich?" Sie waren besorgter um sich selbst als um jemand anderen. Es ist das Gesetz der Nächstenliebe, alles zu hoffen (s. 1.Kor 13,5-7), denn wir wissen mit Sicherheit mehr Böses über uns selbst, als wir über unsere Geschwister wissen, und können uns deshalb zu Recht mehr verdächtigen. Sie vertrauten seinen Worten mehr als ihrem eigenen Herzen und deshalb sagten sie nicht: „Ich bin mir sicher: Ich bin's nicht!", sondern: „Herr, bin ich es?" Als Antwort auf ihre Frage sagte Christus nun:

Was ihnen Frieden geben würde: „Es bist weder du noch du; es ist dieser eine, ‚der mit mir das Brot in die Schüssel eintaucht!'"

Man hätte gemeint, dass dies Judas sehr unsicher macht. Wenn er mit seinem Unterfangen fortfahren würde, wäre er unter der Last einer Drohung, denn: „... wehe jenem Menschen, durch den der Sohn des Menschen verraten wird! Es wäre für jenen Menschen besser, wenn er nicht geboren wäre!" Judas ermutigte sich wahrscheinlich mit dem Gedanken, dass sein Meister oft gesagt hatte, dass er verraten werden muss, und wenn es getan werden muss, dann wird Gott sicherlich den nicht tadeln, der es tut. Doch Christus sagte ihm, dass dies für ihn keine Zuflucht oder Entschuldigung sein würde. Christus wurde tatsächlich „nach Gottes festgesetztem Ratschluss und Vorsehung dahingegeben", doch ungeachtet dessen war es „durch die Hände der Gesetzlosen", dass er „ans Kreuz geschlagen und getötet" wurde (Apg 2,23).

3. Die Einsetzung des Herrenmahls.

3.1 Es wurde am Ende eines Abendessens eingesetzt. Mit dem Herrenmahl wird keine leibliche Ernährung bezweckt. Es ist nur geistliche Nahrung und deshalb ist bereits sehr wenig von dem, was dem Leib dient, genug, sodass es als Zeichen dient.

3.2 Es wurde durch das Beispiel Christi selbst eingesetzt, durch sein eigenes Tun, denn es war für jene bezweckt, die bereits seine Jünger sind.

3.3 Es wurde mit einem Segen und einer Danksagung eingesetzt. Auf diese Weise müssen die Gaben der allgemeinen Vorsehung empfangen werden; wie viel mehr dann die Gaben der besonderen Gnade! Er „sprach den Segen" **(Vers 22)** und „dankte" **(Vers 23)**.

3.4 Es wurde als Gedenken an seinen Tod eingesetzt. Er brach darum das Brot, um zu zeigen, wie es dem Herrn gefiel, „ihn zu zerschlagen" (Jes 53,10), und er nannte den Wein, der das Traubenblut ist (s. 1.Mose 49,11), sein „Blut, das des Neuen Bundes". Von diesem „kostbaren Blut" (1.Petr 1,19) als dem Preis für unsere Erlösung ist oft die Rede. Es wird das Blut des Neuen Testaments genannt (s. Vers 24; Bengel), weil der Bund der Gnade ein Testament wurde, ein Wille, der durch den Tod Christi, „der das Testament gemacht hat" (Hebr 9,16), in Kraft gesetzt wurde. Es heißt, dass es „für viele vergossen wird", um „viele Söhne zur Herrlichkeit" zu führen (Hebr 2,10). Es war für viele genügend, von unbegrenztem Wert; wir lesen von einer großen Schar, die niemand zählen konnte, die alle „ihre Kleider gewaschen [haben], und sie haben ihre Kleider weiß gemacht in dem Blut des Lammes" (Offb 7,14), und es ist immer noch ein eröffneter Quell (Sach 13,1). Wie ermutigend ist es, dass das Blut Christi „für viele vergossen wird"! Überdies, wenn für viele, warum dann nicht für mich? Wenn für Sünder, Sünder aus den Heiden, für den größten Sünder (s. 1.Tim 1,15), warum dann nicht für mich?

3.5 Es war ein Zeichen dafür, dass er uns die Wohltaten überbrachte, die durch seinen Tod für uns erkauft wurden. Deshalb brach er das Brot und gab es ihnen und sagte: „Nehmt, esst!" **(Vers 22)**. Und er nahm den Kelch und gab ihn ihnen „und sie tranken alle daraus" **(Vers 23)**.

3.6 Es wurde mit einem Auge auf die Seligkeit des Himmels eingesetzt und es sollte ein Siegel und Vorgeschmack von ihr sein und uns so unser Verlangen nach allen weltlichen Vergnügungen und Freuden verlieren lassen: „Ich werde nicht mehr von dem Gewächs des Weinstocks trinken" **(Vers 25)**. „Herr, lasse schnell den Tag kommen, an dem ich ihn neu und von Neuem im Reich Gottes trinken werde."

3.7 Es wurde mit einem Lobgesang abgeschlossen **(s. Vers 26)**. Dies war Christi „Schwanengesang", den er kurz vorher sang, bevor er in seine Qual eintrat. Wahrscheinlich war es das, was für gewöhnlich gesungen wurde (s. Ps 113-118).

4. Christi Worte an seine Jünger, als sie bei Mondlicht nach Bethanien zurückkehrten. „Und nachdem sie den Lobgesang gesungen hatten, gingen sie sofort hinaus." Den Israeliten war es aus Angst vor dem Schwert des Verderbers verboten, in der Nacht das Haus zu verlassen, in der sie das erste Passah aßen (s. 2.Mose 12,22-23), doch weil Christus, der große Hirte der Schafe (s. Hebr 13,20), geschlagen werden sollte, ging er bewusst hinaus, um sich selbst als Kämpfer dem Schwert auszuliefern; die Israeliten wichen dem Verderber aus, doch Christus besiegte ihn.

4.1 Christus sagte voraus, dass er in seinem Leiden von all seinen Jüngern verlassen werden würde: „Ihr werdet in dieser Nacht alle an mir Anstoß nehmen." Christus wusste dies vorher, doch er hieß sie dennoch an seinem Tisch willkommen. Wir sollten auch nicht aus Furcht davor entmutigt sein, zum Herrenmahl zu kommen, dass wir nachher wieder in Sünde abgleiten. Je größer vielmehr unsere Gefahr ist, desto größer ist die Notwendigkeit, uns durch sorgfältigen, gewissenhaften Gebrauch der heiligen Ordnungen zu stärken. Christus sagte, dass sie an ihm Anstoß nehmen (zu Fall kommen) würden. Bis zu diesem Zeitpunkt waren sie in seinen Versuchungen bei ihm geblieben; obwohl sie manchmal gestrauchelt waren, waren sie seinetwegen nicht zu Fall gekommen. Doch jetzt würde der Sturm so schwer sein, dass sie alle ihre Anker schleifen lassen und in die Gefahr eines Schiffbruchs geraten würden. Das Schlagen des Hirten führt oft zur Zerstreuung der Schafe (s. Vers 27; Sach 13,7): Die ganze Herde leidet darunter und gerät dadurch in Gefahr. Doch Christus ermutigte sie mit einer Verheißung, dass sie sich wieder sammeln würden; sie würden sowohl zu ihrer Pflicht als auch zu ihrem Trost zurückkehren: „Aber nach meiner Auferweckung will ich euch nach Galiläa vorangehen" **(Vers 28)**.

4.2 Er sagte voraus, dass er insbesondere von Petrus verleugnet werden würde. Als sie zum Ölberg hinausgingen, können wir voraussetzen, dass sie Judas zurückließen – er stahl sich von ihnen fort. Christus sagte ihnen jedoch, dass sie dennoch keinen Grund hatten, sich ihrer Treue zu rühmen. Obwohl Gott uns davon zurückhält, so schlecht wie die Schlimmsten zu sein, können wir immer noch beschämt sein, wenn wir daran denken, dass wir nicht besser sind, als wir es sind.
Petrus war überzeugt, dass er nicht so schlimm handeln würde wie der Rest der Jünger: „Wenn auch alle an dir Anstoß nehmen, doch nicht ich!" **(Vers 29)**. Er hielt sich für in der Lage, dem Schock der Versuchung zu widerstehen und ihr dann gegenüberzutreten, vollkommen alleine, fest zu stehen, obwohl ihm niemand anderes beistand. Es ist uns angeboren, gut von uns zu denken und auf unser eigenes Herz zu vertrauen.
Christus sagte ihm, dass er Schlimmeres tun würde als sie alle. Sie würden ihn alle verlassen, doch Petrus würde ihn verleugnen, nicht einmal, sondern dreimal, und das auch sehr bald. „Heute, in dieser Nacht, ehe der Hahn zweimal kräht, wirst du mich dreimal verleugnen!", leugnen, dass er ihn überhaupt kennt.
Petrus blieb bei seinem Versprechen: „Wenn ich auch mit dir sterben müsste, werde ich dich nicht verleugnen!" Und ohne Zweifel meinte er, was er sagte. Judas sagte nichts dergleichen, als Christus ihm sagte, dass er ihn verraten würde. Er sündigte nach Plan; Petrus, als er überrascht wurde; Petrus wurde „von einer Übertretung übereilt" (Gal 6,1). Es war falsch von Petrus, seinem Meister zu widersprechen. Wenn er mit Furcht und Zittern darum gebeten hätte, dass ihm der Herr die Gnade gibt, ihn davon abzuhalten, ihn zu verleugnen, hätte es verhindert werden können. Sie waren jedoch alle so überzeugt wie Petrus; die, welche sagten: „Doch nicht ich?", meinten nun, sie würden es in keinem Fall sein. Nachdem sie ihrer Furcht enthoben waren, Christus zu verraten, waren sie jetzt selbstsicher. Doch diejenigen, die meinen zu stehen, müssen lernen achtzugeben, dass sie nicht fallen (s. 1.Kor 10,12).

Vers 32-42

Hier begann Christus zu leiden und die erste Art des Leidens war die schwerste – die in seiner Seele. Hier sehen wir ihn in seiner Qual.

1. Er zog sich zurück zum Beten. „Setzt euch hier hin", sagte er zu seinen Jüngern, während er ein wenig weiterging und betete. Er hatte gerade mit ihnen gebetet (s. Joh 17,1-26) und jetzt bat er sie, sich zurückzuziehen, während er in seiner eigenen besonderen Mission zu seinem Vater ging.

2. In diese Zurückgezogenheit nahm er „Petrus und Jakobus und Johannes mit sich" **(Vers 33)**, drei gute Zeugen dieses Teils seiner Erniedrigung. Diese drei hatten sich am meisten ihrer Fähigkeit und Bereitschaft gerühmt, mit ihm zu leiden; Petrus hier in diesem Kapitel und Jakobus und Johannes früher (s. Mk 10,39). Christus nahm sie darum mit sich, damit sie sehen konnten, was für einen Kampf er hatte, um sie davon zu überzeugen, dass sie nicht gewusst hatten, was sie sagten (s. Mk 10,38). Es ist richtig, dass die Leute, die am meisten von sich überzeugt sind, zuerst geprüft werden sollten, damit sie sich ihrer Torheit und Schwäche bewusst werden können.

3. Dort war er in schrecklicher Qual: „Und er fing an, zu erschrecken" **(Vers 33)**. Ein Wort, welches in Matthäus nicht benutzt wird, was aber sehr bedeutsam ist. Es spricht von etwas wie dem Schrecken und der großen Finsternis, die Abraham überfielen. Niemals gab es einen Kummer wie den, den er nun erlitt (s. Klgl 1,12). In dem Aufruhr seines Geistes gab es jedoch nicht die leichteste Verwirrung oder Unordnung, denn er hatte keine verderbte Natur, die sich mit seinen Gefühlen mischen konnte, wie wir sie haben. Wenn Wasser am Grund einen Bodensatz hat, wird es – selbst wenn es klar ist, wenn es stillsteht – trübe, wenn es geschüttelt wird; so ist es mit unseren Gefühlen. Reines Wasser in einem sauberen Glas jedoch bleibt klar, selbst wenn es stark gerührt wird, und so war es bei Christus.

4. Er beklagte sich traurig über seine Qual. Er sagte: „Meine Seele ist tief betrübt bis zum Tod." Er wurde „für uns zur Sünde gemacht" (2.Kor 5,21) und deshalb war er so bekümmert; er kannte das Böse der Sünden vollkommen, für das er leiden würde. Da er für Gott die größte Liebe hatte, die durch diese Sünden gekränkt wurde, und die größte Liebe zu Menschen, die durch sie geschädigt und gefährdet wurden, überrascht es kaum, dass seine Seele „tief betrübt bis zum Tod" war. Er wurde um unsertwillen zum Fluch gemacht (s. Gal 3,13). Die Flüche des Gesetzes wurden auf ihn als unserem Bürgen und Stellvertreter übertragen. Nun schmeckte er den Tod, wie es in Hebräer 2,9 heißt, dass er es tat. Er trank sogar den Bodensatz des Kelches und schmeckte seine ganze Bitterkeit. Die Betrachtung der Mühsal seiner Seele, seines Leidens für uns, sollte für uns nützlich sein (s. Jes 53,3.10-11):

4.1 Um unsere Sünden bitter für uns zu machen. Können wir je eine positive – oder selbst eine leichte – Meinung von der Sünde haben, wenn wir sehen, welche Auswirkung Sünde auf den Herrn Jesus Christus hatte? Sollte das, was so schwer auf ihm lag, uns so leicht auf der Seele liegen? Sollten wir nie für unsere Sünden in Qual sein, wenn Christus für sie in solcher Qual war? Wenn Christus auf diese Weise für die Sünde litt, wollen wir uns „mit derselben Gesinnung" wappnen (1.Petr 4,1).

4.2 Um uns unseren Kummer zu versüßen. Wenn unsere Seele zu irgendeiner Zeit betrübt ist bis zum Tod, wollen wir daran denken, dass dies unser Meister vor uns war und „der Jünger ist nicht über dem Meister" (Mt 10,24). Warum sollten wir danach streben, den Kummer zu vertreiben, da sich Christus um unsertwillen diesem unterzogen hat und ihm nicht nur den Stachel nahm, sondern auch Güte und Kraft in ihn hineingelegt und ihn lohnend gemacht hat – in der Tat sogar Süße in ihn hineingelegt und ihn angenehm gemacht hat. Der Apostel Paulus war betrübt, „aber immer fröhlich" (2.Kor 6,10).

5. Er wies seine Jünger an, bei ihm zu bleiben. Er sagte zu ihnen: „Bleibt hier und wacht!" Zu den anderen Jüngern hatte er nichts gesagt als: „Setzt euch hier hin" **(Vers 32)**. Doch diese drei hier bat er zu bleiben und zu wachen, als würde er von ihnen mehr erwarten als von dem Rest.

6. Er wandte sich im Gebet an Gott. Er „warf sich auf die Erde und betete" **(Vers 35)**. Wir haben hier seine genauen Worte: „Abba, Vater!" Das aramäische Wort, das Christus benutzte, welches Vater bedeutet, ist hier beibehalten, um zu zeigen, welchen Nachdruck unser Herr Jesus in seinem Kummer darauf legte und wie er möchte, dass wir ihn genauso darauf legen. „Vater! Alles ist dir möglich." Selbst was wir nicht erwarten können, dass es für uns getan wird, sollten wir immer noch glauben, dass Gott es tun kann, und wenn wir uns seinem Willen unterwerfen, muss dies mit einer gläubigen Anerkennung seiner Macht geschehen, dass ihm alles möglich ist. Als Mittler akzeptierte Christus den Willen Gottes in Bezug auf sein Leiden: „Doch nicht, was ich will, sondern was du willst!"

7. Er weckte seine Jünger, die eingeschlafen waren, während er betete **(s. Vers 37-38)**. Er kam, um nach ihnen zu sehen, da sie nicht nach ihm sahen, doch er „findet sie schlafend". Ihre Nachlässigkeit war ein Zeichen für ihr weiteres Anstoßnehmen, dass sie ihn verließen. Er hatte sie gerade gelobt, dass sie in seinen Versuchungen bei ihm geblieben waren, wenn sie auch nicht ohne Fehler gewesen waren; und sie hatten gerade versprochen, dass sie nicht seinetwegen Anstoß nehmen würden. Konnten sie tatsächlich so wenig Sorge um ihn haben? Er tadelte insbesondere Petrus für seine Schläfrigkeit: „Simon, schläfst du? Konntest du nicht eine Stunde wachen?" Christus forderte nicht von ihm, dass er die ganze Nacht mit ihm wachen sollte, nur eine Stunde. Er überbeansprucht oder ermüdet uns nicht. Wie Christus diejenigen zurechtweist, die er liebt, wenn sie falsch handeln (s. Offb 3,19), so berät und tröstet er auch diejenigen, die er zurechtweist. Es war ein sehr weises und ehrliches Wort des Rates, welches Christus seinen Jüngern gab: „Wacht und betet, damit ihr nicht in Versuchung kommt!" **(Vers 38)**. Es war schlecht zu schlafen, als Christus in seiner Qual war, doch wenn sie sich nicht aufrütteln und durch Gebet Mittel der Gnade und Kraft von Gott holen würden, würden sie Schlimmeres tun, und das taten sie, als sie ihn alle verließen und flohen. Es war eine sehr gütige und einfühlsame Entschuldigung, die Christus für sie gab: „,Der Geist ist willig.' Ihr würdet gerne wach bleiben, doch ihr könnt es nicht." Dies kann man als Grund für die Ermahnung nehmen: „,Wacht und betet.' Wacht und betet, denn obwohl der Geist willig ist, könnt ihr, wenn ihr nicht die Mittel für Beharrlichkeit gebraucht, nichtsdestotrotz überwunden werden." Das Bedenken der Schwachheit unseres Fleisches sollte uns zum Gebet und zur Wachsamkeit aufrütteln und verpflichten.

8. Er wiederholte sein Gebet an seinen Vater: „Und er ging wiederum hin, betete und sprach dieselben Worte" (**Vers 39**); er betete mit dem gleichen Inhalt. Und noch einmal „zum dritten Mal". Das lehrt uns, „dass es nötig ist, allezeit zu beten und nicht nachlässig zu werden" (Lk 18,1). Obwohl die Antworten auf unsere Gebete nicht rasch kommen mögen, müssen wir dennoch weiter unsere Bitten vorbringen. Als Paulus einen Engel Satans hatte, der ihn mit Fäusten schlug, hat er dreimal den Herrn gebeten, wie Christus es hier tat, ehe er eine befriedigende Antwort erhielt (s. 2.Kor 12,7-8). Christus musste hier ein zweites und ein drittes Mal vor den Vater kommen, denn die Besuche von Gottes Gnade als Antwort auf Gebet kommen entweder früher oder später gemäß dem Wohlgefallen seines Willens.

9. Er wiederholte seine Besuche bei seinen Jüngern. Hier zeigte er, wie er weiterhin für seine Gemeinde auf der Erde sorgt, selbst wenn sie halb eingeschlafen ist. Er kam zurück zu seinen Jüngern und fand sie „wieder schlafend" (**Vers 40**). Beachten Sie, wie die Schwächen der Jünger Christi trotz ihrer Entschlossenheit auf sie zurückfallen und sie trotz ihres Widerstands überwältigen. Schauen Sie, was für ein Hindernis diese unsere Leiber für unsere Seelen sind. Christus sprach dieses zweite Mal so zu ihnen wie zuvor, doch „sie wussten nicht, was sie ihm antworten sollten". Vielleicht wussten sie, wie solche, die zwischen Schlaf und Wachen sind, nicht, wo sie waren oder was sie sagten. Das dritte Mal wurde ihnen jedoch gesagt, sie sollten schlafen, wenn sie möchten: „So schlaft denn fort und ruht aus! Es ist genug" (**Vers 41**; Elb 06). Dieses Wort haben wir nicht in Matthäus. „Ihr hattet genug Warnungen, wach zu bleiben, und ihr wolltet sie nicht annehmen. Jetzt ist die Stunde gekommen, von der ich wusste, dass ihr mich alle verlassen werdet." Der Sohn des Menschen würde nun „in die Hände der Sünder ausgeliefert". „Steht auf, lasst uns gehen! Siehe, der mich verrät, ist nahe."

Vers 43-52

Hier haben wir die Gefangennahme und Verhaftung unseres Herrn Jesus Christus durch die Beamten der obersten Priester. Zuerst begann er, in seiner Seele zu leiden (s. Jes 53,10-11), doch später litt er in seinem Leib.

1. Hier ist eine Meute von grobschlächtigen Menschen angeheuert, um unseren Herrn Jesus zu ergreifen, „eine große Schar mit Schwertern und Stöcken" (Knüppeln). An der Spitze dieses Mobs war Judas, „einer der Zwölf". Es ist bei einem sehr guten und glaubhaften Bekenntnis nichts Neues, dass es in schändlicher und verhängnisvoller Apostasie endet.

2. Leute von nicht geringerer Bedeutung wie die obersten Priester und die Schriftgelehrten und die Ältesten sandten sie und setzten sie in Gang. Diese Leiter behaupteten, den Messias zu erwarten und geneigt zu sein, ihn willkommen zu heißen, doch als er kam, stellten sie sich gegen ihn und beschlossen, ihn festzunehmen.

3. Judas verriet ihn „mit einem Kuss" (Lk 22,48). Er nannte ihn „Rabbi, Rabbi! und küsste ihn". Dass Judas den Titel in dieser Weise benutzte, reicht aus, um jedes Ansinnen wegzunehmen, das es geben könnte, sich „Rabbi, Rabbi" nennen zu lassen (s. Mt 23,7).

4. Sie nahmen ihn fest und nahmen ihn gefangen. „Sie aber legten ihre Hände an ihn", grobe und gewalttätige Hände, „und nahmen ihn fest" (**Vers 46**).

5. Petrus machte sich daran, seinen Meister zu verteidigen, und verwundete einen der Angreifer. Petrus wird hier „einer ... von denen, die dabei standen" genannt, einer von denen, die bei ihm waren. Er „zog das Schwert" und wollte wahrscheinlich einem Knecht des Hohepriesters den Kopf abschlagen, verfehlte ihn aber und hieb ihm nur ein Ohr ab (**s. Vers 47**). Es ist leichter, für Christus zu kämpfen als für ihn zu sterben, doch die guten Soldaten Christi überwinden nicht, indem sie anderen Menschen deren Leben nehmen, sondern indem sie ihr eigenes niederlegen (s. Offb 12,11).

6. Christus zeigte denen, die ihn festnahmen, den Widersinn ihres Vorgehens gegen ihn.

6.1 Sie sind gegen ihn ausgezogen „wie gegen einen Räuber", während er doch keines Verbrechens schuldig war; er war täglich „im Tempel und lehrte", und wenn er irgendein böses Komplott geschmiedet hätte, wäre es zu der einen oder anderen Zeit dort entdeckt worden. An seinen Früchten wurde er als ein guter Baum erkannt (s. Mt 7,16); warum zogen sie dann gegen ihn aus wie gegen einen Räuber?

6.2 Sie kamen, um ihn heimlich zu ergreifen, während er sich weder schämte noch fürchtete, öffentlich im Tempel zu erscheinen. Er war nicht einer jener Übeltäter, die das Licht hassen und die nicht zum Licht kommen (s. Joh 3,20). Um Mitternacht auf diese Weise zu ihm zu kommen, zu einem Rückzugsort, war niederträchtig und feige. Doch das war nicht alles.

6.3 Sie kamen „mit Schwertern und Stöcken" (Knüppeln), als hätte er Waffen gegen die Regierung gerichtet. Es gab keine Notwendigkeit für diese Waffen, doch sie griffen danach und gaben sich Mühe:

Sich vor dem Zorn einiger zu schützen; sie kamen bewaffnet, weil sie sich vor den Leuten fürchteten.

Ihn dem Zorn anderer auszusetzen. Indem sie „mit Schwertern und Stöcken" zu ihm kamen, stellten sie ihn den Leuten als gefährlich und gewalttätig dar.

7. Er fand sich mit dieser ganzen beleidigenden, schimpflichen Behandlung ab, indem er auf die Vorhersagen des Alten Testaments über den Messias verwies. „Ich werde grausam misshandelt, doch ich unterwerfe mich, ‚damit die Schriften erfüllt werden'" **(Vers 49)**. Beachten Sie, was für eine hohe Achtung Christus vor den Schriften hatte; er wollte lieber alles ertragen, als dass der kleinste Buchstabe oder ein einziges Strichlein des Wortes Gottes auf die Erde fallen würde (s. Mt 5,18; 1.Sam 3,19; Jes 55,11). Beachten Sie, wie wir das Alte Testament benutzen sollen, wir müssen Christus suchen, den wahren verborgenen „Schatz im Acker" (Mt 13,44).

8. Da verließen Christus alle seine Jünger: „Da verließen ihn alle und flohen" **(Vers 50)**. Sie waren sehr überzeugt, dass sie ihm treu bleiben würden, doch selbst gute Menschen wissen nicht, was sie tun würden, bis sie geprüft werden. Wenn ihr Ausharren bei ihm in seinen geringeren Anfechtungen (s. Lk 22,28) ein solcher Trost für ihn war, wie er gerade zu verstehen gegeben hatte, können wir uns gut vorstellen, wie traurig es jetzt für ihn war, dass sie ihn in seiner größten Prüfung verließen. Diejenigen, die für Christus leiden, mögen es nicht als ungewöhnlich betrachten, wenn sie auf diese Weise verlassen werden, wenn sich die ganze Herde von dem verwundeten Hirsch fernhält. Als der Apostel Paulus in Gefahr war, stand ihm niemand bei, sondern alle verließen ihn (s. 2.Tim 4,16).

9. Der Lärm beunruhigte die Nachbarschaft **(s. Vers 51-52)**. Diesen Teil des Berichts haben wir in keinem anderen Evangelium. Hier haben wir einen Bericht von einem gewissen jungen Mann, der, so scheint es, kein Jünger Christi war; er lebte wahrscheinlich nahe des Gartens. Beachten Sie über ihn:

9.1 Wie er aus seinem Bett aufgeschreckt wurde und Christi Leiden sah. Solch eine Menge derart bewaffnet muss einen großen Lärm gemacht haben. Dies alarmierte den jungen Mann. Er war neugierig und ging, um zu sehen, was los war, und er war in solcher Eile es herauszufinden, dass er nicht einmal sich die Zeit nahm sich anzuziehen, sondern ein Leinentuch um sich warf. Als Christus alle seine Jünger verlassen hatten, folgte dieser junge Mann ihm weiterhin, um zu hören, was er sagen, und zu sehen, was er tun würde.

9.2 Wie er zurück in sein Bett getrieben wurde, als er in Gefahr geriet, an den Leiden Christi Anteil zu haben. Christi eigene Jünger waren von ihm davongelaufen, doch dieser junge Mann meinte, er könne sicher bei ihm sein, besonders, weil er so weit davon entfernt war, bewaffnet zu sein, dass er nicht einmal angezogen war, doch die römischen Soldaten, die zur Hilfe gerufen worden waren, „ergriffen ihn". Als er sich selbst in Gefahr sah, ließ er „das Leinengewand zurück", bei dem sie ihn ergriffen hatten, „und entblößt floh er von ihnen". Dieser Abschnitt wird berichtet, um zu zeigen, wie knapp die Jünger den Händen der Meute entkamen, die Christus ergriff; nichts konnte sie bewahren außer der Fürsorge ihres Meisters für sie: „Ich habe euch gesagt, dass ich es bin. Wenn ihr nun mich sucht, so lasst diese gehen!" (Joh 18,8). Der Abschnitt legt auch nahe, dass man die nicht halten kann, die nur aus Neugierde dazu gebracht werden, Christus zu folgen, und nicht durch Glauben und das Gewissen.

Vers 53-65

Hier haben wir die Anklage, den Prozess, den Schuldspruch und die Verurteilung Christi vor dem großen Sanhedrin, von dem der Hohepriester der Vorsitzende war, der gleiche Kajaphas, der gerade geschlossen hatte, es sei besser, Christus zu töten, schuldig oder unschuldig (s. Joh 11,50), und gegen den man darum zu Recht als voreingenommen protestieren konnte.

1. Christus wurde schnell zum Haus von Kajaphas fortgeschafft. Dort kamen, obwohl es tiefste Nacht war, „alle obersten Priester und die Ältesten und die Schriftgelehrten" zusammen, die sich heimlich getroffen hatten, bereit, ihr Opfer zu empfangen; sie waren sich dessen so sicher.

2. „Petrus folgte ihm von ferne" **(Vers 54)**. Als er in den Hof des Hohepriesters kam, saß er „bei den Dienern". Der Herd des Hohepriesters war für Petrus kein angemessener Ort, noch waren die Diener des Hohepriesters eine angemessene Gesellschaft für ihn; vielmehr war es sein Einstieg in die Versuchung.

3. Der Rat bemühte sich um jeden Preis, falsche Zeugen gegen Christus zu bekommen.

Sie hatten ihn als Übeltäter ergriffen, und jetzt, wo sie ihn hatten, konnten sie keine Anklage gegen ihn erheben, doch sie „suchten ein Zeugnis gegen Jesus", boten Bestechungsgelder, wenn Leute gegen ihn Zeugnis ablegen würden **(s. Vers 55-56)**. Die obersten Priester und Ältesten waren gemäß dem Gesetz mit der Verfolgung und Bestrafung von falschen Zeugen betraut (s. 5.Mose 19,16-17). Wenn die Leiter eines Landes diejenigen sind, die es plagen; wenn diejenigen, die den Frieden und die Gerechtigkeit bewahren sollen, beides zugrunde richten, ist es an der Zeit auszurufen: „Hilf, HERR" (Ps 12,2).

4. Er wurde schließlich mit Worten angeklagt, die, wie die Zeugen sie darstellten, den Tempel zu bedrohen schienen **(s. Vers 57-58)**, doch ihr Zeugnis stimmte nicht überein **(s. Vers 59)**. „Ihr Zeugnis reichte nicht aus", entsprach nicht der Beschuldigung eines Kapitalverbrechens (Dr. Hammond). Sie beschuldigten ihn für nichts, auf das man ein Todesurteil gründen könnte.

5. Er wurde gedrängt, sein eigener Ankläger zu sein: „Und der Hohepriester stand auf" und sagte: „Antwortest du nichts ...?" **(Vers 60)**. Er sagte dies unter dem Vorwand der Gerechtigkeit und fairen Behandlung, doch seine wahre Absicht war, Christus eine Falle zu stellen, um ihn anzuklagen (s. Lk 11,53-54; 20,20). Wir können uns gut vorstellen, mit welcher Überheblichkeit und Verachtung der stolze Hohepriester unserem Herrn Jesus diese Frage stellte. Ihm gefiel es zu meinen, dass derjenige, der sie so oft zum Schweigen gebracht hatte, die Streit mit ihm gesucht hatten, nun still zu sein schien. Christus antwortete immer noch nichts, um uns ein Beispiel zu geben:

- Für Geduld, wenn wir verleumdet oder falsch beschuldigt werden.
- Für die Vorsicht, die nötig ist, wenn ein Mensch eines Wortes willen schuldig erklärt werden soll (s. Jes 29,21; Elb), wenn unsere Verteidigung zu unserem Vergehen gemacht wird.

6. Als er weiter gefragt wurde, ob er der Christus ist, bekannte er und leugnete nicht, dass er es war. Kajaphas fragte: „Bist du ... der Sohn des Hochgelobten?" **(Vers 61)**, das heißt, der Sohn Gottes. Um zu beweisen, dass er der Sohn Gottes war, verwies er sie auf sein zweites Kommen: „Und ihr werdet den Sohn des Menschen sitzen sehen zur Rechten der Macht' – diesen Sohn des Menschen, der jetzt so niedrig erscheint, werdet ihr bald sehen und vor ihm zittern." Nun hätte man gedacht, dass solch ein Wort das Gericht verblüfft haben würde und dass es zumindest nach Meinung mancher bedeutet hätte, das gerichtliche Vorgehen zu stoppen. Als Paulus vor Gericht von „dem zukünftigen Gericht" redete, wurde der Richter „von Furcht erfüllt" und vertagte die Verhandlung (Apg 24,25).

7. Der Hohepriester sprach Christus auf dieses Bekenntnis hin als Lästerer schuldig **(s. Vers 63-64)**; er zerriss seine Kleider. Wenn das Zerreißen des Gewandes Samuels durch Saul dafür steht, dass das Königreich von ihm abgerissen wurde (s. 1.Sam 15,27-28), dann bedeutete es umso mehr, wenn Kajaphas seine Kleider zerriss, dass das Priestertum von ihm gerissen wurde, wie das Zerreißen des Vorhangs bei Christi Tod die Öffnung von allem bedeutete.

8. Sie stimmten zu, dass er ein Lästerer war und dass jemand wie er eines todeswürdigen Verbrechens schuldig war. So „fällten alle das Urteil, dass er des Todes schuldig sei" **(Vers 64)**; was er für Freunde im großen Sanhedrin hatte, zeigte sich nicht – ihnen war wahrscheinlich nichts gesagt worden.

9. Sie machten sich daran, ihn zu misshandeln und sich über ihn lustig zu machen **(s. Vers 65)**. Es scheint, dass selbst die Priester in einem solchen Ausmaß die Würde ihrer Stellung und auch ihre Pflicht und die Ernsthaftigkeit vergaßen, die sich für sie ziemte, dass sie ihren Dienern halfen, mit einem verurteilten Gefangenen Unsinn zu treiben. Sie amüsierten sich damit, während sie auf den Morgen warteten.

Vers 66-72

Hier haben wir einen Bericht von der Verleugnung Christi durch Petrus.

1. Es begann damit, Abstand von Christus zu halten. „Petrus folgte ihm von ferne" (Vers 54). Diejenigen, die Christus aus dem Weg gehen, werden ihn wahrscheinlich verleugnen.

2. Es wurde dadurch verursacht, dass er sich den Dienern des Hohepriesters anschloss. Diejenigen, die es für gefährlich halten, in der Gesellschaft von Christi Jüngern zu sein, weil sie meinen, sie könnten dazu herangezogen werden, für ihn zu leiden, werden sehen, dass es viel gefährlicher ist, in der Gesellschaft von seinen Feinden zu sein, weil sie dazu gebracht werden können, gegen ihn zu sündigen.

3. Die Versuchung war, dass er beschuldigt wurde, ein Jünger Christi zu sein: „Auch du warst mit Jesus, dem Nazarener!" **(Vers 67)**. „Dieser ist einer von ihnen!" **(Vers 69)**. „Denn du bist ein Galiläer" **(Vers 70)**. Man konnte es an seinem schweren Akzent merken. Es erscheint nicht so, dass er mit dieser Bemerkung wirklich beschuldigt wurde, nur dass er dafür verspottet wurde und in der Gefahr stand, als Narr lächerlich gemacht zu werden. Manchmal scheint die Sache Christi so sehr auf die Verliererseite zu geraten, dass jeder einen Stein hat, um ihn darauf zu werfen. Doch wenn man alle Dinge bedenkt, konnte man die Versuchung nicht sehr groß nennen; es war nur ein Dienstmädchen, das zufällig auf ihn schaute und sagte: „Du bist einer von ihnen!", worauf er nicht hätte antworten müssen.

4. Die Sünde war sehr groß; er hat Christus „verleugnet vor den Menschen" (Mt 10,33), in einer Zeit, als er ihn hätte bekennen und anerkennen sollen. Christus hatte seinen Jüngern oft über sein Leiden erzählt, doch als es kam, war es für Petrus eine genauso große Überraschung und ein großer Schrecken, als hätte er nie zuvor von ihnen gehört. Als Christus bewundert wurde und man in Scharen zu ihm strömte, hätte sich Petrus bereitwillig zu ihm bekannt, doch jetzt, wo Christus verlassen, verschmäht und ergriffen worden war, schämte sich Petrus für ihn und wollte keine Beziehung zu ihm zugeben.

5. Seine Buße war sehr rasch. Er wiederholte seine Leugnung dreimal, und das dritte Mal war das Schlimmste von allen, weil er sich verfluchte und schwor, um seine Leugnung zu bekräftigen. Dann „krähte der Hahn zum zweiten Mal", was ihn an die Worte seines Meisters erinnerte, die Warnung, die er ihm gegeben hatte mit diesem besonderen Detail des zweifachen Krähens des Hahns; und als er darüber nachdachte, weinte er. Manche bemerken, dass dieser Evangelist, der – wie manche meinten, auf Weisung des Apostels Petrus schrieb – genauso viel über die Sünde von Petrus spricht wie alle anderen, kürzer über dessen Kummer schreibt. Petrus wollte diesen aus Bescheidenheit nicht aufgebauscht haben, weil er meinte, er könne niemals genug für eine solch große Sünde trauern. Oder, wie wir es verstehen: Als er seinen Sinn darauf richtete, weinte er. Ein kurzer Gedanke an etwas, das demütigend ist, ist nicht genug; wir müssen darauf Nachdruck legen.

KAPITEL 15

Hier haben wir Christus: 1. Verfolgt und vor Pilatus angeklagt, dem römischen Statthalter (s. Vers 1-5). 2. Wie er von dem einfachen Volk niedergeschrien wird (s. Vers 6-14). 3. Wie er verurteilt wird, sofort gekreuzigt zu werden (s. Vers 15). 4. Verspottet und misshandelt von den römischen Soldaten (s. Vers 16-19). 5. Hinausgeführt an den Ort der Hinrichtung (s. Vers 20-24). 6. Zwischen zwei Räubern an das Kreuz genagelt (s. Vers 25-28). 7. Geschmäht und beleidigt von allen, die vorübergingen (s. Vers 29-32). 8. Für eine Zeit lang von seinem Vater verlassen (s. Vers 33-36). 9. Sein Sterben und das Zerreißen des Vorhangs (s. Vers 37-38). 10. Bestätigt und bezeugt von dem Hauptmann und anderen (s. Vers 39-41). 11. Begraben in der Grabstätte von Joseph von Arimathia (s. Vers 42-47).

Vers 1-14

Hier haben wir:

1. Eine Besprechung, die in dem großen Sanhedrin abgehalten wurde, wie sie unseren Herrn Jesus erfolgreich anklagen könnten. Sie trafen sich „gleich in der Frühe" in dieser Sache. Sie verloren keine Zeit, sondern ließen ihrem ersten Schlag einen zweiten folgen. Der unermüdliche Eifer von Übeltätern sollte uns für unsere Trägheit und Abneigung darin beschämen, Gutes zu tun.

2. Die Überantwortung von ihm als Gefangenen an Pilatus: Sie banden ihn. Christus wurde gebunden, um unsere Fesseln für uns leicht zu machen und uns wie Paulus und Silas zu befähigen zu singen, selbst wenn wir in Ketten sind. Es ist gut für uns, oft der Fesseln des Herrn Jesus zu gedenken (s. Kol 4,18), daran zu denken, dass wir mit dem Einen verbunden sind, der für uns gebunden wurde. Sie führten ihn durch die Straßen von Jerusalem, um ihn der Schande preiszugeben, und wir können uns gut vorstellen, wie erbärmlich er nach solch einer nächtlichen Misshandlung aussah, wie er sie erlitten hatte. Sie verrieten bewusst den Einen, der Israels Krone war für diejenigen, die Israels Joch waren.

3. Die Vernehmung von ihm durch Pilatus: „Bist du der König der Juden?" **(Vers 2)**. „Ja", sagte Christus, „es ist so, wie du sagst, ich bin dieser Messias."

4. Die gegen ihn vorgebrachten Anschuldigungen und sein Schweigen als Antwort. Die obersten Priester denunzierten ihn und brachten persönlich „viele Anklagen gegen ihn vor" **(Vers 3)** und sagten gegen ihn aus **(s. Vers 4)**. Böse Priester sind allgemein die schlimmsten Leute. Je besser etwas ist, desto schlimmer ist es, wenn es verdreht wird. Diese Priester waren in ihren Anschuldigungen sehr heftig und laut, doch Christus „antwortete ihnen nichts" **(Vers 3)**. Als Pilatus ihn drängte, sich zu entlasten, und wollte, dass er es tut **(s. Vers 4)**, blieb er still. Er „antwortete nichts mehr" **(Vers 5)**, was Pilatus für sehr sonderbar hielt. Er gab Pilatus eine direkte Antwort **(s. Vers 2)**, wollte aber den Klägern und Zeugen nicht antworten, weil ihre Behauptungen offenkundig falsch waren und er wusste, dass Pilatus selbst davon überzeugt war, dass sie dies waren. Christus rief sowohl, wenn er sprach, als auch, wenn er ruhig blieb, Verwunderung hervor.

5. Den Vorschlag, den Pilatus den Leuten machte, dass er ihnen Christus freigibt, da es ja bei dem Fest Sitte war, die Zeremonie mit der Freilassung eines Gefangenen zu ehren. Die Menschen erwarteten in der Tat und verlangten, „was er ihnen jedes Mal gewährt hatte" **(Vers 8)**. Pilatus begriff nun, dass die obersten Priester ihm Jesus aus Neid ausgeliefert hatten **(s. Vers 10)**. Es war leicht zu erkennen, dass es nicht seine Schuld, sondern seine Güte war, durch die sie beleidigt wurden. Pilatus meinte, dass er sich sicherlich an das Volk wenden könnte. Wenn sie fordern würden, dass Christus freigelassen wird, wäre Pilatus bereit, es zu tun. Es gab tatsächlich einen anderen Gefangenen, „den Barabbas", der Einfluss hatte und ein paar Stimmen bekommen würde, doch Pilatus hatte keine Zweifel, dass Jesus mehr bekommen würde.

6. Das einmütige, schockierende Geschrei der Leute, dass Christus getötet werden soll – besonders, dass er gekreuzigt werden soll. Zu sehen, dass sie alle darin übereinstimmten zu bitten, dass Barabbas freigelassen werden möge **(s. Vers 11)**, kam für Pilatus als große Überraschung. Pilatus widersetzte sich dem, so sehr er konnte: „Was wollt ihr nun, dass ich mit dem tue, den ihr König der Juden nennt?" **(Vers 12)**. Sie sagten: „Kreuzige ihn!" Als Pilatus einwandte: „Was hat er denn Böses getan?", hatten sie nicht vor zu antworten, sondern schrien „noch viel mehr: Kreuzige ihn!" Die Priester versprachen sich, dass der Tumult Pilatus auf zwei Weisen beeinflussen würde, ihn zu verurteilen.

6.1 Er könnte geneigt sein, Christus für schuldig zu halten, weil der Aufschrei gegen ihn so betont einmütig schien. Pilatus könnte denken, dass er sicherlich ein schlechter Mensch sein muss, da die ganze Welt seiner überdrüssig ist. Es war ein üblicher Trick Satans, die Menschen dazu zu bringen, schlecht über Christus und seine Religion zu sprechen und ihm hierdurch einen schlechten Ruf zu geben. Wir wollen Menschen und Dinge nach ihren Verdiensten beurteilen und sie nicht vorschnell durch das verurteilen, was wir im Allgemeinen und durch die Ausrufe der Leute davon hören.

6.2 Der Tumult könnte ihn dazu bewegen, Christus zu verurteilen, um den Leuten zu gefallen und in der Tat aus Furcht davor, sie zu verstimmen. Obwohl Pilatus nicht so schwach war, dass er von ihrer Meinung dazu genötigt wurde zu glauben, dass er schuldig ist, so war er doch so böse, dass er von ihrem Tumult dazu geführt wurde, ihn zu verurteilen, obwohl er ihn für unschuldig hielt. Weil unser Herr Jesus als Opfer für die Sünden vieler starb, fiel er als ein Opfer dem Zorn vieler anheim.

Vers 15-21

Hier:

1. Lieferte Pilatus, um den Hass der Juden zu befriedigen, Christus aus, „damit er gekreuzigt werde" **(Vers 15)**. Da er die Menge befriedigen wollte, „gab er ihnen den Barabbas frei und übergab Jesus ... damit er gekreuzigt werde". Obwohl er Jesus vorher ausgepeitscht hatte in der Hoffnung, dass sie dies zufriedenstellen würde, und da er nicht beabsichtigt hatte, ihn zu kreuzigen, ließ er den Dingen seinen Lauf. Derjenige, der sich dazu durchringen konnte, einen zu bestrafen, der unschuldig war (s. Lk 23,16), konnte sich nach und nach dazu durchringen, ihn zu kreuzigen. Christus wurde gekreuzigt, weil das:
1.1 Ein blutiger Tod war, „und ohne Blutvergießen geschieht keine Vergebung" (Hebr 9,22). Christus sollte sein Leben für uns hingeben (s. 1.Joh 3,16) und deshalb vergoss er sein Blut (s. 1.Mose 9,4; 3.Mose 17,11-14).
1.2 Ein qualvoller Tod war. Christus starb in einer solchen Weise, dass er selbst spüren würde, wie er stirbt. Christus würde auf den Tod in seinem größten Schrecken treffen und ihn so besiegen.
1.3 Ein schändlicher Tod war, der Tod von Sklaven und der schlimmsten Übeltäter. Das Kreuz und die Schande passen zusammen. Christus schafft Genugtuung, indem er sich der größten Schmach und Schande unterwirft. Doch selbst dies war nicht das Schlimmste daran.
1.4 Ein verfluchter Tod war. Auf diese Weise wurde er unter dem jüdischen Gesetz gesehen. Wo sich nun Christus dem unterworfen hat, dass er „ans Holz gehängt wurde" (s. 5.Mose 21,23; Gal 3,13), sind der Fluch und die Schande eines solchen Todes vollkommen abgewälzt (s. Jos 5,9).

2. Lieferte ihn Pilatus ihnen aus, dass er misshandelt und boshaft behandelt wurde, um den spöttischen Humor der römischen Soldaten zu befriedigen. Sie „riefen die ganze Schar zusammen", die zu der Zeit wartete, und sie gingen in den Hof hinein, wo sie unseren Herrn Jesus schändlich als einen König beschimpften.
2.1 Tragen Könige purpurne oder scharlachrote Mäntel? Sie „legten ihm einen Purpurmantel um".
2.2 Tragen Könige eine Krone? Sie „flochten eine Dornenkrone und setzten sie ihm auf". Eine Krone aus Stroh oder Binsen wäre Spott genug gewesen, doch diese war außerdem schmerzhaft. Er trug die Dornenkrone, die wir

verdient hatten, damit wir die Krone der Herrlichkeit tragen könnten, die er verdient hat.

2.3 Wird Königen mit dem Lob ihrer Untertanen aufgewartet? „O König, mögest du ewig leben!" (Dan 3,9). Auch dies wurde nachgeäfft; sie grüßten ihn mit: „Sei gegrüßt, König der Juden!"

2.4 Königen wird ein Zepter in ihre Hände gegeben, Zeichen der Macht. Um dies nachzuahmen, gaben sie ihm „ein Rohr in die rechte Hand" (Mt 27,29). Diejenigen, die den Herrn Jesus verachten, geben ihm in der Tat „ein Rohr in die rechte Hand", tatsächlich schlagen sie mit diesem sein Haupt, wie es diese hier taten.

2.5 Wenn Untertanen Treue gelobten, pflegten sie ihren Souverän zu küssen (s. Ps 2,12), doch statt einem Kuss spuckten diese Soldaten ihn an.

2.6 Bei Königen pflegten ihre Untertanen sich an sie zu richten, indem sie knieten, und die Soldaten machten auch daraus einen Spaß, „beugten die Knie und fielen vor ihm nieder". Sie taten dies voller Verachtung, um sich und einander zum Lachen zu bringen. Er wurde nicht in seinen eigenen Kleidern, sondern in denen von jemand anderem verspottet, um zu zeigen, dass er nicht für seine eigene Sünde litt; es war unsere Übeltat, doch es war seine Schande. Diejenigen, die vor Christus die Knie, aber nicht die Seele beugen, schleudern die gleiche Beleidigung auf ihn wie diese es hier taten.

3. Führten ihn die Soldaten zu der festgelegten Stunde fort aus der Gerichtshalle von Pilatus an den Ort der Hinrichtung **(s. Vers 20)**. Sie zwangen einen Mann namens Simon von Kyrene, sein Kreuz für ihn zu tragen. Er ging vorüber, kam vom Feld, und dachte nicht an irgendeine solche Sache. Wir dürfen es nicht für sonderbar halten, wenn Kreuze uns plötzlich treffen und wir von ihnen überrascht werden. Das Kreuz war eine sehr schwierige, sperrige Last, doch der eine, der es nur wenige Minuten trug, hatte die Ehre, dass sein Name im Buch Gottes verzeichnet wurde. Das Ergebnis ist, dass, wo immer dieses Evangelium gepredigt wird, dies zum Gedenken an ihn gesagt werden wird (s. Mk 14,9).

Vers 22-32

Hier haben wir die Kreuzigung unseres Herrn Jesus. Beachten Sie:

1. Den Ort, an dem er gekreuzigt wurde; man nannte ihn Golgatha, die Schädelstätte. Es war der übliche Hinrichtungsplatz, denn er wurde in jeder Hinsicht unter die Übeltäter gezählt (s. Jes 53,12).

2. Die Zeit, in der er gekreuzigt wurde. „Es war aber die dritte Stunde" **(Vers 25)** nach der Rechnung der Juden, das war etwa neun Uhr am Morgen oder kurz danach, als sie ihn ans Kreuz nagelten.

3. Die Demütigungen, denen er ausgesetzt war, als er an das Kreuz genagelt war.

3.1 Weil es Sitte war, Menschen Wein zu geben, die getötet werden sollten, gaben sie ihm „Myrrhenwein zu trinken" **(Vers 23)**, der bitter war; er schmeckte ihn, wollte ihn aber nicht trinken; er war gewillt, seine Bitterkeit zuzulassen, doch nicht seinen Nutzen.

3.2 Weil die Kleider von denjenigen, die gekreuzigt wurden, die Vergütung des Henkers waren – wie es bei uns ist –, warfen die Soldaten „das Los darüber" **(Vers 24)** und amüsierten sich so über sein Elend.

3.3 Sie brachten eine Mitteilung über seinem Kopf an: „Der König der Juden" **(Vers 26)**. Hier wurde kein Verbrechen behauptet; vielmehr wurde seine Souveränität anerkannt. Vielleicht wollte Pilatus Christus als einen in Ungnade gefallenen König verspotten oder die Juden als ein Volk verspotten, das keinen besseren König verdiente. Gott beabsichtigte damit jedoch zu verkünden, dass Christus selbst am Kreuz „der König von Israel" ist, obwohl Pilatus nicht wusste, was er schrieb, genauso wenig wie Kajaphas wusste, was er sagte (s. Joh 11,51). Wann immer wir auf den gekreuzigten Christus schauen, müssen wir an den Titel über seinem Kopf denken, dass er ein König ist.

3.4 Sie kreuzigten „zwei Räuber" mit ihm, „einen zu seiner Rechten und einen zu seiner Linken" und ihn als den Schlimmsten von den dreien in der Mitte **(Vers 27)**. Als er lebte, hatte er sich Sündern angeschlossen, um ihnen Gutes zu tun. Als er starb, wurde er zu dem gleichen Zweck mit ihnen verbunden, denn Christus ist sowohl „in die Welt gekommen" als auch aus ihr herausgegangen, „um Sünder zu retten" (1.Tim 1,15). Dieser Evangelist beachtet jedoch besonders die Erfüllung der Schriften darin **(s. Vers 28)**. In dieser berühmten Vorhersage der Leiden Christi in Jesaja wurde vorhergesagt, dass er unter Übeltäter gezählt werden würde (s. Jes 53,12).

3.5 Die Zuschauer fügten, anstatt in seinem Elend Mitgefühl mit ihm zu haben, dem noch etwas hinzu, indem sie sich hämisch über ihn freuten.

Selbst „die Vorübergehenden lästerten ihn" (Vers 29). Sie verhöhnten ihn und drückten ihm gegenüber den stärksten Abscheu und die größte Entrüstung aus. Die obersten Priester legten ihnen ohne Zweifel diesen Sarkasmus in den Mund. „Ha, der du den Tempel zerstörst und in drei Tagen aufbaust, rette dich selbst und steige vom Kreuz herab!"
Selbst die Hohepriester, die aus den Menschen genommen und eingesetzt wurden, die mitleidsvoll gegenüber denen hätten sein müssen, die litten

und starben (s. Hebr 5,1-2), spotteten untereinander und sprachen: „Andere hat er gerettet, sich selbst kann er nicht retten!" Sie forderten ihn auf, vom Kreuz herabzusteigen, wenn er könnte (s. Vers 32). Wenn sie nur dies sehen würden, dann würden sie glauben.
Selbst diejenigen, die mit ihm gekreuzigt waren, warfen ihm Beleidigungen an den Kopf (s. Vers 32).

Vers 33-41
Hier ist ein Bericht von dem Sterben Christi:

1. Es kam für drei Stunden eine dichte „Finsternis über das ganze Land". Die Juden hatten von Christus oft „ein Zeichen aus dem Himmel" gefordert (Mt 16,1) und jetzt hatten sie eines, doch eines, dass die Erblindung ihrer Augen darstellte. Es war ein Zeichen für die Finsternis, die über das Volk gekommen war und kommen würde. Dies zeigte, dass das, was zu ihrem Frieden diente, vor ihren Augen verborgen war (s. Lk 19,42). Es war die Macht der Finsternis, unter der sie nun standen, und es waren die Werke der Finsternis, die sie nun taten.

2. Gegen Ende dieser Finsternis schrie unser Herr Jesus in der Qual seiner Seele auf: „Mein Gott, mein Gott, warum hast du mich verlassen?" **(Vers 34)**. Die Finsternis stellte die momentane Wolke dar, unter der die menschliche Seele Christi war, als er sie „zum Schuldopfer" gab (Jes 53,10). Unserem Herrn Jesus wurde das Licht der Sonne verweigert, als er litt, und das stellte den Rückzug des Lichts des Angesichts Gottes dar. Er klagte darüber mehr als über alles andere; er klagte nicht darüber, dass ihn seine Jünger verließen, doch dass sein Vater dies tat.
2.1 Weil sein Geist dadurch niedergeschlagen und er schwer wieder aufzurichten war (s. Spr 18,14).
2.2 Weil er besonders darin „für uns zur Sünde gemacht" wurde (2.Kor 5,21). Diese Zeichen des göttlichen Zorns waren wie jenes Feuer vom Himmel, das manchmal gesandt wurde, um die Opfer zu verzehren, und das immer ein Zeichen für Gottes Annahme war. Das Feuer, das auf den Sünder gefallen wäre, wenn Gott nicht beschwichtigt worden wäre, fiel auf das Opfer zum Zeichen, dass Gott beschwichtigt wurde; deshalb fiel es jetzt auf Christus. Als Paulus vielleicht „ausgegossen werden sollte über dem Opfer und dem priesterlichen Dienst" der Gläubigen, konnte er sich freuen (Phil 2,17), doch es ist etwas anderes, als Opfer für die Sünde von Sündern geopfert zu werden.

3. Christi Gebet wurde von denen verspottet, die dabeistanden. Weil er ausrief „Eli, Eli" (Mt 27,46) oder (wie es bei Markus gemäß einem Dialekt des Aramäischen heißt) „Eloi, Eloi", sagten sie, „er ruft den Elia", obwohl sie sehr wohl wussten, was er sagte, und dass es „mein Gott, mein Gott" hieß **(Vers 34-35)**. Einer von ihnen „füllte einen Schwamm mit Essig" und reichte ihm diesen auf einem Stock **(Vers 36)**. Dies war als weitere Beleidigung und Beschimpfung von ihm beabsichtigt und wer auch immer den zurückhielt, der es tat (s. Mt 27,48-49), fügte nur noch Spott hinzu: „,Halt! Lasst uns sehen, ob Elia kommt, um ihn herabzunehmen!' Und wenn nicht, können wir wohl schließen, dass auch er ihn verlassen hat."

4. Christus stieß noch einmal „einen lauten Schrei aus und verschied" **(Vers 37)**. Er legte nun seine Seele in die Hand seines Vaters (s. Lk 23,46; Ps 31,6). Selbst wenn uns die Sprache versagt, sodass wir nicht mit lauter Stimme rufen können, wie es Christus tat, ist Gott nichtsdestotrotz „meines Herzens Fels" (Ps 73,26), dieser Fels wird nicht versagen. Christus war wirklich und wahrhaftig tot, denn er verschied; seine menschliche Seele entschlief in die Welt der Geister und hinterließ einen leblosen Leib.

5. Genau in dem Augenblick, als Christus auf dem Hügel Golgatha starb, riss „der Vorhang im Tempel ... von oben bis unten entzwei" **(Vers 38)**. Dies war Grund für:
5.1 Großen Schrecken bei den ungläubigen Juden, denn es war ein Zeichen für die völlige Zerstörung ihrer Gemeinde und ihres Volkes, die nicht lange danach folgte.
5.2 Große Ermutigung für alle gläubigen Christen, denn es bedeutet die Heiligung und Öffnung eines neuen und lebendigen Weges in das Allerheiligste kraft des Blutes Jesu (s. Hebr 10,19-20).

6. Der Hauptmann, der die Einheit kommandierte, welche die Aufsicht über die Hinrichtung hatte, wurde überzeugt und bekannte, dass dieser Jesus „Gottes Sohn" war **(Vers 39)**. Eine Sache, die ihn überzeugte, war, dass Jesus „so schrie und verschied". Er sagte zur Ehre Christi und zur Schande derer, die ihn beschimpften: „Wahrhaftig, dieser Mensch war Gottes Sohn!" Doch welchen Grund hatte er, dies zu sagen?
6.1 Er hatte Grund zu sagen, dass Christus ungerecht litt; dies wurde durch alle Umstände seines Leidens klar. Christus litt zu Unrecht und er litt deshalb, weil er sagte, er sei der Sohn Gottes. Daher war das, was er sagte, wahr, und er war wirklich „Gottes Sohn".
6.2 Er hatte Grund zu sagen, dass Christus ein Liebling des Himmels war, denn bei seinem Tod erwies ihm der Himmel die Ehre, dass er auf seine Peiniger finster blickte. Dieser Soldat dachte: „Sicherlich muss dieser eine göttliche

Person sein, von Gott sehr geliebt." Unser Herr Jesus war, selbst in der Tiefe seines Leidens und seiner Erniedrigung, der Sohn Gottes, und er wurde als solcher „in Kraft" erwiesen (Röm 1,4).

7. Einige seiner Freunde, besonders die guten Frauen, waren bei ihm: „Es sahen aber auch Frauen von ferne zu" **(Vers 40)**. Die Männer wagten überhaupt nicht, sich zu zeigen. Die Frauen wagten nicht, sich zu nähern, sondern standen weit entfernt, überwältigt von Kummer. Einige dieser Frauen werden hier benannt. Maria Magdalena war eine; sie verdankte all ihre Kraft und ihren Trost seiner Macht und Güte, die sie von der Besessenheit durch sieben Dämonen rettete (s. Mk 16,9), weshalb sie aus Dankbarkeit dafür dachte, dass sie nie genug für ihn tun könne. Auch „Maria, die Mutter des jüngeren Jakobus" war hier. Diese Maria war die Frau von Klopas oder Alphäus und Schwester der Jungfrau Maria. Diese Frauen waren Christus von Galiläa gefolgt, obwohl von ihnen nicht gefordert wurde, am Fest teilzunehmen, wie es von den Männern wurde. Ihn jetzt am Kreuz zu sehen, denjenigen, den sie auf einem Thron hatten sehen wollen, muss für sie eine große Enttäuschung gewesen sein. Diejenigen, die Christus in der Erwartung nachfolgen, durch ihn große Dinge in dieser Welt zu bekommen, werden wahrscheinlich erleben, wie sehr sie enttäuscht werden.

Vers 42-47

Hier sind wir bei dem Begräbnis von unserem Herrn Jesus anwesend. Beachten Sie:

1. Wie um den Leib Christi gebeten wurde. Es war die Regierung, die über ihn verfügte. Uns wird hier gesagt:
1.1 Wann um den Leib Christi gebeten wurde und warum es solche Eile bei dem Begräbnis gab: Es war „schon Abend geworden" und „es war nämlich Rüsttag, das ist der Tag vor dem Sabbat" **(Vers 42)**. Die Juden waren strenger bei der Beachtung des Sabbats als bei der Beachtung jedes anderen Feiertages, und so beachteten sie ihn, obwohl dieser Tag selbst ein Feiertag war, dennoch eifriger als den Abend des Sabbats. Der Tag vor dem Sabbat sollte ein Tag der Vorbereitung für den Sabbat sein. Tatsächlich sollte die ganze Woche wie folgt eingeteilt werden: zum einen das meiste aus dem vorhergehenden Sabbat zu machen und zum anderen sich auf den folgenden Sabbat vorzubereiten.
1.2 Wer um den Leib bat. Es war Joseph von Arimathia, der hier „ein angesehener Ratsherr" (ein führendes Mitglied des Rates) genannt wird **(Vers 43)**, ein Mensch mit Charakter und Würde; er war jemand aus dem großen Sanhedrin. Ihm wird hier aber eine vorzüglichere Bedeutung gegeben: Er war jemand, „der selbst auch auf das Reich Gottes wartete". Diejenigen, die auf das Reich Gottes warten und hoffen, sich an seinen Vorrechten zu erfreuen, müssen dies durch ihren Eifer zeigen, sich zu der Sache Christi zu bekennen. Gott erweckte diesen Mann für diesen notwendigen Dienst, als niemand von Christi Jüngern ihn tun konnte oder zu tun wagte. Joseph „wagte es, ging zu Pilatus hinein"; obwohl er wusste, wie sehr dies die obersten Priester stören würde, fasste er Mut; vielleicht fürchtete er sich zuerst ein wenig.
1.3 Was für eine Überraschung es für Pilatus war zu hören, dass Christus tot war, besonders „dass er schon gestorben sein sollte". Pilatus zweifelte – wie manche es verstehen –, ob Christus zu dem Augenblick schon tot war, fürchtete, dass er getäuscht werden könnte, dass der Leib lebendig herabgenommen sein könnte. Er rief deshalb den Hauptmann, seinen eigenen Offizier, „und fragte ihn, ob er schon lange gestorben sei" **(Vers 44)**. Der Hauptmann konnte ihm dies zusichern, denn er hatte im Einzelnen beobachtet, wie Jesus verschied **(s. Vers 39)**. Es lag eine besondere Vorsehung in der Genauigkeit der Prüfung durch Pilatus, damit niemand behaupten konnte, dass Christus lebendig begraben wurde und so Zweifel an der Wahrheit seiner Auferstehung säen konnte. Auf diese Weise wird die Wahrheit Christi manchmal sogar von ihren Feinden bekräftigt.

2. Wie der Leib Christi begraben wurde. Pilatus gab Joseph die Erlaubnis, den Leib zu nehmen und damit zu tun, wie es ihm gefiel.
2.1 Joseph kaufte „feines Leinentuch" (Elb 06), um den Leib darin einzuwickeln, obwohl man in solchen Fällen alte Leinwand für ausreichend hätte halten mögen.
2.2 Er „nahm ihn herab", geschunden und ausgemergelt, wie er war, und „wickelte ihn in die Leinwand" wie einen sehr wertvollen Schatz.
2.3 Er „legte ihn in ein Grab" von ihm selbst, an einen privaten Ort. Dieses Grab gehörte Joseph. Als Abraham keinen anderen Besitz im Land Kanaan hatte, hatte er doch einen Begräbnisplatz (s. 1.Mose 23), doch Christus hatte nicht einmal dies. Dieses Grab war „in einen Felsen gehauen", denn Christus starb, um das Grab für die Heiligen zu einer Zuflucht und einem Obdach zu machen.
2.4 „Er wälzte einen Stein vor den Eingang des Grabes", wie es bei den Juden ein Brauch bei einem Begräbnis war.
2.5 Einige der guten Frauen waren bei der Beerdigung anwesend und „sahen, wo er hingelegt wurde", damit sie nach dem Sabbat kommen konnten, um den toten Leib einzubalsamieren, denn sie hatten nicht genug Zeit, es zu tun, als er begraben wurde. Als un-

ser großer Mittler und Gesetzgeber begraben wurde, wurde sein Grab besonders beachtet, denn er sollte wiederauferstehen. Die Fürsorge, die für seinen Leib gezeigt wurde, zeigt die Fürsorge, die er selbst für seinen Leib zeigen wird, die Gemeinde. Unser Nachsinnen über das Begräbnis Christi sollte uns dazu führen, an unser eigenes zu denken, damit uns das Grab vertraut wird und wir entspannt in Bezug auf das Lager werden, wo wir uns bald in der Dunkelheit betten müssen.

KAPITEL 16

Hier haben wir einen kurzen Bericht von der Auferstehung und Himmelfahrt des Herrn Jesus: 1. Christi Auferstehung, die den Frauen von einem Engel berichtet wird, die zum Grab kamen, um ihn einzubalsamieren (s. Vers 1-8). 2. Sein Erscheinen vor Maria Magdalena (s. Vers 9-11). 3. Sein Erscheinen vor den zwei Jüngern, die nach Emmaus gingen (s. Vers 12-13). 4. Sein Erscheinen vor den Elfen (s. Vers 14-18). 5. Sein Auffahren in den Himmel (s. Vers 19-20).

Vers 1-8

Seit der Sabbat zuerst eingesetzt worden war, hat es niemals einen Sabbat wie diesen gegeben; während dieses ganzen Sabbats lag unser Herr Jesus im Grab. Es war für ihn ein Sabbat der Ruhe, aber ein stummer Sabbat; für seine Jünger war es ein trauriger Sabbat, verbracht in Tränen und Ängsten. Dieser Sabbat war nun vorüber und der erste Tag der Woche war der erste Tag einer neuen Welt. Hier haben wir:

1. Den liebevollen Besuch, den die guten Frauen, die sich um Christus gekümmert hatten, jetzt seinem Grab abstatteten. Sie brachen „sehr früh am ersten Tag der Woche" aus ihren Unterkünften auf, sodass zu dem Zeitpunkt, als sie das Grab erreichten, die Sonne aufging. Sie hatten auch „wohlriechende Gewürze" gekauft und kamen nicht nur, um den toten Leib mit ihren Tränen zu benetzen, sondern ihn auch mit ihren Gewürzen zu salben **(s. Vers 1)**. Nikodemus hatte eine sehr große Menge einer „Mischung von Myrrhe und Aloe" gekauft (Joh 19,39), doch diese großartigen Frauen hielten es nicht für genug. Sie kauften auch Gewürze – vielleicht einige parfümierte Öle –, um „ihn zu salben". Die Achtung, die andere dem Namen Christi erwiesen haben, sollte uns nicht davon abhalten, ihm auch unsere Achtung zu zeigen.

2. Ihre Sorge, den Stein wegzurollen, und die Überwindung dieser Sorge. „Sie sagten zueinander", als sie voranschritten und sich nun dem Grab näherten: „Wer wälzt uns den Stein von dem Eingang des Grabes? ... Er war nämlich sehr groß" **(Vers 3-4)**, mehr als sie zusammen bewegen konnten. Es gab eine weitere größere Schwierigkeit als diese zu überwinden, von der sie nichts wussten, nämlich eine Wache aus Soldaten, die eingesetzt war, um über das Grab zu wachen, die, wären die Frauen gekommen, bevor die Soldaten selbst vertrieben wurden, sie vertrieben hätte. Doch ihre barmherzige Liebe zu Christus brachte sie zum Grab. Beachten sie, wie zu dem Zeitpunkt, zu dem sie dorthin kamen, diese beiden Schwierigkeiten beseitigt waren, sowohl der Stein, von dem sie wussten, als auch die Wache, von der sie nichts wussten. Sie sahen, „dass der Stein weggewälzt war". Diejenigen, die Christus gewissenhaft suchen, werden sehen, dass die Schwierigkeiten, die auf ihrem Weg liegen, seltsam verschwinden und dass ihnen selbst über ihre Erwartungen hinaus durch ihre Schwierigkeiten hindurchgeholfen wird.

3. Die Zusicherung, die ihnen ein Engel gab, dass der Herr Jesus von den Toten auferstanden war und der ihn dort zurückgelassen hatte, um denen dies zu sagen, die dorthin kamen, um ihn zu suchen.

3.1 „Und sie gingen in das Grab hinein" und sahen, dass der Leib Jesu dort nicht war. Er, der es durch seinen Tod unternahm, unsere Schuld zu bezahlen, garantierte durch seine Auferstehung unsere Erlösung, denn durch seine Freilassung aus dem Gefängnis des Todes wurde die umstrittene Sache unleugbar durch einen unbestreitbaren Beleg entschieden, dass er der Sohn Gottes war.

3.2 Sie „sahen einen jungen Mann zur Rechten" des Grabes sitzen. Der Engel erschien in der Gestalt eines jungen Mannes, denn Engel werden nicht älter. Dieser Engel saß „zur Rechten", als sie das Grab betraten, „bekleidet mit einem langen, weißen Gewand", ein Gewand bis zu den Füßen. Der Anblick von ihm hätte sie zu Recht ermutigen können, doch „sie erschraken". Wir sehen hier, wie das, was uns ermutigen sollte, sich oft für uns durch unsere Irrtümer und Missverständnisse als Schrecken erweist.

3.3 Er brachte ihre Ängste zum Schweigen, indem er ihnen zusicherte, dass es genug Grund zur Siegesfreude gab und keinen zu zittern. „Er aber spricht zu ihnen: Erschreckt nicht!" **(Vers 6)**. Sie sollten nicht erschreckt sein, weil:

Sie Christus aufrichtig lieben und daher, statt bestürzt zu sein, getröstet sein sollten. „Ihr sucht Jesus, den Nazarener, den Gekreuzigten." Er sprach von Jesus als einem, der gekreuzigt war. „Die Sache ist vergangen, der Vorgang vorbei, ihr dürft nicht so sehr bei den traurigen Umständen seiner Kreuzigung verweilen, sodass ihr nicht fähig seid, die freudige Neuigkeit seiner Auferstehung zu glauben." Er wurde gekreuzigt, doch er ist verherrlicht, und diese Herrlichkeit wischt vollständig alle Schande seines Leidens fort. Nach dem Eintritt in seine Herrlichkeit zog er nie irgendeinen Schleier über sein Leiden noch war er unwillig, dass von seinem Kreuz gesprochen wurde.

Es würde darum eine gute Nachricht für sie sein zu hören, dass sie, statt ihn als jemand zu salben, der tot ist, sich nun als jemand in ihm freuen können, der lebt. „,Er ist auferstanden, er ist nicht hier', nicht tot, sondern wieder lebendig. Und ihr könnt hier den Ort sehen, ,wo sie ihn hingelegt hatten'. Ihr seht, dass er fort ist, weder von seinen Feinden noch von seinen Freunden gestohlen, sondern auferstanden."

3.4 Er wies sie an, dies rasch seinen Jüngern zu sagen. Und so wurden sie zu Aposteln für die Apostel gemacht und wurden auf diese Weise für die Hingabe belohnt, dass sie ihm bis zum Kreuz, zum Grab und in das Grab hinein gefolgt waren. Die Ersten, die kamen, waren die Ersten, die dienten; keiner der anderen Jünger wagte es, sich seinem Grab zu nähern. Niemand kam zu ihm außer ein paar Frauen, die noch nicht einmal den Stein wegwälzen konnten.

Sie mussten den Jüngern sagen, dass er auferstanden ist. Es war für sie eine schlimme Zeit, weil ihr lieber Meister gestorben war und all ihre Hoffnungen und Freuden in seinem Grab begraben waren, sodass in ihnen kein Elan blieb. Sie waren vollständig mit ihrer Weisheit am Ende. „Geht schnell zu ihnen", sagte der Engel. „Erzählt ihnen, dass ihr Meister auferstanden ist, dies wird sie davon abhalten, in Verzweiflung zu versinken." Christus schämt sich nicht, sich zu seinen armen Jüngern zu bekennen; sein Aufstieg ließ ihn sich nicht von ihnen zurückziehen: Er sorgte dafür, dass ihnen die Nachricht mitgeteilt wird. Christus führt nicht Buch über die Verfehlungen derer, deren Herzen rechtschaffen vor ihm sind (s. Ps 130,3).

Sie müssen sicherstellen, dass sie es Petrus sagen. Dies wird von diesem Evangelisten besonders beachtet, von dem man meint, er habe auf Anweisung von Petrus geschrieben. Er wird ausdrücklich genannt: „... sagt ... dem Petrus", denn:

Es werden gute Nachrichten für ihn sein, für ihn willkommener als für alle anderen von ihnen, denn er ist bekümmert wegen seiner Sünde.

Er wird fürchten, dass die Freude dieser guten Nachricht ihm nicht gilt. Wenn der Engel nur gesagt hätte, „geht hin, sagt seinen Jüngern", hätte der arme Petrus im Begriff gestanden zu seufzen und zu sagen: „Ich bezweifle, ob ich mich als einen von ihnen betrachten kann, weil ich ihn verleugnet habe und verdiene, von ihm verleugnet zu werden" (s. Mt 10,33). Um das zu vermeiden, sagte der Engel: „Geht namentlich zu Petrus und sagt ihm, dass er genauso willkommen ist wie jeder von den Übrigen, seinen Meister in Galiläa zu sehen." Der Anblick Christi wird für einen wahrhaft Bußfertigen sehr willkommen sein und ein wahrhaft Bußfertiger wird sehr willkommen sein, Christus zu sehen, denn im Himmel ist Freude wegen ihm (s. Lk 15,7).

Sie müssen ihnen allen sagen, einschließlich Petrus mit Namen, dass sie ihn in Galiläa treffen, „wie er euch gesagt hat" (Mt 26,32). Alle Treffen zwischen Christus und seinen Jüngern wurden von ihm festgelegt, Christus vergisst nie seine Verabredung und bei allen Treffen zwischen ihm und seinen Jüngern geht er voran. Sie sollen seinen Jüngern sagen, dass er ihnen vorangeht.

4. Den Bericht darüber, den die Frauen den Jüngern brachten: „Und sie gingen schnell hinaus und flohen von dem Grab. Es hatte sie aber ein Zittern und Entsetzen befallen" **(Vers 8)**. Christus hatte ihnen oft gesagt, dass er am dritten Tag auferstehen würde, und wenn sie dem die angemessene Beachtung erwiesen und es wahrhaftig geglaubt hätten, dann wären sie in der Erwartung zum Grab gekommen, ihn auferstanden zu sehen, und hätten die Nachricht davon mit freudiger Gewissheit aufgenommen, nicht mit großem Zittern und Entsetzen. „... und sie sagten niemand etwas, denn sie fürchteten sich", fürchteten sich, die Nachricht könne zu gut sein, um wahr zu sein.

Vers 9-13
Hier haben wir einen kurzen Bericht von zwei Erscheinungen Christi.

1. Er erschien Maria Magdalena, ihr zuerst, im Garten, wovon wir einen ausführlichen Bericht in Johannes 20,14 haben. Sie war es, „von der er sieben Dämonen ausgetrieben hatte", und sie hat „viel Liebe erwiesen" (Lk 7,47). Christus erwies ihr die Ehre, dass er sie zu der Ersten machte, die ihn nach seiner Auferstehung sah. Je näher wir bei Christus sind, desto rascher können wir erwarten, ihn zu sehen, und desto mehr können wir erwarten, von ihm zu sehen.

1.1 Sie sagte den Jüngern, was sie gesehen hatte; sie sagte es nicht nur den Elfen, sondern auch den anderen, die ihm nachgefolgt waren; sie sagte es ihnen, als sie „trauerten und weinten" **(Vers 10)**. Christus hatte ihnen gesagt, dass sie „weinen und wehklagen" würden (Joh 16,20), und dass sie es taten, zeigte ihre große Liebe zu ihm. Doch als ihr Weinen einen oder zwei Abende angehalten hatte, kehrte der Trost zurück (s. Ps 30,6), wie es Christus ihnen versprochen hatte: „Ich werde euch aber wieder sehen, und dann wird euer Herz sich freuen" (Joh 16,22). Jüngern in Tränen kann keine bessere Nachricht überbracht werden als die von Christi Auferstehung.

1.2 Sie konnten den Bericht nicht glauben, den sie ihnen brachte: Sie „hörten, dass er lebe und von ihr gesehen worden sei", doch sie glaubten es nicht. Sie fürchteten, dass sie getäuscht worden war und ihn in ihrer Fantasie gesehen habe. Wenn sie die häufigen Vorhersagen seiner Auferstehung aus seinem eigenen Mund geglaubt hätten, wären sie nicht so ungläubig bei Berichten darüber gewesen.

2. Er erschien den zwei Jüngern, „als sie sich aufs Land begaben" **(Vers 12)**. Das bezieht sich ohne Zweifel auf das, was zwischen Christus und den beiden Jüngern stattfand, die nach Emmaus gingen, was ausführlicher in Lukas 24,13-35 berichtet wird. Es heißt hier, er sei ihnen „in einer anderen Gestalt" erschienen, trug andere Kleider als seine üblichen.

2.1 Diese beiden Zeugen gaben ihr Zeugnis von diesem Beweis von Christi Auferstehung: „Und diese gingen hin und verkündeten es den Übrigen" **(Vers 13)**. Wo sie selbst überzeugt worden waren, wollten sie ihre Geschwister überzeugen, damit sie auch getröstet und ermutigt werden würden.

2.2 Das überzeugte sie nicht: „Aber auch ihnen glaubten sie nicht." Wir können in dem schrittweisen Fortgang, wie die Beweise für Christi Auferstehung gegeben wurden, und der Vorsicht, mit der sie aufgenommen wurden, die Weisheit der Vorsehung erkennen. Wir haben mehr Grund, denen zu glauben, die selbst langsam glaubten. Wenn die Apostel das Zeugnis sofort geschluckt hätten, hätte man sie vielleicht für leichtgläubig und ihr Zeugnis für weniger zuverlässig gehalten, doch ihr Unglaube zuerst zeigte, dass sie es später mit voller Überzeugung glaubten.

Vers 14-18

Hier ist:

1. Wie Christus seine Jünger von der Wahrheit seiner Auferstehung überzeugte: Er offenbarte sich ihnen selbst, als sie alle beisammen waren, „als sie zu Tisch saßen" **(Vers 14)**, was ihm die Gelegenheit gab, mit ihnen zu essen und zu trinken, um sie vollständig zu überzeugen (s. Apg 10,41). Trotzdem tadelte er „ihren Unglauben und die Härte ihres Herzens", als er ihnen erschien. Die Belege für die Wahrheit des Evangeliums sind so vollständig, dass man diejenigen, die sie nicht annehmen, zu Recht für ihren Unglauben zurechtweisen kann, denn er ist der Härte ihres Herzens, dessen Torheit und Starrsinn zuzuschreiben. Auch wenn sie ihn bis jetzt nicht selbst gesehen hatten, wurden sie zu Recht gerügt, „dass sie denen, die ihn auferstanden gesehen hatten, nicht geglaubt hatten". An dem großen Tag wird es nicht als Entschuldigung für unseren Unglauben zugelassen werden zu sagen, wir sahen ihn nicht, nachdem er auferstanden ist, denn wir hätten dem Zeugnis derer glauben sollen, die ihn gesehen haben.

2. Der Auftrag, den er ihnen gab, durch die Predigt seines Evangeliums sein Reich auf der Erde zu errichten. Beachten Sie:

2.1 Wem sie „das Evangelium" predigen sollten. Bis zu dieser Zeit waren sie nur „zu den verlorenen Schafen des Hauses Israel" gesandt; es war ihnen verboten gewesen, „auf die Straße der Heiden" oder in eine Stadt der Samariter zu gehen (Mt 10,5-6). Jetzt aber waren sie bevollmächtigt, „in alle Welt" zu gehen und das Evangelium Christi „der ganzen Schöpfung" zu verkündigen, den Heiden genauso wie den Juden, jedem Menschen, der fähig war, es anzunehmen. Diese Elf konnten es nicht selbst in der ganzen Welt predigen, noch viel weniger der ganzen Schöpfung darin, doch sie und die anderen Jünger, zusammen mit denen, die später ihnen hinzugefügt werden würden, müssen sich in verschiedene Richtungen zerstreuen und das Evangelium mitnehmen, wo immer sie hingehen. Sie müssen es zu ihrer Lebensaufgabe machen, diese gute Nachricht mit der größtmöglichen Treue und Sorgfalt durch die Welt zu schicken, nicht als Belustigung und Unterhaltung, sondern als eine ernste Botschaft Gottes an die Menschen und als das festgelegte Mittel, ihnen Freude zu geben.

2.2 Was die Zusammenfassung des Evangeliums war, das sie predigen sollten **(s. Vers 16)**: Sie sollten ihnen Leben und Tod, Gut und Böse vorlegen (s. 5.Mose 30,15.19). Sie sollten gehen und ihnen sagen:

Dass sie, wenn sie dem Evangelium glauben und sich selbst dazu hingeben, dass sie Christi Jünger sind, wenn sie dem Teufel, der Welt und dem Fleisch entsagen und Christus hingegeben sind, von der Schuld und Macht der Sünde gerettet werden; sie wird nicht über sie herrschen; sie wird sie nicht zerstören. Diejenigen, die wirklich Christen sind, werden von Christus gerettet werden. Die Taufe wurde als Einführungszeremonie festgesetzt, durch welche diejenigen, die Christus annehmen, sich zu ihm bekannten.

„Wer aber nicht glaubt, der wird verdammt werden" durch das Urteil eines Evangeliums, welches sie verachtet haben, wie auch durch das Gesetz, das sie gebrochen haben. Genau das ist Evangelium; es ist eine gute Nachricht, dass nichts die Menschen verdammen wird außer Unglaube; sie werden nur dann verdammt werden, wenn sie gegen den Ausweg sündigen, den Gott gegeben hat.

2.3 Mit welcher Macht sie ausgestattet sein würden, um die Lehre zu bestätigen, die sie predigen sollten: „Diese Zeichen aber werden die begleiten, die gläubig geworden sind" **(Vers 17)**. Sie würden in Christi Namen Wunder tun – der gleiche Name, auf den sie getauft sind – durch die Kraft, die sie von ihm bekommen haben und die durch Gebet wirksam gemacht wird. Einige besondere Zeichen sind erwähnt:

Sie würden „Dämonen austreiben"; diese Macht war unter Christen häufiger als jede andere.

Sie würden „in neuen Sprachen reden", die sie nie gelernt hatten und die ihnen nicht vertraut waren, und dies war sowohl ein Wunder, um die Wahrheit des Evangeliums zu bekräftigen, als auch ein Mittel, um das Evangelium unter den Völkern zu verbreiten, die es nicht gehört hatten.

Sie würden Schlangen aufheben. Dies erfüllte sich bei Paulus, der nicht durch die Otter verletzt wurde, die ihn in die Hand biss, und dass er in dieser Situation keinen Schaden erlitt, wurde von den Einheimischen als großes Wunder anerkannt (s. Apg 28,3-6).

Wenn sie von ihren Verfolgern gezwungen werden würden, „etwas Tödliches" zu trinken, „wird es ihnen nichts schaden".

Sie würden nicht nur selbst vor Schaden bewahrt werden, sondern auch befähigt werden, anderen Gutes zu tun: „Kranken werden sie die Hände auflegen, und sie werden sich wohl befinden." Viele Älteste der Gemeinde hatten diese Macht, wie sich aus Jakobus 5,14 ergibt, wo ihnen gesagt wird, sie sollen den Kranken „mit Öl salben im Namen des Herrn". Mit welcher Gewissheit des Erfolgs können sie sich an die Durchführung ihres Auftrags machen, da sie solche Beglaubigungen hervorbringen würden!

Vers 19-20

Hier ist:

1. Wie Christus in der oberen Welt willkommen geheißen wird: „Der Herr nun wurde, nachdem er mit" seinen Jüngern gesprochen hatte, in einer Wolke „aufgenommen in den Himmel" **(Vers 19)**, worüber wir einen ausführlichen Bericht in Apostelgeschichte 1,9 haben. Er wurde aufgenommen „und setzte sich zur Rechten Gottes". Er war nun mit der Herrlichkeit verherrlicht, die er vor der Welt hatte (s. Joh 17,5).

2. Wie Christus in dieser unteren Welt willkommen geheißen wird.

2.1 Wir haben hier die Apostel, die emsig für ihn arbeiten. Sie „gingen hinaus und verkündigten überall", nah und fern. Obwohl die Botschaft, die sie predigten, direkt in Feindschaft zu dem Geist der Welt stand, obwohl sie auf viel Widerstand traf, haben diejenigen, die sie predigten, sich weder gefürchtet noch geschämt.

2.2 Hier haben wir, wie Gott mächtig mit ihnen wirkt, um ihre Mühen erfolgreich zu machen, indem er „das Wort durch die begleitenden Zeichen" bekräftigte, zum Teil durch die Wunder, die an den Leibern der Menschen vollbracht wurden, und zum Teil durch den Einfluss, den die christliche Lehre auf die Gemüter der Menschen hatte. Diese wurden trefflich „das Wort begleitende Zeichen" genannt – die Verbesserung der Welt, die Zerstörung des Götzendienstes, die Bekehrung von Sündern und die Ermutigung von Heiligen. Diese Zeichen begleiten das Wort noch immer, und damit sie das immer mehr tun mögen zur Ehre Christi und zum Wohl des Menschengeschlechts, schließt der Evangelist mit einem Gebet und lehrt uns damit zu beten: „Amen." Vater im Himmel, möge dein Name geheiligt werden und möge dein Reich kommen (s. Mt 6,9).

Eine praktische und erbauliche Darlegung des Evangeliums von
Lukas

Wir treten nun in die Arbeit eines anderen Evangelisten ein; sein Name war Lukas. Manche meinen, er war der einzige aller Autoren der Schrift, der kein Nachkomme Israels war. Er war ein zum Judentum Bekehrter, sagen sie, und manche meinen, er wurde durch den Dienst des Apostels Paulus in Antiochia zum christlichen Glauben bekehrt. Und von der Zeit an, als Paulus nach Mazedonien abreiste, war Lukas sein ständiger Begleiter. Er arbeitete als Arzt und so nannte Paulus ihn: „Lukas, der geliebte Arzt" (Kol 4,14). Einige der Kommentatoren, die vermeintlich aus alter Zeit stammen, sagen, dass er ein Maler war und ein Bild von der Jungfrau Maria gemalt hat. Man meint, dass er dieses Evangelium unter der Anleitung des Apostels Paulus geschrieben hat, als er mit ihm reiste. Manche meinen, dass er der „Bruder" ist, von dem Paulus spricht, „dessen Lob wegen des Evangeliums bei allen Gemeinden verbreitet ist" (2.Kor 8,18). Seine Art zu schreiben ist sorgfältig und genau und sein Stil ist elegant, aber auch klar. Er drückt sich in einem saubereren griechischen Stil aus, als er sich bei den anderen Autoren des heiligen Berichtes findet. Er erzählt verschiedene Dinge ausführlicher als die anderen Evangelisten, und er geht besonders auf die Dinge ein, die sich auf das priesterliche Amt von Christus beziehen. Es ist ungewiss, wann – selbst ungefähr – dieses Evangelium geschrieben wurde. Manche meinen, es wurde in Rom geschrieben, kurz bevor er seinen Bericht über die Taten der Apostel, die Apostelgeschichte, schrieb (die eine Fortsetzung davon ist), als er bei Paulus war, während Paulus ein Gefangener war und „in einer eigenen Mietwohnung" predigte (Apg 28,30), womit der Bericht der Apostelgeschichte schließt; und Paulus sagte in dieser Zeit: „Nur Lukas ist bei mir" (2.Tim 4,11). Als Lukas freiwillig mit Paulus in dieser Haft war, hatte er Zeit, diese beiden Berichte zusammenzustellen – und die Gemeinde verdankt viele vorzügliche Schriften einem Gefängnis. Hieronymus sagt, dass Lukas starb, als er 84 Jahre alt war, und dass er nie heiratete.

KAPITEL 1

Der Bericht, den dieser Evangelist uns von dem Leben Christi gibt, beginnt früher als der sowohl von Matthäus als auch von Markus. Wir haben hier: 1. Lukas' Einleitung in sein Evangelium (s. Vers 1-4). 2. Die Prophetie und den Bericht von der Empfängnis von Johannes dem Täufer (s. Vers 5-25). 3. Die Verkündigung an die Jungfrau Maria (s. Vers 26-38). 4. Das Treffen von Maria, der Mutter Jesu, und Elisabeth, der Mutter von Johannes (s. Vers 39-56). 5. Die Geburt und Beschneidung von Johannes dem Täufer (s. Vers 57-66). 6. Das Loblied von Zacharias (s. Vers 67-79). 7. Einen kurzen Bericht von der frühen Kindheit von Johannes dem Täufer (s. Vers 80).

Vers 1-4

Höfliche Einleitungen und Widmungen, schmeichelnde Sprache sowie die Nahrung und der Treibstoff von Stolz werden von den Weisen und Tugendhaften zu Recht verurteilt, doch daraus folgt nicht, dass man Texte dieser Art, die nützlich und aufschlussreich sind, verurteilen sollte. Dies ist eine solche nützliche Widmung. Es ist nicht sicher, wer Theophilus war; der Name bedeutet „ein Freund Gottes". Manche meinen, dass es sich nicht auf irgendeine spezielle Person bezieht, sondern auf jeden, der Gott liebt. Doch man sollte es besser so verstehen, dass es sich auf eine einzelne Person bezieht, vermutlich einen richterlichen Beamten, denn Lukas gibt ihm hier den gleichen respektvollen Titel, den der Apostel Paulus dem Statthalter Festus gab (s. Apg 26,25). Die Religion zerstört nicht die Höflichkeit und die guten Manieren, sondern lehrt uns, nach den Sitten unseres Landes, dem Ehre zu geben, „dem die Ehre gebührt" (Röm 13,7). Beachten Sie:

1. Warum Lukas dieses Evangelium schrieb. Es ist sicher, dass er nicht vom Heiligen Geist *zum* Schreiben, sondern auch *beim* Schreiben von ihm bewegt wurde, doch bei beidem wurde er als vernunftbegabtes Wesen bewegt, nicht als reine Maschine, und wurde dazu gebracht zu bedenken:

1.1 Dass die Dinge, über die er schrieb, Dinge waren, die absolut sicher unter allen Christen geglaubt wurden und darum Dinge waren, in denen sie unterwiesen werden sollten. Er wollte nicht über strittige Angelegenheiten schreiben, sondern über die Dinge, die man am absolut sichersten glaubt und glauben sollte. Obwohl es nicht die Grundlage unseres Glaubens ist, ist es für unseren Glauben eine Unterstützung, dass die Artikel unseres Glaubensbekenntnisses Dinge sind, die man lange Zeit absolut sicher geglaubt hat. Die Lehre Christi ist etwas, für das Tausende der weisesten und besten Menschen ihre Seele aufs Spiel gesetzt haben.

1.2 Dass es notwendig war, diese Dinge „der Reihe nach zu beschreiben", dass der Bericht über das Leben von Christus der Reihe nach angeordnet sein sollte. Wenn die Dinge in die richtige Reihenfolge gebracht werden, wissen wir besser, wo wir sie für unseren Gebrauch finden können und wie wir sie zum Nutzen anderer erhalten können.

1.3 Dass viele es unternommen haben, Berichte über das Leben Christi abzufassen. Man darf den Dienst anderer für Christus nicht als etwas betrachten, das den unsrigen ersetzt, sondern das ihn eher ermutigt.

1.4 Dass die Wahrheit der Dinge, die er zu schreiben hatte, von dem übereinstimmenden Zeugnis derer bekräftigt wurde, die taugliche und zufriedenstellende Zeugen davon waren. Was er sich jetzt daranmachte bekannt zu machen, stimmte mit dem überein, was immer wieder von denen durch das mündliche Wort überliefert wurde, „die von Anfang an Augenzeugen und Diener des Wortes gewesen sind" **(Vers 2)**.

Die Apostel waren Diener des Wortes oder der Lehre Christi. Nachdem sie es selbst empfangen hatten, gaben sie es weiter an andere (s. 1.Joh 1,1). Sie empfingen kein Evangelium, um zu Herren zu werden, sondern ein Evangelium, um es als geistliche Diener, das heißt als Knechte, zu predigen.

Die Diener des Wortes waren Augenzeugen. Sie hörten selbst die Lehre Christi und sahen seine Wunder; sie erhielten dies nicht durch einen Bericht, nicht aus zweiter Hand.

Sie waren dies vom Anfang des Dienstes Christi an **(s. Vers 2)**. Er hatte seine Jünger bei sich, als er sein erstes Wunder vollbrachte (s. Joh 2,11). Sie begleiteten ihn die ganze Zeit, die er unter ihnen ein- und ausging (s. Apg 1,21).

Das geschriebene Evangelium, das wir bis auf diesen Tag haben, entspricht genau dem Evangelium, das in den ersten Tagen der Gemeinde gepredigt wurde.

Lukas hatte selbst „von Anfang an" ein vollkommenes Verständnis der Dinge, über die er schrieb **(Vers 3)**. Er erklärte seine Befähigung, diese Arbeit zu tun: „... erschien es auch mir gut, nachdem ich völliges Verständnis aller Dinge bekommen habe" (KJV). Er hatte diese Dinge gewissenhaft untersucht. Er hatte es zu seiner Aufgabe gemacht, die genauen Einzelheiten herauszufinden. Er hatte seine Informationen nicht nur durch Tradition, sondern auch durch Offenbarung bekommen. Er schrieb über Dinge, die von der Tradition berichtet wurden, doch sie wurden durch die Inspiration bestätigt. Er konnte darum sagen, dass er „völliges Verständnis aller Dinge" (KJV) hatte. Er kannte sie genau und exakt.

2. Warum er es Theophilus schickte: „Ich schreibe dir diese Dinge der Reihe nach, ‚damit du die Gewissheit der Dinge erkennst, in denen du unterrichtet worden bist'." Das läuft darauf hinaus, dass Theophilus in diesen Dingen entweder vor seiner Taufe oder seitdem oder beides nach der Regel unterrichtet worden ist, die in Matthäus 28,19-20 aufgestellt wurde. Den letzten Satz könnte man übersetzen: „worüber du katechisiert wurdest"; der kenntnisreichste Christ begann damit, katechisiert zu werden. Es war beabsichtigt, dass er die „Gewissheit der Dinge" erkennt. Es steckt Gewissheit im Evangelium Christi; es enthält etwas, worauf wir bauen können, und wir, die wir in den Dingen Gottes gut unterrichtet worden sind, sollten gewissenhaft sicherstellen, dass wir die Gewissheit dieser Dinge erkennen, dass wir nicht nur wissen, was wir glauben, sondern auch, warum wir es glauben, damit wir in der Lage sein können, Rechenschaft über die Hoffnung zu geben, die in uns ist (s. 1.Petr 3,15).

Vers 5-25

Die beiden vorangehenden Evangelisten beginnen das Evangelium mit der Taufe von Johannes und seinem Dienst. Dieser Evangelist wollte einen ausführlicheren Bericht von der Empfängnis und Geburt unseres Heilands geben, als er von den anderen gegeben worden war, und er entschloss sich, genauso einen Bericht auch über Johannes den Täufer zu geben. Beachten Sie hier:

1. Den Bericht, der von seinen Eltern gegeben wird: Sie lebten „in den Tagen des Herodes, des Königs" **(Vers 5)**, einem Ausländer und einem Vertreter der Römer, der gerade Juda zu einer Provinz des Imperiums gemacht hatte. Dies wird hier angemerkt, um zu zeigen, dass das Zepter vollständig von Juda gewichen war (s. 1.Mose 49,10). Israel ist versklavt, doch dann kommt die Herrlichkeit Israels. Der Vater von Johannes dem Täufer war nun ein Priester, ein Sohn Aarons; sein Name war Zacharias (Sacharja). Keine Familie der Welt wurde je so von Gott geehrt wie die von Aaron und von David; mit der einen wurde der Bund der Priesterschaft geschlossen, mit der anderen der des Königtums. Christus kam aus dem Haus Davids; Johannes aus dem Haus Aarons. Dieser Zacharias war „aus der Abteilung [priesterlichen Gruppe] Abijas". Als zur Zeit Davids die Familie Aarons größer wurde, unterteilte er sie in vierundzwanzig priesterliche Gruppen, um den Handlungen ihres Amtes größerer Regelmäßigkeit zu geben. Die achte davon war die von Abija (s. 1.Chr 24,10), der von Eleasar abstammte, dem ältesten Sohn Aarons. Auch die Frau von Zacharias war eine Nachfahrin Aarons, und ihr Name war Elisabeth, der gleiche Name wie Eliseba, der Frau Aarons (s. 2.Mose 6,23). Die Priester waren sehr bedacht darauf, innerhalb ihrer eigenen Familie zu heiraten. Beachten Sie, was über Zacharias und Elisabeth erwähnt ist:

1.1 Dass sie ein sehr religiöses Paar waren: „Sie waren aber beide gerecht vor Gott" **(Vers 6)**. Sie waren wirklich rechtschaffen. Sie strebten eifrig danach, sich „Gott als bewährt zu erweisen" (2.Tim 2,15). Es ist gut, wenn diejenigen, die miteinander verheiratet sind, beide mit dem Herrn verbunden sind. Sie „wandelten untadelig in allen Geboten und Rechtsbestimmungen des Herrn". Sie zeigten es nicht durch ihr Reden, sondern durch ihr Leben, durch die Art, wie sie wandelten, und die Grundsätze, durch die sie geleitet wurden. Sie wandelten nicht nur in den Rechtsbestimmungen des Herrn, die sich auf die Anbetung Gottes bezogen, sondern auch in den Geboten des Herrn, die sich auf alle Aspekte eines guten Lebens bezogen. Nicht dass sie nie etwas taten, was nicht ihrer Pflicht entsprach, doch es war ihre beständige Sorge und ihr dauerhaftes Ziel, sie zu erfüllen. Obwohl sie nicht sündlos waren, waren sie untadelig. Niemand konnte sie einer offenen, schändlichen Sünde beschuldigen; sie lebten ehrlich und friedlich.

1.2 Dass sie lange kinderlos waren **(s. Vers 7)**. „Siehe, Kinder sind eine Gabe des HERRN" (Ps 127,3). Sie sind wertvolle, wünschenswerte Segnungen, doch es gibt viele, die gerecht vor Gott sind, und doch nicht auf diese Weise gesegnet werden. Elisabeth war unfruchtbar und sie begannen die Hoffnung aufzugeben, je Kinder zu haben, weil sie beide nun „in fortgeschrittenem Alter" waren. Viele bedeutende Personen wie Isaak, Jakob, Joseph, Simson, Samuel und hier Johannes der Täufer wurden von Frauen geboren, die lange kinderlos waren, damit ihre Geburten bemerkenswerter und der Segen ihrer Geburten für ihre Eltern noch wertvoller sein würde.

2. Das Erscheinen eines Engels vor seinem Vater, Zacharias, als er im Tempel diente **(s. Vers 8-11)**. Beachten Sie:

2.1 Wie Zacharias für den Dienst an Gott eingesetzt wurde: Er verrichtete „seinen Priesterdienst vor Gott ... zur Zeit, als seine Abteilung an die Reihe kam" **(Vers 8)**; es war die Woche seines regulären Dienstes und er war diensthabend. Zacharias wurde nun per Los ausgewählt, in dieser Woche seines Dienstes für den Herrn morgens und abends Weihrauch zu verbrennen, so wie andere Dienste anderen Priestern durch das Los zufielen. Er verbrannte den täglichen Weihrauch auf dem Räucheraltar **(s. Vers 11)**, der im Tempel war **(s. Vers 9)**, nicht im Allerheiligsten, in das nur der Hohepriester ging. Die Juden sagen, dass kein Priester zweimal in seinem ganzen Leben Weihrauch verbrannte – es gab so viele von ihnen –, zumindest niemals länger als eine Woche. Zacharias verbrannte den Weihrauch im Tempel „und die ganze Menge des Volkes betete draußen" **(Vers 10)**. Diese nahmen alle an ihren Andachten teil – in stillem Gebet, denn ihre Stimmen waren nicht zu hören –, als sie durch das Klingeln einer Glocke unterrichtet wurden, dass der Priester hineingegangen war, um Weihrauch zu verbrennen. Beachten Sie hier:

Dass das wahre Israel Gottes immer ein betendes Volk war.

Dass zu der Zeit, als die zeremoniellen Festlegungen, wie die des Verbrennens von Weihrauch, voll in Kraft waren, doch gefordert wurde, dass sie von moralischen und geistlichen Pflichten begleitet wurden. David wusste, dass, wenn er weit vom Altar entfernt war, sein Gebet ohne Weihrauch erhört werden würde, dass aber, wenn er den Altar umschreitet (s. Ps 26,6), der Weihrauch nicht ohne Gebet angenommen werden konnte, genauso wie eine Nussschale nicht ohne ihren Kern nützlich ist.

Dass es für uns nicht genug ist, an dem Ort zu sein, wo Gott angebetet wird, wenn unsere Herzen nicht an dieser Anbetung teilhaben.

Dass alle Gebete, die wir Gott hier in seinen Höfen darbringen, nur durch den Weihrauch der Fürsprache Christi im Tempel Gottes oben annehmbar und wirksam sind. Wir können nicht erwarten, uns an den Vorrechten der Fürsprache Christi zu erfreuen, wenn wir nicht beten und „mit dem Geist beten" (1.Kor 14,15) und „beharrlich im Gebet" sind (Röm 12,12).

2.2 Wie er, als er auf diese Weise beschäftigt war, mit einem Boten geehrt wurde, der ihm vom Himmel gesandt ein. „Da erschien ihm ein Engel des Herrn" **(Vers 11)**. Dieser Engel „stand zur Rechten des Räucheraltars", an Zacharias' rechter Seite. Vergleichen Sie dies mit Sacharja 3,1, wo Satan zur Rechten des Hohepriesters Jeschua steht, „um ihn anzuklagen". Der Priester Zacharias hatte einen guten Engel, der zu seiner Rechten stand, um ihn zu ermutigen.

2.3 Welche Wirkung dies auf Zacharias hatte: „Und Zacharias erschrak, als er ihn sah, und Furcht überfiel ihn" **(Vers 12)**. Obwohl er „gerecht vor Gott" und untadelig in seinem Leben war **(Vers 6)**, konnte er nicht vollkommen frei von Furchtsamkeit sein. Seitdem die ersten Menschen sündigten, waren unsere Gemüter stets nicht in der Lage, die Herrlichkeit solcher Offenbarungen zu ertragen, und unser Gewissen fürchtet sich, dass sie schlechte Nachrichten bringen werden. Deshalb beschließt Gott, durch Menschen wie unsereins zu uns zu sprechen, bei denen Furcht vor ihnen uns nicht schrecken wird (s. Hiob 33,7).

3. Die Botschaft, die ihm der Engel zu bringen hatte. Er begann seine Botschaft, wie es Engel allgemein tun, mit: „Fürchte dich nicht" **(Vers 13)**. Vielleicht hatte Zacharias gefürchtet, als er den Engel sah, dass er gekommen war, um ihn für ein Versagen oder einen Fehler zurechtzuweisen. „Nein", sagte der Engel, „fürchte dich nicht, sondern fasse dich, damit du einen ruhigen und gefassten Geist haben mögest, die Botschaft zu empfangen, die ich dir zu überbringen habe." Wir wollen sehen, was das war.

3.1 Die Gebete, die er oft dargebracht hatte, würden nun eine wohlwollende Antwort erhalten: „Fürchte dich nicht, Zacharias! Denn dein Gebet ist erhört worden." Wenn der Engel auf *das besondere Gebet* von Zacharias um einen Sohn verwies, müssen die Gebete für diese besondere Barmherzigkeit lange vorher geleistet worden sein, als es für ihn möglich war, Kinder zu haben. Gott würde jetzt bei der Gewährung dieser Barmherzigkeit eine lange Zeit zurück auf die Gebete blicken, die Zacharias vor langer Zeit für und mit seiner Frau gesprochen hatte. Gebete des Glaubens werden im Himmel aufbewahrt und sind nicht vergessen, selbst wenn die Sache, für die gebetet wird, nicht sofort gegeben wird. Wenn der Engel andererseits auf die Gebete verwies, die Zacharias *an Ort und Stelle* darbrachte, können wir annehmen, dass dies die Gebete waren, die von ihm als Priester gefordert wurden – Gebete für das Israel Gottes und Israels Wohlergehen und für die Erfüllung der Verheißungen, die Israel für das Kommen des Messias und das Kommen seines Reiches gegeben wurden: „Dieses dein Gebet ist jetzt erhört, denn deine Frau wird bald den einen empfangen, welcher der Vorläufer des Messias sein wird." Einige der jüdischen Schreiber sagen selbst, dass der Priester, wenn er Weihrauch verbrannte, für das Heil der ganzen Welt betete; und jetzt würde dieses Gebet erhört werden. Im Allgemeinen meinte er: „Die Gebete, die du nun verrichtest, und alle deine Gebete, sind von Gott angenommen worden, und dies wird das Zeichen sein, dass du von Gott angenommen bist: ‚Elisabeth wird dir einen Sohn gebären.'"

3.2 Er würde in seinem hohen Alter einen Sohn haben, von seiner Frau Elisabeth, die lange unfruchtbar gewesen war. Ihm wurde gesagt, wie er seinen Sohn nennen sollte: „… und du sollst ihm den Namen Johannes geben." Im Hebräischen *Johanan*, ein Name, auf den wir im Alten Testament oft treffen, er bedeutet „gnädig".

3.3 Dieser Sohn wird die Freude seiner Familie und all seiner Verwandten sein **(s. Vers 14)**. Er würde ein willkommenes Kind sein. „Und er wird dir" – was ihn betrifft – „Freude und Frohlocken bereiten" (s. Jes 35,10; 51,11). Wenn Barmherzigkeiten schließlich kommen, auf die man lange wartete, sind sie sogar noch willkommener. „Er wird ein Sohn sein, bei dem du viel Grund hast, dich über ihn zu freuen. Viele Eltern würden, wenn sie vorhersehen könnten, wie ihre Kinder ausfallen, sich wünschen, dass sie nie geboren worden wären, statt sich über ihre Geburt zu freuen. Dir jedoch will ich sagen, was dein Sohn sein wird, und dann brauchst du nicht mit Zittern über seine Geburt frohlocken (s. Ps 2,11), wie es die Besten tun müssen, sondern magst dich triumphierend darüber freuen." Es würden sich in der Tat viele über seine Geburt freuen; alle Verwandten der Familie und die ihr Gutes wünschen, würden sich über die Geburt freuen, denn sie war zur Ehre und zum Trost der Familie **(s. Vers 58)**.

3.4 Dieser Sohn würde ein erkennbarer Günstling des Himmels und erkennbarer Segen für die Erde sein. Die Ehre, einen Sohn zu haben, ist nichts verglichen mit der Ehre, einen solchen Sohn zu haben.

Er würde groß sein in den Augen des Herrn. Gott würde über ihn wachen und beständig mit ihm sein. Er würde ein Prophet sein – in der Tat mehr als ein Prophet (s. Mt 11,9). Er würde in den Augen des Herrn groß und bedeutend sei.

Er würde ein Nasiräer sein, von Gott von allem abgesondert, das verunreinigend ist; als Zeichen dafür muss er nach dem Gesetz der Nasiräer sowohl dem Wein als auch starkem Getränk entsagen. Er muss sein Leben lang ein Nasiräer sein. Dies deutet darauf hin, dass diejenigen, die bedeutende Diener für Gott sein und für bedeutende Dienste eingesetzt werden möchten, lernen müssen, ein Leben der Demut und Selbstverleugnung zu führen; sie müssen für weltliche Vergnügungen tot sein und ihren Sinn von allem fernhalten, das verfinstert und stört.

Er wäre für diese großen und bedeutenden Dienste in reichem Maße befähigt. „... und mit Heiligem Geist wird er erfüllt werden schon von Mutterleib an" **(Vers 15)**.

Die mit dem Heiligen Geist erfüllt werden wollen, müssen nüchtern, zurückhaltend und sehr maßvoll in dem Gebrauch von Wein und starkem Getränk sein. „Und berauscht euch nicht mit Wein ... sondern werdet voll Geistes" (Eph 5,18).

Selbst kleine Kinder können vom Heiligen Geist benutzt werden, sogar von Mutterleib an, denn genau da wurde Johannes der Täufer mit dem Heiligen Geist erfüllt. Gott hatte verheißen, seinen Geist auf den Samen der Gläubigen auszugießen (s. Jes 44,3).

Er würde dabei behilflich sein, viele Seelen zu Gott zu bekehren und sie darauf vorzubereiten, das Evangelium Christi anzunehmen und willkommen zu heißen **(s. Vers 16-17)**.

Er würde zu den Kindern Israels gesandt werden, nicht zu den Heiden, doch er würde zu dem ganzen Volk gesandt werden, nicht nur zu der Sippe der Priester.

Er würde vor dem Herrn, ihrem Gott, hergehen, das heißt, vor dem Messias, ein wenig vor ihm, um dessen Kommen zu verkünden und die Menschen vorzubereiten, diesen zu empfangen.

Er würde „im Geist und in der Kraft Elias" vor ihm hergehen. Das heißt:

Er würde die Art von Mann sein, wie Elia es war, und die Art von Werken tun, die Elia tat. Wie jener würde er einer sehr verderbten und entarteten Generation die Notwendigkeit von Buße und Besserung predigen. Wie jener würde er kühn und eifernd darin sein, selbst bei den größten Leuten Sünde zu tadeln und gegen sie zu zeugen, und er würde dafür gehasst und verfolgt werden. Ihm würde auch, wie Elia, durch den göttlichen Geist die Kraft gegeben werden, sein Werk fortzuführen, der seinen Dienst mit wundersamem Erfolg krönen würde. Er würde das Zeitalter des Evangeliums einleiten, indem er den Kern und die Pflicht des Evangeliums predigt: „Tut Buße, den Blick auf das Reich der Himmel gerichtet!"

Er würde genau die Person sein, die von Maleachi unter dem Namen Elia prophezeit wurde (s. Mal 3,23), der vor dem Kommen des Tages des Herrn gesandt werden sollte.

„Und viele von den Kindern Israels wird er zu dem Herrn, ihrem Gott, zurückführen." Alles, was dazu beiträgt, uns von der Sünde abzubringen, wird uns zu Christus als unserem Herrn und Gott bringen, denn diejenigen, welche durch die Gnade überzeugt werden, das Joch der Sünde abzuschütteln, werden bald davon überzeugt werden, das Joch des Herrn Jesus auf sich zu nehmen.

Indem Johannes dies tut, würde er „die Herzen der Väter ... zu den Kindern" umwenden, das heißt, die Herzen der Juden zu den Heiden. Er würde helfen, die tief verwurzelten Vorurteile zu überwinden, welche die Juden gegenüber den Heiden hatten; diese Überwindung geschah durch das Evangelium und sie wurde mit Johannes begonnen, der römische Soldaten lehrte und taufte (s. Lk 3,14) wie auch die jüdischen Pharisäer (s. Mt 3,7.11), und der den Stolz und das Vertrauen auf sich selbst von denjenigen Juden heilte, die sich dessen rühmten, Abraham als Vater zu haben, und ihnen sagte, dass Gott „dem Abraham aus ... Steinen Kinder" zu erwecken vermochte (Mt 3,9). Als die Juden, die den Glauben an Christus annahmen, dazu gebracht wurden, sich in Gemeinschaft mit den Heiden zu verbinden, die dies auch taten, wurden die Herzen der Eltern den Kindern zugewendet. Die Wirkung davon würde sein, dass Feindschaften abgetötet und Zwietracht zu einem Ende gebracht werden würden und diejenigen, die entzweit sind, würden, wenn sie in seiner Taufe vereint sind, besser miteinander versöhnt sein. Dies stimmt mit dem Bericht überein, den Josephus über Johannes den Täufer schrieb (Jüdische Al-

tertümer, Buch 18, Kap. 7): „Er war ein guter Mann und lehrte die Juden, wie man durch Hingabe an Gott und Gerechtigkeit untereinander Tugendhaftigkeit praktiziert." Josephus schrieb auch: „Die Menschen strömten zu ihm und hatten große Freude an seiner Lehre." Auf diese Weise wandte er die Herzen der Eltern und der Kinder zu Gott und zueinander, indem er „die Ungehorsamen zur Weisheit der Gerechten" (KJV; vgl. Elb, NLB) wandte. Beachten Sie:
Wahre Religion ist die „Weisheit der Gerechten". Es ist sowohl unsere Weisheit als auch unsere Pflicht, fromm zu sein; darin liegt sowohl Weisheit als auch Gerechtigkeit.
Es ist für diejenigen nicht unmöglich, die ungläubig und ungehorsam waren, zu der „Weisheit der Gerechten" gewendet zu werden; Gottes Gnade kann die größte Unwissenheit und Voreingenommenheit überwinden.
Das große Ziel des Evangeliums ist es, die Menschen zurück zu Gott und enger zueinander zu bringen. Indem er das tut, wird er „dem Herrn ein zugerüstetes Volk" bereiten. Alle, die dem Herrn geweiht und in ihm selig gemacht werden sollen, müssen zuerst zugerüstet und für ihn bereitet werden. Nichts führt direkter dazu, Menschen für Christus zu bereiten, als die Lehre von der Buße. Wenn die Sünde so drückend gemacht wird, wird Christus sehr kostbar werden.

4. Den Unglauben von Zacharias gegenüber der Weissagung des Engels und den Tadel, der ihm erteilt wurde. Uns wird hier gesagt:
4.1 Was sein Unglaube sprach. „Woran soll ich das erkennen?" **(Vers 18)**. Im Alten Testament gibt es viele Beispiele von solchen, die Kinder hatten, als sie alt waren, doch er konnte nicht glauben, dass er und selbst dieses verheißene Kind haben würde: „Denn ich bin ein alter Mann, und meine Frau ist in fortgeschrittenem Alter!" Er muss darum ein Zeichen haben, das ihm gegeben wird, oder er würde es nicht glauben. Obwohl ihm dies im Tempel verkündet wurde, obwohl es ihm gegeben wurde, als er betete und Weihrauch verbrannte, und obwohl er fest glaubte, dass Gott allmächtig ist und bei ihm kein Ding unmöglich ist **(s. Vers 37)**, hat er doch, weil er – einem Sohn Abrahams unähnlich – zu sehr seinen und den Leib seiner Frau in Betracht zog, an der Verheißung Gottes gezweifelt (s. Röm 4,19-20).
4.2 Wie sein Unglaube zum Schweigen gebracht und wie er dafür zum Schweigen gebracht wurde.
Der Engel verstopfte ihm den Mund (s. Röm 3,19), indem er seine Autorität geltend machte. Hat er gefragt: „Woran soll ich das erkennen?" Er möge es daran erkennen: „Ich bin Gabriel" **(Vers 19)**. Der Engel verband seinen Namen mit seiner Prophetie. Gabriel bedeutet „die Macht Gottes" oder „der Mächtige Gottes". Er war Gabriel, „der vor Gott steht". „Obwohl ich nun mit dir spreche, stehe ich immer noch vor Gott. Ich bin gesandt, zu dir zu reden, mit der willentlichen Absicht gesandt, diese frohe Botschaft zu bringen, die du, da sie der Annahme wert ist (s. 1.Tim 1,15), hättest fröhlich annehmen sollen."
Der Engel verstopfte ihm buchstäblich den Mund, indem er seine Macht gebrauchte. „Damit du keine weiteren Einwände erheben kannst, siehe, du wirst stumm sein. Wenn du ein Zeichen haben willst, um deinen Glauben zu unterstützen, wird es eines sein, das auch die Strafe für deinen Unglauben ist. Du wirst ‚nicht reden können bis zu dem Tag, an dem dies geschehen wird'" **(Vers 20)**. Er würde sowohl „stumm" als auch „taub" sein. Das Wort bedeutet beides, und es ist klar, dass er sowohl seine Sprache als auch sein Gehör verlor, denn seine Freunde winkten ihm **(s. Vers 62)**, genauso wie er ihnen **(s. Vers 22)**. Gott handelte nun gerecht an ihm, als er Zacharias mit Stummheit schlug, weil er etwas gegen das Wort Gottes eingewandt hatte. Doch Gott handelte auch freundlich, sanftmütig und gnädig an ihm, denn:
Auf diese Weise wurde er davon abgehalten, weiter solche misstrauischen, ungläubigen Worte zu sagen. Es ist besser, überhaupt nicht zu sprechen als böse zu sprechen.
Auf diese Weise festigte Gott seinen Glauben. Da er unfähig war zu sprechen, war er befähigt, besser nachzudenken.
Auf diese Weise wurde er davon abgehalten, die Vision zu verraten und mit ihr zu prahlen.
Es war eine große Barmherzigkeit, dass sich trotz des sündigen Misstrauens von Zacharias Gottes Worte zu ihrer Zeit erfüllen würden. Er würde nicht für immer stumm bleiben, sondern nur bis zu dem Tag, an dem diese Dinge geschehen würden, und dann würden seine Lippen aufgetan werden, damit sein Mund das Lob Gottes verkündigen kann (s. Ps 51,17).

5. Die Rückkehr von Zacharias zu den Leuten und schließlich zu seiner Familie und die Empfängnis dieses verheißenen Kindes.
5.1 Die Menschen blieben und erwarteten, dass Zacharias aus dem Tempel herauskommt, weil er den Segen im Namen des Herrn über ihnen aussprechen sollte. Obwohl er über die übliche Zeit hinaus blieb, hetzten sie nicht ohne den Segen los, sondern warteten auf ihn, „verwunderten sich, dass er so lange im Tempel blieb" und hatten Sorge, dass vielleicht etwas nicht in Ordnung ist **(Vers 21)**.
5.2 Als er herauskam, „konnte er nicht zu ihnen reden" **(Vers 22)**. Man erwartete nun, dass er die Versammlung mit einem Segen entlässt, doch er war stumm und nicht in der Lage, es zu tun.
5.3 Er versuchte, ihnen zu verstehen zu geben, dass er „eine Erscheinung gesehen hatte. Und

er winkte ihnen und blieb stumm" **(Vers 22)**. Das Alte Testament spricht durch Zeichen; es winkt uns, bleibt aber stumm. Es ist das Evangelium, das verständlich zu uns spricht und uns eine klare Sicht von dem gibt, was im Alten Testament „mittels eines Spiegels wie im Rätsel" gesehen wurde (1.Kor 13,12).

5.4 Er blieb dort für die Zeit seines Dienstes, denn sein Los war es, Weihrauch zu verbrennen, und das konnte er tun, obwohl er stumm und taub war. Wenn wir den Dienst an Gott nicht so gut verrichten können, wie wir möchten, wird Gott uns in ihm annehmen, wenn wir ihn verrichten, so gut wir können.

5.5 Dann kehrte er zu seiner Familie zurück und dann „wurde seine Frau ... schwanger; und sie verbarg sich fünf Monate". Sie hielt die Sache geheim **(s. Vers 23-24)**, um zu vermeiden, sich zu verletzen, und zu vermeiden, sich irgendeine zeremonielle Verunreinigung zuzuziehen, welche die Nasiräerschaft ihres Kindes entwehen würde. Manche meinen, es war ihre übertriebene Bescheidenheit, die sie in der Abgeschiedenheit bleiben ließ. Oder vielleicht tat sie es aus Demut, um den Anschein zu vermeiden, sich der Ehre zu rühmen, die Gott ihr erwiesen hatte. „... und sie verbarg sich" für die Andacht. Sie nannte diesen Grund für ihren Rückzug: „So hat der Herr an mir gehandelt in den Tagen ... eine Schmach unter den Menschen hinwegzunehmen!" Fruchtbarkeit wurde unter den Juden als ein so großer Segen betrachtet, sodass es eine große Schande war, unfruchtbar zu sein, und bei denen, die dies waren, meinten manche, dass sie einer großen unbekannten Sünde schuldig seien. Elisabeth frohlockte nun, denn es war nicht nur diese Schande fortgenommen worden, sondern es war ihr an der Stelle davon auch große Ehre verliehen worden: „So hat der Herr an mir gehandelt in den Tagen, da er mich angesehen hat."

Vers 26-38

Hier wird uns alles gesagt, was für uns angemessen ist, über die Inkarnation und Empfängnis unseres Heilands zu wissen. Der gleiche Engel, Gabriel, der dazu gebraucht wurde, Zacharias Gottes Plan bezüglich seines Sohnes bekannt zu machen, wurde auch für diese Aufgabe gebraucht, weil das gleiche herrliche Erlösungswerk, welches mit jener Geburt begonnen wurde, mit dieser fortgeführt wurde. Wir haben hier:

1. Einen Bericht über die Mutter unseres Herrn.
1.1 Ihr Name war Maria, der gleiche Name wie Mirjam, der Schwester von Mose und Aaron; der Name bedeutet „erhöht".
1.2 Sie war eine Tochter der königlichen Familie, stammte aus dem Geschlecht Davids und sie selbst und alle ihre Freunde wussten es, denn sie führte das „Haus Davids" in ihrem Namen. Durch Gottes Vorsehung und durch ihre Sorge als Jüdin, ihr Geschlechtsregister zu erhalten, war sie in der Lage, es wiederzugeben, und solange sich die Verheißung des Messias noch erfüllen musste, war das Geschlechtsregister wert, es zu erhalten, jetzt aber ist die edle Abstammung von jemandem, der in der Welt niedrig geworden ist, nicht der Erwähnung wert.

1.3 Sie war eine Jungfrau, zur Ehe mit einem Mann verlobt, der von dem gleichen königlichen Stamm war, doch wie sie von niedriger Stellung. Sein Name war Joseph; auch er kam aus dem Haus Davids (s. Mt 1,20). Die Mutter Christi war eine Jungfrau, weil er auf wunderbare Weise geboren werden musste, doch er wurde von einer verlobten Jungfrau geboren, einer, die zur Ehe versprochen war, um den Stand der Ehe zu ehren.

1.4 Sie lebte in Nazareth, einer Stadt in Galiläa, einem entfernten Winkel des Landes, welcher keinen Ruf in der Religion oder der Gelehrsamkeit besaß, sondern an die Völker grenzte und deshalb das „Galiläa der Heiden" genannt wurde. Der Engel wurde zu ihr nach Nazareth gesandt. Keine Entfernung und kein nachteiliger Ort werden denen schaden, für die Gott Gunsterweise bereithält.

2. Die Botschaft des Engels an sie. Er überraschte sie mit diesem Gruß: „Sei gegrüßt, du Begnadigte!" **(Vers 28)**. Dies sollte in ihr wecken:

2.1 Achtung für sich selbst. Bei manchen, die wie Maria nur an ihre niedrige Stellung denken, braucht es eine solche Ermutigung.

2.2 Eine Erwartung großer Nachrichten, nicht von auswärts, sondern von oben: „Sei gegrüßt", „freue dich" – das war die gewöhnliche Grußformel.

Sie wurde geehrt: „‚Du Begnadigte!' Darin, dass Gott dich als Mutter des Messias ausgewählt hat, hat er dir ausgesprochene Ehre erwiesen."
Sie hatte die Gegenwart Gottes bei sich. „Der Herr ist mit dir." Bei nichts braucht man die Hoffnung aufgeben, nicht bei der Erfüllung irgendeines Dienstes, nicht bei der Erlangung irgendeiner Gunst, selbst wenn sie sehr groß ist, wenn wir Gott bei uns haben.
Sie hatte den Segen Gottes auf sich: „‚... du Gesegnete unter den Frauen!' Du wirst nicht nur von den Menschen so erachtet werden, sondern du wirst es sein. Du, die du in diesem Fall so begnadet bist, kannst erwarten, in anderen Dingen gesegnet zu werden." Sie erläuterte dies selbst: „‚... von nun an werden mich glückselig preisen alle Geschlechter!' (Vers 48).

3. Die Bestürzung, in die sie durch diese Worte geriet **(s. Vers 29)**. Als sie ihn sah, erschrak sie darüber; war sich – in Hinblick auf sich selbst – nichts bewusst, was entweder solche großen Dinge verdiente oder sie verhieß. Sie „dachte darüber nach, was das für ein Gruß sei". Kam er vom Himmel oder von Menschen (s. Lk 20,4)? Ihre Nachdenklichkeit aus diesem Anlass gibt jungen Menschen ihres Geschlechts eine sehr nützliche Unterweisung, dass sie, wenn sie angesprochen werden, nachdenken sollten, was für ein Gruß das ist.

4. Die Botschaft selbst, die ihr der Engel mitzuteilen hatte. Er fuhr mit seinem Auftrag fort **(s. Vers 30)**. Sie gab keine Antwort auf das, was er gesagt hatte, deshalb bekräftigte er es: „‚Fürchte dich nicht, Maria! Denn du hast Gnade bei Gott gefunden', mehr als du denkst, so wie es viele gibt, die meinen, mehr von Gott begnadigt zu sein, als sie es tatsächlich sind." Haben Sie wirklich Gnade bei Gott gefunden? Ist er für Sie? Dann interessiert es nicht, wer gegen Sie ist (s. Röm 8,31).

4.1 Obwohl sie eine Jungfrau war, würde sie die Ehre haben, eine Mutter zu sein: „Du wirst in deinem Mutterleib empfangen und einen Sohn gebären, und du sollst ihm den Namen Jesus geben" **(s. Vers 31)**.

4.2 Obwohl sie in Armut und Niedrigkeit lebte, würde sie dennoch die Ehre haben, die Mutter des Messias zu sein, ihr Sohn würde Jesus genannt werden – ein Heiland. Er würde sehr eng mit der oberen Welt verbunden sein. Er würde wahrhaft groß sein, denn er würde „Sohn des Höchsten" genannt werden. Er würde zu Recht, nicht zu Unrecht „Sohn des Höchsten" genannt werden. Diejenigen, die Kinder Gottes sind, sind wahrhaft groß und sollten deshalb darum besorgt sein, sehr gut zu sein (s. 1.Joh 3,1-2). Er würde in dieser niederen Welt sehr weit vorankommen, denn obwohl er in der Gestalt eines Knechtes erscheinen würde, würde Gott der Herr ihm den Thron seines Vaters David geben **(s. Vers 32)**. Sein Volk würde ihm diesen Thron nicht geben; Gott der Herr würde ihm das Recht geben, über sie zu regieren, und ihn „auf Zion, [s]einem heiligen Berg" (Ps 2,6) als seinen König einsetzen. Der Engel sicherte ihr zu:

Dass sein Reich geistlich sein würde; er würde „über das Haus Jakobs" regieren, nicht das Israel nach dem Fleisch, sondern das „nach der Verheißung" (Gal 3,29).

Dass es ewig sein würde: Er würde „in Ewigkeit" regieren, „und sein Reich wird kein Ende haben". Andere Kronen bleiben nicht von Geschlecht zu Geschlecht, doch die Krone Christi tut es (s. Spr 27,24).

5. Die weiteren Informationen, die ihr auf ihre Frage hin gegeben wurden.

5.1 Es war eine berechtigte Frage, die sie stellte: „Wie kann das sein …?" **(Vers 34)**. Sie wusste, dass der Messias von einer Jungfrau geboren werden musste, und wenn sie seine Mutter sein muss, wollte sie wissen wie. Dies war nicht die Sprache des Misstrauens, sondern dass sie weiter gelehrt werden wollte.

5.2 Darauf wurde eine zufriedenstellende Antwort gegeben **(s. Vers 35)**.

Sie würde durch die Kraft des Heiligen Geistes empfangen. Eine göttliche Kraft würde das übernehmen, die Kraft des Heiligen Geistes selbst.

Sie soll keine Fragen darüber stellen, wie es vollbracht werden würde, denn der Heilige Geist würde sie als „die Kraft des Höchsten" überschatten. Die Bildung jedes Babys im Mutterleib und der Eintritt eines lebendigen Geistes in diesem sind ein Geheimnis der Natur. Wir wurden „im Verborgenen gemacht" (Ps 139,15), wie viel mehr war die Bildung des Kindes Jesu ein Geheimnis.

Das Kind, das sie empfangen würde, würde etwas Heiliges sein und darf deshalb nicht durch gewöhnliche Zeugung empfangen werden. Er spricht von ihm ausdrücklich als „das Heilige" – einen solchen, wie es ihn zuvor noch nie gegeben hat – und er würde „Sohn des Höchsten" genannt werden. Seine menschliche Natur muss auf eine Weise geschaffen werden, wie es sich für eine menschliche Natur ziemt, die mit einer göttlichen Natur vereint werden sollte.

5.3 Es war für ihren Glauben eine weitere Ermutigung, dass ihr gesagt wurde, dass Elisabeth, ihre Verwandte, obwohl sie fortgeschritten an Jahren war, „auch einen Sohn empfangen" hatte. „Nun beginnt ein Zeitalter der Wunder. Sie ‚ist jetzt im sechsten Monat, sie, die vorher unfruchtbar genannt wurde.'" Der Engel bestärkte Maria bezüglich dieser Tatsache, um ihren Glauben zu ermutigen und schloss dann mit dieser großen Wahrheit, die absolut sicher und allgemein nützlich ist: „Denn bei Gott ist kein Ding unmöglich" **(Vers 37)**, und wenn nichts, dann nicht einmal dies. Für uns darf kein Wort von Gott nicht zu glauben sein, solange kein Werk Gottes für ihn unmöglich ist.

6. Ihre Annahme des Willens Gottes für sie **(s. Vers 38)**. Sie erklärte, dass sie:

6.1 Sich glaubend der göttlichen Autorität unterwirft: „‚Siehe, ich bin die Magd des Herrn.' Herr, ich stehe in deinem Dienst." Sie überließ Gott das Ergebnis und unterwarf sich völlig seinem Willen.

6.2 Eine gläubige Hoffnung auf die Gunst Gottes hat. Sie war nicht nur damit zufrieden, sie so zu haben, sondern wünschte demütig, dass es so sein möge: „… mir geschehe nach deinem Wort!" Wir müssen, wie Maria hier, unsere Wünsche durch das Wort Gottes leiten lassen und hierauf unsere Hoffnungen gründen. „… mir geschehe nach deinem Wort"; genau so und nicht anders.

7. Das Scheiden des Engels von ihr **(s. Vers 38)**. Nachdem er den Auftrag erfüllt hatte, zu dem er gesandt worden war, kehrte er zurück.

Vers 39-56

Hier haben wir ein Treffen zwischen zwei fröhlichen Müttern, Elisabeth und Maria. Manchmal tun wir einen größeren Dienst, als wir meinen, wenn wir gute Menschen zusammenbringen, um Erfahrungen auszutauschen. Hier ist:

1. Der Besuch, den Maria bei Elisabeth machte. Sie „machte sich auf" **(Vers 39)** und ging, um nach dieser größeren Sache zu sehen; „in jenen Tagen und zu jener Zeit", wie es gewöhnlich erklärt wird (Jer 33,15; 50,4), ein oder zwei Tage später. Sie ging mit Umsicht und Sorgfalt und „reiste rasch". Sie ging „in das Bergland, in eine Stadt in Juda"; sie ging rasch dorthin, obwohl es eine Reise von vielen Meilen war. Es wird allgemein angenommen, dass sie dorthin ging, um ihren Glauben zu stärken, indem sie das Zeichen sieht, von dem ihr der Engel gesagt hatte – die Schwangerschaft ihrer liebsten Verwandten und um sich mit ihr zu freuen. Neben diesen Gründen ist sie vielleicht auch dorthin gegangen, um sich aus der Gesellschaft zurückzuziehen oder um eine angenehmere Gesellschaft zu haben, als sie sie in Nazareth haben konnte. Sie hat wahrscheinlich keinem ihrer Nachbarn in Nazareth etwas über die Botschaft gesagt, die sie vom Himmel empfangen hatte, sehnte sich aber danach, darüber zu sprechen – sie hatte tausend Mal darüber nachgedacht – und kannte niemanden in der Welt, mit dem sie frei darüber reden konnte, außer Elisabeth. Für diejenigen, bei denen in ihrer Seele ein gutes Werk der Gnade begonnen wurde, ist es sehr gut und ermutigend, mit denen zu sprechen, die in einer ähnlichen Lage sind. Sie werden sehen, dass das Herz eines Menschen, eines Christen, das eines anderen widerspiegelt, so wie Sie ein Spiegelbild sehen, wenn Sie ins Wasser blicken.

2. Das Treffen zwischen Maria und Elisabeth. Maria kam in das Haus von Zacharias, „und begrüßte Elisabeth" **(Vers 40)** und sagte ihr, dass sie gekommen war, um sie zu besuchen und sich mit ihr in ihrer Freude zu freuen.

2.1 Das Kind hüpfte in Elisabeths Leib **(s. Vers 41)**. Sie hatte wahrscheinlich seit mehreren Wochen gefühlt, wie sich das Kind bewegt, doch diese Bewegung des Kindes war mehr als gewöhnlich, was ihr sagte, dass sie etwas Außergewöhnliches erwarten soll. Das Kind hüpfte sozusagen, um seiner Mutter ein Zeichen zu geben, dass der Eine, der nach ihm kommen sollte, nun bald geboren werden würde.

2.2 Elisabeth wurde selbst „mit Heiligem Geist erfüllt", oder einem Geist der Prophetie, durch den ihr gegeben wurde zu verstehen, dass der Messias nahe war. Die ungewöhnliche Bewegung des Kindes in ihrem Leib war ein Zeichen für die außerordentliche Ergriffenheit ihres Geistes unter einer göttlichen Eingebung.

3. Der Empfang, den Elisabeth durch den Geist der Prophetie Maria bereitete, der Mutter unseres Herrn.

3.1 Sie gratulierte ihr zu ihrer Ehre. Sie „rief mit lauter Stimme". Sie sagte: „Gesegnet bist du unter den Frauen", der gleiche Gruß, den ihr der Engel entboten hatte (s. Lk 1,28). Elisabeth fügte jedoch einen Grund hinzu: „Gesegnet bist du", denn „gesegnet ist die Frucht deines Leibes!" Elisabeth war die Frau eines Priesters und war fortgeschritten in Jahren, doch sie missgönnte ihrer Verwandten, die viele Jahre jünger war als sie, nicht die Ehre, dass sie in ihrer Jungfräulichkeit empfing und die Mutter des Messias war, während die Ehre, die Elisabeth erwiesen wurde, viel geringer war. Nein; sie freute sich darüber. Solange wir anerkennen müssen, dass wir von Gott mehr begünstigt werden als wir es verdienen, wollen wir in keiner Weise auf andere neidisch werden, wenn sie mehr begünstigt werden als wir.

3.2 Sie anerkannte, dass sich Maria herabließ und sie besuchte: „Und woher wird mir das zuteil, dass die Mutter meines Herrn zu mir kommt?" **(Vers 43)**. Sie nannte die Jungfrau Maria die Mutter ihres Herrn. Sie empfing sie nicht nur in ihrem Haus, sondern betrachtete diesen Besuch auch als große Gunst, eine, für die sie unwürdig war. „Und woher wird mir das zuteil …?" Diejenigen, die mit dem Heiligen Geist erfüllt sind, haben eine niedrige Meinung von ihren eigenen Vorzügen und eine hohe Meinung von Gottes Gunsterweisen.

3.3 Sie sagte ihr, dass das Kind in ihrem Leib an diesem Empfang von ihr mitgewirkt habe: „Denn siehe, sowie der Klang deines Grußes in mein Ohr drang", hüpfte nicht nur ihr Herz vor Freude, sondern auch „das Kind … in meinem Leib" tat dies **(Vers 44)**. Es hüpfte sozusagen aus Freude, dass der Messias, dessen Bote es sein sollte, selbst so rasch nach ihm kommen würde. Der Glaube der Jungfrau würde sehr dadurch gestärkt werden, dass sie wusste, dass anderen solche Zusicherungen gegeben wurden.

3.4 Sie lobte ihren Glauben und ermutigte ihn: „Und glückselig ist, die geglaubt hat" **(Vers 45)**. Glaubende Seelen sind glückselige Seelen. Diejenigen, die das Wort Gottes glauben, sind glückselig, weil dieses Wort sie nicht enttäuschen wird, „denn es wird" ohne Zweifel „erfüllt werden, was ihr vom Herrn gesagt worden ist" (was der Herr zu ihr gesagt hat, wird vollbracht werden)! Die Treue Gottes ist die Glückseligkeit des Glaubens der Heiligen.

Diejenigen, welche selbst die Erfüllung von Gottes Verheißungen erlebt haben, sollten andere ermutigen zu hoffen, dass er auch zu ihnen so gut sein wird wie es sein Wort an sie war.

4. Das Loblied Marias aus diesem Anlass. Elisabeths Prophetie war ein Widerhall des Grußes der Jungfrau Maria und dieses Lied ist ein noch stärkerer Widerhall dieser Prophetie. Wir können vermuten, dass die Jungfrau Maria sehr müde von ihrer Reise ankam; sie vergaß das jedoch und ihr wurde neues Leben, Vitalität und Freude über die Bestätigung ihres Glaubens eingegeben, die ihr hier begegnete.

4.1 Hier gibt es Ausdrücke der Freude und des Lobes und Gott alleine ist der Gegenstand des Lobes und das Zentrum der Freude. Beachten Sie, wie Maria hier über Gott sprach:

Mit großer Ehrfurcht vor ihm, als dem Herrn: „Meine Seele erhebt den Herrn." Diejenigen, und nur diejenigen, die dazu gebracht werden, höher und ehrenwerter von Gott zu denken, schreiten in der Glückseligkeit fort. Je mehr Ehre Gott uns in irgendeiner Weise erwiesen hat, umso mehr Ehre müssen wir versuchen, ihm zu geben. Indem wir den Herrn erheben, werden wir angenommen, während unsere Seelen ihn verherrlichen, wenn alles, was in uns ist, dies tut (s. Ps 103,1). Das Werk des Lobpreises muss ein Werk der Seele sein.

Mit großer Freude in ihm als ihrem Retter: „... und mein Geist freut sich über Gott, meinen Retter." Dies scheint sich auf den Messias zu beziehen, von dem sie die Mutter sein würde. Sie nannte ihn Gott ihren Retter, weil der Engel ihr gesagt hatte, dass er der „Sohn des Höchsten" sein würde und dass sein Name Jesus wäre, ein Retter. Sie richtete ihren Blick hierauf und wandte es auf sich an: „Er ist Gott, mein Retter." Selbst die Mutter unseres Herrn musste die Vorzüge kennen, ihn als ihren Retter zu haben, und wäre ohne dies verloren gewesen.

4.2 Hier werden gute Gründe für diese Freude und dieses Lob gegeben.

In Bezug auf sie selbst. Ihr „Geist freut sich über Gott" wegen der freundlichen Dinge, die er für sie getan hat. Er „hat die Niedrigkeit seiner Magd" angesehen **(Vers 48)**. „Er hat mich trotz meiner großen Niedrigkeit, Armut und Unbekanntheit für diese Ehre ausgewählt." Überdies zeigt Gott, wenn er ihre Niedrigkeit ansieht, nicht nur ein Beispiel für seine Gunst gegenüber dem ganzen Menschengeschlecht, an das er in seinem niedrigen Zustand denkt, sondern er verschafft ihr auch eine bleibende Ehre, denn dies ist die Ehre, die Gott gibt – es ist eine unvergängliche Ehre: „... von nun an werden mich glückselig preisen alle Geschlechter!" Elisabeth hatte sie zweimal gesegnet genannt. „Doch das ist noch nicht alles", sagte Maria. „Alle Geschlechter der Heiden und auch der Juden werden mich ebenso so preisen." Ihre Seele verherrlichte den Herrn: „Denn große Dinge hat der Mächtige an mir getan" **(Vers 49)**. Es war wahrhaftig etwas Großes, dass eine Jungfrau ein Kind empfangen konnte. Es war wahrhaftig etwas Großes, dass nun endlich der Messias geboren werden sollte. Es war die Kraft des Höchsten, die sich darin zeigte. Sie fügte hinzu: „,... und heilig ist sein Name'. Er, der mächtig ist, dessen Name heilig ist, hat große Dinge an mir getan." Man kann herrliche Dinge von dem Einen erwarten, der sowohl mächtig als auch heilig ist; von dem Einen, der alles tun kann und der alles wohl macht und zum Besten tun wird.

Was andere anbetrifft. Als Mutter des Messias war die Jungfrau Maria eine Art öffentliche Persönlichkeit geworden und deshalb blickte sie über sich hinaus und um sich herum. Sie blickte vor sich und bemerkte Gottes verschiedenes Handeln an anderen Menschen **(s. Vers 50)**.

Es ist eine untrügliche Wahrheit, dass Gott für alle Gnade vorrätig hat, die Ehrfurcht vor ihm haben. Dies zeigte sich jedoch niemals so völlig wie darin, dass er seinen Sohn in die Welt sandte, um uns zu retten. „Und seine Barmherzigkeit währt ... über die, welche ihn fürchten" **(Vers 50)**; so ist es immer gewesen. Doch er hat diese Barmherzigkeit wie nie zuvor darin offenbart, dass er seinen Sohn sandte, um für diejenigen, die ihn fürchten, ewige Gerechtigkeit zu bringen und eine ewige Rettung zu bewirken, und das von Geschlecht zu Geschlecht zu tun, denn manche Vorrechte des Evangeliums werden durch Erbschaft übermittelt und sollen für immer währen. In ihm kommt Barmherzigkeit zu allen, die Gott fürchten. Diese Barmherzigkeit vergibt, heilt, nimmt an und krönt von Geschlecht zu Geschlecht, solange die Welt besteht.

Es ist oft bemerkt worden, dass Gott in seiner Vorsehung dem Stolzen gegenüber Verachtung und dem Demütigen Ehre erweist. Wie Gott, indem er mit Barmherzigkeit erwiesen hat, auch so mächtig ist **(s. Vers 48-49)**, so hatte er auch mit seiner Barmherzigkeit „über die, welche ihn fürchten ... Mächtiges mit seinem Arm" getan. Es ist im Verlauf der Vorsehung sein üblicher Weg, die Erwartungen der Menschen zu durchkreuzen. Stolze Menschen erwarten, alles auf ihrem Pfad zu überwinden, doch „er zerstreut [sie] in der Gesinnung ihres Herzens" (in ihren innersten Gedanken) und macht sie niedrig. Mächtige Menschen meinen, sie können sich durch die Macht schützen, die sie sich verschaffen, doch er demütigt sie. Auf der anderen Seite werden diejenigen, die demütig sind, wunderbar erhöht. Diese Beobachtung in Bezug auf Ehre trifft ebenso auf Reichtümer zu; viele, die so arm waren, dass sie kein Brot für sich und ihre Familien hatten, werden durch eine überraschende

Wendung der Vorsehung in ihrer Gunst mit guten Dingen gesättigt. Im Gegensatz werden diejenigen, die reich sind, auf sonderbare Weise ärmer gemacht und leer fortgeschickt. Gott gefällt es, die Erwartungen von denjenigen zu enttäuschen, die sich selbst große Dinge in der Welt versprechen und die Erwartungen jener zu übertreffen, die sich selbst nur wenig versprechen. Als ein guter Gott freut er sich daran, diejenigen zu erhöhen, die sich erniedrigen, und denen Gewissheit zuzusprechen, die ihn fürchten. Die Gnade des Evangeliums zeigt sich:

In den geistlichen Ehrungen, die es gibt. Er zerstreut die Stolzen und „stößt die Mächtigen von ihren Thronen und erhöht die Niedrigen". Dies geschah, als die stolzen Pharisäer verworfen wurden und die Zöllner und Sünder vor ihnen in das Reich der Himmel eintraten; als die Juden, die nach dem Gesetz der Gerechtigkeit strebten, es nicht erreichten, und die Heiden, die nie daran dachten, Gerechtigkeit erlangten (s. Röm 9,30-31); und als Gott weder die in sich selbst Weisen noch die Mächtigen oder die Vornehmen, sondern das erwählte, was töricht und schwach in der Welt ist sowie Dinge, die verachtet wurden, um das Evangelium zu predigen und das Christentum in die Welt zu pflanzen (s. 1.Kor 1,26-27).

In den geistlichen Reichtümern, die er gibt. Diejenigen, die sehen, dass sie Christus brauchen, werden von ihm „mit Gütern" gesättigt **(Vers 53)**, mit den besten Dingen; er gibt ihnen großzügig und „sie laben sich an den reichen Gütern" seines Hauses (Ps 36,9). Diejenigen, die mühselig und beladen sind, finden bei Christus Ruhe (s. Mt 11,28), und diejenigen, die durstig sind, werden aufgefordert zu kommen und zu trinken (s. Joh 7,37). Diejenigen, die reich sind – die wie Laodizea denken, sie brauchen nichts, die mit sich selbst erfüllt sind und meinen, dass sie in sich selbst genug sind (s. Offb 3,14-18) –, die schickt er von seiner Tür fort. Er schickt sie leer fort; sie kommen erfüllt mit sich selbst und werden von Christus leer fortgeschickt.

Es wurde immer erwartet, dass der Messias die Stärke und Herrlichkeit seines Volkes Israel sein würde und dies war er in besonderer Weise: „Er nimmt sich seines Knechtes Israel an" **(Vers 54)**. Er hatte sie bei der Hand genommen und denen geholfen, die gefallen waren und sich nicht selbst helfen konnten. Die Sendung des Messias, dem die Hilfe für arme Sünder übertragen wurde (s. Ps 89,20), war die größte Güte, die getan werden konnte, und was sie verstärkt, ist dies:

Dass es im Gedenken an Gottes Barmherzigkeit geschah. Solange dieser Segen aufgeschoben wurde, waren die Seinen oft geneigt zu fragen: „Hat Gott es vergessen, gnädig zu sein?" Jetzt aber hatte er klargemacht, dass er seine Barmherzigkeit nicht vergessen hatte, sondern an sie gedacht hatte. Er gedachte an längst vergangene Tage (s. Ps 143,5).

Dass es in Erfüllung von Gottes Verheißung geschah. Es war nicht nur eine geplante, sondern auch eine verkündigte Barmherzigkeit. Es war, „wie er es unseren Vätern verheißen hat" **(Vers 55)**, besonders Abraham, dass in seinem Samen alle Geschlechter der Erde mit den Segnungen gesegnet werden würden, die für immer währen (s. 1.Mose 12,3). Was Gott verheißen hat, das wird er erfüllen; was er zu den Eltern gesagt hat, wird bei ihren Kindern und ihren Kindeskindern erfüllt werden.

5. Marias Rückkehr nach Nazareth (s. Vers 56), nachdem sie etwa drei Monate bei Elisabeth geblieben war. Diejenigen, in deren Herzen Christus Gestalt gewinnt (s. Gal 4,19), haben mehr Freude daran, alleine zu sitzen und still zu sein, als sie es gewohnt waren.

Vers 57-66

Wir haben hier:

1. Die Geburt von Johannes dem Täufer: „Für Elisabeth aber erfüllte sich die Zeit, da sie gebären sollte" **(Vers 57)**, und dann gebar sie einen Sohn. Man muss verheißene Barmherzigkeiten erwarten, wenn sich ihre Zeit erfüllt hat, nicht vorher.

2. Die große Freude, die es unter all ihren Verwandten aus diesem Anlass gab: „Und ihre Nachbarn und Verwandten hörten" davon **(Vers 58)**. Diese Nachbarn und Verwandten zeigten dann:

2.1 Eine andächtige Achtung vor Gott. Sie erkannten, dass der Herr „seine Barmherzigkeit an ihr groß gemacht hatte". Viele Dinge wirkten zusammen, um diese Barmherzigkeit groß zu machen – dass sie lange Zeit unfruchtbar gewesen war, dass sie nun alt war, doch besonders, dass das Kind „groß ... vor dem Herrn" sein würde (Lk 1,15).

2.2 Eine freundliche Achtung vor Elisabeth. Als sie sich freute, freuten sie sich mit ihr. Wir sollten uns über das Glück unserer Nachbarn und Freunde freuen und Gott gegenüber genauso dankbar für ihre Tröstungen sein wie für unsere.

3. Die Kontroverse, die unter ihnen wegen seinem Namen entstand: „Und es geschah am achten Tag, dass sie kamen, um das Kind zu beschneiden" **(Vers 59)**. Diejenigen, die sich über die Geburt des Kindes freuten, kamen zusammen, um ihn zu beschneiden. Der größte Trost, den wir durch unsere Kinder erlangen können, ist, sie Gott zu geben. Die Taufe unserer Kinder sollte uns größere Freude bereiten als ihre Geburt. Es war nun Brauch, dass sie ihre Kinder benannten, wenn sie diese beschnitten, und es war nicht unschicklich, dass sie namenlos blieben, bis sie mit Namen Gott gegeben wurden.

3.1 Manche Leute empfahlen, dass er nach dem Namen seines Vaters benannt werden sollte, Zacharias. Sie wollten den Vater ehren, für den es unwahrscheinlich war, ein weiteres Kind zu haben.

3.2 Die Mutter widersetzte sich dem und wollte ihn Johannes nennen, weil sie erfahren hatte, dass Gott dies als seinen Namen festgesetzt hatte. „Er soll Johannes heißen" **(Vers 60)** – „gnädig" –, weil er das Evangelium Christi einführen würde, in dem Gottes Gnade leuchtender scheint als je zuvor.

3.3 Die Verwandten erhoben dagegen Einspruch: „Es ist doch niemand in deiner Verwandtschaft, der diesen Namen trägt!" **(Vers 61)**, und deshalb soll er den Namen eines Verwandten seines Vaters haben.

3.4 Sie wandten sich an den Vater, denn es war seine Aufgabe, das Kind zu benennen **(s. Vers 62)**. Sie winkten ihm, wodurch sich zeigt, dass er sowohl taub als auch stumm war. Auf jeden Fall gaben sie ihm zu verstehen, was der Streitpunkt war und dass nur er es entscheiden konnte und dann gab er ihnen Zeichen, dass man ihm ein Täfelchen gibt. Er schrieb: „Johannes ist sein Name!" **(Vers 63)**. Nicht, dass es so sein wird oder dass er möchte, dass es so ist, sondern: So ist es. Die Sache war bereits entschieden worden. Als Zacharias nicht sprechen konnte, schrieb er. Wenn bei geistlichen Dienern der Mund verschlossen ist, sodass sie nicht predigen können, so können sie immer noch Gutes tun, solange ihre Hände nicht gebunden sind und sie aufgrund dessen nicht schreiben können. Dass Zacharias den gleichen Namen wählte, den Elisabeth gewählt hatte, war für die Gesellschaft eine große Überraschung: „Und sie verwunderten sich alle" (waren erstaunt).

3.5 Er gewann dann den Gebrauch seiner Sprache zurück: „Sofort aber wurde sein Mund geöffnet" **(Vers 64)**. Die Zeit, die dafür bestimmt war, ihn verstummen zu lassen, war „bis zu dem Tag, an dem dies geschehen wird" (Lk 1,20). Diese Zeit war nun verstrichen und so wurde die Einschränkung aufgehoben und Gott öffnete seinen Mund wieder. Unglaube verschloss seinen Mund und nun öffnete ihn der Glaube wieder. Sein Mund wurde geöffnet und er sprach und lobte Gott. Wenn Gott unsere Lippen öffnet, muss unser Mund sein Lob verkündigen (s. Ps 51,17). Wir können genauso gut ohne unser Sprechen sein, wenn wir es nicht benutzen, um Gott zu loben.

3.6 Diese Dinge wurden zur großen Verwunderung von allen, die es hörten, im ganzen Land erzählt **(s. Vers 65-66)**. Uns wird hier gesagt:

Dass „alle diese Dinge besprochen" wurden; sie waren das allgemeine Gesprächsthema von jedem im Bergland von Judäa.

Dass die meisten Menschen, die von diesen Dingen hörten, darüber erschreckt waren: „Und es kam Furcht über alle ihre Nachbarn."

Dass es die Erwartungen der Leute in Bezug auf dieses Kind weckte. Sie nahmen es sich zu Herzen. Dies zeigt uns, dass wir das bewahren sollen, was wir hören und was für uns nützlich sein kann, damit wir in der Lage sind, zum Nutzen für andere Neues und Altes hervorzuholen (s. Mt 13,52) und, wenn die Dinge zur Vollendung kommen, zurückblicken und sagen können: „Es war das, was wir erwarten konnten." Sie sagten zu sich selbst und zueinander: „‚Was wird wohl aus diesem Kind werden?' Was für eine Art Kind wird das sein? Was wird die Frucht sein, wenn dies die Blüte ist?"

4. Den Satz: „Und die Hand des Herrn war mit ihm"; das heißt, er kam von Geburt an unter den besonderen Schutz des Allmächtigen als jemand, der für etwas Großes vorgesehen ist. Gott wirkt auf Wegen in Kindern in ihrer frühen Kindheit, die wir nicht erklären können. Gott hat nie eine Seele erschaffen, ohne dass er wusste, wie er sie heilig machen kann.

Vers 67-80

Hier haben wir das Lied, mit dem Zacharias Gott lobte, als sein Mund geöffnet wurde; es heißt, dass er darin weissagte **(s. Vers 67)**. Beachten Sie:

1. Wie er dazu befähigt wurde: Er „wurde mit Heiligem Geist erfüllt"; er wurde göttlich inspiriert. Gott vergab ihm nicht nur seinen Unglauben und sein Misstrauen; er erfüllte ihn auch mit dem Heiligen Geist.

2. Was das Thema seines Liedes war. Hier wurde nichts über die privaten Sorgen seiner eigenen Familie gesagt, das Abwälzen der Schande von ihr (s. Jos 5,9). In diesem Lied wurde er vollständig von dem Reich des Messias in Anspruch genommen. Die Prophetien des Alten Testaments werden oft in Lobpreis und neuen Liedern ausgedrückt (s. Ps 33,3; 40,4; 96,1 usw.), wie dieses, welches die Prophetie des Neuen Testaments beginnt: „Gepriesen sei der Herr, der Gott Israels!" Zacharias nannte, als er von dem Werk der Erlösung sprach, Gott den Gott Israels, weil die Prophetien, Verheißungen und Typen der Erlösung bis zu dieser Zeit Israel gegeben worden waren und sie ihnen als Erste angeboten und dargelegt wurden. Zacharias lobte hier Gott:

2.1 Für das Werk der Erlösung, welches von dem Messias selbst unternommen werden würde **(s. Vers 68-75)**.

Gott hatte mit dem Senden des Messias sein Volk gnädig besucht. Er besuchte sie (kam zu ihnen) als ein Freund, um ihre Lage zu beachten.

Er hatte die Erlösung für sie bewirkt. Er hat seinem Volk „Erlösung bereitet". Darum kam Christus in die Welt, um diejenigen zu erlösen, die unter die Sünde und als ein Sklave für die Sünde verkauft waren (s. Röm 7,14). Christus erlöst sie aus den Händen der Gerechtigkeit Gottes, indem er den Preis bezahlt, und er erlöst sie aus den Händen der Tyrannei Satans, indem er seine Macht ausübt.

Er hatte den Bund des Königtums erfüllt, den er mit dem berühmtesten Herrscher des Alten Testaments gemacht hatte, das ist mit David. Über seine Familie sind herrliche Dinge gesagt worden: dass ihm, die Helden, die Hilfe übertragen werden würde; Hilfe für ihn und für andere durch ihn, und dass sein Same, sein Geschlecht, für immer bleiben würde (s. Ps 89,20-21.25.30). Doch diese Familie war lange, auf gewisse Weise, verworfen worden. Hier wurde sie nun darin verherrlicht, dass gemäß der Verheißung das Horn Davids wieder erhoben werden würde: „... und hat uns aufgerichtet ein Horn des Heils in dem Haus seines Knechtes David" **(Vers 69)**, wo verheißen war und erwartet wurde, dass es entspringt. Es gibt Heil für uns in Christus, und nur in ihm, und es ist „ein Horn des Heils". Es ist ein ehrenwertes Heil, aufgerichtet über jede andere Art des Heils, von denen keine damit vergleichbar ist. Es ist ein reichliches Heil, ein Füllhorn, ein Horn der Fülle. Es ist ein mächtiges Heil, das unsere geistlichen Feinde vernichten und uns vor ihnen schützen wird.

Er hatte alle kostbaren Verheißungen erfüllt, die er durch die berühmtesten Propheten des Alten Testaments der Gemeinde gegeben hatte: „Wie er es verheißen hat durch den Mund seiner heiligen Propheten" **(Vers 70)**. Seine Lehre des Heils durch den Messias wird durch einen Verweis auf die Propheten bekräftigt. Gott tat nun dies, wovon er lange vorher gesprochen hatte. Schauen Sie:

Wie heilig die Prophetien dieses Heils waren. Die Propheten, die sie sprachen, waren die „heiligen Propheten" und es war der heilige Gott selbst, der durch sie sprach.

Wie alt sie waren: „... die von alters her waren." Weil Gott von alters her verhieß, dass der Same der Frau der Schlange den Kopf zertreten würde (s. 1.Mose 3,15), hallte diese Verheißung wider in den Namen Eva („Leben"), Kain, über dessen Geburt Eva sagte: „Ich habe einen Mann erworben mit der Hilfe des HERRN" (1.Mose 4,1); Seth („begründet"), und Noah („Trost"; 1.Mose 5,29).

Was für eine wunderbare Eintracht und Übereinstimmung wir unter ihnen bemerken. Gott sagte durch sie alle das Gleiche. Was ist nun dieses Heil, das verheißen wurde?

Es ist eine Rettung von der Bosheit „unserer Feinde". Es ist eine Errettung vor unseren Feinden, aus ihnen heraus „und aus der Hand aller, die uns hassen" **(Vers 71)**; es ist eine Errettung von der Sünde. Christus würde „sein Volk retten von ihren Sünden", sodass ihre Sünden keine Macht über sie haben würden (Mt 1,21).

Es ist eine Wiederherstellung der Gunst Gottes. Es ist, „um Barmherzigkeit zu erweisen an unseren Vätern" **(Vers 72)**. Der Erlöser würde uns in der Barmherzigkeit Gottes wiederherstellen und seinen Bund mit uns neu gründen, was durch die Verheißungen dargestellt war, die den Patriarchen gegeben wurden, und durch den „heiligen Bund", den er mit ihnen gemacht hatte, „den Eid, den er unserem Vater Abraham geschworen hat" **(Vers 73)**. Beachten Sie:

Was den Vorfahren verheißen war und uns erwiesen wird, ist Barmherzigkeit, reine Barmherzigkeit; nichts darin gibt es aufgrund dessen, was wir verdient haben. Er liebte uns, weil er das wollte.

Gott gedachte hier an seinen „heiligen Bund", den Bund mit Abraham, nämlich sein Gott zu sein und der seines Samens nach ihm (s. 1.Mose 17,7). Seine Nachfahren hatten wirklich durch ihren Ungehorsam diesen Bund verwirkt. Er *schien* es in den Katastrophen, die über sie gebracht wurden, vergessen zu haben; doch jetzt würde er daran gedenken.

Es ist eine Befähigung für und eine Ermutigung zum Dienst. Dies war der „Eid, den er unserem Vater Abraham geschworen hat", dass er ihnen Macht und Gnade geben würde, ihm auf eine Weise zu dienen, die für ihn annehmbar und für sie ermutigend ist. Das große Ziel der Gnade des Evangeliums ist nicht, uns von dem Dienst an Gott zu befreien, sondern uns dazu zu verpflichten und darin zu ermutigen. Wir sind von der eisernen Last der Sünde befreit, damit unsere Nacken unter das sanfte und leichte Joch Christi gebracht werden können (s. Mt 11,30). Genau die Fesseln, von denen er uns befreit hat, binden uns enger an ihn (s. Ps 116,16). Wir sind dann befähigt:

Gott „ohne Furcht" zu dienen. Wir werden in den Stand eines heiligen Friedens versetzt, sodass wir Gott mit einer heiligen Gewissheit und Frieden des Gemüts als solche dienen können, die von der Furcht vor dem Bösen befreit sind. Gott muss mit kindlicher Scheu gedient werden, einem ehrfurchtsvollen, gehorsamen Staunen, einer erweckenden und belebenden Furcht, nicht mit einer sklavischen Angst wie die von dem faulen Knecht, der sich seinen Herrn als hart und unzumutbar vorstellte (s. Mt 25,24).

Ihm „in Heiligkeit und Gerechtigkeit" zu dienen, was die ganze Pflicht eines Menschen gegenüber Gott und unserem Nächsten umfasst.

Ihm zu dienen, „vor ihm" zu dienen in den Pflichten der direkten Anbetung, ihm als solche zu dienen, die immer zu ihm sehen und die sehen, dass er immer zu uns sieht, auf unser inneres „Ich".

Ihm „alle Tage unseres Lebens" zu dienen. Christus liebte uns „bis ans Ende" und das Wissen darum sollte uns ermutigen, ihn bis ans Ende zu lieben (s. Joh 13,1).

2.2 Für das Werk der Vorbereitung auf dieses Heil, welches durch Johannes den Täufer getan werden sollte: „Und du, Kindlein, wirst ein Prophet des Höchsten genannt werden" **(Vers 76)**. Jesus Christus ist der Höchste. Johannes der Täufer war sein Prophet. Die Prophetie hatte lange aufgehört, doch in Johannes wurde sie wiederbelebt. Das Werk von Johannes war:

Die Menschen auf das Heil vorzubereiten: „... denn du wirst vor dem Angesicht des Herrn hergehen, um seine Wege zu bereiten." Alles, was seinen Fortschritt hemmen oder behindern könnte oder die Leute daran hindert, zu ihm zu kommen, möge fortgenommen werden (s. Jes 40,3-4).

Den Menschen eine allgemeine Vorstellung von dem Heil zu geben, denn die Botschaft, die er predigte, war: „... das Reich der Himmel ist nahe herbeigekommen!" (Mt 3,2). Sie müssen wissen, dass dieses Heil aus zwei Dingen besteht:

Der Vergebung dessen, was wir falsch gemacht haben. Es ist ein Heil, das zuteilwird „durch die Vergebung ihrer Sünden" **(Vers 77)**. Johannes der Täufer gab den Menschen zu verstehen, dass ihre Lage zwar schlimm war, aber nicht hoffnungslos, denn „um der herzlichen Barmherzigkeit unseres Gottes willen" konnte Vergebung erlangt werden. Es gab in uns nichts als unseren mitleiderregenden Zustand, um uns für Gottes großes Erbarmen zu empfehlen.

Der Weisung, in der Zukunft besser zu handeln. Das Heil des Evangeliums richtet ein klares und zuverlässiges Licht auf, durch das wir auf dem richtigen Weg gehen können. In ihm hat uns „der Aufgang aus der Höhe" besucht **(Vers 78)** und auch dies geschieht „um der herzlichen Barmherzigkeit unseres Gottes willen". Christus ist das Morgenlicht, die aufgehende Sonne (s. Mal 3,20). Das Evangelium bringt Licht mit sich; es lässt uns weder in der Finsternis der heidnischen Unwissenheit noch im Mondlicht der Typen oder Bilder des Alten Testaments umherirren, sondern bringt den Anbruch eines neuen Tages mit sich. In Johannes dem Täufer begann der Tag anzubrechen, doch er nahm rasch zu und leuchtete immer heller „bis zum vollen Tag" (Spr 4,18). Wir, die wir uns an dem Tag des Evangeliums erfreuen, haben genauso viel Grund, ihn willkommen zu heißen, wie diejenigen, die lange den Morgen erwartet haben, diesen willkommen heißen müssen.

Das Evangelium offenbart; es soll denen „scheinen, die in Finsternis ... sitzen", sie „mit der Erkenntnis der Herrlichkeit Gottes im Angesicht Jesu Christi" erleuchten (2.Kor 4,6).

Das Evangelium erweckt zum Leben. Es gibt denen Licht, die im „Todesschatten sitzen", als verurteilte Gefangene im Kerker. Es bringt ihnen die Nachricht von der Vergebung, zumindest von einer Begnadigung und der Möglichkeit der Vergebung. Wie angenehm ist dieses Licht!

Das Evangelium leitet; es richtet „unsere Füße auf den Weg des Friedens". Es zeigt uns den Weg, wie wir Frieden mit Gott machen können, „den Weg des Friedens", von dem wir als Sünder abgewichen sind und den wir selbst nicht erkannt haben noch je hätten erkennen können.

3. Im letzten Vers gibt es einen kurzen Bericht über die frühen Jahre von Johannes dem Täufer. Uns wird hier erzählt:

3.1 Von der Würde in seinem inneren Wesen (s. 2.Kor 4,16): Das Kind wuchs in dem Vermögen seines Herzens, sodass es „stark im Geist" wurde; er hatte ein starkes Urteilsvermögen und eine große Entschlossenheit. Diejenigen, die stark im Herrn sind, sind „stark im Geist".

3.2 Von seiner Niedrigkeit in seinen äußeren Umständen: „... und er war in der Wüste." Er verbrachte den größten Teil seiner Zeit dort, in innerer Einkehr und Andacht, und bekam seine Ausbildung nicht in Schulen oder zu den Füßen von Rabbis. Viele Menschen sind zu großer Nützlichkeit befähigt und sind doch sozusagen lebendig begraben, und bei vielen von diesen scheint eine längere Zeit, in der sie so begraben sind, anzuzeigen, dass sie für Gott bestimmt sein würden und deshalb für viel größere Nützlichkeit am Ende vorbereitet werden, wie es Johannes der Täufer war, der fortwährend in der Wüste war bis zum Tag seines öffentlichen Auftretens in Israel. Es ist eine Zeit festgelegt, um Israel öffentlich die Gunsterweise zu zeigen, die für dieses Volk vorbehalten sind.

KAPITEL 2

In diesem Kapitel haben wir einen Bericht von der Geburt und der frühen Kindheit unseres Herrn Jesus: 1. Den Ort und die Umstände seiner Geburt (s. Vers 1-7). 2. Die Ankündigung seiner Geburt für die Hirten in der Nachbarschaft durch einen Engel und die Ausbreitung der Nachricht durch die Hirten (s. Vers 8-20). 3. Die Beschneidung und Namensgebung von Christus (s. Vers 21) und die Darbringung von ihm im Tempel (s. Vers 22-24). 4. Die Zeugnisse von Simeon und Hanna über ihn (s. Vers 25-39). 5. Christi Wachstum und Fähigkeiten (s. Vers 40-52). 6. Sein Befolgen des Passah mit zwölf Jahren und seine Diskussion mit den Lehrern im Tempel (s. Vers 41-51).

Vers 1-7

Jetzt war die Zeit erfüllt, in der Gott seinen Sohn senden wollte (s. Gal 4,4), und es war vorhergesagt, dass er in Bethlehem geboren werden würde. Hier haben wir einen Bericht von der Zeit, dem Ort und der Weise seiner Geburt:

1. Die Zeit, als unser Herr Jesus geboren wurde.

1.1 Er wurde in der Zeit geboren, als das vierte Königreich (s. Dan 2,40) auf seinem Höhepunkt war. Christus wurde in den Tagen des Kaisers Augustus geboren, als sich das römische Imperium weiter ausgedehnt hatte als je zuvor, von Parthien im Osten bis Britannien im Westen, sodass es dann *imperium orbis terrarum* genannt wurde, „das ‚Reich des Erdkreises". Hier wird dieses Reich „der ganze Erdkreis" genannt **(Vers 1)**, da es kaum einen Teil der zivilisierten Welt gab, der nicht von ihm abhängig war.

1.2 Er wurde geboren, als Judäa eine Provinz dieses Imperiums und ihm tributpflichtig geworden war, was sich klar an der Tatsache zeigt, dass auch die Juden besteuert wurden, als das ganze römische Imperium besteuert wurde. Jerusalem war etwa sechzig Jahre davor von dem römischen General Pompejus eingenommen worden. Judäa wurde von Kyrenius (Quirinius) regiert, dem römischen Statthalter in Syrien **(s. Vers 2)**. Dies war die erste Zählung in Judäa für die Besteuerung, ein Zeichen ihrer Unterwerfung unter Rom.

1.3 Eine weitere Einzelheit zu der Zeit ist in dieser allgemeinen Erfassung aller Untertanen des Imperiums enthalten, nämlich, dass es jetzt allgemeinen Frieden (die *Pax Romana*, den römischen Frieden) im Imperium gab. Der Tempel des Janus war nun geschlossen, was er nie war, wenn irgendwelche Kriege im Gange waren, und deshalb war nun die richtige Zeit, dass der Friedefürst (s. Jes 9,5) geboren wird.

2. Der Ort, an dem unser Herr Jesus geboren wurde, der bemerkenswert ist. Er wurde in Bethlehem geboren, wie vorhergesagt wurde (s. Mi 5,1); die Schriftgelehrten (s. Mt 2,5-6) und auch die gewöhnlichen Leute (s. Joh 7,42) verstanden es auf diese Weise. Der Name des Ortes war bemerkenswert, Bethlehem heißt „das Haus des Brotes" und so war es ein angemessener Geburtsort für den Einen, der das Brot des Lebens ist, das Brot, das vom Himmel herabkam (s. Joh 6,33.35). Bethlehem, wo er geboren wurde, war die Stadt Davids, und so musste auch der Eine, welcher der Sohn Davids war (s. Mt 1,1), dort geboren werden. Auch Zion wurde „die Stadt Davids" genannt (2.Sam 5,7), aber Christus wurde dort nicht geboren. Bethlehem war die Stadt Davids, in der er unter niedrigen Umständen geboren wurde, um ein Hirte zu sein, und als sich also unser Heiland erniedrigte, wählte er diese als Geburtsort statt Zion, wo David in Macht und Wohlstand herrschte. Als die Jungfrau Maria schwanger war und kurz vor der Geburt stand, ordnete es der Allmächtige in seiner Vorsehung so, dass per Anordnung des Kaisers alle Untertanen besteuert werden sollten. Das meinte, sie sollten nach ihren Familien registriert und eingetragen werden, was die Bedeutung des hier benutzten Wortes ist. Augustus wurde bei der Anordnung dieser Zählung entweder von Stolz bewegt, dass er der Welt verkünden wollte, über wie viele Menschen er herrschte, oder durch die Politik, dass er seine Bedeutung vergrößern und seine Regentschaft noch stärker erscheinen lassen wollte; doch der Allmächtige verfolgte in seiner Vorsehung damit einen anderen Zweck. Die ganze Welt würde sich nur deshalb der Mühe unterziehen, eingetragen zu werden, damit Maria und Joseph dies tun würden. Dies brachte sie von Nazareth in Galiläa nach Bethlehem in Judäa, denn sie waren „aus dem Haus und Geschlecht Davids" **(Vers 4)**. Darin wurden verschiedene Absichten des Allmächtigen in seiner Vorsehung erfüllt.

2.1 Es brachte die Jungfrau Maria, „die schwanger war", nach Bethlehem, dass sie gemäß der Prophezeiung dort „gebären sollte". Schauen Sie, wie „der Mensch denkt und Gott lenkt" (Thomas von Kempen, Nachfolge Christi, 1,19).

2.2 Es zeigte, dass Jesus Christus ein Nachfahre Davids ist, denn was brachte nun seine Mutter nach Bethlehem, außer dass sie „aus dem Haus und Geschlecht Davids war"?

2.3 Es zeigte, dass er „unter das Gesetz getan" war (Gal 4,4), weil er ein Untertan des römischen Imperiums wurde, sobald er geboren war. Statt Könige zu haben, die ihm ihre Huldigung bringen, leistete er selbst Tribut, als er in die Welt kam.

3. Die Umstände seiner Geburt, die sehr ärmlich waren. Er war in der Tat ein Erstgeborener, doch es war eine armselige Ehre, der Erstgeborene einer solch armen Frau wie Maria zu sein, die ihm kein anderes Erbe geben konnte als den Titel „Erstgeborener".

3.1 Er wurde in gleicher Weise erniedrigt wie andere Kinder; er wurde „in Windeln" gewickelt, wie es bei anderen Kindern ist, wenn sie neugeboren sind – als ob man ihn binden könnte oder er gerade gehalten werden müsste. Der Hochbetagte (s. Dan 7,9.13.22) wurde ein Säugling, ein Kind der „liebevollen Pflege" (Klgl 2,20).

3.2 Er wurde auf manche Weisen erniedrigt, die für ihn kennzeichnend waren.

Er wurde in einem Nebengebäude der Herberge geboren. Dort wurde Christus geboren, um zu zeigen, dass er in die Welt kam, um nur eine

Weile hier zu bleiben, wie in einer Herberge. Eine Herberge empfängt alle Gäste und so tut Christus es. Er hängt das Banner der Liebe als sein Zeichen aus (s. Hld 2,4), und wer auch immer zu ihm kommt, den wird er nicht hinausstoßen (s. Joh 6,37), nur dass er, anders als bei anderen Herbergen, diejenigen willkommen heißt, die „ohne Geld und umsonst" kommen (Jes 55,1).

Er wurde in einem Stall geboren; dies bedeutet, wie manche meinen, das Wort, welches wir mit Krippe übersetzen. Weil es keinen Raum in der Herberge gab und aus Mangel an irgendeinem anderen passenden Ort – in der Tat aus Mangel an dem Erforderlichen – wurde er in die Krippe statt in eine Wiege gelegt. Dass er in einem Stall geboren und in eine Krippe gelegt wurde, zeigte:

Die Armut seiner Eltern. Wenn sie reich gewesen wären, hätte man für sie einen Raum bereitet.

Das schlechte Betragen in dieser Zeit. Wenn es unter ihnen irgendwelche gewöhnliche Menschlichkeit gegeben hätte, hätten sie nicht eine Frau in den Wehen in einem Stall gelassen.

Die Erniedrigung unseres Herrn Jesus. Durch unsere Sünde waren wir wie ausgestoßene Säuglinge geworden, hilflos und verlassen, und so war es Christus.

Vers 8-20

Die äußerst bescheidenen Umstände von Christi Erniedrigung wurden die ganze Zeit von ein paar Offenbarungen seiner Herrlichkeit begleitet, um sie auszugleichen. Als wir ihn „in Windeln" gewickelt und „in die Krippe" gelegt sehen, waren wir versucht zu sagen: „Dies kann sicherlich nicht der Sohn Gottes sein." Doch wir wollen sehen, wie seine Geburt von einem Engelschor begleitet wird, und wir werden sagen: „Das kann sicherlich niemand anderes als der Sohn Gottes sein." In Matthäus lesen wir, wie es den Weisen, die Heiden waren, durch einen Stern verkündigt wurde; hier wird uns gesagt, wie es durch einen Engel den Hirten verkündigt wird, die Juden waren. Gott wählte es, zu jedem in der Sprache zu sprechen, mit der sie am meisten vertraut waren. Beachten Sie:

1. Womit die Hirten beschäftigt waren; sie waren „auf dem Feld" und „bewachten ihre Herde in der Nacht" **(Vers 8)**. Der Engel wurde nicht zu den obersten Priestern oder Ältesten gesandt, sondern zu einer Gruppe armer Hirten. Die Patriarchen waren Hirten und das zeigte, dass Gott immer noch denen gegenüber Wohlwollen hegte, die für solch gutartige Arbeiten eingesetzt waren. Die Hirten schliefen nicht in ihren Betten, als ihnen diese Nachricht gebracht wurde, sondern waren „auf dem Feld" und wachten. Sie waren absolut wach und konnten deshalb nicht bei dem getäuscht werden, was sie sahen und hörten, wie es bei Menschen sein kann, die halb schlafend sind. Sie waren jetzt nicht mit andächtigen Taten beschäftigt, sondern mit der Arbeit ihres Berufes; sie „bewachten ihre Herde". Es fehlt uns nicht an göttlichen Besuchen, wenn wir in guter Weise damit beschäftigt sind, einem ehrenwerten Beruf nachzugehen und darin Gott treu bleiben.

2. Wie sie durch das Erscheinen eines Engels überrascht wurden: „Und siehe, ein Engel des Herrn trat zu ihnen" **(Vers 9)**, plötzlich. Dass der Engel zu ihnen trat, legt nahe, dass sie kaum an eine solche Sache dachten oder sie erwarteten. Gnädige Besuche vom Himmel werden uns gemacht, ehe wir wissen, dass unser Verlangen sie uns bringt (s. Hld 6,12). Sie sahen und hörten „die Herrlichkeit des Herrn" sie umleuchten; dies machte die Nacht so hell wie den Tag und ließ sie sich sehr fürchten, als fürchteten sie schlechte Nachrichten. Solange wir uns großer Schuld in uns selbst bewusst sind, haben wir Grund zu fürchten, dass jeder Bote vom Himmel ein Bote des Zorns ist.

3. Die Botschaft, welche der Engel für die Hirten hatte. „‚Fürchtet euch nicht!' Ihr braucht euch nicht vor euren Feinden zu fürchten, und ihr sollt nicht eure Freunde fürchten!" **(Vers 10)**. Er zeigte ihnen einen großen Grund zur Freude. „Denn siehe, ich verkündige euch große Freude' – ich evangelisiere euch große Freude. Es wird dem ganzen Volk Freude widerfahren, ‚denn euch ist heute in der Stadt Davids der Retter geboren, welcher ist Christus, der Herr.' Der Heiland ist heute geboren, und da dies eine Sache großer Freude ist, die dem ganzen Volk widerfahren soll, dürft ihr es verkündigen. Er ist an dem Ort geboren, von dem vorhergesagt wurde, dass er dort geboren werden würde, ‚in der Stadt Davids', und er ist *euch* geboren; er ist zuerst zu euch Juden gesandt, um *euch* zu segnen, und zu euch Hirten, obwohl ihr arm und bedeutungslos in der Welt seid." Dies verweist auf Jesaja 9,5: „Denn ein Kind ist uns geboren, ein Sohn ist uns gegeben." Dies ist ein Grund für echte und große Freude bei dem ganzen Volk. Der Eine, der lange erwartet wurde, ist endlich gekommen. Der Engel gab ihnen ein Zeichen, um ihren Glauben in dieser Sache zu bekräftigen: „Ihr findet ihn anhand dieses Zeichens: er liegt in einer Krippe, in die sicherlich nie zuvor ein neugeborenes Kind gelegt worden ist. Ihr findet ihn dort, in Windeln gewickelt."

4. Den Lobpreis der Engel zu Gott und den Ausdruck des Wohlgefallens gegenüber den Menschen aus diesem feierlichen Anlass **(s.**

Vers 13-14). Die Botschaft war kaum von einem Engel überbracht, als plötzlich bei diesem Engel „die Menge der himmlischen Heerscharen" war, die Gott lobten.

4.1 Gott möge die Ehre an diesem Werk haben: „Herrlichkeit sei bei Gott in der Höhe", dessen Freundlichkeit und Liebe plante, diese Gunst zu gewähren, und dessen Weisheit sie auf eine solche Weise plante, dass ein göttliches Merkmal nicht auf Kosten eines anderen verherrlicht werden würde. Andere Werke Gottes dienen zu seiner Herrlichkeit, doch die Erlösung der Welt dient zu seiner „Herrlichkeit ... in der Höhe".

4.2 Die Menschen mögen die Freude daran haben: „Friede auf Erden, und unter den Menschen Gottes Wohlgefallen!" Wenn Gott im Frieden mit uns ist, rührt daraus aller Friede her. Friede steht hier für alles Gute. Alles Gute, das wir haben oder auf das wir hoffen, gibt es aufgrund von Gottes Wohlgefallen, und wenn er dadurch ermutigt werden, muss er die Ehre dafür bekommen. Hier wurde der Friede mit großer Feierlichkeit bekannt gegeben; wer auch immer will, möge kommen und seine Wohltaten nehmen. Es ist Friede auf Erden für „Menschen seines Wohlgefallens", wie es manche lesen, für diejenigen, die Wohlgefallen an Gott, oder für diejenigen, an denen Gott Wohlgefallen hat. Dies ist ein glaubwürdiges Wort, das „aller Annahme wert" ist (1.Tim 1,15). Das Wohlgefallen Gottes an den Menschen ist „Herrlichkeit ... bei Gott in der Höhe und Friede auf Erden" **(Vers 14)**.

5. Den Besuch, den die Hirten dem neugeborenen Heiland abstatteten.

5.1 Sie diskutierten. Als die Engel ihr Loblied sangen, konnten die Hirten dem nur zuhören, doch „als die Engel von ihnen weg in den Himmel zurückgekehrt waren, da sprachen die Hirten zueinander: Lasst uns doch bis nach Bethlehem gehen" **(Vers 15)**. Es ist keine Herabsetzung des Zeugnisses der Engel noch des göttlichen Zeugnisses selbst, es durch die Beobachtung und Erfahrung zu bekräftigen. Diese Hirten sprachen nicht zweifelnd und sagten, sie wollten gehen und sehen, ob es so ist oder nicht, sondern mit Gewissheit und sagten: „Lasst uns doch bis nach Bethlehem gehen und die Sache sehen, die geschehen ist", denn was für Raum blieb, es anzuzweifeln, da der Herr es ihnen verkündet hatte?

5.2 Sie statteten den Besuch unmittelbar ab. Sie verloren keine Zeit, sondern „gingen eilends" **(Vers 16)** zu dem Ort und fanden dort „Maria und Joseph, dazu das Kind in der Krippe liegend". Die Armut und die ärmlichen Verhältnisse, in denen sie Christus den Herrn (s. Vers 11) fanden, war für ihren Glauben kein Schock, da sie selbst wussten, was es hieß, unter sehr armen und niedrigen Umständen ein Leben der gewissen Gemeinschaft mit Gott zu führen. Wir haben Grund zu der Annahme, dass die Hirten Maria und Joseph von der Vision von Engeln berichteten, die sie gesehen hatten, und von dem Lied der Engel, das sie gehört hatten, was für die jungen Eltern eine große Ermutigung war, mehr als wäre ihnen von den besten Frauen der Stadt ein Besuch abgestattet worden.

6. Die Sorge, welche die Hirten dafür trugen, diese Nachricht zu verbreiten: „Nachdem sie es aber gesehen hatten", machten sie überall die ganze Geschichte bekannt, die ihnen „über dieses Kind" sowohl von den Engeln als auch von Joseph und Maria „gesagt worden war" **(Vers 17)**, dass er der Retter war, „Christus, der Herr", und dass es in ihm „Friede auf Erden" gibt. Sie sagten dies allen und stimmten in ihrem Zeugnis darüber überein. Welchen Eindruck machte dies auf die Menschen? Nun wahrhaftig: „Und alle, die es hörten, verwunderten sich über das, was ihnen von den Hirten gesagt wurde" **(Vers 18)**. Sie verwunderten sich, doch sie erkundigten sich nie weiter über diesen Retter, sondern ließen die Sache fallen wie ein Tagesgespräch.

7. Den Gebrauch, der von den Leuten von diesen Dingen gemacht wurde, die sie glaubten.

7.1 Die Jungfrau Maria machte sie zu einer Sache persönlichen Nachsinnens. Sie sagte wenig, doch „behielt alle diese Worte und bewegte sie in ihrem Herzen" **(Vers 19)**. Wie sie es still Gott überlassen hatte, ihre Reinheit bekannt zu machen, als die in Zweifel stand, so überließ sie es hier still ihm, jetzt ihre Ehre bekannt zu machen, die verschleiert war, und es war befriedigend genug zu sehen, dass, wenn niemand von der Geburt ihres Kindes Notiz nahmen, Engel dies taten. Die Wahrheiten Christi sind es wert, behalten zu werden, und der Weg, sie zu behalten, ist, über sie nachzusinnen. Nachsinnen ist die beste Hilfe zur Erinnerung.

7.2 Die Hirten machten sie zum Gegenstand ihres mehr öffentlichen Lobes. Selbst wenn andere nicht durch diese Dinge bewegt wurden, sie selbst waren es: Sie „kehrten wieder um und priesen und lobten Gott" **(Vers 20)**. Gott würde die Danksagung annehmen, die sie ihm darboten. Sie lobten Gott für das, was sie von dem Engel gehört hatten und für das, was sie gesehen hatten, „das Kind in der Krippe", wie es ihnen gesagt worden war. Sie dankten Gott, dass sie Christus gesehen hatten. Wie später bei dem Kreuz Christi (s. 1.Kor 1,23), so war es jetzt mit seiner Krippe: Für manche war es Torheit und ein Ärgernis, doch andere sahen es, verwunderten sich und lobten „Gottes Kraft und Gottes Weisheit" (1.Kor 1,24).

Vers 21-24

Unser Herr Jesus war „geboren von einer Frau und unter das Gesetz getan" (Gal 4,4). Als Sohn einer Tochter Abrahams wurde er unter das Gesetz Moses getan. Hier haben wir zwei Ausdrucksweisen davon, wie er unter das Gesetz getan und diesem unterworfen wurde.

1. Er wurde an genau dem Tag beschnitten, den das Gesetz festlegte: „Und als acht Tage vollendet waren", beschnitten sie ihn **(Vers 21)**.

1.1. Obwohl dies eine schmerzhafte Operation war, wollte Christus sich ihr für uns unterziehen.

1.2 Obwohl dies voraussetzte, dass er ein Fremdling war (s. 1.Mose 17,14; 1.Chr 29,15), der durch diese Zeremonie in den Bund mit Gott aufgenommen wurde, unterzog er sich ihr dennoch. Obwohl dies voraussetzte, dass er ein Sünder war, unterzog er sich ihr trotzdem. In der Tat war diese Entfremdung durch die Sünde ein Grund, weshalb er sich ihr unterzog; er wollte nicht nur in der gleichen Gestalt sein wie das Fleisch, sondern „wie das Fleisch der Sünde" (Röm 8,3).

1.3 Obwohl er, indem er sich dieser Zeremonie unterwarf, sich selbst zu einem Schuldner des ganzen Gesetzes machte (Gal 5,3; KJV), unterzog er sich ihr dennoch. Christus wurde beschnitten, um:

Anzuerkennen, dass er ein Nachfahre Abrahams war.

Sich selbst als Bürge für unsere Sünden und als Garant für unsere Sicherheit zu bestätigen.

Um die Widmung des jungen Samens der Gemeinde an Gott durch die Ordnung zu rechtfertigen, das eingesetzte Siegel des Bundes war; die Beschneidung war dieses Siegel (s. Röm 4,11), und nun ist dies die Taufe. Bei seiner Beschneidung wurde ihm sein Name gegeben; er wurde Jesus oder Josua genannt, denn „ehe er im Mutterleib empfangen worden war", hatte der Engel zu Maria gesagt, dass sie ihm diesen Namen geben sollte (s. Lk 1,31), und der gleiche Name wurde danach Joseph genannt (s. Mt 1,21). Es war ein üblicher Name unter den Juden und hier wurde er „den Brüdern ähnlich" (Hebr 2,17). Es war der Name von zwei bedeutenden Vortypen von ihm im Alten Testament, Josua, dem Nachfolger von Mose, und Jeschua dem Hohepriester; der Letzte war ein Vorabbild von Christus als einem „Priester ... auf seinem Thron" (Sach 6,13). Sein Name sagte viel über sein Werk. Jesus bedeutet „ein Retter". Er ist heilbringend (s. Tit 2,11).

2. Er wurde im Tempel dargestellt. Dies wurde in der vom Gesetz festgelegten Zeit getan, als er vierzig Tage alt war, „als die Tage ihrer Reinigung ... vollendet waren" **(Vers 22)**. Nach dem Gesetz wurde nun:

2.1 Das Kind Jesus als erstgeborener Sohn dem Herrn dargestellt. Hier wird das Gesetz wiederholt: „Alle männliche Erstgeburt soll dem Herrn geheiligt heißen" **(Vers 23)**. Christus war der Erstgeborene von vielen Geschwistern und er wurde „dem Herrn geheiligt", wie es niemand sonst wurde; er wurde aber dennoch dem Herrn dargestellt, wie es andere Erstgeborene wurden, und nicht auf irgendeine besondere Weise. Und in Übereinstimmung mit dem Gesetz wurde er ausgelöst: „... doch sollst du die Erstgeburt eines Menschen unbedingt auslösen" (4.Mose 18,15). Man soll „sie auf 5 Schekel Silber schätzen, wenn sie männlich ist" (3.Mose 27,6; s. 4.Mose 18,16). Wahrscheinlich war in Fällen von Armut dem Priester erlaubt, weniger zu nehmen oder auch nichts, denn es wird hier nichts davon erwähnt.

2.2 Die Mutter brachte ihr Opfer, „wie es im Gesetz des Herrn geboten ist" **(Vers 24)**, dem Gesetz, das immer noch in Kraft war: Sie musste „ein Paar Turteltauben oder zwei junge Tauben" opfern. Wenn sie in der Lage gewesen wäre, hätte sie „ein einjähriges Lamm als Brandopfer ... und eine junge Taube oder eine Turteltaube als Sündopfer" dargebracht, doch weil sie arm war und sich nicht den Preis für ein Lamm leisten konnte, brachte sie „zwei junge Tauben, eine als Brandopfer und die andere als Sündopfer" (3.Mose 12,6.8). Christus wurde nicht in Sünde empfangen und geboren, wie andere es sind, sondern weil er unter dem Gesetz geboren wurde (s. Gal 4,4), unterwarf er sich diesem. So gebührte es ihm, „alle Gerechtigkeit zu erfüllen" (Mt 3,15).

Vers 25-40

Selbst wenn er sich selbst erniedrigt, wird Christus immer noch Ehre gezeigt. Simeon und Hanna gaben ihm nun durch Eingebung des Heiligen Geistes Ehre.

1. Ihm wurde ein sehr ehrenwertes Zeugnis von Simeon ausgestellt. Beachten Sie hier:

1.1 Den Bericht, der uns von Simeon gegeben wird. Er lebte in Jerusalem und war wohlbekannt für seine gerechte Frömmigkeit und Gemeinschaft mit Gott. Manche gelehrten Menschen, die mit den jüdischen Schreibern vertraut gewesen sind, stellen fest, dass es zu dieser Zeit in Jerusalem einen gewissen Simeon gab, der ein angesehener Mann und ein Sohn des Hillel war. Die Juden sagen, dass er mit einem Geist der Prophetie ausgestattet war. Ein Einwand gegen diese Vermutung ist, dass Hillel, der Vater Simeons, zu dieser Zeit noch am Leben war und dass dieser Simeon selbst viele Jahre hiernach lebte, doch was das anbetrifft, so wird von Simeon hier nicht gesagt, dass er alt ist, und wenn auch sein Ausspruch „Nun, Herr, entlässt du deinen Knecht" zeigt, dass er jetzt bereit war zu sterben, bedeutet das nicht notwendigerweise, dass er tatsächlich bald starb. Ein weiterer Einwand ist, dass der Sohn von Simeon Gamaliel war, ein Pharisäer und Feind des Christentums, doch was das anbetrifft, so ist es für einen aufrichtig Christus Liebenden nichts Neues, einen Sohn zu haben, der ein fanatischer Pharisäer ist. Der Bericht, der hier von ihm gegeben wird, ist:

Dass er gerecht und gottesfürchtig war, gerecht den Menschen gegenüber und gottesfürchtig Gott gegenüber; diese beiden Dinge müssen immer zusammengehen und jedes wird ein Freund des anderen sein, doch keines wird die Fehler des anderen ausgleichen.

Dass er auf den Trost Israels wartete, das ist, auf das Kommen des Messias. Christus ist nicht nur der Urheber des Trostes der Seinen, sondern auch dessen Kern und Grundlage. Er ließ lange Zeit auf sich warten und diejenigen, die glaubten, dass er kommen würde, warteten weiter, wünschten sich sein Kommen und hofften mit Geduld darauf – ich möchte fast sagen, mit einem gewissen Maß an Ungeduld. Auf den Trost Israels muss man warten und es ist wert, auf ihn zu warten, und er wird für diejenigen sehr willkommen sein, die auf ihn gewartet haben und weiterhin warten.

Dass der Heilige Geist auf ihm war, nicht nur als ein Geist der Heiligkeit, sondern auch als ein Geist der Prophetie; er war mit dem Heiligen Geist erfüllt.

Dass ihm eine gnädige Verheißung gegeben worden war, dass er den Messias sehen würde, bevor er stirbt. Er empfing „diese Weissagung" – denn das ist die Bedeutung –, „dass er den Tod nicht sehen werde, bevor er den Gesalbten des Herrn gesehen habe" **(Vers 26)**, den Messias. Diejenigen, und nur diejenigen, die Christus im Glauben gesehen haben, können dem Tod mutig und unerschrocken entgegentreten.

1.2 Das rechtzeitige Kommen von Simeon zum Tempel – genau zu der Zeit, als Christus dort dargestellt wurde **(s. Vers 27)**. Als Joseph und Maria das Kind brachten, kam Simeon auf Antrieb des Heiligen Geistes in den Tempel. Der gleiche Geist, der für die Unterstützung seiner Hoffnung gesorgt hatte, sorgte nun für seinen Freudentaumel. Diejenigen, die Christus sehen wollen, müssen in seinen Tempel gehen, denn dorthin wird der Herr, den sie suchen, unversehens kommen, um sie zu treffen, und dort müssen sie bereit sein, ihn zu treffen.

1.3 Die tiefe Befriedigung, mit der er diesen Anblick willkommen hieß. „Da nahm er es auf seine Arme" **(Vers 28)**, umarmte es und drückte es an sich, so dicht an sein Herz wie möglich, das so voller Freude war, wie es konnte. Er nahm es „auf seine Arme", um ihn dem Herrn darzustellen. Wenn wir mit lebendigem Glauben den Bericht über Christus annehmen, den uns das Evangelium gibt, und mit Liebe und Unterordnung das Angebot Christi annehmen, welches es uns überbringt, dann nehmen wir Christus auf unsere Arme. Simeon war verheißen worden, dass er Christus sehen würde, doch es wurde mehr getan, als verheißen war: Er hatte ihn auf seinen Armen.

1.4 Die feierliche Erklärung, die er dann abgab. Er „lobte Gott und sprach: Nun, Herr, entlässt du deinen Knecht" **(Vers 28-29)**.

Er hatte eine erfreuliche Aussicht in Bezug auf sich selbst; er hatte einen Stand der heiligen Geringschätzung des Lebens und ein Verlangen nach dem Tod erreicht: „‚Nun, Herr, entlässt du deinen Knecht … Denn meine Augen haben dein Heil gesehen', von dem mir ein Blick darauf verheißen wurde, bevor ich sterbe." Hier ist:

Eine Anerkennung, dass Gott so gut gewesen war wie sein Wort. Niemals ist jemand, der auf das Wort Gottes hoffte, mit seiner Hoffnung zuschanden geworden (s. Röm 5,5; 9,33; 10,11).

Die Danksagung dafür. Er „lobte Gott", dass er dieses Heil auf seinen Armen gesehen hatte.

Ein Bekenntnis seines Glaubens, dass dieses Kind auf seinen Armen der Heiland war – in der Tat das Heil selbst war; „dein Heil", das Heil, das Gott festgelegt hat, das Heil, „das du … bereitet hast".

Ein Abschiedsgruß an diese Welt: „Nun, Herr, entlässt du deinen Knecht." Das Auge wird nicht satt durch das Sehen (s. Pred 1,8), bis es Christus gesehen hat, und dann ist es das. Diese Welt sieht für jemanden armselig aus, der Christus in die Arme geschlossen und das Heil im Auge hat!

Ein Willkommen für den Tod: „Nun, Herr, entlässt du deinen Knecht." Simeon war verheißen worden, „dass er den Tod nicht sehen werde", bis er „den Gesalbten des Herrn gesehen habe" **(Vers 26)**, und er war bereit, das so zu interpretieren, was als Andeutung ausgedrückt war, dass er sterben würde, wenn er Christus gesehen hatte: „Herr, möge es so sein", sagte er. „Mögest du mich nun entlassen." Beachten Sie hier:

Wie ermutigend das Sterben eines guten Menschen ist; er geht als Diener Gottes von dem Ort der Mühe an den der Ruhe. Er geht in Frieden, Frieden mit Gott, Frieden mit seinem eigenen Gewissen, Frieden mit dem Tod.

Was die Grundlage dieser Ermutigung ist. „Denn meine Augen haben dein Heil gesehen." Dies zeigt eine gewisse Erwartung eines seligen Standes auf der anderen Seite des Todes durch dieses Heil, welches er nun gesehen hatte, welches nicht nur den Schrecken des Todes hinwegnimmt, sondern ihn auch zu einem Gewinn macht (s. Phil 1,21). Diejenigen, die Christus angenommen haben, können den Tod annehmen.

Er hatte eine erfreuliche Aussicht für die Welt und die Gemeinde. Dieses Heil würde sein:

Ein Segen für die Welt. Es war bereitet „vor allen Völkern" als „ein Licht zur Offenbarung für die Heiden", die jetzt in Finsternis saßen. Dies bezieht sich auf Jesaja 49,6: „... ich habe dich auch zum Licht für die Heiden gesetzt", denn Christus kam, um das Licht der Welt zu sein – nicht eine Kerze in dem jüdischen Lampenständer, sondern „die Sonne der Gerechtigkeit" (Mal 3,20).

Ein Segen für die Gemeinde: „... und zur Verherrlichung deines Volkes Israel." Er war wirklich „zur Verherrlichung" derer, welche wahre Israeliten waren, des geistlichen Israel, und wird dies für immer sein (s. Jes 60,19). Sie werden sich in ihm rühmen. Als Christus seinen Jüngern sagte, sie sollen allen Völkern das Evangelium predigen (s. Mt 28,19), machte er sich selbst zu einem Licht der Offenbarung für die Heiden, und als er hinzufügte „beginnend in Jerusalem" (Lk 24,47), machte er sich „zur Verherrlichung" seines Volkes Israel.

1.5 Die Weissagung, die er Joseph und Maria über dieses Kind gab, als er es segnete. Sie „verwunderten sich über das", was immer vollständiger und deutlicher über dies Kind gesagt wurde **(Vers 33)**. Weil das, was zu ihnen beiden gesagt wurde, sie sowohl bewegte als auch ihren Glauben stärkte, wurde ihnen mehr gesagt.

Simeon zeigte ihnen, was für einen Grund zur Freude sie hatten. Er „segnete sie" **(Vers 34)**: Er betete, dass Gott sie segnen möge, und er wollte, dass andere dies auch tun mögen. Dieses Kind war „gesetzt zum Fall und zum Auferstehen vieler in Israel", das heißt, es war bestimmt, viele zu Gott zu bekehren, die tot und begraben in Sünde waren, und es war bestimmt, vielen Trost in Gott zu bringen, die in Kummer und Verzweiflung verloren und versunken waren. Diejenigen, für die es „zum Fall" gesetzt war, können die Gleichen sein, für die es „zum Auferstehen" gesetzt war. Es war zu ihrem Fall gesetzt, um sie dann wiederauferstehen zu lassen. Er zerschlägt und er heilt (s. 5.Mose 32,39); Paulus fällt und steht wieder auf (s. Apg 9,4.8).

Er zeigte ihnen auch, was für einen Grund sie hatten, mit Zittern zu frohlocken (s. Ps 2,11). Für den Fall, dass Joseph, und besonders Maria, sich durch die außerordentlichen Offenbarungen überheben sollten, wurde ihnen „ein Pfahl fürs Fleisch gegeben" (2.Kor 12,7), und manchmal ist es das, was wir brauchen. Es stimmte, dass Christus ein Segen für Israel war, doch es gab jene in Israel, denen er „zum Fall" gesetzt war, die ihm gegenüber voreingenommen und zornig sein und an ihm Anstoß nehmen würden. Genauso wie es angenehm ist, daran zu denken, wie viele es gibt, für die Christus und sein Evangelium ein Geruch zum Leben sind, so ist es auch traurig, daran zu denken, wie viele es gibt, für die er der Geruch des Todes ist (s. 2.Kor 2,16). Er ist „zu einem Zeichen" gesetzt, über das sich manche wundern würden, dem aber von anderen, von vielen, widersprochen werden würde. Auf ihm ruhten die Blicke vieler; er war ein Zeichen. Doch er hatte auch viele Zungen gegen sich. Die Wirkung davon würde sein, dass „aus vielen Herzen die Gedanken geoffenbart werden" **(Vers 35)**. Die verborgene Frömmigkeit und die guten Standpunkte von manchen würden dadurch offenbart werden, dass sie Christus annehmen und ihn kennenlernen; die heimlichen Verderbtheiten und schlechten Standpunkte von anderen würden durch ihre Feindschaft Christus gegenüber und ihr Zorn auf ihn enthüllt werden. Die Menschen werden anhand der Gedanken ihrer Herzen beurteilt werden, ihrer Gedanken über Christus. Das Wort Gottes unterscheidet die „Gedanken und Gesinnungen des Herzens" (Hebr 4,12). Es stimmte, dass Christus ein Trost für seine Mutter sein würde, doch sie sollte nicht zu stolz darauf werden, denn auch ihr selbst „wird ein Schwert durch die Seele dringen". Jesus würde leiden.

„Du wirst aufgrund von Mitleid mit ihm leiden, wegen der Enge deiner Beziehung zu ihm und der Stärke der Zuneigung zu ihm." Als er misshandelt wurde, war das wie Zermalmung ihrer Gebeine (Ps 42,11). Als sie bei seinem Kreuz stand und ihn sterben sah, können wir uns gut vorstellen, dass ihr innerer Kummer derart war, dass wahrhaftig gesagt werden konnte, dass ihr ein Schwert durch die Seele drang; es schnitt ihr ins Herz.

2. Er wurde von einer Hanna bemerkt, einer Prophetin. Hier ist:

2.1 Der Bericht, der hier von dieser Hanna gegeben wird, wer sie war. Sie war „eine Prophetin". Vielleicht ist nicht mehr gemeint, als dass sie jemand war, der mehr Verständnis von den Schriften hatte als andere Frauen und sie es zu ihrer Aufgabe machte, die jüngeren Frauen in den Dingen Gottes zu unterweisen. Gott hat „sich selbst nicht unbezeugt gelassen" (Apg 14,17). Sie war „die Tochter Phanuels" und ihr Name bedeutet „gnädig". Sie war „aus dem Stamm Asser", der in Galiläa war. Sie war hochbetagt, eine Witwe von etwa 84 Jahren. Nachdem sie nach sieben Jahren Ehe Witwe geworden war, heiratete sie nie wieder, sondern blieb Witwe bis zu ihrem Todestag, was zum Lob von ihr erwähnt wird. Sie war eine ständige Bewohnerin des Tempels oder zumindest dort anwesend. Manche meinen, sie hatte eine Unterkunft in den Höfen des Tempels; andere meinen, dass „wich nicht vom Tempel" nicht mehr meint, als dass sie stetig zur Zeit der Gottesdienste dort war; wenn irgendein gutes Werk zu tun war, war sie bereit, sich daran zu beteiligen. Sie „diente Gott mit Fasten und Beten Tag und Nacht". Sie gab sich ganz ihrer Frömmigkeit hin, verbrachte die Zeit mit religiösen Übungen, welche andere mit Essen, Trinken und Schlafen verbringen. Darin diente sie Gott. Ihr Dienst an Gott mit diesen Dingen war das, was ihnen Wert verlieh und Vorzüglichkeit gab. Sie „diente Gott" und hatte beim „Fasten und Beten" seine Ehre im Blick. Andere Pflichten sind dann und wann angebracht, doch es ist nötig, „allezeit zu beten" (Lk 18,1). Es ist angenehm, ältere Christen zu sehen, die immer noch voller andächtiger Taten sind, zu sehen, dass sie „im Gutestun nicht müde werden" (Gal 6,9), sondern mehr und mehr Gefallen daran finden. Hanna wurde schließlich für ihre Anwesenheit im Tempel so viele Jahre überreich belohnt.

2.2 Das Zeugnis, das sie über unseren Herrn Jesus ablegte: Sie „trat zu derselben Stunde hinzu" **(Vers 38)**. Die eine, die so treu im Tempel war, konnte diese Gelegenheit nicht verpassen. Auch sie „pries den Herrn", wie es Simeon tat, und vielleicht wünschte sie sich wie er nun in Frieden zu entschlafen. Wir sollten durch das Loben und Danken von anderen dazu ermutigt werden, die Pflicht der Danksagung zu tun; warum sollten wir nicht auch wie sie preisen? Als Prophetin unterwies sie andere über ihn; sie „redete von ihm zu allen", die glaubten, dass der Messias kommen würde, und sie wartete mit Simeon „auf die Erlösung ... in Jerusalem". Es gab einige in Jerusalem, welche „auf die Erlösung warteten", doch nur wenige – denn Hanna, so scheint es, hat alle gekannt –, die ihre Erwartung auf den Messias teilten. Sie wusste, wo sie diese Menschen finden konnte, oder jene wussten, wo sie Hanna finden konnten, und sie sagte ihnen allen die gute Nachricht, dass sie den Herrn gesehen hatte (s. Joh 20,18). Diejenigen, die selbst Christus kennen, sollten tun, was sie können, um andere dazu zu bringen, ihn kennenzulernen.

2.3 Ein kurzer Bericht von der Säuglingszeit und Kindheit unseres Herrn Jesus.
Wo er sie verbrachte: Dann „kehrten sie zurück nach Galiläa" **(Vers 39)**. Lukas schreibt nichts mehr über sie, bis sie nach Galiläa zurückkehrten, doch es zeigt sich in dem Evangelium von Matthäus, dass sie von Jerusalem nach Bethlehem zurückkehrten und dort blieben, bis ihnen gesagt wurde, sie sollten nach Ägypten fliehen (s. Mt 2). Als sie von dort zurückkehrten, als Herodes gestorben war, wurde ihnen gesagt, sie sollten an ihren alten Wohnort Nazareth zurückkehren, der hier „ihre Stadt" genannt wird.
Wie er sie verbrachte **(s. Vers 40)**. Er musste „in jeder Hinsicht den Brüdern ähnlich werden" (Hebr 2,17) und so erlebte er die Säuglingszeit und die Kindheit, wie es andere Kinder taten. Wie andere Kinder wuchs er in seiner leiblichen Gestalt und wurde mit Weisheit in seinem menschlichen Verstand erfüllt. Während andere Kinder schwach in ihrer Weisheit und Entschlossenheit sind, war er „stark im Geist". Seine menschliche Seele war durch den Geist Gottes mit außerordentlicher Vitalität ausgestattet. Während andere Kinder Torheit im Herzen stecken haben (s. Spr 22,15), war er mit Weisheit erfüllt. Alles, was er sagte und tat, war weise gesagt und weise getan, über seine Jahre hinaus. Während andere Kinder zeigen, dass in ihnen die Verderbtheit der Natur steckt und das Unkraut der Sünde zusammen mit dem Weizen des Verstandes aufwächst (s. Mt 13,25-30), machte er klar, dass auf ihm nichts war außer Gottes Gnade. Er war ein viel Geliebter (s. Dan 10,11) und von Gott sehr begünstigt.

Vers 41-52
Hier haben wir den einzigen Bericht über unseren gepriesenen Heiland von seiner Säuglingszeit bis zu dem Tag seines öffentlichen Dienstes in Israel, und deshalb wollen wir das meiste daraus machen, denn es ist ein sinnloser, vergeblicher Wunsch, dass wir mehr Berichte hätten (als Gott es in seiner Weisheit wollte). Hier gibt es:

1. Wie Christus mit seinen Eltern nach Jerusalem zum Passahfest geht **(s. Vers 41-42)**. Es war ihre stetige Praxis, dort gemäß dem Gesetz teilzunehmen, obwohl es eine lange Reise war und sie arm waren. Man muss oft an öffentlichen Feiern der Anbetung teilnehmen und wir dürfen „unsere eigene Versammlung nicht verlassen" (Hebr 10,25). Sie gingen „nach dem Brauch des Festes hinauf". „Und als er zwölf Jahre alt war", ging der Junge Jesus mit ihnen herauf. Die jüdischen Lehrer sagen, dass ein Kind mit zwölf Jahren beginnen muss, von Zeit zu Zeit zu fasten, und dass ein Kind mit dreizehn Jahren beginnt, ein Sohn des Gebotes zu werden, nachdem er von seiner Säuglingszeit an aufgrund seiner Beschneidung ein Sohn des Bundes war. Die Kinder, die bei anderen Dingen fortgeschritten sind, sollten in religiösen Dingen vorangebracht werden. Wenn Kinder aufgewachsen sind, die in ihrer frühen Kindheit Gott geweiht wurden, sollten sie aufgefordert werden, zum Passah des Evangeliums zu kommen, dem Herrenmahl, damit sie sich durch ihr eigenes Handeln dem Herrn verpflichten mögen.

2. Wie Christus ohne es seinen Eltern zu sagen in Jerusalem zurückblieb, als sie gingen.
2.1 Seine Eltern kehrten nicht zurück, bis „sie die Tage vollendet hatten" **(Vers 43)**; sie waren dort alle sieben Tage des Festes gewesen, obwohl es nicht absolut nötig gewesen war, dass sie länger als die ersten beiden Tage bleiben. Es ist gut, bis zum Schluss einer Gottesdienstfeier zu bleiben, wie es sich für solche ziemt, die sagen, „es ist gut, dass wir hier sind" (Lk 9,33), und nicht davonzustürzen.
2.2 Der Knabe Jesus blieb in Jerusalem zu-

rück, nicht weil er ungern nach Hause ging oder ihm die Gesellschaft seiner Eltern zuwider war, sondern weil er dort eine Aufgabe zu erfüllen hatte und seine Eltern wissen lassen wollte, dass er einen Vater im Himmel hat, dem er folgsamer sein musste als ihnen, und dass Achtung ihm gegenüber nicht als Respektlosigkeit ihnen gegenüber gedeutet werden darf. Es ist gut, junge Menschen zu sehen, die gewillt sind, „im Haus des HERRN" zu bleiben (Ps 27,4); dann sind sie wie Christus.

2.3 Seine Eltern zogen „eine Tagereise weit", ohne den Verdacht zu hegen, dass er zurückgeblieben war, da sie „meinten, er wäre bei den Reisegefährten" **(Vers 44)**. Bei diesen Anlässen war die Menschenmenge sehr groß. Sie schlossen, dass er mit einigen ihrer Nachbarn mitgehen müsse, „und suchten ihn unter den Verwandten und unter den Bekannten". „Habt ihr unseren Sohn gesehen? Habt ihr ihn gesehen?" Sie fanden ihn nicht **(s. Vers 45)**. Es gibt unter unseren Verwandten und Freunden zu viele, bei denen wir es nicht vermeiden können, mit ihnen zu sprechen, bei denen wir aber wenig oder nichts von Christus finden. Als Joseph und Maria jene fragten, die mit ihnen auf dem Weg waren und über ihn nichts in Erfahrung bringen konnten, hofften sie, ihn an dem Ort zu treffen, wo sie diese Nacht blieben, doch auch dort konnten sie keine Nachricht von ihm finden.

2.4 Als sie ihn dort nicht fanden, wo sie diese Nacht blieben, „kehrten sie wieder nach Jerusalem zurück und suchten ihn". Diejenigen, die Christus suchen, müssen suchen, bis sie finden, denn er wird schließlich von denen gefunden werden, die ihn suchen (s. Jer 29,13). Diejenigen, die ihre Gewissheit in Christus verloren haben, müssen sich fragen, wann und wie sie diese verloren haben und müssen an den Ort zurückkehren, wo sie diese zuletzt hatten.

2.5 „... nach drei Tagen fanden sie ihn im Tempel." Sie fanden ihn dort „sitzend mitten unter den Lehrern" des Gesetzes **(Vers 46)**. Er stand nicht, wie ein Neubekehrter, um von ihnen gelehrt oder geprüft zu werden; sie gestatteten ihm, als Ebenbürtigen oder Mitglied ihrer Gemeinschaft unter ihnen zu sitzen. Dies zeigt, dass er nicht nur erfüllt war mit Weisheit (s. Lk 1,40), sondern auch eifrig war, sie zu vergrößern, und bereit, sie zu teilen. Hier ist er ein Vorbild für Kinder und junge Leute, die von Christus lernen sollten, sich an der Gesellschaft derer zu erfreuen, durch die man Gutes erlangen kann, und lieber „mitten unter den Lehrern" zu sitzen als inmitten von Spielern. Viele junge Leute in Christi Alter zur Zeit Christi hätten mit anderen Kindern im Tempel gespielt, doch er saß „mitten unter den Lehrern" im Tempel.

Er hörte ihnen zu. Wer lernen will, muss „schnell zum Hören" sein (Jak 1,19).

Er befragte sie. Ich weiß nicht, ob er dies als Lehrer tat – er hatte Vollmacht, es auf diese Weise zu tun – oder als ein Lernender – er hatte die Demut, auf diese Weise zu fragen.

Er gab ihnen Antworten, die sehr überraschend und zufriedenstellend waren **(s. Vers 47)**. Ferner war sein Verständnis in den Fragen, die er stellte, genauso sichtbar wie in den Antworten, die er gab, sodass sich all diejenigen erstaunten, die ihn hörten: Sie hatten niemanden gehört, der so jung war, in der Tat auch nicht einen ihrer größten Lehrer, der mit so viel Verstand sprach wie er. Nach Calvin gab er ihnen eine Kostprobe seiner göttlichen Weisheit und Erkenntnis. „Und sie verstanden das Wort nicht"; sie erstaunten nur.

2.6 Seine Mutter sprach alleine mit ihm darüber. Joseph und Maria waren beide verblüfft, ihn dort zu finden, und zu sehen, dass er so geachtet wurde und ihm gestattet wurde, „mitten unter den Lehrern" zu sitzen. Seine Mutter sagte ihm, wie schlecht sie das aufnahmen: „Kind, warum hast du uns das getan?" **(Vers 48)**. Sie fragte, warum er sie so erschreckt hat. „Siehe, dein Vater und ich haben dich mit Schmerzen gesucht!" Denjenigen, die meinen, dass sie Christus verloren haben, soll man erlauben, über ihren Verlust zu klagen. Doch Joseph und Maria grämten sich nicht und setzten sich verzweifelt hin, sondern trauerten und suchten. Diejenigen, die Christus mit Kummer suchen, werden ihn schließlich mit noch größerer Freude finden. Er tadelte freundlich ihre übertriebene Sorge um ihn: „Weshalb habt ihr mich gesucht?" **(Vers 49)**. Er fragte, ob sie nicht gewusst hätten, dass er in dem sein müsse, was seines Vaters ist. Manche lesen den letzten Satzteil „im Haus meines Vaters". Er meinte, von Rechts wegen müsse er:

Unter der Fürsorge und dem Schutz seines Vaters sein, und deshalb hätten sie ihre Sorge um ihn auf ihn werfen sollen (s. 1.Petr 5,7).

Bei dem Werk seines Vaters sein. Er musste in dem sein, was seines Vaters ist, und deshalb könne er nicht so rasch nach Hause gehen, wie sie wollten. Wussten sie dies nicht? Es war sein Auftrag und seine Speise und sein Trank in der Welt (s. Joh 4,34), dass er den Willen seines Vaters tut und sein Werk vollbringt, doch zu dieser Zeit verstanden seine Eltern „das Wort nicht" **(Vers 50)**.

2.7 Hier haben wir ihre Rückkehr nach Nazareth. Er drängte seine Eltern nicht, entweder mit ihm nach Jerusalem zu ziehen oder ihn dort hinziehen zu lassen, sondern zog sich sehr gern mit ihnen in die Verborgenheit in Nazareth zurück, wo er sozusagen für mehrere Jahre „lebendig begraben" war. Hier wird uns aber gesagt:

Dass er sich seinen Eltern unterordnete. Es scheint, dass er mit seinem Vater den Beruf eines Zimmermanns ausgeübt hat. Hier hat er Kindern ein Vorbild gegeben, pflichtgetreu und ihren

Eltern gehorsam „in dem Herrn" zu sein (Eph 6,1). Obwohl seine Eltern arm und unbedeutend waren, obwohl er „stark im Geist" und „erfüllt mit Weisheit" war, ordnete er sich seinen Eltern dennoch unter. Wie werden sich dann gewöhnliche Kinder rechtfertigen, wenn sie, obwohl sie töricht und schwach sind, ihren Eltern ungehorsam sind?

Dass seine Mutter, obwohl sie die Worte ihres Sohnes nicht vollkommen verstand, sie doch alle „in ihrem Herzen" behielt. Wie sehr wir auch die Worte von Menschen missachten mögen, weil sie dunkel sind, so dürfen wir doch Gottes Worte nicht missachten. Was zuerst verwirrend ist, sodass wir nicht wissen, was wir damit machen sollen, kann später offenkundig und einfach werden. Wir können zu einer anderen Zeit einen Nutzen für etwas finden, bei dem wir nicht sehen, wie wir es jetzt nutzen können.

Dass er voranschritt, Fortschritte machte und man gut von ihm dachte: „Und Jesus nahm zu an Weisheit und Alter" **(Vers 52)**. Dies bezieht sich auf seine menschliche Natur: Sein Leib nahm zu an Größe und Gewicht, er wuchs, wie es junge Leute tun, und seine Seele nahm an Weisheit und in all den Begabungen des menschlichen Geistes zu. Wie die Fähigkeiten seines menschlichen Lebens immer tüchtiger wurden, so wurden auch die Gaben, die es von seiner göttlichen Natur erhielt, immer mehr vermittelt. Er nahm auch zu an „Gnade bei Gott und den Menschen". Das Bild Gottes schien heller in ihm, als er zum Jüngling heranwuchs, als es dies tat oder konnte, solange er ein Säugling und ein Kind war.

KAPITEL 3

Von seinem zwölften Lebensjahr bis zum Beginn seines öffentlichen Dienstes in seinem dreißigsten wird nichts über unseren Herrn Jesus gesagt. In diesem Kapitel haben wir: 1. Den Beginn des Taufens von Johannes (s. Vers 1-6) mit seinen Ermutigungen und Warnungen an die Volksmenge (s. Vers 7-9) und den besonderen Unterweisungen, die er denen gab, die ihre Pflicht erfahren wollten (s. Vers 10-14). 2. Die Ankündigung, die er ihnen von dem Kommen des Messias machte (s. Vers 15-18), wobei die Erwähnung von der Gefangenschaft von Johannes hinzugefügt ist (s. Vers 19-20). 3. Wie Christus kommt, um von Johannes getauft zu werden (s. Vers 21-22), zusammen mit einem Bericht über die Herkunft Christi und einem Geschlechtsregister, das bis Adam reicht (s. Vers 23-38).

Vers 1-14

Weil die Taufe von Johannes ein neues Zeitalter einführte, war es notwendig, dass wir einen ausführlichen Bericht darüber haben. Über Johannes wurden herrliche Dinge gesagt (s. Lk 1,15.17), doch darüber hinaus haben wir nur erfahren, dass er in der Wüste blieb „bis zum Tag seines Auftretens vor Israel" (Lk 1,80). Beachten Sie:

1. Das Datum des Beginns des Taufens von Johannes; dies ist bei Lukas erwähnt, wenn auch nicht bei den anderen Evangelisten, sodass man die Wahrheit der Sache durch das genaue Festlegen der Zeit bestätigen konnte. Es wird datiert:

1.1 Mit einem Bezug auf die heidnische Regentschaft, unter die die Juden standen.
Es ist anhand der Regierung des römischen Kaisers datiert; es war im fünfzehnten Jahr von Kaiser Tiberius, dem dritten von zwölf Kaisern, einem sehr schlechten Menschen. Das jüdische Volk war unlängst nach langem Kampf zu einer Provinz des römischen Imperiums geworden, ein unbedeutender, verachtenswerter Teil davon, und stand unter der Macht dieses Tiberius.

Es wird anhand der Regierung der Vizekönige datiert, die unter dem römischen Kaiser in den verschiedenen Teilen des Heiligen Landes herrschten, was ein weiteres Zeichen ihrer Unterwerfung war, denn diese Beamten waren alle Ausländer. Von Pilatus wird hier gesagt, dass er der Statthalter oder der Präsident oder Bevollmächtigte von Judäa war. Manche andere Autoren beschreiben ihn als bösen Menschen, der keine Skrupel hatte, Lügen zu erzählen. Er herrschte schlecht und wurde zum Schluss abgesetzt und nach Rom geschickt, um sich für seine Misswirtschaft zu verantworten. Die anderen drei werden „Vierfürst" (w. *Tetrarch*) genannt. Manche meinen, diesen Beamten wurde wegen der Länder dieser Titel gegeben, über die sie Befehlsgewalt hatten, weil jedes davon der vierte Teil von dem gewesen ist, was vollständig unter der Herrschaft von Herodes dem Großen gewesen war.

1.2 Mit Verweis auf die Regierung der Juden selbst **(s. Vers 2)**. Hannas und Kajaphas waren die Hohepriester. Gott hatte festgelegt, dass es nur einen Hohepriester zur gleichen Zeit gegen sollte, doch hier waren zu dem einen oder anderen schlechten Zweck zwei.

2. Den Ursprung und die Absicht der Taufe von Johannes.

2.1 Ihr Ursprung war vom Himmel: „... da erging das Wort Gottes an Johannes" **(Vers 2)**. Es ist der gleiche Ausdruck, der bei den Propheten des Alten Testaments benutzt wird (s. Jer 1,2), denn Johannes war ein Prophet – ja, mehr als ein Prophet (s. Mt 11,9). Johannes wurde hier der „Sohn des Zacharias" genannt, um uns auf das zu verweisen, was der Engel zu seinem Vater sagte. Das Wort Gottes erging

„in der Wüste" an ihn, denn diejenigen, die Gott vorbereitet, wird er finden, wo auch immer sie sind. Genauso wie das Wort Gottes in einem Gefängnis nicht gebunden ist, geht es auch nicht in einer Wüste verloren. Johannes war der Sohn eines Priesters und begann nun sein dreißigstes Lebensjahr und so wurde er nun nach dem Brauch des Tempels zum Tempeldienst zugelassen. Gott hatte ihn jedoch zu einem ehrenwerteren Dienst berufen.

2.2 Ihr Ziel war, alle Menschen des Landes von ihren Sünden weg und heim zu Gott zu bringen **(s. Vers 3)**. Er kam zuerst „in die ganze Umgegend des Jordan", den Teil des Landes, den Israel als Erstes in Besitz nahm; dort wurde zuerst das Banner des Evangeliums entfaltet. Johannes lebte in dem einsamsten Teil des Landes, doch als das Wort Gottes an ihn erging, verließ er seine Wüste und kam in bewohntes Land. Diejenigen, denen es am meisten gefällt, an einem zurückgezogenen Ort zu sein, müssen ihn fröhlich aufgeben, wenn Gott sie an Orte ruft, an denen sie viele Menschen treffen werden. „Und er kam in die ganze Umgegend des Jordan und verkündigte" eine neue Taufe. Dieses Zeichen, oder diese Zeremonie, die Waschung mit Wasser, wurde bei den Juden oft bei der Aufnahme von Bekehrten benutzt; die Bedeutung der Taufe des Johannes war dagegen „Buße zur Vergebung der Sünden". Alle, die sich der Taufe von Johannes unterzogen:

Waren verpflichtet, von ihren Sünden Buße zu tun, betrübt wegen dem zu sein, was sie falsch getan hatten, und dies nicht mehr zu tun. Buße war das, was sie bekannten, und sie waren eifrig darin, in ihrem Bekenntnis aufrichtig zu sein; nicht mehr zu sündigen war das, was sie versprachen, und sie waren eifrig darin, das zu erfüllen, was sie versprochen hatten. Er forderte von ihnen, dass sie ihren Sinn und ihre Wege ändern, neue Herzen bekommen (s. Hes 18,31) und ein neues Leben führen.

Wurde die Vergebung ihrer Sünden zugesichert, wenn sie Buße getan hatten. Wie die von Johannes gespendete Taufe erforderte, dass sie sich nicht der Macht der Sünde unterwarfen, so wurden sie auch mit einer gnädigen Entlassung von der Schuld der Sünde versiegelt, einer Entlassung, die sie vor Gott geltend machen konnten.

3. Die Erfüllung der Schriften in dem Dienst von Johannes. Die anderen Evangelisten verweisen uns auf den gleichen Text aus Jesaja 40,3, auf den hier verwiesen wird: „Wie geschrieben steht im Buch der Aussprüche des Propheten Jesaja." Unter diesen Worten findet sich, dass „die Stimme eines Rufenden in der Wüste" ertönt und Johannes war diese Stimme. Er rief aus: „Bereitet den Weg des Herrn, macht seine Pfade eben!" Lukas geht mit seinem Zitat weiter und wendet auch die Worte Jesajas auf den Dienst von Johannes an, die denen folgen, die bei Matthäus und Markus zitiert werden **(s. Vers 5-6)**: „Jedes Tal soll ausgefüllt" werden.

3.1 Der Demütige würde mit der Gnade des Evangeliums geziert werden.

3.2 Der Stolze würde durch das Evangelium erniedrigt werden: „... und jeder Berg und Hügel [soll] erniedrigt werden."

3.3 Sünder würden zu Gott bekehrt werden (s. Ps 51,15): Die krummen Wege und die krummen Geister sollen gerade werden. Gott kann durch seine Gnade gerade machen, was die Sünde krumm gemacht hat.

3.4 Schwierigkeiten, die auf dem Weg zum Himmel hindernd und entmutigend sind, würden entfernt werden: „... und die holprigen Wege [sollen] eben werden." Das Evangelium hat den Weg zum Himmel einfach und leicht zu finden gemacht, eben und leicht, um darauf zu gehen.

3.5 Das große Heil würde vollständiger offenbart werden als je zuvor und seine Offenbarung würde sich weiter ausbreiten: „Und alles Fleisch wird das Heil Gottes sehen" **(Vers 6)**; nicht nur die Juden, sondern auch die Heiden würden es sehen. Alle würden es sehen und einige von allen Arten von Menschen würden es sehen, sich daran freuen und davon profitieren.

4. Die allgemeinen Warnungen und Ermahnungen, die er denen gab, die sich seiner Taufe unterzogen **(s. Vers 7-9)**. In Matthäus wird von ihm gesagt, dass er die gleichen Dinge vielen „von den Pharisäern und Sadduzäern" predigte, die er „zu seiner Taufe kommen sah" (Mt 3,7), hier aber heißt es, dass er es „zu der Volksmenge [sprach], die hinausging, um sich von ihm taufen zu lassen" **(Vers 7)**. Dies war der Zweck seiner Predigt für alle, die zu ihm kamen. Wie er den Großen nicht schmeichelte, so machte er den Vielen keine Komplimente, sondern gab der Volksmenge die gleichen Zurechtweisungen wegen der Sünde und Warnungen vor dem Zorn, die er den Pharisäern und Sadduzäern gab, denn wenn die Volksmenge nicht die gleichen Fehler hatte, dann hatte sie andere, die genauso schlimm waren. Beachten Sie:

4.1 Dass das schuldige und verderbte Menschengeschlecht eine Schlangenbrut geworden ist, nicht nur vergiftet, sondern auch giftig, hassenswert für Gott und einander hassend.

4.2 Diese Schlangenbrut wird deutlich gewarnt, vor „dem kommenden Zorn zu entfliehen", der sicherlich vor ihnen liegt, wenn sie so bleiben, wie sie sind. Doch wenn wir in unserer Zeit um uns her blicken, werden wir nicht nur vor diesem Zorn gewarnt, sondern auch in die Lage gebracht, ihm zu entfliehen.

4.3 Es gibt keinen Weg, um vor „dem kommenden Zorn zu entfliehen", außer durch Buße.

4.4 Diejenigen, welche ihre Buße bekennen, haben eine große Verpflichtung, wie Bußfertige zu leben: „So bringt nun Früchte, die der Buße würdig sind!" **(Vers 8)**, denn sonst können sie „dem kommenden Zorn" nicht entfliehen. Die Veränderung unseres Sinnes muss durch die Veränderung unserer Wege gezeigt werden.

4.5 Wenn wir nicht wirklich heilig sind, sowohl im Herzen als auch im Leben, wird uns unser Glaubensbekenntnis überhaupt nicht nutzen. „,Und fangt nicht an', Entschuldigungen zu suchen, um dieser großen Pflicht der Buße zu entgehen, und ,bei euch selbst zu sagen: Wir haben Abraham zum Vater!'"

4.6 Wir haben deshalb keinen Grund, uns auf unsere äußerlichen Vorrechte und unser Glaubensbekenntnis zu verlassen, denn Gott kann seine Ehre und seine Interessen wirkungsvoll ohne uns sicherstellen. Wenn wir abgeschnitten und ins Verderben gestürzt würden, könnte er sich aus dem eine Gemeinde erwecken, was am unwahrscheinlichsten ist – „dem Abraham aus diesen Steinen Kinder".

4.7 Je mehr wir unsere Buße bekennen und je größere Hilfen und Ermutigungen uns gegeben werden, Buße zu tun, umso näher und härter wird unsere Vernichtung sein, wenn wir nicht Früchte bringen, die der Buße würdig sind. Jetzt, wo das Reich Gottes nahe ist (s. Mk 1,15), ist „auch schon die Axt an die Wurzel der Bäume gelegt", die Drohungen gegen die Übeltäter und die Unbußfertigen sind schrecklicher als vorher, so wie die Ermutigungen für die Bußfertigen nun tröstlicher sind.

4.8 Unfruchtbare Bäume werden schließlich ins Feuer geworfen werden; das ist der beste Ort für sie: „Jeder Baum nun", der keine Frucht – gute Frucht – bringt, „wird abgehauen und ins Feuer geworfen!"

5. Die besonderen Unterweisungen, die er verschiedenen Arten von Menschen gab, die ihn nach ihrer Pflicht fragten: die Menge, Zöllner und Kriegsleute. Einige der Pharisäer und Sadduzäer kamen zu seiner Taufe, doch wir sehen nicht, dass sie fragen: „Was sollen wir tun?" Sie dachten, sie wüssten es. Aber die Menge, die Zöllner und die Soldaten, die wussten, dass sie falsch gehandelt hatten und merkten, wie fremd ihnen die göttliche Gebote und wie unwissend sie selber waren, waren besonders neugierig: „Was sollen wir tun?" Diejenigen, die getauft werden, müssen gelehrt werden. Diejenigen, die allgemein Buße bekennen und versprechen, müssen dies durch einen besonderen Ausdruck der Besserung zeigen. Die ihre Pflicht tun wollen, müssen ihre Pflicht kennen wollen. Diese hier fragen nicht: „... was ist aber mit *diesem*?" (Joh 21,21). Sondern: „Was sollen *wir* tun?" Sie fragen, welche der Buße würdigen Früchte sie bringen müssen. Johannes gab nun jedem nach ihrer Stellung und ihrer Position eine Antwort.

5.1 Er teilte der Menge ihre Pflicht mit, und das war, gütig zu sein: „Wer zwei Hemden hat, gebe dem, der keines hat" **(Vers 11)**, leihe es ihm zumindest, damit er sich warm halten kann. Das Evangelium fordert Barmherzigkeit, keine Opfer (s. Hos 6,6; Mt 9,13), und seine Absicht ist es, uns zu ermutigen, so viel Gutes zu tun wie wir können. Essen und Kleidung sind zwei notwendige Hilfen für das Leben; wenn jemand Essen entbehren kann, möge er es jemandem geben, der nicht die tägliche Nahrung hat. Wir sind bloß Haushalter von dem, was wir haben, und deshalb müssen wir es so gebrauchen, wie es unser Meister bestimmt.

5.2 Er teilte den Zöllnern ihre Pflicht mit, den Kassierern der Einnahmen des Kaisers: „Fordert nicht mehr, als was euch vorgeschrieben ist!" **(Vers 13)**. Sie müssen gerecht an der Regierung und den Kaufleuten handeln, nicht die Leute bedrücken, indem sie Steuern erheben. Sie müssen nicht meinen, dass, weil es ihre Verantwortung war, dafür Sorge zu tragen, dass die Menschen den Herrscher nicht betrügen, sie darum mit der Macht, die sie hatten, hart über die Menschen herfallen konnten; diejenigen, die selbst nur geringe Macht haben, neigen dazu, sie zu missbrauchen, und deshalb: „Sammelt für den Kaiser, was des Kaisers ist und bereichert euch nicht dadurch selbst, dass ihr mehr verlangt" (s. Lk 20,25). Öffentliche Einnahmen müssen dem öffentlichen Dienst dienen und dürfen nicht benutzt werden, um die Gier von Privatleuten zu befriedigen. Er sagte den Zöllnern nicht, dass sie ihre Stellung aufgeben sollen; die Arbeit selbst war rechtmäßig und nötig. Doch sie sollen darin gerecht und ehrlich sein.

5.3 Er teilte den Kriegsleuten ihre Pflicht mit **(s. Vers 14)**. Manche meinen, dass diese Kriegsleute Römer gewesen sind, und wenn dem so war, dann war ihr Fragen, ihre Pflicht mitgeteilt zu bekommen, ein frühes Beispiel von Heiden, die das Evangelium annahmen und sich ihm unterwarfen. Wenige Kriegsleute scheinen geneigt zu sein, religiösen Glauben zu haben, doch diese unterzogen sich sogar dem strengen Bekenntnis von Johannes dem Täufer und wollten von ihm ein Wort des Gebotes hören: „Und was sollen wir tun?" Als Antwort auf diese Frage sagte Johannes ihnen nicht, dass sie ihre Waffen niederlegen sollen, sondern warnte sie vor den Sünden, denen sich Kriegsleute im Allgemeinen schuldig machen. Sie dürfen den Menschen nichts Böses tun, unter denen sie stationiert sind: „,Misshandelt niemand.' Eure Aufgabe ist es, den Frieden zu erhalten, deshalb sollt ihr niemandem von euch aus Gewalt antun." Der Sinn ist: „Schüttelt niemanden durch, erschreckt die Menschen nicht, denn das Schwert des Krieges wie auch der Gerechtigkeit ist nur für die Übeltäter ein Schrecken; für diejenigen, die Gutes tun, ist es ein Schutz" (s. Röm 13,3). Sie dürfen auch „keine falsche Anklage" gegen irgendjemanden bei der Regierung erheben, damit man sie fürchtet und sie Bestechungsgeschenke bekommen. Sie dürfen ihre Kameraden nicht falsch behandeln, denn manche meinen, die Warnung, „keine falsche Anklage" zu erheben, bezieht sich besonders auf diese. „Seid nicht vorschnell darin, euch bei euren höheren Offizieren übereinander zu beklagen, um euch damit an denen zu rächen, denen ihr böse seid." Sie dürfen sich nicht der Meuterei hingeben oder mit ihren Generälen über ihre Bezahlung streiten: „... und seid zufrieden mit eurem Sold! Solange ihr das habt, womit ihr euch einverstanden erklärt habt, sollt ihr euch nicht darüber beklagen, dass es nicht mehr ist." Was die Menschen tyrannisch und gefährlich macht, ist Unzufriedenheit mit dem, was sie haben. Es ist weise, das Beste aus dem zu machen, was da ist.

Vers 15-20

Wir sehen hier:

1. Wie die Menschen die Gelegenheit des Dienstes und der Taufe von Johannes nutzten, über den Messias nachzudenken und zu denken, dass er nahe ist. Der Weg des Herrn war bereitet, denn wenn die Erwartungen der Menschen geweckt sind, wird das, was sie erwarten, doppelt annehmbar. Als sie nun bemerkten, was für eine vorzügliche Lehre Johannes predigte:

1.1 Begannen sie bald zu meinen, dass jetzt für den Messias die Zeit gekommen war, um zu erscheinen. Niemals hat der verderbte Zustand der Juden mehr eine Besserung gebraucht noch ihr bedrückter Zustand mehr Rettung nötig gehabt als nun.

1.2 War ihr nächster Gedanke, ob dies nicht der Eine sei, der kommen würde (s. Ps 118,26; Lk 7,19). Alle denkenden Menschen fragten, waren neugierig oder ergründeten „in ihren Herzen ... ob er vielleicht der Christus sei". Sein Leben war heilig und streng, sein Predigen kraftvoll und mit Vollmacht, warum sollten sie also nicht denken, dass er der Messias ist? Was die Menschen neugierig macht und sie für sich selbst nachdenken lässt, bereitet Christus den Weg.

2. Wie Johannes alle Ansprüche auf die Ehre ablehnte, der Messias zu sein, aber die Menschen in ihrer Erwartung von dem bestärkte, der wirklich der Messias war **(s. Vers 16-17)**. Das Werk des Johannes als Ausrufer oder Herold war es zu verkünden, dass das Reich Gottes nahe ist (s. Mk 1,15), und als er also bei allen Arten von Menschen jedem sagte, was sie tun mussten, sagte er ihnen eine weitere Sache, die sie alle tun mussten: Sie müssen erwarten, dass der Messias bald erscheint. Dies diente als Antwort auf ihr Fragen und ihre Diskussion über Johannes.

2.1 Er erklärte, dass das Größte, was er tun konnte, war, sie „mit Wasser" zu taufen. Er konnte sie nur zur Buße ermutigen und ihnen die Vergebung zusichern, wenn sie Buße taten.

2.2 Er übergab sie sozusagen, übertrug sie Jesus Christus, für den er gesandt war, ihm den Weg zu bereiten. Er wollte, dass sie nicht weiter diskutieren, ob Johannes der Messias war oder nicht, sondern den erwarten, der es wirklich war.

Johannes gab zu, dass der Messias größere Ehre besaß als er; der Messias war derjenige, bei dem er sich nicht für würdig hielt, „ihm seinen Schuhriemen" („die Riemen seiner Sandale") zu lösen. Johannes war ein Prophet, ja, jemand, „der mehr ist als ein Prophet" (Lk 7,26) – mehr ein Prophet als alle Propheten des Alten Testaments –, doch Christus war mehr ein Prophet als Johannes. Dies war eine große Wahrheit, die zu predigen Johannes gekommen war, doch die Art, wie er sie ausdrückte, zeigte seine Demut, und damit erwies er dem Herrn Jesus nicht nur Gerechtigkeit, sondern auch Ehre. So hoch sollten wir über Christus und so gering sollten wir über uns selbst sprechen.

Er gab zu, dass der Messias eine größere Macht als er hatte: „Er ist stärker als ich." Sie meinten, dass Johannes eine wunderbare Macht begleitete, doch was war das im Vergleich zu der Macht, mit der Jesus bekleidet kommen würde?!

Johannes konnte nicht mehr tun, als mit Wasser zu taufen, als Zeichen, dass diejenigen, die getauft wurden, sich läutern und reinigen sollen, doch Jesus konnte und würde sie „mit Heiligem Geist ... taufen". Er kann den Geist geben, um die Herzen zu reinigen und zu läutern.

Johannes konnte nur eine deutliche Botschaft überbringen; durch Wort und Zeichen konnte er nur „das Edle vom Unedlen" scheiden (Jer 15,19). Christus aber würde „die Worfschaufel in seiner Hand" haben, mit der er den Weizen und die Spreu vollkommen trennen könnte und würde. „... und er wird seine Tenne durch und durch reinigen."

Johannes konnte denen, die das Evangelium annahmen, nur Ermutigung zusprechen; Jesus Christus würde ihnen aber Ermutigung geben können. Johannes konnte ihnen nur verheißen, dass sie in Sicherheit sein würden, doch Christus würde sie *tatsächlich* in Sicherheit bringen.

Johannes konnte den Heuchlern nur drohen, den

unfruchtbaren Bäumen sagen, sie würden „abgehauen und ins Feuer geworfen" werden, Christus aber konnte diese Drohung *ausführen*. Diejenigen, die wie Spreu, die leicht und wertlos sind, „wird er mit unauslöschlichem Feuer verbrennen"!

3. Wie der Evangelist seinen Bericht über die Predigt von Johannes mit einem „und so weiter" schließt: „Auch mit vielen anderen Ermahnungen verkündigte er dem Volk die frohe Botschaft" **(Vers 18)**. Dies zeigt uns:
3.1 Johannes war ein leidenschaftlicher Prediger. Er ermahnte, warnte und ermutigte. Er prägte seinen Hörern die Dinge als jemand ein, der ernsthaft war.
3.2 Er war ein praktischer Prediger. Viel von seinem Predigen bestand aus Ermahnung, dass er sie zu ihrer Pflicht ermutigte und sie darin anleitete, nicht dass er sie mit müßigen Spekulationen unterhielt.
3.3 Er war ein volkstümlicher Prediger. Er wandte sich an das Volk, an die Laien, und passte seine Art zu sprechen ihrem Niveau an, was ihm viel Erfolg unter ihnen versprach.
3.4 Er war ein evangeliumsgemäßer Prediger; er „verkündigte ... dem Volk die frohe Botschaft". Mit all seinen Warnungen und Ermutigungen verwies er die Menschen auf Christus und erweckte und ermutigte ihre Erwartungen von ihm.
3.5 Er war ein fruchtbarer Prediger: „Und mit vielem andern mehr ... ermahnte ... und verkündigte [er]" (**s. Vers 18**; LÜ 84) – viele und unterschiedliche Dinge. Er veränderte sein Predigen, sodass diejenigen, die von der einen Wahrheit nicht erreicht, berührt und überzeugt werden würden, von einer anderen erreicht werden könnten.

4. Wie der Predigt von Johannes ein Ende gesetzt wurde. Als er auf dem Höhepunkt seiner Nützlichkeit war, wurde er von Herodes aus Hass ins Gefängnis geworfen: „Der Vierfürst Herodes aber, da er von ihm getadelt wurde" – nicht nur, weil er mit der Frau seines Bruders Philippus in Inzest lebte, sondern auch „wegen all des Bösen, was Herodes tat" **(Vers 19**; wer auf eine Weise böse ist, ist dies oft auch auf viele andere Weisen) –, konnte das nicht ertragen, und deshalb fügte er zu allem noch dieses Böse hinzu: Er warf „den Johannes ins Gefängnis". Weil er die Tadel von Johannes nicht ertragen konnte, würden andere des Nutzens durch seine Unterweisungen und seines Rats beraubt werden. Muss der, welcher „die Stimme eines Rufenden ... in der Wüste" war, zum Schweigen gebracht werden? Doch auf diese Weise muss der Glaube seiner Jünger geprüft werden; auf diese Weise muss der Unglaube von denen gestraft werden, die ihn ablehnten; und auf diese Weise muss Johannes sowohl im Leid als auch in der Predigt der Vorläufer Christi sein. Er muss jetzt Christus weichen. Nun, wo die Sonne aufgegangen war, muss natürlich der Morgenstern verschwinden.

Vers 21-38
Der Evangelist erwähnte die Inhaftierung von Johannes, bevor Christus getauft wurde, obwohl dies fast ein Jahr danach war, weil er den Bericht über den Dienst von Johannes abschließen wollte, bevor er den Bericht über den Dienst Christi beginnt. Wir haben hier:

1. Einen kurzen Bericht von Christi Taufe. Jesus kam, um von Johannes getauft zu werden, und das wurde er **(s. Vers 21-22)**.
1.1 Es heißt hier, dass, „als alles Volk sich taufen ließ ... auch Jesus getauft wurde". Christus wollte zuletzt getauft werden, unter den gewöhnlichen Leuten und nach ihnen. Er sah auch ihr Verlangen nach ihm: Er erkannte, welche Mengen darauf vorbereitet waren, ihn zu empfangen, und dann erschien er.
1.2 Hier wird angemerkt, anders als in Matthäus, dass Christus betete, als er getauft wurde: „... und auch Jesus getauft wurde und betete." Er betete, wie es andere taten, weil er auf diese Weise seine Gemeinschaft mit dem Vater aufrechterhalten wollte. Er betete für die Offenbarung der Gunst des Vaters für ihn und für das Herabkommen des Geistes. Was Christus verheißen war, muss er durch das Gebet erlangen: „Erbitte von mir, so will ich dir ... geben" (Ps 2,8).
1.3 Als er betete, „tat sich der Himmel auf". Die Sünde hatte den Himmel verschlossen, doch das Gebet Christi öffnete ihn wieder. Das Gebet ist eine Ordnung, die den Himmel öffnet: „Klopft an, so wird euch aufgetan!" (Mt 7,7).
1.4 „Und der Heilige Geist stieg in leiblicher Gestalt wie eine Taube auf ihn herab." Als er zu predigen begann, war der Geist des Herrn auf ihm (s. Lk 4,18). Diese Gegenwart des Geistes wurde hier nun durch ein leibliches Zeichen ausgedrückt, um ihn in seinem Werk zu ermutigen und Johannes den Täufer zu überzeugen, denn Johannes war vorher gesagt worden, dass ihm durch dieses Zeichen gezeigt werden würde, wer der Christus war (s. Joh 1,32-34).
1.5 „... und eine Stimme ertönte aus dem Himmel" – „von der hocherhabenen Herrlichkeit", wie es in 2.Petrus 1,17 ausgedrückt wird: „Du bist mein geliebter Sohn." Hier und in Markus ist es so ausgedrückt, dass es an ihn gesagt wird; in Matthäus wird es so ausgedrückt, dass es von ihm gesagt wird: „Dies ist mein geliebter Sohn" (Mt 3,17). Es kommt alles auf das Gleiche hinaus. Es wurde über den Messias vorhergesagt: „Ich will sein Vater sein, und er soll mein Sohn sein" (2.Sam 7,14). Es wurde auch vorhergesagt, dass er Gottes Aus-

erwählter sein würde, „an dem meine Seele Wohlgefallen hat" (Jes 42,1), und so wurde es hier verkündet: „Du bist mein geliebter Sohn; an dir habe ich Wohlgefallen!"

2. Einen langen Bericht über das Geschlechtsregister Christi, welches bei Matthäus kürzer berichtet wird. Hier ist:
2.1 Sein Alter: „Und Jesus war ungefähr 30 Jahre alt." In diesem Alter übernahmen die Priester die volle Verantwortung für ihr Amt (s. 4.Mose 4,3).
2.2 Sein Geschlechtsregister **(s. Vers 23-38)**. Matthäus konnten wir diesbezüglich einiges entnehmen, wobei es nicht weiter zurückreichte als bis auf Abraham; Lukas führt es bis auf Adam zurück. Matthäus wollte zeigen, dass Christus der Sohn Abrahams war, in dem alle Geschlechter auf der Erde gesegnet sind (s. 1.Mose 12,3), und dass er der Erbe des Thrones von David war, und deshalb begann er mit Abraham und führte das Geschlechtsregister hinunter auf Jakob, welcher der Vater von Joseph war, der darum ein männlicher Erbe des Hauses David war. Lukas jedoch, der zeigen wollte, dass Christus der Same der Frau war, welcher den Kopf der Schlange zertreten würde (s. 1.Mose 3,15), verfolgt sein Geschlechtsregister bis auf Adam zurück und beginnt mit Eli oder Heli, der nicht der Vater von Joseph, sondern von der Jungfrau Maria war. Matthäus schildert das Geschlechtsregister über Salomo, doch weil die natürliche Linie von Salomo mit Jechonja (oder Jehojachin) endete, wurde das gesetzmäßige Recht auf Schealtiel übertragen, der aus dem Haus Nathans war, eines weiteren Sohns von David, und Lukas folgt hier dieser Linie und lässt damit alle Könige Judas aus. Es ist gut für uns, dass unser Heil nicht davon abhängt, dass wir in der Lage sind, all diese Schwierigkeiten zu lösen. Es ist ferner wert zu beobachten, dass, nachdem diese jüdischen Geschlechtsregister noch dreißig bis vierzig Jahre nach diesen Auszügen aus ihnen weiter bestanden hatten, sie alle mit dem jüdischen Staat und Volk verloren gingen und vernichtet wurden, weil sie nun nicht mehr länger nötig waren. Das Geschlechtsregister schließt damit: „... des Adam, Gottes." Er war sowohl der Sohn von Adam als auch der Sohn Gottes, sodass er ein passender Mittler zwischen Gott und den Söhnen Adams sein und die Söhne Adams durch sich zu Söhnen Gottes machen konnte.

KAPITEL 4

In diesem Kapitel haben wir: 1. Christi weitere Vorbereitung für den öffentlichen Dienst, indem er in der Wüste versucht wird (s. Vers 1-13). 2. Seinen Einstieg in seinen öffentlichen Dienst in Galiläa (s. Vers 14-15), insbesondere: 2.1 In Nazareth (s. Vers 16-30). Von diesem Teil seines Dienstes hatten wir keinen Bericht in Matthäus. 2.2 In Kapernaum, wo er, nachdem er die Menschen durch sein Predigen betroffen gemacht hatte (s. Vers 31-32), aus einem Besessenen einen Dämon austrieb (s. Vers 33-37), die Schwiegermutter von Petrus vom Fieber heilte (s. Vers 38-39) und viele andere wiederherstellte, die krank und besessen waren (s. Vers 40-41), und dann ging und das Gleiche in anderen Städten in Galiläa tat (s. Vers 42-44).

Vers 1-13

Beachten Sie in diesem Bericht von der Versuchung Christi:

1. Wie er darauf vorbereitet und dafür befähigt wurde.
1.1 Er war „voll Heiligen Geistes", der „wie eine Taube" auf ihn herabgestiegen war (Lk 3,22). Diejenigen, die „voll Heiligen Geistes" sind, sind gegen die stärksten Versuchungen wohl gewappnet.
1.2 Er war gerade vom Jordanfluss zurückgekehrt, wo er getauft und durch eine Stimme vom Himmel als der geliebte Sohn Gottes anerkannt worden war. Wenn wir die am meisten gewisse Gemeinschaft mit Gott und die klarsten Offenbarungen seiner Gunst gegenüber uns gehabt hatten, können wir erwarten, dass Satan uns angreift – das reichste Schiff ist die Beute der Piraten – und dass Gott ihm gestatten wird, dies zu tun, damit die Kraft seiner Gnade offenbart und erhöht werden mag.
1.3 Er wurde von dem Geist in die Wüste geführt. Dass er in die Wüste geführt wurde, gab dem Versucher einen gewissen Vorteil, denn dort hatte er Christus alleine. Wenn wir alleine sind, sind wir in einer unglücklichen Lage! Wenn er sich auf seine eigene Kraft verlassen hätte, hätte er Satan diesen Vorteil vielleicht gegeben; wenn wir unsere eigene Schwäche kennen, dürfen wir ihm keinen solchen Vorteil geben. Doch während seines vierzigtägigen Fastens in der Wüste erlangte Christus einigen Nutzen für sich selbst. Wir können uns vorstellen, dass er ganz von echtem Nachsinnen in Anspruch genommen wurde, dass er all seine Zeit in direkter und enger Gemeinschaft mit seinem Vater verbrachte, wie es Mose auf dem Berg tat. Dies bereitete ihn für die Angriffe Satans vor und stärkte ihn für sie.
1.4 Er fastete weiter: „Und er aß nichts in jenen Tagen" **(Vers 2)**. Wie er sich durch den Rückzug in die Wüste vollkommen gleichgültig gegenüber der Welt zeigte, so zeigte er sich durch sein Fasten vollkommen gleichgültig gegenüber seinen leiblichen Bedürfnissen. Satan kann diejenigen nicht leicht in die Hand bekommen, welche nicht an der Welt und dem Fleisch kleben und demgegenüber tot sind.

2. Wie er von einer Versuchung nach der anderen angegriffen wurde und wie er bei jedem Angriff das Vorhaben des Versuchers vereitelte. Er wurde „40 Tage vom Teufel versucht" **(Vers 2)**. Als der Teufel jedoch am Ende der 40 Tage erkannte, dass Christus hungrig war, rang er sozusagen mit Christus.

2.1 Er versuchte ihn, der Fürsorge seines Vaters für ihn zu misstrauen und für sich selbst zu sorgen: „Wenn du Gottes Sohn bist, so sprich zu diesem Stein, dass er Brot werde!" **(Vers 3)**.

„Ich gebe dir den Rat, dies zu tun, denn wenn Gott wirklich dein Vater ist, hat er dich vergessen." Wenn wir anfangen zu meinen, dass wir ausschließlich nach unseren eigenen Ansichten leben können, ohne von dem Allmächtigen und seiner göttlichen Vorsehung abhängig zu sein, müssen wir dies als Versuchung Satans betrachten und es entsprechend verwerfen. Es ist Satans Gedanke zu meinen, dass wir unabhängig von Gott leben können.

„Ich fordere dich heraus, dies zu tun, wenn du kannst; wenn du es nicht tust, sage ich, dass du nicht der Sohn Gottes bist." Christus gab der Versuchung nicht nach, denn:

Er wollte nicht das tun, was ihm Satan zu tun hieß. Wir dürfen nichts tun, das so aussieht, als würden wir dem Teufel Raum geben. Wunder wurden vollbracht, um den Glauben zu bestätigen, und der Teufel hatte keinen Glauben, der bestätigt werden müsste.

Er vollbrachte Wunder, um seine Lehre zu bestätigen, und deshalb wollte er nicht beginnen, Wunder zu vollbringen, bis er zu predigen begann.

Er wollte keine Wunder für sich und seine eigene Versorgung vollbringen. Er wollte lieber Wasser in Wein verwandeln, um seinen Freunden in ihrem Glauben und auf ihrer Hochzeit zu helfen, als Steine in Brot verwandeln, um seine eigenen Bedürfnisse zu stillen.

Er wollte den Beweis dafür, dass er der Sohn Gottes ist, für später vorbehalten.

Er wollte nichts tun, das wie Misstrauen gegenüber seinem Vater aussieht. Er wollte wie die anderen Kinder Gottes ein Leben der Abhängigkeit von Gottes Vorsehung und Verheißungen führen. Er antwortete mit einer Erwiderung aus der Schrift: „Es steht geschrieben" **(Vers 4)**. Dies ist das erste Wort, dass nach seiner Einführung in sein Amt als Prophet als von Christus gesprochen berichtet wird, und es ist ein Zitat aus dem Alten Testament. Das Wort Gottes ist unser Schwert (s. Eph 6,17) und der Glaube an dieses Wort ist unser Schild. Darum sollten wir mächtig in den Schriften sein (s. Apg 18,24). Der Text der Schrift, den er benutzte, war 5.Mose 8,3 entnommen: „Der Mensch lebt nicht vom Brot allein. Ich brauche nicht die Steine in Brot zu verwandeln; die Menschen können von einem jeglichen Wort Gottes leben, von allem, was Gott für sie bestimmt, um davon zu leben." Gott hat viele Wege, um ohne die gewöhnlichen Mittel der Verpflegung für seine Leute zu sorgen, und deshalb darf man ihm zu keiner Zeit misstrauen; wenn wir auf dem Weg der Pflicht gehen, kann man sich zu jeder Zeit auf ihn verlassen. Auch die Witwe von Zarpat zeigte einen praktischen Glauben, als es ihr an Brot fehlte, sie aber aufgrund der Verheißung viele Mahlzeiten zubereiten konnte (1.Kön 17,12-16).

2.2 Er versuchte ihn, das Reich von ihm anzunehmen, welches Christus von Gott zu empfangen erwartete, und ihm dafür zu huldigen **(s. Vers 5-7)**. Dieser Evangelist stellt diese Versuchung an die zweite Stelle, obwohl Matthäus sie zuletzt nennt und obwohl es scheint, dass sie wirklich die letzte war. Beachten Sie:

Wie Satan diese Versuchung anordnete.

Er „zeigte ihm alle Reiche der Welt in einem Augenblick". Zu diesem Zweck führte er ihn „auf einen hohen Berg". Diese Schau, die der Teufel darbot, muss ein Fantasiebild gewesen sein, da sie „in einem Augenblick" gezeigt wurde, wo normalerweise, wenn ein Mensch ein ganzes Land sehen soll, dies hintereinander geschehen muss, ein Teil nach dem anderen. Auf diese Weise dachte der Teufel, dass er unseren Heiland mit einem Trugschluss täuschen könnte und ihn, indem er ihn glauben lässt, dass er ihm „alle Reiche der Welt" *zeigen* konnte, auf den Gedanken bringen würde, dass er, der Teufel, ihm all diese Reiche *geben* könnte.

Er behauptete kühn, dass ihm diese Reiche alle übergeben wären, dass er die Macht hätte, über sie und ihre Herrlichkeit zu verfügen und sie zu geben, wem er will **(s. Vers 6)**. Das Angebot wurde aber an die Bedingung geknüpft, dass Christus niederfällt und vor ihm anbetet.

Er verlangte Huldigung und Verehrung von ihm: „Wenn du nun vor mir anbetest, soll alles dir gehören!" **(Vers 7)**. Er wollte, dass Christus ihn anbetet, und er wollte auch mit Christus vereinbaren, dass er, wenn er Besitz über die Reiche der Welt erlangt hätte, darin keine Veränderungen der Religion vornehmen würde. Dann konnte er, wenn es ihm gefällt, alle Macht und Herrlichkeit der Reiche nehmen. Was den Wohlstand und die Herrlichkeit dieser Erde anbetrifft, so möge jeder es nehmen, der es möchte; Satan hat alles, was er will, wenn er nur die Herzen und die Verehrung der Menschen haben kann.

Wie unser Herr Jesus über diese Versuchung triumphierte. Er wies sie entschlossen und mit Abscheu zurück: „Weiche von mir, Satan!" **(Vers 8)**. Solch eine Versuchung sollte man nicht erörtern, sondern sofort zurückweisen, und so wurde ihr unmittelbar mit den Worten auf den Kopf geschlagen: „Denn es steht geschrieben: ‚Du sollst den Herrn, deinen Gott, anbeten'", und nicht nur das, sondern man muss „ihm allein dienen". Die Menschen müssen „von der Herrschaft des Satans zu Gott" bekehrt werden (Apg 26,18), von der Anbetung der Teufel zu der Anbetung des einzig lebendigen und wahren Gottes. Dies war das große göttliche Gesetz, welches Christus wieder unter den Menschen einsetzen und sie dazu bringen wollte, ihm zu gehorchen, dass man Gott anbeten und ihm allein dienen soll.

2.3 Er versuchte ihn zu einem anmaßenden Vertrauen in die Bewahrung seines Vaters. Beachten Sie:

Was der Teufel mit dieser Versuchung beabsichtigte: „Wenn du der Sohn Gottes bist, so stürze dich von hier hinab" **(Vers 9)**. Er wollte, dass Christus nach einem neuen Beweis sucht, dass er der Sohn Gottes ist, als wäre das, was ihm sein Vater bereits durch die Stimme vom Himmel und das Herabkommen des Geistes auf ihn gegeben hatte, nicht genug. Er wollte, dass er eine neue Weise sucht, dies der Welt zu verkündigen und bekannt zu machen. Wenn er nun von der „Zinne des Tempels" verkündigen würde, dass er der Sohn Gottes war, unter all den großen Menschen, die beim Tempelgottesdienst gegenwärtig waren, und sich dann als Beweis dafür hinabwerfen und unverletzt bleiben würde, würde er sofort von jedem als ein vom Himmel gesandter Bote empfangen werden. Oder der Sturz könnte zu seinem Tod führen und dann hätte der Teufel ihn endgültig aus dem Weg geschafft.

Wie er diese Versuchung unterstützte und verstärkte. Er meinte: „Denn es steht geschrieben" **(Vers 10)**. Christus hatte gegen den Teufel die Schrift zitiert und der Teufel meinte, er könne es ihm heimzahlen und zeigen, dass er genauso gut wie Christus die Schrift zitieren konnte. „Er wird seinen Engeln deinetwegen Befehl geben, dass sie dich behüten, und sie werden dich auf den Händen tragen" (vgl. Ps 91,11). Es stimmt, dass Gott den Schutz durch die Engel verheißen hat, um uns zu ermutigen, ihm zu vertrauen, nicht, um ihn zu versuchen: Genau in dem Maße, wie wir die Verheißung von Gottes Gegenwart bei uns haben, reicht die Verheißung des Dienstes der Engel, aber nicht mehr.

Wie er besiegt und die Versuchung vereitelt wurde. Christus zitierte 5.Mose 6,16, wo es heißt: „Du sollst den Herrn, deinen Gott, nicht versuchen!" **(Vers 12)**, indem man um ein Zeichen bittet, um die göttliche Offenbarung zu beweisen, wenn er bereits Ausreichendes gegeben hat.

3. Was das Ergebnis dieses Kampfes war **(s. Vers 13)**. Unser siegreicher Erlöser hielt stand und schnitt nicht nur für sich selbst als Sieger ab, sondern auch für uns.

3.1 Der Teufel hatte seinen Köcher geleert: Er hatte „alle Versuchung vollendet". Hat Christus gelitten, dass er versucht wurde, bis alle Versuchung vollendet war (s. Hebr 2,18)? Müssen wir nicht erwarten, auch Prüfungen durchzumachen, die Stunde der Versuchung zu erleben, die für uns bestimmt ist?

3.2 Dann verließ er das Schlachtfeld: Da „wich er von ihm". Er sah, dass es sinnlos war, ihn anzugreifen; Christus hatte keinen schwachen Punkt, keine schwache oder unbewachte Stelle in seiner Verteidigung. Wenn wir dem Teufel widerstehen, wird er von uns fliehen (s. Jak 4,7).

3.3 Er hielt nichtsdestotrotz an seinem Hass ihm gegenüber fest; er wich nur „eine Zeit lang" von ihm, bis zu der Zeit, in der er wieder auf ihn losgelassen werden sollte, nicht als Versucher, sondern als Verfolger, um Christus leiden zu lassen. Er wich nun bis zu der Zeit, die Christus „die Macht der Finsternis" nannte (Lk 22,53); dann würde der Fürst dieser Welt erneut kommen (s. Joh 14,30).

Vers 14-30

Nachdem er sich gegen die Angriffe des Teufels verteidigt hat, ging er durch sein Predigen und seine Wunder in die Offensive, griff an, sodass der Teufel weder widerstehen noch zurückschlagen konnte. Beachten Sie:

1. Was hier allgemein über sein Predigen und die Aufnahme gesagt ist, auf die es in Galiläa traf. Er ging „in der Kraft des Geistes" dorthin. Er sollte nicht auf einen menschlichen Ruf warten, denn er hatte in sich selbst Licht und Leben (s. Joh 1,4). Er lehrte dort „in ihren Synagogen", ihren Orten der öffentlichen Anbetung, wo sie sich nicht wie im Tempel für den zeremoniellen Dienst trafen, sondern für die Andacht. Diese Zusammenkünfte wurden nach dem Exil häufiger, als der zeremonielle Gottesdienst zu einem Ende kam. Er tat dies auf eine solche Weise, dass er großes Ansehen erlangte. „... und das Gerücht von ihm verbreitete sich durch die ganze umliegende Gegend" **(Vers 14)** und es war ein gutes Gerücht, weil er „von allen gepriesen" wurde **(Vers 15)**. Jetzt traf er zuerst nicht auf Geringschätzung oder Widerspruch; alle priesen ihn und es gab bis jetzt niemanden, der ihm Beleidigungen an den Kopf warf.

2. Was hier über sein Predigen in Nazareth gesagt ist, die Stadt, wo er erzogen worden war. Hier wird uns gesagt, wie er dort predigte und wie er verfolgt wurde.

2.1 Wie er dort predigte. Beachten Sie:

Die Gelegenheit, die er dafür hatte: „Und er kam nach Nazareth", als er an anderen Orten Ansehen erlangt hatte. Er ergriff die Gelegenheit, um dort zu predigen:

In der Synagoge, dem passenden Ort. Es war seine Gewohnheit, dort als Privatperson teilzunehmen **(s. Vers 16)**, doch jetzt, wo er seinen öffentlichen Dienst begonnen hatte, predigte er dort.

Am Sabbat, dem passenden Zeitpunkt, den die frommen Juden nicht mit einer bloß zeremoniellen Ruhe von der weltlichen Arbeit verbrachten, sondern mit den Pflichten der Anbetung Gottes.

Den Aufruf, den er dazu erhielt. Er „stand auf, um vorzulesen". In ihren Synagogen hatten sie sieben Leser jeden Sabbat, als Erstes einen Priester, als Zweites einen Leviten und die anderen fünf Israeliten aus dieser Synagoge. Wir sehen oft, wie Christus in anderen Synagogen predigt, doch nie, wie er liest, außer in dieser Synagoge in Nazareth, bei der er viele Jahre Mitglied gewesen war. „Und es wurde ihm die Buchrolle des Propheten Jesaja gegeben." Weil die zweite Lektion für diesen Tag aus der Prophetie Jesajas kam, gaben sie ihm diese Rolle zu lesen.

Der Text, über den er predigte. Er „stand auf, um vorzulesen". Als ihm die Buchrolle gegeben wurde:

Tat er sie auf (Schl). Die Bücher des Alten Testaments waren auf gewisse Weise verschlossen, bis Christus sie auftat (s. Jes 29,11).

Er fand die Stelle, die an diesem Tag für das Lesen bestimmt war. Sein Text stammte nun aus Jesaja 61,1-2, der hier ausführlich zitiert wird **(s. Vers 18-19)**. Die Lesung dieser Schriftstelle an diesem Tag war Vorsehung – eine Schriftstelle, die so völlig klar über den Messias spricht. Dieser Text liefert einen vollständigen Bericht über das Unterfangen Christi und von dem Werk, das zu tun er in die Welt kam. Beachten Sie:

Wie er zu dem Werk befähigt wurde: „Der Geist des Herrn ist auf mir." Alle Geschenke und Gnadenwirkungen des Geistes waren ihm verliehen, nicht in begrenzter Weise, wie bei anderen Propheten, nicht nach Maß (s. Joh 3,34).

Wie er bevollmächtigt wurde: „... weil er mich gesalbt hat" und er gesandt wurde. Dass er gesalbt wurde, zeigt sowohl, dass er für sein Unternehmen befähigt wurde, als auch, dass er dazu berufen war.

Was sein Werk war: Er wurde befähigt und bevollmächtigt:

Ein großer Prophet zu sein. Er wurde gesalbt zu verkünden; das wird hier dreimal erwähnt. Beachten Sie:

Wem er predigen sollte: „den Armen", denen, die arm in der Welt waren, den geistlich Armen (s. Mt 5,3), den Niedrigen und Demütigen und denen, die wahrhaftig wegen der Sünde bekümmert waren.

Was er predigen sollte. Im Allgemeinen muss er die „frohe Botschaft" verkünden. Er wurde gesandt, sie zu evangelisieren, nicht nur, ihnen zu verkünden, sondern auch, diese Verkündigung wirksam zu machen, es nicht nur zu ihren Ohren, sondern auch in ihre Herzen zu bringen. Er sollte drei Dinge verkünden:

„*Gefangenen Befreiung.*" Die frohe Botschaft ist eine Erklärung der Freiheit, wie die, welche Israel in Ägypten und in Babylon gegeben wurde. Es ist eine Rettung aus der schlimmsten Form der Sklaverei, bei denen alle, die bereit sind, Christus zu ihrem Haupt zu machen, sich ihres Nutzens erfreuen werden.

„*Blinden, dass sie wieder sehend werden.*" Er kam nicht nur durch das Wort seines Evangeliums, um dem Volk Licht zu bringen, „das in der Finsternis wohnte" (Mt 4,16), sondern auch, um denen durch die Macht seiner Gnade das Augenlicht zu geben, die blind waren. Christus kam, um uns zu sagen, dass er Augensalbe für unsere Augen hat (s. Offb 3,18), die wir haben können, wenn wir darum bitten, um ihm zu sagen, dass, wenn unser Gebet ist: „Herr, dass unsere Augen geöffnet werden!" (Mt 20,33), seine Antwort sein wird: „Sei sehend!" (Lk 18,42).

„*Das angenehme Jahr des Herrn*" **(Vers 19)**. Er kam, um der Welt zu sagen, dass der Gott, den sie gekränkt hatten, bereit war, mit ihnen versöhnt zu werden und sie unter neuen Bedingungen anzunehmen. Der Ausdruck spielt auf das Erlassjahr (s. 5.Mose 15,9) oder auf das Halljahr (s. 3.Mose 25,10) an, das ein angenehmes Jahr war. Es war eine angenehme Zeit, weil es ein Tag des Heils war.

Ein großer Arzt zu sein, denn er wurde gesandt „zu heilen, die zerbrochenen Herzens sind": denen Frieden zu geben, die durch die Sünde geplagt und gedemütigt sind, und denen Ruhe zu geben, die mühselig und unter der Last von Schuld und Verderbtheit waren (s. Mt 11,28).

Ein großer Erlöser zu sein. Er verkündet nicht nur den Gefangenen Befreiung, sondern setzt auch diejenigen in Freiheit, die zerschlagen sind. Die Propheten konnten Befreiung nur verkündigen, Christus aber als jemand, „der Vollmacht hat" (Mk 1,22), als jemand, der „Vollmacht hat ... Sünden zu vergeben" (Lk 5,24), der kam, um „in Freiheit zu setzen", und deshalb war es dies, was er hier von sich selbst sagte.

Seine Anwendung dieses Textes auf sich selbst: Als er ihn gelesen hatte, rollte er „die Buchrolle zusammen und gab sie dem Diener wieder und setzte sich" **(Vers 20)** nach der Gewohnheit der jüdischen Lehrer. Nun fing er seine Ansprache an mit: „Heute ist diese Schrift erfüllt vor euren Ohren!" **(Vers 21)**. Mit dem Eintritt Christi in seinen öffentlichen Dienst begann es nun, erfüllt zu werden: heute, in dem Bericht, den sie von seinem Predigen und den Wundern an anderen Orten hörten, heute, in seinem Predigen vor ihnen in ihrer eigenen Synagoge. Er sagte viele andere begnadete Worte, von denen diese nur der Beginn waren, denn Christus hielt oft lange Predigten, von denen wir nur einen kurzen Bericht haben. Dies war genug, um eine ganze Menge einzuleiten: „Heute ist diese Schrift erfüllt." Die Werke Gottes sind nicht nur die

Erfüllung seines verborgenen, sondern auch seines offenbarten Wortes, und sie werden uns helfen, sowohl die Schriften als auch die Fügungen der Vorsehung Gottes zu verstehen, um sie miteinander zu vergleichen.

Die Aufmerksamkeit und Verwunderung der Hörer.

Ihre Aufmerksamkeit: „... und aller Augen in der Synagoge waren auf ihn gerichtet" **(Vers 20)**. Wenn wir das Wort hören, ist es gut, unsere Augen auf den Pastor gerichtet zu halten, durch den Gott zu uns spricht, denn wie das Auge Einfluss nimmt auf das Herz, so folgt für gewöhnlich das Herz dem Auge, schweift umher, wenn das Auge umherschweift, und bleibt fixiert, wenn das Auge fixiert ist.

Ihre Verwunderung: „Und alle gaben ihm Zeugnis und wunderten sich über die Worte der Gnade, die aus seinem Mund kamen" **(Vers 22)**, doch wie man an dem sehen kann, was folgt, glaubten sie nicht an ihn. Es waren „die Worte der Gnade, die aus seinem Mund kamen", über die sie verwundert waren. Christi Worte sind Worte der Gnade und man muss sich über sie verwundern. Der Name Christi war „Wunderbarer" (Jes 9,5), und in nichts war er mehr wunderbar als in seiner Gnade, den Worten seiner Gnade und der Macht, welche diese Worte begleitete. Ihre Verwunderung nahm zu, als sie seine Herkunft betrachteten: Sie „sprachen: Ist dieser nicht der Sohn Josephs?" Manche wurden vielleicht durch diese Vermutung dazu geführt, sich noch mehr über „die Worte der Gnade" zu verwundern und schlossen, dass er von Gott gelehrt sein müsse. Andere, die diesen Gedanken hatten, haben vielleicht ihre Verwunderung über seine Worte der Gnade korrigiert und geschlossen, dass an ihnen nichts wirklich Erstaunliches sein könne, wie erstaunlich sie auch schienen, da er ja „der Sohn Josephs" war.

Wie Christus einen Einwand voraussahnt, von dem er wusste, dass er in den Köpfen vieler seiner Hörer war. Beachten Sie:

Was der Einwand war: „Gewiss werdet ihr mir dieses Sprichwort sagen: Arzt, heile dich selbst!" **(Vers 23)**. „Ihr erwartet, dass ich unter euch Wunder vollbringe, wie ich es an anderen Orten getan habe." Die meisten der Wunder Christi waren Heilungen. „Warum sollen nun die Kranken in eurer eigenen Stadt nicht genauso geheilt werden wie die in anderen Städten?" Seine Wunder hatten den Zweck, die Menschen von ihrer Krankheit des Unglaubens zu heilen. „Warum soll nun die Krankheit des Unglaubens nicht genauso in diesen Menschen eurer eigenen Stadt geheilt werden wie in jenen der anderen Städte? ‚Die großen Taten, von denen wir gehört haben, dass sie in Kapernaum geschahen, tue sie auch hier in deiner Vaterstadt!'" Sie hatten nur deshalb Gefallen an den Worten der Gnade, weil sie hofften, sie würden die Einleitung für einige wunderbare Werke von ihm sein. Sie meinten, ihre eigene Stadt wäre genauso würdig, um die Bühne für Wunder zu sein, wie jede andere. Ferner, warum sollten seine Nachbarn und Bekannten nicht mehr als irgendjemand anderes den Nutzen seiner Predigt und seiner Wunder haben?

Wie er auf diesen Einwand antwortete.

Mit einem klaren und eindeutigen Grund, warum er Nazareth nicht zu seinem Hauptquartier machen wollte, nämlich dass allgemein „kein Prophet ... anerkannt [ist] in seinem Vaterland" **(Vers 24)**. Die Erfahrung bestätigt dies. „Zu viel Vertrautheit schadet nur" und wir neigen dazu, eine geringe Meinung über Menschen zu haben, die wir lange Zeit kannten. Was eingeführt und teuer ist, wird als wertvoller als das angesehen, was zu Hause gewachsen ist, selbst wenn Letzteres wirklich besser ist. Christus lehnte es wegen der tief verwurzelten Vorurteile gegen ihn in Nazareth ab, dort Wunder zu vollbringen oder irgendetwas Außergewöhnliches zu tun.

Durch einschlägige Beispiele von zwei der berühmtesten Propheten des Alten Testaments.

Elia half einer Witwe in Zarpat bei Zidon, eine, die ausgeschlossen war „von der Bürgerschaft Israels" (Eph 2,12), als „eine große Hungersnot entstand im ganzen Land" **(Vers 25**; s. 1.Kön 17,9). Wie Gott zeigen möchte, dass er „ein Vater der Waisen, ein Anwalt der Witwen" ist (Ps 68,6), so wollte er auch zeigen, dass er „reich ist an Erbarmen" (Eph 2,4), selbst gegenüber den Heiden.

Elisa reinigte den Syrer Naeman von seinem Aussatz, obwohl er ein Syrer und deshalb nicht nur ein Ausländer, sondern ein Feind Israels war. „Und viele Aussätzige waren in Israel zur Zeit des Propheten Elisa" **(Vers 27)**. Wir sehen jedoch nicht, dass Elisa sie reinigte, sondern nur diesen Syrer, weil niemand außer ihm Glauben hatte, um sich an den Propheten für eine Heilung zu wenden. Christus traf selbst oft bei Heiden auf stärkeren Glauben als in Israel (s. Lk 7,9; Mt 15,21-28). Dennoch vollbrachte Christus seine Wunder unter Israeliten – wenn auch nicht unter seinen eigenen Mitbürgern –, wohingegen diese großen Propheten ihre Wunder unter Heiden vollbrachten.

2.2 Wie er in Nazareth verfolgt wurde.

Woran sie Anstoß nahmen, war, dass er auf die Gunst verwies, die Gott durch Elia und Elisa den Heiden erwies. „Da wurden alle in der Synagoge voll Zorn, als sie dies hörten" **(Vers 28)**. Seit Vers 22 war es zu einer großen Veränderung gekommen, als sie sich wunderten „über die Worte der Gnade, die aus seinem Mund kamen"; so unbeständig und unsicher ist die Meinung und die Haltung der Menge. Wenn sie Glauben an diese Worte der Gnade gehabt hätten, über die sie sich wunderten, wären sie durch seine letzten Worte erweckt worden. Doch diese früheren Worte Christi gefielen nur dem Ohr und gingen nicht weiter und darum taten diese letzteren dem Ohr weh. Was sie aber besonders ärgerte, war, dass er zeigte, dass Gott Güte für die Heiden bereit hielt. Ihre frommen Vorfahren erfreuten sich an der Hoffnung, dass die Heiden der Gemeinde hinzugefügt werden, doch dieses entartete Geschlecht hasste den Gedanken, dass irgendjemand anderes hineingenommen werden würde.

Sie nahmen so sehr Anstoß, dass sie ein Attentat auf ihn verübten. „Und sie standen auf" in einem Aufruhr gegen ihn. Sie „stießen ihn zur Stadt hinaus". Sie stießen sowohl den Heiland als auch das Heil von sich. Sie „führten ihn an den Rand des Berges, auf dem ihre Stadt gebaut war". Obwohl sie so gute Berichte von ihm gehört hatten und sich selbst gerade eben über seine „Worte der Gnade" gewundert hatten, stießen sie ihn doch in einem Volksaufruhr – oder vielmehr in Raserei – fort, um zu versuchen, ihn auf äußerst barbarische Weise zu töten.

Er entkam jedoch, weil seine Stunde noch nicht gekommen war: „Er aber ging mitten durch sie hindurch", unverletzt. Sie trieben ihn von sich fort und er „zog weiter". Er hätte Nazareth sammeln wollen, doch sie wollten nicht, deshalb würde ihnen ihr Haus verwüstet gelassen (s. Lk 13,34-35). Doch obwohl sie ihn jetzt nicht aufnahmen (s. Joh 1,11), gab es solche, die dies taten.

Vers 31-44

Als Christus aus Nazareth vertrieben wurde, kam er nach Kapernaum, einer anderen Stadt von Galiläa. Wir haben hier:

1. Sein Predigen: Er „lehrte sie am Sabbat" **(Vers 31)**. Das Predigen Christi rührte die Leute sehr an. „Sie waren betroffen über seine Lehre" **(Vers 32)**, denn auf jedem Wort seiner Worte, die er sprach, lag Gewicht, und durch sie wurden ihm wunderbare Offenbarungen gemacht. „Er redete mit Vollmacht"; sein Reden hatte gebietende Kraft in sich und wirksame Macht begleitete es in den Gewissen der Menschen.

2. Seine Wunder.

2.1 Zwei Wunder werden besonders genannt, die Christus zeigen als:

Jemanden, der Satan durch seine Macht, ihn aus den Leibern von denen auszutreiben, von denen er Besitz ergriffen hatte, kontrolliert und besiegt.

Der Teufel ist ein unreiner (böser) Geist; sein Wesen ist direkt entgegengesetzt von dem des reinen und heiligen Gottes.

Dieser böse Geist wirkt in Menschen.

Es ist möglich, dass man diejenigen, die sehr stark unter der Macht und Wirksamkeit Satans stehen, „in der Synagoge" findet.

Selbst die Dämonen kennen und wissen, dass Jesus Christus „der Heilige Gottes" ist **(Vers 34)**. *Sie glauben und zittern (s. Jak 2,19).* Dieser böse Geist „schrie mit lauter Stimme" in der Sorge, dass Christus nun gekommen war, um ihn zu vernichten.

Die Dämonen haben nichts mit Christus zu tun, noch wollen sie etwas mit ihm zu tun haben.

Christus gebot dem Dämon Einhalt: Er „befahl ihm und sprach: Verstumme". Dieses Wort sprach er „mit Vollmacht"; man kann es übersetzen: „Sei mundtot gemacht." Christus sagte ihm nicht nur, er solle still sein; er stopfte ihm auch den Mund.

Als die Macht Satans zerbrochen wurde, zeigte der besiegte Feind seinen Hass, und Christus, der Sieger, zeigte seine übermächtige Gnade. Der Dämon zeigte, was er getan hätte. Er warf ihn „mitten unter sie", als hätte er ihn in Stücke hauen wollen. Christus zeigte, welche Macht er über ihn hatte, indem er ihn nicht nur zwang, ihn zu verlassen, sondern ihn sogar, ohne ihn zu schaden, zu verlassen. Diejenigen, die Satan nicht vernichten kann, denen wird er schaden, so viel er kann, doch jene können sich dadurch ermutigen lassen, dass er nicht mehr schaden kann, als Christus erlaubt; genau gesagt wird er ihnen keinen echten Schaden zufügen. Er „fuhr aus von ihm und tat ihm keinen Schaden."

Christi Macht über die Dämonen wurde allgemein anerkannt und gelobt. Sie waren alle entsetzt „und sprachen: Was ist das für ein Wort …?" **(Vers 36)**. Diejenigen, die behaupteten, Dämonen auszutreiben, taten dies mit vielen Zauberformeln und Sprüchen; Christus gebot ihnen „mit Vollmacht und Kraft".

Dies verschaffte, wie alles andere, Christus einen Ruf und verbreitete seinen Ruhm. Dieses Beispiel seiner Macht wurde erhöht und wurde als etwas angesehen, das ihn sehr erhob. Wegen diesem verbreitete sich sein Ruf „in alle Orte der umliegenden Gegend" **(Vers 37)**. Als sich unser Herr Jesus zuerst an seinen öffentlichen Dienst machte, wurde viel über ihn gesprochen, mehr als später, als die Bewunderung der Leute den Reiz des Neuen verlor.

Ein Heiler von Krankheiten. Mit dem Sieg über Satan traf er die Wurzel des menschlichen Elends, welche die Feindschaft Satans war. Indem er Krankheiten heilte, traf er einen der ausgedehntesten Zweige dieses Elends, eine der häufigsten Nöte des menschlichen Lebens, und das sind leibliche Krankheiten. Unser Herr Jesus kam, um ihren Stachel wegzunehmen. Von allen leiblichen Krankheiten sind keine häufiger oder verhängnisvoller für erwachsene Menschen als Fieber. Hier haben wir, wie Christus durch das Sprechen eines Wortes ein Fieber heilt; der Ort war in Simons Haus und sein Patient war die Schwiegermutter von Simon **(s. Vers 38-39)**. Beachten Sie:

Christus ist ein Gast, der für seine Aufnahme

gut bezahlen wird. Diejenigen, die ihn in ihrem Herzen und ihren Häusern willkommen heißen, werden durch ihn nicht verlieren; er kommt mit Heilung.

Selbst Familien, welche Christus besucht, können Krankheit erleben. Häuser, die mit besonderen Gunsterweisen gesegnet sind, sind den gleichen üblichen Nöten dieses Lebens unterworfen. „Simons Schwiegermutter aber war von einem heftigen Fieber befallen."

Selbst gute Menschen können manchmal mit den schärfsten Heimsuchungen geplagt werden. Sie war „von einem heftigen Fieber befallen", akut, hoch und bedrohlich. Auch ist kein Alter von Krankheit ausgenommen.

Wenn unsere Verwandten krank sind, sollten wir uns für sie mit Glauben und Gebet an Christus wenden: „... und sie baten ihn für sie" (sie baten Jesus um Hilfe für sie).

Christus hat eine zärtliche Fürsorge für die Seinen, wenn sie krank und in Not sind. „Und er trat zu ihr" als jemand, der sich um sie kümmert.

Christus hatte und hat immer noch souveräne Macht über leibliche Krankheiten: Er „befahl dem Fieber, und es verließ sie".

Christus bewies, dass seine Heilungen übernatürlich waren, indem er sie in einem Augenblick vollbrachte: „Und sogleich stand sie auf."

Wo Christus ein neues Leben gibt, bezweckt und erwartet er, dass es ein wahrhaft neues Leben ist, das mehr als je zuvor seinem Dienst gewidmet wird. Wenn Krankheiten befohlen wird und wir vom Krankenbett aufstehen, müssen wir uns daranmachen, Jesus Christus zu dienen.

Wer Christus dient, muss bereit sein, um seinetwillen allen zu dienen, die zu ihm gehören: Sie „diente ihnen", nicht dem Einen, der sie geheilt hatte, sondern auch denen, die ihn gebeten hatten, ihr zu helfen.

2.2. Es wird ein umfassender Bericht von den vielen anderen Wundern gegeben, die Christus vollbrachte.

Er heilte viele, die krank waren, und es war, „als aber die Sonne unterging" **(Vers 40)**, am Abend von diesem Sabbat, den er in der Synagoge verbracht hatte. Es ist gut, an diesem Tag viel geistliche Arbeit zu tun, sich bis zum Sonnenuntergang an dem einen oder anderen guten Werk zu beteiligen als solche, die den Sabbat und sein Werk ihre Lust nennen (s. Jes 58,13). Er heilte alle mit „mancherlei Gebrechen", denn er hatte ein Heilmittel für alle Krankheiten. Das Zeichen, das er bei der Heilung benutzte, war, dass er den Kranken die Hände auflegte. Er heilte durch seine eigene Macht.

Er trieb aus vielen, die besessen waren, die Dämonen aus. Sie schrien: „Du bist der Christus, der Sohn Gottes!" **(Vers 41)**. Christus „befahl ihnen und ließ sie nicht reden, weil sie wussten, dass er der Christus war".

2.3 Hier haben wir seinen Weggang von Kapernaum **(s. Vers 42-43)**.

Er zog sich für eine Weile „an einen abgelegenen Ort" zurück. Er gestattete sich nur eine kurze Zeit zum Schlafen. „Als es aber Tag geworden war, ging er hinaus an einen abgelegenen Ort", denn manchmal wollte er mit Gott allein sein, wie es diejenigen, die sehr stark in öffentlicher Arbeit engagiert sind, sein sollten und streben sollten zu sein. Sie werden sehen, dass sie weit davon entfernt sind, allein zu sein, wenn sie mit Gott allein sind.

Er kehrte an die Orte zurück, wo die Menschen waren, und zu der Arbeit, die er dort zu tun hatte. Obwohl die Wüste ein passender Rückzugsort sein kann, ist sie doch kein geeigneter Wohnsitz, denn wir wurden nicht in diese Welt gesandt, um für uns selbst zu leben.

Er wurde ernstlich gebeten, in Kapernaum zu bleiben. Die Menschen mochten ihn sehr. Sie suchten ihn, und obwohl er an einem einsamen Ort war, kamen sie zu ihm. Eine Wüste ist keine Wüste, wenn wir dort mit Christus sind. Sie hielten ihn auf, damit er sie nicht verlassen würde. Es sollte die geistlichen Diener Christi nicht entmutigen, dass manche sie verwerfen, denn sie werden andere treffen, die sie und ihre Botschaft willkommen heißen werden.

Er entschloss sich, das Licht seines Evangeliums auf viele Orte auszubreiten, statt es nur in einem aufzurichten. Obwohl er in Kapernaum willkommen war, war er dazu gesandt, auch in anderen Städten das Evangelium zu predigen. Diejenigen, die sich des Nutzens des Evangeliums erfreuen, müssen bereit sein, dass auch andere an diesem Nutzen teilhaben, und dürfen nicht versuchen, es an sich zu reißen. Obwohl Christus in der Synagoge in Kapernaum nicht umsonst predigte, wollte er doch nicht darauf begrenzt sein, sondern predigte in den Synagogen von Galiläa **(s. Vers 44)**. Es ist gut für uns, dass sich unser Herr Jesus nicht auf irgendeinen Ort oder irgendwelche Menschen beschränkt hat, sondern verheißen hat, dass, wo immer zwei oder drei in seinem Namen versammelt sind, er dort unter ihnen sein wird (s. Mt 18,20).

KAPITEL 5

In diesem Kapitel haben wir: 1. Christi Predigen zu den Leuten aus dem Boot von Petrus (s. Vers 1-3). 2. Den wunderbaren Fischzug, mit dem er Petrus belohnte (s. Vers 4-11). 3. Seine Reinigung des Aussätzigen (s. Vers 12-15). 4. Einen kurzen Bericht von seiner persönlichen Andacht und seinem öffentlichen Dienst (s. Vers 16-17). 5. Seine Heilung des Gelähmten (s. Vers 18-26). 6. Seine Berufung von dem Zöllner Levi und seine enge Gemeinschaft mit den Zöllnern aus diesem Anlass (s. Vers 27-32). 7. Wie er seine Jünger dafür rechtfertigt, dass sie nicht so oft fasten wie die Jünger des Johannes und die Pharisäer (s. Vers 33-39).

Vers 1-11
Diese Ereignisse sind die gleichen, die kurz von Matthäus und Markus in ihrem Bericht von der Berufung Christi von Petrus und Andreas aufgezeichnet sind, sie zu Menschenfischern zu machen (s. Mt 4,18; Mk 1,16). Matthäus und Markus berichteten nicht von dem wunderbaren Fischzug, da sie nur an die Berufung seiner Jünger dachten, doch Lukas erfasst es als eines der vielen Zeichen, die Jesus tat, welche in den vorigen Büchern nicht geschrieben wurden. Beachten Sie:

1. Was für ungeheure Menschenmengen die Predigten Christi hörten: Die Menge drängte sich zu ihm, „um das Wort Gottes zu hören" **(Vers 1)**. Die Menschen kamen in Scharen zu ihm; sie erwiesen seiner Predigt Respekt, wenn sie auch etwas unsanft mit seiner Person umgingen, als sie sich zu ihm drängten, was sehr entschuldbar war. Manche hätten es vielleicht als Schande für ihn angesehen, dass er so sehr von den gewöhnlichen Leuten gepriesen wurde, wo niemand „von den Obersten oder von den Pharisäern an ihn" glaubte (Joh 7,48). Doch für Christus waren die Seelen der gewöhnlichen Leute genauso kostbar wie die der großen Leute, und es ist sein Ziel, nicht so sehr die Mächtigen (s. 1.Kor 1,26), sondern „viele Söhne zur Herrlichkeit" zu führen (Hebr 2,10). Beachten Sie, wie sehr die Menschen an gutem Predigen Geschmack hatten: Sie strömten zu ihm, „um das Wort Gottes zu hören"; sie erkannten, dass es das Wort Gottes war, und deshalb suchten sie es, es zu hören.

2. Was für armselige Einrichtungen Christus zum Predigen hatte. Er stand „am See Genezareth" **(Vers 1)**, auf einer Höhe mit der Menschenmenge, sodass sie ihn weder sehen noch hören konnten; er verlor sich unter ihnen und stand in der Gefahr, in das Wasser gedrängt zu werden. Was soll er tun? Es gab „zwei Schiffe" **(Vers 2)** oder Fischerboote am Ufer, eines gehörte Simon und Andreas, das andere Zebedäus und seinen Söhnen. Zuerst sah Christus Petrus und Andreas in einiger Entfernung fischen – wie es uns Matthäus sagt (s. Mt 4,18) – doch er wartete, bis sie an Land gekommen waren und die Fischer, das waren die Knechte, „aus ihnen ausgestiegen" waren. Christus ging in das Boot von Simon, fragte ihn, ob er es ihm als Kanzel leiht, „und bat ihn, ein wenig vom Land wegzufahren". Dies würde es für ihn schwerer machen, gehört zu werden, doch Christus wollte, dass es auf diese Weise gemacht wird, damit er besser gesehen werden könnte, und es ist sein Erhöhtwerden, was alle zu ihm zieht (s. Joh 12,32). Dies zeigt, dass Christus eine starke Stimme hatte – in der Tat stark genug, um sie sogar die Toten hören zu lassen. Dort setzte er sich „und lehrte die Volksmenge" die gute Erkenntnis des Herrn (s. 2.Chr 30,22).

3. Was für eine besondere Freundschaft sich dann zwischen Christus und diesen Fischern entwickelte. Sie hatten vorher etwas Umgang mit ihm gehabt, was mit der Taufe von Johannes begann (s. Joh 1,40-41). Sie waren mit ihm in Kana in Galiläa (s. Joh 2,2) und in Judäa (s. Joh 4,3); doch bis jetzt waren sie nicht dazu berufen worden, unaufhörlich bei ihm zu sein. Jetzt geschah es, dass sie zu einer vertrauteren Gemeinschaft mit Christus berufen wurden.

3.1 Als Christus seine Predigt beendet hatte, sagte er Petrus, er solle sich wieder der Arbeit seines Berufes widmen: „Fahre hinaus auf die Tiefe, und lasst eure Netze zu einem Fang hinunter!" **(Vers 4)**. Es war nicht der Sabbat und deshalb setzte er sie, sobald die Predigt vorbei war, an die Arbeit. Achten Sie darauf, wie fröhlich wir uns an die Pflichten unseres gewöhnlichen Berufes machen können, wenn wir auf dem Berg mit Gott gewesen sind. Es gehört zu unserer Weisheit und unserer Pflicht, unsere religiösen Übungen so zu gestalten, dass sie mit unserer weltlichen Arbeit Freund sind, und unsere weltliche Arbeit so zu gestalten, dass sie kein Feind unserer religiösen Übungen sein mag.

3.2 Nachdem Petrus Christi Predigt beigewohnt hatte, wollte Christus ihn bei seinem Fischen begleiten. Er blieb bei Christus am Ufer und jetzt würde Christus mit ihm „auf die Tiefe" hinausfahren.

3.3 Christus sagte Petrus und seiner Bootsmannschaft, sie sollten ihre Netze „zu einem Fang" hinunterlassen, was sie im Gehorsam ihm gegenüber taten, obwohl sie die ganze Nacht hart gearbeitet und „nichts gefangen" hatten **(Vers 5)**. Wir können hier bemerken: *Wie traurig ihre Arbeit gewesen ist:* „Meister, wir haben die ganze Nacht hindurch gearbeitet und nichts gefangen." Man hätte meinen können, dass sie das davon entschuldigen würde, die Predigt zu hören, doch sie war für sie erfrischender und belebender als der süßeste Schlummer. Doch sie erwähnten Christus gegenüber ihre Enttäuschung, als er ihnen sagte, sie sollten wieder fischen gehen. Wir können daraus lernen:
Dass manche Berufe viel ermüdender und gefährlicher sind als andere, doch der Allmächtige hat in seiner Vorsehung die Dinge für das Allgemeinwohl so geordnet, dass kein nützlicher Beruf so entmutigend ist, dass der eine oder andere keine Neigung dazu hat. Diejenigen, die ihrer Arbeit nachgehen und dadurch Reichtum mit einer großen Menge Wohlbe-

hagen erlangen, sollten mit Mitleid an diejenigen denken, die ihrer Art der Arbeit nur mit großer Müdigkeit nachgehen und kaum ihren Lebensunterhalt damit verdienen können.

Wenn der Beruf sehr mühsam ist, ist es doch gut, Menschen fleißig darin zu sehen. Christus wählte diese hart arbeitenden Fischer als seine Begünstigten aus.

Selbst diejenigen, die in ihrer Arbeit äußerst fleißig sind, treffen oft auf Enttäuschungen. Diejenigen, welche „die ganze Nacht hindurch gearbeitet" haben, haben doch „nichts gefangen". Wir müssen unsere Pflicht tun und dann das Ergebnis Gott überlassen.

Wenn wir unserer weltlichen Arbeit überdrüssig und in unseren weltlichen Angelegenheiten entmutigt sind, sind wir willkommen, zu Christus zu kommen und unsere Situation vor ihm auszubreiten.

Wie bereitwillig ihr Gehorsam dem Gebot Christi gegenüber war: „... aber auf dein Wort will ich das Netz auswerfen!"

Obwohl sie „die ganze Nacht hindurch gearbeitet" hatten, wollten sie sich doch, als Christus es ihnen sagte, neu an die Arbeit machen. Für jeden neuen Dienst würden sie einen neuen Vorrat an hinreichender Gnade erhalten (s. 2.Kor 12,9).

Obwohl sie nichts gefangen hatten, wollten sie hoffen, etwas zu fangen, wenn Christus ihnen sagt, sie sollen die „Netze zu einem Fang" hinunterlassen. Wir dürfen nicht unvermittelt die Berufe verlassen, zu denen wir berufen sind (s. Eph 4,4), weil wir nicht den Erfolg darin haben, den wir uns selbst versprachen. Diener des Evangeliums müssen weiter das Netz hinunterlassen, selbst wenn sie lange gearbeitet und nichts gefangen haben. Es ist Gnade, weiter unermüdlich in unserer Arbeit zu sein, selbst wenn wir in ihr keinen Erfolg sehen (s. 1.Petr 2,19).

Sie zählten darin auf das Wort Christi: „... aber auf dein Wort will ich das Netz auswerfen!" Wir werden voraussichtlich erfolgreich sein, wenn wir der Führung des Wortes Christi folgen.

3.4 Ihr Fischzug ging so weit über das hinaus, was je bekannt geworden war, dass es auf ein Wunder hinauslief: Sie fingen „eine große Menge Fische; und ihr Netz begann zu reißen" **(Vers 6)**. Es war ein so großer Fang, dass sie nicht genug Hände hatten, um ihn hereinzuholen, und sie mussten ihren Gefährten winken, dass sie kommen und ihnen helfen **(s. Vers 7)**. Das größte Zeichen des riesigen Umfangs des Fischzugs war indes, dass sie beide Schiffe mit Fischen füllten, so viel, dass sie sie überluden, „sodass sie zu sinken begannen". Bei diesem ungeheuren Fischzug:

Wollte Christus seine Macht sowohl über die Meere als auch über das trockene Land zeigen, sowohl über seinen Reichtum als auch über seine Wellen.

Wollte er seine Lehre bestätigen, die er gerade jetzt aus dem Boot von Petrus gepredigt hatte. Wir können annehmen, dass die Menschen am Ufer in der Nähe blieben, um zu sehen, was er als Nächstes tun würde, und weil dieses Wunder unmittelbar auf seine Predigt folgte, würde es ihren Glauben bekräftigen, dass er zumindest ein Lehrer ist, „der von Gott gekommen ist" (Joh 3,2).

Beabsichtigte er, Petrus die Leihgabe seines Bootes zurückzuzahlen. Der Lohn Christi für Dienste, die für seinen Namen geleistet wurden, ist reichlich; er ist in der Tat überreichlich.

Wollte er denen, die seine Gesandten in der Welt sein sollten, ein Beispiel für den Erfolg ihrer Mission geben, den sie haben würden, um ihnen zu zeigen, dass sie, auch wenn sie an einem bestimmten Ort eine Zeit lang arbeiten und nichts fangen, doch dabei behilflich sein würden, viele zu Christus zu bringen und viele in dem Netz des Evangeliums fischen würden.

3.5 Der Eindruck, den dies auf Petrus machte, war bemerkenswert.

Jeder Betroffene war erschreckt, und sie waren umso erschreckter, weil sie betroffen waren. Die ganze Mannschaft des Bootes überkam ein Schrecken „wegen des Fischzuges, den sie gemacht hatten" **(Vers 9)**; sie waren alle überrascht. „Gleicherweise auch Jakobus und Johannes ... die Simons Teilhaber waren" **(Vers 10)**. Sie waren dadurch innerlich mehr bewegt, weil sie es besser verstanden als andere. Diejenigen, die mit diesem See vertraut waren, hatten niemals gesehen, dass ein solcher Fang aus ihm gezogen wurde, und deshalb konnten sie nicht in Versuchung kommen, es zu schmälern, indem sie behaupten, dass es etwas war, was genauso gut zu einer anderen Zeit hätte geschehen können. Es unterstützt sehr das Zeugnis der Wunder Christi, dass diejenigen, die am meisten mit ihnen vertraut waren, diejenigen waren, die sie am meisten bewunderten. Sie waren von ihm auch am meisten innerlich bewegt, weil sie davon den größten Vorteil und den größten Nutzen durch sie hatten. Petrus und seine Miteigentümer gewannen durch diesen großen Fischzug und somit half ihre Freude ihrem Glauben. Wenn Christi Wunder Werke der Gnade sind, die besonders uns gelten, gebieten sie besonders zum Glauben an seine Lehre.

Petrus war so erstaunt, dass er „zu den Knien Jesu" niederfiel, einfach dort, wo er war, im Heck seines Schiffes, und sagte: „Herr, gehe von mir hinweg, denn ich bin ein sündiger Mensch!" **(Vers 8)**. Er hielt sich selbst für unwürdig für die Gegenwart Christi in seinem Schiff. Es war die Sprache von Petrus' Demut und Selbstverleugnung und hatte nicht den geringsten Ton von dem Gerede der Dämonen, die sagten: „Was haben wir mit dir zu tun, Jesus, du Nazarener?" (Lk 4,34).

Sein Bekenntnis war absolut richtig und für uns alle angemessen, es abzulegen: „... denn ich bin

ein sündiger Mensch!" Selbst die besten Menschen sind sündig und sie sollten bereit sein, es zu allen Anlässen zu bekennen und es insbesondere Jesus Christus zu bekennen.
Seine Schlussfolgerung hieraus hätte richtig sein können, obwohl sie es in Wirklichkeit nicht war. Wenn ich ein sündiger Mensch bin, wie ich es in der Tat bin, sollte ich sagen: „Komme zu mir, oh Herr – oder lass mich zu dir kommen, sonst bin ich für immer verloren." Doch man kann Petrus gut entschuldigen, wenn er aus einem Bewusstsein seiner Sündhaftigkeit und Verderbtheit überstürzt ausruft: „Gehe von mir hinweg!" Denjenigen, die Christus zu der engsten Freundschaft mit ihm zulassen möchte, macht er zuerst bewusst, dass sie es verdienen, am weitesten von ihm entfernt zu werden. Wir müssen alle zugeben, dass wir Sünder sind und dass Jesus Christus deshalb zu Recht von uns hinweggehen könnte, doch wir müssen darum zu seinen Knien niederfallen, um zu beten, dass er nicht von uns hinweggehen möge.
*Christus nahm dies als Gelegenheit, um Petrus und kurz darauf Jakobus und Johannes von seiner Absicht zu erzählen, sie zu seinen Aposteln zu machen (**Vers 10**; s. Mt 4,21).* Er „,sprach zu Simon': Du wirst größere Dinge als diese sowohl sehen als auch tun. ,Fürchte dich nicht; von nun an sollst du Menschen fangen!' Dies wird ein erstaunlicheres Wunder sein und unendlich viel nützlicher als dieses."
Die Fischer sagten ihrem Beruf Lebewohl, um unaufhörlich bei Christus zu sein: „Und sie brachten die Schiffe ans Land, verließen alles und folgten ihm nach" (Vers 11). Es ist bezeichnend, dass sie alles verließen, um Christus zu folgen, als ihr Gewerbe in ihren Händen mehr florierte, als es das je getan hatte. Wenn die Reichtümer zunehmen und wir darum am meisten versucht sind, unser Herz an sie zu hängen, ist es die größte Gnade, sie um des Dienstes Christi willen zu verlassen (s. 1.Petr 2,19).

Vers 12-16

Hier ist:

1. Die Reinigung eines Aussätzigen (s. Vers 12-14). Wir hatten diesen Bericht sowohl bei Matthäus als auch bei Markus. Hier heißt es, dass es „in einer der Städte" war **(Vers 12)**; es war in Kapernaum. Von diesem Mann heißt es, er war „voll Aussatz" [das griechische Wort wurde für verschiedene Krankheiten verwendet, welche die Haut betrafen – nicht notwendigerweise Lepra; Hrsg.]; er war ein schlimmer Fall. Wir wollen daraus lernen:

1.1 Was wir tun müssen, wenn wir unseren geistlichen Aussatz erkennen.
Wir müssen Jesus suchen.
Wir müssen uns selbst in seiner Gegenwart demütigen, wie es dieser Aussätzige tat, der, als er Jesus sah, „auf sein Angesicht" fiel. Wir müssen uns über unsere Besudelung schämen und nicht wagen, in der Gegenwart des heiligen Jesus unser Gesicht zu erheben.
Wir müssen inbrünstig danach streben, gereinigt zu werden.
Wir müssen fest an die Fähigkeit und Genugsamkeit Christi glauben, uns zu reinigen: „,Herr, wenn du willst, so kannst du mich reinigen!', selbst wenn ich voller Aussatz bin." Wir dürfen nicht an dem Verdienst und der Gnade Christi zweifeln.
Wir müssen kühn im Gebet sein: Er fiel „auf sein Angesicht, bat ihn"; diejenigen, die gereinigt werden möchten, müssen es als Gunst ansehen, die es wert ist, darum zu ringen.
Wir müssen uns an das Wohlwollen Christi wenden: „Herr, wenn du willst, so kannst du." Dies ist nicht so sehr die Sprache seiner Schüchternheit oder seines Misstrauens gegenüber dem Wohlwollen Christi wie seiner Unterwerfung unter seinen Willen, der ein guter Wille ist.

1.2 Was wir von Christus erwarten können, wenn wir uns in dieser Weise an ihn wenden.
Wir werden ihn sehr bereitwillig finden, unsere Situation zu beachten: „Da streckte er die Hand aus, rührte ihn an" **(Vers 13)**. Dass er den Aussätzigen berührt, zeigt sein wunderbares Sichherablassen, doch es ist für uns viel größer, wenn er von dem Gespür für unsere Schwachheiten innerlich berührt wird (s. Hebr 4,15).
Wir werden ihn sehr mitleidsvoll finden und bereit, uns zu helfen. Er sagte: „Ich will." Wer auch immer zu ihm kommt, um geheilt zu werden, den wird er „nicht hinausstoßen" (Joh 6,37).
Wir werden sehen, dass er allgenugsam ist, in der Lage, uns zu heilen und zu reinigen, obwohl wir völlig mit diesem widerlichem Aussatz behaftet sind. Ein Wort, ein Anrühren von Christus vollbrachte das Werk: „Und sogleich wich der Aussatz von ihm."

1.3 Was er von denen verlangt, die gereinigt sind **(s. Vers 14)**.
Wir müssen sehr demütig sein: „Und er befahl ihm, es niemand zu sagen." Er darf es nicht zu seiner eigenen Ehre erzählen. Die Menschen, die Christus geheilt und gereinigt hat, müssen erkennen, dass *er* es getan hat, und sie müssen es auf eine Weise erkennen, die das Rühmen für immer ausschließt (Röm 3,27).
Wir müssen sehr dankbar sein: „Geh vielmehr hin ... und opfere für deine Reinigung." Christus forderte von ihm nicht, eine Vergütung zu zahlen, sondern Gott das Opfer des Lobes darzubringen (s. Hebr 13,15).
Wir müssen genau bei unserer Pflicht bleiben: „... zeige dich dem Priester." Der Mensch, den Christus heil gemacht hatte, war danach bei ihm „im Tempel" zu finden (Joh 5,14). Wenn wir durch irgendeine Art von Leid von dem

öffentlichen Gottesdienst abgehalten würden, sollten wir, wenn die Heimsuchung entfernt ist, fleißiger und treuer als zuvor daran teilnehmen.

2. Christi öffentlicher Nutzen für Menschen und seine persönliche Gemeinschaft mit Gott **(s. Vers 15-16)**.
2.1 Obwohl niemand je solche Freude an seiner Abgeschiedenheit hatte, wie es Christus hatte, war er unter großen Volksmengen, um Gutes zu tun **(s. Vers 15)**. Obwohl der Aussätzige hätte vollkommen schweigen sollen, konnte die Sache nicht verborgen werden, und so breitete sich „die Nachricht von ihm ... umso mehr aus". Ehre ist wie ein Schatten, der vor denen flieht, die ihr nachjagen, doch er folgt denen, die sie ablehnen. Je weniger die Menschen zu ihren Gunsten sagen, umso mehr Gutes werden andere über sie sagen. Doch Christus sah es als kleine Ehre für sich an, dass die Nachricht von ihm sich umso mehr ausbreitete; er erachtete es als viel größere Ehre, dass auf diese Weise Volksmengen dazu gebracht wurden, durch seine Predigten und seine Wunder von ihm zu profitieren: Sie „kamen zusammen, um ihn zu hören", und sie kamen, um „durch ihn von ihren Krankheiten geheilt zu werden".
2.2 Obwohl niemand sonst je so viel Gutes in der Öffentlichkeit getan hat, fand er immer noch Zeit, sich für seine Andachten zurückzuziehen: „Er aber hielt sich zurückgezogen an einsamen Orten auf und betete" **(Vers 16)**. Wir wären auch weise, wenn wir unser Leben so organisieren würden, dass unsere öffentliche Arbeit und unsere verborgenen Werke (s. Mt 6,6) weder einander beeinträchtigen noch stören mögen. Das persönliche Gebet muss alleine getan werden und diejenigen, welche selbst mit der großartigsten Arbeit in dieser Welt sehr beschäftigt sind, müssen ihre regelmäßigen beständigen Zeiten dafür beibehalten.

Vers 17-26

Hier ist:

1. Ein allgemeiner Bericht von den Predigten und Wundern Christi **(s. Vers 17)**.
1.1 Es geschah „an einem Tag, dass er lehrte", nicht am Sabbat, sondern an einem Wochentag. Predigen und das Wort Gottes hören – wenn es gut getan wird – sind an jedem Tag der Woche gute Werke. Es war in einem Privathaus, denn es ist nicht unpassend, selbst an dem Ort gute Unterweisung zu geben und zu empfangen, wo wir normalerweise mit unseren Freunden plaudern.
1.2 Dort lehrte und heilte er (wie zuvor; **Vers 15**): „... und die Kraft des Herrn war da, um sie zu heilen." Sie war mächtig, um sie zu heilen, ihre Seelen zu heilen, ihnen neues Leben, eine neue Natur zu geben. Oder man kann den Satzteil so verstehen, wie er gewöhnlich gesehen wird, dass er sich auf die Heilung von denen bezieht, die am Leib krank waren, die wegen einer Heilung zu ihm kamen. Wann immer es nötig war, musste Christus nicht erst nach seiner Macht suchen, sie war bereits „da, um sie zu heilen".
1.3 Manche große Menschen waren gegenwärtig: „Und es saßen Pharisäer da und Gesetzeslehrer." Sie saßen nicht zu seinen Füßen, um von ihm zu lernen, sondern saßen da als Zuschauer, Kritiker und Kundschafter, um etwas aufzuschnappen, auf das sie einen Tadel oder eine Anklage stützen konnten. Wie viele gibt es mitten in unseren Versammlungen, die nicht unter dem Wort sitzen, sondern sich zurücklehnen, um Fehler daran zu finden! Für sie ist es nur eine Geschichte, die ihnen erzählt wird, nicht eine Botschaft, die zu ihnen gesandt ist; sie lassen es geschehen, dass wir in ihrer Gegenwart predigen, aber nicht, dass wir *ihnen* predigen. Diese Pharisäer und Gesetzeslehrer waren „aus allen Dörfern von Galiläa und Judäa und von Jerusalem gekommen"; sie kamen aus allen Teilen des Staates. Christus fuhr mit seiner Arbeit des Predigens und Heilens fort, obwohl er sah, dass diese Pharisäer dasaßen und wusste, dass sie ihn verachteten und auf eine Gelegenheit lauerten, ihm eine Falle zu stellen.

2. Ein ausführlicher Bericht von der Heilung des „Menschen, der gelähmt war". Die vorigen Evangelisten haben es im Großen und Ganzen auf die gleiche Weise berichtet; deshalb wollen wir nur kurz beachten:
2.1 Die Lehren, die uns durch diese Geschichte von dieser Heilung gelehrt und bestätigt werden.
Dass die Sünde die Quelle aller Krankheit ist und dass die Vergebung der Sünde die einzige Grundlage ist, auf die man eine Genesung von Krankheit gut aufbauen kann. Sie brachten den Kranken vor Christus und er sagte: „‚Mensch, deine Sünden sind dir vergeben!' **(Vers 20)**. Das ist der Segen, den du am meisten schätzen und suchen solltest." Die Bande unserer Sünde sind die Fesseln unserer Heimsuchungen.
Dass Jesus Christus „Vollmacht hat, auf Erden Sünden zu vergeben". Das wollte er beweisen: „Damit ihr aber wisst [und glaubt], dass der Sohn des Menschen Vollmacht hat, auf Erden Sünden zu vergeben – sprach er zu dem Gelähmten: Ich sage dir, steh auf", und er war sofort geheilt **(Vers 24)**. Christus beanspruchte eines der Rechte des Königs der Könige, als er es unternahm, Sünden zu vergeben, und es wurde zu Recht erwartet, dass er einen guten Beweis dafür antritt. „Nun", sagte er, „ich will dies einer Prüfung unterziehen: Hier ist ein Mensch, der gelähmt ist, und das aufgrund seiner Sünde. Wenn ich seine Krankheit nicht

heilen werde, indem ich ein Wort spreche, dann könnt ihr sagen, dass ich nicht berechtigt bin, das Recht zu beanspruchen, Sünden zu vergeben. Wenn ich es aber tue, müsst ihr anerkennen, dass ich Vollmacht habe, Sünden zu vergeben." Auf diese Weise wurde es einer fairen Prüfung unterzogen und ein Wort von Christus entschied sie. Er sagte nur: „Ich sage dir, steh auf, nimm deine Liegematte", und diese chronische Krankheit war augenblicklich geheilt: „Und sofort stand er auf vor ihren Augen." Sie mussten alle anerkennen, dass darin keine Täuschung oder Betrügerei sein konnte.

Dass Jesus Christus Gott ist. Er bewies, dass er es ist:

Indem er die Gedanken der Pharisäer und Gesetzeslehrer erkannte **(s. Vers 22)**.

Indem er das tat, was, wie ihre Gedanken bestätigten, niemand als nur Gott allein tun konnte. Sie sagten: „Wer kann Sünden vergeben als nur Gott allein?" **(Vers 21)**. „Ich werde beweisen", sagte Christus, „dass ich Sünden vergeben kann", und was folgt dann daraus, wenn nicht, dass er Gott ist?

2.2 Die Pflichten, die uns durch diesen Bericht gelehrt und geboten sind.

Wenn wir uns an Christus wenden, müssen wir kühn und beharrlich sein. Die Freunde dieses Gelähmten versuchten herauszubekommen, wie sie ihn zu Christus bekommen konnten **(s. Vers 18)**, und als sie in ihren Bemühungen enttäuscht wurden, nicht durch die Tür hineingelangen konnten, weil sie so verstopft war, gaben sie ihre Sache nicht auf, sondern deckten die Ziegel von dem Haus ab und ließen den armen Patienten durch das Dach hindurch vor Jesus **(s. Vers 19)**. Hier sah Jesus Christus ihren Glauben **(s. Vers 20)**. Als der Hauptmann und die kanaanäische Frau die Patienten, für die sie baten, nicht vor Christus bringen wollten, doch glaubten, dass er sie aus der Entfernung heilen kann, lobte er ihren Glauben. Doch obwohl diese Leute eine unterschiedliche Vorstellung von dem zu haben schienen, was für eine Heilung erforderlich war – dass der Patient vor ihn gebracht werden musste –, tadelte er sie nicht oder verurteilte ihre Schwachheit. Er fragte sie nicht: „Seid ihr so ungläubig, dass ihr meint, ich hätte ihn nicht heilen können, selbst wenn er draußen geblieben wäre?" Vielmehr machte er das Beste aus den Dingen, wie sie waren, und sah sogar hierin den Glauben der Männer. Es ist eine Ermutigung für uns, dass wir einem Meister dienen, der bereit ist, das Beste aus uns zu machen.

Wenn wir krank sind, sollten wir mehr darum besorgt sein, dass uns die Sünden vergeben werden, als dass unsere Krankheit weggenommen wird.

Gott muss das Lob für die Barmherzigkeiten haben, von denen wir unseren Trost bekommen. Der Mann „ging heim und pries Gott" **(Vers 25)**.

Die Wunder, die Christus vollbrachte, waren für die verblüffend, die sie sahen, und wir sollten Gott für sie preisen. Sie sagten: „Wir haben heute Unglaubliches gesehen!" und „sie priesen Gott", der ihnen einen solchen Wohltäter in ihr Land gesandt hatte, und sie „wurden voll Furcht", voll Ehrfurcht vor Gott **(Vers 26)**.

Vers 27-35

All diese Verse außer dem letzten waren vorher bei Matthäus und Markus; es ist nicht der Bericht eines Wunders in der Natur, welches von unserem Herrn Jesus vollbracht wurde, sondern ein Bericht von einigen der Wunder seiner Gnade.

1. Es war ein Wunder seiner Gnade, dass er einen Zöllner von seiner Zollstätte berief, sein Jünger und Nachfolger zu sein **(s. Vers 27)**. Dadurch setzte er sich Widerstand aus und erlangte einen Ruf als Freund der Zöllner und Sünder.

2. Es war ein Wunder seiner Gnade, dass der Ruf wirksam gemacht wurde **(s. Vers 28)**. Obwohl diejenigen mit dieser Tätigkeit für gewöhnlich wenig Vorliebe für die Religion hatten, stand dieser Zöllner auf und folgte Christus. Kein Herz ist zu hart, als dass der Geist und die Gnade Christi nicht an ihm wirken können, noch sind Schwierigkeiten auf dem Weg zur Bekehrung eines Sünders zu groß, um von seiner Macht besiegt zu werden.

3. Es war ein Wunder seiner Gnade, dass er nicht nur einen bekehrten Zöllner in seine Familie aufnehmen wollte, sondern dass er sich auch zu nicht bekehrten Zöllnern gesellte. Hier gibt es ein wahres Wunder der Gnade, dass Christus es unternimmt, ein Arzt für an der Sünde erkrankte Seelen zu sein, die im Begriff sind, an der Krankheit zu sterben – er ist ein Arzt aus Berufung **(s. Vers 31)**; dass er kam, um Sünder zur Buße zu berufen, die schlimmsten Sünder, und ihnen die Vergebung zuzusichern, wenn sie Buße tun **(s. Vers 32)**. Dies ist wirklich eine gute Nachricht von großer Freude (s. Lk 2,10)!

4. Es war ein Wunder seiner Gnade, dass er geduldig den Widerspruch der Sünder sich und seinen Jüngern gegenüber ertrug **(s. Vers 30; Hebr 12,3)**. Er drückte nicht seinen Unmut gegenüber den Einwänden aus, die von den Gesetzeslehrern und Pharisäern erhoben wurden, sondern antwortete ihnen mit Verstand und Demut.

5. Es war ein Wunder seiner Gnade, dass er bei der Schulung, durch die er seine Jünger ausbildete, daran dachte, was für ein Gebilde sie waren (s. Ps 103,14), und ihren Dienst ihrer Kraft anpasste. Es wurde der Einwand erhoben, warum er seine Jünger nicht anleitete, so oft zu fasten wie jene der Pharisäer und die von Johannes dem Täufer es taten (s. **Vers 33**). Er betonte vor allem das, was das Herzstück des Fastens ist, das Führen eines Lebens der Selbstverleugnung, das so viel besser als Fasten und leibliche Bußübungen ist, wie Liebe besser ist als Opfer (s. Hos 6,6).

6. Es war ein Wunder seiner Gnade, dass Christus die Prüfungen für seine Jünger für spätere Zeiten aufsparte, wenn sie durch seine Gnade besser auf sie vorbereitet und für sie befähigt waren. Jetzt waren sie wie „die Hochzeitsgäste", wenn der Bräutigam bei ihnen ist, wenn sie ein freudiges Fest haben und jeder Tag für sie ein Festtag ist. Doch das würde nicht für immer bleiben: „Es werden aber Tage kommen, da der Bräutigam von ihnen genommen sein wird" (**Vers 35**). Wenn Christus sie verlässt und ihre Herzen voller Kummer, ihre Hände voller Arbeit und die Welt voller Feindschaft und Wut gegen sie sein würde, dann würden sie fasten.

7. Es war ein Wunder seiner Gnade, dass er ihre Übungen an das Maß ihrer Kraft anpasste. Er wollte nicht „einen Lappen von einem neuen Kleid auf ein altes Kleid" setzen (**Vers 36**) noch neuen Wein in alte Schläuche füllen (**s. Verse 37-38**). Er wollte sie nicht durch die strengen Härten und die Askese der Jüngerschaft führen, sobald er sie aus der Welt herausgerufen hatte, denn dann könnten sie versucht sein fortzulaufen. Christus wollte seine Jünger schrittweise in der Zucht seiner Familie erziehen, denn niemand, der alten Wein trinkt, wird auf einmal, sofort, neuen Wein wollen, noch wird er Geschmack daran finden, wenn ihm davon etwas serviert wird; er wird vielmehr sagen: „Der alte ist besser!", denn er ist an ihn gewöhnt worden (**Vers 39**). Die Jünger wären versucht zu sagen, ihr alter Lebensstil war besser, bis sie schrittweise an diesen Stil gewöhnt wären, zu dem sie berufen waren. Obwohl die Jünger nicht so viel die „Form der Gottseligkeit" hatten wie andere, besaßen sie doch mehr von „deren Kraft" (2.Tim 3,5; Elb 06).

KAPITEL 6

Hier ist: 1. Ein Beweis für die Rechtmäßigkeit von notwendigen und barmherzigen Werken am Sabbat; die Notwendigkeit rechtfertigte das Abstreifen von Ähren der Jünger, die Barmherzigkeit rechtfertigte es, dass Christus an diesem Tag einen Mann mit einer verdorrten Hand heilte (s. Vers 1-11). 2. Sein Rückzug zum persönlichen Gebet (s. Vers 12). 3. Wie er die zwölf Jünger berief (s. Vers 13-16). 4. Wie er verschiedene Krankheiten bei der Menge heilte (s. Vers 17-19). 5. Die Predigt, die er seinen Jüngern und der Menge hielt, in der er sie über ihre Pflicht Gott und auch den Menschen gegenüber unterwies (s. Vers 20-49).

Vers 1-11

Wir hatten diese beiden Stellen sowohl bei Matthäus als auch bei Markus und sie waren dort beide zusammengefasst (s. Mt 12,1-14; Mk 2,23-27; 3,1-6), denn obwohl sie der Zeit nach getrennt voneinander geschahen, sollten beide die Fehler der Gesetzeslehrer und Pharisäer in Bezug auf den Sabbat richtigstellen, weil sie größeren Nachdruck auf das leibliche Ruhen an diesem Tag legten und größere Strenge bei der Beachtung dieser Ruhe forderten, als es der Gesetzgeber beabsichtigte. Hier:

1. Rechtfertigte Christus seine Jünger bei einer notwendigen Arbeit an diesem Tag, und das war das Abstreifen von Ähren (Korn) an diesem Tag, als sie hungrig waren. Dieser Bericht hat ein Datum, das wir nicht in den anderen Evangelien hatten; es war „am zweiten Sabbat nach dem ersten" (**Vers 1**), das ist der erste Sabbat nach dem zweiten Tag der ungesäuerten Brote, von welchem Tag sie die sieben Wochen bis zum Pfingstfest zählten. Wir können bemerken:

1.1 Christi Jünger sollten nicht wählerisch in Bezug auf das sein, was sie essen, sondern das annehmen, was man am leichtesten bekommen kann und dankbar sein. Diese Jünger „streiften Ähren ab ... und aßen sie" (**Vers 1**); ein wenig – und es war kein Leckerbissen – war genug für sie.

1.2 Viele sind schnell bereit, andere für die unschuldigsten und harmlosesten Taten zu tadeln. Die Pharisäer haderten mit den Jüngern, dass sie etwas taten, „was am Sabbat nicht zu tun erlaubt ist" (**Vers 2**), obwohl es ihre eigene Praxis war, an den Sabbaten feine Speisen zu essen.

1.3 Jesus Christus wird seine Jünger rechtfertigen und er wird sie bei vielen Dingen anerkennen und annehmen, bei denen ihnen andere Menschen sagen, dass es nicht rechtmäßig für sie ist, das zu tun.

1.4 Man kann in Fällen der Notwendigkeit von rituellen Anordnungen entbinden (**s. Vers 3-4**). Wenn ferner Gottes eigene Anordnungen auf diese Weise für einen größeren Nutzen beiseitegeschoben werden können, dann kann man das noch viel mehr mit menschlichen Traditionen tun.

1.5 Notwendige Werke sind am Sabbat ausdrücklich erlaubt.

1.6 Obwohl Jesus Christus notwendige Werke am Sabbat gestattete, möchte er, dass wir nichtsdestotrotz wissen und daran denken, dass es sein Tag ist: „Der Sohn des Menschen ist Herr auch über den Sabbat" **(Vers 5)**. Im Reich des Erlösers soll der Sabbat zum „Tag des Herrn" gewandelt werden (Offb 1,10). Als Zeichen dafür wird er nicht nur einen neuen Namen erhalten – der „Tag des Herrn" –, sondern auch auf einen neuen Tag verlegt werden – den ersten Tag der Woche.

2. Rechtfertigte er sich darin, am Sabbat Werke der Barmherzigkeit für andere zu tun.

2.1 Christus ging an einem anderen Sabbat „in eine Synagoge". Dies zeigt uns, dass, wann immer wir die Gelegenheit haben, es unsere Pflicht ist, die Sabbate zu heiligen, indem wir an religiösen Zusammenkünften teilnehmen. Unser Sitz darf nicht leer sein außer aus einem sehr guten Grund.

2.2 Als er am Sabbat in der Synagoge war, lehrte er. Christus ergriff jede Gelegenheit, nicht nur seine Jünger zu lehren, sondern auch die Menge.

2.3 Christi Patient hier war einer seiner Hörer. Es kam „ein Mensch, dessen rechte Hand verdorrt war". Diejenigen, die durch die Gnade Christi geheilt werden möchten, müssen bereit sein, in der Lehre Christi unterrichtet zu werden.

2.4 Unter denen, welche die vorzügliche Lehre Christi hörten und Augenzeugen seiner Wunder waren, waren einige, die mit keiner anderen Absicht kamen, als einen Streit mit ihm zu suchen. „Aber die Schriftgelehrten und Pharisäer lauerten ihm auf", wie ein Löwe seiner Beute auflauert, um zu sehen, „ob er am Sabbat heilen würde, um einen Grund zur Anklage gegen ihn zu finden" **(Vers 7)**.

2.5 Jesus Christus hat sich weder geschämt noch gefürchtet, die Wirkung seiner Gnade zuzugeben. Er sagte dem Mann: „Steh auf und stelle dich in die Mitte!", um den Glauben und die Kühnheit des Patienten zu prüfen.

2.6 Er appellierte an seine Widersacher, selber zu beurteilen, ob es die Absicht des vierten Gebotes war, die Menschen davon abzuhalten, am Sabbat Gutes zu tun – das, was unsere Hand zu tun vorfindet (s. Pred 9,10) und das sich nicht sehr gut auf eine andere Zeit verschieben lässt: „Darf man am Sabbat Gutes tun oder Böses tun …?" **(Vers 9)**.

2.7 Er heilte den armen Mann, obwohl er wusste, dass seine Feinde nicht nur Anstoß daran nehmen, sondern auch versuchen würden, dies unfair gegen ihn auszunutzen **(s. Vers 10)**.

2.8 Seine Widersacher waren dann umso mehr auf ihn wütend. Statt dazu gebracht zu werden, ihn als einen zu lieben, der so großzügig gegenüber Menschen ist, wurden sie „mit Unverstand erfüllt" **(Vers 11)**, waren wütend, dass sie ihn nicht vom Gutestun abhalten konnten. Sie waren wütend auf Christus, wütend auf die Menschen und wütend auf sich selbst. Als sie nicht daran hindern konnten, dieses Wunder zu vollbringen, besprachen sie sich miteinander, „was sie Jesus antun könnten", wie sie ihn besiegen könnten.

Vers 12-19
In diesen Versen haben wir unseren Herrn Jesus im persönlichen Gebet, in seiner Familie, und in der Öffentlichkeit, und immer ist er ganz er selbst.

1. Für sich allein haben wir ihn, wie er zu Gott betet **(s. Vers 12)**. Dieser Evangelist nimmt oft Notiz davon, wie Christus sich zurückzieht, um uns ein Beispiel für das persönliche Gebet zu geben, ohne dass es für die Seele unmöglich ist zu gedeihen. „In jenen Tagen", als seine Feinde voller Zorn gegen ihn waren, ging er hinaus, „um zu beten". Er war alleine mit Gott; er ging hinaus „auf den Berg, um zu beten", wo er nicht gestört oder unterbrochen werden würde. Er war für lange Zeit alleine mit Gott: „Und er verharrte die Nacht hindurch im Gebet." Wir meinen, dass eine halbe Stunde eine lange Zeit ist, aber Christus verharrte eine ganze Nacht im stillen Nachsinnen und im persönlichen Gebet. Wir haben eine große Menge Arbeit vor dem Thron der Gnade und wir sollten große Freude an der Gemeinschaft mit Gott haben, und beides kann uns manchmal lange im Gebet halten.

2. Wir sehen, wie er diejenigen auswählt, die am engsten bei ihm sein würden, die unaufhörlich seine Lehre hören und Augenzeugen seiner Wunder sein würden, sodass sie später als Apostel ausgesandt werden könnten, seine Boten in der Welt **(s. Vers 13)**. Nachdem er „die Nacht hindurch im Gebet" verharrt hatte, hätte man meinen können, dass er schlafen würde, „als es Tag wurde". Nein, sobald alles auf den Beinen war, „rief er seine Jünger zu sich". Beim Dienst für Gott sollte es unsere große Sorge sein, keine Zeit zu verlieren, sondern das Ende der einen guten Pflicht zum Beginn einer anderen zu machen. Geistliche Diener müssen mit Gebet ordiniert werden, das außerordentlich geheiligt ist. Die Zahl der Apostel war zwölf. Ihre Namen werden hier berichtet; es ist das dritte Mal, dass wir auf sie getroffen sind, und an jedem der drei Stellen ist ihre Anordnung unterschiedlich. Niemals gab es Männer, die so privilegiert waren, doch einer von ihnen war ein Teufel (s. Joh 6,70) und entpuppte sich als Verräter **(s. Vers 16)**, obwohl Christus, als er ihn berief, nicht von ihm getäuscht wurde.

3. In der Öffentlichkeit sehen wir, wie er predigt und heilt, die zwei großen Werke, zwischen denen er seine Zeit aufgeteilt hat. Er kam mit den Zwölfen vom Berg herunter „und stellte sich auf einen ebenen Platz" **(Vers 17)**, und sofort sammelte sich um ihn nicht nur eine „Menge seiner Jünger", sondern auch eine große „Menge Volkes", viele andere „aus ganz Judäa und von Jerusalem". Sie waren auch „von der Meeresküste von Tyrus und Zidon" gekommen. Obwohl diese Gebiete an das der Kanaaniter grenzte, waren dort einige Menschen von ihnen – über alle Landesteile verstreut, einer hier und einer dort – Christus wohlgesonnen. Sie waren gekommen, „um ihn zu hören", und er predigte ihnen. Es ist wert, einen lange Strecke zu gehen, um das Wort Christi zu hören, und es ist wert, vom Weg anderer Pflichten abzuweichen, um es zu suchen. Sie kamen, um von ihm geheilt zu werden, und er heilte sie. Manche waren im Leib geplagt und manche im Gemüt; manche hatten Krankheiten, manche Dämonen, doch sowohl die einen als auch die anderen wurden geheilt, denn er hat Macht über Krankheiten und Dämonen **(s. Vers 17-18)**. Es scheint in der Tat so, dass diejenigen, die keine spezielle Krankheit hatten, um darüber zu klagen, es dennoch als große Festigung und Erneuerung für ihre leibliche Gesundheit und Kraft empfanden, an der Kraft teilzuhaben, die von ihm ausging, denn „die ganze Volksmenge suchte ihn anzurühren" **(Vers 19)**, und sie waren alle, auf die eine oder andere Weise, besser dran durch ihn. Er „heilte alle", und wen gibt es, der nicht auf die eine oder andere Weise geheilt werden muss? In Christus gibt es eine Fülle der Gnade, die genug für alle und genug für jeden ist.

Vers 20-26

Hier beginnt eine praktische Predigt von Christus, von der wir das meiste in der Bergpredigt finden (s. Mt 5-7). Wir haben:

1. Glückseligkeit für leidende Heilige verkündet: „Und er hob seine Augen auf über seine Jünger" **(Vers 20)**, nicht nur über die Zwölf, sondern auch zu der „Menge seiner Jünger" (Lk 6,17), und richtete seine Worte vom Bergabhang an sie. Dort setzte er sich, „wie einer, der Vollmacht hat" (Mt 7,29), und dort „traten seine Jünger zu ihm" (Mt 5,1).

1.1 „Ihr seid arm, ihr habt alles verlassen und seid dem Christus nachgefolgt. Doch glückselig seid ihr in eurer Armut; ihr seid in der Tat ihretwegen glückselig, denn das Reich Gottes ist euer, all die Tröstungen und Gnadenwirkungen des Reiches Gottes hier und all die Herrlichkeiten und Freuden des Reiches Gottes in der Zukunft; es soll euch gehören, in der Tat gehört es euch" (s. Mk 10,28).

1.2 „Jetzt hungert ihr; ihr seid nicht so wohlgenährt, wie es andere sind, und ihr seid froh, ein paar Kornähren zu haben, um sie als Mahlzeit zu essen, und somit hungert ihr nun in dieser Welt, doch in der anderen Welt sollt ihr ‚gesättigt werden'" **(Vers 21**; s. Lk 6,1).

1.3 „Jetzt weint ihr. Doch ihr seid glückselig; eure jetzigen Klagen werden eurer künftigen Freude nicht schaden, sondern sind eine Vorbereitung darauf: ‚denn ihr werdet lachen'. Ihr sät nur mit Tränen und werdet bald ‚mit Freuden ernten'" (Ps 126,5-6). Gott würde mehr und mehr Trost für sie bereithalten. Es würde der Tag kommen, an dem er ihren Mund mit Lachen füllen wird und ihre Lippen mit Freudengeschrei (s. Hiob 8,21).

1.4 „Jetzt erfahrt ihr den Hass der Welt. Ihr müsst all die böse Behandlung erwarten, welche eine boshafte Welt euch um des Christus willen erweisen kann, weil ihr ihm und seinen Interessen dient. Übeltäter werden euch hassen: Euer Lehren und euer Leben überführt und verurteilt sie. Sie werden euch schmähen; euch die schlimmsten Verbrechen zur Last legen, an denen ihr vollständig unschuldig seid; sie werden euch mit den schwärzesten Ausdrücken beschreiben, die ihr nicht verdient, und euren Namen als einen lasterhaften verwerfen. Ihr seid glückselig, wenn ihr auf diese Weise behandelt werdet. Es ist eine Ehre für euch, es ist eine Ehre für tapfere Helden, im Dienst ihres Herrschers in einem Krieg zu dienen, deshalb sollt ihr euch an jenem Tag freuen und hüpfen! Ihr sollt es nicht nur ertragen, sondern darin frohlocken. Ihr werdet behandelt, wie es die Propheten vor euch wurden, und deshalb braucht ihr euch nicht nur nicht dafür schämen, sondern könnt euch zu Recht darin freuen. Ihr werdet dafür groß belohnt werden: ‚Euer Lohn ist groß im Himmel.' Obwohl ihr irdische Güter für den Christus verliert, werdet ihr durch ihn am Ende nicht verlieren" **(s. Vers 22-23)**.

2. Wehrufe gegen wohlhabende Sünder verkündet, als solche, die unglücklich sind, obwohl die Welt sie beneidet. Diese hatten wir nicht bei Matthäus. Die beste Erklärung für diese Wehrufe, wenn man sie mit den vorangehenden Segnungen vergleicht, scheint das Gleichnis vom reichen Mann und armen Lazarus zu sein (s. Lk 16,19-31). Hier gibt es:

2.1 Einen Wehruf über die Reichen, das heißt jene, „welche ihr Vertrauen auf Reichtum setzen" (Mk 10,24). Wie schrecklich wird es für sie sein, denn sie haben ihren Trost schon empfangen, worauf sie ihr Glück gesetzt haben **(s. Vers 24)**. Sie haben ihr Gutes in ihrem Leben empfangen (s. Lk 16,25), was, wie sie meinten, das Beste wäre. „Ihr, die ihr reich seid, seid versucht, euer Herz an eine lächelnde Welt zu hängen und zu sagen: Seele ‚habe nun Ruhe' in ihren Umarmungen" (Lk 12,19). *Es ist die Torheit weltlicher Menschen,* dass sie die Dinge dieser Welt zu ihrem Trost machen, wohingegen diese Dinge nur für ihre Behaglichkeit bestimmt waren. Sie gefallen sich selbst darin; die Wohltaten und Ermutigungen Gottes sind für sie klein und unwichtig.

Es ist ihr Elend, dass sie mit ihnen als ihrem Trost abgespeist werden.

2.2 Einen Wehruf über diejenigen, die satt sind **(s. Vers 25)**, die mehr haben, als das Herz sich wünschen kann (s. Ps 73,7; KJV). Sie sind erfüllt mit sich selbst, aber ohne Gott und Christus. Wie schrecklich wird es für solche Menschen sein, denn sie werden hungern; sie werden bald all der Dinge beraubt und entzogen sein, auf die sie so stolz sind.

2.3 Einen Wehruf über diejenigen, die jetzt lachen, die immer eine fröhliche Haltung haben, immer etwas haben, worüber sie fröhlich sein können und sich immer mit törichtem Gelächter unterhalten. „Wehe euch", denn es ist nur jetzt, dass sie lachen, für eine kleine Weile; bald werden sie „trauern und weinen".

2.4 Einen Wehruf über diejenigen, von denen alle Leute gut reden, das heißt, die es zu ihrem großen und einzigen Ziel machen, das Lob und den Beifall anderer Menschen zu bekommen **(s. Vers 26)**: „Wehe euch", es würde ein Zeichen dafür sein, dass ihr in eurer Pflicht und den Seelen anderer gegenüber nicht treu seid, wenn ihr so predigt, dass es niemandem missfällt, wenn es eure Aufgabe ist, den Menschen ihre Fehler zu sagen. Es gab falsche Propheten, die ihren Vorfahren auf ihren bösen Wegen schmeichelten, und die sehr gut behandelt wurden, von denen man sehr gut sprach." Wir sollten danach streben, die Anerkennung von denjenigen zu haben, die weise und gut sind, doch genauso wie wir die Beleidigungen der Toren in Israel verachten sollten, sollten wir auch ihr Lob verachten.

Vers 27-36

Diese Verse stimmen mit Matthäus 5,38-48 überein: „Euch aber, die ihr hört, sage ich', denn dies sind Lektionen von allgemeinem Interesse. ‚Wer ein Ohr hat, der höre'" (Offb 2,7). Die Lektionen, die Christus uns hier lehrt, sind:

1. Dass wir allen geben müssen, was ihnen gebührt, und in all unserem Handeln ehrlich und gerecht sein müssen. „Und wie ihr wollt, dass euch die Leute behandeln sollen, so behandelt auch ihr sie gleicherweise!" **(Vers 31)**. Das heißt es, seinen Nächsten wie sich selbst zu lieben (s. Lk 10,27). Wir müssen uns selbst an die Stelle unseres Nächsten setzen und dann Erbarmen mit ihm haben und ihm helfen, so wie wir selbst es wünschen und zu Recht erwarten würden, dass man Erbarmen mit uns hat und uns hilft.

2. Dass wir frei darin sein müssen, denen zu geben, die in Not sind: „Gib aber jedem, der dich bittet', dem die notwendigen Dinge fehlen, bei denen du die Mittel hast, sie aus deinem Überfluss zu geben. Gib denen, die sich nicht selbst helfen können" **(Vers 30)**. Christus möchte, dass seine Jünger bereit sind zu verteilen und willens zu teilen, in gewöhnlichen Fällen, soweit sie es vermögen, und in außergewöhnlichen Fällen sogar über ihr Vermögen hinaus (s. 2.Kor 8,3).

3. Dass wir großzügig darin sein müssen, denen zu vergeben, die uns in irgendeiner Weise Unrecht getan haben.

3.1 Wir dürfen nicht übertrieben darin sein, unsere Rechte einzufordern, wenn sie uns verweigert werden: „‚Und dem, der dir den Mantel nimmt, verweigere auch das Hemd nicht.' Überlass ihm lieber auch das, als darum zu kämpfen. Und von dem, ‚der dir das Deine nimmt, fordere es nicht zurück.' Wenn der Allmächtige in seiner Vorsehung solche Menschen bankrott werden lässt, gebrauch nicht das Gesetz, um sie zu übervorteilen, sondern verliere lieber das, was sie dir schulden, als sie zu würgen" **(Vers 29-30**; Mt 18,28).

3.2 Wir dürfen nicht hart darin sein, ein Unrecht zu rächen, wenn es uns angetan wurde: „Sei eher bereit von ‚dem, der dich auf die eine Backe schlägt', einen weiteren Schlag zu erhalten, als ihn zu schlagen; überlasse es Gott, für deine Sache einzutreten und verhalte dich still unter der Beleidigung."

3.3 Wir müssen in der Tat denen Gutes tun, die uns Böses tun. Das ist es, was unser Heiland hauptsächlich lehren will als ein Gesetz, das für seine Religion kennzeichnend ist, und als ein Zweig ihrer Vollkommenheit. Wir müssen denen gegenüber liebevoll sein, die uns Unrecht getan haben. Wir müssen nicht nur unsere Feinde lieben und ihnen gegenüber Wohlwollen hegen; wir müssen ihnen Gutes tun. Wir müssen danach streben, es durch positive Taten klarzustellen, dass wir ihnen gegenüber keinen Hass hegen und keine Rache suchen. Verfluchen Sie uns, reden schlecht über uns und wünschen uns Böses? Behandeln sie uns im Wort oder der Tat schlecht? Versuchen sie, uns verächtlich und widerwärtig dastehen zu lassen? Wir wollen sie segnen, für sie beten, gut von ihnen reden – so gut wir es können, ihnen Gutes wünschen und vor Gott für sie eintreten. Dies wird wiederholt: „Vielmehr liebt eure Feinde und tut Gutes" **(Vers 35)**. Um uns diese schwierige Pflicht zu empfehlen, wird sie als etwas Großzügiges dargestellt und als eine Leistung, die wenige erreichen. Es ist nicht ungewöhnlich, die zu lieben, die uns lieben; das ist kein charakteristisches Merkmal dafür, ein Jünger Christi zu sein, denn Sünder lieben diejenigen, die sie lieben. Das heißt einfach nur, der Natur zu folgen; das bereitet unserer Natur überhaupt kein Unbehagen **(s. Vers 32)**: „‚Und wenn ihr denen Gutes tut, die euch Gutes tun, was für einen Dank erwartet ihr dafür?' Welche Ehre bringt ihr dem Namen des Christus oder welchen Ruf verschafft ihr ihm? ‚Denn auch die Sünder tun dasselbe.' Euch aber geziemt es sich, etwas zu tun, was vorzüglicher und hervorragender ist; etwas zu tun, was Sünder nicht tun: Ihr müsst Gutes für Böses erstatten" **(Vers 33)**. Wenn wir das tun, dann sind wir unserem Gott „zum Ruhm und zum Lob und zur Zierde" (Jer 13,11; s. Zeph 3,20), und er würde den Dank erhalten. Wir müssen denen Liebe erweisen, von denen wir keine Wohltat erhoffen: „... leiht, ohne etwas dafür zu erhoffen" **(Vers 35)**. Wir müssen selbst dann leihen, wenn wir Grund haben zu befürchten, dass wir verlieren werden, was wir leihen; wir müssen denen leihen, die so arm sind, dass sie wahrscheinlich nicht in der Lage sind, es uns zurückzuzahlen. Hier gibt es zwei Motive für dieses liebevolle und großzügige Handeln.

Es wird zu unserem Vorteil sein, denn dann „wird euer Lohn groß sein" **(Vers 35)**. Was aus einem echten Motiv der Nächstenliebe auf der Erde geliehen und verloren ist, wird uns vergolten werden. Er meinte, es wird uns nicht nur zurückgezahlt und sehr belohnt werden; es wird zu uns gesagt werden: „Kommt her, ihr Gesegneten meines Vaters, und erbt das Reich" (Mt 25,34).

Es wird uns zur Ehre gereichen, denn in solchen Taten sind wir wie Gott in seiner Güte, was die größte Herrlichkeit ist (s. 2.Mose 33,18-19): „... und ihr werdet Söhne des Höchsten sein." Es ist Gottes Herrlichkeit, dass er „gütig gegen die Undankbaren und Bösen" ist. Christus schließt daraus: „Darum seid barmherzig, wie auch euer Vater barmherzig ist" **(Vers 36)**. Das erläutert Matthäus 5,48: „Darum sollt ihr vollkommen sein, gleichwie euer Vater im Himmel vollkommen ist!' Ahmt euren Vater in den Dingen nach, die seine strahlendsten Eigenschaften sind." Diejenigen, die barmherzig sind, wie Gott barmherzig ist, selbst gegenüber den Bösen und Undankbaren, sind vollkommen, wie Gott vollkommen ist. Dies sollte uns stark dazu verpflichten, barmherzig gegenüber unseren Geschwistern zu sein: Nicht nur, dass Gott anderen gegenüber so ist, sondern auch, dass er uns gegenüber so ist, obwohl wir böse und undankbar waren. Es ist aufgrund seiner Güte, „dass wir nicht gar aus sind" (Klgl 3,22; LÜ 84).

Vers 37-49

Wir hatten all diese Aussprüche Christi vorher in Matthäus. Es waren Aussagen, die Christus oft machte. Wir brauchen hier nicht kritisch sein, indem wir nach Stimmigkeit suchen: Es sind goldene Sätze wie Salomos Sprüche oder Gleichnisse.

1. Wir sollten sehr fair in unserer Kritik an anderen sein, denn wir selbst haben es nötig, dass man uns gegenüber nachsichtig ist: „Ihr sollt andere nicht richten, denn dann werdet ihr selbst nicht gerichtet werden; ihr sollt andere nicht verurteilen, dann werdet ihr selbst nicht verurteilt werden. Gott wird euch nicht richten und verurteilen und die Menschen werden es nicht tun." Diejenigen, die anderen Menschen gegenüber barmherzig sind, werden sehen, dass andere ihnen gegenüber barmherzig sind.

2. Wenn wir einen gebenden und vergebenden Geist haben, werden wir selbst den Nutzen davon ernten. „Sprecht los, so werdet ihr losgesprochen werden!" Wenn wir das Unrecht lossprechen, welches andere an uns begangen haben, werden andere uns unsere unabsichtlichen Taten oder Versäumnisse vergeben. Wenn wir die Sünden anderer gegen uns lossprechen, wird Gott uns von unseren Sünden gegen ihn lossprechen. Er wird nicht wenig auf den Edlen achten, der „Edles im Sinn" hat (Jes 32,8): „Gebt, so wird euch gegeben werden" **(Vers 38)**. Man wird es „in euren Schoß schütten" **(Vers 38)**, denn Gott benutzt oft Menschen als seine gerechten Werkzeuge nicht nur für die Rache, sondern auch für den Lohn. Gott wird die Herzen anderer geneigt machen, uns großzügig zu geben, ein „vollgedrücktes und gerütteltes und überfließendes Maß". Diejenigen, die Gott belohnt, werden reichlich belohnt.

3. Wir müssen damit rechnen, dass man mit uns so umgeht, wie wir mit anderen umgehen: „Denn mit demselben Maß, mit dem ihr anderen zumesst, wird euch wieder zugemessen werden" **(Vers 38)**. Diejenigen, die hart mit anderen umgehen, können erwarten, dass ihnen mit gleicher Münze heimgezahlt wird. Diejenigen jedoch, die mit anderen gütig umgehen, haben Grund zu der Hoffnung, dass Gott ihnen Freunde erwecken wird, die gütig mit ihnen umgehen werden.

4. Diejenigen, die sich unter die Führung von Unwissenden und Schwachen stellen, werden wahrscheinlich mit ihnen umkommen: „Kann auch ein Blinder einen Blinden führen? Werden nicht beide in die Grube fallen?" **(Vers 39)**. Wie können sie erwarten, dass etwas anderes geschieht? Diejenigen, die sich von der allgemeinen Meinung, der Richtung und den Wegen dieser Welt leiten lassen, sind selbst blind und werden von Blinden geführt.

5. Christi Nachfolger können in der Welt keine bessere Behandlung erwarten, als sie ihr Meister erfahren hat **(s. Vers 40)**. Sie mögen sich in der Welt nicht mehr Ehre oder Freude versprechen, als Christus bekam. Jeder möge ein Leben der harten Arbeit und Selbstverleugnung führen, wie es ihr Meister tat, der jedermann Diener wurde. Sie mögen sich herablassen, sich mühen und so viel Gutes tun, wie sie können, und dann werden sie reife Nachfolger Christi sein.

6. Diejenigen, welche die Aufgabe auf sich nehmen, andere zurechtzuweisen und zu bessern, sollten sicherstellen, dass sie selbst ohne Tadel sind **(Vers 41-42)**. Es ist lächerlich, wenn jemand vorgibt, so scharfsichtig zu sein, dass er kleine Fehler bei anderen sieht, wie ein „Splitter im Auge", wenn er selbst weit davon entfernt ist und kein Gespür dafür hat, „den Balken" in seinem eigenen Auge zu bemerken. Wie können Sie Ihrem Bruder Ihren Dienst anbieten, um ihm den Splitter aus seinem Auge zu ziehen, was sowohl ein gutes Auge als auch eine geschickte Hand braucht, wenn Sie selbst einen Balken in Ihrem eigenen Auge haben? Es ist gut zu helfen, den Splitter aus dem Auge unseres Bruders zu ziehen. Wir werden hierfür geeignet sein, wenn wir bei uns selbst beginnen und unser eigenes Leben verbessern.

7. Wir können erwarten, dass die Worte und Taten der Menschen gemäß ihrem Charakter sind.

7.1 Das Herz ist der Baum und die Worte und Taten sind Früchte, die mit der Natur des Baums übereinstimmen **(s. Vers 43-44)**. Wenn Menschen wirklich gut sind, werden sie, selbst wenn sie nicht viel Frucht bringen und selbst, wenn sie manchmal wie Bäume im Winter sind, dennoch keine „schlechte Frucht" bringen. Selbst wenn sie Ihnen nicht all das Gute tun, das sie tun sollten, werden sie Ihnen dennoch keinen Schaden zufügen. Selbst wenn sie ihr schlechtes Wesen nicht bessern können, werden sie nicht ihre gute Wesensart verderben. Wenn die Frucht verdorben ist, die sie hervorbringen, dann können Sie sicher sein, dass sie keine guten Bäume sind. Andererseits gibt es keinen „schlechten Baum, der gute Frucht bringt", selbst wenn er grüne Blätter haben mag. Sie können also auch von jemandem, der ein wahrhaftig schlechtes Wesen hat, keinerlei gutes Betragen erwarten. Wenn die Frucht gut ist, können Sie schließen, dass auch der Baum gut ist, „denn jeder Baum wird an seiner Frucht erkannt".

7.2 Das Herz ist der Schatz, und die Worte und Taten sind die Gegenleistung, welche die Einlage abwirft **(s. Vers 45)**. Die beherrschende Liebe Gottes und Christi im Herzen ist ein guter Schatz im Herzen: Er bereichert Menschen. Er gibt ihnen einen guten Vorrat, um ihn zum Nutzen anderer auszugeben. Aus solch einem „guten Schatz" können Menschen das hervorbringen, was gut ist. Wo aber die Liebe der Welt und des Fleisches regiert, ist ein schlechter Schatz im Herzen, aus dem ein Übeltäter beständig das Böse hervorbringt. „... denn wovon sein Herz voll ist, davon redet sein Mund." Was der Mund für gewöhnlich sagt, stimmt allgemein mit dem überein, was zutiefst und zuerst im Herzen ist. Nicht, dass ein guter Mensch nie ein böses Wort sagen wird oder dass ein Übeltäter nie ein gutes Wort für schlechte Zwecke benutzen mag, doch allgemein ist das Herz so, wie es die Worte sind, nutzlos oder ernsthaft; darum sollten wir danach streben, dass unsere Herzen nicht nur mit Gutem, sondern mit einer Fülle an Gutem gefüllt werden.

8. Es ist nicht genug, die Aussagen Christi zu hören; wir müssen sie auch tun.

8.1 Wir sind auch respektlos ihm gegenüber, wenn wir ihn „Herr, Herr" nennen, aber nicht auch darauf bedacht sind, seinem Willen zu entsprechen. Wir verspotten Christus, wie es diejenigen tun, die verächtlich riefen: „Sei gegrüßt, König der Juden" (Mt 27,29), wenn wir oft „Herr, Herr" rufen, doch weiterhin nach dem Weg unseres eigenen Herzens wandeln.

8.2 Wir betrügen uns selbst, wenn wir meinen, dass es uns in den Himmel bringen wird, die Aussagen Christi zu hören, ohne sie zu tun. Er erklärt dies durch einen Vergleich **(s. Vers 47-49)**, der zeigt:

Dass nur diejenigen, die nicht nur als seine Schüler zu Christus kommen und seine Worte hören, sondern sie auch in die Praxis umsetzen, sicher sein können, dass sie das tun, was für ihre Seelen und die Ewigkeit richtig ist. Sie sind wie ein auf den Felsen gebautes Haus. Das sind die Menschen, die sich in ihrem religiösen Glauben bemühen, die „den Grund auf den Felsen" legen, die niedrig beginnen und tief graben, die ihre Hoffnung auf Christus gründen, der „ein Fels der Ewigkeiten" ist (Jes 26,4) – und niemand kann einen anderen Grund legen (s. 1.Kor 3,11). Menschen, die dies tun, tun sich selbst Gutes, denn sie werden:

Ihre Rechtschaffenheit in Zeiten der Versuchung und Verfolgung behalten; wenn andere ihren „eigenen festen Stand" verlieren (2.Petr 3,17), werden diese „fest im Herrn" stehen (Phil 4,1).

Inmitten der größten Not ihre Ermutigung, ihren Frieden, ihre Hoffnung und ihre Freude behalten. Die Überschwemmungen und Ströme der Not werden sie nicht erschüttern, denn ihre Füße sind auf einen Felsen gestellt (s. Ps 27,5; 40,3).

Ihr ewiges Wohl behalten. Gehorsame Gläubige werden „in der Kraft Gottes bewahrt werden durch den Glauben zu dem Heil, das bereit ist, geoffenbart zu werden" (1.Petr 1,5).

Dass diejenigen, die sich auf ein reines Hören der Aussagen Christi stützen und nicht nach ihnen leben, sich nur für eine fatale Enttäuschung zubereiten: „Wer aber hört und nicht tut, der ist einem Menschen gleich, der ein Haus" baute, ohne den Grund zu legen. Seine Hoffnungen werden ihn verlassen, wenn er am meisten ihre Kraft und ihre Ermutigung braucht. Wenn der Strom gegen sein Haus brandet, stürzt es ein; das Erdreich, auf das es gebaut wurde, ist ausgewaschen „und es stürzte sofort ein".

KAPITEL 7

Wir haben hier: 1. Wie Christus die Lehre, die er gepredigt hatte, mit zwei herrlichen Wundern bestätigt, der Heilung des Knechtes des Hauptmanns aus der Entfernung (s. Vers 1-10) und die Auferweckung des Sohnes der Witwe von den Toten (s. Vers 11-18). 2. Wie Christus mit der Antwort auf eine Frage von Johannes dem Täufer, der im Gefängnis war, dessen Glauben bestätigt (s. Vers 19-23). Nachdem er die Frage beantwortet hat, fügt er ein ehrenwertes Zeugnis über Johannes an (s. Vers 24-35). 3. Wie Christus eine arme bußfertige Frau tröstet, die sich an ihn wandte. Er sicherte ihr zu, dass ihre Sünden vergeben sind, und rechtfertigte dann die Gunst, die er ihr erwiesen hat (s. Vers 36-50).

Vers 1-10

Es gibt einige Unterschiede zwischen diesem Bericht der Heilung von dem Knecht des Hauptmanns und dem, den wir in Matthäus 8,5-13 hatten. Dort heißt es, dass der Hauptmann zu Christus kam; hier heißt es, dass er „Älteste der Juden zu ihm" sandte **(Vers 3)** und später Freunde **(s. Vers 6)**. Von diesem Wunder heißt es hier, dass es von unserem Herrn Jesus vollbracht wurde, nachdem er „vor den Ohren des Volkes alle seine Reden beendet hatte" **(Vers 1)**. Was Christus sagte, sagte er öffentlich. „... und im Verborgenen habe ich nichts geredet" (Joh 18,20). Beachten Sie:

1. Der Knecht des Hauptmanns, der krank war, wurde von seinem Dienstherrn geschätzt **(s. Vers 2)**. Der Knecht verdiente Lob, denn er empfahl sich durch seinen Fleiß und seine Treue der Liebe und Achtung seines Herrn. Knechte sollten danach streben, sich ihrem Dienstherrn zu empfehlen. Der Dienstherr andererseits verdiente Lob, weil er wusste, wie er einen guten Knecht achten konnte, wenn er ihn hatte. Viele Herren meinen, sie erweisen ihren guten Knechten eine Gunst, wenn sie sie nur nicht schelten, wohingegen sie freundlich und aufmerksam ihnen gegenüber sein und sich um ihr Wohlergehen und ihr Wohl kümmern sollten.

2. Als der Herr „von Jesus hörte", bat er Jesus, „er möge kommen und seinen Knecht retten" **(Vers 3)**.

3. Er sandte „Älteste der Juden" zu Christus, weil er meinte, dies würde größere Achtung vor Christus zeigen, als wenn er selbst kommen würde. Deshalb sandte er die Juden, und auch keine gewöhnlichen Juden, sondern „Älteste der Juden", sodass der Status der Boten denjenigen ehren würde, zu dem sie gesandt waren.

4. Die Ältesten der Juden waren aufrichtige Fürsprecher für den Hauptmann: Sie baten ihn eindringlich, setzten sich ernstlich bei ihm für den Hauptmann ein, in einer Weise, wie jener nie für sich gesprochen hätte – dass er es wert war, dass Christus ihm dies gewährt **(s. Vers 4)**. Der Hauptmann sagte: „Herr, ich bin nicht wert, dass du unter mein Dach kommst" (Mt 8,8), doch die Ältesten der Juden hielten ihn für der Heilung wert. Was sie besonders hervorhoben, war, dass obwohl er ein Heide war, er doch dem jüdischen Volk und der jüdischen Religion Gutes wünschte. „Denn er hat unser Volk lieb" **(Vers 5)** – was wenige Heiden taten. Selbst Sieger und solche, die Macht haben, sollten Zuneigung behalten für diejenigen, die sie besiegt haben und über die sie Macht haben. Er war dem Gottesdienst der Juden gegenüber wohlgesinnt: „... und er hat uns die [neue] Synagoge erbaut" in Kapernaum. Hier zeigte er seine Achtung vor dem Gott Israels und sein Verlangen nach einem Anteil an den Gebeten von Gottes Israel (s. Esr 6,10). Es ist ein sehr gutes Werk, Orte der Zusammenkünfte für den religiösen Gottesdienst zu bauen; diejenigen, die solche guten Werke tun, „sollen doppelter Ehre wert geachtet werden" (1.Tim 5,17).

5. Jesus Christus war sehr bereit, dem Hauptmann Freundlichkeit zu erweisen. Er ging sofort „mit ihnen hin" **(Vers 6)**, obwohl der Hauptmann ein Heide war. Der Hauptmann meinte nicht, dass er selbst würdig ist, zu Christus zu kommen **(s. Vers 7)**, doch Christus hielt den Hauptmann für würdig, von ihm besucht zu werden.

6. Der Hauptmann gab weitere Belege seiner Demut und auch seines Glaubens. Als Christus „schon nicht mehr fern von dem Haus war", sandte der Hauptmann Freunde mit neuen Äußerungen zu ihm:
6.1 Seiner Demut: „Herr, bemühe dich nicht', denn ich bin unwürdig, eine solche Ehre zu empfangen." Dies zeigt nicht nur seine geringe Meinung von sich selbst, trotz seines Ansehens, sondern auch seine hohe Meinung von Christus trotz Christi niedrigen und ziemlich verhüllten Standes in der Welt.
6.2 Von seinem Glauben: „,Herr, bemühe dich nicht.' Du kannst meinen Knecht heilen, ohne dass du unter mein Dach kommst, ,sondern sprich nur ein Wort, so wird mein Knecht gesund!'" Er erklärte seinen Glauben durch einen Vergleich, den er seinem Beruf

entnahm, und er war überzeugt, dass Christus genauso leicht der Krankheit gebieten konnte zu weichen, wie er, der Hauptmann, einem von seinen Kriegsknechten etwas gebieten konnte **(s. Vers 8)**.

7. Unser Herr Jesus war wundersam erfreut über den Glauben des Hauptmanns und war noch überraschter darüber, weil er ein Heide war. Und beachten Sie, wie er nun, nachdem er so durch den Glauben des Hauptmanns geehrt worden ist, diesen Glauben ehrte: Er „wandte sich um und sprach zu der Menge, die ihm nachfolgte: Ich sage euch: Einen so großen Glauben habe ich in Israel nicht gefunden!" **(Vers 9)**. Christus wollte, dass diejenigen, die ihm nachfolgen, die großen Beispiele des Glaubens bemerken und beachten, besonders, wenn sich diese Beispiele unter Leuten fanden, die Christus nicht so eng nachfolgen, wie sie es mit dem Bekenntnis tun – damit wir durch die Stärke ihres Glaubens beschämt werden über unsere Schwäche und unser Schwanken.

8. Die Heilung wurde umgehend und vollständig ausgeführt: Die Abgesandten kehrten um und fanden den Knecht gesund **(s. Vers 10)**. Christus wird auf die bedrängte Situation armer Knechte achten, denn weder gibt es bei ihm Anzeichen von Begünstigung, noch sind die Heiden davon ausgeschlossen, von seiner Gnade zu profitieren.

Vers 11-18

Hier ist der Bericht davon, wie Christus in Nain den Sohn einer Witwe vom Tod auferweckte, was Matthäus und Markus nicht erwähnten. Beachten Sie:

1. Wo und wann dieses Wunder vollbracht wurde. Es war der Tag, nachdem er den Knecht des Hauptmanns geheilt hatte **(s. Vers 11)**. Es wurde am Stadttor einer kleinen Stadt namens Nain getan, nicht weit von Kapernaum.

2. Wer die Zeugen waren. Es wurde vor den Augen von zwei Menschenmengen vollbracht, die im oder in der Nähe des Stadttors aufeinandertrafen. „... viele seiner Jünger und eine große Volksmenge" zogen mit Christus **(Vers 11)**, und viele Verwandte und Nachbarn nahmen an dem Begräbnis des Jünglings teil **(s. Vers 12)**.

3. Wie es von unserem Herrn Jesus vollbracht wurde.

3.1 Die zum Leben erweckte Person war ein junger Mann. Dieser junge Mann war „der einzige Sohn seiner Mutter, und sie war eine Witwe". Sie war von ihm abhängig, dass er sie in ihrem Alter unterstützt, doch er erwies sich als geknickter Rohrstab (s. 2.Kön 18,21); jeder ist so, selbst in seinem besten Zustand. Wir können uns gut vorstellen, wie tief der Kummer dieser armen Mutter um ihren einzigen Sohn war, und er war umso tiefer, weil sie eine Witwe war. „Und viele Leute aus der Stadt begleiteten sie", drückten ihr Beileid für ihren Verlust aus und versuchten, sie zu trösten.

3.2 Christus zeigte sowohl sein Mitleid als auch seine Macht, als er ihn zum Leben erweckte.

Schauen Sie, wie sanft sein Mitleid gegenüber den Heimgesuchten ist. Als der Herr die arme Witwe sah, die ihren Sohn zum Grab begleitete, „erbarmte er sich über sie" **(Vers 13)**. Niemand wandte sich an ihn um Hilfe. Er war rein durch die Güte seines Wesens um sie betrübt. Die Situation war mitleiderregend und Christus betrachtete sie mit Mitleid. Er „sprach zu ihr: Weine nicht!" Was gibt uns das für eine angenehme Vorstellung von dem Mitleid des Herrn Jesus und der Größe seiner Barmherzigkeit. Christus sagte: „Weine nicht!" Und er konnte ihr einen Grund bieten, den niemand anderes geben konnte: „Weine nicht um einen toten Sohn, weil er bald ein lebender sein wird." Dieser Grund war speziell für ihren Fall, doch es gibt einen gemeinsamen Grund für alle, die in Jesus schlafen, dass sie in Herrlichkeit wiederauferstehen werden. Wir dürfen deshalb nicht traurig sein „wie die anderen, die keine Hoffnung haben" (1.Thess 4,13). Außerdem möge unser Leidensschmerz in einer solchen Zeit beim Gedanken an das Mitleid Christi unter Kontrolle gebracht und beruhigt werden.

Schauen Sie, wie siegreich sein Gebieten selbst über den Tod ist: „Und er trat hinzu und rührte den Sarg an" **(Vers 14)**. Er zeigte denen, die den Sarg trugen, an, dass sie nicht weitergehen sollten. „Die Träger aber standen still", und dann sprach er mit Feierlichkeit wie einer, der Vollmacht hat (s. Mt 7,29): „Junger Mann, ich sage dir: Steh auf!" Macht begleitete dieses Wort, um ihm Leben zu geben. Christi Macht über den Tod zeigte sich durch die unmittelbare Wirkung seines Wortes: „Und der Tote setzte sich auf" **(Vers 15)**. Haben wir von Christus Gnade empfangen? Dann mögen wir es zeigen. Ein weiteres Zeichen des Lebens war, dass er anfing zu reden, denn wenn immer Christus uns geistliches Leben gibt, tut er die Lippen auf für Gebet und Lobpreis (s. Ps 51,17). „Und er gab ihn seiner Mutter", um bei ihr zu sein, wie es einem gehorsamen Sohn gebührt. Jetzt wurde sie genauso viele Tage erfreut, wie sie gebeugt wurde und noch viele mehr (s. Ps 90,15).

4. Welche Wirkung dieses Wunder auf andere Menschen hatte: „Da wurden sie alle von Furcht ergriffen" **(Vers 16)**; sie wurden alle von Erstaunen über dieses Wunder ergriffen „und priesen Gott". Der Herr und seine Güte wie auch der Herr und seine Größe sind zu fürchten (s. 2.Mose 33,18-23). Der Schluss, den sie daraus zogen, war: „Ein großer Prophet ist unter uns aufgestanden, und: Gott hat sein Volk heimgesucht!" Dies würde in der Tat „Leben aus den Toten" für all diejenigen zur Folge haben, die auf den Trost Israels warteten (Röm 11,15; s. Lk 2,25). Der Bericht über dieses Wunder wurde:

4.1 Allgemein überbracht, in ganz Judäa und in der ganzen Umgegend: „Und diese Rede über ihn verbreitete sich in ganz Judäa" (Vers 17), was eine lange Strecke entfernt war, und in ganz Galiläa, was die Umgegend war. Vielen Leuten klingt die Nachricht von Christi Evangelium in ihren Ohren, doch sie freuen sich nicht in ihrer Seele daran.

4.2 Insbesondere ausführlich Johannes dem Täufer überbracht, der nun im Gefängnis war: „Und die Jünger des Johannes berichteten ihm von dem allem" **(Vers 18)**, damit er wissen möge, dass, obwohl er in Ketten lag, das Wort des Herrn nicht gekettet war (s. 2.Tim 2,9). Gottes Werk ging weiter, obwohl man ihn aus dem Verkehr gezogen hatte.

Vers 19-35

1. Hier haben wir die Botschaft, die Johannes der Täufer Christus sandte, und die Antwort, die Christus darauf gab. Beachten Sie:

1.1 Die große Sache, die wir in Bezug auf Christus ergründen müssen ist, ob er der Eine ist, der kommen sollte, oder ob wir auf einen anderen warten sollen **(s. Vers 19-20)**. Wir sind sicher, dass Gott verheißen hat, dass ein Retter kommen wird; wir sind genauso sicher, dass er erfüllen wird, was er verheißen hat. Wenn dieser Jesus dieser verheißene Messias ist, werden wir ihn empfangen, wenn er es aber nicht ist, werden wir an unserer Erwartung festhalten und weiterhin auf den Messias warten.

1.2 Der Glaube von Johannes dem Täufer musste selbst in dieser Angelegenheit bestätigt werden. Die Führer der jüdischen Gemeinde hatten Jesus nicht anerkannt. In ihm wurde nichts von der Macht und Größe gesehen, von der man erwartete, dass sie den Messias begleitet, wenn er auftritt, und so war es nicht verwunderlich, dass die Boten von Johannes fragen würden, ob er der Messias ist.

1.3 Christus überließ es seinen eigenen Werken, ihn zu loben. Als die Boten von Johannes bei ihm waren, vollbrachte er viele Wunderheilungen „zu derselben Stunde". Er heilte „viele von Krankheiten und Plagen" im Leib, trieb böse Geister aus „und schenkte vielen Blinden das Augenlicht". Seine Heilungen waren sehr zahlreich, sodass überhaupt keine Grundlage dafür blieb, Betrug zu befürchten, und dann sagte er ihnen: „Geht hin und berichtet dem Johannes, was ihr gesehen und gehört habt" **(Vers 22)**. Und sowohl Johannes als auch sie konnten leicht argumentieren, wie es selbst die einfachen Leute taten: „Wenn der Christus kommt, wird er wohl mehr Zeichen tun als die, welche dieser getan hat?' Ihr seht, dass der Christus dies an den Leibern der Menschen tut, und so müsst ihr schließen, dass dies der Eine ist, der kommen soll, um es auch an den Seelen der Menschen zu tun, und deshalb sollt ihr nicht auf einen anderen warten" (Joh 7,31). Er fügte Wunder im Reich der Gnade seinen Wundern im Reich der Natur hinzu: „Armen wird das Evangelium verkündigt" **(Vers 22)**, was, wie sie wussten, von dem Messias getan werden würde. „Daher beurteilt, ob ihr einen anderen erwarten könnt, der das Wesen des Messias vollständiger erfüllen wird."

1.4 Er gab ihnen einen Hinweis auf die Gefahr, in der die Menschen waren, wenn sie gegen ihn voreingenommen waren. „Und glückselig ist, wer nicht Anstoß nimmt an mir!', der meinetwegen nicht zu Fall kommt." Christi Erziehung in Nazareth, sein Wohnsitz in Galiläa, die Bedeutungslosigkeit seiner Familie und Verwandten, seine Armut und das nicht Imposante seiner Nachfolger – dies und dergleichen waren für viele Menschen Steine des Anstoßes. Diejenigen, die nicht von diesen Vorurteilen überwältigt werden, sind glückselig, denn sie sind gut, weise und demütig. Es ist ein Zeichen, dass Gott sie gesegnet hat und sie werden wirklich in Christus „gesegnet sein" (Ps 72,17).

2. Hier haben wir das große Lob, das Christus Johannes dem Täufer ausspricht, „als die Boten des Johannes weggegangen waren" **(Vers 24)**. Die Menschen mögen nun nachdenken, was sie „in die Wüste hinausgegangen zu sehen" waren. Christus sagte, sie sollten kommen, er würde es ihnen nun sagen.

2.1 Johannes der Täufer war ein Mann mit Rechtschaffenheit, Beständigkeit und Treue. Er war kein „Rohr, das vom Wind bewegt wird", er war so fest wie ein Fels, nicht unbeständig wie ein Rohr.

2.2 Er war ein Mann mit beispielloser Selbstverleugnung. Er war kein Mensch „mit weichen Kleidern bekleidet", noch lebte er in Üppigkeit **(Vers 25)**. Er lebte im Gegenteil in der Wüste und kleidete und ernährte sich entsprechend.

2.3 Er war ein Prophet. In der Tat war er einer, „der mehr ist als ein Prophet!" **(Vers 26)**, mehr als jeder der alttestamentlichen Propheten, denn sie sprachen von Christus als jemandem, der entfernt ist, und er sprach von ihm als jemandem, der vor der Tür steht.

2.4 Er war der Vorbote und Vorläufer des Messias und war selbst im Alten Testament vorhergesagt: „Dieser ist's, von dem geschrieben steht: ‚Siehe, ich sende meinen Boten vor deinem Angesicht her'" (Vers 27; s. Mal 3,1). Ehe

Gott den Herrn selbst sandte, sandte er einen Boten, um sein Kommen anzukündigen. Es war ein Zeichen, das deutlich genug für die geistliche Natur des Reiches Christi sprach, dass der Bote, der vor ihm her gesandt war, um seinen Weg vor ihm zu bereiten, dies durch die Predigt der Buße und der Besserung tat. Sicherlich war das Reich, das auf diese Weise eingeführt wurde, nicht von dieser Welt.

2.5 Er war so groß, dass es wirklich „keinen größeren Propheten" als ihn gab. Propheten waren die größten, welche von Frauen geboren wurden, und Johannes war der größte aller Propheten; „doch der Kleinste im Reich Gottes ist größer als er". Der Geringste von denen, „die dem Lamm nachfolgen" (Offb 14,4), übertrifft weit den Größten von denen, die vor ihm waren. Deshalb haben diejenigen, die im Zeitalter des Evangeliums leben, sogar noch mehr, wofür sie verantwortlich sind.

3. Wir haben hier den gerechten Tadel über die Menschen jenes Geschlechts.

3.1 Christus zeigte, wie Johannes der Täufer geringschätzig behandelt wurde, als er predigte und taufte. Diejenigen, die ihm Achtung erwiesen, waren nur die einfachen, gewöhnlichen Leute **(s. Vers 29)**. „… das ganze Volk", die einfachen Massen, über die gesagt wurde, „dieser Pöbel, der das Gesetz nicht kennt, der ist unter dem Fluch!" (Joh 7,49), und die Zöllner – diese ließen sich taufen „mit der Taufe des Johannes" und wurden seine Jünger. Durch ihre Buße und Besserung gaben sie Gott recht, dass er jemanden wie Johannes den Täufer eingesetzt hat, der Vorläufer des Messias zu sein. Auf diese Weise stellten sie auch klar, dass die Sendung von Johannes der beste Weg war, auf dem der Messias eingeführt werden konnte, denn es war für sie nicht vergeblich, was auch immer es für andere war. Die Führer ihrer Gemeinde und ihres Volkes hörten ihn, das ist wahr, doch sie ließen sich „nicht von ihm taufen" **(Vers 30)**. Die Pharisäer und die Gesetzesgelehrten „verwarfen den Ratschluss Gottes, sich selbst zum Schaden" (verwarfen Gottes Plan für sich); wenn sie sich dem Ratschluss Gottes unterworfen hätten, wäre es ihnen zugutegekommen, doch sie verwarfen ihn und dies war für sie „selbst zum Schaden", zu ihrem eigenen Verderben.

3.2 Er zeigte, wie die Einwände, welche die Menschen jenes Geschlechts erhoben, und die Vorurteile, welche sie sowohl Johannes als auch Christus gegenüber hegten, eine sonderbare Verderbtheit enthüllten.

Sie lachten über Gottes Wege, um ihnen Gutes zu tun: „Wem soll ich nun die Menschen dieses Geschlechts vergleichen?' Sie gleichen Kindern, ‚die am Markt sitzen', die mit nichts Ernstem beschäftigt sind, sondern so viel spielen wie möglich. Es ist, als würde Gott Spaß mit ihnen machen, wie Kinder auf dem Markt miteinander spielen. Sie nehmen alles als Spaß auf" **(Vers 31-32)**. Das ist das Verderben vieler Menschen: Sie können sich nie dazu bringen, ernstlich in geistlichen Dingen zu sein. Wie absolut schrecklich ist es, die Torheit und Nichtswürdigkeit dieser blinden und gottlosen Welt zu sehen! Möge der Herr sie aus ihrem Selbstvertrauen aufwecken.

Sie finden immer noch das eine oder andere, um sich darüber zu beklagen.

Johannes der Täufer war ein zurückhaltender und strenger Mann, der sehr viel allein lebte und den man als nachdenklichen Mann und Mann der inneren Sammlung hätte hören sollen, doch wofür man ihn hätte loben sollen, wurde zu einem Vorwurf gegen ihn gewendet. „Weil er als jemand kam, der kein Brot aß und keinen Wein trank, sagt ihr: ‚Er hat einen Dämon!', er ist schwermütig, er ist besessen."

Unser Herr Jesus hatte einen freieren, offeneren Charakter; er kam als jemand, „der isst und trinkt" **(Vers 34)**. Er würde gehen und mit den Pharisäern essen und er würde mit Zöllnern essen. In der Hoffnung, jedem einzelnen Gutes zu tun, war er mit beiden gut bekannt. Das zeigt, das geistliche Diener sehr unterschiedliche Charaktere und Wesensarten haben können; es gibt viele unterschiedliche Predigt- und Lebensstile, doch alle sind gut und nützlich. Deshalb darf sich niemand zum Maßstab für alle anderen machen noch hart über die richten, welche die Dinge nicht genau so machen wie sie. Johannes der Täufer legte Zeugnis von Christus ab und Christus lobte Johannes den Täufer, obwohl sie in ihrem Lebensstil entgegengesetzt zueinander waren. Ihre gemeinsamen Feinde aber tadelten sie beide. Genau die gleichen Leute, die Johannes als verrückt bezeichnet hatten, bezeichneten unseren Herrn Jesus als verderbt. Er sei „ein Fresser und Weinsäufer". Feindschaft wird niemals Gutes sagen.

3.3 Er zeigte, dass Gott trotz diesem durch die Rettung eines erwählten Überrestes gerechtfertigt werden würde: „Und doch ist die Weisheit gerechtfertigt worden von allen ihren Kindern" **(Vers 35)**. Die Kinder der Weisheit sind sich in diesem Punkt einig: Sie haben alle Freude an den Wegen der Gnade, denen die göttliche Weisheit folgt, und sie denken niemals schlimmer von ihnen, nur weil manche über sie lachen.

Vers 36-49

Es wird nicht gesagt, wann und wo dieses Ereignis stattfand, doch es wird hier einbezogen, als Christus als „Freund der Zöllner und Sünder" geschmäht wurde, um zu zeigen, dass es nur zu ihrem Wohl geschah und um sie zur Buße zu bringen, dass er mit ihnen Umgang hatte. Es wird nicht gesagt, wer diese Frau war, die eine solche Verehrung für Christus zeigte.

Beachten Sie:

1. Den höflichen Empfang, den ein Pharisäer Christus bereitete: „Es bat ihn aber einer der Pharisäer, mit ihm zu essen" **(Vers 36)**. Es scheint, dass dieser Pharisäer nicht an Christus glaubte, denn er erkannte ihn nicht als einen Propheten an **(s. Vers 39)**, doch unser Herr Jesus nahm seine Einladung dennoch an, „ging in das Haus des Pharisäers und setzte sich zu Tisch". Menschen, welche die Weisheit besitzen, geistliche Dinge zu erläutern und über sie zu diskutieren, sollten sich zu denen gesellen, die Autorität besitzen und die Vorurteile gegen Christus haben.

2. Die große Achtung, die ihm eine arme, bußfertige Sünderin erwies. Es war eine Frau „in der Stadt, die war eine Sünderin", eine bekannte Prostituierte. Sie wusste, dass Jesus im Haus des Pharisäers essen würde, und sie kam, um ihre Verpflichtung ihm gegenüber anzuerkennen, und sie hatte keine andere Möglichkeit, dies zu tun, als ihm die Füße zu waschen und etwas liebliches Parfüm über sie auszugießen, welches sie zu diesem Zweck mitgebracht hatte. Diese Frau blickte nun Christus nicht ins Angesicht, sondern „trat hinten" an ihn heran und erfüllte die Rolle eines weiblichen Knechtes. Beachten Sie bei den Taten dieser guten Frau:

2.1 Ihre tiefe Demütigung für ihre Sünde. Sie stand hinter ihm und weinte; ihre Augen hatten es der Sünde erlaubt, hereinzukommen und herauszugehen, und nun machte sie sie zu einer Quelle der Tränen. Ihr Gesicht, das vielleicht gewohnt war, mit Make-up bedeckt zu sein, war nun durch ihre Tränen verschmiert. Sie benutzte ihr Haar, das vorher geflochten und geschmückt wurde, als Handtuch. Wir haben Grund zu der Annahme, dass sie bereits vorher wegen ihrer Sünde bekümmert war, doch jetzt, wo sie die Gelegenheit hatte, in die Gegenwart Christi zu kommen, wurde ihr Kummer erneuert.

2.2 Ihre starke Hingabe für den Herrn Jesus. Das war es, was unser Herr Jesus besonders bemerkte, dass sie viel Liebe erwies **(s. Vers 42.47)**. Sie benetzte seine Füße; sie benetzte sie mit ihren Freudentränen; sie war so in Verzückung, dass sie sich so dicht an ihrem Heiland befand, den ihre Seele liebte (s. Hld 1,7; 3,1-4). Sie „küsste seine Füße". Es war ein Kuss der Verehrung wie auch der Zuneigung. „Sie trocknete sie mit den Haaren ihres Hauptes". Ihre Augen wollten Wasser geben, um sie zu waschen, und ihr Haar war ein Handtuch, um sie zu trocken, und sie salbte seine Füße „mit der Salbe". Alle wirklich Bußfertigen lieben den Herrn Jesus innig.

3. Den Anstoß, den der Pharisäer daran nahm, dass Christus die Achtung annahm, welche diese arme Bußfertige ihm erwies: Er sprach bei sich selbst: „Wenn dieser ein Prophet wäre, so wüsste er doch ... dass sie eine Sünderin ist!' Er würde wohl auch so heilig sein, dass er ihr deshalb nicht gestatten würde, so dicht an ihn heranzukommen." Beachten Sie, wie stolze und enge Seelen zu dem Denken neigen, dass andere genauso stolz und kritisch sein sollten, wie sie es sind.

4. Christi Rechtfertigung der Frau in dem, was sie an ihm tat, und seine Rechtfertigung von sich selbst, dass er es annahm. Christus wusste, was der Pharisäer „bei sich selbst" sagte, und er antwortete darauf: „Simon, ich habe dir etwas zu sagen" **(Vers 40)**. Simon war bereit, ihm zuzuhören: „Er sprach: Meister, sprich!" Christus argumentiert in seiner Antwort an den Pharisäer auf diese Weise: Es stimmt, dass diese Frau eine Sünderin gewesen war: Er wusste es. Doch sie war eine begnadigte Sünderin, was mit sich brachte, dass sie eine bußfertige Sünderin war. Was sie an ihm getan hatte, war deshalb ein Ausdruck ihrer großen Liebe zu ihrem Heiland. Wenn ihr, die eine so große Sünderin gewesen war, vergeben wurde, sollte man vernünftigerweise erwarten, dass sie ihren Heiland mehr liebt als andere, und wenn dies die Frucht ihrer Liebe war und aus der Gewissheit der Vergebung ihrer Sünden floss, war es richtig von ihm, es anzunehmen, und es war falsch von dem Pharisäer, dadurch gekränkt zu sein.

4.1 Er gebrauchte ein Gleichnis, um Simon anerkennen zu lassen, dass, je größer die Sünde dieser Frau gewesen ist, sie Jesus Christus umso größere Liebe erweisen sollte, wenn ihre Sünden vergeben waren **(s. Vers 41-43)**. Ein Mann hatte zwei Schuldner, die beide zahlungsunfähig waren, doch einer von ihnen schuldete ihm zehnmal mehr als der andere. Er vergab beiden sehr freigebig, statt das Gesetz anzuwenden, um es sich zunutze zu machen. Beiden war nun die große Güte klar, die sie empfangen hatten, doch: „Welcher von ihnen wird ihn nun am meisten lieben?" „Sicherlich der", sagte der Pharisäer, „dem er am meisten geschenkt hat'." Lernen Sie daraus die Pflichten, welche Schuldner und Gläubiger einander schuldig sind.

Wenn ein Schuldner etwas hat, um zu zahlen, sollte er seine Schulden bezahlen.

Wenn Gott in seiner Vorsehung den Schuldner unfähig gemacht hat, seine Schuld zu bezahlen, sollte der Gläubiger nicht streng mit ihm sein, sondern sie ihm freimütig erlassen.

Die Schuldner, die gesehen haben, dass ihre Gläubiger barmherzig sind, sollten ihnen sehr dankbar sein und sie lieben. Manche zahlungsunfähige Schuldner sind ihren Gläubigern gegenüber boshaft, statt ihnen dankbar zu sein, und können kein gutes Wort über sie sagen, nur weil sich die Gläubiger beklagen, obwohl es die

Gläubiger sind, die etwas durch die Beziehung verloren haben und deshalb das Recht haben, sich zu beklagen. Dies Gleichnis spricht jedoch von Gott oder vielmehr von dem Herrn Jesus selbst, denn er ist derjenige, der vergibt, und Sünder sind die Schuldner und darum können wir daraus lernen:

Dass Sünde eine Schuld ist und Sünder Schuldner vor dem allmächtigen Gott sind. Als Geschöpfe schulden wir eine Pflicht des Gehorsams. Wir haben unsere Pacht nicht bezahlt; wir haben in der Tat die Güter unseres Herrn vergeudet und sind so zu Schuldnern unseres Herrn geworden.

Dass manche tiefer durch ihre Sünden bei Gott verschuldet sind als andere: Ein Schuldner in dem Gleichnis schuldete 500 Denare und der andere 50. Der Pharisäer war der, welcher weniger schuldig war, doch er war immer noch ein Schuldner, was mehr war, als er von sich selbst dachte. Diese Frau war die größere Schuldnerin.

Dass egal, ob unsere Schuld groß oder kleiner ist, sie mehr ist, als wir zurückzahlen können: Die Schuldner in dem Gleichnis hatten kein Geld, um ihre Schulden zu bezahlen, überhaupt nichts. Keine eigene Gerechtigkeit wird unsere Schuld zurückzahlen, nicht einmal unsere Buße und unser Gehorsam in der Zukunft, denn es ist das, wozu wir bereits verpflichtet sind.

Dass der Gott des Himmels bereit ist, armen Sündern frei zu vergeben. Wenn wir Buße tun und an Christus glauben, wird uns unsere Sünde nicht angerechnet werden. Der Herr hat seinen Namen als barmherzig und gnädig verkündet und als bereit, Sünde zu vergeben (s. 2.Mose 34,6).

Dass diejenigen, deren Sünden vergeben sind, verpflichtet sind, den zu lieben, der ihnen vergeben hat, und je mehr ihnen vergeben ist, umso mehr sollten sie ihn lieben. Je größere Sünder die Menschen vor ihrer Bekehrung gewesen sind, umso größere Heilige sollten sie danach sein. Als der der Gemeinde verfolgende Saulus zu dem predigenden Paulus wurde, hat er umso mehr gearbeitet (s. 1.Kor 15,10).

4.2 Er wandte dieses Gleichnis auf die unterschiedlichen Haltungen und das Verhalten des Pharisäers und der Sünderin an. Christus schien bereit, den Pharisäer als jemanden anzuerkennen, dem vergeben war, wenn auch weniger vergeben. Es stimmt, dass er etwas Liebe zu Christus zeigte, doch das war nichts verglichen mit dem, was diese arme Frau zeigte. Christus sagte zu ihm: „Beachte, sie ist diejenige, der viel vergeben worden war, und deshalb soll sie viel mehr lieben, als du es tust, und so zeigt es sich. ‚Siehst du diese Frau?' Bedenke, ein wie viel freundlicher Freund sie für mich ist, als du es gewesen bist; sollte ich dann deine Freundlichkeit annehmen und die ihre ablehnen?"

„Du hast es für mich nicht einmal arrangiert, eine Schüssel Wasser zu bekommen, um darin meine Füße zu waschen, doch sie hat viel mehr getan: Sie hat meine Füße als Zeichen ihrer großen Liebe zu mir mit Tränen gewaschen und sie mit den Haaren ihres Hauptes getrocknet."

Du hast mir noch nicht einmal auf die Wange geküsst, doch diese Frau hat nicht aufgehört, meine Füße zu küssen" **(s. Vers 45)**.

„Du hast mir nicht einmal ein wenig gewöhnliches Öl gegeben, wie es üblich ist, um es mir auf mein Haupt zu tun, sie aber hat ein Fläschchen mit kostbarem Salböl auf meine Füße ausgegossen" **(s. Vers 46)**. Der Grund, warum manche Menschen an den Mühen und den Kosten herumnörgeln, die eifrige Christen auf sich nehmen, ist, dass sie selbst nicht bereit sind, sich selbst auf diese Weise anzustrengen, sondern sich mit einem billigen und leichten Glauben zurücklehnen möchten, der nichts von ihnen fordert.

4.3 Er brachte den Einwand des Pharisäers zum Schweigen: „Deshalb sage ich dir: Ihre vielen Sünden sind vergeben worden, darum hat sie viel Liebe erwiesen" **(Vers 47)**. Er gab zu, dass sie vieler Sünden schuldig war. „Doch sie sind ihr vergeben worden, denn sie liebte viel." Man sollte es wiedergeben: „Deshalb liebte sie viel", denn es war klar, dass ihre große Liebe nicht die Ursache, sondern die Auswirkung ihrer Vergebung war. Wir lieben Gott, weil er uns zuerst geliebt hat; er vergab uns nicht, weil wir ihn zuerst geliebt haben. „Doch der, dem wenig vergeben wurde, wie es bei dir ist, liebt nur wenig, wie du es tust." Statt größeren Sündern die Barmherzigkeit zu missgönnen, die sie in Christus finden, sollten wir durch ihr Beispiel angeregt werden, uns selbst zu prüfen, ob uns wirklich vergeben wurde und wir Christus lieben.

4.4 Er brachte ihre Ängste zum Schweigen. Christus sagte zu ihr: „Dir sind deine Sünden vergeben!" **(Vers 48)**. Sie wurde mit diesen Worten Christi verabschiedet: „Dir sind deine Sünden vergeben!" Und dies würde ein wirksamer Weg sein sicherzustellen, dass sie nicht zu ihrer Sünde zurückkehren würde. Obwohl einige der Anwesenden bei sich selbst mit Christus haderten, weil er sich herausnahm, Sünden zu vergeben und Sündern die Vergebung zuzusprechen **(s. Vers 49)**, stand er doch zu dem, was er sagte. Er würde nun zeigen, dass es ihm Freude machte, Sünden zu vergeben. Er liebt es, Bußfertigen Worte der Vergebung und des Friedens zu sagen. Er sagte zu der Frau: „Dein Glaube hat dich gerettet" **(Vers 50)**. All diese Ausdrücke des Kummers über die Sünde und Liebe zu Christus waren die Ausdrücke und Ergebnisse des Glaubens. So, wie der Glaube Gott mehr ehrt als alle anderen Gnadenwirkungen, ehrt Christus den Glauben mehr als jede andere Gnadengabe.

Kapitel 8

Der größte Teil dieses Kapitels ist eine Wiederholung von verschiedenen Abschnitten, die wir vorher in Matthäus und Markus hatten. Hier gibt es: 1. Einen allgemeinen Bericht von dem Predigen Christi (s. Vers 1-3). 2. Das Gleichnis vom Sämann (s. Vers 4-18). 3. Den Vorzug, den Christus seinen gehorsamen Jüngern gegenüber seinen engsten Verwandten gab (s. Vers 19-21). 4. Wie er auf einem See den Sturm stillt (s. Vers 22-25). 5. Wie er eine Legion von Dämonen aus einem Mann austreibt (s. Vers 26-40). 6. Seine Heilung von der blutflüssigen Frau und seine Erweckung der Tochter des Jairus zum Leben (s. Vers 41-56).

Vers 1-3

Hier wird uns gesagt:

1. Was Christus zur unaufhörlichen Arbeit seines Lebens machte: Das Predigen. Er war unermüdlich in dem Werk, umherzuziehen und Gutes zu tun (s. Apg 10,38; **Vers 1**). Beachten Sie:

1.1 Wo er predigte: Er zog umher. Er war ein umherziehender Prediger; er beschränkte sich nicht auf einen Ort, sondern verbreitete die Strahlen seines Lichts. Er ging von einer Stadt und einem Dorf zum nächsten, sodass niemand Unwissenheit vorschützen konnte. Hier gab er seinen Jüngern ein Beispiel; sie müssen die Völker der Erde durchqueren, wie er es mit den Städten Israels tat. Er beschränkte sich auch nicht auf die Städte, sondern ging auch in die Dörfer, unter die gewöhnlichen Landleute.

1.2 Was er predigte: Er verkündigte „das Evangelium vom Reich Gottes". Nachrichten vom Reich Gottes sind gute Nachrichten und Jesus kam, um sie zu bringen. Es waren gute Nachrichten für die Welt, dass es Hoffnung gab, dass sie verbessert und versöhnt wird.

1.3 Wer mit ihm war: „Und die Zwölf waren mit ihm", um von ihm zu lernen, was und wie sie später predigen sollten.

2. Von woher er die notwendige Unterstützung zum Leben bekam: Er lebte von der Güte seiner Freunde. Es gab „etliche Frauen ... die ihm dienten mit ihrer Habe" (aus eigenen Mitteln halfen, ihn zu unterstützen; **Vers 2-3**). Manche von ihnen werden benannt, doch es gab „viele andere".

2.1 Es waren meistens solche, die Denkmäler seiner Macht und Barmherzigkeit waren; sie waren „von bösen Geistern und Krankheiten geheilt worden". Wir sind aus eigenem Interesse dazu verpflichtet, uns eng an ihn zu halten, damit wir in der Lage sein können, uns an ihn um Hilfe zu wenden, wenn wir rückfällig werden; und wir sind aus Dankbarkeit verpflichtet, ihm und seinem Evangelium zu dienen, weil er der ist, der uns durch sein Evangelium gerettet hat.

2.2 Eine von ihnen war Maria Magdalena, „von der sieben Dämonen ausgefahren waren". Manche meinen, dass sie sehr böse gewesen war, und wenn dem so ist, dann können wir davon ausgehen, dass sie die Sünderin war, die gerade vorher erwähnt wurde (s. Lk 7,37). Auf ihre Buße und Besserung hin fand sie Barmherzigkeit und wurde eine eifrige Jüngerin Christi. Je schlimmer jemand vor seiner Bekehrung war, umso mehr sollte er danach für Christus zu tun streben. Diese Maria Magdalena war am Kreuz Christi und an seinem Grab.

2.3 Eine andere von ihnen war „Johanna, die Frau Chusas, eines Verwalters des Herodes" (Chusa, dem Verwalter im Haushalt von Herodes). Ihr Ehemann hatte, obwohl er am Hof von Herodes aufgestiegen war, das Evangelium angenommen und war absolut bereit, dass seine Frau Christus sowohl hörte als auch unterstützte.

2.4 Es gab viele von ihnen, die Christus „dienten mit ihrer Habe" (aus ihren eigenen Mitteln). „Obwohl er reich war", wurde er „um euretwillen arm" (2.Kor 8,9) und lebte von den Gaben anderer. Christus wollte lieber seinen bekannten Freunden für seinen und den Unterhalt seiner Jünger zu Dank verpflichtet, als für Fremde eine Last sein. Es ist die Pflicht von denjenigen, die im Wort unterrichtet werden, denen, die sie unterrichten, „Anteil an allen Gütern" zu geben (Gal 6,6).

Vers 4-21

Der vorhergehende Abschnitt begann mit einem Bericht über den Eifer Christi beim Predigen (s. Lk 8,1); dieser beginnt mit einem Bericht des Eifers der Leute zu hören. Er zog „von Stadt zu Stadt" zum Predigen; dort waren solche, die „aus den Städten zu ihm zogen" (**Vers 4**), die nicht warten wollten, bis er zu ihnen kam, und nicht meinen wollten, dass sie genug von ihm gehabt hatten, wenn er sie verließ, sondern ihm entgegengingen, wenn er zu ihnen kam, und ihm folgten, wenn er von ihnen wegging. „... eine große Menge" kam zusammen – eine Fülle an „Fischen", um sein Netz auszuwerfen – und er war genauso bereit und gewillt, zu predigen und zu lehren, wie sie es waren, gelehrt zu werden. Nun haben wir hier:

1. Im Gleichnis vom Sämann und seiner Erläuterung notwendige und vorzügliche Regeln und Warnungen, das Wort zu hören. Als Christus dieses Gleichnis erzählt hatte:

1.1 Fragten die Jünger nach seiner Bedeutung. Sie fragten ihn: „Was bedeutet wohl dieses Gleichnis?" (**Vers 9**). Wir sollten aufrichtig danach streben, sowohl die wahre Absicht als auch den ganzen Umfang des Wortes zu erkennen, das wir hören.

1.2 Sagte Christus ihnen, was für eine große Gunst es für sie war, dass sie die Gelegenheit haben, sich mit den Geheimnis und der Bedeutung seines Wortes vertraut zu machen, welche andere nicht hatten: „Euch ist es gegeben" **(Vers 10)**. Wir sind wirklich begünstigt und glücklich und für immer in der Schuld der freien Gnade, wenn die gleiche Sache, welche für andere nur ein Gleichnis ist, durch das sie nur unterhalten werden, für uns eine deutliche Wahrheit ist. Beachten Sie nun bei diesem Gleichnis und seiner Erläuterung:

Das menschliche Herz ist für die Saat von Gottes Wort wie Erde; es ist in der Lage, es aufzunehmen und seine Frucht hervorzubringen, doch wenn dieser Same nicht hineingesät wird, wird es nichts Nützliches hervorbringen. Unsere Sorge muss darum sein, Saat und Erde zusammenzubringen.

Der Erfolg des Säens entspricht sehr der Natur des Bodens. So, wie wir in uns selbst sind, ist das Wort Gottes für uns: entweder „ein Geruch des Lebens zum Leben" oder „ein Geruch des Todes zum Tode (2.Kor 2,16).

Der Teufel ist ein raffinierter und boshafter Feind. Er nimmt das Wort aus den Herzen von unbekümmerten Hörern, „damit sie nicht zum Glauben gelangen und gerettet werden" **(Vers 12)**. Dies wird hier dem hinzugefügt, was die anderen Evangelisten berichten, um uns zu lehren, dass wir nicht gerettet werden können, wenn wir nicht glauben. Deshalb tut der Teufel alles, was er kann, um uns vom Glauben abzuhalten, uns nicht das Wort glauben zu lassen, wenn wir es lesen und hören, oder, wenn wir ihm für den Augenblick Beachtung schenken, es uns später vergessen zu lassen, sodass wir abgleiten, oder, wenn wir uns daran erinnern, Vorurteile dagegen in unserem Herzen zu schaffen oder uns davon abzulenken, damit wir an etwas anderes denken. All dies geschieht, damit wir „nicht zum Glauben gelangen und gerettet werden".

Wo das Wort Gottes nachlässig gehört wird, wird ihm in der Regel Geringschätzung erwiesen. Zu dem, was die anderen Evangelisten schrieben, wird hier hinzugefügt, dass der Samen, der an den Weg fiel, zertreten wurde **(s. Vers 5)**. Diejenigen, bei denen das Wort einen gewissen Eindruck hinterlässt, aber keinen tiefen und dauerhaften, werden in einer Zeit der Prüfung ihre Heuchelei zeigen, wie der Same auf dem Felsen, auf dem er keine Wurzel hat **(s. Vers 13)**.

Diese glauben eine Zeit lang. Ihr Bekenntnis des Glaubens verspricht etwas, doch in Zeiten der Versuchung fallen sie von ihrem guten Beginn ab.

Die „Vergnügungen des Lebens" sind wie gefährliche und lästige Dornen, welche die gute Saat des Wortes ersticken **(Vers 14)**. Dieser Satz ist dem hinzugefügt, was die anderen Evangelisten schrieben. Man kann die Seele durch weltliche Vergnügungen verderben, selbst durch rechtmäßige Freuden, wenn man ihnen zu sehr nachgibt und sich zu sehr an ihnen freut.

Es reicht nicht, dass Frucht hervorgebracht wird; sie muss zur Vollendung gebracht werden; sie muss vollständig reifen und groß werden. Wenn sie das nicht tut, ist es, als wäre überhaupt keine Frucht hervorgebracht worden, denn von dem, wo in Matthäus und Markus gesagt wird, dass es unfruchtbar ist, wird hier gesagt, dass es keine reife Frucht hervorbringt.

Das gute Erdreich, welches „hundertfältige Frucht" bringt, ist ein feines und gutes Herz **(s. Vers 15)**, ein Herz, das sich fest auf Gott und die Pflicht gründet, ein aufrechtes Herz, ein weiches Herz, ein edles und gutes Herz, welches, wenn es das Wort gehört hat, es versteht (wie es in Matthäus heißt), es aufnimmt (wie es in Markus steht) und behält (wie es hier heißt), wie das Erdreich den Samen nicht nur empfängt, sondern auch behält.

Wo das Wort gut behalten wird, wird Frucht hervorgebracht „in standhaftem Ausharren". Auch das ist hier hinzugefügt. Es muss sowohl Ausharren geben, um Drangsal und Verfolgung zu erdulden, als auch Ausharren, um bis zum Ende damit fortzufahren, Gutes zu tun.

Wenn wir dies alles betrachten, sollten wir darauf Acht haben, wie wir hören **(s. Vers 18)**, auf die Dinge achten, die uns daran hindern werden, vom Wort zu profitieren, das wir hören, damit wir nicht nachlässig und respektlos hören mögen. Wir müssen an den Zustand unseres Geistes denken, nachdem wir das Wort gehört haben, damit wir nicht verlieren, was wir gewonnen haben.

2. Notwendige Unterweisungen, welche sowohl denen gegeben werden, die eingesetzt sind, das Wort zu predigen, als auch denen, die es gehört haben.

2.1 Diejenigen, welche die Gnadengabe empfangen haben, müssen mit ihr dienen (s. 1.Petr 4,10; **Vers 16**). Menschen, die vom Wort profitiert haben, müssen sich als angezündete Lichter betrachten. Ein Licht darf nicht „mit einem Gefäß" bedeckt, noch „unter ein Bett" gestellt werden. Geistliche Diener und Christen sollen Lichter in der Welt sein (s. Mt 5,14). Ihr Licht muss in der Gegenwart der Leute scheinen; sie müssen nicht nur gut sein, sondern auch Gutes tun.

2.2 Wir müssen damit rechnen, dass das, was jetzt „geheim" ist, bald „bekannt werden und an den Tag kommen wird" **(Vers 17)**. Was ihnen im Geheimen anvertraut wird, sollte von ihnen bekannt gemacht werden, denn ihr Meister gab ihnen keine Talente, um sie zu vergraben, sondern um sie zu benutzen (s. Mt 25,24-30).

2.3 Die Gaben, die wir haben, werden entweder bei uns bleiben oder uns genommen werden, was davon abhängt, ob wir sie für die Herrlichkeit Gottes benutzen oder nicht: „Denn wer hat, dem wird gegeben" **(Vers 18)**. Wer Gaben hat und mit ihnen Gutes tut, wird mehr bekommen; wer sein Talent vergräbt, wird es verlieren. Von dem, der nicht hat, wird auch das, „was er hat", genommen werden, wie es bei Markus heißt; „was er zu haben meint", wie es in Lukas gesagt wird. Die Gnadengabe, die verloren geht, war nur scheinbar eine Gnadengabe; sie war niemals echt. Was die Menschen nicht benutzen, das scheinen sie nur zu haben.

3. Ein besonderes Beispiel der Achtung Christi für seine Jünger, dass er sie seinen engsten Verwandten vorzieht **(s. Vers 19-21)**. Darin sehen wir die große Ermutigung, die denen gegeben wird, die sich als treue Hörer des Wortes zeigen, indem sie „Täter des Wortes" sind (Jak 1,22). Beachten Sie:
3.1 Wie die Menschen sich um Christus drängten. Wegen des großen Gedränges konnte man ihm nicht näherkommen.
3.2 Einige seiner engsten Verwandten waren am geringsten daran interessiert, ihn predigen zu hören. Statt hineinzugehen und ihn hören zu wollen, standen sie draußen und wollten ihn sehen.
3.3 Jesus Christus wollte lieber fleißig arbeiten, als seine Freunde sprechen.
3.4 Christus gefällt es, diejenigen als seine nächsten und edelsten Verwandten anzuerkennen, „welche das Wort Gottes hören und es tun"!

Vers 22-39

Wir haben hier zwei denkwürdige Belege für die Macht unseres Herrn Jesus: Seine Macht über die Winde und seine Macht über die Dämonen (s. Mk 4,1-5,20).

1. Wir sehen seine Macht über die Winde.
1.1 Christus sagte seinen Jüngern, sie sollten auf die andere Seite des Sees übersetzen: Er und seine Jünger stiegen „in ein Schiff" (Boot; **Vers 22**). Wenn Christus seine Jünger aussendet, dann geht er mit ihnen, und Menschen, die Christus als ihren Begleiter haben, können sich sicher und kühn überallhin wagen. „Und er sprach zu ihnen: Lasst uns ans andere Ufer des Sees fahren!"
1.2 Diejenigen, die in einer Flaute auf den See hinausgehen, selbst auf Christi Wort hin, müssen sich dennoch auf einen Sturm vorbereiten. Ein Sturmwind fiel auf den See **(s. Vers 23)** und sofort wurde ihr Boot so hin- und hergeworfen, dass es sich mit Wasser füllte und ihr Leben in Gefahr war.
1.3 Christus war im Sturm eingeschlafen **(s. Vers 23)**. Er brauchte etwas leibliche Erfrischung. Die Jünger Christi können wirklich seine gnädige Gegenwart bei sich auf dem Meer haben, und in einem Sturm, obwohl er eingeschlafen zu sein scheint. Es kann sein, dass er nicht gleich erscheint, um ihnen zu helfen. Auf diese Weise möchte er ihren Glauben und ihre Geduld prüfen, um ihre Rettung willkommener zu machen, wenn sie schließlich kommt.
1.4 Eine Klage vor Christus über unsere Not ist genug, um ihn aufzuwecken und uns helfen zu lassen. Sie riefen aus: „Meister, Meister, wir kommen um!" **(Vers 24)**. Der Weg, um unsere Ängste zum Schweigen zu bringen, ist, sie zu Christus zu bringen. Diejenigen, die sich aufrichtig an ihn als ihren Meister wenden, können sicher sein, dass er sie nicht umkommen lässt.
1.5 So, wie es die Arbeit des Teufels ist, Stürme zu erwecken, ist es Christi Arbeit, sie zu stillen. Er hat Freude daran, es zu tun, denn er kam, um Friede auf Erden zu verkünden (s. Lk 2,14). Er „befahl dem Wind und den Wasserwogen" und sofort legten sie sich „und es wurde still" **(Vers 24)**.
1.6 Wenn unsere gefährlichen Situationen vorüber sind, sollten wir über unsere eigenen Ängste beschämt werden und Christus den Ruhm für seine Macht geben. Christus tadelte die Jünger für ihre übermäßigen Ängste: „Wo ist euer Glaube?" **(Vers 25)**. Viele, die echten Glauben haben, müssen nach ihm suchen, wenn sie ihn unbedingt brauchen. Eine kleine Sache entmutigt sie und wo ist dann ihr Glaube? Sie geben ihm den Ruhm für seine Macht: „Sie aber fürchteten und verwunderten sich." Diejenigen, die den Sturm gefürchtet hatten, fürchteten nun denjenigen, der ihn gestillt hatte. Und sie „sprachen zueinander: Wer ist denn dieser …?"

2. Wir sehen seine Macht über den Teufel. Unmittelbar nachdem die Winde gestillt waren, kamen sie zu ihrem geplanten Bestimmungsort, „in das Gebiet der Gadarener" **(Vers 26)**, und gingen dort an Land. Wir können aus diesem Bericht eine Menge über die Welt der teuflischen, bösen Geister lernen.
2.1 Diese Geister sind zahlreich. Diejenigen, die von diesem Mann Besitz ergriffen hatten, nannten sich „Legion! Denn viele Dämonen waren in ihn gefahren" **(Vers 30)** und er hatte diese Dämonen „seit langer Zeit" **(Vers 27)**. Sie waren – oder zumindest wollten sie diesen Anschein wecken – eine Legion.
2.2 Sie hegen eine verstockte Feindschaft gegenüber den Menschen. Als er unter dem Einfluss dieser Dämonen war, trug er „keine Kleider mehr" und hielt „sich auch in keinem Haus" auf **(Vers 27)**. Sie zwangen ihn, „in den Gräbern" zu bleiben, um ihn so noch viel mehr zu einem Schrecken für sich selbst und für jeden in seiner Umgebung zu machen.

2.3 Sie sind sehr stark, hitzig und ungebärdig und hassen und verachten jede Einschränkung: „... und man hatte ihn mit Ketten gebunden und mit Fußfesseln verwahrt, aber er zerriss die Fesseln" **(Vers 29)**. Diejenigen, die es ablehnen, beherrscht zu werden, zeigen, dass sie unter der Herrschaft Satans stehen. Er „wurde von dem Dämon ... getrieben". Diejenigen, die unter Christi Herrschaft sind, werden lieblich „mit Seilen der Liebe" geführt (Hos 11,4). Diejenigen, die unter der Herrschaft des Teufels stehen, werden getrieben, als wären sie rasend (s. 2.Kön 9,20).

2.4 Sie sind äußerst böse auf unseren Herrn Jesus und haben große Furcht und großes Entsetzen vor ihm: „Als er aber Jesus sah, schrie er, warf sich vor ihm nieder" und erkannte an, dass er der „Sohn Gottes, des Höchsten" ist **(Vers 28)**, der unendlich über ihm und zu mächtig für ihn war. Er protestierte überhaupt dagegen, mit ihm verbündet zu sein: „Was habe ich mit dir zu tun?" Dämonen haben weder die Neigung, Christus zu dienen, noch haben sie irgendwelche Aussicht, von ihm einen Nutzen zu haben. Vielmehr fürchten sie seine Macht und seinen Zorn: „Ich bitte dich, quäle mich nicht!" Sie sagten nicht: „Ich bitte dich, rette mich!", sondern nur: „... quäle mich nicht!" Achten Sie auf die Sprache, die von denen gesprochen wird, die nur Furcht vor der Hölle und kein Verlangen nach dem Himmel als einem Ort der Heiligkeit und Liebe haben.

2.5 Sie stehen vollkommen unter der Macht und dem Gebot unseres Herrn Jesus Christus und diese hier wussten es, denn sie baten „ihn, er möge ihnen nicht befehlen, in den Abgrund zu fahren". Was für eine Ermutigung ist es für das Volk des Herrn, dass alle Mächte der Finsternis unter der Einschränkung und Kontrolle des Herrn Jesus stehen! Wenn es ihm gefällt, kann er sie an ihren eigenen Ort schicken.

2.6 Sie lieben es, Schwierigkeiten zu machen. Als sie sahen, dass es keinen anderen Ausweg gab, als ihren Griff von diesem armen Mann zu lösen, baten sie darum, dass ihnen erlaubt wird, in eine Schweineherde zu fahren **(s. Vers 32)**. Als Satan den Menschen nicht zerstören konnte, wollte er die Schweine zerstören. Als er den Menschen nicht in ihrem Leib schaden konnte, wollte er ihnen in ihrem Besitz schaden, was sich manchmal als große Versuchung für Menschen erweist und sie, wie hier, von Christus fortzieht. Christus „erlaubte es ihnen", in die Schweineherde zu fahren. Sie fuhren in die Schweine und kaum waren sie in sie gefahren, da stürzte sich die ganze Herde „den Abhang hinunter in den See und ertrank".

2.7 Wenn die Macht des Teufels in einer Seele gebrochen wird, wird diese Seele gesund: Sie „fanden den Menschen, von dem die Dämonen ausgefahren waren, bekleidet und vernünftig zu den Füßen Jesu sitzen" **(Vers 35)**. Solange er unter der Macht des Teufels stand, war er bereit, Jesus an die Kehle zu gehen, doch jetzt saß er zu seinen Füßen. Wenn Gott von uns Besitz ergriffen hat, erhält er unsere Kontrolle und Freude über uns selbst, doch wenn Satan von uns Besitz ergriffen hat, raubt er uns beides. Wir sind nie mehr wir selbst, als wenn wir Christus gehören.

2.8 Nun wollen wir sehen, was die Wirkung dieses Wunders war.

Auf die Menschen dieses Landes war die Wirkung, die es hatte, dass die Schweinehirten flohen, hingingen und es in der Stadt und auf dem Land verkündeten **(s. Vers 34)**. Sie erzählten, „wie der Besessene gerettet worden war" **(Vers 36)**, dass es dadurch geschah, dass die Dämonen in die Schweine geschickt wurden, als hätte Christus den Mann nicht aus der Hand der Dämonen befreien können, außer, dass er die Schweine in ihre Hand gibt. „Da gingen sie hinaus, um zu sehen, was geschehen war ... und sie fürchteten sich" **(Vers 35)**. „Denn es hatte sie eine große Furcht ergriffen" **(Vers 37)**. Sie dachten mehr an die Vernichtung der Schweine als an die Rettung ihres armen, leidenden Nächsten und darum „bat ihn die ganze Volksmenge ... von ihnen wegzugehen". Niemand, der bereit ist, seine Sünden zu verlassen und sich Christus hinzugeben, muss Angst vor ihm haben. Doch Christus nahm sie beim Wort: „Er aber stieg in das Schiff und kehrte zurück." Menschen, die ihre Schweine mehr lieben als ihren Heiland und ihre Hoffnung in ihm, werden ihren Heiland verlieren.

Die Auswirkung auf den armen Mann war, dass er so sehr die Gesellschaft Christi wollte, wie die anderen sie fürchteten: Er bat Christus, „dass er bei ihm bleiben dürfe", wie andere, „die von bösen Geistern und Krankheiten geheilt worden waren" (Lk 8,2). Es widerstrebte ihm, unter diesen ungesitteten und unvernünftigen Gadarenern zu bleiben, die wollten, dass Christus von ihnen fortgeht. Christus sandte ihn jedoch nach Hause, dass er unter denen, die ihn kennen, die großen Dinge verkündet, die Gott für ihn getan hatte, damit er für sein Land so sehr ein Segen sein konnte, wie er vorher eine Last gewesen war. Wir müssen uns manchmal sogar die Befriedigung durch geistliche Wohltaten und Ermutigungen versagen, um eine Möglichkeit zu bekommen, für die Seelen anderer nützlich zu sein.

Vers 40-56

Christus wurde von den Gadarenern vertrieben. Doch als er zu den Galiläern zurückkehrte, „geschah es, dass ihn die Volksmenge freudig empfing" **(Vers 40)**. Sie hatten auf seine Rückkehr gewartet und sie hießen ihn von ganzem Herzen willkommen. Er kehrte zurück und fand an dem Ort, woher er kam, neue Arbeit zu tun. Die Armen sind immer bei uns (s. 5.Mose 15,11). Hier sind zwei Wunder verwoben, wie sie es bei Matthäus und Markus waren. Wir haben:

1. Eine öffentliche Bitte an Christus von einem Obersten der Synagoge namens Jairus für seine kleine Tochter, die sehr krank war. Obwohl er ein Oberster war, warf sich Jairus „Jesus zu Füßen". Er „bat ihn, in sein Haus zu kommen", da er nicht den Glauben des Hauptmanns hatte, der nur wollte, dass Christus aus der Entfernung das heilende Wort spricht (s. Mt 8,8). Christus erklärte sich aber mit dieser Bitte einverstanden; und ging mit ihm hin. Starker Glaube wird gelobt werden, doch selbst schwacher Glaube wird nicht verworfen werden. Als Christus hinging, „bedrängte ihn die Volksmenge". Wir wollen uns nicht über eine Volksmenge, ein Gedränge oder eine Notwendigkeit zur Eile beklagen, solange wir unsere Pflicht tun und Gutes tun, obwohl sonst solche Situationen von der Art sind, dass sich weise Menschen so weit wie möglich davon fernhalten.

2. Eine heimliche Bitte an Christus durch eine Frau, die „den Blutfluss gehabt" hatte, die an Blutungen litt, die ihren Leib aufgezehrt und auch all ihr Geld verbraucht hatte: Sie hatte „all ihr Gut an die Ärzte gewandt", doch keine Besserung gefunden **(Vers 43)**. Die Natur ihrer Krankheit war derart, dass sie anderen nicht öffentlich davon erzählen wollte – und deshalb ergriff sie diese Gelegenheit, in einer Volksmenge zu Christus zu kommen. Ihr Glaube war sehr stark, denn sie zweifelte nicht, dass, wenn sie nur „den Saum seines Gewandes" (den Rand seines Mantels) anrühren könnte, sie heilende Kraft von ihm erhalten würde. Sie sah ihn als eine solch überfließende Quelle der Barmherzigkeit an, dass sie eine Heilung von ihm schöpfen konnte, ohne dass er etwas vermissen würde. Viele arme Seelen, die in einer Volksmenge verloren sind, werden von Christus geheilt, ihnen wird geholfen und sie werden gerettet. Die Frau spürte eine unmittelbare Wandlung zum Besseren in sich; ihre Krankheit war geheilt **(s. Vers 44)**. Gläubige haben untrügliche Gemeinschaft mit Christus im persönlichen Umgang mit ihm.

3. Die Aufdeckung dieser heimlichen Heilung.
3.1 Christus nahm Notiz davon, dass eine Heilung vollbracht worden war. „Denn ich habe erkannt, wie eine Kraft von mir ausging!" **(Vers 46)**. Diejenigen, welche durch die Kraft Christi geheilt wurden, müssen es zugeben, denn er weiß es. Er war erfreut darüber, dass von ihm Kraft ausgegangen war, um etwas Gutes zu tun, und er missgönnte sie nicht den geringsten Personen; sie waren genauso willkommen, an ihr teilzuhaben, wie sie es waren, an dem Licht und der Wärme der Sonne teilzuhaben.
3.2 Die arme Patientin gestand ihren Fall und die Wohltat, die sie empfangen hatte, ein: „Als nun die Frau sah, dass sie nicht unbemerkt geblieben war, kam sie zitternd, fiel vor ihm nieder" **(Vers 47)**. Sie kam zitternd, doch ihr Glaube rettete sie **(s. Vers 48)**. Es kann Zittern geben, wo es auch rettenden Glauben gibt. Sie „erzählte ihm vor dem ganzen Volk, aus welchem Grund sie ihn angerührt hatte", nämlich, dass sie glaubte, dass ein Anrühren sie heilen würde; und sie erklärte, dass es dies getan hatte.
3.3 Der große Arzt bestätigte ihre Heilung und schickte sie mit einer Ermutigung fort: „Sei getrost ... Dein Glaube hat dich gerettet ...!" **(Vers 48)**. Ihre Heilung wurde erschlichen und heimlich erlangt, doch sie wurde ehrenvoll zugesichert und bewiesen. Sie war geheilt und sie würde geheilt bleiben (s. 1.Mose 27,33).

4. Eine Ermutigung für Jairus, nicht der Macht Christi zu misstrauen, obwohl seine Tochter nun tot war und die Menschen, die ihm die Nachricht brachten, ihm rieten, den Meister nicht zu bemühen **(s. Vers 49)**. Christus sagte: „Fürchte dich nicht; glaube nur." Unser Glaube an Christus sollte kühn und wagemutig sein. „Obwohl das Kind tot ist, glaube immer noch und alles wird gut."

5. Die Vorbereitungen, um sie wieder zum Leben zu erwecken.
5.1 Christi Auswahl der Zeugen, die sehen würden, wie das Wunder vollbracht wird. Eine Menschenmenge folgte ihm, doch vielleicht waren sie ungesittet und laut. Es war jedoch nicht richtig, eine solche Menge in ein Haus kommen zu lassen, besonders nun, wo die Familie insgesamt bekümmert war, und das war der Grund, warum er sie zurückschickte. Er nahm niemanden mit sich außer Petrus, Jakobus und Johannes und beabsichtigte, dass diese drei mit den Eltern die Einzigen sein würden, die das Wunder sehen.
5.2 Wie er die Trauernden zurückhält. „Sie weinten aber alle und beklagten sie." Doch Christus sagte ihnen: „Weint nicht! Sie ist nicht gestorben, sondern sie schläft." Er meinte, dass in ihrem besonderen Fall der Tod nicht für immer war; für ihre Freunde würde es scheinen, als hätte sie ein paar Stunden geschlafen. Diesen Satz kann man jedoch auch auf alle anwenden, die im Herrn sterben; deshalb sollten wir nicht als solche um sie trauern, „die keine Hoffnung haben" (1.Thess 4,13), denn der Tod ist bloß ein Schlaf. Das war ein Wort der Ermutigung, das Christus zu diesen Trauernden sagte, doch sie machten es

auf grausame Weise lächerlich, „lachten ihn aus". Sie „wussten, dass sie gestorben war"; sie waren sich dessen sicher, und so konnte nichts weniger als göttliche Macht ihr Leben wiederherstellen. „Er aber trieb sie alle hinaus" **(Vers 54)**. Sie waren unwürdig, dieses Wunder mitzuerleben.

6. Ihre Rückkehr zum Leben: Er „ergriff ihre Hand" – wie wir es mit einer schlafenden Person machen, die wir aufwecken und der wir aufhelfen möchten – und er rief sie, indem er sagte: „Kind, steh auf!" **(Vers 54)**. Hier wird ausgedrückt, was bei den anderen Evangelisten nur angedeutet wurde: „Und ihr Geist kehrte zurück." Uns wird nicht gesagt, wo die Seele des Kindes in dieser Zwischenzeit war; sie war in der Hand von „dem Vater der Geister" (Hebr 12,9). Als ihr Geist zurückkehrte, stand sie auf und machte durch die Bewegung deutlich, dass sie am Leben war, wie sie es auch durch ihren Appetit tat, denn Christus sagte ihnen, sie sollten ihr etwas zu essen geben. Wir brauchen uns nicht wundern, dass wir in diesem letzten Vers sehen, dass ihre Eltern „außer sich" gerieten.

KAPITEL 9

Hier ist: 1. Die Vollmacht, die Christus seinen zwölf Aposteln gab (s. Vers 1-6). 2. Herodes' Entsetzen über die zunehmende Bedeutung unseres Herrn Jesus (s. Vers 7-9). 3. Die Rückkehr der Apostel zu Christus, wie er sich mit ihnen zurückzieht, die große Zahl von Menschen, die ihm trotzdem nachfolgten und wie er fünftausend Männer speist (s. Vers 10-17). 4. Sein Gespräch mit seinen Jüngern über sich selbst und sein Leiden für sie (s. Vers 18-27). 5. Seine Verklärung (s. Vers 28-36). 6. Die Heilung eines Jungen mit einem bösen Geist (s. Vers 37-42). 7. Die wiederholte Ankündigung seines herannahenden Leidens (s. Vers 43-45). 8. Wie er dem Ehrgeiz seiner Jünger (s. Vers 46-48) und ihrem Verlangen Einhalt gebietet, die Macht über Dämonen zu vereinnahmen (s. Vers 49-50). 9. Der Tadel, den er ihnen für ihren übermäßigen Zorn über die Respektlosigkeit gab, die ihnen von einem samaritanischen Dorf erwiesen wurde (s. Vers 51-56). 10. Die Antworten, die er Verschiedenen gab, die geneigt waren, ihm nachzufolgen (s. Vers 57-62).

Vers 1-9

Wir haben hier:

1. Die Methode, die Christus wählte, um das Evangelium auszubreiten. Er selbst war umhergereist, doch er konnte nur an einem Ort gleichzeitig sein, und deshalb sandte er nun seine zwölf Jünger aus. Sie mögen sich zerstreuen, einige auf diesem und andere auf einem anderen Weg, um „das Reich Gottes zu verkündigen". Um ihre Lehre zu bestätigen, bevollmächtigte er sie, Wunder zu vollbringen **(s. Vers 1-2)**: Er gab ihnen „Vollmacht über alle Dämonen", sie auszutreiben. Er bevollmächtigte und berief sie auch „zur Heilung von Krankheiten" und „die Kranken zu heilen", was nicht nur die Menschen in ihrer Meinung überzeugen, sondern auch ihre Zuneigung gewinnen würde. Dies war ihr Auftrag. Beachten Sie:

1.1 Was Christus ihnen sagte, was sie in Erfüllung dieses Auftrags tun sollten.

Sie dürfen nicht daran interessiert sein, die Achtung der Menschen durch ihre äußerliche Erscheinung zu erstreben. Sie müssen gehen, wie sie waren, ihre Kleider nicht wechseln und noch nicht einmal ein neues Paar Schuhe anziehen.

Sie müssen von dem Allmächtigen und seiner Vorsehung und der Güte ihrer Freunde abhängig sein. Sie dürfen „weder Brot noch Geld" mit sich nehmen. Christus möchte nicht, dass seine Jünger darin zaghaft sind, die Güte ihrer Freunde anzunehmen, sondern sie vielmehr erwarten.

Sie dürfen ihre Unterkunft nicht wechseln, als würden sie befürchten, dass diejenigen, die sie beherbergten, ihrer überdrüssig wären. „Und wo immer ihr in ein Haus eintretet, da bleibt', damit die Menschen wissen mögen, wo sie euch finden können. Bleibt dort, bis ihr von diesem Ort weiterzieht; bleibt bei denen, wie ihr es gewohnt seid" **(Vers 4)**.

Sie müssen die ihnen gegebene Vollmacht dazu nutzen, eine Warnung an diejenigen auszusprechen, die sie ablehnten, wie auch denen Ermutigung zuzusprechen, die sie aufnahmen **(s. Vers 5)**. „Wenn es irgendeinen Ort gibt, der euch nicht aufnehmen wird, sollt ihr ihn deswegen unter das Gericht Gottes stellen; ‚schüttelt auch den Staub von euren Füßen, zum Zeugnis gegen sie'."

1.2 Was sie in Erfüllung dieses Auftrags taten: „Und sie gingen aus" von der Gegenwart ihres Herrn; sie „durchzogen die Dörfer, verkündigten das Evangelium und heilten überall" **(Vers 6)**. Ihre Arbeit war die gleiche wie die ihres Meisters, sowohl den Seelen als auch den Leibern Gutes zu tun.

2. Die Verlegenheit und das Missfallen von Herodes darüber. Dass denen die Vollmacht Christi gegeben wurde, die in seinem Namen ausgesandt wurden, war ein erstaunlicher und verblüffender Beweis, dass er der Messias war. Seine Macht, nicht nur selbst Wunder zu vollbringen, sondern auch andere zu bevollmächtigen, sie zu tun, verbreitete mehr als alles andere seinen Ruhm. Sie waren „mit Jesus gewesen" (Apg 4,13). Als das Volk sah, dass solche Menschen im Namen Jesu die Kranken heilten, ließ das die Alarmglocken klingen. Beachten Sie:

2.1 Die verschiedenen Spekulationen, welche der Dienst der Jünger unter den Menschen hervorrief, die, obwohl ihre Gedanken nicht richtig waren, doch ehrenwert über unseren Herrn Jesus gedacht haben müssen, dass er jemand war, der aus der anderen Welt gekommen war. Sie dachten entweder, „Johannes sei aus den Toten auferstanden", oder, „einer der alten Propheten sei auferstanden" oder, „Elia sei erschienen" **(Vers 7-8)**.

2.2 Die große Verwirrung, die er in dem Geist von Herodes stiftete. Als er alles hörte, was durch Christus geschah, war er gewillt, zusammen mit den Leuten zu schließen, dass Johannes „aus den Toten auferstanden" sei. Herodes fragte sich, was er nun tun solle. „Johannes habe ich enthauptet; wer ist aber der ...?" Er fragte sich, ob er das Werk von Johannes fortführt oder gekommen war, um den Tod von Johannes zu rächen. Diejenigen, die sich Gott widersetzen, werden sich immer unbehaglicher fühlen. Herodes „wünschte ihn zu sehen", und warum ging er nicht, um ihn zu sehen? Er wünschte sich, ihn zu sehen, doch wir sehen nicht, dass er es je tat, bis Christus von Pilatus zu ihm geschickt wurde.

Vers 10-17

Hier haben wir:

1. Den Bericht, den die Zwölf ihrem Meister von dem Erfolg ihres Dienstes brachten. Sie „kehrten zurück und erzählten ihm alles, was sie getan hatten".

2. Ihren Rückzug, um eine kleine Atempause zu haben: „Und er nahm sie zu sich und zog sich zurück an einen einsamen Ort." Derjenige, der festgelegt hat, dass der Knecht und die Magd ruhen sollen (s. 2.Mose 20,10), möchte, dass seine Diener auch ruhen. Solche in den öffentlichsten Stellungen müssen sich manchmal alleine zurückziehen, um sowohl ihren Leibern Ruhe zu geben als auch durch innere Einkehr ihren Geist für weiteren öffentlichen Dienst auszurüsten.

3. Die vielen Menschen, die sich an ihn wandten, und der freundliche Empfang, den er ihnen bereitete. Sie folgten ihm, obwohl dies ein abgelegener Ort war. Und obwohl sie die Ruhe störten, die er geplant hatte, hieß er sie doch willkommen **(s. Vers 11)**. Frommer Eifer kann ein wenig Heftigkeit entschuldigen; Christus entschuldigte dies und wir sollten es auch tun. Obwohl sie zur falschen Zeit kamen, gab Christus ihnen doch das, wofür sie gekommen waren. Er sprach zu ihnen von dem Reich Gottes und er heilte diejenigen unter ihnen, die Heilung brauchten. Christus hat immer noch Macht über leibliche Krankheiten und er heilt die Seinen, die Heilung brauchen. Doch manchmal sieht er, dass wir mehr die Krankheit für das Wohl unserer Seelen als die Heilung für die Erleichterung unseres Leibes brauchen. Der Tod ist der Diener, der die Heiligen von allen Krankheiten heilt.

4. Die reichliche Versorgung, die Christus der Menge bereitete, die bei ihm war. Er speiste fünftausend Männer mit fünf Broten und zwei Fischen. Wir hatten diese Erzählung vorher zweimal, und wir werden wieder auf sie treffen; es ist das einzige Wunder von unserem Heiland, welches von allen vier Evangelisten berichtet wird. Wir wollen hier daran beachten:

4.1 Diejenigen, die bei Christus fleißig ihre Pflicht tun und die sich bei diesem Tun selbst verleugnen oder hingeben, werden unter seine besondere Fürsorge gestellt. Er wird nicht zulassen, dass diejenigen, die ihn fürchten und ihm treu dienen, irgendetwas Gutes entbehren müssen (s. Ps 34,11).

4.2 Unser Herr Jesus hatte einen freimütigen und großzügigen Geist. Seine Jünger sagten: „Entlasse die Volksmenge, damit sie sich selbst Speise besorgen können", doch Christus sagte: „Nein, ihr gebt ihnen etwas zu essen." Das, was ihr habt, soll so weit gehen, wie es reicht, und ihr seid willkommen, es zu genießen." Auf diese Weise lehrte er sowohl die geistlichen Diener als auch die Christen im Allgemeinen, „gegeneinander gastfreundlich ohne Murren" zu sein (1.Petr 4,9). Diejenigen, die nur wenig haben, sollen mit diesem Wenigen tun, was sie können, und das ist der Weg, um es zu vermehren.

4.3 Jesus Christus hat nicht nur Arznei, sondern auch Essen. Er heilt nicht nur diejenigen, die Heilung brauchen, sondern speist auch diejenigen, die Speise brauchen. Christus hat nicht nur dafür Vorkehrungen getroffen, die Seele vor dem Verderben durch ihre Krankheiten zu retten, sondern auch, die Seele zum ewigen Leben zu nähren.

4.4 Alle Gaben Christi müssen in einer richtigen und ordentlichen Weise empfangen werden. „Lasst sie sich gruppenweise setzen, je fünfzig und fünfzig!" **(Vers 14)**.

4.5 Wenn wir unsere kreatürlichen Erquickungen bekommen, müssen wir zum Himmel blicken. Christus tat es, um uns zu lehren, dies zu tun. Wir empfangen sie von Gott und wir sind von Gottes Segen für sie abhängig, um sie für uns nützlich zu machen, und wir müssen diesen Segen suchen.

4.6 Der Segen Christi wird bewirken, dass eine kleine Menge weit reichen wird.

4.7 Diejenigen, die Christus speist, sättigt er; so wie es in ihm genug für alle gibt, so gibt es auch genug für jeden. Die Brocken wurden aufgehoben, um uns zuzusichern, dass es im

Haus unseres Vaters Brot im Überfluss gibt (s. Lk 15,17). In ihm werden wir keinen Mangel leiden oder eingeschränkt sein.

Vers 18-27

1. Ein Umstand dieses Gesprächs wird hier erwähnt, den wir nicht in den Berichten der anderen Evangelisten hatten: Dass Christus dies sagte, „als er einmal für sich allein betete" und „die Jünger in seiner Nähe waren" **(Vers 18)**. Beachten Sie:

1.1 Er fand immer noch etwas Zeit, um alleine in Abgeschiedenheit zu sein, um Gemeinschaft mit sich, seinem Vater und seinen Jüngern zu haben.

1.2 Wenn Christus alleine war, betete er. Es ist gut für uns, unsere Einsamkeit für eine Andacht zu benutzen, sodass wir, wenn wir alleine sind, nicht alleine sein mögen, sondern den Vater bei uns haben mögen.

1.3 Als Christus alleine war und betete, waren „die Jünger in seiner Nähe", um sich ihm im Gebet anzuschließen.

1.4 Christus betete mit ihnen, ehe er ihnen Fragen stellte. Wir sollten mit denen und für die beten, die wir unterweisen. Er sprach mit ihnen:

2. Über sich selbst; er fragte:

2.1 Was die Menschen über ihn sagten. „Für wen halten mich die Leute?" **(Vers 18)**. Sie erzählten ihm, was sie für Meinungen über ihn in ihren Gesprächen mit den gewöhnlichen Menschen gehört hatten. Geistliche Diener würden besser wissen, wie sie ihre Unterweisungen, Zurechtweisungen und Ratschläge auf den Fall von gewöhnlichen Menschen anpassen sollen, wenn sie öfter und ungezwungener mit ihnen reden würden. Je besser Ärzte ihre Patienten kennen, umso besser werden sie wissen, welche Behandlung sie ihnen geben sollen. Manche sagten, er war Johannes der Täufer, der gerade am Tag zuvor enthauptet worden war. Andere sagten, dass er Elia war oder „einer der alten Propheten". Sie hielten ihn für jeden außer dem, der er wirklich war.

2.2 Was die Zwölf selbst über ihn sagten. Petrus sagte, sie wüssten, dass er der „Christus Gottes" sei, der Gesalbte Gottes. Jetzt hätte man erwartet, dass Christus seinen Jüngern gebietet, diese Wahrheit jedem bekannt zu machen, den sie treffen, doch nein: „Er aber ermahnte sie ernstlich und gebot ihnen, dies niemand zu sagen" – jedenfalls jetzt noch nicht **(Vers 21)**. Nach seiner Auferstehung, die den Beweis seiner Messianität vollendete, ließ Petrus den Tempel mit der Nachricht erklingen, dass Gott eben diesen Jesus „sowohl zum Herrn als auch zum Christus gemacht hat" (Apg 2,36), doch zu dieser Zeit war das Beweismaterial nicht fertig, um herangezogen zu werden, und deshalb muss es verschwiegen werden.

3. Über sein Leiden und seinen Tod. Jetzt, wo seine Jünger in dem Glauben fest gegründet waren, dass er der Christus ist, und es ertragen konnten, sprach er deutlich über sein Leiden und seinen Tod **(s. Vers 22)**. Sie durften noch nicht predigen, dass er der Christus war, denn die Wunder, die seinen Tod und seine Auferstehung begleiten würden, würden der überzeugendste Beweis sein, dass er der „Christus Gottes" war.

4. Über ihr Leiden für ihn.

4.1 Wir müssen selbst an alle Arten der Selbstverleugnung und Geduld gewöhnt werden **(s. Vers 23)**. Wir dürfen nicht unserer Bequemlichkeit und unserem Verlangen nachgeben, denn dann wird es schwer sein, für Christus Mühe, Überdruss und Mangel zu ertragen. Wir treffen oft auf Nöte, wenn wir unsere Pflicht tun, und wenn wir sie uns auch nicht selbst zuziehen sollen, müssen wir sie dennoch, wenn sie dort für uns sind, aufnehmen, sie Christus hinterhertragen und das Beste aus ihnen machen (s. Mk 8,34).

4.2 Wir müssen das Heil und die Seligkeit unserer Seele vor jedes weltliche Interesse stellen, was es auch sei. Verlassen Sie sich darauf: *Jeder, der seine Freiheit oder seinen Besitz behalten oder sein Leben retten will; jeder, der Christus und seine Wahrheiten verleugnet, wird nicht nur sich selbst nicht retten – er wird ein unsäglicher Verlierer sein.* Denn wer sein Leben zu diesen Bedingungen retten will, wird etwas verlieren, was unendlich wertvoller ist, seine kostbare Seele **(s. Vers 24)**.

Wenn wir unser Leben verlieren, weil wir Christus treu bleiben, werden wir es zu unserem unbeschreiblichen Vorteil retten. Wir werden es als ein neues und ewiges Leben wiederbekommen.

Der Gewinn der ganzen Welt, wenn wir Christus dafür verlassen sollen, würde so weit davon entfernt sein, den ewigen Verlust und Ruin unserer Seele zu ersetzen, dass es dem in keiner Weise entsprechen würde **(s. Vers 25)**. Wenn wir vielleicht allen Wohlstand, alle Ehre und alle Freuden der Welt erlangen könnten, indem wir Christus verleugnen; wenn wir dadurch, dass wir dies tun, uns selbst für alle Ewigkeit verlieren und am Ende uns schädigen, was würde uns unser weltlicher Gewinn dann Gutes tun? Bei Markus und Matthäus ist das schreckliche Ergebnis, dass ein Mensch „sein Leben verliert", während es hier heißt, dass er „sich selbst verliert", was klar zeigt, dass unser Leben wir selbst sind. Die Seele ist die Person und die Dinge stehen gut oder schlecht für uns, je nachdem die Dinge gut oder schlecht für unsere Seele stehen. Der Leib kann nicht glücklich sein, wenn die Seele in der anderen Welt traurig ist, doch die Seele kann selbst dann glücklich sein, wenn der Leib vielleicht in dieser Welt schwer heimgesucht und bedrückt ist.

4.3 Wir dürfen uns darum nie für Christus und sein Evangelium schämen: „Denn wer sich meiner und meiner Worte schämt, dessen wird sich auch der Sohn des Menschen schämen" **(Vers 26)**, und das zu Recht. Eine solche Person kann nichts anderes erwarten, als dass an dem großen Tag, wenn sein Fall das Auftreten Christi zu seinen Gunsten erforderlich macht, Christus sich schämen wird, einen solch feigen, weltlichen und kriecherischen Geist anzuerkennen und sagen wird: „Dieser gehört nicht zu mir!" Genauso wie Christus einen Stand der Erniedrigung und der Erhöhung hatte, so auch seine Sache. Diejenigen – und nur diejenigen –, die bereit sind, mit seiner Sache zu leiden, wenn sie leidet, werden mit ihr herrschen, wenn sie herrscht (s. 2.Tim 2,12). Beachten Sie hier, wie Christus, um sich und seine Nachfolger in ihrer gegenwärtigen Schande zu unterstützen, in prächtiger Weise von dem Leuchten seines zweiten Kommens spricht.
Er wird „in seiner [eigenen] Herrlichkeit" kommen. Dies wurde in Matthäus und Markus nicht erwähnt.
Er wird in der Herrlichkeit „des Vaters" kommen. Er wird in der Herrlichkeit „der heiligen Engel" kommen. Was für ein herrliches Auftreten wird Jesus an diesem Tag haben! Wenn wir dies wirklich glauben würden, würden wir uns jetzt nie seiner oder seiner Worte schämen!
4.4 Um sie zu ermutigen, für ihn zu leiden, versicherte er ihnen, dass „das Reich Gottes" nun bald errichtet werden würde **(s. Vers 27)**. „Das Reich Gottes wird im gegenwärtigen Zeitalter in seiner Kraft kommen, während einige, die hier zugegen sind, am Leben sind." Sie sahen das Reich Gottes, als der Geist ausgegossen wurde, als das Evangelium der ganzen Welt gepredigt wurde und Völker durch dieses zu Christus gebracht wurden.

Vers 28-36

Hier haben wir den Bericht von der Verklärung Christi, die seine Herrlichkeit zeigen sollte, über die er gerade gesprochen hatte. Dass seine Jünger Zeugen dieser Verklärung sein würden, würde deshalb eine Ermutigung für sie sein, für ihn zu leiden und sich nie seiner zu schämen. Diesen Bericht hatten wir vorher in Matthäus und Markus.

1. Hier gibt es einen Umstand der Erzählung, der sich von denen der anderen beiden Evangelisten zu unterscheiden scheint. Sie sagten, dass es sechs Tage nach den vorhergehenden Aussagen war; Lukas sagt, es war „ungefähr acht Tage" danach. Dies meint ohne Zweifel, dass es am gleichen Tag der Woche war, eine Woche später, sechs volle Tage lagen dazwischen und es war der achte Tag.

2. Hier werden mehrere wichtige Umstände hinzugefügt und erläutert.
2.1 Uns wird hier gesagt, dass Christus diese Ehre erwiesen worden war, als er betete, als er „auf den Berg stieg, um zu beten" **(Vers 28)**, und „während er betete", wurde er verklärt. Als Christus sich erniedrigte und betete, wurde er erhöht (s. Lk 14,11; 18,14; Phil 2,8-9). Christus musste selbst nach den Gunsterweisen streben, die für ihn bestimmt und ihm verheißen waren. Außerdem war dies die Weise, wie er die Pflicht des Gebets ehren und sie uns empfehlen wollte. Das Gebet ist eine verklärende, umwandelnde Pflicht; durch sie erhalten wir Ressourcen seiner Weisheit, Gnade und Freude, die das Angesicht erleuchten (s. Pred 8,1).
2.2 Lukas benutzt nicht das Wort „verklärt" (welches Matthäus und Markus benutzten), doch er benutzt eine gleichbedeutende Redensart: Es „wurde das Aussehen seines Angesichts anders", wurde zu einer anderen Sache, als es gewesen war (die Erscheinung seines Gesichtes änderte sich) und seine Kleider wurden weiß und „strahlend". Es war hell wie das Leuchten eines Blitzes – das Wort [strahlend] wird nur hier benutzt –, sodass er vollkommen mit Licht bekleidet zu sein schien; es schien, dass er „sich in Licht hüllt wie in ein Gewand" (s. Ps 104,2).
2.3 Bei Matthäus und Markus ist gesagt, dass ihnen Mose und Elia erschienen, hier wird gesagt, dass sie in *Herrlichkeit* erschienen. Weil er in Herrlichkeit war, erschienen sie mit ihm in Herrlichkeit.
2.4 Uns wird hier gesagt, was das Thema des Gesprächs zwischen Christus und den zwei großen Propheten des Alten Testaments war. Sie „redeten von seinem Ausgang, den er in Jerusalem erfüllen sollte". Sie sprachen von seinem „Exodus", seinem Weggang, das ist, seinem Tod.
Der Tod Christi wird hier sein „Ausgang" genannt, sein Herausgehen, sein Verlassen der Welt. Der Tod der Heiligen ist ihr Exodus aus dem Ägypten dieser Welt, ihre Befreiung aus einem Land der Sklaverei.
Er muss diesen Ausgang erfüllen (zur Vollendung bringen), denn es war durch den Ratschluss Gottes beschlossen, dass er es muss, und diese Ratschlüsse konnten nicht geändert werden.
Er muss ihn in Jerusalem erfüllen.
Mose und Elia sprachen darüber, um zu zeigen, dass sein Leiden und sein Eingehen in seine Herrlichkeit das war, wovon Mose und die Propheten geredet haben (s. Lk 24,26-27; 1.Petr 1,11).
Unser Herr Jesus war selbst in seiner Verklärung noch bereit, über sein Leiden und seinen Tod zu sprechen. Wir wollen in unserer größten Pracht auf der Erde daran denken, dass wir „hier keine bleibende Stadt" haben (Hebr 13,14).
2.5 Uns wird hier gesagt, wenn auch nicht

in den anderen Evangelien, dass die Jünger „vom Schlaf übermannt" waren **(Vers 32)**. Vielleicht geschah dies durch eine sündige Nachlässigkeit: Als Christus mit ihnen betete, bedachten sie sein Gebet nicht so sehr, wie sie es sollten, und um sie dafür zu bestrafen, ließ er sie nun schlafen, und so verloren sie die Gelegenheit zu sehen, wie dieses Wunder vollbracht wurde. Diese drei waren nun eingeschlafen, als Christus in seiner Herrlichkeit war, und wiederum später, als er in seiner Qual war. Man hätte meinen können, dass für diese Jünger nichts bewegender sein würde als die Herrlichkeit und die Qual ihres Meisters und dass beides auf höchste Weise bewegend sein würde, doch weder das eine noch das andere konnte sie wachhalten. Dies zeigt uns, wie sehr wir zu Gott um erweckende Gnade beten müssen, um uns nicht nur lebendig, sondern vital zu machen! Nach einer Weile kamen sie wieder zu sich und dann hatten sie einen genauen Blick auf all diese Herrlichkeit, sodass sie in der Lage waren, einen genauen Bericht von allem zu geben – wie wir sehen, dass es einer von ihnen getan hat –, was geschah, als sie mit Christus auf dem heiligen Berg waren (s. 2.Petr 1,18).

2.6 Hier wird erwähnt, als Mose und Elia scheiden wollten, dass Petrus sagte: „Meister, es ist gut, dass wir hier sind; so lass uns drei Hütten bauen." Oft ist uns der Wert der uns bestimmten Barmherzigkeiten nicht bewusst, bis wir sie verlieren; wir kümmern uns auch nicht darum, ob sie anhalten, bis sie uns verlassen wollen. Petrus sagte dies, ohne zu wissen, was er sagte.

2.7 Hier wird bei der Wolke hinzugefügt, die sie überschattete: „Sie fürchteten sich aber, als jene in die Wolke hineinkamen." Diese Wolke war ein Zeichen von Gottes besonderer Gegenwart, und so ist es kaum überraschend, dass die Jünger sich fürchteten, als sie in sie eintraten (s. 2.Mose 40,34-35; 2.Chr 5,14). Doch niemand sollte sich fürchten, mit Jesus Christus in eine Wolke einzutreten, denn er wird sicherstellen, ihn sicher durch sie hindurchzubringen.

2.8 Was von der Stimme gesagt wurde, die vom Himmel kam, wird hier und in Markus nicht so vollständig berichtet wie in Matthäus: „Dies ist mein geliebter Sohn; auf ihn sollt ihr hören!" Obwohl diese Worte, „an dem ich Wohlgefallen habe", die wir sowohl in Matthäus (Mt 17,5) als auch bei Petrus (2.Petr 1,17) haben, hier nicht genannt werden, sind sie in dem „Dies ist mein geliebter Sohn" einbezogen.

2.9 Es heißt hier von den Aposteln, dass sie über diese Vision schwiegen. Sie sagten es niemandem in diesen Tagen. Wie es eine Zeit gibt zu reden, so gibt es auch eine Zeit zu schweigen. Alles ist vortrefflich und nützlich zu seiner Zeit (s. Pred 3,1.7.11).

Vers 37-42

Bei Matthäus und Markus folgt dieser Bericht unmittelbar dem von der Verklärung Christi und seinem Gespräch mit seinen Jüngern danach, hier aber heißt es: „Es begab sich aber am folgenden Tag, als sie den Berg hinunterstiegen." Sie stiegen nicht vor dem „folgenden Tag" den Berg hinunter, und dann fand er die Dinge bei seinen Jüngern etwas in Unordnung. Beachten Sie:

1. Wie eifrig die Menschen waren, Christus bei seiner Rückkehr zu ihnen zu empfangen. „... eine große Menge" kam ihm entgegen, wie ihm zu einer anderen Zeit viele Menschen gefolgt sind.

2. Wie kühn der Vater des Jungen mit dem bösen Geist zu Christus kam, um für Hilfe zu bitten: „... ich bitte dich, sieh doch meinen Sohn an" **(Vers 38)**; das war seine Bitte. Ein mitleidsvoller Blick von Christus ist genug, alles zurechtzubringen. Wir sollten uns und unsere Kinder zu Christus bringen, damit er sie ansehen kann. Sein Argument ist: „... denn er ist mein einziger!" Diejenigen, die viele Kinder haben, können den Kummer mit dem einen durch den Trost durch die anderen ausgleichen, doch das Leiden eines einzigen Kindes kann damit ausgeglichen werden, dass Gott seinen eingeborenen Sohn für uns gab.

3. Wie beklagenswert der Fall des Kindes war **(s. Vers 39)**. Er war unter der Macht eines bösen Geistes, der ihn ergriff. Wenn ihn der Anfall ergriff, schrie er plötzlich, und viele Male hat sein Kreischen das Herz seines zärtlich liebenden Vaters durchbohrt. Dieser böse Geist „zerrt ihn" (verursacht Zuckungen) und misshandelt ihn und „will kaum von ihm weichen" außer mit großen Mühen. Was für Schwierigkeiten erzeugt Satan, wo er Besitz ergreift! Doch selig sind diejenigen, die Zugang zu Christus haben!

4. Wie mangelhaft die Jünger in ihrem Glauben waren. Obwohl Christus ihnen „Vollmacht über alle Dämonen" gegeben hatte, konnten sie diesen bösen Geist nicht austreiben **(s. Vers 40)**. Entweder misstrauen sie der Vollmacht, durch die sie Kraft bekommen sollten, oder sie nutzten nicht so sehr das Gebet, wie sie es hätten tun sollen; und Christus tadelte sie dafür.

5. Wie wirkungsvoll diese Heilung war, die Christus an diesem Kind vollbrachte **(s. Vers 42)**. Christus kann das für uns tun, was seine Jünger nicht können: „Aber Jesus befahl dem unreinen Geist." Der Dämon warf den Jungen „nieder und zerrte ihn", als sei er dabei, ihn in Stücke zu reißen. Doch ein Wort von Christus „machte den Knaben gesund", machte den Schaden gut, den der Dämon bewirkt hatte. Er „gab ihn seinem Vater wieder". Wenn unsere Kinder von der Krankheit genesen sind, müssen wir sie als uns wieder gegeben empfangen, als vom Tod erweckt. Es ist ermutigend, sie aus den Händen Christi zu bekommen: „Hier, nimm dieses Kind und sei dankbar; nimm es und ziehe es auf für mich, weil du sein Leben von mir zurückhast." Mit solcher Umsicht sollten Eltern ihre Kinder aus den Händen Christi empfangen und sie dann mit Zuversicht zurück in seine Hände geben.

Vers 43-50

Beachten Sie hier:

1. Den Eindruck, den die Wunder Christi auf alle machten, die sie sahen: „Es erstaunten aber alle über die große Macht Gottes" **(Vers 43)**. Ihre Verwunderung war umfassend: Alle staunten. Die Gründe dafür waren umfassend: Sie verwunderten sich „über alles, was Jesus tat". All seine Taten hatten an sich etwas Außergewöhnliches und Überraschendes.

2. Die Ankündigung, die Christus seinen Jüngern von seinem bevorstehenden Leiden macht: „Der Sohn des Menschen wird in die Hände der Menschen ausgeliefert werden!" Was von den anderen Evangelisten gesagt wird – „sie werden ihn töten" (Mt 17,23; Mk 9,31) –, ist hier inbegriffen. Das Kennzeichnende hier aber ist:
2.1 Die Verbindung davon mit dem, was unmittelbar davor kam, die Verwunderung, von der die Menschen ergriffen waren, als sie die Wunder Christi sahen: „Als sich nun alle verwunderten über alles, was Jesus tat, sprach er zu seinen Jüngern" **(Vers 43)**. Sie hatten eine törichte Vorstellung, dass er ein weltliches Reich hätte und dass er in weltlicher Pracht und Macht herrschen würde, und sie meinten nun, dass diese mächtige Kraft dieses Reich leicht gründen würde. Deshalb nutzte Christus diese Gelegenheit, um ihnen wieder zu sagen, dass *er* – fern davon, dass ihm die Menschen in seine Hände ausgeliefert werden – „in die Hände der Menschen ausgeliefert werden" muss.
2.2 Die feierliche Einleitung, mit der diese Ankündigung überbracht wurde: „‚Lasst diese Worte in eure Ohren dringen.' Lasst es zu, was ich sage, und fügt euch diesem." Die Lesart im Syrischen und Arabischen ist: „Lasst es in eure Herzen sinken." Das Wort Christi tut uns nichts Gutes, wenn wir nicht gestatten, dass es in unsere Köpfe und Herzen sinkt.
2.3 Die unerklärliche Trägheit der Jünger. In Markus hieß es: „Sie aber verstanden das Wort nicht." Es war klar genug, doch sie lehnten ab, es wörtlich zu verstehen, und sie konnten es in der Tat überhaupt nicht verstehen, „und sie fürchteten sich, ihn ... zu fragen", aus Angst, dass sie zurechtgebracht und aus ihrem schönen Traum zurückgeholt werden könnten. Hier wird jedoch hinzugefügt: „... und es war vor ihnen verborgen, sodass sie es nicht begriffen." Wir können nicht glauben, dass es aus Barmherzigkeit vor ihnen verborgen war, damit sie bei der Aussicht darauf nicht von übermäßigem Kummer verschlungen sein würden; es war vielmehr ein Rätsel, weil sie selbst es dazu machten.

3. Den Tadel, den Christus seinen Jüngern dafür erteilte, dass sie unter sich stritten, wer der Größte sei **(s. Vers 46-48)**. Wir hatten diesen Wortwechsel vorher und leider werden wir wieder auf ähnliche treffen. Beachten Sie hier:
3.1 Das Streben nach Ehre und das Kämpfen um Erhabenheit und Vorrang sind die Sünden, welche die Jünger unseres Herrn Jesus am leichtesten umstricken (s. Hebr 12,1). Sie kommen aus einer Verderbtheit, bei der seine Jünger sehr danach streben sollten, sie zu überwinden und in den Tod zu geben **(s. Vers 46)**. Diejenigen, die hoffen, in dieser Welt groß zu sein, streben im Allgemeinen nach Hohem, und nichts wird ihnen ausreichen, als der Größte zu sein; dies setzt sie einem großen Maß an Versuchungen und Schwierigkeiten aus, vor der diejenigen, die damit zufrieden sind, gering zu sein, der Letzte zu sein, kleiner als der Geringste, sicher sind.
3.2 Jesus Christus ist mit den Gedanken und Gesinnungen unseres Herzens vollkommen vertraut (s. Hebr 4,12). „Da nun Jesus die Gedanken ihres Herzens sah" **(Vers 47)**. Gedanken sind für ihn Worte und Flüstern lautes Schreien.
3.3 Christus möchte, dass seine Jünger nach der Ehre streben, die man durch eine stille Demut erlangen kann, und nicht nach der, die man durch ruheloses und ehrgeiziges Streben bekommen kann. Christus nahm „ein Kind und stellte es neben sich" **(Vers 47)** – er zeigte immer Sanftheit und Freundlichkeit gegenüber kleinen Kindern.
Sie sollen die Haltung dieses Kindes haben, demütig und still und ruhig in sich selbst sein. Sie sollen bereit sein, die Letzten zu sein, wenn das auf irgendeine Weise dazu führen würde, dass sie nützlich sind.
Sie mögen sich selbst vergewissern, dass dies der Weg zum Emporkommen ist. Diejenigen, die Christus lieben, würden sie in seinem Namen aufnehmen, weil sie am meisten wären wie er. Und Christus würde die Güte, die man Kindern erweist, als an sich getan aufnehmen: „Wer dieses Kind aufnimmt in meinem Namen, der nimmt mich auf; und wer mich aufnimmt, der nimmt den auf, der mich gesandt hat." Welche größere Ehre kann jemand in dieser Welt erlangen, als dass Gott und Christus bekennen, dass sie in ihm empfangen und willkommen geheißen wurden?

4. Den Tadel, den Christus seinen Jüngern dafür gab, dass sie jemanden entmutigten, der ihn ehrte und ihm diente, aber nicht zu ihrer Gemeinschaft gehörte. Es war jemand, der Christus nur hin und wieder hörte, an ihn glaubte und in ernsthafter Weise seinen Namen mit Glauben und Gebet benutzte, um Dämonen auszutreiben.

4.1 Sie wehrten diesem Mann. Sie wollten ihm nicht gestatten, zu beten und zu predigen, obwohl es zur Ehre Christi war. Er folgte ihm nicht mit ihnen nach.

4.2 Christus tadelte sie für das, was sie taten: „Wehrt ihm nicht', sondern ermutigt ihn vielmehr, denn er verfolgt das gleiche Ziel wie ihr! Er wird euch am gleichen Ziel treffen, obwohl er euch nicht auf dem gleichen Weg begleitet. ‚Denn wer nicht gegen uns ist, der ist für uns' und darum sollte er von uns unterstützt werden." Wir müssen nicht einen unserer Freunde verlieren, solange wir so wenige haben und so viele Feinde haben. Es ist möglich, dass Menschen treue Nachfolger Christi und als solche von ihm angenommen sind, selbst wenn sie uns nicht folgen.

Vers 51-56

Wir haben diesen Abschnitt in keinem der Berichte der anderen Evangelisten. Hier möchten die Jünger Ungläubige zu Tode bringen und Christus tadelt sie, weil ein Geist des Fanatismus und der Verfolgung zu dem Geist Christi in direkter Feindschaft steht. Beachten Sie:

1. Die Bereitschaft und Entschlossenheit unseres Herrn Jesus bei der Verfolgung seines großen Unternehmens für unsere Erlösung und Errettung. Davon haben wir ein Beispiel in Vers 51: „Es geschah aber, als sich die Tage seiner Wiederaufnahme in den Himmel erfüllten und er sein Angesicht entschlossen nach Jerusalem richtete, um dorthin zu reisen." Für die Leiden und den Tod unseres Herrn Jesus war eine Zeit festgelegt und er wusste gut genug, wann sie da war, und doch war er weit davon entfernt, sich aus den Angelegenheiten rauszuhalten, sodass er jetzt am meisten in der Öffentlichkeit überhaupt erschien und am aktivsten war, weil er wusste, dass seine Zeit kurz war. Als er sein Leiden und seinen Tod nahen sah, blickte er durch sie hindurch und über sie hinaus auf die Zeit, wenn er „in die Herrlichkeit" aufgenommen wird (1.Tim 3,16). Alle wahren Christen können für sich die gleiche Vorstellung von ihrem Tod haben, wie sie ihr Herr hatte: Sie können es ihr Aufgenommenwerden nennen, um dort bei Christus zu sein, wo er ist (s. Mk 16,19; Phil 1,23). Mit dieser Aussicht auf die vor ihm liegende Freude (s. Hebr 12,2) richtete er „sein Angesicht entschlossen nach Jerusalem". Er war vollkommen entschlossen zu gehen und wollte sich nicht davon abbringen lassen; er ging direkt nach Jerusalem. Er ging frohen Sinnes und beherzt dorthin. Er unterließ es nicht und war nicht entmutigt, sondern machte sein „Angesicht wie einen Kieselstein" weil er wusste, dass er nicht nur gerechtfertigt, sondern auch verherrlicht werden würde (Jes 50,7; s. Röm 8,30); nicht nur nicht überwunden, sondern in die Herrlichkeit aufgenommen würde. Wie sollte das uns für unsere und aus unserer Abneigung heraus beschämen, für Christus zu handeln und zu leiden!

2. Die Grobheit der Samariter in einem bestimmten Dorf, die ihn nicht aufnehmen wollten. Beachten Sie:

2.1 Wie höflich er zu ihnen war. Er sandte „Boten vor sich her", um zu schauen, ob es ihm und seinen Jüngern erlaubt werden würde, bei ihnen zu bleiben, und wenn ja, um sich Unterkünfte zu sichern. Er sandte einige vor sich her, die „wollten ihm die Herberge bereiten", sodass sein Kommen keine Überraschung sein würde.

2.2 Wie unfreundlich sie zu ihm waren. „Aber man nahm ihn nicht auf" **(Vers 53)**, wollte ihm nicht erlauben, in ihr Dorf zu kommen. Er wäre der größte Segen gewesen, der je in ihr Dorf gekommen ist, doch sie untersagten ihm den Zutritt. Der Grund war nun, „weil Jerusalem sein Reiseziel war". Der große Streit zwischen den Juden und Samaritern ging über den richtigen Ort der Anbetung, ob es Jerusalem ist oder der Berg Garizim in der Nähe von Sichar (s. Joh 4,20). Die Kontroverse zwischen ihnen war so heftig, dass die Juden keinen Umgang mit den Samaritern haben wollten und die Samariter auch nicht mit ihnen (s. Joh 4,9). Diese Samariter waren jedoch besonders böse auf Christus, der ein berühmter Lehrer war, dass er dem Tempel in Jerusalem treu war und ihn anerkannte. Sie wollten ihm nicht die übliche Höflichkeit erweisen, die sie ihm vermutlich früher auf seinen Reisen nach Jerusalem gezeigt hatten.

3. Den Groll, den Jakobus und Johannes über diese Beleidigung ausdrückten **(s. Vers 54)**. Als diese beiden diese Botschaft hörten, verloren sie sofort ihre Beherrschung und nichts würde sie zufriedenstellen als das Urteil Sodoms über dieses Dorf.

3.1 Hieran gab es gewiss etwas Lobenswertes, denn sie zeigten:

Ein großes Vertrauen in die Macht, die sie von Jesus Christus empfangen hatten. Sie konnten durch Sprechen „Feuer vom Himmel herabfallen" lassen. „Möchtest du, dass wir ein Wort sprechen?" Und dann würde die Sache geschehen.

Großen Eifer für die Ehre ihres Herrn. Sie nahmen es sehr übel auf, dass demjenigen, der Gutes tat, wo immer er hinging (s. Apg 10,38) und der allgemein herzlich empfangen wurde, von einer kleinen Gruppe von Samaritern der freie Zugang zu dem Weg verwehrt werden sollte.

Nichtsdestotrotz Unterordnung unter das Wohlwollen und Wohlgefallen ihres Meisters. Sie würden sich nicht bereit erklären, so etwas zu tun, wenn Christus es nicht gestattet: „... willst du, dass wir sprechen ...?"

Dass sie die Vorbilder der Propheten beachteten, die vor ihnen waren. Hieß das nicht, zu handeln, „wie es auch Elia getan hat?" (2.Kön 1,10.12). Sie meinten, dass dieser Präzedenzfall ihnen die Vollmacht geben würde; wir neigen so sehr dazu, die Vorbilder guter Leute falsch anzuwenden.

3.2 Obwohl es etwas Richtiges bei dem gab, was sie sagten, war viel mehr falsch, denn:

Dies war weit davon entfernt, das erste Mal zu sein, dass unser Herr Jesus auf diese Weise beleidigt worden war, doch er hat bei all den anderen Gelegenheiten nie irgendein Gericht über diese Leute herabgerufen, sondern geduldig das Unrecht ertragen, das ihm angetan wurde.

Dies waren Samariter, von denen nichts Besseres zu erwarten war, und vielleicht hatten sie gehört, wie Christus seinen Jüngern geboten hatte, „keine Stadt der Samariter" zu betreten (Mt 10,5), und deshalb war ihr Vergehen nicht so schlimm wie das von anderen, die mehr von Christus wussten.

Vielleicht waren es nur wenige Menschen in der Stadt, die ihm diese unhöfliche Botschaft sandten, während, nach allem, was die Jünger wussten, viele andere in der Stadt herausgekommen wären, um ihn zu treffen und willkommen zu heißen.

Ihr Meister hatte bis zu dieser Zeit aus keinem Anlass nach „Feuer vom Himmel" gerufen. Jakobus und Johannes waren die beiden Jünger, die Christus Boanerges, „Donnersöhne" genannt hatte (Mk 3,17). War das nicht genug für sie – mussten sie auch noch Söhne des Blitzes sein?

Das Vorbild von Elia passte nicht zu der Situation. Elia wurde gesandt, um die Schrecken des Gesetzes zu zeigen; das Zeitalter, welches nun eingeführt wurde, war ein Zeitalter der Gnade, für das solch ein schreckliches Zeichen göttlicher Gerechtigkeit überhaupt nicht passend wäre.

4. Den Tadel, den er Jakobus und Johannes erteilte: „Er aber wandte sich um und ermahnte sie ernstlich" **(Vers 55)**, denn alle, die er liebhat, überführt und züchtigt er (s. Offb 3,19), besonders, wenn sie unter dem Deckmantel des Eifers für ihn etwas tun, was mit dem, was sie wirklich sind, unvereinbar und gegen die Ordnung ist.

4.1 Er zeigte ihnen im Einzelnen ihren Irrtum: „Wisst ihr nicht, welches Geistes Kinder ihr seid?"

„Euch ist nicht bewusst, wie viel Stolz, Leidenschaft und persönliche Rache es unter euch gibt, *was durch diesen falschen Eifer für euren Meister verdeckt wird."* In den Herzen guter Menschen kann noch viel Verderbtheit schlummern – in der Tat aufgewühlt sein –, ohne dass sie sich dessen bewusst sind.

„Ihr bedenkt nicht, was für einen guten Geist ihr haben solltet. Gewiss müsst ihr immer noch lernen, wie der Geist Christi ist. Seid ihr nicht gelehrt worden, eure Feinde zu lieben und diejenigen zu segnen, die euch fluchen (s. Mt 5,44) und für sie Gnade vom Himmel herabzurufen, nicht Feuer vom Himmel? Ihr seid im Zeitalter der Liebe, der Freiheit und der Gnade, das eingeleitet worden ist durch die Verkündigung von ‚Friede auf Erden, und unter den Menschen Gottes Wohlgefallen'" (Lk 2,14).

4.2 Er zeigte ihnen die allgemeine Absicht und den Zweck seiner Religion: „Denn der Sohn des Menschen ist [selbst] nicht gekommen, um die Seelen der Menschen zu verderben, sondern zu erretten!" Er wollte seine heilige Religion durch Liebe und Liebliches ausbreiten und durch alles, was angenehm und gewinnend ist, nicht durch Feuer und Schwert; durch Heilungswunder, nicht durch Plagen und zerstörende Wunder, wie Israel aus Ägypten herausgebracht wurde. Christus kam, um alle Feindseligkeiten zu töten, nicht um sie zu nähren. Christus kam nicht nur, um die Seelen der Menschen zu retten, sondern auch ihr Leben. Christus möchte, dass seine Jünger allen Gutes tun. Er möchte, dass sie niemandem schaden; er möchte, dass sie „mit menschlichen Banden" und „mit Seilen der Liebe" Menschen in seine Gemeinde ziehen (Hos 11,4), statt sie mit der Rute der Gewalt oder der Peitsche der Zunge in sie hineinzutreiben.

5. Sein Rückzug von diesem Dorf. Christus wollte sie nicht nur nicht für ihre Grobheit strafen, er wollte ruhig und friedlich „in ein anderes Dorf" ziehen, wo sie nicht so schäbig waren. Wenn manche Menschen sehr grob sind, sollten wir, statt Rache zu nehmen, schauen, ob andere nicht freundlicher sein werden.

Vers 57-62

Hier ist ein Bericht über drei Menschen, die getrennt voneinander anboten, Christus zu folgen:

1. Hier ist einer, der äußerst begierig darauf war, Christus sofort zu folgen, der aber zu hastig gewesen zu sein scheint und sich nicht hingesetzt hat, um die Kosten zu überschlagen.

1.1 Er machte Christus ein sehr großes Versprechen: „... als sie ihre Reise fortsetzten, da sprach einer auf dem Weg zu ihm: Herr, ich will dir nachfolgen, wohin du auch gehst!"

(Vers 57). Das muss der Entschluss aller sein, die als wahre Jünger Christi erfunden werden wollen; sie folgen dem Lamm nach, „wohin es auch geht" (Offb 14,4).

1.2 Christus gab ihm eine notwendige Warnung, dass er sich nicht große Dinge in der Welt versprechen darf, wenn er Christus folgt, denn „der Sohn des Menschen hat nichts, wo er sein Haupt hinlegen kann". Wir können dies betrachten als:

Dass es die niedrige Stellung zeigt, die unser Herr Jesus in dieser Welt hatte. Ihm fehlten nicht nur die Freuden und Zierden, die große Herrscher normalerweise haben; ihm fehlten sogar die grundsätzlichen Dinge, die einfache Notwendigkeit, die selbst die „Füchse ... und die Vögel des Himmels" haben. Der Eine, der alles gemacht hat, beanspruchte noch nicht einmal einen Ort zum Leben für sich selbst, nicht einmal ein eigenes Haus, um sein Haupt darin hinzulegen. Er nannte sich hier den „Sohn des Menschen", einen Sohn Adams, einen, der an unserem Fleisch und Blut teilhatte. Er rühmt sich seines Herablassens zu uns, um seine Liebe zu uns zu zeigen und uns zu lehren, eine heilige Geringschätzung für die Dinge dieser Welt und eine beständige Zuneigung für die andere Welt zu haben. Christus war arm, um die Armut für die Seinen zu heiligen und süß zu machen. Wir können gut damit zufrieden sein, so zu leben, wie es Christus tat.

Vorschlag zur Überlegung für diejenigen, die seine Jünger sein wollen. Wenn wir danach streben, Christus nachzufolgen, dürfen wir nicht erwarten, irgendetwas mehr als den Himmel als Lohn für unseren religiösen Glauben zu bekommen. Christus sagte diesem Mann, womit er rechnen musste, wenn er ihm nachfolgte: Er würde kalt und unbehaglich liegen, ein Leben mit Härten, ein Leben der Schande führen. Wenn er sich dem nicht unterordnen kann, soll er nicht versuchen, Christus nachzufolgen. Dieses Wort schickte ihn zurück, wie es scheint, doch es wird für niemanden eine Entmutigung sein, der weiß, was es in Christus und dem Himmel gibt, um es in die Waagschale zu legen, um es auszugleichen.

2. Hier ist ein weiterer Mann, der sich entschieden zu haben scheint, Christus nachzufolgen, der aber bat, dass er zuerst einen Tag Aufschub haben könnte **(s. Vers 59)**. Christus rief diesen Mann zuerst; er sagte zu ihm: „Folge mir nach!" Derjenige, der beabsichtigt hatte, Christus nachzufolgen, lief davon, als er von den Schwierigkeiten hörte, die es mit sich brachte, doch dieser Mann, den Christus rief, scheint sich später gefügt zu haben, obwohl er zuerst zögerte. „So liegt es nun nicht an jemandes Wollen oder Laufen" – wie bei dem vorschnellen jungen Zeitgenossen in dem vorigen Vers –, „sondern an Gottes Erbarmen" (Röm 9,16), welcher den Ruf ausspricht.

2.1 Die Entschuldigung, die er vorbrachte: „Herr, erlaube mir, zuvor hinzugehen und meinen Vater zu begraben.' Ich habe zu Hause einen älteren Vater, der nicht mehr lange leben wird und der mich braucht, solange er noch am Leben ist. Lass mich gehen und bei ihm bleiben, bis er gestorben ist, dann werde ich alles tun." Hier können wir drei Versuchungen sehen.

Wir sind versucht, bei einer leichten Form der Jüngerschaft zu bleiben, bei der wir weiter locker mit dem Christentum verbunden sind, aber uns nicht verpflichten.

Wir sind versucht, das auf ein späteres Datum zu verschieben, von dem wir wissen, dass es unsere Pflicht ist. Wenn wir von dieser und jener Sorge und Schwierigkeit losgekommen sind, dann wollen wir damit beginnen, darüber nachzudenken, religiös zu sein, und so werden wir um unsere ganze Zeit betrogen, weil wir von der Gegenwart betrogen werden.

Wir sind versucht zu denken, dass uns unsere Pflicht unseren Verwandten gegenüber eine Entschuldigung dafür gibt, nicht unsere Pflicht Christus gegenüber zu erfüllen. Doch das Trachten und Streben nach dem Reich Gottes und seiner Gerechtigkeit muss an erster Stelle stehen (s. Mt 6,33).

2.2 Christi Erwiderung darauf: „Lass die Toten ihre Toten begraben.' Du hast eine andere Arbeit zu tun: ‚... geh hin und verkündige das Reich Gottes!'" **(Vers 60)**. Es ist nicht so, dass Christus möchte, dass seine Nachfolger und geistlichen Diener unnatürlich sein sollen. Unsere Religion lehrt uns, in jeder Beziehung freundlich und gut zu sein. Doch wir dürfen solche Taten nicht zu einer Entschuldigung dafür machen, unsere Pflicht Gott gegenüber nicht zu erfüllen. Wenn die engste und kostbarste Beziehung, die wir in der Welt haben, Christus im Weg steht und uns von ihm abhält, müssen wir einen Eifer haben, der uns Vater und Mutter vergessen lässt. Gegenüber dem augenblicklichen Gehorsam auf den Ruf Christi hin dürfen keine Entschuldigungen akzeptiert werden.

3. Hier ist ein weiterer Mann, der bereit war, Christus nachzufolgen, aber ein wenig Zeit braucht, um mit seinen Freunden darüber zu sprechen. Beachten Sie:

3.1 Seine Bitte um eine besondere Rücksicht. Er sagte: „Herr, ich will dir nachfolgen; zuvor aber erlaube mir, von denen, die in meinem Haus sind, Abschied zu nehmen!' Lass mich gehen und die Angelegenheiten meines Hauses ordnen", wie es manche verstehen. Was nun daran falsch war, war:

Dass er seine Nachfolge Christi als etwas Trauriges, Beschwerliches und Gefährliches ansah. Christus nachzufolgen, erschien ihm wie auf das Sterben zugehen, und deshalb muss er sich von all seinen Freunden verabschieden, wohingegen er als Nachfolger Christi mehr ein Trost und ein Segen für sie sein kann, als wäre er bei ihnen geblieben.

Dass er sein Herz mehr auf seine weltlichen Interessen gerichtet zu haben schien, als es mit einer treuen Erfüllung seiner Verpflichtungen als Nachfolger Jesu vereinbar gewesen wäre. Er schien sich nach seinen Verwandten und seinen familiären Dingen zu sehnen; sie klebten an ihm. Vielleicht hatte er ihnen einmal Lebewohl gesagt, doch der Unwille fortzugehen fordert einen oftmaligen Abschied, und deshalb muss er nach Hause gehen und sich noch einmal von ihnen verabschieden.

Dass er bereit war, von seinem fokussierten Ziel, Christus nachzufolgen, abgebracht zu werden. Wenn er geht und sich von denen verabschiedet, die in seinem Haus sind, würde ihn dies den stärksten Bitten aussetzen, seinen Sinn zu ändern, denn sie würden alle bitten und flehen, dass er sie nicht verlassen möge. Diejenigen, die sich entscheiden, ihrem Erlöser nachzufolgen, müssen entschlossen sein, dass sie mit ihrem Versucher nicht einmal in Verhandlungen treten.

3.2 Der Tadel, den Christus ihm für diese Bitte erteilte **(s. Vers 62)**: „Niemand, der seine Hand an den Pflug legt, wird zurückblicken oder hinter sich blicken, denn dann verpasst er mit seinem Pflug unbedacht ein Stück Boden und der Boden, den er pflügt, wird nicht für das Säen taugen. In gleicher Weise, wenn du mir nachfolgen willst und zu einem weltlichen Leben zurückblickst und dich danach sehnst, bist du nicht tauglich für das Reich Gottes. Du bist kein Sämann, der den guten Samen des Reiches ausstreuen kann, wenn du den Pflug nicht besser halten kannst." Gepflügt wird, um das Säen vorzubereiten. Diejenigen, die nicht wissen, wie sie den brachliegenden Boden aufbrechen sollen, sondern bei jeder Gelegenheit zurückblicken, nachdem sie ihre Hand „an den Pflug" gelegt haben, und daran denken, ihn im Stich zu lassen, sind nicht geeignet, dass man sie für das Säen abstellt. Der Blick zurück führt zum Rückzug und der Rückzug führt zur Zerstörung. Diejenigen, die umdrehen, nachdem sie sich auf den Himmel ausgerichtet haben, sind nicht für den Himmel geeignet. Doch diejenigen, und nur diejenigen, die „bis ans Ende" ausharren, werden gerettet werden (s. Mt 10,22).

KAPITEL 10

Hier haben wir: 1. Den ausführlichen Auftrag, den Christus den siebzig Jüngern gab, das Evangelium zu predigen und es durch Wunder zu bestätigen (s. Vers 1-16). 2. Den Bericht der Siebzig und seine Botschaft an sie (s. Vers 17-24). 3. Christi Gespräch mit einem Experten des Gesetzes über den Weg zum Himmel und die Unterweisung, die Christus ihm durch ein Gleichnis gab, jeden als seinen Nächsten anzusehen (s. Vers 25-37). 4. Christi Empfang in Marthas Haus, den Tadel, den er ihr für ihr übermäßiges Interesse an der Welt gab und sein Lob für Maria (s. Vers 38-42).

Vers 1-16

Wir haben hier die Aussendung der siebzig Jünger je zwei und zwei. Dies wird von den anderen Evangelisten nicht erwähnt, doch die Anweisungen, die den Siebzig gegeben wurden, sind zum großen Teil die gleichen, wie sie den Zwölfen gegeben wurden. Beachten Sie:

1. Ihre Zahl: Es waren siebzig. Genauso wie Christus bei der Wahl von zwölf Aposteln die zwölf Stämme und die zwölf Patriarchen im Sinn gehabt hatte, die Herrscher dieser Stämme, so scheint er hier die siebzig Ältesten Israels im Sinn gehabt zu haben (s. 2.Mose 24,1.9).

1.1 Wir freuen uns zu sehen, dass Christus so viele Nachfolger hatte, die ausgesandt werden konnten. Seine Arbeit war nicht vollkommen vergeblich, auch wenn er auf viel Widerstand traf. Diese Siebzig hörten, obwohl sie nicht so eng und beständig bei ihm waren, wie es die Zwölf waren, doch beständig sein Lehren, waren Zeugen seiner Wunder und glaubten an ihn. Diese Siebzig waren die, von denen Petrus sprach als „von den Männern, die mit uns gegangen sind die ganze Zeit über, in welcher der Herr Jesus unter uns ein und ausging", und sie gehörten zu den 120 Personen, von denen dort gesprochen wurde (Apg 1,15.21). Wir können annehmen, dass viele von denen, welche die Gefährten der Apostel waren und von denen wir in der Apostelgeschichte und den Briefen lesen, zu diesen siebzig Jüngern gehörten.

1.2 Wir freuen uns zu sehen, dass es Arbeit für so viele geistliche Diener und Zuhörer für so viele Prediger gab. Auf diese Weise begann das Senfkorn zu wachsen (s. Lk 13,19) und das Aroma des Sauerteigs sich in dem Mehl auszubreiten (s. Lk 13,21).

2. Ihre Arbeit und ihre Aufgabe: Er sandte sie je zwei und zwei aus, sodass sie einander ermutigen und stärken konnten. Er sandte sie nicht in alle Städte Israels, wie er es bei den Zwölfen getan hatte, sondern nur „in alle Städte und Orte, wohin er selbst kommen wollte" **(Vers 1)**, als seine Vorboten. Ihnen wurde gesagt, dass sie zwei Dinge tun sollten, die gleichen, die Christus überall tat, wohin er kam:

2.1 Sie müssen die Kranken heilen **(s. Vers 9)**, sie „im Namen Jesu Christi" heilen (Apg

3,6), was dafür sorgen würde, dass die Menschen sich danach sehnen, diesen Jesus zu sehen – begierig darauf, den Einen zu empfangen, dessen Name so mächtig war.

2.2 Sie müssen das Herannahen des Reiches Gottes verkündigen: „Das Reich Gottes ist nahe zu euch herbeigekommen!" Es ist gut, wenn uns unsere Möglichkeiten und Gelegenheiten bewusst gemacht werden, damit wir sie ergreifen können. Wenn das Reich Gottes nahe zu uns herbeigekommen ist, sollten wir hinausgehen, um es zu treffen.

3. Die Unterweisungen, die er ihnen gab.

3.1 Sie müssen mit Gebet aufbrechen **(s. Vers 2)**. Sie müssen richtig von den Nöten der Seelen der Menschen bewegt sein. Sie müssen um sich herum schauen und sehen, wie groß die Ernte war. Es gab Korn, das reif zur Ernte war, und es würde verloren gehen, wenn sich keine Hände finden, um es einzusammeln. Sie müssen auch darüber beunruhigt sein, dass es „wenige Arbeiter" sind. Bei Händlern war es üblich, sich nicht darum zu kümmern, wie wenige es in ihrem Gewerbe gab, doch Christus möchte, dass die Arbeiter in seinem Weinberg es als einen Grund zur Klage ansehen, dass es „wenige Arbeiter" sind. Sie müssen inbrünstig danach streben, ihren Auftrag von Gott zu erhalten, dass er sie als „Arbeiter in seine Ernte sende" und dass er andere aussenden möge, denn wenn Gott sie aussendet, dann können sie hoffen, dass er sie begleiten und ihnen Erfolg geben würde.

3.2 Sie müssen in der Erwartung von Schwierigkeiten und Verfolgung aufbrechen: „‚Siehe, ich sende euch wie Lämmer mitten unter die Wölfe.' Eure Feinde werden wie Wölfe sein. Doch ihr müsst wie Lämmer sein, friedlich und geduldig, selbst wenn euch klar wird, dass ihr leicht angegriffen werden könnt." Wenn er sie nicht mit seinem Geist und seinem Mut ausgestattet hätte, wäre es sehr hart gewesen, als Schafe unter Wölfe gesandt zu werden.

3.3 Sie dürfen sich nicht belasten, als würden sie eine lange Reise machen, sondern müssen für ihre Versorgung von Gott und von ihren Freunden abhängig sein: „Ihr sollt weder einen Beutel für Geld noch eine Tasche für eure Kleidung oder Essen noch neue Schuhe mitnehmen" – wie er vorher zu den Zwölfen gesagt hatte (s. Lk 9,3) – „und grüßt niemand auf dem Weg."

Sie müssen schnell gehen, dürfen sich nicht durch unnötige Zeremonien oder Geschenke aufhalten oder langsamer machen.

Sie müssen wie Geschäftsleute hinausgehen, mit einem Geschäft, das zu einer anderen Welt gehört, und deshalb dürfen sie sich nicht in diesseitige Angelegenheiten vertiefen.

Sie müssen als ernsthafte Leute gehen.

3.4 Sie müssen jedem, zu dem sie kommen würden, nicht nur ihr Wohlwollen, sondern auch Gottes Wohlwollen zeigen **(s. Vers 5-6)**.

Ihnen wurde geboten, dass sie bei jedem Haus, in das sie hineingehen, sprechen: „Friede diesem Haus!" Hier:

Wurde vorausgesetzt, dass sie in private Häuser hineingehen, denn weil sie nicht zu den Synagogen zugelassen werden würden, würden sie gezwungen sein, dort zu predigen, wo sie die Freiheit dazu hätten. Da ihr öffentliches Predigen in Häuser getrieben werden würde, machten sie es dort. Die Gemeinde Christi war zuerst sehr stark eine Hausgemeinde.

Wurden sie gelehrt zu sagen: „Friede diesem Haus!" – „Auf dem Weg sollt ihr niemanden als Ehrenbezeigung grüßen, doch wenn ihr in ein Haus hineingeht, sollt ihr mit Ernsthaftigkeit und als Tatsache den Leuten wünschen: ‚Friede sei mit euch.'" Christi geistliche Diener gehen in die ganze Welt, um in Christi Namen zu sagen: „Friede sei mit dir!" Wir müssen jedem Frieden anbieten, Frieden durch Jesus Christus predigen, „Friede auf Erden" (Lk 2,14), und die Menschen einladen zu kommen und seine Wohltaten zu empfangen. Wir müssen um Frieden für alle beten.

Würde die Reaktion auf ihr Predigen unterschiedlich an unterschiedlichen Orten sein, gemäß den unterschiedlichen Haltungen derjenigen, zu denen sie zu predigen und für die sie beteten. Ob ihr Friede auf diesem Haus bleibt oder nicht bleibt, würde davon abhängen, ob das Haupt des Hauses den Frieden liebt oder nicht. „Ihr werdet auf manche treffen, die Söhne des Friedens sind, die bereit sind, das Wort des Evangeliums in seinem Licht und seiner Liebe anzunehmen. Was diese anbetrifft, so wird eure Friede sie finden und auf ihnen ruhen. Eure Gebete für sie werden erhört werden und die Verheißungen des Evangeliums werden für sie bestätigt werden. Ihr werdet aber auch auf andere treffen, die in keiner Weise geneigt sind, auf eure Botschaft zu hören, ganze Häuser, die nicht einen ‚Sohn des Friedens' in sich haben." Es ist nun sicher, dass unser Friede nicht auf solche Menschen kommen wird. Er wird zu uns wieder zurückkehren, das heißt, wir werden die Ermutigung haben, dass wir unsere Pflicht für Gott getan und dass wir unsere Verantwortung erfüllt haben. Unser Friede wird zu uns zurückkehren, nicht nur, dass wir uns selbst an ihm erfreuen, sondern auch, um anderen mitgeteilt zu werden, denjenigen, die Söhne des Friedens sind.

3.5 Sie müssen die Güte von denjenigen annehmen, die sie aufnehmen und willkommen heißen **(s. Vers 7-8)**. Diejenigen, die das Evangelium annehmen, werden die annehmen, die es predigen.

„Seid nicht schüchtern; zweifelt nicht daran, dass ihr willkommen sein werdet, und fürchtet nicht, lästig zu sein, sondern esst und trinkt von Herzen, was man euch vorsetzen wird. Ihr verdient es, ‚denn der Arbeiter ist

seines Lohnes wert. Wer im Wort unterrichtet wird, der gebe dem, der ihn unterrichtet, Anteil an allen Gütern'; denn das ist kein Akt der Liebe, sondern der Gerechtigkeit" (**Vers 7**; Gal 6,6).

Sie sollten nicht wählerisch sein in Bezug auf das, was sie essen: „‚Esst und trinkt das, was man euch vorsetzt … was euch vorgesetzt wird.' Seid dankbar für einfaches Essen und habt nichts dagegen einzuwenden, selbst wenn es nicht schön serviert wird" (**Vers 7-8**). Es ist für Christi Jünger nicht gut, Luxus zu wollen. Christus verweist hier wahrscheinlich auf die Tradition der Ältesten in Bezug auf das Essen. Christus wollte nicht, dass die Siebzig an diese Dinge denken, sondern essen, was ihnen gegeben wird, und um des Gewissens willen keine Fragen stellen.

3.6 Sie müssen Gottes Gerichte über diejenigen verkünden, die sie und ihre Botschaft verwarfen: „‚Wenn ihr aber in eine Stadt kommt und sie euch nicht aufnehmen, verlasst sie. Wenn sie euch nicht in ihren Häusern willkommen heißen, solltet ihr sie auf ihren Gassen warnen" (**Vers 10**). Er sagte ihnen, dass sie das tun sollten, wie er vorher den Aposteln gesagt hatte, es zu tun (s. Lk 9,5). „Sagt zu ihnen: ‚Auch den Staub, der sich aus eurer Stadt an uns gehängt hat, streifen wir ab gegen euch.' Nehmt von ihnen keinerlei Güte an, seid ihnen in keiner Weise zum Dank verpflichtet" (**Vers 11**). Dass die Boten Christi seinen Anordnungen gefolgt waren und ihre Botschaft gebracht hatten, würde jenen ein Zeugnis sein; das Anbieten und Verweigern war Teil ihrer Pflicht. „Doch sagt ihnen klar und vergewissert sie, dass das Reich Gottes nahe zu ihnen herbeigekommen ist: ‚Hier wurde euch ein gutes Angebot gemacht; wenn ihr davon keinen Nutzen habt, ist es eure eigene Schuld. Jetzt, wo das Reich Gottes nahe zu euch herbeigekommen ist, wird eure Sünde, wenn ihr nicht hineingeht, unentschuldbar sein.'" Je besser das Angebot der Gnade und des Lebens ist, welches wir durch Christus haben, umso mehr werden wir an einem anderen Tag zu verantworten haben, wenn wir diese Angebote ablehnen: „Es wird Sodom an jenem Tag erträglicher gehen als dieser Stadt" (**Vers 12**). Die Sodomiten haben tatsächlich die Warnungen verworfen, die ihnen Lot gab, doch das Evangelium verwerfen ist ein abscheulicheres Verbrechen. Aus diesem Anlass wiederholt der Evangelist:

Die besondere Verdammnis jener Städte, in denen die meisten der mächtigen Taten Christi getan wurden, die wir vorher hatten (s. Mt 11,20).

Sie genossen größere Vorrechte. Christi Wundertaten waren in ihnen geschehen. Hierdurch waren sie „bis zum Himmel erhöht worden". Sie waren so dicht an den Himmel herangebracht worden, wie äußere Mittel sie überhaupt bringen konnten.

Gottes Absicht damit, sie auf diese Weise zu begünstigen, war, sie zur Buße und zur Besserung ihres Lebens zu bringen, sodass sie „in Sack und Asche" sitzen würden (**Vers 13**).

Sie durchkreuzten diese Absicht, empfingen die Gnade Gottes vergeblich. Es ist inbegriffen, dass sie nicht Buße taten; sie brachten keine Früchte hervor, die der Vorteile würdig waren, die sie genossen (s. Lk 3,8).

Moralisch gesehen gab es Grund zu der Annahme, dass, wenn Christus nach Tyrus und Zidon – heidnische Städte – gegangen wäre, deren Buße so rasch gewesen wäre, dass sie schon lange Buße getan hätten. Ihre Buße wäre so tief gewesen, dass sie „in Sack und Asche sitzend Buße getan" hätten.

Die Verdammnis von denjenigen, welche die Gnade Gottes vergeblich empfingen, wird schrecklich sein (s. 2.Kor 6,1). Diejenigen, die auf diese Weise erhoben wurden, die aber ihre Erhebung nicht nutzten, werden „bis zum Totenreich hinabgeworfen werden".

Am Tag des Gerichts wird es Tyrus und Zidon besser ergehen als diesen Städten; für diese Heiden wird es erträglicher sein.

Die allgemeine Regel, die Christus beim Richten derjenigen anwenden würde, zu denen er seine geistlichen Diener hinsendet: Er würde sich als so behandelt betrachten, wie seine geistlichen Diener behandelt wurden: „Wer euch hört, der hört mich, und wer euch verwirft, der verwirft" in Wirklichkeit „mich" (**Vers 16**); in der Tat verwirft er „den, der mich gesandt hat". Diejenigen, welche die treuen geistlichen Diener Christi verwerfen und ihrem Dienst den Rücken zukehren, werden als solche angesehen werden, die Gott und Christus ablehnen und verwerfen.

Vers 17-24

Christus sandte die siebzig Jünger aus, als er nach Jerusalem zum Laubhüttenfest ging. Nachdem er einen so großen Teil seines gewöhnlichen Gefolges ausgesandt hatte, ging er hinauf, „nicht öffentlich, sondern wie im Verborgenen" (Joh 7,10). Dr. Lightfoot meint, dass diese Jünger – oder zumindest ein Teil davon – zu Christus vor seiner Rückkehr von dem Fest zurückkamen, als er immer noch in Jerusalem oder in Bethanien war, welches in der Nähe war. Bald würde er bei Maria und Martha sein (s. Lk 10,38; vgl. Joh 12,1-3). Uns wird nun hier gesagt:

1. Welchen Bericht sie ihm von dem Erfolg ihrer Expedition gaben: „Die Siebzig aber kehrten mit Freuden zurück" (**Vers 17**), und klagten nicht darüber, wie müde sie nach der Reise seien, sondern mit Freude über ihren Erfolg, besonders dabei, Dämonen auszutreiben: „Herr, auch die Dämonen sind uns untertan in deinem Namen!"

1.1 Sie gaben Christus die Ehre dafür: Es war „in deinem Namen". All unsere Siege über Satan werden durch die Kraft erlangt, die wir von Jesus Christus bekommen. Wir müssen in seinem Namen den Kampf mit unseren geistlichen Feinden aufnehmen. Wenn das Werk in seinem Namen getan wird, gebührt seinem Namen die Ehre.

1.2 Sie ermutigten sich selbst mit der Gewissheit darüber, sprachen aufgeregt davon: „,... auch die Dämonen sind uns untertan.' Wenn uns Dämonen untertan sind, was wird dann vor uns Bestand haben?"

2. Wie er diesen Bericht aufnahm.

2.1 Er bestätigte, was sie sagten, und merkte an, dass es mit seiner eigenen Beobachtung übereinstimmte: „Ich sah den Satan wie einen Blitz vom Himmel fallen" **(Vers 18)**. Satan und sein Reich fielen in der Gegenwart der Predigt des Evangeliums. Er fiel wie ein Blitz vom Himmel, so plötzlich und unwiederbringlich. Satan fällt vom Himmel, wenn er in den Herzen der Menschen vom Thron fällt (s. Apg 26,18). Christus sah voraus, dass die Predigt des Evangeliums das Reich Satans niederreißen würde, wo sie auch hinkam. „Nun wird der Fürst dieser Welt hinausgeworfen werden" (Joh 12,31).

2.2 Er wiederholte, bekräftigte und erweiterte ihre Vollmacht: „Siehe, ich gebe euch die Vollmacht, auf Schlangen ... zu treten" **(Vers 19)**. Sie hatten ihre Vollmacht stark gegen Satan genutzt und jetzt vertraute Christus ihnen noch größere Vollmacht an. Er gab ihnen:

Offensive Macht, Vollmacht, auf Schlangen und Skorpione zu treten, Dämonen und böse Geister, wie die alte Schlange (s. Offb 12,9; 20,2). „Wie die Dämonen euch untertan waren, so werden sie es weiterhin sein."

Defensive Macht: „Niemand wird euch durch irgendein Mittel schaden, nicht einmal Schlangen oder Skorpione. Wenn Übeltäter für euch wie Schlangen sind und ihr unter diesen Skorpionen lebt, könnt ihr deren Wut verachten und auf sie treten. Jene mögen gegen euch zischen, doch sie können euch nicht schaden."

2.3 Er unterwies sie, wie sie ihre Freude in die richtige Bahn lenken können **(s. Vers 20)**: „Freut euch trotz eures Erfolges nicht darüber, dass euch die Geister untertan sind. Freut euch nicht nur oder sogar hauptsächlich darüber, sondern freut euch vielmehr darüber, dass eure Namen im Himmel geschrieben sind, weil ihr durch den Glauben Kinder Gottes seid." Christus konnte ihnen sagen, dass ihre Namen im Himmel geschrieben sind, denn es ist das Buch des Lebens des Lammes, in dem sie geschrieben sind. Das Anrecht, Kind Gottes zu werden (s. Joh 1,12), muss höher bewertet werden als das Anrecht, Wunder zu tun, denn wir lesen von solchen, die im Namen Christi Dämonen austrieben, die aber an dem großen Tag von Christus verstoßen werden. Doch diejenigen, deren Namen im Himmel geschrieben sind, werden nie umkommen; sie sind Christi Schafe, denen er ewiges Leben geben wird. Heilige Liebe ist ein vortrefflicherer Weg als das Reden in Zungen (s. 1.Kor 12,31-13,1).

2.4 Er bot seinem Vater ein heiliges Dankgebet dar **(s. Vers 21-22)**. Wir hatten dies vorher (s. Mt 11,25-27), außer, dass es hier durch eine Aussage eingeleitet wird, dass Jesus „zu derselben Stunde frohlockte". In der Stunde, in der er Satan fallen sah, „zu derselben Stunde frohlockte Jesus". Christi Freude war fest gegründet, substanziell und innerlich: Er frohlockte im Geist. Bevor er sich mit Danksagung an seinen Vater richtete, regte er sich selbst zum Frohlocken an, denn wie dankbarer Lobpreis die authentische Sprache heiliger Freude ist, so ist heilige Freude die Wurzel und Quelle dankbaren Lobpreises. Er dankte für zwei Dinge:

Für das, was von dem Vater durch den Sohn offenbart wurde: „Ich preise dich, Vater, Herr des Himmels und der Erde" **(Vers 21)**. Wofür er nun dankte, war:

Dass die Pläne Gottes bezüglich der Versöhnung der Menschen mit ihm manchen Menschen offenbart wurden, die ausgerüstet werden konnten, sie andere zu lehren; ihnen hatte er offenbart, „was von Grundlegung der Welt an verborgen war" (Mt 13,35).

Dass sie Unmündigen (kleinen Kindern) offenbart wurden, denen, die nur Kinder im Verständnis waren, bis Gott durch seinen Geist ihre Fähigkeiten vergrößert. Wir haben Grund dafür, Gott zu danken, nicht so sehr für die Ehre, die er kleinen Kindern erwiesen hat, sondern für die Ehre, die er sich selbst erwiesen hat, indem er Kraft in der Schwachheit vollkommen gemacht hat (s. Ps 8,3; Mt 21,16; 2.Kor 12,9; Hebr 11,34).

Dass zur gleichen Zeit, als er es kleinen Kindern offenbarte, es „den Weisen und Klugen verborgen" hat (den Gelehrten), den heidnischen Philosophen, den jüdischen Rabbis. Er offenbarte ihnen nicht die Dinge des Evangeliums und gebrauchte diese Menschen auch nicht zur Predigt seines Reiches. Es stimmt, dass Paulus als Gelehrter unter den Weisen und Klugen erzogen wurde, doch als er Apostel wurde, wurde er ein Kind, stellte weder eine andere Erkenntnis zur Schau noch machte er sich eine solche zunutze als nur die von „Jesus Christus, und zwar als Gekreuzigten" (1.Kor 2,2.4).

Dass Gott hier in seiner Souveränität handelte: „Ja, Vater, denn so ist es wohlgefällig gewesen vor dir." Wenn Gott einigen, die weniger geeignet sind, seine Gnade und die Erkenntnis seines Sohnes schenkt, und wenn er sie anderen nicht gibt, von denen wir meinen, dass sie besser geeignet sind, sie anderen zu vermitteln, müssen wir uns durch die Gewissheit trösten lassen, dass dies das ist, was Gott gefällt. Er zieht es vor, die Übermittlung seines Evangeliums denen in die Hände zu geben, welche göttliche Kraft benutzen werden, um ihr Triebkraft zu verleihen, statt in die Hände derer, die ihre rein menschliche Geschicklichkeit benutzen werden und dadurch dessen Vorankommen hindern.

Für das, was zwischen dem Vater und dem Sohn verborgen war **(s. Vers 22)**. Wir sehen hier:

Das riesige Vertrauen, welches der Vater dem Sohn gibt: „Alles ist mir übergeben worden von meinem Vater." In ihm muss alle Fülle wohnen (s. Kol 1,19), und sie muss von ihm hergeleitet werden; er ist der große Treuhänder, der alle Angelegenheiten des Reiches Gottes verwaltet.

Das gute Verständnis, welches es zwischen dem Vater und dem Sohn gibt: „Niemand weiß, wer der Sohn ist, als nur der Vater." Noch weiß jemand, „wer der Vater ist ... als nur der Sohn" und wem der Sohn es durch den Geist offenbaren will.

2.5 Er sagte den Jüngern, wie gut es für sie war, dass ihnen diese Dinge geoffenbart worden waren **(s. Vers 23-24)**. Er wandte sich an seine Jünger und wollte ihnen bewusst machen, wie sehr es zu ihrer Glückseligkeit war, dass sie die Geheimnisse des Reiches kannten und dazu eingesetzt waren, andere zu der Erkenntnis von ihnen zu führen, wenn man bedenkt:

Was für ein Schritt es zu etwas Besserem war. Obwohl die bloße Erkenntnis dieser Dinge nicht rettet, bringt sie uns doch in eine günstige Lage, um den Weg des Heils anzunehmen: „Glückselig sind die Augen, die sehen, was ihr seht!"

Was für ein Schritt dies über diejenigen hinaus war, die vor ihnen kamen: „Viele Propheten und Gerechte" – wie es in Matthäus 13,17 heißt –, „viele Propheten und Könige" – wie es hier heißt – „haben sich gewünscht, zu sehen und zu hören, was für euch alltäglich ist und womit ihr aufs Engste vertraut seid, haben es aber nicht gesehen und gehört." Die Ehre und die Glückseligkeit der Heiligen des Neuen Testaments überschreitet selbst die der Propheten und Könige des Alten Testaments bei Weitem. Die allgemeinen Vorstellungen, welche die Heiligen des Alten Testaments von den Wirkungen der Gnade und Herrlichkeiten des Reiches des Messias hatten, ließen sie es sich Tausende Male wünschen, dass sie das Wesen dieser Dinge sehen könnten, von denen sie nur schwache Schatten sahen.

Vers 25-37

Hier haben wir das Gespräch Christi mit einem Gesetzesgelehrten über einige Fragen des Gewissens, bei denen wir alle daran interessiert sind, in rechter Weise über sie informiert zu werden, und dies geschieht hier durch Christus.

1. Es liegt in unserem eigenen Interesse, zu wissen, was für Gutes wir in dieser Welt tun sollten, um das ewige Leben zu erlangen. Von einem Gesetzesgelehrten wurde unserem Heiland eine Frage gestellt, einzig zum Zweck, ihn zu versuchen. Der Gesetzesgelehrte „trat auf ... und sprach: Meister, was muss ich tun, um das ewige Leben zu erben?" **(Vers 25)**. Wenn Christus eine besondere Sache zur Vorschrift machte, würde der Gesetzesgelehrte es durch diese Frage aus ihm herausbekommen und ihn damit vielleicht bloßstellen. Wenn Christus nichts anzuordnen hatte, würde der Gesetzesgelehrte seine Lehre als nutzlos darstellen. Oder vielleicht hatte er keine böswilligen Absichten Christus gegenüber, sondern wollte nur ein wenig mit ihm sprechen, so wie Menschen aus Neugier in die Kirche kommen, um zu hören, was der Pastor sagen wird. Der Gesetzesgelehrte stellte eine gute Frage, doch sie verlor all ihren Wert, als sie mit böser Absicht gestellt wurde. Es ist nicht genug, über die Dinge Gottes zu sprechen und nach ihnen zu fragen, wir müssen ihnen auch mit angemessenem Interesse gehorchen. Beachten Sie:

1.1 Wie Christus den Gesetzesgelehrten auf das Gesetz Gottes verwies. Obwohl er die Gedanken und Gesinnungen seines Herzens kannte (s. Hebr 4,12), antwortete er ihm nicht nach seiner Narrheit (s. Spr 26,4), sondern nach der Weisheit und dem Wert der Frage, die er stellte. Christus antwortete mit einer Frage: „Was steht im Gesetz geschrieben? Wie liest du?" **(Vers 26)**. Christus wollte ihn lehren und selbst verstehen lassen. Die Studien seines Berufes würden ihn in Kenntnis setzen; möge er nach seiner Erkenntnis handeln und er würde nicht das ewige Leben verfehlen. Es wird sehr nützlich auf unserem Weg zum Himmel sein, wenn wir das bedenken, was im Gesetz geschrieben steht und was wir lesen. Wir müssen uns unserer Bibel zuwenden, dem Gesetz, wie es jetzt in den Händen Christi ist, und auf dem Weg wandeln, der uns dort aufgezeigt ist (s. 3.Mose 18,4; Ri 2,22). Da wir es niedergeschrieben finden, haben wir die Pflicht, es mit Verstand zu lesen, sodass wir in der Lage sind – wenn wir dies müssen – zu sagen, was im Gesetz geschrieben steht und wie wir lesen.

1.2 Wie gut er das Gesetz erklärte, die hauptsächlichen Gebote des Gesetzes. Er bezog sich nicht, wie die Pharisäer, auf die Überlieferungen der Ältesten, sondern konzentrierte sich auf die beiden ersten und großen Gebote des Gesetzes, welche alle anderen beinhalten **(s. Vers 27)**. Wir müssen Gott mit ganzem Herzen lieben, müssen ihn als das beste Wesen ansehen, als den Einen, der in sich äußerst kostbar und unendlich gut und vollkommen ist. Unsere Liebe für ihn muss aufrichtig und inbrünstig sein, eine unübertreffliche Liebe, eine Liebe, die so stark ist wie der Tod (s. Hld 8,6), aber auch eine intelligente Liebe. Es muss eine vollständige Liebe sein, er muss unsere ganze Seele haben und wir müssen ihm mit allem dienen, was in uns ist (s. Ps 103,1). Wir müssen unseren Nächsten lieben wie uns selbst, was wir mühelos tun werden, wenn wir Gott mehr lieben als uns selbst, wie wir es tun sollten. Wir müssen in der Welt so viel Gutes tun, wie wir können, und keinen Schaden anrichten, und wir müssen es für uns selbst als Regel festlegen, dass wir andere so behandeln, wie wir selbst behandelt werden wollen, und das heißt, unseren Nächsten wie uns selbst zu lieben.

1.3 Christi Anerkennung für das, was er sagte. Was der Gesetzesgelehrte an Gutem sagte, wurde von Christus gelobt: „Du hast recht geantwortet" **(Vers 28)**. Christus selbst verwies auf diese die zwei großen Gebote des Gesetzes (s. Mt 22,37-39). Der Gesetzesgelehrte lag, so weit er ging, richtig, doch es blieb noch der schwierigste Teil dieser Arbeit: „Tue dies, so wirst du leben!" Dann würde er das ewige Leben erben.

1.4 Seine Sorge, die Überführung zu vermeiden, die nun im Begriff stand, ihn zu erwarten. Als Christus sagte: „Tue dies, so wirst du leben!", begann ihm bewusst zu werden, dass Christus beabsichtigte, ihm ein Eingeständnis zu entlocken, dass er dies nicht getan hatte. Er „wollte sich selbst rechtfertigen" und deshalb wollte er dieses Gespräch nicht fortsetzen. Viele Menschen stellen mit der Absicht, sich selbst zu rechtfertigen, statt um sich zu informieren, gute Fragen, um stolz zu zeigen, was bei ihnen gut ist, statt um demütig zu sehen, was bei ihnen schlecht ist.

2. Es liegt in unserem eigenen Interesse zu wissen, wer unser Nächster ist. Dies ist eine weitere der Fragen dieses Gesetzesgelehrten. Was Gott zu lieben anbetraf, so war er gewillt, nichts mehr dazu zu sagen, doch in Bezug auf seinen Nächsten war er sicher, dass er den Maßstab erfüllt hatte, denn er war immer sehr freundlich und respektvoll gegenüber jedem in seiner Umgebung gewesen. Beachten Sie:

2.1 Was für eine verdrehte Vorstellung die jüdischen Lehrer in dieser Angelegenheit hatten. Wo er sagt: „Du sollst deinen Nächsten lieben", schließt er alle Heiden aus: „Sie sind nicht unsere Nächsten, sondern wir sollen nur diejenigen lieben, die zu unserem eigenen Volk und zu unserer eigenen Religion gehören!" Wenn sie einen Heiden in Todesgefahr sahen, meinten sie, nicht verpflichtet zu sein, sein Leben retten zu helfen.

2.2 Wie Christus diese unmenschliche Vorstellung korrigierte, indem er durch ein Gleichnis zeigte, dass jeder, von dem wir vielleicht Freundlichkeit brauchen, als unser Nächster betrachtet werden muss. Beachten Sie:

Das Gleichnis selbst, welches uns einen armen Juden in bedrängten Umständen zeigt, dem von einem guten Samariter geholfen und zur Seite gestanden wurde. Wir wollen hier sehen:

Wie er von seinen Feinden misshandelt wurde. Der arme Mann reiste friedlich in seinem rechtmäßigen Gewerbe die Straße hinab, einer Hauptstraße, die von Jerusalem nach Jericho führte **(s. Vers 30)**. Vermutlich geschahen diese Dinge genau so, wie sie hier berichtet werden. Dieser Mann „fiel unter die Räuber". Sie waren sehr grausam. Sie nahmen ihm nicht nur sein Geld, sondern zogen ihm auch noch seine Kleider aus und sie „schlugen ihn ... und ließen ihn halbtot liegen", kurz davor, an seinen Wunden zu sterben. Was für Grund haben wir, Gott dafür zu danken, vor der Gefahr durch Räuber bewahrt zu werden!

Wie ihm von denen Nichtachtung gezeigt wurde, die seine Freunde hätten sein sollen, einer ein Priester und der andere ein Levit, Männer von berufsmäßiger Heiligkeit, deren Amt sie verpflichtete, Nachsicht zu üben und Mitleid zu zeigen (s. Hebr 5,2), die andere über ihre Pflicht in einem solchen Fall hätten lehren sollen. Viele der priesterlichen Abteilungen hatten ihren Wohnsitz in Jericho und gingen von dort nach Jerusalem hinauf und gingen dann wieder zurück, was bedeutete, dass viele Priester mit den Leviten als ihren Begleitern diesen Weg hin und her gingen. Dieser Priester und der Levit zogen diesen Weg entlang und sahen den armen verwundeten Mann. Der Levit sah ihn nicht nur, sondern „kam und sah ihn an" **(Vers 32**; KJV). Doch beide gingen „auf der anderen Seite vorüber"; als sie diese Situation sahen, gingen sie so weit weg von ihm wie möglich.

Wie ihm von einem Fremden geholfen und beigestanden wurde, einem Samariter, von dem Volk, welches die Juden mehr als alle anderen verachteten und verabscheuten und mit dem sie keinen Umgang haben wollten. Dieser Mann besaß in sich etwas Menschlichkeit **(s. Vers 33)**. Der Priester hatte sein Herz gegen jemanden aus seinem eigenen Volk verhärtet, doch der Samariter hatte sein Herz gegenüber jemandem aus einem anderen Volk geöffnet. „... und als er ihn sah, hatte er Erbarmen." Obwohl der Verletzte ein Jude war, war er immer noch ein Mensch, ein Mensch in Not, und der Samariter hatte gelernt, alle Menschen zu achten; und deshalb hatte er Mitleid mit ihm, wie er selbst wünschen und erwarten würde, dass man in einem ähnlichen Fall mit ihm Mitleid hat. Das Mitleid dieses Samariters war nicht untätig. Als die Not seine Seele bewegte, reichte er diesem armen, bedürftigen Geschöpf auch seine Hand (s. Jes 58,7; Spr 31,20). Achten Sie darauf, wie freundlich dieser gute Samariter war.

Er ging zu dem armen Mann, von dem sich der Priester und der Levit ferngehalten hatten.
Er übernahm die Aufgabe eines Chirurgen, weil es an jemandem mangelte, der dies besser tun konnte. Er „verband ihm die Wunden", benutzte zu diesem Zweck wahrscheinlich seine eigene Kleidung, und er „goss Öl und Wein darauf", Wein, um die Wunde zu waschen, und Öl, um den Schmerz zu lindern und die Wunde zu versorgen. Er tat alles, was er konnte, als jemand, dessen Herz sich ihm zuwandte.
Er „hob ihn auf sein eigenes Tier" (seinen Esel), ging selbst zu Fuß, und „führte ihn in eine Herberge". Wir können annehmen, dass der Samariter geschäftlich unterwegs war, doch er verstand, dass sowohl sein eigenes Geschäft als auch Gottes Opfer einem solchen Akt der Barmherzigkeit zurücktreten müssen.
In der Herberge pflegte er ihn: Er brachte ihn zu Bett, holte passendes Essen für ihn und pflegte ihn ordnungsgemäß; vielleicht betete er mit ihm. In der Tat:
Ließ er am nächsten Morgen, als er die Herberge verließ, Geld bei dem Wirt, als wäre der Verletzte sein eigenes Kind, und gab sein Wort, dass er alle weiteren Unkosten bezahlen würde, die jener vielleicht verursacht. „Zwei Denare" von ihrem Geld würden eine lange Zeit reichen; hier war es jedoch ein Unterpfand, dass er alle zusätzlichen Kosten vollständig bezahlen würde. Das alles war gütig und großzügig so viel, wie man von einem Freund oder einem Bruder hätte erwarten können, doch hier wurde es von einem Fremden und Ausländer getan.
Die Anwendung des Gleichnisses.
Die darin enthaltene Wahrheit wurde dem Mund des Gesetzesgelehrten selbst entnommen. Christus sagte: „Welcher von diesen dreien ist ... der Nächste dessen gewesen, der unter die Räuber gefallen ist?' Wer von ihnen hat die Stelle des Nächsten eingenommen?" Der Gesetzesgelehrte wollte dies nicht wie folgt beantworten: „Ohne Zweifel der Samariter!", sondern sagte: „Der, welcher die Barmherzigkeit an ihm geübt hat!' Dieser war ihm ohne Zweifel ein guter Nächster.
Die daraus gefolgerte Pflicht wurde dem Gewissen des Gesetzesgelehrten eingeprägt: „So geh du hin und handle ebenso!" Wenn ein Samariter gut handelt, wenn er einem notleidenden Juden hilft, dann handelt ein Jude sicherlich nicht gut, wenn er es ablehnt, einem notleidenden Samariter zu helfen. „Deshalb gehe hin und handle so, wie es der Samariter tat, wann immer sich Not zeigt. Erweise denen Barmherzigkeit, die deine Hilfe brauchen. Tue es freimütig und mit Fürsorge und Mitleid, selbst wenn sie nicht zu deinem eigenen Volk gehören." Dieser Gesetzesgelehrte dachte, er habe Christus verblüfft, doch Christus schickte ihn bei einem Samariter in die Lehre, um seine Pflicht zu lernen: „So geh du hin und handle ebenso!" Es ist die Pflicht von jedem von uns, jedem zu helfen und beizustehen, der in Not und Elend ist, und es ist besonders die Pflicht von Sachkundigen im Gesetz.

Man kann dieses Gleichnis auch für einen anderen Zweck anwenden als den, für den es ursprünglich beabsichtigt war; es legt wunderbar die Güte und Liebe von Gott gegenüber sündigen, erbärmlichen Menschen dar. Wir waren wie dieser arme, notleidende Reisende. Das Gesetz von Mose ging auf der anderen Seite vorüber und hatte weder Mitleid noch die Macht, uns zu helfen. Doch dann kommt Jesus vorbei, dieser gute Samariter, und er hat Mitleid mit uns. Er kümmert sich um uns. Das erhöht den Reichtum seiner Liebe und lässt uns alle sagen: Wie sehr stehen wir in seiner Schuld und wie können wir es ihm je zurückzahlen?

Vers 38-42
Hier können wir beachten:

1. Den Empfang, den Martha Christus und seinen Jüngern in ihrem Zuhause bereitete **(s. Vers 38)**. Beachten Sie:
1.1 Das Kommen Christi in das Dorf, wo Martha lebte: „Es begab sich aber, als sie weiterreisten, dass er in ein gewisses Dorf kam." Dieses Dorf war Bethanien, nahe Jerusalem. Christus ehrte die ländlichen Dörfer mit seiner Gegenwart und Gunst, nicht nur die großen und gut bevölkerten Städte und Metropolen, denn genauso wie er die Zurückgezogenheit wählte, unterstützte er auch die Armut.
1.2 Sein Empfang im Haus von Martha: „Und eine Frau namens Martha nahm ihn auf in ihr Haus" und hieß ihn willkommen. Christus hatte enge Freunde, die er mehr liebte als seine anderen Freunde und öfter besuchte. Er liebte diese Familie (s. Joh 11,5) und lud sich oft in ihr Haus ein. Es wird wahrscheinlich deshalb das Haus von Martha genannt, weil sie eine Witwe und die Inhaberin des Hauses war. Obwohl es zu dieser Zeit gefährlich geworden war, ihn zu empfangen – besonders an einem Ort in der Nähe von Jerusalem –, kümmerte sie sich dennoch nicht darum, welches Risiko sie um seines Namens willen einging. Obwohl ihn viele verwarfen und nicht aufnehmen wollten, gab es jemanden, der ihn willkommen heißen wollte.

2. Die Aufmerksamkeit, welche Maria, die Schwester von Martha, dem Wort Christi schenkte **(s. Vers 39)**. Sie hörte sein Wort. Es scheint, dass, sobald unser Herr Jesus das Haus betrat, er sich seinem großen Werk zuwandte, das Evangelium zu predigen. Eine gute Predigt ist niemals schlechter, weil sie in einem Haus gepredigt wird. Da Christus begierig darauf ist zu sprechen, sollten wir schnell zum Hören sein. Maria setzte sich, um zu hören, was die genaue Aufmerksamkeit zeigte, die sie ihm erwies. Ihr Sinn war ruhig und sie war entschlossen, dass sie nicht einfach hier und da ein Wort aufschnappen wollte, sondern alles zu empfangen, was Christus sagte. Wenn wir jetzt zu seinen Füßen sitzen, werden wir bald mit ihm auf seinem Thron sitzen.

3. Die Sorge von Martha über ihre häuslichen Angelegenheiten: „Martha aber machte sich viel zu schaffen mit der Bedienung" **(Vers 40)**, und das war der Grund, warum sie nicht dort war, wo Maria war. Haushalter wissen, wie viel Gehetze es gibt, um sich auf einen großen Empfang vorzubereiten. Beachten Sie hier:

3.1 Etwas Empfehlenswertes, was nicht übersehen werden darf. Hier gab es eine lobenswerte Achtung für unseren Herrn Jesus. Das geschah nicht zum Prahlen, sondern nur, um ihm ihr Wohlwollen zu zeigen, dass sie all diese Vorbereitungen traf. Hier gab es eine lobenswerte Sorge für häusliche Angelegenheiten. Es ist die Pflicht von denen, welche die Obhut über eine Familie haben, „die Vorgänge in ihrem Haus im Auge" zu behalten (Spr 31,27). Das Verlangen nach prachtvollem Leben und Liebe zur Bequemlichkeit führen zur Vernachlässigung von vielen Familien.

3.2 Etwas Tadelnswertes. „Martha aber machte sich viel zu schaffen mit der Bedienung." Ihr Herz war auf üppige und prächtige Gastfreundschaft ausgerichtet. Sie war beunruhigt, weil so viel getan werden musste. Es ist für die Jünger Christi nicht gut, große Vorbereitungen zu treffen; was für einen Bedarf gibt es für sorgfältige Vorbereitungen, wenn viel weniger genug sein wird? Sie „machte sich viel zu schaffen"; sie war dadurch beunruhigt. Welche Dinge uns die Vorsehung Gottes auch unserer Sorge übertragen mag, wir dürfen uns damit nicht „viel zu schaffen" machen (uns dadurch ablenken lassen). Fürsorge ist gut und pflichtgemäß, doch Fahrigsein ist Sünde und Torheit. Sie war abgelenkt durch all die Vorbereitungen, welche sie zu treffen hatte, während sie mit ihrer Schwester hätte sein sollen, zu Jesu Füßen sitzend und auf sein Wort hörend.

4. Die Klage, die Martha Christus über ihre Schwester Maria vorbrachte: „Herr, kümmerst du dich nicht darum, dass mich meine Schwester allein dienen lässt? Sage ihr doch, dass sie mir hilft!" **(Vers 40)**.

4.1 Man kann Marthas Klage so verstehen, dass sie ihre Weltlichkeit enthüllt; es war die Sprache ihrer übertriebenen Sorge und Unruhe. Übertriebene weltliche Sorgen und weltliches Streben sind oft der Grund für Unruhe in Familien und von Zank und Streit unter Verwandten. Da sie wütend auf ihre Schwester war, wandte sich Martha an Christus und wollte ihm sagen, dass sie „mit Recht zornig" ist (Jona 4,9). „Herr, kümmerst du dich nicht darum, dass mich meine Schwester allein dienen lässt?" Als Martha zügig arbeitete, wollte sie, dass auch Maria und Christus und jeder sich dafür interessiert, ansonsten wäre sie nicht zufrieden. Diejenigen, die sich am schnellsten an Gott richten, sind nicht immer im Recht; wir müssen darum darauf bedacht sein, dass wir nicht erwarten, dass Christus unsere unberechtigten und ungerechten Streitigkeiten akzeptiert. Die Sorgen, die er uns auferlegt, können wir fröhlich auf ihn werfen (s. 1.Petr 5,7), doch nicht diejenigen, welche wir uns törichterweise selbst aufladen.

4.2 Man kann dies als Entmutigung für Marias Frömmigkeit und Hingabe betrachten. Ihre Schwester hätte sie dafür loben sollen; stattdessen verurteilte sie, dass sie in ihrer Pflicht versagte. Es ist bei denen, die im religiösen Glauben eifrig sind, nicht ungewöhnlich, dass sie nicht nur auf Widerstand von Feinden treffen, sondern auch auf Vorwürfe und Kritik von ihren Freunden.

5. Den Tadel, den Christus Martha für ihre übertriebene Sorge erteilte. „Martha, Martha, du machst dir Sorge und Unruhe um vieles" **(Vers 41)**, während doch nur eines Not ist.

5.1 Er tadelte sie, obwohl er zu dieser Zeit ihr Gast war. Denn alle, die Christus lieb hat, die überführt und züchtigt er (s. Offb 3,19). Genau diejenigen, die für Christus wertvoll sind, können sicher sein, dass sie davon hören werden, wenn etwas bei ihnen falsch ist.

5.2 Als er sie zurechtwies, nannte er sie bei ihrem Namen, Martha. Er wiederholte ihren Namen: „Martha, Martha." Er sprach als jemand, der ernstlich und tief um ihr Wohlergehen besorgt war. Diejenigen, welche „in die Beschäftigungen des Lebens" verstrickt sind, werden von ihnen nicht leicht befreit (s. 2.Tim 2,4; Elb 06).

5.3 Wofür er sie zurechtwies, war, dass sie sich „Sorge und Unruhe um vieles" machte. Christus tadelte sie sowohl für die Übertriebenheit ihrer Sorge – „Martha, du bist in ,Sorge und Unruhe', innerlich gespalten und beunruhigt durch all deine Sorge" – als auch für ihren Umfang: „Um vieles." „Arme Martha, du hast viele Dinge, um die du besorgt bist und dies macht dich angespannt, während weniger Hetze völlig in Ordnung wäre." Übertriebene Sorge und Unruhe über viele Dinge in dieser Welt sind ein häufiger Fehler unter Christi Jüngern. Wenn sie sich aus keinem rechten Grund Sorgen machen, ist es recht von Christus, ihnen etwas zu geben, über das sie sich Sorgen machen.

5.4 Was die Sünde und Torheit ihrer Sorge betonte, war, dass nur eines not ist. Mit dem Einen, was not ist, ist sicherlich ein Verweis auf das gemeint, was Maria als ihr Teil gewählt hat – zu Jesu Füßen sitzen, auf sein Wort hören. Martha machte sich Unruhe um vieles, während sie sich *einem* hätte zuwenden sollen; Frömmigkeit verbindet das Herz, welches die

Welt gespalten hat. Das viele, um das sie besorgt war, war unnötig, während das eine, was sie vernachlässigte, nötig war. Marthas Sorge und Arbeit waren gut zu ihrer richtigen Zeit und an ihrem richtigen Ort, jetzt aber hatte sie etwas anderes zu tun, was unsäglich notwendiger war. Sie erwartete, dass Christus Maria dafür tadeln würde, dass jene nicht das tat, was sie selber tat, doch er tadelte Martha dafür, dass *sie* nicht das tat, was Maria machte. Es würde der Tag kommen, an dem sich Martha wünschen würde, dass sie dort gesessen hätte, wo Maria saß.

6. Christi Anerkennung und Lob von Maria für ihre ernstliche Hingabe: „Maria aber hat das gute Teil erwählt."

6.1 Sie hatte zu Recht bevorzugt, was am meisten verdienstvoll war, das eine, das not ist, diese eine Sache, die sie getan hatte. Ernstliche Frömmigkeit ist notwendig; sie ist das eine, das not ist. Nichts außer diesem wird mit uns in eine andere Welt gehen.

6.2 Sie hatte weise sich selbst Gutes getan. Christus rechtfertigte Maria gegen die Klagen ihrer Schwester. Früher oder später würde die Wahl von Maria gerechtfertigt werden zusammen mit der von all denen, die diese Wahl trafen und dem treu blieben. Doch das war nicht alles; er pries Maria auch für ihre Weisheit. Sie „hat das gute Teil erwählt", denn sie erwählte es, bei Christus zu sein. Indem sie sein Wort in ihr Herz aufnahm, ging sie einen besseren Weg, um Christus zu ehren und ihm zu gefallen, als es Martha tat, indem sie dafür sorgte, ihn in ihrem Haus willkommen zu heißen. Beachten Sie:

Ein Teil mit Christus ist „das gute Teil"; es ist ein Teil für die Seele und die Ewigkeit.

Es ist ein Teil, welches denen niemals genommen werden wird, die es haben. Nichts wird uns scheiden von der Liebe des Christus und unserem Anteil an dieser Liebe (s. Röm 8,35.38-39). Menschen und Dämonen können ihn uns nicht wegnehmen und Gott und Christus werden es nicht.

Es ist die Weisheit und Pflicht von jedem von uns, dieses gute Teil zu erwählen. Maria hatte die Wahl, ob sie sich mit Martha an ihren Vorbereitungen beteiligen und den Ruf erlangen wollte, eine gute Haushälterin zu sein, oder zu Christi Füßen zu sitzen und sich als eifrige Jüngerin zu zeigen, und anhand ihrer Wahl in dieser Sache beurteilte Christus ihre generelle Wahl.

KAPITEL 11

In diesem Kapitel: 1. Lehrt Christus seine Jünger beten (s. Vers 1-13). 2. Antwortet er vollkommen auf die blasphemische Anschuldigung der Pharisäer, die ihn beschuldigten, die Dämonen durch ein Bündnis mit Beelzebul auszutreiben (s. Vers 14-26). 3. Zeigt Christus, dass die Ehre von gehorsamen Jüngern größer ist als die von seiner eigenen Mutter (s. Vers 27-28). 4. Tadelt er die Menschen dieses Geschlechts für ihre halsstarrige Untreue (s. Vers 29-36). 5. Tadelt er die Pharisäer und die Gesetzesgelehrten streng (s. Vers 37-54).

Vers 1-13

Das Gebet ist eines der großen leitenden Prinzipien der natürlichen Religion. Eine große Absicht des Christentums ist es deshalb, uns zum Beten zu helfen, uns zu der Pflicht anzuspornen, darin zu unterweisen und uns zu ermutigen, durch sie Nutzen zu haben.

1. Wir sehen Christus selbst „an einem Ort im Gebet" **(Vers 1)**. Dieser Evangelist nahm besonders von dem häufigen Beten von Christus Notiz, mehr als jeder andere der Evangelisten: Als er getauft wurde (s. Lk 3,21), betete er; „er aber hielt sich zurückgezogen an einsamen Orten auf und betete" (Lk 5,16); er ging auf einen Berg hinaus, „um zu beten; und er verharrte die Nacht hindurch im Gebet" (Lk 6,12); er betete „für sich allein" (Lk 9,18); bald darauf stieg er auf einen Berg, „um zu beten. Und ... während er betete", wurde er verklärt (Lk 9,28-29); und hier betete er „an einem Ort".

2. Seine Jünger baten ihn um Belehrung in Bezug auf das Gebet. Als er betete, baten sie: „Herr, lehre uns beten." Sie kamen mit dieser Bitte zu ihm, „als er aufhörte", denn sie wollten ihn nicht stören, solange er betete. „... einer seiner Jünger" sprach zu ihm: „Herr, lehre uns." Obwohl Christus „fähig zu lehren" ist (1.Tim 3,2; 2.Tim 2,24), ist dies etwas, wo er möchte, dass man es von ihm erbittet (s. Hes 36,37).

2.1 Ihr Wunsch war: „Herr, lehre uns beten." Es ist gut für die Jünger Christi, sich an ihn um Unterweisung für das Gebet zu wenden. „Herr, lehre uns beten" ist selbst ein gutes Gebet und ein notwendiges, denn es ist schwer, gut zu beten. Nur Jesus Christus kann uns lehren, durch sein Wort und seinen Geist, wie wir beten sollen. Mein Gebet sollte sein: „Gib mir ‚Weisheit und Fähigkeit' im Gebet, damit ich so rede, wie ich es soll; lehre mich, was ich sagen soll" (Lk 21,15; 12,12).

2.2 Ihre Bitte war: „... wie auch Johannes seine Jünger lehrte! Johannes war bedacht darauf, seine Jünger diese notwendige Pflicht zu lehren, und wir wollen gelehrt werden, wie sie es waren." Während die Gebete der Juden im Allgemeinen Anbetungen, Lobpreisungen und Doxologien waren, lehrte Johannes seine Jünger Gebete, die mehr mit Bitten und Gesuchen erfüllt waren. „Nun, Herr, lehre uns dies, zusätzlich zu dem Lobpreis des Namens Gottes, den wir von unserer Kindheit an gewohnt sind." Christus lehrte sie ein Gebet, welches vollständig aus Bitten bestand, ließ sogar die Doxologie und das Amen am Schluss aus, mit dem die Gebete für gewöhnlich beendet wurden.

3. Christus lehrte sie zum großen Teil dasselbe, was er sie vorher in seiner Bergpredigt gelehrt hatte (s. Mt 6,9). Sie würden sehen, dass in diesen wenigen Worten all ihre Bitten ausgedrückt werden, und würden in der Lage sein, sie mit eigenen Worten zu erweitern.

3.1 Zwischen dem Gebet des Herrn in Matthäus und in Lukas gibt es einige Unterschiede.
Es gibt einen Unterschied bei der vierten Bitte. Bei Matthäus beten wir: „Gib uns heute unser tägliches Brot"; hier: „Gib uns täglich unser nötiges Brot!" – „Gib uns jeden Tag das Brot, das unsere Leiber brauchen, wie sie danach verlangen. Lass uns heute Brot für heute haben und morgen Brot für morgen." Auf diese Weise werden wir beständig in der Abhängigkeit von Gott gehalten, wie Kinder von ihren Eltern abhängig sind, und können uns jeden Tag für diesen Tag unter der neuen Verpflichtung sehen, die Arbeit für jeden Tag zu tun, gemäß der Pflicht, welche dieser Tag verlangt, denn wir haben für Gott jeden Tag die Versorgung für diesen Tag erhalten gemäß den Bedürfnissen dieses Tages.

Auch die fünfte Bitte ist etwas unterschiedlich. Bei Matthäus lautet sie: „Und vergib uns unsere Schulden, wie auch wir vergeben." Hier ist es: „Und vergib uns unsere Sünden, denn auch wir vergeben." Das ist eine absolut notwendige Voraussetzung für die Vergebung und wenn Gott sie in uns gewirkt hat, können wir dieses Werk seiner Gnade vorbringen, dass es unsere Bitten für die Vergebung unserer Sünden unterstützt: „Herr, vergib uns, denn du selbst hast uns geneigt gemacht, anderen zu vergeben." Es gibt hier eine weitere Ergänzung: wir bringen nicht nur allgemein vor, dass wir unseren Schuldnern vergeben, sondern auch insbesondere, dass wir bekennen, jedem zu vergeben, „der uns etwas schuldig ist", ohne Ausnahme. Die Doxologie am Ende wird vollständig ausgelassen und genauso das Amen. Er ließ hier Raum, dass man ihn mit einer für die christliche Struktur mehr kennzeichnenden Doxologie füllen kann, indem sie dem Vater, dem Sohn und dem Heiligen Geist die Ehre gibt.

3.2 Doch im Wesentlichen ist es dasselbe und darum wollen wir daraus nur einige allgemeine Lektionen ziehen.
Dass wir im Gebet als Kinder zu einem Vater kommen sollten, einem gemeinsamen Vater für uns und das ganze Menschengeschlecht.
Dass wir in den gleichen Bitten, die wir für uns selbst an Gott richten, das ganze Menschengeschlecht mit uns einschließen sollten. Es sollte uns ein tief verwurzeltes Prinzip der allgemeinen Liebe durch dieses Gebet begleiten, das so in Worten Ausdruck findet, dass es diesem edlen Prinzip angepasst ist.
Dass wir, um die Gewohnheit einer himmlischen Gesinnung in uns zu bestärken, mit Glauben zum Himmel blicken und den Gott, zu dem wir beten, als unseren Vater im Himmel sehen sollten.
Dass wir im Gebet „zuerst nach dem Reich Gottes und nach seiner Gerechtigkeit" trachten müssen (Mt 6,33), indem wir seinem heiligen Namen Ehre und seiner Macht die Herrschaft beimessen, sowohl die Herrschaft seiner Vorsehung in der Welt als auch die der Gnade in seiner Gemeinde. Oh, dass sowohl die eine wie auch die andere mehr offenbart werden mögen!
Dass die Prinzipien und Gewohnheiten der unsichtbaren Welt, die uns nur durch den Glauben bewusst werden, der große Ursprung sind, dem wir die Prinzipien und Gewohnheiten dieser niedrigen Welt versuchen sollten ähnlicher zu machen. Die Worte „wie im Himmel, so auch auf Erden" beziehen sich auf alle der ersten drei Bitten.
Dass diejenigen, die ehrlich und aufrichtig um das Reich Gottes besorgt sind, demütig hoffen können, dass ihnen dies alles hinzugefügt werden wird (s. Lk 12,31), und sie dürfen demütig dafür beten. Wenn es unser erstes und hauptsächliches Interesse ist, dass Gottes Name geheiligt, sein Reich kommen und sein Wille geschehen möge, dann können wir freimütig für unser tägliches Brot zum Thron der Gnade hinzutreten (s. Hebr 4,16).
Dass wir in unseren Gebeten um leibliche Segnungen unsere Wünsche mäßigen müssen, sie auf das begrenzen müssen, was notwendig ist. „Unser tägliches Brot gib uns Tag für Tag" (LÜ 84). Manche meinen, dass *epiousios*, das hier mit täglich übersetzt wird, mit „nötig" übersetzt werden sollte (s. Schl 2000; Elb 06 u.a.), als Verweis auf das Brot, das für unser natürliches Verlangen angemessen ist.
Dass Sünden Schulden sind, die wir täglich machen und bei denen wir darum täglich beten sollten, dass sie uns vergeben werden. Jeder Tag fügt etwas zu der Summe unserer Schuld hinzu und es ist ein Wunder der Gnade, dass uns so viel Ermutigung gegeben wird, jeden Tag zum Thron der Gnade zu kommen, um für die Vergebung der Sünden unserer täglichen Schwachheit zu beten. Bei Gott „ist viel Vergebung" (Jes 55,7), mehr als siebzig mal sieben Mal (s. Mt 18,22).
Dass wir keinen Grund haben, von Gott zu erwarten, dass er uns unsere Sünden gegen ihn vergibt, wenn wir nicht aufrichtig denen vergeben, die uns zu irgendeiner Zeit gekränkt oder Unrecht getan haben.
Dass wir Versuchungen zur Sünde fürchten sollten und beten sollten, dass wir vor ihnen gerettet werden, weil wir wissen, dass sie uns verderben

werden. Wir müssen genauso ernstlich darum zu Gott beten, dass wir nicht in Versuchung geführt werden mögen, wie dass wir durch sie nicht zur Sünde und so ins Verderben geführt werden mögen.

Dass wir von Gott abhängig sind für unsere Erlösung von allem Bösen; wir sollten sowohl darum beten, dass wir nicht uns selbst überlassen werden und in Böses fallen, als auch, dass wir nicht Satan überlassen werden, um Böses über uns zu bringen.

4. Er regte an und ermutigte zu Freimütigkeit, Inbrunst und Ehrlichkeit im Gebet, indem er zeigte:

4.1 Dass die Unverschämtheit in unserem Umgang mit anderen Menschen weit geht **(s. Vers 5-8)**. Angenommen, ein Mann ist in einer Notlage und geht, um von seinem Nachbarn zu einer unzumutbaren Zeit in der Nacht ein oder zwei Brote zu leihen, nicht für sich, sondern für einen Freund, der ihn unvermutet besuchte. Sein Nachbar wird unwillig sein, ihm den Gefallen zu tun, weil er ihn durch sein Klopfen geweckt und ihn in schlechte Laune gebracht hat, und deshalb hat der Nachbar gute Gründe, sich selbst zu entschuldigen. Doch derjenige in der Notlage wird ein „Nein" als Antwort nicht annehmen; er klopft weiterhin und erklärt ihm, er wird es tun, bis er das bekommen hat, wofür er kam. Der Nachbar muss ihm darum das Brot geben, um ihn loszuwerden: „… so wird er doch um seiner Unverschämtheit willen aufstehen und ihm geben, soviel er braucht." Unsere Unverschämtheit ist bei Menschen wirksam, weil sie darüber verärgert sind, doch sie ist bei Gott wirksam, weil sie ihm gefällt. Dieses Gleichnis kann für uns von Nutzen sein:

Um uns im Gebet zu leiten.
Wir müssen für das, was wir brauchen, freimütig und mit Zuversicht zu Gott kommen, so wie jemand zum Haus seines Nachbarn oder Freundes kommt, von dem er weiß, dass er ihn liebt und geneigt ist, gütig zu ihm zu sein.

Wir müssen für Brot kommen, für das Notwendige.

Wir müssen im Gebet für andere und auch für uns selbst zu ihm kommen. Dieser Mann kam nicht für Brot für sich selbst, sondern für seinen Freund. Wir können auf keiner angenehmeren Mission zu Gott kommen, wie wenn wir für Gnade zu ihm kommen, um uns zu befähigen, Gutes zu tun.

Wir können mit größerer Freimütigkeit in einer Schwierigkeit zu Gott kommen, wenn es keine Schwierigkeit ist, die wir durch unsere Torheit und Nachlässigkeit selbst über uns brachten, sondern eine, in die uns der Allmächtige in seiner Vorsehung geführt hat. Dieser Mann hätte kein Brot gebraucht, wenn nicht sein Freund unerwartet gekommen wäre. Wir können fröhlich die Sorgen, welche uns der Allmächtige auferlegt hat, auf den Allmächtigen werfen (s. 1.Petr 5,7).

Um uns im Gebet zu ermutigen. Wenn Unverschämtheit bei einem Menschen so wirksam sein kann, der böse darüber war, dann wird sie viel wirksamer bei einem Gott sein, der unendlich freundlicher ist und der nicht böse über unsere Freimütigkeit ist, sondern sie annimmt. Wenn er unsere Gebete nicht unmittelbar beantwortet, wird er das in gebührender Zeit tun, wenn wir weiterhin beten.

4.2 Dass Gott verheißen hat, uns das zu geben, worum wir ihn bitten. Wir können uns nicht nur aus der Güte der Natur ermutigen lassen, sondern auch von dem Wort, welches er gesagt hat: „Bittet, so wird euch gegeben" **(s. Vers 9-10)**. „Und ich sage euch" **(Vers 9)**. Wir haben es aus Christi eigenem Mund. Wir müssen nicht nur bitten, sondern auch suchen; wir müssen unsere Gebete durch Arbeit unterstützen. Beim Bitten und Suchen müssen wir weiter drängen, weiterhin an die gleiche Tür klopfen, und wir werden schließlich gewinnen (s. 1.Mose 32,29). „Denn jeder, der bittet, empfängt", selbst der unbedeutendste Heilige, der im Glauben bittet. Wenn wir Gott um die Dinge bitten, bei denen Christus uns hier gesagt hat, dass wir um sie bitten sollen, damit sein Name geheiligt werde, sein Reich komme und sein Wille geschehen möge, müssen wir in diesen Bitten freimütig sein.

5. Er gab uns sowohl Unterweisung als auch Ermutigung für das Gebet, gegründet auf eine Berücksichtigung unserer Beziehung zu Gott als einem Vater. Hier ist:

5.1 Ein Verweis auf das Mitgefühl von menschlichen Vätern: „Einer von euch, der Vater ist, möge mir sagen, ob er seinem Sohn einen Stein geben würde, wenn er ihn um Brot bittet? Oder wenn er ihn um einen Fisch bitten würde, würde er ihm statt des Fisches eine Schlange geben? Oder wenn er um ein Ei für sein Abendessen bitten würde – ein Ei, bevor er zu Bett geht –, würde er ihm einen Skorpion geben? Ihr wisst, dass ihr nicht so unnatürlich zu euren eigenen Kindern sein würdet" **(s. Vers 11-12)**.

5.2 Eine Anwendung davon auf die Segnungen unseres himmlischen Vaters: „Wenn nun ihr, die ihr böse seid, euren Kindern gute Gaben zu geben versteht, wie viel mehr wird der Vater im Himmel den Heiligen Geist denen geben, die ihn bitten!" **(Vers 13)**. Matthäus hat „Gutes geben". Beachten Sie:

Die Belehrung, die Christus uns für das gibt, wofür wir beten sollen. Wir müssen um den Heiligen Geist bitten, nicht nur, weil wir die Hilfe des Heiligen Geistes brauchen, um gut zu beten, sondern auch, weil seine Gegenwart all die guten Dinge beinhaltet, für die wir beten müssen: Wir brauchen nichts weiter, um uns glücklich zu machen.

Die Ermutigung, die er uns gibt zu hoffen, dass wir bei diesem Gebet erfolgreich sein werden: Der Vater im Himmel wird geben. Es steht in seiner Macht, den Geist zu geben; er kann alle guten Dinge geben, eingehüllt in dieses eine Geschenk. Doch das ist nicht alles. Seine Verheißung beinhaltet auch, uns den Geist zu geben. Wenn unsere irdischen Eltern, obwohl böse, immer noch so gütig sind, wenn sie, obwohl sie schwach sind, immer noch so kenntnisreich sind, dass sie nicht nur geben, sondern weise geben, das geben, was das Beste ist, dann wird uns unser himmlischer Vater viel mehr den Heiligen Geist geben.

Vers 14-26

Das Wesentliche dieser Verse hatten wir in Matthäus 12,22-37. Christus gab hier durch einen besonderen Beweis seiner Macht über Satan einen allgemeinen Beweis seiner göttlichen Sendung. Mit der gleichen Tat gab er auch ein Unterpfand für den Erfolg dieser Unternehmung. Er gab diesen Beweis und dieses Unterpfand, indem er einen Dämon austrieb, der den armen Besessenen stumm machte. Bei Matthäus wird uns gesagt, dass er blind und stumm war. Als der Dämon durch das Wort Christi hinausgetrieben wurde, sprach der Mann sofort, der stumm gewesen war, und seine Lippen wurden geöffnet, um Gottes Lob zu verkünden (s. Ps 51,17).

1. Manche wurden von diesem Wunder bewegt. „Und die Volksmenge verwunderte sich." Sie waren verblüfft über die Macht Gottes.

2. Andere nahmen daran Anstoß und behaupteten, dass es durch ein Bündnis mit Beelzebul war, den obersten Dämonen, dass er dies getan hatte **(s. Vers 15)**. Um diese Anschuldigung zu bekräftigen und dem Erweis seiner wundersamen Kraft zu widerstehen, forderten einige Leute Christus auf, ihnen „ein Zeichen aus dem Himmel" zu geben **(Vers 16)**, um seine Lehre zu bestätigen, als könne ein Zeichen aus dem Himmel nicht genauso gut durch ein Bündnis und einem geheimem Einverständnis mit dem „Fürsten, der in der Luft herrscht" gegeben werden (Eph 2,2), wie es das Austreiben eines Dämons hätte sein können. Halsstarrigem Unglauben wird nie etwas fehlen, um es zu seiner Entschuldigung zu sagen, so unsinnig und lächerlich es sein mag. Christus antwortete hier mit einer vollständigen und direkten Antwort, in der er zeigte:

2.1 Dass es auf keine Weise vorstellbar war, dass so ein raffinierter Herrscher wie Satan jemals mit Maßnahmen einverstanden sein würde, die solch eine direkte Tendenz hatten, zu seinem eigenen Untergang zu führen **(s. Vers 17-18)**. Jesus kannte ihre Gedanken, obwohl sie hart daran arbeiteten, sie zu verbergen, und er sagte ihnen: „Ihr selber müsst sicherlich die Grundlosigkeit dieser Anschuldigung sehen, denn es ist ein sicheres Prinzip, dass keine Macht, die mit sich selbst uneins ist, bestehen kann, genauso wenig der öffentliche Einfluss eines Reiches und auch nicht der private Einfluss eines Hauses oder einer Familie. Wenn entweder das eine oder das andere ‚mit sich selbst uneins ist', kann es nicht bestehen. Wenn nun Satan auf diese Weise ‚mit sich selbst uneins ist', wird er seinen Untergang beschleunigen."

2.2 Dass es voreingenommen und boshaft von ihnen war, sein Werk einem Bündnis mit Satan zuzuschreiben, obwohl sie das Werk der Austreibung von Dämonen bei anderen Mitisraeliten gelobt und bewundert hatten: „‚... durch wen treiben eure Söhne sie aus?' Einige eurer Gleichgesinnten, einige eurer eigenen Nachfolger, haben es unternommen, im Namen des Gottes Israels Dämonen auszutreiben, und sie wurden nie eines solchen satanischen Bündnisses beschuldigt" **(Vers 19)**. Es ist eine grobe Heuchelei, wenn wir bei denen, die uns tadeln, das verurteilen, was wir bei denen loben, die uns schmeicheln.

2.3 Dass sie, indem sie der Überführung widerstanden, die dieses Wunder in ihnen bewirken sollte, ihre eigenen Feinde waren, denn sie stießen das Reich Gottes von sich: „‚Wenn ich aber die Dämonen durch den Finger Gottes austreibe, so ist ja das Reich Gottes zu euch gekommen!' Und wenn ihr es nicht annehmt, ist euer Leben in Gefahr" **(Vers 20)**. Bei Matthäus heißt es „durch den Geist Gottes", hier „durch den Finger Gottes". Er musste nicht seine ganze ewige Macht zeigen; wenn Gott es wünscht, wird dieser brüllende Löwe wie eine Motte durch die Berührung mit einem Finger zermalmt (s. 1.Petr 5,8).

2.4 Dass sein Austreiben von Dämonen wirklich die Zerstörung von ihnen und ihrer Macht war **(s. Vers 21-22)**. Wenn Christus Dämonen austrieb, war er stärker als sie und konnte es mit Gewalt und auf eine solche Weise tun, dass er die Macht Satans vernichtete. Dies lässt sich nun auf die Siege Christi sowohl in der Welt als auch in den Herzen der einzelnen Personen anwenden. Darum können wir hier zeigen:

Den jämmerlichen Zustand von unbekehrten Sündern. In ihren Herzen, die dazu geeignet wären, ein Wohnort für Gott zu sein, hat der Teufel sein Zuhause, und alle Kräfte und Fähigkeiten der Seele sind seine Habe. Das Herz ist ein Hof, ein nobler Wohnort, doch das ungeheiligte Herz ist das Zuhause des Teufels. Der Teufel bewacht diesen Hof wie ein bewaffneter Starker **(s. Vers 21)**. Die ganzen Vorurteile, mit denen er die Menschen gegen die Wahrheit und Heiligkeit verhärtet, sind Festungen, die er errichtet hat, um seinen Hof zu bewachen. Es gibt im Hof einer unbekehrten

Seele eine Art Frieden, während ihn der Teufel wie ein bewaffneter Starker bewacht. Sünder haben eine gute Meinung von sich selbst, sie vertrauen auf sich selbst und sind fröhlich. Sie schmeicheln sich und meinen, dass sie vollkommen sicher sind. Ehe Christus auftrat, war alles ruhig, denn alles lief in eine Richtung, doch die Predigt des Evangeliums störte den Frieden auf dem Hof des Teufels.

Die wunderbare Veränderung, die durch die Bekehrung bewirkt wird. Satan ist ein bewaffneter Starker, doch unser Herr Jesus ist der, „welcher stärker ist als er" **(Vers 22)**. Schauen Sie auf die Weise seines Sieges: Er kommt überraschend über ihn, wenn „sein Besitztum in Frieden" ist, und überwindet ihn. Betrachten Sie die Zeichen dieses Sieges:

Er nimmt „ihm seine Waffenrüstung, auf die er sich verließ". Christus entwaffnet ihn. Wenn die Macht der Sünde und Verderbtheit in der Seele gebrochen wird, wird die Waffenrüstung Satans weggenommen.

Er „verteilt seine Beute"; er nimmt sie für sich selbst in Besitz. Alle Begabungen des Geistes und des Leibes sind nun für den Dienst Christi bekehrt. Das ist jedoch nicht alles; er verteilt sie unter seine Nachfolger, indem er allen Gläubigen den Nutzen von diesem Sieg gibt. Daraus folgerte Christus, da es die ganze Absicht seiner Wunder und seiner Lehre war, die Macht des Teufels zu zerbrechen, dass es die Pflicht von allen war, sich ihm anzuschließen, das Evangelium anzunehmen und sich von Herzen der Sache des Evangeliums anzuschließen, denn sonst würden sie zu Recht als solche angesehen werden, die für den Feind Partei ergreifen. „Wer nicht mit mir ist, der ist gegen mich" **(Vers 23)**.

2.5 Dass es einen ungeheuren Unterschied zwischen dem Ausfahren des Teufels aus Einverständnis und seiner gewaltsamen Austreibung gab. In diejenigen, aus denen Christus ihn austrieb, kehrte er nie wieder zurück, denn so gebot Christus es (s. Mk 9,25), wohingegen der Teufel, wäre er freiwillig ausgefahren, zurückgekehrt wäre, wann immer er es als passend sähe. Christus bringt dem Feind eine völlige und endgültige Niederlage bei. Hier haben wir:

Den Zustand eines ausgemachten Heuchlers – seine leuchtende Seite und seine dunkle Seite. Sein Herz bleibt immer noch der Hof des Teufels, doch:

Der unreine Geist ist ausgefahren. Er wurde nicht ausgetrieben; er zog sich nur für eine Zeit zurück, sodass der Mensch nicht so unter der Macht Satans zu sein schien wie vorher.

Das Haus ist durch eine teilweise Besserung von allgemeinen Besudelungen gesäubert. Das Haus ist gesäubert, doch nicht gewaschen; das Haus muss gewaschen werden oder es gehört nicht zu Christus. Säubern schafft nur den losen Schmutz fort, während die Sünde, die den Sünder umstrickt, unberührt bleibt (s. Hebr 12,1). Es ist von dem Dreck gesäubert, der für die Augen der Welt offen liegt, doch es ist nicht nach verborgener Schmutzigkeit durchsucht und durchgesehen (s. Mt 23,25). Es ist gesäubert, doch an dem Haus ist eine Aussatz-Plage (s. 3.Mose 14,34).

Das Haus ist mit allgemeinen Talenten und Gnadenwirkungen geschmückt. Es ist nicht mit echter Gnade ausgestattet, sondern mit den Abbildern aller Gnadenwirkungen geschmückt. Es ist alles Farbe und Lack, nichts Echtes oder Bleibendes. Das Haus ist geschmückt, doch es hat nie den Eigentümer gewechselt, es wurde nie Christus übergeben.

Der Zustand eines endgültig vom Glauben Abgefallenen, in den der Dämon zurückkehrt, nachdem er ausgefahren ist: „Dann geht er hin und nimmt sieben andere Geister mit sich, die bösartiger sind als er selbst" **(Vers 26)**. Diese fahren ohne jede Schwierigkeit oder ohne Widerstand hinein; sie sind willkommen und sie wohnen dort, „und es wird der letzte Zustand dieses Menschen schlimmer als der erste". Heuchelei ist die Hauptstraße in den Abfall vom Glauben. Wo heimliche Schlupfwinkel für die Sünde behalten werden, ist das Gewissen befleckt und der heimliche Heuchler wandelt sich für gewöhnlich zu einem, der sich offen vom Evangelium abkehrt. Der letzte Zustand eines solchen Menschen ist „schlimmer als der erste", sowohl was die Sünde als auch was die Strafe anbetrifft. Vom Glauben Abgefallene sind für gewöhnlich die schlimmsten Menschen; ihre Gewissen sind abgestumpft und ihre Sünden werden strenger beurteilt werden als die von irgendjemand anderem. In der anderen Welt werden sie „ein umso schwereres Gericht empfangen" (Lk 20,47).

Vers 27-28

Diesen Abschnitt hatten wir nicht in den Berichten der anderen Evangelisten. Hier haben wir:

1. Das Lob welches eine herzliche, rechtschaffene, wohlmeinende Frau unserem Herrn Jesus beim Hören seiner vorzüglichen Predigten gab. „... als er dies redete", war „eine Frau aus der Volksmenge" so erfreut, dass sie nicht anders konnte als auszurufen: „‚Glückselig ist der Leib, der dich getragen hat.' Glücklich ist die Frau, die dich als ihren Sohn hat. Ich hätte mich für sehr glücklich gehalten, die Mutter von jemandem zu sein, der so redet, wie niemand sonst geredet hat, der in sich so sehr die Gnade des Himmels hat und ein solcher Segen für diese Erde ist." Die Person Christi ist für alle kostbar, die dem Wort Christi glauben.

2. Die Gelegenheit, die Christus hierdurch ergriff, um zu verkünden, dass diejenigen, die seine treuen und gehorsamen Nachfolger sind, glücklicher sind als die Frau, die ihn gebar und nährte. „Glückselig sind vielmehr die, die Gottes Wort hören und es bewahren!" **(Vers 28)**. Das war zum Teil als Einschränkung für sie gedacht, dass sie sich zu sehr seiner leiblichen Gegenwart ihre Aufmerksamkeit widmete, und zum Teil als Ermutigung für sie, dass sie genauso glückselig sein konnte wie seine eigene Mutter, wenn sie „Gottes Wort hören und es bewahren" würde. Nur diejenigen, die es hören und es bewahren, sind wahrhaftig glückselig.

Vers 29-36

Christi Lehren in diesen Versen zeigt zwei Dinge:

1. Das Zeichen, welches wir von Gott erwarten können, um unseren Glauben zu bestätigen. Der große und überzeugendste Beweis, dass Christus von Gott geschickt war, war Christi Auferstehung von den Toten. Hier ist:

1.1 Eine Zurechtweisung für die Menschen, dass sie andere Zeichen als die forderten, welche ihnen bereits im Überfluss gegeben worden waren. Die Volksmenge drängte sich haufenweise herzu, eine große Menge von ihnen **(s. Vers 29)**. Christus wusste, was eine solche Menge zusammenbrachte. Sie kamen, um ein Zeichen zu fordern, sie kamen, um zu schauen, sodass sie etwas zu reden haben würden, wenn sie nach Hause gehen – „Habt ihr das gesehen?"

1.2 Eine Verheißung, dass ihnen noch ein weiteres Zeichen gegeben werden würde, „das Zeichen des Propheten Jona", was in Matthäus so erklärt wird, dass es sich auf die Auferstehung Christi bezieht. Doch wenn sie das nicht anrührt, sollen sie nichts erwarten als das vollständige Verderben: Der Sohn des Menschen wird diesem Geschlecht ein Zeichen sein **(s. Vers 30)**, ein Zeichen, welches zu ihnen spricht, wenn auch ein Zeichen, dem sie widersprechen werden (s. Lk 2,34).

1.3 Eine Warnung an sie, das Beste aus diesem Zeichen zu machen. „Die Königin des Südens wird im Gericht auftreten gegen die Männer dieses Geschlechts" und ihren Unglauben verurteilen **(Vers 31)**. Sie war ausgeschlossen von der Bürgerschaft Israels (s. Eph 2,12), doch „sie kam vom Ende der Erde, um die Weisheit Salomos zu hören", nicht nur, um ihre Neugier zu befriedigen, sondern auch, um ihren Verstand zu informieren. „Und siehe, hier ist einer, der größer ist als Salomo!" Diese erbärmlichen Juden wollten jedoch dem, was Christus sagte, keine Aufmerksamkeit schenken, obwohl er unter ihnen war. Auch die Männer Ninives würden im Gericht gegen sie auftreten: „... denn sie taten Buße auf die Verkündigung des Jona hin" **(Vers 32)**, doch hier war eine Verkündigung, welche die von Jona weit überstieg, doch niemand wurde davon aufgeschreckt, dass er sich von seinem bösen Weg abwandte, wie es die Niniviten taten (s. Jona 3,10).

2. Das Zeichen, welches Gott von uns als Erweis unseres Glaubens erwartet: Das aufrichtige Praktizieren der Religion, die wir zu glauben bekennen.

2.1 Dieses Geschlecht hatte „ein Licht". Gott, der das Licht des Evangeliums angezündet hatte, hat es nicht „an einen verborgenen Ort" oder „unter den Scheffel" gesetzt; Christus predigte nicht in verborgenen Winkeln. Es ist ein großes Vorrecht, dass das Licht des Evangeliums auf den Leuchter gesetzt ist, so dass alle, die eintreten, es sehen und dadurch sehen.

2.2 Da sie das Licht hatten, war es ihre Aufgabe zu sehen. Selbst wenn ein Gegenstand sehr klar ist, sind wir nicht besser dran, wenn unser Sehorgan nicht in Ordnung ist. „Das Auge ist die Leuchte des Leibes" **(Vers 34)**. Auf diese Weise ist die Leuchte der Seele ihre Kraft, zwischen Gut und Böse, Wahrheit und Unwahrheit zu unterscheiden. Ob wir nun von dem Licht der göttlichen Offenbarung profitieren, hängt nun davon ab, ob der Verstand und das Urteilsvermögen der Seele erleuchten.

Wenn dieses Auge der Seele gut ist und die Dinge klar sieht, wenn es nur die Wahrheit erstrebt und es um ihrer selbst willen sucht, dann ist der ganze Leib, das heißt die ganze Seele, ganz hell. Wenn unser Verstand das Evangelium in seinem vollständigen Licht annimmt, erfüllt das Evangelium die Seele, und es hat genug, um sie zu erfüllen. Ferner, wenn die Seele so erfüllt ist und keine dunklen Stellen hat, dann wird die ganze Seele voll Licht sein. Die Seele war selbst Finsternis, doch jetzt ist sie „Licht in dem Herrn" (Eph 5,8), „wie wenn das Licht mit seinem Strahl dich erleuchtet" **(Vers 36)**. Das Evangelium wird in die Seelen kommen, deren Türen und Fenster aufgestoßen sind, um es zu empfangen.

Wenn das Auge der Seele schlecht ist, überrascht es kaum, dass der ganze Leib, die ganze Seele, finster ist **(s. Vers 34)**. Darum lautet die Schlussfolgerung: „So habe nun Acht, dass das Licht in dir nicht Finsternis ist!" **(Vers 35)**. Seien Sie aufrichtig in Ihrer Suche nach Wahrheit und bereit, deren Licht, Liebe und Kraft zu empfangen, und seien Sie nicht wie die Menschen dieses Geschlechts, denen Christus predigte, welche nie aufrichtig danach verlangten, den Willen Gottes zu wissen, noch die Absicht hatten, ihn zu tun, und die darum, was nicht überraschend ist, weiter in der Finsternis wandelten.

Vers 37-54

Christus sagte hier einem Pharisäer und seinen Gästen in einem privaten Gespräch am Tisch viele der Dinge, die er später in einer öffentlichen Predigt im Tempel sagte (s. Mt 23). Was er öffentlich und was er privat sagte, stimmte überein. Hier gibt es:

1. Wie Christus geht, um bei einem Pharisäer zu Mittag zu essen, der ihn sehr höflich in sein Haus einlud. „Und während er redete, bat ihn ein gewisser Pharisäer" – unterbrach ihn mit einer Bitte –, „bei ihm zu Mittag zu essen" **(Vers 37)**. Wir kennen nicht das Gemüt dieses Pharisäers, doch wie es auch war, Christus wusste, wie es war: Wenn er Übles wollte, würde er erkennen, dass Christus ihn nicht fürchtet; wenn er Gutes wollte, würde er erkennen, dass Christus ihm Gutes wollte: Christus ging also „hinein und setzte sich zu Tisch". Christi Jünger müssen von ihm lernen, gesprächig zu sein, nicht griesgrämig. Wir müssen zwar vorsichtig in Bezug auf die Gesellschaft sein, die wir halten, brauchen aber nicht starr darin sein.

2. Den Einwand, den der Pharisäer gegen Christus erhob, „dass er sich vor dem Mittagsmahl nicht gewaschen hatte" **(Vers 38)**. Er war verwundert, dass ein Mann von Christi Heiligkeit sich zum Essen hinsetzen würde, ohne sich zuerst die Hände zu waschen. Der Pharisäer selbst und all seine Gäste wuschen sich ohne Zweifel und so würde Christus nicht als anders hervorstechen, wenn er sich waschen würde. Es war alles vorbereitet worden und doch hatte er sich nicht die Hände gewaschen? Das Zeremonialgesetz bestand aus „verschiedenen Waschungen" (Hebr 9,10), doch dies war keine von ihnen und deshalb würde Christus sie nicht machen, obwohl er wusste, dass dies diesen Anstoß erregen würde, weil er sie ausgelassen hatte.

3. Die scharfe Zurechtweisung, die Christus den Pharisäern erteilte.
3.1 Er wies sie dafür zurecht, dass sie die Aspekte der Religion betonten, die nur äußerlich und für das menschliche Auge sichtbar sind, während die, welche die Seele betreffen und Gott vor Augen stehen, nicht nur zweitrangig gemacht, sondern vollkommen zunichtegemacht wurden **(s. Vers 39-40)**. Beachten Sie hier:
Die Absurdität, derer sie sich schuldig machten: „,Nun, ihr Pharisäer, ihr reinigt [nur] das Äußere.' Ihr wascht eure Hände mit Wasser, doch ihr wascht nicht eure Herzen von der Bosheit." Diejenigen, die nur „das Äußere des Bechers und der Schüssel" reinigen, können nie als echte Diener angesehen werden. Die Haltung eines Menschen in jedem religiösen Dienst ist wie das Innere des Bechers und der Schüssel; die Unreinheit der Haltung infiziert den Dienst. Unter der Kontrolle von geistlicher Bosheit zu leben, ist für Gott eine genauso große Beleidigung, wie es wäre, wenn ein Diener seinem Herrn einen Becher in die Hand gibt, der von außen von allem Schmutz gesäubert, aber innen voller Spinnweben ist. „Raub und Bosheit" sind die gefährlichen, verwerflichen Sünden vieler Menschen, welche „das Äußere des Bechers" von groben, skandalösen und unverzeihlichen Sünden der sexuellen Unmoral und Trunkenheit gereinigt haben.
Ein besonderes Beispiel dieser Unsinnigkeit: „,Ihr Toren! Hat nicht der, welcher das Äußere schuf, auch das Innere gemacht?' Hat nicht der Gott, der im Gesetz von Mose verschiedene zeremonielle Waschungen eingesetzt hat, es auch festgelegt, dass ihr eure Herzen säubern und reinigen sollt? Der Eine, welcher Gesetze für das Äußere gemacht hat – hat er nicht selbst in diesen Gesetzen darüber hinaus etwas Innerliches beabsichtigt?" **(Vers 40)**. Hat nicht Gott, der uns diese Leiber gab, auch diese Seelen für uns geschaffen? Wenn er nun beides gemacht hat, dann erwartet er zu Recht von uns, dass wir für beides Sorge tragen, und darum sollten wir nicht nur den Leib, sondern auch den Geist waschen, von dem Gott der Vater ist (s. Hebr 12,9), und das Herz von der Krankheit gereinigt bekommen. Er fügte dem eine Regel hinzu, um unsere weltlichen Erquickungen für uns rein zu machen. „Anstatt euch die Hände vor dem Essen zu waschen, ,gebet vielmehr Almosen von dem, was ihr habt'. Lasst die Armen ihren Teil von dem haben und ,so ist euch alles rein' und ihr könnt euch dabei wohlfühlen, alles zu gebrauchen" **(Vers 41**; Elb). Hier gibt es einen klaren Verweis auf das Gesetz des Mose, durch welches festgelegt war, dass sie einen bestimmten Teil der Ernte ihres Landes „dem Leviten, der Fremdling, der Waise und der Witwe" geben mussten, und wenn dies getan worden war, war das übrig Gebliebene für ihren Gebrauch ihnen rein (5.Mose 26,12-15). Wir dürfen sorgenfrei die Gaben der Güte Gottes genießen, wenn wir denen senden, „die nichts für sich zubereitet haben" (Neh 8,10). Was wir haben, ist nicht unser Eigentum, bis Gott nicht das ihm Gebührende davon bekommen hat, und durch die Großzügigkeit den Armen gegenüber geschieht es, dass wir frei sind, unsere weltlichen Annehmlichkeiten zu gebrauchen.
3.2 Er wies sie zurecht, dass sie das betonten, was nicht wichtig war, und die mehr bedeutsameren Aspekte des Gesetzes vernachlässigten **(s. Vers 42)**. Sie waren sehr genau bei der Beachtung der Gesetze, welche sich nur auf die Mittel der Religion bezogen: „Ihr verzehntet die Minze und die Raute, bezahlt in voller Münze und Zahl." Dadurch wollten sie bei den Menschen einen Ruf als strenge Befolger des Gesetzes erlangen. Christus verurteilte sie nun nicht dafür, dass sie so genau bei der Zahlung des Zehnten waren – „dieses sollte man tun" –, sondern dass sie meinten, dass dies

ihre Vernachlässigung ihrer größeren Pflichten ausgleichen würde. Sie machten sich nichts aus den Gesetzen, welche die Hauptsachen der Religion betrafen: „Ihr umgeht das Recht und die Liebe Gottes und seid nicht im Geringsten daran interessiert, den Menschen das ihnen Gebührende und Gott eure Herzen zu geben."

3.3 Er wies sie für ihren Stolz und ihre Eitelkeit zurecht: Sie liebten „den ersten Sitz in den Synagogen und die Begrüßungen auf den Märkten" **(Vers 43)**. Es wurde nicht getadelt, dass sie die wichtigsten Sitze in den Synagogen hatten und auf den Märkten begrüßt wurden, sondern dass sie dies liebten.

3.4 Er wies sie für ihre Heuchelei zurecht: „Ihr seid wie mit Gras überwachsene Gräber, über welche die Lebenden, weil sie sie nicht sehen, dahingingen, ohne es zu wissen, und sich dadurch die zeremonielle Verunreinigung zuziehen, die nach dem Gesetz dadurch entsteht, dass man ein Grab berührt" **(Vers 44)**. Innerlich waren diese Pharisäer voller abscheulicher Dinge, wie ein Grab voller Fäulnis ist, doch sie verbargen ihre Besudelung so geschickt, dass sie nicht sichtbar war. Deshalb wurden diejenigen, die mit ihnen sprachen und ihrer Lehre folgten, mit ihrer Verderbtheit und ihren schlechten Sitten infiziert und doch fürchteten sie durch sie keinen Schaden. Die Vergiftung bahnte sich ihren Weg in ihr Leben und schlug an, ohne dass sie sich dessen bewusst wurden, und sie zogen sie sich zu, ohne es zu wissen und meinten darum nicht, schlechter dran zu sein.

4. Das Zeugnis, welches er auch gegen die Gesetzesgelehrten oder Lehrer des Gesetzes ablegte, die es sich zur Aufgabe machten, das Gesetz zu erklären, wie die Pharisäer es zu der ihren machten, das Gesetz zu befolgen.

4.1 Einer von diesem Beruf war wütend wegen dem, was Christus gegen die Pharisäer sagte: „Meister, mit diesen Worten schmähst du auch uns!" **(Vers 45)**. Es ist die Torheit von denen, die in ihren Sünden vereint sind – die entschlossen sind, sich nicht von ihnen zu trennen –, dass sie die treuen und freundlichen Warnungen schlecht nutzen, die ihnen gegeben werden und die aus Liebe herrühren, und von ihnen ihre Leidenschaften erregen lassen, als wären sie als Beleidigungen beabsichtigt. Dieser Gesetzesgelehrte nahm sich der Sache des Pharisäers an und machte sich so zum Teilhaber von dessen Sünden.

4.2 Unser Herr nahm sie sich dafür vor: „Wehe auch euch Gesetzesgelehrten!" **(Vers 46)**. Und weiter: „Wehe euch Gesetzesgelehrten" **(Vers 52)**. Sie lobten sich selbst für den Ruf, den sie unter den Leuten hatten. Christus verkündete Wehrufe gegen sie, weil er das sah, was die Menschen nicht sehen können. Diejenigen, die mit den Zurechtweisungen anderer hadern und argwöhnen, dass jene sie beleidigen, ernten nur Wehrufe für sich selbst, indem sie dies tun.

Die Gesetzesgelehrten wurden dafür zurechtgewiesen, dass sie die Pflichten des religiösen Glaubens für andere drückender machen, doch für sich selbst bequemer, als Gott sie gemacht hatte: „Denn ihr ladet den Menschen unerträgliche Bürden auf, und ihr selbst rührt die Bürden nicht mit einem Finger an" **(Vers 46)**. Das heißt:

„Ihr wollt euch weder selbst mit ihnen belasten, noch wollt ihr von diesen Einschränkungen gebunden sein, mit denen ihr andere zurückhaltet."

„Ihr wollt ihnen nicht helfen, ihr wollt sie nicht mit einem Finger anrühren", das heißt, sie entweder widerrufen oder sie davon befreien, wenn sie sehen würden, dass sie für die Menschen zu einer schweren Last geworden seien. Sie würden beide Hände benutzen, um ein Gebot Gottes aufzugeben, aber nicht einen Finger heben, um die Härte irgendeiner Überlieferung der Alten zu vermindern.

Sie wurden dafür zurechtgewiesen, dass sie vorgaben, das Andenken der Propheten zu achten, welche ihre Vorfahren getötet hatten, obwohl sie in ihrer eigenen Zeit immer noch diejenigen hassten und verfolgten, die mit dem gleichen Auftrag zu ihnen gesandt waren **(s. Vers 47-49)**.

Diese Heuchler bauten „die Grabmäler der Propheten"; das heißt, sie errichteten Denkmäler zu ihrer Ehre über ihren Gräbern. Sie waren nicht so abergläubisch, dass sie die Überreste der Propheten in einen Schrein einschlossen oder meinten, dass ihre Andachten für Gott annehmbarer wären, weil sie auf den Grabmälern der Propheten geleistet wurden. Sie haben vielmehr, als würden sie sich für „Söhne der Propheten" halten (Apg 3,25), die Denkmäler repariert und geschmückt, die ihrer frommen Erinnerung geweiht waren.

Trotz diesem hatten sie in ihren eigenen Tagen eine verhärtete Feindschaft denen gegenüber, die im Geist und in der Kraft dieser Propheten zu ihnen kamen. Die „Weisheit Gottes" – das ist Christus – sagte, dass sie die Propheten und Apostel „töten und verfolgen" werden, die zu ihnen gesandt würden. Die „Weisheit Gottes" würde sie prüfen, indem sie Propheten zu ihnen schickt, die sie für ihre Sünden zurechtweisen und vor dem Gericht Gottes warnen. „Ich will Propheten zu ihnen senden unter dem Titel „Apostel". Und die Juden werden diesen nicht nur widersprechen und ihnen widerstehen, sie werden sie sogar töten und verfolgen und sie zu Tode bringen."

Deshalb würde Gott zu Recht ihr Bauen der Grabmäler der Propheten anders auslegen, als sie es wollten, dass es ihnen zugeschrieben wird. Es würde so ausgelegt werden, dass sie die Taten ihrer Väter bestätigen **(s. Vers 48)**. Das Bauen der Grabmäler der Propheten würde so ausgelegt werden, dass es zeigt, dass die Erbauer entschlossen waren, diejenigen in ihren Gräbern zu halten, welche ihre Vorfahren dorthin gebracht hatten.

Sie dürfen nichts anderes erwarten, als dass sie als solche beurteilt werden, welche das Maß ihrer Väter vollmachen (Mt 23,32; **s. Vers 50-51***).* Es würde alles „gefordert werden von diesem Geschlecht", deren Sünde mit der Verfolgung der Apostel Christi jede Verfolgung dieser Art ihrer Vorfahren übersteigen würde. Ihre Zerstörung durch die Römer war so schrecklich, dass man sie sehr gut als die Vollendung der Vergeltung Gottes über dieses Propheten verfolgende Volk ansehen konnte.

Sie wurden dafür zurechtgewiesen, dass sie dem Evangelium Christi widerstanden **(s. Vers 52)**. Sie hatten nicht, gemäß der Pflicht ihres Amtes, den Menschen aufrichtig die Stellen des Alten Testaments erläutert, die auf den Messias hinwiesen. Stattdessen hatten sie diese Stellen durch ihre verdorbten Auslegungen verdreht: Das wird als den Schlüssel der Erkenntnis wegnehmen beschrieben. Statt diesen Schlüssel für die Menschen zu benutzen und ihnen zu helfen, ihn richtig zu benutzen, verbargen sie ihn vor ihnen; in Matthäus wird dies das Reich der Himmel vor den Menschen zuschließen genannt (s. Mt 23,13). Sie nahmen selbst nicht das Evangelium Christi an, obwohl sie durch ihre Kenntnis des Alten Testaments erkannt haben müssen, dass die Zeit erfüllt und das Reich Gottes nahe ist (s. Mk 1,15). Sie wollten selbst nicht hineingehen und sie taten alles, was sie konnten, um diejenigen zu hindern und zu entmutigen, welche ohne jede Leitung oder Hilfe von ihnen hineingehen wollten. Sie drohten, sie aus der Synagoge zu vertreiben. Es ist schlecht für Menschen, abgeneigt gegenüber der Offenbarung zu sein, doch es ist noch schlimmer, ihr gegenüber feindlich zu sein.

4.3 Am Ende des Kapitels wird uns gesagt, wie boshaft und gehässig die Gesetzeslehrer und Pharisäer versuchten, Christus in eine Falle zu locken **(s. Vers 53-54)**. Sie konnten diese scharfen Zurechtweisungen nicht ertragen, von denen sie zugeben mussten, dass sie richtig waren, und deshalb fingen sie an, als würde ihnen die Hitze seiner Tadel die Hoffnung geben, dass sie ihn zu einem maßlosen Zorn erregen und ihn so dazu bringen könnten, nicht wachsam zu sein, „ihm hart zuzusetzen und ihn über vieles auszufragen", wobei sie ihm auf etwas auflauerten, das ihrem Zweck dienen würde, ihn entweder für die Menschen hassenswert oder anstößig für die Regierung oder beides zu machen. Diejenigen, die Sünde aufrichtig zurechtweisen, müssen erwarten, viele Feinde zu haben. Wir wollen auf ihn achten, „der solchen Widerspruch von den Sündern gegen sich erduldet hat" (Hebr 12,3), damit wir solche Prüfungen mit Geduld erdulden und sie mit Weisheit überwinden können.

Kapitel 12

In diesem Kapitel haben wir verschiedene vorzügliche Abhandlungen unseres Heilands, welche er zu verschiedenen Gelegenheiten hielt, von denen viele den gleichen Inhalt haben wie die, die wir in Matthäus hatten. Wir müssen beständig in den Unterweisungen und Geboten Gottes gelehrt werden. 1. Christus warnte seine Jünger, sich vor Heuchelei und Feigheit zu hüten (s. Vers 1-12). 2. Er warnte vor allen Formen der Habgier und erläuterte dies durch das Gleichnis von einem reichen Mann, der plötzlich durch den Tod dahingerafft wurde (s. Vers 13-21). Er ermutigte seine Jünger, all ihre Sorgen auf Gott zu werfen (s. Vers 22-34). 3. Er regte sie an, auf das Kommen ihres Meisters zu warten (s. Vers 35-48). 5. Er sagte ihnen, dass sie Schwierigkeiten und Verfolgung erwarten sollten (s. Vers 49-53). 6. Er warnte die Menschen, den Tag ihrer Gelegenheiten zu beachten und das meiste aus ihm zu machen (s. Vers 54-59).

Vers 1-12

Wir haben hier:

1. Eine große Zuhörerschaft, die sich versammelt hatte, um die Predigten Christi zu hören. Die Schriftgelehrten und die Pharisäer versuchten, ihn anzuklagen, doch die Menschen waren immer noch verblüfft über ihn; sie waren bei ihm und ehrten ihn. Inzwischen **(s. Vers 1)**, solange er im Haus des Pharisäers war, kamen die Menschen für eine Nachmittagspredigt zusammen, einer Predigt nach dem Mittagessen, nach dem Mittagessen mit einem Pharisäer (s. Lk 11,37), und er enttäuschte sie nicht. Obwohl er sie in der Predigt am Morgen, als sie sich haufenweise herzugedrängt hatten (s. Lk 11,29), streng zurechtgewiesen hatte, kamen sie immer noch zurück, um bei ihm zu sein; die Menschen konnten die Tadel, die für sie bestimmt waren, besser ertragen, als die Pharisäer ihre. Je mehr die Pharisäer versuchten, die Menschen von Christus fortzutreiben, umso größer waren die Menschenmengen, die zu ihm strömten. Hier hatte „sich inzwischen das Volk zu Tausenden gesammelt ... sodass sie aufeinander traten". Es ist gut, Menschen so eifrig zu sehen, das Wort zu hören. Wenn das Netz dort ausgeworfen wird, wo es solch eine Menge an Fisch gibt, dann kann man hoffen, dass manche in ihm gefangen werden.

2. Die Unterweisungen, die er seinen Nachfolgern gab.

2.1 Er begann mit einer Warnung vor Heuchelei. Er sagte dies „zuerst zu seinen Jüngern". Diese waren unter seiner besonderen Verantwortung und deshalb warnte er sie besonders als seine „geliebten Kinder" (1.Kor 4,14); sie bekannten den religiösen Glauben mehr als andere und Heuchelei darin war die Sünde, bei der sie am meisten in Gefahr schwebten. Bei ihnen wäre Heuchelei schlimmer als bei anderen. Die Jünger Christi waren, nach allem, was wir wissen, zu der Zeit die besten Menschen in der Welt, doch selbst sie mussten vor der Heuchelei gewarnt werden. Christus sagte dies zu den Jüngern in Hörweite dieser großen Menschenmenge, um mehr Nachdruck auf die Warnung zu legen und um die Welt wissen zu lassen, dass er keine Heuchelei dulden würde, nicht einmal bei seinen eigenen Jüngern. Beachten Sie:

Die Beschreibung der Sünde, vor der er sie warnte: Sie ist der „Sauerteig der Pharisäer".

Sie ist Sauerteig (Hefe); sie verbreitet sich wie Hefe, schmeichelt sich selbst in das ganze Sein hinein, in alles, was ein Mensch tut. Sie bläht sich auf und säuert wie Sauerteig, macht die Menschen aufgeblasen mit Stolz und macht sie hierdurch bitter mit Bosheit und ihren Dienst unannehmbar für Gott.

Sie ist der „Sauerteig der Pharisäer": „Es ist die Sünde, in welche die meisten von ihnen fallen. Habt acht, dass ihr sie nicht nachahmt; seid im christlichen Glauben nicht heuchlerisch, wie jene es im jüdischen Glauben sind."

Einen guten Grund dagegen: „„Es ist aber nichts verdeckt, das nicht aufgedeckt werden wird' **(Vers 2)**. Früher oder später kommt die Wahrheit heraus. Wenn ihr im Finstern redet, was sich nicht für euch und euer öffentliches Bekenntnis geziemt, wird man darum im Licht hören; auf die eine oder andere Art wird es herausgefunden werden und eure Torheit und Lüge wird aufgedeckt werden." Wenn der religiöse Glaube bei Menschen nicht wirksam darin ist, das Böse ihrer Herzen zu besiegen und zu heilen, wird er auch nicht für immer als Deckmantel dienen. Es wird der Tag kommen, an dem Heuchlern ihre Feigenblätter entzogen werden (s. 1.Mose 3,7).

2.2 Er fügte eine Aufforderung an sie hinzu, dem Vertrauen gegenüber treu zu sein, welches in sie gesetzt wurde, es nicht aus Feigheit oder Furcht zu verraten. „Ob die Menschen nun hören oder nicht hören (Hes 2,5.7; 3,11), ihr sollt ihnen die Wahrheit sagen, die ganze Wahrheit und nichts als die Wahrheit; was euch im Verborgenen gesagt wurde, das sollt ihr öffentlich predigen, egal, wer daran Anstoß nimmt." Die Sache Christi zog wahrscheinlich Leid nach sich, wenn sie auch nie fehlschlagen würde; darum mögen sie sich selbst Mut machen. Hier wurden verschiedene Argumente gegeben, um sie mit heiliger Entschlossenheit stark zu machen, ihre Arbeit zu tun.

Er sagte, die Macht ihrer Feinde sei begrenzt: „Ich sage aber euch, meinen Freunden" **(Vers 4)**. Christi Jünger sind seine Freunde, denn er nennt sie Freunde und gibt ihnen diesen freundschaftlichen Rat: „Fürchtet euch nicht." Diejenigen, die Christus als seine Freunde anerkennt, brauchen keine Feinde zu fürchten. Sie sollten sich nicht fürchten, nicht einmal „vor denen, die den Leib töten und danach nichts Weiteres tun können". Diejenigen, die nur „den Leib töten" können, können Christi Jüngern nicht wirklich Schaden zufügen, denn sie bringen nur schneller den Leib zur Ruhe und die Seele zu ihrer Freude.

Gott ist mehr zu fürchten als die mächtigsten Menschen: „„Ich will euch aber zeigen, wen ihr fürchten sollt.' Wenn ihr den Christus bekennt, könnt ihr euch den Zorn anderer Menschen zuziehen, doch wenn ihr ihn verleugnet und verstoßt, werdet ihr euch den Zorn Gottes zuziehen, der die Macht hat, euch in die Hölle zu schicken. Darum sage ich euch: ‚Den fürchtet!'" **(Vers 5)**. „Es stimmt", sagte der fromme Märtyrer Bischof Hooper, „das Leben ist süß und der Tod bitter, doch das ewige Leben ist süßer und der ewige Tod ist bitterer."

Das Leben guter Christen und guter geistlicher Diener steht unter der besonderen Fürsorge der göttlichen Vorsehung **(s. Vers 6-7)**. Der Allmächtige beachtet in seiner Vorsehung selbst die unbedeutendsten Geschöpfe, sogar Sperlinge. Obwohl sie so unbedeutend wären, dass fünf von ihnen um zwei Groschen verkauft würden, sei nicht „ein Einziger von ihnen … vor Gott vergessen". Sie seien „mehr wert als viele Sperlinge". Deshalb könnten sie sicher sein, dass sie nicht vergessen wären. Der Allmächtige beachtet in seiner Vorsehung die unbedeutendsten Belange der Jünger Christi: „„Aber auch die Haare eures Hauptes sind alle gezählt' **(Vers 7)**; dann sind noch viel mehr eure Seufzer und Tränen und die Blutstropfen gezählt, die ihr um des Namens des Christus willen vergießt."

Ob Christus sich an dem großen Tag zu ihnen bekennt oder sie verleugnet, hängt davon ab, ob sie sich zu Christus bekennen oder ihn verleugnen **(s. Vers 8-9)**.

Um uns zu ermutigen, uns vor den Menschen zu Christus zu bekennen, wie viel es uns auch kosten mag, wird uns zugesichert, dass sich Christus zu denjenigen, die ihn nun bekennen, an dem großen Tag „vor den Engeln Gottes" bekennen wird. Jesus Christus wird nicht nur bekennen, dass er für sie gelitten hat, sondern auch, dass sie für ihn litten, und welche größere Ehre kann ihnen erwiesen werden?

Um uns davon abzuschrecken, Christus zu verleugnen, wird uns hier in Bezug auf die versichert, die Christus leugnen und ihn verräterisch verlassen, dass sie, was auch immer sie dadurch retten, selbst wenn es das Leben selbst ist, und was immer sie dadurch gewinnen mögen, selbst wenn es ein Reich ist, am Ende alles verlieren werden, weil sie „verleugnet werden vor den Engeln Gottes". Christus wird sie nicht kennen; er wird sie nicht anerkennen.

Der Auftrag, mit dem sie bald ausgesandt werden sollten, war von höchster und größter Bedeutung **(s. Vers 10).** Sie mögen kühn bei der Predigt des Evangeliums sein, weil auf diejenigen ein schlimmeres und schwereres Geschick kommen würde, die sie ablehnen – nachdem der Geist auf sie ausgegossen sein würde, was die letzte Methode der Überführung sein würde –, als über diejenigen, die nun Christus selbst ablehnten. Jeder, „der ein Wort reden wird gegen den Sohn des Menschen", hat eine verständliche Entschuldigung: „Vater, vergib ihnen, denn sie wissen nicht, was sie tun!" (Lk 23,34). „Wer aber gegen den Heiligen Geist lästert", dem wird das Vorrecht der Vergebung der Sünden versagt werden; sie werden keinen Nutzen von Christus und seinem Evangelium haben.

Zu welchen Zeiten der Prüfung sie auch berufen werden würden, es würde ausreichend für sie gesorgt werden und sie würden ehrenwert durch sie hindurchgebracht werden **(s. Vers 11-12).** Der treue Märtyrer Christi hat nicht nur Leid, das er durchmachen muss, sondern auch ein Zeugnis, welches er geben muss, und ein gutes Bekenntnis zu bezeugen (s. 1.Tim 6,13). Deshalb sollte er darum besorgt sein, das gut zu machen, damit die Sache Christi nicht leiden möge, selbst wenn er für sie leidet, und wenn dies seine Sorge ist, dann soll er darum seine Sorgen auf Gott werfen (s. 1.Petr 5,7): „Wenn sie euch aber vor die Synagogen und vor die Fürsten und Obrigkeiten führen", um zu prüfen, was sie glauben, „so sorgt nicht ... was ihr sagen sollt":

Damit sie sich selbst retten können. Wenn es Gottes Wille ist, dass sie freikommen sollen, und ihre Zeit noch nicht gekommen ist, wird er es erfolgreich bewirken.

Damit sie ihrem Herrn dienen können. Sie sollen danach streben, sich aber darüber keine Sorgen machen, da der Heilige Geist als der Geist der Weisheit sie lehren wird, was zur Ehre Gottes ist und seiner Sache dient.

Vers 13-21

Wir haben in diesen Versen:

1. Wie Christus von einem seiner Hörer angerufen wird, der ihn bittet, bezüglich einer Angelegenheit des Besitzes ihrer Familie zwischen ihm und seinem Bruder zu vermitteln: „Meister, sage meinem Bruder, dass er das Erbe mit mir teilen soll!" **(Vers 13).** Manche meinen, der Bruder dieses Mannes tat ihm Unrecht und dass er sich an Christus wendete, um seinen Bruder dazu zu bringen, das zu tun, was richtig war. Es gibt solche Brüder in der Welt, die überhaupt kein Gespür – sei es für natürliche Gerechtigkeit oder natürliche Liebe – haben. Diejenigen, denen auf diese Weise Unrecht getan wird, haben einen Gott, an den sie sich wenden können, der denen Gerechtigkeit verschaffen wird, die unterdrückt werden. Andere meinen, der Mann wollte seinem Bruder Unrecht tun und wollte, dass Christus ihm hilft, das zu tun – dass, während das Gesetz dem älteren Bruder den doppelten Anteil des Besitzes gab, dieser Mann wollte, dass Christus das Gesetz ändert und macht, dass sein Bruder „das Erbe" zu gleichen Teilen mit ihm „teilen soll". Ich befürchte, dass dies der Fall war, dass es kein rechtmäßiger Wunsch war, sein Eigentum zu bekommen, sondern ein sündiger Wunsch, mehr zu bekommen als sein Eigentum.

2. Christi Weigerung, in dieser Sache zu vermitteln: „Mensch, wer hat mich zum Richter oder Erbteiler [Schiedsmann] über euch gesetzt?" **(Vers 14).** Christus wird weder eine gesetzgebende noch eine richtende Autorität für sich übernehmen. Er korrigierte den Fehler des Mannes. Wenn der Mann in seinem Streben nach einem himmlischen Erbe zu Christus um Hilfe gekommen wäre, hätte Christus ihm so viel geholfen, wie er es konnte, doch mit dieser Angelegenheit hatte er nichts zu tun. Bei allem, was Christus tat, konnte er sagen, in welcher Vollmacht er es tat und wer ihm die Vollmacht dazu gegeben hatte (s. Mt 21,23). Dies zeigt uns nun, was die Natur und Satzung des Reiches Christi ist. Es ist ein geistliches Reich und nicht eines von dieser Welt (s. Joh 18,36).

2.1 Es mischt sich nicht in die staatlichen Gewalten ein. Was die staatlichen Gewalten anbetrifft, so belässt das Christentum die Dinge so, wie es sie vorfand.

2.2 Es mischt sich nicht in die staatlichen Rechte ein; es verpflichtet jeden, rechtmäßig zu handeln, nach den festgelegten Regeln der Justiz.

2.3 Es ermutigt uns nicht, weltlichen Nutzen durch unseren religiösen Glauben zu erwarten.

2.4 Es ermutigt uns nicht, mit unseren Geschwistern zu streiten oder in unseren Forderungen hart und unangemessen zu sein.

3. Die notwendige Warnung, die Christus seinen Hörern aus diesem Anlass gab.

3.1 Die Warnung selbst: „Habt acht und hütet euch vor der Habsucht!' Habt acht, das heißt, passt auf, gebt acht auf euch selbst, habt ein schützendes Auge auf euer Herz, damit sich dort nicht die Grundsätze der Habgier hineinstehlen können. Und ‚hütet euch'; das heißt, schützt euch; habt euer Herz fest im Griff, damit die Grundsätze der Habgier es nicht beherrschen und kontrollieren mögen" **(Vers 15).**

3.2 Ein Argument, um diese Warnung zu unterstützen: „Denn niemandes Leben hängt von dem Überfluss ab, den er an Gütern hat"; das heißt, unsere Glückseligkeit und unser Wohlergehen hängen nicht davon ab, dass wir eine große Menge des Wohlstands der Welt besitzen. Das Leben der Seele hängt sicherlich nicht davon ab. Die Dinge der Welt passen nicht zu der Natur einer Seele, stillen weder ihre Bedürfnisse noch befriedigen sie ihre Wünsche. Selbst das Leben des Leibes und seine Glückseligkeit bestehen nicht aus einem Überfluss an diesen Dingen; viele Menschen, die nur wenig von dem Wohlstand der Welt haben – „Besser ein Gericht Gemüse mit Liebe, als ein gemästeter Ochse mit Hass!" (Spr 15,17) –, leben mit großer Zufriedenheit, und auf der anderen Seite leben viele andere Leute, die eine große Menge der Dinge dieser Welt haben, sehr unglücklich.

3.3 Die Veranschaulichung davon durch ein Gleichnis, welches diese notwendige Vorsicht von uns verstärken soll, uns vor der Habsucht zu hüten. Das Gleichnis beschreibt uns das Leben und den Tod eines reichen Mannes und lässt uns beurteilen, ob er glücklich war oder nicht.

Hier ist ein Bericht von seinem weltlichen Wohlstand und Überfluss: „Das Feld eines reichen Mannes hatte viel Frucht getragen" (**Vers 16**). Sein Reichtum bestand zum großen Teil aus den Früchten der Erde. Er hatte sehr viel Boden und sein Boden war fruchtbar; je mehr die Menschen haben, umso mehr wollen sie, und er hatte mehr.

Hier sind die Gedanken seines Herzens. Uns wird gesagt, was er „bei sich selbst" überlegte (**Vers 17**). Der Gott des Himmels kennt und beachtet alles, was wir denken, und wir sind ihm dafür verantwortlich. Beachten Sie:

Was seine Sorgen und Interessen waren. Als er eine außergewöhnliche Ernte auf seinem Land sah, plagte er sich – statt Gott dafür zu danken oder sich über die Möglichkeit zu freuen, die das ihm geben würde, mehr Gutes zu tun –, mit diesem Gedanken: „Was soll ich tun, da ich keinen Platz habe, wo ich meine Früchte aufspeichern kann?" Er sprach als jemand, der nicht mehr weiter wusste und verwirrt war – „was soll ich tun". Der ärmste Bettler im Land, der nicht wusste, woher er sein nächstes Essen bekommt, hätte nicht etwas Besorgteres sagen können. Selbst der Reichtum der Reichen wird ihnen nicht zu schlafen erlauben (s. Pred 5,12; Elb), denn sie denken darüber nach, was sie mit dem tun werden, was sie haben. Der reiche Mann scheint mit einem Seufzer zu sprechen: „Was soll ich tun?" Wenn Sie ihn fragen würden: „Warum, was ist passiert?" So hat er eigentlich einen Überfluss an Wohlstand und sucht einen Ort, um ihn zu lagern; das ist alles.

Was für Pläne und Absichten er hatte: „Das will ich tun: Ich will meine Scheunen abbrechen und größere bauen und will darin alles, was mir gewachsen ist, und meine Güter aufspeichern" und dann meinte er, Ruhe haben zu können (**Vers 18**).

Es war töricht von ihm, die Früchte des Feldes seine Güter zu nennen. Was wir haben, ist uns nur zu unserem Gebrauch geliehen; es gehört immer noch Gott (s. 3.Mose 25,23; Hos 2,10-11). Wir sind nur Verwalter der Güter unseres Herrn.

Es war töricht von ihm, das zu horten, was er hatte, und dann zu meinen, dass es gut gelagert sei. „Dort will ich alles aufspeichern" – als ob nichts dem Armen und dem Fremdling, der Waise und der Witwe gegeben werden, sondern alles für ihn selbst in einer größeren Scheune aufgespeichert werden müsste (s. 5.Mose 14,29).

Es war töricht von ihm, sich seinen Sinn durch seine Umstände erheben zu lassen, von größeren Scheunen zu sprechen, als müsse das nächste Jahr genauso fruchtbar sein wie dieses und sogar noch „viel großartiger" (Jes 56,12), während die Scheune im nächsten Jahr genauso sehr zu groß sein kann, wie sie dieses Jahr zu klein war.

Es war töricht von ihm zu denken, dass er seine Sorgen durch das Bauen neuer Scheunen beruhigen könnte, denn das Bauen von ihnen würde seine Sorgen nur vergrößern; wer etwas über den Charakter des Bauens weiß, weiß dies alles nur zu gut.

Es war töricht von ihm, dies alles zu entwerfen und zu beschließen, dies alles unbedingt und ohne irgendwelchen Vorbehalt zu tun. „Das will ich tun." Er wollte es ohne einen einzigen Gedanken an diese notwendige Bedingung tun: „Wenn der Herr will und wir leben" (Jak 4,15). Diktatorisch und überheblich gemachte Pläne sind töricht, denn unsere Zeit steht in Gottes Hand (s. Ps 31,16); sie gehört nicht uns und wir wissen nicht einmal, „was morgen sein wird" (Jak 4,14).

Was er vergnüglich hoffte und erwartete. „Und will zu meiner Seele sagen: Seele, du hast einen großen Vorrat auf viele Jahre; habe nun Ruhe, iss, trink und sei guten Mutes!" (Vers 19). Hier sehen wir auch seine Torheit.

Es war töricht von ihm, es hinauszuschieben, sich an der Erquickung seines Überflusses zu erfreuen, bis er seine Pläne dafür erfüllt hatte. Wenn er größere Scheunen gebaut hatte, dann würde er Ruhe haben; hätte er das nicht genauso gut jetzt tun können?

Es war töricht von ihm, damit zufrieden zu sein, dass seine Güter „auf viele Jahre" aufgespeichert sind; denn nach allem, was er wusste, konnten sie innerhalb von einer Stunde mit allem abbrennen, was darin aufgespeichert war. Sie könnten von einem Blitz getroffen werden. Ein paar Jahre können große Veränderungen sehen. Motten und der Rost können sie fressen und Diebe können nachgraben und stehlen (s. Mt 6,19).

Es war töricht von ihm, mit einem Leben der Ruhe zu rechnen, da viele Dinge Menschen inmitten ihres größten Überflusses sich unbehaglich fühlen lassen können. Eine tote Fliege kann ein ganzes Gefäß kostbarer Salbe verderben und ein Dorn ein ganzes Federbett (s. Pred 10,1). Schmerz und Krankheit des Leibes, zerbrochene Beziehungen und besonders ein schuldiges Gewissen können einem Menschen seinen Frieden rauben, selbst wenn er sehr viel von dem Wohlstand dieser Welt hat.

Es war töricht von ihm zu meinen, dass er seinen Überfluss nur dazu benutzt, um zu essen, zu trinken und guten Mutes zu sein, sich seiner sündigen Natur hinzugeben und seinen leiblichen Appetit zu befriedigen, ohne daran zu denken, anderen Gutes zu tun, als würden wir leben, um zu essen, und nicht essen, um zu leben.

Am törichtesten war es, dies alles zu seiner Seele zu sagen. Wenn er zu seinem Leib gesagt hätte, „du hast einen großen Vorrat auf viele Jahre; habe nun Ruhe", wäre dies in gewisser Weise sinnvoll gewesen, doch die Seele war in keiner Weise an einer Scheune voll Korn oder einer Tasche voll Gold interessiert. Wenn er die Seele eines Schweines gehabt hätte, hätte er sie mit der Befriedigung des Essens und Trinkens glücklich machen können. Die Kinder dieser Welt machen sich etwas äußerst Unsinnigem schuldig, wenn sie den Wohlstand dieser Welt und leibliche Freuden zum Erbteil ihrer Seele machen.

Hier ist Gottes Urteil über all dies. Der Mann sprach zu sich selbst: „Habe nun Ruhe." Wenn Gott dies auch gesagt hätte, wäre der Mann glücklich gewesen. Doch Gott sagte etwas völlig anderes; Gott sagte, der Mann habe schlecht für sich selbst gehandelt: „Du Narr! In dieser Nacht wird man deine Seele von dir fordern" **(Vers 20)**. „Gott sprach zu ihm", das heißt, verfügte dies über ihn. Dies wurde gesagt, als er „mitten in seinem Überfluss" war (Hiob 20,22), als seine Augen mit seinen Sorgen und Plänen auf seinem Bett wachgehalten wurden, wie er seine Scheunen vergrößern will. Als er dies vorausplante und sich dann wieder selbst mit einem angenehmen Traum von der Freude vieler Jahre in den Schlaf lullte, da sagte Gott dies zu ihm. Beachten Sie:

Die Bezeichnung, die Gott ihm gab: „Du Narr!", er nannte ihn Nabal und spielte auf die Geschichte von Nabal an, diesem Narren – Nabal „ist sein Name und Narrheit ist bei ihm" (1.Sam 25,25). Weltliche Menschen sind Narren und es wird der Tag kommen, an dem Gott sie mit ihrem eigenen Namen nennen wird: „Du Narr!" Und sie werden sich selbst so nennen.

Das Urteil, das er über ihn fällte, ein Todesurteil: „In dieser Nacht wird man deine Seele von dir fordern; und wem wird gehören, was du bereitet hast?" Er meinte, er hätte Güter, die für viele Jahre für ihn reichen würden, doch er musste sich in dieser Nacht von ihnen trennen; er meinte, er würde sie selbst genießen, doch er musste sie Menschen überlassen, die er nicht kannte (s. Pred 2,18-21).

Es ist ein Zwang, eine Haft; es ist das Fordern der Seele. „Was hast du mit einer Seele zu tun, du, der du sie nicht besser zu nutzen weißt? Deine Seele wird von dir gefordert werden." Wenn ein guter Mensch stirbt, übergibt er fröhlich seine Seele und gibt sie auf, doch bei einem weltlichen Menschen wird sie mit Zwang von ihm gerissen. Gott wird sie fordern; er wird Rechenschaft dafür fordern: „Mann, Frau – was hast du mit deiner Seele getan? Wie hast du dein Leben verbracht? Leg Rechenschaft ab über dein Verwalteramt." Man könnte es auch lesen: „Sie werden deine Seele fordern", das heißt, böse Engel als Boten der Gerechtigkeit Gottes werden es.

Es ist eine Überraschung, etwas Unerwartetes. Es ist bei Nacht. Die Zeit des Todes ist für einen guten Menschen heller Tag; es ist ihr Morgen. Doch sie ist Nacht für einen weltlichen Menschen, eine dunkle Nacht. Es ist „in dieser Nacht", in dieser jetzigen Nacht, ohne Aufschub. „In dieser angenehmen Nacht, wenn du dir so viele Jahre deines Lebens in Ruhe in der Zukunft versprichst, jetzt, musst du sterben." Inmitten von allem kommt hier ein Ende für alles (s. Jes 21,4; KJV).

Es ist das Zurücklassen all der Dinge, die sie sich beschafft haben. Alles, worin sie ihre Glückseligkeit und ihre Hoffnung gesetzt haben, müssen sie zurücklassen.

Es ist ein Zurücklassen an wer weiß wen. „Und wem wird gehören, was du bereitet hast?" Nicht dir, soviel ist sicher, und du weißt nicht, als was sich diejenigen, für die du das Zurückgelassene beabsichtigt hast, erweisen werden – deine Kinder und Verwandten –, ob sie weise sein werden oder Narren, ob sie dein Andenken loben oder es verfluchen werden, ob sie eine Ehre für deine Familie sein werden oder ein Makel, ob sie Gutes oder Schlechtes mit dem tun, was du ihnen überlässt" (s. Pred 2,18-19). Wenn viele Menschen hätten vorhersehen können, wem ihr Haus nach ihrem Tod übertragen werden würde, dann hätten sie es niedergebrannt, statt es schön zu machen.

Es zeigt seine Torheit. „... und an seinem Ende ist er ein Narr!" (Jer 17,11). Denn dann wird klar sein, dass er versuchte, einen Schatz in der Welt zu sammeln, aus der er schnell gehen würde, und nicht darauf bedacht war, sich in der Welt zu sammeln, in die er schnell gehen würde (s. Mt 6,19-20).

3.4 Die Anwendung dieses Gleichnisses: „So geht es dem, der für sich selbst Schätze sammelt und nicht reich ist für Gott!" **(Vers 21)**. Dies ist der Weg und dies das Ende eines solchen Menschen.

Die Beschreibung eines weltlichen Menschen: Er sammelt Schätze für sich selbst, für den Leib, für diese Welt, für sich selbst im Gegensatz zu Gott, für das Ich, das verleugnet werden soll (s. Lk 9,23).

Er ist im Irrtum, dass er sein Fleisch für alles hält, was er ist, als wäre der Leib die ganze Person (s. 1.Mose 2,7).

Er ist im Irrtum, dass er es zu seiner einzigen Aufgabe macht, für das Fleisch aufzuspeichern, was er für sich selbst aufspeichern nennt.

Er liegt falsch, wenn er die Dinge als seinen Schatz ansieht, welche auf diese Weise für die Welt, den Leib und für dieses Leben aufgespeichert sind (s. 1.Tim 4,8).

Sein größter Fehler von allem ist, dass er nicht darum besorgt war, reich für Gott zu sein, reich in den Dingen Gottes. Viele Menschen, die einen Überfluss dieser Welt haben, sind völlig leer in Bezug auf das, was ihre Seele reich machen würde, was sie bei Gott reich machen würde, reich für die Ewigkeit.

Die Torheit und das Elend weltlicher Menschen: „So geht es dem." Unser Herr Jesus Christus hat uns hier gesagt, was das Ende weltlicher Menschen sein würde. Es ist die unsagbare Torheit der meisten Menschen, dem mehr nachzujagen, was nur für den Leib und für die Zeit ist, als dem, was für die Seele und für die Ewigkeit ist.

Vers 22-40

„Darum, weil es so viele gibt, die durch alle Arten von Habgier ruiniert werden, sage ich euch, meinen Jüngern: ‚Hütet euch vor der Habsucht!'" „Du aber, o Mensch Gottes, fliehe diese Dinge", genauso wie Sie, Mensch von der Welt (s. 1.Tim 6,11).

1. Er sagte ihnen, sie sollten sich nicht mit beunruhigenden, verwirrenden Sorgen über den notwendigen Unterhalt für das Leben plagen: „Sorgt euch nicht um euer Leben" **(Vers 22)**. In dem vorhergehenden Gleichnis hatte er uns vor der Art von Habgier gewarnt, bei der die reiche Menschen am meisten in Gefahr sind. Er warnte sie hier vor einer anderen Art der Habgier, die für diejenigen, welche nur wenig von dieser Welt haben, die größte Versuchung ist. Die Versuchung war, sich ängstlich über den notwendigen Unterhalt für das Leben zu sorgen. „Sorgt euch nicht um euer Leben, was ihr essen sollt" oder „was ihr anziehen sollt." Dies ist die Warnung, die er in einiger Länge in Matthäus 6,25-33 hervorgehoben hatte, und die hier benutzten Argumente sind größtenteils die gleichen.

1.1 Auf Gott, der etwas viel Größeres für uns getan hat, kann man sich verlassen, dass er auch das Geringere tun wird. Er hat uns das Leben und einen Leib gegeben, und deshalb können wir es fröhlich ihm überlassen, Essen für den Unterhalt dieses Lebens und Kleidung für den Schutz dieses Leibes zu geben.

1.2 Auf Gott, der für die niedrigeren Geschöpfe sorgt, kann man sich verlassen, dass er für gute Christen sorgt. „Vertraut Gott in Bezug auf die Nahrung, denn er versorgt die Raben (s. Vers 24). Diese säen nicht und ernten nicht, doch werden sie genährt. Bedenkt nun, wie viel mehr wert ihr als die Vögel, als die Raben seid. Vertraut Gott in Bezug auf die Kleidung, denn er kleidet die Lilien (s. Vers 27.28). ‚Sie mühen sich nicht und spinnen nicht', doch wenn die Blume wächst, zeigt sie sich wunderbar schön. Wenn nun Gott die Blumen auf diese Weise gekleidet hat, wird er dann nicht viel mehr euch kleiden?" Darum möge niemand von ihnen einen kleinen Glauben haben. Unsere übertriebenen Sorgen kommen wegen der Schwäche unseres Glaubens, denn ein kräftiger, praktischer Glaube an die Allgenugsamkeit Gottes wäre mächtig genug, durch Gott die Festungen dieser störenden, verwirrenden und ängstlichen Gedanken zu zerstören (s. 2.Kor 10,4).

1.3 Unsere Sorgen sind vergeblich, wertlos und bedeutungslos. Sie werden uns nicht das verschaffen, was wir wollen, und darum sollen wir uns durch sie nicht beunruhigen lassen. „Wer aber unter euch vermag mit Sorgen seiner Größe eine Elle zuzusetzen?' Wenn ihr also nicht in der Lage seid, das Geringste zu tun, wenn es nicht in eurer Macht steht, eure Größe zu ändern, warum solltet ihr dann über andere Dinge verwirrt sein, die genauso viel außerhalb eurer Macht liegen?" **(Vers 25**; Elb). Genauso wie bei unserer Statur, so auch bei unserem Stand sind wir weise, die Dinge so zu nehmen, wie sie sind, und das Beste aus ihnen zu machen, denn es wird die Dinge kein bisschen besser machen, wenn wir ängstlich werden, klagen und über die Maßen besorgt werden.

1.4 Ein übertriebenes und ängstliches Streben nach den Dingen dieser Welt, selbst Dingen, die notwendig sind, ist unpassend für Jünger Christi: „‚Und ihr sollt auch nicht danach trachten, was ihr essen oder was ihr trinken sollt.' Plagt euch nicht selbst mit Sorgen, die euch beunruhigen. Jünger Christi sollten nicht auf diese Weise ihr Essen suchen; sie sollten Tag für Tag Gott darum bitten. Sie sollten sich nicht beunruhigen und in jede Richtung schwanken. Seid ausgeglichen und ruhig und euer Herz soll getrost sein. Führt kein Leben der ständigen Unsicherheit, Angst und Sorge. Eure Gemüter sollen nicht ständig zwischen Hoffnung und Furcht verwirrt sein, immer gestresst und besorgt" **(Vers 29**; Ps 57,8; 108,2; 112,7). Die Kinder Gottes sollen sich nicht ständig ruhelos machen, denn:

Das hieße, sich selbst den Kindern dieser Welt gleichzumachen: „Denn nach all diesem trachten die Heidenvölker der Welt" **(Vers 30)**.

Diejenigen, die nur für das Leben in dieser Welt und nicht für das Leben in der anderen sorgen, schauen nicht weiter, als was sie essen und trinken werden. Doch es ist nicht richtig für die Jünger, dies zu tun. Wenn bei uns übertriebene Sorge die Oberhand gewinnt, sollten wir uns fragen: „Was bin ich, ein Christ oder ein Heide? Wenn ich ein echter Christ bin, soll ich mich dann den Heiden in ihrem Trachten anschließen?"

Es ist unnötig für sie, sich mit Sorgen über den notwendigen Unterhalt für das Leben zu beunruhigen: „‚Euer Vater aber weiß, dass ihr diese Dinge benötigt.' Er füllt euren Mangel aus nach seinem Reichtum in Herrlichkeit, denn er ist euer Vater. Er wird dafür Sorge tragen, dass ihr nichts Gutes entbehrt" (s. Phil 4,19; Ps 34,11).

Sie haben bessere Dinge, um die sie besorgt sein und denen sie nachjagen sollen: „‚Trachtet vielmehr nach dem Reich Gottes' – ihr, meine Jünger, die ihr das Reich Gottes verkündigen sollt. Alle, die eine Seele haben, die errettet werden soll, mögen nach dem Reich Gottes trachten, das einzige Reich, in dem sie sicher sein können. Dann wird ihnen dies alles hinzugefügt werden. Seid mit Fleiß und Sorgfalt um geistliche Dinge besorgt und dann vertraut Gott in allen anderen Aspekten eures Lebens" **(Vers 31)**.

Sie haben bessere Dinge, die sie erwarten und erhoffen können: „Fürchte dich nicht, du kleine Herde" **(Vers 32)**. Wenn wir durch Gedanken an Böses erschreckt sind, das kommen soll, dann setzen wir uns selbst unter Spannung, indem wir versuchen herauszuarbeiten, wie wir dieses Böse vermeiden können, wenn es im Grunde vielleicht nur die Einbildung unserer Fantasie ist. Darum „fürchte dich nicht, du kleine Herde; denn es hat eurem Vater gefallen, euch das Reich zu geben". In Matthäus haben wir nicht dieses ermutigende Wort. Daraus können wir lernen:

Die Herde Christi in dieser Welt ist eine kleine Herde. Die Gemeinde ist ein Weinberg (s. Jes 5,1-2; Lk 20,9-16), ein Garten (s. 1.Mose 2,8; Hld 4,12.16; 5,1 usw.), ein kleines Stückchen Erde verglichen mit der Wüste dieser Welt.

Obwohl es eine kleine Herde ist, vollkommen in der Minderheit gegenüber ihren Feinden, ist es der Wille Christi, dass sie nicht ängstlich sein sollen: „‚Fürchte dich nicht, du kleine Herde', sondern sieh zu, dass du unter dem Schutz und der Führung des großen und guten Hirten sicher bist" (s. Joh 10,14; Hebr 13,20).

Gott hält für alle ein Reich bereit, die zur kleinen Herde Christi gehören, einen unverwelklichen Ehrenkranz (s. 1.Petr 5,4).

Das Reich wird nach dem Wohlgefallen des Vaters gegeben: „... denn es hat eurem Vater gefallen." Es wird nicht gegeben, um eine Schuld zurückzuzahlen, sondern frei, aus seiner Gnade.

Die gläubige Hoffnung und Aussicht auf das Reich sollte die Ängste der kleinen Herde Christi in dieser Welt zum Schweigen bringen und abstellen. „Fürchtet keine Schwierigkeiten, denn obwohl sie auch kommen mögen, werden sie nicht zwischen euch und das Reich treten." Es hat keinen Zweck, beim Gedanken an etwas zu zittern, was uns nicht von der Liebe Gottes trennen kann (s. Röm 8,39).

2. Er sagte ihnen, sie sollten ihr Herz gewiss machen, indem sie sich einen Schatz im Himmel sammeln **(s. Vers 33-34)**.

2.1 „Verkauft eure Habe und gebt Almosen!" Das heißt, „anstatt dass euch die Mittel fehlen, mit denen ihr die Armen trösten könnt, sollt ihr das verkaufen, was überflüssig ist, und es den Armen geben. ‚Verkauft eure Habe', wenn ihr seht, dass sie für euch ein Hindernis oder eine Belastung im Dienst Christi ist. Verkauft nicht, um Geld zu horten oder weil ihr es vermehren könnt, indem ihr es mit Zinsen verleiht, sondern ihr sollt es verkaufen und Almosen geben. Was richtig den Armen gegeben wird, ist mit den besten Zinsen und mit der größten Sicherheit angelegt."

2.2 „Richtet euer Herz auf die andere Welt aus. ‚Macht euch Beutel, die nicht veralten.'" Die Gnade wird mit uns in eine andere Welt gehen, weil sie mit der Seele verwebt ist, und unsere guten Werke werden uns nachfolgen (s. Offb 14,13). Diese werden ein Schatz im Himmel sein und solch ein Schatz wird uns für alle Ewigkeit reich machen.

Es ist ein Schatz, der nicht vergehen wird; wir können ihn in alle Ewigkeit ausgeben; es besteht keine Gefahr, dass wir das Ende dieses Schatzes sehen.

Es ist ein Schatz, bei dem wir in keinerlei Gefahr stehen, dass er uns geraubt wird. Was im Himmel gelagert ist, ist außer Reichweite von Feinden.

Es ist ein Schatz, der nicht zerstört wird, wenn man ihn verwahrt, wie er auch nicht vergeudet wird, wenn man ihn ausgibt; die Motte zerstört ihn nicht (s. Mt 6,19-20). Wir haben unseren Schatz im Himmel gesammelt, wenn unser Herz dort ist, obwohl wir hier sind **(s. Vers 34)**. „Wenn aber euer Herz auf die Erde und die Dinge dieser Welt gerichtet ist, steht zu befürchten, dass ihr euren Schatz und euer Erbe darin habt und dass ihr darum zugrunde gehen werdet, wenn ihr diesen verlasst."

3. Er sagte ihnen, sie sollten sich für das Kommen Christi bereit machen und bereit bleiben **(s. Vers 35-36)**.

3.1 Christus ist unser Herr und wir sind seine Knechte, nicht nur arbeitende Knechte, sondern auch wartende Knechte. Wir müssen Menschen sein, die auf ihren Herrn warten, die spät aufbleiben, wenn er spät wegbleibt, um bereit zu sein, ihn zu empfangen, wenn er zurückkehrt.

3.2 Christus, unser Herr, wird wiederkehren, wenn er jetzt auch von uns fortgegangen ist. Christi Knechte sind jetzt in einem Stand der Erwartung der „Erscheinung der Herrlichkeit" ihres Herrn (Tit 2,13). Er wird kommen, um seine Knechte zu legitimieren und anzuerkennen und sie werden entweder bei ihm bleiben oder zur Tür hinausgestoßen werden, was davon abhängt, wie man sie an jenem Tag vorfindet.

3.3 Die Zeit der Rückkehr unseres Herrn ist ungewiss; es wird weit in der Nacht sein, wenn er sein Kommen lange hinausgeschoben hat: „in der zweiten Nachtwache", gerade vor Mitternacht, oder „in der dritten Nachtwache", die Mitternacht beginnt **(Vers 38)**. „Denn der Sohn des Menschen kommt zu einer Stunde, da ihr es nicht meint" **(Vers 40)**. Dies zeigt das vorherrschende Selbstbewusstsein der meisten Menschen, die gedankenlos sind, sodass, wann immer er kommt, es zu einer Stunde ist, da sie es nicht meinen.

3.4 Was er von seinen Knechten erwartet und fordert, ist, dass „sie ihm sogleich auftun" **(Vers 36)**, das heißt, dass sie als seine Knechte erfunden werden, mit ihren Lenden umgürtet. Die Redensart spielt auf Knechte an, die bereit sind, dahinzugehen, wo ihr Meister sie hinsendet, und zu tun, was ihr Meister ihnen sagt, die an ihrem langen, losen Gewand einen Gürtel oder Gurt befestigt haben, welcher sonst lose an ihnen herumhängen und ihre Bewegung behindern würde. Und welche, die ihre „Lichter brennend" haben, damit sie ihrem Herrn den Weg in das Haus leuchten können.

3.5 Diese Knechte, die bereit gefunden werden, wenn er kommt, werden glückselig sein: „Glückselig sind jene Knechte" **(Vers 37)**, die, nachdem sie lange gewartet haben, wach erfunden werden und denen sein erstes Nahen bewusst ist, sein erstes Klopfen. Wieder heißt es in **Vers 38**: „... glückselig sind jene Knechte!" Er wird „sie zu Tisch führen und hinzutreten und sie bedienen". Es ist nicht ungewöhnlich, dass der Bräutigam seine Braut am Tisch bedient, doch seine Knechte zu bedienen ist nicht der gewöhnliche menschliche Weg, und doch hat Jesus Christus sich einmal, um sein Herablassen zu zeigen, umgürtet und ihnen gedient, indem er ihnen die Füße wusch (s. Joh 13,4-5).

3.6 Wir werden über die genaue Zeit seines Kommens in Ungewissheit gehalten, damit wir immer bereit sind: „Wenn der Hausherr wüsste, zu welcher Stunde der Dieb käme", würde er, selbst wenn er sehr nachlässig wäre, wachen **(Vers 39)**. Doch wir wissen nicht, zu welcher Stunde der Alarm für uns schellen wird, und darum sollten wir darauf bedacht sein, immer auf der Hut zu sein. Oder dies verweist vielleicht auf den elenden Stand jener, welche in dieser großen Sache nachlässig und ungläubig sind. Wir haben die Warnung bekommen, dass der Tag des Kommens des Herrn so sein wird „wie ein Dieb in der Nacht" (1.Thess 5,2) und doch wachen wir nicht, wie wir es sollten. Wenn die Menschen so sehr für ihr Haus sorgen, wollen wir so weise für unsere Seelen sein: „Darum seid auch ihr bereit!" So bereit, wie es der Hausherr sein würde, wenn er „wüsste, zu welcher Stunde der Dieb käme".

Vers 41-53

Hier gibt es:

1. Die Frage, die Petrus Christus aus Anlass des vorangehenden Gleichnisses stellt: „Herr, sagst du dieses Gleichnis für uns oder auch für alle" **(Vers 41)**, für alle, die ihn hören würden? Petrus war nun wie oft der Wortführer der Jünger. Wir haben Grund, Gott dafür zu loben, dass es Menschen gibt, die so eifrig sind; diejenigen, die eine solche Gabe haben, mögen darauf achten, dass sie nicht stolz werden. Petrus wollte nun, dass Christus es erklärt. „Herr, sind wir oder alle gemeint?", fragte Petrus. Christus gab in Markus 13,37 eine direkte Antwort darauf: „Was ich aber euch sage, das sage ich allen." Doch hier scheint er zu zeigen, dass dies in erster Linie die Apostel anginge. „Herr, sagst du dieses Gleichnis für uns?' Ist dies ein Wort für mich? Sprich es zu meinem Herzen."

2. Christi Antwort auf diese Frage, die an Petrus und den Rest der Jünger gerichtet war. Was folgt, ist indes besonders für geistliche Diener geeignet, welche die Verwalter im Haus Christi sind. Hier sagt ihnen unser Herr Jesus:

2.1 Welche Pflicht sie als Verwalter hätten und welches Gut ihnen anvertraut wäre (s. 1.Tim 1,11; 6,20).

Geistliche Diener werden zu Haushaltern in Gottes Haushalt gemacht, unter Christus, dem das Haus gehört; sie führen ihre Vollmacht auf Christus zurück.

Ihre Aufgabe ist, den Kindern und Dienern Gottes ihren Anteil Speise zu geben, der ihnen verordnet ist, Überführung und Ermutigung denjenigen, für welche es sich ziemt.

Sie müssen es ihnen „zur rechten Zeit" geben, ein Wort, um den Müden zu erquicken (s. Jes 50,4).

Hier müssen sie sich als treu und klug erweisen: treu sowohl ihrem Herrn als auch ihren Mitknechten gegenüber und klug, um das Beste aus jeder Gelegenheit zu machen. Geistliche Diener müssen sowohl gewandt als auch treu sein.

2.2 Wie glückselig sie sein würden, wenn sie sich als treu und klug erweisen würden: „Glückselig ist jener Knecht" **(Vers 43)**:
Der tätig ist, nicht träge.

Der so tätig ist, wie er es sein sollte durch öffentliches Predigen und persönlichen Eifer.
Der tätig gefunden wird, wenn sein Herr kommt. Seine Seligkeit wird nun dadurch veranschaulicht, dass der Haushalter (Verwalter) befördert wird, der sich in einem niedrigeren und kleineren Dienst bewiesen hat; solch ein Verwalter wird zu höheren und größeren Pflichten versetzt werden: „Er wird ihn über alle seine Güter setzen" **(Vers 44)**. Geistliche Diener, die Barmherzigkeit vom Herrn bekommen, treu zu sein, werden am Tag des Herrn die weitere Barmherzigkeit einer reichlichen Belohnung für ihre Treue bekommen.

2.3 Was für eine schreckliche Abrechnung es geben wird, wenn sie untreu und treulos sein würden **(s. Vers 45-46)**. Wir hatten dies alles vorher in Matthäus, und darum wollen wir hier nur beachten:

Dass er „in seinem Herzen spricht: Mein Herr säumt zu kommen!" Christi Geduld wird sehr oft als Verzögerung missverstanden zur Entmutigung der Seinen und zur Ermutigung seiner Feinde.

Dass die Verfolger der Seinen gewöhnlich weltlichem Selbstvertrauen preisgegeben werden. Sie schlagen ihre Mitknechte und essen und trinken dann mit den Schlemmern; vollkommen unbesorgt sowohl über ihre eigene Sünde als auch über das Leid ihres Bruders oder ihrer Schwester.

Tod und Gericht werden für alle Übeltäter sehr schrecklich sein, besonders aber für böse geistliche Diener. Dies wird für einen solchen überraschend kommen, „zu einer Stunde, die er nicht kennt".

2.4 Ihre Sünde und ihre Strafe sind sogar noch schlimmer, weil sie ihre Pflicht kannten, sie aber nicht taten: „Der Knecht aber, der den Willen seines Herrn kannte" und ihn nicht tat, „wird viele Schläge erleiden müssen" **(Vers 47)**, und der Knecht, der ihn nicht kannte, wird wenige erleiden müssen; seine Strafe wird geringer sein. Dies scheint auf das Gesetz anzuspielen, welches zwischen Sünden unterschied, die aus Versehen begangen wurden, und vorsätzlichen Sünden (s. 3.Mose 5,15; 4.Mose 15,29-30).

Unwissenheit über unsere Pflicht mildert die Sünde. Der Knecht, der den Willen seines Herrn nicht kannte, und der Dinge tat, die Schläge verdienen, wird geschlagen werden, denn er hätte seine Pflicht besser kennen können, doch er wird mit weniger Schlägen geschlagen werden; seine Unwissenheit ist eine teilweise Entschuldigung, doch keine völlige. Aus Unwissenheit brachten die Juden Christus zu Tode (s. Apg 3,17; 1.Kor 2,8) und Christus brachte diese Unwissenheit in der Entschuldigung für sie vor: „… denn sie wissen nicht, was sie tun!" (Lk 23,34).

Die Kenntnis unserer Pflicht unterstreicht unsere Sünde: „Der Knecht aber, der den Willen seines Herrn kannte … wird viele Schläge erleiden müssen." Es ist recht von Gott, ihm mehr aufzuerlegen, denn gegen die Erkenntnis zu sündigen, zeigt größere Vorsätzlichkeit und Verachtung. Es wird ein guter Grund dafür hinzugefügt: „Denn wem viel gegeben ist, bei dem wird man viel suchen." Denen, welche größere geistige Fähigkeiten haben als andere – mehr Kenntnis und Wissen, mehr Vertrautheit mit und Kenntnis von der Schrift –, ist viel gegeben und sie werden entsprechend verantwortlich gemacht werden.

3. Eine weitere Botschaft über sein eigenes Leiden und das Leiden seiner Nachfolger. Im Allgemeinen: „Ich bin gekommen, ein Feuer auf die Erde zu bringen" **(Vers 49)**. Manche verstehen dies so, dass es die Predigt des Evangeliums und die Ausgießung heiligen Feuers durch den Geist meinte und dieses Feuer war bereits entzündet. Doch aus dem Folgenden scheint es so zu verstehen zu sein, dass es sich auf das Feuer der Verfolgung bezieht. Christus ist nicht der Urheber dieses Feuers, denn es ist die Sünde der Verfolger, doch er erlaubt es als ein läuterndes Feuer, um die Verfolgten zu prüfen.

3.1 Er muss selbst viele Dinge erleiden. Er muss durch dieses Feuer hindurchgehen, welches bereits entzündet ist: „Aber ich muss mich taufen lassen mit einer Taufe" **(Vers 50)**. Heimsuchungen werden mit Feuer und Wasser verglichen (s. Ps 66,12; 69,2-3). Christi Leiden waren beides. Er nannte sie eine Taufe (s. Mt 20,22), weil sie wie Wasser über ihn ausgegossen oder gesprengt wurde und weil er in sie hineingetaucht wurde, wie Israel im Meer getauft wurde (s. 1.Kor 10,2). Beachten Sie hier:

Christi Voraussicht von seinem Leiden. „Aber ich muss mich taufen lassen mit einer Taufe." Er nannte sein Leiden bei einem Namen, der es minderte; es war eine Taufe, keine Flut. „Ich muss in sie hineingetaucht, nicht in ihr ertränkt werden." Und er nannte sie bei einem Namen, der es heiligte, denn die Taufe ist eine heilige Zeremonie.

Den Eifer Christi, sich seinem Leiden zu unterziehen: „Und wie drängt es mich, bis sie vollbracht ist!" Er sehnte sich nach der Zeit, in der er leiden und sterben würde, weil er auf das herrliche Ergebnis seines Leidens schaute. Christi Leiden waren die Schmerzen der Mühsal seiner Seele, denen er sich fröhlich unterwarf. So sehr war sein Herz auf die Erlösung und Errettung des Menschen ausgerichtet.

3.2 Er sagte denen, die um ihn waren, dass auch sie Schwierigkeiten und Härten durchmachen müssten: „Meint ihr, dass ich gekommen sei, Frieden auf Erden zu geben?" **(Vers 51)**. Das deutet darauf hin, dass sie auf diese Annahme vertrauten, dass sie meinten, dass das Evangelium auf umfassende Annahme treffen würde, dass die Menschen es einmütig annehmen würden und dass Christus ihnen zumindest Frieden bringen würde, wenn auch nicht Pracht und Macht. „Doch", sagte Christus, „ihr seid im Irrtum. Das Ergebnis wird das Gegenteil sein und deshalb sollt ihr euch nicht das Paradies eines Narren einbilden." Sie würden sehen:

Dass die Wirkung der Predigt des Evangeliums eine Entzweiung sein würde. Das soll nicht leugnen, dass es die Absicht und der angemessene Zweck des Evangeliums ist, die Menschen miteinander zu vereinen, sie in heiliger Liebe zusammenzuschließen (s. Kol 2,2); und wenn alle das Evangelium annehmen würden, wäre dies seine Wirkung. Viele Menschen werden jedoch nicht nur die Predigt des Evangeliums nicht annehmen, sondern sich ihr aktiv widersetzen, und so wird sie sich als Anlass der Entzweiung erweisen, wenn auch nicht als ihr Grund. Während der Starke bewaffnet seinen Hof in der heidnischen Welt behielt, war sein Besitztum in Frieden (s. Lk 11,21); die Gemeinschaften der Philosophen stimmten genug überein wie auch die Anbeter der verschiedenen Götter. Doch als das Evangelium gepredigt wurde und viele „von der Finsternis zum Licht und von der Herrschaft des Satans zu Gott" bekehrt wurden (Apg 26,18), gab es dort eine Störung. Manche unterschieden sich, indem sie das Evangelium annahmen und andere waren darüber böse, dass sie dies taten. In der Tat würde es unter denen, die das Evangelium empfingen, Entzweiungen geben, und Christus lässt diese für seine heiligen Ziele zu (s. 1.Kor 11,18-19), damit Christen lernen können, geduldig miteinander umzugehen, und dies auch tun (s. Röm 14,1-2).

Dass diese Entzweiung in Privatfamilien hineinreichen würde: „Der Vater wird mit dem Sohn entzweit sein und der Sohn mit dem Vater" **(Vers 53)**, wenn der eine Christ wird und der andere nicht, denn der eine, der Christ wird, wird eifrig versuchen, den anderen durch Argumente und liebe Worte zu überzeugen, sich Christus zuzuwenden (s. 1.Kor 7,16). Der Mensch, der im Unglauben fortfährt, wird provoziert werden und den einen hassen und verfolgen, der durch Glauben und Gehorsam gegen seinen Unglauben und seinen Ungehorsam zeugt und ihn verurteilt. Selbst Mütter und Töchter entzweien sich über die Religion und diejenigen, die nicht glauben, sind bereit, diejenigen, welche glauben, in die Hände der blutdürstigen Verfolger auszuliefern, selbst wenn ihnen diese Gläubigen sonst sehr nah und lieb sind. In der Apostelgeschichte sehen wir, dass, wo immer das Evangelium hinkam, Verfolgung erregt wurde; dem Evangelium wurde „überall widersprochen" (Apg 28,22) und es „entstand ein nicht unbedeutender Aufruhr um des Weges willen" (Apg 19,23). Deswegen mögen die Jünger Christi sich nicht „Frieden auf Erden" versprechen **(Vers 51)**.

Vers 54-59

Nachdem er in den vorangehenden Versen seinen Jüngern ihre Lektion gelehrt hat, wendet sich Christus hier an die Volksmenge und lehrt sie die ihre **(s. Vers 54)**. Im Allgemeinen wollte er, dass sie in geistlichen Dingen genauso weise sind, wie sie es in den äußeren Dingen des Lebens waren.

1. Sie mögen lernen, den Weg Gottes für sie zu erkennen, damit sie sich entsprechend auf ihn vorbereiten können. Sie verstanden das Wetter; sie konnten vorhersagen, wann es regnen und wann heißes Wetter kommen würde **(s. Vers 54-55)**. Selbst in Bezug auf die Veränderung des Wetters warnt uns Gott vor dem, was kommt, und das Geschick des Menschen hat das Barometer erfunden, um die Ankündigungen auszuweiten, welche die Natur uns gibt. Aus dem, was geschah, arbeiten wir das heraus, was geschehen wird. Wir sehen den Nutzen der Erfahrung; durch Beachten können wir lernen anzukündigen. Wer weise ist, wird beobachten und lernen. Beachten Sie:

1.1 Die Einzelheiten der Zeichen: „‚Wenn ihr das Gewölk aufsteigen seht vom Westen her', vielleicht ist es zuerst nicht größer als ‚die Hand eines Mannes', doch sagt ihr, dass es einen Regenschauer geben wird, und so geschieht es. ‚Und wenn der Südwind weht, so sagt ihr: Es wird heiß!' Und normalerweise geschieht es so" (1.Kön 18,44) – obwohl die Natur sich nicht auf einen solchen Verlauf beschränkt hat und wir manchmal mit unserer Vorhersage falsch liegen.

1.2 Die Schlussfolgerungen, die er daraus zog: „‚Ihr Heuchler', die ihr behauptet, weise zu sein, es aber in Wirklichkeit nicht seid, ‚wie kommt es aber, dass ihr diese Zeit nicht beurteilt?' Warum seid ihr euch nicht bewusst, dass ihr jetzt die Gelegenheit habt, die ihr nicht lange und die ihr vielleicht nie wieder haben werdet?" **(Vers 56)**. „Siehe, jetzt ist die angenehme Zeit" (2.Kor 6,2); sie ist jetzt oder nie. Die Menschen sind töricht und unglücklich, wenn sie ihre Zeit nicht kennen (s. Pred 9,12). Das war das Verderben der Menschen dieses Geschlechts, dass sie den Tag ihrer Heimsuchung nicht erkannt haben (s. Lk 19,44). Er fügte hinzu: „Und warum entscheidet ihr nicht von euch selbst aus, was recht ist?" **(Vers 57)**. Wenn die Menschen sich selbst die Freiheit gestatten würden, zu entscheiden, was recht ist, würden sie bald sehen, dass alle Gebote Christi über alle Dinge recht sind und dass es nichts gibt, was in sich mehr recht ist, als sich ihnen zu unterwerfen und von ihnen beherrscht zu werden.

2. Sie mögen rasch ihren Frieden mit Gott machen, bevor es zu spät ist (s. Vers 58-59). Wir hatten dies bei einem anderen Anlass (s. Mt 5,25-26).

2.1 Wir halten es in unseren weltlichen Dingen für weise, dass wir uns mit denen einigen, mit denen wir nicht streiten können. „Denn wenn du mit deinem Widersacher zur Obrigkeit gehst' und du in der Gefahr stehst, ins Gefängnis geworfen zu werden, dann weißt du, dass es der weiseste Weg ist, die Sache zwischen euch zu regeln, ‚so gib dir auf dem Weg Mühe, von ihm loszukommen'." Weise Menschen werden nicht zulassen, dass ihre Streitigkeiten bis zum Äußersten gehen, sondern werden sie zeitig regeln.

2.2 Wir wollen in geistlichen Angelegenheiten auf die gleiche Weise handeln. Durch unsere Sünde haben wir Gott zu unserem Gegner gemacht und er hat sowohl das Recht als auch die Macht auf seiner Seite. Christus, dem alles Gericht übergeben wurde (s. Joh 5,22), ist der Richter, vor dem wir bald erscheinen werden. Wenn wir vor ihm vor Gericht stehen, wird der Fall sicherlich gegen uns entschieden werden; der Richter wird uns dem Gerichtsdiener übergeben und wir werden ins Gefängnis der Hölle geworfen werden, bis wir „auch den letzten Groschen bezahlt" haben, was bis in alle Ewigkeit nicht der Fall sein wird. Das Leiden Christi war kurz, doch wegen seines Wertes schuf es eine vollkommene Sühne. Nun wollen wir, wenn wir dies bedenken, emsig darin sein, uns zu vergewissern, dass wir aus den Händen Gottes des Gegners in die Hände Gottes des Vaters erlöst sind, und wir wollen dies tun, wenn wir „auf dem Weg" sind, worauf hier die Betonung liegt. Solange wir noch am leben sind, sind wir „auf dem Weg", und jetzt ist die Zeit für uns, durch Buße und Glauben den Streit zu regeln, jetzt, solange es getan werden kann, ehe es zu spät ist. Wir wollen den Arm des Herrn ergreifen, der mit diesem gnädigen Angebot ausgestreckt ist, damit wir Frieden machen können.

KAPITEL 13

In diesem Kapitel haben wir: 1. Den guten Gebrauch, den Christus von Nachrichten machte, die ihm bezüglich einiger Galiläer zugetragen wurden, unter denen Pilatus kürzlich ein Blutbad angerichtet hatte (s. Vers 1-5). 2. Das Gleichnis von dem unfruchtbaren Feigenbaum (s. Vers 6-9). 3. Christi Heilung einer armen kranken Frau am Sabbat (s. Vers 10-17). 4. Eine Wiederholung der Gleichnisse von dem Senfkorn und von dem Sauerteig (der Hefe) (s. Vers 18-22). 5. Seine Antwort auf die Frage der Zahl der geretteten Menschen (s. Vers 23-30). 6. Die Geringschätzung, die er gegenüber der Bosheit und den Drohungen von Herodes ausdrückte, und seine Ausführungen über das Geschick von Jerusalem (s. Vers 31-35).

Vers 1-5

Wir haben hier:

1. Die Nachricht, die Christus gebracht wurde von dem Tod einiger Galiläer vor Kurzem, „deren Blut Pilatus mit ihren Opfern vermischt hatte" **(Vers 1)**. Wir wollen betrachten:

1.1 Was diese tragische Geschichte war. Sie wird hier kurz berichtet und von keinem der Historiker dieser Zeit erwähnt. Weil die Galiläer Untertanen von Herodes waren, verursachte dieses durch Pilatus begangene Verbrechen gegen sie wahrscheinlich den Streit zwischen Herodes und Pilatus, von dem wir in Lukas 23,12 lesen. Uns wird nicht gesagt, wie viele es waren, vielleicht nur wenige, doch die erwähnten Umstände waren, dass er ihr Blut „mit ihren Opfern" vermischte. Obwohl sie vielleicht guten Grund hatten, den Hass von Pilatus zu fürchten, wollten sie sich nicht von Jerusalem fernhalten, wohin sie nach dem jüdischen Gesetz mit ihren Opfern hingehen mussten. Weder die Heiligkeit des Ortes noch die Heiligkeit des Werkes würde sie vor dem Zorn eines ungerechten Richters schützen, „der Gott nicht fürchtete und sich vor keinem Menschen scheute" (Lk 18,2). Der Altar, der gewöhnlich Heiligtum und ein Zufluchtsort war, war nun zu einer Falle geworden, einem Ort der Gefahr und des Blutbades.

1.2 Warum es zu dieser Zeit unserem Herrn Jesus berichtet wurde.

Vielleicht war es bloß eine Nachricht, von der sie meinten, dass er sie noch nicht gehört hatte, und bei der sie meinten, dass er darüber klagen würde, wie sie es taten.

Vielleicht war es dazu gedacht, das zu bekräftigen, was Christus am Ende des vorhergehenden Kapitels über die Notwendigkeit gesagt hatte, rechtzeitig mit Gott Frieden zu machen. „Meister, hier gibt es ein neues Beispiel von ein paar Leuten, die sehr plötzlich dem Gerichtsdiener übergeben wurden, welche durch den Tod hinweggenommen wurden, als sie es kaum erwarteten, und darum müssen wir alle bereit sein." Es wird sehr nützlich für uns sein, das Wort Gottes sowohl zu erläutern als es auch auf uns selbst anzuwenden, indem wir die Fügungen der Vorsehung Gottes beobachten. *Vielleicht wurde dies Christus gesagt, um ihn davon abzubringen, nach Jerusalem zu gehen, um anzubeten* **(s. Vers 22)**, *aus Furcht, dass Pilatus ihn so behandeln würde, wie er es mit diesen Galiläern getan hatte. Damit also Pilatus, der in dieser Sache seine Hand im Spiel hatte, nicht weitermachen würde, hielten sie es für Christus ratsam, sich für den Augenblick aus dem Weg zu halten.*

Die Antwort Christi deutet darauf hin, dass sie ihm dies mit einem boshaften Unterton sagten, dass diese Galiläer ohne Zweifel insgeheim Übeltäter gewesen waren, denn sonst hätte Gott Pilatus nicht gestattet, sie so barbarisch dahinzuraffen. Solch eine Anspielung war sehr boshaft; statt anzunehmen, dass diejenigen, die starben, Märtyrer waren, wollten diejenigen, die hier von deren Tod berichteten, ohne Beweis annehmen, dass jene Übeltäter waren. Doch dieses Schicksal jener war nicht nur für eine wohlgesonnene Auslegung passend, sondern für eine ehrenwerte.

2. Christi Antwort auf diesen Bericht.
2.1 Er fügte eine weitere Geschichte hinzu, die, wie jene, ein Beispiel für Menschen war, die durch einen plötzlichen Tod hinweggenommen wurden. Es war nicht lange her gewesen, dass „der Turm in Siloah fiel" und achtzehn Menschen unter den Trümmern tötete und begrub. Es war eine traurige Geschichte, doch leider hören wir oft von solch tragischen Unfällen. Türme, die für die Sicherheit gebaut waren, stellen sich oft als Vernichtung von Menschen heraus.
2.2 Er warnte seine Zuhörer, nicht falschen Gebrauch von diesen und ähnlichen Ereignissen zu machen; sie dürfen dies zum Beispiel nicht zum Anlass nehmen, schwer Leidende zu kritisieren, als würde ihr Leiden beweisen, dass sie große Sünder sind: „Meint ihr, dass diese Galiläer größere Sünder gewesen sind als alle anderen Galiläer, weil sie so etwas erlitten haben? Nein, sage ich euch" **(Vers 2-3)**. Vielleicht waren diejenigen, die ihm diese Geschichte erzählten, Juden, und waren glücklich, eine Information zu haben, die ein schlechtes Licht auf Galiläer warf, und darum antwortete ihnen Christus mit der Geschichte über die „Leute, die in Jerusalem wohnen", die ein vorzeitiges Ende fanden. „Nun, vermutet ihr, dass diese achtzehn, die zu Tode kamen, als der Turm in Siloah auf sie fiel, als sie vielleicht Heilung für sich am Teich Siloah erwarteten, mehr schuldig gegenüber der göttlichen Gerechtigkeit waren als alle anderen Leute, die in Jerusalem wohnen? ,Nein, sage ich euch'." Anhand ihres Leidens in dieser Welt können wir nicht über die Sünden von Menschen urteilen, denn viele werden wie Gold in den Ofen geworfen, um gereinigt zu werden (s. Hiob 23,10; Jes 1,25), nicht als Schlacke und Spreu, um verzehrt zu werden. Wir dürfen darum nicht hart in unserer Kritik an denen sein, die mehr leiden als ihre Nächsten, damit wir den Bekümmerten nicht noch weiteren Kummer hinzufügen mögen. Wenn wir richten wollen, haben wir genug damit zu tun, uns selbst zu richten. Wir können genauso gut schließen, dass die Unterdrücker, auf deren Seite Macht und Erfolg sind, die größten Heiligen sind, wie schließen, dass die Unterdrückten die größten Sünder sind. Wir wollen in unserer Kritik an anderen so handeln, wie wir wünschen würden, dass mit uns umgegangen wird, denn so, wie wir tun, wird mit uns getan werden: „Richtet nicht, damit ihr nicht gerichtet werdet!" (Mt 7,1).
2.3 Er benutzte diese Begebenheiten als Grundlage für einen Ruf zur Buße und fügte jeder dies erweckende Wort hinzu: „Sondern wenn ihr nicht Buße tut, werdet ihr alle auch so umkommen!" **(Vers 3.5)**. Dies zeigt, dass:
Wir alle es genauso viel wie sie verdienen umzukommen. Unsere Kritik muss durch die Erkenntnis gemindert werden, dass wir nicht nur Sünder sind, sondern genauso große Sünder wie sie, dass wir genauso viel Sünde haben, für die wir Buße tun müssen, wie jene unter dieser zu leiden hatten.
Deshalb sollten wir alle Buße tun, das heißt, betrübt sein wegen dem, was wir Schlechtes gemacht haben, und es nicht mehr tun. Die Gerichte Gottes über andere sind laute Rufe an uns, Buße zu tun.
Buße ist der Weg, dem Untergang zu entkommen, und es ist ein sicherer Weg.
Wenn wir nicht Buße tun, werden wir sicherlich umkommen wie andere vor uns. Wenn wir nicht Buße tun, werden wir ewiglich umkommen, wie sie aus dieser Welt ums Leben kamen. Der gleiche Jesus, der uns aufruft: „Tut Buße, denn das Reich der Himmel ist nahe herbeigekommen!" (Mt 4,17), sagt uns, wir sollen Buße tun, weil wir sonst umkommen werden; deshalb hat er uns Leben und Tod, Gut und Böse vorgelegt (s. 5.Mose 30,15.19) und gibt uns die Wahl.

Vers 6-9
Dieses Gleichnis soll die Warnung unterstützen, die direkt vorher kam: „Sondern wenn ihr nicht Buße tut, so werdet ihr alle auch so umkommen!"

1. Dieses Gleichnis bezieht sich in erster Linie auf das jüdische Volk und die jüdische Nation. Gott erwählte sie als sein Eigentum und machte sie zu einem Volk, das ihm nahe war, und erwartete von ihnen als Reaktion Ehrerbietung und Gehorsam, was er als Frucht angesehen hätte. Sie entsprachen jedoch nicht seinen Erwartungen. Sie waren vielmehr eine Schande statt eine Ehre für ihr Bekenntnis. Deshalb entschloss er sich zu Recht, sie preiszugeben, doch auf die Fürsprache Christi hin gab er ihnen gnädig weitere Zeit und weitere Barmherzigkeit. Er prüfte sie sozusagen ein weiteres Jahr, indem er seine Apostel unter sie sandte, um sie zur Buße zu rufen und ihnen im Namen Christi Vergebung anzubieten. Manche von ihnen wurden überzeugt, Buße zu tun und Frucht hervorzubringen und alles war gut mit ihnen, doch der größte Teil des Volkes blieb weiter unbußfertig und fruchtlos und über sie kam Verderben ohne ein Heilmittel.

2. Es hat jedoch einen weiteren Bezug: Es ist dazu bestimmt, alle aufzuwecken, welche die Gnadenmittel genießen, dass sie dafür sorgen, dass die Haltung ihrer Herzen und Gemüter und der ganze Inhalt ihres Lebens ihren Möglichkeiten entspricht, denn das ist die Frucht, die gefordert wird. Beachten Sie:

2.1 Die Vorteile, die dieser Feigenbaum hatte. Er war „in seinem Weinberg gepflanzt", in besserer Erde als andere Feigenbäume und wo man sich mehr um ihn kümmerte, denn Feigenbäume wuchsen für gewöhnlich „am Weg" (Mt 21,19). Dieser Feigenbaum gehörte „einem bestimmten Mann" (KJV). Die Gemeinde Gottes ist sein Weinberg (Jes 5,1-2). Wir sind Feigenbäume, welche in diesen Weinberg gepflanzt sind, und dass wir dort hingesetzt sind, ist eine besondere Gunst.

2.2 Was der Eigentümer dadurch erwartete: „Und er kam und suchte Frucht darauf." Er schickte nicht jemand anderen, sondern kam selbst. Christus kam in diese Welt, „kam in sein Eigentum" (Joh 1,11) und suchte Frucht. Der Gott des Himmels fordert und erwartet Frucht von denen, die einen Platz in seinem Weinberg haben. Es ist nicht genug, Blätter hervorzubringen, zu rufen: „Herr, Herr!" (Mt 7,21); noch, Blüten hervorzubringen, gut zu beginnen und viel zu versprechen; es muss echte Frucht geben. Unsere Gedanken, Worte und Taten müssen gemäß dem Evangelium Licht und Liebe sein.

2.3 Die Enttäuschung dieser Erwartung: Er „fand keine", nicht eine Feige. Es ist traurig zu denken, wie viele Menschen die Vorrechte des Evangeliums genießen, aber rein gar nichts für die Ehre Gottes tun.

Er beklagte sich darüber bei dem Mann, der für den Weinberg sorgte: „Ich komme und suche Frucht, doch ich werde enttäuscht – ich finde keine."

Er betonte seine Enttäuschung aufgrund von zwei Gesichtspunkten:

Dass er lange gewartet hatte, doch immer noch enttäuscht wurde. Genauso wie er nicht große Erwartungen hatte – er erwartete nur Frucht, nicht viel Frucht –, so war er nicht voreilig. Er kam „drei Jahre", Jahr für Jahr. Das Gleichnis lehrt uns im Allgemeinen, dass sich Gottes Geduld über viele Menschen erstreckt, die das Evangelium genießen und dennoch durch dieses Evangelium keine Frucht hervorbringen. Wie oft ist Gott in drei Jahren zu vielen von uns gekommen und suchte Frucht und fand keine?

Dass dieser Feigenbaum nicht nur keine Frucht brachte – er verursachte auch Schaden; er machte „das Land unnütz" (erschöpfte den Boden). Er beanspruchte den Platz, den ein fruchtbarer Baum hätte besetzen können, und er war schädlich für alles um ihn herum. Diejenigen, die nichts Gutes tun, schaden für gewöhnlich durch die Wirkung ihres schlechten Beispiels. Die verursachten Schwierigkeiten sind größer und das Land ist mehr versperrt, wenn der Baum groß, breit, alt und ausgebreitet ist.

2.4 Das über ihn gefällte Urteil: „Haue ihn ab!" Bei unfruchtbaren Bäumen kann man kein anderes Ende für sie erwarten, als dass sie abgehauen werden, und aus gutem Grund, denn: „Warum macht er das Land unnütz?" Was für einen Grund gibt es, dass er einen Platz im Weinberg haben soll, wenn er nutzlos ist?

2.5 Die Fürsprache für ihn durch den Mann, der sich um den Weinberg kümmerte. Christus ist der große Fürsprecher. Geistliche Diener sind Fürsprecher; wir sollten für die beten, denen wir predigen. Beachten Sie:

Was es war, wofür er betete, nämlich einen Aufschub: „Herr, lass ihn noch dieses Jahr" (Vers 8). Er betete nicht: „Herr, lasse ihn niemals abhauen", sondern: „Herr, nicht jetzt." Es ist wünschenswert, einen Aufschub für einen unfruchtbaren Baum zu haben. Manche hatten noch nicht die Gnade, um Buße zu tun (s. Apg 5,31; 11,18), doch es ist für sie eine Barmherzigkeit, die Möglichkeit der Buße zu haben. Wir verdanken es Christus, dem großen Fürsprecher, dass unfruchtbare Bäume nicht sofort abgehauen werden. Wir werden ermutigt, zu Gott um einen barmherzigen Aufschub für unfruchtbare Bäume zu beten: „Herr, lasse sie in Ruhe; ertrage sie ein wenig länger und warte, damit du begnadigen kannst" (s. Jes 30,18). Auf diese Weise müssen wir in den Riss treten, um den Zorn abzuwenden (s. Hes 22,30). Doch ein barmherziger Aufschub gilt nur für eine Zeit: „Herr, lass ihn noch dieses Jahr." Wenn Gott lange Zeit geduldig gewesen ist, können wir hoffen, dass er ein wenig länger geduldig sein wird, doch wir können nicht erwarten, dass er immer geduldig ist. Die Gebete anderer für uns können einen Aufschub für uns erlangen, aber keine Vergebung; es muss einen individuellen persönlichen Glauben, Buße und Gebet geben.

Wie er versprach, das Beste aus diesem Aufschub zu machen: „... bis ich um ihn gegraben und Dünger gelegt habe." Dies zeigt uns:

Unsere Gebete müssen im Allgemeinen immer durch unsere Bemühungen unterstützt werden. Wir müssen in all unseren Gebeten Gottes Gnade mit einer demütigen Entschlossenheit suchen, unsere Pflicht zu tun; sonst verspotten wir Gott und zeigen, dass wir die Barmherzigkeiten nicht richtig schätzen, für die wir beten. Der Eine, der sich um den Weinberg kümmerte, verpflichtete sich, seinen Teil zu tun, und dies lehrt geistliche Diener, den ihren zu tun.

Insbesondere müssen wir, wenn wir für Gnade beten, unseren Gebeten den fleißigen Gebrauch der Gnadenmittel folgen lassen. Der Eine, der sich um den Weinberg kümmert, wollte um den Baum graben und Dung um ihn herum streuen. Unfruchtbare Christen müssen durch die Schrecken des Gesetzes geweckt werden, welches den brachliegenden Boden aufbricht, und dann durch die Verheißungen des Evangeliums ermutigt werden, die wärmend sind und den Ertrag steigern, wie es Dung für den Baum ist. Beide Methoden müssen probiert werden; die eine bereitet die andere vor und es ist alles wenig genug.

Wie er die Sache beließ. „Wir wollen sehen, was wir mit ihm machen können, ‚und wenn er künftig Frucht bringen wird, gut' (schön; Vers 9; Elb 06). Das Wort „gut" steht nicht im ursprünglichen Text von Vers 9; die Aussage ist schroff: „Wenn er Frucht bringt." Beenden Sie den Satz, wie Sie möchten, um auszudrücken, wie wunderbar erfreut sowohl der Eigentümer als auch derjenige, der sich darum kümmerte, sein würden. Wenn unfruchtbare Menschen, die den religiösen Glauben bekennen, nach einer langen Zeit der Unfruchtbarkeit Buße tun, die Dinge in Ordnung und Frucht bringen, dann werden sie sehen, dass alles gut ist. Gott wird erfreut sein; die Hände des geistlichen Dieners werden gestärkt werden. Es wird in der Tat Freude im Himmel darüber geben (s. Lk 15,7); der Boden wird nicht länger von etwas Nutzlosem besetzt sein, sondern wird einem besseren Nutzen zugeführt werden; der Weinberg wird schöner sein und seine guten Bäume verbessert. Was den Baum selbst anbetrifft, so ist es gut; auch er wird Segen von Gott empfangen (s. Hebr 6,7). Er wird gereinigt werden, damit er „mehr Frucht bringt" (Joh 15,2). Doch er fügte hinzu: „... wenn nicht, so haue ihn danach ab!" Obwohl Gott lange Zeit geduldig ist, wird er nicht immer geduldig sein. Unfruchtbare Bäume werden am Ende sicherlich abgehauen und „in den Feuersee geworfen" werden (Offb 20,15). Je länger Gott gewartet hat, umso größer wird ihre Vernichtung sein: Danach abgehauen zu werden, wird wahrhaftig schlimm sein. Das Abhauen ist, wenn es auch eine Arbeit ist, die getan werden muss, keine Arbeit, die Gott Freude macht. Wenn unfruchtbare Bäume in ihrer Fruchtlosigkeit beharren, werden diejenigen, die jetzt für sie eintreten, sogar damit einverstanden sein zu sehen, dass sie umgehauen werden. Ihre besten Freunde werden das gerechte Gericht Gottes akzeptieren.

Vers 10-17

Hier ist:

1. Die übernatürliche Heilung einer Frau, die lange „einen Geist der Krankheit hatte" (durch einen Geist verkrüppelt war). Unser Herr Jesus verbrachte seine Sabbate in der Synagoge **(s. Vers 10).** Wir sollten darauf bedacht sein, dies zu tun, und nicht meinen, wir könnten den Sabbat genauso gut zu Hause verbringen und ein gutes Buch lesen. Ferner hat er, als er am Sabbat in der Synagoge war, dort gelehrt. Er war zu Hause, wenn er lehrte. Um nun die Lehre zu bestätigen, die er predigte, vollbrachte er ein Wunder der Barmherzigkeit.

1.1 Diejenige, welche die Liebe Christi empfangen sollte, war eine Frau in der Synagoge, „die seit 18 Jahren einen Geist der Krankheit hatte" **(Vers 11).** Durch göttliche Zulassung hatte sie ein böser Geist verkrüppelt, sodass sie verkrümmt war und sie „konnte sich gar nicht aufrichten": Sie konnte sich nicht gerade stehen. Obwohl sie sehr unter dieser Krankheit litt, ging sie immer noch am Sabbat in die Synagoge. Selbst leibliche Schwächen, wenn sie nicht wirklich schmerzhaft sind, sollten uns nicht vom öffentlichen Gottesdienst am Sabbat abhalten, denn Gott kann uns über unsere Erwartung hinaus helfen.

1.2 Das Angebot dieser Heilung für jemanden, der sie nicht gesucht hatte, zeigt das Vorauseilen der Barmherzigkeit und Gnade Christi: „Als nun Jesus sie sah, rief er sie zu sich" **(Vers 12).** Ehe sie rief, antwortete er (s. Jes 65,24). Sie kam zu ihm, um gelehrt zu werden, um Gutes für ihre Seele zu bekommen, und dann gab Christus diese Erleichterung in ihrer leiblichen Krankheit. Diejenigen, deren erste und hauptsächliche Sorge ihre Seele ist, tun das Beste, was sie können, um auch den wahren Belangen ihres Leibes behilflich zu sein.

1.3 Die Wirksamkeit und Unmittelbarkeit der Heilung zeigt seine Allmacht. „Und er legte ihr die Hände auf" und sagte: „Frau, du bist erlöst von deiner Krankheit!" Obwohl sie „sich gar nicht aufrichten" konnte, vermochte Christus sie sowohl aufzurichten als auch zu befähigen, sich aufzurichten. Diese Frau, die verkrümmt war, wurde sofort aufrecht gemacht. Diese Heilung stellt das Werk der Gnade Christi für die Seelen der Menschen dar:

Bei der Bekehrung von Sündern. Nicht geheiligte Herzen sind unter diesem „Geist der Krankheit"; sie sind verformt. Sie können sich „gar nicht aufrichten" zu Gott und zum Himmel; in ihrem natürlichen Zustand ist die Neigung der Seele, ihr Streben, vollkommen dem Himmel abgewandt. Solche verkrümmten Seelen suchen Christus nicht, doch er ruft sie zu sich, spricht ein heilendes Wort zu ihnen, durch das er sie von ihrer Krankheit erlöst. Er macht die Seele aufrecht. Die Gnade Gottes kann das aufrecht machen, was die Sünde des Menschen verkrümmt hat.

Im Trost für gute Menschen. Viele der Kinder Gottes leiden lange unter einem „Geist der Krankheit", einem Geist der Knechtschaft. Doch Christus erlöst durch seinen „Geist der Sohnschaft" zur rechten Zeit von dieser Schwachheit (Röm 8,15).

1.4 Diese Heilung hatte unmittelbare Wirkung auf die Seele der Patientin wie auch auf ihren Leib. Sie „pries Gott". Wenn gekrümmte Seelen aufgerichtet werden, zeigen sie das, indem sie Gott die Ehre geben.

2. Der Anstoß, den dies bei dem Synagogenvorsteher erregte. Er war empört darüber, weil es „am Sabbat" getan wurde **(Vers 14)**. Welches Licht kann so klar und stark scheinen, dass ein Geist der Engstirnigkeit nicht dafür sorgen wird, dass die Menschen die Augen davor verschließen? Er „sprach zu der Volksmenge" und bezog sich auf Christus mit dem, was er sagte: „Es sind sechs Tage, an denen man arbeiten soll; an diesen kommt und lasst euch heilen, und nicht am Sabbattag!" Beachten Sie hier, wie geringschätzig er die Wunder betrachtete, die Christus vollbrachte, als wären sie Dinge, die als Selbstverständlichkeit geschehen sind. „Ihr mögt an jedem Tag der Woche kommen und geheilt werden." Christi Heilen war in seinen Augen billig und gewöhnlich geworden. Dies war klar das Werk Gottes, und wenn Gott uns verbat, an diesem Tag zu arbeiten, hat er es sich selbst dann auch verboten (s. Joh 5,17)? Das gleiche Wort, *chesed*, bezeichnet im Hebräischen sowohl fromm als auch barmherzig, um zu zeigen, dass Werke der Barmherzigkeit und Liebe in gewisser Weise gottesfürchtiges Handeln (s. 1.Tim 5,4) und darum sehr passend sind, um sie am Sabbat zu tun.

3. Christi Rechtfertigung von sich selbst in dem, was er getan hatte: „Der Herr nun antwortete ihm und sprach: Du Heuchler" **(Vers 15)**. Wir müssen nachsichtig richten und können nur nach den äußeren Erscheinen richten (s. 1.Sam 16,7). Christus aber wusste, dass der Synagogenvorsteher eine echte Feindschaft ihm und seinem Evangelium gegenüber hegte, dass er diese Feindschaft nur mit einem vorgegebenen Eifer für den Tag des Sabbats verhüllte. Christus hätte ihm dies sagen können, doch er ließ sich herab, die Sache mit ihm zu erörtern.
3.1 Er verwies auf die Praxis der Juden – die bei ihnen allen üblich und nie verboten war –, dass sie ihr Vieh am Sabbat tränkten. Vieh, welches im Stall gehalten wurde, wurde stetig „von der Krippe" gelöst und „zur Tränke" geführt. Es wäre grausam, dies nicht zu tun. Würde dem Vieh ein Fasten auferlegt, wenn man es am Sabbattag ruhen lässt, wäre eine solche Ruhe schlimmer als Arbeit.
3.2 Er wandte dies auf die vorliegende Situation an (s. Vers 16): „Muss man dem Ochsen und dem Esel am Sabbat Mitleid zeigen und sollte nicht diese Frau von viel größeren Leiden befreit werden? Sie ist eine Tochter Abrahams, sie ist eure Schwester, und sollte ihr eine Gunst verwehrt werden, die ihr einem Ochsen oder einem Esel erweist? Sie ist eine Tochter Abrahams und ist damit berechtigt, den Segen des Messias zu empfangen. Sie ist eine, die der Satan gebunden hielt und deshalb ist es nicht nur ein Akt der Liebe gegenüber dieser armen Frau, sondern auch ein Akt der Hingabe an Gott, die Macht des Teufels zu brechen. Sie ist schon 18 Jahre in einem beklagenswerten Zustand und deshalb soll, da es nun eine Gelegenheit gibt, sie zu erlösen, es keinen Tag länger aufgeschoben werden. Jeder von euch würde meinen, dass 18 Jahre der Heimsuchung lang genug sind."

4. Die verschiedenen Auswirkungen, die dies auf jene hatte, die ihn hörten.
4.1 Was für Verwirrung dies bei seinen Verfolgern als Vergeltung für ihre Bosheit bewirkte: „Und als er das sagte, wurden alle seine Widersacher beschämt" **(Vers 17)**. Es war eine Beschämung, die keine Buße bewirkte, sondern vielmehr Empörung.
4.2 Welche Bestätigung dies für den Glauben seiner Freunde gab: „Und die ganze Menge freute sich über all die herrlichen Taten, die durch ihn geschahen." Die Demütigung seiner Feinde war die Freude seiner Nachfolger. Die Dinge, welche Christus tat, waren herrliche Dinge, und wir sollten uns in ihnen freuen.

Vers 18-22
1. Hier wird in zwei Gleichnissen der Fortschritt des Evangeliums vorhergesagt, die wir vorher schon hatten (s. Mt 13,31-33). Christus unternimmt es hier zu erklären, wem „das Reich Gottes gleich" ist **(Vers 18)**: „Womit soll ich das Reich Gottes vergleichen?" **(Vers 20)**. Es würde vollkommen anders sein als das, was sie erwarten würden. Sie würden erwarten, dass es groß erscheine und unvermutet seine Vollendung erreiche, doch sie seien im Irrtum. „Es gleicht einem Senfkorn", etwas, das klein ist, unbedeutend aussieht und wenig verspricht, dass aber, wenn es gesät würde, wächst und zu einem großen Baum wird **(s. Vers 19)**. Viele Leute waren vielleicht dem Evangelium gegenüber voreingenommen, weil sein Beginn so klein war. Christus wollte dieses Vorurteil beiseiteschaffen, indem er ihnen zusicherte, dass, obwohl der Anfang klein war, das spätere „Ende aber herrlich groß" sein würde (Hiob 8,7; ZÜ), sodass viele Menschen zu ihm „gleich einer Wolke daherfliegen" werden (Jes 60,8), um in seinen Zweigen zu ruhen. „Ihr erwartet, dass es durch äußerliche Mittel wächst, doch es wird wie Sauerteig (Hefe) wachsen, ruhig und unmerklich, ohne irgendwelche Kraft oder Gewalt. Ein wenig Sauerteig durchsäuert den ganzen Teig. Auf die gleiche Weise wird die Botschaft von Christus auf sonderbare Weise ihren Wohlgeruch unter dem ganzen Men-

schengeschlecht verbreiten. Doch ihr müsst ihr Zeit geben und ihr werdet sehen, dass sie Wunder bewirkt hat. Nach und nach wird das Ganze durchsäuert" (**s. Vers 21**; 1.Kor 5,6).

2. Christi Reise nach Jerusalem wird berichtet: „Und er zog durch Städte und Dörfer und lehrte" **(Vers 22)**. Hier sehen wir, wie Christus seinen Weg nach Jerusalem fortsetzt, zum Fest der Einweihung, welches im Winter war, als das Reisen unbequem war.

Vers 23-30
Hier haben wir:

1. Eine Frage, die unserem Herrn Jesus gestellt wird. Uns wird nicht gesagt, wer sie stellte, ob es ein Freund oder ein Feind war. Die Frage war: „Herr, sind es wenige, die errettet werden?" **(Vers 23)**. Vielleicht war es eine listige Frage. Wenn er sagen würde, dass viele gerettet werden würden, würden sie ihn als zu lax kritisieren; wenn er sagen würde wenige, würden sie ihn als zu streng und engherzig verurteilen. Bei nichts zeigen die Menschen mehr ihre Unwissenheit als bei dem Urteilen über die Errettung anderer. Vielleicht wurde diese Frage aus Neugierde gestellt, als intellektuelle Betrachtung. Viele Menschen sind neugieriger in Bezug darauf, wer gerettet werden wird und wer nicht, als darüber, was sie selbst tun müssen, um gerettet zu werden. Vielleicht wurde diese Frage aus Verwunderung gestellt. Der Fragende hatte erkannt, wie streng das Gesetz Christi und wie schlecht die Welt war, und als er dies verglich, rief er aus: „Wie wenige sind es, die gerettet werden!" Wir haben Grund, darüber erstaunt zu sein, dass von den vielen, denen das Wort des Heils gesandt ist, es so wenige sind, für die es wirklich ein errettendes Wort ist. Vielleicht wurde diese Frage gestellt, um mehr herauszufinden. Man kann es auf diese Weise übersetzen: „Wenn die Geretteten wenig sind ..." Das heißt: „Wenn die Geretteten wenig sind, was dann? Was für Auswirkungen sollte das auf mich haben? Was soll ich diesbezüglich tun?"

2. Christi Antwort auf diese Frage. Unser Heiland beantwortete die Frage nicht direkt, denn er kam, um die Gewissen der Menschen zu führen, nicht, um ihre Neugierde zu befriedigen. Nicht: „Was wird aus dieser oder jener Person werden?" Sondern: „Was soll ich tun und was wird aus mir werden?" Beachten Sie:
2.1 Eine anspornende Ermahnung und Weisung: „Ringt danach, durch die enge Pforte hineinzugehen!" (Wir sollen uns alle Mühe geben, durch die schmale Tür hineinzugehen.) Dazu wird nicht nur der eine angewiesen, der die Frage stellte, sondern alle: „Ringt danach." Alle, die gerettet werden möchten, müssen „durch die enge Pforte" hineingehen und sich einer strengen Schulung unterwerfen. Es ist schwer, in den Himmel zu gehen, und man wird dort nicht ohne eine große Menge Sorgen und Schmerzen hingehen. Man kann es lesen: „Seid in Qual." Wir sollen als solche ringen, die um einen Preis laufen (s. 1.Kor 9,24; Phil 3,14). Wir müssen uns selbst bis zum Äußersten anspornen und anstrengen.
2.2 Verschiedene aufrüttelnde Überlegungen.
Denken Sie daran, wie viele Menschen sich nur etwas für das Heil anstrengen, doch verlorengehen, weil sie nicht genug tun. „Denn viele, sage ich euch, werden hineinzugehen suchen und es nicht können." Sie suchen, doch sie ringen nicht. Der Grund, warum viele die Gnade und Herrlichkeit nicht erlangen, ist, dass sie träge suchen. Sie haben Lust an Seligkeit und eine gute Meinung von Heiligkeit und machen einige gute Schritte auf beides zu, doch ihre Überzeugungen sind schwach; ihr Verlangen ist kalt und ihr Bemühen schwach und in ihrer Entschlossenheit gibt es keine Kraft und Beständigkeit, deshalb verfehlen sie die Herrlichkeit (s. Röm 3,23).
Denken Sie an den Tag der Trennung, der kommen wird, und denken Sie an die Entscheidungen an diesem Tag: Der Hausherr wird aufstehen und die Tür verschließen **(s. Vers 25)**. Jetzt scheint er die Dinge offen gelassen zu haben, doch es kommt der Tag, wenn er aufstehen und die Tür verschließen wird. Welche Tür ist dies?
Eine Tür der Scheidung. Jetzt gibt es innerhalb des Tempels der Gemeinde weltliche Bekenner des Glaubens, welche im äußeren Vorhof anbeten, und es gibt geistliche Bekenner des Glaubens, die hinter dem Vorhang anbeten (s. Hebr 6,19); zwischen diesen ist die Tür nun offen. Doch wenn „der Hausherr aufgestanden ist", wird die Tür zwischen ihnen verschlossen werden, sodass diejenigen, die im äußeren Vorhof sind, draußen gehalten werden können. Als solche, die Unrecht tun (s. Offb 22,11), wird die Tür für sie verschlossen, sodass diejenigen, die drinnen sind, drinnen gehalten werden können, und diejenigen, die heilig sind, heilig bleiben können. Die Tür wird geschlossen, um „das Edle vom Unedlen" zu scheiden (Jer 15,19).
Es ist auch eine Tür der Ablehnung und des Ausschlusses. Die Tür der Barmherzigkeit und Gnade stand ihnen lange offen, doch sie lehnten es ab, durch sie hineinzugehen. Sie hofften, sie könnten durch ihre eigenen Verdienste in den Himmel kommen und so wird der Hausherr, wenn er aufgestanden ist, diese Tür zu Recht verschließen.
Denken Sie daran wie viele, die so darauf vertrauten, dass sie gerettet werden würden, an dem Tag der Prüfung verworfen werden, und Sie werden sagen, dass es wenige sind, die gerettet werden, und dass wir alle ringen sollen. Bedenken Sie:

Wie weit ihre Hoffnung sie bringen wird, sogar bis an die Himmelspforte. Sie werden dort stehen und klopfen, als solche klopfen, die zum Haus gehören, und werden sagen: „Herr, Herr, tue uns auf, denn wir haben ein Recht hineinzugehen!" Viele werden durch eine unbegründete Hoffnung auf den Himmel zugrunde gehen, der sie nie misstrauten oder sie infrage stellten. Sie nennen Christus „Herr", sie wollen nun durch die Tür gehen, die sie vorher gering achteten.

Welche Gründe sie für ihr Selbstvertrauen haben werden. Wir wollen schauen, was ihre Verteidigung ist. Sie waren Christi Gäste und hatten an seinen Gunsterweisen Anteil: „Wir haben vor dir gegessen und getrunken" **(Vers 26)**, an seinem Tisch. Und sie waren Christi Hörer: „‚... und auf unseren Gassen hast du gelehrt!' Würdest du uns lehren, ohne uns zu retten?"

Wie sie ihr Selbstvertrauen im Stich lassen wird. Christus wird zu ihnen sagen: „Ich weiß nicht, woher ihr seid!" **(Vers 25)**. Und wieder: „Ich sage euch: Ich weiß nicht, woher ihr seid; weicht alle von mir" **(Vers 27)**.

Er wird sie verstoßen: „,Ich kenne euch nicht'; ihr gehört nicht zu meiner Familie" (LÜ 84). Der Herr kennt die Seinen, doch er kennt diejenigen nicht, die nicht sein sind, diejenigen, die nicht zu ihm gehören – er hat nichts mit ihnen zu tun.

Er wird sie fallenlassen: „‚Weicht alle von mir.' Weicht von meiner Tür. Für euch gibt es hier nichts."

Er wird sie auf eine Weise beschreiben, die den Grund für diese Verdammung zeigt: „Ihr Übeltäter!" Das ist ihr Verderben, dass sie unter dem Vorwand der Frömmigkeit das Werk des Teufels taten, während sie die Uniform Christi trugen.

Wie schrecklich ihre Strafe sein wird: „Da wird das Heulen und das Zähneknirschen sein" **(Vers 28)**, das größtmögliche Leid und die größtmögliche Empörung: „... wenn ihr Abraham, Isaak und Jakob und alle Propheten im Reich Gottes seht, euch selbst aber hinausgestoßen!" Die Heiligen des Alten Testaments sind im Reich Gottes; sie sahen den Geist Christi aus der Ferne und es tröstete sie (s. Joh 8,56). Die Sünder des Neuen Testaments werden aus dem Reich Gottes hinausgestoßen werden. Sie werden mit Schande bedeckt hinausgestoßen werden, als solche, die weder Anteil noch Erbe daran haben (s. Apg 8,21). Der Anblick der Herrlichkeit der Heiligen wird den Jammer der Sünder verstärken.

Denken Sie an diejenigen, die trotzdem errettet werden: „Und sie werden kommen von Osten und von Westen ... Und siehe, es sind Letzte, die werden Erste sein" **(Vers 29-30)**. Aus dem, was Christus hier sagte, ist klar, dass von denen, bei denen wir es am wahrscheinlichsten halten, dass sie gerettet werden, es nur wenige sind, „die errettet werden". Doch sagen Sie nun nicht, dass das Evangelium vergeblich gepredigt wurde. Viele werden aus allen Teilen der heidnischen Welt kommen und werden eingelassen werden. Wenn wir zum Himmel kommen, werden wir sehr viele dort treffen, bei denen wir kaum meinten, dass wir sie dort treffen würden, und wir werden sehr viele vermissen, die wir wahrlich zu sehen erwarteten. Diejenigen, die „zu Tisch sitzen im Reich Gottes", sind diejenigen, die sich anstrengten, dorthin zu kommen, die von weit kommen, „von Osten und von Westen, von Norden und von Süden". Das zeigt, dass diejenigen, die in dieses Reich hineingehen wollen, danach ringen müssen. Viele, die voraussichtlich in den Himmel kommen, werden ihn nicht erreichen, und andere, die zurückgeblieben schienen, werden gewinnen und den Preis erlangen, und darum sollten wir ringen hineinzugehen. Soll ich, der ich als Erster begann und am nächsten stand, den Himmel nicht bekommen, wenn andere, die es weniger wahrscheinlich schaffen, in ihn hineingehen? Wenn er durch das Ringen danach erlangt wird, warum sollte ich dann nicht danach ringen?

Vers 31-35

Hier ist:

1. Ein Hinweis für Christus, dass er jetzt, wo er sich in Galiläa befand – unter der Gerichtsbarkeit von Herodes –, in Gefahr durch Herodes war. „Etliche Pharisäer" traten zu Christus und sagten: „Gehe fort" aus diesem Land; denn sonst wird „Herodes ... dich töten!" **(Vers 31)**. Manche meinen, dass diese Pharisäer keinerlei Grund dafür hatten, dies zu sagen, sondern dass sie sich diese Lüge ausdachten, um ihn aus Galiläa nach Judäa zu vertreiben, wo sie wussten, dass dort die sind, die ihm wirklich nach dem Leben trachteten. Da aber die Antwort Christi an Herodes selbst gerichtet war, scheint es, dass die Pharisäer einen Grund für das hatten, was sie sagten, und dass Herodes sehr wütend auf Christus war und ihm Schwierigkeiten machen wollte; in der Tat wollte er sein Herrschaftsgebiet von Christus befreien, und er hoffte, ihn dadurch zu vertreiben, indem er ihm diese drohende Botschaft sandte.

2. Seine Verachtung für den Zorn von Herodes: „Geht hin und sagt diesem Fuchs" **(Vers 32)**. Indem er Herodes einen Fuchs nannte, beschrieb er seinen wahren Charakter, denn Herodes war so raffiniert wie ein Fuchs, berühmt für seine Geschicklichkeit, Treulosigkeit und Bosheit. Obwohl dies eine böse und hässliche Charakterisierung ist, war es von Christus nicht falsch, ihn so zu beschreiben. Christus war ein Prophet und Propheten hatten immer die Freiheit der Sprache, wenn sie Herrscher und Leiter tadelten. Darum konnte er diesen stolzen König zu Recht bei seinem eigenen Namen nennen. „‚Geht hin und sagt diesem Fuchs‘, dass ich ihn nicht fürchte", denn:

2.1 „Ich weiß, dass ich sterben muss, und das bald. Ich erwarte dies ‚am dritten Tag‘; das heißt, sehr bald, meine Stunde steht kurz bevor. Wenn Herodes mich töten wollte, würde mich dies nicht überraschen."

2.2 „Ich weiß, dass der Tod meine Erhöhung sein wird, und darum werde ich ihn nicht fürchten. Wenn ich sterbe, ‚bin ich am Ziel‘; ich werde mein Werk vollendet haben; ich werde geweiht werden." Es heißt, dass Christus sich heiligte, als er starb (s. Hebr 10,29); er weihte sich mit seinem eigenen Blut für sein priesterliches Amt.

2.3 „Ich weiß, dass weder er noch jemand anderes mich töten kann, bis ich mein Werk getan habe. ‚Siehe, ich treibe Dämonen aus und vollbringe Heilungen heute und morgen‘, trotz ihm und all seiner Drohungen. Es steht nicht in seiner Macht, mich zu hindern. ‚Doch muss ich heute und morgen und übermorgen reisen‘ und predigen und heilen." Es ist gut für uns, die Zeit, die uns bleibt, nur als wenig anzusehen, damit wir angespornt sein mögen, dass wir jeden Tag das tun, „was vorgeschrieben ist" (3.Mose 23,37; s. 1.Chr 16,37). Es ist für uns ermutigend zu wissen, dass die Macht und der Hass unserer Feinde machtlos sind, uns fortzunehmen, solange Gott für uns noch Arbeit zu tun hat.

2.4 „Ich weiß, dass Herodes mir nicht schaden kann, nicht nur, weil meine Zeit noch nicht da ist, sondern auch, weil der Ort, der für meinen Tod festgelegt ist, Jerusalem ist, das nicht unter seiner Gerichtsbarkeit steht: ‚Denn es geht nicht an, dass ein Prophet außerhalb von Jerusalem umkommt‘" (s. Joh 7,6). Niemand außer dem großen Sanhedrin, der immer in Jerusalem saß, übernahm dies bei wahren Propheten; und wenn also ein Prophet zu Tode gebracht wurde, musste es in Jerusalem sein.

3. Sein Trauern um Jerusalem und seine Verkündigung des Zorns gegen diese Stadt **(s. Vers 34-35)**. Dies hatten wir in Matthäus 23,37-39.

3.1 Die Bosheit von Menschen und Orten, die in höherem Maße als andere eine Beziehung zu Gott bekennen, ist für den Herrn Jesus besonders provozierend und betrüblich. Wie leidenschaftlich sprach er über die Sünde und das Verderben dieser heiligen Stadt! „Jerusalem, Jerusalem."

3.2 Wenn diejenigen, die eine große Fülle der Gnadenmittel genießen, davon keinen Nutzen haben, sind sie oft gegen sie voreingenommen. Wenn die Sünden des Menschen nicht besiegt werden, dann werden sie angereizt.

3.3 Jesus Christus hat sich selbst bereit gezeigt, arme Seelen zu empfangen, die zu ihm kommen: „Wie oft habe ich deine Kinder sammeln wollen wie eine Henne ihre Küken unter ihre Flügel", mit solcher Fürsorge und Zärtlichkeit!

3.4 Der Grund, warum Sünder nicht geschützt werden, ist, dass sie es nicht wollen: „Ich wollte es, ich wollte es oft, doch ‚ihr habt nicht gewollt!‘" Christi Bereitschaft hebt den Widerwillen von Sündern hervor.

3.5 Das Haus, das Christus verlässt, wird „verwüstet gelassen werden". Der Tempel ist verwüstet, wenn Christus ihn verlassen hat. Er würde ihnen überlassen werden; sie mögen ihn für sich selbst nehmen und das Beste damit machen. Christus würde dies nicht mehr stören.

3.6 Christus zieht sich zu Recht von denen zurück, die ihn von sich forttreiben. Sie wollen nicht zu ihm gesammelt werden und darum sagt er: „Ihr werdet mich nicht mehr sehen."

3.7 Das Gericht des großen Tages wird die Ungläubigen machtvoll überzeugen, die sich jetzt nicht überzeugen lassen wollten: „Dann werdet ihr sagen: ‚Gepriesen sei der, welcher kommt.‘ Ihr werdet nicht sehen, dass ich der Messias bin, bis zu der Zeit, wenn es zu spät ist."

KAPITEL 14

Hier haben wir: 1. Die Heilung, die unser Herr Jesus am Sabbat an einem Mann vollbrachte, dessen Leib sehr stark angeschwollen war (s. Vers 1-6). 2. Eine Lektion über Demut (s. Vers 7-11). 3. Eine Lektion über Liebe (s. Vers 12-14). 4. Wie der Erfolg des Angebots des Evangeliums in dem Gleichnis von den Gästen vorhergesagt wird, die zu einem Mahl eingeladen werden (s. Vers 15-24). 5. Wie das große Gesetz der Jüngerschaft niedergelegt wird (s. Vers 25-35).

Vers 1-6
In diesem Bericht finden wir:

1. „Der Sohn des Menschen ist gekommen, der isst und trinkt" (Lk 7,34) und ungezwungen mit allen Arten von Menschen spricht. Dies hier „begab sich, als er am Sabbat in das Haus eines Obersten der Pharisäer ging, um zu speisen" **(Vers 1)**. Schauen Sie, wie gewogen uns Gott ist, dass er uns sogar an seinem eigenen Tag Zeit für leibliche Erquickung gestattet, und bedenken Sie, wie bedacht wir sein sollten, diese Freiheit nicht zu missbrauchen. Christus ging nur, um zu speisen, um eine solche Erquickung zu nehmen, wie sie am Sabbat notwendig war. Man muss unseren Mahlen am Sabbat besondere Sorge erweisen, um sie vor allen Arten von Ausschweifung zu schützen.

2. Er zog umher und tat Gutes (s. Apg 10,38). Hier „war ein wassersüchtiger Mensch vor ihm" (dessen Leib sehr stark geschwollen war). Christus ergriff die Initiative und kam zu ihm mit den Segnungen der Güte; ehe der Mensch ruft, wird Christus ihm antworten (s. Jes 65,24). Es ist gut, dort zu sein, wo Christus ist. Dieser Mann war wassersüchtig, wahrscheinlich sehr schlimm.

3. Er erduldete „Widerspruch von den Sündern gegen sich" (Hebr 12,3). Sie beobachteten ihn **(s. Vers 1)**. Der Pharisäer, der ihn einlud, scheint dies mit der Absicht getan zu haben, einen Streit mit ihm zu suchen. Als Christus sie fragte, ob es erlaubt sei, „am Sabbat zu heilen", wollten sie weder ja noch nein sagen, denn ihre Absicht war es, sich über ihn zu informieren, nicht, von ihm informiert zu werden. Sie wollten nicht sagen, dass es erlaubt ist zu heilen, und sie konnten aus Scham nicht sagen, dass es nicht erlaubt ist. Gute Menschen wurden oft dafür verfolgt, dass sie etwas taten, von dem sogar ihre Verfolger anerkennen mussten, dass es erlaubt und gut ist. Christus tat viele gute Werke, wofür sie Steine auf ihn und seinen Namen warfen (s. Joh 10,32).

4. Christus wollte sich durch den Widerstand und Widerspruch von Sündern nicht daran hindern lassen, Gutes zu tun. „Da rührte er ihn an, machte ihn gesund und entließ ihn" **(Vers 4)**. Er rührte ihn an, das heißt, legte ihm die Hände auf, um ihn zu heilen; er umarmte ihn, nahm ihn in seine Arme, aufgedunsen und unbeholfen wie er war – Menschen, die an Wassersucht leiden, sind dies normalerweise –, und stellte ihn in einem Augenblick zu einer normalen Gestalt wieder her. Dann entließ er ihn, damit ihn die Pharisäer nicht dafür angreifen konnten, dass er geheilt wurde: Welcher Widersinnigkeiten würden sich solche Menschen wie diese Pharisäer nicht schuldig machen?

5. Unser Herr Jesus tat nichts, was er nicht rechtfertigen konnte **(s. Vers 5-6)**. Diejenigen, die vorher still geblieben waren, um spitzfindig zu sein, wurden nun gezwungen, aus Scham still zu bleiben, als er damit fortfuhr, auf ihre Gedanken zu antworten, wobei er auf ihre eigene Praxis verwies: „Wer von euch, wenn ihm sein Esel oder Ochse in den Brunnen fällt, wird ihn nicht sogleich herausziehen am Tag des Sabbats' – und das sofort tut, es nicht bis zum Ende des Sabbats verschiebt, für den Fall, dass er umkommt?" Es war nicht so sehr aus Mitleid mit dem armen Geschöpf, dass sie dies taten, wie aus einer Sorge um ihre eigenen Interessen. Es war ihr eigener Ochse und ihr eigener Esel, die Geld wert waren, und sie würden sich von dem Gesetz des Sabbats entbinden, um dies zu retten. Viele Menschen können sich leicht aus ihren eigenen Interessen von etwas entbinden, wenn sie sich davon auch nicht für Gottes Herrlichkeit und das Wohl ihrer Geschwister freimachen können. Diese Frage brachte sie zum Schweigen: „Und sie konnten ihm nichts dagegen antworten" **(Vers 6)**. Christus wird gerechtfertigt werden, wenn er spricht (s. Ps 51,6; Röm 3,4).

Vers 7-14

Unser Herr Jesus gibt uns hier ein Beispiel von dem nützlichen, erbaulichen Gespräch, das wir an unseren Tischen haben sollten, wenn wir mit unseren Freunden zusammen sind. Als er mit Fremden zusammen war – in Wirklichkeit, als er mit Feinden zusammen war, die ihn beobachteten **(s. Vers 1)** –, da ergriff er die Gelegenheit, das zu tadeln, was er Falsches bei ihnen sah, und sie zu unterweisen. Wir dürfen nicht nur jedwede verkehrte Rede an unserem Tisch nicht erlauben; wir müssen auch über das gewöhnliche harmlose Geschwätz hinausgehen und die Gelegenheit der Güte Gottes uns gegenüber an unseren Tischen nützen, um gut von ihm zu sprechen, und lernen, gewöhnliche Dinge dazu zu nutzen, um über geistliche Dinge zu sprechen. Unser Herr Jesus war unter Menschen von Format und doch jemand, der deswegen niemanden bevorzugte:

1. Er benutzte die Gelegenheit, um die Gäste dafür zu tadeln, dass sie danach strebten, auf den ersten Plätzen zu sitzen.

1.1 Er bemerkte, wie diese Gesetzesgelehrten und Pharisäer sich die ersten Plätze aussuchten **(s. Vers 7)**. Er hatte bereits allgemein über diese Art von Leuten gesprochen (s. Lk 11,43). Hier machte er einzelnen Menschen das Gebot bewusst. Er „bemerkte, wie sie sich die ersten Plätze aussuchten", jeder setzte sich, als er hereinkam, so dicht an den besten Platz, wie er konnte. Selbst in den gewöhnlichen Handlungen des Lebens ruht das Auge Christi auf uns und er bemerkt, was wir tun.

1.2 Er bemerkte, wie diejenigen, die danach trachteten, sich oft bloßstellten und beschämt zurückgewiesen wurden, während diejenigen, die bescheiden waren und sich auf die niedrigsten Plätze setzten, sich oft Respekt damit verschafften.

Diejenigen, welche die ersten Plätze einnehmen, können gezwungen werden, sie einem Vornehmeren zu überlassen und einen niedrigeren Sitz einzunehmen **(s. V.8-9)**. Es sollte unserer hohen Meinung von uns selbst Einhalt gebieten, daran zu denken, wie viele es gibt, die vornehmer sind als wir, nicht nur in Bezug auf weltliche Ehre, sondern auch an persönlichen Verdiensten und Leistungen. Der Gastgeber des Festes wird seine Gäste geleiten und wird nicht er-

lauben, dass den Vornehmen nicht die Plätze zugestanden werden, die ihnen gebühren, und darum wird er denjenigen unerschrocken auf einen geringeren Platz verweisen, der sich den höheren angeeignet hat: „Mache diesem Platz!" Stolz wird zur Erniedrigung führen und schließlich zum Fall (s. Spr 16,18).
Die sich mit den geringsten Sitzen zufriedengeben, werden vermutlich erhöht werden. „,Geh hin und setze dich auf den letzten Platz', gehe selbstverständlich davon aus, dass der Freund Gäste hat, die von höherem Rang und höherer Stellung sind, als du es bist; und selbst wenn vielleicht nicht zu dir gesagt werden: ‚Freund, rücke hinauf!'" **(Vers 10).** Der Weg, hoch erhoben zu werden, besteht darin, niedrig zu beginnen. „,Dann wirst du Ehre haben vor denen, die mit dir zu Tisch sitzen.' Sie werden sehen, dass du eine vornehme Person bist. Ehre tritt leuchtender hervor, wenn sie aus der Verborgenheit hervorleuchtet. Sie werden auch sehen, dass du ein demütiger Mensch bist, was die größte Ehre von allen ist." Ein Gleichnis von einem der Rabbis hat ein ähnliches Thema: Drei Männer waren zu einem Fest eingeladen, einer saß in der höchsten Position, denn er sagte: „Ich bin ein Fürst." Der zweite saß auf dem Platz direkt unter dem ersten, und sagte: „Ich bin ein weiser Mensch." Und der dritte saß an der niedrigsten Stelle, denn, sagte er: „Ich bin ein demütiger Mensch." Der König setzte dann den demütigen Mann an die höchste Stelle und den Fürsten an die niedrigste.

1.3 Er wandte dies allgemein an, damit wir alle lernen mögen, nicht nach hohen Dingen zu trachten (s. Röm 12,16). Stolz und Ehrgeiz sind für Menschen schändlich, doch Demut und Selbstverleugnung sind wirklich ehrenwert; denn „jeder, der sich selbst erhöht, wird erniedrigt werden; und wer sich selbst erniedrigt, der wird erhöht werden" **(Vers 11).**

2. Er nutzte die Gelegenheit, um den Gastgeber dafür zurechtzuweisen, dass er so viele reiche Leute einlud, wenn er vielmehr die Armen hätte einladen sollen. Unser Heiland lehrt uns hier, dass unser Wohlstand besser für Werke der Liebe benutzt wird als für prachtvolle Haushaltsführung.
2.1 „Sehne dich nicht danach, ein Mahl für die Reichen zu geben; lade nicht deine Freunde, Geschwister und Nachbarn ein, die reich sind" **(s. Vers 12).** Das verbietet nicht, solche Leute zu empfangen, um die Freundschaft mit Verwandten und Nachbarn zu pflegen, sondern:
„Mach es nicht zu deiner normalen Gewohnheit. Ein Mahl für die Reichen wird das Gleiche kosten wie viele Mahlzeiten für die Armen."
„Sei nicht stolz darauf." Viele Menschen richten ein Mahl als Zurschaustellung aus und würden so ihre Familien berauben, nur um ihre Launen zu befriedigen.
„Strebe nicht danach, dass es dir in gleicher Münze zurückbezahlt wird." Das ist es, was unser Heiland tadelt, dass man es mit solchen Empfängern bezweckt. „Du tust es für gewöhnlich in der Hoffnung, dass du von ihnen wieder eingeladen wirst, und du so belohnt wirst."
2.2 „Strebe danach, die Armen zu unterstützen **(s. Vers 13-14).** Wenn du ein Gastmahl machst, sollst du die Armen und Krüppel einladen, diejenigen, die nichts zum Leben haben und nicht für ihren Lebensunterhalt arbeiten können. Diese sollten Gegenstand deiner Liebe sein. Ihnen fehlt es an dem Notwendigen; für sie sollst du sorgen und sie werden dich mit ihren Gebeten belohnen. Sie werden weggehen und Gott für dich danken. Sage nicht, dass du etwas verloren hast, weil sie dich nicht belohnen können, denn es wird dir vergolten werden bei der Auferstehung der Gerechten." Werke der Liebe werden vielleicht nicht in dieser Welt belohnt, denn die Dinge dieser Welt sind nicht die besten Dinge und darum bezahlt Gott die besten Leute nicht mit diesen Dingen; und doch werden solche Menschen ihren Lohn in keiner Weise verlieren (s. Mt 10,42). Man wird sehen, dass die längsten Reisen den reichsten Ertrag einbringen.

Vers 15-24
Hier ist eine weitere Unterweisung unseres Heilands, bei dem er das Mahl, zu dem er eingeladen war, zu einem Gespräch über geistliche Dinge nutzte, was ein weiterer Weg ist, gute Gespräche bei gewöhnlichen Anlässen zu pflegen. Hier haben wir:

1. Die Gelegenheit, die ihm von einem der Gäste geboten wird, der zu ihm sagte: „Glückselig ist, wer das Brot isst im Reich Gottes!" **(Vers 15).**

1.1 Was war die Absicht des Mannes damit, dass er dies sagte?
Vielleicht wollte er, weil er fürchtete, Christus würde die Gesellschaft verärgern, dies anführen, um zu versuchen, die Diskussion in eine andere Richtung zu lenken. Oder:
Er bewunderte die guten Regeln, die Christus jetzt gegeben hatte, doch daran verzweifelnd, sie gelebt zu sehen, sehnte er sich nach dem Reich Gottes und deshalb erklärte er diejenigen für glückselig, die einen Platz in diesem Reich haben. Oder:
Da Christus die Auferstehung der Gerechten erwähnt hatte, bestätigte der Mann hier, was Christus gesagt hatte. „Ja, Herr, diejenigen, denen bei der Auferstehung der Gerechten vergolten wird, werden in dem Reich Brot essen."
Weil er sah, dass Christus still war, war er gewillt, ihn zu einer weiteren Diskussion zu bringen. Er wusste, dass wahrscheinlich nichts Jesus mehr in Anspruch nehmen würde, als das

Reich Gottes zu erwähnen. Selbst diejenigen, die selbst nicht in der Lage sind, eine gute Diskussion fortzusetzen, sollten dann und wann ein Wort einwerfen, um ihr weiterzuhelfen.

1.2 Was dieser Mann nun sagte, war eine eindeutige und anerkannte Wahrheit und sie wurde jetzt sehr passend zitiert, wo sie sich hingesetzt hatten, um zu essen. Auch für uns wird dieser Gedanke sehr passend sein, wenn wir leibliche Erfrischung genießen:

„Glückselig ist, wer das Brot isst im Reich Gottes!"
Im Reich der Gnade. Christus verhieß seinen Jüngern, dass sie mit ihm in seinem Reich essen und trinken würden.

Im Reich der Herrlichkeit. Glückselig sind diejenigen, die sich an diesem Tisch niedersetzen, von dem sie nie aufstehen.

2. Das Gleichnis, welches unser Herr Jesus aus diesem Anlass erzählte **(s. Vers 16)**. „Wer sind denn nun diejenigen, die dieses Vorrecht genießen? Ihr Juden werdet es generell ablehnen und die Heiden werden den größten Anteil daran haben." Beachten Sie an dem Gleichnis:

2.1 Die freie Gnade und Barmherzigkeit Gottes, die in dem Evangelium Christi hervorleuchtet. Sie zeigt sich:

In der reichen Versorgung, die er für arme Seelen getroffen hat: „Es war ein Mensch, der machte ein großes Abendmahl" **(Vers 16**; LÜ 84). Es wird ein Abendmahl genannt, weil in jenen Ländern die Zeit des Abendessens die hauptsächliche Zeit für ein Festmahl war.

In der gnädigen Einladung, die uns gegeben wird, zu kommen und an dieser Versorgung teilzuhaben. Es wurde eine allgemeine Einladung ausgesprochen: Er „lud viele dazu ein". Christus lud die ganze Nation und das jüdische Volk ein, an den Wohltaten seines Evangeliums teilzuhaben. Christus hält im Evangelium sowohl ein gutes Haus als auch ein offenes Haus.

Eine besondere Botschaft wurde überbracht; der Knecht wurde umhergesandt, um sie daran zu erinnern. „Kommt, denn es ist schon alles bereit!" **(Vers 17)**. Das ist der Ruf, der jetzt an uns gerichtet ist: „Es ist schon alles bereit', ,jetzt ist die angenehme Zeit', darum kommt jetzt. Schiebt es nicht hinaus; nehmt die Einladung jetzt an. Glaubt daran, dass ihr willkommen seid" (2.Kor 6,2).

2.2 Den kalten Empfang, auf den die Gnade des Evangeliums trifft. Die eingeladenen Gäste lehnten höflich ab zu kommen. „Und sie fingen alle einstimmig an, sich zu entschuldigen" **(Vers 18)**. Sie fanden alle die eine oder andere Entschuldigung, um ihre Teilnahme abzusagen. Dies zeigt, wie es das jüdische Volk allgemein ablehnte, das Angebot Christi anzunehmen. Es weist auch auf das Widerstreben hin, das es bei den meisten Menschen gibt, auf den Ruf des Evangeliums zu reagieren. Aus Furcht vor der Schande konnten diejenigen, die im Gleichnis eingeladen werden, nicht offen ihre Ablehnung bekennen, doch sie wünschten, entschuldigt zu werden. Sie waren einstimmig darin; sie alle sprachen gleich, mit einer Stimme.

Hier gab es zwei, die Anschaffungen gemacht hatten. Einer hatte „einen Acker gekauft", der ihm als gutes Geschäft beschrieben worden war, und er muss gehen und ihn ansehen, schauen, ob es wirklich so war oder nicht, und deshalb: „Ich bitte dich, entschuldige mich!" Was war das für eine leichtfertige Entschuldigung! Er hätte es bis zum nächsten Tag aufschieben können, hinauszugehen, um sich sein Land anzusehen, und es wäre am selben Ort und im gleichen Zustand gewesen, wie es das nun war. Ein anderer hatte Vieh für sein Land gekauft. „Ich habe fünf Joch Ochsen gekauft" zum Pflügen und nun muss ich gehen, ,um sie zu erproben' und darum möchte ich für dieses Mal entschuldigt werden." Die Entschuldigung der ersten Person weist auf übermäßige Freude an den Dingen der Welt hin; die zweite Entschuldigung weist auf übertriebene Sorge und übertriebenes Interesse an der Welt hin, welche Menschen von Christus und seiner Gnade abhalten. Wenn wir dazu berufen werden, eine Pflicht zu erfüllen, ist es sträflich, indem wir Entschuldigungen dafür vorbringen, sie zu missachten. Es ist ein Zeichen dafür, dass wir davon überzeugt sind, dass es eine Pflicht ist, aber keine Neigung haben, sie zu tun. Diese Dinge hier waren:

Kleine Dinge. Es wäre für sie besser gewesen zu sagen: „Ich bin eingeladen, Brot im Reich Gottes zu essen, und darum muss ich davon entschuldigt sein, mir den Acker oder die Ochsen anzusehen."

Rechtmäßige Dinge. Rechtmäßige Dinge in sich selbst erweisen sich als verhängnisvolle Hindernisse im religiösen Glauben, wenn sich das Herz zu sehr auf sie richtet.

Hier war ein Mann, der frisch verheiratet war: „Ich habe eine Frau geheiratet, darum", kurz gesagt, „kann ich nicht kommen!" **(Vers 20)**. Er gab vor, dass er nicht könnte, wohingegen die Wahrheit lautete, dass er nicht wollte. Viele Menschen geben vor, nicht in der Lage zu sein, die Pflichten des religiösen Glaubens auf sich zu nehmen, obschon sie in Wirklichkeit eine Abneigung ihnen gegenüber haben. Unsere Zuneigung zu unseren Verwandten erweist sich für uns oft als Hindernis, unsere Pflicht Gott gegenüber zu erfüllen. Er hätte gehen und seine Frau mit sich nehmen können, sie wären beide willkommen gewesen.

2.3 Der Bericht, der dem Herrn des Festes von den Beleidigungen gebracht wurde, die ihm von seinen Freunden erwiesen wurden, die nun zeigten, wie wenig sie seine Freundschaft schätzten: „Und jener Knecht kam wieder und berichtete das seinem Herrn", sagte ihm überrascht, dass er wahrscheinlich alleine essen würde **(Vers 21)**. Er machte die Sache weder besser noch schlechter, sondern sagte sie nur, wie sie war. Geistliche Diener müssen einen Bericht von der Wirksamkeit ihres Dienstes geben. Sie müssen es jetzt vor dem Thron der Gnade machen. Wenn sie ihre Lust sehen für die Mühsal ihrer Seelen (s. Jes 53,11), müssen sie mit ihrem Dank zu Gott gehen. Wenn sie vergeblich gearbeitet haben (s. Gal 4,11), müssen sie mit ihren Klagen zu Gott gehen. Der Apostel führt dies als Grund an, warum Menschen auf das Wort Gottes hören sollten, welches von seinen geistlichen Dienern zu ihnen gesandt wurde: „Denn sie wachen über eure Seelen als solche, die einmal Rechenschaft ablegen werden" (Hebr 13,17).

2.4 Der gerechtfertigte Groll des Herrn über diese Beleidigung: „Da wurde der Hausherr zornig" **(Vers 21)**. Die Undankbarkeit und Verachtung, welche dem Gott des Himmels von denen gezeigt wird, die sich respektlos den Angeboten des Evangeliums gegenüber zeigen, sind für ihn eine sehr große Provokation und das ist zu Recht so. Beschimpfte Barmherzigkeit wird zum größten Zorn. „Keiner jener Männer, die eingeladen waren, [wird] mein Mahl schmecken ...!" Verachtete Gnade ist verwirkte Gnade wie das Geburtsrecht Esaus (s. 1.Mose 25,34; 27,1-40). Diejenigen, die es ablehnen, Christus anzunehmen, wenn sie ihn haben können, werden ihn nicht haben, wenn sie ihn haben wollen.

2.5 Die Vorkehrungen, die dafür getroffen wurden, um dem Tisch Gäste wie auch Essen zu verschaffen. Er sagte einem seiner Knechte: „Geh zuerst auf die Gassen und Plätze der Stadt, damit du diejenigen einladen kannst, die froh sein werden zu kommen. Du sollst die Armen und Krüppel, die Lahmen und die Blinden hereinbringen; hole die gewöhnlichen Bettler." Die Knechte sammelten rasch viele solcher Gäste: „Herr, es ist geschehen, wie du befohlen hast." Viele Juden wurden hereingebracht, doch nicht von den Gesetzeslehrern und Pharisäern, sondern von den Zöllnern und Sündern; diese waren die Armen und Krüppel. Es gab aber immer noch Raum für Gäste. Nun sollte er als Zweites „an die Landstraßen und Zäune" gehen. „Geh hinaus auf das Land und hole die Vagabunden oder jene, die jetzt am Abend von der Arbeit auf dem Feld zurückkehren, und nötige sie hereinzukommen, nicht durch die Gewalt der Waffen, sondern durch die Kraft der Argumente. Geht ernstlich mit ihnen um, bittet sie, denn es wird notwendig sein, sie zu überzeugen, dass die Einladung aufrichtig ist. Sie werden kaum glauben, dass sie willkommen sind, und darum sollt ihr sie nicht verlassen, bis ihr sie überzeugt habt." Das bezieht sich auf das Herzurufen der Heiden, die Gemeinde wurde mit ihnen gefüllt.

Bei der Vorkehrung, welche im Evangelium Christi für kostbare Seelen getroffen wird, wird man sehen, dass sie nicht vergeblich geschah, denn wenn manche es ablehnen, werden andere sein Angebot dankbar annehmen.

Diejenigen, die in der Welt sehr arm und unbedeutend sind, werden bei Christus genauso willkommen sein wie die Reichen und Großen. Christus bezog sich hier eindeutig auf das, was er gerade vorher gesagt hatte, dass wir die Armen und Krüppel, die Lahmen und Blinden an unseren Tisch einladen sollen (s. Lk 14,13). Sein Herablassen und Mitleid mit ihnen sollte uns ähnlich auf sie eingehen lassen.

Das Evangelium ist oft unter denen am wirksamsten, wo es am wenigsten wahrscheinlich ist, dass sie davon profitieren. Die Zöllner und die Huren sind eher in das Reich Gottes gekommen als die Gesetzesgelehrten und die Pharisäer (s. Mt 21,31-32). Auf diese Weise werden Letzte Erste und Erste Letzte sein (s. Lk 13,30). Wir wollen nicht zuversichtlich sein hinsichtlich derer, die am meisten vorangekommen sind, und wir wollen nicht verzweifeln hinsichtlich derer, die am wenigsten versprechen.

Die geistlichen Diener Christi müssen sowohl sehr schnell als auch sehr kühn darin sein, Menschen zum Mahl des Evangeliums einzuladen: „‚Geh schnell hinaus', verliere keine Zeit, denn alles ist schon bereit" **(Vers 21)**.

Obwohl viele hereingebracht wurden, um an den Wohltaten des Evangeliums teilzuhaben, gibt es immer noch Raum für mehr. In ihm gibt es genug für alle und genug für jeden. Das Evangelium schließt niemanden aus, der sich nicht selbst ausschließt.

Obwohl das Haus Christi groß ist, wird es am Ende voll sein.

Vers 25-35

In diesen Versen richtete Christus seine Worte an die Volksmenge, die mit ihm zog, und diese Ermahnungen an sie waren als die Bedingungen der Jüngerschaft zu verstehen. Schauen Sie hier:

1. Wie eifrig die Menschen dabei waren, mit ihm zu ziehen: „Es zog aber eine große Volksmenge mit ihm" **(Vers 25)**, viele aus Liebe und mehr um der Gesellschaft willen. Hier gab es „viel Mischvolk" (s. 2.Mose 12,38; 4.Mose 11,4; Elb).

2. Wie er wollte, dass sie in ihrem Eifer bedachtsam sind. Diejenigen, die es auf sich nehmen, Christus nachzufolgen, müssen auf das Schlimmste gefasst sein und sich entsprechend vorbereiten.

2.1 Er sagte ihnen die schlimmsten Dinge, von denen sie erwarten mussten, dass sie geschehen. Er setzte voraus, dass sie seine Jünger sein wollten. Sie erwarteten, dass er sagt: „Wenn jemand zu mir kommt und mein Jünger ist, wird er großen Wohlstand und große Ehre haben." Doch hier sagte er ihnen das komplette Gegenteil.

Sie müssten lieber verlassen wollen, was ihnen teuer ist, als ihre Beziehung zu Christus fallenzulassen. Ein Mensch kann sich Christi Jünger sein, ohne „seinen Vater und seine Mutter" und „auch sein eigenes Leben" zu hassen **(Vers 26)**. Ein solcher ist nicht aufrichtig; er wird nicht treu sein und beharren, wenn er Christus nicht mehr liebt als alles andere in dieser Welt. Häuser und Äcker werden hier nicht erwähnt (s. Mt 19,29); die Philosophie wird einen Menschen lehren, solches mit Geringschätzung zu betrachten, doch das Christentum hält die Geringschätzung irdischer Dinge weit höher.

Jeder gute Mensch liebt seine Verwandten, doch wenn er ein Jünger Christi ist, muss er sie im Vergleich dazu hassen. Nicht, dass wir die Menschen unserer Verwandtschaft tatsächlich in irgendeiner Weise hassen müssen, doch unser Trost und unsere Erfüllung durch sie müssen in unserer Liebe zu Christus verloren gehen und von ihr verschlungen werden. Wenn unsere Pflicht unseren Eltern gegenüber in Konkurrenz mit unserer klaren Pflicht Christus gegenüber tritt, müssen wir Christus den Vorrang geben. Wenn wir entweder Christus verleugnen oder von unseren Familien und Verwandten verbannt werden müssen – wie es viele der ersten Christen waren –, sollen wir lieber ihre Gesellschaft verlieren als seine Gunst.

Jeder Mensch liebt „sein eigenes Leben"; niemand hat es je gehasst (s. Eph 5,29). Und wir können nicht Christi Jünger sein, wenn wir ihn nicht mehr lieben als unser eigenes Leben. Unser Erfahren der Freuden des geistlichen Lebens und unsere zuverlässigen Hoffnungen und Aussichten auf das ewige Leben werden dieses harte Wort leicht machen. Wenn „Bedrängnis oder Verfolgung" um des Wortes willen entstehen (Mt 13,21), dann wird hauptsächlich geprüft, was wir mehr lieben: Christus oder unsere Verwandten oder unser Leben. Doch auch in Tagen des Friedens wird diese Sache manchmal auf die Probe gestellt. Diejenigen, die sich aus Angst vor dem Missfallen eines Verwandten oder Freundes oder davor, einen Kunden zu verlieren, fürchten, sich zu ihm zu bekennen, geben Grund zu der Annahme, dass sie diese Leute mehr lieben als Christus.

Sie müssen bereit sein zu tragen, was sehr schwer ist: „Und wer nicht sein Kreuz trägt und mir nachkommt, der kann nicht mein Jünger sein" **(Vers 27)**. Obwohl nicht alle Jünger Christi gekreuzigt werden, tragen doch alle ihr Kreuz. Sie müssen bereit sein, dass man ihnen schlechte Namen gibt, denn kein Name ist schändlicher als „Galgenvogel" – der, welcher den Galgen trägt. Wahre Jünger Christi müssen ihr Kreuz tragen und Christus nachkommen; das heißt, immer, wenn sie es auf dem Weg der Pflicht liegen sehen, müssen sie es diesen Weg entlang tragen. Sie müssen es tragen, wenn Christus sie dazu beruft, und sie müssen in der Hoffnung einer Belohnung durch ihn leben.

2.2 Er forderte sie auf, diese Dinge zu erwarten und dann über sie nachzudenken. Es ist besser, nicht zu beginnen als nicht weiterzugehen und darum müssen wir darüber nachdenken, was es bedeutet weiterzugehen, ehe wir beginnen. Das heißt, vernünftig zu handeln und wie es sich für menschliche Wesen geziemt. Die Sache Christi wird der Prüfung standhalten. Satan zeigt das Beste, verbirgt aber das Schlimmste. Damit wir beharren, ist es notwendig, dass wir die Situation bedenken. Unser Heiland gebrauchte hier zwei Beispiele, um zu veranschaulichen, dass es nötig ist, die Kosten zu berechnen.

Wir sind wie jemand, der es unternimmt, einen Turm zu bauen, und müssen darum bedenken, was er kosten wird: „Denn wer von euch, der einen Turm bauen will, setzt sich nicht zuvor hin und berechnet die Kosten?" (s. Vers 28). Er möge die Kosten mit dem vergleichen, was er sich leisten kann, damit man sich nicht über ihn lächerlich machen wird, „wenn er den Grund gelegt hat und es nicht vollenden kann". Alle, die ein Bekenntnis zum religiösen Glauben auf sich nehmen, unternehmen es, einen Turm zu bauen. Beginnen Sie klein, legen Sie einen tiefen Grund, bilden Sie ihn auf einem Felsen und machen Sie daraus ein unerschütterliches Werk und dann lassen Sie ihn so hoch reichen wie den Himmel. Diejenigen, die diesen Turm bauen wollen, müssen sich zuvor hinsetzen und die Kosten berechnen. Sie mögen bedenken, dass es sie ein Leben der Selbstverleugnung und Wachsamkeit kosten wird. Es kann sie ihren Ruf unter anderen Leuten kosten und alles, was ihnen in dieser Welt teuer ist, selbst das Leben selbst. Was ist dies aber andererseits, wenn es uns all das kosten soll, im Vergleich zu dem, was es Christus kostet? Viele, die es unternehmen, diesen Turm zu bauen, fahren mit ihm nicht fort oder beharren nicht darin und sie sind töricht. Es stimmt, dass niemand von uns genügend Mittel in sich selbst hat, um diesen Turm gänzlich auszuführen, doch Christus hat gesagt: „Lass dir an meiner Gnade genügen" (2.Kor 12,9). Nichts ist schändlicher als wenn diejenigen, die gut in ihrem christlichen Glauben begonnen haben, diesen aufgeben.

Wenn wir es auf uns nehmen, Christi Jünger zu sein, sind wir wie ein König, der zum Krieg ausziehen will und deshalb über die damit verbundenen Gefahren nachdenken muss **(s. Vers 31-32)**. Ein König, der darüber nachdenkt, einem benachbarten Herrscher den Krieg zu erklären, überlegt zuerst, ob er die Macht hat zu gewinnen, und wenn nicht, wird er die Gedanken an einen Krieg fallenlassen. Ist nicht das christliche Leben eines des Krieges? Wir müssen für jeden Schritt kämpfen, den wir unternehmen: Unsere geistlichen Feinde sind so ruhelos in ihrem Widerstand. Ehe wir uns für das Banner Christi anwerben lassen, sollten wir überlegen, ob wir die Widrigkeiten ertragen können, die ein guter Streiter Jesu Christi ertragen und mit denen er rechnen muss (s. 2.Tim 2,3). Bei beiden, Christus und der Welt, ist es besser, mit der Welt die bestmöglichen Bedingungen auszuhandeln, als vorzugeben, ihr abzuschwören und nachher zu ihr zurückkehren. Jener junge Mann, der es in seinem Herzen nicht sehen konnte, seinen Besitz für Christus aufzugeben, tat besser damit, dass er betrübt von Christus fortging, als wenn er etwas vorgetäuscht hätte, wenn er bei ihm geblieben wäre (s. Mt 19,22).

2.3 Man kann dieses Gleichnis auf andere Weise anwenden, dass es die Absicht hat, uns zu lehren, rasch religiös zu werden statt vorsichtig; es kann das Gleiche bedeuten wie Matthäus 5,25: „Sei deinem Widersacher bald geneigt."

Wer in der Sünde verharrt, ist mit Gott im Krieg. Der stolzeste und verwegenste Sünder ist Gott nicht ebenbürtig. Wenn wir dies bedenken, liegt es in unserem Interesse, mit ihm Frieden zu schließen. Wir müssen keine Gesandtschaft aussenden und „um die Friedensbedingungen" bitten **(Vers 32)**; die Bedingungen werden uns angeboten und sie sind zufriedenstellend. Wir wollen mit ihnen vertraut werden und Frieden haben und wir wollen das beizeiten tun, „solange jener noch fern ist".

2.4 Die Art, wie dieses Gleichnis hier angewandt wird, zeigt jedoch auch die Überlegung, die wir anstellen sollen, wenn wir das Bekenntnis zum religiösen Glauben auf uns nehmen **(s. Vers 33)**. Überlegen Sie es sich gut, bevor Sie ein Leben des religiösen Glaubens beginnen, als solche, die wissen, dass sie nicht Christi Jünger sein können, wenn sie nicht allem entsagen, was sie haben.

2.5 Er warnte sie vor dem Abfall vom Glauben, denn das würde sie völlig nutzlos machen **(s. Vers 34-35)**.

Gute Christen, besonders gute geistliche Diener, sind „das Salz der Erde" (Mt 5,13), und dieses Salz ist gut und sehr nützlich.

Verderbte Christen, die, statt aufzugeben, was sie in der Welt haben, ihr Leben im Glauben fortwerfen werden, sind wie Salz, das fade geworden ist, die nutzloseste und wertloseste Sache der Welt, darin ist nichts Gutes geblieben.

Es kann niemals wiederhergestellt werden: „... womit soll es gewürzt werden?" Man kann es nicht mehr salzig machen. Dies zeigt, dass es äußerst schwierig ist – um nicht zu sagen unmöglich –, einen vom Glauben Abgefallenen wiederherzustellen (s. Hebr 6,4-6).

Es ist nutzlos. Es ist nicht „für das Erdreich" tauglich, um es zu düngen, um Fruchtbarkeit zu erreichen, noch wird es besser sein, wenn man es auf den Dunghaufen wirft. Ein Bekenner des religiösen Glaubens, dessen Gemüt und Verhalten verderbt geworden ist, ist das saft- und kraftloseste Geschöpf, das es geben kann.

Es wird preisgegeben. „Man wirft es hinaus" als etwas, mit dem man nichts mehr zu tun haben will. Solche schändlichen Bekenner des Glaubens sollten aus der Gemeinde entfernt werden, denn andere können durch sie angesteckt werden. Unser Heiland schloss diese Abhandlung mit einem Ruf an jeden, sich hinzusetzen, darauf achtzugeben und die Warnung anzunehmen: „Wer Ohren hat zu hören, der höre!"

KAPITEL 15

Das Murren der Schriftgelehrten und Pharisäer über die Gnade und Gunst, die Christus Zöllnern und Sündern erwies, führte zu einer vollständigeren Offenbarung dieser Gnade in den drei Gleichnissen in diesem Kapitel, als wir sie vielleicht sonst gehabt hätten. Der Horizont aller drei Gleichnisse ist derselbe, nämlich nicht nur zu zeigen, was Gott im Alten Testament gesagt und geschworen hatte, dass er kein Gefallen am Tod und Verderben von Sündern hat (s. Hes 18,32; 33,11), sondern auch, dass er großen Gefallen an ihrer Umkehr und Buße hat: 1. Der Anstoß, den die Pharisäer an Christus nahmen, dass er Heiden und Zöllnern Gesellschaft leistete und ihnen sein Evangelium predigte (s. Vers 1-2). 2. Wie er sich in seinen Taten rechtfertigte, indem er auf ihre Absicht und natürliche Neigung hinwies, die war, Menschen zur Buße und zur Besserung ihres Lebens zu bringen; und man konnte Gott keinen wohlgefälligeren und annehmbareren Dienst als diesen bringen, wie Christus in dem Gleichnis von dem verlorenen Schaf zeigte, das voller Freude nach Hause gebracht wurde (s. Vers 4-7); in dem von der verlorenen Drachme, die voller Freude gefunden wurde (s. Vers 8-10); und in dem von dem verlorenen Sohn, der verloren war, doch in das Haus seines Vaters zurückkehrte und voller Freude empfangen wurde, obwohl sein älterer Bruder, wie diese Schriftgelehrten und Pharisäer, dadurch gekränkt war (s. Vers 11-32).

Vers 1-10

Hier gibt es:

1. Die beharrliche Anwesenheit von Zöllnern und Sündern bei Christus. „Es zog aber eine große Volksmenge" von Juden mit solcher Gewissheit mit ihm (Lk 14,25), in das Reich

Gottes eingelassen zu werden, dass er meinte, er müsste ihnen etwas sagen, das ihre vergeblichen Hoffnungen erschüttern würde. Hier nahten sich ihm viele „Zöllner und Sünder" mit einer demütigen, bescheidenen Furcht, von ihm zurückgewiesen zu werden, und er hielt es für notwendig, ihnen diese Ermutigung zu geben. Vielleicht waren manche der Zöllner schlecht, doch sie hatten alle einen schlechten Ruf wegen der Vorurteile des jüdischen Volkes gegenüber ihrer Arbeit. Man spricht manchmal im gleichen Atemzug von ihnen wie von den Huren (s. Mt 21,32); hier und anderswo werden sie mit Sündern in Zusammenhang gebracht. Sie nahten sich ihm nicht wie manche aus Neugier, um ihn zu sehen, noch wie andere, um Heilung zu suchen, sondern um auf seine wunderbare Lehre zu hören. Bei all unserem Nahen zu Christus müssen wir das im Sinn haben, ihn zu hören, auf seine Unterweisungen zu hören, die er uns gibt, und auf seine Antworten auf unsere Gebete.

2. Den Anstoß, den die Schriftgelehrten und Pharisäer daran nahmen. Sie murrten: „Dieser nimmt Sünder an und isst mit ihnen!" **(Vers 2).**
2.1 Sie waren wütend, dass den Zöllnern und Heiden erlaubt wurde, die Gnadenmittel zu haben, und sie ermutigt wurden, auf die Vergebung zu hoffen, wenn sie Buße tun.
2.2 Sie hielten es für unvereinbar mit Christi Rolle als einem Rabbi, solchen Menschen gegenüber freundlich zu sein und mit ihnen zu essen. Sie konnten ihn aus Scham nicht dafür verurteilen, dass er ihnen predigte, und darum kritisierten sie ihn dafür, dass er mit ihnen aß, was ausdrücklicher gegen die Überlieferung der Ältesten war.

3. Wie Christus sich darin rechtfertigte, indem er zeigte, dass, je schlimmer die Menschen waren, umso mehr Ehre Gott gebracht werden würde und es umso größere Freude im Himmel geben würde, wenn sie durch sein Predigen zur Buße gebracht werden würden. Es wäre für jene im Himmel wohlgefälliger zu sehen, wie Zöllner und Sünder beginnen, ein ordentliches Leben zu führen, als zu sehen, wie Schriftgelehrte und Pharisäer ein solches Leben fortführen. Er veranschaulichte dies hier durch zwei Gleichnisse.
3.1 Das Gleichnis vom verlorenen Schaf. Wir hatten etwas wie dieses in Matthäus 18,12-14. Dort sollte es die Fürsorge zeigen, die Gott für die Bewahrung der Heiligen trägt; hier soll es das Wohlgefallen zeigen, das Gott an der Bekehrung von Sündern hat. Wir haben hier:
Den Fall eines Sünders, der auf sündigen Wegen weitergeht. Solche Menschen sind wie ein verlorenes Schaf, ein Schaf, das vom Weg abgekommen ist; sie sind verloren für Gott, verloren für die Herde und verloren für sich selbst. Sie wissen nicht, wo sie sind, und sie wandern unaufhörlich umher, ständig wilden Tieren ausgesetzt, Ängsten und Schrecken unterworfen, fern von der Fürsorge des Hirten, ihnen fehlen grüne Weiden und sie können selbst nicht den Weg zur Hürde zurückfinden.
Die Fürsorge des Gottes des Himmels, die er für arme, umherschweifende Sünder hat. Für dieses verlorene Schaf ist eine besondere Fürsorge nötig, und obwohl der Hirte hundert Schafe hat, möchte er dieses eine nicht verlieren, sondern geht ihm nach und zeigt großes Interesse, es zu finden. Gott folgt abtrünnigen Sündern, bis sie schließlich davon überzeugt werden, an Umkehr zu denken. Obwohl der Hirte das Schaf müde vorfindet und es nicht in der Lage ist, es zu verkraften, nach Hause getrieben zu werden, lässt er es nicht zum Sterben zurück, sondern legt „es auf seine Schulter" und bringt es mit großer Sanftheit und Mühe zurück zur Hürde. Gott sendet seinen Sohn, „um zu suchen und zu retten, was verloren ist" (Lk 19,10). Von Christus heißt es, dass er die Lämmer „in seinen Arm" nimmt „und im Bausch seines Gewandes" trägt (Jes 40,11), was sein Mitleid und seine Sanftheit zeigt. Hier heißt es, dass er „es auf seine Schulter" nimmt; diejenigen, die er auf seinen Schultern trägt, können niemals umkommen.
Das Wohlgefallen, welches Gott an Buße tuenden Sündern hat, die zu ihm zurückkehren. Der Hirte nimmt das Schaf „auf seine Schulter mit Freuden", und seine Freude ist größer, weil er begonnen hat, alle Hoffnung aufzugeben, es jemals zu finden. Er ruft „die Freunde und Nachbarn zusammen und spricht zu ihnen: Freut euch mit mir". Beachten Sie, dass er das Schaf sein Schaf nennt, obwohl es ein streunendes, umherwanderndes Schaf ist. Er hat ein Recht darauf; deshalb hat er es selbst gesucht, und jetzt sagt er, er hat es gefunden. Er hat keinen Knecht geschickt, sondern seinen eigenen Sohn, den großen und guten Hirten (s. Hebr 13,20; Joh 10,14), der finden wird, was er sucht, und von denen gefunden werden wird, die ihn nicht suchen (s. Jes 65,1).
3.2 Das Gleichnis von der verlorenen Drachme.
Die Person, welche eine Drachme verlor, ist eine Frau. Sie hat „zehn Drachmen" und sie verliert nur eine von ihnen. Wir wollen hohe Gedanken von der göttlichen Güte trotz der Sündhaftigkeit und des Elends des menschlichen Geschlechts behalten und berücksichtigen, dass es eine zu neun sind – in der Tat sind es im vorigen Gleichnis neunundneunzig gegenüber einem –, die ihre Rechtschaffenheit behalten, durch die Gott gelobt und von denen er nie verunehrt wurde. Oh, die zahllosen Wesen, die nie verloren waren!
Was verloren ging ist ein „Silbergroschen" (LÜ 84). Die Seele ist Silber, von wirklichem Wert

– nicht unedlem Metall, wie Eisen oder Blei, sondern Silber. Es ist eine silberne Drachme. Sie ist mit Gottes „Bild und Aufschrift" geprägt (Lk 20,24). Diese Drachme ging im Schmutz verloren. Eine in die Welt eingetauchte Seele ist wie eine Drachme im Schmutz, jeder würde sagen: Was für eine Schande.

Der Verlust erregt große Sorge und es werden große Mühen unternommen, die verlorene Sache zu finden. Die Frau zündet „ein Licht an und kehrt das Haus und sucht mit Fleiß, bis sie sie findet". Dies stellt Gottes verschiedene Wege dar, verlorene Seelen heim zu sich zu bringen: Er hat das Licht des Evangeliums nicht angezündet, um sich selbst den Weg zu uns zu zeigen, sondern um uns den Weg zu ihm zu zeigen. Sein Herz drängt darauf, verlorene Seelen zurück zu sich zu bringen.

Es gibt eine große Freude, wenn sie gefunden wird: „Freut euch mit mir; denn ich habe die Drachme gefunden, die ich verloren hatte!" **(Vers 9)**. Diejenigen, die sich freuen, möchten, dass andere sich mit ihnen freuen. Die angenehme Überraschung, sie zu finden, versetzt sie, für den Augenblick, in eine Art von Verzückung: „Ich habe sie gefunden!", die Sprache der Freude.

3.3 Die Erläuterung dieser beiden Gleichnisse hat den gleichen Sinn: „... so wird auch Freude sein im Himmel", „Freude vor den Engeln Gottes", „über einen Sünder, der Buße tut, mehr als über" eine große Zahl von Gerechten, „die keine Buße brauchen!" **(s. Vers 7.10)**.

Die Buße und Bekehrung von Sündern auf der Erde ist eine Sache der Freude und des Entzückens im Himmel. Die größten Sünder können zur Buße gebracht werden. Solange es Leben gibt, gibt es Hoffnung, und über die schlimmsten Menschen muss man nicht verzweifeln. Gott wird überglücklich sein, ihnen Barmherzigkeit zu erweisen. Es gibt immer Freude im Himmel; Gott „wird sich an seinen Werken freuen!" (Ps 104,31); doch besonders an den Werken seiner Gnade. Er hat Freude daran, bußfertigen Sündern Gutes zu tun. Er freut sich nicht nur über die Bekehrung von Völkern, sondern eben „über einen Sünder, der Buße tut", selbst wenn es nur einer ist. Auch die guten Engel werden froh sein, dass Sündern Barmherzigkeit erwiesen wird. Die Erlösung des Menschengeschlechts war eine Angelegenheit der Freude in der Gegenwart der Engel, denn sie sangen: „Herrlichkeit ist bei Gott in der Höhe" (Lk 2,14).

Es gibt mehr Freude „über einen Sünder, der Buße tut, mehr als über neunundneunzig Gerechte, die keine Buße brauchen!":

Mehr Freude über die Bekehrung der heidnischen Sünder und von diesen Zöllnern, die jetzt Christus predigen hörten, als über allen Lobpreis und alle Andachten und alles „O Gott, ich danke dir" (Lk 18,11) *der Pharisäer und anderer selbstgerechter Juden, die meinten, dass sie keine Buße brauchten.* Gott wird mehr Lob und Wohlgefallen von dem bußfertigen zerbrochenen Herzen von einem dieser verachteten, beneideten Sünder bereitet, sagte Christus, als von allen langen Gebeten, die von den Schriftgelehrten und Pharisäern dargebracht wurden, die nichts Falsches in sich sehen konnten.

Mehr Freude über die Bekehrung von einem solchen großen Sünder als über die normale Bekehrung von jemandem, der sich immer ehrbar und gut benommen hat und der im Vergleich keine Buße brauchte. Nicht, dass es das Beste ist, vom Weg abzukommen, doch die Gnade Gottes zeigt sich mehr bei der Überwindung von großen Sündern als bei der Führung von denen, die nie vom Weg abkamen. Oft erweisen sich diejenigen, die vor ihrer Bekehrung große Sünder gewesen sind, danach in höherem Maß und eifriger als gut. Wem viel vergeben wurde, der wird viel lieben (s. Lk 7,47). Wenn wir etwas wiedererlangen, was wir verloren hatten, werden wir von tieferer Freude bewegt als von dem Fortbestehen von dem, woran wir uns immer erfreut hatten; nach Krankheit freuen wir uns mehr über unsere Gesundheit als an der Gesundheit ohne Krankheit. Ein unaufhörlicher Weg des religiösen Glaubens kann in sich selbst wertvoller sein, doch eine unvermutete Umkehr von einem bösen Weg der Sünde kann eine überraschendere Freude hervorbringen.

Vers 11-32

Hier haben wir das Gleichnis von dem verlorenen Sohn, dessen Horizont der gleiche ist wie der von den vorigen beiden. Die Umstände des Gleichnisses legen aber die Reichtümer der Gnade des Evangeliums vollständiger dar und es war seitdem für arme Sünder unbeschreiblich nützlich, und es wird dies sein, solange die Welt besteht.

1. Das Gleichnis stellt Gott als gemeinsamen Vater für das ganze Menschengeschlecht dar. Er ist unser Vater, weil er uns erzieht und für uns sorgt. Unser Heiland zeigte hier den stolzen Pharisäern, dass diese Zöllner und Sünder, die sie verachteten, ihre Brüder waren, und dass die Pharisäer darum froh sein sollten zu sehen, wie ihnen Freundlichkeit erwiesen wird.

2. Es stellt die Menschen als mit unterschiedlichem Charakter dar. Der Vater im Gleichnis hatte zwei Söhne, einer von ihnen ein solider, ernsthafter junger Mann, zurückhaltend und nüchtern, sachlich in sich selbst, doch ohne jede gute Laune für die um ihn herum; solch ein Mensch würde seiner Erziehung folgen und sich nicht leicht davon abbringen lassen. Der andere aber war unbeständig und launenhaft und ungehalten über jede Einschränkung, der sein Zuhause verlassen und reisen wollte, bereit war, sein Glück zu versuchen, und der, wenn er in schlechte Gesellschaft fallen würde, wahrscheinlich ausschweifend und unmoralisch werden würde. Der zweite Charakter stellt die Zöllner und Sünder und die Heiden dar. Der ältere Bruder stellt die Juden im Allgemeinen dar, besonders die Pharisäer. Der jüngere Sohn ist der verlorene Sohn. Beachten Sie:

2.1 Den ausgelassenen Lebensstil, in den er fiel, als er verloren war, sowohl seine Zügellosigkeit als auch sein Elend. Uns wird gesagt:

Was seine Bitte an seinen Vater war: Er „sprach zum Vater: Gib mir" – er hätte es in wenig ausdehnen können und sagen: „Bitte gib mir", oder: „Mein Herr, wenn es Euch gefällt, gebt mir", doch er forderte anmaßend – „gib mir den Teil des Vermögens, der mir zufällt", was ihm als das ihm Gebührende zufällt. Es ist schlecht und der Anfang von Schlimmeren, wenn Menschen Gottes Gaben als Schuldigkeit ansehen. „Gib es alles mir als ganze Summe und ich werde auf alle zukünftigen Anrechte auf den Besitz verzichten." Die große Torheit von Sündern ist, dass sie damit zufrieden sind, ihren Anteil jetzt zu haben, ihr Gutes in ihrem Leben zu empfangen (s. Lk 16,25). Sie schauen nur auf die sichtbaren Dinge und suchen nur für die Gegenwart Befriedigung und sind nicht interessiert an ihrer zukünftigen Seligkeit. Warum wollte er seinen Anteil jetzt in seinen eigenen Händen haben?

Er war der Herrschaft seines Vaters müde. Er wollte seine sogenannte – und fälschlich so genannte – Freiheit. Beachten Sie die Torheit vieler junger Leute, die nie meinen, ihre rechtmäßige Unabhängigkeit erlangt zu haben, bis sie alle Bande Gottes zerrissen und von sich geworfen haben (s. Ps 2,3), um sie durch Fesseln ihrer eigenen sündigen Begierden zu ersetzen. Hier ist der Ursprung des Abfalls vom Glauben von Sündern und von Gott: Sie wollen nicht an die Regeln der Autorität Gottes gebunden sein. Sie möchten „sein wie Gott" und nichts anderes Gutes oder Böses kennen (s. 1.Mose 3,5), als was ihnen gefällt.

Er wollte nicht mehr unter den Augen seines Vaters sein. Ein Überdruss Gottes und die Bereitschaft, seine Allwissenheit zu leugnen, liegt an der Wurzel der Bosheit von Übeltätern.

Er misstraute der Verwaltung seines Vaters. Er wollte seinen Teil des Besitzes für sich selbst haben, denn er meinte, dass sein Vater das einschränken würde, was er im Moment ausgibt, und das mochte er nicht.

Er war stolz auf sich selbst und hatte eine überhöhte Meinung von seinen eigenen Fähigkeiten. Er meinte, wenn er nur seinen Teil jetzt in seinen Händen haben würde, könnte er ihn besser verwalten, als sein Vater es tat und ihn besser gebrauchen. Es gehen mehr junge Menschen durch Stolz zugrunde als durch jedes andere Laster.

Wie gütig sein Vater zu ihm war: „Und er teilte ihnen das Gut" (sein Eigentum). Er arbeitete aus, was er seinen beiden Söhnen zu vermachen hatte, und gab dem jüngeren Sohn seinen Anteil. Er bot dem Älteren den seinen an, doch es scheint, dass er wollte, dass der Vater ihn selbst behält, und wir können sehen, was er dadurch gewann: „... alles, was mein ist, das ist dein" **(Vers 31)**. Er gab dem jüngeren Sohn, worum er gebeten hatte. Er hatte so viel, wie er erwartet hatte, und vielleicht mehr.

Auf diese Weise konnte er die Freundlichkeit seines Vaters sehen, wie bereit er war, ihm zu gefallen und es ihm angenehm zu machen.

Auf diese Weise würde er in kurzer Zeit dazu gebracht werden, seine eigene Torheit zu sehen und dass er kein so weiser Verwalter für sich war, wie er meinte.

Was er tat, als er seinen Teil in die Hand bekam. Er machte sich daran, es so schnell er konnte auszugeben und machte sich in kurzer Zeit zu einem Bettler. „Und nicht lange danach" **(Vers 13)**. Wozu sich der jüngere Sohn entschloss, war, sofort fortzugehen, und darum packte er alles zusammen (brachte alles zusammen, was er hatte). Der Zustand des verlorenen Sohns bei seinem Abkommen vom Weg stellt für uns einen sündigen Stand dar, in den die Menschen gefallen sind.

Ein sündiger Stand ist ein Stand des Weggehens und der Entfernung von Gott. Die Sündigkeit der Sünde ist, dass sie von Gott abwendet. Er „reiste in ein fernes Land", fort aus dem Haus seines Vaters. Sünder sind vor Gott geflohen. Sie gehen so weit weg von ihm wie möglich. Die Welt ist das ferne Land, in dem sie leben. Das Elend der Sünder ist, dass sie weit weg sind von Gott, und sie gehen immer weiter von ihm fort. Was ist die Hölle selbst, wenn nicht fern von Gott zu sein?

Ein sündiger Stand ist ein Stand des Ausgebens: „... und dort verschleuderte er sein Vermögen mit ausschweifendem Leben" **(Vers 13)**; er vergeudete es mit Huren **(s. Vers 30)** und in kurzer Zeit hatte er „alles aufgebraucht" **(Vers 14)**. Er kaufte feine Kleidung und schloss sich solchen an, die ihm halfen, in kurzer Zeit alles aufzubrauchen, was er hatte. Dies lässt sich aber auch geistlich anwenden. Eigensinnige Sünder verschwenden ihr Erbe, indem sie ihre Gedanken und alle Kräfte ihrer Seele falsch gebrauchen. Sie vergraben nicht nur, sondern sie stehlen die Talente, die ihnen anvertraut sind, um sie zur Ehre ihres Herrn zu gebrauchen, und die Gaben des Allmächtigen, die sie befähigen sollten, Gott zu dienen und damit Gutes zu tun, werden zum Futter ihrer sündigen Begierden gemacht. Die Seele wird entweder zum Sklaven der Welt oder des Fleisches gemacht und vergeudet ihren Wohlstand mit ausschweifendem Leben.

Ein sündiger Stand ist ein notleidender Stand: „Nachdem er aber alles aufgebraucht hatte, kam eine gewaltige Hungersnot über jenes Land, und auch er fing an, Mangel zu leiden" **(Vers 14)**. Bewusste Verschwendung bringt schreckliche Not. Mit der Zeit, vielleicht in kurzer Zeit, bringt ausschweifendes Leben die Menschen auf ein Stück Brot hinab, besonders wenn schlechte Zeiten die Wirkung schlechter Verwaltung forcieren. Dies stellt das Elend von Sündern dar, die ihre Gnade verlassen haben (s. Jona 2,9). Sie verlassen sie in dem Jagen nach leiblichen Vergnügungen und dem Wohlstand ihrer Welt und sind dann kurz davor, aus Mangel daran umzukommen. Sündern fehlt, was sie für ihre Seelen brauchen. Sie haben weder Nahrung noch Kleidung für sie noch irgendwelche Vorräte für die Zukunft. Ein sündiger Stand ist wie ein Land, in dem eine große Hungersnot herrscht. Sünder sind erbärmlich und elendig arm, und, was die Sache verschlimmert, sie haben sich selbst in diesen Zustand gebracht.

Ein sündiger Stand ist ein unwürdiger, sklavischer Stand. Als das ausschweifende Leben des jungen Mannes zum Mangel geführt hatte, brachte ihn sein Mangel in die Sklaverei. „Da ging er hin und hängte sich an einen Bürger jenes Landes" **(Vers 15)**. Das gleiche böse Leben, das vorher durch ein ausschweifendes Leben dargestellt wurde, wird hier durch ein sklavisches Leben dargestellt. Der Teufel ist der „Bürger jenes Landes", Sünder hängen sich an ihn. Wie hat sich dieser junge Mann selbst entwürdigt, als er sich für den Dienst eines Herren wie diesen anheuern ließ! Dieser Herr „schickte ihn auf seine Äcker", nicht, um Schafe zu hüten, sondern um „die Schweine zu hüten". Die Aufgabe der Diener des Teufels ist, das Fleisch zu pflegen und die Begierden zu erregen (s. Röm 13,14), und es gibt keine bessere Weise, dies zu tun, als gefräßige, schmutzige, lärmende Schweine zu hüten, und wie können sich vernünftige, unsterbliche Seelen mehr Schande bereiten?!

Ein sündiger Stand ist ein Stand ständiger Unzufriedenheit. „Und er begehrte, seinen Bauch zu füllen mit den Schoten, welche die Schweine fraßen" **(Vers 16)**. Dieser junge Mann hatte sich selbst wahrlich in einen feinen Zustand gebracht, mit den Schweinen zu essen! Das, worin Sünder sich Erfüllung versprechen, wenn sie von Gott fortgehen, wird sie sicherlich enttäuschen: Sie geben ihren „Arbeitslohn für das, was nicht sättigt" (Jes 55,2). Schoten sind Futter für Schweine, nicht für Menschen. Der Wohlstand der Welt und leibliche Freuden werden genug für unsere Leiber sein, doch was sind sie für kostbare Seelen? Weder passen sie zu der Natur der Seele, befriedigen ihre Bedürfnisse, noch stillen sie ihren Mangel.

Ein sündiger Stand ist ein Stand, der nicht erwarten kann, von irgendjemandem Trost zu bekommen. Als der verlorene Sohn nicht sein Brot durch Arbeit verdienen konnte, begann er zu betteln, doch niemand gab ihm. Denjenigen, die von Gott fortgehen, kann durch niemandem geholfen werden. Es wird sinnlos sein, die Welt und das Fleisch zu rufen. Sie haben das, was eine Seele vergiftet wird, doch sie haben nichts, um sie zu speisen und zu nähren.

Ein sündiger Stand ist ein Stand des Todes: „Denn dieser mein Sohn war tot" **(Vers 24.32)**. Sünder sind nicht nur nach dem Gesetz tot, weil sie unter einem Todesurteil stehen, sondern auch tot durch Übertretungen und Sünden, ohne geistliches Leben; keine Einheit mit Christus, kein Leben für Gott und darum tot. Der verlorene Sohn in einem fernen Land war tot für seinen Vater und seine Familie und er hatte diesen Tod über sich gebracht.

Ein sündiger Stand ist ein verlorener Stand: „Dieser mein Sohn ... war verloren" – verloren für alles Gute, verloren für das Haus seines Vaters. Seelen, die von Gott getrennt sind, sind verlorene Seelen, verloren wie Reisende, die ihren Weg verloren haben, und wenn nicht die unendliche Gnade einschreitet, werden sie bald unwiederbringlich verloren sein.

Ein sündiger Stand ist ein Stand des Wahnsinns und der Tollheit. Dies wird durch den Satz angedeutet: „Er kam aber zu sich selbst" **(Vers 17)**, was zeigt, dass er davor neben sich gestanden hat. Er stand sicherlich neben sich, als er das Haus seines Vaters verließ, und noch viel mehr, als er sich von einem Bürger jenes Landes anheuern ließ. Wie solche, die wahnsinnig sind, zerstören sich Sünder selbst mit törichten sündigen Begierden, doch zur gleichen Zeit täuschen sie sich selbst mit törichten Hoffnungen.

2.2 Seine Umkehr von seinem Umherschweifen. Beachten Sie hier:

Was der Grund für seine Umkehr und seine Buße war. Es war sein Leiden; als er in Not war, da kam er „zu sich selbst". Wenn Leiden durch die göttliche Gnade geheiligt ist, erweist es sich als gutes Mittel, um Sünder von dem Irrtum ihrer Wege abzubringen. Wenn wir sehen, dass die Schöpfung untauglich ist, um uns glücklich zu machen, und alle anderen Wege probiert haben, um vergeblich unsere armen Seelen zu trösten, dann ist die Zeit, an eine Umkehr zu Gott zu denken. Wenn wir sehen, was für leidige Tröster (s. Hiob 16,2) und was für Quacksalber (s. Hiob 13,4) alle außer Christus sind, und wenn uns niemand das gibt, was wir brauchen, dann werden wir uns sicherlich an Jesus Christus wenden.

Was die Vorbereitung dafür war; es war Überlegung. Als er vernünftig wurde (s. Lk 8,35), sprach er zu sich: „Wie viele Tagelöhner meines Vaters haben Brot im Überfluss." Überlegen ist der erste Schritt hin zur Bekehrung (s. Hes 18,28; KJV). Er überlegte, wie schlimm sein Zustand war: „... ich aber verderbe vor Hunger!" Er sagte nicht nur: „Ich bin hungrig", sondern „... ich aber verderbe vor Hunger!" Sünder werden nicht zum Dienst für Christus gebracht werden, bis sie dazu gebracht werden zu sehen, dass sie kurz davor stehen, im Dienst der Sünde zu verderben. Doch selbst wenn wir auf diese Weise zu Christus getrieben werden, wird er nicht meinen, dadurch entehrt zu sein, dass wir gezwungen werden, zu ihm zu kommen, sondern vielmehr geehrt, dass man sich in einem solchen verzweifelten Fall an ihn wendet. Der verlorene Sohn überlegte, wie viel besser es sein würde, wenn er nur umkehren würde: „‚Wie viele Tagelöhner meines Vaters haben Brot im Überfluss', so ein gutes Haus führt er!" Im Haus unseres Vaters (s. Joh 14,2) gibt es Brot für seine ganze Familie. Es gibt „im Überfluss", genug für alle und genug für jeden, Überfluss und genug, um für Wohltätigkeit übrig zu haben. Es gibt Brosamen, die von seinem Tisch fallen, die viele glücklich und dankbar essen würden. Selbst die Tagelöhner in Gottes Familie sind gut versorgt. Das Nachdenken darüber sollte Sünder ermutigen, die von Gott weg in die Irre gegangen sind, daran zu denken, zu ihm zurückzukehren.

Was ihre Absicht war. Seine Überlegung führte schließlich zu dieser Schlussfolgerung: „Ich will mich aufmachen und zu meinem Vater gehen." Gute Absichten sind eine gute Sache, doch gute Taten sind alles.

Er entschied sich, was er tun wollte: „Ich will mich aufmachen und zu meinem Vater gehen." Obwohl er in einem fernen Land war, eine weite Strecke vom Haus seines Vaters, wollte er doch zurückkehren; jeder Schritt der Abtrünnigkeit von Gott muss wieder ein Schritt zurück sein, um zu ihm zurückzukehren. Beachten Sie, mit welcher Entschlossenheit er sprach: „‚Ich will mich aufmachen und zu meinem Vater gehen'; ich habe mich fest entschlossen, dass ich es will, was immer das Ergebnis sein wird."

Er entschied, was er sagen wollte. Echte Buße macht sich auf und kommt zu Gott zurück. Doch welche Worte sollen wir mit uns nehmen (s. Hos 14,3)? Immer wenn wir mit Gott sprechen, ist es gut, im Voraus darüber nachzudenken, was wir sagen werden, damit wir ihm unsere Rechtssache vorlegen (s. Hiob 23,4). Wir wollen auf das achten, was er sagen wollte:

Er wollte seine Schuld und seine Torheit bekennen: „Vater, ich habe gesündigt." Da wir alle gesündigt haben, müssen wir alle zugeben, dass wir gesündigt haben. Das Bekenntnis der Sünde wird verlangt und darauf wird beharrt als einer notwendigen Bedingung für Frieden und Vergebung. Wenn wir auf „nicht schuldig" plädieren, stellen wir uns selbst auf den Prüfstand. Wenn wir auf „schuldig" plädieren, wenden wir uns mit einem zerknirschten, bußfertigen und gehorsamen Herzen an den Bund der Gnade und wir sehen, dass dieser Bund denen Vergebung anbietet, die ihre Sünden bekennen.

Er würde so fern davon sein, die Sache zu beschönigen, dass er sich selbst eine Last auferlegen wollte: „Vater, ich habe gesündigt gegen den Himmel und vor dir." Mögen diejenigen, die ihren irdischen Eltern gegenüber ungehorsam sind, darüber nachdenken; sie sündigen gegen den Himmel und vor Gott. Kränkungen gegenüber Eltern sind Kränkungen gegenüber Gott. Sünde wird begangen:

In der Verachtung von Gottes Autorität über uns: Wir haben „gegen den Himmel" gesündigt. Die Bosheit der Sünde hat ein hohes Ziel; sie richtet sich „gegen den Himmel". Es ist jedoch eine machtlose Bosheit, denn wir können dem Himmel nicht schaden. Es ist in der Tat eine törichte Bosheit; was gegen den Himmel geschossen wird, wird auf das Haupt dessen zurückfallen, der geschossen hat (s. Ps 7,17).

In der Verachtung von Gottes Wachen über uns: „‚Vater, ich habe gesündigt gegen den Himmel' und doch auch ‚vor dir'."

Er wollte anerkennen, dass er das Recht an allen Vorrechten der Familie verloren hatte. „Und ich bin nicht mehr wert, dein Sohn zu heißen" **(Vers 19)**. Er leugnete nicht die Beziehung – das war alles, worauf er vertrauen konnte –, doch er erkannte an, dass sein Vater zu Recht diese Beziehung leugnen konnte. Auf seine eigene Forderung hin hatte er den Teil des Besitzes bekommen, der ihm gehörte, und er hatte Grund dazu, nichts mehr zu erwarten. Es ist gut für Sünder, sich selbst als unwürdig zu sehen, irgendeine Gunst von Gott zu bekommen.

Er würde nichtsdestotrotz Aufnahme in dieser Familie suchen, wenn auch in der geringsten Stellung: „Mache mich zu einem deiner Tagelöhner!' Das ist gut genug und zu gut für mich." Wenn er mit den Knechten sitzen müsste, um sich zu demütigen, würde er sich nicht nur dem unterwerfen, sondern es als Aufstieg im Vergleich zu seinem gegenwärtigen Stand betrachten. „Mache mich zu einem Tagelöhner, damit ich zeigen kann, dass ich das Haus meines Vaters so sehr liebe, wie ich es je beleidigt habe."

Bei all dem wollte er sich an seinen Vater als einen Vater wenden: „Ich will mich aufmachen und zu meinem Vater gehen und zu ihm sagen: Vater." Gott als einen Vater zu sehen und als unseren Vater wird für unsere Buße und unsere Umkehr zu ihm sehr nützlich sein. Es wird unseren Kummer für die Sünde eifrig und unsere Entschlossenheit gegen sie stark machen und es wird uns ermutigen, auf Vergebung zu hoffen. Gott liebt es, von Bußfertigen wie auch von Bittstellern „Vater" genannt zu werden.

Was die Erfüllung dieses Vorsatzes war: „Und er machte sich auf und ging zu seinem Vater." Er setzte seine gute Entscheidung ohne Verzögerung in die Praxis um; er schmiedete, solange das Eisen heiß war. Haben wir gesagt, dass wir aufstehen und gehen werden? Dann wollen wir umgehend aufstehen und kommen. Er ging nicht den halben Weg und gab dann vor, dass er müde sei und nicht weitergehen könnte, sondern schwach und matt wie er war, machte er eine ganze Sache daraus.

2.3 Sein Empfang bei seinem Vater hier: Er „ging zu seinem Vater", doch war er willkommen? Ja; er war herzlich willkommen! Dies ist übrigens ein Beispiel für Eltern, deren Kinder töricht und ungehorsam waren: Wenn sie bereuen, sollten Eltern nicht hart und streng mit ihnen sein, sondern sie durch die Weisheit ermutigen und leiten, die von oben kommt, die gütig ist und sich etwas sagen lässt (s. Jak 3,17). Dies soll jedoch hauptsächlich die Gnade und Barmherzigkeit armen Sündern gegenüber zeigen, die Buße tun und zu ihm umkehren, wie bereit er ist, ihnen zu vergeben. Beachten Sie hier:

Die große Liebe und Zuneigung, mit welcher der Vater den Sohn empfing: „Als er aber noch fern war, sah ihn sein Vater" **(Vers 20)**. Er drückte seine Freundlichkeit sogar aus, ehe der Sohn seine Buße ausdrückte. Sogar „ehe sie rufen, will ich antworten" (Jes 65,24), denn er weiß, was in unseren Herzen ist. Was für lebendige Bilder werden hier dargeboten!

Hier waren barmherzige Augen, und diese Augen waren scharfsichtig: „Als er aber noch fern war, sah ihn sein Vater", als hätte er von der Spitze eines hohen Turmes aus auf die Straße hinabgeschaut, auf der sein Sohn gegangen war, und ungefähr gedacht: „Oh könnte ich doch meinen unglücklichen Sohn dort nach Hause kommen sehen!" Das zeigt Gottes Verlangen nach der Bekehrung von Sündern und seine Bereitschaft, denen zu begegnen, die zu ihm kommen. Er ist sich ihrer ersten Neigung zu ihm bewusst.

Hier war ein barmherziges Herz, das sich nach dem Anblick seines Sohnes sehnte. Er „hatte Erbarmen". Elend ist das Objekt des Mitleids, selbst das Elend eines Sünders; obwohl Sünder ihr Elend selbst über sich gebracht haben, hat Gott dennoch Erbarmen.

Hier waren barmherzige Füße, und diese Füße liefen schnell: „Und er lief." Der verlorene Sohn kam langsam, niedergedrückt durch eine Last der Scham und der Furcht, doch der liebende Vater lief hinaus, um ihm mit seinen Ermutigungen zu begegnen.

Hier waren barmherzige Arme, und diese Arme waren ausgestreckt, um ihn zu umarmen: Er „fiel ihm um den Hals". Obwohl der Sohn schuldig war und es verdiente, geschlagen zu werden, obwohl er schmutzig war und gerade vom Schweine hüten kam, nahm ihn sein Vater in die Arme und hielt ihn fest. So sind kostbare Bußfertige für Gott und genauso sind sie bei dem Herrn Jesus willkommen.

Hier waren barmherzige Lippen: Er „küsste ihn". Dieser Kuss sicherte ihm nicht nur sein Willkommensein zu, sondern besiegelte auch seine Vergebung; seine frühere Torheit würde völlig vergeben sein und kein Wort des Tadels wurde gesagt.

Die Unterwerfung des armen verlorenen bußfertigen Sohnes unter seinen Vater: „Der Sohn aber sprach zu ihm: Vater, ich habe gesündigt" **(Vers 21)**. Wie es die Freundlichkeit des guten Vaters lobt, dass er sie zeigte, ehe der verlorene Sohn seine Buße ausdrückte, so ist es auch ein Lob für die Buße des verlorenen Sohnes, dass er sie ausdrückte, nachdem ihm der Vater solche Freundlichkeit gezeigt hatte. Als er den Kuss empfangen hatte, der die Vergebung besiegelte, sagte er doch: „Vater, ich habe gesündigt." Selbst diejenigen, deren Sünden vergeben sind, müssen in ihrem Herzen aufrichtig zerknirscht sein. Je mehr wir von Gottes Bereitschaft sehen, uns zu vergeben, umso schwieriger sollte es für uns sein, uns selbst zu vergeben.

Die herrliche Versorgung, mit welcher dieser freundliche Vater den zurückkehrenden verlorenen Sohn bedachte. Eines, was der verlorene Sohn sagen wollte **(s. Vers 19)**, hat er in Wirklichkeit nicht gesagt **(s. Vers 21)**, und das war: „Mache mich zu einem deiner Tagelöhner!" Wir können nicht glauben, dass er es vergessen hat und noch weniger, dass er seinen Sinn geändert hat; sein Vater unterbrach ihn, hielt ihn davon ab, es zu sagen: „Warte einen Augenblick, Sohn, du bist herzlich willkommen, und obwohl du nicht wert bist, ein Sohn genannt zu werden, wirst du als *ein geliebter Sohn* behandelt werden." Jemand, der auf diese Weise empfangen wird, sobald er ankommt, braucht nicht darum zu bitten, zu einem Tagelöhner gemacht zu werden. Es ist seltsam, dass es hier nicht ein Wort des Tadels gibt: „Die Suppe, die du dir da eingebrockt hast, musst du nun auch auslöffeln! Du hättest nie deinen Weg nach Hause gefunden, wenn du nicht mit deiner eigenen Rute hierhin geprügelt worden wärst." Nein, wir lesen nichts davon. Dies zeigt, dass, wenn Gott die Sünden von wahrhaft Bußfertigen vergibt, er sie vergisst; er wird „an ihre Sünde nicht mehr gedenken!" (Jer 31,34). Doch das war nicht alles; reiche und königliche Fürsorge wurde ihm zuteil, weit über das hinaus, was er erwartete oder erwarten konnte. Er hätte es für genug gehalten, wenn sein Vater nur Notiz von ihm genommen und ihm gesagt hätte, er solle in die Küche gehen, um mit den Knechten seine Mahlzeit zu essen, doch Gott tut für diejenigen, die sich auf seine Barmherzigkeit werfen, weit mehr, als sie bitten oder sogar verstehen können (s. Eph 3,20). Der verlorene Sohn kam zwischen Hoffen und Bangen heim, Bangen davor, zurückgewiesen zu werden, und Hoffen, angenommen zu werden, und doch war sein Vater nicht nur besser zu ihm als seine Furcht, sondern auch besser zu ihm als seine Hoffnungen.

Er kam heim in Lumpen und sein Vater kleidete ihn nicht nur, sondern schmückte ihn auch. Er „sprach zu seinen Knechten: Bringt das beste Festgewand her und zieht es ihm an". Die schlechtesten alten Kleider im Haus hätten diesen Zweck erfüllt und doch rief der Vater nicht nach einem Mantel, sondern nach einem Festgewand, dem besten Festgewand. Im Griechischen gibt es hier eine doppelte Betonung: „Dieses Festgewand, das wichtigste Festgewand, ihr wisst schon, welches ich meine. Bringt dieses Festgewand her und zieht es ihm an. Er wird sich schämen, es zu tragen, und meinen, dass es nicht gut für den einen sei, der in einem solch schmutzigen Zustand nach Hause kommt, doch zieht es ihm an. Gebt ihm auch einen Ring an seine Hand, einen Siegelring, mit dem Familienwappen, als Zeichen, dass er als Mitglied der Familie angenommen ist." Der Sohn war barfuß nach Hause gekommen, die Füße wahrscheinlich wund von der Reise, darum: „... und gebt ihm ... Schuhe an die Füße." So sorgt die Gnade Gottes für wahrhaftig Bußfertige.

Die Gerechtigkeit Christi ist das Festgewand, mit dem sie bekleidet werden; sie ziehen den Herrn Jesus Christus an (s. Röm 13,14). Eine neue Natur ist das beste Festgewand; damit sind wahrhaft Bußfertige bekleidet.

Die Verheißung des Geistes ist der Ring an seiner Hand. „,Gebt ihm einen Ring an seine Hand', dass er einer beständigen Erinnerung der Freundlichkeit seines Vaters ihm gegenüber sei, damit er sie nie vergessen möge."

Die „Bereitschaft zum Zeugnis für das Evangelium des Friedens" ist wie Schuhe für unsere Füße (Eph 6,15). Das Bild zeigt, dass die Bekehrten fröhlich und entschlossen auf dem Pfad des religiösen Glaubens fortfahren werden, wie Menschen, die Schuhe anhaben, weiter gehen können, als sie es vermögen, wenn sie barfuß sind.

Er kam hungrig, und sein Vater speiste ihn nicht nur, sondern schwelgte mit ihm. „,Und bringt das gemästete Kalb her und schlachtet es', damit mein Sohn mit dem besten gesättigt werden möge, was wir haben" **(Vers 23)**. Das gemästete Kalb hätte nie für Besseres gebraucht werden können. Es war eine große Veränderung für den verlorenen Sohn, der sich kurz zuvor danach gesehnt hatte, seinen Bauch mit Schoten zu füllen. Wie süß wird der Vorrat des Neuen Bundes für diejenigen sein, die sich vergeblich um Befriedigung durch geschaffene Dinge bemüht haben! Jetzt sah der verlorene Sohn, wie sich seine eigenen Worte erfüllten: „Im Haus meines Vaters gibt es ,Brot im Überfluss'."

Die große Freude und das Frohlocken, welche seine Rückkehr hervorbrachte. Das Bringen des gemästeten Kalbs sollte nicht nur ein Festmahl für ihn, sondern ein Festtag für die ganze Familie sein. „,Und lasst uns essen und fröhlich sein', denn es ist ein guter Tag. ,Denn dieser mein Sohn war tot.' Wir dachten, er sei gestorben, doch siehe, er lebt. ,Er war verloren.' Wir hatten ihn als verloren aufgegeben, doch er ,ist wiedergefunden worden'." Die Bekehrung einer Seele von der Sünde zu Gott ist die Erweckung dieser Seele vom Tod zum Leben und das Finden von dem, was verloren schien: Es ist eine große, wunderbare und glückliche Veränderung. Es ist eine Veränderung wie die, welche über das Antlitz der Erde kommt, wenn der Frühling wiederkehrt. Die Bekehrung von Sündern ist für den Gott des Himmels sehr wohlgefällig und alle, die zu seiner Familie gehören, sollten sich darüber freuen; die im Himmel tun es und die auf der Erde sollten es. Es war der Vater, der sich zu freuen begann, und er brachte alle anderen zum Frohlocken. Die Familie stimmte dem Herrn zu: „Und sie fingen an, fröhlich zu sein." Gottes Kinder und Knechte sollten durch die Dinge bewegt werden, wie er es ist.

2.4 Die Verstimmung des älteren Bruders, welche auf die Art eines Tadels für die Schriftgelehrten und Pharisäer beschrieben wird. Christus stellte die Haltung des älteren Bruders so dar, um die Dinge nicht schlimmer zu machen, sondern nur, um anzuerkennen, dass sie immer noch die Vorrechte von älteren Brüdern hatten. Als Christus sie für ihre Fehler tadelte, sprach er doch sanft mit ihnen, um sie zu einer guten Haltung den armen Zöllnern gegenüber zu besänftigen. Indes können wir es so verstehen, dass der ältere Bruder hier diejenigen darstellt, welche wirklich gut sind und nie vom Wege abkamen, die – im Vergleich – keine Buße brauchen. Auf solche Leute lassen sich die Worte hier am Schluss gerichtet ohne Schwierigkeit anwenden: „Mein Sohn, du bist allezeit bei mir", doch nicht auf die Schriftgelehrten und Pharisäer. Beachten Sie in Bezug auf den älteren Bruder:

Wie töricht und ärgerlich er über den Empfang seines Bruders und wie verstimmt er darüber war. Es scheint, dass er „auf dem Feld" war, als sein Bruder heimkam, und zu der Zeit, als der ältere Bruder nach Hause zurückkehrte, hatte die Feier begonnen. „Und als er heimkam und sich dem Haus näherte, hörte er Musik und Tanz" **(Vers 25)**. Er erkundigte sich, „was das sei" (was dort vor sich ging; **Vers 26**), und ihm wurde gesagt, dass sein Bruder nach Hause gekommen war und von seinem Vater mit einem Fest willkommen geheißen wurde. Ihm wurde auch gesagt, dass es große Freude gäbe, weil sein Vater den jungen Mann „sicher und gesund wiedererhalten hat" (**Vers 27**; KJV). Sicher und gesund ist die Übersetzung von nur einem Wort im Original, einem Wort, das „bei Gesundheit" bedeutet, sowohl leiblich als auch geistig gut. Er erhielt ihn nicht nur gesund am Leib wieder, sondern auch als einen Bußfertigen, der vernünftig geworden ist, von seiner Verderbtheit geheilt wurde, denn sonst hätte er den verlorenen Sohn nicht sicher und gesund wiedererhalten. Dies kränkte nun den älteren Bruder in höchstem Maß: „Da wurde er zornig und wollte nicht hineingehen" (**Vers 28**), denn er wollte seinem Vater zeigen, dass er seinen jüngeren Bruder hätte draußen lassen sollen. Das deckt einen häufigen Fehler auf:

In den Familien der Menschen. Diejenigen, die für ihre Eltern immer ein Trost gewesen sind, meinen, dass sie ein Monopol auf die Gunsterweise ihrer Eltern haben sollten, und sie neigen dazu, zu scharf gegenüber solchen zu sein, die ungehorsam waren.

In Gottes Familie. Diejenigen, die verhältnismäßig schuldlos sind, wissen selten, wie sie mit denen mitleidsvoll sein sollen, die eindeutig bußfertig sind. Wir haben hier die Sprache solcher Menschen in dem, was der ältere Bruder sagte (**s. Vers 29-30**).

Er rühmte sich selbst und seiner Güte und seines Gehorsams. „Siehe, so viele Jahre diene ich dir und habe nie dein Gebot übertreten." Es ist bei denen allzu üblich, die besser sind als ihre Nächsten, dass sie sich dessen rühmen. Ich neige dazu zu denken, dass dieser ältere Bruder über die Wahrheit hinausging, als er sagte, dass er nie das Gebot seines Vaters übertreten habe, denn wenn das wahr gewesen wäre, so denke ich, wäre er nicht so halsstarrig in seiner Reaktion auf das Bitten seines Vaters hin gewesen, wie er es nun war. Diejenigen, die Gott lange Zeit gedient haben und vor groben Sünden bewahrt worden sind, haben eine ganze Menge, wofür sie demütig dankbar sein können, aber nichts, worüber sie sich stolz rühmen können.

Er beklagte sich über seinen Vater: „Und mir hast du nie einen Bock gegeben [eine junge Ziege], damit ich mit meinen Freunden fröhlich sein kann." Er war nun in schlechter Stimmung, denn sonst hätte er sich nicht so beklagt, denn wenn er zu irgendeiner Zeit um eine solche Gunst gebeten hätte, hätte er sie zweifellos sofort bekommen. Das Schlachten des gemästeten Kalbes ließ ihn auf so verkehrte Weise denken. Wenn Menschen in Wut geraten sind, neigen sie dazu, auf Wegen zu denken, wie sie nicht denken würden, wenn sie vernünftig wären. Er hatte viele Male am Tisch seines Vaters gefeiert, doch sein Vater hatte ihm nie eine, nicht einmal eine junge Ziege gegeben, die nur ein kleines Zeichen der Liebe verglichen mit dem gemästeten Kalb war. Diejenigen, die hoch von sich und ihrem Dienst denken, neigen dazu, hart von ihrem Herrn zu denken und eine geringe Meinung von seinen Gunsterweisen zu haben. Wir sollten anerkennen, dass wir vollkommen unwürdig für die Barmherzigkeiten sind, welche Gott für geeignet hielt, sie uns zu geben, und darum dürfen wir uns nicht beklagen. Der ältere Bruder wünschte sich, er hätte eine junge Ziege gehabt, um mit seinen Freunden fort von zu Hause zu feiern, wohingegen das gemästete Kalb seinem Bruder gegeben wurde, um mit seiner Familie zu Hause zu feiern: Die Glückseligkeit von Gottes Kindern sollte bei seinem Vater und seiner Familie sein, nicht bei irgendwelchen anderen Freunden.

Er war sehr schlecht gelaunt gegenüber seinem jüngeren Bruder. Manche gute Menschen neigen dazu, sich von diesem Fehler einfangen zu lassen. Sie blicken auf diejenigen herab, die ihren Ruf nicht so rein erhalten haben, wie sie es taten, selbst wenn diejenigen, die sich auf solche Weise befleckt haben, gute Belege ihrer Buße und Besserung gegeben haben. Dies ist nicht der Geist Christi, sondern der der Pharisäer. Achten Sie auf das, was geschah.

Er „wollte nicht hineingehen". Ein Haus würde weder ihn noch seinen Bruder unter einem Dach aushalten, nicht einmal das Haus seines Vaters. Zwar sollen wir die Gesellschaft von solchen Sündern meiden, bei denen wir in der Gefahr stehen, verunreinigt zu werden, doch wir dürfen dennoch nicht die Gesellschaft von bußfertigen Sündern scheuen, die uns nützen kann. Der ältere Bruder sah, dass sein Vater seinen jüngeren Sohn hereingeholt hatte, doch er lehnte es immer noch ab, hinein zu ihm zu gehen. Wenn wir es in unserem Herzen nicht fertig bekommen, diejenigen anzunehmen, die Gott angenommen hat, und die in die Freundschaft und Gemeinschaft mit ihm aufgenommen sind, haben wir eine zu hohe Meinung von uns selbst.

Er wollte ihn nicht Bruder nennen, sondern „dieser dein Sohn", was arrogant klingt und ein schlechtes Licht auf seinen Vater warf. Wir wollen unseren Verwandten die Bezeichnung geben, die ihnen gebührt. Möge der Reiche die Armen seine Geschwister nennen und auch die Schuldlosen mögen das mit den Bußfertigen tun.

Er hob die Schuld seines Bruders hervor und machte das Schlimmste daraus. Er ist „dein Sohn ... der dein Gut mit Huren vergeudet hat". Der verlorene Sohn hatte seinen Teil des Erbes töricht genug ausgegeben – ob für Prostituierte oder nicht, wird uns vorher nicht gesagt und vielleicht war dies nur die Sprache der Eifersucht und des Grolls des älteren Bruders –, doch dass er alles Gut des Vaters vergeudet hatte, war falsch; der Vater hatte immer noch einen guten Besitz. Dies zeigt nun, wie wir dazu neigen, das Schlimmste aus allem zu machen und das Bild mit den schwärzesten

Farben zu malen, was nicht dem entspricht, so zu handeln, wie wir wünschen würden, dass andere mit uns umgehen, noch wie unser himmlischer Vater mit uns umgeht.

Er missgönnte ihm die Freundlichkeit, die ihm sein Vater zeigte: Da „hast du für ihn das gemästete Kalb geschlachtet!" Es ist falsch, Bußfertigen die Gnade Gottes zu missgönnen. Genauso wie wir denen, welche die schlimmsten Sünder sind, nicht die Gaben der allgemeinen Vorsehung missgönnen dürfen, so dürfen wir denen, welche die schlimmsten Sünder gewesen sind, die Gaben der Bundesliebe nicht missgönnen, wenn sie Buße tun. Wir dürfen ihnen keine außerordentliche Gabe missgönnen, die Gott ihnen geben mag. Vor seiner Bekehrung ist Paulus ein verlorener Sohn gewesen; als ihm aber nach seiner Bekehrung ein größeres Maß an Gnade gegeben wurde als den anderen Aposteln, welche die älteren Brüder waren, missgönnten sie ihm nicht seine umfassendere Nützlichkeit, sondern priesen Gott um seinetwillen (s. Gal 1,24), was für uns ein Beispiel sein sollte, das Gegenteil von dem zu tun, wie dieser ältere Bruder.

Wie gewogen und freundlich sein Vater in seinem Verhalten ihm gegenüber war, als er so mürrisch und missgelaunt war. Das ist genauso überraschend wie das Verhalten des älteren Sohnes seinem Vater gegenüber. Ich denke, die Barmherzigkeit und Gnade unseres Gottes in Christus scheint fast so leuchtend in seiner sanften und gütigen Haltung und seinen Taten launischen Heiligen gegenüber, wie sie früher bei ihrer Annahme schien, als sie als verlorene Söhne Buße taten. Die Jünger Christi hatten selbst viele Schwächen und waren genauso menschlich wie andere, doch Christus war geduldig mit ihnen.

Als er nicht hereinkommen wollte, ging sein Vater „hinaus und redete ihm zu", sprach sanft zu ihm, mit gütigen Worten (s. Sach 1,13), bat ihn hereinzukommen. Er hätte zu Recht sagen können: „Wenn du nicht hereinkommen willst, sollst du draußen bleiben. Ist das nicht mein Haus? Kann ich nicht darin tun, was ich möchte? Ist das gemästete Kalb nicht mein Eigentum? Kann ich damit nicht tun, was ich möchte (Mt 20,15)?" Nein, so wie er hinausging, um dem jüngeren Sohn zu begegnen, so ging er jetzt hinaus, um den Älteren zu suchen. Dies soll für uns die Güte Gottes darstellen; wie sonderbar gütig und gewinnend er denen gegenüber war, die sonderbar launisch und provozierend waren. Es soll alle lehren, die über anderen stehen, sanft und freundlich mit ihren Untergebenen zu sein, selbst wenn ihre Untergebenen im Irrtum sind und sich leidenschaftlich darin rechtfertigen. Selbst in einem solchen Fall sollen Väter ihre „Kinder nicht zum Zorn" reizen (Eph 6,4) und die Herren sollen das Drohen lassen (s. Eph 6,9) und beide sollen große Demut zeigen.

Sein Vater sicherte ihm zu, dass der freundliche Empfang, den er seinem jüngeren Bruder erwies, weder eine Herabsetzung von ihm war noch seinen Interessen irgendwie schaden würde: „‚Mein Sohn, du bist allezeit bei mir' (Vers 31), meine Aufnahme von ihm bedeutet nicht eine Verwerfung von dir. Noch bedeuten meine Ausgaben für ihn irgendeine Verminderung von dem, was ich für dich habe. ‚... alles, was mein ist, das ist dein', durch einen unanfechtbaren Anspruch." Obwohl ihm der Vater keinen Bock gegeben hatte, damit er mit seinen Freunden „fröhlich sein kann", hatte er ihm erlaubt, fortwährend an seinem Tisch Brot zu essen, und es ist besser, glücklich mit unserem Vater im Himmel zu sein, als uns mit irgendeinem Freund zu amüsieren, den wir in dieser Welt haben.

Es ist die unbeschreibliche Seligkeit aller Kinder Gottes, dass sie immer bei ihm sind und immer bei ihm sein werden. Alles, was er hat, gehört ihnen, denn wenn sie Kinder sind, so sind sie auch Erben (s. Röm 8,17).

Wir sollen anderen nicht Gottes Gnade für sie missgönnen, denn wir werden niemals weniger haben, weil sie daran teilhaben. Wenn wir echte Gläubige sind, ist alles, was Gott ist, und alles, was er hat, unser, und wenn andere echte Gläubige werden, ist alles, was er ist und was er hat, auch ihres. Dennoch haben wir nicht weniger, so wie diejenigen, die im Licht und der Wärme der Sonne wandeln und allen Gewinn von ihr bekommen, den sie bekommen können, nicht weniger haben, weil andere genauso viel haben.

Sein Vater nannte ihm einen guten Grund: „Du solltest aber fröhlich sein und dich freuen" **(Vers 32)**. Er hätte auf seiner Autorität beharren und sagen können: „Es war mein Wille, dass die Familie feiert und sich freut." Es ist jedoch für diejenigen nicht gut, die Autorität haben, dass sie bei jeder Gelegenheit auf ihre Autorität verweisen, denn das macht diese nur minderwertig und gewöhnlich. Es ist besser, einen überzeugenden Grund zu nennen, wie es der Vater hier tut: „Wir sollten aber – es ist angemessen und recht so – fröhlich sein und uns freuen über die Rückkehr eines verlorenen Sohnes", mehr als über die Ausdauer eines gehorsamen Sohnes, denn wenn Letzterer auch ein größerer Segen für eine Familie ist, ist Ersterer eine größere Freude. Jede Familie würde, wenn ein totes Kind zum Leben erweckt wird, viel mehr von Freude ergriffen werden als über das andauernde Leben und die anhaltende Gesundheit vieler Kinder. Wir sehen nicht, dass der ältere Bruder irgendetwas auf das antwortete, was sein Vater sagte, was zeigte, dass er mit seinem verlorenen Bruder versöhnt war, und sein Vater erinnerte ihn, dass er sein Bruder war: „... dieser dein Bruder." Auch wenn ein guter Mensch in sich selbst nicht zu jeder Zeit genug Beherrschung hat, um ruhig zu bleiben, wird er doch durch Gottes Gnade seine Ruhe zurückgewinnen; „fällt er, so wird er nicht hingestreckt liegenbleiben" (Ps 37,24).

KAPITEL 16

Die Absicht der Lehre Christi in diesem Kapitel ist, uns alle aufzuwecken und anzuspornen, dass wir all unseren Besitz und unsere Freuden hier in solcher Weise verwenden, dass sie in der anderen Welt für uns und nicht gegen uns arbeiten mögen. 1. Wenn wir mit ihnen Gutes tun, werden wir den Nutzen davon in der nächsten Welt ernten, und er zeigt dies in dem Gleichnis von dem untreuen Haushalter. Wir haben das Gleichnis selbst (s. Vers 1-8); seine Erläuterung und Anwendung (s. Vers 9-13); und die Verachtung der Pharisäer für die Botschaft, die Christus ihnen predigt, wofür er sie scharf zurechtwies und noch einige wichtige Aussagen hinzufügte (s. Vers 14-18). 2. Wenn wir, statt mit unseren weltlichen Besitztümern Gutes zu tun, sie zum Brennstoff unserer Maßlosigkeit machen und es ablehnen, die Armen zu unterstützen, werden wir sicherlich ewig zugrunde gehen. Er zeigte dies den Pharisäern in dem Gleichnis von dem reichen Mann und dem armen Lazarus (s. Vers 19-31).

Vers 1-18

Wir sind im Irrtum, wenn wir meinen, dass die Absicht der Lehre Christi und des heiligen religiösen Glaubens entweder war, uns mit Gedanken über göttliche Geheimnisse zu unterhalten, oder uns bloß eine Vorstellung von göttlichen Barmherzigkeiten zu geben. Nein; die göttliche Offenbarung von diesen beiden Dingen im Evangelium soll uns anregen und veranlassen, wirklich unsere christlichen Pflichten zu erfüllen, und besonders unsere Pflicht, denen Gutes zu tun, die an irgendetwas Mangel haben, das wir entweder haben oder für sie tun können. Wir sind nur „Haushalter der mannigfaltigen Gnade Gottes" (1.Petr 4,10); wir würden weise sein, wenn wir daran denken, wie wir das, was wir in der Welt haben, gut ausnutzen können. Wenn wir weise handeln wollen, müssen wir unsere Reichtümer genauso sorgfältig und gewandt für Taten der Gottesfurcht und Liebe verwenden, um unser zukünftiges und ewiges Wohl zu fördern, wie weltliche Menschen ihren Reichtum nutzen, um den größten zeitlichen Gewinn zu erzielen. Bedenken Sie:

1. Das Gleichnis selbst, in welchem alle Menschen als Haushalter (Verwalter) von dem dargestellt sind, was sie in dieser Welt haben. Was immer wir haben, ist Gottes Eigentum; wir dürfen es nur verwenden. Hier ist:

1.1 Die Unehrlichkeit dieses Verwalters. Er verschleuderte die Güter seines Herrn und er wurde dafür „bei ihm verklagt" **(Vers 1)**. Wir stehen alle unter der gleichen Anklage. Wir haben das nicht richtig gebraucht, was Gott uns anvertraut hat. Wir sollten uns selbst richten, damit wir nicht von unserem Herrn dafür gerichtet werden.

1.2 Seine Entlassung aus seiner Stellung. Sein Herr „rief ihn zu sich und sprach zu ihm: Was höre ich da von dir?" **(Vers 2)**. Er sprach als jemand, der betrübt war, dass er von seinem Haushalter enttäuscht wurde. Es plagte ihn, das zu hören, doch der Verwalter konnte es nicht leugnen, und deshalb gab es kein Gegenmittel: Der Verwalter musste Rechenschaft ablegen und in kurzer Zeit weg sein. Dies soll uns nun lehren:

Dass alle von uns bald von unserer Haushalterschaft (Verwalterschaft) in dieser Welt entlassen werden müssen. Der Tod wird kommen und uns von unserer Haushalterschaft fortschicken und andere werden an unsere Stelle treten.

Dass unsere Entlassung von unserer Haushalterschaft durch den Tod recht und verdient ist, denn wir haben die Güter unseres Herrn verschleudert.

Dass wir, wenn uns unsere Haushalterschaft genommen wird, darüber vor unserem Herrn Rechenschaft ablegen müssen.

1.3 Seine zweiten Gedanken, seine spätere Weisheit. Er begann nun zu überlegen: „Was soll ich tun?" **(Vers 3)**. Es wäre besser gewesen, wenn er sich das vorher überlegt hätte, doch es ist besser, spät als gar nicht solche Gedanken zu haben. Er muss leben; wie würde er ein Auskommen haben?

Er wusste, dass er nicht fleißig genug war, um durch Arbeit seinen Lebensunterhalt zu verdienen: „Graben kann ich nicht." Doch warum konnte er nicht graben? Die Wahrheit war, dass er faul war. Als er sagte, dass er es nicht könne, war das, was er wirklich meinte, dass er es nicht wollte; es war keine natürliche, sondern eine moralische Unfähigkeit, unter der er stand. Er konnte nicht graben, weil er nie daran gewöhnt worden war.

Er wusste, dass er nicht genug Demut hatte, um sein Auskommen durch Betteln zu erhalten: „Zu betteln schäme ich mich." Dies drückte seinen Stolz aus, wie die vorige Aussage seine Faulheit ausdrückte. Dieser Verwalter hatte mehr Grund dazu, darüber beschämt zu sein, dass er seinen Herrn betrügt, als dass er für sein Brot bettelt.

Darum entschloss er sich, Freundschaft mit den Schuldnern seines Herrn zu schließen: „‚Ich weiß, was ich tun will.' Ich kenne die Pächter meines Herrn; ich habe ihnen bei vielen Gelegenheiten geholfen und jetzt werde ich ihnen eine weitere Gunst erweisen, die ihnen so gefallen wird, dass sie mich in ihre Häuser aufnehmen werden. Solange bis ich die

Dinge besser für mich selbst machen kann, werde ich bei ihnen bleiben und von einem guten Haus zum Nächsten gehen" **(Vers 4)**. Dementsprechend rief er einen Schuldner, der seinem Herrn „100 Bat Öl" schuldete. „Und er sprach zu ihm: Nimm deinen Schuldschein, setze dich und schreibe schnell 50!" **(Vers 6)**. Und auf diese Weise reduzierte der Haushalter die Schuld des Pächters um die Hälfte. ,... setze dich und schreibe schnell', denn sonst könnten wir in unseren Verhandlungen überrascht werden und jemand Verdacht schöpfen." Er holte einen anderen Schuldner, der seinem Herrn „100 Kor Weizen" schuldete, und sagte ihm, er solle 80 schreiben **(Vers 7)**. Achten Sie hier darauf, wie unsicher unsere weltlichen Besitztümer sind; sie sind am unsichersten für die, welche am meisten davon haben, welche anderen alle Belange davon übertragen und es damit in ihre Macht geben, sie zu betrügen. Beachten Sie auch, wie viel Treulosigkeit sich selbst bei denen findet, in die man Vertrauen setzt. Obwohl dieser Verwalter dafür vertrieben wurde, dass er unehrlich handelte, machte er dies doch weiterhin. Es ist so selten, dass Menschen einen Fehler zurechtbringen, selbst wenn sie durch ihn leiden.

1.4 Die Anerkennung dafür: „Und der Herr lobte den ungerechten Haushalter, dass er klug gehandelt habe" **(Vers 8)**. „Der Herr" kann sich auf den Herrn oder Meister dieses Knechts beziehen, der, obwohl er wütend gewesen sein muss, doch Gefallen an der Schlauheit des Haushalters hatte, doch selbst wenn wir dies auf diese Weise lesen, müssen die Worte am Ende des Verses von *unserem* Herrn sein, und deshalb meine ich, dass sich das Ganze auf ihn beziehen kann. Er lobte den Haushalter nicht, weil er unehrlich an seinem Herrn gehandelt hatte, sondern weil er im Hinblick auf sich selbst schlau gehandelt hat. Doch vielleicht handelte er auch gut für seinen Herrn und hat für die Pächter nur das getan, was ehrlich war. Er wusste, welche harten Übereinkünfte der Herr von seinen Pächtern erpresst hatte, sodass sie ihre Pacht nicht bezahlen konnten. Jetzt, wo er ging, handelte er, als er dies bedachte, so, wie er es tun sollte, sowohl unrecht als auch in Liebe. Er war ganz und gar auf der Seite seines Herrn gewesen, doch jetzt begann er, an die Pächter zu denken, damit er ihre Gunst haben möge, wenn er die seines Herrn verloren hatte. Dieser Plan für ein komfortables Auskommen in dieser Welt beschämt nun unsere Unbedachtheit für eine andere Welt: „Denn die Kinder dieser Weltzeit sind ihrem Geschlecht gegenüber klüger", sind schlauer bezüglich ihrer weltlichen Interessen und Vorteile, „als die Kinder des Lichts" es „ihrem Geschlecht gegenüber" sind, das heißt, für die Interessen ihrer Seelen und der Ewigkeit.

Die Weisheit weltlicher Menschen in den Angelegenheiten dieser Welt muss von uns in geistlichen Dingen nachgeahmt werden: Sie sind motiviert, das Beste aus jeder Gelegenheit zu machen, das zuerst zu tun, was am nötigsten ist. Oh, dass wir in unserem geistlichen Leben so weise wären!

Die Kinder des Lichts werden im Allgemeinen von den Kindern dieser Weltzeit übertroffen. Nicht, dass die Kinder dieser Weltzeit wahrhaftig weise sind; es ist nur „ihrem Geschlecht gegenüber". Darin sind sie klüger (schlauer) „als die Kinder des Lichts" gegenüber ihrem. Wir leben, als würden wir immer hier sein und als würde es kein anderes Leben nach diesem geben. Obwohl wir als „Kinder des Lichts" eine andere Welt vor uns sehen müssen, bereiten wir uns doch nicht auf sie vor, schicken dort nicht unsere besten Besitztümer und unsere größte Treue hin, wie wir es sollten.

2. Die Anwendung dieses Gleichnisses und die Schlussfolgerungen, die daraus gezogen werden: „,Auch ich sage euch', meinen Jüngern" – denn dieses Gleichnis war an sie gerichtet **(s. Vers 1)** –, „wenn ihr auch in dieser Welt nur wenig habt, denkt darüber nach, wie ihr selbst mit diesem Wenigen, was ihr habt, Gutes tun könnt" **(Vers 9)**. Beachten Sie:

2.1 Was uns unser Herr Jesus hier ermahnt zu tun: „Macht euch Freunde mit dem ungerechten Mammon" (weltlichen Wohlstand). Es ist die Schläue der Haushalter dieser Welt, die ihre finanziellen Angelegenheiten so verwalten, dass sie von ihnen in der Zukunft profitieren können, nicht nur für die Gegenwart. Wir sollten nun von ihnen lernen, unser Geld auf solche Weise zu verwenden, dass wir dadurch in der nächsten Welt besser dran sein mögen, so wie sie das Ihre in der Hoffnung verwalten, dass es ihnen dadurch in dieser Welt besser geht. Obwohl alle Güter, die wir haben, die Güter unseres Herrn sind, ist es dennoch, solange wir sie unter den Pächtern unseres Herrn und zu ihrem Vorteil ausgeben, so weit davon entfernt, als Unrecht unserem Herrn gegenüber angesehen zu werden, dass es eine Pflicht ihm gegenüber und auch kluge Verwaltung für uns selbst ist.

Die Dinge dieser Welt sind der ungerechte Mammon oder der treulose Mammon. Reichtümer sind vergänglich und werden diejenigen enttäuschen, die zulassen, dass ihre Erwartungen durch sie erhöht werden.

Obwohl man diesem „ungerechten Mammon" nicht bezüglich der Seligkeit vertrauen soll, kann und muss er beim Jagen nach dem benutzt werden, was unsere Seligkeit ist. Obwohl wir darin nicht wirkliche Befriedigung finden können, können wir uns doch Freunde damit machen.

Beim Tod muss es mit uns zu Ende gehen. „Wenn es mit euch und eurem Geld zu Ende geht"

(**Vers 9**; GNB) – *hotan eklipete*, „wenn ihr eine Verfinsterung erleidet". Der Tod verfinstert uns. Von Kaufleuten heißt es, dass sie Bankrott machen, wenn sie in Konkurs gehen. Wir müssen bald alle auf diese Weise Bankrott gehen. Der Tod zwingt einen dazu, das Geschäft aufzugeben, er zwingt die Hand zur Untätigkeit (s. Hiob 37,7).
Wir sollten sicherstellen, dass wir, wenn es beim Tod mit uns zu Ende geht, „in die ewigen Hütten" im Himmel aufgenommen werden. Christus ist uns vorausgegangen, um denen eine Stätte zu bereiten, die sein sind (s. Joh 14,2-3), und dort er bereit, sie zu empfangen (s. 1.Tim 6,17-19).

2.2 Welche Argumente er benutzt, um uns diese Ermahnung eindringlich vor Augen zu führen.
Wenn wir die Gaben der Vorsehung Gottes nicht in richtiger Weise gebrauchen, wie können wir dann von ihm die Gaben seiner geistlichen Gnade erwarten? Unsere Treulosigkeit in dem Gebrauch der Dinge dieser Welt kann zu Recht als Einbuße unseres Rechtes auf die Gnade angesehen werden, die nötig ist, um uns in die Herrlichkeit zu bringen **(s. Vers 10-14)**.
Die Reichtümer dieser Welt sind die geringen Dinge, Gnade und Herrlichkeit sind die großen. Wenn wir im Geringsten treulos sind, ist zu Recht zu befürchten, dass wir auch mit den Gaben von Gottes Gnade so sein würden und dass sie uns deshalb verweigert werden: „Wer im Geringsten treu ist, der ist auch im Großen treu" **(Vers 10)**. Diejenigen, die Gott dienen und mit ihrem Geld Gutes tun, werden mit den edleren und wertvolleren Talenten der Weisheit und Gnade Gott dienen und Gutes tun, doch diejenigen, die das eine Talent des Wohlstands dieser Welt vergraben, werden nie das Beste aus den fünf Talenten der geistlichen Reichtümer machen (s. Mt 25,24-30).
Die Reichtümer dieser Welt sind trügerisch und unsicher; sie sind der ungerechte Mammon, der sich rasch von uns fortbewegt, und wenn wir durch ihn irgendeinen Nutzen haben wollen, müssen wir uns rasch bewegen. Wie können wir erwarten, wenn wir es nicht tun, dass uns geistliche Reichtümer anvertraut werden, die das einzig Wahre sind **(s. Vers 11)**? Wir wollen uns davon überzeugen lassen, dass diejenigen, die „reich im Glauben" (Jak 2,5) und „reich ... für Gott" sind (Lk 12,21), reich in Christus, im Reich Gottes und der Gerechtigkeit, wirklich reich sind – in der Tat sehr reich. Wenn uns andere Dinge hinzugegeben werden, können wir, wenn wir sie gut benutzen, diese wahren Reichtümer fester ergreifen und dafür befähigt werden, noch mehr Gnade von Gott zu bekommen. Denen, die „mit dem ungerechten Mammon" treu sind, gibt er „das Wahre".
Die Reichtümer dieser Welt sind das „Gut eines anderen" **(Vers 12)**. Sie gehören nicht uns, weil sie Gott gehören. Sie sind „eines anderen"; wir haben sie von anderen bekommen. Wir benutzen sie für andere. Wir müssen sie bald anderen überlassen. Geistliche und ewige Reichtümer aber sind untrennbar das Unsere; sie sind das gute Teil, das uns nie genommen werden soll (s. Lk 10,42). Wenn wir Christus, die Verheißungen und den Himmel zu dem Unseren machen, haben wir etwas, das wir wahrhaftig das Unsere nennen können. Doch wie können wir erwarten, dass Gott uns mit diesen geistlichen und ewigen Reichtümern reich macht, wenn wir ihm mit unseren weltlichen Besitztümern nicht dienen, von denen wir nur die Haushalter sind?
Wir haben keinen anderen Weg, um zu zeigen, dass wir Gottes Knechte sind, als dass wir uns so vollständig in seinen Dienst stellen, dass wir unseren ganzen weltlichen Wohlstand für uns in seinem Dienst nützlich machen: „Kein Knecht kann zwei Herren dienen" **(Vers 13)**. Wenn ein Mensch die Welt liebt und sich darauf beschränkt, muss er Gott hassen und verachten. Doch wenn ein Mensch Gott liebt und ihm treu bleibt, wird er die Welt im Verhältnis hassen. Die Dinge der Welt werden dazu gemacht, ihm zu helfen, Gott zu dienen und seine Rettung zu verwirklichen (s. Phil 2,12). Die Sache ist uns klar dargelegt: „Ihr könnt nicht Gott dienen und dem Mammon!" Ihre Interessen sind so geteilt, dass ihre Dienste nie miteinander versöhnt werden können.

2.3 Wie Christi Lehre von den Pharisäern aufgenommen wurde.
Sie verhöhnten ihn boshaft. „Das alles hörten aber auch die Pharisäer, die geldgierig waren", und konnten ihm nicht widersprechen, doch „sie verspotteten ihn" **(Vers 14)**. Wir wollen dies betrachten:
Als ihre Sünde, als die Frucht ihrer Geldliebe, was ihre vorherrschende Sünde war. Viele, die sich sehr zur Religion bekennen und in hohem Maße ihre Frömmigkeit ausüben, gehen durch die Liebe zur Welt zugrunde. Diese Pharisäer, die geldliebend waren, konnten nicht ertragen, dass das angetastet wurde, was ihr liebstes Begehren war, ihre Delila; deshalb höhnten sie über ihn; man könnte es lesen: „Sie rümpften die Nase über ihn." Es ist ein Ausdruck der höchsten Verachtung oder Geringschätzung. Sie lachten über ihn, dass er sich so gegen die Meinung und die Wege der Welt wandte. Diejenigen, die entschlossen sind, sich nicht von dem Wort Gottes beherrschen zu lassen, machen sich oft darüber lustig.
Als sein Leiden. Unser Herr Jesus erduldete nicht nur den Widerspruch von Sündern (s. Hebr 12,3), sondern auch ihre Verachtung. Der Eine, der so sprach, wie niemand zuvor gesprochen hatte, wurde verspottet und lächerlich gemacht, damit seine treuen geistlichen Diener, über deren Predigen in unge-

rechter Weise gehöhnt wird, dadurch nicht entmutigt werden mögen. Es ist keine Schande, ausgelacht zu werden, doch es ist dies, wenn wir verdienen, dass man uns auslacht.
Er tadelte sie zu Recht dafür, dass sie sich selbst mit einer rein zur Schau gestellten Frömmigkeit täuschten **(s. Vers 15)**. Hier gibt es:
Ihr leeres Äußeres.
Sie rechtfertigten sich selbst vor den Menschen; sie leugneten alles Böse, dessen sie beschuldigt wurden. Sie verlangten, dass man sie als besonders heilig und fromm betrachtete. „Ihr seid solche, die es sich zur Aufgabe machen, die gute Meinung der Leute zu suchen, und seid darauf bedacht, euch vor der Welt zu rechtfertigen; ihr seid bekannt dafür."
Sie waren „bei den Menschen hoch angesehen". Die Menschen entlasteten sie nicht nur, sondern spendeten ihnen Beifall, nicht nur als den Guten, sondern auch als den Besten.
Ihr abscheuliches Inneres, was Gott vor Augen stand. „Er kennt eure Herzen und sie sind abscheulich in seinen Augen."
Es ist töricht, sich selbst vor den Menschen zu rechtfertigen und zu meinen, dass es im Gericht des großen Tages ausreichen wird, um uns zu entlasten, dass andere nichts Böses über uns wissen, denn Gott, der unsere Herzen kennt, kennt das Unrecht in uns, das niemand sonst kennt. Dass Gott unser Herz kennt, sollte uns von Eingedünkel und Vertrauen auf uns selbst abhalten; es gibt uns guten Grund, uns zu demütigen und zu misstrauen.
Es ist töricht, Menschen und Dinge anhand der Meinungen anderer zu beurteilen, dem Strom der allgemeinen Beurteilung zu folgen, denn „was bei den Menschen hoch angesehen ist", das ist vielleicht „ein Gräuel vor Gott", der die Dinge sieht, wie sie wirklich sind. Manche, die von den Menschen verachtet und verurteilt werden, werden doch von Gott angenommen und gutgeheißen (s. 2.Kor 10,18).
Er wandte sich von ihnen ab zu den Zöllnern und Sündern, weil es wahrscheinlicher war, dass sie von seinem Evangelium überzeugt wurden, als bei diesen geldliebenden arroganten Pharisäern: „Das Gesetz und die Propheten weissagen' in der Tat ‚bis auf Johannes'; seit Johannes der Täufer auftrat, ‚wird das Reich Gottes verkündigt'. ‚Jedermann drängt sich mit Gewalt hinein' in das Reich des Evangeliums, Heiden wie auch Juden. Es ist nicht so sehr ein politisches und nationales Reich, wie es die jüdische Gesellschaft war, als sie unter dem Gesetz und den Propheten war, das Heil ‚aus den Juden' kam; es ist nun zu einer individuellen, persönlichen Sache gemacht worden, und darum versucht nun jeder, der davon überzeugt ist, dass er eine Seele hat, die zu retten ist, sehr angestrengt hereinzukommen, damit er nicht zurückbleiben möge" **(Vers 16**; Joh 4,22). Manche legen es in dieser Weise aus: Die Pharisäer höhnten über Christus, dass er geringschätzig über Reichtümer sprach, denn sie dachten: „Gibt es nicht viele Verheißungen von Reichtümern und anderen guten weltlichen Dingen im Gesetz und in den Propheten?" Christus sagte: „Das stimmt. Das ist, wie es einmal war, doch jetzt, wo damit begonnen wurde, das Reich Gottes zu predigen, sind die Armen, die Trauernden und die Verfolgten glückselig. Jetzt, wo das Evangelium gepredigt wird, sind die Augen der Menschen geöffnet, und sie drängen mit heiligem Streben in das Reich Gottes hinein" (s. Mt 5,3-4.10; 11,12). Diejenigen, die in den Himmel eingehen möchten, müssen sich anstrengen, müssen gegen den Strom schwimmen, müssen sich durch die Menschenmenge hindurch ihren Weg erzwingen, die in die entgegengesetzte Richtung geht.
Er bestritt dennoch jede Absicht, das Gesetz außer Kraft zu setzen: „Es ist aber leichter, dass Himmel und Erde vergehen, als dass ein einziges Strichlein des Gesetzes falle" **(Vers 17)**. Das Moralgesetz wird bestätigt; die dadurch auferlegten Pflichten bleiben Pflichten; die Sünden, die es verbietet, bleiben Sünden. Das Zeremonialgesetz wird im Evangelium vollendet und seine dunklen Bereiche werden mit den Farben des Evangeliums erfüllt; nicht „ein einziges Strichlein" davon fällt, denn es ist eingegossen in das Evangelium. Manche Dinge, die vom Gesetz gebilligt wurden, um größeren Schaden zu verhindern, werden vom Evangelium untersagt, doch ohne irgendeinen Schaden oder eine Herabsetzung des Gesetzes, wie im Fall der Ehescheidung **(s. Vers 18)**, das wir vorher hatten (s. Mt 5,32; 19,9). Das Evangelium soll die bittere Wurzel der verderbten menschlichen Gelüste und Leidenschaften treffen, um sie zu töten und auszureißen, und deshalb darf man ihnen nicht einmal mehr bis zu dem Ausmaß nachgeben, wie diese Zulassung ihnen gegenüber nachsichtig war, denn je mehr ihnen nachgegeben wird, desto heftiger und halsstarriger werden sie.

Vers 19-31

Das Gleichnis von dem verlorenen Sohn legte die Gnade des Evangeliums dar; dieses stellt uns den „kommenden Zorn" vor Augen (Lk 3,7), um uns aufzuwecken. Der Zweck des Evangeliums Christi ist, uns sowohl mit der Armut und dem Leiden zu versöhnen als auch uns gegen Versuchungen zur Weltlichkeit zu wappnen. Dieses Gleichnis geht einen langen Weg für die Erfüllung dieser zwei großen Absichten. Dieses Gleichnis ist nicht wie die anderen Gleichnisse Christi, in denen geistliche Dinge durch den Vergleich mit weltlichen Dingen dargestellt werden, wie in dem vom Sämann und der Saat. Hier werden stattdessen die geistlichen Dinge selbst in einer Geschichte oder Beschreibung von den verschiedenen

Ständen guter und schlechter Menschen in dieser und in der anderen Welt dargestellt. Wir müssen es jedoch nicht mit einem besonderen Ereignis in Zusammenhang bringen; es ist vielmehr etwas, das jeden Tag geschieht: Arme, gottesfürchtige Menschen, die von anderen missachtet werden und auf denen herumgetrampelt wird, werden durch den Tod von ihrem Elend erlöst und gehen in himmlische Seligkeit und Freude ein, und reiche zügellose Menschen, die im Luxus leben und unbarmherzig den Armen gegenüber sind, sterben und gehen in einen Stand der schrecklichen Qual. Ist dies ein Gleichnis? Welchen Vergleich gibt es darin? Das Gespräch hier ist nur eine Veranschaulichung der Beschreibung der beiden Stände. Unser Heiland kam, um uns mit einer anderen Welt vertraut zu machen, und hier tat er es. In dieser Beschreibung – denn so werde ich es nennen – können wir beachten:

1. Die unterschiedlichen Umstände eines bösen reichen Mannes und eines frommen Armen in dieser Welt. Die Juden waren in früherer Zeit im Begriff, Wohlstand zu einem der Kennzeichen eines guten Menschen zu machen, und so konnten sie schwerlich irgendwelche positiven Gedanken über einen Armen haben. Christus nutzte diese Gelegenheit unter anderen, um diesen Irrtum zu korrigieren, und er tat es vollständig. Wir haben hier:

1.1 Einen Übeltäter auf dem Höhepunkt seines Glücks, obwohl er zu ewigem Elend bestimmt ist: „Es war aber ein reicher Mann" **(Vers 19)**. Wir nennen ihn allgemein Dives, lateinisch für „reicher Mann", doch von Christus wird ihm kein Name gegeben, obwohl dem Armen ein Name gegeben wird. Uns wird über diesen reichen Mann gesagt, dass:

Er „sich in Purpur und kostbare Leinwand" kleidete und dies sein Erscheinungsbild erhöhte. Er hatte kostbare Leinwand zum Vergnügen und zweifellos war sie jeden Tag sauber, ein Satz für den Tag und einer für die Nacht. Er trug Purpur zur Schau. Immer wenn er hinausging, erschien er in prächtigen Kleidern.

Er ein Leben im Luxus führte; er „lebte alle Tage herrlich und in Freuden". Seine Haupttafel war mit dem weitesten Bereich feiner Delikatessen gedeckt, die man vielleicht besorgen konnte. Sein Nebentisch war reichlich mit Silber und Gold dekoriert; seine Diener, die ihn am Tisch bedienten, trugen reiche Uniformen und zweifellos werteten die Tischgäste diesen auf, zumindest dachte er so. Nun, was war an all dem Schlechtes? Es ist keine Sünde, reich zu sein, nicht sündig, Purpur und kostbare Leinwand zu tragen noch einen vollen Tisch zu haben, wenn Sie es sich leisten können. Uns wird auch nicht gesagt, dass er sein Vermögen durch Betrug, Unterdrückung oder Wucher erlangte, noch dass er betrunken war oder andere betrunken machte. Christus wollte hier zeigen, dass:

Ein Mensch einen großen Wohlstand haben kann, doch immer noch unter Gottes Zorn und Fluch steht und unter ihm für immer umkommt. Wir können aus dem prächtigen Leben eines Menschen nicht schließen, dass es entweder zeigt, dass Gott ihn liebt, weil er ihm so viel gibt, noch dass er Gott dafür liebt, dass er ihm so viel gegeben hat.

Überfluss und Vergnügen sehr gefährlich sind. Dieser Mann hätte selig sein können, wenn er nicht so große Besitztümer und Freuden gehabt hätte.

Nachgiebigkeit gegenüber dem Leib und weltlichen Freuden das Verderben vieler Seelen sind. Feines Essen zu essen und kostbare Kleidung zu tragen ist rechtmäßig, doch oft werden sie zur Nahrung und zum Treibstoff von Stolz und Zügellosigkeit und werden so zur Sünde für uns.

Es für Gott sehr anstößig und für die Seele verdammend ist, wenn wir selbst und mit unseren Freunden schmausen, während wir die Nöte der Armen und Leidenden vergessen.

1.2 Einen frommen Mann in den Tiefen der Not und des Unglücks, obwohl er dafür bestimmt ist, für immer selig zu sein: „Es war aber ein Armer namens Lazarus" **(Vers 20)**. Dieser Arme wurde auf einen sehr schwierigen Stand herabgesetzt. Was äußerliche Dinge anbetraf, war er so elend, wie man sich nur vorstellen kann, dass es ein Mensch in dieser Welt sein kann.

Sein Leib war „voller Geschwüre", wie der von Hiob. Krank und schwach am Leib zu sein ist eine große Not, doch Geschwüre sind noch quälender und widerlicher für diejenigen in unmittelbarer Nähe dessen, der mit ihnen heimgesucht wird.

Er war gezwungen, um sein Brot zu betteln. Er war so wund und lahm, dass er selbst nicht laufen konnte, sondern von der einen oder anderen mitleidigen Hand getragen wurde, und auf diese Weise lag er vor der Tür des reichen Mannes. Diejenigen, welche den Armen nicht mit ihrem Vermögen helfen können, sollten ihnen mit ihren Bemühungen helfen; die ihnen kein Geld leihen können, sollten ihnen eine Hand leihen. Lazarus selbst besaß in seiner Not nichts, wovon er leben konnte. Beachten Sie:

Seine Erwartungen vom Tisch des reichen Mannes: Er „begehrte, sich zu sättigen von den Brosamen" **(Vers 21)**. Er erwartete keine Schüssel Suppe von seinem Tisch, obwohl er eine hätte haben sollen; er wäre für die Brosamen unter dem Tisch dankbar gewesen – in der Tat wäre er froh gewesen, die Reste des Futters für die Hunde des reichen Mannes zu haben. Dies wird angemerkt, um:

Die Not und die Wesensart des Armen zu zeigen. Er war arm, aber er war geistlich arm (s. Mt 5,3), zufrieden arm. Er lag nicht klagend und schreiend vor der Tür des reichen Mannes, sondern begehrte ruhig und bescheiden, „sich zu sättigen von den Brosamen". Hier war ein Kind des Zorns und ein Erbe der Hölle, der in einem Haus saß und in Luxus lebte, und ein Kind der Liebe und Erbe des Himmels, der vor der Tür lag und vor Hunger umkam. Soll man ihren geistlichen Stand an ihren äußeren Umständen beurteilen?

Die Haltung des Reichen ihm gegenüber. Uns wird nicht gesagt, dass er ihn beleidigte, doch es wird angedeutet, dass er ihm keine Achtung zeigte. Hier war ein echtes Objekt für Wohltaten, und ein sehr bewegendes, das für sich selbst sprach; es wurde dem reichen Mann an seiner eigenen Tür präsentiert. Eine kleine Sache wäre für den Armen eine große Freundlichkeit gewesen, doch der reiche Mann achtete nicht auf seine Lage, sondern ließ ihn dort liegen. Es ist nicht genug, die Armen nicht zu unterdrücken und nicht auf ihnen herumzutrampeln; man wird uns als untreue Haushalter der Güter unseres Herrn ansehen, wenn wir ihnen nicht helfen und sie unterstützen. Der Grund, der für die schrecklichste Verdammnis genannt wird, ist: „Denn ich bin hungrig gewesen, und ihr habt mich nicht gespeist" (Mt 25,42). Ich wundere mich, wie die reichen Leute, welche das Evangelium Christi gelesen haben und sagen, dass sie es glauben, so unbesorgt den Nöten und dem Elend der Armen und Leidenden gegenüber sein können, wie sie es oft sind.

Die Behandlung, die er durch die Hunde erfuhr: „Und es kamen sogar Hunde und leckten seine Geschwüre." Der reiche Mann hatte vielleicht einen Hundezwinger mit Jagdhunden oder anderen Hunden und diese waren vollständig genährt, doch der arme Lazarus konnte nicht genug bekommen, was ihn am Leben erhielt. Diejenigen, die ihre Hunde füttern, doch die Armen missachten, werden viel haben, wofür sie sich am Tag des Gerichts verantworten müssen. Diejenigen, die ihre Hunde und ihre Pferde verhätscheln, doch die Familien ihrer armen Nächsten hungern lassen, beleidigen Gott; in der Tat zeigen sie Verachtung dem Wesen des Menschen gegenüber. Nun kamen diese Hunde und „leckten seine Geschwüre". Dies kann man verstehen:

Dass es sein Elend hervorhebt. Seine Geschwüre bluteten, was die Hunde anlockte, zu kommen und sie zu lecken. Die Hunde waren wie ihr Herr und meinten, sie würden luxuriös leben, wenn sie menschliches Blut lecken. Oder:

Als eine gewisse Erleichterung für ihn in seinem Elend; der Meister war ihm gegenüber hartherzig, doch die Hunde kamen und „leckten seine Geschwüre", was ihm ein wenig half. Die Hunde waren freundlicher zu dem Armen, als es ihr Herr war.

2. Die unterschiedlichen Umstände dieses frommen armen Mannes und dieses bösen reichen Mannes bei und nach dem Tod.

2.1 Sie starben beide: „Es geschah aber, dass der Arme starb ... Es starb aber auch der Reiche" **(Vers 22)**. Der Tod ist das gemeinsame Los für Reiche und Arme, Gottesfürchtige und Gottlose, sie werden dort einander begegnen (s. Spr 22,2). Heilige sterben, damit ihr Kummer ein Ende haben mag und sie in ihre Freude eingehen können. Sünder sterben, damit sie Rechenschaft ablegen können. Sowohl der Reiche als auch der Arme sollten sich auf den Tod vorbereiten, denn er wartet auf sie beide.

2.2 Der Bettler starb zuerst. Gott nimmt oft fromme Leute aus der Welt und lässt Übeltäter zurück, um erfolgreich zu sein. Da der Arme keine andere Zuflucht oder keinen anderen Ruheort finden konnte, wurde er im Totenreich versteckt (s. Hiob 14,13).

2.3 „Es starb aber auch der Reiche und wurde begraben." Über das Begräbnis des Armen wird nichts gesagt. Sie gruben irgendwo ein Loch und warfen seinen Leib hinein. Der Reiche aber hatte eine prachtvolle Beerdigung. Wahrscheinlich wurde zu seinem Lob eine Grabrede gehalten, über den großzügigen Lebensstil und die gute Tafel, die er unterhielt; diejenigen, die an seinem Tisch schmausten, wollten ihn dafür loben. Wie unwesentlich ist die Zeremonie einer Beerdigung für die Seligkeit des Menschen!

2.4 Der Bettler starb und wurde „von den Engeln in Abrahams Schoß getragen". Wie sehr überstieg die Ehre, die dieser Seele erwiesen wurde, die Ehre, welche dem reichen Mann auf Erden erwiesen wurde, als die Seele des Armen zu ihrer Ruhe gebracht und der Leib des reichen Mannes mit so viel Prächtigkeit in sein Grab gelegt wurde! Beachten Sie:

Seine Seele existierte getrennt von dem Leib. Sie starb nicht oder schlief mit dem Leib ein.

Seine Seele ging in eine andere Welt; sie kehrte zu Gott zurück, der sie gab, in ihre Heimat. Der Geist eines Menschen steigt aufwärts (s. Pred 3,21).

Engel kümmerten sich um sie; sie wurde „von den Engeln ... getragen". Engel sind dienstbare Geister für die, welche das Heil erben, nicht nur, solange sie leben, sondern auch, wenn sie sterben (s. Hebr 1,14). Die menschliche Seele hat, wenn sie nicht an diese Erde gekettet ist und von ihr gehemmt wird, wie es ungeheiligte Seelen sind, in sich selbst eine Spontaneität, durch die sie aufwärtsstrebt, sobald sie vom Leib loskommt; doch Christus möchte diejenigen, die sein sind, nicht dem überlassen, und darum wird er besondere Boten senden, um sie zu sich zu bringen. Heilige werden nicht nur sicher, sondern auch in Ehren nach Hause gebracht werden. Wer waren die Träger bei der Beerdigung des reichen Mannes – wenn sie wahrscheinlich auch Menschen von höchstem Rang waren –, verglichen mit den Trägern von Lazarus?

Sie wurde „in Abrahams Schoß getragen". Abraham war der Vater der Gläubigen und wo sollten die Seelen der Gerechten versammelt werden, wenn nicht bei ihm? Lazarus wurde in seinen Schoß (an seine Seite) getragen, das heißt, um sich an seiner Gegenwart zu erfreuen. Die Heiligen im Himmel werden „mit Abraham, Isaak und Jakob zu Tisch sitzen" (Mt 8,11). Abraham war ein großer und reicher Mann, doch er hält es im Himmel nicht für unter seiner Würde, dass der arme Lazarus an seiner Seite liegt. Reiche Heilige und arme Heilige begegnen einander im Himmel. Der Arme wurde an die Seite von Abraham gelegt. So war das Geschick des einen, den der reiche Schlemmer so sehr verschmähte, dass er ihn nicht neben die Hunde seiner Herde setzen wollte (s. Hiob 30,1).

2.5 Die nächste Neuigkeit, die Sie von dem reichen Mann hören, ist, dass „er im Totenreich seine Augen erhob, da er Qualen litt" **(Vers 23).**

Sein Stand war sehr elend. Er war in der Hölle, im Hades [Totenreich], im Stand der getrennten Seelen, und dort erlitt er die größte Not und Pein. Genauso wie die Seelen der Gläubigen unmittelbar nachdem sie von der Last des Fleisches befreit sind, in Freude und Segen sind, sind böse und ungeheiligte Seelen, unmittelbar nachdem sie durch den Tod von den Freuden des Fleisches hinweggenommen wurden, in ewigem, nutzlosen Elend und Qualen ohne Hilfe. Dieser reiche Mann hatte sich vollständig den Freuden dieser Welt hingegeben und war darum völlig ungeeignet für die geistlichen Freuden jener Welt. Sie würden für ein weltliches Gemüt wie das seine keinerlei Freude sein und darum wurde er, was nicht überrascht, von ihnen ausgeschlossen.

Das Elend seines Standes wurde durch die Erkenntnis der Seligkeit von Lazarus verschlimmert. Er erhob seine Augen und da „sieht er den Abraham von ferne und Lazarus in seinem Schoß". Jetzt begann er zu bedenken, was aus Lazarus geworden war. Er fand ihn nicht dort, wo er selbst war; er sah ihn in der Tat weit weg an Abrahams Seite.

Er sah Abraham „von ferne". Wir würden meinen, dass es sehr angenehm ist, Abraham zu sehen, doch ihn von ferne zu sehen, war eine Qual.

Er sah Lazarus an Abrahams Seite. Der Anblick von ihm brachte ihm sein eigenes unbarmherziges Benehmen ihm gegenüber in Erinnerung und der Anblick von ihm in dieser Seligkeit machte sein eigenes Elend noch schmerzlicher.

3. Ein Bericht von dem Gespräch zwischen dem reichen Mann und Abraham in dem getrennten Stand. Beachten Sie:

3.1 Die Bitte des reichen Mannes an Abraham, dass sein gegenwärtiges Elend gemindert wird **(s. Vers 24).** Als er Abraham von ferne sah, rief er zu ihm. Der eine, der laut zu gebieten pflegte, bat nun laut. Die Lieder der Zerstreuung und Zügellosigkeit waren alle zu Klagegesang geworden (s. Am 8,10). Beachten Sie hier:

Den Titel, den er Abraham gab: „Vater Abraham." In der Hölle können viele Abraham „Vater" nennen. Vielleicht hatte dieser reiche Mann in seinen weltlichen Belustigungen über Abraham und die Geschichte von Abraham gelacht, wie es die Spötter am Ende der Tage tun werden (s. 2.Petr 3,3), doch jetzt gab er ihm eine Ehrenbezeichnung: „Vater Abraham." Es kommt der Tag, an dem die Übeltäter unbedingt irgendeine Bekanntschaft mit den Gerechten haben wollen, um zu beanspruchen, dass sie selbst auf kleinste Weise mit ihnen verwandt sind, obwohl sie jene jetzt beschimpfen.

Wie er seine jetzigen beklagenswerten Umstände beschrieb: „Denn ich leide Pein in dieser Flamme!" Es war die Pein seiner Seele, über die er sich beklagte, und dies war damit die Art von Feuer, das über verdammte Seelen kommen wird. Der Zorn Gottes ist solch ein Feuer, das auf ein schuldiges Gewissen gerichtet ist. Entsetzen des Gemüts ist solch ein Feuer, wie auch die Zurechtweisungen eines sich selbst anklagenden und sich selbst verdammenden Herzens.

Seine Bitte an Abraham in Anbetracht seines Elends: „... erbarme dich über mich." Es kommt der Tag, an dem diejenigen, welche die göttliche Barmherzigkeit geringschätzten, verzweifelt darum bitten werden. Derjenige, der kein Erbarmen mit Lazarus hatte, erwartete, dass Lazarus sich über ihn erbarmt. „Denn", so meinte er, „Lazarus ist von besserem Wesen, als ich es war." Die besondere Gunst, um die er bat, war: „Sende Lazarus, dass er die Spitze seines Fingers ins Wasser tauche und meine Zunge kühle."

Hier beklagte er sich hauptsächlich über die Pein seiner Zunge. Die Zunge ist eines der Organe zum Sprechen und durch ihre Pein wurde er an all seine bösen Worte erinnert, die er gegen Gott und andere Menschen gesprochen hatte, all sein hartes und unflätiges Reden; er wurde durch seine Worte verurteilt und darum wurde er in seiner Zunge gepeinigt. Die Zunge ist auch eines der Organe des Schmeckens, und so würde ihm ihre Pein an seine übertriebene Freude an weltlichen Genüssen erinnern.

Er wollte einen Tropfen Wasser, um seine Zunge zu kühlen. Er bat um etwas so Kleines wie möglich, einen Tropfen Wasser, um seine Zunge für einen Augenblick zu kühlen.

Er bat darum, dass Lazarus ihn bringen möge. Er nannte ihn, weil er ihn kannte und meinte, Lazarus würde aufgrund von alten Zeiten nicht unwillig sein, ihm dieses gute Werk zu tun. Es kommt der Tag, an dem diejenigen, welche die Kinder Gottes jetzt hassen und verachten, gerne von ihnen Freundlichkeit erwiesen bekommen würden.

3.2 Abrahams Antwort auf diese Bitte. Allgemein gesagt, er gewährte sie nicht. Beachten Sie, wie gerecht diesem reichen Mann mit eigener Münze heimgezahlt wurde. Demjenigen, der einen Brosamen verwehrt hatte, wurde ein Tropfen verwehrt. Jetzt wird uns gesagt: „Bittet, so wird euch gegeben" (Lk 11,9), doch wenn wir zulassen, dass diese angenehme Zeit verstreicht (s. 2.Kor 6,2), können wir bitten, doch es wird uns nicht gegeben werden.

Abraham nannte ihn „Sohn", ein freundlicher und höflicher Titel. Der reiche Mann war ein Sohn gewesen, doch ein widerspenstiger, und jetzt war er ein aufgegebener, enterbter Sohn.

Er erinnerte ihn an seine eigenen früheren Umstände und an die von Lazarus während ihres Lebens: „Gedenke, Sohn" (LÜ 84); das ist ein kraftvolles Wort. Sünder werden dazu aufgerufen, bereits jetzt zu gedenken, doch sie tun es nicht. Sie weigern sich; „und gedenke an deinen Schöpfer in den Tagen deiner Jugend" (Pred 12,1), an seinen Erlöser, er soll sein Ende bedenken (s. Jes 47,7) – doch sie vergessen, wozu sie ihr Gedächtnis haben. „Sohn, erinnere dich an die vielen Warnungen, die dir gegeben wurden. Gedenke der Angebote des ewigen Lebens und der ewigen Herrlichkeit, die dir gemacht wurden, die du nicht annehmen wolltest!" Woran der reiche Mann jedoch hier erinnert wurde, war:

„... dass du dein Gutes empfangen hast in deinem Leben." Abraham sagte ihm nicht, dass er dies missbraucht hatte, sondern dass er es empfangen hatte: „Gedenke, wie großzügig Gott zu dir gewesen ist; deshalb kannst du nicht sagen, dass dir Gott irgendetwas schuldig ist, nicht einmal einen Tropfen Wasser. Was er dir gegeben hat, hast du empfangen, und das war alles. Du bist ein Grab für die Segnungen Gottes gewesen, in dem sie alle begraben wurden, nicht ihr Erdreich, in das sie gesät wurden. Du hast dein Gutes empfangen, das Deine: Dies waren die Dinge gewesen, die du zu deinem Guten erwählt hattest, die in deinen Augen die besten Dinge waren. Du wolltest das Gute in deinem Leben und hattest keinen Gedanken an Besseres in einem anderen Leben gehabt. Der Tag von deinem Guten ist vergangen und vorbei" (s. Mt 25,18.24-30; Mt 13,1-23).

„Gedenke auch daran, was Lazarus für Böses empfangen hat. Bedenke, was für ein großes Maß von Elend er in seinem Leben hatte. Du hattest so viel Gutes gehabt, was man von einem so schlechten Menschen kaum meinen könnte, und Lazarus hatte so viel Böses, wie man es sich für einen so guten Menschen kaum vorstellen könnte. Er empfing sein Böses, er hatte es als Behandlung empfangen, die als Heilmittel für seine geistlichen Krankheiten verschrieben war, und die Heilung wurde bewirkt." So, wie Übeltäter nur in diesem Leben gute Dinge haben, haben fromme Leute schlechte Dinge nur in diesem Leben. Jetzt erweckte Abraham das Gewissen des reichen Mannes, um ihn daran zu erinnern, wie er sich Lazarus gegenüber verhalten hatte. Er konnte nicht vergessen, dass er in seinem Leben Lazarus nicht helfen wollte, und wie konnte er da erwarten, dass Lazarus ihm jetzt helfen würde?

Er erinnerte ihn an die jetzige Seligkeit von Lazarus und an sein Elend: „Nun wird er getröstet, du aber wirst gepeinigt." Der Himmel ist ein Trost und die Hölle ist Pein; der Himmel ist Freude und die Hölle ist Weinen und Klagen. Der Himmel wird für diejenigen wahrhaftig der Himmel sein, die durch viele und große Widrigkeiten in dieser Welt dort hingehen. Wenn jene in Christus entschlafen sind, kann man wahrhaftig sagen: „Nun werden sie getröstet; jetzt werden all ihre Tränen abgewischt" (**Vers 25**; s. Offb 7,17). Im Himmel gibt es ewigen Trost. Auf der anderen Seite wird die Hölle wirklich für diejenigen die Hölle sein, die dort mitten aus der Freude all ihrer weltlichen Genüsse und Vergnügungen hingehen.

Er versicherte ihm, dass es sinnlos war zu meinen, durch den Dienst von Lazarus irgendeine Erleichterung zu bekommen, denn: „Und zu alledem ist zwischen uns und euch eine große Kluft befestigt" (**Vers 26**) – ein großer, unpassierbarer Abgrund. Der gütigste Heilige im Himmel kann nicht die Versammlung der Toten und Verdammten besuchen, um dort irgendjemandem einen Trost oder eine Erleichterung zu bringen, der einmal sein Freund war: „... sodass die, welche von hier zu euch hinübersteigen wollen, es nicht können." Der wagemutigste Sünder in der Hölle kann sich nicht seinen Weg aus dem Gefängnis erzwingen: „... noch die, welche von dort zu uns herüberkommen wollen." In dieser Welt ist Gott sei Dank keine große Kluft zwischen der Natur und der Gnade befestigt, und wir können frei von der einen Seite zur anderen gehen, von der Sünde zu Gott. Jetzt war es zu spät für irgendeine Veränderung der Umstände des reichen Mannes; man hätte diese beizeiten vermeiden können, doch jetzt konnte ihnen in Ewigkeit nicht abgeholfen werden. Ein Stein war über den Zugang der Grube gerollt worden, der nicht zurückgerollt werden konnte.

3.3 Die weitere Bitte des reichen Mannes an seinen Vater Abraham. Da er die Gelegenheit hatte, mit Abraham zu sprechen, wollte er sie jetzt für seine Verwandten nutzen, die er zurückgelassen hatte.

Er bat darum, dass Lazarus mit einem Botengang in das Haus seines Vaters gesandt würde: „So bitte ich dich, Vater" **(Vers 27)**. Wieder wandte er sich an Abraham. „Sicherlich wirst du so mitleidsvoll sein, dass du mir diese eine Gunst nicht verwehrst. Sende ihn zurück in das Haus meines Vaters; er weiß sehr wohl, wo es ist, da er viele Male dort war. Er weiß, dass ich fünf Brüder dort habe; sie werden ihn erkennen und auf das hören, was er sagt. Er soll sie warnen; er soll ihnen sagen, in welchen Umständen ich bin. Er soll sie warnen, nicht meinen Fußstapfen zu folgen, ‚damit nicht auch sie an diesen Ort der Qual kommen!'" **(Vers 28)**. Er sagte nicht: „Erlaube mir, zu ihnen zu gehen, damit ich sie warnen kann." Sein Hingehen würde sie wie verrückt erschrecken, sondern vielmehr bat er: „Sende Lazarus, dessen Worte weniger schrecklich sein werden, doch dessen Zeugnis ausreichen wird, um sie aus ihren Sünden aufzuschrecken." Er wollte aus Sanftheit ihnen gegenüber ihren Untergang verhindern, da er eine natürliche Zuneigung für sie hatte.

Abraham verweigerte ihm auch diese Gunst. In der Hölle wird keine Bitte gewährt. Abraham überließ die Brüder dem Zeugnis von Mose und den Propheten. Das war ihr Vorrecht: „Sie haben Mose und die Propheten." Und es war ihre Pflicht: „‚Auf diese sollen sie hören' und ihnen glauben und das wird ausreichen, um sie von diesem Ort der Qual fernzuhalten."

Der reiche Mann brachte seine Bitte noch drängender vor: „Nein, Vater Abraham. Es stimmt, dass sie Mose und die Propheten haben, doch sie schenken ihnen nicht die angemessene Beachtung. Es besteht aber die Hoffnung, dass, ‚wenn jemand von den Toten zu ihnen ginge, so würden sie Buße tun'; dass dies eine Überführung sein wird, die sie mehr beachten werden. An Mose und die Propheten sind sie gewöhnt, dies aber würde etwas Neues und noch Alarmierendes sein; sicherlich würde sie das zur Buße bringen" **(Vers 30)**. Törichte Menschen neigen dazu, jede Methode der Überführung für besser zu halten als die, welche Gott erwählt und bestimmt hat.

Abraham blieb mit einer endgültigen Begründung dabei, die Bitte zu verwehren: „Wenn sie auf Mose und die Propheten nicht hören, so würden sie sich auch nicht überzeugen lassen, wenn einer aus den Toten auferstände!" **(Vers 31)**.

KAPITEL 17

In diesem Kapitel haben wir: 1. *Gespräche, die Christus mit seinen Jüngern hatte, in denen er sie lehrte, zu vermeiden, Anstoß zu erregen, und das Unrecht zu vergeben, das ihnen angetan wird (s. Vers 1-4), und wie er sie ermutigte, für das Wachstum ihres Glaubens zu beten (s. Vers 5-6) und sie Demut lehrte (s. Vers 7-10).* 2. *Seine Heilung von zehn Männern, die aussätzig waren, und wie ihm nur von einem, einem Samariter, gedankt wurde (s. Vers 11-19).* 3. *Sein Lehren bezüglich der Frage, wann das Reich Gottes kommen würde (s. Vers 20-37).*

Vers 1-10

Wir werden hier gelehrt:

1. Dass das Geben von Anstößen – das Wort bedeutet „Dinge, die Menschen veranlassen zu sündigen", oder Stolpersteine – eine große Sünde ist (**Vers 1-2**; s. 2.Mose 32,21). Wir können gewisslich erwarten, dass Stolpersteine kommen werden, und deshalb sollten wir dafür Vorkehrungen treffen, doch „wehe aber dem, durch welchen sie kommen", denn seine Verdammung wird schwer sein. Er geht unter einer Last von Schuld zugrunde, die schwerer ist als die von Mühlsteinen. Dies beinhaltet einen Wehruf:

1.1 An Verfolger, welche den Geringsten von Christi Kleinen irgendeine Kränkung zufügen.

1.2 An Betrüger, welche die Wahrheiten Christi verdrehen und so die Gemüter der Jünger beunruhigen.

1.3 An diejenigen, die ein schändliches Leben führen und so die Hände von Gottes Kindern schwächen und ihr Herz bekümmern.

2. Dass die Vergebung von Anstößen, die als Sünde kommen, eine wichtige Pflicht ist: „Habt acht auf euch selbst!" **(Vers 3)**. Dies kann sich entweder auf das Vorhergehende oder das Folgende beziehen. Einerseits kann es bedeuten: „Habt acht, dass ihr keinem dieser Kleinen Anstoß zur Sünde gebt." Auf der anderen Seite kann es heißen: „Habt acht auf euch selbst, wenn euer Bruder gegen euch sündigt, damit ihr nicht die Geduld verliert."

2.1 „Wenn es euch ermöglicht wird, ihn zurechtzuweisen, seid ihr gut beraten, dies zu tun. Unterdrückt nicht den Ärger, sondern fasst ihn in Worte: Sagt ihm seine Fehler und vielleicht werdet ihr bemerken, dass ihr ihn missverstanden habt, dass es keine Sünde gegen euch war, sondern ein Versehen, und dann werdet ihr ihn um Vergebung bitten, dass ihr ihn falsch verstanden habt."

2.2 „Euch ist geboten zu vergeben, wenn er bereut: ‚Und wenn es ihn reut, so vergib ihm.' Dann vergesst das Unrecht, denkt nie wieder daran. Und selbst wenn er nicht bereut, dürft ihr deswegen keinen Groll gegen ihn hegen oder überlegen, wie ihr euch rächen könnt."

2.3 „Ihr müsst das jedes Mal wiederholen, wenn er seine Sünde wiederholt. Wenn man sich vorstellen könnte, dass er entweder so nachlässig oder so anmaßend ist, dass er siebenmal am Tag gegen euch sündigte und genauso viele Male seinen Kummer für seinen Fehler erklären würde, müsst ihr ihm weiterhin vergeben" **(Vers 4)**. Christen sollten einen vergebenden Geist haben und bereit sein, von jedem das Beste zu sehen, und sie sollten genauso sehr danach streben zu zeigen, dass sie ein Unrecht vergeben haben, wie andere danach streben zu zeigen, dass sie es übelnehmen.

3. Dass wir es alle nötig haben, dass unser Glaube gestärkt wird, denn wenn diese Gnadenwirkung wächst, dann wachsen alle anderen Wirkungen der Gnade. Beachten Sie:

3.1 Wie sich die Jünger an Christus wandten, damit ihr Glaube gemehrt werde. Die Apostel bekannten selbst die Schwäche ihres Glaubens und sahen, dass sie Christi Gnade brauchten, um ihn stärker zu machen; sie „sprachen zum Herrn: Mehre uns den Glauben!" **(Vers 5)**. Das Mehren unseres Glaubens ist etwas, das wir ernstlich erstreben sollten. Sie äußerten dieses Gebet Christus gegenüber, als er sie zu der Pflicht anspornte, Unrecht zu vergeben. „Herr, mehre uns den Glauben, sonst werden wir nie in der Lage sein, eine so schwierige Pflicht wie diese zu praktizieren." Der Glaube an die vergebende Barmherzigkeit Gottes wird uns befähigen, die größten Schwierigkeiten zu überwinden, die der Vergebung für unseren Bruder oder unsere Schwester im Weg stehen.

3.2 Die Zusicherung, die Christus ihnen von der wunderbaren Wirksamkeit echten Glaubens gab: „‚Wenn ihr Glauben hättet wie ein Senfkorn' – oder so klein wie ein Senfkorn oder scharf oder stechend wie ein Senfkorn, welches durch seine Schärfe alle anderen Gnadenwirkungen anregt –, dann würde nichts, was für die Herrlichkeit Gottes angemessen ist zu tun, zu schwer für euch sein, selbst das Verpflanzen eines Baumes aus der Erde ins Meer." Genauso wie Gott nichts unmöglich ist, so ist auch alles „möglich dem, der glaubt!" (Mk 9,23).

4. Dass wir, was auch immer wir im Dienst für Christus tun, sehr demütig sein müssen. Sogar die Apostel selbst, die so viel mehr für Christus arbeiteten als andere, dürfen nicht meinen, dass sie ihn ihnen gegenüber verpflichtet gemacht hätten.

4.1 Wir sind alle Gottes Knechte. Unsere ganze Kraft und unsere ganze Zeit müssen für ihn eingesetzt werden.

4.2 Als Gottes Knechte sollten wir tun, was wir können, um unsere Zeit damit auszufüllen, unsere Pflicht zu erfüllen; wir sollten das Ende eines Dienstes zum Beginn des Nächsten machen. Der Knecht, der auf dem Feld gepflügt oder das Vieh geweidet hat, hat doch noch Arbeit zu tun, wenn er abends nach Hause kommt; er muss bei Tisch bedienen **(s. Vers 7-8)**. Wenn wir für Gott gearbeitet haben, müssen wir weiter Gott dienen.

4.3 Unser Hauptinteresse hier auf der Erde muss sein, die Pflicht zu tun, die unsere Beziehung zu Gott mit sich bringt, und wir sollten es unserem Herrn überlassen, uns dafür zu ermutigen. Kein Knecht erwartet, dass sein Herr zu ihm sagt: „Komm her und setze dich zu Tisch"; es gibt Zeit genug, das zu tun, wenn wir unsere Tagesarbeit getan haben. Wir sollen eifrig darin sein, unsere Arbeit zu vollenden, und dann wird der Lohn in der angemessenen Zeit kommen.

4.4 Es ist richtig, dass Christus vorher von uns bedient wird: „Bereite mir das Abendbrot ... und danach sollst du essen und trinken."

4.5 Wenn Christi Knechte ihn bedienen müssen, müssen sie sich schürzen (bereit machen), müssen sich von allem freimachen, was einen verstrickt und belastet. Wenn wir alles auf den Empfang Christi vorbereitet haben, müssen wir uns dann vorbereiten, bei ihm zu sein. Das wird von Knechten erwartet und Christus könnte es von uns fordern, doch er besteht nicht darauf. Er war mitten unter seinen Jüngern „wie der Dienende" (Lk 22,27) und kam nicht, „um sich dienen zu lassen, sondern um zu dienen" (Mt 20,28), wie man daran sehen kann, dass er seinen Jüngern die Füße wusch.

4.6 Die Knechte Christi verdienen nicht einmal seinen Dank für irgendeinen Dienst, den sie für ihn leisten: „Dankt er wohl jenem Knecht?" Keine guten Werke von uns können irgendetwas aus Gottes Hand verdienen.

4.7 Was auch immer wir für Christus tun, ist nicht mehr als unsere Pflicht. Obwohl wir alles tun sollten, was uns befohlen war – und leider erreichen wir dies in vielen Dingen nicht –, ist es nur das, woran wir durch das große und erste Gebot gebunden sind, Gott mit unserem ganzen Herzen und unserer ganzen Seele zu lieben (s. Lk 10,27).

4.8 Die besten Knechte Christi müssen demütig bekennen, dass sie nur „unnütze Knechte" sind. Gott kann durch unseren Dienst nichts gewinnen und darum kann er durch ihn nicht zum Schuldner werden. Wir sollten uns deshalb selbst als „unnütze Knechte" bezeichnen, aber seinen Dienst einen lohnenden nennen.

Vers 11-19

Hier haben wir einen Bericht über die Heilung der zehn Männer, die aussätzig waren; diese Erzählung hatten wir in keinem der Berichte der anderen Evangelisten. Die Juden meinten, dass diese Krankheit ein deutlicheres Zeichen für das Missfallen Gottes war als jede andere, und so hat Christus, der kam, um die Sünde fortzunehmen, sich besonders darum gekümmert, die Aussätzigen zu heilen, die seinen Weg kreuzten. Christus war nun auf seinem

Weg nach Jerusalem, etwa auf dem halben Weg. Er war jetzt in dem Grenzgebiet zwischen Samaria und Galiläa. Beachten Sie:

1. Die Art, wie sich diese Aussätzigen an Christus wandten. Es gab zehn von ihnen; obwohl diejenigen, welche auf diese Weise erkrankt waren, von dem Umgang mit anderen ausgeschlossen waren, hatten sie doch die Freiheit, miteinander zu sein.

1.1 Sie begegneten Christus, als er ein bestimmtes Dorf betrat. Sie warteten nicht, bis er sich erfrischt hatte, sondern trafen auf ihn, als er in den Ort hineinging. Müde wie er war, wies er sie doch nicht ab.

1.2 Sie blieben von ferne stehen. Ein Gespür unseres geistlichen Aussatzes sollte uns sehr demütig machen, wann immer wir uns Christus nahen. Wer sind wir, dass wir uns dem Einen nahen sollten, der unendlich rein ist?

1.3 Ihre Bitte war einmütig und sehr kühn: „Und sie erhoben ihre Stimme und sprachen: Jesus, Meister, erbarme dich über uns!" **(Vers 13)**. Menschen, die von Jesus Hilfe erwarten, müssen ihn als ihren Meister annehmen. Wenn er der Meister ist, wird er Jesus sein – ein Heiland. Die Aussätzigen baten nicht ausdrücklich darum, von ihrem Aussatz geheilt zu werden, sondern baten: „Erbarme dich über uns!" Und es genügt für uns, sich an die Barmherzigkeit Christi zu wenden, denn sie „ist nicht zu Ende" (Klgl 3,22).

2. Christus schickte sie zu den Priestern, um untersucht zu werden. Er sagte ihnen nicht definitiv, dass sie geheilt werden würden, sondern sagte ihnen, dass sie hingehen und sich den Priestern zeigen sollten **(s. Vers 14)**. Dies war eine Prüfung ihres Gehorsams. Diejenigen, die Christi Gunsterweise erwarten, müssen ihnen auf diese Weise nachgehen. Die Aussätzigen gingen alle zu den Priestern. Weil das Zeremonialgesetz immer noch in Kraft war, achtete Christus darauf, es zu befolgen.

3. Während sie hingingen, wurden sie gereinigt. Wir können erwarten, dass Gott uns mit Barmherzigkeit begegnet, wenn wir dabei gefunden werden, unsere Pflicht zu erfüllen. Wenn wir tun, was wir können, wird Gott es nicht unterlassen, das für uns zu tun, was wir nicht tun können. Obwohl die Mittel nicht in sich selbst heilen werden, wird Gott Sie heilen, wenn Sie diese Mittel fleißig benutzen.

4. Einer von ihnen – nur einer! – kehrte zurück, um sich zu bedanken **(s. Vers 15)**. Als er sah, dass er geheilt war, kehrte er zu dem Urheber seiner Heilung zurück, bei dem er wünschte, dass er die Ehre dafür haben möge. Er scheint sehr aufrichtig und herzlich in seiner Danksagung gewesen zu sein: „... und pries Gott mit lauter Stimme" **(Vers 15)**. Diejenigen, die von Gott Barmherzigkeit empfangen haben, sollten es anderen bekannt machen. Der Aussätzige richtete aber auch besondere Worte des Dankes an Christus: Er „warf sich auf sein Angesicht zu Jesu Füßen und dankte ihm" **(Vers 16)**. Wir sollten für die Gunsterweise danken, die Christus uns gewährt, besonders, wenn wir von Krankheit genesen. Es ist gut für uns, sowohl in unserem Dank als auch in unseren Gebeten sehr demütig zu sein.

5. Christus bemerkte diesen einen Mann, der sich auf diese Weise hervorgetan hatte, da er ein Samariter gewesen zu sein scheint, während die anderen Juden waren **(s. Vers 16)**. Die Samariter hatten unter sich nicht die reine Erkenntnis und Anbetung Gottes, welche die Juden hatten, doch es war einer von ihnen, der Gott pries, während es die Juden vergaßen. Beachten Sie:

5.1 Die besondere Beachtung, die Christus der dankbaren Antwort dieses Aussätzigen und der Undankbarkeit derjenigen schenkte, die mit ihm an der Barmherzigkeit Anteil hatten – dass derjenige, der ein Fremdling war, der Einzige war, der zurückkehrte, um Gott die Ehre zu geben **(s. Vers 17-18)**. Schauen Sie hier:

Wie reich Christus darin ist, Gutes zu tun: „Sind nicht zehn rein geworden?" Hier gab es eine umfassende Heilung, ein ganzes Hospital, das durch das Sprechen eines Wortes geheilt wurde. Wir werden nie weniger Gnade haben, weil andere daran Anteil haben.

Wie arm wir in unserer Antwort sind: „Wo sind aber die neun?" Undankbarkeit ist eine sehr häufige Sünde. Von den Vielen, die von Gott Barmherzigkeit empfangen, kommen nur sehr wenige zurück, um zu danken.

Wie sich oft diejenigen, von denen man am wenigsten Dankbarkeit erwartet, als am dankbarsten erweisen. Ein Samariter dankt, doch ein Jude tut es nicht. Dies dient hier dazu, um die Undankbarkeit der Juden hervorzuheben, über die Christus spricht.

5.2 Die große Ermutigung, die Christus ihm gab **(s. Vers 19)**. Die anderen hatten ihre Heilung; sie wurde nicht aufgehoben. Doch für den Einen, der zurückkehrte, um zu danken, wurde seine Heilung besonders bekräftigt: „Dein Glaube hat dich gerettet!" Die anderen wurden durch die Kraft Christi gerettet, aus Mitleid mit ihrer Not, doch der Eine, der dankte, wurde durch seinen Glauben gerettet, anhand dessen Christus sah, dass sich der Mann von den anderen unterschied.

Vers 20-37

Hier ist eine Botschaft von Christus über „das Reich Gottes", das heißt, das Reich des Messias, das nun bald errichtet werden sollte und von dem die Menschen große Dinge erwarteten. Hier gibt es:

1. Die Frage der Pharisäer darüber, die dieses Gespräch auslöste. Sie fragten, wann das Reich Gottes kommen würde. Sie verstanden vielleicht, dass Christus seine Jünger gelehrt hatte zu beten, dass es kommen möge, und sie (die Pharisäer) hatten lange gepredigt, dass es jetzt nahe war. Sie fragten: „Wann wird sich denn nun dieser herrliche Anblick zeigen?"

2. Christi Antwort auf diese Frage, die zuerst an die Pharisäer und später an seine eigenen Jünger gerichtet war **(s. Vers 22)**; was er zu beiden sagte, sagt er zu uns.

2.1 Dass das Reich des Messias ein geistliches Reich sein würde. Sie fragten, wann es kommen würde. Christus sagte: „Ihr wisst nicht, was ihr da fragt. Wenn es kommt, werdet ihr dessen gar nicht gewahr werden." Er sagte dies, weil dieses Reich keine äußerliche Zurschaustellung bietet, wie es andere Reiche tun, deren Aufstiege und Revolutionen die Zeitungen füllen. Christus sagte: „Nein, ...":
„Es wird still kommen; es ‚kommt nicht so, dass man es beobachten könnte'." Sie wollten, dass ihre Neugier in Bezug auf den Zeitpunkt befriedigt wird; Christus wollte, dass ihre Missverständnisse in Bezug auf sein Wesen berichtigt werden. Wenn der Gesalbte, der Fürst, kommt, um sein Reich zu errichten (s. Dan 9,25), werden die Menschen nicht sagen: „Siehe hier! oder: Siehe dort!" Als würde ein Herrscher eine Prozession machen, um sein Hoheitsgebiet zu besuchen. Christus wird nicht mit all diesem Gerede kommen; sein Reich wird nicht an diesem oder jenem besonderen Ort errichtet werden. Diejenigen, die das Christentum oder die Gemeinde auf diesen Ort oder diese Gruppe beschränken, rufen: „Siehe hier! oder: Siehe dort!" Das ist das Gerede von solchen, die meinen, dass Gedeihen und äußerliches Erscheinungsbild die wahre Gemeinde kennzeichnet.
„Es hat eine geistliche Wirkung: ‚Das Reich Gottes ist inwendig in euch'" (Schl). Es „ist nicht von dieser Welt" (Joh 18,36). Seine Herrlichkeit entspricht nicht den Vorstellungen der Menschen, sondern wirkt sich auf ihren Geist aus, und seine Macht erstreckt sich auf ihre Seele und ihr Gewissen. Das Reich Gottes wird nicht die äußerlichen Umstände der Menschen verändern, sondern es wird ihr Herz und ihr Leben verändern. Es kommt, wenn es von Menschen Besitz ergreift, die stolz, arrogant und weltlich waren, und sie demütig, aufrichtig und himmlisch macht; man muss also in den Revolutionen im Herzen nach dem Reich Gottes suchen. Das Reich Gottes ist „mitten unter euch", wie es manche lesen. „Ihr fragt, wann es kommt, weil ihr nicht merkt, dass es bereits angefangen hat, in eurer Mitte errichtet zu werden. Es ist in eurem Volk, wenn auch nicht in euren Herzen." Es ist die Torheit von vielen, die neugierig nach den Zeiten fragen, die kommen sollen, dass das, was sie vor sich suchen, bereits unter ihnen ist.

2.2 Dass das Errichten dieses Reiches ein Werk war, das auf eine große Menge Widerstand und Störungen treffen würde **(s. Vers 22)**. Die Jünger meinten, dass sie alles in ihrem Weg Stehende besiegen würden. Christus sagte ihnen, dass dies anders sein würde: „‚Es werden Tage kommen, da ihr begehren werdet, einen einzigen der Tage des Menschensohnes zu sehen, und ihr werdet ihn nicht sehen.' Zuerst, das ist wahr, werdet ihr wunderbaren Erfolg haben" – wie sie es hatten, als der Gemeinde Tausende an einem Tag hinzugefügt wurden –, „doch meint ihr nicht, dass es immer so sein wird. Die Menschen werden ihm gegenüber erkalten." Dies blickt voraus auf seine Jünger in späteren Zeiten; sie müssen mit viel Enttäuschung rechnen.
Geistliche Diener und Gemeinden würden manchmal äußerlichen Hemmnissen unterliegen. Dann würden sie sich wünschen, solche Tage der Gelegenheiten zu sehen, wie sie sie vorher genossen hatten. Gott lehrt uns den Wert solcher Barmherzigkeiten durch ihr Fehlen zu schätzen.
Manchmal würden sie inneren Hemmnissen unterliegen. Der Geist würde von ihnen zurückgezogen werden. Dann würden sie sich wünschen, solche siegreichen, glorreichen Tage zu sehen, wie sie sie einmal gesehen hatten. Wir dürfen nicht meinen, dass Christi Gemeinde und Sache verloren sind, weil sie nicht immer in gleicher Weise sichtbar und erfolgreich sind.

2.3 Dass man nicht an diesem oder jenem besonderen Ort nach Christus und seinem Reich suchen soll; vielmehr würde sein Erscheinen umfassend sein, an allen Orten auf einmal: „Und sie werden zu euch sagen: Siehe hier! oder: Siehe dort! Geht nicht hin und lauft ihnen nicht nach!' Der Zweck des Reiches Gottes bestand nicht darin, nur die Herrlichkeit eines Volkes, sondern das Licht der Heiden zu sein, denn ‚gleichwie der Blitz, der in einer Himmelsgegend erstrahlt', plötzlich und unaufhaltsam ‚bis zur anderen leuchtet, so wird auch der Sohn des Menschen sein an seinem Tag.' Das Evangelium, welches das Reich des Christus in der Welt errichten soll, wird wie ein Blitz durch die Völker gehen. Das Reich des Messias wird nicht etwas Örtliches sein, sondern muss weit und breit über das ganze Angesicht der Erde ausgebreitet werden" **(Vers 23-24;** s. Lk 2,32). Der Zweck der Errichtung des Reiches Christi war nicht, ein Volk groß zu machen, sondern alle Völker gut zu machen – zumindest manche Menschen aus allen Völkern.

2.4 Dass der Messias leiden muss, bevor er regieren kann: „Zuvor aber muss er viel leiden und verworfen werden von diesem Geschlecht', und wenn er auf diese Weise behandelt wird, dürfen seine Jünger nichts anderes erwarten, als auch um seinetwillen zu leiden und verworfen zu werden. Wir müssen über den Weg des Kreuzes zur Krone gehen. ‚Der Sohn des Menschen muss viel leiden'. Schmerz, Schande und Tod sind diese vielen Dinge. Er muss ‚von diesem Geschlecht' von ungläubigen Juden verworfen werden, ehe er von einem anderen Geschlecht gläubiger Heiden angenommen wird" (**Vers 25**; Lk 9,22).

2.5 Dass die Errichtung des Reiches des Messias die Zerstörung des jüdischen Volkes einleiten würde. Beachten Sie:

Wie es vormals den Sündern erging. Betrachten Sie die alte Welt, als die Erde mit Frevel erfüllt war (s. 1.Mose 6,11) und denken Sie an die Leute von Sodom, die sehr böse waren und schlimm gegen den Herrn sündigten (s. 1.Mose 13,13). Beachten Sie:

Dass ihnen eine klare Warnung gegeben wurde. Noah war ein „Verkündiger der Gerechtigkeit" (2.Petr 2,5) für die alte Welt, wie es Lot für die Leute von Sodom war.

Dass sie der Warnung keine Aufmerksamkeit schenkten, die ihnen gegeben wurde. Sie vertrauten sehr auf sich selbst. Sie waren alle vergnügt und sehr beschäftigt. Als sie – wie die Menschen von Ninive – hätten fasten und beten, Buße tun und sich bessern sollen (s. Jona 3,7), machten sie weiter mit ihrem sorglosen Vertrauen auf sich selbst, aßen Fleisch und tranken Wein.

Dass sie in ihrem Vertrauen auf sich selbst und ihrer Weltlichkeit fortfuhren, bis das angedrohte Gericht kam.

Dass Gott für die Bewahrung der Seinen sorgte. Noah ging in die Arche (**s. Vers 27**) und war dort sicher; Lot ging aus Sodom heraus und ging so dem Übel aus dem Weg.

Dass sie von dem Verderben überrascht wurden, vor dem sie sich nicht fürchten wollten. „Die Sintflut kam" und vernichtete alle Sünder der alten Welt; es regnete „Feuer und Schwefel" und vertilgte alle Sünder von Sodom. Die besondere Absicht hier ist jedoch zu zeigen, wie für eine schreckliche Überraschung die Vernichtung für diejenigen sein wird, die auf sich selbst vertrauen und weltlich sind.

Wie es noch immer Sündern ergehen wird: „Gerade so wird es sein an dem Tag, da der Sohn des Menschen geoffenbart wird" (**Vers 30**). Sie waren von Christus gewarnt worden und dies würde nach ihm von den Aposteln für sie wiederholt werden, doch es würde alles vergeblich sein. Man hätte gemeint, dass diese Botschaft unseres Heilands, die öffentlich gegeben wurde, sie erwecken würde, doch sie tat es nicht.

2.6 Dass seine Jünger und Nachfolger sich von den untreuen Juden an diesem Tag absondern und bei dem Signal fliehen sollten, auf das sie angewiesen wurden, acht zu geben. Diese ihre Flucht aus Jerusalem musste unverzüglich geschehen, nicht durch irgendwelche Sorge um ihre weltlichen Belange verlangsamt werden: „Wer an jenem Tag auf dem Dach ist und sein Gerät im Haus hat, der steige nicht hinab, um dasselbe zu holen" (**Vers 31**). Es würde besser sein, seine Sachen zurückzulassen, als zu bleiben, um nach ihnen zu sehen, und mit denen umzukommen, die nicht glaubten. Man sollte so handeln, wie es Lot und seiner Familie geboten wurde: „Rette deine Seele!" (1.Mose 19,17). „Lasst euch retten aus diesem verkehrten Geschlecht!" (Apg 2,40). Wenn sie entkommen sind, dürfen sie nicht an Rückkehr denken: „‚Gedenkt an Lots Frau!' Schaut nicht zurück, wie sie es tat. Verlasst einen Ort nicht widerstrebend, der für die Vernichtung bestimmt ist" (**Vers 32**). Sie mögen nicht zurückschauen, damit sie nicht in Versuchung kämen zurückzugehen; in der Tat könnte das Zurückschauen als das Zurückgehen im Herzen oder als Beleg gedeutet werden, dass das Herz zurückgelassen wurde. Es würde keinen anderen Weg geben, sein Leben zu retten: „‚Wer sein Leben zu retten sucht, der wird es verlieren', doch wer bereit ist, sein Leben zu riskieren, wird es bewahren, weil er sich das ewige Leben sichern wird" (**Vers 33**).

2.7 Dass alle guten Christen zweifellos entkommen würden, viele von ihnen aber mit Mühe und Not (**s. Vers 34-36**). Wenn Gottes Gerichte alles verwüsten werden, wird er sicherstellen, dass er diejenigen bewahrt, die ihm gehören: Da „werden zwei in einem Bett sein; der eine wird genommen und der andere zurückgelassen werden". Früher oder später wird klar werden, dass der Herr diejenigen kennt, die sein sind, und diejenigen, die nicht sein sind (s. 2.Tim 2,19).

2.8 Dass sein kennzeichnendes, trennendes und unterscheidendes Werk an allen Orten getan werden würde, so weit sich das Reich Gottes ausdehnen würde. „Wo, Herr?" (**Vers 37**). Die Pharisäer hatten nach dem Zeitpunkt gefragt, doch würde er ihre Neugier nicht befriedigen. Deshalb versuchten Sie ihn mit einer weiteren Frage: „Wo, Herr?" Die Antwort ist sprichwörtlich: „Wo der Leichnam ist, da sammeln sich die Geier."

Wo immer die Übeltäter sind, werden sie von den Gerichten Gottes gefunden werden, so wie Geier auf einen toten Kadaver herabstoßen werden, wo immer er ist. Die Gerichte Gottes werden sich auf sie richten, wie Geier über ihre Beute kommen.

Wo immer die Frommen sind, die für die Errettung gekennzeichnet sind, da wird man finden, dass sie sich glücklich an Christus erfreuen. Wo immer Christus ist, werden die Gläubigen zu ihm strömen und ihn treffen, durch den Instinkt der neuen Natur, wie Geier zu ihrer Beute gehen. „Wo der Leichnam ist", wo immer das Evangelium gepredigt wird, werden sich fromme Seelen hinwenden und Christus finden. Wo immer Christus seines Namens gedenken lässt, wird er die Seinen treffen und sie segnen (s. Joh 4,21; 1.Tim 2,8).

KAPITEL 18

Hier haben wir: 1. Das Gleichnis von der beharrlichen Witwe (s. Vers 1-8). 2. Das Gleichnis von dem Pharisäer und dem Zöllner, das die Absicht hat, uns zu lehren, dass wir uns, wenn wir beten, für unsere Sünde demütigen sollen (s. Vers 9-14). 3. Christi Gunst kleinen Kindern gegenüber, die zu ihm gebracht wurden (s. Vers 15-17). 4. Die Prüfung eines reichen Mannes, der Christus folgen wollte, um zu sehen, ob er Christus mehr lieben würde als seine Reichtümer (s. Vers 18-30). 5. Christi Vorhersage seines eigenen Leidens und Todes (s. Vers 31-34). 6. Wie er einem Blinden das Augenlicht wiederherstellt (s. Vers 35-43).

Vers 1-8

Bei diesem Gleichnis wird uns der Schlüssel zum Verständnis gleich mitgeliefert. Christus sagte es, um uns zu lehren, „dass es nötig ist, allezeit zu beten und nicht nachlässig zu werden" (**Vers 1**). Es wird vorausgesetzt, dass alle Kinder Gottes betende Gotteskinder sind; alle Kinder Gottes senden ihm Botschaften sowohl in Bezug auf Züchtigungen als auch in Notlagen. Es ist unser Vorrecht und unsere Ehre, dass wir beten dürfen. Es ist unsere Pflicht; wir sollen beten. Wir müssen beten und dürfen nie des Gebets müde werden, bis unser Gebet von ewigem Lobpreis verschlungen wird. Was hier aber insbesondere beabsichtigt zu sein scheint, ist, uns Gewissenhaftigkeit und Ausdauer in unseren Bitten für jedwede geistliche Segnung zu lehren, die wir erstreben, die sich entweder auf uns selbst oder die Gemeinde Gottes bezieht. Wenn wir um Kraft gegen unsere geistlichen Feinde beten, unsere sündigen Begierden und Verderbtheiten, müssen wir weiterhin treu im Gebet sein (s. Röm 12,12), müssen beten und nicht nachlässig werden, denn wir werden Gottes Angesicht nicht vergeblich suchen (s. Jes 45,19).

1. Christus zeigte durch ein Gleichnis die Macht der Beharrlichkeit unter den Menschen. Er gibt uns ein Beispiel von einem ehrlichen Rechtsstreit, der vor einem ungerechten Richter nicht deshalb Erfolg hatte, weil die Sache rechtens war oder Mitleid verdiente, sondern nur aufgrund von Beharrlichkeit. Beachten Sie:

1.1 Den schlechten Charakter des Richters, der in einer bestimmten Stadt lebte. Er war jemand, „der Gott nicht fürchtete und sich vor keinem Menschen scheute"; er gab sich keine Mühe, seine Pflicht zu tun, sei es Gott oder den Menschen gegenüber; sowohl Frömmigkeit als auch Ehre waren ihm völlig fremd. Es ist nicht ungewöhnlich, dass diejenigen, welche die Furcht vor ihrem Schöpfer verworfen haben, völlig uninteressiert an ihren Mitgeschöpfen sind; wo es keine Gottesfurcht gibt, kann man nichts Gutes erwarten. Solch eine vorherrschende Gleichgültigkeit gegenüber der Religion und Herzlosigkeit gegenüber Menschen ist bei jedem schlecht, doch außergewöhnlich schlecht bei einem Richter. Statt mit seiner Macht Gutes zu tun, wird er in der Gefahr stehen zu schaden.

1.2 Den unglücklichen Fall einer armen Witwe. Sie hatte zweifellos das Recht auf ihrer Seite, doch sie scheint sich nicht an die Förmlichkeiten des Gesetzes gehalten zu haben, sondern wandte sich persönlich jeden Tag an den Richter und rief ständig: „Schaffe mir Recht gegenüber meinem Widersacher!" Richter sind besonders dazu aufgerufen, nicht nur Witwen keine Gewalt anzutun (s. Jer 22,3), sondern der Waise Recht zu schaffen und den Rechtsstreit für die Witwe zu führen (s. Jes 1,17).

1.3 Die Schwierigkeit und Ermutigung, die sie erlebte, als sie ihren Fall darlegte: „Und er wollte lange nicht" (lehnte es lange ab). Nach seiner üblichen Praxis beachtete er ihren Fall nicht, weil sie vielleicht kein Bestechungsgeld zahlen konnte oder keine einflussreiche Persönlichkeit kannte, die sie in ihrem Fall hätte vertreten können.

1.4 Wie sie schließlich gewann, indem sie diesem ungerechten Richter beständig plagte: „"... weil mir diese Witwe Mühe macht', will ich ihren Fall anhören und ihr Recht verschaffen aus Furcht, dass sie mich mit ihrem Geschrei ermüdet, denn sie ist entschlossen, dass sie mir keine Ruhe lässt, bis es getan ist. Ich werde es deshalb tun, um mir selbst weitere Unruhe zu ersparen" (**Vers 5**). Und so wurde ihr durch ihr ständiges Bitten Gerechtigkeit verschafft.

2. Er wendet dies an, um Gottes betende Kinder zu ermutigen.

2.1 Er sichert ihnen zu, dass Gott ihnen schließlich gnädig sein wird: „Und der Herr sprach: Hört, was der ungerechte Richter sagt! Gott aber, wird er nicht seinen Auserwählten Recht schaffen?" (**Vers 6-7**). Beachten Sie:

Was sie wollen und erwarten: dass Gott „seinen Auserwählten Recht schaffen" wird. Dies zeigt uns:

Es gibt ein Volk in der Welt, das Gottes Volk ist, seine Auserwählten, und diese Beziehung hat er bei allem im Sinn, was er für sie tut.

Gottes eigene Erwählte treffen auf eine große Menge an Schwierigkeiten und Widerstand in die-

ser Welt; „... und es gibt viele Widersacher" (1.Kor 16,9).
Was nötig ist und worauf man wartet, ist, dass Gott sie bewahrt und beschützt.
Was von Gottes Kindern erwartet wird: Sie müssen „Tag und Nacht zu ihm rufen" **(Vers 7)**. Er hat dies zu ihrer Pflicht gemacht und er hat dafür Barmherzigkeit verheißen. Wir sollten genau sein in unseren Gebeten gegen unsere geistlichen Feinde, wie es diese beharrliche Witwe war: „Herr, töte diese Verderbtheit! Herr, stärke mich gegen diese Versuchung!" Wir sollten um die verfolgten und unterdrückten Gemeinden besorgt sein und dass Gott ihnen Gerechtigkeit verschafft. Wir müssen von Herzen schreien, wir müssen Tag und Nacht schreien; wir müssen mit Gott ringen. Gottes betendem Volk wird gesagt, sie sollen ihm keine Ruhe lassen (s. Jes 62,6-7).
Was für Entmutigungen ihnen in ihren Gebeten begegnen können. Er kann mit ihnen lange zuwarten. Man kann es lesen: „Er übt Geduld ihnen gegenüber", das heißt, den Feinden der Seinen gegenüber; und er übt die Geduld der Seinen.
Welche Gewissheit sie haben, dass schließlich die Barmherzigkeit kommen wird, selbst wenn sie aufgeschoben wird; wenn diese Witwe dadurch Erfolg hat, dass sie so beharrlich ist, dann werden Gottes Auserwählte umso mehr Erfolg haben.
Diese Witwe war eine Fremde, doch Gottes Auserwählte sind seine eigenen Erwählten, diejenigen, die er kennt und liebt.
Sie war nur allein, doch die betenden Kinder Gottes sind viele. Die Heiligen auf der Erde bestürmen den Thron der Gnade mit ihren vereinten Gebeten.
Sie kam zu einem Richter, der ihr sagte, sie solle Abstand halten; wir kommen zu einem Vater, der uns sagt, wir sollen freimütig zu ihm kommen.
Sie kam zu einem ungerechten Richter **(s. Vers 6)**; wir kommen zu einem gerechten Vater (s. Joh 17,25).
Sie kam bloß in eigener Sache zu dem Richter, doch Gott hat sich selbst der Sache verpflichtet, nach der wir trachten.
Sie hatte keinen Freund, der sich für sie einsetzte; wir haben „einen Fürsprecher bei dem Vater" (1.Joh 2,1), seinen eigenen Sohn, der für immer lebt, um für uns einzutreten (s. Hebr 7,25).
Ihr wurde keine Ermutigung gegeben zu fragen, wir aber haben eine Verheißung, dass es uns gegeben wird (s. Mt 7,7).
Sie konnte nur zu bestimmten Zeiten Zugang zu dem Richter haben, wir aber können „Tag und Nacht zu ihm rufen", zu jeder Zeit des Tages und der Nacht.
Ihre Beharrlichkeit war für den Richter anstößig, doch unsere Beharrlichkeit ist Gott wohlgefällig und wird darum, wie wir hoffen können, wirksam sein, wenn sie ernstlich dargebracht wird (s. Jak 5,16).
2.2 Er deutet ihnen auch an, dass sie, trotz diesem, ermüden werden, auf ihn zu warten: „Doch wenn der Sohn des Menschen kommt, wird er auch den Glauben finden auf Erden?" **(Vers 8)**. Die Frage beinhaltet eine starke negative Antwort: Nein, wird er nicht; er sieht es selbst voraus.
Dies setzt voraus, dass Glaube die große Sache ist, die Jesus Christus erwartet. Er fragt nicht: „Gibt es Unschuld?" Sondern: „Gibt es Glauben?"
Es setzt voraus, dass er, wenn es Glauben gäbe, selbst wenn er sehr klein wäre, ihn finden würde.
Es wird vorausgesagt, dass, wenn Christus kommt, um sich für die Sache der Seinen einzusetzen, er nur Kleinglauben finden wird verglichen damit, was man erwarten würde.
Allgemein wird er nur wenige gute Leute finden. Er wird viele finden, welche die Form und Sitte der Frömmigkeit haben, doch wenige, die Glauben haben, wenige, die aufrichtig und ehrlich sind.
Besonders wird er wenige finden, die Glauben an sein Kommen haben. Dies weist darauf hin, dass Christus sein Kommen aufschieben kann und wird, bis:

- Übeltäter beginnen werden, dem zu trotzen, und seine Verzögerung wird sie in ihrer Bosheit verhärten (s. Mt 24,48).
- Selbst seine eigenen Kinder beginnen werden, die Hoffnung darauf aufzugeben. Unser Trost ist jedoch, dass, wenn die festgesetzte Zeit kommt, man sehen wird, dass der menschliche Unglaube die Verheißungen Gottes nicht ungültig gemacht hat.

Vers 9-14

Auch die Absicht dieses Gleichnisses ist vorher genannt. Christus wollte einige überführen, „die auf sich selbst vertrauten, dass sie gerecht seien, und die Übrigen verachteten".

- Sie waren solche, die eine hohe Meinung von sich selbst hatten; sie meinten, sie wären so heilig, wie sie sein müssten, und heiliger als alle ihre Nächsten.
- Sie waren selbstsicher vor Gott. Sie vertrauten auf sich selbst, „dass sie gerecht seien"; sie meinten, dass Gott ihnen zu Dank verpflichtet war.
- Sie verachteten andere.

Dies wird ein Gleichnis genannt, obwohl darin nichts Vergleichendes ist. Es geschieht jeden Tag.

1. Hier nehmen diese beiden Menschen zur gleichen Zeit und am gleichen Ort die Pflicht des Gebets auf sich: „Es gingen zwei

Menschen hinauf in den Tempel, um zu beten" **(Vers 10)**. Es war nicht die Stunde des öffentlichen Gebets; sie kamen dorthin, um ihre persönliche Andacht abzuhalten. Der Pharisäer und der Zöllner gingen beide „hinauf in den Tempel, um zu beten". Unter den Anbetern Gottes gibt es eine Mischung aus guten und schlechten Menschen. Der Pharisäer konnte, stolz wie er war, nicht meinen, über dem Gebet zu stehen; noch konnte der Zöllner, demütig wie er war, meinen, dass er von seinem Nutzen ausgeschlossen ist. Der Pharisäer ging in den Tempel zum Gebet, weil es ein öffentlicher Ort war, wo ihn viele Leute sehen würden. Die Beschreibung, die Christus von den Pharisäern gab, dass sie alle ihre Werke tun, „um von den Leuten gesehen zu werden" (Mt 23,5), gibt uns Grund für diese Befürchtung. Es gibt viele, die wir jeden Tag im Tempel sehen, die man, wie zu befürchten ist, an dem großen Tag nicht zur Rechten Christi sehen wird. Der Pharisäer kam zum Tempel, um eine Ehre zu erweisen, der Zöllner mit einem Anliegen; der Pharisäer wollte sich dort zeigen, der Zöllner seine Bitte vorbringen. Gott sieht, was unsere Haltung und unsere Absicht ist, wenn wir kommen, um uns an ihn zu wenden.

2. Hier sind die Worte des Pharisäers an Gott – wir können es nicht ein Gebet nennen: Er „stellte sich hin und betete bei sich selbst so" **(Vers 11)**; „sich selbst treu bleibend betete er auf diese Weise", wie manche es lesen; er war völlig mit sich selbst beschäftigt, hatte nichts außer sich selbst im Sinn, nicht Gottes Herrlichkeit. Man kann sich aufgrund seiner Worte vorstellen, wie er über sich selbst dachte, was zeigt:

2.1 Dass er sich selbst für gerecht hielt. Er sagte sehr viele gute Dinge über sich, bei denen wir annehmen können, dass sie stimmten. Er war kein Räuber. Er war kein Ungerechter in irgendeiner seiner Taten; er tat niemandem irgendein Unrecht; er war kein Ehebrecher. Doch das war nicht alles: Er fastete zweimal in der Woche. Auf diese Weise verherrlichte er Gott mit seinem Leib; doch selbst das war nicht alles: Er gab den Zehnten von allem, was er einnahm und verherrlichte Gott so mit seinem weltlichen Besitz. Doch er wurde nicht angenommen – und warum nicht?

Dass er Gott dafür dankte, scheint eine reine Formalität gewesen zu sein. Er sagte nicht: „Aber durch Gottes Gnade bin ich, was ich bin" (1.Kor 15,10), wie es Paulus tat, sondern sprach lässig: „O Gott, ich danke dir."

Er rühmte sich, als ob all seine Pflicht im Tempel darin bestand, dem allmächtigen Gott zu sagen, wie unheimlich gut er war.

Er vertraute darauf als seine Gerechtigkeit.

Es gibt kein einziges Wort des Gebets in allem, was er sagt. Er ging „hinauf in den Tempel, um zu beten", doch er vergaß, warum er gekommen war. Er glaubte, er brauche nichts, nicht einmal die Gunst und Gnade Gottes, bei der es scheint, dass er sie nicht für wert erachtete, um darum zu bitten.

2.2 Dass er andere verachtete.

Er dachte missbilligend über jeden außer sich selbst. „O Gott, ich danke dir, dass ich nicht bin wie die übrigen Menschen." Wir haben vielleicht Grund, Gott dafür zu danken, dass wir nicht so sind, wie manche Menschen sind, doch so zu sprechen, als wären nur wir gut, heißt, willkürlich zu richten.

Er dachte besonders missbilligend von diesem Zöllner. Er wusste, dass er ein Zöllner war, und so hatte er sehr lieblos geschlossen, dass er ein Räuber war, ein Ungerechter und alles, was verkehrt war. Angenommen, es wäre so gewesen: Was für ein Recht hatte er, dies zu bemerken? Konnte er seine Gebete nicht sprechen, ohne seine Nächsten zu tadeln? Gefiel ihm die Schlechtigkeit des Zöllners genauso wie seine eigene Güte?

3. Hier ist das Gebet des Zöllners an Gott, welches das Gegenteil von dem des Pharisäers war, so voller Demut und Erniedrigung, wie das des Pharisäers voller Stolz und Prahlerei war, so voller Buße für die Sünde und das Verlangen nach Gott, wie das des Pharisäers voller Vertrauen auf sich selbst war.

3.1 Er drückte durch das, was er tat, seine Buße und Demut aus.

Er „stand von ferne". Der Zöllner hielt Abstand aus dem Gefühl der Unwürdigkeit heraus, sich Gott zu nahen. Hier erkannte er an, dass Gott ihn zu Recht fernhalten konnte und dass Gottes Bereitschaft, ihm zu erlauben, so nahe zu kommen, eine große Gunst war.

Er „wagte nicht einmal seine Augen zum Himmel zu erheben". Er erhob mit heiligem Verlangen sein Herz zu Gott im Himmel, doch aus großer Scham und Demut erhob er nicht seine Augen in heiligem Vertrauen und Mut. Die Niedergeschlagenheit seines Blickes zeigte die Niedergeschlagenheit seines Herzens und Gemüts bei dem Gedanken an seine Sünde.

Er „schlug an seine Brust". Zuerst brachte das Herz des Sünders ihn zu einem bußfertigen Tadel: „Sünder, was hast du getan?" (s. 2.Sam 24,10). Dann bringt er sein Herz zu bußfertiger Reue: „Ich elender Mensch!" (Röm 7,24).

3.2 Er drückte es in dem aus, was er sagte. Sein Gebet war kurz. Seufzen und Stöhnen verschlang seine Worte, doch was er sagte, traf genau den Punkt: „O Gott, sei mir Sünder gnädig!" Gott sei Dank, dass wir dieses Gebet als erhörtes Gebet aufgezeichnet haben.

Er gab zu, dass er von Natur aus und in der Tat ein Sünder war, schuldig vor Gott. Der Pharisäer leugnete, dass er ein Sünder war, doch der Zöllner gab sich keine andere Bezeichnung als die eines Sünders.

Er verließ sich auf nichts als die Barmherzigkeit Gottes. Der Pharisäer hatte den Verdienst des Fastens und des Gebens des Zehnten hervorgehoben, doch der arme Zöllner verzichtete auf jeden Gedanken an einen Verdienst und floh direkt zu der Barmherzigkeit als seiner Zufluchtsstadt (s. 4.Mose 35,6). „Die Gerechtigkeit verdammt mich; nichts außer der reinen Barmherzigkeit wird mich retten."
Er betete inbrünstig, die Wohltat dieser Barmherzigkeit zu bekommen: „O Gott, sei mir ... gnädig", wohlgesonnen. Er kam als Bettler, der nach Almosen strebt, während er kurz davor ist, vor Hunger zu sterben. Vermutlich wiederholte er dieses Gebet mit neuerlicher Hingabe; dies war der Kehrreim seines Liedes: „O Gott, sei mir Sünder gnädig!"

4. Hier ist die Annahme des Zöllners bei Gott. Manche würden den Pharisäer loben und mit Verachtung auf diesen herumschleichenden, weinerlichen Zöllner herabblicken. Unser Herr Jesus sichert uns aber zu, dass dieser arme, bußfertige Zöllner mit zerbrochenem Herzen „gerechtfertigt in sein Haus hinab[ging], im Gegensatz zu jenem". Der Pharisäer meinte, wenn einer von ihnen gerechtfertigt sein müsste, dann würde es sicherlich er sein statt der Zöllner. „Nein", sagte Christus. „Ich sage euch', es ist der Zöllner statt der Pharisäer." Der stolze Pharisäer ging von Gott verworfen fort; er war nicht gerechtfertigt. In Gottes Augen wurde er *nicht* als gerecht angenommen, weil er in seinen eigenen Augen so gerecht war, doch der Zöllner erlangte die Vergebung seiner Sünden; derjenige, den der Pharisäer verschmäht hätte, neben die Hunde seiner Herde zu setzen (s. Hiob 30,1), wurde von Gott zu den Kindern seiner Familie gesetzt. Stolze Menschen, die sich selbst erhöhen, sind für Gott Konkurrenten, und darum werden sie sicherlich erniedrigt werden. Demütige Menschen, die sich selbst erniedrigen, sind Gott untertan und sie werden erhöht werden. Achten Sie darauf, wie die Strafe der Sünde entspricht: „Denn jeder, der sich selbst erhöht, wird erniedrigt werden." Achten Sie darauf, wie der Lohn der Pflicht entspricht: „Wer aber sich selbst erniedrigt, der wird erhöht werden" **(Vers 14)**. Achten Sie auch auf die Macht der Gnade Gottes darin, Gutes aus Bösem hervorzubringen; der Zöllner war ein großer Sünder gewesen und durch die Größe seiner Sünde wurde er zu seiner großen Buße gebracht. Es war gut, dass der Pharisäer kein Räuber oder Ungerechter war, doch der Teufel machte ihn zu seinem Untergang stolz darauf.

Vers 15-17

1. Diejenigen, die selbst von Christus gesegnet sind, sollten sich wünschen, dass auch ihre Kinder von ihm gesegnet werden. Menschen brachten hier „kleine Kinder" zu ihm, sehr junge Kinder, die nicht laufen konnten und noch die Milch ihrer Mutter tranken, wie manche meinen. Keiner ist zu klein oder zu jung, um zu Christus gebracht zu werden.

2. Eine gnädige Berührung von Christus wird unsere Kinder selig machen. Sie brachten „kleine Kinder zu ihm, damit er sie anrühre".

3. Es ist nicht ungewöhnlich für diejenigen, die sich an Jesus Christus wenden – für sich selbst oder für ihre Kinder –, auf Entmutigung zu treffen: „Als es aber die Jünger sahen, tadelten sie sie."

4. Viele, welche die Jünger tadeln, sind von dem Meister eingeladen: „Aber Jesus rief sie zu sich."

5. Es ist der Wunsch von Christus, dass „kleine Kinder" zu ihm gebracht werden: „,Lasst die Kinder zu mir kommen und wehrt ihnen nicht'; tut nichts, um sie daran zu hindern, denn sie werden genauso willkommen sein wie jeder andere."

6. Die Kinder von denjenigen, die zum Reich Gottes gehören, gehören auch zu diesem Reich, so wie die Kinder von Freien auch frei sind.

7. Die Erwachsenen, die in sich die klarste Haltung und Neigung von Kindern haben, sind für ihn am meisten willkommen: „Wer das Reich Gottes nicht annimmt wie ein Kind ..." Das bezieht sich auf diejenigen, die seine Wohltaten mit Demut und Dankbarkeit annehmen und froh anerkennen, dass sie dafür der freien Gnade zu Dank verpflichtet sind. Wenn ein Mensch nicht zu dieser sich selbst verleugnenden Haltung gebracht wird, wird er gar nicht in dieses Reich hineinkommen.

Vers 18-30

In diesen Versen haben wir:

1. Das Gespräch Christi mit einem Obersten, der die gute Absicht hatte, von ihm auf dem Weg des Himmels unterwiesen zu werden. Hier können wir beachten:

1.1 Dass Lukas anmerkt, dass er ein Oberster war. Wenige der Obersten hatten irgendwelche Achtung vor Christus, doch hier war einer, der es hatte.

1.2 Die große Sache, die jeder von uns suchen sollte, ist, was wir tun müssen, „um das ewige Leben zu erben".

1.3 Diejenigen, die das ewige Leben erben wollen, müssen sich an Jesus Christus als ihren Meister wenden, sowohl als ihren Lehrmeister als auch als ihren herrschenden Meister. Es gibt keine Möglichkeit, den Weg zum Himmel zu lernen, außer in der Schule Christi.

1.4 Diejenigen, die zu Christus als ihrem Meister kommen, müssen glauben, dass er nicht nur einen göttlichen Auftrag, sondern auch göttliche Güte hat: „‚Was nennst du mich gut?' Du weißt doch, dass niemand gut ist als Gott allein" **(Vers 19)**.

1.5 Unser Meister, Christus selbst, hat den Weg zum Himmel dem gegenüber nicht verändert, was dieser Weg vor seinem Kommen war, sondern hat ihn nur klarer, leichter und sicherer gemacht. „‚Du kennst die Gebote.' Du möchtest das ewige Leben erben? Dann führe dein Leben nach den Geboten."

1.6 Die Pflichten der zweiten Tafel der Zehn Gebote müssen gewissenhaft befolgt werden. Es ist auch nicht genug, sich selbst von groben Verstößen gegen diese Gebote fernzuhalten; wir müssen diese Gebote in ihrem vollen Ausmaß und ihrem geistlichen Wesen kennen.

1.7 Menschen meinen, schuldlos zu sein, weil sie unwissend sind; das war der Fehler dieses Obersten. Er sagte: „Das alles habe ich gehalten von meiner Jugend an" **(Vers 21)**. Er rühmte sich, dass er früh im Leben begann, gut zu sein, dass er weiter ein solches Leben bis zu diesem Tag geführt hatte und dass er in keinem Fall ungehorsam gewesen war. Wenn er wirklich das Wesen des göttlichen Gesetzes und die Werke seines eigenen Herzens gekannt hätte und wäre er wirklich eine Zeit lang einer von Christi Jüngern gewesen, dann hätte er das komplette Gegenteil gesagt, nämlich: „Das alles habe ich gebrochen von Jugend an."

1.8 Die großen Dinge, anhand derer wir unseren geistlichen Stand prüfen sollen, ist unsere Haltung Christus und unseren Geschwistern, dieser und der nächsten Welt gegenüber. Hätte der Oberste echte Liebe zu Christus, würde er kommen und ihm nachfolgen, was immer es ihn gekostet hätte. Niemand wird das ewige Leben erben, der nicht bereit ist, dem Lamm nachzufolgen, „wohin es auch geht" (Offb 14,4). Wenn er echte Liebe für seine Geschwister hätte, würde er „an die Armen" verteilen. Wenn er eine geringe Meinung von dieser Welt hätte, würde er nicht davor zurückschrecken, alles, was er hat, zu verkaufen, um die Armen Gottes zu unterstützen. Wenn er groß von der nächsten Welt denken würde, würde er sich nichts mehr wünschen als „einen Schatz im Himmel".

1.9 Es gibt viele, die sehr viel an sich haben, was sehr lobenswert ist, die aber durch das Fehlen einer Sache zugrunde gehen; so würde es bei diesem Obersten hier sein. Er verließ Christus wegen dieser einen Bedingung, die sich zwischen Christus und seinen Wohlstand stellen würde.

1.10 Viele, die Christus ungern verlassen wollen, verlassen ihn doch. Ihre Verderbtheiten gewinnen. Wenn entweder Gott oder der Mammon verlassen werden müssen, wird dieser ihr Gott sein.

2. Christi Gespräch mit seinen Jüngern aus diesem Anlass, bei dem wir beachten können:

2.1 Reichtümer sind für viele Leute ein großes Hindernis auf ihrem Weg zum Himmel. Christus sah, dass der Oberste „ganz traurig geworden war", und er war bekümmert um ihn, doch er schloss daraus: „Wie schwer werden die Reichen ins Reich Gottes hineinkommen!" **(Vers 24)**. Weil er großen Wohlstand hatte, stand er sehr unter dessen Einfluss, und er zog es vor, lieber Christus zu verlassen, als sich der Verpflichtung zu unterziehen, seinen Reichtum für wohltätige Zwecke zur Verfügung zu stellen. Christus erklärte nachdrücklich die Schwierigkeit der Errettung reicher Menschen: „Denn es ist leichter, dass ein Kamel durch ein Nadelöhr geht, als dass ein Reicher in das Reich Gottes hineinkommt" **(Vers 25)**.

2.2 Es ist wirklich für jeden sehr schwer, den Himmel zu erreichen. Wenn wir entweder alles verkaufen oder uns von Christus lossagen müssen, „wer kann dann überhaupt errettet werden?" **(Vers 26)**. Die Jünger fanden keinen Fehler an dem, was Christus sagte, dass sie es hart und unvernünftig genannt hätten. Sie wussten jedoch, wie eng die Herzen der meisten Menschen an dieser Welt kleben und darum waren sie kurz davor, die Hoffnung aufzugeben, je dazu gebracht werden zu können.

2.3 Es gibt Schwierigkeiten auf dem Weg zu unserem Heil, die niemals überwunden werden können außer durch Gottes allmächtige Gnade. „Was bei den Menschen unmöglich ist, das ist bei Gott möglich." Seine Gnade kann auf die Seele einwirken, um ihre Neigung und Vorliebe zu verändern und ihr eine entgegengesetzte Veranlagung zu geben.

2.4 Es gibt in uns die Neigung, zu viel von dem zu sprechen, was wir für Christus verlassen und verloren haben. Dies zeigt sich bei Petrus: „Siehe, wir haben alles verlassen und sind dir nachgefolgt!" **(Vers 28)**. Als sich ihm die Chance bot, konnte er nicht aufhören, die Liebe zu preisen, die er und seine Brüder gezeigt hatten, als sie alles verließen, um Christus nachzufolgen.

2.5 Was auch immer wir für Christus verlassen haben, wird uns unbedingt in reichem Maße in dieser Welt und in der zukünftigen Weltzeit vergolten werden: „Es ist niemand, der" den Trost seines Besitzes oder seiner Verwandten „verlassen hat um des Reiches Gottes willen, der es nicht vielfältig wieder empfinge in dieser Zeit", durch die Freude der Gemeinschaft mit Gott und eines guten Gewissens, Vorteile, welche all seinen Verlust reichlich vergelten werden **(Vers 29-30)**. In der zukünftigen Weltzeit wird er „das ewige Leben" bekommen, worauf dieser Oberste sein Auge und sein Herz gerichtet zu haben schien.

Vers 31-34

Hier gibt es:

1. Die Ankündigung, die Christus seinen Jüngern von seinem Leiden und seinem bevorstehenden Tod und dem herrlichen Ergebnis dieser Ereignisse gab. Hier werden zwei Dinge ausgesagt, die wir nicht in den Berichten der anderen Evangelisten haben:

1.1 Von den Leiden Christi wird hier als der Erfüllung der Schriften gesprochen: „… und es wird alles erfüllt werden, was durch die Propheten über den Sohn des Menschen geschrieben ist." Dass die Schriften das Wort Gottes sind, wurde durch die Tatsache bewiesen, dass sie vollständig erfüllt wurden, und dass Jesus Christus von Gott gesandt wurde, wurde durch die Tatsache bewiesen, dass sie sich in ihm erfüllten. Dies lässt „das Ärgernis des Kreuzes" aufhören (Gal 5,11) und verleiht ihm Ehre. „So steht es geschrieben, und so musste der Christus leiden" (Lk 24,46).

1.2 Hier werden sehr stark die Schande und Schmach hervorgehoben, die Christus in seinem Leiden erwiesen werden. Die anderen Evangelisten hatten gesagt, dass er verspottet werden würde, doch hier wird hinzugefügt, er wird misshandelt werden, auf jede mögliche Art beleidigt werden. Wie immer, wenn er über sein Leiden und seinen Tod sprach, sagte Christus hier jedoch seine Auferstehung als das voraus, was sowohl den Schrecken als auch die Schande seines Leidens hinwegnahm: „… und am dritten Tag wird er wieder auferstehen."

2. Die Verwirrung, in welche die Jünger hierdurch gerieten. Dies lief so sehr ihren Vorstellungen von dem Messias und seinem Reich entgegen, dass sie das Gesagte nicht begriffen (s. Vers 34). Ihre Voreingenommenheit war so stark, dass sie es nicht wörtlich verstehen wollten, und sie konnten es nicht auf andere Weise verstehen und darum verstanden sie es überhaupt nicht. „… und dieses Wort war ihnen zu geheimnisvoll"; sie konnten es nicht annehmen. Sie waren so sehr auf die Prophezeiungen versessen, die über seine Herrlichkeit sprachen, dass sie diejenigen übersahen, die von seinem Leiden handelten. Die Menschen sitzen Missverständnissen auf, weil sie ihre Bibeln unvollständig lesen, und sie sind genauso begrenzt in ihrem Lesen der Propheten wie im Lesen des Gesetzes. Auf diese Weise werden wir zu sehr dazu veranlasst, dass unsere Erwartungen geweckt werden in Bezug auf den herrlichen Stand der Gemeinde in den letzten Tagen, wenn wir die Prophezeiungen lesen, die sich immer noch erfüllen müssen, und übersehen deshalb ihren öden Stand im Sacktuch und meinen, dass dies vorüber ist.

Vers 35-43

Christus kam nicht nur, um einer dunklen Welt Licht zu bringen und uns so die Dinge vor Augen zu stellen, die wir betrachten sollen, sondern auch, um blinden Seelen Augenlicht zu geben, sie zu befähigen, diese Dinge zu sehen. Hier ist der Bericht von einem Mann, dem er in der Nähe von Jericho das Augenlicht gab. Markus berichtet uns von jemandem, den er heilte, als er nach Jericho kam, und er benennt ihn (s. Mk 10,46). Matthäus spricht von zweien, die er heilte, „als sie von Jericho auszogen" (Mt 20,29). Lukas sagt, es war, als er sich Jericho näherte. Beachten Sie hier:

1. Dieser arme Blinde saß „am Weg und bettelte" **(Vers 35)**. Es scheint, dass er nicht nur blind, sondern auch arm war, ein sehr geeignetes Bild des Menschengeschlechts, welches Christus kam zu heilen und zu retten. Er saß dort und bettelte, weil er blind war und nicht für seinen Lebensunterhalt arbeiten konnte. Solche Objekte für milde Gaben entlang des Weges sollten von uns nicht übersehen werden. Christus schaut hier gewogen auf einen gewöhnlichen Bettler.

2. Als er den Lärm einer Menge hörte, die vorbeiging, „erkundigte er sich, was das sei" **(Vers 36)**. Wir hatten dies vorher nicht. Das zeigt uns, dass es gut ist, wissbegierig zu sein, und dass diejenigen, die es sind, von Zeit zu Zeit davon profitieren werden. Diejenigen, denen das Augenlicht fehlt, sollten ihr Gehör besser nutzen; wenn sie nicht mit ihren eigenen Augen sehen können, sollten sie die Augen anderer Leute benutzen, indem sie Fragen stellen. Dies war, was dieser Blinde tat, und auf diese Weise verstand er, „dass Jesus, der Nazarener vorübergehe" **(Vers 37)**.

3. Sein Gebet enthält sowohl eine große Menge Glauben als auch Inbrunst: „Jesus, du Sohn Davids, erbarme dich über mich!" **(Vers 38)**. Er glaubte, dass Jesus ihm helfen konnte, und bat aufrichtig um seine Gunst: „Erbarme dich über mich!" Es genügt zu beten: „Erbarme dich über uns", denn die Barmherzigkeiten Christi enthalten alles.

4. Diejenigen, welche ernstlich Christi Gunsterweise und Segnungen suchen, werden nicht davon abgebracht werden, ihnen nachzujagen, selbst wenn sie auf Widerstand und Tadel treffen. Menschen, die vorübergingen, tadelten den Blinden, dass er dem Meister Unruhe verursache, da er laut und frech sei, und „geboten ihm, er solle schweigen". Doch die ihm auferlegte Einschränkung war nur wie ein Damm für einen vollen Fluss, der ihn sogar noch mehr anschwellen lässt: „Er aber rief noch viel mehr: Du Sohn Davids, erbarme dich über mich!"

5. Christus ermutigt arme Bettler und lädt sie ein, zu ihm zu kommen: Er „befahl, dass er zu ihm gebracht werde". Christus hat mehr Sanftmut und Mitleid für notleidende Bittsteller, als es irgendeiner seiner Nachfolger hat. Diejenigen, welche den Blinden zurückgehalten hatten, müssen ihm nun ihre Hände reichen, um ihm zu helfen, zu Christus zu gehen.

6. Obwohl Christus alle unsere Nöte kennt, möchte er sie von uns erfahren: „Was willst du, dass ich dir tun soll?" **(Vers 41)**. Dieser Mann schüttete Christus seine Seele aus (s. Ps 42,5), als er sagte: „Herr, dass ich sehend werde!"

7. Das gläubige Gebet wird nicht vergeblich dargebracht werden. Christus sagte: „Sei sehend! Dein Glaube hat dich gerettet" **(Vers 42)**. Echter Glaube wird Eifer im Gebet hervorbringen und beide zusammen werden viele Früchte der Gunst Gottes einbringen.

8. Die Gnade Christi sollte dankbar anerkannt werden **(s. Vers 43)**.
8.1 Der arme Bettler selbst, dessen Augenlicht wiederhergestellt worden war, „folgte ihm nach und pries Gott". Diejenigen, die Christus heilte, gefielen ihm am besten, wenn sie Gott priesen, wie diejenigen, die Christus preisen und ihn ehren, Gott am meisten gefallen werden.
8.2 Das Volk, „das dies sah", konnte nicht aufhören, Gott zu loben. Wir müssen Gott für seine Barmherzigkeiten loben, die er sowohl anderen als auch uns gegenüber erweist.

KAPITEL 19

In diesem Kapitel haben wir: 1. Die Bekehrung von dem Zöllner Zachäus in Jericho (s. Vers 1-10). 2. Das Gleichnis von dem Edelmann, der seinen Knechten Pfunde (minas) anvertraute und aufrührerische Untertanen hatte (s. Vers 11-27). 3. Wie Christus im Triumph nach Jerusalem hineinreitet und über die Vorausschau des Verderbens dieser Stadt weint (s. Vers 28-44). 4. Sein Lehren im Tempel und wie er die Käufer und Verkäufer aus ihm vertreibt (s. Vers 45-48).

Vers 1-10

Ohne Zweifel erfuhren viele Leute eine Bekehrung zum Glauben an Christus, von denen es keinen Bericht im Evangelium gibt, doch die Bekehrung von manchen, deren Fall außergewöhnlich war, wird uns berichtet, wie diese von Zachäus. Christus zog durch Jericho hindurch **(s. Vers 1)**. Diese Stadt wurde unter einem Fluch erbaut (s. Jos 6,26; 1.Kön 16,34), doch Christus ehrte sie dennoch mit seiner Gegenwart, denn das Evangelium nimmt den Fluch fort. Beachten Sie:

1. Wer und was dieser Zachäus war: Sein Name zeigt, dass er ein Jude war. Bedenken Sie:
1.1 Seinen Beruf und seine Arbeit: Er war „ein Oberzöllner". Wir lesen oft von Zöllnern, die zu Christus kommen, doch hier suchte ihn jemand, der ein Oberzöllner war. Gott hat seinen Überrest unter allen Arten von Menschen. Christus kam, um selbst die größten Sünder zu retten (s. 1.Tim 1,15) und damit sogar die Oberzöllner.
1.2 Seine Lebensverhältnisse in der Welt waren sehr bedeutend: „... und dieser war reich." Christus hatte gerade gezeigt, wie schwer es für reiche Menschen ist, in das Reich Gottes einzugehen, doch er legte sofort das Beispiel eines reichen Mannes vor, der verloren war und gefunden wurde, und der nicht wie der verlorene Sohn dadurch gefunden wurde, dass er in große Not gebracht wurde (s. Lk 15,11-32).

2. Wie er Christus in den Weg kam.
2.1 Er war sehr neugierig darauf, Christus zu sehen **(s. Vers 3)**. Es ist natürlich für uns, dass wir die sehen wollen, über deren Ruhm wir viel gehört haben; zumindest werden wir später sagen können, dass wir diese und jene berühmte Person gesehen haben. Wir sollten nun danach streben, Jesus mit dem Auge des Glaubens zu sehen, zu sehen, wer er ist: „Herr, wir möchten gerne Jesus sehen!" (Joh 12,21).
2.2 Er konnte auf diese Weise seine Neugier nicht befriedigen, weil er klein und die Volksmenge groß war. Christus strebte nicht danach, sich zu zeigen, sondern war wie einer von uns in einer Volksmenge verloren. Zachäus war „von kleiner Gestalt" und wurde von den anderen an Größe übertroffen, sodass er Jesus nicht sehen konnte. Viele Menschen, die klein sind, haben große Seelen und sind geistlich dynamisch.
2.3 Entschlossen, in seiner Neugier nicht enttäuscht zu werden, vergaß er seine Würde, lief wie ein Junge hinaus und kletterte einen Maulbeerbaum hinauf, um Jesus zu sehen. Diejenigen, die Christus aufrichtig sehen wollen, werden die geeigneten Mittel benutzen, um ihn zu sehen. Diejenigen, die sich selbst klein finden, müssen jede Gelegenheit ergreifen, die sie bekommen können, um sich zu erheben, um Christus zu sehen. Kleine Menschen mögen nicht verzweifeln: Wenn sie gute Hilfe haben und nach Hohem streben, werden sie in der Lage sein, hoch zu reichen.

3. Die Notiz, die Christus von ihm nahm, und den Ruf, den er an ihn richtete, zu kommen und ihn weiter kennenzulernen **(s. Vers 5)**, und die Wirksamkeit dieses Rufes **(s. Vers 6)**.
3.1 Christus lud sich in das Haus von Zach-

äus ein. Christus blickte hinauf in den Baum und sah Zachäus. Zachäus bekam Christus zu sehen, doch er dachte kaum daran, dass Christus ihn beachten würde. Schauen Sie, wie Christus ihm mit dem Segen seiner Güte voranging, die seine Erwartungen übertraf. Achten Sie auch darauf, wie er einen sehr kleinen Beginn ermutigte. Zachäus, der im Sinn hatte, Christus kennenzulernen, würde von ihm erkannt werden; dem, der nur einen flüchtigen Blick von ihm erhaschen wollte, würde erlaubt werden, mit ihm zu sprechen. Manchmal wird bei denen, die kamen – wie es Zachäus tat –, um nur aus Neugier das Wort Christi zu hören, ihr Gewissen erweckt und ihre Herzen verändert. Christus nannte ihn beim Namen: Zachäus. Er sagte ihm: „... steige schnell herab." Zachäus darf nicht zögern, sondern muss sich beeilen. Er muss herabsteigen, denn Christus wollte an diesem Tag in seinem Haus sein, eine oder zwei Stunden mit ihm verbringen.

3.2 Zachäus war überglücklich, dass seinem Haus eine solche Ehre erwiesen wurde: „Und er stieg schnell herab und nahm ihn auf mit Freuden" **(Vers 6)**. Und dass er ihn in sein Haus aufnahm, war ein Zeichen dafür, dass er ihn in sein Herz aufnahm. Wie oft haben wir uns entschuldigt, wenn Christus zu uns gesagt hat: „Tu mir auf ...!" (Hld 5,2). Der Eifer von Zachäus, Christus aufzunehmen, will uns beschämen.

4. Den Anstoß, den die Leute nahmen. Diese engherzigen, kleinlichen, kritischen Juden murrten und sprachen: „Er ist bei einem sündigen Mann eingekehrt, um Herberge zu nehmen!" Und waren sie nicht doch selbst Sünder? War es nicht der Auftrag Christi, Sünder zu suchen und zu retten? Es war nun sehr ungerecht, Christus dafür zu tadeln, dass er in das Haus von Zachäus ging.

4.1 Obwohl er ein Zöllner war und viele Zöllner schlecht waren, folgte daraus nicht, dass sie alle so waren. Wir müssen darauf bedacht sein, Menschen nicht allgemein zu verurteilen, denn vor Gottes Gericht wird jeder so beurteilt werden, wie er ist.

4.2 Obwohl er ein Sünder gewesen war, folgte daraus nicht, dass er jetzt genauso schlecht war, wie er früher einmal gewesen war. Gott gibt Gelegenheit zur Buße und das Gleiche müssen wir tun.

4.3 Obwohl er jetzt ein Sünder war, sollten sie Christus nicht dafür tadeln, dass er zu ihm ging. Wohin sollte der Arzt gehen, wenn nicht zu denen, die krank sind?

5. Die Belege, die Zachäus öffentlich dafür gab, dass er nun bußfertig war **(s. Vers 8)**. Durch seine guten Werke wollte er die Aufrichtigkeit seines Glaubens und seiner Buße zeigen. Er trat hin, was zeigte, dass er es bewusst und ernst sagte, als Gelübde vor Gott. Er sagte es Christus, nicht den Menschen, sondern dem Herrn. Er machte durch eine Veränderung seiner Wege deutlich, dass es eine Veränderung in seinem Herzen gab – Buße.

5.1 Zachäus hatte großen Wohlstand, doch er entschloss sich jetzt, dass er in Zukunft ganz für Gott leben und anderen damit Gutes tun wollte: „‚Siehe, Herr, die Hälfte meiner Güter gebe ich den Armen.' Ich gebe es jetzt. Obwohl ich bis zu diesem Zeitpunkt hartherzig gegenüber den Armen gewesen bin, will ich ihnen nun helfen und umso mehr geben, weil ich diese Pflicht so lange missachtet habe, sogar ‚die Hälfte meiner Güter'", sagte Zachäus. Er wollte eine Hälfte den Armen geben, was ihn all seine ausschweifenden Ausgaben drosseln lassen würde. Er erwähnte dies hier als eine Frucht seiner Buße.

5.2 Zachäus wusste, dass er nicht alles ehrlich und anständig erlangt hatte, was er besaß. Er versprach, Wiedergutmachung zu leisten. „‚... und wenn ich von jemand etwas durch falsche Anklage genommen habe', ich mehr gefordert habe, als festgesetzt war, dann verspreche ich, es ihm vierfältig zurückzugeben" (Elb 06).

Er bekannte, wie es deutlich den Anschein hat, dass er Unrecht getan hatte. Wahre bußfertige Menschen werden sich nicht nur vor Gott allgemein schuldig bekennen; sie werden auch darüber nachdenken, was ihre besondere Sünde war, was sie wegen ihres Berufes und ihrer Tätigkeit in der Welt am leichtesten umstrickt hat.

Er gab zu, dass er Unrecht getan hatte, indem er etwas durch falsche Anschuldigung genommen hat (Elb 06). Zöllner fanden bei der Regierung stets ein offenes Ohr, was ihnen Gelegenheit gab, ihre Rachsucht zu befriedigen, wenn sie jemandem etwas nachtrugen.

Er versprach, es vierfältig wiedergutzumachen. Er sagte nicht: „Wenn ich verklagt würde und gezwungen wäre zu zahlen, würde ich Wiedergutmachung leisten" – manche sind erst ehrlich, wenn sie nicht mehr anders können –, sondern dass er es freiwillig tun würde. Diejenigen, die überführt sind, dass sie falsch gehandelt haben, können nur dadurch die Aufrichtigkeit ihrer Buße beweisen, dass sie Wiedergutmachung leisten. Zachäus meinte nicht, dass sein Geben der Hälfte seines Wohlstands an die Armen das Unrecht wiedergutmachen würde, das er getan hatte. Es ist kein Akt der Liebe, sondern Heuchelei, das zu geben, was uns nicht gehört, und wir sollen nicht das als unser Eigen betrachten, wozu wir nicht ehrlich gelangt sind.

6. Christi Anerkennung und Annahme der Bekehrung von Zachäus **(s. Vers 9-10)**.

6.1 Für Zachäus wurde verkündet, dass er nun ein seliger Mann ist. „Heute ist diesem

Haus Heil widerfahren." Jetzt, wo er eine Bekehrung erfahren hatte, war er tatsächlich gerettet. Christus war in sein Haus gekommen und wohin Christus kommt, da bringt er auch Heil mit sich. Dies ist jedoch nicht alles. An diesem Tag kam das Heil zu „diesem Haus".

Als Zachäus seine Bekehrung erlebte, wurde er, mehr als er es jemals gewesen war, ein Segen für sein Haus. Er würde die Gnadenmittel und das Heil in sein Haus bringen. Wer die Armen liebt, erweist seinem eigenen Haus Freundlichkeit und bringt Segen darüber.

Als Zachäus selbst zu Christus gebracht wurde, wurde auch seine Familie mit Christus verbunden, und so „ist diesem Haus Heil widerfahren". Indem er zu Christus kam, wurde er „ein Sohn Abrahams", und so kam der Segen, der Abraham gegeben wurde, dass Gott sein Gott und der seiner Kinder sein würde, durch den Glauben auf Zachäus. Zachäus war von Geburt her ein Sohn Abrahams, doch da er ein Zöllner war, wurde er als Heide betrachtet. Dadurch, dass er ein wahrhaft bußfertiger Mensch war, war er genauso gut ein Sohn Abrahams geworden, als wäre er nie Zöllner gewesen.

6.2 Was Christus getan hatte, stimmte mit der großen Absicht seines Kommens in die Welt überein **(s. Vers 10)**. Er hatte vorher das gleiche Argument benutzt, um zu rechtfertigen, dass er sich zu den Zöllnern gesellte (s. Mt 9,13). Dort brachte er vor, dass er kam, „Sünder zur Buße" zu rufen (Lk 5,32); jetzt führte er an, dass er kam, „um zu suchen und zu retten, was verloren ist". Beachten Sie:

Den erbärmlichen Fall der Menschen: Sie sind verloren. Das ganze menschliche Geschlecht wurde durch den Sündenfall zu einer verlorenen Welt: Wie Reisende verloren sind, wenn sie in der Wüste ihren Weg verloren haben, wie die Kranken verloren sind, wenn ihre Krankheit unheilbar ist.

Die gnädige Absicht des Sohnes Gottes: Er kam, „um zu suchen und zu retten", zu suchen, um zu retten. Er unternahm die lange Reise aus dem Himmel auf die Erde, um zu suchen, was verloren ist – was umhergestreift war und sich verirrt hatte –, und es zurückzubringen (s. Mt 18,11-12); und er kam, um zu retten, was verloren war, was umkam. Christus nahm sich der Sache an, als sie verloren schien und man sie aufgegeben hatte. Christus kam in diese verlorene Welt, um diese zu suchen und zu retten. Seine Absicht war zu retten. Bei der Verfolgung dieses Plans suchte er. Er benutzte alle möglichen Mittel, um dieses Heil zu bewirken. Er sucht solche, die ihn nicht suchten (s. Jes 65,1; Röm 10,20).

Vers 11-27

Unser Herr Jesus war nun auf seinem Weg nach Jerusalem, zu seinem letzten Passah. Uns wird gesagt:

1. Wie die Erwartungen seiner Freunde aus diesem Anlass erhöht wurden: „… und sie meinten, das Reich Gottes würde unverzüglich erscheinen" **(Vers 11)**. Die Pharisäer erwarteten es zu diesem Zeitpunkt (s. Lk 17,20), und es scheint, dass auch Christi eigene Jünger das taten. Die Jünger meinten, dass ihr Meister es einführen würde, doch mit echter Pracht und Macht. Sie schlossen, dass Jerusalem der Sitz seines Reiches sein müsse, und so zweifelten sie nicht, jetzt, wo er direkt dorthin ging, dass sie ihn in kurzer Zeit dort auf dem Thron sehen würden. Selbst gute Leute unterliegen Irrtümern in Bezug auf das Reich Christi.

2. Wie ihre Erwartungen gedämpft und ihre Irrtümer korrigiert wurden. Er tat dies auf dreierlei Weise:

2.1 Sie erwarteten, dass er jetzt ohne Verzögerung in seiner Herrlichkeit erscheinen würde, aber er sagte ihnen, dass er trotzdem noch für eine lange Zeit nicht öffentlich in sein Reich eingesetzt werden konnte. Er war wie ein Edelmann, der in ein fernes Land zog, „um sich die Königswürde zu holen". Er musste sich die Königswürde holen und dann wiederkommen. Christus kam wieder, als der Geist ausgegossen wurde, und erneut, als Jerusalem zerstört wurde. Was hier jedoch hauptsächlich gemeint ist, ist seine Wiederkunft an dem großen Tag, die wir immer noch erwarten.

2.2 Sie erwarteten, dass seine Apostel und nächsten Nachfolger in Stellungen von Rang und Ehre eingesetzt werden würden, dass sie alle zu Herrschern und Aristokraten, eingeweihten Ratsmitgliedern und Richtern gemacht werden und alle Pracht und allen Gewinn des Hofes und der Stadt haben würden. Doch Christus sagte ihnen hier, dass er stattdessen wollte, dass sie Geschäftsleute sind; sie dürfen in dieser Welt keine andere Beförderung erwarten, als die Beförderung zu einem Gewerbe. Er würde sie mit Waren versehen und sie selbst müssten sie benutzen, um ihm und den Interessen seines Reiches auf der Erde zu dienen. Die wahre Ehre eines Christen und eines geistlichen Dieners ist von der Art, dass sie uns befähigen wird, alle weltlichen Ehren mit heiliger Geringschätzung zu betrachten. Die Apostel hatten davon geträumt, dass sie zu seiner Rechten und zur Linken in seinem Reich sitzen würden (s. Mt 20,21) und sie erfreuten sich selbst an diesem Traum, doch Christus sagte ihnen etwas, das sie mit ernsthaften Gedanken statt diesen hochstrebenden erfüllen würde.

Sie hatten nun ein großes Werk zu tun. Ihr Meister würde sie bald verlassen, und wenn sie voneinander schieden, würde er jedem von ihnen ein Pfund geben. Dies steht für die gleiche Sache wie die Talente in dem Gleichnis, welches diesem entspricht (s. Mt 25,14-

30). Vielleicht wurde aber die Gabe in dem Gleichnis bloß als ein Pfund dargestellt, um sie demütiger zu machen; ihre Ehre in dieser Welt war nur die von Händlern, nicht von erstklassigen Großkaufleuten. Der Meister gab diese Pfunde seinen Knechten mit dieser Aufgabe: „Arbeitet damit, bis ich wiederkomme!" (NGÜ). Oder, wie man es viel besser übersetzen könnte: „Handelt damit, bis ich wiederkomme! Seid tätig; arbeitet mit diesem Geld! Kümmert euch um eure Aufgabe und macht einen Beruf daraus; macht euch ernstlich daran und bleibt dabei."

Alle Christen, besonders geistliche Diener, haben Arbeit für Christus in dieser Welt zu tun; weder wurden Erstere getauft noch Letztere ordiniert, um untätig zu sein.

Er rüstet diejenigen, die berufen sind für ihn zu arbeiten, mit den notwendigen Gaben für ihre Aufgabe aus, und er erwartet andererseits Dienst von denen, denen er die Kraft dazu gibt. Er übergibt die Pfunde mit folgendem Gebot: „Handelt damit!"

Wir müssen uns beständig um unsere Aufgabe kümmern, bis unser Meister wiederkommt.

Sie mussten bald in erheblichem Maße Rechenschaft ablegen. Er ließ diese Knechte „vor sich rufen, um zu erfahren, was jeder erhandelt habe".

Wer fleißig und treu im Dienst Christi handelt, wird Gewinner sein. Viele hart arbeitende Händler haben Geld verloren, doch diejenigen, die für Christus handeln, werden Gewinner sein.

Die Bekehrung von Seelen ist für sie entscheidend; jeder echte Bekehrte ist ein Gewinn für Christus. Geistliche Diener sind bloß seine Bevollmächtigten und sie müssen vor ihm Rechenschaft darüber ablegen, welchen Fisch sie im Netz des Evangeliums gefangen haben, das heißt, was sie durch den Handel gewonnen haben. Beachten Sie:

Den guten Bericht, der von manchen der Knechte abgegeben wurde, und beachten Sie auch die Anerkennung des Meisters für sie. Von zwei solchen Leuten werden Beispiele gegeben **(s. Vers 16.18)**.

Sie hatten beide einen beträchtlichen Gewinn erzielt, aber nicht beide den gleichen; einer hatte durch sein Handeln zehn Pfund gewonnen, ein anderer fünf Pfund. Nicht alle, die gleich treu sind, sind gleich erfolgreich. Vielleicht hat einer von ihnen, obwohl sie beide treu waren, härter gearbeitet und sich mehr seiner Aufgabe gewidmet als der andere und war darum erfolgreicher.

Sie erkannten beide ihre Verpflichtung ihrem Meister gegenüber an: Sie meinten, es wäre nicht ihr Fleiß, sondern: „Herr, dein Pfund hat zehn Pfund dazugewonnen!" Gott muss alle Ehre für unseren Gewinn bekommen.

Sie wurden beide für ihre Treue und ihren Fleiß gelobt: „Recht so, du guter Knecht!" **(Vers 17)**. Er sprach zu dem anderen ähnlich **(s. Vers 19)**. Wenn er sagt: „Recht so", dann zählt es nicht so viel, wer etwas anderes sagt.

Sie wurden im Verhältnis zu dem Umsatz befördert, den sie mit dem gemacht hatten, was ihnen gegeben worden war. „Weil du im Geringsten treu gewesen bist, sollst du Vollmacht über zehn Städte haben!" Diejenigen, die wahrscheinlich weit aufsteigen werden, sind diejenigen, die damit zufrieden sind, niedrig zu beginnen. Den Aposteln wurden zwei Dinge verheißen:

Dass ihnen große Achtung erwiesen werden würde, wenn sie hart arbeiten würden, um viele Gemeinden zu gründen, und sie einen großen Anteil an der Liebe und der Achtung guter Christen haben würden.

Dass sie in der nächsten Welt, wenn sie ihrem Geschlecht nach dem Willen Christi gedient hätten (s. Apg 13,36), *als Könige mit Christus herrschen würden.* Die Seligkeit des Himmels wird für einen guten geistlichen Diener Christi eine viel größere Beförderung sein, als wenn ein armer Händler zum Statthalter von zehn Städten gemacht wird. Derjenige, welcher nur fünf Pfund gewonnen hatte, hatte Vollmacht über fünf Städte. Es gibt Grade der Herrlichkeit im Himmel; jedes Gefäß wird voll sein, doch nicht alle sind gleich groß. Die Grade der Herrlichkeit dort werden entsprechend dem Maß der Nützlichkeit hier sein.

Die schlechte Rechenschaft, die von einem von ihnen abgelegt wurde, und das über ihn gesprochene Urteil **(s. Vers 20)**.

Er gab zu, nicht mit dem Pfund gehandelt zu haben, das ihm anvertraut worden war: „‚Herr, siehe, hier ist dein Pfund.' Es stimmt, ich habe es nicht vermehrt, doch ich habe es auch nicht vermindert. Ich habe es sicher ‚im Schweißtuch aufbewahrt'" **(Vers 20)**. Das stellt die Sorglosigkeit von denen dar, die Gaben haben, doch sich nie daran machen, etwas Gutes damit zu tun. Es ist ihnen egal, was mit den Interessen des Reiches Christi passiert, ob es voranschreitet oder rückläufig ist; was sie betrifft, so sind sie völlig uninteressiert daran. Diejenigen, die meinen, es genüge zu sagen, dass sie in der Welt keinen Schaden angerichtet haben, die aber auch nichts Gutes getan haben, sind die Knechte, welche ihr Pfund in einem Schweißtuch aufbewahren.

Er rechtfertigte sich mit einer Ausrede, welche die Sache schlimmer und nicht besser machte: „Denn ich fürchtete dich, weil du ein strenger Mann bist" – ein harter Mann. „Du nimmst, was du nicht eingelegt ... hast" **(Vers 21)**. Dieser Knecht meinte, sein Herr würde ernten, was er nicht gesät hat, während er in Wirklichkeit erntete, wo er gesät hatte. Der Knecht hatte keinen Grund, die Strenge seines Herrn zu fürchten. Diese Entschuldigung war ein völliger Schwindel, eine leichtsinnige, ungerechtfertigte Entschuldigung für seine Faulheit.

Seine Entschuldigung fiel auf ihn zurück: „Nach dem Wort deines Mundes will ich dich richten, du böser Knecht!" Er würde für seinen Frevel verdammt, sich aber durch seine eigene Ausrede selbst verurteilen. „Wenn du überhaupt irgendwelche Achtung vor meinen Interessen gehabt hättest, hättest du mein Geld auf der Bank anlegen können, sodass ich nicht nur mein Geld gehabt, sondern es auch ‚mit Zinsen hätte einziehen können'." Wenn er es aus Furcht, das Kapital zu verlieren, nicht wagte, damit zu handeln, wäre das dennoch keine Entschuldigung dafür, es nicht in ein Depot in der Bank zu geben, wo es sicher wäre und doch Zinsen bringen würde. Was auch immer faule Bekenner des Glaubens sagen mögen, um ihre Faulheit zu entschuldigen, so ist doch der wahre Grund dafür eine herrschende Gleichgültigkeit gegenüber den Interessen Christi und seines Reiches. Es kümmert sie nicht, ob der religiöse Glaube Boden gewinnt oder verliert, solange sie bequem leben können.

Ihm wurde sein Pfund fortgenommen. Es ist richtig, wenn diejenigen ihre Gaben verlieren, die sie nicht benutzen: „Nehmt ihm das Pfund weg" **(Vers 24)**.

Das Pfund wurde dem gegeben, „der die zehn Pfunde" hatte. Als man etwas dagegen einwandte, weil er bereits so viel hatte – „Herr, er hat schon zehn Pfunde!" –, wurde geantwortet: „Wer hat, dem wird gegeben werden" **(Vers 25-26)**. Das ist eine gerechte Regel:

Dass, wer am härtesten gearbeitet hat, am meisten ermutigt werden soll. Es wird demjenigen mehr gegeben werden, der einen Gewinn erzielt hat, sodass er in einer Position sein kann, um sogar noch mehr zu gewinnen.

Dass denen ihre Gaben genommen werden, die sie haben, als würden sie sie nicht haben. Denen, die versuchen, die Gnade zu vermehren, die sie haben, wird Gott noch mehr geben; diejenigen, die sie vernachlässigen und zulassen, dass sie weniger wird, können nichts anderes erwarten, als dass Gott dies auch tun wird.

2.3 Eine andere Sache, die sie erwarteten, war, dass der größte Teil des jüdischen Volkes, wenn das Reich Gottes erscheinen würde, sich ihm sofort anschließen würde, doch Christus sagte seinen Jüngern, dass die meisten Juden nach seinem Weggang in ihrer halsstarrigen Rebellion beharren würden. Dies wird hier gezeigt:

Durch die Botschaft, welche die Untertanen dem Mann nachschickten, der König sein sollte. Als er gegangen war, um in sein Königtum eingesetzt zu werden, fuhren sie in ihrer Feindseligkeit ihm gegenüber fort und sagten: „Wir wollen nicht, dass dieser über uns herrsche!" **(Vers 14)**.

Dies erfüllte sich in dem großen Unglauben der Juden nach der Himmelfahrt Christi. Sie wollten sich nicht seinem Joch unterwerfen. *Es ist die Sprache aller Ungläubigen;* sie waren bereit, sich von Christus retten zu lassen, doch sie wollten nicht, dass er über sie herrscht.

An dem Urteil, das bei seiner Rückkehr über sie gesprochen wurde: „Doch jene meine Feinde ... bringt sie her" **(Vers 27)**. Als seine treuen Untertanen befördert und belohnt waren, wollte er dann Vergeltung üben an seinen Feinden. Das Reich Gottes erschien, als an diesen unversöhnlichen Feinden Christi und seiner Herrschaft Vergeltung geübt wurde; sie wurden hergebracht und vor ihm erschlagen. Dies ist jedoch auch auf alle anderen anwendbar, die in ihrem Unglauben verharren. Die vollständige Vernichtung wird sicherlich das Schicksal aller Feinde Christi sein. „Bringt sie her, damit ihre leichtfertigen Ausreden zurückgewiesen werden und sie ein Urteil dem gemäß empfangen, was sie verdient haben." Diejenigen, die nicht wollen, dass Christus über sie herrscht, werden als Feinde betrachtet und als solche behandelt werden. Wir neigen zu dem Denken, dass nur diejenigen, die das Christentum verfolgen, Feinde Christi sind; doch es werden auch solche, die sich der Zucht Christi nicht unterwerfen, sondern ihre eigenen Herren sein wollen, als seine Feinde betrachtet werden. Jeder, der nicht von der Gnade Christi beherrscht werden will, wird unentrinnbar von dem Zorn Christi ins Verderben gestürzt werden.

Vers 28-40

Wir haben hier den gleichen Bericht davon, wie Christus im Triumph nach Jerusalem reitet, den wir vorher in Matthäus und Markus hatten.

1. Jesus Christus war eifrig und bereit, für uns zu leiden und zu sterben. Er „reiste hinauf nach Jerusalem"; er wusste sehr wohl um die Dinge, die ihm dort passieren würden, doch er „zog ... weiter und reiste hinauf nach Jerusalem". Er ging voran. Werden wir, wenn er so eifrig war, für uns zu leiden und zu sterben, uns von einem Dienst zurückziehen, den wir für ihn tun können?

2. Es war in keiner Weise sowohl mit der Demut Christi als auch mit seinem gegenwärtigen Stand der Erniedrigung unvereinbar, öffentlich in Jerusalem einzuziehen, kurz bevor er starb. Er würde die Schande seines Todes noch größer erscheinen lassen, indem er mehr Aufmerksamkeit erregt.

3. Christus ist berechtigt, über alle Geschöpfe zu herrschen. Christus sandte seine Jünger aus, um eine Eselin und ihr Füllen von ihrem Eigentümer und der Krippe ihres Herrn zu holen, wenn er sie um ihres Dienstes willen brauchte.

4. Christus hat die Herzen aller Menschen sowohl vor seinen Augen als auch in seiner Hand. Er konnte diejenigen beeinflussen, denen die Eselin und das Füllen gehörten, sodass sie damit einverstanden sein würden, dass sie fortgeführt werden, sobald ihnen gesagt werden würde, dass der Herr sie brauche.

5. Diejenigen, die sich an Christi Auftrag halten, können sichergehen, erfolgreich zu sein **(s. Vers 32)**. Es ist für die Boten Christi ermutigend, dass sie, wenn der Herr etwas wirklich braucht, sie sicherlich damit zurückkehren werden, wenn sie danach geschickt werden.

6. Die Jünger Christi, die von anderen nehmen, was er braucht, sollten nicht meinen, dass dies genug ist; sie sollten bereit sein, ihm mit allem zu dienen, was sie selbst haben, alles, mit dem man ihm vielleicht dienen kann. Diese Jünger nahmen nicht nur das Füllen der Eselin für ihn, sie warfen auch „ihre Kleider auf das Füllen".

7. Die Siege Christi sind Gegenstand des Lobpreises der Jünger. Als sich Christus Jerusalem näherte, legte Gott es unvermutet der ganzen „Menge der Jünger" aufs Herz – nicht den Zwölf –, „Gott zu loben mit lauter Stimme" **(Vers 37)** und ihre Kleider auf dem Weg auszubreiten **(s. Vers 36)**, was ein üblicher Ausdruck der Freude war. Beachten Sie:

7.1 Was der Grund oder der Anlass ihrer Freude und ihres Lobes war. Sie lobten Gott „wegen all der Wundertaten, die sie gesehen hatten", besonders wegen der Erweckung des Lazarus, was speziell in Johannes' Bericht von den gleichen Ereignissen erwähnt wird (s. Joh 12,17-18).

7.2 Wie sie ihre Freude und ihr Lob ausdrückten: „Gepriesen sei der König, der kommt im Namen des Herrn!" **(Vers 38**; s. Ps 118,26). Christus ist „der König", er „kommt im Namen des Herrn". Gepriesen sei er. Wir wollen ihn preisen; möge Gott ihn gewogen sein. „Friede im Himmel" – möge der Gott des Himmels Frieden senden und seinem Unternehmen Erfolg bringen und dann wird es „Ehre in der Höhe" geben. Vergleichen Sie dieses Lied der Heiligen auf der Erde mit dem der Engel (s. Lk 2,14). Beide Chöre stimmten darin überein, Gott Herrlichkeit in der Höhe zu geben. Die Engel sagten: „... und Friede auf Erden." Die Heiligen sagten: „Friede im Himmel." So ist die Gemeinschaft, die wir mit den heiligen Engeln haben, dass wir uns so, wie sie sich über den Frieden auf Erden freuen, auch über den Frieden im Himmel freuen.

8. Die Siege Christi und der fröhliche Lobpreis seiner Jünger darüber beunruhigte die stolzen Pharisäer. Es gab in der Menge einige Pharisäer, die über diejenigen wütend waren, die Christus priesen. Da die Pharisäer von seiner Demut gehört hatten, meinten sie, er würde solch einen lauten Beifall wie diesen nicht akzeptieren, und darum erwarteten sie, dass er seine Jünger tadeln würde **(s. Vers 39)**. Doch genauso, wie er die Geringschätzung der Stolzen verachtete, nimmt er auch die Lobpreisungen der Demütigen an.

9. Christus wird und muss gepriesen werden, ob ihn nun die Menschen preisen werden oder nicht: „Wenn diese schweigen sollten, dann würden die Steine schreien" **(Vers 40)**, statt dass Christus ohne Lobpreis bleiben würde. Die Pharisäer versuchten, den Lobpreis Christi zum Schweigen zu bringen, doch sie konnten ihr Ziel nicht erreichen, denn so, wie Gott Abraham aus Steinen Kinder erwecken kann (s. Mt 3,9), so kann er sich auch „aus dem Mund von Kindern und Säuglingen" ein Lob bereiten (Ps 8,3; s. Mt 21,16).

Vers 41-48
Der große Botschafter des Himmels hält hier seinen öffentlichen Einzug nach Jerusalem, nicht um dort angenommen, sondern um dort verworfen zu werden. Sehen Sie hier zwei Beweise seiner Liebe und Fürsorge für diesen Ort.

1. Die Tränen, die er wegen des bevorstehenden Verderbens der Stadt vergoss. „Und als er näher kam und die Stadt sah, weinte er über sie" **(Vers 41)**. Das geschah wahrscheinlich, als er vom Ölberg herabkam, wo er eine vollkommene Aussicht auf die Stadt hatte, und sein Auge bewegte sein Herz und sein Herz bewegte wiederum sein Auge. Beachten Sie hier:
1.1 Was für einen sanften Geist Christus hatte; wir lesen nie, dass er lachte, doch wir sehen ihn oft in Tränen.
1.2 Dass Christus weinte, als alle um ihn her frohlockten, um zu zeigen, wie wenig er von dem Beifall und lauten Lob der Menschen erhoben wurde.
1.3 Dass er über Jerusalem weinte. Es gibt Städte, über die man weinen muss, und über keine ist mehr zu klagen als über Jerusalem. Doch warum weinte Christus beim Anblick von Jerusalem? Er nennt uns selbst den Grund für seine Tränen.
Jerusalem hatte nicht das Beste aus dem Tag seiner Möglichkeit gemacht. Er weinte und sagte: „Wenn doch auch du erkannt hättest, wenigstens noch an diesem deinem Tag, was zu deinem Frieden dient!" Doch es hat die Zeit seiner Heimsuchung nicht erkannt **(s. Vers 44)**. Der Ausdruck ist schroff: „Wenn ... du erkannt hättest." „Oh, dass du hättest." So lesen manche diesen Ausdruck. Oder: „Wenn du doch schöne Frucht hervorgebracht hättest. Wie nützlich wäre das für dich gewesen?!" (s. Lk 13,9). Was er sagte, gab die ganze Schuld für

das nahe bevorstehende Verderben Jerusalems der Stadt selbst. Dies zeigt uns:

Es gibt Dinge, die zu unserem Frieden dienen, die wir alle zu kennen und zu verstehen verpflichtet sind. Die Dinge, die zu unserem Frieden dienen, sind die, welche unser jetziges und unser künftiges Wohlergehen betreffen; diese müssen wir mit Überzeugung kennen.

Es gibt eine Zeit der Heimsuchung, wenn die Dinge, die zu unserem Frieden dienen, von uns erkannt werden können. Wenn wir uns der Gnadenmittel in großer Fülle erfreuen und uns das Wort Gottes machtvoll gepredigt wird, dann ist die Zeit der Heimsuchung.

Für diejenigen, welche lange die Zeit des Kommens Gottes zu ihnen übersehen haben, wird doch alles gut sein, wenn ihnen zuletzt die Augen geöffnet werden und sie zu sich selbst kommen (s. Lk 15,17). Diejenigen, die um die elfte Stunde in den Weinberg kommen (s. Mt 20,6.9), werden nicht zurückgewiesen.

Es ist die erstaunliche Torheit von vielen, die sich der Gnadenmittel erfreuen, dass sie nicht das Beste aus dem Tag ihrer Möglichkeit machen. Ihnen sind die Dinge offenbart, die ihnen Frieden bringen würden, doch sie wollen ihnen keinerlei Beachtung schenken; sie verschließen ihre Augen vor ihnen. Sie sind sich der angenehmen Zeit und des Tags des Heils nicht bewusst (s. 2.Kor 6,2) und deshalb lassen sie ihn verstreichen und gehen so durch reine Sorglosigkeit zugrunde. Niemand ist so blind wie diejenigen, die nicht sehen *wollen*.

Die Sünde und Torheit derer, die darauf beharren, der Gnade des Evangeliums ihre Verachtung zu zeigen, sind eine Quelle großen Kummers für unseren Herrn Jesus und sollten es auch für uns sein. Er blickt mit weinenden Augen auf verlorene Seelen, diejenigen, die unbußfertig bleiben. Er würde es lieber haben, wenn sie umkehren und leben (s. Hes 18,32), als dass sie gehen und sterben, denn er will nicht, dass jemand verlorengehe (s. 2.Petr 3,9).

Jerusalem konnte dem Tag seiner Zerstörung nicht entkommen. Die Dinge, die ihrem Frieden dienten, waren nun in gewisser Weise vor ihren Augen verborgen. Dies besagt nicht, dass ihnen danach nicht das Evangelium von den Aposteln gepredigt wurde; in der Tat wurden viele überzeugt und bekehrt. Doch was den größten Teil und den führenden Teil des Volkes anbetraf, so waren sie in ihrem Unglauben verschlossen. Sie wurden zu Recht dem Gericht der Blindheit und Verhärtung überlassen. Die Missachtung einer so großen Errettung bringt oft weltliche Gerichte über ein Volk (s. Hebr 2,3); sie brachte diese über Jerusalem.

Die Römer belagerten die Stadt, schütteten einen Wall (einen Erddamm) um sie auf, schlossen sie ringsum ein (kesselten sie ein) und bedrängten seine Einwohner von allen Seiten.

Sie machten sie dem Erdboden gleich. Titus gebot seinen Soldaten, die Stadt umzugraben, und das ganze Gebiet von ihr wurde bis auf drei Türme eingeebnet. Nicht nur die Stadt, sondern auch die Einwohner – „deine Kinder in dir" – wurden durch das unbarmherzige Töten, das an ihnen verübt wurde, bis zum Grund eingeebnet, und es wurde kaum ein Stein auf dem anderen gelassen. Dies geschah, weil sie die Zeit ihrer Heimsuchung nicht erkannt hat.

2. Der Eifer, den er für die gegenwärtige Reinigung des Tempels zeigte.

2.1 Christus reinigte ihn von denen, die ihn entweihten. Er ging direkt zum Tempel und „fing an, die Verkäufer und Käufer darin hinauszutreiben" **(Vers 45)**. Christus nannte einen Grund dafür, dass er die Kaufleute im Tempel entfernte **(s. Vers 46)**. Der Tempel war ein Bethaus, für die Gemeinschaft mit Gott abgesondert: Die „Verkäufer und Käufer" machten durch die betrügerischen Geschäfte, die sie dort führten, „eine Räuberhöhle daraus". Das würde eine Ablenkung für diejenigen sein, die hier hinkamen, um zu beten.

2.2 Er nutzte ihn für den besten Zweck, für den er je benutzt worden war, denn „er lehrte täglich im Tempel" **(Vers 47)**. Beachten Sie hier, als Christus im Tempel predigte:

Wie boshaft die Leiter der jüdischen Gemeinde ihm gegenüber waren: „Die obersten Priester aber und die Schriftgelehrten und die Vornehmsten des Volkes trachteten danach, ihn umzubringen" **(Vers 47)**.

Wie respektvoll das einfache Volk ihm gegenüber war. Es „hing an ihm und hörte ihm zu" (hing an seinen Worten). Die Menschen zollten ihm große Achtung, hörten aufmerksam seinen Predigten zu. Manche lesen es: „Alle Menschen schlugen sich auf seine Seite, als sie ihn hörten", und darum fanden seine Feinde „keinen Weg, wie sie es tun sollten". Bis seine Stunde kam, schützte ihn sein Einfluss auf das gewöhnliche Volk, doch als seine Stunde gekommen war, lieferte ihn der Einfluss der obersten Priester auf die einfachen Leute aus.

KAPITEL 20

Hier haben wir: 1. Christi Antwort auf die Frage der obersten Priester nach seiner Vollmacht (s. Vers 1-8). 2. Das Gleichnis von dem Weinberg, der an ungerechte und rebellische Pächter verpachtet war (s. Vers 9-19). 3. Christi Antwort auf die Frage, die ihm über die Rechtmäßigkeit gestellt wurde, dem Kaiser Steuern zu bezahlen (s. Vers 20-26). 4. Seine Bestätigung dieser großen, grundlegenden Lehre von der Auferstehung der Toten und dem zukünftigen Stand (s. Vers 27-38). 5. Wie er die Schriftgelehrten mit einer Frage darüber verwirrt, dass der Messias Davids

Sohn ist (s. Vers 39-44). 6. Die Warnung, die er seinen Jüngern gab, sich vor den Schriftgelehrten zu hüten (s. Vers 45-47).

Vers 1-8

Hier ist dem nichts hinzugefügt, was wir in den Berichten der anderen Evangelisten hatten, außer in dem ersten Vers, wo uns gesagt wird:

1. Dass er nun „das Volk im Tempel lehrte und das Evangelium verkündigte". Christus predigte sein eigenes Evangelium. Er erwarb nicht nur das Heil für uns, sondern verkündigte es uns auch. Das bestätigt die Wahrheit des Evangeliums. Es ehrt auch die Prediger des Evangeliums. Insbesondere ehrt es die volkstümlichen Prediger des Evangeliums; Christus ließ sich bei der Predigt des Evangeliums auf das Niveau der Leute herab und lehrte sie.

2. Dass von seinen Feinden hier gesagt wird, dass sie zu ihm herzutraten. Das griechische Wort zeigt, dass sie meinten, sie würden:
2.1 Ihn mit dieser Frage überraschen; sie traten unvermutet zu ihm herzu.
2.2 Ihn mit dieser Frage einschüchtern. Wir können aus diesem Bericht lernen, dass:
Wir es nicht für sonderbar erachten dürfen, wenn selbst das, was eine klare Entfaltung der Vollmacht Christi ist, von denen bestritten und infrage gestellt wird, die ihre Augen vor dem Licht verschließen. Die Wunder Christi zeigten deutlich, „in welcher Vollmacht" er dies tat.
Wenn diejenigen selbst geprüft werden, welche die Vollmacht Christi infrage stellen, ihre Torheit allen Leuten enthüllt wird. Christus antwortete diesen Priestern und Schriftgelehrten mit einer Gegenfrage über die Taufe von Johannes: War sie „vom Himmel oder von Menschen?" Sie wussten alle, dass sie „vom Himmel" war. Das ist die Frage, die sie scheitern ließ und vor allen Leuten beschämte.
Es nicht sonderbar ist, wenn diejenigen, die von ihrer Sorge um ihren Ruf und von weltlichen Interessen kontrolliert werden, die klarsten Wahrheiten aufhalten (Röm 1,18), wie es diese Schriftgelehrten und Priester taten, die nicht zugeben wollten, dass die Taufe von Johannes „vom Himmel" war. Sie hatten jedoch auch keinen Grund dafür, nicht zu sagen, dass sie „von Menschen" war, außer, dass sie das Volk fürchteten. Was für Gutes kann man von Menschen erwarten, die einen solchen Geist haben?
Denen zu Recht weitere Erkenntnis verwehrt wird, welche die Erkenntnis vergraben, die sie haben **(s. Vers 7-8)**.

Vers 9-19

Christus erzählte dieses Gleichnis in Hinblick auf jene, die entschlossen waren, seine Vollmacht nicht anzuerkennen.

1. In dem Gleichnis steht nichts mehr, als wir in Matthäus und Markus hatten. Sein Thema ist, zu zeigen, dass das jüdische Volk Gott veranlasst hatte, es der Vernichtung preiszugeben. Dieses Gleichnis lehrt uns:
1.1 Dass diejenigen, welche sich der Vorrechte der sichtbaren Kirche erfreuen, wie Pächter und Landwirte sind, die einen Weinberg haben, um den sie sich kümmern und für den sie Pacht bezahlen müssen. Gott hat durch die Einrichtung der offenbarten Religion einen Weinberg gepflanzt, den er verpachtet **(s. Vers 9)**. Die Pächter müssen im Weinberg arbeiten, notwendige und unaufhörliche Arbeiten tun, aber auch angenehme und lohnende. Sie müssen auch dem Herrn des Weinbergs die Früchte des Weinbergs darlegen. Es ist Pacht zu bezahlen und Dienst zu tun.
1.2 Dass es das Werk von Gottes geistlichen Dienern ist, von denen zu fordern, entsprechende Frucht hervorzubringen, welche sich an den Vorrechten der Gemeinde erfreuen. Die geistlichen Diener sind diejenigen, welche Gottes Pacht einsammeln **(s. Vers 10)**.
1.3 Dass Gottes treue Knechte oft von seinen eigenen Pächtern schrecklich misshandelt worden sind. Diejenigen, die sich entschieden haben, ihre Pflicht Gott gegenüber nicht zu erfüllen, können es nicht ertragen, dass man von ihnen fordert, sie zu tun.
1.4 Dass Gott seinen Sohn in die Welt sandte, um die Früchte des Weinbergs einzusammeln. Die Propheten sprachen als Knechte; Christus sprach „als Sohn" (s. Hebr 3,6). Man hätte gemeint, dass die Ehre, dass der Sohn zu ihnen gesandt wird, sie überzeugen würde.
1.5 Dass diejenigen, welche Christi geistliche Diener verwerfen, Christus selbst verwerfen würden. Die Pächter sprachen: „Das ist der Erbe! Kommt, lasst uns ihn töten." Als sie die Knechte töteten, wurden andere Knechte gesandt. „Doch", so meinten sie, „wenn wir nur den Tod des Sohnes bewirken können, gibt es keinen anderen Sohn, um ihn zu senden; dann werden wir den Weinberg ruhig für uns selbst besitzen können." Deshalb unternahmen sie den anmaßenden Schritt, ihn zum Weinberg hinauszustoßen und zu töten.
1.6 Dass das Töten von Christus das Maß der Sünden des jüdischen Volkes vollmachte (s. Mt 23,32). Man konnte nichts anderes erwarten, als dass Gott diese bösen Pächter vernichten würde. Sie hatten damit begonnen, dass sie die Pacht nicht bezahlten, und damit geendet, dass sie den Sohn töteten. Diejenigen, die ihre Pflicht Gott gegenüber missachten, wissen nicht, in wie viel Sünde und Zerstörung sie rennen.

2. Der Anwendung des Gleichnisses ist etwas hinzugefügt, das wir vorher nicht hatten, nämlich ihr Beklagen des Gerichts, das am Ende verkündet wird: „Als sie das hörten, sprachen sie: Das sei ferne [Möge das nie geschehen]!" **(Vers 16)**. Beachten Sie, wie sie sich selbst täuschten: Sie meinten, sie könnten durch ein kaltes „Das sei ferne" die Strafe Gottes vermeiden, doch sie taten nichts, um sie zu verhindern. Beachten Sie, was Christus sagte:

2.1 „Er aber blickte sie an" **(Vers 17)**. Dies wird nur von diesem Evangelisten bemerkt. Christus betrachtete sie mit Mitleid und Erbarmen. Er blickte sie direkt an, um zu sehen, ob sie über ihre eigene Torheit beschämt sein würden.

2.2 Er verwies sie auf die Schrift: „Was bedeutet denn das, was geschrieben steht: ‚Der Stein, den die Bauleute verworfen haben, der ist zum Eckstein geworden'?" (Ps 118,22). Der Herr Jesus wird zur Rechten des Vaters erhöht werden. Eben jene, die auf diesen Stein fallen, werden „zerschmettert werden" – er wird ihr Verderben sein; doch bei denjenigen, die ihn nicht nur ablehnen, sondern hassen und verfolgen, wird er auf sie fallen und sie in Stücke zerschmettern – er wird sie zermalmen.

2.3 Uns wird gesagt, wie wütend die obersten Priester und die Schriftgelehrten durch dieses Gleichnis wurden: „Denn sie erkannten, dass er dieses Gleichnis im Blick auf sie gesagt hatte" **(Vers 19)**. Sie wurden wütend auf ihn und suchten nach einem Weg, ihn zu verhaften. Der einzige Grund, warum sie ihn nicht jetzt ergriffen und ihm an die Kehle gingen, war, dass sie sich vor dem Volk fürchteten. Sie waren bereit, seine Worte zu erfüllen: „Das ist der Erbe! Kommt, lasst uns ihn töten." Christus sagte ihnen, dass sie, anstatt den Sohn zu küssen (s. Ps 2,12), ihn töten würden. Sie sagten tatsächlich: „Wir werden das tun, stürzt euch jetzt auf ihn!" Obwohl sie die Strafe für ihre Sünde vermeiden wollten, planten sie im nächsten Atemzug, die Sünde zu begehen.

Vers 20–26

Hier haben wir, wie Christus eine Falle vermeidet, welche seine Feinde ihm stellten, indem sie ihm eine Frage über das Zahlen von Steuern stellten. Hier gibt es:

1. Die Schwierigkeiten, die sie ihm bereiten wollten. Der Plan war, dass „sie ihn der Obrigkeit und der Gewalt des Statthalters ausliefern könnten" **(Vers 20)**. Sie konnten ihn nicht selbst auf dem normalen Weg des Gesetzes noch auf eine andere Weise zu Tode bringen als durch einen Volksaufstand. Doch sie hofften, ihr Ziel zu erreichen, indem sie den Statthalter gegen ihn aufbringen. Durch diesen ihren verfluchten Betrug musste sich das Wort Christi erfüllen, dass er „in die Hände der Heiden" ausgeliefert werden würde" (Apg 21,11).

2. Die Leute, die sie benutzten. Sie waren Spitzel (EÜ), „die sich stellen sollten, als wären sie redlich" (die vorgaben, ehrlich zu sein). Es ist nichts Neues, dass Übeltäter vorgeben, ehrlich zu sein. Ein Spitzel muss sich tarnen. Diese Spitzel gaben vor, das Urteil Christi zu schätzen und darum seinen Rat in einer Gewissensfrage zu brauchen.

3. Die Frage, die sie stellten.

3.1 Ihre Einleitung war sehr höflich: „Meister, wir wissen, dass du richtig redest und lehrst" **(Vers 21)**. Auf diese Weise meinten sie, ihm schmeicheln zu können, sodass er nicht auf der Hut ist und mit unbedachter Freiheit und Offenheit spricht. Sie waren sehr im Irrtum, wenn sie meinten, dass sie den demütigen Jesus auf diese Weise täuschen könnten. Er sieht die Person der Menschen nicht an (ist nicht parteiisch; s. Mt 22,16), doch es stimmt genauso, dass er das Herz von jedem kennt, und er kannte das ihre, obwohl sie in ihren Worten ehrlich erschienen. Es war gewiss, dass er „den Weg Gottes der Wahrheit gemäß" lehrte, doch er wusste, dass diejenigen, die kamen, „um ihn bei einem Wort zu fassen" – und nicht, um von diesem erfasst zu werden –, unwürdig waren, von ihm gelehrt zu werden.

3.2 Ihre Frage war schwierig und gefährlich: „Ist es uns erlaubt" – „uns" wird hier in Lukas hinzugefügt –, „dem Kaiser die Steuer zu geben, oder nicht?" Ihr Stolz und ihre Habsucht machten sie unwillig, Steuern zu zahlen, und so wollten sie fragen, ob es erlaubt sei oder nicht. Wenn nun Christus sagen würde, dass es erlaubt sei, würde das Volk es übel aufnehmen. Wenn er aber sagen würde, dass es nicht erlaubt sei – wie sie erwarteten, dass er es würde –, dann hätten sie etwas, um ihn beim Statthalter anzuklagen.

4. Wie er die Falle vermied, die sie ihm stellten. Er erkannte ihre Arglist (sah, wie sie versuchten, ihn zu überlisten; s. **Vers 23**). Er gab ihnen keine direkte Antwort, sondern tadelte sie dafür, dass sie versuchten, ihn zu täuschen: „Was versucht ihr mich? Zeigt mir einen Denar!" Er fragte sie, wessen Geld es war, wessen Bild und Aufschrift das Geldstück trug, wer es prägte. Sie gaben zu: „Es ist das Geld des Kaisers." „Dann", sagte er, „hättet ihr zuerst fragen sollen, ob es erlaubt sei, mit dem Geld des Kaisers unter euresgleichen zu bezahlen und es zu erhalten, es als legales Zahlungsmittel für euren Handel zu akzeptieren. Doch da ihr dies zugestanden habt, habt ihr die Frage durch eure eigenen Taten beantwortet, und darum müsst ihr dem Kaiser geben, was des Kaisers ist. Doch in heiligen Dingen ist nur Gott euer König, ihr müsst Gott geben, ‚was Gottes ist'."

5. Die Verwirrung, in die sie hierdurch gestürzt wurden. Die Falle war zerbrochen: „Und sie konnten ihn nicht bei diesem Wort fassen vor dem Volk" **(Vers 26)**. Sie „verwunderten sich über seine Antwort", dass sie so besonnen und zufriedenstellend war. Ihre Münder wurden gestopft; sie schwiegen. Sie wagten es nicht mehr, ihm weitere Fragen zu stellen aus Angst, dass er sie beschämen und bloßstellen würde.

Vers 27-38

Wir lesen von dieser Diskussion mit den Sadduzäern vorher, genauso, wie sie hier ist, außer, dass die Beschreibung, die Christus von dem künftigen Stand gibt, hier etwas genauer und ausführlicher ist. Beachten Sie:

1. In jedem Zeitalter hat es Menschen mit einem verkehrten Sinn gegeben, die versucht haben, die grundlegenden Prinzipien der offenbarten Religion zu untergraben. Die Sadduzäer leugneten, dass es eine Auferstehung gibt und einen zukünftigen Stand, eine geistliche Welt – einen Stand der Belohnung und der Vergeltung für das, was im Leib gewirkt wurde (s. 2.Kor 5,10). Wenn man dies fortnimmt, dann fällt die ganze Religion zusammen.

2. Es ist bei denen üblich, welche eine Wahrheit Gottes untergraben wollen, dass sie diesbezüglich Verwirrung stiften. Genau dies taten diese Sadduzäer, als sie den Glauben der Leute an die Lehre der Auferstehung schwächen wollten. Der Fall kann so tatsächlich geschehen sein; zumindest könnte es so sein. „Eine Frau", sagten sie, „hatte sieben Ehemänner. Wessen Frau wird sie nun in der Auferstehung sein?"

3. Es gibt einen großen Unterschied zwischen dem Stand von Menschen auf der Erde und dem von Gottes Kindern im Himmel.
3.1 Die Menschen „dieser Weltzeit heiraten und lassen sich heiraten". Ein großer Teil unserer Arbeit in dieser Weltzeit ist, unsere Familien zu gründen und aufzubauen und für sie zu sorgen. Ein großer Teil unserer Freude in dieser Weltzeit liegt in unseren Verwandten, besonders unseren Frauen und Kindern; das ist der Lauf der Natur. Die Ehe ist für die Behaglichkeit des menschlichen Lebens eingesetzt.
3.2 Die kommende Weltzeit ist vollkommen anders; sie wird „jene Weltzeit" genannt **(Vers 35)**, um dies zu betonen und ihre Bedeutung zu zeigen. Beachten Sie:
Wer in dieser Welt leben wird: solche, „die gewürdigt werden, jene Weltzeit zu erlangen". Sie haben keine gesetzmäßige Würdigkeit, sondern eine evangeliumsgemäße Würdigkeit. Die Würdigkeit, durch die wir verherrlicht werden, ist eine zugerechnete Würdigkeit, wie auch die Gerechtigkeit, durch die wir gerechtfertigt sind, eine zugerechnete Gerechtigkeit ist. Aus Gnade werden manche gewürdigt und würdig gemacht, „jene Weltzeit zu erlangen"; der Satz zeigt, dass es eine gewisse Schwierigkeit dabei gibt, sie zu erlangen, und die Gefahr besteht, sie nicht zu erreichen. Wir müssen so laufen, dass wir den Preis erlangen (s. 1.Kor 9,24). Diejenigen, die dafür gewürdigt werden, werden „die Auferstehung aus den Toten" erlangen, das heißt, die selige Auferstehung, denn die „Auferstehung des Gerichts" – wie Christus sie nennt (Joh 5,29) – ist eine Auferstehung zum Tod – ein zweiter Tod (s. Offb 2,11; 20,6.14).
Wie der glückselige Stand derer sein wird, die in jener Weltzeit leben werden, kann man nicht ausdrücken oder begreifen (s. 1.Kor 2,9). Beachten Sie, was Christus hier darüber sagt.
Sie „werden weder heiraten noch sich heiraten lassen". Diejenigen, die zur Freude ihres Herrn eingegangen sind (s. Mt 25,21), werden vollkommen damit ausgefüllt sein. Nichts, das verunreinigt, kommt in das neue Jerusalem (s. Offb 21,27).
„Sie können nicht mehr sterben" und das wird als ein Grund dafür genannt, warum sie nicht heiraten. Wo es keine Begräbnisse gibt, sind keine Hochzeiten nötig. Die Seligkeit jener Weltzeit wird durch die Freiheit vom Tod gekrönt. Der Tod herrscht hier, doch er ist von dort für immer ausgeschlossen.
„Sie sind den Engeln gleich." In den Berichten der anderen Evangelisten wurde gesagt, dass sie „wie die Engel" sein werden, hier aber wird gesagt, dass sie „den Engeln gleich" sind, ihnen ebenbürtig; sie haben eine Herrlichkeit und Seligkeit, die in keiner Weise niedriger ist als die der heiligen Engel. Wenn die Heiligen in den Himmel kommen, werden sie eingebürgert. Sie werden in jeder Hinsicht Vorrechte haben, die den Vorrechten derer gleich sind, die frei geboren sind, den Engeln, welche die einheimischen Einwohner dieses Landes sind.
Sie sind „Söhne Gottes", und damit sind sie wie die Engel. Wir sind bereits jetzt „Kinder Gottes" (1.Joh 3,2), haben die Natur und die Disposition von Kindern, doch das wird nicht vervollkommnet werden, bis wir den Himmel erreichen.
Sie sind „Söhne der Auferstehung"; das heißt, sie werden geeignet gemacht, die Beschäftigungen und Freuden des zukünftigen Standes zu bekommen. Sie sind „Söhne Gottes", da sie „Söhne der Auferstehung" sind.

4. Es ist eine unzweifelhafte Wahrheit, dass es ein anderes Leben nach diesem gibt **(s. Vers 37-38)**: Mose deutete dies an, als er Gott „den Gott Abrahams und den Gott Isaaks und den Gott Jakobs" nannte. Abraham, Isaak und Jakob waren da in Bezug auf unsere Weltzeit tot. Sie hatten sie viele Jahre vorher verlassen. Wie konnte Gott dann sagen, nicht: „Ich *war*", sondern: „Ich *bin* der Gott ... Abrahams" (2.Mose 3,6)? Wir müssen schließen, dass sie da in einer anderen Welt existierten, denn Gott ist „nicht ein Gott der Toten, sondern der Lebendigen". Lukas fügt auch hinzu: „Denn für ihn leben alle", das heißt, alle, die wie diese Männer wahre Gläubige sind; obwohl sie tot sind, leben sie doch (s. Joh 11,25). Doch darin gibt es sogar noch mehr: Wenn Gott sich der Gott dieser Patriarchen nannte, meinte er, dass er ihre Seligkeit und ihr Erbe ist, ihr „sehr großer Lohn" (1.Mose 15,1). Doch er tat für sie in dieser Welt nie etwas, was diese große Verpflichtung vollkommen erfüllen würde, und darum muss es ein anderes Leben nach diesem geben, in welchem er das tun wird.

Vers 39-47

Die Schriftgelehrten waren Studierende des Gesetzes und sie erklärten es den Leuten; sie hatten einen Ruf der Weisheit und Ehre, doch die meisten waren Feinde von Christus und seinem Evangelium.

1. Hier sehen wir, wie sie die Antwort loben, die Christus den Sadduzäern gab: „Da antworteten etliche der Schriftgelehrten und sprachen: Meister, du hast gut geantwortet!" **(Vers 39)**. Selbst die Schriftgelehrten, die Lehrer des Gesetzes, lobten seine Leistung und erkannten an, dass er gut gesprochen hatte. Viele, die sich selbst Christen nennen, erreichen selbst diesen Geist nicht.

2. Wir sehen sie angesichts der Weisheit und Vollmacht Christi von Ehrfurcht ergriffen: „Und sie getrauten sich nicht mehr, ihn etwas zu fragen" **(Vers 40)**. Seine eigenen Jünger, die seine Botschaft immer nicht annehmen wollten, getrauten sich, ihn etwas zu fragen, doch die Sadduzäer wagten nicht mehr, ihn zu fragen.

3. Wir sehen, wie verwirrt sie bei einer Frage über den Messias sind und daran scheitern **(s. Vers 41)**. Aus vielen Schriftstellen war klar, dass Christus „Davids Sohn" sein sollte; selbst der Blinde wusste dies (s. Lk 18,39). Und doch war genauso klar, dass David den Messias seinen Herrn nannte **(s. Vers 42.44)**: „Der HERR sprach zu meinem Herrn" (Ps 110,1). Wenn nun der Messias Davids Sohn ist, weshalb nennt ihn David dann seinen Herrn? Sie konnten diesen augenscheinlichen Widerspruch nicht versöhnen; Gott sei Dank können wir es, da wir wissen, dass Christus als Gott Davids Herr war, doch Christus, der Mensch, Davids Sohn war.

4. Wir haben sie hier in den schwärzesten Farben beschrieben **(s. Vers 45-47)**. Christus sagte seinen Jüngern, sie sollten sich vor den Schriftgelehrten hüten. Das heißt:

4.1 „Gebt acht, dass ihr nicht durch sie zur Sünde verleitet werdet; ihr sollt acht geben, dass ihr nicht die Art von Geist habt, von dem sie beherrscht werden."

4.2 „Gebt acht, dass ihr durch sie nicht in Schwierigkeiten gebracht werdet" – in dem gleichen Sinn, wie er in Matthäus 10,17 gesagt hatte: „Hütet euch aber vor den Menschen! Denn sie werden euch den Gerichten ausliefern.' Hütet euch vor den Schriftgelehrten, denn sie werden dies tun. Hütet euch vor ihnen, denn sie sind stolz und arrogant. Sie lieben es, im Talar auf den Straßen als solche einherzugehen, die über handwerkliche Arbeit erhaben sind; die stolz sind und Aufmerksamkeit suchen." Sie liebten es in ihren Herzen, dass ihnen die Menschen „auf den Märkten" Anerkennung zollten. Sie liebten „die ersten Sitze in den Synagogen und die obersten Plätze bei den Mahlzeiten" und sie blickten sehr stolz auf sich und sahen auf jeden um sie herum mit großer Verachtung herab. „Sie sind habsüchtig und grausam und benutzten ihre Religion als Deckmantel für Verbrechen. ‚Sie fressen die Häuser der Witwen und sprechen zum Schein lange Gebete.'" Christus sprach von ihrem Schicksal in wenigen Worten: „Diese werden ein um so schwereres Gericht empfangen", eine doppelte Verdammnis. Heuchlerische Frömmigkeit ist doppelter Frevel.

Kapitel 21

Wir haben hier: 1. Die Beachtung, die Christus einer armen Witwe schenkt, die zwei sehr kleine Kupfermünzen in den Opferkasten des Tempels legte (s. Vers 1-4). 2. Verschiedene Weissagungen als Antwort auf die Fragen seiner Jünger (s. Vers 5-7). Er sagte voraus: 2.1 Was in der Zwischenzeit bis zur Zerstörung Jerusalems geschehen würde (s. Vers 8-19). 2.2 Die Zerstörung selbst (s. Vers 20-24). 2.3 Das zweite Kommen von Jesus Christus, um die Welt zu richten (s. Vers 25-33). 3. Eine praktische Anwendung von diesem (s. Vers 34-36) und ein Bericht von dem Predigen Christi und wie die Menschen es hörten (s. Vers 37-38).

Vers 1-4

Wir hatten diesen kurzen Abschnitt vorher in Markus. Er wird zweimal berichtet, um uns zu lehren:

1. Dass liebevolle Taten den Armen gegenüber eine wichtige Sache im religiösen Glauben sind. Unser Herr Jesus ergriff jede Gelegenheit, um solche Taten zu loben.

2. Dass Jesus Christus uns zuschaut, um zu prüfen, was wir den Armen geben. Obwohl er mit seinem Predigen beschäftigt war, blickte Christus auf, um zu sehen, was für „Gaben in den Opferkasten" gelegt wurden. Er sieht, ob wir viel und großzügig geben, im Verhältnis zu dem, was wir haben, oder ob wir geizig sind und so wenig geben wie möglich. Er schaut, um zu sehen, ob wir milde und mit einem willigen Sinn geben oder widerwillig und ungern. Das sollte uns ermutigen, großzügig in unserem Geben zu sein. Er sieht ins Verborgene und er wird öffentlich vergelten (s. Mt 6,4.6.18).

3. Dass Christus besonders die Liebe der Armen bemerkt und annimmt. Diejenigen, die nichts zum Geben haben, können immer noch viel Liebe erweisen, indem sie den Armen dienen und ihnen helfen. Hier war jedoch eine Frau, die selbst arm war, doch immer noch ihr wenige in den Opferkasten gab, was sie hatte. Es waren nur „zwei Scherflein", zwei sehr kleine Kupfermünzen, die den Bruchteil eines Cents ausmachen, doch Christus pries es als einen Akt der Freigebigkeit, der alle anderen übertraf: „Diese arme Witwe hat mehr eingelegt als alle!" Christus tadelte sie nicht für ihre Unüberlegtheit, sondern lobte ihre Großzügigkeit, die von ihrem Glauben an ihn und von ihrer Abhängigkeit von der Vorsehung Gottes herrührte, sie zu versorgen.

4. Dass wir alles, was man „Opfergaben für Gott" nennen kann, achten und fröhlich dazu nach unseren Kräften und sogar über unsere Kraft hinaus beitragen sollten.

Vers 5-19
Beachten Sie hier:

1. Mit welcher Verwunderung manche Menschen von der äußerlichen Schönheit und Herrlichkeit des Tempels sprachen. Sie sprachen zu ihm darüber, „dass er mit schönen Steinen und Weihegeschenken geschmückt sei" **(Vers 5)**. Sie meinten, ihr Meister würde von diesen Dingen so sehr bewegt werden, wie sie es waren. Wenn wir vom Tempel sprechen, dann sollte es von der Gegenwart Gottes darin sein.

2. Christus sprach davon, dass dies alles sehr bald zerstört werden würde: „‚Was ihr da seht – es werden Tage kommen, wo kein Stein auf dem anderen bleiben wird, der nicht abgebrochen wird!' Dieses Gebäude wird vollständig zugrunde gerichtet werden" **(Vers 6)**.

3. Mit welcher Neugier ihn die um ihn her über die Zeit fragten, wann diese große Zerstörung geschehen würde: „Meister, wann wird denn dies geschehen ...?" **(Vers 7)**. Es ist für uns natürlich, danach zu streben, zukünftige Dinge zu kennen, wohingegen wir mehr daran interessiert sein sollten, zu fragen, was unsere Pflicht ist, wenn wir diese Dinge sehen, und wie wir uns auf sie vorbereiten können. Sie fragten, was das Zeichen sein wird, „wann es geschehen soll". Sie fragten nicht nach einem direkten Zeichen zur Bestätigung der Weissagung selbst, sondern das zukünftigen Zeichen der nahenden Erfüllung der Weissagung sein würden.

4. Mit welcher Klarheit und Fülle Christus ihre Fragen beantwortete.

4.1 Sie müssen erwarten, davon zu hören, wie falsche Christusse und falsche Propheten auftreten: „Denn viele werden unter meinem Namen kommen" und den Titel und die Rolle des Messias an sich reißen **(Vers 8)**. Um die Menschen zu ermutigen, ihnen zu folgen, werden sie hinzufügen: „‚Die Zeit ist nahe', wenn für Israel das Reich wiederhergestellt wird." Was nun dies anbetrifft, so gab er ihnen eine notwendige Warnung:
„Habt acht, dass ihr nicht verführt werdet!" Als sie eifrig und begierig fragten: „Meister, wann wird denn dies geschehen?", war das erste Wort, das Christus sagte: „Habt acht, dass ihr nicht verführt werdet!" Diejenigen, die am wissbegierigsten über die Dinge Gottes sind – wenn es auch sehr gut ist, so zu sein –, stehen in der größten Gefahr, verführt zu werden.
„Lauft ihnen nun nicht nach!" Wenn wir sicher sind, dass Jesus der Christus und dass seine Botschaft das „Evangelium Gottes" ist (Röm 15,16), müssen wir allen Eingebungen eines anderen Christus und eines anderen Evangeliums gegenüber taub sein (s. 2.Kor 11,4).

4.2 Sie müssen erwarten, von großen Unruhen unter den Völkern zu hören. Es wird blutige Kriege geben: „Ein Heidenvolk wird sich gegen das andere erheben" **(Vers 10)**. „Und es wird hier und dort [an verschiedenen Orten] große Erdbeben geben" **(Vers 11)**. Es wird „Hungersnöte und Seuchen" geben. Gott hat verschiedene Wege, niederträchtige Menschen zu strafen. Obwohl zu Zeiten des Evangeliums öfter geistliche Gerichte auferlegt werden, benutzt Gott immer noch physische Gerichte. Es werden sich „Schrecknisse und große Zeichen vom Himmel" einstellen. „‚... so erschreckt nicht', andere werden darüber verängstigt sein, doch ihr sollt nicht erschrecken. Was die Schrecknisse anbetrifft, so sollen sie für euch nicht furchtbar sein. Ihr werdet in die Hand Gottes fallen. Ihr sollt auf ihn vertrauen und euch nicht fürchten. Es ist in eurem Interesse, das Beste aus dem zu machen, was geschieht, da all eure Ängste die Dinge nicht ändern können. ‚Denn dies muss zuvor geschehen.' Es muss noch Schlimmeres kommen: ‚Aber das Ende kommt nicht so bald', nicht überstürzt. Ihr sollt nicht erschrecken, denn wenn ihr so schnell anfangt, entmutigt zu sein, wie werdet ihr dann dem gewachsen sein, was noch vor euch liegt?" (Vers 9; s. 2.Sam 24,14).

4.3 Sie müssen erwarten, dass sie selbst Zeichen und Wunder in Israel sein würden: „‚Vor diesem allem aber werden sie Hand an euch legen.‘ Dies darf man nicht nur als das Leiden der Verfolgten ansehen, sondern auch als die Sünde der Verfolger." Das Verderben eines Volkes wird immer durch ihre Sünde eingeleitet.

Christus sagte ihnen, welche Härten sie um seines Namens willen erleiden würden: Sie sollten die Kosten berechnen. Weil die Christen ursprünglich Juden waren, mochten sie vielleicht von den Juden Barmherzigkeit erwarten, doch Christus sagte ihnen, sie sollten diese nicht erwarten:

„Sie werden euch an die Synagogen übergeben, dass ihr dort gegeißelt werdet."

„Sie werden euch an die Gefängnisse übergeben, damit ihr ‚vor Könige und Fürsten ... um meines Namens willen' geführt werdet."

„Eure eigenen Verwandten werden euch verraten, eure Eltern und Brüder und Verwandte und Freunde" **(s. Vers 16).**

„Ihr werdet dazu berufen werden, ‚bis aufs Blut' zu widerstehen" (Hebr 12,4). *„... und man wird etliche von euch töten."*

„Und ihr werdet von allen gehasst werden um meines Namens willen." Das ist schlimmer als der Tod selbst. Sie werden von allen gehasst werden, das heißt von allen schlechten Menschen, die das Licht des Evangeliums nicht ertragen könnten, weil es ihre Bosheit enthüllt. Die böse Welt, die es hasste, erneuert zu werden, hasste Christus, den großen Erneuerer, und hasste um seinetwillen alle, die zu ihm gehörten.

Er ermutigte sie, diese Prüfungen zu erdulden und mit ihrer Arbeit fortzufahren.

Gott würde ihr Leiden sowohl zu seiner als auch ihrer Ehre gereichen lassen: „‚Das wird euch aber Gelegenheit zum Zeugnis geben.‘ Weil ihr zum Zeichen gesetzt seid und öffentlich verfolgt werdet, werdet ihr mehr beachtet werden. Dass ihr ‚vor Könige und Fürsten' geführt werdet, wird euch die Gelegenheit geben, ihnen das Evangelium zu predigen. Dass ihr solch schlimme Dinge erduldet und so von den schlimmsten Leuten gehasst werdet, wird ein Zeugnis dafür sein, dass ihr gut seid. Euer Mut, eure Fröhlichkeit und eure Treue im Leid werden ein Zeugnis dafür sein, dass ihr das glaubt, was ihr predigt, dass ihr von Gottes Kraft getragen werdet" **(Vers 12-13).**

„Gott wird euch zur Seite stehen, sich zu euch bekennen und euch helfen und ihr werdet reichlich unterwiesen werden. ‚So nehmt euch nun zu Herzen, dass ihr eure Verteidigung nicht vorher überlegen sollt.‘ Verlasst euch nicht auf eure eigene Klugheit und Brillanz und misstraut nicht der unmittelbaren und außerordentlichen Hilfe der Gnade Gottes und gebt nicht die Hoffnung darauf auf. Ich verheiße euch die besondere Hilfe der göttlichen Gnade: ‚Denn ich will euch Weisheit und Fähigkeit zu reden geben'" **(Vers 14-15).** Dies zeigt uns:

„Weisheit und Fähigkeit zu reden" machen zusammen einen Menschen vollkommen fähig zum Dienst und auch zum Leiden. Die Weisheit sagt ihnen, was sie sagen sollen, und die Fähigkeit zu reden, ermöglicht es ihnen, es zu sagen.

Wer sich für Christi Sache einsetzt, kann sich auf ihn verlassen, dass er ihm „Fähigkeit zu reden" (Worte) und Weisheit gibt, um ihm zu ermöglichen, sich zu verantworten.

Wenn Christus seinen Zeugen Worte und Weisheit gibt, können sie sowohl für ihn als auch für sich selbst in einer Art sprechen, „der alle [ihre] Widersacher nicht werden widersprechen noch widerstehen können" (s. Apg 4-6).

„Ihr werdet keine wirklichen Verletzungen durch all die Härten erleiden, denen ihr unterworfen sein werdet: ‚Doch kein Haar von eurem Haupt wird verlorengehen'" **(Vers 18).** Werden einige von ihnen ihren Kopf verlieren, aber nicht ein Haar? Verstehen Sie es bildlich, in dem gleichen Sinn, wie Christus gesagt hat: „Wer sein Leben verliert um meinetwillen, der wird es finden!" (Mt 10,39). Nicht ein Haar ihres Hauptes würde verlorengehen, ohne:

Dass er es beachten würde. Dies hatte er im Sinn, als er sagte: „Bei euch aber sind selbst die Haare des Hauptes alle gezählt" (Mt 10,30).

Dass es nützlich sei. Wir sehen etwas nicht als verloren oder zugrunde gegangen an, wenn es für einen guten Zweck gegeben ist. Wenn wir selbst den Leib um Christi willen verlieren, geht er nicht zugrunde, sondern ist für Gutes gegeben.

Dass es reichlich belohnt würde. Obwohl wir manches um Christi willen verlieren mögen, werden wir – können wir – nicht ihn am Ende verlieren.

„Darum ist es eure Pflicht und in eurem Interesse, eine heilige Aufrichtigkeit und Frieden des Gemüts zu behalten, was euch immer ruhig machen wird: ‚Gewinnt eure Seelen durch euer standhaftes Ausharren!'" **(Vers 19).**

Es ist zu aller Zeit unsere Pflicht und in unserem Interesse, besonders in gefährlichen Zeiten, unsere Seelen zu gewinnen, damit sie nicht krank werden und deren Besitz nicht gestört und behelligt wird. „Gewinnt eure Seelen', seid standhaft! Haltet den Aufruhr der Leidenschaft unter Kontrolle, damit weder Kummer noch Angst über euch herrschen mögen."

Durch standhaftes Ausharren gewinnen wir unsere Seelen. „Seid unermüdlich auf der Hut und haltet all die Einflüsse fern, die euch beunruhigen oder erschüttern würden."

Vers 20-28

Jetzt wollte er ihnen zeigen, was das letzte Ergebnis all dieser Dinge sein würde, nämlich die Zerstörung von Jerusalem. Dies würde ein kleiner Tag des Gerichts sein, ein Typus und ein Bild für sein zweites Kommen.

1. Er sagte ihnen, dass sie Jerusalem umzingelt sehen werden, „von Kriegsheeren belagert" **(Vers 20)**, und wenn sie dies sehen würden, dann könnten sie schließen, „dass seine Verwüstung nahe ist".

2. Er warnte sie, dass sie für ihre eigene Sicherheit sorgen müssten, wenn sie dieses Zeichen sehen würden: „‚Dann fliehe auf die Berge, wer in Judäa ist; und wer in Jerusalem ist, der ziehe fort aus ihr'; und diejenigen, die in den umliegenden Städten und Dörfern sind, sollen nicht in die Stadt hineingehen. Verlasst die Stadt und das Land, von dem ihr seht, dass Gott es verlassen und der Verwüstung übergeben hat" **(Vers 21)**.

3. Er sagte die schreckliche Zerstörung voraus, die über das jüdische Volk kommen würde: „Denn das sind Tage der Rache" **(Vers 22)**, von denen so oft von den alttestamentlichen Propheten gesprochen wurde. All ihre Weissagungen würden sich nun erfüllen. Damit definitiv „alles erfüllt werde, was geschrieben steht". Aufschübe sind keine Vergebung. Die Größe der Verwüstung wird beschrieben mit Bezug auf:
3.1 Den Auslöser, warum dies auferlegt wird. Es war der Zorn Gottes über diesem Volk, der dieses Feuer entzünden würde.
3.2 Den besonderen Schrecken, den sie für schwangere Frauen und arme Mütter bedeuten würde, die ihre Babys stillen.
3.3 Den allgemeinen Aufruhr, den es im ganzen Volk geben würde.

4. Er beschrieb die Auswirkungen der Kämpfe zwischen Juden und Römern. Viele der Juden würden „fallen durch die Schärfe des Schwerts". Die Belagerung von Jerusalem war in der Tat eine militärische Vollstreckung. Der Rest würde „gefangen weggeführt werden", nicht unter ein Volk, sondern „unter alle Heiden". Jerusalem selbst „wird zertreten werden von den Heiden". Die Römer verwüsteten es vollständig.

5. Er beschrieb die große Panik, in der die Menschen allgemein sein würden. Es würden viele schreckliche Zeichen „an Sonne und Mond und Sternen" geschehen, und auch in der Welt hier unten würden das Meer und die Wogen tosen. Die Wirkung davon würde umfassende Bestürzung und Furcht sein, „auf Erden Angst der Heidenvölker vor Ratlosigkeit" **(Vers 25)**. Die Menschen werden „in Ohnmacht sinken" vor Furcht **(Vers 26)**; sie würden sterben vor Furcht, unter dem niedersinken, was auf ihnen liegt, doch immer noch aus Furcht zittern, dass noch Schlimmeres kommt und in „Erwartung dessen, was über den Erdkreis kommen soll; die Kräfte des Himmels werden erschüttert werden" und dann werden die Säulen der Erde erzittern (s. Hiob 9,6). Wie jener Tag ganz und gar Schrecken und Verwüstung für die ungläubigen Juden war, so wird der große Tag dies für alle sein, die nicht glauben.

6. Er stellte dies als eine Art Erscheinen des Sohnes des Menschen dar: „Und dann werden sie den Sohn des Menschen kommen sehen in einer Wolke mit großer Kraft und Herrlichkeit" **(Vers 27)**. Die Zerstörung Jerusalems war insbesondere ein Akt des Gerichts Christi. Man konnte es daher zu Recht als ein Kommen des Sohnes des Menschen „mit großer Kraft und Herrlichkeit" ansehen, doch nicht sichtbar, sondern „in einer Wolke". Dies war nun:
6.1 Ein Zeichen für das erste Kommen des Messias. Diejenigen, die nicht wollten, dass er über sie herrscht, würden ihn über sie triumphieren sehen (s. Lk 19,14.27).
6.2 Eine Verheißung seines zweite Kommens.

7. Er ermutigte alle treuen Jünger: „‚Wenn aber dies anfängt zu geschehen', dann richtet euch auf; blickt auf zum Himmel im Glauben, in der Hoffnung und im Gebet ‚und erhebt eure Häupter, weil eure Erlösung naht'" **(Vers 28)**. Als Christus kam, kam er, um die Christen zu erlösen, die verfolgt und unterdrückt wurden. Wenn er kommt, um am letzten Tag die Welt zu richten, wird er all die Seinen von allen ihren Beschwernissen erlösen. Wenn sie diesen Tag kommen sehen, können sie voller Freude ihre Häupter erheben, weil sie wissen, dass ihre Erlösung naht.

8. Hier gibt es ein Wort der Weissagung, das weiter blickt als auf die Vernichtung des jüdischen Volkes, ein Wort, das nicht leicht zu verstehen ist; es steht in Vers 24: „Und Jerusalem wird zertreten werden von den Heiden, bis die Zeiten der Heiden erfüllt sind."
8.1 Manche verstehen dies so, dass es sich auf das Vergangene bezieht. Die Heiden würden die Stadt in Besitz nehmen und sie würde vollständig heidnisch sein, bis ein großer Teil der heidnischen Welt christlich geworden sein würde.
8.2 Andere verstehen es als Bezug auf etwas, das noch kommen soll. Die Heiden werden sich Jerusalems bemächtigen, bis die Königreiche der Welt Reiche Christi werden (s. Offb 11,15) und dann werden alle Juden bekehrt werden.

Vers 29-38
Am Ende dieser Botschaft:
1. Christus wies seine Jünger an, auf die Zeichen der Zeit acht zu geben, durch welche sie

das Herannahen des Reiches Gottes erkennen könnten, so, wie sie an dem Ausschlagen der Bäume das Herannahen des Sommers erkennen können **(s. Vers 29-31)**. Wie es eine Kette von Ursache und Wirkung im Reich der Natur gibt, so folgt im Reich der Vorsehung ein Ereignis als Konsequenz eines anderen. Wenn wir die Vernichtung der Kräfte der Verfolgung rasch herankommen sehen, können wir schließen, „dass das Reich Gottes nahe ist".

2. Er sagte ihnen, sie sollten diese Dinge als sehr nahe bevorstehend und gewiss betrachten. Die Vernichtung des jüdischen Volkes:
2.1 War nahe: „Dieses Geschlecht wird nicht vergehen, bis alles geschehen ist" **(Vers 32)**. Manche, die zu jener Zeit am Leben waren, würden es sehen.
2.2 War gewiss; der Erlass war ergangen: „Himmel und Erde werden vergehen" – schneller als eines seiner Worte. „... aber meine Worte werden nicht vergehen" **(Vers 33)**.

3. Er warnte sie vor Vertrauen auf sich selbst und Weltlichkeit: „Habt aber acht auf euch selbst" **(Vers 34)**. Das ist das gebietende Wort, welches allen Jüngern Christi gegeben ist. Wir können nicht sicher sein, wenn wir auf uns selbst vertrauen. Zu allen Zeiten, doch besonders zu bestimmten Zeiten, müssen wir sehr vorsichtig sein. Beachten Sie hier:
3.1 Was unsere Gefahr ist: Dass der Tag des Todes und des Gerichts unversehens über uns kommen kann, wenn wir es nicht erwarten und nicht darauf vorbereitet sind, dass er „wie ein Fallstrick" über uns kommen kann.
3.2 Was unsere Pflicht ist: Wir müssen acht haben, dass unsere Herzen „nicht beschwert werden" (müssen darauf bedacht sein, dass unsere Herzen nicht niedergedrückt werden). Wir müssen vor zwei Dingen auf der Hut sein, dass unsere Herzen nicht durch sie niedergedrückt werden:
Dass wir uns unseren leiblichen Gelüsten hingeben: „Habt aber acht auf euch selbst, dass eure Herzen nicht beschwert werden durch Rausch und Trunkenheit" (wir sollen darauf bedacht sein, dass unsere Herzen nicht durch einen verschwenderischen Lebensstil und Trunkenheit niedergedrückt werden), übermäßiges Essen und Trinken. Das lässt das Gewissen erstarren und bringt das Gemüt dazu, dass es von den Dingen nicht bewegt wird, die absolut beunruhigend sind.
Dass wir übermäßig den guten Dingen dieser Welt nachjagen. Das Herz wird durch „Sorgen des Lebens" niedergedrückt. Das ist der Fallstrick von Geschäftsleuten, die reich werden wollen.

4. Er riet ihnen, sich auf diesen großen Tag vorzubereiten **(s. Vers 36)**. Beachten Sie hier:
4.1 Was unser Ziel sein sollte: dass wir gewürdigt werden, „diesem allem zu entfliehen". Wir müssen jedoch nicht nur das Ziel haben, der Verdammnis zu entkommen, sondern auch, „vor dem Sohn des Menschen zu stehen", nicht nur freigesprochen vor ihm als unserem Richter zu stehen, sondern auch einfach vor ihm zu stehen, bei ihm als unserem Meister zu sein, ihm Tag und Nacht zu dienen, immer sein Angesicht zu erblicken. Von den Heiligen wird hier wie vorher gesagt, dass sie „gewürdigt werden" (Lk 20,35). Durch das Wohlwollen seiner Gnade ihnen gegenüber würdigt Gott sie. Ein großer Teil unseres Wertes liegt darin, unsere Unwürdigkeit zuzugeben.
4.2 Was wir bei der Verfolgung dieser Ziele tun sollen: „Darum wacht jederzeit und bittet." Wachen und Beten müssen zusammengehen (s. Neh 4,3). Die sich die kommenden Freuden sichern wollen, müssen wachen und beten. Sie müssen es zur beständigen Aufgabe ihres Lebens machen:
Acht auf sich selbst zu geben. „Hütet euch vor der Sünde, seid wachsam in jeder Pflicht, seid auf der Hut und bleibt auf der Hut."
Ihre Gemeinschaft mit Gott aufrechtzuerhalten: Sie sollen jederzeit bitten. Diejenigen, die in dieser Weltzeit ein Leben des Gebets führen, werden gewürdigt werden, ein Leben des Lobpreises in der nächsten Weltzeit zu führen.

5. In den letzten beiden Versen haben wir einen Bericht davon, was Christus an diesen drei oder vier Tagen zwischen seinem triumphalen Einzug in Jerusalem und der Nacht tat, in der er verraten wurde.
5.1 „Er war aber tagsüber im Tempel und lehrte." Er war ein unermüdlicher Prediger; er predigte angesichts von Widerstand, unter solchen, von denen er wusste, dass sie versuchten, sich ihn zunutze zu machen.
5.2 Nachts ging er hinaus, um auf dem Ölberg im Haus eines Freundes zu bleiben.
5.3 Früh am Morgen war er zurück im Tempel und die Menschen waren begierig darauf, einen zu hören, der begierig darauf war, zu predigen. Sie kamen alle „früh zu ihm in den Tempel, um ihn zu hören" **(Vers 38)**. Manchmal ist der Geschmack für und die Freude an gutem Predigen, den ernsthafte, ehrliche und einfache Leute haben, höher zu bewerten als die Meinung der sogenannten Experten und gelehrten Leute.

KAPITEL 22

Alle Evangelisten geben uns einen ausführlichen Bericht vom Tod und der Auferstehung Christi; dieser Evangelist tut dies genauso vollständig wie die anderen und mit vielen Einzelheiten und Abschnitten hinzugefügt,

*die wir vorher nicht hatten. Hier haben wir:
1. Das Komplott, um Jesus zu ergreifen, und die Bereitschaft von Judas, ihn zu verraten (s. Vers 1-6). 2. Wie Christus mit seinen Jüngern das Passah isst (s. Vers 7-18). 3. Die Einsetzung des Herrenmahls (s. Vers 19-20). 4. Wie Christus nach dem Mahl mit seinen Jüngern spricht (s. Vers 21-38). 5. Seine Qual im Garten (s. Vers 39-46). 6. Seine Gefangennahme (s. Vers 47-53). 7. Die Verleugnung des Petrus von ihm (s. Vers 54-62). 8. Die Schmähungen, mit denen Christus bedacht wurde, und sein Prozess und seine Verurteilung vor dem kirchlichen Gerichtshof (s. Vers 63-71).*

Vers 1-6
Hier wurde Christus ausgeliefert, als „aber das Fest der ungesäuerten Brote" nahte **(Vers 1)**. Hier haben wir:

1. Seine Todfeinde, die den Plan schmiedeten, die obersten Priester und die Schriftgelehrten „suchten, wie sie ihn umbringen könnten" **(Vers 2)**. Wenn es nach ihnen gegangen wäre, wäre dies früher ausgeführt worden, doch „sie fürchteten das Volk".

2. Einen verräterischen Jünger, der sich ihnen anschloss, Judas mit dem Beinamen Ischariot. Hier wird von ihm gesagt, dass er „aus der Zahl der Zwölf war". Man wundert sich, wie einer aus dieser Zahl, der Christus gekannt haben muss, so böse sein konnte, dass er ihn verriet. Und doch tat er es: „Es fuhr aber der Satan in Judas" **(Vers 3)**. Es war das Werk des Teufels. Bei jedem, der Christus oder seine Wahrheiten und Wege verrät, ist es Satan, der ihn dazu anstiftet. Judas wusste, wie sehr die obersten Priester Christus in die Hände bekommen wollten. Darum ging er und machte ihnen selbst den Vorschlag **(s. Vers 4)**. Wenn wir Judas in einer Diskussion mit den obersten Priestern sehen, können wir sicher sein, dass sie Schwierigkeiten planen.

3. Das Ergebnis der Vereinbarung zwischen ihnen.
3.1 Judas muss ihn „an sie ausliefern" und sie würden darüber erfreut sein.
3.2 Sie müssen ihm dafür einen Geldbetrag geben, dass er es tut, und er würde froh sein, es zu bekommen. Sie „kamen überein, ihm Geld zu geben" **(Vers 5)**. Judas „suchte eine gute Gelegenheit, um ihn ... auszuliefern". Er bekam den Nutzen, den er suchte, und er legte Zeit und Ort fest, wo es „ohne Volksauflauf" und ohne Störung getan werden konnte.

Vers 7-20
Wir haben hier:

1. Die Vorbereitungen, die für Christus getroffen wurden, dass er genau an dem „Tag der ungesäuerten Brote, an dem man das Passah schlachten musste" nach dem Gesetz, mit seinen Jüngern das Passah essen konnte **(Vers 7)**. Er sandte Petrus und Johannes, um das Passah zu bereiten. Er sagte denen, die er beauftragte, wohin sie gehen sollten (s. Vers 9.10): Sie müssen einem Menschen folgen, „der einen Wasserkrug trägt", und er muss ihr Führer zu dem Haus sein. Christus führte sie auf diese Weise, um sie zu lehren, sich auf die Leitung des Allmächtigen in seiner Vorsehung zu verlassen und ihr Schritt für Schritt zu folgen. Nachdem sie an das Haus gelangt sind, müssen sie den Eigentümer des Hauses fragen, dass er ihnen einen Raum zeigt, und er würde dies bereitwillig tun **(s. Vers 11-12)**. Die Jünger fanden ihren Führer, das Haus und den Raum genau so, wie Christus es ihnen gesagt hatte **(s. Vers 13)**. Und sie bereiteten alles für das Passah vor.

2. Die Feier des Passah. Als die Zeit gekommen war, setzte er sich hin und die zwölf Apostel mit ihm, einschließlich Judas. Obwohl sich Judas bereits eines offenen Aktes des Verrats schuldig gemacht hatte, was aber noch nicht öffentlich bekannt war, gestattete ihm Christus, sich mit den anderen zum Passah zu setzen. Beachten Sie:
2.1 Wie Christus dieses Passah guthieß: „Mich hat herzlich verlangt, dieses Passah mit euch zu essen, ehe ich leide" **(Vers 15)**. Er wusste, dass es sein Leiden einleitete, und deshalb verlangte ihn danach, denn es war zur Verherrlichung seines Vaters und der Erlösung der Menschen. Sollten wir widerwillig sein, irgendeinen Dienst für den Einen zu tun, dessen Werk es war, das Werk unseres Heils zu übernehmen? Achten Sie auf die Liebe, die er für die Jünger hatte; er wollte das Mahl mit ihnen essen, damit er und sie ein wenig Zeit für ein privates Gespräch miteinander hätten. Er war nun kurz davor, sie zu verlassen, doch er wollte sehr gerne dieses Passah mit ihnen essen, ehe er leidet, als würde ihn der Trost davon froheren Sinnes durch sein Leiden tragen.
2.2 Wie Christus sich darin von allen Passahfeiern verabschiedete: „Ich werde künftig nicht mehr davon essen, bis es erfüllt sein wird im Reich Gottes" **(Vers 16)**.
Das Passah wurde erfüllt, als Christus unser Passahlamm für uns geschlachtet wurde (s. 1.Kor 5,7).
Es erfüllte sich im Herrenmahl, einer Ordnung des Reichs des Evangeliums, in der die Absicht des Passahs erfüllt wurde. Die Jünger aßen das Herrenmahl und man konnte sagen, dass Christus mit ihnen isst aufgrund der geistlichen Gemeinschaft, die sie in dieser Ordnung mit ihm hatten.
Die vollständige Erfüllung dieser Gedächtnisfeier der Freiheit wird im Reich der Herrlichkeit sein. Was Christus in Bezug auf sein Essen des Pas-

sahlammes sagte, wiederholte er bezüglich seines Trinkens des Passahweins, dem „Kelch des Segens" (1.Kor 10,16) oder der Danksagung. Diesen Kelch nahm er nach dem Brauch, dankte und sagte dann: „Nehmt diesen und teilt ihn unter euch!" **(Vers 17)**. Das wird später nicht von dem sakramentalen Kelch gesagt, den er – da er der Neue Bund in seinem Blut war – jedem in die Hand geben konnte, um sie zu lehren, dies ausdrücklich auf ihre eigene Seele anzuwenden, doch bei dem Kelch des Passah war es genug zu sagen: „Nehmt diesen und teilt ihn unter euch! ... Ich werde nicht mehr von dem Gewächs des Weinstocks trinken, bis das Reich Gottes gekommen ist" **(Vers 17-18)**. Christi Sterben am nächsten Tag eröffnete dieses Reich.

3. Die Einsetzung des Herrenmahls (s. Vers 19-20). Das Passah und die Rettung aus Ägypten waren Typen und prophetische Zeichen eines Christus, der kommen würde, der uns durch sein Sterben von Sünde und Tod und der Tyrannei Satans retten würde. Das Herrenmahl ist eingesetzt, um ein erinnerndes Zeichen oder Gedächtnis eines Christus zu sein, der bereits gekommen ist, der uns durch das Sterben errettet hat.

3.1 An das Brechen des Leibes Christi als Opfer für uns wird hier durch das Brotbrechen erinnert: „Das ist mein Leib, der für euch gegeben wird" (s. Apg 2,42). Dieses Brot, welches für uns gegeben wurde, ist uns als Nahrung für unsere Seele gegeben. Das Brot, das zerbrochen und für uns gegeben wurde, um die Schuld unserer Sünde zu tilgen, wird gebrochen und uns gegeben, um das Verlangen unserer Seele zu tilgen. Wir tun dies in Erinnerung an das, was er für uns tat, als er für uns starb, und wir tun es als Gedächtnis an das, was wir tun, wenn wir „Anteil an Christus bekommen" (Hebr 3,14) und uns mit ihm in einem ewigen Bund verbinden.

3.2 Das Vergießen des Blutes Christi, durch welches die Sühne bewirkt wurde, wird durch den Wein im Kelch dargestellt. Es erinnert an den Erwerb des Bundes durch das Blut Christi und bestätigt die Verheißungen des Bundes. Wir müssen in all unserem Gedenken an das Vergießen des Blutes Christi es als für uns vergossen betrachten; wir erinnern an Christus, „der mich geliebt und sich selbst für mich hingegeben hat" (Gal 2,20).

Vers 21-38

Wir haben hier Christi Gespräch mit seinen Jüngern nach dem Mahl, in dem vieles davon neu ist, und im Johannesevangelium werden wir weitere Zusätze finden.

1. Er sprach über denjenigen mit ihnen, der ihn verraten würde.

1.1 Er sagte ihnen, dass der Verräter jetzt unter ihnen und einer von ihnen war **(s. Vers 21)**. Dadurch, dass dies an die Stelle nach der Einsetzung des Herrenmahls gesetzt wurde – obwohl es in Matthäus und Markus davor platziert wurde –, scheint klar, das Judas das Herrenmahl empfing, von dem Brot aß und aus dem Kelch trank, denn nachdem die Zeremonie vorbei war, sagte Christus: „Doch siehe, die Hand dessen, der mich verrät, ist mit mir auf dem Tisch."

1.2 Er sagte voraus, dass der Verrat stattfinden würde: „Und der Sohn des Menschen geht zwar dahin, wie es bestimmt ist ..." **(Vers 22)**, weil er nach Gottes festgesetztem Ratschluss und Vorsehung dahingegeben wurde (s. Apg 2,23). Christus wurde nicht in sein Leiden getrieben, sondern ging frohen Sinnes hinein.

1.3 Er verkündete ein Wehe über den Verräter: „Aber wehe dem Menschen, durch den er verraten wird!" Obwohl Gott entschieden hatte, dass Christus verraten werden würde, und Christus sich dem selbst frohen Sinnes unterworfen hatte, wurde weder die Sünde von Judas noch seine Strafe irgendwie geringer.

1.4 Er verängstigte die anderen Jünger, sodass sie einander verdächtigten, indem er sagte, dass der Verräter einer von ihnen sein würde: „Und sie fingen an, sich untereinander zu befragen, welcher von ihnen es wohl wäre, der dies tun würde" **(Vers 23)**.

2. Er sprach zu ihnen über den Streit, der unter ihnen über den Vorrang oder die Vorrangstellung entstanden war.

2.1 Beachten Sie, was der Streitpunkt war: „... wer von ihnen als der Größte zu gelten habe." Wie unvereinbar ist das mit Vers 23! Dort fragten sie sich, wer der Verräter sein würde, und hier, wer der Herrscher sein würde. Das menschliche Herz ist so widersprüchlich!

2.2 Beachten Sie, wie Christus auf diesen Streit reagierte. Er ging nicht schroff mit ihnen um, sondern zeigte ihnen milde, wie sündig und töricht dies war.

Auf diese Weise zu streiten, war, sich selbst wie „die Könige der Heidenvölker" aufzuführen, die über ihre Untertanen herrschen **(Vers 25)**. Das Herrschen ist passender für „die Könige der Heidenvölker" als für geistliche Diener Christi. Ihre „Gewalthaber" werden „Wohltäter" genannt; sie nennen sich selbst so und werden in dieser Weise von ihren Schmeichlern genannt. Wie viel sie auch in Wirklichkeit sich selbst dienen, sie möchten, dass man meint, sie dienen ihrem Land. Einer der Ptolemäer hatte den Beinamen „der Wohltäter". Indem er dies bemerkte, zeigte unser Heiland: *Dass Gutes tun Ehrenwerter ist als groß auszusehen.* Nach ihrem eigenen Eingeständnis wird jemand, der ein Wohltäter seines Landes ist, viel mehr geschätzt als jemand, welcher der Herrscher seines Landes ist.

Dass Gutes tun der sicherste Weg ist, um groß zu werden. Darum wollte Christus, dass seine Jünger glauben, dass es ihre größte Ehre sein würde, so viel Gutes in der Welt zu tun, wie sie konnten. Wenn sie zugestandenermaßen die größere Ehre hatten, Wohltäter zu sein, sollten sie die geringere, Herrscher zu sein, verachten.
Auf diese Weise zu streiten, hieß, sich selbst Christus unähnlich zu machen: „‚Ihr aber sollt nicht so sein.' Es war nie beabsichtigt, dass ihr auf irgendeine andere Weise herrschen sollt als durch die Macht der Wahrheit und Gnade – durch dienen" **(Vers 26)**. Beachten Sie hier:
Die Regel, welche Christus seinen Jüngern gab, ist: „Derjenige, welcher ‚der Größte unter euch' ist, der Ranghöhere, ‚soll sein wie der Jüngste'." Die Älteren wie auch die Jüngeren mögen sich anstrengen. Ihr Alter und ihre Ehre sollte sie, statt ihnen ihre Bequemlichkeit zu sichern, zu doppelter Arbeit verpflichten. Außerdem sollte der Führende sein „wie der Dienende".
Welches Beispiel er selbst für diese Regel gab: „Denn wer ist größer: der, welcher zu Tisch sitzt, oder der Dienende?" Er war bereit, jede Tat der Freundlichkeit und des Dienstes für sie zu tun, wie man daran sehen kann, dass er ihnen die Füße wusch (s. Joh 13,5).
Sie sollten keine weltliche Ehre und Erhabenheit suchen, weil er bessere Ehre für sie bereithielt: ein Reich, ein Fest, einen Thron, woran sie alle Anteil haben würden. Beachten Sie:
Wie Christus seine Jünger für ihre Treue ihm gegenüber lobt. Es wird als Lob gesagt: „‚Ihr aber seid die, welche bei mir ausgeharrt haben in meinen Anfechtungen.' Ihr habt mir beigestanden und wart mir treu." Seine Jünger blieben loyal ihm gegenüber und litten mit ihm in all seinen Nöten. Sie konnten ihm nur wenig helfen; dennoch nahm er es freundlich auf, dass sie bei ihm „ausgeharrt haben" **(Vers 28)**, und hier erkannte er ihre Freundlichkeit an. Christi Jünger waren sehr unzureichend in der Erfüllung ihrer Pflicht; wir sehen sie vieler Fehler und Schwächen schuldig. Doch der Meister überging alles und vergaß es. „Ihr aber seid die, welche bei mir ausgeharrt haben." Auf diese Weise rühmte er sie bei seinem Abschied, um zu zeigen, wie bereit er ist, das Beste aus denen zu machen, bei denen er weiß, dass ihre Herzen rechtschaffen vor ihm sind.
Welche Belohnung er ihnen für ihre Treue geben wollte: „Und so übergebe ich euch ein Königtum." Wir können dies verstehen:
Als das, was für sie in dieser Welt getan werden würde. Gott gab seinem Sohn ein Reich unter den Menschen, die Gemeinde des Evangeliums. Der Sohn übertrug dieses Reich seinen Aposteln und ihren Nachfolgern im Dienst am Evangelium. „Das ist die Ehre, welche euch vorbehalten ist." Oder:
Als das, was in der nächsten Welt für sie getan werden würde. Gott würde ihnen das Reich geben. Sie würden an Christi Tisch in seinem Reich essen und trinken, wovon er gesprochen hatte **(s. Vers 16.18)**. Sie würden an den Freuden und Vergnügungen teilhaben, welche die Belohnung für seine Dienste und Leiden waren. Sie würden die höchsten Positionen innehaben. „Ihr werdet mit mir auf meinem Thron sitzen" (s. Offb 3,21).

3. Er sprach mit ihnen darüber, wie Petrus ihn verleugnen würde. Hier können wir beobachten:

3.1 Die umfassende Warnung, die Christus Petrus über die Absicht des Teufels ihm und dem Rest der Apostel gegenüber gab: „Simon, Simon, siehe, der Satan hat euch begehrt, um euch zu sichten wie den Weizen" **(Vers 31)**. Petrus, welcher gewohnt war, das Sprachrohr für die anderen zu sein, wenn er mit Christus sprach, wurde hier zum Ohr der anderen gemacht, und was als Warnung an sie alle beabsichtigt war – „ihr werdet in dieser Nacht alle an mir Anstoß nehmen" (Mt 26,31) –, wurde an Petrus gerichtet, weil er in besonderer Weise von dem Versucher geschlagen werden sollte: „Der Satan hat euch begehrt." Satan sagte: „Erlaube mir, sie zu prüfen, insbesondere Petrus." Er hatte gebeten, sie zu bekommen, um sie „zu sichten", damit er zeigen konnte, dass sie Spreu sind, nicht Weizen. Satan konnte sie nicht sichten, wenn Gott es ihm nicht erlaubte: Er hat sie begehrt. „Er hat euch gefordert, um zu beweisen, dass ihr eine Gesellschaft von Heuchlern seid, besonders Petrus, der immer an vorderster Stelle steht."

3.2 Die besondere Ermutigung, die er Petrus gab: „‚Ich aber habe für dich gebetet.' Du wirst den heftigsten Angriff erdulden, ‚ich aber habe für dich gebetet, dass dein Glaube nicht aufhöre.'" Obwohl es in dem Glauben echter Gläubiger viele Schwächen geben kann, wird ihr Glaube nicht völlig und endgültig aufhören. Wegen der Fürsprache und Fürbitte von Jesus Christus geschieht es, dass der Glaube seiner Jünger, obwohl er manchmal sehr erschüttert wird, nicht vollkommen scheitern wird. Sie werden „in der Kraft Gottes bewahrt" (1.Petr 1,5) und durch das Gebet Christi.

3.3 Das Gebot, welches er Petrus gab, den anderen zu helfen: „Und wenn du einst umgekehrt bist, so stärke deine Brüder!" Wenn du gesehen hast, dass dein Glaube vor dem Scheitern bewahrt wird, sollst du danach streben, den Glauben der anderen zu kräftigen; wenn du selbst Barmherzigkeit vor Gott gefunden hast, sollst du andere ermutigen, zu glauben, dass auch sie Barmherzigkeit finden werden." Diejenigen, die in Sünde gefallen sind, müssen von ihr umkehren. Diejenigen, welche durch die Gnade von der Sünde umgekehrt sind, müssen alles in ihrer Macht Stehende tun, um ihre Geschwister vor dem Fallen zu bewahren, die stehen (s. Ps 51,13-15; 1.Tim 1,13).

3.4 Wie Petrus seine Entschlossenheit erklärt, Christus treu zu bleiben, egal, was es ihn kosten mag: „Herr, ich bin bereit, mit dir ins Gefängnis und in den Tod zu gehen!" **(Vers 33)**. Das waren große Worte, und doch denke ich, dass sie zu der Zeit nicht mehr waren, als er meinte und zu erfüllen glaubte. Alle echten Jünger Christi verlangen aufrichtig danach und wollen „dem Lamm nachfolgen, wohin es auch geht" (Offb 14,4).

3.5. Die ausdrückliche Voraussage von Christus, dass Petrus ihn dreimal verleugnen würde: „Ich sage dir, Petrus: Der Hahn wird heute nicht krähen, ehe du dreimal geleugnet hast, dass du mich kennst!" **(Vers 34)**. Christus kennt uns besser, als wir uns kennen. Es ist gut für uns, dass Christus besser als wir weiß, wo wir schwach sind, und dass er darum weiß, wo er mit Gnade zu uns kommen muss, die für unsere Bedürfnisse genügt (s. 2.Kor 12,9).

4. Er sprach zu ihnen über die Erfordernisse aller Jünger.

4.1 Er berief sich vor ihnen auf das, was gewesen war. Er hatte anerkannt, dass sie treue Diener für ihn waren **(s. Vers 28)**. Jetzt erwartete er, dass sie anerkennen, dass er für sie ein freundlicher und umsichtiger Meister war. „Als ich euch aussandte ohne Beutel und Tasche und Schuhe, hat euch etwas gemangelt?" **(Vers 35)**.

Er gab zu, dass er sie unter sehr armen und bloßen Bedingungen ausgesandt hatte. Wenn Gott uns auf diese Weise in die Welt aussendet, dann wollen wir daran denken, dass bessere Menschen als wir so gering begonnen haben.

Er wollte jedoch, dass sie anerkannten, dass es ihnen trotzdem an nichts gemangelt hatte; sie gaben es bereitwillig zu: „Nichts!" Es ist für uns gut, oft auf die Fügungen der Vorsehung Gottes zurückzublicken und zu beachten, wie wir durch die Schwierigkeiten gekommen sind, denen wir gegenüberstanden. Christus ist ein guter Meister und sein Dienst ist gut, denn obwohl seine Diener vielleicht manchmal auf den Tiefpunkt gebracht werden, wird er ihnen doch helfen. Wir müssen es so sehen, dass wir viel bekommen haben, wenn wir die nötige Unterstützung zum Leben bekommen haben, selbst wenn wir von der Hand in den Mund gelebt haben. Den Jüngern hat es an nichts gemangelt.

4.2 Er kündigte ihnen an, dass jetzt eine sehr große Veränderung in ihren Umständen nahte.

Der ihr Meister war, begann nun mit seinem Leiden, das er oft vorhergesagt hatte: „Auch dies muss noch an mir erfüllt werden, was geschrieben steht: »Und er ist unter die Gesetzlosen gerechnet worden.«' Das muss sich noch erfüllen und dann ist das, was von mir geschrieben steht, zu einem Ende gekommen; dann werde ich sagen: ‚Es ist vollbracht!'" **(Vers 37;** s. Jes 53,12; Joh 19,30). Es kann der Trost von leidenden Christen sein, wie es der von Christus war, dass ihr Leiden vorhergesagt wurde. Diese Leiden werden ein Ende haben und werden ewiglich gut enden.

Sie müssen darum Schwierigkeiten erwarten. Sie müssen nun in einem gewissen Maß mit ihrem Meister leiden, und wenn er gegangen sein würde, müssen sie erwarten, wie er zu leiden.

Sie müssen damit rechnen, dass ihre Freunde nicht mehr so freundlich und großzügig zu ihnen sein würden, wie sie es gewesen waren, und darum: „... wer einen Beutel hat, der nehme ihn."

Sie müssen jetzt damit rechnen, dass ihre Feinde heftiger ihnen gegenüber sein würden, als sie es gewesen waren, und sie würden sowohl Waffen als auch Vorräte brauchen: Wer kein Schwert hat, wird sehen, dass er eines sehr nötig hat und wird sich wünschen, dass er sein Gewand verkauft hätte, um eines zu haben. Doch es ist „das Schwert des Geistes" (Eph 6,17), mit dem sich die Jünger Christi ausrüsten müssen. Jetzt, wo Christus für uns gelitten hat, müssen wir uns mit derselben Gesinnung wappnen (s. 1.Petr 4,1), mit einer heiligen Unterordnung unter den Willen Gottes. Dann werden wir besser darauf vorbereitet sein, als hätten wir ein Gewand verkauft, um ein Schwert zu kaufen. Die Jünger fragten dann, welche Waffen sie hatten, und sie sahen, dass sie zwei Schwerter unter sich hatten **(s. Vers 38)**, von denen eines Petrus gehörte. Christus zeigte ihnen jedoch, wie wenig er wollte, dass sie sich darauf verlassen, als er sagte: „Es ist genug!" Zwei Schwerter sind genug für diejenigen, die keines brauchen, die Gott als ihren hilfreichen Schild und ihr siegreiches Schwert haben (s. 5.Mose 33,29).

Vers 39-46

Hier haben wir den schrecklichen Bericht von der Agonie Christi im Garten. Darin kämpfte Christus eine Schlacht mit den Mächten der Finsternis, doch er besiegte sie.

1. Was wir in diesem Abschnitt haben, das wir schon vorher hatten, ist:

1.1 Dass, als Christus hinausging, seine Jünger – elf von ihnen, denn Judas hatte sich davongemacht – ihm folgten. Nachdem sie bis zu diesem Zeitpunkt bei ihm in seinen Anfechtungen ausgeharrt hatten, wollten sie ihn nun nicht verlassen.

1.2 Dass sie an den Ort gingen, wo er „nach seiner Gewohnheit" (normalerweise) hinging, um alleine zu sein, was zeigt, dass Christus oft allein war, um uns zu lehren, dies auch zu sein.

1.3 Dass er seine Jünger ermutigte, zu beten, dass sie, obwohl die herannahende Prüfung nicht zu vermeiden war, durch sie nicht in

Anfechtung zur Sünde geraten würden.

1.4 Dass er sich von ihnen zurückzog und allein im Gebet war. Er zog sich „ungefähr einen Steinwurf weit" zurück und kniete dort nieder **(Vers 41)** – die anderen Evangelisten sagen, dass er sich später „auf sein Angesicht" warf (Mt 26,39) – und betete, dass, wenn es der Wille Gottes war, dieser Kelch des Leides von ihm genommen werden möge **(s. Vers 42)**.

1.5 Dass er – da er wusste, dass es der Wille seines Vaters ist, dass er leidet und stirbt – diese Bitte zurückzog und sich dem Willen seines himmlischen Vaters unterwarf: „… doch nicht mein Wille soll geschehen, nicht der Wille der menschlichen Natur, sondern der Wille Gottes, der möge geschehen" (s. Ps 40,8-9).

1.6 Dass seine Jünger einschliefen, als er betete – und als sie selbst hätten beten sollen. „Als er vom Gebet aufstand … fand er sie schlafend" **(Vers 45)**. Schauen Sie, wie wohlgesonnen dies hier dargelegt wird, was wir nicht in den anderen Evangelien hatten: Sie waren „schlafend vor Traurigkeit". Das lehrt uns, das Beste aus den Schwächen unserer Geschwister zu machen und wenn wir ihre Schwächen einem besseren Grund anstatt eines anderen zuschreiben können, sollten wir dies großzügig tun.

1.7 Dass er sie zum Gebet ermutigte, als er sie weckte: „Was schlaft ihr? Steht auf und betet" **(Vers 46)**. Wenn wir sehen, dass wir in eine Versuchung geraten, sollten wir aufstehen und beten: „Herr, hilf mir in dieser Zeit der Not."

2. Es gibt in diesem Abschnitt drei Dinge, die wir nicht in den anderen Evangelien hatten:
2.1 Dass Christus, als er Qualen litt, „ein Engel vom Himmel" erschien und ihn stärkte **(Vers 43)**.
Es zeigte die tiefe Erniedrigung unseres Herrn Jesus, dass er die Hilfe eines Engels brauchte.
Als er nicht vor seinem Leiden gerettet wurde, wurde er doch in ihm gestärkt und unterstützt, und das lief auf das Gleiche hinaus. Wenn Gott die Schultern für die Last geeignet macht, haben wir keinen Grund zu klagen, was auch immer er uns auferlegen will.
Die Engel dienten dem Herrn Jesus in seinem Leiden. Er hätte Legionen von Engeln haben können, um ihn zu retten, doch er nutzte den Dienst dieses Engels nur, dass er ihn stärke.
2.2 Dass er inbrünstiger betete, dass er „in ringendem Kampf" war **(Vers 44)**. Als sein Kummer und seine Unruhe intensiver wurden, wurde er freimütiger im Gebet. Das Gebet ist zwar nie unpassend, doch es ist besonders angebracht, wenn wir Qualen leiden, und je intensiver unsere Qual ist, umso lebendiger und häufiger sollten unsere Gebete sein.
2.3 Dass in seiner Qual „sein Schweiß … aber wie Blutstropfen [wurde], die auf die Erde fielen". Es gibt unter den Kommentatoren eine Kontroverse, ob dieser Schweiß nur mit Blutstropfen verglichen wurde oder echte Blutstropfen in ihn gemischt waren, sodass er wie Blut in der Farbe war und wirklich ein blutiger Schweiß genannt werden konnte; diese Sache ist nicht wichtig. Jede Pore war wie eine blutende Wunde und sein Blut befleckte all seine Kleider. Das zeigte die Mühsal seiner Seele (s. Jes 53,11).

Vers 47-53
Hier haben wir:

1. Wie Jesus von Judas kenntlich gemacht wurde. Es erschien eine große Schar mit Judas an ihrer Spitze, denn er wurde denen zum Wegweiser, die Jesus gefangen nahmen (s. Apg 1,16); sie wussten nicht, wo sie Jesus finden konnten, doch Judas brachte sie an den Ort. Als sie dort waren, wussten sie nicht, welcher Jesus war, doch Judas sagte ihnen, dass derjenige der Mann war, den er küssen würde. Er näherte sich darum „Jesus, um ihn zu küssen". Lukas nimmt Notiz von der Frage, die Christus ihm stellt, was wir nicht in den anderen Evangelien haben: „Judas, verrätst du den Sohn des Menschen mit einem Kuss?" Muss ihn einer seiner eigenen Jünger verraten? Muss er mit einem Kuss verraten werden? Wurde je ein Merkmal der Liebe so entweiht und missbraucht?

2. Die Anstrengung, die seine Jünger zu seinem Schutz unternahmen: „Als nun seine Begleiter sahen, was da geschehen sollte, sprachen sie zu ihm: ,Herr, sollen wir mit dem Schwert dreinschlagen?' Du hast uns erlaubt, zwei Schwerter zu haben – sollen wir sie nun gebrauchen?" **(Vers 49)**. Doch sie waren zu sehr in Eile und in zu großer Leidenschaft, um auf eine Antwort zu warten. Petrus, der auf den Kopf von einem „Knecht des Hohepriesters" zielte, verfehlte ihn und „hieb ihm sein rechtes Ohr ab". Die anderen Evangelisten sagen uns, wie Christus Petrus davon abhielt. Lukas sagt uns:
2.1 Wie Christus den Hieb entschuldigte: „Lasst ab davon!" **(Vers 51)**. Er sagte dies, um seine Feinde zu beschwichtigen, die gekommen waren, um ihn zu ergreifen, damit sie hierdurch nicht herausgefordert würden, die Jünger anzugreifen. „Seht über dieses Unrecht und diese Verletzung hinweg; es geschah ohne meine Erlaubnis und einen weiteren Hieb wird es nicht geben." Er sprach mit gefälligen Worten zu ihnen, bat sozusagen um ihre Vergebung für einen Angriff, der von einem seiner Nachfolger auf sie ausgeführt wurde, um uns zu lehren, selbst zu unseren Feinden gute Worte zu sagen.
2.2 Wie er die Wunde heilte: „Und er rührte sein Ohr an und heilte ihn", machte sein

Ohr wieder an ihm fest. Christus bewies ihnen hier:

Seine Macht. Der Eine, welcher heilen konnte, konnte zerstören, wenn es ihm gefällt.

Seine Barmherzigkeit und Güte. Christus gab hier ein gutes Beispiel für seine eigene Regel, denen Gutes zu tun, die uns hassen (s. Lk 6,27), wie er später ein Beispiel dafür gab, für die zu beten, die uns beleidigen (s. Lk 6,28). Wer Böses mit Gutem vergilt, handelt wie Christus.

3. Christi Verteidigung vor den Offizieren, um ihnen zu zeigen, wie unsinnig es war, dass sie all diesen Wirbel und diesen Lärm machten **(s. Vers 52-53)**. Lukas sagt uns, dass er hier „zu den obersten Priestern und Hauptleuten des Tempels" sprach, was zeigte, dass alle, die mit dieser abscheulichen Sache beschäftigt waren, Geistliche waren, die dem Tempel angehörten. Beachten Sie:

3.1 Wie Christus mit ihnen über ihr Vorgehen redete. Was für eine Notwendigkeit gab es für sie, mitten in der Nacht „mit Schwertern und mit Stöcken" auszuziehen? Sie wussten, dass er jemand war, der sich nicht widersetzen würde. „Warum seid ihr dann ,wie gegen einen Räuber' ausgezogen?" Sie wussten, dass er jemand war, der nicht davonlief, denn er war jeden Tag im Tempel unter ihnen.

3.2 Wie er sich mit ihren Taten abfand; und dies hatten wir vorher nicht: „,Aber dies ist eure Stunde und die Macht der Finsternis.' Wie hart es auch erscheinen mag, dass ich auf diese Weise preisgegeben sein sollte, so unterwerfe ich mich dennoch, denn dies ist, was bestimmt worden ist. Jetzt ist der ,Macht der Finsternis', Satan, dem ,Weltbeherrscher der Finsternis dieser Weltzeit' erlaubt, es so schlimm wie möglich zu machen. Er mag es so schlimm wie möglich machen" (Eph 6,12). Es ist „die Macht der Finsternis", die herrscht, doch die Finsternis muss dem Licht Bahn machen und die Macht der Finsternis dem Fürsten des Lichts unterworfen werden.

Vers 54-62

Wir haben hier den traurigen Bericht, wie Petrus seinen Meister verleugnet. Es wird hier nicht wie in den anderen Evangelien angemerkt, dass Christus nun vor dem Hohepriester befragt wurde, nur, dass er „in das Haus des Hohepriesters" gebracht wurde **(Vers 54)**. Der Ausdruck ist aber vielsagend. Sie ergriffen ihn und führten ihn hin und brachten ihn (Elb 06), was für mich zu zeigen scheint, dass sie immer noch verwirrt waren. Mit innerlichem Schrecken über das geschlagen, was sie gesehen und gehört hatten, führten sie ihn den längsten Weg herum. Vielleicht wussten sie nicht, welchen Weg sie ihn trieben, weil sie in sich selbst in solcher Eile waren. Hier haben wir:

1. Wie Petrus zu Fall kommt.

1.1 Es begann schleichend. Er folgte Christus; das war gut, doch er „folgte von ferne" **(Vers 54)**. Er dachte, er würde die Dinge für sich einfacher machen, wenn er einerseits Christus folgt und damit sein Gewissen zufriedenstellt und andererseits aus sicherer Entfernung folgt und damit seinen Ruf rettet – und seine Haut.

1.2 Es ging damit weiter, dass er sich den Knechten des Hohepriesters anschloss. „Da sie aber mitten im Hof ein Feuer angezündet hatten und beisammen saßen, setzte sich Petrus mitten unter sie", als wäre er einer von ihnen gewesen.

1.3 Sein Zufallkommen selbst bestand darin, jede Bekanntschaft mit Christus zu leugnen, weil er jetzt in Not und Gefahr war. Er wurde von einer armen, einfachen Dienstmagd beschuldigt, ein Nachfolger dieses Jesus zu sein. Sie schaute ihn nachdenklich an, als er beim Feuer saß, und sagte: „Auch dieser war mit ihm!" Genauso, wie Petrus nicht den Mut hatte, den Vorwurf zuzugeben, hatte er auch nicht den Scharfsinn und die Geistesgegenwart, dem auszuweichen, und so leugnete er es unverblümt: „Frau, ich kenne ihn nicht!"

1.4 Sein Zufallkommen wiederholte sich ein zweites Mal: „Und bald danach sah ihn ein anderer und sprach: Du bist auch einer von ihnen!" **(Vers 58)**. Sei er nicht, sagte Petrus: „Mensch, ich bin's nicht!" Und ein drittes Mal „nach einer Weile von ungefähr einer Stunde bekräftigte es ein anderer und sprach: Wahrhaftig, der war auch mit ihm.' Mag er es leugnen, wenn er kann, doch jeder kann sagen, dass er ,ein Galiläer' ist." Petrus leugnete nun nicht nur, dass er ein Jünger Christi war, sondern sogar, dass er etwas über ihn wusste: „Mensch, ich weiß nicht, was du sagst!" **(Vers 60)**.

2. Wie sich Petrus wieder aufrichtet. Achten Sie darauf, wie gesegnet er es wiedergutmachte.

2.1 Es „krähte der Hahn" und das schreckte ihn auf und brachte ihn zum Nachdenken. Kleine Zufälle können zu großen Konsequenzen führen.

2.2 „Und der Herr wandte sich um und sah Petrus an." Wir haben diese Einzelheit nicht in den anderen Evangelien, doch sie ist von Bedeutung. Obwohl Christus jetzt Petrus seinen Rücken zuwandte und vor Gericht stand, wusste er alles, was Petrus sagte. Christus nimmt mehr Notiz von dem, was wir sagen und tun, als wir meinen, dass er es tut. Als Petrus Christus verleugnete, verleugnete Christus ihn nicht. Es ist gut für uns, dass Christus mit uns nicht so umgeht, wie wir mit ihm umgehen. Christus „wandte sich um und sah Petrus an", denn er wusste, dass, obwohl Petrus ihn mit seinen Lippen verleugnet hatte, sein Auge doch auf ihn gerichtet sein würde. Er schenk-

te Petrus nur einen Blick, von dem niemand außer Petrus die Bedeutung verstehen würde. *Es war ein überführender Blick.* Petrus sagte, dass er Christus nicht kannte. Christus „wandte sich um und sah Petrus an", als wolle er Petrus fragen: „Kennst du mich wirklich nicht?"
Es war ein tadelnder Blick.
Es war ein inständiger Blick. „Was, Petrus, bist du jetzt derjenige, der mit mir nichts mehr zu tun haben möchte? Du, der du am eifrigsten darin warst, mich als den Sohn Gottes zu bekennen und der feierlich versprochen hat, dass du mich nie verleugnen würdest?"
Es war ein mitleidsvoller Blick; er blickte ihn mit Sanftheit an. „Armer Petrus, wie sehr bist du gefallen und zugrundegerichtet, wenn ich dir nicht helfe."
Es war ein richtungsweisender Blick. Christus brachte ihn mit seinen Augen dazu, sich zurückzuziehen und ein wenig über die Dinge nachzudenken.
Es war ein bedeutsamer Blick: Er übermittelte dem Herzen von Petrus Gnade. Das Krähen des Hahnes hätte ihn ohne diesen Blick nicht zur Buße gebracht. Dieser Blick wurde von Macht begleitet, das Herz von Petrus zu ändern.
2.3 „Da erinnerte sich Petrus an das Wort des Herrn."
2.4 Dann ging Petrus „hinaus und weinte bitterlich". Ein Blick von Christus erweichte ihn zu Tränen gottesfürchtigen Kummers für die Sünde.

Vers 63-71

Uns wird hier wie vorher in den anderen Evangelien gesagt:

1. Wie unser Herr von den Knechten des Hohepriesters misshandelt wurde. Diejenigen, „die Jesus festhielten, verspotteten und misshandelten ihn" **(Vers 63)**. Sie machten sich über ihn lustig; diese schlimme Nacht für ihn würde eine lustige Nacht für sie werden. Sie verhüllten ihn und schlugen ihn dann „ins Angesicht" und fuhren damit fort, bis er ihnen denjenigen nennen würde, der ihn geschlagen hatte **(Vers 64)**, und wollten damit seine Rolle als Prophet beleidigen. „Und viele andere Lästerungen sprachen sie gegen ihn aus" **(Vers 65)**.

2. Wie er von dem großen Sanhedrin angeklagt und verurteilt wurde – der Ratsversammlung der Ältesten des Volkes und der obersten Priester und Schriftgelehrten, die alle früh aufgestanden waren und sich versammelt hatten, „als es Tag geworden war", um die Sache zu verfolgen. Sie wären nicht so früh aufgestanden, um irgendein gutes Werk zu tun.
2.1 Sie fragten ihn: „Bist du der Christus?" **(Vers 67)**. Sie konnten nicht beweisen, dass er das je ausdrücklich gesagt hatte, darum drängten sie ihn, es vor ihnen zuzugeben. Wenn sie ihm diese Frage mit der Bereitschaft gestellt hätten, anzuerkennen, dass er der Christus war, wäre es gut gewesen, doch sie fragten es mit der Entschlossenheit, nicht an ihn zu glauben, und mit der Absicht, ihm eine Falle zu stellen.
2.2 Er beklagte sich zu Recht über ihre unfaire und ungerechte Behandlung von ihm **(s. Vers 67-68)**. Sie hätten ihn als Kandidaten für die Messianität untersuchen sollen. „Doch", sagte er, „wenn ich euch sagen würde, dass ich der Christus bin, ‚so würdet ihr es nicht glauben'. Warum sollte diese Sache euch vorgetragen werden, wenn ihr bereits im Voraus darüber geurteilt habt? ‚Wenn ich aber auch fragte', welche Einwände ihr gegen die Beweise vorlegen wollt, die ich vorbringe, ‚so würdet ihr mir nicht antworten, noch mich loslassen'. Wenn ich nicht der Christus bin, solltet ihr auf die Argumente antworten, mit denen ich beweise, dass ich es bin; wenn ich es bin, solltet ihr mich gehen lassen. Doch ihr werdet keins von beidem tun."
2.3 Als vollständigen Beweis, dass er der Christus war, verwies er sie auf sein zweites Kommen: „‚Von nun an wird der Sohn des Menschen sitzen zur Rechten der Macht Gottes' und dann werdet ihr nicht zu fragen brauchen, ob ich der Christus bin oder nicht" **(Vers 69)**.
2.4 Sie schlossen daraus, dass er sich selbst als Sohn Gottes ausgegeben hatte, und darum fragten sie ihn, ob er es war oder nicht: „Bist du also der Sohn Gottes?" **(Vers 70)**. Er nannte sich selbst den Sohn des Menschen mit Bezug auf Daniels Vision von dem „Sohn des Menschen" (Dan 7,13), doch sie verstanden genug, um zu wissen, dass er auch der Sohn Gottes war, wenn er dieser Sohn des Menschen war.
2.5 Er gab selbst zu, dass er der Sohn Gottes ist: „Ihr sagt selbst, dass ich es bin" (NGÜ). Das heißt: „Ihr liegt richtig damit, dass ihr sagt, dass ich es bin."
2.6 Darauf stützten sie seine Verurteilung: „Was brauchen wir ein weiteres Zeugnis?" **(Vers 71)**. Es stimmt, sie brauchten kein weiteres Zeugnis, um zu beweisen, dass er gesagt hatte, dass er der Sohn Gottes war; sie hatten es „aus seinem Mund". Doch sie konnten nicht für möglich halten, dass er der Messias ist, wenn er nicht in weltlicher Zurschaustellung und Pracht erscheinen würde, wie sie es erwartet hatten.

KAPITEL 23

Dieses Kapitel fährt mit dem Bericht von Christi Leiden und Tod fort und schließt ihn ab. Wir haben hier: 1. Seinen Prozess vor dem römischen Statthalter Pilatus (s. Vers 1-5). 2. Seine Vernehmung vor Herodes (s. Vers 6-12). 3. Pilatus' Ringen mit dem Volk, um Jesus freizulassen, und schlussendlich sein Sichfügen und das Verurteilen von ihm, gekreuzigt zu werden (s. Vers 13-25). 4. Einen Bericht von dem, als sie ihn zur Kreuzigung hinausführten, und die Worte, die er zu den Menschen sagte, die ihm folgten (s. Vers 26-31). 5. Einen Bericht von dem, was am Hinrichtungsplatz geschah (s. Vers 32-38). 6. Die Bekehrung eines der Übeltäter, als Christus am Kreuz hing (s. Vers 39-43). 7. Den Tod Christi (s. Vers 44-49). 8. Sein Begräbnis (s. Vers 50-56).*

Vers 1-12

Unser Herr Jesus wurde vor dem jüdischen, geistlichen Gericht als Lästerer verurteilt. Als sie ihn verurteilt hatten, wussten sie, dass sie ihn nicht töten konnten, und darum verfolgten sie einen anderen Weg.

1. Sie klagten ihn vor Pilatus an. Die ganze Versammlung von ihnen stand auf, „und sie führten ihn vor Pilatus". Sie verlangten nicht nach Gerechtigkeit gegen ihn als Lästerer – das war kein Verbrechen, welches Pilatus anerkannte –, sondern als jemand, welcher der römischen Regierung gegenüber nicht loyal war, wenn auch die Ankläger Jesu dies in ihrem Herzen überhaupt nicht als Verbrechen betrachteten. Hier gibt es:

1.1 Die Anklage, die gegen ihn erhoben wurde (s. Vers 2). Sie stellten ihn falsch dar:

Als würde er die Menschen gegen den Kaiser aufwiegeln. Es stimmte, und Pilatus wusste es, dass es unter der Herrschaft der Römer bei den Leuten ein allgemeines Unbehagen gab. Die Ankläger Jesu wollten nun, dass Pilatus glaubte, dass dieser Jesus aktiv die allgemeine Unzufriedenheit anstachelte. „Wir haben gefunden, dass dieser das Volk verführt" (zerrüttet). Christus hatte besonders gelehrt, dass sie dem Kaiser Steuern bezahlen sollten, doch er wurde hier falsch angeklagt, dass er davon „abhalten will, dem Kaiser die Steuern zu zahlen". Unschuld ist kein Schutz vor Verleumdung.

Als würde er sich zum Rivalen des Kaisers machen, obwohl es gerade der Grund war, weshalb sie ihn verwarfen, dass er sich nicht bereit erklärte, irgendetwas gegen den Kaiser zu tun. Doch dies war es, wessen sie ihn anklagten, dass er von sich „behauptet, er sei Christus, der König".

1.2 Seine Verteidigung als Antwort auf diese Anklage: „Da fragte ihn Pilatus und sprach: Bist du der König der Juden?", worauf Christus antwortete: „Du sagst es!" **(Vers 3)**. Das heißt: „Es ist so, wie du sagst." Christi Reich ist völlig geistlich und wird sich darum nicht in die Gerichtsbarkeit des Kaisers einmischen. Alle, die ihn kannten, wussten, dass er nie behauptet hatte, der König der Juden zu sein, sich nie im Widerstand gegen die Oberhoheit des Kaisers erhoben hat.

1.3 Wie Pilatus seine Unschuld erklärte: „Da sprach Pilatus zu den obersten Priestern und der Volksmenge: Ich finde keine Schuld an diesem Menschen!" **(Vers 4)**.

1.4 Der anhaltende Zorn und Frevel der Ankläger **(s. Vers 5)**. Statt durch die Erklärung von Pilatus von der Unschuld Jesu gemäßigt zu werden, wurden sie nur noch wütender und boshafter. Wir sehen nicht, dass sie mit irgendeinem genauen Tatbestand gewappnet waren, doch sie hatten sich entschlossen, laut und selbstsicher fortzufahren: „Er wiegelt das Volk auf, indem er in ganz Judäa lehrt, angefangen in Galiläa bis hierher!" Er hat das Volk angestachelt, doch es war zu allem Guten und Lobenswerten. Er lehrte, doch sie konnten ihn nicht beschuldigen, dass er irgendetwas lehrte, das darauf abzielte, die öffentliche Ruhe zu stören.

2. Sie verklagten ihn vor Herodes.

2.1 Pilatus verlegte Jesus und seinen Fall an den Gerichtshof von Herodes. Die Ankläger erwähnten Galiläa. „Nun", meinte Pilatus, „kommt er aus diesem Land? Ist er ein Galiläer?" **(Vers 6)**. „Ja", sagten sie. „Dann sollt ihr ihn zu Herodes schicken, da er unter die Gerichtsbarkeit des Herodes fällt", antwortete Pilatus. Pilatus war dieser Sache bereits überdrüssig und wollte seine Finger nicht mit im Spiel haben.

2.2 Herodes war nur zu bereit, ihn zu befragen: „Herodes aber freute sich sehr, als er Jesus erblickte" **(Vers 8)**. Er hatte in Galiläa „viel von ihm gehört" und sehnte sich danach, ihn zu sehen, doch aus reiner Neugierde. Nur um diese Neugierde zufriedenzustellen, hoffte er, „zu sehen, wie ein Zeichen von ihm vollbracht wurde". Mit dieser Absicht legte er ihm „viele Fragen vor". Doch Jesus „gab ihm keine Antwort"; und er wollte ihn auch nicht damit zufriedenstellen, dass er ein Wunder vollbringt. Der ärmste Bettler, der um ein Wunder bat, damit seine Not gelindert würde, wurde nie abgewiesen, doch dieser stolze Herrscher wurde abgewiesen. Er hätte Christus und seine wunderbaren Werke viele Male in Galiläa sehen können, doch er lehnte es ab, und jetzt, wo er sie sehen wollte, wurde es ihm versagt, weil er den Tag von Gottes Kommen zu ihm nicht erkannt hatte (s. Lk 19,42.44). Wunder dürfen nicht billig gemacht werden; der allmächtige Gott tanzt nicht nach der Pfeife selbst des stärksten Herrschers.

2.3 Seine Ankläger traten vor Herodes gegen ihn auf. Sie „standen da und verklagten ihn heftig" **(Vers 10)**; „lebhaft und überheblich" ist die Bedeutung des Wortes.

2.4 Herodes war ihm gegenüber sehr beleidigend: Er „verspottete ihn samt seinen Kriegsleuten". Sie hielten ihn für einen Niemand; sie behandelten ihn mit Geringschätzung; sie machten ihn lächerlich. Sie lachten über ihn als jemand, von dem seine Kraft gewichen ist und der schwach geworden ist wie alle anderen Menschen (s. Ri 16,7.11.17). Herodes war beleidigender Christus gegenüber, als es Pilatus gewesen war. Herodes ließ Christus „ein Prachtgewand" anlegen als einem vermeintlichen König, und so lehrte er die Soldaten von Pilatus, ihm später die gleiche Demütigung zuzufügen.

2.5 Herodes schickte ihn zu Pilatus zurück und das erwies sich als Anlass einer neuen Freundschaft zwischen ihnen. Herodes wollte Jesus nicht als Übeltäter verurteilen und so schickte er ihn wieder zu Pilatus zurück und erwiderte die höfliche Achtung von Pilatus **(s. Vers 11)**. Diese gegenseitige Verbindlichkeit trug dazu bei, dass sie sich besser verstanden **(s. Vers 12)**. Sie waren „einander feind gewesen". Beachten Sie, wie diejenigen, die miteinander zankten, sich doch gegen Christus zusammentun konnten. Christus ist der große Friedensstifter; sowohl Pilatus als auch Herodes erkannten seine Unschuld an und ihre Übereinstimmung hierin heilte ihre Meinungsverschiedenheiten in anderen Dingen.

Vers 13-25

Hier haben wir, wie der gerechte Jesus von dem Mob misshandelt wird und unter Geschrei und Tumult des Volkes zum Kreuz gedrängt wird.

1. Pilatus erklärte ernstlich, dass er glaubte, dass Jesus nichts getan hatte, was des Todes oder Ketten würdig sei. Wenn er dies wirklich glaubte, hätte er ihn umgehend freilassen sollen. Weil aber Pilatus selbst ein schlechter Mensch war, dem die Rechtschaffenheit fehlte, der keine Güte Christus gegenüber hatte und das Missfallen des Volkes fürchtete, rief er „die obersten Priester und die führenden Männer und das Volk zusammen" und wollte hören, was sie zu sagen hatten. „Ihr habt diesen Menschen zu mir gebracht", sagte er, „und ich habe ihn vor euch verhört und all eure Behauptungen gegen ihn gehört, doch ich kann damit nichts anfangen, ich habe „keine Schuld gefunden".

2. Er berief sich bei ihm auf Herodes (s. Vers 15): „Ich habe euch zu Herodes gesandt und er hat ihn zurückgeschickt. Seiner Meinung nach sind die Verbrechen des Angeklagten keine Kapitalverbrechen. Er hat über Jesus als jemanden gelacht, der schwach ist, doch er hat ihn nicht als gefährlich gebrandmarkt." Herodes hielt die Psychiatrie für einen geeigneteren Ort für Jesus als das Schafott.

3. Er schlug vor, ihn freizulassen, wenn sie nur damit einverstanden wären. Er hätte es tun sollen, ohne um ihre Erlaubnis zu bitten. Die Furcht vor anderen Menschen bringt jedoch viele in diese Falle: Sie wollen lieber ungerecht handeln als irgendwelche Schwierigkeiten für sich riskieren. Um dem Volk zu gefallen:
3.1 Würde er ihn als Übeltäter freilassen, denn „er musste ihnen [war verpflichtet] aber anlässlich des Festes einen freigeben" **(Vers 17)**.
3.2 Er wollte ihn züchtigen und dann freilassen. Doch warum sollte er gezüchtigt werden, wenn es keine Grundlage für die Anschuldigungen gegen ihn gab?

4. Das Volk entschloss sich, dass stattdessen Barabbas freigelassen werden sollte. Er war „wegen eines in der Stadt vorgefallenen Aufruhrs und Mordes ins Gefängnis geworfen worden", doch es war dieser Verbrecher, der Christus vorgezogen wurde: „Hinweg mit diesem, und gib uns Barabbas frei!" **(Vers 18)**.

5. Als Pilatus ein zweites Mal darauf drängte, dass Christus freigelassen werden sollte, riefen sie: „Kreuzige, kreuzige ihn!" **(Vers 21)**. Nichts würde ihnen genügen, als dass er gekreuzigt wird: „Kreuzige, kreuzige ihn!"

6. Als Pilatus dem Volk ein drittes Mal zuredete, waren sie noch anmaßender und abscheulicher: „Was hat dieser denn Böses getan?" **(Vers 22)**. Sie sollten das Verbrechen nennen, das er begangen hat. „Ich habe keine des Todes würdige Schuld an ihm gefunden. Darum will ich ihn züchtigen [geißeln] und dann freilassen." Doch sie „hielten an mit lautem Geschrei" (forderten eindringlich) – sie baten nicht, sondern sie verlangten –, „dass er gekreuzigt werde", als hätten sie genauso das Recht, die Kreuzigung von jemandem zu fordern, der unschuldig war, wie die Freilassung von jemandem zu verlangen, der schuldig war.

7. Pilatus gab schließlich nach. Der Lärm des Volkes und „der obersten Priester nahm überhand". Er entschied, „dass ihre Forderung erfüllt werden sollte" **(Vers 24)**. Das wird in Vers 25 wiederholt mit dem zusätzlichen schrecklichen Bericht von der Freilassung des Barabbas: Er „gab ihnen den frei ... welcher eines Aufruhrs und Mordes wegen ins Gefängnis geworfen worden war", denn das war der, „den sie begehrten", doch „Jesus aber übergab er ihrem Willen", und er hätte nicht grausamer mit ihm umgehen können, als ihn ihrem Willen zu übergeben.

Vers 26-31

Die Geschwindigkeit, mit der sie seinen Prozess führten, ist sehr ungewöhnlich. Er wurde bei Tagesanbruch vor die obersten Priester gebracht (s. Lk 22,66), danach zu Pilatus, dann zu Herodes, dann zurück zu Pilatus und dort scheint es ein langes Ringen um ihn zwischen Pilatus und dem Volk gegeben zu haben. Er wurde gegeißelt, mit Dornen gekrönt und spöttisch behandelt und all dies geschah im Zeitraum von vier oder fünf oder höchsten sechs Stunden, denn er wurde zwischen neun und zwölf Uhr gekreuzigt. Niemals wurde jemand so „aus der Welt" verjagt wie Christus (s. Hiob 18,18). Jetzt, wo sie ihn zum Sterben führen, sehen wir:

1. Einen, den man sein Kreuz tragen ließ, Simon mit Namen, aus Kyrene. Sie legten ihm das Kreuz Jesu auf und ließen es ihn Jesus nachtragen **(s. Vers 26)**, damit Jesus unter ihm nicht ermatten und sterben würde. Es war Mitleid, aber ein grausames Mitleid, das ihm diese Entlastung brachte.

2. Viele, die trauerten. Die gewöhnlichen Leute wurden von Mitleid ihm gegenüber bewegt, denn sie hatten Grund zu der Annahme, dass er zu Unrecht litt. Das brachte eine große Menge dazu, ihm zu folgen, wie es bei Hinrichtungen üblich ist: „Es folgte ihm aber eine große Menge des Volkes", besonders Frauen, und sie „beklagten und betrauerten" ihn **(Vers 27)**. Obwohl es viele gab, die ihn verachteten und beleidigten, gab es manche, die ihn schätzten und bedauerten. Viele betrauern Christus, die nicht an ihn glauben, und viele trauern um ihn, lieben ihn aber nicht über alles. Er war nicht völlig von seinen Angelegenheiten in Anspruch genommen; er hatte immer noch Zeit und Herz, um ihre Tränen zu bemerken. Christus starb beklagt. Er wandte sich zu ihnen und sagte ihnen, sie sollten nicht um ihn weinen, sondern über sich selbst.

2.1 Er gab ihnen eine allgemeine Weisung bezüglich ihrer Trauer: „Ihr Töchter Jerusalems, weint nicht über mich." Sie dürfen nicht nur über ihn weinen – sondern sie mögen vielmehr über sich selbst und über ihre Kinder weinen. Wenn wir den gekreuzigten Christus mit dem Auge des Glaubens betrachten, sollten wir nicht über ihn, sondern über uns selbst weinen. Der Tod Christi war etwas Einmaliges; er war sein Sieg und Triumph über seine Feinde; er war unsere Errettung und der Erwerb ewigen Lebens für uns. Deshalb mögen wir nicht über ihn, sondern über unsere Sünden und die Sünden unserer Kinder weinen, die der Grund für seinen Tod waren.

2.2 Er nannte ihnen einen speziellen Grund, warum sie über sich selbst und über ihre Kinder weinen sollten: „Denn siehe, es kommen schlimme Zeiten über eure Stadt." Er hatte gerade selbst über Jerusalem geweint (s. Lk 19,42-44) und jetzt sagte er ihnen, sie sollten über diese Stadt weinen. Die Tränen Christi sollten uns zum Weinen bringen. Nun wurde hier durch zwei sprichwörtliche Aussagen die Zerstörung Jerusalems vorhergesagt, um zu zeigen, dass diese Zerstörung schrecklich sein würde. Die Menschen würden sich dann das wünschen, was sie normalerweise fürchten, nämlich kinderlos zu sterben (s. Jer 22,30) und lebendig begraben zu werden.

Sie würden wünschen, kinderlos zu sterben. Sie würden diejenigen beneiden, die keine Kinder hatten, und sie würden sagen: „Glückselig sind die Unfruchtbaren, und die Leiber, die nicht geboren" haben.

Sie würden sich wünschen, lebendig begraben zu werden: „Dann wird man anfangen, zu den Bergen zu sagen: Fallt über uns! und zu den Hügeln: Bedeckt uns!" **(Vers 30)**. Sie würden sich wünschen, in den dunkelsten Höhlen verborgen zu sein, um außerstande zu sein, irgendetwas von diesen Katastrophen zu hören. Sie würden gewillt sein, um jeden Preis bedeckt zu werden, selbst wenn es die Gefahr mit sich brachte, in Stücke zerschmettert zu werden.

2.3 Er zeigte, wie natürlich es für sie war, aus seinem Leiden zu schließen, dass diese Verwüstung kommen würde: „Denn wenn man dies mit dem grünen Holz tut, was wird mit dem dürren geschehen?" **(Vers 31)**. Christus war grünes Holz, fruchtbar und gedeihend; wenn man nun mit ihm solche Dinge getan hat, können wir daraus schließen, was mit dem ganzen Menschengeschlecht geschehen wäre, wenn er nicht eingegriffen hätte, und was mit denen geschehen wird, die weiterhin dürres Holz sind trotz allem, was getan wird, um sie fruchtbar zu machen. Die Betrachtung des bitteren Leidens unseres Herrn Jesus sollte uns in Ehrfurcht vor der Gerechtigkeit Gottes stehen lassen. Die besten Heiligen sind verglichen mit Christus dürres Holz; warum sollten sie erwarten, nicht zu leiden, wenn er leidet?

Vers 32-43

In diesen Versen haben wir:

1. Verschiedene Abschnitte, die wir vorher in Matthäus und Markus über das Leiden Christi hatten.

1.1 Dass auch zwei andere, zwei Übeltäter, mit ihm zum Hinrichtungsplatz geführt wurden.

1.2 Dass er an einem Ort namens Schädelstätte *gekreuzigt* wurde. Dies war ein schmerzlicherer und schändlicherer Tod als jeder andere.

1.3 Dass er zwischen zwei Übeltätern gekreuzigt wurde. Er wurde nicht nur wie ein Übeltäter behandelt, sondern auch unter sie gezählt (s. Jes 53,12).

1.4 Dass die Soldaten, die für die Hinrichtung eingesetzt waren, seine Kleider als Bezahlung nahmen und sie unter sich per Los teilten: „Sie teilten aber sein Gewand und warfen das Los darüber."

1.5 Dass man ihn verhöhnte und tadelte: „Und das Volk stand da und sah zu." Die Obersten standen unter der Menge und spotteten über ihn, sprachen mit dem Volk: „Andere hat er gerettet; er rette nun sich selbst." Sie forderten ihn auf, sich selbst vom Kreuz zu retten, während er andere durch das Kreuz rettete. „... wenn er der Christus ist, der Auserwählte Gottes", dann möge er sich selbst retten. Man verspottete ihn; sie machten sich über ihn lustig, scherzten über sein Leiden. Und sie sagten: „Bist du der König der Juden, so rette dich selbst!" **(Vers 37)**.
1.6 Dass die geschriebene Notiz über seinem Kopf, die sein Verbrechen darlegte, lautete: „Dieser ist der König der Juden" **(Vers 38)**. Er wurde dafür getötet, dass er behauptet habe, der König der Juden zu sein, doch Gott beabsichtigte es als eine Erklärung dessen, wer er wirklich war. Er ist „der König der Juden" und sein Kreuz war der Weg zu seiner Krone. Dies wurde in drei gelehrten Sprachen geschrieben – griechisch, lateinisch und hebräisch. Es wurde in diesen drei Sprachen geschrieben, damit es von allen Leuten verstanden und gelesen werden konnte. In diesen drei Sprachen wird Christus als König ausgerufen.

2. Zwei Passagen, die wir vorher nicht hatten, die bemerkenswert sind:
2.1 Christi Gebet für seine Feinde: „Vater, vergib ihnen" **(Vers 34)**. Christus sagte sieben bemerkenswerte Dinge, als er ans Kreuz genagelt war, und das ist das Erste. Sobald er ans Kreuz gehängt war oder während sie ihn annagelten, sprach er dieses Gebet, an dem wir beachten:
Die Bitte: „Vater, vergib ihnen." Die Sünde, der sie sich nun schuldig machten, hätte zu Recht unvergebbar gemacht werden können. Doch nein, es wurde besonders für sie gebetet. Jetzt betete er für die Übeltäter (s. Jes 53,12). Die Aussagen Christi am Kreuz wie auch sein Leiden hatten nun ein größeres Ziel, als sie zu haben schienen. Er sagte dieses Wort als Mittler, was die Bedeutung und Absicht seines Todes erklärte: „‚Vater, vergib ihnen' – nicht nur diesen, sondern allen, die Buße tun und dem Evangelium glauben werden." Die große Sache, die Christus durch sein Sterben für uns erwerben und erlangen wollte, ist die Vergebung der Sünden. Sein Blut spricht so (s. 1.Mose 4,10; Hebr 12,24): „Vater, vergib ihnen." Obwohl sie seine Verfolger und Mörder waren, betete er doch: „Vater, vergib ihnen."
Die Verteidigung: „... denn sie wissen nicht, was sie tun", denn wenn sie es gewusst hätten, dann hätten sie ihn nicht gekreuzigt (s. 1.Kor 2,8). Dies zeigt uns:
Die Christus kreuzigten, wussten nicht, was sie tun.
Es gibt eine Art von Unwissenheit, welches die Sünde teilweise entschuldigt: Unwissenheit aus Mangel an Mitteln zur Erkenntnis oder aus Mangel an Fähigkeit, Unterweisung anzunehmen. Die Christus kreuzigten, wurden von ihren Herrschern in Unwissenheit gehalten; sie hatten Vorurteile gegen ihn, die ihnen beigebracht wurden, sodass sie bei dem, was sie mit Christus und seiner Botschaft machten, meinten, sie würden Gott einen Dienst erweisen (s. Joh 16,2). Solche Menschen muss man bemitleiden und für sie beten. Dies ist auch geschrieben, um uns ein Beispiel zu geben.
Im Gebet müssen wir Gott Vater nennen, mit Ehrfurcht und Vertrauen zu ihm kommen.
Die große Sache, die wir sowohl für uns selbst als auch für andere erbitten müssen, ist die Vergebung der Sünden.
Wir müssen für unsere Feinde bitten, diejenigen, die uns hassen und verfolgen, und wir müssen inbrünstig zu Gott um die Vergebung ihrer Sünden bitten – ihrer Sünden gegen uns. Das ist das Beispiel Christi für seine eigene Regel: „Liebt eure Feinde" (Mt 5,44). Wenn Christus solche Feinde liebte und für sie betete, welche Feinde können wir dann haben, bei denen wir nicht verpflichtet sind, sie zu lieben und für sie zu beten?

2.2 Das Gespräch mit dem Übeltäter am Kreuz. Christus wurde zwischen zwei Übeltätern gekreuzigt und bei ihnen wurden die verschiedenen Wirkungen dargestellt, welche das Kreuz Christi auf die Menschen haben würde. Das Kreuz Christi ist nun für manche „ein Geruch des Lebens zum Leben" und für andere „ein Geruch des Todes zum Tode" (2.Kor 2,16).
Hier war einer dieser Verbrecher, der am Ende verhärtet wurde. Er war nah am Kreuz Christi und warf ihm Beleidigungen an den Kopf, wie es andere taten. Er sagte: „Bist du der Christus, so rette dich selbst und uns!" **(Vers 39)**. Obwohl er jetzt in Schmerz und Qual war, hat dies weder seinen stolzen Geist gedemütigt noch ihn gelehrt, gute Worte zu sagen – nicht einmal zu dem, der mit ihm litt. Er forderte Christus auf, sowohl sich als auch sie zu retten. Es gibt manche, welche die Unverschämtheit haben, Christus mit Beleidigungen zu versehen, und doch die Zuversicht haben, zu erwarten, von ihm gerettet zu werden.
Hier war der andere, der am Ende erweicht wurde. Dieser Verbrecher wurde wie ein Holzscheit aus dem Brand gerissen (s. Am 4,11; Sach 3,2) und zu einer Trophäe der göttlichen Gnade und Barmherzigkeit gemacht. Das ist für niemanden eine Ermutigung, seine Buße hinauszuschieben, denn, wenn es auch gewiss ist, dass echte Buße nie zu spät ist, ist es genauso richtig, dass späte Buße selten echt ist. Er hatte nie zuvor ein Angebot von Christus noch einen Tag der Gnade: Er sollte zu einem besonderen Beispiel der Macht der

Gnade Christi werden. Nachdem er den Satan mit der Vernichtung von Judas und der Bewahrung von Petrus besiegt hat, errichtet Christus dieses weitere Denkmal seines Sieges über Satan. Wir werden sehen, dass dieser Fall außerordentlich ist, wenn wir beachten:
Das außerordentliche Wirken der Gnade Gottes an diesem Übeltäter, was sich an dem zeigte, was er sagte.
Beachten Sie, was er zu dem anderen Verbrecher sagte **(s. Vers 40-41)**.
Er tadelte ihn dafür, dass er Christus Beleidigungen an den Kopf warf, und deutete an, dass dies zeigte, dass der Beleidiger keine Gottesfurcht hat: „Fürchtest auch du Gott nicht ...?" Diese Frage beinhaltet, dass es die Furcht Gottes war, die den Fragenden davon abhielt, der Masse darin zu folgen, dieses Übel zu begehen. „Wenn du etwas Menschlichkeit in dir hättest, würdest du dich nicht über jemanden hämisch freuen, der mit dir leidet; du bist ,in dem gleichen Gericht'; auch du bist ein sterbender Mann."
Er erkannte an, dass er verdiente, was man mit ihm tat: „Und wir gerechterweise, denn wir empfangen, was unsere Taten wert sind." Wahrhaft bußfertige Menschen erkennen die Gerechtigkeit Gottes in aller Strafe für ihre Sünde an. Gott ist „gerecht in allem ... wir aber sind gottlos gewesen" (Neh 9,33).
Er glaubte daran, dass Christus zu Unrecht litt. Dieser bußfertige Übeltäter war durch die Art überzeugt, wie Christus sich in seinem Leiden verhielt, dass er „nichts Unrechtes getan" hat. Die obersten Priester wollten, dass er zwischen zwei Übeltätern als einer von ihnen gekreuzigt wird, doch dieser Übeltäter hatte mehr Verstand als sie.
Beachten Sie das, was er zu unserem Herrn Jesus sagte: „Herr, gedenke an mich, wenn du in deiner Königsherrschaft kommst!" **(Vers 42)**. Das ist das Gebet eines sterbenden Sünders an einen sterbenden Heiland. Es war Christi Ehre, dass auf diese Weise zu ihm gebetet wurde. Es war die Glückseligkeit des Übeltäters, auf diese Weise zu beten; vielleicht hatte er nie zuvor gebetet, doch jetzt wurde er in seinem letzten Atemzug erhört und gerettet.
Beachten Sie seinen Glauben in diesem Gebet. In seinem Sündenbekenntnis **(s. Vers 41)** zeigte er „Buße zu Gott"; in seiner Bitte zeigte er seinen „Glauben an unseren Herrn Jesus Christus" (Apg 20,21). Er erkannte an, dass er Herr war, dass er ein Reich hatte, dass er in dieses Reich ging (Elb 06) und dass diejenigen, denen er günstig gesinnt war, selig sein würden; und all dies zu glauben und zu bekennen, war eine große Sache zu dieser Tageszeit, in der „elften Stunde" seines Lebens (s. Röm 10,9; Mt 20,6). Er glaubte an ein anderes Leben nach diesem und wollte in diesem Leben selig sein, nicht so selig sein, wie der andere Übeltäter selig sein wollte, indem er von dem Kreuz gerettet wird, sondern gut vorbereitet sein, wenn das Kreuz sein schlimmstes Werk vollbracht hatte.
Achten Sie auf seine Demut in diesem Gebet. Alles, worum er bat, war: „Herr, gedenke an mich", und überließ es Christus, wie er an ihn gedenken würde. Und Christus gedachte an ihn.
Achten Sie auf den Anflug von Freimut und Inbrunst in seinem Gebet. Er hauchte darin sozusagen seine Seele aus: „,Herr, gedenke an mich.' Ich begehre nichts mehr; ich lege meine Sache in deine Hände." Dass Christus jetzt unser gedenken möge, wo er in seinem Reich ist, ist das, wonach wir inbrünstig trachten und worum wir beten sollten, und das wird ausreichen, um sowohl in unserem Leben als auch in unserem Sterben für unser Wohlergehen zu sorgen.
Die außerordentlichen Gaben des Wohlwollens Christi für ihn: „,Und Jesus sprach zu ihm: Wahrlich, ich sage dir' – ich, der ich das Amen bin, der treue Zeuge –, ich sage ,Amen' zu diesem Gebet. Tatsächlich wirst du mehr haben, als worum du gebeten hast: ,Heute wirst du mit mir im Paradies sein!'" (s. Offb 3,14; **Vers 43**). Beachten Sie:
Zu wem dies gesagt wurde: zu dem bußfertigen Übeltäter. Obwohl Christus nun selbst den schlimmsten Kampf und die schlimmste Qual erlebte, hatte er immer noch ein Wort der Ermutigung für einen armen bußfertigen Sünder. Durch Christus werden selbst die größten Sünder, wenn sie wirklich bußfertig sind, nicht nur die Vergebung ihrer Sünden, sondern auch einen Platz im Paradies erlangen (s. Hebr 9,15).
Von wem dies gesagt wurde. Das war ein weiteres Wort, welches Christus als Mittler sagte, um die wahre Bedeutung und Absicht seines Leidens zu erklären. Wie er starb, um für uns die Vergebung der Sünden zu erwerben, so starb er auch, um für uns das ewige Leben zu erwerben **(s. Vers 34)**. Durch dieses Wort wird uns zu verstehen gegeben, dass Jesus Christus starb, um allen bußfertigen gehorsamen Glaubenden das Reich der Himmel zu öffnen.
Christus lässt uns hier wissen, dass er selbst in das Paradies ging. Sein Weg führte ihn über das Kreuz hin zur Krone und wir dürfen nicht meinen, auf einem anderen Weg dorthin zu gehen.
Er lässt alle bußfertige Gläubigen wissen, dass sie, wenn sie sterben, dort bei ihm sein werden. Achten Sie darauf, wie uns hier die Glückseligkeit des Himmels beschrieben wird. Er ist das Paradies, ein Garten der Freude, das Paradies Gottes (s. Offb 2,7). Es heißt, dort mit Christus zu sein. Das ist die Seligkeit des Himmels. Das geschieht unmittelbar nach dem Tod: „Heute wirst du mit mir ... sein", heute Abend, vor dem morgigen Tag.

Vers 44-49

In diesen Versen haben wir drei Dinge:

1. Wie das Sterben Christi durch die wunderbaren Zeichen verherrlicht wird, die es begleiteten.

1.1 Das Verdunkeln der Sonne am Mittag. Es war nun „um die sechste Stunde", das ist zwölf Uhr mittags, „und eine Finsternis kam über das ganze Land bis zur neunten Stunde".

1.2 Das Zerreißen des Vorhangs im Tempel. Das Zeichen der Finsternis war im Himmel und dieses Zeichen war im Tempel, denn diese beiden sind die Häuser Gottes. Das Zerreißen des Vorhangs bedeutete die Hinwegnahme des zeremoniellen Gesetzes und aller anderen Schwierigkeiten und Entmutigungen bei unserem Nahen zu Gott, sodass wir nun mit Freimütigkeit zum Thron der Gnade hinzutreten können (s. Hebr 4,16).

2. Wie das Sterben Christi durch die Worte erklärt wurde, mit denen er seinen Geist aushauchte. Jesus hatte „mit lauter Stimme" gerufen **(Vers 46)**, als er fragte: „Warum hast du mich verlassen?" So wird es uns in Matthäus und Markus gesagt. Und es scheint auch „mit lauter Stimme" gewesen zu sein, dass er sprach: „Vater, in deine Hände befehle ich meinen Geist!" Er entlehnte diese Worte seinem Vater David (s. Ps 31,6). Christus starb mit der Schrift auf den Lippen. In diesem Gebet an Gott nannte er ihn Vater. Als er sich darüber beklagte, dass er verlassen wurde, rief er: „Eli, Eli ... Mein Gott, mein Gott" (Mt 27,46), doch um zu zeigen, dass diese schreckliche Qual seiner Seele nun vorüber war, nannte er hier Gott „Vater". Christus benutzte diese Worte in einem Sinn, der für ihn als Mittler kennzeichnend war. Er gab nun „sein Leben zum Schuldopfer" (Jes 53,10), gab es „als Lösegeld für viele" (Mt 20,28). Durch diese Worte brachte er nun das Opfer dar; er stützte sozusagen seine Hand auf den Kopf des Opfers und übergab es (s. 2.Mose 29,10; 3.Mose 4,4). „Ich lege es nieder, ich gebe es in deine Hände als Bezahlung. Vater, nimm mein Leben und meine Seele anstelle der Leben und der Seelen der Sünder an, für die ich sterbe." Das Wohlwollen desjenigen, der das Opfer darbrachte, war für die Annahme des Opfers notwendig. Er vertraute seinen Geist seinem Vater an, dass er im Paradies empfangen und am dritten Tag zurückkehren wird. Christus sorgte dafür, dass diese Worte Davids sich für den Zweck des Sterbens von Heiligen eignen; er hat sie sozusagen für ihren Gebrauch geheiligt. Wir müssen zeigen, dass wir freimütig bereit sind zu sterben, dass wir fest an ein anderes Leben nach diesem glauben, indem wir sagen: „Vater, in deine Hände befehle ich meinen Geist!"

3. Wie das Sterben Christi durch die Eindrücke angewendet wird, die es auf diejenigen machte, die bei ihm waren.

3.1 Der Hauptmann, der die Wache kommandierte, war sehr durch das bewegt, was er sah **(s. Vers 47)**. Er war ein Römer, ein Heide, doch er pries Gott. Er legte auch Zeugnis für den geduldig Leidenden ab. „Wahrlich, dieser Mensch war gerecht!" Sein Zeugnis in Matthäus und Markus geht weiter: „Wahrhaftig, dieser war Gottes Sohn!" (Mt 27,54; s. Mk 15,39).

3.2 Die unbeteiligten Zuschauer waren betrübt **(s. Vers 48)**. Dies wird nur hier bemerkt. Sie waren zusammengekommen, um eine Hinrichtung zu sehen, doch als sie gesehen hatten, was tatsächlich geschehen war, mussten sie sehr traurig sein, als sie gingen. Sie „schlugen sich an ihre Brust und kehrten zurück". Für den Augenblick nahmen sie die Angelegenheit sehr zu Herzen. Ebendiese Leute gehörten vermutlich zu jenen, die ausriefen: „Kreuzige, kreuzige ihn!", und hatten ihn verhöhnt und gelästert, als er ans Kreuz genagelt wurde. Aber die ungewöhnliche Weise, auf die er starb, verschloss nicht nur ihren Mund, sondern schreckte auch ihr Gewissen auf. Es scheint jedoch, dass der Eindruck schnell nachließ: „... [sie] schlugen ... sich an ihre Brust und kehrten zurück." Sie zeigten kein weiteres Zeichen der Achtung vor Christus, sondern gingen nach Hause, und wir haben Grund zu fürchten, dass sie es rasch und vollständig vergaßen. Auf diese Weise werden viele, die Christus im Wort und Sakrament deutlich als unter sich gekreuzigt sehen, für den Augenblick ein wenig bewegt, bekommen aber keinen bleibenden Eindruck. Sie sehen Christi Angesicht und sind kurz über ihn erstaunt, doch dann gehen sie fort und vergessen sofort, was für eine Art von Mensch er ist und warum sie ihn lieben müssen.

3.3 Seine eigenen Freunde und Nachfolger mussten Abstand wahren, doch sie kamen so nahe, wie sie es wagten und konnten, um zu sehen, was geschah: „Es standen aber alle, die ihn kannten, weit entfernt" **(Vers 49)**. Dies war ein Teil seines Leidens. Und „die Frauen, die ihm von Galiläa her nachgefolgt waren", sahen dies. Jetzt war Christus als ein Zeichen gesetzt, dem widersprochen wird, wie es Simeon vorhergesagt hatte, damit aus vielen Herzen die Gedanken geoffenbart werden (s. Lk 2,34-35).

Vers 50-56

Hier gibt es einen Bericht von dem Begräbnis Christi. Beachten Sie:

1. Wer ihn begrub. Diejenigen, die ihn kannten, standen weit entfernt; Gott erweckte einen „Mann namens Joseph" **(Vers 50)**. Er wird als „ein guter und gerechter Mann" beschrieben, ein Mann mit einem makellosen

Ruf der Güte und Gottesfurcht, nicht nur gerecht, sondern gut gegenüber jedem, der ihn brauchte. Er war ein Mann von vornehmem Stand, ein Ratsherr, ein Mitglied des Sanhedrin, einer der Ältesten der jüdischen Gemeinde. Obwohl er zu der Gruppe von Männern gehörte, die Christus zu Tode gebracht hatten, hatte er „ihrem Rat und Tun nicht zugestimmt" **(Vers 51)**. In der Tat war er nicht nur offen anderer Meinung als die Feinde Christi, sondern stimmte auch heimlich mit denen überein, die seine Freunde waren: Er wartete „auch selbst auf das Reich Gottes". Es gibt viele, die, obwohl sie ihr äußerliches Bekenntnis des Glaubens nicht zur Schau stellen, bereiter sein werden, ihm eine Tat echten Dienstes zu erweisen als andere, die wichtiger erscheinen und mehr Lärm machen.

2. Was er tat, um ihn zu begraben.

2.1 Er „ging zu Pilatus und bat um den Leib Jesu".

2.2 „Er nahm ihn herab", wie es scheint mit eigenen Händen, und „wickelte ihn in Leinwand". Es war bei den Juden Brauch, die Leiber der Toten einzuwickeln, so wie wir kleine Kinder in ihre Windeln wickeln. Er kaufte für diesen Zweck ein großes Stück feines Leinentuch und schnitt es in viele Stücke.

3. Wo er begraben wurde: In einem in Felsen gehauenes Grab. Doch es war ein Grab, „worin noch niemand gelegen hatte".

4. Wann er begraben wurde: am Rüsttag, als der Sabbat anbrach. Dies wurde als Grund dafür genannt, warum sie bei der Beerdigung in solcher Eile waren. Das Weinen darf das Säen nicht verhindern. Auch wenn sie wegen des Todes Christi Tränen vergossen, müssen sie sich doch der Heiligung des Sabbats widmen.

5. Wer an der Beerdigung teilnahm; keiner der Jünger, nur die Frauen, die von Galiläa mit ihm gekommen waren, die, genauso wie sie bei ihm blieben, als er am Kreuz hing, ihm auch folgten **(s. Vers 55)**. Sie sahen das Grab und wie sein Leib dort hineingelegt wurde. Sie wurden nicht aus Neugier, sondern aus Hingabe an den Herrn Jesus dazu geführt.

6. Welche Vorbereitung dafür getroffen wurde, seinen Leib nach seinem Begräbnis einzubalsamieren: „Dann kehrten sie zurück und bereiteten wohlriechende Gewürze und Salben" (Parfüms), was ein deutlicheres Zeichen für ihre Liebe war als für ihren Glauben, denn wenn sie beherzigt und geglaubt hätten, dass er am dritten Tag auferstehen würde, hätten sie sich ihre Kosten und Mühe dafür gespart **(Vers 56)**. Beschäftigt, wie sie waren mit dieser Vorbereitung, ruhten sie dennoch am Sabbat.

KAPITEL 24

Unser Herr Jesus ging ruhmreich in seinen Tod und er stand noch ruhmreicher wieder auf. Die Belege der Auferstehung Christi werden von diesem Evangelisten vollständiger berichtet, als sie es bei Matthäus und Markus wurden. Hier gibt es: 1. Die Zusicherung, die von zwei Engeln den Frauen gegeben wird, die das Grab besuchten (s. Vers 1-7), und den Bericht davon an die Jünger (s. Vers 8-11). 2. Den Besuch von Petrus bei dem Grab (s. Vers 12). 3. Wie Christus auf die beiden Jünger auf dem Weg nach Emmaus trifft (s. Vers 13-35). 4. Sein Erscheinen vor den elf Jüngern selbst an dem gleichen Abend (s. Vers 36-49). 5. Seinen Abschied von ihnen, sein Auffahren in den Himmel und die Freude und das Preisen der Jünger, die er zurückließ (s. Vers 50-53).

Vers 1-12

Die vielen sicheren Kennzeichen für die Auferstehung Christi sind „ewiglich für uns und unsere Kinder bestimmt" (5.Mose 29,28; Apg 1,3). Einige davon haben wir hier in diesen Versen. Wir haben:

1. Die Liebe und die Achtung, welche die guten Frauen, die Christus gefolgt waren, ihm erwiesen, als er gestorben und begraben war **(s. Vers 1)**. Sobald sie konnten, als der Sabbat vorüber war, kamen sie zum Grab, um seinen Leib einzubalsamieren, um sein Haupt und sein Gesicht zu salben und vielleicht seine verwundeten Hände und Füße und wohlriechende Gewürze um seinen Leib zu streuen, wie wir gewöhnlich Blumen um die toten Leiber und Gräber unserer Freunde streuen. Der Eifer dieser guten Frauen für Christus hielt an. Nachdem sie die Gewürze am Abend vor dem Sabbat vorbereitet hatten, brachten sie sie am Morgen nach dem Sabbat sehr früh zum Grab. Was für Christus vorbereitet ist, möge für ihn benutzt werden. Es werden die Namen dieser Frauen genannt: „Maria Magdalena und Johanna und Maria, die Mutter des Jakobus" **(Vers 10)**. Es werden auch einige andere mit ihnen erwähnt. Diese, die an der Vorbereitung der Gewürze nicht teilgenommen hatten, wollten sie doch zum Grab begleiten; es war, als nähme die Zahl der Freunde Christi zu, nachdem er gestorben war (s. Joh 12,24.32).

2. Ihre Überraschung, als sie den Stein weggewälzt und das Grab leer vorfanden **(s. Vers 2-3)**. Sie waren „ganz ratlos" **(Vers 4)**, dass der Stein weggewälzt war und sie den Leib des Herrn Jesus nicht fanden. Gute Christen sind oft durch Dinge verwirrt, durch die sie sich trösten und ermutigen sollten.

3. Den eindeutigen Bericht, den sie von zwei Engeln von der Auferstehung Christi bekamen, die ihnen „in strahlenden Gewändern" erschienen. Als die Frauen die Engel sahen, fürchteten sie, dass die Engel schlechte Nachrichten haben könnten; doch statt sie zu fragen, neigten sie das Angesicht zur Erde, um im Grab nach ihrem lieben Meister zu suchen. Sie wollten ihn lieber in seinen Grabkleidern sehen als Engel in ihren strahlenden Gewändern.

3.1 Die Engel tadelten die Frauen für die Sinnlosigkeit ihrer Suche: „Was sucht ihr den Lebenden bei den Toten?" **(Vers 5)**. Mit dieser Frage bezeugten die Engel, dass Christus lebte. Das ist die Gewissheit aller Heiligen: „Ich weiß, dass mein Erlöser lebt" (Hiob 19,25), und weil er lebt, werden auch wir leben. Doch diejenigen, die ihn bei den Toten suchen, werden getadelt.

3.2 Sie versicherten ihnen, dass er aus den Toten auferstanden war: „‚Er ist nicht hier, sondern er ist auferstanden!' Er hat sein Grab verlassen" **(Vers 6)**.

3.3 Sie verwiesen sie auf seine eigenen Worte: „Denkt daran, wie er zu euch redete, als er noch in Galiläa war." Wenn sie die Prophezeiung seiner Auferstehung angemessen geglaubt und beachtet hätten, hätten sie die Sache selbst leicht geglaubt, als sie wahr wurde. Die Engel wiederholten für sie, was Christus oft in ihrer Gegenwart gesagt hatte: „Der Sohn des Menschen muss in die Hände sündiger Menschen ausgeliefert" werden. Dann muss er gekreuzigt werden. Und würde sie dies nicht immer an das erinnern, was dann folgte, dass er „am dritten Tag auferstehen" muss? Diese Engel vom Himmel brachten kein neues Evangelium, sondern erinnerten die Frauen an die Aussagen Christi und lehrten sie, wie sie sie gebrauchen und anwenden sollen.

4. Ihre Zufriedenheit mit diesem Bericht. Sie erinnerten sich an seine Worte, als sie in dieser Weise an sie erinnert wurden, und sie schlossen, dass es, wenn er auferstanden war, im Grunde nicht mehr war, als sie von vornerein hätten erwarten sollen **(s. Vers 8)**. Eine rechtzeitige Erinnerung an die Worte Christi wird uns dabei helfen, das richtige Verständnis für seine Vorsehung zu bekommen.

5. Den Bericht, den sie davon den Jüngern brachten: „Und sie kehrten vom Grab zurück und verkündigten das alles den Elfen und allen Übrigen" der Jünger Christi **(Vers 9)**. In kurzer Zeit, an diesem Morgen, hörten sie alle diese Verkündigung. Doch uns wird auch gesagt, wie der Bericht aufgenommen wurde: „Und ihre Worte kamen ihnen vor wie ein Märchen [wie Unsinn], und sie glaubten ihnen nicht" **(Vers 11)**. Die Hörer dachten, es war nur die Einbildung der Frauen, denn auch sie selbst hatten Christi Worte vergessen. Man muss sich über die Dummheit dieser Jünger wundern, die so oft bekannt hatten, dass sie glaubten, dass Christus der Sohn Gottes ist, denen so oft gesagt worden war, dass er sterben und wiederauferstehen und dann in seine Herrlichkeit eingehen muss, die ihn mehr als einmal hatten Tote auferwecken sehen – dass sie so zögern sollten zu glauben.

6. Die Nachforschung, die Petrus dann anstellte **(s. Vers 12)**. Es war Maria Magdalena, die ihm die Nachricht brachte, wie aus Johannes 20,1-2 klar wird, wo diese Geschichte seines Laufens zum Grab ausführlicher berichtet wird.

6.1 Petrus lief schnell zum Grab, als er die Nachricht hörte. Vielleicht wäre er nicht so sehr bereit gewesen, jetzt dorthin zu laufen, wenn ihn die Frauen nicht gesagt hätten, dass die Wache geflohen war. Viele, die rasch laufen, wenn es keine Gefahr gibt, sind feige, wenn es sie gibt.

6.2 Er blickte in das Grab und bemerkte, wie ordentlich die Leinenstreifen, in die Christus gewickelt war, abgenommen und zusammengefaltet worden waren und für sich lagen, doch der Leib war fort. Er war sehr genau in seinen Beobachtungen, als würde er mehr seinen eigenen Augen trauen als dem Zeugnis der Engel.

6.3 Er ging fort „voll Staunen über das, was geschehen war". Er glaubte nicht, er war nur erstaunt über die Sache; er wusste nicht, was er damit machen sollte. Viele Dinge, die für uns verwirrend und verblüffend sind, würden sowohl klar als auch nützlich sein, wenn wir die Worte Christi nur richtig verstehen würden.

Vers 13-35

Dieses Erscheinen Christi den zwei Jüngern, die nach Emmaus gingen, wurde vorher erwähnt, aber nur erwähnt (s. Mk 16,12); hier wird es ausführlich berichtet. Es geschah am gleichen Tag, an dem Christus auferstand, dem ersten Tag der neuen Welt, die mit ihm auferstand. Einer dieser beiden Jünger war Kleopas, wer der andere war, ist nicht sicher. Es war einer von denen, die sich den Elfen angeschlossen hatten, die in Vers 9 erwähnt werden. Beachten Sie:

1. Das Laufen und Sprechen dieser zwei Jünger: Sie gingen „zu einem Dorf namens Emmaus", was man als zwei Stunden Marsch von Jerusalem aus rechnen muss. Die Berichte, die an diesem Morgen von der Auferstehung ihres Meisters zu ihnen gebracht wurden, erschienen ihnen als Märchen. Doch als sie reisten, redeten sie „miteinander von allen diesen Geschehnissen" **(Vers 14)**. Sie sprachen über diese Dinge, besprachen untereinander die Wahrscheinlichkeit der Auferstehung Christi.

2. Die gute Begleitung, die sie auf dem Weg fanden, als Jesus selbst kam und sich ihnen anschloss **(s. Vers 15)**. Sie redeten miteinander und besprachen sich. Und dann nahte sich Jesus ihnen, als ein Fremder und begleitete sie. Wo nur zwei bei solch einer Arbeit zusammen gut beschäftigt sind, wird Christus zu ihnen kommen und ein Dritter sein. Zwei, die im Glauben und in der Liebe verbunden sind, werden zu einer dreifachen Schnur, die nicht so bald zerrissen wird (s. Pred 4,12). In ihrem Reden und Gespräch forschten sie gemeinsam nach Christus und nun kam Christus zu ihnen. Diejenigen, die Christus suchen, werden ihn finden. Doch obwohl sie Christus bei sich hatten, waren sie sich dessen zuerst nicht bewusst: „Ihre Augen aber wurden gehalten, sodass sie ihn nicht erkannten" **(Vers 16)**. Christus ordnete die Dinge auf diese Weise, damit sie freier mit ihm sprechen konnten und er mit ihnen.

3. Das Gespräch, zu dem es zwischen Christus und ihnen kam, als er sie erkannte, sie ihn aber nicht erkannten. Wie es üblich ist, wenn Freunde sich anonym oder aufgrund von Verkleidung unerkannt treffen, stellten sowohl Christus als auch seine Freunde Fragen.

3.1 Christi erste Frage an sie hatte mit ihrer momentanen Traurigkeit zu tun: „Was habt ihr unterwegs miteinander besprochen [was sie miteinander diskutiert hätten], und warum seid ihr so traurig?" **(Vers 17)**. Beachten Sie:

Sie waren traurig. Sie hatten ihren lieben Meister verloren und waren sehr in ihren Erwartungen in Bezug auf ihn enttäuscht worden. Sie hatten die Sache aufgegeben und wussten nicht, was sie tun konnten, um sie wiederzubeleben. Obwohl er von den Toten auferstanden war, wussten sie dies entweder nicht oder glaubten es nicht und darum waren sie immer noch traurig. Christi Jünger sind oft traurig und bekümmert, selbst wenn sie Grund haben, zu frohlocken. Sie besprachen sich miteinander über Christus. Es ist gut für Christen, über Christus zu sprechen, nicht nur über Gott und seine Vorsehung, sondern auch über Christus, seine Gnade und seine Liebe. Gute Gesellschaft und gute Gespräche sind ein vorzügliches Gegengift gegen lang anhaltende Traurigkeit. Leid auszudrücken kann vielleicht das Leid erleichtern. Gemeinsam Trauernde sollten einander trösten, der beste Trost kommt manchmal von Mittrauernden.

Christus ging auf sie zu und fragte sie, worüber sie miteinander sprachen: „Was habt ihr unterwegs miteinander besprochen …?" Obwohl Christus nun in seinen Stand der Erhöhung eingetreten war, war er doch weiterhin sensibel in Bezug auf die Nöte seiner Jünger. Unser Herr Jesus bemerkt den Kummer und die Traurigkeit seiner Jünger und durch ihre Bedrängnis ist er bedrängt (s. Jes 63,9). Christus hat uns gelehrt, gesprächig zu sein. Für Christen ist es nicht gut, mürrisch und schüchtern zu sein; sie sollten umgänglich sein. Er hat uns auch gelehrt, mitleidsvoll zu sein. Wenn wir unsere Freunde traurig und bekümmert sehen, sollten wir – wie Christus hier – ihren Kummer bemerken.

3.2 Als Antwort darauf fragten sie ihn, ob er ein Besucher sei. „Bist du der einzige Fremdling in Jerusalem, der nicht erfahren hat, was dort geschehen ist in diesen Tagen?" Kleopas antwortete ihm höflich. Wir sollten höflich denen gegenüber sein, die uns gegenüber höflich sind. Für Christi Jünger war es nun eine gefährliche Zeit, doch Kleopas hegte nicht den Verdacht, dass dieser Fremde sie aushorchen wollte. Er selbst war voller Gedanken an Christus und an seinen Tod und sein Leiden und er war erstaunt, dass dies nicht auch jeder andere war. „Was? Bist du etwa der einzige Besucher in Jerusalem, der nicht weiß, was dort unserem Meister angetan wurde?" Er war sehr bereit, diesen Besucher über Christus zu informieren. Er wollte nicht, dass irgendjemand unwissend über Christus ist. Es ist bezeichnend, dass diese Jünger, die so eifrig waren, den Besucher zu unterweisen, von ihm unterwiesen wurden; denen, die haben, und die das benutzen, was sie haben, wird mehr gegeben werden (s. Mk 4,25). An dem, was Kleopas sagte, zeigt sich, dass über den Tod Christi in Jerusalem sehr viel gesprochen wurde, sodass man sich nicht vorstellen konnte, dass jemand die Stadt besuchen würde, ohne davon zu erfahren.

3.3 Indem er ihre Frage erwiderte, fragte Christus sie nach ihrem Wissen: „Und er sprach zu ihnen: Was?" **(Vers 19)**, und erweckte auf diese Weise noch mehr den Anschein eines Fremdlings. Jesus Christus achtete sein eigenes Leiden gering im Vergleich mit der Freude, die vor ihm lag (s. Hebr 12,2). Beachten Sie, wie unbekümmert er war, als er auf sein Leiden zurückblickte. Er hatte Grund dafür, zu wissen, über welche Dinge sie sprachen, denn sie waren für ihn eine bittere Last, und doch fragte er: „Was?" Sie mussten ihm sagen, welche Dinge sie wussten, und dann würde er ihnen die Bedeutung dieser Dinge erklären und sie in ihr Geheimnis einführen.

3.4 Sie gaben ihm dann einen ausführlichen Bericht von Christus. Achten Sie auf die Geschichte, die sie erzählten **(s. Vers 19)**:

Hier ist eine Zusammenfassung des Lebens und Charakters Christi. Die Dinge, mit denen sie erfüllt waren, hatten mit Jesus zu tun, dem Nazarener, der ein Prophet war, ein Lehrer, der von Gott kam. Er bekräftigte es durch viele herrliche Wunder der Barmherzigkeit, sodass er „mächtig in Tat und Wort vor Gott und dem ganzen Volk" war. Er war von Gott sehr anerkannt und hatte einen großen Namen im Land. Viele, die bei allen Menschen groß sind, sind dies nicht bei Gott. Christus war mächtig „vor Gott und dem ganzen Volk". Diejenigen, die dies nicht wussten, waren Fremdlinge in Jerusalem.

Hier gibt es einen maßvollen Bericht von seinem Leiden und Tod. Die „obersten Priester und führenden Männer" haben ihn ausgeliefert, „dass er zum Tode verurteilt und gekreuzigt wurde" **(Vers 20)**. Es ist seltsam, dass sie die nicht stärker belasteten, die sich daran schuldig gemacht hatten, Christus zu kreuzigen.

Hier gibt es einen Hinweis auf ihre Enttäuschung über ihn als Grund für ihre Traurigkeit: „Wir aber hofften, er sei der, welcher Israel erlösen sollte" **(Vers 21)**. Es wurden große Dinge von ihm erwartet von denen, die nach Erlösung suchten und darin „auf den Trost Israels" warteten (Lk 2,25). Wenn nun hingehaltene Hoffnung das Herz krank macht (s. Spr 13,12), dann tötet enttäuschte Hoffnung das Herz – besonders solche Hoffnung: „Wir aber hofften", sagten sie, „er sei der, welcher Israel erlösen sollte." Ist er es nicht, der Israel erlöst? Zahlte er nicht in der Tat durch seinen Tod den Preis für ihre Erlösung? Darum hatten sie jetzt, da dieser schwierigste Teil seines Unternehmens vorüber war, mehr Grund als je zuvor, zu hoffen, dass er der sei, der Israel erlösen sollte.

Hier gibt es eine Beschreibung ihrer gegenwärtigen Verwunderung: „'... bei alledem ist heute schon der dritte Tag', dass er gekreuzigt wurde und starb, und dies war der Tag, an dem, wenn überhaupt, erwartet wurde, dass er auferstehen und sich öffentlich so in Ehre zeigen würde, wie er drei Tage vorher in Schande gezeigt wurde, doch davon sehen wir keinerlei Anzeichen. Alles ist ruhig." Sie gaben zu, dass es unter ihnen einen Bericht gab, dass er auferstanden war, doch sie schienen ihn für unbedeutend zu halten **(s. Vers 22-23)**. „'Zudem haben uns auch einige Frauen aus unserer Mitte in Verwirrung gebracht; sie waren am Morgen früh beim Grab, fanden seinen Leib nicht, kamen und sagten, sie hätten sogar eine Erscheinung von Engeln gesehen, welche sagten, er lebe', doch wir neigen dazu, zu denken, dass es nur ihre Einbildung war. Frauen lassen sich leicht täuschen." Sie gaben zu, dass einige der Apostel das Grab besucht hätten und es leer vorfanden **(s. Vers 24)**. „'Ihn selbst aber haben sie nicht gesehen' und so haben wir Grund zu fürchten, dass er nicht auferstanden ist, denn wenn er es wäre, dann hätte er sich uns sicherlich gezeigt. Deshalb haben wir nicht viel Grund, zu denken, dass er auferstanden ist. Unsere Hoffnungen sind alle an sein Kreuz genagelt und in seinem Grab begraben worden."

Unser Herr Jesus gab sich, obwohl er von ihnen nicht erkannt wurde, ihnen durch sein Wort zu erkennen.

Er tadelte sie für die Schwachheit ihres Glaubens an die Schriften des Alten Testaments: „O ihr Unverständigen, wie ist doch euer Herz träge" **(Vers 25)**. Christus nannte sie nicht in dem Sinn von Übeltätern „Unverständige", sondern in dem Sinn von Menschen, die schwach sind. Was bei ihnen als ihr Unverstand verdammt wurde, war:

Ihre Trägheit zu glauben. Christus sagt uns, dass diejenigen, die ein träges Herz haben, zu glauben, die durch Vorurteile, welche nie unvoreingenommen untersucht worden sind, vom Glauben abgehalten werden, unverständig sind.

Ihre Trägheit, den Schriften der Propheten zu glauben. Wenn wir nur vertrauter mit den Schriften wären und mit den göttlichen Plänen, so weit sie in den Schriften bekannt gemacht werden, wären wir nicht der Verwirrung ausgesetzt, von der wir oft ergriffen werden.

Er zeigte ihnen, dass die Leiden Christi in Wirklichkeit der festgelegte Weg zu seiner Herrlichkeit waren und dass er sie nicht auf anderem Weg erreichen konnte: „Musste nicht der Christus dies erleiden und in seine Herrlichkeit eingehen?" **(Vers 26)**. Das Kreuz Christi war etwas, mit dem sie sich nicht abfinden konnten; hier zeigte er ihnen nun zwei Dinge, die das Ärgernis des Kreuzes fortnahmen (s. Gal 5,11):

Dass der Messias dies erleiden musste, und deshalb war sein Leiden nicht nur kein Einwand dagegen, dass er der Messias ist; es war in Wirklichkeit ein Beweis dafür. Er hätte kein Heiland sein können, wenn er nicht ein Leidender gewesen wäre.

Dass er „in seine Herrlichkeit eingehen" würde, wenn er dies erlitten hätte, was er bei seiner Auferstehung tat. Sie wird „seine Herrlichkeit" genannt, weil er das Recht auf sie hatte; es war die Herrlichkeit, die er hatte, ehe die Welt war (s. Joh 17,5). Sie war auch seine, weil er in sie eingehen musste. Uns wird gesagt, dass wir die Krone aus Dornen erwarten sollen und dann die Herrlichkeit.

Er öffnete ihnen die Schriften des Alten Testaments und zeigte ihnen, wie sie in Jesus von Nazareth erfüllt wurden: Beginnend bei Mose ging er der Reihe nach durch alle Propheten „und legte ihnen in allen Schriften aus, was sich auf ihn bezieht", zeigte, dass das Leiden, das er nun erlebt hatte, die Erfüllung aller Prophezeiungen der Schrift war **(Vers 27)**.

In allen Schriften sind Dinge über Christus verteilt, die sehr nützlich sind. Sie können in keinem Teil der Schrift weit gehen, ohne auf etwas zu stoßen, das sich auf Christus bezieht, eine Prophetie, eine Verheißung, ein Gebet, ein Typus oder etwas anderes. Ein goldener Faden der Gnade des Evangeliums läuft durch das ganze Alte Testament.

Die Dinge über Christus müssen ausgelegt (erläutert) werden. Sie waren gemäß dieser Epoche der Finsternis übermittelt worden, doch nun, wo die Decke weggenommen wurde (s. 2.Kor 3,14-16), erläutert das Neue Testament das Alte.

Jesus Christus ist selbst der Beste, um die Schrift zu erläutern, besonders die Schriftstellen über ihn selbst.

Beim Studium der Schrift ist es gut, systematisch zu sein, denn das Licht des Alten Testaments schien schrittweise „bis zum vollen Tag" (Spr 4,18), und es ist gut zu beachten, wie Gott zu verschiedenen Zeiten und auf verschiedenen Wegen zu unseren Vorfahren über seinen Sohn sprach, durch den er jetzt zu uns gesprochen hat (s. Hebr 1,1-2). Manche beginnen ihre Bibel am falschen Ende und studieren zuerst die Offenbarung des Johannes.

4. Wie Christus sich ihnen schließlich offenbarte. Man hätte viel Geld für eine Kopie der Predigt bezahlt, die Christus ihnen auf dem Weg hielt, von der Erläuterung der Bibel, die er ihnen gab, doch es wird nicht als gut erachtet, dass wir sie haben. Die Jünger waren von ihr so entzückt, dass sie meinten, sie wären zu rasch an ihr Reiseziel gelangt, doch so war es: „Und sie näherten sich dem Dorf, wohin sie wanderten" **(Vers 28)**. An dieser Stelle:

4.1 Baten sie ihn, bei ihnen zu bleiben: „Und er gab sich den Anschein, als wollte er weitergehen." Er sagte nicht, dass er es würde, doch für sie schien er weiterzugehen. Er wäre weitergegangen, wenn sie ihn nicht gedrängt hätten, zu bleiben. Diejenigen, die möchten, dass Christus mit ihnen lebt, müssen ihn einladen und aufdringlich ihm gegenüber sein. Wenn er sich von uns zurückzuziehen scheint, dann geschieht das nur, um unser beharrliches Drängen hervorzubringen, wie er es hier tat: „Sie nötigten ihn" (drängten ihn stark) mit freundlicher und gütiger Beharrlichkeit und sagten: „Bleibe bei uns." Diejenigen, die das Vergnügen und den Gewinn der Gemeinschaft mit Christus erlebt haben, möchten nichts anderes als mehr seine Gesellschaft suchen, und darum baten sie ihn – nicht nur, den ganzen Tag mit ihnen zu gehen, sondern auch in der Nacht bei ihnen zu bleiben. Christus gab ihrem beharrlichen Drängen nach: „Und er ging hinein, um bei ihnen zu bleiben." Er hat versprochen, dass, wenn jemand die Tür öffnet und ihn willkommen heißt, er dort einkehren wird (s. Offb 3,20).

4.2 Er offenbarte sich ihnen **(s. Vers 30-31)**. Wir können annehmen, dass er das Gespräch fortsetzte, das er auf dem Weg mit ihnen begonnen hatte. Während das Abendessen bereitet wurde, was vielleicht rasch geschah, weil die Vorräte klein und gewöhnlich waren, fuhr er wahrscheinlich fort, mit ihnen zu sprechen. Sie dachten noch immer nicht wirklich, dass es Jesus selbst war, der diese ganze Zeit über mit ihnen gesprochen hatte. Als sie sich zum Essen niedersetzten, geschah es nicht, bevor er schlussendlich seine Verkleidung ablegte, dass sie begannen, zu glauben, dass es Jesus war. Und er nahm „das Brot, sprach den Segen, brach es und gab es ihnen". Das war weder ein übernatürliches Mahl wie die Speisung der 5.000 mit fünf Broten, noch ein sakramentales Mahl wie das der Eucharistie, sondern ein gewöhnliches Mahl, und doch tat Christus hier das Gleiche, wie er es dort tat, um uns zu lehren, unsere Gemeinschaft mit Gott durch Christus sowohl in den gewöhnlichen Fügungen der Vorsehung als auch in besonderen Zeremonien aufrechtzuerhalten. Wo immer wir uns zum Essen hinsetzen, wollen wir Christus an das obere Ende des Tisches setzen, unsere Nahrung als durch ihn für uns gesegnet nehmen, zu seiner Ehre essen und trinken und zufrieden und dankbar empfangen, was er uns geben will, selbst wenn das Essen sehr hastig zubereitet und gewöhnlich ist. „Da wurden ihnen die Augen geöffnet, und sie erkannten ihn." Die Nebel zerstreuten sich, die Decke wurde hinweggetan und sie wussten sicher, dass es ihr Meister war. Er konnte eine andere Gestalt annehmen, doch niemand anderes konnte seine Gestalt annehmen, und darum musste er es sein. Achten Sie darauf, wie Christus sich durch seinen Geist und seine Gnade bekannt macht. Das Werk war mit der Öffnung der Augen ihres Sinns vollendet. Wenn der Eine, welcher die Offenbarung gibt, nicht auch Verständnis gibt, bleiben wir im Dunkeln.

4.3 Er verschwand sofort: „Und er verschwand vor ihnen." Er wurde für sie unsichtbar. Sobald er seinen Jüngern einen kurzen Blick auf sich selbst geschenkt hatte, ging er sofort. Wir haben solche kurzen und flüchtigen Blicke auf Christus in dieser Welt; wir sehen ihn, doch in kurzer Zeit verlieren wir ihn aus den Augen.

5. Die Überlegungen, welche diese Jünger über dieses Treffen anstellten, und den Bericht, welchen sie ihren Brüdern in Jerusalem davon gaben:

5.1 Die Gedanken, die jeder von ihnen über die Wirkung hegte, welche das Reden Christi auf sie hatte: „Und sie sprachen zueinander: Brannte nicht unser Herz in uns?" **(Vers 32)**. Sie tauschten weniger ihre Erfahrungen aus als vielmehr ihre Herzen, als sie auf die Predigt zurückblickten, die Christus ihnen gehalten hatte. Sie hatten sein Predigen als machtvoll erfahren, selbst als sie nicht wussten, wer der Prediger war. Es machte ihnen Dinge sehr klar und brachte, was mehr war, göttliche Glut mit göttlichem Licht in ihre Seele. Sie bemerkten dies, um ihren Glauben zu bekräftigen, dass es wahrhaftig – wie sie es zuletzt sahen – Jesus

selbst war, der mit ihnen die ganze Zeit gesprochen hatte. Beachten Sie hier:
Welche Art von Predigt wahrscheinlich Gutes bewirkt, nämlich klares Predigen, wie es das von Christus war: Er redete mit ihnen „auf dem Weg". Auch biblisches Predigen: Er öffnete ihnen „die Schriften". Pastoren sollten den Menschen ihren religiösen Glauben in ihren Bibeln zeigen. Sie müssen zeigen, dass sie die Bibel zur Quelle ihrer Erkenntnis und zum Fundament ihres Glaubens gemacht haben.
Welche Art von Hören wahrscheinlich Gutes bewirkt, nämlich was das Herz brennen lässt; wenn wir sehr durch die Dinge Gottes bewegt werden, besonders durch die Liebe Christi für uns, indem er für uns starb, und so unser Herz in Liebe zu ihm herausgezogen und in heiligem Verlangen und Hingabe zu ihm ausgerichtet haben, dann brennt unser Herz in uns.
5.2 Der Bericht, den sie davon ihren Geschwistern in Jerusalem brachten: „Und sie standen auf in derselben Stunde" **(Vers 33)**. Sie waren so begeistert von der Offenbarung Christi seiner selbst, dass sie es nicht abwarten konnten, ihr Abendessen zu beenden, sondern sie kehrten so schnell wie möglich nach Jerusalem zurück, obwohl es gegen Abend war. Jetzt, wo sie Christus gesehen hatten, konnten sie nicht ruhen, bis sie den Jüngern die gute Nachricht gebracht hatten, sowohl um ihren bebenden Glauben zu festigen, als auch ihren bekümmerten Geist zu ermutigen. Es ist die Pflicht derjenigen, denen Christus sich offenbart hat, andere wissen zu lassen, was er für ihre Seele getan hat. Diese Jünger waren selbst voll von dieser Sache und deshalb mussten sie zu ihren Geschwistern gehen, um ihre Freude auszudrücken. Beachten Sie:
Wie sie in genau dem Augenblick, als sie ankamen, jene über einen weiteren Beweis der Auferstehung Christi sprechen hörten. Sie fanden die Elf und ihre üblichen Gefährten spät am Abend versammelt, und sie fanden sie miteinander redend vor – und als diese beiden hereinkamen, wiederholten jene für sie beide mit Freude und Triumph: „Der Herr ist wahrhaftig auferstanden, und er ist dem Simon erschienen!" **(Vers 34)**. Dass Petrus Christus gesehen hatte, ehe dies die anderen Jünger taten, sieht man an 1.Korinther 15,5, wo es heißt, „dass er dem Kephas erschienen ist, danach den Zwölfen". Weil der Engel den Frauen geboten hatte, besonders Petrus davon zu sagen (s. Mk 16,7), um ihn zu ermutigen, ist es sehr wahrscheinlich, dass unser Herr Jesus an diesem gleichen Tag dem Petrus erschien, selbst wenn wir keinen ausführlichen Bericht darüber haben. Er hatte dies seinen Brüdern gesagt, doch beachten Sie, dass Petrus es hier nicht selbst verkündete; er prahlte nicht damit, sondern die anderen Jünger sprachen voller Freude darüber: „Der Herr ist wahrhaftig auferstanden." Er war nicht nur den Frauen, sondern auch Simon erschienen.

Wie sie ihr Zeugnis mit einem Bericht von dem unterstützten, was sie gesehen hatten: „Und sie selbst erzählten, was auf dem Weg geschehen war" **(Vers 35)**. Die Worte, die auf dem Weg von Christus zu ihnen gesagt wurden, werden hier das genannt, „was auf dem Weg geschehen war". Die Worte, die Christus spricht, sind keine leeren Töne; durch sie werden wunderbare Dinge getan. Und sie geschahen zufällig auf dem Weg, sozusagen, wo sie nicht erwartet werden. Die zwei sagten auch, wie Christus schließlich „von ihnen am Brotbrechen erkannt worden war".

Vers 36-49
Christus wurde fünfmal an dem Tag gesehen, an dem er auferstand: von Maria Magdalena alleine im Garten (s. Joh 20,14), von den Frauen, als sie gingen, um es den Jüngern zu sagen (s. Mt 28,9), von Petrus alleine, von den zwei Jüngern, die nach Emmaus gingen, und nun am Abend von den Elfen. Beachten Sie:

1. Die große Überraschung, die ihnen sein Erscheinen bereitete. Er trat gerade zur richtigen Zeit unter sie, als sie untereinander ihre Meinungen über die Beweise seiner Auferstehung austauschten. „Während sie aber davon redeten, trat Jesus selbst in ihre Mitte" und stellte es außer Frage. Beachten Sie:
1.1 Die Ermutigung, die Christus zu ihnen sagte: „Friede sei mit euch!" Das zeigt allgemein, dass es ein gütiger Besuch war, den Christus ihnen nun abstattete, ein Besuch der Liebe und Freundschaft. Sie glaubten denen nicht, die ihn gesehen hatten; darum kam er selbst. Er hatte versprochen, dass er sie nach seiner Auferstehung in Galiläa sehen würde, doch er wollte sie so sehr sehen, dass er diesem Termin zuvorkam und sie in Jerusalem sah. Christus ist oft besser als sein Wort, doch niemals schlimmer. Sein erstes Wort an sie war nun: „Friede sei mit euch!" Mit seinem ersten Wort wollte Christus ihnen zeigen, dass er nicht gekommen war, um mit Petrus zu streiten, weil er ihn verleugnet hatte, oder mit den Übrigen, weil sie von ihm davongelaufen waren; nein, er kam friedfertig, um ihnen zu zeigen, dass er ihnen vergeben hatte.
1.2 Die Furcht, in die sie sich selbst durch seine Erscheinung versetzten: Sie waren bestürzt und meinten, „einen Geist zu sehen", denn er war unter ihnen, ehe sie sich dessen bewusst waren **(Vers 37**; Schl; s. Hld 6,12). Das benutzte Wort, als sie ihn einst für „Geist" hielten (Mt 14,26; NLB), ist eines, das „Gespenst", „Erscheinung" bedeutet, doch das hier benutzte Wort meint genau „Geist"; sie meinten, es war ein Geist, der nicht mit einem echten Leib bekleidet war.

2. Die große Gewissheit, die sie durch seine Botschaft erhielten, in der wir haben:

2.1 Den Tadel, den er ihnen für ihre unberechtigten Ängste erteilte: „Was seid ihr so erschrocken, und warum steigen Zweifel auf in euren Herzen?" **(Vers 38)**. Beachten Sie hier:
Dass, wenn wir zu irgendeinem Zeitpunkt beunruhigt sind, in unseren Herzen Gedanken aufzusteigen neigen, die uns schaden. Manchmal ist die Unruhe die Auswirkung der Gedanken. Manchmal sind die Gedanken die Auswirkung von Schwierigkeiten: Außen gibt es Kämpfe und dann gibt es innerlich Ängste (s. 2.Kor 7,5).
Dass viele der beschwerlichen Gedanken, durch welche unsere Gemüter aufgeschreckt werden, unseren Irrtümern über Jesus Christus entspringen. Die Jünger hier dachten, dass sie einen Geist gesehen hätten, während sie in Wirklichkeit Christus sahen. Wenn uns Christus durch den Geist überführt und demütigt, wenn er uns durch seine Vorsehung prüft und bekehrt, sind wir im Irrtum, wenn wir meinen, dass er uns schaden will und wenn uns dies dann beunruhigt.
Dass alle beschwerlichen Gedanken und Zweifel, die zu irgendeiner Zeit in unserem Herzen aufsteigen, dem Herrn Jesus bekannt sind. Er tadelte seine Jünger für solche Gedanken, um uns zu lehren, uns selbst für sie zu tadeln.

2.2 Den Beweis, den er ihnen von seiner Auferstehung gab, um sowohl ihre Ängste zum Schweigen zu bringen als auch ihren Glauben zu stärken. Er gab ihnen zwei Beweise:
Er zeigte ihnen seinen Leib, besonders seine Hände und seine Füße. „Seht meine Hände und meine Füße"; ihr seht, dass ich Hände und Füße habe, und deshalb habe ich einen echten Leib. Ihr könnt auch die Male der Nägel in meinen Händen und Füßen sehen, und deshalb ist es mein eigener Leib, der gleiche, den ihr gekreuzigt gesehen habt, nicht ein geliehener" (Elb 06). Er brachte den Grundsatz vor: „Ein Geist hat nicht Fleisch und Knochen." Nun folgerte er daraus: „Ich bin es selbst, den ihr so innig gekannt und mit dem ihr so vertrauten Umgang gehabt hattet; ich bin es selbst, bei dem ihr Grund hättet, euch in mir zu freuen, und nicht, euch vor mir zu fürchten."
Er berief sich auf ihr Sehvermögen und zeigte ihnen seine Hände und seine Füße, die von den Nägeln durchbohrt worden waren. Christus behielt die Male davon in seinem verherrlichten Leib, damit sie Beweise sein würden, dass er es wirklich ist, und er war gewillt, dass man sie sah. Später zeigte er sie Thomas, denn er schämt sich nicht für sein Leiden für uns; wir haben dann wenig Grund, uns dafür oder für unser Leiden um seinetwillen zu schämen.
Er berief sich auf ihren Tastsinn: „Rührt mich an und schaut." Er wollte Maria Magdalena nicht erlauben, ihn anzurühren, als er ihr erschien (s. Joh 20,17), doch die Jünger wurden hier mit diesem Vorrecht betraut, damit diejenigen, die seine Auferstehung predigen und die dafür leiden sollten, dass sie dies predigen, selbst vollständig davon überzeugt sein würden. Er sagte ihnen, sie sollten ihn anrühren, damit sie gewiss sein würden, dass er kein Geist ist. In den frühen Tagen der Gemeinde gab es viele Häretiker, die sagten, dass Christus nie einen wirklichen Leib hatte, dass er weder wirklich geboren war noch wirklich litt. Danken Sie Gott, dass diese Häresien seit langem begraben sind und dass wir wissen und gewiss sind, dass Jesus Christus kein Geist oder Gespenst war, sondern einen wahren und echten Leib hatte, selbst nach seiner Auferstehung.
Er aß mit ihnen, um zu zeigen, dass er einen echten und wahren physischen Leib hatte. Petrus hebt dies hervor, dass sie „mit ihm gegessen und getrunken haben nach seiner Auferstehung aus den Toten" (Apg 10,41).
Als sie seine Hände und Füße sahen, glaubten sie doch noch nicht vor Freude und verwunderten sich **(Vers 41)**. In ihrer Schwachheit glaubten sie nicht – *noch* glaubten sie nicht. Die Wahrheit der Auferstehung Christi wird sehr stark durch die Tatsache erhärtet, dass die Jünger so träge waren, sie zu glauben. Statt seinen Leib zu stehlen und zu sagen, er sei auferstanden, während er es nicht war, wie die obersten Priester behaupteten, dass die Jünger dies tun würden, waren sie geneigt, wieder und wieder zu sagen, er sei nicht auferstanden, wenn er es wirklich war. Als sie es später glaubten und ihr Leben dafür riskierten, geschah dies nur nach der am meisten möglichen umfassenden Beweisführung. Doch obwohl dies ihre Schwäche war, war es verzeihlich, denn ihr Unglaube kam durch keinerlei Geringschätzung für den Beleg, der ihnen geboten wurde; vielmehr glaubten sie nicht vor Freude. Sie meinten, die Nachricht wäre zu gut, um wahr zu sein. Sie verwunderten sich; sie hielten es nicht nur für zu gut, sondern auch für zu großartig, um wahr zu sein.
Zu ihrer weiteren Vergewisserung und Ermutigung bat er um etwas zu essen. Es wird nicht gesagt, dass er mit den Jüngern in Emmaus aß, doch er aß hier tatsächlich mit ihnen und mit den anderen, um zu zeigen, dass sein Leib wirklich und wahrhaftig zum Leben zurückgekehrt war. Sie gaben ihm „ein Stück gebratenen Fisch und etwas Wabenhonig" **(Vers 42)**. Dies war gewöhnliche Nahrung, doch wenn es Nahrung für seine Jünger war, würde ihr Meister daran teilnehmen, wie sie es taten, denn in dem Reich unseres Vaters wird für sie gesorgt werden, wie es für ihn wird.

2.3 Das Verständnis, das er ihnen für das Wort Gottes gab.
Er verwies sie auf die Worte, die sie von ihm gehört hatten, als er bei ihnen war: „Das sind die Worte, die ich zu euch geredet habe, als ich noch bei euch war" **(Vers 44)**. Wir würden besser verstehen, was Christus tut, wenn wir

uns nur das besser merken würden, was er gesagt hat.

Er verwies sie auf die Worte, die sie im Alten Testament gelesen hatten; alles müsse erfüllt werden, was geschrieben steht. Was immer sie über den Messias im Alten Testament geschrieben finden, muss in ihm erfüllt werden – was über sein Leiden geschrieben war, wie auch, was über sein Reich geschrieben war. Alles muss erfüllt werden, selbst das Härteste, selbst das Schwerste. Hier werden die verschiedenen Teile des Alten Testament erwähnt, denn jedes enthält etwas über Christus: das Gesetz Moses, die Propheten und die Psalmen **(s. Vers 44)**. Schauen Sie, auf welch verschiedenen Wegen der Schrift Gott da seinen Willen offenbarte.

Er befähigte sie durch ein direktes und unmittelbares Wirken an ihrem Sinn, die wahren Bedeutungen und Absichten der Prophetien des Alten Testaments über Christus zu erfassen: „Da öffnete er ihnen das Verständnis, damit sie die Schriften verstanden" **(Vers 45)**. Als er mit den zwei Jüngern sprach, nahm er die Decke von dem Text fort, indem er die Schrift öffnete; hier nimmt er die Decke vom Herzen fort, indem er den Sinn öffnete. Beachten Sie hier:

Jesus Christus wirkt durch seinen Geist auf den Verstand von Menschen. Er hat Zugang zu unserem Geist und kann ihn direkt beeinflussen.

Selbst gute Leute haben es nötig, dass ihnen das Verständnis geöffnet wird, denn obwohl sie nicht Finsternis sind, sind sie doch noch in vielen Dingen im Dunkeln.

Der Weg Christi, um Glauben in der Seele zu wirken, ist, das Verständnis zu öffnen. Er kommt durch die Tür in die Seele (s. Joh 10,1-2).

Der Zweck des Öffnens des Verständnisses ist, dass wir die Schriften verstehen mögen; nicht, dass wir *über das hinaus* weise sein mögen, was geschrieben ist, sondern dass wir weiser seien in dem, *was* geschrieben ist (s. 1.Kor 4,6). Die Schüler Christi lernen in dieser Welt nie über ihre Bibel hinaus, sondern sie müssen immer mehr von ihrer Bibel lernen.

2.4 Die Weisungen, die er ihnen als Apostel gab. „Ihr aber seid Zeugen hiervon', um sie der ganzen Welt zu verkündigen. Ihr seid selbst vollkommen überzeugt von diesen Dingen, ihr seid Augenzeugen und Ohrenzeugen davon. Geht und überzeugt die Welt von ihnen!" **(Vers 48)**. Beachten Sie:

Was sie predigen müssen. Sie müssen das Evangelium predigen. Sie müssen ihre Bibel mit sich nehmen und den Menschen zeigen, wie im Alten Testament über den Messias und die Herrlichkeiten und Gnaden seines Reiches geschrieben wurde, und dann müssen sie ihnen sagen, wie dies alles in dem Herrn Jesus erfüllt wurde.

Den Leuten muss die große Wahrheit des Evangeliums von dem Tod und der Auferstehung Jesu Christi verkündigt werden: „So steht es geschrieben, und so musste der Christus leiden" **(Vers 46)**. „Geht und sagt der Welt:"

„Dass Christus litt, wie es von ihm geschrieben steht. Geht und verkündigt Christus den Gekreuzigten; schämt euch nicht seines Kreuzes, schämt euch nicht für einen leidenden Jesus. Sagt ihnen, dass er so leiden musste, dass es nötig war, um die Sünde der Welt wegzunehmen" (s. 1.Kor 1,23).

„Dass er am dritten Tag von den Toten auferstand. Auch darin wurden die Schriften erfüllt. Geht und sagt ihnen, dass der, welcher tot war, lebt und von Ewigkeit zu Ewigkeit lebt und die Schlüssel des Totenreiches und des Todes hat" (s. Offb 1,18).

Die Menschen müssen zu der großen Pflicht des Evangeliums der Buße gedrängt werden. Die Buße und Vergebung der Sünden muss in Christi Namen und in seiner Vollmacht verkündigt werden **(s. Vers 47)**. „Geht und sagt allen Menschen, dass sie sich in Christus dem Dienst Gottes zuwenden müssen. Ihre Herzen und Leben müssen verändert werden."

Es muss allen das große Vorrecht des Evangeliums der Vergebung der Sünden angeboten werden und allen zugesichert werden, die Buße tun und an das Evangelium glauben (s. Mk 1,15). „Geht und sagt einer schuldigen Welt, dass es Hoffnung für sie gibt."

Wem sie predigen müssen.

Sie müssen „unter allen Völkern" predigen. Sie müssen sich verteilen und dieses Licht mit sich nehmen, wo immer sie hingehen. Die Propheten hatten den Juden Buße und Vergebung gepredigt, doch die Apostel müssen es der ganzen Welt predigen. Niemand ist von der Verpflichtung ausgenommen, die das Evangelium den Menschen auferlegt, Buße zu tun, noch ist irgendjemand von den unermesslichen Wohltaten der Vergebung ausgeschlossen.

Sie müssen in Jerusalem beginnen. Dort muss der Tag des Evangeliums anbrechen. Warum müssen sie dort beginnen?

Weil es so geschrieben stand: Das Wort des Herrn muss von Jerusalem ausgehen (s. Jes 2,3).

Weil dort die Ereignisse stattfanden, auf denen sich das Evangelium gründete, und darum wurden sie dort als Erstes beglaubigt. Das erste Leuchten der Herrlichkeit des auferstandenen Erlösers war so stark und hell, dass es wagte, jenen unverschämten Feinden von ihm entgegenzutreten, die ihn zu Tode gebracht hatten; es bot ihnen die Stirn.

Weil er uns ein weiteres Beispiel der Vergebung für seine Feinde geben wollte. Das erste Angebot der Gnade des Evangeliums musste Jerusalem gemacht werden und Tausende dort wurden bald dazu gebracht, an dieser Gnade teilzuhaben.

Was für Hilfe sie bei ihrem Predigen haben würden. „Und siehe, ich sende auf euch die Verheißung meines Vaters" und sie werden angetan werden „mit Kraft aus der Höhe" **(Vers 49)**. Er sicherte ihnen hier zu, dass der Geist in kurzer Zeit auf sie in größerem Maß als je zuvor ausgegossen werden würde und dass sie hierdurch mit allen Fähigkeiten und Gnadenwirkungen ausgestattet werden würden, die für sie notwendig waren, um diese große Pflicht zu erfüllen. Diejenigen, die den Heiligen Geist empfangen, werden „mit Kraft aus der Höhe" angetan. Die Apostel hätten in der Welt sein Evangelium nie etablieren und sein Reich nie errichten können, wie sie es taten, wenn ihnen nicht solche Macht gegeben worden wäre. Diese Kraft aus der Höhe war die Verheißung des Vaters. Ferner können wir, wenn sie die Verheißung des Vaters ist, sicher sein, dass die Verheißung nicht gebrochen werden kann und dass die verheißene Sache unschätzbar ist. Christi Botschafter müssen warten, bis sie ihre Bevollmächtigung haben. Obwohl man hätte meinen können, dass es nie einen größeren Grund zur Eile bei der Predigt des Evangeliums gegeben hat wie jetzt, müssen die Prediger dennoch warten, bis sie mit Kraft aus der Höhe angetan würden.

Vers 50-53
Seine Auffahrt in den Himmel, von der wir in diesen Versen einen sehr kurzen Bericht haben. Beachten Sie:

1. Wie feierlich Christus von seinen Jüngern Abschied nahm. Er hatte in beiden Welten Arbeit zu tun und darum kam er hier in seiner Inkarnation vom Himmel auf die Erde und, nachdem er dies beendet hatte, kehrte in den Himmel zurück, um dort zu wohnen. Beachten Sie:

1.1 Von wo er auffuhr: von der Nähe von Bethanien, nahe Jerusalem, beim Ölberg. Dies war der Ort des Gartens, in dem sein Leiden begann; dort litt er Qualen und Bethanien bedeutet „das Haus des Elends". Wer in den Himmel will, muss aus dem Haus des Leidens und des Elends auffahren. Hier war es auch, wo er eine Zeit vorher seinen triumphalen Einzug nach Jerusalem begann (s. Lk 19,29).

1.2 Wer die Augenzeugen seiner Himmelfahrt waren: Er führte seine Jünger hinaus, dass sie ihn in den Himmel fahren sehen. Die Jünger sahen nicht, wie er sich aus dem Grab erhob, denn seine Auferstehung konnte dadurch bewiesen werden, dass sie ihn danach lebend sahen, doch sie sahen ihn in den Himmel auffahren, weil sie anders keine sichtbare Demonstration seiner Himmelfahrt haben konnten.

1.3 Den Abschiedsgruß, den er ihnen gab: Er segnete sie. Er ging nicht mit Missfallen fort, sondern mit Liebe; er ließ einen Segen zurück. Er segnete sie, um zu zeigen, dass, wie er die Seinen geliebt hatte, die in der Welt waren, er sie bis ans Ende liebte (s. Joh 13,1).

1.4 Wie er sie verließ: „Und es geschah, indem er sie segnete, schied er von ihnen", um zu zeigen, dass es nicht das Ende seines Segens für sie bedeutete, wenn er von ihnen schied. Er begann, sie auf der Erde zu segnen, doch er ging in den Himmel, um damit fortzufahren.

1.5 Wie seine Himmelfahrt beschrieben wird. *Er schied von ihnen*. Die uns lieben, für uns beten und uns unterweisen, müssen von uns scheiden. Die ihn dem Fleisch nach kannten, sollten ihn von nun an nicht länger auf diese Weise kennen.

Er „wurde aufgehoben in den Himmel". Kein feuriger Wagen und keine feurigen Pferde waren nötig (s. 2.Kön 2,11); er kannte den Weg.

2. Wie freudig ihm seine Jünger weiterhin dienten. Sie beteten ihn bei seinem Weggang an **(s. Vers 52)**. Die Wolke, die Jesus *ihrem* Blick entzog, führte nicht dazu, dass er sie oder ihren Dienst aus *seinem* Blick verlor. Sie „kehrten nach Jerusalem zurück mit großer Freude". Sie gingen dorthin und blieben dort „mit großer Freude". Dies war eine wunderbare Veränderung. Als Christus ihnen sagte, dass er sie verlassen müsse, erfüllte Kummer ihr Herz, doch jetzt, als sie ihn hatten gehen sehen, waren sie mit Freude erfüllt. Sie vollbrachten viele Taten der Hingabe, während sie weiter auf die Verheißung des Vaters warteten **(s. Vers 53)**. Sie nahmen zu den Stunden des Gebets am Tempelgottesdienst teil: „Und sie waren allezeit im Tempel", wie es ihr Meister war, als er in Jerusalem war. Sie wussten, dass die Opfer im Tempel durch das Opfer Christi ersetzt worden waren, doch sie nahmen an dem Gesang im Tempel teil. Nichts bereitet den Sinn besser vor, den Heiligen Geist zu empfangen, als heilige Freude und heiliges Lob. Ängste werden zum Schweigen gebracht, Kummer mild und sanft gemacht und Hoffnungen bewahrt. Amen. Möge er fortwährend gelobt und gepriesen werden!

Eine praktische und erbauliche Darlegung des Evangeliums von
Johannes

Die Frage, wann und wo dieses Evangelium geschrieben wurde, ist belanglos. Wir sind sicher, dass dies Johannes anvertraut wurde, dem Bruder von Jakobus, einem der zwölf Apostel, der durch folgende ehrenwerte Charakterisierung bezeichnet wurde: „Der Jünger, den Jesus lieb hatte." Die alten Kommentatoren sagen uns, dass Johannes am längsten von allen zwölf Aposteln lebte und der Einzige von ihnen war, der eines natürlichen Todes starb. Manche von ihnen sagen, dass er dieses Evangelium in Ephesus schrieb gegen die Häresie der Ebioniten, die meinten, dass unser Herr bloß menschlich war. Es ist klar, dass er als Letzter der vier Evangelisten schrieb und wenn wir sein Evangelium mit denen der anderen vergleichen, können wir bemerken: 1. Dass er berichtet, was jene ausließen; er bringt den Hintergrund zur Sprache, trägt das zusammen, was die anderen übergingen. 2. Dass er uns mehr von dem Geheimnis von dem gibt, wovon uns die anderen Evangelisten nur die Geschichte gaben. Einige der alten Kommentatoren merken an, dass die anderen Evangelisten mehr über die physischen Dinge Christi schrieben, dass aber Johannes von den geistlichen Dingen des Evangeliums schreibt, von dessen Leben und Seele.

KAPITEL 1

Der Horizont und das Ziel dieses Kapitels ist, unseren Glauben an den ewigen Sohn Gottes als den wahren Messias und Heiland der Welt zu bestätigen. Zu diesem Zweck haben wir: 1. Einen Bericht, der von dem inspirierten Schreiber selbst über ihn gegeben wird, der zu Beginn deutlich festlegt, was er mit seinem ganzen Buch zu beweisen sucht (s. Vers 1-5.10-14.16-18). 2. Das Zeugnis von Johannes dem Täufer über ihn (s. Vers 6-9 und wieder Vers 15 und besonders Vers 19-37). 3. Wie sich Christus selbst Andreas und Petrus offenbart (s. Vers 38-42) und Philippus und Nathanael (s. Vers 43-51).

Vers 1-5

Wir wollen fragen, was es in diesen gewichtigen Zeilen gibt. Der Evangelist legt hier die große Wahrheit nieder, welche er beweisen wird, dass Jesus Christus Gott ist, eins mit dem Vater. Beachten Sie:

1. Von wem er spricht – dem „Wort". Das ist ein Idiom, das für die Schriften von Johannes kennzeichnend ist. Selbst die einfachen Juden wurden gelehrt, dass das Wort Gottes das Gleiche war wie Gott. Der Evangelist sagt uns am Ende dieser Einleitung deutlich, warum er Christus „das Wort" nennt: Weil er der eingeborene Sohn ist, der im Schoß des Vaters ist und „Aufschluss über ihn gegeben hat" **(s. Vers 18)**. „Wort" hat eine zweifache Bedeutung: inneres Wort und gesprochenes Wort.

1.1 Da ist das innere Wort, das heißt, das gedachte, welches das erste und einzig direkte Werk und der erste und einzig unmittelbare Gedanke der Seele ist. Deshalb wird die zweite Person der Dreieinigkeit zu Recht „das Wort" genannt, denn er ist der Erstgeborene des Vaters. Es gibt nichts, worüber wir uns mehr im Klaren sind, als *dass* wir denken, doch nichts, bei dem wir mehr im Dunkeln sind, als *wie* wir denken. Sicherlich muss man dann dem, was der ewige Geist hervorbringt, sehr wohl zugestehen, große Geheimnisse der Gottesfurcht (s. 1.Tim 3,16) zu sein, der Boden, den wir nicht ausloten können, während wir weiterhin die Tiefen bewundern.

1.2 Es gibt das gesprochene Wort, und das ist die Sprache, der hauptsächlichste und natürlichste Hinweis auf den Verstand. Auf diese Weise ist auch Christus „das Wort", denn durch ihn hat Gott „in diesen letzten Tagen zu uns geredet" (Hebr 1,2). Er hat uns den Sinn Gottes bekannt gemacht, wie das Wort oder die Sprache eines Menschen seine Gedanken bekannt macht. Johannes der Täufer war „die Stimme", Christus aber ist „das Wort".

2. Was er über ihn sagt. Er erklärt:

2.1 Seine Existenz im Anfang: „Im Anfang war das Wort." Das zeigt, dass er nicht nur vor seiner Menschwerdung existierte, sondern auch vor aller Zeit. Die Welt fing *von* Anfang an, doch das Wort war *im* Anfang. Das Wort existierte, bevor die Welt einen Anfang hatte. Der Eine, der im Anfang war, hatte keinen Anfang und war darum immer.

2.2 Seine Koexistenz mit dem Vater: „... und das Wort war bei Gott, und das Wort war Gott." Das wird in Vers 2 wiederholt: „Dieses war im Anfang bei Gott", das heißt, er war von Ewigkeit her bei Gott. Im Anfang war die Welt *von* Gott (erschaffen worden) und das Wort war *bei* Gott, da er immer bei ihm war. Das Wort war bei Gott:

In Bezug auf das Wesen und die Substanz, denn „das Wort war Gott".

In Bezug auf die Freude und Seligkeit. Es gab eine Herrlichkeit und Seligkeit, die Christus bei Gott hatte, ehe die Welt war (s. Joh 17,5).

In Bezug auf die Absichten und Pläne. Bei dieser großen Sache der Versöhnung des Menschen mit Gott waren sich der Vater und der Sohn von Ewigkeit her einig.

2.3 Sein Wirken bei der Erschaffung der Welt (s. Vers 3).

Dies wird hier ausdrücklich versichert: „Alles ist durch dasselbe entstanden." Er war bei Gott, tätig in dem göttlichen Werk zu Beginn der Zeit. Gott machte alle Dinge durch ihn, nicht wie ein Arbeiter mithilfe einer Axt schneidet, sondern wie der Leib durch das Auge sieht.

Das Gegenteil wird geleugnet: „Und ohne dasselbe ist auch nicht eines entstanden, was entstanden ist", von dem höchsten Engel bis zu dem geringsten Wurm. Gott der Vater tat in diesem Werk nichts ohne das Wort. Das beweist, dass er Gott ist, was dann wieder die Vorzüglichkeit des christlichen Glaubens beweist – dessen Urheber und Begründer ist der Gleiche, welcher der Urheber und Begründer der Welt war. Der Vers zeigt auch, wie gut er für das Werk unserer Erlösung und Errettung geeignet war. Der Eine, welcher zum Urheber unserer Seligkeit berufen ist, war der Urheber unseres Seins.

2.4 Die Quelle des Lichts und des Lebens, die in ihm ist: „In ihm war das Leben" **(Vers 4)**. Das beweist weiter, dass er Gott ist.

Er hat Leben in sich selbst. Er ist nicht nur der wahre Gott, sondern auch „der lebendige Gott" (Jer 10,10).

Alle lebenden Geschöpfe haben ihr Leben in ihm, und alles Leben, das es in der Schöpfung gibt, ist von ihm hergeleitet. Er ist jenes *Wort*, durch das die Menschen mehr leben als vom Brot (s. Mt 4,4; 5.Mose 8,3).

Vernunftbegabte Geschöpfe haben ihr Licht von ihm; das Leben, welches „das Licht der Menschen" ist, kommt von ihm. Das Leben in den

Menschen ist etwas größer und edler, als dies in anderen Geschöpfen ist; es ist vernunftbegabt, nicht nur animalisch. „Der Geist des Menschen ist eine Leuchte des HERRN" (Spr 20,27), und es war der ewige Geist, der dieses Licht entzündete. Das Licht des Verstandes wie auch das geistliche Leben des Sinnes sind auf ihn zurückzuführen, denn Leben und Licht, geistliches und ewiges Leben und Licht, sind die beiden großen Dinge, die der in Sünden gefallene Mensch benötigt, welcher unter der Macht des Todes und der Finsternis steht. Von wem können wir besser das Licht der göttlichen Offenbarung erwarten als von dem Einen, der uns das Licht des menschlichen Verstandes gab?

2.5 Die Offenbarung von ihm an die Menschen. Woran liegt es, dass er so wenig beachtet und respektiert wurde? Johannes gibt darauf eine Antwort: „Und das Licht leuchtet in der Finsternis, und die Finsternis hat es nicht begriffen" (**Vers 5**). Beachten Sie:

Die Offenbarung des ewigen Wortes in dieser gefallenen Welt, sogar bevor er im Fleisch geoffenbart wurde: „Und das Licht leuchtet in der Finsternis."

Das ewige Wort leuchtet, wie Gott, in der Finsternis des natürlichen Gewissens. Das ganze Menschengeschlecht hat ein angeborenes Gespür von einem Teil der Macht des göttlichen Wortes (s. Röm 1,19-20).

Das ewige Wort leuchtete in der Finsternis der alttestamentlichen Prophetien und Verheißungen. Der Eine, der dem Licht dieser Welt gebot, aus der Finsternis hervorzuleuchten, war selbst für lange Zeit ein Licht, das in der Finsternis leuchtete (s. 2.Kor 4,6).

Die Unfähigkeit der verkehrten Welt, diese Offenbarung anzunehmen: „... und die Finsternis hat es nicht begriffen." Die Finsternis des Irrtums und der Sünde überwältigte dieses Licht und verdunkelte es völlig. Die Juden, die das Licht des Alten Testaments hatten, haben Christus darin nicht verstanden. Darum war es notwendig, dass Christus kommt, sowohl um die Irrtümer der heidnischen Welt richtigzustellen, als auch die Wahrheiten der jüdischen Gemeinde anzuwenden.

Vers 6-14

Der Evangelist führt hier Johannes den Täufer ein, der ein ehrenwertes Zeugnis von Jesus Christus gibt. In diesen Versen nun, ehe er dies tut:

1. Gibt er uns einen Bericht von dem Zeugen, den er vorweisen will. Sein Name war Johannes, was „gnädig" bedeutet.

1.1 Uns wird hier allgemein über ihn gesagt, dass er „ein Mensch, von Gott gesandt" war (**Vers 6**). Er war bloß ein Mensch. Gott gefällt es, durch Menschen wie uns selbst zu uns zu sprechen. Er war „von Gott gesandt"; er war Gottes Bote. Gott gab ihm sowohl seinen Auftrag als auch seine Botschaft. Johannes vollbrachte kein Wunder; die Strenge und Reinheit seines Lebens und seiner Botschaft waren klare Zeichen, dass er von Gott gesandt war.

1.2 Uns wird gesagt, was seine Rolle und sein Werk waren: „Dieser kam zum Zeugnis", als Zeuge (**Vers 7**). Die rechtlichen Satzungen waren im Alten Testament lange ein Zeugnis für Gott gewesen, doch jetzt sollte die göttliche Offenbarung in einen anderen Kanal gelenkt werden. Es gab eine tiefe Stille über den Erlöser, bis Johannes der Täufer als ein Zeuge für ihn kam. Beachten Sie:

Das Thema seines Zeugnisses: „Dieser kam ... um von dem Licht Zeugnis zu geben." Licht ist etwas, das für sich selbst zeugt. Das Licht Christi braucht kein menschliches Zeugnis, doch die Finsternis der Welt braucht es. Johannes war wie der Nachtwächter, der in der Stadt umhergeht und denen das Nahen des Morgenlichts verkündet, welche die Augen geschlossen haben. Er war von Gott gesandt, um zu verkünden, dass das Zeitalter nahe war, welches Leben und Unvergänglichkeit ans Licht bringen würde (s. 2.Tim 1,10).

Das Ziel seines Zeugnisses: „damit alle durch ihn glaubten" – nicht an ihn, sondern an Christus. Er lehrte die Menschen, durch ihn hindurch zu sehen und zu gehen, um auf Christus zu sehen. Wenn sie nur dieses menschliche Zeugnis annehmen würden, würden sie bald sehen, dass das Zeugnis Gottes größer ist (s. 1.Joh 5,9). Es war beabsichtigt, dass durch ihn alle glauben mögen, dass niemand ausgeschlossen ist außer jenen, die sich selbst ausschließen.

1.3 Wir werden hier gewarnt, nicht Johannes den Täufer mit dem Licht zu verwechseln, denn er kam nur, um davon Zeugnis zu geben: „Nicht er war das Licht" (**Vers 8**). Er war ein Stern, wie der, welcher die Weisen zu Christus leitete, ein Morgenstern, doch er war nicht die Sonne. Der Evangelist zeigt hier – während er sehr ehrenwert von ihm spricht – dennoch, dass er Christus Platz machen musste. Er war groß als Prophet des höchsten Gottes, doch er war selbst nicht der Höchste. Wir müssen darauf bedacht sein, dass wir geistliche Diener weder überbewerten noch unterbewerten; sie sind nicht unsere Herren, sondern geistliche Diener, durch die wir glauben. Diejenigen, welche die Ehre Christi an sich reißen, verlieren das Recht auf die Ehre, Diener Christi zu sein, doch Johannes war sehr nützlich als Zeuge für das Licht, auch wenn er nicht dieses Licht war. Diejenigen, die das Licht des Evangeliums auf uns leuchten, können uns sehr nützlich sein, selbst wenn ihr Licht entliehen ist.

2. Kehrt er zurück, bevor er mit dem Zeugnis von Johannes fortfährt, um uns einen weiteren Bericht von diesem Jesus zu geben, um die Gnaden seiner Menschwerdung zu zeigen.

2.1 Christus war „das wahre Licht" **(Vers 9)**. Christus ist das große Licht, das es verdient, so genannt zu werden (s. 1.Mose 1,16). Andere Lichter werden nur bildlich und doppelsinnig so genannt: Christus ist „das wahre Licht". Doch wie erleuchtet Christus jeden, der in die Welt kommt?

Durch seine schöpferische Kraft erleuchtet er jeden mit dem Licht des Verstandes; alle Schönheit, die dieses Leben, welches das Licht der Menschen ist, uns bringt, ist von Christus.

Durch die Verkündigung seines Evangeliums allen Völkern erleuchtet er tatsächlich jeden Menschen. Johannes der Täufer war ein Licht, doch er erleuchtete nur Jerusalem und Judäa, wie eine Kerze nur einen Raum erleuchtet. Christus jedoch ist das wahre Licht, denn er ist ein Licht zur Offenbarung für die Heiden (s. Lk 2,32). Die göttliche Offenbarung sollte nun nicht, wie sie es war, auf ein Volk beschränkt werden, sondern auf alle Völker ausgebreitet werden (s. Mt 5,15). Was für ein Licht ein Mensch auch hat, so ist er Christus dafür zu Dank verpflichtet, sei es nun natürlich oder übernatürlich.

2.2 Christus war „in der Welt" **(Vers 10)**. Das spricht von seinem Sein in der Welt, als er unser Wesen annahm und unter uns lebte: „Ich bin ... in die Welt gekommen" (Joh 16,28). Er verließ eine Welt der Herrlichkeit und Seligkeit und war hier in dieser traurigen und elenden Welt. Er war in der Welt, doch nicht von ihr (s. Joh 17,14.16). Die größte Ehre, welche dieser Welt je erwiesen wurde, bestand darin, dass der Sohn Gottes einst in der Welt war. Es sollte uns helfen, uns mit unserem jetzigen Leben in dieser Welt abzufinden, dass Christus einst hier war. Beachten Sie hier:

Welchen Grund Christus hatte, das liebevollste und respektvollste Willkommen in dieser Welt zu erwarten, das möglich ist, nämlich, dass die Welt „durch ihn geworden" ist. Er kam, um eine verlorene Welt zu retten, weil es eine Welt war, die durch ihn selbst geworden war. Die Welt war durch ihn geworden und sollte ihn darum loben.

Auf welch kalten Empfang er trotzdem stieß: „... doch die Welt erkannte ihn nicht." „Ein Ochse kennt seinen Besitzer" (Jes 1,3), doch die grausamere Welt tat dies nicht. Sie erkannten ihn nicht an, hießen ihn nicht willkommen, weil sie ihn nicht erkannten. Wenn er als Richter kommt, wird die Welt ihn erkennen.

2.3 „Er kam in sein Eigentum" **(Vers 11)**, nicht nur in die Welt, die sein Eigentum war, sondern auch zu dem Volk Israel, das sein besonderes Eigentum war. Er war zuerst zu ihnen gesandt (s. Mt 10,6; 15,24; Mk 7,27). Er kam in sein eigenes Volk, um sie zu suchen und zu retten, weil sie sein Eigentum waren (s. Lk 19,9-10). Beachten Sie:

Dass ihn die meisten verwarfen: „... und die Seinen nahmen ihn nicht auf." Er hatte Grund, zu erwarten, dass diejenigen, die sein Eigentum waren, ihn willkommen heißen würden. Er selbst trat mitten unter sie, eingeführt mit Zeichen und Wundern – und war selbst das größte dieser Wunder –, und deshalb wird nicht von ihnen gesagt, wie es von der Welt gesagt war, dass sie ihn nicht erkannten; vielmehr nahmen ihn die Seinen, obwohl sie ihn erkannten, doch nicht auf **(s. Vers 10-11)**. Viele, die bekennen, dass sie Christi Eigentum sind, nehmen ihn nicht auf, weil sie sich weder von ihren Sünden trennen wollen, noch damit einverstanden sind, dass er über sie herrscht. s. Lk 19,14).

Dass es dennoch einen Überrest gab, der ihn anerkannte und ihm treu war. Es gab jene, die ihn aufnahmen: „Allen aber, die ihn aufnahmen" **(Vers 12)**. Viele von ihnen wurden überzeugt, sich Christus zu unterwerfen, und das wurden noch viel mehr, die nicht aus dieser Schafhürde waren (s. Joh 10,16). Beachten Sie hier:

Die Beschreibung und das Anrecht eines wahren Christen: dass ein Christ jemand ist, der Christus aufnimmt und an seinen Namen glaubt. An Christi Namen glauben heißt, ihn als ein Geschenk Gottes anzunehmen. Wir müssen seine Botschaft als wahr und gut annehmen und wir müssen das Bild seiner Gnade und die Wirkungen seiner Liebe als Beweggrund unserer Zuneigung und Taten nehmen.

Die Ehre und das Vorrecht eines wahren Christen sind zweifach:

Das Vorrecht der Adoption (Annahme an Sohnes statt): „... denen gab er das Anrecht, Kinder Gottes zu werden." Bis zu dieser Zeit galt die Adoption allein den Juden, doch jetzt sind die Heiden durch den Glauben an Christus „Söhne Gottes" (Gal 3,26). Ihnen gab er ein Recht; alle Heiligen haben dieses Anrecht. Es ist das unbeschreibliche Vorrecht aller wahren Christen, dass sie die Kinder Gottes geworden sind. Wenn sie Kinder Gottes sind, sind sie dies geworden; sie wurden dazu gemacht. „Seht, welch eine Liebe hat uns der Vater erwiesen" (1.Joh 3,1). Gott nennt sie seine Kinder; sie nennen ihn Vater. Das Vorrecht der Adoption gibt es ganz und gar wegen Jesus Christus; er gab denen dieses Recht, die an seinen Namen glauben. Der Sohn Gottes wurde ein Sohn des Menschen, sodass die Söhne und Töchter der Menschen die Söhne und Töchter von Gott dem Allmächtigen werden könnten.

Das Vorrecht der Wiedergeburt: „die ... geboren sind" **(Vers 13)**. Alle Kinder Gottes sind von Neuem geboren; alle, die adoptiert sind, sind wiedergeboren (s. Joh 3,3). Hier haben wir nun einen Bericht von dem Ursprung dieser neuen Geburt:

*Sie geschieht „nicht aus dem Blut, noch aus dem Willen des Fleisches", noch aus vergänglichem

Samen (s. 1.Petr 1,23). Wir werden nicht Kinder Gottes, wie wir die Kinder unserer natürlichen Eltern werden. Die Gnade fließt nicht in das Blut, wie es die Verderbtheit tut. Sie wird nicht durch die natürliche Kraft unseres eigenen Willens erzeugt. Genauso wie sie „nicht aus dem Blut" ist „noch aus dem Willen des Fleisches", so ist sie auch nicht „aus dem Willen des Mannes". Es ist die Gnade Gottes, die uns bereit macht, sein zu sein.

Sie ist „aus Gott". Diese neue Geburt kommt durch das Wort Gottes als dem Mittel und dem Geist Gottes als dem großen und einzigen Urheber zustande (s. 1.Petr 1,23). Wahre Gläubige sind „aus Gott geboren" (1.Joh 3,9; 5,1).

2.4 „Das Wort wurde Fleisch" (Vers 14). Dies drückt deutlicher die Menschwerdung Christi aus, als was vorher kam. Jetzt, wo die rechte Zeit gekommen war, wurde er auf andere Weise gesandt, „geboren von einer Frau" (Gal 4,4; s. Eph 1,10). Beachten Sie hier:

Die menschliche Natur Christi, mit der er bekleidet war, und das wird auf zwei Weisen ausgedrückt (s. Hebr 10,20).

„Und das Wort wurde Fleisch." „Da nun die Kinder", die Kinder Gottes werden sollten, „an Fleisch und Blut Anteil haben, ist er gleichermaßen dessen teilhaftig geworden" (Hebr 2,14). Die Sozinianer sagten, dass er Mensch war und zu einem Gott gemacht wurde (vgl. 2.Mose 7,1), während Johannes hier sagt, dass er Gott war, aber Fleisch wurde. Vergleichen Sie Vers 1 damit. Christus unterwarf sich dem ganzen Elend und allen Nöten der menschlichen Natur. „Fleisch" bezieht sich auf die Menschen, die mit Sünde befleckt sind, und Christus erschien „in der gleichen Gestalt wie das Fleisch der Sünde", wurde „für uns zur Sünde gemacht" und verurteilte „die Sünde im Fleisch" (s. 1.Mose 6,3; Röm 8,3; 2.Kor 5,21; Röm 8,3). „Das Wort des Herrn", das Fleisch wurde, „bleibt in Ewigkeit" (1.Petr 1,24); als er Fleisch wurde, hörte er nicht auf, das Wort Gottes zu sein.

Er „wohnte unter uns". Nachdem er die menschliche Natur angenommen hatte, nahm er den Platz und den Zustand anderer Menschen ein. Nachdem er einen Leib von der gleichen Gestalt wie den unsrigen angenommen hatte, kam er in diesem und lebte in der gleichen Welt wie wir. Er „wohnte unter uns", uns „Würmern" dieser Erde (s. Hiob 17,14; 25,6; Jes 41,14), uns, die verderbt und entstellt sind und gegen Gott rebelliert haben. Wie bedeutungslos und nichtswürdig erscheint dieses Fleisch, dieser Leib, den wir mit uns tragen, und diese Welt, in der unser Los bestimmt ist, wenn wir auf die obere Welt blicken. Indem es Fleisch wurde und in dieser Welt lebte, wie wir es tun, hat das ewige Wort beides geehrt, und das sollte uns bereit machen, im Fleisch zu bleiben, solange Gott Arbeit für uns zu tun hat. Er lebte unter den Juden. Obwohl die Juden ihm gegenüber unfreundlich waren, lebte er weiterhin unter ihnen. Er „wohnte unter uns". Er war in der Welt nicht wie ein Reisender, der eine Nacht in einer Herberge bleibt, sondern „wohnte unter uns". Das ursprüngliche Wort ist bezeichnend: Er lebte wie in einer Hütte, was zeigt, dass er hier unter sehr niedrigen Umständen lebte, wie Hirten, die in Zelten leben. Doch sein Aufenthalt unter uns würde nicht für immer sein. Er lebte hier wie in einem Zelt, nicht wie zu Hause. Wie Gott früher in der Stiftshütte Moses lebte, so lebte er nun in der menschlichen Natur Christi. Und wir müssen all unsere Gebete zu Gott durch Christus darbringen.

Die Strahlen der göttlichen Herrlichkeit, welche diesen Vorhang des Fleisches durchdrangen: „Und wir sahen seine Herrlichkeit, eine Herrlichkeit als des Eingeborenen vom Vater, voller Gnade und Wahrheit" **(Vers 14)**. Wie die Sonne immer noch die Quelle des Lichts ist, selbst wenn sie verfinstert oder umwölkt ist, so blieb Christus der Glanz der Herrlichkeit seines Vaters. Es gab jene, welche durch den Vorhang hindurchblickten. Beachten Sie:

Wer die Zeugen dieser Herrlichkeit waren: „wir", seine Jünger und Nachfolger, unter denen er lebte. Andere Menschen offenbaren denen ihre Schwäche, mit denen sie gar eine gelegentliche Bekanntschaft haben, doch so war es nicht bei Christus; jene, die sich ihm aufs Engste anschlossen, sahen das meiste von seiner Herrlichkeit. Sie sahen die Herrlichkeit seiner Göttlichkeit, während andere nur den Vorhang seiner menschlichen Natur sahen.

Was für einen Beweis sie dafür hatten: Sie sahen sie. Sie erhielten ihre Belege nicht durch Berichte, aus zweiter Hand, sondern waren selbst Augenzeugen (s. Lk 1,2). Sie sahen sie. Das Wort bezieht sich auf einen festen, anhaltenden Blick. Dieser Apostel erklärt es selbst: „… was wir gehört haben" vom Wort des Lebens, ist, „was wir mit unseren Augen gesehen haben, was wir angeschaut" haben (1.Joh 1,1).

Was die Herrlichkeit war: „… eine Herrlichkeit als des Eingeborenen vom Vater." Die Herrlichkeit des Wortes, das Fleisch wurde, war eine solche Herrlichkeit, wie sie für den „Eingeborenen vom Vater" geeignet war, und konnte nicht die Herrlichkeit von jemand anderem sein. Jesus Christus ist der Eingeborene vom Vater. Gläubige sind durch eine besondere Gunst der Adoption und die besondere Gnade der Wiedergeburt Kinder Gottes. Sie sind in gewissem Sinn „göttlicher Natur teilhaftig" (2.Petr 1,4) und haben das Bild der Vollkommenheiten Gottes, doch Christus ist von gleicher Natur wie Gott. Durch das, was man von seiner Herrlichkeit sah, als er unter uns lebte, wurde er eindeutig als der Eingeborene vom Vater verkündigt. Seine göttliche Herrlichkeit zeigte sich in der Heiligkeit und himmlischen Art seiner Botschaft, in seinen Wundern und in der Reinheit, Güte und Freundlichkeit seines ganzen Lebensstils. Gottes Güte ist seine Herrlichkeit (s. 2.Mose 33,18-19) und Christus zog umher und tat Gutes (s. Apg 10,38). Vielleicht hatte der Evangelist besonders die Herrlichkeit der Verklärung Christi im Sinn, von der er Augenzeuge war.

Welchen Vorteil jene davon hatten, unter denen er lebte. Das Gesetz war in der alten Stiftshütte, in der Gott lebte; in dieser Hütte war die Gnade. In dieser alten Hütte gab es Typen; in dieser war die Wahrheit. Christus war „voller Gnade und Wahrheit", voll von den zwei Dingen, welche die gefallene Menschheit braucht. Er war voller Gnade und darum vollkommen geeignet, für uns Fürsprache einzulegen, und er war voller Wahrheit und darum fähig, uns zu unterweisen. Er hatte eine Fülle an Erkenntnis und eine Fülle an Mitleid.

Vers 15-18

In diesen Versen:

1. Beginnt der Evangelist wieder, uns das Zeugnis von Johannes dem Täufer über Christus zu geben **(Vers 15)**. Beachten Sie:

1.1 Wie er sein Zeugnis ausdrückte: Er rief gemäß der Prophetie, dass er die Stimme eines Rufenden sei. Die Propheten des Alten Testaments riefen, um den Menschen ihre Sünden zu zeigen; dieser Prophet des Neuen Testaments rief, um den Menschen ihren Heiland zu zeigen. Es war ein offenes, öffentliches Zeugnis, das erklärt wurde, sodass alle Arten von Menschen es bemerken konnten. Er war frei und aufrichtig in seiner Aussage. Er rief als jemand, der sich durch die Wahrheit, die er bezeugte, sowohl sehr sicher war als auch sehr von ihr bewegt wurde.

1.2 Was sein Zeugnis war. Er bezog sich auf das, was er zu Beginn seines Dienstes gesagt hatte, als er sie angewiesen hatte, den Einen zu erwarten, der nach ihm kommt, dessen Vorbote er war. Was der Prophet da sagte, wandte er jetzt auf diesen Jesus an, den er gerade getauft hatte. „Dieser war es, von dem ich sagte." Er ging hier über alle Propheten des Alten Testaments hinaus, indem er ausdrücklich auf die Person zeigte:

Er sagte, dass Jesus ihn übertraf. „,Der nach mir kommt', ist wichtiger als ich, wie der Herrscher oder Adlige, der folgt, wichtiger ist als der Bote oder Amtsdiener, der ihm den Weg bereitet." Jesus Christus, welcher der „Sohn des Höchsten" genannt werden würde (Lk 1,32), war wichtiger als Johannes der Täufer, der nur „ein Prophet des Höchsten" genannt werden würde (Lk 1,76). Johannes war ein großer Mann, doch er betonte dennoch eifrig, dass Jesus weit größer war als er. Alle geistlichen Diener Christi müssen erklären, dass er wichtiger als sie und ihre persönlichen Interessen ist: „Er kommt nach mir, doch ist er wichtiger als ich." Gott verteilt seine Gaben nach seinem Wohlwollen und er kreuzt viele Male seine Hände, wie es Jakob tat (s. 1.Mose 48,13-14). Paulus übertraf diejenigen bei Weitem, die vor ihm in Christus waren.

Er nannte hier dafür einen guten Grund: Er war vor ihm gewesen. Christus ist in Bezug auf das Alter vor Johannes gewesen, denn er war vor Abraham (s. Joh 8,58). „Im Vergleich bin ich erst kürzlich geboren, er ist von Ewigkeit her." Er war auch in Bezug auf den Vorrang vor Johannes gewesen: „Er ist mein Meister; ich bin sein Diener und Bote."

2. Der Evangelist kehrt dazu zurück, über Jesus Christus zu sprechen; er kann bis **Vers 19** nicht mit dem Zeugnis von Johannes dem Täufer fortfahren. **Vers 16** hat eine klare Verbindung zu **Vers 14**, wo von dem menschgewordenen Wort gesagt wird, dass es „voller Gnade und Wahrheit" ist. Er hat eine Quelle der überfließenden Fülle: „... haben wir alle empfangen." Alle Gläubigen; so viele ihn aufnahmen, empfingen von ihm. Alle wahren Gläubigen empfangen aus der Fülle Christi; die besten und größten Heiligen können nicht ohne ihn leben und die schwächsten und unbedeutendsten können durch ihn leben. Weil wir nichts haben als das, was wir empfangen haben, ist stolzes Rühmen ausgeschlossen (s. Röm 3,27), und weil es nichts gibt, was uns mangelt und das wir nicht empfangen können, werden unsere verwirrenden Ängste zum Schweigen gebracht. Wir haben empfangen:

2.1 „Gnade um Gnade." Was wir von Christus empfangen haben, wird alles mit dem einen Wort „Gnade" zusammengefasst. Es ist eben Gnade, ein so großes Geschenk, so unbezahlbar. Wir haben nichts weniger als Gnade empfangen. Es wird wiederholt, „Gnade um Gnade". Beachten Sie:

Was der Segen ist, den wir empfangen haben. Es ist Gnade, das Wohlwollen Gottes uns gegenüber und das gute Werk Gottes in uns. Gottes Wohlwollen bringt das gute Werk hervor und dann befähigt uns das gute Werk für weitere Zeichen seines Wohlwollens. So wie die Zisterne Wasser aus der Fülle der Quelle bekommt, die Äste Saft aus der Fülle der Wurzel erhalten und die Luft Licht aus der Fülle der Sonne bezieht, so empfangen wir Gnade aus der Fülle Christi.

Wie wir diesen Segen empfangen: „Gnade um Gnade." Der Satz ist charakteristisch und Ausleger geben ihm einen unterschiedlichen Sinn, von denen jeder nützlich ist, den unerforschlichen Reichtum der Gnade Christi zu veranschaulichen (s. Eph 3,8). „Gnade um Gnade" zeigt uns:

Die Freiheit dieser Gnade. Es ist Gnade um der Gnade willen. Wir empfangen nicht um unseretwillen Gnade, sondern um Jesu Christi willen.

Die Fülle dieser Gnade. „Gnade um Gnade" ist ein Überfluss der Gnade, Gnade auf Gnade. Es ist ein ausgegossener Segen, in solcher Weise, dass nicht genug Raum sein wird, um ihn zu empfangen: Eine Gnade verheißt sogar noch mehr Gnade.

Die Nützlichkeit dieser Gnade. „Gnade um Gnade" ist Gnade, um weitere Gnade geltend zu machen. Empfangene gnädige Gunsterweise sollen zu vollbrachten gnädigen Taten führen. Gnade ist ein Talent, das man benutzen soll.

Die Einsetzung der neutestamentlichen Gnade für alttestamentliche Gnade. Der Sinn wird durch das Folgende bekräftigt **(s. Vers 17)**, denn das Alte Testament hatte Gnade in einem Typus, während das Neue Testament Gnade in Wahrheit hat. Das ist Gnade anstelle von Gnade.

Es zeigt das Wachstum und den Fortbestand der Gnade. „Gnade um Gnade" ist eine Gnade, um weitere Gnade anzuwenden, zu bekräftigen und zu vervollkommnen.

„Gnade um Gnade" ist Gnade in uns, die der Gnade in ihm entspricht, wie die Prägung auf dem Wachs Linie für Linie dem Siegel entspricht. Die Gnade, die wir von Christus empfangen, verwandelt uns „in dasselbe Bild" (2.Kor 3,18).

2.2 „Die Gnade und die Wahrheit" (Vers 17). Der Evangelist sagte zuvor, dass Christus „voller Gnade und Wahrheit" war; hier sagt er, dass durch ihn „die Gnade und die Wahrheit" zu uns kamen **(Vers 14.17)**. Von Christus empfangen wir Gnade; das ist ein Thema, auf das Johannes voller Freude immer wieder zurückkommt; er kann es nicht lassen. Er bemerkt in diesem Vers ferner zwei Dinge über diese Gnade:

Sie ist bedeutender als das Gesetz von Mose: „Denn das Gesetz wurde durch Mose gegeben", und es war eine herrliche Offenbarung, doch das Evangelium Christi ist eine viel klarere Offenbarung. Was durch Mose gegeben wurde, war nur erschreckend und drohend; was durch Jesus Christus gegeben ist, hat alle nützlichen Fähigkeiten des Gesetzes, aber nicht seinen Schrecken, denn es ist Gnade. Der fesselnde Liebreiz der Liebe, nicht die Ängste des Gesetzes und des Fluches sind die Seele des Evangeliums.

Sie ist mit der Wahrheit verknüpft: „Die Gnade und die Wahrheit." Im Evangelium haben wir die Offenbarung der größten Wahrheiten, damit sie von dem Verstand angenommen werden, wie auch der reichsten Gnade, damit sie von dem Herzen und dem Willen angenommen werden. Es ist Gnade und Wahrheit in Bezug auf das Gesetz, das von Mose gegeben wurde. Sie ist:

Die Erfüllung aller Verheißungen des Alten Testaments.

Der Kern aller Schatten und Typen des Alten Testaments. Christus ist das wahre Passahlamm, der wahre Sündenbock, das wahre Manna (s. 1.Kor 5,7; 3.Mose 16,8.10; Joh 6,49.58). Israel hatte Gnade in dem Bild; wir haben Gnade in der Person. „Gottes Gnade und Wahrheit aber kamen" (Vers 17; NLB) oder „entstanden", das Wort, welches hier mit „kamen" übersetzt wird, ist das gleiche Wort, das in Vers 3 mit „entstanden" übersetzt wurde. Durch ihn haben Gnade und Wahrheit Bestand (s. Kol 1,17).

2.3 Eine klare Offenbarung Gottes an uns: Er hat uns Aufschluss über Gott gegeben, den niemand „je gesehen" hat **(Vers 18)**. Beachten Sie:

Die Unzulänglichkeit jeder anderen Offenbarung: „Niemand hat Gott je gesehen." Dies zeigt:

Dass Gott für physische Augen unsichtbar ist, weil seine Natur geistlich ist. Deshalb müssen wir aus Glauben leben, durch den wir den Unsichtbaren sehen (s. Hebr 11,27).

Dass die Offenbarung, die Gott von sich im Alten Testament gegeben hat, im Vergleich mit dem, was er jetzt durch Jesus Christus bekannt gemacht hat, sehr knapp und unvollkommen war: „Niemand hat Gott je gesehen."

Dass die heilige Religion Christi uns dadurch empfohlen wird, dass sie von einem gestiftet wurde, der Gott gesehen hatte und der mehr von seinem Sinn kannte, als es jeder andere je tat.

Die Allgenugsamkeit der Offenbarung des Evangeliums wird von ihrem Urheber bewiesen: „Der eingeborene Sohn, der im Schoß des Vaters ist, der hat Aufschluss über ihn gegeben." Beachten Sie hier:

Wie geeignet Christus war, diese Offenbarung zu machen.

Er ist der eingeborene Sohn. Bei wem ist es wahrscheinlicher, dass er den Vater kennt, als bei dem Sohn? In wem ist der Vater besser zu erkennen als in dem Sohn (s. Mt 11,27)?

Er ist „im Schoß des Vaters", das ist:

Im Schoß seiner besonderen Liebe, ihm teuer, wertvoll für ihn, an dem er Wohlgefallen hatte (s. Mt 3,17; 12,18; 17,5).

Im Schoß seiner geheimen Pläne. Niemand war so geeignet wie der Sohn, Gott bekannt zu machen, denn niemand kannte seinen Sinn, wie er es tat.

Wie frei er war, diese Offenbarung zu machen: Er hat Aufschluss über ihn gegeben. Der Sohn hat Aufschluss über die Offenbarung Gottes gegeben, die niemand je gesehen oder gekannt hat, nicht nur, was von Gott verborgen war, sondern auch, was in Gott verborgen war (s. Eph 3,9). Das bezieht sich auf eine klare, deutliche und vollständige Offenbarung. Die Botschaft, der Wille Gottes und der Heilsweg sind nun für alle klar zu sehen. Das ist die Gnade, das ist die Wahrheit, die durch Jesus Christus kam.

Vers 19-28

Hier haben wir das Zeugnis von Johannes, das er den Boten gab, die von Jerusalem gesandt waren, um sich über ihn zu erkundigen. Beachten Sie:

1. Wer zu ihm sandte und wer gesandt wurde.
1.1 Die zu ihm sandten, waren „die Juden von Jerusalem". Man hätte gedacht, dass diese Leiter der jüdischen Gemeinde die Zeichen der Zeit gut genug verstanden haben würden, um zu wissen, dass der Messias nahe war und dass sie deshalb den einen erkannt haben würden, der sein Vorbote war, doch stattdessen sandten sie Boten, um ihn ins Kreuzverhör zu nehmen (s. 1.Chr 12,33; Mt 16,3). Weltliches Wissen, Ehre und Macht machen den Verstand der Menschen selten bereit, göttliches Licht zu empfangen.
1.2 Die gesandt wurden, waren:
„Priester und Leviten." Johannes der Täufer war selbst Priester aus den Nachkommen Aarons und deshalb war es nicht richtig, dass er von jemand anderem außer Priestern geprüft wird.
Einige der Pharisäer, die meinten, dass sie nicht Buße tun brauchen.

2. Warum sie gesandt wurden; es war, um sich über Johannes und seine Taufe zu erkundigen. Sie sandten nicht nach Johannes, dass er zu ihnen kommt; sie meinten, es wäre gut, ihn auf Abstand zu halten. Sie erkundigten sich über ihn:
2.1 Um ihre Neugier zu befriedigen. Die Botschaft der Buße war für sie fremd.
2.2 Um ihre Autorität zu zeigen.
2.3 Um ihn zu unterdrücken und zum Schweigen zu bringen.

3. Was für eine Antwort er ihnen gab, seine Rechenschaft sowohl über sich selbst als auch seine Taufe. Hier ist sein Zeugnis:
3.1 Über sich selbst. Sie fragten ihn: „Wer bist du?" Das Auftreten von Johannes in der Welt war überraschend. Sein Geist, sein Lebensstil und seine Botschaft enthielten etwas, das Respekt gebot und erlangte, doch er sagte selbst nicht, dass er groß sei. Er war mehr daran interessiert, Gutes zu tun, als groß auszusehen. Er beantwortete ihre Frage:
Er war nicht der Große, von dem manche meinten, dass er es war. Gottes treue Zeugen sind mehr vor übermäßiger Achtung auf der Hut als vor ungerechter Geringschätzung.
Johannes leugnete, dass er der Christus war: Er „bekannte: Ich bin nicht der Christus!" **(Vers 20)**. Beachten Sie, wie nachdrücklich das hier über Johannes gesagt wird: „Und er bekannte es und leugnete nicht, sondern bekannte"; er bekannte es freimütig, leidenschaftlich und aufrichtig: „Ich bin nicht der Christus, nicht ich; ein anderer ist nahe, welcher der Eine ist, doch ich bin es nicht." Sein Bestreiten, dass er der Christus war, wird sein Bekennen und Nichtverleugnen von Christus genannt.
Er leugnete, dass er Elia war **(s. Vers 21)**. Die Juden erwarteten, dass Elia in Person vom Himmel zurückkehrt. Als sie von dem Charakter, der Botschaft und Taufe von Johannes hörten und bemerkten, dass er wie einer erschienen war, der vom Himmel gefallen zu sein schien, ist es nicht überraschend, dass sie bereit waren, ihn für Elia zu halten, doch er wollte auch diese Ehre nicht annehmen. Es stimmte, dass über ihn unter dem Namen Elia prophezeit worden war und er „im Geist und in der Kraft Elias" kam und der Elia war, der kommen sollte (s. Mal 3,23; Lk 1,17; Mt 11,14), doch er war nicht die Person Elia selbst. Er war der Elia, den Gott verheißen hatte, nicht der Elia, von dem sie törichterweise träumten. Elia kam „und sie haben ihn nicht anerkannt" (Mt 17,12), weil sie sich einen solchen Elia verheißen hatten, wie Gott ihn ihnen nie verheißen hatte. Johannes leugnete, dass er „der Prophet" war.
Er war nicht „der Prophet", von dem Mose sagte, dass der Herr ihn „aus euren Brüdern" erwecken wird (s. Apg 3,22).
Er war nicht so ein Prophet, wie sie ihn erwarteten und wünschten, der sich in öffentliche Angelegenheiten einmischen und sie von dem römischen Joch retten würde.
Er war keiner der früheren Propheten, der vom Tod auferstanden war.
Das Komitee, das zu ihm gesandt war, um ihn zu prüfen, drängte ihn, eine positive Antwort zu geben, und drang auf die Autorität derer, die sie gesandt hatten **(s. Vers 22)**. „Sag uns: ‚Wer bist du denn? Damit wir denen Antwort geben, die uns gesandt haben.'" Johannes wurde als aufrichtig angesehen und deshalb meinten sie, er würde offen und ehrlich sein und eine klare Antwort auf eine klare Frage geben: „Was sagst du über dich selbst?" Und dies tat er: „Ich bin ‚die Stimme eines Rufenden, die ertönt in der Wüste'."
Er gab seine Antwort, indem er die Schrift benutzte, um zu zeigen, dass die Schrift in ihm erfüllt wurde.
Er gab seine Antwort in sehr demütigen, bescheidenen und sich selbst verleugnenden Ausdrücken. Er beschloss, die Schriftstelle auf sich anzuwenden, die ihn als klein zeigte: „Ich bin die Stimme", nur eine Stimme.
Er gab eine Rechenschaft über sich selbst, die sie erwecken könnte, auf ihn zu hören, denn er war „die Stimme", eine Stimme, um zu alarmieren, eine verständliche Stimme, um zu lehren (s. Jes 40,3). Geistliche Diener sind bloß die Stimme, durch die Gott seine Gedanken mitteilt.
Er war eine menschliche Stimme. Die Menschen waren darauf vorbereitet, das Gesetz durch den Schall des Donners zu empfangen, doch sie wurden durch die Stimme eines Menschen

auf das Evangelium vorbereitet, „die Stimme eines sanften Säuselns" (1.Kön 19,12).
Er war „die Stimme eines Rufenden", was zeigt: Seine Ernsthaftigkeit und Kühnheit; er rief aus voller Kehle und schonte nicht (s. Jes 58,1). Geistliche Diener müssen als solche predigen, die ernsthaft sind. Worte werden die Herzen von Hörern wahrscheinlich nicht auftauen, wenn sie zwischen den Lippen des Sprechers gefrieren.
Seine offene Erklärung der Botschaft, die er predigte.
Es war in der Wüste, wo diese Stimme rief, an einem Ort der Ruhe und Einsamkeit, weit entfernt vom Lärm der Welt und der Hetze ihrer Geschäftigkeit.
Was er rief, war: „Ebnet den Weg des Herrn!" Er kam, um die Irrtümer der Menschen über die Wege Gottes richtigzustellen. Die Gesetzeslehrer und Pharisäer hatten sie verdreht; jetzt rief Johannes der Täufer die Menschen zur Rückkehr zu der ursprünglichen Richtschnur.
3.2 Über seine Taufe. Beachten Sie:
Die Frage, welche das Komitee über sie stellte: „Warum taufst du denn, wenn du nicht der Christus bist, noch Elia, noch der Prophet?" **(Vers 25)**.
Sie erkannten, dass die Taufe richtig und passend als geheiligte Zeremonie benutzt wurde, die für die Reinigung von der Besudelung ihres früheren Standes stand. Dieses Zeichen wurde in der christlichen Gemeinde benutzt, sodass es annehmbarer sein möge. Christus bestand nicht darauf, die letzte Neuheit zu benutzen, und geistliche Diener sollten dies auch nicht.
Sie erwarteten, dass sie in den Tagen des Messias benutzt werden würde. Es wurde angenommen, dass Christus, Elia und der Prophet alle taufen würden, wenn sie kommen, um eine verunreinigte Welt zu reinigen. Die göttliche Gnade hat für die Reinigung dieser neuen Welt von ihrem Schmutz gesorgt.
Sie wollten darum wissen, mit welcher Autorität Johannes taufte. Sein Leugnen, dass er Elia oder der Prophet war, unterzog ihn dieser weiteren Frage: „Warum taufst du?"
Die Rechenschaft, die er davon ablegte **(s. Vers 26-27)**.
Er gab zu, dass er nur der Diener mit einem äußerlichen Zeichen ist. „Ich taufe mit Wasser' und das ist alles. Ich kann nicht die geistliche Gnade übertragen, die dadurch bezeichnet wird."
Er führte sie zu einem, der größer war als er, der für sie tun würde, was er nicht tun konnte. Johannes gab diesem Komitee den gleichen Bericht, den er dem Volk gegeben hatte: „Dieser war es, von dem ich sagte" **(Vers 15)**.
Er sagte ihnen, dass Christus jetzt unter ihnen war: „Aber mitten unter euch steht einer, den ihr nicht kennt." Christus stand unter den gewöhnlichen Menschen und war wie einer von ihnen. Viel von wahrem Wert liegt in dieser Welt verborgen; oft ist Unbekanntheit das Schicksal echter Vorzüglichkeit. Gott ist uns selbst oft näher, als uns bewusst ist. Das Reich Gottes umgab sie bereits und war unter ihnen (s. Lk 17,21).
Er sagte ihnen, dass Christus ihn übertreffen würde: „Dieser ist's, der nach mir kommt, der vor mir gewesen ist; und ich bin nicht würdig, ihm den Schuhriemen [Riemen der Sandale] zu lösen." Wenn sich ein so großer Mann wie Johannes der Ehre für unwürdig hielt, Christus nahe zu sein, für wie unwürdig sollten wir uns dann halten! Jetzt hätte man gemeint, dass diese obersten Priester und Pharisäer sofort gefragt hätten, wo und wer diese vorzügliche Person war. Nein; sie kamen, um Johannes zu stören, nicht um von ihm Unterweisung anzunehmen. Sie hätten Christus kennenlernen können, doch sie lehnten es ab.

4. Der Ort, wo all dies geschah: „… in Bethabara, jenseits des Jordan" **(Vers 28)**. Bethabara bedeutet „Haus des Durchgangs", dort tat sich durch Jesus Christus der Weg auf in das Gebiet des Evangeliums. Johannes machte dieses Bekenntnis an dem gleichen Ort, an dem er taufte, sodass alle, die bei seiner Taufe anwesend waren, es bezeugen würden.

Vers 29-36

In diesen Versen haben wir einen Bericht von dem Zeugnis über Jesus Christus, das Johannes seinen eigenen Jüngern gab, die ihm nachfolgten. Sobald Christus getauft war, wurde er sofort in die Wüste getrieben, um versucht zu werden, und dort blieb er vierzig Tage. Während seiner Abwesenheit fuhr Johannes damit fort, ihn zu bezeugen, doch nun sah er schließlich „Jesus auf sich zukommen". Hier gibt es nun zwei Zeugnisse, die Johannes von Christus gibt, doch sie stimmen miteinander überein.

1. Hier ist sein Zeugnis über Christus an dem Tag, als er ihn aus der Wüste herauskommen sah, und von ihm wurden vier Dinge über Christus bezeugt.
1.1 Er war „das Lamm Gottes, das die Sünde der Welt hinwegnimmt!" **(Vers 29)**. Wir wollen hier lernen, dass:
Jesus Christus „das Lamm Gottes" ist, was zeigt, dass er das große Opfer ist, durch das Sühne für die Sünde geschaffen würde, welches die Menschen mit Gott versöhnt. Er entschloss sich, von allen gesetzmäßigen Opfern auf die Lämmer anzuspielen, die geopfert wurden, mit einem besonderen Verweis:
Auf das tägliche Opfer, das jeden Morgen und jeden Abend geopfert wurde und immer ein Lamm war (s. 2.Mose 29,38).
Auf das Passahlamm, dessen Blut die Israeliten vor dem Schlag des zerstörenden Engels schützte. Christus ist unser Passahlamm (s. 1.Kor 5,7).

Christus, der Sühne für unsere Sünde schaffen sollte, wird „das Lamm Gottes" genannt.

Jesus Christus nimmt als Lamm Gottes die Sünde der Welt hinweg. Johannes der Täufer hatte die Menschen aufgerufen, von ihren Sünden Buße zu tun, damit ihnen vergeben werden würde. Jetzt zeigte er, wie und durch wen diese Vergebung erwartet werden sollte. Die Grundlage unserer Hoffnung ist, dass Jesus Christus „das Lamm Gottes" ist.

Er nimmt Sünde hinweg. Er kam, um durch den Verdienst seines Todes die Schuld der Sünde hinwegzunehmen und durch den Geist seiner Gnade die Macht der Sünde hinwegzunehmen. Der Ausdruck, der mit „das ... hinwegnimmt" übersetzt wird, könnte auch „welcher dabei ist, hinwegzunehmen" übersetzt werden; er bezieht sich auf eine unaufhörliche Handlung. Er nimmt dauernd die Sünde hinweg.

Er nimmt die Sünde „der Welt" hinweg; er erwirbt für alle Vergebung, aus welchem Land, Volk oder welcher Sprache sie auch sind. Das Lamm Gottes wurde als Sühnopfer für die Sünde „der ganzen Welt" geopfert (s. 1.Joh 2,2). Wenn Christus die Sünde der Welt hinwegnimmt, warum dann nicht meine Sünde?

Er tut dies, indem er sie auf sich nimmt. Er ist das Lamm Gottes, das „die Sünde der Welt trägt", wie in der Randbemerkung gelesen wird. Er trägt sie von uns fort; er trug die Sünde von vielen, wie dem Sündenbock die Sünden Israels auf den Kopf gelegt worden sind (s. 3.Mose 16,21). Gott hat einen Weg gefunden, die Sünde zu vernichten, doch den Sünder zu verschonen, indem er seinen Sohn „für uns zur Sünde" machte (s. 2.Kor 5,21).

Es ist unsere Pflicht, zu sehen, wie das Lamm Gottes „die Sünde der Welt hinwegnimmt". Sehen Sie, wie er die Sünde hinwegnimmt, und lassen Sie das unseren Hass auf die Sünde und unsere Liebe zu Christus vergrößern.

1.2 Er war derjenige, von dem Johannes vorher gesprochen hatte: „Das ist der, von dem ich sagte: Nach mir kommt ein Mann" **(Vers 30)**.

Johannes hatte diese Ehre, die über die aller Propheten hinausging, dass, während sie über den Messias als jemanden sprachen, der kommen würde, er ihn als bereits gekommen sah. Es gibt solch einen Unterschied zwischen gegenwärtigem Glauben und einer zukünftigen Vision.

Er verwies auf das, was er selbst vorher über ihn gesagt hatte: „Das ist der, von dem ich sagte." Obwohl Christus nicht mit äußerlicher Zurschaustellung oder Pracht erschien, schämte sich Johannes nicht, zu bekennen: „,Das ist der, von dem ich sagte', ,der weit über mir steht' (Hfa; mich übertrifft)." Es war für Johannes nötig, ihnen die Person zu zeigen; sonst hätten sie nicht geglaubt, dass die Person, die so unbedeutend schien, der Eine sein konnte, über den Johannes so große Dinge gesagt hatte.

Er verwahrte sich gegen jeden Verdacht, dass er mit diesem Jesus ein Bündnis oder eine Vereinbarung hätte: „Und ich kannte ihn nicht." Zwischen ihnen gab es keinerlei Bekanntschaft; Johannes kannte Jesus persönlich nicht, bis er ihn zu seiner Taufe kommen sah. Die gelehrt wurden, glauben an und bekennen den Einen, den sie nicht gesehen haben, und „glückselig sind, die nicht sehen und doch glauben!" (Joh 20,29).

Die große Absicht des Dienstes und der Taufe von Johannes war, Jesus Christus einzuführen: „Aber damit er Israel offenbar würde, darum bin ich gekommen, mit Wasser zu taufen." Obwohl Johannes Jesus von seinem Äußeren nicht kannte, wusste er, dass jener offenbar werden würde. Wir können die Gewissheit von etwas haben, von dem wir nicht vollkommen das Wesen und den Zweck kennen (s. Lk 1,4). Die allgemeine Gewissheit, die Johannes hatte, dass Christus offenbar werden würde, war genug, um ihn mit Eifer und Entschlossenheit durch seine Arbeit zu tragen. „... darum bin ich gekommen." Gott offenbart sich seinen Leuten schrittweise. Zuerst wusste Johannes nicht mehr über Christus, als dass er offenbar werden würde, und jetzt erhielt er die Gunst, ihn zu sehen.

1.3 Er war der, auf den der Geist „wie eine Taube vom Himmel" herabstieg. Um sein Zeugnis über Christus zu bekräftigen, berief sich Johannes hier auf das außerordentliche Zeichen bei Christi Taufe, in der es ihm Gott selbst bezeugte. Uns wird hier gesagt **(s. Vers 32-34)**:

Dass Johannes der Täufer das Zeichen sah: Er „bezeugte und sprach"; er sagte es als die Wahrheit, mit aller Ernsthaftigkeit und Feierlichkeit des Bezeugens. Er tat dies als eine beeidigte Erklärung: „Ich sah den Geist ... vom Himmel herabsteigen." Johannes konnte den Geist nicht sehen, doch er sah die Taube, die ein Zeichen und ein Bild für den Geist war. Gottes Kinder werden durch die Wirkungen der Gnade in ihnen offenbar; ihre Herrlichkeiten sind für ihren zukünftigen Stand vorbehalten. Der Geist stieg herab „wie eine Taube" – ein Zeichen für Demut, Milde und Freundlichkeit. Die Taube brachte den Ölbaumzweig des Friedens nach der Flut (s. 1.Mose 8,11). Der Geist, der auf Christus herabstieg, blieb auf ihm. Der Geist fing nicht an, ihn gelegentlich zu treiben, sondern trieb ihn immer (s. Ri 13,25; KJV).

Dass ihm gesagt worden war, er solle das Zeichen erwarten. Es war ein eingesetztes Zeichen, von dem ihm zuvor berichtet wurde, sodass er es zweifellos erkennen würde: „Und ich kannte ihn nicht; aber der mich sandte, mit Wasser zu taufen", gab ihm dieses Zeichen **(Vers 33)**. „Der, auf den du den Geist herabsteigen und auf ihm bleiben siehst, der ist's."

Beachten Sie hier, auf was für einer festen Grundlage Johannes seinen Dienst ausübte. Er lief nicht, ohne gesandt zu sein: Gott sandte ihn, „mit Wasser zu taufen". Er hatte Vollmacht vom Himmel für das, was er tat. Wenn die Berufung eines geistlichen Dieners klar ist, ist auch ihre Zusage gewiss, wenn auch ihr Erfolg dies nicht immer ist. Er lief auch nicht, ohne Erfolg zu haben: Als er gesandt wurde, „mit Wasser zu taufen", wurde er zu einem geführt, „der mit Heiligem Geist tauft". Für Christi geistliche Diener ist es eine große Gewissheit, dass der Eine, dessen geistliche Diener sie sind, ihrem Dienst Leben, Seele und Kraft geben kann; er kann zu dem Herzen sagen, was sie zu dem Ohr sagen; er kann die verdorrten Gebeine anhauchen, denen sie weissagen (s. Hes 37,4).

Beachten Sie, auf was für sicherem Grund er stand, als er auf Jesus als den Messias wies. Gott hatte ihm vorher ein Zeichen gegeben: „Der Eine, auf den du den Geist herabsteigen siehst, der ist's'." Das verhinderte nicht nur Irrtümer, sondern gab Johannes auch Kühnheit in seinem Zeugnis. Wenn ihm eine solche Zusage gegeben wurde, konnte er mit Gewissheit sprechen.

1.4 Er ist „der Sohn Gottes". Dies war der Abschluss des Zeugnisses von Johannes, das Zentrum von allem: „Und ich habe es gesehen und bezeuge, dass dieser der Sohn Gottes ist" **(Vers 34)**. Die behauptete Wahrheit war, „dass dieser der Sohn Gottes ist". Das war das kennzeichnende christliche Glaubensbekenntnis, dass Jesus der Sohn Gottes ist, und hier ist sein erster Entwurf (s. Mt 16,16). Achten Sie auf das Zeugnis von Johannes darüber: „Und ich habe es gesehen und bezeuge." Als er es sah, war er begierig darauf, es zu bezeugen. Was er bezeugte, war, was er sah. Die Zeugen Christi waren Augenzeugen.

2. Hier ist das Zeugnis von Johannes über Christus am folgenden Tag, worin wir bemerken **(s. Vers 35-36)**:

2.1 Er nahm jede Gelegenheit wahr, Menschen zu Christus zu führen. Johannes stand da und blickte auf Jesus, „der vorüberging". Es scheint, dass er Jesus vorübergehen sah, als er in einem tiefen Gespräch mit zwei von seinen Jüngern war. Er blickte auf Jesus, richtete seine Augen auf ihn. Diejenigen, welche andere zu Christus führen wollen, müssen ihn selbst sorgfältig und häufig ins Auge fassen.

2.2 Er wiederholte das gleiche Zeugnis, welches er am Tag zuvor von Christus gegeben hatte. Alle guten geistlichen Diener sollten besonders das Opfer Christi zur Hinwegnahme der Sünde betonen: Christus, das Lamm Gottes, „Christus, und zwar als Gekreuzigten" (1.Kor 2,2).

2.3 Er wollte das besonders seinen beiden Jüngern sagen, die bei ihm standen; er wollte sie zu Christus weisen. Er war nicht der Meinung, dass er die Jünger verlor, die von ihm zu Christus gingen, genauso wenig wie ein Lehrer in der Schule meint, dass er die Schüler verloren hat, die auf die Universität gehen. Johannes scharte nicht Jünger um sich selbst, sondern um Christus. Demütige und großzügige Seelen werden anderen ihr gebührendes Lob geben, ohne dass sie Angst haben, sich selbst dadurch zu schwächen.

Vers 37-42

Hier haben wir, wie sich zwei Jünger von Johannes Jesus zuwenden, und einer von ihnen zieht einen Dritten hinzu; dies sind die Erstlingsfrüchte der Jünger Christi.

1. Andreas und ein anderer bei ihm waren die beiden, welche Johannes zu Christus geführt hatte **(s. Vers 37)**. Wer der andere war, wird uns nicht gesagt. Hier gibt es:

1.1 Ihre Bereitschaft Christus zu folgen. Sie hörten Johannes über Christus als dem Lamm Gottes sprechen, „das die Sünde der Welt hinwegnimmt", und dies ließ sie ihm folgen.

1.2 Wie freundlich Christus sie bemerkte **(s. Vers 38)**. Er bemerkte sie bald und wandte sich um und sah sie nachfolgen. Christus bemerkt schnell die ersten Bewegungen einer Seele zu ihm hin. Er wartete nicht, bis sie baten, mit ihm zu sprechen; er sprach zuerst. Wenn es Gemeinschaft zwischen einer Seele und Christus gibt, ist er es, der das Gespräch beginnt. Er sagte zu ihnen: „Was sucht ihr?" (Er fragte sie, was sie wollten.) Es ist eine freundliche Einladung an sie, ihn kennenzulernen: „Kommt, was habt ihr mir zu sagen?" Diejenigen, deren Aufgabe es ist, Menschen in geistlichen Dingen zu unterweisen, sollten demütig und zugänglich sein. Die Frage, die Christus ihnen stellte, ist eine, bei der wir alle gut täten, sie uns zu stellen, wenn wir anfangen, Christus nachzufolgen. „Was sucht ihr?" Was wollen wir? Suchen wir einen Lehrer, Herrscher und Versöhner? Suchen wir die Gunst Gottes und das ewige Leben, wenn wir Christus nachfolgen.

1.3 Ihre bescheidene Frage darüber, wo er wohnen würde: „Rabbi (das heißt übersetzt: ,Lehrer'), wo wohnst du?"

Indem sie ihn „Rabbi" nannten, zeigten sie, dass sie von ihm gelehrt werden wollten, indem sie zu ihm kamen. „Rabbi" bedeutet „Lehrer". Sie kamen zu Christus, um seine Schüler zu sein, wie es all jene sein müssen, die sich zu ihm wenden.

Mit ihrer Frage, wo er lebte, zeigten sie den Wunsch, ihn mehr kennenzulernen. Sie wollten etwas angemessene Zeit bei ihm sein, die er festlegen würde. Höflichkeit und gute Manieren sind gute Eigenschaften für solche, die Christus nachfolgen. Sie hofften, mehr von ihm zu erlangen, als sie es jetzt entlang des Weges haben konnten. Sie beschlossen, das Sprechen mit Christus zu ihrer Berufung zu machen, nicht zu einer reinen Beschäftigung. Diejenigen, die etwas Gemeinschaft mit Christus hatten, müssen weitere Gemeinschaft mit ihm haben wollen, mehr feste Gemeinschaft mit ihm, das Vorrecht, zu seinen Füßen zu sitzen und bei seinen Unterweisungen zu bleiben (s. Lk 10,39). Es ist nicht genug, dann und wann Christus zu folgen; wir müssen bei ihm bleiben.

1.4 Die höfliche Einladung, die Christus ihnen gab, dorthin zu kommen, wo er wohnte: „Kommt und seht!" Er lud sie ein, dorthin zu kommen, wo er wohnte: Je näher wir Christus kommen, umso mehr sehen wir von seiner Schönheit. Betrüger bewahren ihren Einfluss über ihre Nachfolger, indem sie sie weit entfernt halten, doch was sich Christus wünschte, um sich für die Achtung und Zuneigung seiner Nachfolger zu empfehlen, war, dass sie kommen und sehen würden. Er lud sie ein, sofort und ohne Verzögerung zu kommen. Es gibt niemals eine bessere Zeit. Es ist am besten, die Menschen zu nehmen, wenn sie in guter Verfassung des Gemüts sind, „zu schmieden, solange das Eisen heiß ist". Es ist weise, die Gelegenheiten zu ergreifen, die sich ihnen jetzt bieten: „Siehe, jetzt ist die angenehme Zeit" (2.Kor 6,2).

1.5 Ihre fröhliche und zweifellos dankbare Annahme dieser Einladung: „Sie kamen und sahen, wo er wohnte, und blieben jenen Tag bei ihm." Sie gingen bereitwillig mit ihm mit. Begnadete Seelen nehmen fröhlich die gnädigen Einladungen Christi an. Es ist gut, dort zu sein, wo Christus ist, wo auch immer dies ist. Sie „blieben jenen Tag bei ihm" (sie verbrachten diesen Tag mit ihm) – „Rabbi, es ist gut, dass wir hier sind!" (Mk 9,5) – und er hieß sie willkommen. Es war um die zehnte Stunde.

2. Andreas brachte seinen Bruder Petrus zu Christus. Andreas hatte die Ehre, der Erste zu sein, der Christus kannte, und das Werkzeug zu sein, Petrus zu ihm zu bringen. Beachten Sie:

2.1 Die Information, die Andreas Petrus gab.
„Dieser findet zuerst seinen Bruder Simon." Sein Finden beinhaltet, dass er ihn suchte. Er findet zuerst Simon, der nur kam, um bei Johannes zu sein, dessen Erwartungen aber übertroffen wurden; er traf Jesus.
Er sagte ihm, wen sie gefunden hatten: „Wir haben den Messias gefunden." Andreas sprach:
Demütig; er sagte nicht: „Ich habe ihn gefunden", sondern: „Wir haben", und freute sich, dass er mit anderen daran teilhatte.
Freudig: „Wir haben diese kostbare Perle gefunden" (Mt 13,46). Er behielt es nicht für sich selbst, sondern verkündete es und wusste, dass er nie weniger an Christus haben würde, weil andere an ihm teilhatten.

Auf kluge Weise: „Wir haben den Messias gefunden", was mehr war, als zu dieser Zeit gesagt worden war. Er sprach klarer über Christus, als es sein Lehrer je getan hatte (s. Ps 119,99).
„Und er führte ihn zu Jesus", brachte ihn zur Quelle. Dies war nun:
Ein Ausdruck echter Liebe zu seinem Bruder: Wir sollten eine besondere Sorge und besonderen Fleiß darin an den Tag legen, das geistliche Wohl derer zu suchen, die mit uns verwandt sind, denn ihre Beziehung zu uns bringt sowohl die Verpflichtung als auch die Gelegenheit mit sich, ihren Seelen Gutes zu tun.
Eine Wirkung seines eintägigen Gespräches mit Christus. Dass Andreas „mit Jesus gewesen" war, zeigte sich daran, dass er so von ihm erfüllt war, dass sein Angesicht strahlte (Apg 4,13; vgl. 2.Mose 34,29). Er wusste, dass in Christus genug für alle war, und da er geschmeckt hatte, dass er freundlich war, konnte er nicht ruhen, bis diejenigen, die er liebte, es auch geschmeckt hatten (s. 1.Petr 2,3). Echte Gnade hasst es, ein Monopol auf Christus zu haben, und hat keine Freude daran, deren Genüsse alleine zu essen.

2.2 Den Empfang, den Jesus Christus Petrus bereitete **(s. Vers 42)**.
Christus nannte ihn beim Namen: „Jesus aber sah ihn an und sprach: Du bist Simon, Jonas Sohn" („Sohn des Johannes"; Elb 06). Manche schauen auf die Bedeutung dieser Namen: Simon, „gehorsam", und Jona, „eine Taube". Ein gehorsamer, der Taube gleicher Geist befähigt uns, ein Jünger Christi zu sein.
Er gab ihm einen neuen Namen: Kephas. Dass Christus ihm einen Namen gibt, zeigt sein Wohlwollen ihm gegenüber. Dadurch adoptierte Christus Simon auch in seine Familie als einen von den Seinen. Der Name, den er ihm gab, zeigt seine Treue Christus gegenüber: „Du sollst Kephas heißen (das heißt übersetzt: ‚Stein')", was übersetzt Petrus ist. Die natürliche Haltung von Petrus war solide, robust und entschlossen, was wir als Hauptgrund sehen, warum Christus ihn Kephas nannte, Stein. Als Christus später für ihn betete, dass sein Glaube nicht aufhören möge, damit er stark für Christus sein könnte, machte er ihn zu dem, wie er ihn hier nannte, Kephas, einen Stein. Die zu Christus kommen, müssen mit der Entschlossenheit kommen, stark und treu für ihn zu sein, wie ein Stein, und es geschieht durch seine Gnade, dass sie so sind.

Vers 43-51

Hier ist die Berufung von Philippus und Nathanael.

1. Philippus wurde direkt von Christus selbst berufen, nicht von Andreas, der von Johannes dem Täufer zu Christus geführt wurde, oder wie Petrus, der von seinem Bruder eingeladen wurde. Gott benutzt verschiedene Wege, um seine Erwählten zu sich heimzubringen.

1.1 Christus ergriff die Initiative: Jesus findet Philippus. Christus suchte uns und fand uns, ehe wir ihn suchten. Der Name Philippus ist griechischen Ursprungs und wurde viel unter den Heiden benutzt, doch Christus veränderte Philippus' Namen nicht.
1.2 Philippus wurde „am folgenden Tag" berufen. Wenn für Gott Arbeiten zu tun sind, dürfen wir keinen Tag verlieren.
1.3 Jesus entschloss sich, nach Galiläa zu reisen, um ihn zu berufen. Christus wird all diejenigen finden, die ihm gegeben sind.
1.4 Philippus wurde durch die Macht Christi dazu gebracht, ein Jünger zu sein, die dieses Wort begleitete: „Folge mir nach!"
1.5 Uns wird gesagt, dass Philippus aus Bethsaida kam und dass auch Andreas und Petrus von dort waren **(s. Vers 44)**. Bethsaida war ein böser Ort, doch selbst in Bethsaida gab es einen Überrest aufgrund der Gnadenwahl (s. Mt 11,21; Röm 11,5).

2. Nathanael wurde von Philippus zu Christus eingeladen. Beachten Sie:
2.1 Was zwischen Philippus und Nathanael geschah.
Hier gibt es:
Die freudige Nachricht, die Philippus Nathanael brachte. Obwohl er selbst gerade Christus kennengelernt hatte, ging Philippus los, um Nathanael zu finden. Philippus sagte: „Wir haben den gefunden, von welchem Mose im Gesetz und die Propheten geschrieben haben" **(Vers 45)**. Beachten Sie:
Wie erfreut Philippus darüber war, dass er Christus kennengelernt hat: „Wir haben den Einen gefunden, nach dem wir so lange verlangt und auf den wir gewartet haben; endlich ist er gekommen, er ist gekommen und wir haben ihn gefunden!"
Was für ein Vorteil es für ihn war, so vertraut mit den Schriften des Alten Testaments zu sein, die seinen Sinn darauf vorbereiteten, das Licht dieses Evangeliums anzunehmen.
Unter welchen Irrtümern und Schwächen er litt. Es war seine Schwäche zu sagen, sie hätten ihn gefunden, denn Christus fand sie, ehe sie Christus fanden. Er verstand noch nicht, wie es Paulus tat, wie er „von Christus Jesus ergriffen worden" ist (Phil 3,12).
Den Einwand, den Nathanael dagegen erhob: „Kann aus Nazareth etwas Gutes kommen?" **(Vers 46)**.
Seine Vorsicht war lobenswert; wir sollten alles prüfen (s. 1.Thess 5,21).
Sein Einwand entstand durch Unwissenheit. Wenn er meinte, dass der Messias, diese große und gute Person, nicht aus Nazareth kommen könne, lag er soweit richtig – doch dann wusste er nicht die Tatsache, dass dieser Jesus in Bethlehem geboren war; der Fehler, den Philippus beging, als er ihn Jesus von Nazareth nannte, bewirkte diesen Einwand.

Die kurze Antwort, die Philippus auf diesen Einwand gab: „Komm und sieh!"
Es war die Schwäche von Philippus, dass er auf den Einwand keine befriedigende Antwort geben konnte. Wir können genug wissen, um uns selbst zufriedenzustellen, doch nicht in der Lage sein, genug zu sagen, um einen raffinierten Feind zum Schweigen zu bringen.
Es war seine Weisheit und sein Eifer, dass er, als er nicht selbst auf den Einwand antworten konnte, vorschlug, dass Nathanael zu dem Einen geht, der es konnte: „Komm und sieh!" Er sagte nicht: „Geh hin und sieh!", sondern: „Komm, und ich werde mit dir kommen." Viele Menschen werden durch die unvernünftigen Vorurteile von den Wegen der Religion und des Glaubens abgehalten, welche sie wegen einiger sonderbarer Umstände gegenüber der Religion hegen, welche nichts mit den Vorzügen der Sache zu tun haben.

2.2 Was zwischen Nathanael und unserem Herrn Jesus geschah. Nathanael kam und sah und dies nicht vergeblich.
„Jesus sah den Nathanael auf sich zukommen." Er sagte über ihn zu jenen, die um ihn her waren: „Siehe, wahrhaftig ein Israelit" (hier ist ein wahrhaftiger Israelit). Beachten Sie:
Er lobte ihn, nicht um ihm zu schmeicheln, sondern vielleicht, weil er wusste, dass jener zurückhaltend ist. Nathanael hatte einen Einwand gegen Christus erhoben, doch Christus zeigte, dass er dies entschuldigte, weil er wusste, dass das Herz von Nathanael aufrecht ist.
Er lobte ihn für seine Rechtschaffenheit.
„Siehe, wahrhaftig ein Israelit." „Denn nicht alle, die von Israel abstammen, sind Israel" (Röm 9,6); hier jedoch war „wahrhaftig ein Israelit", das heißt:
Ein aufrichtiger Nachfolger des guten Beispiels seines Vaters Israel, ein authentischer Sohn des redlichen Jakob.
Ein aufrichtiger Bekenner des Glaubens Israels, wirklich, so gut wie er schien, stand sein Handeln im Einklang mit seinem Bekenntnis. Ein wahrer Jude ist jemand, der dies innerlich ist, wie es auch ein wahrer Christ ist (s. Röm 2,29).
Er war jemand, „in dem keine Falschheit ist". Ein wahrer Christ hat keine Falschheit gegenüber Menschen; er ist jemand, dem die Menschen vertrauen können. Und er hat keine Falschheit Gott gegenüber; er ist aufrichtig in der Buße über die Sünde. Christus sagte nicht „keine Schuld", sondern „keine Falschheit", ein wahrer Israelit, ein Wunder der göttlichen Gnade.
Nathanael war darüber sehr überrascht.
Hier haben wir die Bescheidenheit von Nathanael: „,Woher kennst du mich', der ich doch unwürdig deiner Beachtung bin?" Es war ein Beleg für seine Aufrichtigkeit, dass er das Lob annahm. Kennt Christus uns? Wir wollen danach streben, ihn kennenzulernen.

Hier haben wir Christi weitere Offenbarung seiner selbst ihm gegenüber: „Ehe dich Philippus rief ... sah ich dich!"
Er gab Nathanael zu verstehen, dass er ihn kannte, und zeigte so seine Göttlichkeit.
Ehe Philippus Nathanael rief, sah Christus ihn unter dem Feigenbaum. Christus kennt uns, ehe wir irgendeine Erkenntnis von ihm haben. Er hatte auf Nathanael geschaut, als dieser „unter dem Feigenbaum" war; dies war ein privates Zeichen, das niemand verstand als Nathanael: „Als du dich unter den Feigenbaum zurückgezogen hast, hatte ich mein Auge auf dich gerichtet und sah, was annehmbar war." Nathanael sann unter dem Feigenbaum wahrscheinlich nach, betete und freute sich an der Gemeinschaft mit Gott. Unter einem Feigenbaum zu sitzen, zeigt Ruhe und Stille des Geistes, die sehr große Freunde der Gemeinschaft mit Gott sind.
Nathanael erlangte hier die völlige Gewissheit des Glaubens an Jesus Christus: „Rabbi, du bist der Sohn Gottes, du bist der König von Israel!" **(Vers 49)**. Das heißt, um es knapp auszudrücken: „Du bist der wahre Messias." Beachten Sie hier, wie fest Nathanael mit dem Herzen glaubte. Jetzt fragte er nicht mehr: „Kann aus Nazareth etwas Gutes kommen?" Schauen Sie, wie freimütig er mit dem Mund bekannte (s. Röm 10,9). Er bekannte das prophetische Amt von Christus, indem er ihn „Rabbi" nannte. Er bekannte sein göttliches Wesen und seinen göttlichen Auftrag, indem er ihn den „Sohn Gottes" nannte. Er bekannte: „... du bist der König von Israel!" Wenn er der Sohn Gottes ist, dann ist er der König des Israels Gottes.
Christus weckte die Erwartungen und Hoffnungen Nathanaels auf etwas Weitreichenderes und Größeres als dies alles **(s. Vers 50-51)**.
Er zeigte hier seine Annahme von dem – und wie es scheint seine Verwunderung über den – bereitwilligen Glauben von Nathanael: „Du glaubst, weil ich dir sagte: Ich sah dich unter dem Feigenbaum?" Es war ein Zeichen, dass das Herz Nathanaels zuvor bereitet wurde, denn sonst wäre das Werk nicht so unvermutet getan worden.
Er verhieß Nathanael viel größere Hilfe, um seinen Glauben zu bekräftigen und zu vermehren.
Im Allgemeinen: „Du wirst Größeres sehen als das!" Nämlich die Wunder Christi und seine Auferstehung. Das zeigt uns, dass diejenigen, die wirklich an das Evangelium glauben, sehen werden, dass seine Belege bei ihnen Einfluss gewinnen. Wie sich Christus hier in dieser Welt auch immer offenbaren mag, er hat sogar noch größere Offenbarungen als diese, um sie ihnen bekannt zu machen.
Im Besonderen: „Nicht nur du, sondern ihr, ihr alle meine Jünger, ihr werdet den Himmel offen sehen. ‚Wahrlich, wahrlich, ich sage euch'" – was sowohl feste Aufmerksamkeit für das Gesagte gebietet, dass es bedeutsam ist, als auch vollständige Übereinstimmung damit, dass es zweifellos wahr ist. Niemand außer Christus benutzte diesen Ausdruck zu Beginn eines Satzes, obwohl die Juden ihn häufig am Ende eines Gebets benutzten. Es ist ein feierlicher Eid. Schauen Sie nun, was es ist, das Christus ihnen zusichert: „Künftig", oder in Kürze, „werdet ihr den Himmel offen sehen."
Es war ein demütiger Titel, den sich Christus hier zulegte: der „Sohn des Menschen". Es ist ein Titel, der im Evangelium häufig für ihn verwendet wird, doch immer von ihm selbst. Nathanael hatte ihn den „Sohn Gottes" und „König von Israel" genannt: Christus nannte sich „Sohn des Menschen", um seine Demut zu zeigen und seine Menschlichkeit zu lehren.
Die Dinge, die er hier voraussagte, waren große Dinge: „Künftig werdet ihr den Himmel offen sehen und die Engel Gottes auf- und niedersteigen auf den Sohn des Menschen!" Dies wurde in den vielen Diensten der Engel an unserem Herrn Jesus erfüllt, besonders bei seiner Himmelfahrt, als der Himmel offen war, um ihn zu empfangen, und die Engel stiegen auf und nieder – und das in Sichtweite der Jünger. Christi Himmelfahrt war der große Beweis seiner Sendung und sie stärkte sehr den Glauben der Jünger (s. Joh 6,62). Wir können diese Vorhersage auch als Verweis auf seine Wunder sehen. Christus begann jetzt ein Zeitalter der Wunder, und unmittelbar danach begann er, sie zu vollbringen (s. Joh 2,11).

Kapitel 2

In diesem Kapitel haben wir: 1. Den Bericht von dem ersten Wunder, das Jesus in Kana in Galiläa vollbrachte (s. Vers 1-11), und sein Auftreten in Kapernaum (s. Vers 12). 2. Den Bericht von dem ersten Passah, nachdem er seinen öffentlichen Dienst begann, das er in Jerusalem hielt; wie er die Käufer und Verkäufer aus dem Tempel trieb (s. Vers 13-17); und das Zeichen, das er denen gab, die deshalb mit ihm stritten (s. Vers 18-22), mit einem Bericht über einige, die beinahe glaubten (s. Vers 23-25).

Vers 1-11

Hier ist ein Bericht der wundersamen Verwandlung von Wasser in Wein durch Christus bei einer Hochzeit in Kana in Galiläa. Er hätte vorher Wunder vollbringen können, doch weil Wunder die feierlichen und geheiligten Siegel seiner Botschaft sein sollten, begann er nicht, welche zu vollbringen, bis er predigte. Beachten Sie:

1. Die Gelegenheit für dieses Wunder. Maimonides merkt an, dass es die Ehre von Mose war, dass er alle Zeichen, die er in der Wüste vollbrachte, tat, weil er es musste: „Wir brauchten Nahrung und er brachte uns das Manna" – und so tat es Christus.

1.1 Die Zeit: „Am dritten Tag", nachdem er nach Galiläa gekommen war. Der Evangelist schreibt ein Tagebuch von Ereignissen. Unser Meister nutzte seine Zeit besser, als es seine Diener tun, legte sich nie abends schlafen mit der Klage, dass er einen Tag verloren hatte.

1.2 Den Ort: Es war Kana in Galiläa. Christus begann in einem unbedeutenden Teil des Landes, Wunder zu wirken. Seine Botschaft und seinen Wundern würde unter den einfachen und ehrlichen Galiläern nicht so sehr widerstanden werden, wie es in Jerusalem der Fall wäre.

1.3 Den Anlass selbst, eine Hochzeit. Es heißt, dass „die Mutter Jesu" dort gewesen ist. Achten Sie auf die Ehre, die Christus hier dem Stand der Ehe gibt, dass er eine Hochzeitsfeier nicht nur mit seiner Gegenwart zierte, sondern auch mit seinem ersten Wunder. Es gab ein Hochzeitsfest, um die Hochzeitsfeier zu schmücken. Hochzeiten wurden in der Regel mit einem Fest gefeiert.

1.4 Die Hauptgäste bei diesem Empfang: Christus, seine Mutter und seine Jünger. „… und die Mutter Jesu war dort"; Joseph wird nicht erwähnt, und darum schließen wir, dass er vorher verstorben war. Jesus wurde eingeladen und er kam und freute sich an dem Empfang mit ihnen. Christus kam in einer Weise, die sich von der von Johannes dem Täufer unterschied, der nicht aß und nicht trank (s. Mt 11,18-19).

Es gab eine Hochzeit und Jesus wurde eingeladen. Wenn es eine Hochzeit gibt, ist es sehr gut, Jesus Christus einzuladen, dabei gegenwärtig zu sein, dass die Ehe von ihm anerkannt und gesegnet wird; dann ist die Ehe wahrhaftig ehrenhaft. Solche, die Christus in ihrer Ehe dabeihaben möchten, müssen ihn im Gebet einladen; das Gebet ist der Bote, der zu ihm in den Himmel gesandt werden muss, und er wird kommen; er wird das Wasser in Wein verwandeln.

Auch die Jünger waren eingeladen. Sie hatten sich unter seinen Schutz gestellt und sie sahen bald, dass er gute Freunde hatte, obwohl er keinen Reichtum besaß. Die Christus nachfolgen, werden mit ihm schwelgen; sie werden essen wie er isst. Liebe zu Christus wird durch Liebe zu denen gezeigt, die zu ihm gehören.

2. Das Wunder selbst:
2.1 Ihnen mangelte es an Wein **(Vers 3)**.
Es war ein Mangel bei einem Festessen; obwohl viel besorgt worden war, war alles verbraucht. Solange wir in dieser Welt sind, sehen wir manchmal, dass wir in einer Notlage sind, selbst wenn wir meinen, dass wir alles haben, was wir brauchen. Wenn wir immer verbrauchen, ist vielleicht alles verbraucht, ehe wir uns dessen bewusst sind.

Es war ein Mangel bei einem Hochzeitsfestmahl. Es scheint, dass Christus und seine Jünger der Grund für diesen Mangel waren; doch diejenigen, die sich um Christi willen einschränken, werden durch ihn nicht verlieren.

2.2 Die „Mutter Jesu" bat ihn, ihren Freunden zu helfen. Uns wird gesagt, was zwischen Jesus und seiner Mutter geschah **(s. Vers 3-5)**.

Sie erzählte ihm von den Schwierigkeiten, die sie hatten: Sie sagte zu ihm: „Sie haben keinen Wein!" **(Vers 3)**. Manche meinen, dass sie keine übernatürliche Versorgung von ihm erwartete, weil er bis zu dieser Zeit noch kein Wunder vollbracht hatte. Doch höchstwahrscheinlich erwartete sie ein Wunder. Der Bräutigam hätte nach mehr Wein schicken können, doch sie wollte direkt zur Quelle gehen. Wir sollten uns um die Nöte unserer Freunde kümmern. In unseren eigenen und den Schwierigkeiten unserer Freunde wäre es weise, wenn wir uns an Christus im Gebet wenden. Doch wenn wir mit Christus sprechen, dürfen wir ihm nicht sagen, was er tun soll, sondern müssen unseren Fall demütig vor ihm ausbreiten (s. 2.Kön 19,14).

Er tadelte sie dafür. Hier gibt es:
Den Tadel selbst: „Frau, was habe ich mit dir zu tun?" Christus erzieht und tadelt alle, die er liebt (s. Hebr 12,6; Spr 3,11-12). Er nannte sie „Frau", nicht „Mutter". Wenn wir beginnen, eine zu hohe Meinung über uns selbst zu haben, sollten wir an das erinnert werden, was wir sind, Männer und Frauen, zerbrechliche, törichte und sündige Individuen. Seine Antwort sollte sein:

Eine Einschränkung für seine Mutter, dass sie sich in eine Sache einmischte, welche die Tat seiner Gottheit war, die in keiner Weise von ihr abhängig war und von der sie nicht die Mutter war. Großes Weiterkommen darf uns nicht uns selbst und unsere Stelle vergessen lassen, noch sollte die Vertrautheit, mit der uns der Bund der Gnade annimmt, Verachtung, Respektlosigkeit oder irgendeine Art von Vermessenheit erzeugen.

Eine Unterweisung für seine anderen Verwandten – dass sie von ihm nie erwarten dürfen, dass er bei der Vollbringung seiner Wunder irgendeine Bevorzugung seinen natürlichen Verwandten gegenüber zeigt, da sie ihm in dieser Sache nicht mehr bedeuteten als alle anderen Menschen. In den Dingen Gottes dürfen wir keine Bevorzugung zeigen.

Der Grund für diesen Tadel: „Meine Stunde ist noch nicht gekommen!" Alles, was Christus tat und was ihm angetan wurde, hatte seine Stunde, die festgelegte Zeit und die beste Zeit. „Meine Zeit, Wunder zu vollbringen, ist noch nicht gekommen." Später vollbrachte er dieses Wunder, vor seiner festgelegten Stunde, weil er voraussah, dass es den Glauben seiner neuen Jünger stärken würde **(s. Vers 11)**. Das war ein Unterpfand für die vielen Wunder, die er wirken würde, wenn seine Stunde gekommen war. Seine Mutter drängte ihn zu helfen, als der Wein begann auszugehen, wie man in Vers 3 lesen kann, doch seine Zeit war noch nicht gekommen, bis er vollständig aufgebraucht war. Dies lehrt uns, dass des Menschen Verlegenheit zur Gelegenheit Gottes wird. Seine Zeit ist gekommen, wenn wir in die größte Schwierigkeit gebracht sind und nicht wissen, was zu tun ist. Verzögerungen der Barmherzigkeit darf man nicht als Ablehnung von Gebeten auslegen.

Trotz diesem ermutigte sie sich mit der Erwartung, dass er helfen würde, und deshalb sagte sie den Dienern, sie sollten seinen Anweisungen Folge leisten **(s. Vers 5)**.

Sie nahm den Tadel sehr unterwürfig an und antwortete nicht darauf. Es ist das Beste, keinen Tadel von Christus zu verdienen, doch das Nächstbeste ist, darunter demütig und ruhig zu sein und ihn als Gnade zu erachten (s. Ps 141,5).

Sie hielt ihre Hoffnung auf Christi Barmherzigkeit aufrecht. Wenn wir für eine Barmherzigkeit in Christus zu Gott kommen, entmutigen uns zwei Dinge: ein Gefühl unserer eigenen Torheit und Schwäche und die Furcht vor dem Missfallen und Tadel unseres Herrn. Das Leid hält an, die Rettung verzögert sich und Gott scheint über unsere Gebete zu zürnen. Dies war die Situation der Mutter unseres Herrn hier, doch sie ermutigte sich immer noch mit Hoffnung, dass er ihr schließlich gewogen antworten würde, um uns zu lehren, dass wir mit Gott ringen, selbst wenn er in seiner Vorsehung gegen uns zu handeln scheint.

Sie sagte den Dienern, sie sollten sich direkt an ihn wenden und nicht zu ihr kommen. Ihre Seelen mögen nur auf ihn warten (s. Ps 62,6).

Sie sagte ihnen, sie sollten seinen Anweisungen unverzüglich Folge leisten: „Was er euch sagt, das tut!" Wer die Gunst Christi erwartet, muss mit stillschweigendem Gehorsam seine Anordnungen ausführen. Der Weg der Pflicht ist der Weg zur Barmherzigkeit und Christi Vorgehensweisen dürfen nicht beanstandet werden.

Christus versorgte sie schließlich auf übernatürliche Weise, so wie er oft besser ist als sein Wort, aber niemals schlimmer.

Das Wunder selbst war die Verwandlung von Wasser in Wein. Die Substanz des Wassers erlangte eine neue Form mit allem Aussehen und allen Eigenschaften von Wein. Dadurch zeigte Christus, dass er der Gott der Natur ist, der die Erde Wein hervorbringen lässt (s. Ps 104,14-15). Der Anfang von Christi Wundern war, Wasser in Wein zu verwandeln; der Segen des Evangeliums verwandelt Wasser in Wein. Christus zeigte damit, dass es sein Auftrag in der Welt war, sowohl die kreatürlichen Erquickungen für alle Gläubigen zu vermehren als auch sie zu wahren Erquickungen zu machen.

Dessen Umstände werden verherrlicht und von allem Verdacht auf Betrug befreit.

Es geschah mit Wasserbehältern: „Es waren aber dort sechs steinerne Wasserkrüge" **(Vers 6)**. Beachten Sie:

Für welchen Gebrauch diese Wasserkrüge bezweckt waren: für die gesetzmäßige Reinigung, die von dem Gesetz Gottes und viel mehr von den Überlieferungen der Alten geboten war. Sie nutzten bei der Waschung eine Menge Wasser, weshalb sechs große Wasserkrüge zur Verfügung standen. Es gab eine Redensart unter ihnen: Diejenigen, die viel Wasser für die Waschung benutzen, werden viel Wohlstand in dieser Welt erlangen.

Für welchen Zweck Christus sie benutzte; um Gefäße für den übernatürlichen Wein zu sein. Christus kam, um die Gnade des Evangeliums herbeizubringen, die wie Wein ist, um an die Stelle der Schatten des Gesetzes zu treten, die wie Wasser waren. Dies waren Wasserkrüge, die nie benutzt worden waren, um Wein zu enthalten; sie waren aus Stein, was nicht dazu beiträgt, den Geruch von früheren Flüssigkeiten beizubehalten, wenn sie jemals Wein enthalten hatten. Sie fassten „zwei oder drei Eimer", zwanzig bis dreißig Gallonen (etwa 75 bis 115 Liter). Christus gibt nach dem Reichtum seines Wesens und nach dem Reichtum seiner Herrlichkeit: im Überfluss (s. Eph 1,18).

Die Wasserkrüge wurden auf das Wort Christi hin von den Dienern „bis obenhin" gefüllt **(s. Vers 7)**.

Das Wunder wurde unvermutet und auf eine Weise vollbracht, die es sehr verherrlichte. Sobald sie die Wasserkrüge gefüllt hatten, sagte er: „Schöpft nun" **(Vers 8)**, und es wurde ohne irgendeine Zeremonie getan, in voller Sichtweite der Zuschauer. Er saß still auf seinem Platz, sagte kein Wort, wollte aber die Sache und so geschah sie. Christus tut still große und wunderbare Dinge, wirkt auf einem verborgenen Weg wunderbare Veränderungen ohne irgendwelches Zögern oder irgendwelche Unsicherheit bei sich. Mit der größtmöglichen Gewissheit, obwohl es sein erstes Wunder war, empfahl er dem Verantwortlichen für das Fest den Wein. Genauso, wie er wusste, was er tun *wollte*, wusste er auch, was er tun *konnte*. Alles war sehr gut, schon von Anfang an (s. 1.Mose 1,1.31).

Unser Herr Jesus wies die Diener an:
Den Wein zu schöpfen, dass er getrunken wird. Christi Werke sind alle dazu da, um davon Gebrauch zu machen. Hat er Ihr Wasser in Wein verwandelt, Ihnen Erkenntnis und Gnade gegeben? Dies geschieht zum allgemeinen Wohl, deshalb schöpfen Sie jetzt daraus. Wer Christus kennenlernen will, muss wirklich tun, was er sagt.

Ihn dem Speisemeister zu bringen (dem Verantwortlichen für das Fest). Obwohl dieser nicht als Herr des Festes angesehen wurde, zeigte er sich gütig als Freund des Festes, um, wenn er auch nicht der Stifter ist, sein größter Wohltäter zu sein. Manche meinen, dass dieser Speisemeister der Aufseher über das Fest war, dessen Aufgabe es war, Sorge dafür zu tragen, dass jeder genug hatte, dass niemand zu viel trinkt und dass es kein anstößiges oder unanständiges Verhalten gibt. Feste brauchen Verantwortliche, weil sich zu viele Menschen auf Feiern selbst nicht beherrschen. Manche meinen, dass dieser Verantwortliche für das Fest ein Priester oder Levit war, der um einen Segen bat und danksagte, und dass Christus wollte, dass ihm der Becher gebracht wird, damit er ihn segnen und Gott dafür preisen würde, denn die außerordentlichen Zeichen der Gegenwart und Macht Christi sollten die gewöhnlichen Regeln und Wege der Frömmigkeit und Andacht nicht ersetzen oder verdrängen.

Der Wein, der so wunderbar gegeben wurde, war der beste und feinste. Dies wurde von dem Verantwortlichen für das Fest anerkannt **(s. Vers 9-10)**. Es war sicher, dass:

Dies Wein war. Der Verantwortliche wusste dies, als er ihn trank, wenn er auch nicht wusste, woher er kam; die Diener erkannten, woher er kam, doch sie hatten ihn noch nicht gekostet.

Es war der beste Wein. Die Werke Christi empfehlen sich selbst sogar denen, die deren Urheber nicht kennen. Die Ergebnisse der Wunder waren immer die besten ihrer Art. Der Verantwortliche für das Fest äußerte dies mit einem Anflug von Vergnügen als etwas Ungewöhnliches gegenüber dem Bräutigam.

Der übliche Weg war das Gegenteil. Der gute Wein wird für gewöhnlich am vorteilhaftesten zu Beginn des Festes gereicht, doch „wenn sie trunken geworden sind" (zu viel zu trinken hatten), ist guter Wein für sie eine Verschwendung und schlechterer wird für sie in Ordnung sein. Achten Sie auf die Wertlosigkeit aller leiblichen Freuden; sie übersättigen bald, befriedigen aber nie; je länger man sie genießt, umso weniger angenehm werden sie.

Dieser Bräutigam erfreute seine Freunde mit einem Vorrat des besten Weines zum Schluss: „Du aber hast den guten Wein bis jetzt behalten!" Weil er nicht wusste, wem er für diesen guten Wein zu Dank verpflichtet waren, dankte der Verantwortliche dem Bräutigam.

Indem er so überreich für die Gäste sorgt, setzt Christus, wenn er uns hierdurch auch einen nüchternen und guten Gebrauch von Wein gestattet, besonders in Zeiten der Freude, nicht seine eigene Warnung außer Kraft, welche lautet, dass unsere Herzen zu keiner Zeit, nicht einmal auf einem Hochzeitsfest, „durch Rausch und Trunkenheit" beschwert werden sollen (s. Neh 8,10; Lk 21,34). Enthaltsamkeit, wenn es keine andere Wahl gibt, ist eine undankbare Tugend, doch wenn uns die göttliche Vorsehung viele leibliche Freuden gibt und uns die göttliche Gnade befähigt, sie mäßig zu gebrauchen, ist diese Selbstverleugnung lobenswert. Zwei Erwägungen, die aus dieser Geschichte gezogen sind, können zu jeder Zeit genügend sein, um uns gegen die Versuchungen zur Zügellosigkeit zu stärken. Erstens sind unser Essen und Trinken Gaben der Güte Gottes für uns. Deshalb ist es undankbar und gottlos, sie zu missbrauchen. Zweitens schaut Christus auf uns, wo immer wir sind.

Er hat uns ein Beispiel für die Art gegeben, wie er mit denen umgeht, die mit ihm Umgang haben, welche ist, das Beste für den Schluss aufzuheben, und darum müssen sie auf der Grundlage des Vertrauens handeln. Die Freuden der Sünde perlen im Becher, doch am Ende werden sie beißen; doch die Freuden der Religion werden „Freuden in Fülle" sein (s. Spr 23,31-32; Ps 16,11).

3. Der Abschluss dieses Berichts, in dem uns gesagt wird **(s. Vers 11)**:

3.1 Dass dies der „Anfang der Zeichen" war, die Jesus tat. Er war selbst das größte Wunder von allen, doch dies war das erste, das von ihm vollbracht wurde. Er hatte Kraft, doch es gab eine Zeit, in der seine Kraft verborgen war (s. Hab 3,4).

3.2 Dass er hier seine Herrlichkeit offenbar werden ließ (offenbarte); hier bewies er, dass er der Sohn Gottes war.

3.3 Dass seine Jünger an ihn glaubten. Diejenigen, die er berufen hatte, sahen dies nun, nahmen daran teil und ihr Glaube wurde hierdurch gestärkt (s. Joh 1,35-51). Selbst der Glaube, der echt ist, ist zuerst nur schwach. Die stärksten Menschen waren einmal Säuglinge wie auch die stärksten Christen.

Vers 12-22

Hier haben wir:

1. Den kurzen Besuch, den Christus in Kapernaum machte **(s. Vers 12)**. Sie wird „seine Stadt" genannt (Mt 9,1), weil er sie in Galiläa zu seinem Hauptquartier machte, und die wenige Ruhe, die er hatte, war dort. Es war ein Ort, in dem Menschen zusammenkamen, und deshalb wählte Christus ihn, sodass sich der große Ruf von seiner Lehre und seinen Wundern von dort weiter ausbreiten würde. Beachten Sie:

1.1 Die Gesellschaft, die mit ihm dorthin ging: „seine Mutter und seine Brüder und seine Jünger". Wo immer Christus auch hinging: *Wollte er nicht alleine gehen*, sondern nahm die mit, welche sich seiner Führung unterstellt hatten.

Konnte er nicht alleine gehen, ohne dass sie ihm folgten, weil sie die Süße entweder seiner Lehre oder seines Weines mochten (s. Joh 6,26). Seine Mutter folgte ihm immer noch, nicht um bei ihm Fürsprache einzulegen, sondern um von ihm zu lernen. Seine Brüder folgten ihm, die bei der Hochzeit waren, wie auch seine Jünger, die mit ihm waren, wo er auch hinging. Es scheint, dass die Menschen zuerst von Christi Wundern mehr bewegt waren, als sie es später waren, als sie mehr zur Routine und weniger ungewöhnlich geworden waren.

1.2 Sein Aufenthalt dort, der zu dieser Zeit „wenige Tage" dauerte. Christus war ständig in Bewegung; er wollte seine Nützlichkeit nicht auf einen besonderen Ort beschränken, weil ihn viele Menschen brauchten. Er blieb nicht lange in Kapernaum, weil das Passah nahe war und er in Jerusalem anwesend sein musste.

2. Wie er in Jerusalem das Passah hielt; es war das erste nach seiner Taufe. Da er „unter das Gesetz getan" war (Gal 4,4) beachtete Christus das Passah in Jerusalem. Er zog hinauf nach Jerusalem, als das Passah nahe war, damit er mit den Ersten dort sein würde. Christus hatte jedes Jahr das Passah in Jerusalem gehalten, seit er zwölf Jahre alt war, doch jetzt, wo er seinen öffentlichen Dienst begonnen hatte, konnte man von ihm mehr erwarten als vorher, und er tat dort zwei Dinge:

2.1 Er reinigte den Tempel **(s. Vers 14-17)**.
Der erste Ort, an dem wir ihn in Jerusalem finden, war der Tempel, und er scheint nicht öffentlich aufgetreten zu sein, bis er dorthin kam.
Das erste Werk, welches wir ihm im Tempel ausüben sehen, ist, ihn zu reinigen. Er läuterte zuerst, was falsch war, und lehrte sie dann zu tun, was richtig war. Er erwartet von allen, die zu ihm kommen, dass sie ihre Herzen und Leben bessern (s. 1.Mose 35,2). Er hat uns dies durch die Reinigung des Tempels gelehrt. Beachten Sie hier:
Was für Verderbtheiten gereinigt werden mussten. In einem der Vorhöfe des Tempels fand er einen Markt, den man „Vorhof der Heiden" nannte. Dort:
Verkauften die Menschen Rinder und Schafe und Tauben für die Opfer; die waren nicht für den gewöhnlichen Gebrauch, sondern für die Bequemlichkeit derer, die aus dem Land kamen und ihre Opfer nicht in natura mit sich bringen konnten. Dieser Markt wurde von den obersten Priestern für unehrlichen Gewinn zugelassen. Große Verderbtheit in der Kirche verdankt ihr Aufkommen der Geldgier (s. 1.Tim 6,5.10).
Wechselten einige Geld (tauschten es um) für die Bequemlichkeit derer, welche den halben Schekel Steuer pro Kopf für den Tempeldienst entrichten mussten, und ohne Zweifel machten die Geldwechsler damit Gewinn.
Wie unser Herr eine solche Verderbtheit reinigte. Er beklagte sich nicht bei den obersten Priestern, weil er wusste, dass sie solche Korruption unterstützten.
Er trieb selbst die Schafe und Rinder und jene hinaus, die sie verkauften. Er benutzte niemals Gewalt, um jemanden in den Tempel hineinzutreiben, sondern nur, um die hinauszutreiben, die ihn entweihten. Er machte „eine Geißel aus Stricken", mit denen die Eigentümer der Schafe und Ochsen sie wahrscheinlich hereingeführt hatten. Sünder bereiten sich selbst die Geißel, mit der sie aus dem Tempel des Herrn hinausgetrieben werden.
Er verschüttete den Wechslern das Geld (zerstreute die Münzen). Indem er das Geld zerstreute, zeigte er seine Geringschätzung diesem gegenüber. Indem er die Tische umstieß, zeigte er sein Missfallen denen gegenüber, welche die Religion zu einer Angelegenheit weltlichen Gewinns machen. Geldwechsler im Tempel sind sein Ärgernis.
„Und zu den Taubenverkäufern sprach er" (die Tauben waren Opfer für die Armen): *„Schafft das weg von hier!"* Der Sperling und die Schwalbe, die der Vorsehung Gottes überlassen wurden (s. Ps 84,4), waren willkommen, nicht aber die Tauben, die für Gewinn hergebracht wurden. Gottes Tempel darf nicht zu einem Taubenschlag gemacht werden.
Er nannte ihnen einen guten Grund für das, was er tat: „Macht nicht das Haus meines Vaters zu einem Kaufhaus!"
Hier gibt es einen Grund, warum sie den Tempel nicht verunreinigen sollten: Er war das Haus Gottes. Waren sind eine gute Sache auf einem Markt, doch nicht in einem Tempel. Den Tempel zu verunreinigen, war ein Sakrileg, es hieß, Gott zu berauben. Es bedeutete, das zu verunreinigen und profanieren, was erhaben war und zu Ehrfurcht anregen sollte. Es hieß, die Pflicht der Religion weltlichen Interessen unterzuordnen. Gottes Haus wird von Menschen zu einem Markt gemacht, deren Sinn von Sorgen über weltliche Geschäfte erfüllt ist, während sie an religiösen Gottesdiensten teilnehmen – wie es der Sinn von denen in Amos 8,5 und Hesekiel 33,31 war –, und von Menschen, die Gottesdienste für unehrlichen Gewinn abhalten.
Hier ist ein Grund, warum es ihm ein Anliegen war, den Tempel zu reinigen: Dieser war das Haus seines Vaters. Er hatte Vollmacht, diesen zu läutern, wie ein Sohn Vollmacht hat „über sein eigenes Haus" (Hebr 3,6). Er war auch eifrig darin, ihn zu läutern. „Der Tempel ist das Haus meines Vaters, deshalb kann ich es nicht ertragen, es verunreinigt und ihn entehrt zu sehen." Wir müssen darüber betrübt sein, Gottes Namen verunreinigt zu sehen; dass Christus den Tempel reinigte, kann man darum zu Recht zu den Wundern zählen, die er getan hat (s. Ps 40,6), in Anbetracht dessen:

Dass er es ohne die Hilfe von irgendjemandem von seinen Freunden tat.
Dass er es ohne Widerstand von irgendjemandem von seinen Feinden tat. Die Verderbtheit war zu offenkundig, um gerechtfertigt zu werden; die eigenen Gewissen der Sünder sind die besten Freunde des Reformers. Das war jedoch nicht alles; in dieser Reinigung zeigte sich eine göttliche Macht, eine Macht über den menschlichen Geist.
Seine Jünger reagierten darauf: „Seine Jünger dachten aber daran, dass geschrieben steht: ‚Der Eifer um dein Haus hat mich verzehrt'" **(Vers 17)**. Es kam ihnen eine Schriftstelle in den Sinn, die sie lehrte, diese Tat sowohl mit der Demut des Lammes Gottes als auch mit der Majestät des Königs von Israel in Einklang zu bringen, denn David bemerkte, als er von dem Messias sprach, dass sein Eifer für das Haus Gottes so groß war, dass er ihn sogar verzehrte. Beachten Sie:
Die Jünger verstanden die Bedeutung dessen, was Christus tat, indem sie sich an die Schrift erinnerten. Sie dachten nun „daran, dass geschrieben steht". Das Wort Gottes und die Werke Gottes erklären und veranschaulichen sich gegenseitig. Beachten Sie, wie nützlich es für Christi Jünger ist, dass sie vollständig mit den Schriften vertraut sind und ihr Gedächtnis mit Wahrheiten der Schrift gut ausgestattet haben.
Die Schriftstelle, an die sie sich erinnerten, war sehr bedeutend: „Der Eifer um dein Haus hat mich verzehrt." Alle Wirkungen der Gnade, die man unter den Heiligen des Alten Testaments vorfindet, sind ganz besonders in Christus zu finden, vor allem diese Gnadengabe des Eifers für das Haus Gottes. Eifer für das Haus Gottes verbietet uns, an unseren eigenen Ruf, unser Wohlergehen und unsere Sicherheit zu denken, wenn dies in Konkurrenz zum Dienst für Christus tritt, und manchmal reißt dieser Eifer unsere Seele so sehr und so schnell mit sich, wenn wir unsere Pflicht tun, dass unser Leib mit ihr nicht mithalten kann.
2.2 Christus gab, als er den Tempel geläutert hatte, denen ein Zeichen, die es verlangten, um seine Vollmacht zu beweisen, dies zu tun. Beachten Sie:
Ihre Forderung nach einem Zeichen: „Da antworteten die Juden", das heißt, die vielen Menschen mit ihren Leitern. Wenn sie keinen Einwand gegen die Sache selbst erheben konnten, stellten sie seine Vollmacht infrage, es zu tun. „Was für ein Zeichen zeigst du uns?" Was ging ihn das an und wie konnte er so handeln, da er doch dort keine Vollmacht zu haben schien? Doch war die Sache selbst nicht Zeichen genug?
Christi Antwort auf diese Forderung **(s. Vers 19)**: Er gab ihnen ein Zeichen in Bezug auf etwas, das kommen würde, dessen Wahrheit sich später zeigen musste.

Das Zeichen, welches er ihnen gab, war sein eigener Tod und seine Auferstehung. Er verwies sie auf das, was geschehen würde.
Er sagte seinen Tod und seine Auferstehung nicht direkt voraus, sondern in bildlichen Ausdrücken: „Brecht diesen Tempel ab, und in drei Tagen will ich ihn aufrichten!" Er sprach zu denen in Gleichnissen, die bereitwillig unwissend waren, damit sie es nicht erkennen (s. Mt 13,13-14). Wer nicht sehen will, wird nicht sehen. In der Tat erwies sich die bildliche Sprache, die hier benutzt wurde, für sie zu solch einem Stolperstein, dass sie bei seinem Prozess als Beweis gegen ihn vorgebracht wurde (s. Mt 26,60-61).
Er sagte mit diesen Worten seinen Tod durch den Hass der Juden voraus: „Brecht diesen Tempel ab." Selbst zu Beginn seines Dienstes sah Christus deutlich all sein Leiden am Ende von diesem voraus, doch frohen Sinnes setzte er diesen fort.
Er sagte seine Auferstehung aus seiner eigenen Kraft voraus: „... und in drei Tagen will ich ihn aufrichten!" Es gab andere, die auferweckt wurden, doch Christus stand selbst von den Toten auf.
Er beschloss, dies durch ein Bild der Zerstörung und Wiederaufrichtung des Tempels auszudrücken, weil er sich nun für seine Reinigung des Tempels rechtfertigte, den sie verunreinigt hatten. „Ihr, die ihr einen Tempel verunreinigt, werdet einen anderen zerstören, und ich werde meine Vollmacht, das zu reinigen, was ihr verunreinigt habt, dadurch beweisen, indem ich aufrichte, was ihr zerstören werdet."
Ihr Einwand gegen diese Antwort: „‚In 46 Jahren ist dieser Tempel erbaut worden.' Das Werk des Tempels war immer ein langsam voranschreitendes Werk gewesen und du kannst daraus ein solch schnelles Werk machen?" Hier zeigten sie eine gewisse Kenntnis; sie konnten sagen, wie lange es brauchte, den Tempel zu bauen. Doch sie zeigten mehr Unwissenheit – Unwissenheit über die Bedeutung der Worte Christi und über seine allmächtige Kraft; als könne er nicht mehr tun als jeder andere Mensch.
Eine Rechtfertigung der Worte Christi gegen ihren Einwand: „Er aber redete von dem Tempel seines Leibes" **(Vers 21)**. Manche meinen, dass er, als er sagte: „Brecht diesen Tempel ab", auf seinen eigenen Leib zeigte; wie auch immer, es ist sicher, dass er „von dem Tempel seines Leibes" redete. Wie der Tempel war sein Leib durch einen direkten Auftrag Gottes gebildet worden. Wie der Tempel war er ein heiliges Haus; er wird „das Heilige" genannt (Lk 1,35). Er war, wie der Tempel, der Wohnort der Herrlichkeit Gottes, dort lebte das ewige Wort. Er ist Immanuel, Gott mit uns (s. Mt 1,23). Anbetende schauten zum Tempel (s. 1.Kön 8,30.35); auf gleiche Weise müssen wir zu Gott beten, indem wir auf Christus schauen.

Eine Überlegung, welche die Jünger lange danach darüber anstellten: „Als er nun aus den Toten auferstanden war, dachten seine Jünger daran, dass er ihnen dies gesagt hatte" **(Vers 22)**. Die Erinnerungen der Jünger Christi sollten wie der Schatz des guten Hausvaters sein, der mit neuen und mit alten Dingen ausgestattet ist (s. Mt 13,52). Beachten Sie:
Wann sie an diesen Ausspruch dachten: „Als er nun aus den Toten auferstanden war." Sie bewahrten das Gesagte in ihrem Herzen und später wurde es sowohl verständlich als auch nützlich. Junge Menschen an Jahren und im Bekenntnis sollten die Wahrheiten aufhäufen, von denen sie im Augenblick entweder die Bedeutung oder Anwendung nicht sehr gut verstehen, denn diese Wahrheiten werden später für sie nützlich sein. Dieser Ausspruch Christi wurde in den Erinnerungen seiner Jünger wachgerufen, „als er nun aus den Toten auferstanden war", aber warum gerade dann?
Weil später der Geist ausgegossen wurde, um sie an die Dinge zu erinnern, die Christus zu ihnen gesagt hatte (vgl. Joh 14,26). Genau an dem Tag, an dem Christus von den Toten auferstand, „öffnete er ihnen das Verständnis" (Lk 24,45).
Weil sich dieser Ausspruch von Christus dann erfüllte. Als der Tempel seines Leibes zerstört und am dritten Tag wieder aufgerichtet worden war, dachten sie dann an dies.
Welchen Gebrauch sie davon machten: „... und sie glaubten der Schrift und dem Wort, das Jesus gesprochen hatte." Sie hatten ein träges Herz zu glauben (s. Lk 24,25), doch sie waren gewiss. Die Schrift und die Worte Christi werden hier zusammengenommen, weil sie sich gegenseitig veranschaulichen und bestärken.

Vers 23-25

Hier ist ein Bericht von dem Erfolg – dem dürftigen Erfolg – des Predigens und der Wunder Christi in Jerusalem, während er das Passah feierte. Beachten Sie:

1. Als er in Jerusalem wegen des Passahfestes war, predigte unser Herr Jesus und vollbrachte Wunder. Die Zeit war eine heilige Zeit – „auf dem Fest" (Elb 06) –, wo viele Menschen zusammenkamen, und Christus ergriff diese Gelegenheit zum Predigen.

2. Viele wurden dazu gebracht, an seinen Namen zu glauben, ihn als Lehrer anzuerkennen, „der von Gott gekommen ist", wie es Nikodemus tat (Joh 3,2).

3. „Jesus selbst aber vertraute sich ihnen nicht an" **(Vers 24)**: Christus sah keine Veranlassung, in diese neuen Bekehrten in Jerusalem irgendwelches Vertrauen zu setzen, entweder:
3.1 Weil sie falsch waren, zumindest einige von ihnen. Er hatte unter den Galiläern mehr Jünger, denen er vertrauen konnte, als unter denen, die in Jerusalem lebten. Oder:
3.2 Weil sie schwach waren.
Sie waren furchtsam und ihnen fehlte Eifer und Mut. In schwierigen und gefahrvollen Zeiten kann man Feiglingen nicht vertrauen. Oder:
Sie waren ungestüm und ihnen fehlte Umsicht und Besonnenheit.

4. Der Grund, warum er sich ihnen nicht anvertraute, war, dass er sie kannte – er kannte die Bosheit von einigen und die Schwachheit von anderen **(s. Vers 25)**. Der Evangelist benutzt diese Gelegenheit, um die Allmacht Christi zu erklären.
4.1 Er kannte alle Menschen, nicht nur ihre Namen und Gesichter, wie es für uns möglich ist, viele Menschen zu kennen, sondern auch ihr Wesen, ihren Charakter, ihre Haltungen und Absichten, so, wie wir keinen Menschen und kaum uns selbst kennen. Er kennt diejenigen, die wirklich sein sind, kennt auch ihre Rechtschaffenheit und ihre Schwächen (s. 2.Tim 2,19).
4.2 Er hatte es nicht nötig, „dass jemand von dem Menschen Zeugnis gab" (er brauchte kein menschliches Zeugnis über sie). Seine Erkenntnis kam nicht nur durch Informationen von anderen, sondern durch seine eigene unfehlbare Erleuchtung. „Denn er wusste selbst, was im Menschen war." Wir wissen, was von Menschen getan wird; Christus weiß, was in ihnen ist. Wie geeignet ist Christus, der Heiland der Menschen zu sein, wie geeignet, der Arzt zu sein, der solch eine vollkommene Erkenntnis von dem Fall, dem Verhalten und den Krankheiten des Patienten hat; er weiß, was in uns ist! Wie geeignet ist er auch, der „Richter über alle" zu sein (Hebr 12,23)! Der Herr kommt zu seinem Tempel und niemand kommt zu ihm, außer einer kleinen Gruppe von schwachen, einfachen Menschen, durch die er weder Anerkennung erlangen noch Vertrauen in sie setzen kann.

KAPITEL 3

In diesem Kapitel haben wir: 1. Christi Gespräch mit Nikodemus, einem Pharisäer (s. Vers 1-21). 2. Das Gespräch von Johannes dem Täufer mit seinen Jüngern über Christus (s. Vers 22-36), in dem er ehrlich und aufrichtig all seine Ehre und seinen Einfluss Christus unterwirft.

Vers 1-21

Am Ende des vorigen Kapitels sahen wir, dass in Jerusalem wenige zu Christus geführt wurden, doch hier war jemand, eine wichtige Person. Beachten Sie:

1. Wer dieser Nikodemus war: Nicht viele Mächtige und Vornehme sind berufen, doch manche sind es und hier war einer (s. 1.Kor 1,26). Nicht viele „von den Obersten oder von den Pharisäern" wurden berufen, doch dies war „ein Mensch unter den Pharisäern", der dazu erzogen war, ein akademischer Gelehrter zu sein (Joh 7,48). Es möge nicht gesagt werden, dass alle Nachfolger Christi „ungelehrte Leute und Laien seien" (Apg 4,13). Nikodemus war „ein Oberster der Juden" und ein Mitglied des großen Sanhedrin, ein Mann von Autorität in Jerusalem. So schlecht die Dinge auch waren, so gab es doch einige Oberste, die wohlgesonnen waren. Nikodemus tat, solange er in dieser Stellung war, was er konnte, da er nicht alles tun konnte, was er wollte.

2. Seine ernsten Worte an unseren Herrn Jesus **(s. Vers 2)**. Beachten Sie hier:
2.1 Wann er kam: Er „kam bei Nacht zu Jesus". Er hielt es nicht für genug, ihn in der Öffentlichkeit sprechen zu hören. Er entschloss sich, selbst mit ihm zu sprechen, wo er unbefangen sprechen konnte. Er ging „bei Nacht" zu Christus, was man sehen kann als:
Einen Akt der Weisheit und Umsicht. Christus war den ganzen Tag von öffentlichem Wirken in Anspruch genommen und Nikodemus wollte ihn da nicht stören; er wartete, bis Christus frei verfügbar war, um mit ihm zu sprechen. Christus hatte viele Feinde und deshalb kam Nikodemus inkognito zu ihm, um zu vermeiden, von den obersten Priestern erkannt zu werden und sie dadurch zu reizen, noch wütender über Christus zu werden.
Einen Akt des Eifers. Er würde lieber Zeit von den Zerstreuungen des Abends oder von seiner Nachtruhe nehmen, als nicht mit Christus zu sprechen. Als andere schliefen, erwarb er Erkenntnis. Er wusste nicht, wie schnell Christus die Stadt verlassen, noch was zwischen diesem und dem nächsten Fest geschehen mochte und darum wollte er keine Zeit verlieren. Bei Nacht würde sein Gespräch mit Christus unbefangener und weniger wahrscheinlich gestört werden.
Einen Akt der Furcht und Feigheit. Er fürchtete oder schämte sich, mit Christus gesehen zu werden, und deshalb kam er bei Nacht. Obwohl er bei Nacht kam, hieß Christus ihn dennoch willkommen, nahm seine Rechtschaffenheit an und vergab ihm seine Schwachheit und lehrte seine geistlichen Diener hierbei, gute Anfänge zu ermutigen, selbst wenn sie schwach sind. Obwohl Nikodemus jetzt bei Nacht kam, bekannte er sich danach öffentlich zu Christus (s. Joh 7,50; 19,39). Die Gnade, die zuerst so klein ist wie ein Senfkorn, kann zu einem großen Baum wachsen (s. Mt 13,31-32).
2.2 Was er sagte. Er kam gleich zur Sache. Er nannte Christus „Rabbi", was „ein bedeutender Mann" bedeutet. Es gibt Hoffnung für solche, die Achtung vor Christus haben, die ehrenwert von ihm sprechen und denken. Er sagte Christus, wie weit er gelangt war: „Wir wissen, dass du ein Lehrer bist." Beachten Sie:
Seine Aussage über Christus: „Du bist ein Lehrer, der von Gott gekommen ist, begleitet von göttlicher Erleuchtung und göttlicher Vollmacht." Der Eine, welcher zuerst kam, um ein Lehrer zu sein, würde durch die Macht der Wahrheit regieren, nicht durch die Macht des Schwertes.
Seine Gewissheit davon: „Wir wissen, nicht nur ich alleine, sondern auch andere." Er nahm dies als erwiesen an, als klar und selbstverständlich.
Die Grundlage für diese Gewissheit: „Denn niemand kann diese Zeichen tun, die du tust, es sei denn, dass Gott mit ihm ist." Hier war Nikodemus, der weise, vernünftig und wissbegierig war, einer, der alle möglige Einsicht und Gelegenheit hatte, die Wunder Christi zu untersuchen, und darum war er so vollständig überzeugt, dass sie echt waren, sodass er von ihnen veranlasst wurde, gegen den Strom derer zu schwimmen, die seinem eigenen Berufsstand angehörten. Bei der Erklärung von Nikodemus hier werden wir zu der Schlussfolgerung geführt, die wir aus Christi Wundern ziehen sollten: dass er ein Lehrer ist, „der von Gott gekommen ist", und dass wir ihn als solchen annehmen müssen.

3. Das Gespräch zwischen Christus und Nikodemus, das dann stattfand. Unser Heiland sprach über vier große Dinge.
3.1 Er sprach über die Notwendigkeit und das Wesen der Wiedergeburt oder der neuen Geburt **(s. Vers 3-8)**.
Wir müssen dies als bedeutsame Antwort auf die Worte von Nikodemus betrachten. Jesus antwortete **(s. Vers 3)**. Es war für Nikodemus nicht genug, über die Wunder Christi zu staunen und seine Mission anzuerkennen; er muss „von Neuem geboren" werden. Es war klar, dass er erwartete, dass bald das Reich Gottes erscheinen würde. Ihm war schon früh das Anbrechen dieses Tages bewusst. Christus sagte ihm jedoch, dass er keinen Nutzen von einer Veränderung der Lage haben konnte, wenn es keine Veränderung des Geistes geben würde, die gleichbedeutend sei mit einer neuen Geburt. Als Nikodemus anerkannte, dass Christus ein Lehrer ist, „der von Gott gekommen ist", zeigte er deutlich den Wunsch, zu wissen, was diese Offenbarung war, und Christus erklärte es.
Wir müssen dies als eine ausdrückliche und vehemente Erklärung von unserem Herrn Jesus betrachten: „Wahrlich, wahrlich, ich sage dir: Wenn jemand nicht von Neuem geboren wird, so kann er das Reich Gottes nicht sehen!" Beachten Sie:

Was gefordert wird: „... von Neuem geboren" zu werden. Wir müssen ein neues Leben führen. Die Geburt ist der Beginn des Lebens; von Neuem geboren zu werden ist der Beginn eines neuen Lebens. Wir dürfen nicht meinen, dass wir nur ein altes Gebäude übertünchen könnten; wir müssen vom Fundament an ein neues Gebäude anfangen. Wir müssen ein neues Wesen haben, eine neue treibende Kraft in unserem Leben, neue Zuneigungen, neue Ziele. Wir müssen sowohl „von Neuem" als auch „von oben" geboren werden; das Wort hier bedeutet beides. Wir müssen neu geboren werden; unsere Seele muss gebildet und wieder mit Leben versehen werden. Und wir müssen von oben geboren werden; diese neue Geburt hat ihren Ursprung vom Himmel her. Auf diese Weise geboren werden, heißt, zu einem göttlichen und himmlischen Leben geboren zu werden.

Die unerlässliche Notwendigkeit davon: „Wenn jemand nicht von Neuem geboren wird, so kann er das Reich Gottes nicht sehen!" Wenn wir nicht von oben geboren sind, können wir dieses Reich nicht sehen. Wir können sein Wesen nicht verstehen. Wir können keinen Trost davon bekommen. Die Wiedergeburt ist absolut notwendig für unsere Seligkeit hier und in der Zukunft. An der Natur der Sache wird zu sehen sein, dass wir von Neuem geboren werden müssen, denn es ist für uns unmöglich, selig zu sein, wenn wir nicht heilig sind.

Jetzt, da diese große Notwendigkeit der Wiedergeburt so feierlich niedergelegt worden ist, wandte Nikodemus etwas dagegen ein: „Wie kann ein Mensch geboren werden, wenn er alt ist? Er kann doch nicht zum zweiten Mal in den Schoß seiner Mutter eingehen und geboren werden?" **(Vers 4)**. Wir sehen hier:

Seine Schwachheit in der Erkenntnis; was Christus geistlich ausdrückte, scheint er auf eine physische, irdische Weise verstanden zu haben, als gäbe es eine solche Verbindung zwischen der Seele und dem Leib, dass man das Herz nicht neu schaffen könnte, ohne die Knochen neu zu bilden. Es war für ihn eine große Überraschung, davon zu hören, von Neuem geboren zu werden. Hätte er besser geboren und erzogen werden können, wie als Israelit geboren und erzogen zu werden? Wer stolz ist auf seine erste Geburt, wird mit Schwierigkeiten zu einer neuen Geburt gebracht.

Seine Bereitschaft, gelehrt zu werden. Er wandte Christus nicht wegen dessen schwierigem Ausdruck den Rücken zu, sondern gab ehrlich seine Unwissenheit zu: „Herr, lass mich dies verstehen, da es für mich ein Rätsel ist. Ich bin so töricht, dass ich für einen Menschen keinen anderen Weg kenne, von Neuem geboren zu werden, als dass ihn seine Mutter gebärt." Wenn wir auf göttliche Dinge treffen, die rätselhaft und schwer zu verstehen sind, müssen wir weiterhin an den Mitteln zur Erkenntnis teilhaben.

Es wurde von unserem Herrn Jesus eröffnet und weiter erklärt **(s. Vers 5-8)**. Er nahm die Erwiderung von Nikodemus als Gelegenheit:

Um zu wiederholen und zu bestätigen, was er gesagt hatte: „Wahrlich, wahrlich, ich sage dir' das Gleiche, wie ich zuvor gesagt habe." Obwohl Nikodemus das Geheimnis der Wiedergeburt nicht verstand, erklärte Christus immer noch genauso ausdrücklich ihre Notwendigkeit, wie er es vorher getan hatte. Es ist töricht zu meinen, der Verpflichtung der Gebote des Evangeliums auszuweichen, indem man anführt, dass sie unverständlich sind (s. Röm 3,3-4).

Um zu erläutern und aufzuklären, was er über die Wiedergeburt gesagt hatte. Zu diesem Ziel:

Enthüllte er den Urheber dieser seligen Wandlung, der sie bewirkt. Von Neuem geboren zu sein, heißt, aus dem Geist geboren zu sein (s. Vers 5-8). Der Wandel wird nicht durch irgendeine Weisheit oder Macht von uns bewirkt, sondern durch die Macht und Wirkung des Geistes der Gnade.

Er offenbarte die Natur dieser Umwandlung, die bewirkt werden muss; „... das ist Geist" **(Vers 6)**. Diejenigen, die wiedergeboren sind, sind geistlich gemacht. Die Herrschaft und Interessen der vernünftigen und unsterblichen Seele haben die Macht wiedergewonnen, die sie über das Fleisch haben sollten.

Er offenbarte die Notwendigkeit dieser Umwandlung.

Christus zeigte hier, dass es aufgrund der Natur der Sache notwendig ist: „Was aus dem Fleisch geboren ist, das ist Fleisch" **(Vers 6)**. Uns wird hier gesagt:

Was wir sind: Fleisch. Die Seele ist immer noch von geistlichem Wesen, doch sie ist so eng mit dem Fleisch verbunden, so gefangen genommen durch den Willen des Fleisches, dass sie zu Recht „Fleisch" genannt wird. Was für Gemeinschaft kann es geben zwischen Gott, der ein Geist ist, und einer Seele in diesem Zustand?

Wie es dazu kam, dass wir so sind: indem wir „aus dem Fleisch geboren" sind. Es ist eine Verderbtheit, die uns schon von Geburt an in den Knochen steckt. Die verderbte Natur, die Fleisch ist, entspringt unserer ersten Geburt, und darum muss die neue Natur, die Geist ist, einer neuen Geburt entspringen. Nikodemus sprach davon, zum zweiten Mal in den Schoß seiner Mutter einzugehen und geboren zu werden, doch, wenn er das könnte, welche Wirkung würde das haben? Wenn seine Mutter ihn hundertmal gebären würde, würde das die Dinge nicht richtigstellen, denn immer noch ist das, was aus dem Fleisch geboren ist, Fleisch. Verderbtheit und Sünde sind in die Struktur unseres Seins eingewoben, wir sind in Schuld geboren (s. Ps 51,7). Es genügt nicht, eine neue Jacke anzuziehen oder eine neue Aufmachung zu haben; wir müssen den neuen Menschen anziehen (s. Eph 4,24; Kol 3,10).

Christus machte es zusätzlich notwendig durch sein eigenes Wort: „Wundere dich nicht, dass ich dir gesagt habe: Ihr müsst von Neuem geboren werden!" (Vers 7).

Christus hat es gesagt. Der Eine, welcher der große Arzt der Seelen ist, weiß, wie sie sind, und was nötig ist, um sie zu heilen, und er sagte: „Ihr müsst von Neuem geboren werden!"

Wir sollen uns nicht darüber wundern, denn wenn wir die Heiligkeit des Gottes bedenken, mit dem wir es zu tun haben, und die Schlechtigkeit unserer Natur, sollten wir es nicht für sonderbar halten, dass die neue Geburt als das eine betont wird, das not ist (Hebr 4,13; Lk 10,42).

Er veranschaulichte die Umwandlung durch zwei Vergleiche. Er verglich das erneuernde Werk des Geistes mit:

Wasser **(s. Vers 5)**. Von Neuem geboren werden, heißt, „aus Wasser" und aus dem Geist geboren werden. Was er hier in erster Linie zeigen möchte, ist, dass der Geist bei der Heiligung einer Seele sie reinigt und läutert, wie Wasser einen Leib reinigt und seinen Schmutz wegnimmt. Der Geist kühlt und erfrischt die Seele auch, wie Wasser den gejagten Hirsch und den matten Reisenden erfrischt. Christus dachte wahrscheinlich an die Zeremonie der Taufe, die Johannes benutzte und die er selbst zu nutzen begonnen hatte. „Ihr müsst von dem Geist neu geboren werden" und diese Wiedergeburt durch den Geist würde durch das Waschen mit Wasser dargestellt werden als das äußerliche, sichtbare Zeichen für das Wirken innerlicher geistlicher Gnade.

Wind: „Der Wind weht, wo er will ... So ist jeder, der aus dem Geist geboren ist" **(Vers 8)**. Das gleiche Wort bedeutet sowohl „Wind" als auch „Geist". Der Geist wirkt bei der Wiedergeburt als ein frei Handelnder, wo er will; der Geist schenkt seine Wirkung wo, wann, bei wem und in welchem Maße, wie es ihm gefällt. Er wirkt mächtig und mit deutlichen Auswirkungen: „... und du hörst sein Sausen." Obwohl seine Ursachen verborgen sind, sind seine Auswirkungen deutlich. Er wirkt rätselhaft und auf heimlichen, verborgenen Wegen: „Aber du weißt nicht, woher er kommt und wohin er geht." Wie der Wind seine Kraft sammelt und wie er seine Stärke erschöpft, ist für uns ein Rätsel, in gleicher Weise sind die Wege des Wirkens des Geistes ein Geheimnis.

3.2 Hier nahm Christus die Schwäche von Nikodemus zum Anlass, über die Gewissheit und Erhabenheit der Wahrheiten des Evangeliums zu sprechen. Hier gibt es:

Den Einwand, den Nikodemus immer noch erhob: „Wie kann das geschehen?" **(Vers 9)**. Christi Erläuterung der Lehre von der Notwendigkeit der Wiedergeburt machte sie scheinbar für ihn nicht klarer. Die Verderbtheit der Natur, die sie notwendig macht, und der Weg des Geistes, der sie möglich macht, waren für ihn genauso geheimnisvoll wie die Sache selbst. Viele werden nicht über das hinaus, was sie wollen, die Wahrheiten des Christentums glauben noch sich dessen Gesetzen unterwerfen. Sie werden Christus ihren Lehrer sein lassen, vorausgesetzt, dass sie die Lektion wählen können. Nikodemus gab immerhin zu, dass er unwissend in Bezug auf das war, was Christus sagte: „Wie kann das geschehen?" Dies sind Dinge, die ich nicht verstehe; meine Fähigkeiten reichen nicht so weit." Weil diese Lehre für ihn unverständlich war, bezweifelte er ihre Wahrheit. Viele meinen, dass das, was sie nicht glauben können, auch nicht bewiesen werden kann.

Den Tadel, den Christus ihm für seine Trägheit und Unwissenheit erteilte: „Du bist der Lehrer Israels' und dennoch bist du nicht nur nicht vertraut mit der Lehre von der Wiedergeburt, sondern auch unfähig, sie zu verstehen?" Diese Bemerkung ist ein Tadel:

Für diejenigen, die es übernehmen, andere zu lehren, die aber unwissend sind und „unerfahren im Wort der Gerechtigkeit" bleiben (Hebr 5,13).

Für diejenigen, die ihre Zeit mit religiösen Vorstellungen und Zeremonien, biblischen Einzelheiten und Kritik verbringen und das Praktische missachten. Zwei Worte in diesem Tadel werden betont:

Der Ort, auf den das Los von Nikodemus gefallen ist: Israel, wo es die göttliche Offenbarung gab. Er hätte dies aus dem Alten Testament lernen können.

Die Dinge, derer er so unwissend war: „Bist Du der Lehrer Israels und erkennst diese Dinge nicht?" (Bengel), diese großen, notwendigen und göttlichen Dinge.

Dann Christi Botschaft über die Gewissheit und Erhabenheit der Wahrheiten des Evangeliums **(s. Vers 11-13)**. Beachten Sie hier:

Die von Christus gelehrten Wahrheiten waren gewiss und etwas, worauf wir uns verlassen können: „Wir reden, was wir wissen" **(Vers 11)**. Die Wahrheiten Christi sind von unzweifelhafter Gewissheit. Wir haben allen Grund der Welt, überzeugt zu sein, dass die Worte Christi „gewiss und wahrhaftig" sind, solche, auf die wir unsere Seele stützen können (s. Offb 22,6). Was Christus auch immer sprach, sprach er aus eigener Erkenntnis. Die Dinge sind so sicher und klar „und doch nehmt ihr unser Zeugnis nicht an".

Die von Christus gelehrten Wahrheiten waren, obwohl sie in Ausdrücken mitgeteilt wurden, die gewöhnlichen und irdischen Dingen entlehnt wurden, dennoch in höchster Weise erhaben und himmlisch; das wird in **Vers 12** angezeigt: „Wenn ich euch von irdischen Dingen gesagt habe, das heißt, wenn ich euch die großen Dinge Gottes mit Vergleichen gesagt habe, die irdischen Dingen entlehnt wurden – wie der Vergleich zwischen der neuen Geburt und dem Wind –, um sie euch leichter verstehen zu lassen; wenn ich auf diese Weise meine Lehre eurem Niveau angepasst habe, stammelnd in eurer eigenen Sprache zu euch geredet habe und euch noch immer nicht meine Lehre begreiflich machen kann, was werdet ihr dann tun, wenn ich meine Sprache der wirklichen Natur der Dinge anpassen und in Engelszungen sprechen werde, Sprachen, welche Sterbliche nicht sprechen können?" Daraus können wir lernen:

Über die Höhe und Tiefe der Lehre Christi zu staunen. Die Dinge des Evangeliums sind himmlische Dinge, außerhalb der normalen Kanäle des menschlichen Verstands, und weit mehr außerhalb der Reichweite von dem, was dieser Verstand selbst herausfinden kann.

Mit Dankbarkeit das Sichherablassen Christi anzuerkennen. Er bedenkt, was wir für ein Gebilde sind; dass wir von der Erde sind, und wo wir leben; dass wir auf der Erde sind, und deshalb spricht er von irdischen Dingen zu uns, macht physische Dinge zu einem Mittel, durch das er geistliche Dinge erklärt, um sie für uns leichter begreiflich zu machen (s. Ps 103,14).

Über unsere große Abneigung zu trauern, die Wahrheiten Christi anzunehmen und gutzuheißen. Irdische Dinge werden verachtet, weil sie gewöhnlich sind, und himmlische Dinge werden verachtet, weil sie verborgen sind, und so wird, egal, welche Methode man benutzt, der eine oder andere Fehler darin gefunden.

Unser Herr Jesus, und nur er, war geeignet, uns eine Lehre zu offenbaren, die so gewiss und erhaben war: „Und niemand ist hinaufgestiegen in den Himmel, außer dem ... Sohn des Menschen" **(Vers 13)**.

Niemand außer Christus konnte uns den Willen Gottes für unser Heil offenbaren. Nikodemus sprach mit Christus als mit einem Propheten, doch er muss wissen, dass Christus größer war als alle Propheten des Alten Testaments, denn niemand von ihnen war „hinaufgestiegen in den Himmel". Niemand hat die gewisse Kenntnis Gottes und himmlischer Dinge erlangt, die Christus hat. Es gebührt nicht uns, zum Himmel zu senden, um Anweisungen zu bekommen; wir müssen warten, um die Anweisungen zu empfangen, welche uns der Himmel senden will.

Jesus Christus kann uns den Willen Gottes offenbaren, weil er der Eine ist, der vom Himmel herabgestiegen und im Himmel ist. Er hatte gesagt: „... wie werdet ihr glauben, wenn ich euch von den himmlischen Dingen sagen werde?" **(Vers 12)**. Hier nun:

Gab er den Juden ein Beispiel für diese himmlischen Dinge, als er ihnen von dem Einen sagte, der vom Himmel herabgestiegen ist und doch der Sohn des Menschen ist. Wenn die Wiedergeburt der menschlichen Seele ein solches Geheimnis ist, was ist dann die Menschwerdung des Sohnes Gottes? Hier haben wir einen Hinweis auf die zwei verschiedenen Naturen Christi in einer Person.

Gab er ihnen einen Beweis für seine Fähigkeit, zu ihnen von den himmlischen Dingen zu sprechen, indem er ihnen sagte:

Dass er „aus dem Himmel herabgestiegen ist". Die Beziehung, die zwischen Gott und den Menschen begründet wurde, begann droben im Himmel. Wir lieben ihn und gehen zu ihm, weil er uns zuerst geliebt hat und zu uns gekommen ist. Dies zeigt nun:

Die göttliche Natur Christi.

Seine enge Vertrautheit mit den Plänen Gottes.

Die Offenbarung Gottes. Das Neue Testament zeigt uns, dass Gott vom Himmel herabstieg, um uns zu lehren und zu retten. Hier empfahl er seine Liebe.

Dass er der „Sohn des Menschen" ist, was die Juden immer als Verweis auf den Messias verstanden.

Dass er „im Himmel ist". Jetzt, als er mit Nikodemus auf der Erde sprach, war er als Gott immer noch im Himmel.

3.3 Christus sprach hier über die große Absicht mit seinem Kommen in die Welt und von der Seligkeit derer, die an ihn glauben **(s. Vers 14-18)**. Hier haben wir genau das Herz und den Kern des ganzen Evangeliums, dass Jesus Christus kam, um Menschen zu suchen und vor dem Tod zu retten und sie zum Leben zurückzubringen (s. Lk 19,10). Sünder sind nun auf zweierlei Weise tot. Sie sind als solche tot, die tödlich verwundet oder erkrankt sind und als solche, die zu Recht dazu verurteilt sind, für ein unentschuldbares Verbrechen zu sterben. Die Rettung wird hier somit in Gegensatz zu beiden Arten des Todes gesetzt **(s. Vers 16-18)**.

Jesus Christus kam, um uns zu retten, indem er uns heilt, so wie die Kinder Israels, die von giftigen Schlangen gebissen wurden, dadurch geheilt wurden und lebten, dass sie die eherne Schlange anschauten. Bei diesem Typus von Christus können wir bemerken:

Das tödliche und zerstörerische Wesen der Sünde, das hier angedeutet wird. Die Schuld der Sünde ist wie der Schmerz von einem Biss einer giftigen Schlange; die Macht der Verderbtheit ist wie das sich verbreitende Gift. Die Flüche des Gesetzes sind wie die giftigen Schlangen und so sind alle Zeichen des göttlichen Zornes.

Das mächtige Heilmittel, welches gegen diese todbringende Krankheit bereitet ist. Der Fall von armen Sündern ist beklagenswert, doch ist er hoffnungslos? Gott sei Dank ist er es nicht. Der „Sohn des Menschen" ist erhöht worden, wie die eherne Schlange von Mose erhöht wurde (s. 4.Mose 21,9).

Es war eine eherne Schlange, die sie heilte. Sie wurde in der Gestalt einer „Seraph-Schlange" gemacht, hatte aber kein Gift, keinen Stachel, und stellte Christus in passender Weise dar (4.Mose 21,8).
Sie wurde an einem Pfahl erhöht und so muss der Sohn des Menschen erhöht werden. Christus wurde erhöht:
Bei seiner Kreuzigung. Er wurde am Kreuz erhöht. Sein Tod wird sein Erhöhtsein genannt (s. Joh 12,32-33).
Bei seiner Erhöhung. Er wurde zur Rechten des Vaters erhöht. Er wurde am Kreuz erhöht, um weiter zur Krone erhöht zu werden.
Bei der Verkündigung und Predigt seines ewigen Evangeliums (s. Offb 14,6).
Nachdem sie auf diese Weise erhöht wurde, war die Schlange für die Heilung von denen eingesetzt, die von den Giftschlangen gebissen worden waren. Der Eine, welcher die Plage schickte, sorgte für das Heilmittel. Es war Gott selbst, der das Lösegeld bereitstellte. Der Eine, den wir gekränkt haben, ist selbst unser Friede (s. Eph 2,14).
Der Weg, um dieses Heilmittel anzuwenden, und das ist durch den Glauben. Jeder, der die bronzene Schlange anschaute, wurde gesund gemacht (s. 4.Mose 21,9). Christus hat gesagt: „Schaut und werdet gerettet"; „Schaut und lebt" (s. Jes 45,22; KJV).
Die großen Ermutigungen, welche uns durch den Glauben gegeben werden, ihn anzuschauen.
Er wurde erhöht, damit man ihn anschauen konnte, damit seine Nachfolger gerettet sein würden.
Das Angebot des Heils, welches von ihm gemacht wird, ist umfassend; es wird jedem gemacht, der glaubt, ohne Ausnahme.
Das angebotene Heil ist vollständig: Sie werden nicht verlorengehen, sie werden ewiges Leben haben.
Jesus Christus kam, um uns zu retten, indem er uns vergibt **(s. Vers 16-17)**. Hier ist ein wahres Evangelium, eine gute Nachricht, die beste, die je vom Himmel auf die Erde kam.
Hier haben wir Gottes Liebe, dass er seinen Sohn für die Welt gab **(s. Vers 16)**. In dieser Beschreibung von dieser Liebe haben wir drei Dinge:
Das große Geheimnis des Evangeliums offenbart: „Denn so sehr hat Gott die Welt geliebt, dass er seinen eingeborenen Sohn gab." Jesus Christus ist der eingeborene Sohn Gottes. Jetzt wissen wir, dass Gott uns liebt, da er seinen eingeborenen Sohn für uns gegeben hat. Um die menschliche Erlösung und Errettung zu vollbringen, gefiel es Gott, seinen eingeborenen Sohn zu geben. Er gab ihn, das heißt, er lieferte ihn aus, um für uns zu leiden und zu sterben. Seine Feinde hätten ihn nicht ergreifen können, wenn sein Vater ihn nicht ergeben hätte. Hier hat Gott seine Liebe zur Welt empfohlen; „... so sehr hat Gott die Welt geliebt", so wirklich, so reich. Blicken Sie mit Staunen, dass der große Gott solch eine unwürdige Welt lieben sollte, dass der heilige Gott solch eine böse Welt lieben sollte. Die Juden glaubten in ihrer Einbildung, dass der Messias nur aus Liebe zu ihrem Volk gesandt werden würde, doch Christus sagte ihnen, dass er aus Liebe zur ganzen Welt kam, Heiden genauso wie Juden (s. 1.Joh 2,2). Durch ihn wird allen ein umfassendes Angebot des Lebens und Heils gemacht. Gott liebte die Welt so sehr, dass er seinen Sohn mit diesem guten Angebot sandte, dass jeder, der an ihn glaubt, nicht verlorengehen wird. Das Heil kam „aus den Juden" (Joh 4,22), doch jetzt würde Christus bis an die Enden der Erde als Heil bekannt werden.
Die große Pflicht des Evangeliums, die darin besteht, an Jesus Christus zu glauben.
Der große Nutzen des Evangeliums: Dass jeder, der an Christus glaubt, nicht verlorengeht. Gott hat die Sünde eines solchen weggenommen; jener wird nicht sterben. Es ist ein Straferlass erworben worden. Ein solcher ist für die Freuden des Himmels berechtigt: Er wird ewiges Leben haben.
Hier ist Gottes Absicht mit der Sendung seines Sohnes in die Welt: Es war, „... damit die Welt durch ihn gerettet werde" **(Vers 17)**. Er kam in die Welt und hatte Errettung im Sinn, Errettung in seinen Händen: Gott sandte seinen Sohn in die Welt; er sandte ihn als seinen Repräsentanten oder Botschafter, als himmlischen Regierungsvertreter. Wir sollten fragen, warum er kommt: „Bedeutet es Friede?" (2.Kön 9,17). Diese Schriftstelle gibt die Antwort: Friedlich.
Er kam nicht, „damit er die Welt richte". Wir hätten genug Grund zu erwarten, dass er es würde, denn es ist eine schuldige Welt; sie ist überführt. Eine solche Welt wie diese könnte zu Recht verurteilt werden. Er kam in der Tat mit der absoluten Vollmacht, Gericht zu halten, und doch begann er nicht mit einem Urteil der Verdammung, sondern brachte uns vor ein neues Gericht vor einem Thron der Gnade (s. Joh 5,22.27).
Er kam, „damit die Welt durch ihn gerettet werde". Gott war in Christus und versöhnte die Welt mit sich selbst und rettete sie so (s. 2.Kor 5,19). Das ist eine gute Nachricht für ein überführtes Gewissen, Heilung für gebrochene Gebeine und blutende Wunden, dass Christus, unser Richter, nicht kam, um zu richten, sondern um zu retten.
Aus all dem wird die Seligkeit wahrer Gläubiger abgeleitet: „Wer an ihn glaubt, wird nicht gerichtet" **(Vers 18)**. Das ist mehr als ein Strafaufschub; sie werden nicht gerichtet, das heißt, sie sind freigesprochen, und wenn sie nicht gerichtet werden, sind sie befreit. Wer ist derjenige, der verurteilt? Es ist Christus, der gestorben ist (s. Röm 8,34). Wer glaubt, wird leiden, doch er wird nicht gerichtet wer-

den. Vielleicht lastet das Kreuz schwer auf ihm, doch er ist vor dem Fluch gerettet: Er wird vielleicht von der Welt verurteilt werden, doch nicht samt der Welt verurteilt werden (s. Röm 8,1; 1.Kor 11,32).

3.4 Christus sprach am Schluss über den beklagenswerten Zustand derer, die im Unglauben und in eigenwilliger Unwissenheit verharren **(s. Vers 18-21)**.

Wir lesen hier von dem Schicksal derer, die es ablehnen, an Christus zu glauben: Sie sind „schon gerichtet". Beachten Sie:

Wie groß die Sünde von Ungläubigen ist: Sie glauben nicht „an den Namen des eingeborenen Sohnes Gottes", der unendlich wahr ist und es verdient, dass man an ihn glaubt; der unendlich gut ist und es verdient, dass man ihn annimmt. Gott sandte jemanden, um uns zu retten, der ihm am liebsten war, und er wird uns nicht am liebsten sein?

Wie groß das Elend von Ungläubigen ist: Sie sind „schon gerichtet". Die Verdammung ist gewiss und gegenwärtig. Sie sind bereits gerichtet, weil sie ihr eigenes Herz richtet. Sie empfangen eine Verdammung, die auf ihrer früheren Schuld gründet: „Der ist schon gerichtet, weil er nicht ... geglaubt hat." Unglaube ist eine Sünde gegen das Heilmittel.

Wir lesen auch von dem Schicksal derer, die es sogar ablehnen, ihn zu kennen. „Darin aber besteht das Gericht, dass das Licht in die Welt gekommen ist, und die Menschen liebten die Finsternis mehr" **(Vers 19)**. Beachten Sie hier:

Dass das Evangelium Licht ist, und als das Evangelium kam, kam „das Licht in die Welt". Licht bezeugt sich selbst und so tut es das Evangelium; es beweist seinen göttlichen Ursprung. Licht offenbart und „süß ist das Licht"; die Welt wäre ohne dies wahrhaftig ein dunkler Ort (Pred 11,7).

Dass es die unaussprechliche Torheit der meisten Menschen ist, dass sie die Finsternis mehr lieben als dieses Licht. Sünder, die ihren sündigen Begierden hingegeben waren, liebten ihre Unwissenheit und ihre Irrtümer mehr als die Wahrheiten Christi. Die erbärmliche Menschheit ist verliebt in ihre Krankheit, verliebt in ihre Sklaverei und möchte nicht befreit werden, möchte nicht heil gemacht werden.

Dass der wahre Grund, warum die Menschen die Finsternis mehr lieben als das Licht, ist, dass ihre Werke böse waren. Ihr Fall ist schlimm, und weil sie es entschlossen sind, dass sie es nicht richtigstellen werden, sind sie entschlossen, es nicht zu sehen.

Dass halsstarrige Unwissenheit so weit davon entfernt ist, Sünde zu entschuldigen, dass man sehen wird, dass sie die Verdammung verstärkt: „Darin aber besteht das Gericht", dass sie ihre Augen vor dem Licht verschließen und nicht einmal beginnen möchten, über Christus und sein Evangelium nachzudenken. Wir müssen im Gericht nicht nur für die Erkenntnis Rechenschaft ablegen, gegen die wir gesündigt haben, sondern auch für die Erkenntnis, die wir „weggesündigt" haben.

Es ist nicht seltsam, wenn diejenigen, die entschlossen sind, im Bösen zu verharren, das Licht des Evangeliums Christi hassen; es ist eine gewöhnliche Beobachtung, dass jeder, der Böses tut, das Licht hasst **(s. Vers 20)**. Ein Übeltäter sucht aus einem Gefühl der Scham und Furcht vor Strafe die Verborgenheit. Er „kommt nicht zum Licht", sondern bleibt so weit weg von ihm wie möglich, „damit seine Werke nicht aufgedeckt werden". Das Licht des Evangeliums ist in die Welt gesandt, um die bösen Taten von Sündern zu tadeln, um Menschen ihre Übertretungen zu zeigen, etwas als Sünde zu zeigen, von dem sie meinten, dass es keine sei, damit die Sünde durch das neue Gebot „überaus sündig würde" (Röm 7,13). Das Evangelium muss sein überführendes Werk tun, um seinem tröstenden Werk den Weg zu bahnen. Deshalb hassen Übeltäter das Licht des Evangeliums. Es gab jene, die Böses getan hatten und denen dies leid tat, die dieses Licht willkommen hießen, wie die Zöllner und die Prostituierten. Diejenigen jedoch, die Böses tun und entschlossen sind, darin fortzufahren, hassen das Licht. Christus wird gehasst, weil die Sünde geliebt wird. Die nicht zum Licht kommen, zeigen einen heimlichen Hass auf das Licht.

Auf der anderen Seite heißen rechtschaffene Herzen dieses Licht willkommen: „Wer aber die Wahrheit tut, der kommt zum Licht" **(Vers 21)**. Wie es die Übeltäter überführt und erschreckt, so bestätigt und tröstet es auch jene, die ihr Leben in Rechtschaffenheit führen. Beachten Sie hier:

Den Charakter von guten Menschen.

Sie sind diejenigen, welche die Wahrheit tun. Obwohl sie es manchmal nicht schaffen, Gutes zu tun, das Gute, was sie tun möchten, leben sie immer noch in der Wahrheit; ihre Ziele sind ehrlich. Sie haben ihre Schwächen, doch sie halten an ihrer Rechtschaffenheit fest.

Sie sind solche, die zum Licht kommen. Diejenigen, die in der Wahrheit leben, sind gewillt, die Wahrheit über sich selbst zu kennen und ihre Werke offenbar werden zu lassen. Sie sind daran interessiert zu wissen, was der Wille Gottes ist, und sind entschlossen, ihn zu tun, selbst wenn er ihrem eigenen Willen und ihren Interessen zuwider laufen mag.

Die Beschreibung eines guten Werkes: Es ist „in Gott getan". Unsere Werke sind gut, wenn sie von dem Willen Gottes geleitet werden und ihr Ziel die Ehre Gottes ist, wenn sie in seiner Stärke und um seinetwillen getan werden. Nikodemus wurde später, obwohl er zuerst verwirrt war, ein treuer Jünger Christi.

Vers 22-36

In diesen Versen haben wir:

1. Christi Umzug in das Land Judäa **(s. Vers 22).** Nachdem unser Herr Jesus sein öffentliches Wirken begann, reiste er viel und zog oft um. Er unternahm viele beschwerliche Schritte, um Seelen Gutes zu tun. Die „Sonne der Gerechtigkeit" hatte eine lange Bahn, ihr Licht und ihre Glut auszubreiten (Mal 3,20; Ps 19,7). Er blieb in der Regel nicht lange in Jerusalem. Danach, nachdem er dieses Gespräch mit Nikodemus hatte, kam er in das Land Judäa, nicht so sehr, um für sich mehr Privatsphäre zu haben, sondern um nützlicher zu sein. Sein Predigen und seine Wunder haben vielleicht in Jerusalem, der Quelle der Nachrichten, höchste Aufmerksamkeit auf sich gezogen, doch sie taten dort am wenigsten Gutes. Als er in das Land Judäa kam, kamen seine Jünger mit ihm. „… und dort hielt er sich mit ihnen auf." Jene, die bereit sind, mit Christus zu gehen, werden ihn genauso bereit finden, bei ihnen zu bleiben. Dort taufte er. Johannes begann im Land Judäa zu taufen, und deshalb begann Christus dort (s. Mt 3,1). Er taufte nicht mit eigenen Händen, sondern seine Jünger tauften unter seiner Anleitung und Weisung, wie man in Johannes 4,2 sehen kann. Heilige Zeremonien sind von Christus, selbst wenn sie von schwachen Menschen ausgeübt werden.

2. Die Fortführung der Arbeit durch Johannes, solange die Gelegenheit dazu bestand **(s. Vers 23-24).** Hier wird uns gesagt:
2.1 Dass Johannes taufte. Die Taufe Christi war im Wesentlichen die gleiche wie die von Johannes und deshalb kollidierten sie nicht noch störten sie einander in irgendeiner Weise.
Christus nahm die Arbeit des Predigens und Taufens auf, ehe Johannes sie niedergelegt hatte, damit das Werk ohne Unterbrechung fortgeführt würde. Wenn nützliche Menschen die Bühne verlassen, ist es für sie eine Ermutigung, wenn sie solche aufkommen sehen, die wahrscheinlich ihre Stelle einnehmen werden.
Johannes machte mit der Arbeit des Predigens und Taufens weiter, obwohl Christus sie aufgenommen hatte. Es war immer noch Arbeit für Johannes zu tun, da Christus noch nicht allgemein bekannt war, noch waren die Gemüter der Menschen vollkommen durch Buße auf ihn vorbereitet. Er fuhr mit seiner Arbeit fort, bis ihn der Allmächtige beiseitestellte. Die größeren Gaben mancher machen die Arbeit von anderen, die nicht an sie heranreichen, nicht unnötig und nutzlos; es gibt für jeden genug Arbeit zu tun. Diejenigen, die sich hinsetzen und nichts tun, wenn sie sich von anderen in den Schatten gestellt sehen, sind wirklich in schlechter Laune.
2.2 Dass er in Änon nahe bei Salim taufte; keiner der Orte wird irgendwo anders erwähnt. Wo immer dieses Änon lag, Johannes scheint von Ort zu Ort gezogen zu sein. Geistliche Diener müssen den Gelegenheiten folgen, die sie sehen. Johannes wählte einen Ort, an dem es „viel Wasser" gab, das heißt, viele Wasserläufe, sodass, wo immer er jemanden traf, der sich seiner Taufe unterziehen wollte, das Wasser zum Taufen in der Nähe war.
2.3 Dass die Menschen dorthin kamen und sich taufen ließen. Manche beziehen dies sowohl auf Johannes als auch auf Jesus: Manche kamen zu Johannes, manche zu Jesus, und wie ihre Taufe eins war, waren es auch ihre Herzen.
2.4 Dass Johannes „noch nicht ins Gefängnis geworfen worden" war **(Vers 24).** Johannes hörte nie auf, seiner Arbeit nachzugehen, solange er die Freiheit dazu hatte.

3. „… eine Streitfrage zwischen den Jüngern des Johannes und einigen Juden wegen der Reinigung" (der zeremoniellen Waschung; **Vers 25).** Beachten Sie:
3.1 Wer stritt: Die Jünger des Johannes und einige Juden, die sich nicht seiner Taufe der Buße unterzogen hatten. Diese sündige Welt ist geteilt in Bußfertige und Unbußfertige.
3.2 Worüber gestritten wurde: über die Reinigung, die zeremonielle Waschung. Wir können annehmen, dass die Jünger von Johannes seine Taufe priesen, seine Reinigung, und sie als Vervollkommnung und Ersatz für alle Reinigungen der Juden vorzogen, und sie hatten recht. Ohne Zweifel waren die Juden genauso sicher in ihrem Lob für die zeremoniellen Waschungen, die bei ihnen üblich waren. Sehr wahrscheinlich haben die Juden, als sie in diesem Streit die vorzügliche Natur und Absicht der Taufe von Johannes nicht leugnen konnten, dagegen etwas eingewandt, indem sie auf die Taufe von Christus hinwiesen, was die Klage aufkommen ließ, die hier kam **(s. Vers 26).** Auf diese Weise werden Einwände gegen das Evangelium erhoben, indem man auf den Fortschritt und den Eifer des Lichts des Evangeliums verweist, als würden sich Kindheit und Erwachsenenalter feindlich gegenüberstehen und als wäre der Oberbau gegen das Fundament.

4. Eine Klage der Jünger des Johannes bei ihrem Meister über Christus und seine Taufe **(s. Vers 26).** Sie kamen zu ihrem Meister und sagten ihm: „Rabbi, der, welcher bei dir war … der tauft, und jedermann kommt zu ihm!"
4.1 Sie behaupteten, dass es ein Akt der Anmaßung war, dass Christus seine eigene Taufe einrichtete; es war, als müsse Johannes, der zuerst diese Zeremonie der Taufe eingesetzt hatte, sozusagen ein Patent darauf als seine Erfindung haben. „Rabbi, der, welcher bei dir war jenseits des Jordan … siehe, der tauft!"
4.2 Sie behaupteten, dass es ein Akt der Undankbarkeit Johannes gegenüber war – er,

„für den du Zeugnis abgelegt hast", taufe – als verdanke Jesus all seinen Ruf der ehrenwerten Charakterisierung, die Johannes ihm gab. Christus brauchte jedoch das Zeugnis von Johannes nicht (s. Joh 5,36). Er erwies Johannes mehr Ehre, als er von ihm bekam. Es war richtig von Johannes, dass er Christus bezeugte, und dass Christus sein Zeugnis erfüllte, bereicherte den Dienst von Johannes, statt ihn ärmer zu machen.

4.3 Sie schlossen, dass dies bedeuten würde, dass die Taufe von Johannes völlig in den Schatten gestellt wird: „... und jedermann kommt zu ihm!" Dass man ein Monopol auf die Ehre und die Achtung suchte, war zu allen Zeiten das Verderben der Gemeinde zur Schande ihrer Mitglieder und geistlichen Diener. Wir sind im Irrtum, wenn wir meinen, dass, wenn eine Person besser an Gaben, Wirkungen der Gnade, Werken und in der Nützlichkeit ist, diejenigen von jemand anderem herabgesetzt und kleiner werden lässt, der „begnadigt worden ist, treu zu sein" (1.Kor 7,25). Wir müssen es Gott überlassen, seine eigenen Werkzeuge zu wählen, zu benutzen und zu ehren, wie es ihm gefällt.

5. Die Antwort von Johannes. Es störte ihn nicht, sondern es war das, was er sich wünschte. Deshalb lehnte er es ab, in ihre Klage einzustimmen, und benutzte diese Gelegenheit, um die Zeugnisse zu bestätigen, die er früher über Christus abgelegt hatte, dass jener größer sei als er selbst.

5.1 Johannes erniedrigte sich hier im Vergleich mit Christus **(s. Vers 27-30)**.

Johannes akzeptierte die Anordnung Gottes: „Ein Mensch kann sich nichts nehmen, es sei denn, es ist ihm vom Himmel gegeben" **(Vers 27)**. Es werden verschiedene Arbeiten gemäß der Anordnung der göttlichen Vorsehung vergeben und es werden verschiedene Gaben gemäß der Zuteilung der göttlichen Gnade gegeben (s. 1.Kor 7,17). Wir sollten diejenigen nicht beneiden, die einen größeren Anteil an Gaben haben als wir oder die sich in einem größeren Bereich der Nützlichkeit bewegen. Johannes erinnerte seine Jünger daran, dass Jesus ihn nicht übertroffen haben würde, wie er es tat, „es sei denn, es ist ihm vom Himmel gegeben", und würden sie es ihm missgönnen, wenn Gott ihm den Geist ohne Maß geben würde **(s. Vers 34)**? Wir sollten nicht unzufrieden sein, wenn wir geringer sind als andere, was Gaben und Nützlichkeit anbelangt, und wir von ihren vorzüglichen Leistungen übertroffen werden. Johannes war bereit anzuerkennen, dass es Gott war, der ihm den Einfluss und das Vorrecht gab, sich der Liebe und Achtung der Menschen zu erfreuen, und wenn dieser Einfluss nun nachließ, möge dennoch Gottes Wille geschehen! Als er seinen Dienst erfüllt hatte, konnte er zufrieden seine Zeit ablaufen sehen.

Johannes berief sich auf das Zeugnis, welches er früher über Jesus Christus abgelegt hatte **(s. Vers 28)**: „Ich habe immer wieder gesagt, dass ich nicht der Christus bin, sondern dass ich vor ihm her gesandt bin." Weder die Missbilligung der obersten Priester noch die Schmeichelei seiner Jünger konnten ihn dazu bringen, seine Haltung zu ändern. Dies diente hier:

Um seine Jünger von der Unrechtmäßigkeit ihrer Klage zu überzeugen. „Nun", sagte Johannes, „erinnert ihr euch nicht an das Zeugnis, das ich gab? Habe ich nicht gesagt, dass ich nicht der Christus bin? Habe ich nicht gesagt, dass ich vor ihm her gesandt bin? Warum ist es dann sonderbar für euch, dass ich dabeistehen und ihm Platz machen werde?"

Um sich selbst mit der Gewissheit zu trösten, dass er seinen Jüngern nie einen Anlass gegeben hatte, ihn in Konkurrenz zu Christus zu setzen, sondern sie im Gegenteil ausdrücklich davor gewarnt hatte, diesen Fehler zu machen. Johannes hatte sie nicht nur nicht ermutigt zu hoffen, dass er der Messias war; er hatte ihnen auch deutlich das Gegenteil gesagt. Solche, denen übertriebene Ehre erwiesen wird, versuchen sich oft damit zu entschuldigen, dass sie sagen: „Wenn die Menschen betrogen werden wollen, dann soll es eben so sein." Doch das ist eine armselige Maxime für solche, deren Aufgabe es ist, den Menschen die Wahrheit zu sagen.

Johannes bekannte die große Gewissheit, die er von dem Aufstieg Christi hatte; er freute sich darüber. Er drückte dies durch einen passenden Vergleich aus **(s. Vers 29)**. Er verglich unseren Heiland mit dem Bräutigam: „,Wer die Braut hat, der ist der Bräutigam.' Werden alle Menschen zu ihm kommen? Das ist sein Recht." Sofern einzelne Seelen in Glaube und Liebe geweiht werden", hat der Bräutigam die Braut. Johannes verglich sich mit dem „Freund des Bräutigams", der ihm hilft, die Ehe zustande zu bringen, ein gutes Wort für ihn einlegt und sich freut, wenn der Bräutigam die Braut hat. Der Freund des Bräutigams steht da und hört ihn; er „ist hoch erfreut über die Stimme des Bräutigams". Treue geistliche Diener sind Freunde des Bräutigams, die ihn den Leuten empfehlen müssen und Briefe und Botschaften von ihm bringen, da der Bräutigam durch einen Bevollmächtigten den Hof macht. Die Freunde des Bräutigams müssen dastehen und ihn hören; sie müssen Unterweisung von ihm bekommen und auf seine Anordnungen hören. Dass man Seelen im Glauben und der Liebe Jesus Christus verlobt, ist die Erfüllung der Freude von jedem guten geistlichen Diener (s. 2.Kor 11,2). Sie haben sicherlich keine größere Freude (s. 3.Joh 4).

Er erkannte an, dass es absolut passend und notwendig ist, dass der Ruf und die Bedeutung Christi gefördert werden und sein eigener Ruf sich verringert: „Er muss wachsen, ich aber muss abnehmen" **(Vers 30)**. Johannes nannte das Wachsen von Christus und sein eigenes Abnehmen auch als absolut richtig und angemessen und dass es ihm vollkommene Zufriedenheit bereite. Er hatte großen Gefallen daran zu sehen, dass das Reich Christi an Boden gewann. „Er muss wachsen." Das Reich Christi ist und wird ein wachsendes Reich sein wie das Morgenlicht, wie das Senfkorn (s. Spr 4,18; Mt 13,31-32). Er war überhaupt nicht verstimmt, dass die Wirkung davon die Verringerung seiner eigenen Bedeutung war: „Ich aber muss abnehmen." Das Hervorleuchten der Herrlichkeit Christi stellt den Glanz jeder anderen Herrlichkeit in den Schatten. Wenn das Licht des Morgens wächst, nimmt das Licht des Morgensterns ab. Wir müssen fröhlich damit zufrieden sein, irgendetwas zu sein – in der Tat nichts zu sein –, damit Christus alles sein mag.

5.2 Johannes der Täufer förderte hier Christus und unterwies seine Jünger über ihn. Johannes unterwies sie über:

Den Rang Christi: „Der von oben kommt, ist über allen" **(Vers 31)**. Johannes beschrieb den göttlichen Ursprung von Christus. Er kam von oben, vom Himmel. Niemand außer dem Einen, der von oben kam, war befähigt, uns den Willen des Himmels oder den Weg zum Himmel zu zeigen. Johannes leitete daraus die unumschränkte Vollmacht von Christus ab. Er „ist über allen", über allen Dingen und allen Menschen. Wenn wir auf die Ehre des Herrn Jesus zu sprechen kommen, können wir nur dies sagen: Er „ist über allen". Johannes veranschaulichte dies weiter durch einen Verweis auf die Niedrigkeit derer, die in Konkurrenz zu ihm standen: „Wer von der Erde ist, der ist von der Erde"; er steht mit irdischen Dingen in Verbindung und sein Interesse liegt bei ihnen. Die Propheten und die Apostel waren vom selben Schlag wie andere Menschen; sie waren bloß irdene Gefäße, auch wenn ein reicher Schatz in sie hineingelegt wurde (s. 2.Kor 4,7).

Die Vorzüglichkeit und Gewissheit der Lehre Christi.

Johannes redete – von seinem Standpunkt aus – *von der Erde aus,* wie es all diejenigen tun, die von der Erde sind. Die Propheten waren Menschen, sie konnten nur von der Erde aus reden (s. 2.Kor 3,5). Die Predigt der Propheten und von Johannes war verglichen mit dem Predigen Christi primitiv und fade; so hoch der Himmel über der Erde ist, so viel höher waren seine Gedanken als ihre (s. Jes 55,8-9).

Doch der Eine, der vom Himmel kam, ist über allen Propheten, die je auf der Erde gelebt haben. Die Lehre Christi wird uns hier empfohlen:

Als unfehlbar vertrauenswürdig und gewiss und darum entsprechend anzunehmen: „Und er bezeugt, was er gesehen und gehört hat" **(Vers 32)**. Beachten Sie hier:

Die göttliche Erkenntnis Christi; er bezeugte nichts als „was er gesehen und gehört" hatte. Was er von dem Wesen Gottes offenbarte, war, was er gesehen hatte. Was er von dem Sinn Gottes offenbarte, war, was er direkt von ihm gehört hatte. Die Propheten bezeugten, was ihnen in Träumen und Visionen bekannt gemacht wurde, doch nicht, was sie gesehen und gehört hatten. Das Evangelium Christi ist nicht etwas, das man anzweifeln kann, wie eine wissenschaftliche Hypothese oder eine philosophische Idee. Es ist eine Offenbarung des Sinnes Gottes, die in sich selbst ewig wahr ist.

Seine göttliche Gnade und Güte, indem er uns das offenbarte, was für uns sehr wichtig war zu wissen. Das Predigen Christi wird hier sein Zeugnis genannt, um zu zeigen:

Wie überzeugend es als Beleg war; es wurde nicht durch Hörensagen als Nachricht berichtet, sondern vor Gericht als Zeugnis gegeben.

Die leidenschaftliche Ernsthaftigkeit seiner Überbringung. Johannes nahm die Gewissheit der Lehre Christi als Gelegenheit:

Über den Unglauben der meisten Menschen zu trauern. Sie nahmen die Lehre Christi nicht an; sie lehnten es ab, auf sie zu hören, und glaubten ihr nicht. Er sprach darüber nicht nur als einer Sache, über die man staunen muss, sondern auch als einem Gegenstand des Kummers. Die Jünger von Johannes trauerten, dass *jedermann* zu Christus kam; sie meinten, er hätte zu viele Nachfolger **(Vers 26)**. Johannes aber trauerte, dass *niemand* zu ihm kam; er hielt sie für zu wenige. Der Unglaube der Sünder ist der Kummer der Heiligen.

Um den Glauben des erwählten Überrestes zu loben: „Wer aber sein Zeugnis annimmt, der bestätigt, dass Gott wahrhaftig ist" **(Vers 33)**. Gott ist wahrhaftig, selbst wenn wir dies nicht bestätigen; Gottes Wahrheit braucht nicht unseren Glauben, um sie zu unterstützen. Doch durch den Glauben erweisen wir uns selbst die Ehre und die Gerechtigkeit, dass wir uns seiner Wahrheit unterwerfen. Gottes Verheißungen sind alle Ja und Amen; durch den Glauben geben wir unser Amen zu ihnen (s. 2.Kor 1,20; Offb 22,20). Durch den Glauben an Christus bestätigen wir sowohl, dass Gott wahrhaftig in all seinen Verheißungen ist, die er in Bezug auf Christus gegeben hat, als auch, dass er in allen Verheißungen wahrhaftig ist, die er in Christus gegeben hat. Wenn wir davon überzeugt sind, dass er wahrhaftig ist, sind wir bereit, im Glauben mit ihm umzugehen.

Als eine göttliche Lehre: „Denn der, den Gott gesandt hat, redet die Worte Gottes; denn Gott gibt den Geist nicht nach Maß" **(Vers 34)**.

Christus redete „die Worte Gottes". Sowohl das Wesen als auch die Worte waren göttlich. Er bewies, dass er „von Gott gekommen ist" (s.

Joh 3,2), und deshalb muss man seine Worte als die Worte Gottes annehmen.

Er sprach so, wie es kein anderer Prophet getan hatte, „denn Gott gibt ihm den Geist nicht nach Maß" (Schl). Die alttestamentlichen Propheten hatten den Geist, in einem unterschiedlichen Maß, doch während Gott ihnen den Geist nach Maß gab, gab er ihn Christus „nicht nach Maß" (unbegrenzt; s. 2.Kön 2,9-10; 1.Kor 12,4). Der Geist war in Christus nicht wie in einem Behälter, sondern wie in einer Quelle, wie in einem unergründlichen Ozean.

Die Macht und Autorität, mit der er ausgestattet war.

Er ist der geliebte Sohn des Vaters: „Der Vater liebt den Sohn" **(Vers 35)**. Die Propheten waren als Diener treu, doch Christus ist als Sohn treu (s. Hebr 3,5-6). Der Vater blieb bei seine Liebe zu Christus sogar in dessen Erniedrigung, liebte ihn niemals weniger wegen dessen Armut und Leiden.

Er ist Herr über alle. Der Vater „hat alles in seine Hand gegeben". Liebe ist großzügig. Da er ihm den Geist nicht nach Maß gegeben hat, gab er ihm alles, das heißt:

„Alle Macht", wie in Matthäus 28,18 erläutert wird. Er hat Vollmacht über alles Fleisch, die Heidenvölker wurden ihm zum Erbe gegeben (s. Joh 17,2; Ps 2,8). Sowohl das goldene Zepter als auch die eiserne Rute sind ihm in die Hand gegeben.

Alle Gnade als der Kanal, durch welchen er die guten Dinge schenkt, die Gott den Menschen geben wollte. Wir sind dessen unwürdig, dass uns der Vater solche Dinge in die Hände gibt. Die Dinge, die er für uns beabsichtigt hat, legt er in die Hände des Einen, der würdig ist. Sie sind ihm vom Vater in die Hände gelegt, damit sie in unsere gegeben werden. Die Reichtümer des Neuen Bundes sind solch treuen, freundlichen und guten Händen übergeben, die Hände des Einen, der sie für uns erworben hat.

Er ist das Objekt des Glaubens, das zur großen Bedingung für die ewige Seligkeit gemacht ist: „Wer an den Sohn glaubt, der hat ewiges Leben" **(Vers 36)**. Das ist die Summe aller Lehre (s. Pred 12,13). Wie uns Gott durch das Zeugnis Christi gute Dinge anbietet und gibt, so empfangen wir diese Gunsterweise und haben an ihnen Anteil, indem wir dem Zeugnis glauben. Dieser Weg zu empfangen entspricht jenem Weg, wie es gegeben wird. Hier haben wir den Kern des Evangeliums, der ganzen Schöpfung gepredigt werden muss (s. Mk 16,15-16). Hier gibt es:

Den seligen Stand aller echten Christen: „Wer an den Sohn glaubt, der hat ewiges Leben." Wir müssen ihm nicht nur glauben, dass das wahr ist, was er sagt, sondern auch *an* ihn glauben und ihm vertrauen. Der Segen echten Christentums ist nichts weniger als ewiges Leben. Echte Gläubige haben sogar jetzt ewiges Leben. Sie haben den Sohn Gottes und in ihm haben sie Leben. Gnade ist beginnende Herrlichkeit.

Den erbärmlichen und elenden Zustand von Ungläubigen: „Wer aber dem Sohn nicht glaubt", ist ruiniert. Das Wort, das mit „nicht glaubt" übersetzt wird, umfasst sowohl Unglauben als auch Ungehorsam. Ungläubige können weder in dieser noch in der kommenden Welt selig sein: „… der wird das Leben nicht sehen", das Leben, welches Christus kam zu geben, und darum muss er traurig sein: „… der Zorn Gottes bleibt auf" einem Ungläubigen.

KAPITEL 4

In diesem Kapitel haben wir, wie Christus: 1. Aus Judäa fortgeht (s. Vers 1-3). 2. Durch Samaria zieht. Wir lesen davon: 2.1 Wie er nach Samaria kommt (s. Vers 4-6). 2.2 Sein Gespräch mit der samaritanischen Frau am Brunnen (s. Vers 7-26). 2.3 Die Nachricht, welche die Frau von ihm in der Stadt verbreitet (s. Vers 27-30). 2.4 Christi Gespräch mit seinen Jüngern in der Zwischenzeit (s. Vers 31-38). 2.5 Die gute Wirkung von diesem auf die Samariter (s. Vers 39-42). 3. Einige Zeit in Galiläa bleibt (s. Vers 43-46) und dort den Sohn eines Beamten heilt (s. Vers 46-54).

Vers 1-3

Christus verließ nun Judäa vier Monate vor der Ernte **(s. Vers 35)**.

1. Er machte Jünger. Sein Dienst war erfolgreich trotz des Widerstands, auf den er traf (s. Ps 110,2-3). Es ist Christi Recht, Jünger zu machen, sie nach seinem Willen zu formen und zu gestalten. Christen werden gemacht, nicht geboren.

2. Er taufte diejenigen, die er zu Jüngern machte. Er selbst taufte sie nicht; er tat es durch den Dienst seiner Jünger, denn er wollte zwischen seiner Taufe und der von Johannes unterscheiden, welcher jeden selbst taufte **(s. Vers 2)**. Er wollte auch seine Jünger ehren, indem er sie bevollmächtigte und dafür einsetzte, dies zu tun, und sie so für den weiteren Dienst ausbilden. Und er wollte uns lehren, dass er das als von sich selbst getan anerkennt, was von seinen geistlichen Dienern nach seiner Unterweisung getan wird.

3. Er machte und taufte mehr Jünger als Johannes. Die Arbeit Christi gewann mehr Menschen als die von Johannes.

4. Die Pharisäer wurden darüber informiert. Als die Pharisäer meinten, sie wären Johannes losgeworden, erschien Jesus. Was sie bekümmerte, war, dass Jesus so viele Jünger machte. Der Erfolg des Evangeliums ärgert seine Feinde.

5. Unser Herr Jesus wusste sehr gut, was für Informationen gegen ihn weitergegeben worden waren. Niemand kann etwas so tief verstecken, dass er seinen Plan vor dem Herrn verbirgt (s. Jes 29,15).

6. Da verließ unser Herr Jesus Judäa und „zog wieder nach Galiläa".
6.1 Er verließ Judäa, weil er dort wahrscheinlich sogar bis zum Tod verfolgt worden wäre. Er verließ das Land und ging dorthin, wo seine Taten weniger anstößig sein würden als unter dem direkten Blick der Pharisäer. Denn:
Seine Stunde war noch nicht gekommen (s. Joh 7,30). Er hatte sein Zeugnis noch nicht vollendet und wollte sich deshalb nicht ausliefern oder sich angreifbar machen (s. Offb 11,7).
Die Jünger, die er in Judäa zusammengerufen hatte, konnten Härten nicht ertragen, und darum wollte er sie diesen nicht aussetzen.
Er wollte ein Beispiel für seine eigene Regel geben: „Wenn sie euch aber in der einen Stadt verfolgen, so flieht in eine andere" (Mt 10,23). Wir sind nicht dazu berufen zu leiden, solange wir es ohne Sünde vermeiden können, und darum können wir ruhig unseren Ort wechseln.
6.2 Er zog nach Galiläa, weil er dort Arbeit zu tun hatte und dort viele Freunde und weniger Feinde hatte.

Vers 4-26
Hier haben wir einen Bericht von dem Guten, das Christus in Samaria tat. Die Samariter waren sowohl von dem Blut als auch von der Religion her halbe Juden. Sie beteten nur den Gott Israels an, doch sie errichteten für ihn einen Tempel auf dem Berg Garizim in Konkurrenz zu dem in Jerusalem. Es gab große Feindschaft zwischen ihnen und den Juden. Die Samariter wollten Jesus nicht aufnehmen, als sie sahen, dass er nach Jerusalem geht; die Juden dachten, sie könnten ihm keinen schlimmeren Namen geben, als zu sagen, er sei ein „Samariter" (s. Lk 9,53; Joh 8,48). Beachten Sie nun:

1. Wie Christus nach Samaria kommt. Er sagte seinen Jüngern, sie sollten keine Stadt der Samariter betreten, noch predigte er hier in der Stadt Sichar öffentlich oder wirkte irgendein Wunder, denn sein Augenmerk lag auf den verlorenen Schafen des Hauses Israel (s. Mt 10,5-6; 15,24). Die Freundlichkeit, die er ihnen hier erwies, war nur ein Brosamen von dem Brot der Kinder, das gelegentlich von dem Tisch des Herrn fiel (s. Mt 15,27).
1.1 Sein Weg von Judäa nach Galiläa führte durch das Land Samaria: „Er musste aber durch Samaria reisen" **(Vers 4)**. Es gab keinen anderen Weg, außer, er würde einen Umweg über die andere Seite des Jordan machen, ein langer Weg außen herum. Wir sollten nicht an Orte der Versuchung gehen, außer, wenn wir es müssen, und dann sollten wir nicht in ihnen leben, sondern rasch durch sie hindurchgehen. Es war ein Glück für Samaria, dass es auf Christi Weg lag.
1.2 Es kam dazu, dass seine Rast in einer Stadt in Samaria lag. Beachten Sie nun:
Wie der Ort beschrieben wird. Er hieß Sichar; es war wahrscheinlich der gleiche wie Schechem oder Sichem. Sichem sah den ersten Konvertiten, der je in die Gemeinde Israels kam, und jetzt war es der erste Ort, wo das Evangelium außerhalb der Gemeinschaft von Israel gepredigt wurde (s. 1.Mose 34,24). Abimelech wurde dort zum König gemacht; es war der königliche Sitz von Jerobeam, doch der Evangelist erwähnt den Einfluss von Jakob dort, der mehr seine Ehre war als seine gekrönten Häupter (s. Ri 9,6; 1.Kön 12,25). Jakobs Grundstück lag dort, das Stück Boden, das Jakob seinem Sohn Joseph gab (s. 1.Mose 33,18-19; 48,21-22). Hier war der Brunnen Jakobs: „Weil nun Jesus müde war von der Reise, setzte er sich so an den Brunnen."
Die Verfassung unseres Herrn Jesus an diesem Ort: „Weil nun Jesus müde war von der Reise." Wir haben unseren Herrn Jesus hier:
Unter der normalen Müdigkeit von Reisenden leidend. Er war müde von der Reise, denn es war die sechste Stunde, die heiße Zeit des Tages. Er war wahrhaftig menschlich, den normalen Schwächen des menschlichen Wesens unterworfen. Er war ein armer Mann, denn sonst hätte er auf dem Rücken eines Pferdes oder in einer Kutsche reisen können. Wenn wir bequem reisen, wollen wir an die Müdigkeit unseres Herrn denken. Er scheint keine sehr starke Konstitution gehabt zu haben; seine Jünger waren anscheinend nicht müde, denn sie gingen ohne Schwierigkeit in die Stadt. Leiber von der feinsten Art sind am empfindlichsten für Müdigkeit und können sie am wenigsten ertragen.
Wie er hier die normale Erfrischung für Reisende nutzt: Weil er müde war, „setzte er sich so an den Brunnen". Er setzte sich unbequem nieder.

2. Sein Gespräch mit einer samaritanischen Frau. Dieses Gespräch kann man unter vier Punkten betrachten:
2.1 Sie sprachen über Wasser **(s. Vers 7-15)**.
Es werden die Umstände genannt, die dieses Gespräch entstehen ließen. Es kam „eine Frau aus Samaria, um Wasser zu schöpfen". Sie hatte keinen Diener, der Wasserschöpfer sein konnte; sie wollte es selbst tun (s. 5.Mose 29,10). Beachten Sie hier, wie die göttliche Vorsehung herrliche Ziele mit Ereignissen verfolgt,

die für uns zufällig erscheinen. Christi Jünger „waren in die Stadt gegangen, um Speise zu kaufen". Christus ging nicht in die Stadt, um zu essen, sondern sandte seine Jünger, um seine Speise dort zu bekommen, nicht, weil er Skrupel hatte, in einer samaritanischen Stadt zu essen, sondern:
Weil er an diesem Brunnen ein gutes Werk zu tun hatte.
Weil es privater und abgeschlossener und günstiger und einfacher war, wenn ihm dort sein Essen gebracht wird, als dafür in eine Stadt zu gehen. Christus konnte sein Mittagessen genauso annehmbar bei einem tiefen Brunnen essen wie in dem besten Gasthaus der Stadt. Er predigte oft vor vielen Menschen, doch hier ließ er sich herab, eine einzelne Person zu lehren, eine arme Frau, eine Fremde, eine Samariterin. Dies lehrt seine geistlichen Diener, als solche das Gleiche zu tun, die wissen, was für eine große Tat es ist zu helfen, Seelen vom Tod zu erretten – selbst wenn es nur eine einzige Seele.
Wir wollen die Einzelheiten dieses Gesprächs betrachten.
Jesus begann mit einer bescheidenen Bitte um einen Trunk Wasser: „Gib mir zu trinken!" Der Eine, welcher um unseretwillen arm wurde, wurde hier zu einem Bettler (s. 2.Kor 8,9). Christus bat nicht nur darum, weil er es brauchte und ihre Hilfe brauchte, um daran zu kommen, sondern auch, weil er sie in ein weiteres Gespräch verwickeln wollte. Christus bittet immer noch auf dem Weg der armen Glieder seines Leibes – und ein Becher mit kaltem Wasser, der ihnen in seinem Namen gegeben wird, wird seinen Lohn nicht verfehlen (s. Mt 10,42).
Die Frau führte einen Wortwechsel mit ihm, weil er nicht die Haltung seines eigenen Volkes zeigte **(s. Vers 9)**. „Wie kann das sein?" Beachten Sie:
Was für eine schreckliche Fehde es zwischen Samaritern und Juden gab: „Denn die Juden haben keinen Umgang mit den Samaritern." Streitigkeiten über Religion sind für gewöhnlich die unversöhnlichsten aller Streitigkeiten. Wenn die Anbetung Gottes in verschiedenen Tempeln die Menschen dazu bringt, dass sie es ablehnen, einander zu lieben, und das im Namen religiösen Eifers, dann zeigen sie deutlich, egal, wie sehr sie meinen, dass ihre Religion wahr ist, dass sie nicht wahrhaftig religiös sind.
Wie schnell die Frau darin war, Christus für den Stolz und das feindliche Wesen des jüdischen Volkes zu tadeln: „Wie erbittest du als ein Jude von mir etwas zu trinken?" Bescheidene Menschen andererseits sind „Männer, die als Zeichen dienen" (Sach 3,8). Die Frau war erstaunt:
Dass er um diese Freundlichkeit bitten würde, denn die Juden waren so stolz, dass sie lieber jede Not ertragen würden, als einem Samariter zu Dank verpflichtet zu sein. Selbst wenn der Geist unseres Landes oder die Haltung derer um uns her sehr erbärmlich und von schlechter Laune ist, müssen wir Güte und Freundlichkeit üben, wie es unser Meister tat. Diese Frau erwartete, dass Christus wie die anderen Juden ist, doch jede Regel hat ihre Ausnahmen.
Dass er erwarten würde, diese Freundlichkeit von ihr zu bekommen, einer Samariterin.
Christus nutzte die Gelegenheit, um sie in göttlichen Dingen zu unterweisen: „Wenn du die Gabe Gottes erkennen würdest ... so würdest du ihn bitten" **(Vers 10)**.
Er wischte ihren Einwand bezüglich der Fehde zwischen Juden und Samaritern beiseite. Manche Differenzen lassen sich am besten heilen, wenn man jeden Anlass meidet, über sie in Streit zu geraten. Christus wollte im Leben dieser Frau eine Bekehrung bewirken und ihr zeigen, dass sie einen Heiland brauchte.
Er gab ihr ein Verständnis dafür, dass sie jetzt die Gelegenheit hatte, etwas zu erlangen, was ihr unbeschreiblich nutzen würde. Er sagte ihr deutlich, dass sie jetzt eine Zeit der Gnade hatte.
Er deutete ihr an, was sie hätte wissen sollen, aber nicht wusste: „Wenn du die Gabe Gottes erkennen würdest und wer der ist, der zu dir spricht: Gib mir zu trinken!" Sie sah ihn als Juden, einen armen, müden Reisenden, doch er wollte sie etwas mehr über ihn wissen lassen. Jesus Christus ist „die Gabe Gottes", das reichste Zeichen der Liebe Gottes zu uns. Es ist ein unbeschreibliches Vorrecht, dass uns diese Gabe Gottes angeboten wird. „Es ist der, welcher sagt: ‚Gib mir zu trinken!' Diese Gabe wird dir angeboten."
Er sagte ihr, was er gehofft hätte, dass sie es täte, wenn sie ihn kennen würde: „... so würdest du ihn bitten." Wer irgendeine Wohltat von Christus haben möchte, muss ihn darum bitten. Jene, die eine richtige Erkenntnis von Christus haben, werden ihn suchen. Christus weiß, was diejenigen tun würden, denen die Mittel der Erkenntnis fehlen, wenn sie sie hätten (s. Mt 11,21).
Er sicherte ihr zu, was er für sie getan hätte, wenn sie sich an ihn gewandt hätte: „... und er gäbe dir lebendiges Wasser." Dieses lebendige Wasser meint den Geist, der nicht wie das Wasser am Grund des Brunnens ist, sondern wie lebendiges oder fließendes Wasser. Der Geist der Gnade ist wie „lebendiges Wasser". Jesus Christus kann und möchte den Heiligen Geist denen geben, die ihn darum bitten.
Die Frau erhob einen Einwand gegen das gnädige Zeichen, welches Christus ihr gab: „Herr, du hast ja keinen Eimer"; und außerdem: „Bist du größer als unser Vater Jakob?" **(Vers 11-12)**. Wovon Christus bildlich sprach, das nahm sie wörtlich; auch Nikodemus tat dies (s. Joh 3,4).
Sie meinte nicht, dass er in der Lage sei, ihr irgendwelches Wasser zu geben: „Herr, du hast ja keinen Eimer, und der Brunnen ist tief." Der,

welcher Dünste vom Ende der Erde her aufsteigen lässt, braucht keinen Eimer, doch es gibt solche, die seinen Verheißungen nicht glauben werden, wenn die Mittel, um die Verheißung zu erfüllen, nicht sichtbar sind – als könne er nicht Wasser ohne unsere Eimer schöpfen (s. Ps 135,7). Sie fragte verächtlich: „‚Woher hast du denn das lebendige Wasser?' Ich sehe nicht, von woher du es bekommst." Die Quelle des Lebens ist in Christus verborgen. Christus hat genug für uns, selbst wenn wir nicht sehen können, woher er es bekommt.
Sie glaubte nicht, dass er ihr irgendein besseres Wasser geben könnte: „Bist du größer als unser Vater Jakob, der uns den Brunnen gegeben ... hat?"
Wir wollen annehmen, dass die Tradition stimmte, dass Jakob „selbst daraus getrunken hat, samt seinen Söhnen und seinem Vieh". Wir können daran die Macht und die Vorsehung Gottes bemerken im Fortbestehen der Wasserquellen von Generation zu Generation.
Doch selbst angenommen, dass dies wahr ist, war sie in mehreren Dingen im Irrtum:
Dass sie Jakob „Vater" nannte. Was für einen Anspruch hatten die Samariter, sich als die Nachfahren von Jakob zu sehen?
Zu behaupten, dass dieser Brunnen Jakobs Geschenk sei. Er gab diesen nicht mehr, als wie Mose das Manna gab (s. Joh 6,32). Doch wir neigen dazu, die Überbringer der Gaben Gottes ihre Spender zu nennen und so sehr auf die Hände zu blicken, durch welche diese Gaben gehen, dass wir die Hand vergessen, von der sie kommen.
Darin, dass sie von Christus als unwürdig sprach, mit ihrem Vater Jakob verglichen zu werden. Übertriebene Achtung vor früheren Zeiten zeigt die Missachtung der Gnade Gottes in den guten Menschen in unserer Zeit.
Christus antwortete auf diesen Einwand und sagte ihr, dass das lebendige Wasser, das er zu geben hatte, weit besser war als das aus Jakobs Brunnen **(s. Vers 13-14)**. Christus wies sie nicht ab, sondern ermutigte sie. Er zeigte ihr:
Dass das Wasser von Jakobs Brunnen nur eine vergängliche Befriedigung gab: „Jeden, der von diesem Wasser trinkt, wird wieder dürsten.' Es ist nicht besser als anderes Wasser; es wird den momentanen Durst löschen, doch der Durst wird zurückkehren." Das zeigt:
Die Zerbrechlichkeit unserer Leiber in diesem jetzigen Zustand; sie verlangen immer nach etwas. Das Leben ist ein Feuer, eine Lampe, die rasch erlöschen wird, wenn man sie nicht beständig mit Brennstoff, mit Öl versorgt.
Die Mängel bei all unseren Erquickungen in dieser Welt; sie halten nicht an. Das Essen und Trinken von gestern trägt nichts zu unserem heutigen Tageswerk bei.
Dass das lebendige Wasser, welches er geben wollte, eine bleibende Zufriedenheit und Seligkeit bereiten würde **(s. Vers 14)**. Jeder, der an dem Geist der Gnade teilhat:
„... wird in Ewigkeit nicht dürsten." Er hat einen verlangenden Durst nach nichts mehr als Gott – immer noch mehr und mehr von Gott –, aber keinen verzweifelten Durst.
„... wird in Ewigkeit nicht dürsten", denn das Wasser, welches Christus ihm gibt, „wird in ihm zu einer Quelle von Wasser werden". Wer in sich selbst eine Quelle der Versorgung und Befriedigung hat, kann nie auf seine äußerste Not reduziert werden. Solches Wasser wird:
Immer verfügbar sein, weil es in ihm sein wird. Er braucht sich nicht an die Welt für Erquickung wenden.
Niemals nachlassen, denn es wird eine „Quelle von Wasser" in ihm sein, überfließend, immer fließend:
„... das ... quillt", stets in Bewegung ist. Wenn gute Wahrheiten in unserer Seele stillstehen wie stillstehendes Wasser, dann erfüllen sie nicht den Zweck, wofür wir sie bekommen haben.
„... das bis ins ewige Leben quillt." Der Satz zeigt drei Dinge: (1) Die Ziele der Wirkungen der Gnade. Geistliche Gnade quillt bis zu seiner eigenen Vervollkommnung im ewigen Leben. (2) Die Dauerhaftigkeit dieser Wirkungen. Sie werden weiterhin quellen, bis sie die Vollendung erreichen. (3) Die Krönung dieser Wirkungen, welche ist, zuletzt das ewige Leben zu haben. Ist dieses Wasser nicht besser als das aus Jakobs Brunnen?
Die Frau bat ihn, ihr etwas von diesem Wasser zu geben: „Herr, gib mir dieses Wasser, damit ich nicht dürste" **(Vers 15)**.
Manche meinen, dass sie spöttisch sprach, sich über das als nutzlos lustig machte, was Christus sagte: „Ein ungewöhnlicher Gedanke! Es wird mir eine Menge Verdruss ersparen, wenn ich nicht durstig bin, und viel Anstrengung, wenn ich nie mehr hierhin komme, um zu schöpfen."
Andere meinen, dass es ein wohlmeinender, aber schwacher und unwissender Wunsch war: „Was es auch ist, lass mich dies haben." Bequemlichkeit oder das Ersparen von Arbeit ist für arme, hart arbeitende Menschen ein wertvolles Gut. Das zeigt uns, dass sogar diejenigen, die schwach und unwissend sind, doch etwas schwaches und schwankendes Verlangen nach Christus und seinen Gaben haben können.

2.2 Das nächste Gesprächsthema mit dieser Frau war ihr Mann **(s. Vers 16-18)**. Christus brachte diesen Gegenstand nicht zur Sprache, um das Thema des Wassers des Lebens fallenzulassen, sondern mit einer gnädigen Absicht. Er sah, dass das, was er über seine Gnade und das ewige Leben gesagt hatte, wenig Wirkung auf sie gehabt hatte; darum legte er das Gespräch über lebendiges Wasser beiseite und machte sich daran, ihr Gewissen zu erwecken, und dann würde sie die Antwort durch Gnade leichter fassen können. Das ist der Weg, mit Seelen umzugehen; das ist der Weg, um geistliche Medizin zu verabreichen. Sie müssen erst mühselig und beladen und von dem Gewicht der Sünde belastet und dann zu Christus geführt werden, um dort Ruhe zu finden (s. Mt 11,28). Beachten Sie:

Wie diskret und unaufdringlich Christus dieses Thema einleitete: „Geh hin, rufe deinen Mann und komm her!" **(Vers 16)**. Die Weisung, die Christus ihr gab, sah sehr gut aus: „Hole deinen Mann, damit er dich lehren mag, dir hilft, diese Dinge zu verstehen. Hole deinen Mann, damit er mit dir lernen kann, damit ihr dann ‚gemeinsam Erben der Gnade des Lebens' sein könnt" (1.Petr 3,7). Wie es gut aussah, so hatte es auch einen guten Zweck, nämlich, ihm eine Gelegenheit zu geben, sie an ihre Sünde zu erinnern. Wenn man Menschen zurechtweist, braucht es Geschick und Weisheit.

Wie entschieden die Frau versuchte, der Überführung auszuweichen und sich doch unmerklich selbst überführte. Sie sagte: „Ich habe keinen Mann!"

Wie genau unser Herr Jesus ihrem Gewissen die Überführung bewusst machte. Er sagte vermutlich mehr, als hier berichtet wird, denn sie meinte, er habe ihr alles gesagt, was sie getan habe (s. Joh 4,29). Hier gibt es:

Einen überraschenden Bericht über ihr vergangenes Leben: „Denn fünf Männer hast du gehabt."

Eine strenge Zurechtweisung für ihr jetziges Leben: „... und der, den du jetzt hast, ist nicht dein Mann." Kurz gesagt, sie lebte in Ehebruch. Beachten Sie aber, wie milde Christus ihr dies sagte: „Der, mit dem du lebst, ist nicht dein Ehemann." Und dann überließ er es ihrem eigenen Gewissen, den Rest zu sagen.

Eine bessere Deutung ihrer ausweichenden Aussage: „Du hast recht gesagt: Ich habe keinen Mann!" Und wieder: „Da hast du die Wahrheit gesprochen!" Was sie als Leugnung der Tatsache beabsichtigt hatte, deutete er wohlwollend als Bekenntnis der Schuld. Wer Seelen gewinnen will, sollte das Beste aus Menschen machen und sich damit selbst Hoffnung machen, ihr gutes Wesen zu beeinflussen, denn wenn er das Schlechteste aus ihnen macht, dann bringt er mit Sicherheit ihr böses Wesen gegen sich auf.

2.3 Das nächste Gesprächsthema mit dieser Frau war der Ort der Anbetung **(s. Vers 19-24)**. Beachten Sie:

Die Gewissensfrage, welche die Frau Christus bezüglich des Ortes der Anbetung stellte (s. Vers 19-20). Beachten Sie:

Sie offenbarte ihre Motivation, in dieser Sache zu fragen: „Herr, ich sehe, dass du ein Prophet bist!" Sie bestritt nicht die Wahrheit von dem, wessen er sie beschuldigt hatte. Noch wurde sie dadurch provoziert, in Wut zu geraten, wie es viele sind, wenn sie an einem wunden Punkt berührt werden; sie konnte es ertragen, dass man ihr ihre Schuld sagte, was selten ist. Sie ging weiter:

Sie sprach respektvoll mit ihm, nannte ihn „Herr". Das war die Wirkung der Demut Christi, als er sie zurechtwies. Er benutzte bei ihr keine beleidigende Sprache und so benutzte sie keine solche Sprache bei ihm.

Sie erkannte an, dass er „ein Prophet" ist.

Sie wollte etwas weitere Unterweisung von ihm.

Die Sache selbst, nach der sie fragte, war der Ort der religiösen Anbetung in der Öffentlichkeit. Sie wusste, dass sie Gott anbeten muss, und sie wollte dies in rechter Weise tun, und darum bat sie, als sie einen Propheten traf, um seine Weisung. Zwischen den Juden und den Samaritern gab es die Übereinstimmung, dass Gott angebetet werden muss – selbst die, welche solche Toren waren, dass sie falsche Götter anbeteten, waren nicht so dumm, dass sie *keinen* Gott anbeteten. Die strittige Sache war jedoch, *wo* sie Gott anbeten sollten. Achten Sie darauf, wie sie die Sache darlegte:

Was die Samariter anbetrifft: „Unsere Väter haben auf diesem Berg angebetet." Dort wurde der samaritanische Tempel von Sanballat II. gebaut, einem Statthalter von Samaria im vierten Jahrhundert vor Christus. Sie deutete an:

Dass, was auch immer der Tempel war, der Ort heilig war. Es war der Berg Garizim, der Berg, auf dem die Segnungen verkündigt wurden (s. 5.Mose 11,29; 27,12; Jos 8,30-35).

Dass die Samariter den Vorrang bei der Verteidigung ihrer Anbetung dort geltend machen konnten: „Unsere Väter" beteten hier an. Sie meinte, sie hätten die Vorzeit, die Tradition und die Erbfolge auf ihrer Seite.

Was die Juden anbetrifft: „... und ihr sagt, in Jerusalem sei der Ort, wo man anbeten soll." Die Samariter verwalteten sich selbst anhand der fünf Bücher Mose. Obwohl sie dort nun oft den Ort erwähnt fanden, den Gott erwählen würde, fanden sie ihn dort nicht benannt, und deshalb hielten sie sich für frei, einen anderen Ort zu errichten.

Christi Antwort auf diese Frage **(s. Vers 21)**:

Er überging die Frage, wie sie sie gestellt hatte: „‚Frau, glaube mir.' Was du gelehrt worden bist, so sehr zu betonen, wird als unwichtig fallengelassen werden; ‚es kommt die Stunde, wo ihr weder auf diesem Berg noch in Jerusalem den Vater anbeten werdet.'" Alle Details und Differenzen über den Ort der Anbetung würden zu einem Ende kommen. Es würde vollkommen unwesentlich sein, ob die Menschen Gott an einem dieser Orte anbeten oder an einem anderen, denn sie würden nicht auf irgendeinen Ort festgelegt sein; weder hier noch dort, ja, Gott kann überall angebetet werden.

Er betonte andere Dinge. Wenn er es mit dem Ort der Anbetung so leicht nahm, so wollte er nicht unser Interesse an der Anbetung selbst mindern.

Was den gegenwärtigen Stand des Streites betraf, entschied er sich gegen den samaritanischen Gottesdienst. Er sagte ihr:

Dass die Samariter zweifellos falschlagen, weil sie im Irrtum über den Gegenstand ihrer Anbetung waren: „Ihr betet an, was ihr nicht kennt." Unwissenheit ist so weit davon entfernt, die Mutter der Frömmigkeit zu sein, dass sie ihr Mörder ist.

Dass die Juden zweifellos richtiglagen. Denn: „‚Wir beten an, was wir kennen.' Wir haben einen sicheren Stand für unsere Anbetung." Diejenigen, die durch die Schriften etwas Erkenntnis über Gott erlangt haben, können ihn mit Gewissheit für sich und der Annahme durch ihn anbeten, denn sie wissen, was sie anbeten. Die Anbetung kann wahrhaftig sein, wo sie nicht rein und nicht aufrichtig ist. Unser Herr Jesus zählte sich selbst zu den Anbetern Gottes: „Wir beten an." Mögen die größten Menschen nicht die Anbetung Gottes als unter ihrer Würde ansehen, da es der Sohn Gottes selbst nicht tat.

„… denn das Heil kommt aus den Juden" und das ist der Grund, warum sie wissen, was sie anbeten und auf welcher Grundlage sie das tun, was sie in ihrer Anbetung tun. Der Urheber des ewigen Heils kam aus den Juden, und er war dazu gesandt, diese zuerst zu segnen. Ihnen werden die Mittel des ewigen Heils angeboten. Das „Wort des Heils" kam durch die Juden (Apg 13,26).

Er beschrieb die Anbetung unter dem Evangelium. Nachdem er gezeigt hatte, dass der Ort unwichtig war, kam er nun dazu zu zeigen, was nötig und wesentlich war – dass wir Gott „im Geist und in der Wahrheit anbeten" **(Vers 23-24)**. Die Betonung liegt auf dem Zustand des Herzens, in dem wir ihn anbeten. Wir sollten danach streben, nicht nur bei dem Gegenstand unserer Anbetung richtig zu liegen, sondern auch bei ihrer Weise, und das ist es, worüber Christus uns hier lehrt. Beachten Sie:

Die Umwälzung, welche diese Veränderung einleiten würde: „Aber die Stunde kommt und ist schon da." Der volle Tag kam und nun brach er an (s. Spr 4,18).

Die wunderbare Veränderung selbst. Die wahren Anbeter werden „den Vater im Geist und in der Wahrheit anbeten". Als Geschöpfe beten wir den Vater aller an: Als Christen beten wir den Vater unseres Herrn Jesus an. Die Veränderung würde nun sein:

In der Natur der Anbetung. Christen würden Gott nicht in der zeremoniellen Beachtung der mosaischen Ordnungen anbeten, sondern in geistlichen Ordnungen.

In der Haltung der Anbeter: Alle würden, sagte Jesus – und werden – Gott im Geist und in der Wahrheit anbeten. Dies wird als ihr Kennzeichen und als ihre Pflicht genannt **(s. Vers 23-24)**. Von allen, die Gott anbeten, wird verlangt, dass sie ihn im Geist und in der Wahrheit anbeten. Wir müssen Gott „im Geist" anbeten, mit fest ausgerichteten Gedanken und inbrünstiger Hingabe, mit allem, was in uns ist, abhängig von Gottes Geist für Kraft und Hilfe (s. Phil 3,3; Ps 103,1). Und wir müssen ihn „in der Wahrheit" anbeten, das heißt aufrichtig. Wir müssen uns mehr um die Kraft als um die äußere Form kümmern (s. 2.Tim 3,5; Elb 06).

Er nannte die Gründe, warum Gott auf diese Weise angebetet werden muss.

Weil zur Zeit des Evangeliums diejenigen, und nur die, welche auf diese Weise anbeten, als wahre Anbeter angesehen werden. Das Evangelium errichtet einen geistlichen Weg der Anbetung, sodass diejenigen, welche das Evangelium bekennen, nicht nach dem Licht des Evangeliums und seinen Gesetzen leben, sofern sie nicht Gott „im Geist und in der Wahrheit anbeten".

„Denn der Vater sucht solche Anbeter." Solche Anbeter sind sehr selten. Die Pforte der geistlichen Anbetung ist eng (s. Mt 7,14). Doch solche Anbetung ist notwendig und ist das, worauf der Gott des Himmels besteht. Gott ist an solcher Anbetung und über solche Anbeter sehr erfreut und nimmt sie gnädig an. Dass er solche Anbeter sucht, besagt, dass er sie zu solchen macht. Christus kam, um uns Aufschluss über Gott zu geben, und er hat dies über ihn verkündet; er verkündete es dieser armen samaritanischen Frau, denn selbst die Geringsten sollten Gott kennen (s. Joh 1,18).

Weil Gott Geist ist. Es ist leichter zu sagen, was Gott nicht ist, als zu sagen, was er ist. Das geistliche Wesen der göttlichen Natur ist ein sehr guter Grund für das geistliche Wesen der Anbetung Gottes. Wenn wir Gott, der Geist ist, nicht im Geist anbeten, verfehlen wir den Zweck der Anbetung (s. Mt 15,8-9).

2.4 Das letzte Gesprächsthema mit dieser Frau war der Messias **(s. Vers 25-26)**. Beachten Sie:

Den Glauben der Frau, durch sie den Messias erwartete: „Ich weiß, dass der Messias kommt … wenn dieser kommt, wird er uns alles verkündigen." Sie konnte keine Einwände gegen das erheben, was Christus gesagt hatte; seine Lehre war, nach allem, was sie wusste, derart, dass diese sich für den Messias ziemen würde, der in ihren Tagen erwartet wurde, doch für den Augenblick war sie bereit, diese *von Jesus* anzunehmen und hielt es für das Beste, ihren Glauben in der Schwebe zu lassen. Viele haben kein Verlangen nach dem „Geld in der Hand" jetzt, weil sie meinen, sie haben die Aussicht, später mehr zu bekommen (s. Spr 17,16). Beachten Sie hier:

Wen sie erwartete: „Ich weiß, dass der Messias kommt." Die Juden und die Samariter stimmten in der Erwartung des Messias und seines Reiches überein. Der Eine, der kommen sollte, war der Messias, „welcher Christus genannt wird". Obwohl der Evangelist das hebräische Wort Messias beibehielt, sorgte er dafür, das griechische Wort mit der gleichen Bedeutung beizustellen: „welcher Christus genannt wird", der Gesalbte.

Was sie von ihm erwartete: Er wird „uns alles verkündigen'. Er wird uns vollständig und klar den Sinn Gottes verkündigen und nichts zurückhalten". Das beinhaltet das Eingeständnis: *Von der Unvollkommenheit sowohl der Offenbarung des Willens Gottes als auch der Richtlinie für die Anbetung Gottes, welche sowohl die Samariter als auch die Juden nun hatten.* Deshalb erwarteten sie eine große Verbesserung oder Vervollkommnung.

Dass der Messias genügte, um diese Veränderung zu bewirken: „Er wird uns alles verkündigen, was wir wissen wollen, alles, worüber wir im Dunkeln tappen."

Das Wohlwollen unseres Herrn Jesus, dass er sich ihr zu erkennen gab: „Ich bin's, der mit dir redet!" **(Vers 26)**. Christus gab sich nie jemandem so klar zu erkennen, wie er es hier bei dieser armen Samariterin und bei dem Blinden tat (s. Joh 9,37). Doch:

Er wollte die Armen und Verachteten ehren.

Diese Frau hatte vielleicht nie die Gelegenheit, die Wunder Christi zu sehen, die zu dem Zeitpunkt die gewöhnliche Methode der Überzeugung waren. Gott kann das Licht der Gnade in unseren Herzen scheinen lassen, selbst wo er das Licht des Evangeliums nicht das Angesicht erleuchten lässt (s. 2.Kor 4,6; Pred 8,1).

Diese Frau war besser vorbereitet, eine solche Enthüllung anzunehmen, als andere waren. Christus wird sich denen offenbaren, die ein rechtschaffenes, demütiges Herz haben und ihn mehr kennenlernen möchten. „Ich bin's, der mit dir redet!" Achten Sie darauf, wie nahe Jesus Christus ihr war, und doch wusste sie nicht, wer er war (s. 1.Mose 28,16). Viele Menschen betrauern die Abwesenheit Christi und sehnen sich nach seiner Gegenwart, während er die ganze Zeit mit ihnen spricht. Christus gibt sich uns zu erkennen, indem er zu uns spricht: „Ich bin's, der mit dir redet!"

Vers 27-42

Hier haben wir:

1. Die Unterbrechung dieses Gesprächs durch das Kommen der Jünger. Gerade als das Gespräch zu einem Höhepunkt kam, „kamen seine Jünger". Sie waren erstaunt über Christi Umgang mit dieser Frau: dass er so ernsthaft mit einer Frau sprach, dass er alleine mit einer fremden Frau sprach und besonders, dass er mit einer samaritanischen Frau sprach. Sie waren erstaunt, dass er sich dazu herablassen würde, mit solch einer armen, nichtswürdigen Frau zu sprechen, und vergaßen, wie verachtenswert sie selbst gewesen waren, als Christus sie zuerst berufen hat. Doch sie akzeptierten es; sie wussten, dass es aus irgendeinem guten Grund geschah und darum fragte niemand von ihnen: „Was willst du? oder: Was redest du mit ihr?" Alles was Jesus Christus sagt und tut ist gut. Was sie auch dachten, sie sagten nichts.

2. Die Nachricht, welche diese Frau ihren Nachbarn überbrachte **(s. Vers 28-29)**. Beachten Sie hier:

2.1 Wie sie vergaß, warum sie zum Brunnen gekommen war. Sie „lief in die Stadt" **(Vers 28)** und zwar deshalb, weil die Jünger gekommen waren und das Gespräch unterbrochen wurde. Vielleicht waren die Jünger unzufrieden darüber, dass Jesus mit ihr sprach und vielleicht bemerkte sie das und ging deshalb ihres Weges. Sie zog sich aus Höflichkeit Christus gegenüber zurück, damit er Zeit haben würde, seine Mittagsmahlzeit zu essen. Sie freute sich an dem Gespräch mit ihm, doch sie wollte nicht unverschämt sein. Doch sie erwartete auch, dass Jesus seine Reise fortsetzen würde, und deshalb sprach sie schnell mit ihren Nachbarn. Schauen Sie, wie sie das meiste aus der Zeit machte. Wenn die Gelegenheiten zu einem Ende kommen, gute Dinge zu bekommen, sollten wir nach einer Gelegenheit suchen, Gutes zu tun. Es wird erwähnt, dass sie ihren Wasserkrug stehenließ. Sie ließ ihn aus Freundlichkeit Christus gegenüber, damit er bei seinem Essen Wasser zu trinken haben würde, und sie ließ ihn, um schneller in die Stadt zu laufen. Sie ließ ihn zurück als jemand, der nicht länger daran dachte, weil sie vollständig von besseren Dingen ergriffen war.

2.2 Wie begierig sie darauf war, ihr Erlebnis in die Stadt zu bringen. Sie „lief in die Stadt und sprach zu den Leuten", das heißt, zu jedem Menschen, den sie in den Straßen traf: „Kommt, seht einen Menschen, der mir alles gesagt hat, was ich getan habe! Ob dieser nicht der Christus ist?" Beachten Sie:

Wie sehr sie darum besorgt war, dass ihre Freunde und Nachbarn Christus kennenlernen. Als sie diesen Schatz gefunden hatte, rief sie „die Freundinnen und die Nachbarinnen zusammen", nicht nur, damit sie sich mit ihr freuen, sondern auch, damit sie mit ihr daran teilhaben (Lk 15,9). Hat er uns die Ehre erwiesen, dass er sich uns zu erkennen gegeben hat? Wir wollen ihm die Ehre erweisen, dass wir ihn anderen bekannt machen; wir können uns selbst keine größere Ehre erweisen. Diese Frau wurde ein „Apostel", eine, die „gesandt" war, um anderen die gute Nachricht zu sagen. Ich habe die meisten Gelegenheiten, denen Gutes zu tun, die in meiner Nähe leben, und habe so die größte Verpflichtung.

Wie frei und unbefangen sie in dem war, was sie ihnen über den Fremden sagte.
Sie sagte ihnen deutlich, was sie ihn bewundern ließ: „... der mir alles gesagt hat, was ich getan habe!" Es wird nicht mehr berichtet, als was er ihr über ihre Männer gesagt hatte, doch es ist nicht unwahrscheinlich, dass er ihr mehr von ihrer Schuld gesagt hat. Zwei Dinge berührten sie:
Das Ausmaß seiner Erkenntnis. Wir können selbst nicht alles sagen, was wir getan haben.
Die Macht seines Wortes. Es machte auf sie großen Eindruck, dass er ihr ihr „geheimstes Tun" gesagt hat (Ps 90,8). „Kommt, seht einen Menschen, der mir [von allen meinen Sünden] gesagt hat." Sie konzentrierte sich auf den Teil des Gesprächs mit Christus, von dem man gemeint hätte, dass sie damit am zurückhaltendsten sein würde, ihn zu wiederholen. Die Erkenntnis Christi, zu der wir durch die Überführung unserer Sünde und unserer Demütigung geführt werden, ist höchstwahrscheinlich gesund und rettend.
Sie lud sie ein, zu kommen und den Einen zu sehen. Nicht bloß: „Kommt und seht ihn euch an" – sie lud sie nicht ein, zu kommen und ihn zu betrachten, als wäre er eine Darbietung –, sondern: „Kommt und sprecht mit ihm; kommt und hört seine Weisheit, wie er es getan habe." Sie wollte nicht die Argumente anordnen, die sie überzeugt hatten, um andere zu überzeugen; nicht alle, die selbst den Erweis der Wahrheit sehen, können ihn andere sehen lassen. Jesus war jetzt am Rand der Stadt. „Nun kommt und seht ihn." Wollen wir nicht die Schwelle überschreiten, um den Einen zu sehen, dessen Tag die Könige und Propheten wünschten zu sehen (s. Joh 8,56; Lk 10,24)?
Sie entschloss sich, an ihr eigenes Herz zu appellieren: „Ob dieser nicht der Christus ist?" Sie drückte es nicht dogmatisch aus: „Er ist der Messias." Sie wollte ihnen nicht ihren Glauben aufdrängen, sondern ihn ihnen nur anbieten. Durch solche aufrichtigen, aber eindrucksvollen Appelle werden die Menschen manchmal ergriffen, ohne dass sie es wissen (s. Hld 6,12).
Welchen Erfolg sie mit dieser Einladung hatte: „Da gingen sie aus der Stadt hinaus und kamen zu ihm" **(Vers 30)**. Sie „kamen zu ihm"; sie sandten nicht nach ihm, dass er zu ihnen in die Stadt kommt; sie gingen zu ihm hinaus. Wer Christus kennenlernen will, muss ihn dort treffen, wo er seines Namens gedenken lässt (s. 2.Mose 20,24).

3. Christi Gespräch mit seinen Jüngern, während die Frau abwesend war **(s. Vers 31-38)**. Achten Sie darauf, wie emsig unser Herr Jesus darin war, die Zeit auszukaufen, jede Minute weise zu nutzen. Es wäre gut, wenn wir auf diese Weise die Bruchstücke der Zeit auflesen könnten. An diesem Gespräch sind zwei Dinge bedeutsam:

3.1 Wie Christus die Freude ausdrückte, die er selbst an seinem Werk hatte. Hier wird sichtbar, dass er völlig von diesem Werk ergriffen wurde.
Er vernachlässigte sein Essen und Trinken, um dieses Werk zu tun. Als er sich bei dem Brunnen niedersetzte, war er müde und brauchte Erfrischung, doch diese Gelegenheit, Seelen zu retten, ließ ihn seine Müdigkeit und seinen Hunger vergessen. Er war so wenig an seinem Essen interessiert, dass:
Seine Jünger gezwungen waren, ihn zum Essen zu ermutigen: „Inzwischen aber baten ihn die Jünger und sprachen: Rabbi, iss!" Es zeigte ihre Liebe zu ihm, dass sie ihn drängten, doch seine Liebe zu Seelen war größer als ihre Liebe zu ihm, was sich an der Tatsache zeigte, dass er nicht essen wollte, ohne dass er von ihnen dazu gedrängt wurde.
Sie vermuteten, dass ihm in ihrer Abwesenheit Essen gebracht worden war: „Hat ihm denn jemand zu essen gebracht?" **(Vers 33)**. Er hatte so wenig Appetit auf sein Mittagessen, dass sie im Begriff standen zu glauben, dass er bereits gegessen hatte.
Er machte sein Werk zu seiner Speise. Das Werk, das er mit der Unterweisung der Frau getan hatte, das Werk, welches er unter den Samaritern zu tun hatte, dies war für ihn Speise. Niemals hat ein hungriger Mensch oder ein Feinschmecker ein reichliches Festmahl mit solchem Verlangen erwartet oder seine Leckerbissen mit so viel Freude gegessen, wie das Verlangen und die Freude unseres Herrn Jesus, mit denen er eine Gelegenheit erwartete und ergriff, Seelen Gutes zu tun. Er sagte darüber:
Dass es eine solche Speise war, welche die Jünger nicht kannten. Dies kann man auch von guten Christen sagen, dass sie Speise zu essen haben, von der andere nichts wissen, Freude, in die sich kein Fremder mischen kann (s. Spr 14,10). Diese Bemerkung ließ sie nun fragen: „Hat ihm denn jemand zu essen gebracht?"
Dass der Grund dafür war, warum sein Werk seine Speise war, dass es das Werk seines Vaters war, der Wille seines Vaters: „Meine Speise ist die, dass ich den Willen dessen tue, der mich gesandt hat" **(Vers 34)**. Hieraus können wir lernen:
Die Errettung von Sündern ist der Wille Gottes und ihre Unterweisung, um diese Errettung zu bewirken, ist Gottes Werk.
Jesus machte dieses Werk zu seiner Aufgabe und Freude. Als sein Leib Nahrung brauchte, war sein Gemüt davon so in Anspruch genommen, dass er seinen Hunger wie auch seinen Durst vergaß, Essen wie auch Trinken.
Er war eifrig und daran interessiert, dem nachzugehen und jeden Teil davon zu Ende zu bringen.
Er war entschlossen, dieses Werk nie zu verlas-

sen oder niederzulegen, bis er sagen konnte: „Es ist vollbracht!" (Joh 19,30). Viele Menschen haben den Eifer, ein Werk zu beginnen, doch nicht den Eifer, es zu vollenden.

3.2 Wie Christus seine Jünger motivierte, fleißig in ihrer Arbeit zu sein; sie waren seine Mitarbeiter und sollten darum Arbeiter sein wie er (s. 2.Kor 6,1). Die Arbeit, welche sie zu tun hatten, war, das Evangelium zu predigen. Er verglich diese Arbeit hier mit Erntearbeit **(s. Vers 35-38)**. Erntezeit ist eine geschäftige Zeit; dann müssen alle Hände an die Arbeit gesetzt werden. Erntezeit ist eine Gelegenheit, eine kurze und begrenzte Zeit, und Erntearbeit ist eine Arbeit, die man dann oder überhaupt nicht tun muss. Er legte ihnen hier drei Dinge nahe, um sie zur Gewissenhaftigkeit anzuregen:

Dass es ein notwendiges Werk war und dass die Gelegenheit dafür sehr drängend und dringlich ist: „‚Sagt ihr nicht: Es sind noch vier Monate, dann kommt die Ernte?' Doch ‚ich sage euch: ... die Felder ... sind schon weiß.'" Hier gibt es:

Eine Aussage der Jünger Christi über die Kornernte: „‚Es sind noch vier Monate, dann kommt die Ernte.' Ihr sagt zur Ermutigung des Sämanns zur Saatzeit, dass es nur vier Monate bis zur Ernte werden sollen." Gott hat uns nicht nur jedes Jahr eine Ernte verheißen, sondern auch die Wochen der Ernte festgelegt, sodass wir wissen, wann wir sie erwarten können.

Eine Aussage Christi über die Ernte des Evangeliums: „... seht die Felder an; sie sind schon weiß zur Ernte."

Hier, an diesem Ort, gab es für ihn Erntearbeit zu tun. Sie wollten, dass er etwas isst **(s. Vers 31)**. „Esst!", sagte er. „Ich habe andere Arbeit zu tun, die nötiger ist. Schaut euch die Menge der Samariter an, die kommt, die bereit ist, das Evangelium anzunehmen." Der Eifer der Menschen, das Wort zu hören, ist ein großer Ansporn zum Fleiß und zur Lebendigkeit bei der Predigt für seine geistlichen Diener.

An den anderen Orten, überall im Land, gab es genug Erntearbeit für sie alle zu tun. „Es gibt so viele Menschen mit der Bereitschaft, das Evangelium anzunehmen, wie ein Feld voll mit reifem Korn reif ist zur Ernte." Die Felder sind nun weiß zur Ernte. Wenn wir durch die Zeichen der Zeit verstehen, dass es die richtige Zeit ist, ein besonderes Werk für Gott zu tun, werden wir sehr dazu ermutigt sein, sich für dieses Werk zu engagieren. Johannes der Täufer hatte „dem Herrn ein zugerüstetes Volk" bereitet (Lk 1,17). Seit er das Reich Gottes zu verkündigen begann, drängte jeder sich „mit Gewalt hinein" (Lk 16,16). Das war darum eine Zeit, ihre Sichel zu werfen (s. Offb 14,16). Es war notwendig, jetzt zu arbeiten. Wenn reifes Korn nicht geerntet wird, wird es abfallen und verloren sein. Wenn Seelen, die unter Überführung stehen, jetzt nicht geholfen wird, wird ihr verheißungsvoller Beginn zu nichts führen.

Dass es ein gutes und nützliches Werk war, durch das sie selbst gewinnen würden: „Und wer erntet, der empfängt Lohn" **(Vers 36)**. Die Schnitter Christi haben nie Grund zu sagen, dass sie einem harten Herrn dienen. Sein Werk ist sein eigener Lohn.

Christi Schnitter haben Frucht: „... und sammelt Frucht zum ewigen Leben"; das heißt, sie werden sowohl sich selbst retten als auch die, welche sie hören (s. 1.Tim 4,16). Dies ist die Ermutigung für treue geistliche Diener, dass ihre Arbeit zu der ewigen Rettung kostbarer Seelen führt.

Sie haben Freude: „... damit sich der Sämann und der Schnitter miteinander freuen." Der geistliche Diener, der das selige Werkzeug ist, ein gutes Werk zu beginnen, ist der Sämann; diejenigen, die damit beschäftigt sind, es fortzuführen und zu vollenden, sind die Schnitter, und beide werden sich miteinander freuen. Die Schnitter haben Teil an der Freude der Ernte, obwohl der Ertrag dem Meister gehört (s. 1.Thess 2,19).

Dass es leichte Arbeit war, und eine Arbeit, die zum Teil von denen für sie gemacht wurde, die ihnen vorangegangen waren: „Der eine sät, der andere erntet" **(Vers 37)**. Mose, die Propheten und Johannes der Täufer hatten den Weg für das Evangelium geebnet (s. Jes 40,3-5). „Ich habe euch ausgesandt zu ernten, woran ihr nicht gearbeitet habt."

Dies sagt zwei Dinge über den Dienst des Alten Testaments aus:

Dass er sehr hinter dem Dienst des Neuen Testaments zurückblieb. Mose und die Propheten säten, doch man konnte nicht sagen, dass sie ernteten. Ihre Schriften haben viel mehr Gutes getan, seit sie uns verlassen haben, als es ihr Predigen je tat.

Dass er für den Dienst des Neuen Testaments sehr nützlich war und ihm Platz machte. Hätte es nicht den Samen gegeben, den die Propheten gesät hatten, hätte diese samaritanische Frau nicht sagen können, sie wüssten, dass der Messias kommt.

Dies sagt auch zwei Dinge über den Dienst der Apostel Christi aus.

Es war ein fruchtbarer Dienst: Sie waren Schnitter, die eine große Ernte einbrachten.

Er wurde sehr durch die Schriften der Propheten erleichtert. Die Propheten haben mit Tränen gesät und ausgerufen, sie hätten vergeblich gearbeitet (s. Ps 126,5; Gal 4,11). Die Apostel ernteten „mit Freuden" und sagten: „Gott aber sei Dank, der uns allezeit in Christus triumphieren lässt" (2.Kor 2,14). Von den Mühen geistlicher Diener, die gestorben und gegangen sind, kann von den Leuten, die sie überleben, und den geistlichen Dienern, die auf sie folgen, so gute Frucht geerntet werden. Schauen Sie, was für Grund wir haben, Gott für die zu loben, die uns vorangegangen sind. Wir sind „in ihre Arbeit eingetreten".

4. Die gute Auswirkung, welche dieser Besuch Christi auf die Samariter hatte **(s. Vers 39-42)**. Beachten Sie:

4.1 Welchen Eindruck das Zeugnis der Frau über Christus auf sie machte; das Zeugnis war zwar nicht mehr als: „Er hat mir alles gesagt, was ich getan habe." Doch es hatte einen guten Einfluss. Die Samariter wurden zu zwei Dingen gebracht:

An Christi Wort zu glauben: „Aus jener Stadt aber glaubten viele Samariter an ihn um des Wortes der Frau willen" **(Vers 39)**. Achten Sie darauf, wer glaubte: „... viele Samariter", die nicht aus dem Haus Israel waren. Ihr Glaube war ein Unterpfand auf den Glauben der Heiden. Beachten Sie auch, was sie ermutigte zu glauben: „... um des Wortes der Frau willen." Schauen Sie hier:

Wie Gott manchmal sehr schwache und unwürdige Werkzeuge benutzt, um ein gutes Werk zu beginnen und fortzuführen.

Was für einen großen Wald man durch einen kleinen Funken in Brand setzen kann. Indem er eine arme Frau unterwies, verbreitete unser Heiland Weisung in einer ganzen Stadt. Geistliche Diener mögen weder nachlässig in ihrem Predigen noch darin entmutigt werden, weil ihre Hörer wenige und niedrig sind, denn indem sie ihnen Gutes tun, wird vielleicht mehr Leuten Gutes vermittelt. Wie gut ist es, über unsere Erlebnisse mit Christus zu sprechen. Wer sagen kann, was Gott an seiner Seele getan hat, wird am wahrscheinlichsten Gutes bewirken (s. Ps 66,16).

Ihn zu bitten, bei ihnen zu bleiben: „Als nun die Samariter zu ihm kamen, baten sie ihn, bei ihnen zu bleiben" **(Vers 40)**. Durch den Bericht der Frau glaubten sie, dass er ein Prophet ist, und kamen zu ihm, und als sie ihn sahen, achteten sie ihn immer noch als Propheten. Sie baten ihn, bei ihnen zu bleiben, damit:

Sie ihren Respekt für ihn zeigen könnten. Vergleichen Sie dies mit dem Bericht von Lydia in Apostelgeschichte 16,15.

Sie Unterweisung von ihm bekommen konnten. Viele Menschen wären zu einem Menschen geströmt, der ihnen ihr Schicksal sagen kann, diese aber strömten zu dem Einen, der ihnen ihre Schuld sagen würde. Die Juden trieben ihn von sich fort, während die Samariter ihn zu sich einluden. Der Maß an Erfolg, auf den das Evangelium trifft, richtet sich nicht immer nach der Wahrscheinlichkeit, noch ist das, was erlebt wird, immer so, wie es erwartet wird. Da er bei ihnen willkommen war, gewährte ihnen Christus ihre Bitte. Er blieb dort. Wenn er eine Gelegenheit hatte, Gutes zu tun, blieb er dort.

4.2 Was für ein Eindruck durch Christi eigene Worte auf sie gemacht wurde **(s. Vers 41-42)**. Was er dort sagte und tat, wird nicht berichtet, doch was es auch war, es überzeugte sie, dass er der Christus war; und die harte Arbeit eines geistlichen Dieners lässt sich am besten an ihrer guten Frucht sehen. Jetzt sahen ihn ihre Augen und die Wirkung war:

Dass ihre Zahl wuchs: „Und noch viel mehr Leute glaubten" **(Vers 41)**.

Dass ihr Glaube wuchs. Die, welche durch den Bericht der Frau überzeugt wurden, hatten nun Grund zu sagen: „Nun glauben wir nicht mehr um deiner Rede willen" **(Vers 42)**. Hier gibt es drei Dinge, in denen ihr Glaube wuchs:

In seinem Inhalt. Durch das Zeugnis der Frau glaubten sie, dass er ein Prophet ist, doch jetzt, wo sie selbst mit ihm gesprochen hatten, glaubten sie, dass er „der Christus" ist, der Gesalbte, und dass er, da er der Christus ist, „der Retter der Welt" ist. Sie glaubten, dass er nicht nur der Retter der Juden, sondern der Welt ist, was, wie sie hofften, sie einschließen würde, obwohl sie Samariter waren.

In seiner Gewissheit; ihr Glaube gelangte nun zu voller Gewissheit: Sie hatten „erkannt, dass dieser wahrhaftig ... der Christus ist".

In seinen Grundlagen: „Nun glauben wir nicht mehr um deiner Rede willen; wir haben selbst gehört." Vorher hatten sie durch das geglaubt, was die Frau sagte, doch: „Nun glauben wir, weil wir ihn selbst gehört haben. Wir sind völlig überzeugt und gewiss, dass dies der Christus ist." An diesem Beispiel können wir sehen, wie „der Glaube aus der Verkündigung" kommt (Röm 10,17).

Der Glaube entsteht durch das Hören des Berichts eines Menschen. Die Unterweisung von Eltern und Predigern macht uns mit der Lehre Christi vertraut.

Glaube kommt zu Wachstum durch das Hören des Zeugnisses von Christus selbst, und das geht weiter und macht seine Botschaft annehmbar für uns. Wir wurden dazu angeregt, in die Schriften zu schauen, und zwar durch das Zeugnis derer, die uns sagten, dass sie in ihnen das ewige Leben gefunden hatten, jetzt aber glauben wir nicht mehr um ihrer Rede willen, sondern weil wir selbst in ihnen geforscht haben, und unser Glaube beruht „nicht auf Menschenweisheit ... sondern auf Gottes Kraft" (1.Kor 2,5; s. 1.Joh 5,9-10).

5. Wie der Same des Evangeliums in Samaria ausgesät wurde. Vier oder fünf Jahre später, als Philippus in Samaria das Evangelium predigte, achtete „die Volksmenge ... einmütig auf das, was Philippus sagte" (Apg 8,6).

Vers 43-54

In diesen Versen haben wir:

1. Wie Christus nach Galiläa kommt. „Nach den zwei Tagen" verließ er sie, weil er „auch in den anderen Städten" verkündigen muss

(**Vers 43**; Lk 4,43). Er „ging nach Galiläa". Beachten Sie hier:

1.1 Wohin Christus ging; „nach Galiläa", doch nicht nach Nazareth, was genau genommen sein Vaterland war. Er ging in die Dörfer, lehnte es aber aus einem Grund ab, nach Nazareth zu gehen, den Jesus hier selbst gibt: „dass ein Prophet in seinem eigenen Vaterland nicht geachtet wird." Die Achtung, die den Propheten des Herrn gebührt, ist ihnen sehr oft versagt worden. Die rechtmäßige Ehre wird ihnen häufiger in ihrem Vaterland versagt. Christi eigene Verwandte sprachen sehr respektlos von ihm (s. Joh 7,5). Der menschliche Stolz und Neid lassen die Leute Unterweisung von denen verschmähen, die einst in der gleichen Klasse waren wie sie oder mit denen sie gespielt haben. Es ist gerecht von Gott, denen das Evangelium zu verweigern, die seine geistlichen Diener verachten. Diejenigen, die Boten verspotten, verlieren den Nutzen an der Botschaft (s. Mt 21,35.41).

1.2 Den Empfang, den er bei den Galiläern im Land erfuhr **(s. Vers 45)**: Sie nahmen ihn auf. Christus und sein Evangelium werden nicht vergeblich gesandt; wenn sie von einigen nicht geehrt werden, werden sie es von anderen. Der angegebene Grund, warum diese Galiläer so bereit waren, Christus aufzunehmen, ist nun, dass sie die Wunder gesehen hatten, die er in Jerusalem vollbracht hatte **(s. Vers 45)**. Beachten Sie:

Sie gingen zum Passahfest nach Jerusalem hinauf und dort haben sie Christus kennengelernt. Wer gewissenhaft und beständig darin ist, an öffentlichen Diensten der Anbetung teilzunehmen, wird zu der einen oder anderen Zeit mehr geistlichen Nutzen bekommen, als er erwartet.

In Jerusalem sahen sie die Wunder Christi. Die Wunder wurden zum Nutzen jener in Jerusalem vollbracht, doch die Galiläer zogen mehr Nutzen aus ihnen, als es diejenigen taten, für die sie hauptsächlich gedacht waren. Das zu einer gemischten Hörerschaft gepredigte Wort erbaut vielleicht gelegentliche Zuhörer mehr als die üblichen.

1.3 In welche Stadt er ging. Er entschloss sich, nach Kana in Galiläa zu gehen, wo er Wasser zu Wein gemacht hatte **(Vers 46**; s. 2,1-11). Der Evangelist erwähnt hier dieses Wunder, um uns zu lehren, uns darauf zu besinnen, was wir von den Werken Christi gesehen haben.

2. Seine Heilung des Sohnes des „königlichen Beamten". Dieser Bericht wird von keinem der anderen Evangelisten überliefert. Beachten Sie:

2.1 Wer die Bitte überbrachte und wer der Patient war: Der Bittsteller war ein königlicher Beamter; der Patient war sein Sohn. Der Vater war ein königlicher Beamter, doch der Sohn war krank; Würde und Ehrentitel bieten keine Sicherheit vor den Angriffen von Krankheit und Tod. Es waren etwa zwanzig Kilometer von Kapernaum nach Kana, wo Christus jetzt war, doch dieses Leid in der Familie des Beamten brachte ihn so weit, um Christus zu suchen.

2.2 Wie der Bittsteller seine Bitte dem Arzt vorlegte. Er ging selbst zu ihm „und bat ihn, er möchte herabkommen und seinen Sohn gesund machen" **(Vers 47)**. Schauen Sie hier:

Seine innige Liebe zu seinem Sohn. Als der Sohn krank war, wollte der Vater keine Mühe scheuen, um Hilfe für ihn zu bekommen.

Seine große Achtung vor unserem Herrn Jesus. Er wollte seine Bitte persönlich überbringen, ihn bitten, wo er als Mann mit Autorität Christus hätte gebieten können, in sein Haus zu kommen. Wenn die größten Menschen zu Gott kommen, müssen sie Bettler werden. Aus dem Grund, warum der Beamte kam, können wir schließen, was in seinem Glauben war. Es gab Aufrichtigkeit in ihm; er glaubte, dass Christus seinen Sohn heilen kann. Es gab in ihm auch Mängel; er glaubte, dass Christus ihn nicht aus der Entfernung heilen kann, deshalb bat er ihn, zu kommen und ihn zu heilen. Wir werden ermutigt zu beten, doch es wird uns nicht erlaubt, dem Herrn Anordnungen zu geben: „Herr, heile mich! Doch ob es durch ein Wort oder eine Berührung geschieht, ‚so geschehe dein Wille!'" (Mt 26,42).

2.3 Die gütige Zurechtweisung, die er bei seiner Bitte erlebt: „Da sprach Jesus zu ihm: Wenn ihr nicht Zeichen und Wunder seht, so glaubt ihr nicht!" **(Vers 48)**. Obwohl der Mann ein königlicher Beamter war und jetzt wegen seines Sohnes bekümmert war, wies Christus ihn doch zurecht. Christus zeigte ihm zuerst seine Sünde und Schwachheit, um ihn auf die Barmherzigkeit vorzubereiten, und dann gewährte er seine Bitte. Diejenigen, die Christus mit seinen Gunsterweisen ehren will, demütigt er zuerst mit seinem finsteren Blick. Wie Herodes hoffte dieser Beamte, ein Zeichen zu sehen, wie es die meisten Menschen taten (s. Lk 23,8). Ihr Fehler war nun:

Dass sie sie, obwohl sie glaubhafte und unleugbare Berichte von den Wundern gehört hatten, die er an anderen Orten vollbrachte, nicht glauben wollten, wenn sie sie nicht mit eigenen Augen sahen (s. Lk 4,23). Sie müssen beehrt und bei Laune gehalten werden, sonst würden sie nicht überzeugt sein.

Dass sie, obwohl sie verschiedene Wunder gesehen hatten, die hinlänglich bewiesen, dass Christus ein Lehrer ist, „der von Gott gekommen ist" (Joh 3,2), in ihrem Glauben nicht weiter gehen wollten als bis zu dem Punkt, zu dem sie durch Zeichen und Wunder gebracht wurden. Die geistliche Kraft des Wortes berührte sie nicht; sie zog sie nicht an; nur die sichtbare Kraft der Wunder tat es.

2.4 Seine anhaltende Hartnäckigkeit in seiner Bitte: „Herr, komm herab, ehe mein Kind stirbt!" **(Vers 49)**. In der Antwort des Beamten haben wir:
Etwas, das gut war. Er nahm die Zurechtweisung geduldig an; er sprach respektvoll mit Christus. Wie er an dem Tadel keinen Anstoß nahm, so nahm er diesen nicht als Abweisung seiner Bitte auf, sondern fuhr damit fort, sein Anliegen zu verfolgen, fuhr fort in seinem Ringen und gewann (s. 1.Mose 32,25.29).
Etwas, das schlecht war.
Er scheint dem Tadel keine Beachtung geschenkt zu haben, den Christus ihm erteilte. Er war so sehr von Sorgen wegen seines Kindes ergriffen, dass er an nichts anderes denken konnte.
Er zeigte immer noch die Schwachheit seines Glaubens an die Macht Christi. Er glaubte, dass Christus mit ihm herabkommen muss, dass er seinem Kind nicht anders helfen könnte. Er glaubte, dass Christus ein krankes Kind heilen, doch nicht ein totes Kind auferwecken könnte. „Herr, komm herab, ehe mein Kind stirbt!" Als wäre Christus zu spät, wenn er angekommen wäre, nachdem das Kind gestorben wäre. Der Beamte vergaß, dass Elia und Elisa tote Kinder auferweckt hatten, und war die Macht Christi geringer als die ihre? Schauen Sie, in welcher Eile der Mann war: „Herr, komm herab, ehe mein Kind stirbt!" – Als bestünde die Gefahr, dass Christus seine Gelegenheit verpasst.

2.5 Die wohlwollende Antwort, die Christus gab: „Geh hin, dein Sohn lebt!" **(Vers 50)**. Christus zeigt uns hier:
Seine Macht, dass er nicht nur heilen konnte, sondern mit solcher Leichtigkeit heilen konnte. Hier wurde nichts gesagt, nichts getan, nichts angeordnet zu tun, doch die Heilung wurde vollbracht. Der königliche Beamte wollte, dass Christus herabkommt und seinen Sohn gesund macht; Christus würde seinen Sohn gesund machen, doch nicht herabkommen. Auf diese Weise wurde die Heilung schneller vollbracht, der Irrtum des königlichen Beamten wurde richtiggestellt und sein Glaube wurde bestätigt, sodass die Sache auf Christi Weise besser gemacht wurde. Wenn er uns das versagt, worum wir bitten, dann gibt er etwas, das viel mehr zu unserem Vorteil ist.
Sein Mitleid; er sah den Schmerz, den der königliche Beamte für seinen Sohn spürte, und darum hörte er mit seiner Zurechtweisung auf und sicherte ihm zu, dass sein Kind genesen würde, denn er weiß, „wie sich ein Vater über Kinder erbarmt" (Ps 103,13).

2.6 Den Glauben des königlichen Beamten an das Wort Christi: Er glaubte „und ging hin". Er war zufrieden mit der Methode, die Christus benutzte. Jetzt sah er kein Zeichen oder Wunder, sondern er glaubte, dass das Wunder getan war. Christus sagte: „Dein Sohn lebt!" Und der Mann glaubte ihm. Christus sagte: „Geh hin", und als Beweis seines Glaubens von der Aufrichtigkeit seines Glaubens ging er hin.

2.7 Die weitere Bestätigung seines Glaubens durch die gleiche Information von seinen Knechten, als er zurückkehrte. Seine Knechte trafen mit der großen Neuigkeit der Genesung des Kindes auf ihn **(s. Vers 51)**. Christus sagte: „Dein Sohn lebt!" Und jetzt sagten die Knechte das Gleiche. Diejenigen, die auf Gottes Wort hoffen, werden auf gute Nachrichten stoßen. Der Vater fragte, zu welcher Stunde der Junge zu genesen begann **(s. Vers 52)**. Er wollte, dass sein Glaube bestätigt wird. Der sorgfältige Vergleich der Werke Christi mit seinem Wort wird für uns sehr nützlich sein, um unseren Glauben zu bestätigen. Dies war der Weg, den der königliche Beamte einschlug: „Nun erkundigte er sich bei ihnen nach der Stunde, in welcher es mit ihm besser geworden war." Und sie sagten ihm: „Gestern um die siebte Stunde verließ ihn das Fieber." Der Junge begann dann nicht nur zu genesen; ihm ging es augenblicklich gut. „Da erkannte der Vater, dass es eben in der Stunde geschehen war, in welcher Jesus zu ihm gesagt hatte: Dein Sohn lebt!" Zwei Dinge halfen, seinen Glauben zu bestätigen:
Dass die Genesung des Kindes augenblicklich geschah, nicht allmählich. Die Knechte nannten die genaue Zeit bis zur Stunde: „Gestern", nicht „etwa um die siebte Stunde", sondern „zur siebten Stunde verließ ihn das Fieber" (Vers 52; Elb 06). Das Wort Christi wirkte nicht wie eine medizinische Behandlung, die Zeit braucht, um Wirkung zu erzielen, und vielleicht nur heilt, weil man es von ihr erwartet. Nein, bei Christus war es: „Er sprach, und es geschah", nicht: „Er sprach, und es wurde in Gang gesetzt" (Ps 33,9).
Dass es zu genau der gleichen Zeit geschah, in der Christus zu ihm die Worte sprach – „... eben in der Stunde". Die Tatsache, dass zwei Ereignisse zu genau der gleichen Zeit geschehen, fügt der Schönheit und dem Einklang der Vorsehung sehr viel hinzu. Bei Werken des Menschen bedeutet eine Entfernung zwischen Orten eine Zeitverzögerung und das Verlangsamen der Sache, doch so ist es nicht bei den Werken Christi.

2.8 Das selige Ergebnis von diesem. Dass der Familie Heilung gebracht wurde, brachte ihr Heil.
Der königliche Beamte glaubte. Er hatte vorher dem Wort Christi geglaubt, doch jetzt glaubte er an Christus. Christus hat viele Wege, um das Herz zu gewinnen, und er kann durch das Geschenk einer leiblichen Barmherzigkeit den Weg für bessere Dinge ebnen.
Sein ganzes Haus (sein ganzer Haushalt) glaubte ebenso:
Wegen des Nutzens, den sie alle durch das Wunder bekamen, welches die Blüte und die Hoff-

nungen der Familie bewahrte; dies betraf sie alle und machte ihnen Christus lieb.
Durch den Einfluss, den der Herr der Familie auf sie alle hatte. Dies war ein königlicher Beamter und er hatte vermutlich einen großen Haushalt, doch als er in die Lehranstalt Christi kam, brachte er alle seine Schüler mit sich (s. Vers 49). Was für eine wunderbare Veränderung wurde in diesem Haus durch die Krankheit des Kindes bewirkt! Wir sollten uns mit unserem Leid abfinden aufgrund der Erkenntnis, dass wir nicht wissen, was für Gutes aus ihm folgen mag.

2.9 Die Bemerkung des Evangelisten zu dieser Heilung: „Dies ist das zweite Zeichen", wobei er auf Johannes 2,11 anspielt **(Vers 54)**. In Judäa hatte er viele Wunder vollbracht; sie bekamen das erste Angebot (s. Joh 3,2; 4,45). Doch da er von dort fortgetrieben wurde, vollbrachte er in Galiläa Wunder. An dem einen oder anderen Ort wird Christus willkommen sein. Die Menschen können, wenn sie möchten, die Sonne aus ihren Häusern ausschließen, doch sie können sie nicht aus der Welt ausschließen. Das wird als das zweite Zeichen genannt, um uns an das erste zu erinnern. Neue Segnungen sollten das Gedenken an frühere wachrufen, so wie frühere Segnungen unsere Hoffnung auf weitere ermutigen sollten. Da der Patient der Sohn einer hochstehenden Persönlichkeit war, brachte die Heilung Christus wahrscheinlich viele andere Patienten. Als sich dieser königliche Beamte Christus zuwandte, folgten viele andere. Wie viel Gutes können große Menschen tun, wenn sie gut sind!

KAPITEL 5

Wir haben in den Evangelien einen zuverlässigen Bericht von allem, was Jesus sowohl zu tun als auch zu lehren anfing (s. Apg 1,1). Dies ist miteinander verwoben, denn was er lehrte, erklärte, was er tat, und was er tat, bestätigte, was er lehrte. Wir haben darum in diesem Kapitel ein Wunder und eine Botschaft. 1. Das Wunder war die Heilung eines Mannes, der achtunddreißig Jahre ein Invalide gewesen war (s. Vers 1-16). 2. Die Botschaft war Christi Verteidigung von sich selbst, als er wie ein Krimineller dafür verfolgt wurde, dass er den Mann am Sabbat heilte. Er machte seine Vollmacht als Messias geltend (s. Vers 17-30). 3. Er bewies sie und verurteilte die Juden für ihren Unglauben (s. Vers 31-47).

Vers 1-16

Diese wunderbare Heilung wird von keinem der anderen Evangelisten berichtet, die sich größtenteils auf die Wunder beschränkten, die in Galiläa vollbracht wurden. Johannes berichtet die, welche in Jerusalem vollbracht wurden. Beachten Sie:

1. Den Zeitpunkt, zu dem diese Heilung vollbracht wurde: Es war an einem „Fest der Juden", das heißt dem Passah, was das am größten gefeierte Fest war. Obwohl Christus in Galiläa lebte, zog er doch „hinauf nach Jerusalem" zum Fest **(Vers 1)**. Es war eine Gelegenheit, Gutes zu tun. Zu dieser Zeit waren dort sehr viele Menschen versammelt; es war ein allgemeiner Treffpunkt für Menschen aus allen Teilen des Landes und außerdem Konvertiten aus anderen Völkern. Es war zu hoffen, dass sie in guter Stimmung waren, denn sie kamen zusammen, um Gott anzubeten. Ein Gemüt, das zur Andacht geneigt ist, ist nun sehr offen für weitere Offenbarungen des Lichts und der Liebe Gottes.

2. Den Ort, an dem diese Heilung vollbracht wurde: beim Teich Bethesda, der eine übernatürliche Kraft zu heilen in sich barg **(s. Vers 2-4)**. Uns wird gesagt:

2.1 Wo er gelegen war: „in Jerusalem beim Schaftor." Manche meinen, das war nahe am Tempel, und wenn dem so war, dann bot es ein trauriges, aber nützliches Schauspiel für diejenigen, die zum Tempel zum Beten gingen.

2.2 Wie er genannt wurde: Es war „ein Teich, der auf hebräisch Bethesda heißt" – „das Haus der Barmherzigkeit", denn hier zeigte sich viel von der Barmherzigkeit Gottes gegenüber Kranken und Leidenden. In einer Welt mit so viel Elend wie diesem ist es gut, dass es einige Orte wie Bethesda gibt.

2.3 Wie er ausgestattet war: Er hatte „fünf Säulenhallen", in denen die Kranken lagen. Auf diese Weise stimmte die menschliche Liebe mit der Barmherzigkeit Gottes überein, die Bedrängten zu trösten. Die Natur hat für Arzneien gesorgt, doch die Menschen müssen für Hospitäler sorgen.

2.4 Wie er von den Kranken und Gebrechlichen aufgesucht wurde: „In diesen lag eine große Menge von Kranken" **(Vers 3)**. Wie groß ist das Elend der Leidenden in dieser Welt! Es kann uns gut tun, manchmal Hospitäler zu besuchen, damit wir Grund haben, Gott für unsere Wohltaten zu danken, wenn wir die Nöte sehen, unter denen andere leiden. Der Evangelist führt drei Arten von Kranken an, die hier lagen: Blinde, Lahme und Abgezehrte. Diese sind erwähnt, weil sie am wenigsten in der Lage sind, sich selbst in das Wasser zu helfen, und so lagen sie am längsten wartend in den Säulenhallen. Oh, dass die Menschen genauso weise für ihre Seelen wären und genauso darum besorgt, dass ihre geistlichen Krankheiten geheilt werden!

2.5 Welche Macht er hatte, diese Gebrechlichen zu heilen: „Denn ein Engel stieg ... in den Teich hinab und bewegte das Wasser. Wer nun nach der Bewegung des Wassers zuerst hineinstieg, der wurde gesund" **(Vers 4)**. Die Macht des Teiches war übernatürlich. Beachten Sie:
Die Vorbereitung der medizinischen Behandlung durch einen Engel, der „in den Teich" hinabstieg und das Wasser bewegte. Beachten Sie, zu welch niedriger Arbeit sich die heiligen Engel herablassen. Wenn wir den Willen Gottes tun möchten, wie ihn die Engel tun, dürfen wir nichts für unter unserer Würde halten außer der Sünde. Das Aufwühlen des Wassers war das Zeichen, dass der Engel herabgekommen war. Die Wasser des Heiligtums sind heilend, wenn sie in Bewegung gesetzt werden (s. Hes 47,1.8-12). Geistliche Diener müssen die Gnadengabe anfachen, die in ihnen ist (s. 2.Tim 1,6). Wenn sie in ihrem Dienst kalt und träge sind, legen sich die Wasser und führen nicht zur Heilung. Der Engel stieg „zu gewissen Zeiten" herab, um das Wasser zu bewegen.
Die Wirkung seiner Behandlung: „Wer nun der Bewegung des Wassers zuerst hineinstieg, der wurde gesund." Welche Krankheit es auch war, dieses Wasser heilte sie. Die Macht der Wunder wirkt, wo die Macht der Natur versagt. Der Erste, der hineinstieg, hatte den Nutzen, nicht diejenigen, die trödelten und später hineinkamen. Das lehrt uns, auf unsere Gelegenheiten zu achten und das Beste aus ihnen zu machen, damit wir nicht einer Möglichkeit erlauben zu vergehen, die vielleicht nie wiederkommt. Das ist nun der ganze Bericht, den wir von diesem immer wiederkehrenden Wunder haben. Es war ein Zeichen von Gottes Wohlwollen diesen Menschen gegenüber und ein Hinweis, dass Gott sie nicht verworfen hatte, obwohl sie lange ohne Propheten und Wunder gewesen waren. Es war ein Typus für den Messias, der aufgeht mit Heilung unter seinen Flügeln (s. Mal 3,20).

3. Den Patienten, an dem diese Heilung vollbracht wurde: einer, „der 38 Jahre in der Krankheit zugebracht hatte" **(Vers 5)**. Seine Krankheit war schwer: Er war ein Invalide; er hatte den Gebrauch seiner Glieder verloren. Es ist traurig, den Leib so gebrechlich zu haben, dass er, statt das Werkzeug der Seele zu sein, selber in den Angelegenheiten dieses Lebens zu ihrer Last geworden ist. Wir haben viel Grund, Gott für leibliche Stärke zu danken, und wir sollten sie für ihn benutzen. Die Krankheit hatte eine sehr lange Zeit angedauert: „38 Jahre." Er war länger lahm gewesen, als viele Menschen leben. Wollen wir uns über eine ermüdende Nacht oder eine Krankheitsattacke beklagen, wenn wir vielleicht über viele Jahre kaum einen Tag kannten, an dem wir krank waren, während viele andere, die weit besser sind als wir, kaum wissen, was es heißt, dass es ihnen einen Tag gut geht?

4. Die Heilung und ihre Umstände, die kurz berichtet werden **(s. Vers 6-9)**.
4.1 Jesus sah ihn daliegen. Als Jesus nach Jerusalem kam, besuchte er nicht die Paläste, sondern die Hospitäler. Ein Zeichen für seine große Absicht mit seinem Kommen in die Welt, welche darin bestand, die Kranken und Verwundeten zu suchen und zu retten (s. Lk 19,10). Es gab hier in Bethesda sehr viele arme, gebrechliche Menschen, doch Christus richtete seine Augen auf einen. Christus hat Freude daran, den Hilflosen zu helfen. Der Mann hatte es oft nicht geschafft, geheilt zu werden; deshalb nahm Christus ihn als seinen Patienten an: Es ist seine Ehre, auf der Seite der Schwächsten zu sein.
4.2 Er wusste und bedachte, „dass er schon so lange Zeit in diesem Zustand war".
4.3 Er fragte ihn: „Willst du gesund werden?" Das war eine seltsame Frage, um sie jemandem zu stellen, der so lange krank gewesen war. Es stimmt, dass manche nicht geheilt werden möchten, denn ihre Wunden geben ihnen Grund zum Betteln; doch Christus stellte ihm diese Frage:
Um sein eigenes Mitleid und seine Sorge für ihn auszudrücken. Christus sondiert sanft die Wünsche von denen, die leiden.
Um ihn zu lehren, die Barmherzigkeit zu schätzen und in ihm ein Verlangen danach anzuregen. In geistlichen Fällen sind die Menschen nicht bereit, von ihren Sünden geheilt zu werden. Wenn die Menschen gewillt wären, gesund zu werden, wäre die Arbeit zur Hälfte getan, denn Christus ist bereit zu heilen, wenn wir nur bereit sind, geheilt zu werden (s. Mt 8,3).
4.4 Der arme gebrechliche Mann ergriff die Gelegenheit, das Elend seines Falls aufzuzeigen: „Herr, ich habe keinen Menschen, der mich in den Teich bringt" **(Vers 7)**. Er beklagte sich über einen Mangel an Freunden, um ihm hineinzuhelfen. „Ich habe keinen Menschen', keinen Freund, um mir diese Freundlichkeit zu erweisen." Man hätte meinen können, dass einige von denen, die selbst geheilt worden waren, ihm eine Hand geliehen hätten. Für die Kranken und Gebrechlichen ist es genauso ein Akt der Liebe, für sie etwas zu tun wie sie zu trösten. Er beklagte sein Unglück, dass sehr oft, wenn er kam, ein anderer vor ihm hinabstieg. Es war nur ein Schritt zwischen ihm und der Heilung, doch er blieb gebrechlich. Die alte Maxime kann nicht überwunden werden: „Jeder für sich selbst." Da er so oft enttäuscht wurde, hatte er begonnen, zu verzweifeln, doch jetzt kam die Zeit Christi, um ihm zu Hilfe zu kommen. Beachten Sie weiter zur Ehre des Mannes, dass er, obwohl er so lange vergeblich gewartet hatte, doch immer noch am Rand des Teiches

lag und hoffte, dass zu der einen oder anderen Zeit Hilfe kommen würde (s. Hab 2,3).

4.5 Unser Herr Jesus heilte ihn hier durch ein Wort. Wir haben hier:

Das Wort, welches er sagte: „Steh auf, nimm deine Liegematte" **(Vers 8)**.

Dem Mann wurde gesagt, er solle aufstehen und gehen – ein sonderbares Gebot, dass man es jemandem gibt, der so lange gebrechlich war. Er muss aufstehen und gehen, das heißt, es versuchen, und wenn er es versucht, würde er die Kraft bekommen, es zu tun. Wenn er nicht versucht hätte, sich selbst zu helfen, wäre er nicht geheilt worden. Daraus folgt aber nicht, dass es aus seiner eigenen Kraft geschah, als er aufstand und umherging. Nein; es geschah durch die Macht Christi.

Ihm wurde gesagt, er solle seine Liegematte nehmen. Dies sollte:

Klarstellen, dass die Heilung vollständig und ausschließlich durch ein Wunder geschah, denn er erlangte seine Kraft nicht nach und nach zurück, sondern kam von seiner äußersten Schwäche und Unfähigkeit augenblicklich zur größten leiblichen Stärke. Jener, der sich in der einen Minute nicht hatte auf seiner Liegematte drehen können, war in der nächsten Minute in der Lage, sie zu tragen.

Die Heilung verkünden. Weil es der Sabbat war, stach jeder, der eine Last durch die Straßen trug, hervor, und jeder würde fragen, was dies bedeutete.

Ein Zeugnis gegen die Überlieferung der Alten sein. Es könnte der Fall sein, dass es eine notwendige oder barmherzige Tat ist, am Sabbat eine Liegematte zu tragen, doch hier war es mehr: Es war eine Tat der frommen Hingabe.

Den Glauben und Gehorsam seines Patienten prüfen. Indem er seine Liegematte öffentlich trägt, machte er sich für die Kritik und Strafe des kirchlichen Gerichts angreifbar. Wer durch Christi Wort geheilt wurde, sollte durch sein Wort beherrscht werden.

Die Wirksamkeit dieses Wortes: „Und sogleich wurde der Mensch gesund" **(Vers 9)**. Was für eine freudige Überraschung war dies für den armen Krüppel, sich plötzlich so wohlbehalten, so stark, so in der Lage zu sehen, sich selbst zu helfen! In was für einer neuen Welt war er, in einem Augenblick! Er „hob seine Liegematte auf und ging umher", sorgte sich nicht einen Augenblick, wer ihn dafür tadeln oder ihm drohen würde.

5. Was mit dem armen Mann geschah, nachdem er geheilt wurde. Uns wird gesagt:

5.1 Was sich zwischen ihm und den Juden abspielte, die ihn seine Liegematte am Sabbat tragen sahen.

Die Juden stritten mit dem Mann, sagten ihm, dass es „nicht erlaubt" sei, die Liegematte zu tragen **(Vers 10)**. Sie waren in dem Maße lobenswert, dass sie, da sie nicht wussten, „in welcher Vollmacht" der Geheilte diese Dinge tat, darauf bedacht waren, die Ehre des Sabbats zu schützen (Lk 20,2).

Der Mann rechtfertigte sich in dem, was er tat, mit einer Vollmacht, die ihn unterstützen würde: „Ich verachte nicht das Gesetz und den Sabbat. Der Eine, der solch ein Wunder wirken konnte, um mich zu heilen, kann mir zweifellos solch ein Gebot geben, dass ich meine Liegematte tragen soll. Der Eine, der so gütig war, mich zu heilen, würde nicht so unfreundlich sein, mir zu sagen, dass ich etwas tun soll, was sündig ist" **(Vers 11)**.

Die Juden fragten weiter, wer ihm diese Vollmacht gab: „Wer ist der Mensch?" **(Vers 12)**. Wie sorgfältig sie das übersahen, was eine Grundlage für ihren Glauben an Christus hätte sein können. Sie waren entschlossen, Christus als reinen Menschen zu betrachten. „Wer ist der Mensch?" Sie hatten entschieden, dass sie nie anerkennen würden, dass er „Gottes Sohn" ist (Joh 10,36). Und sie waren entschlossen, ihn als schlechten Menschen zu betrachten: Derjenige, der diesem Mann sagte, er solle seine Liegematte tragen, war zweifellos ein Verbrecher.

Der arme Mann konnte ihnen keine Aufklärung über Christus geben: Er „wusste nicht, wer es war" **(Vers 13)**. Christus war ihm unbekannt, als er ihn heilte. Christus tut viele gute Taten für diejenigen, die ihn nicht kennen (s. Jes 45,4-5). Er erleuchtet, stärkt, belebt und tröstet uns und wir wissen nicht, wer er ist. Momentan blieb Christus unerkannt; sobald er die Heilung vollbracht hatte, war Jesus „weggegangen, weil so viel Volk an dem Ort war". Dies wird erwähnt, um entweder zu zeigen:

Wie Christus wegging, indem er sich unter die Menschenmenge zurückzog, sodass er von den gewöhnlichen Leuten nicht unterschieden werden konnte. Oder:

Warum er wegging, weil dort „so viel Volk" war, und er mied aktiv sowohl den Beifall derer, die über das Wunder erstaunt sein und es loben würden, als auch die Kritik von denen, die ihn dafür verurteilen würden, dass er den Sabbat bricht. Christus ließ das Wunder sich selbst loben und er überließ es dem Mann, an dem es vollbracht wurde, es zu rechtfertigen.

5.2 Was bei ihrem nächsten Aufeinandertreffen geschah **(s. Vers 14)**.

Wo Christus ihn fand: „im Tempel". Christus und der Mann, der geheilt wurde, gingen beide zum Tempel und dort fand ihn Christus. Der Mann ging gleich dorthin:

Weil ihn seine Gebrechlichkeit lange davon abgehalten hatte, dorthin zu gehen (s. 3.Mose 21,18). Vielleicht war er 38 Jahre lang dort nicht gewesen und deshalb galt sein erster Besuch dem Tempel.

Weil seine Genesung ein guter Grund war, dorthin zu gehen; er ging zum Tempel, um Gott für seine Genesung zu danken.

Weil er zeigen wollte, dass er den Sabbat ehrte, weil er durch das Tragen seiner Liegematte Verachtung ihm gegenüber gezeigt zu haben schien. Notwendige und barmherzige Arbeiten sind erlaubt, doch wenn sie abgeschlossen worden sind, müssen wir zum Tempel gehen.
Was er zu ihm sagte. Er wandte sich nun dem zu, die Seele des Mannes zu heilen.
Er erinnerte ihn an seine Heilung. „Siehe, du bist gesund geworden." Christus lenkte seine Aufmerksamkeit darauf. „Der Eindruck davon soll immer bei dir bleiben und nie verloren gehen" (vgl. Jes 38,9).
Er warnte ihn vor der Sünde: „Siehe, du bist gesund geworden; sündige hinfort nicht mehr." Das lässt darauf schließen, dass die Krankheit des Mannes eine Strafe für Sünde war. Solange diese chronischen Krankheiten andauerten, verhinderten sie viele äußerliche Sünden, und so war die Wachsamkeit sogar noch nötiger, als das Gebrechen fortgenommen wurde. Wenn die Schwierigkeit, die das Fließen nur hemmte, vorüber ist, werden die Wasser auf ihre alten Bahnen zurückkehren. Es ist bei Menschen üblich, viel zu versprechen, wenn sie krank sind, dann einen Teil ihrer Versprechen zu erfüllen, wenn sie gerade genesen sind, aber das ganze Versprechen kurz darauf zu vergessen.
Er warnte ihn vor seiner Gefahr, damit er nicht zu seinen früheren sündigen Wegen zurückkehren würde: „… damit dir nicht etwas Schlimmeres widerfährt!" Christus wusste, dass der Mann einer von denen war, denen vor der Sünde Angst gemacht werden muss. Etwas Schlimmeres würde ihm widerfahren, wenn er in Sünde fallen würde, nachdem Gott ihn auf diese Weise gerettet hat.

6. Was sie nun sehen in **Vers 15-16**:
6.1 Die Auskunft, welche dieser arme, einfache Mann den Juden über Christus gab: Er verkündete ihnen, „dass es Jesus war, der ihn gesund gemacht hatte" **(Vers 15)**.
6.2 Die Wut und Feindschaft der Juden ihm gegenüber: „Und deshalb verfolgten [die Obersten der] Juden Jesus." Schauen Sie:
Wie töricht und unsinnig ihre Feindschaft Christus gegenüber war. Weil er einen armen kranken Mann gesund gemacht hatte, weil er Gutes in Israel getan hatte, verfolgten sie ihn.
Wie blutdürstig und grausam dies war: „… und suchten ihn zu töten."
Wie es mit dem Anstrich von Eifer um die Ehre des Sabbats verschleiert wurde, denn der Bruch des Sabbats war das vermeintliche Verbrechen: „… weil er dies am Sabbat getan hatte." So verschleiern Heuchler oft ihre tatsächliche Feindschaft gegenüber der Kraft der Gottesfurcht hinter einem vorgetäuschten Eifer für ihre äußere Form (s. 2.Tim 3,5; Elb 06).

Vers 17-30
Hier haben wir, was Christus aus dem Anlass sagte, dass er beschuldigt wurde, den Sabbat gebrochen zu haben. Beachten Sie:

1. Die Lehre, mit der er rechtfertigte, was er am Sabbat tat: „Jesus aber antwortete ihnen" **(Vers 17)**. Das setzt voraus, dass er entweder einer Sache beschuldigt wurde oder er von ihren heimlichen Andeutungen untereinander wusste **(s. Vers 16)**. Was es auch war, seine Antwort lautete: „Mein Vater wirkt bis jetzt, und ich wirke auch." Auf alle anderen Verteidigungen verzichtend, hob er das eine hervor und stand zu dem, was für alles andere stand: „Denn der Sohn des Menschen ist Herr auch über den Sabbat" (Mt 12,8).
1.1 Er machte geltend, dass er der Sohn Gottes war, was sich deutlich darin zeigte, dass er Gott seinen Vater nannte.
1.2 Er machte geltend, dass er Gottes Mitarbeiter war (s. 2.Kor 6,1; NLB).
„Mein Vater wirkt bis jetzt." Nachdem er den Kosmos geschaffen hatte, ruhte Gott nur von solcher Arbeit, wie er sie die sechs Tage davor getan hatte; ansonsten ist er immer bei der Arbeit, erhält und regiert die ganze Schöpfung.
„… und ich wirke auch' gleich ihm. Ich wirke auch mit ihm." Wie Gott alle Dinge durch Christus schuf, so trägt und regiert er auch alles durch ihn (s. Hebr 1,3). Der Eine, welcher alles tut, ist Herr von allem, und darum ist er „Herr auch über den Sabbat" (Mk 2,28).

2. Den Anstoß, den seine Lehre erregte: „Darum suchten die Juden nun noch mehr, ihn zu töten" **(Vers 18)**. Seine Verteidigung wurde zu seinem Vergehen gemacht. Sie suchten ihn zu töten:
2.1 Weil er den Sabbat gebrochen hatte.
2.2 Weil er gesagt hatte, dass Gott sein Vater ist. Jetzt behaupteten sie, die Ehre Gottes zu verteidigen und beschuldigten Christus des abscheulichen Verbrechens, sich selbst Gott gleich zu machen. Nun:
War das eine richtige Folgerung aus dem, was er sagte, dass er der Sohn Gottes und dass Gott sein Vater war. Er hatte auch gesagt, dass er mit seinem Vater wirkte und darin hatte er sich selbst auch Gott gleich gemacht.
Doch dass er sich selbst Gott gleich machte, wurde ihm zu Unrecht als Vergehen angerechnet, denn er war und ist Gott. Deshalb hat Christus als Antwort auf diese Anschuldigung seinen Anspruch geltend gemacht und bewiesen, dass er in der Macht und Herrlichkeit Gott gleich ist.

3. Die Predigt Christi aus diesem Anlass. In diesen Versen erläuterte er und in den folgenden bestätigte er seinen Auftrag als Mittler **(s. Vers 31-47)**. Außerdem, wie die Ehren, auf die er dadurch Anrecht hatte, derart waren, wie kein Geschöpf sie würdig ist, zu empfangen, so war auch das Werk, mit dem er betraut war, derart, dass es für kein Geschöpf möglich war, es durchzuführen, und damit ist er Gott.

3.1 Allgemein ist er in allem eins mit dem Vater, was er als Mittler tut. Er leitete diese Behauptung mit einer feierlichen Einführung ein: „Wahrlich, wahrlich, ich sage euch" **(Vers 19)**. Dies weist darauf hin, dass die verkündeten Dinge furchtbar und groß, vertrauenswürdig und rein aus göttlicher Offenbarung sind, Dinge, die wir anders nicht hätten erfahren können. Er sagte allgemein zwei Dinge über die Einheit im Wirken des Sohnes mit dem Vater.

Dass der Sohn sich nach dem Vater richtet: „Der Sohn kann nichts von sich selbst aus tun, sondern nur, was er den Vater tun sieht; denn was dieser tut, das tut gleicherweise auch der Sohn" **(Vers 19)**. Der Herr Jesus ist als Mittler: *Gehorsam dem Willen seines Vaters gegenüber.* Christus war dem Willen seines Vaters so vollkommen hingegeben, dass es für ihn unmöglich war, in irgendeiner Sache von ihm getrennt zu handeln.

Aufmerksam in Bezug auf die Pläne seines Vaters; er kann und will nichts tun außer dem, „was er den Vater tun sieht". Niemand kann das Wirken Gottes erforschen außer dem eingeborenen Sohn, der sieht, was der Vater tut, seine Pläne genau kennt und die Absicht hat, sie immer vor ihm auszuführen (s. Hiob 9,10; Röm 11,33). Der Sohn hatte immer im Blick, was der Vater in seinen Plänen tat, hatte immer sein Auge darauf gerichtet. Doch er ist in den Werken dem Vater gleich, denn was immer der Vater tut, das tut auch der Sohn **(s. Vers 19)**. Er tat die gleichen Dinge – nicht „solche Dinge", Dinge der gleichen Art, sondern *die gleichen Dinge*. Er tat sie auch *in der gleichen Weise*, mit der gleichen Vollmacht, der gleichen Energie und Wirksamkeit.

Dass sich der Vater dem Sohn mitteilt **(s. Vers 20)**. Beachten Sie:

Den Beweggrund, sich seinem Sohn mitzuteilen: „Denn der Vater liebt den Sohn." Christus wurde nun von den Menschen gehasst; doch er tröstete sich mit der Gewissheit, dass sein Vater ihn liebte.

Die Äußerungen dieser Verständigung. Sie zeigen sich:

In dem, was der Vater dem Sohn mitteilt: Er „zeigt ihm alles, was er selbst tut". Er zeigt ihm alles, was er tut, das heißt, was der Sohn tut; alles, was der Sohn tut, geschieht auf Anweisung des Vaters.

In dem, was er mitteilen wird; er wird ihm „noch größere Werke zeigen als diese", das heißt, wird ihn berufen und anweisen, sie zu tun. Sie werden Werke der größeren Macht sein als die Heilung des gebrechlichen Mannes, denn Christus würde Tote auferwecken und selbst vom Tod auferstehen. Viele werden dazu gebracht, über Christi Werke zu staunen, wodurch er Ehre für sie erlangt, kommen aber nicht dazu zu glauben, wodurch sie von ihnen profitieren würden.

3.2 Insbesondere bewies er seine Gleichheit mit dem Vater, indem er einige der Werke anführte, die er tat, welche die kennzeichnenden Werke Gottes waren. Das wird in **Vers 21-30** ausgedehnt.

Achten Sie darauf, was hier über die Macht des Mittlers gesagt wurde, die Toten aufzuerwecken und lebendig zu machen.

Seine Vollmacht, dies zu tun: „Denn wie der Vater die Toten auferweckt ... so macht auch der Sohn lebendig, welche er will" **(Vers 21)**.

Es ist Gottes Recht, die Toten aufzuerwecken und lebendig zu machen. Eine Auferstehung vom Tod lag nie auf dem gewöhnlichen Weg der Natur, noch gehörte es zu dem Denken derer, die nur den Bereich der Naturmächte studierten. Es ist alleine das Werk göttlicher Macht und die Kenntnis dazu kommt nur durch göttliche Offenbarung.

Der Mittler ist mit diesem Recht ausgestattet: Er macht „lebendig, welche er will". Er gibt den Dingen nicht durch natürliche Notwendigkeit Leben, wie es die Sonne tut, deren Strahlen auf natürliche Weise wiederbeleben, sondern agiert als frei Handelnder. Wie er als Gott die Macht hat, so hat er auch die Weisheit und Souveränität; er hat „die Schlüssel des Totenreiches und des Todes" (Offb 1,18).

Er hat die Fähigkeit, dies zu tun, denn er hat „das Leben in sich selbst", wie es der Vater hat **(Vers 26)**.

Es ist gewiss, dass der Vater das Leben in sich selbst hat. Er ist auch ein souveräner Geber des Lebens; er hat das Verfügungsrecht über das Leben und von allem Guten – Leben verweist manchmal auf alles, was gut ist. Er ist für seine Geschöpfe die Quelle des Lebens und von allem Guten.

Es ist genauso gewiss, dass er dem Sohn Leben in sich selbst gegeben hat. Der Sohn ist als Erlöser der Ursprung von allem geistlichen Leben und Guten. Der Sohn ist für die Gemeinde, was der Vater für die Welt ist. Das Reich der Gnade und alles Leben in diesem Reich sind genauso vollkommen und absolut in der Hand des Erlösers, wie das Reich der Vorsehung in der Hand des Schöpfers ist.

Er handelt gemäß seiner Vollmacht und Fähigkeit. Zwei Auferweckungen werden durch sein mächtiges Wort vollbracht, von beiden wird hier gesprochen:

Eine gegenwärtige Auferweckung, eine Auferweckung von dem Tod der Sünde zu einem Leben der Rechtschaffenheit **(s. Vers 25)**. Die Stunde kommt und ist schon da. Es ist eine Auferstehung, die bereits begonnen hat. Das wird klar von der Auferstehung unterschieden, auf die in **Vers 28** verwiesen wird, jener am Ende der Zeit. Manche meinen, dieser Vers wurde bei denen erfüllt, die er auf übernatürliche Weise zum Leben erweckte. Ich verstehe es mehr als einen Verweis auf die Macht der Botschaft Christi, denen Leben zu geben und sie wiederherzustellen, die tot durch Übertretungen und Sünden waren (s. Eph 2,1). Die Stunde kam, in der tote Seelen durch die Predigt des Evangeliums lebendig gemacht werden würden; in der Tat war diese Stunde der Auferstehung dann schon da, als Christus auf der Erde war. Dies lässt sich auf allen wunderbaren Erfolg des Evangeliums anwenden, unter Juden wie auch Heiden; es ist eine Stunde, die fortwährend ist und fortwährend kommt. Sünder sind geistlich tot, erbärmlich, sind sich ihres Elends aber weder bewusst noch in der Lage, sich selbst dort herauszuhelfen. Die Bekehrung einer Seele zu Gott ist ihre Auferstehung vom Tod zum Leben; sie beginnt zu leben, wenn sie beginnt, für Gott zu leben. Es geschieht durch „die Stimme des Sohnes Gottes", dass Seelen zu geistlichem Leben erweckt werden. Die Toten werden „die Stimme des Sohnes Gottes hören". Die Stimme Christi muss von uns gehört werden, damit wir durch sie leben mögen.

Eine zukünftige Auferstehung; von dieser wird in **Vers 28-29** gesprochen. Beachten Sie:

Wann diese Auferstehung sein wird: „Denn es kommt die Stunde." Sie ist noch nicht gekommen; es ist nicht die Stunde, von der in **Vers 25** gesprochen wurde, die kommt und schon da ist. Doch sie wird zweifellos kommen; sie kommt jeden Tag näher. Wir wissen nicht, wie weit sie entfernt ist.

Wer auferweckt werden wird: „… alle, die in den Gräbern sind." Christus sagt uns hier, dass alle vor dem Richter erscheinen müssen und deshalb müssen alle auferweckt werden. Das Grab ist das „Gefängnis" der toten Leiber, wo sie in Untersuchungshaft sitzen. Da sie jedoch die Aussicht auf die Auferstehung haben, können wir es ihr „Bett" nennen, wo sie schlafen, bis sie aufgeweckt werden.

Wie sie auferweckt werden. Die Ursache für diese Auferstehung wird sein, dass sie „seine Stimme hören werden". Göttliche Macht wird diese Stimme begleiten, um ihnen Leben zu geben und sie zu befähigen, ihr zu gehorchen. Die Wirkung dieser Auferstehung wird sein, dass sie aus ihren Gräbern hervorgehen und vor dem Gericht Christi erscheinen werden.

Zu was sie auferweckt werden: zu einem Stand der Seligkeit oder des Elends, was von ihrem Wesen abhängt.

„… *die das Gute getan haben, zur Auferstehung des Lebens";* sie werden wieder leben, um für immer zu leben. Es wird an diesem großen Tag nur für die gut sein, die das Gute getan haben. Sie werden auch zur Gegenwart Gottes zugelassen werden und das bedeutet Leben – das ist in der Tat besser als Leben (s. Ps 16,11; 63,4).

„Die aber das Böse getan haben, zur Auferstehung des Gerichts"; sie werden wieder leben, um für immer zu sterben.

Achten Sie auf das, was hier über die Vollmacht des Mittlers gesagt wird, das Gericht zu halten **(s. Vers 22-24.27)**. Genauso, wie er allmächtige Macht hat, hat er auch souveräne Gerichtsbarkeit. Hier lesen wir von:

Christi Beauftragung oder Delegierung zum Amt des Richters, wovon hier zweimal gesprochen wird: „… sondern alles Gericht hat er dem Sohn übergeben" **(Vers 22)**; „und er hat ihm Vollmacht gegeben" **(Vers 27)**.

„Denn der Vater richtet niemand"; ihm gefällt es, durch Christus zu herrschen. Er herrscht nicht nur durch das Recht der Schöpfung über uns. Da er uns gemacht hat, kann er mit uns tun, was ihm gefällt, wie es der Töpfer mit dem Ton macht, doch er nutzt dies nicht aus. Weil es der Mittler unternommen hat, eine stellvertretende Sühne zu schaffen, wird ihm die Angelegenheit übergeben.

„Alles Gericht hat er dem Sohn übergeben." Es ist Gott in Christus, der die Welt versöhnt, und er hat Christus Macht gegeben, ewiges Leben zu geben (s. 2.Kor 5,19). Das Buch des Lebens ist das Buch des Lammes; wir müssen durch das stehen oder fallen, was uns von ihm gewährt wird (s. Offb 21,27). Er ist zum einzigen Leiter des Gerichts an dem großen Tag eingesetzt. Das letzte und umfassende Gericht ist dem Sohn des Menschen übergeben.

„Und er hat ihm Vollmacht gegeben, auch Gericht zu halten" **(Vers 27)**. Der das Gericht über sie hält, ist der Gleiche wie derjenige, der sie gerettet hätte. Der Vater gab ihm diese Vollmacht. All das bringt Christus sehr viel Ehre und allen Gläubigen sehr viel Trost, die mit der größten Gewissheit in allen Dingen von ihm abhängig sein können.

Die Gründe – Gründe des Königtums –, weshalb ihm dieser Auftrag gegeben wurde.

Weil er der Sohn des Menschen ist, was diese drei Dinge zeigen:

Seine Erniedrigung und gnädige Herablassung. Er erniedrigte sich zu diesem niedrigen Zustand. Weil er sich dazu herabließ, der Sohn des Menschen zu sein, machte ihn sein Vater zum Herrn über alles (s. Phil 2,8-9).

Seine Beziehung und Verbindung zu uns. Da er der Sohn des Menschen ist, hat er Anteil an der menschlichen Natur wie diejenigen, über die er gesetzt ist.

Dass er der verheißene Messias ist. Er ist der Messias und deshalb ist ihm all diese Macht gegeben. Christus nannte sich für gewöhnlich „Sohn des Menschen", was ein mehr demütiger Titel war und zeigte, dass er nicht nur für das jüdische Volk ein Herrscher und Heiland war, sondern für das ganze Menschengeschlecht.

„Damit alle den Sohn ehren" **(Vers 23)**. Das Ehren von Jesus Christus wird hier als die große

Absicht Gottes und als die große Pflicht der Menschen genannt. Wir müssen den Sohn ehren. Wir müssen „bekennen, dass Jesus Christus der Herr ist", und ihn anbeten; wir müssen den ehren, der für uns verunehrt wurde (Phil 2,11). „... wie sie den Vater ehren." Dies setzt voraus, dass es unsere Pflicht ist, den Vater zu ehren, und weist uns an, den Sohn zu ehren. Um diesem Gesetz Geltung zu verschaffen, wird hinzugefügt: „Wer den Sohn nicht ehrt, der ehrt den Vater nicht, der ihn gesandt hat." Manche geben vor, Ehrfurcht vor dem Schöpfer zu haben und sprechen ehrenvoll von ihm, bagatellisieren aber den Erlöser und sprechen verächtlich von ihm. Schmach, die unserem Herrn Jesus zugefügt wird, setzt Gott selbst herab. Schläge, die dem Sohn zugefügt werden, rechnet der Vater als sich selbst zugefügt, denn der Vater hat ihn gesandt. Beleidigungen, die einem Botschafter gesagt werden, werden von dem sendenden Herrscher zu Recht übelgenommen.

Die Regel, durch die der Sohn seinen Auftrag ausführt: Wer hört und glaubt, „der hat ewiges Leben" **(Vers 24)**. Hier haben wir den Kern des ganzen Evangeliums. Beachten Sie:

Den Charakter eines Christen: „Wer mein Wort hört und dem glaubt, der mich gesandt hat." Ein Christ zu sein, heißt tatsächlich, das Wort Christi zu hören. Es genügt nicht, in Hörweite davon zu sein. Wir müssen es hören und ihm gehorchen; wir müssen dem Evangelium Christi als der feststehenden Regel unseres Glaubens und Handelns treu bleiben. Und ein Christ zu sein, heißt, dem zu glauben, der ihn gesandt hat, denn es ist die Absicht Christi, uns zu Gott zu führen (s. 1.Petr 3,18). Christus ist unser Weg; Gott ist unsere Ruhe.

Das Abkommen eines Christen. Es ist:

Ein Abkommen der Vergebung: „... und kommt nicht ins Gericht." Die Gnade des Evangeliums ist ein vollständiger Freispruch vom Fluch des Gesetzes.

Ein Abkommen mit Vorrechten: „... sondern er ist vom Tod zum Leben hindurchgedrungen." Hören und leben, glauben und leben ist das, worauf wir unsere Seelen ruhen lassen können.

Die Gerechtigkeit seines Verfahrens: „Und mein Gericht ist gerecht" **(Vers 30)**. Seine Urteile sind mit Sicherheit gerecht, denn sie werden geleitet:

Von der Weisheit des Vaters: „Ich kann nichts von mir selbst aus tun", sondern „wie ich höre, so richte ich.'" Wie er vorher gesagt hatte, dass der Sohn nichts tun kann, „sondern nur, was er den Vater tun sieht" **(Vers 19)**, so sagte er hier, dass er nichts richten wird, außer, wie er hört, dass es der Vater sagt: „... Wie ich höre:"

„*Von den geheimen, ewigen Plänen des Vaters ausgehend, ,so richte ich.'"* Wollen wir wissen, worauf wir uns in unserer Beziehung zu Gott verlassen können? Hören Sie das Wort Christi. Was Christus gerichtet hat, ist eine genaue Kopie oder Entsprechung zu dem, was der Vater verfügt hat.

„*Von den bekannt gemachten Niederschriften des Alten Testaments ausgehend."* Bei allem, was er tat, hatte er ein Auge auf der Schrift. Wie es in der Buchrolle geschrieben steht (s. Ps 40,8).

Von dem Willen des Vaters: „Und mein Gericht ist gerecht, denn ich suche nicht meinen Willen, sondern den Willen des Vaters, der mich gesandt hat." Es ist nicht so, als wäre der Wille Christi gegen den Willen des Vaters. Christus hatte als Mensch die natürlichen und unschuldigen Empfindungen der menschlichen Natur, ein Schmerzempfinden und ein Empfinden von Freude, eine Liebe zum Leben und eine Abneigung gegenüber dem Tod. Er hatte jedoch „nicht an sich selbst Gefallen", sondern akzeptierte vollkommen den Willen des Vaters (Röm 15,3). Was er als Mittler tat, war nicht das Ergebnis irgendeines besonderen oder ausschließlichen Plans und Vorhabens von ihm selbst; er wurde vielmehr vom Willen seines Vaters geleitet.

Vers 31-47

In diesen Versen lernen wir, wie unser Herr Jesus den Auftrag bewies und bekräftigte, den er angeführt hatte, und wie er zeigte, dass er von Gott gesandt war, um der Messias zu sein:

1. Er klammerte sein eigenes Zeugnis von sich aus: „,Wenn ich von mir selbst Zeugnis ablege', werdet ihr, obwohl es absolut glaubwürdig ist, es nicht anerkennen" **(Vers 31**; s. Joh 8,14)

2. Er führte andere Zeugen an, die Zeugnis geben, dass er von Gott gesandt ist.

2.1 Der Vater selbst gab Zeugnis, wer er war: „Ein anderer ist es, der von mir Zeugnis ablegt" **(Vers 32)**. Ich sehe dies als Verweis auf Gott, den Vater. Beachten Sie:

Das Siegel, welches der Vater seinem Auftrag verlieh: „Er legt Zeugnis von mir ab. Er hat dies nicht nur durch eine Stimme vom Himmel getan; er tut dies immer noch durch die Zeichen seiner Gegenwart bei mir."

Die Gewissheit, die Christus aus diesem Zeugnis hatte: „Und ich weiß, dass das Zeugnis glaubwürdig ist, das er von mir bezeugt" (ich weiß, dass sein Zeugnis über mich stichhaltig ist).

2.2 Johannes der Täufer gab Zeugnis, wer Christus war **(s. Vers 33)**. Johannes kam, um von dem Licht Zeugnis zu geben (s. Joh 1,7).

Das Zeugnis von Johannes war nun ein feierliches und öffentliches Zeugnis: „Ihr habt eine Abordnung von Priestern und Leviten zu Johannes gesandt, was ihm die Gelegenheit gab, zu verkünden, was er zu sagen hatte." Es war auch ein wahres Zeugnis: „... und er hat der Wahrheit Zeugnis gegeben." Christus sagte nicht:

„Er gab Zeugnis von mir", sondern dass Johannes als ehrlicher Mensch „der Wahrheit Zeugnis gegeben" hat.

Zwei Dinge wurden über das Zeugnis von Johannes hinzugefügt:

Dass es ein reichliches Zeugnis war, mehr als nötig war: „Ich aber nehme das Zeugnis nicht von einem Menschen an" (nicht, dass ich ein menschliches Zeugnis akzeptiere; **Vers 34**). Christus braucht keine Empfehlungsschreiben oder Zeugnisse außer dem, was sein eigener Wert und seine eigene Vorzüglichkeit ihm brachten. Warum führte Christus dann hier das Zeugnis von Johannes an? Nun, „sondern ich sage das, damit ihr gerettet werdet". Sein Ziel mit seiner ganzen Botschaft war nicht, sein eigenes Leben zu retten, sondern die Seelen anderer. Christus wünscht und plant sogar das Heil seiner Verfolger und Feinde.

Dass es ein persönliches Zeugnis war, denn Johannes der Täufer war jemand, den sie respektierten **(s. Vers 35)**. Beachten Sie:

Den Charakter von Johannes dem Täufer: „Jener war die brennende und scheinende Leuchte." Er war ein Licht; er war nicht eine Quelle des Lichts, wie Christus, sondern eine Leuchte, ein abgeleitetes, untergeordnetes Licht. Er war die brennende Leuchte, die für Aufrichtigkeit steht; gemaltes Licht kann man leuchten lassen, doch was brennt, ist echtes Feuer. Es steht auch für seine Lebhaftigkeit, seinen Eifer und seine Inbrunst. Feuer wirkt sich immer auf sich selbst oder etwas anderes aus, wie es ein guter geistlicher Diener tut. Er war eine scheinende Leuchte, was entweder für sein exemplarisches Verhalten steht – in unserem Verhalten sollte unser Licht leuchten (s. Mt 5,16) – oder einen großen und sich verbreitenden Einfluss.

Die Empfindungen der Leute ihm gegenüber: „... ihr aber wolltet euch nur eine Stunde an ihrem Schein erfreuen."

Sie hatten Freude an dem Auftreten von Johannes: „Ihr freutet euch an seinem Schein; ihr wart sehr stolz, dass ihr einen solchen Mann unter euch hattet. Ihr wolltet frohlocken und wart aufgeregt durch diesen Schein, wie es Kinder über ein Freudenfeuer sind."

Es hielt nur eine kurze Zeit an: „Ihr habt ihn eine Stunde lang gemocht, wie kleine Kinder etwas Neues mögen, doch ihr wurdet seiner schnell überdrüssig und sagtet, dass er einen Dämon hätte, und jetzt ist er bei euch im Gefängnis." Es ist bei denen häufig so, die ein eifriges und lautes Bekenntnis zum Glauben ablegen, dass sie abkühlen und nachlassen. Diese hier freuten sich über das Licht von Johannes, doch wandelten nie in diesem. Christus erwähnte ihre Achtung vor Johannes, um sie für ihren jetzigen Widerstand ihm gegenüber, Christus, zu verurteilen. Wenn sie weiterhin Achtung vor Johannes gehabt hätten, hätten sie Christus angenommen.

2.3 Christi eigene Werke zeugten für ihn: „Ich aber habe ein Zeugnis, das größer ist als das des Johannes", denn wenn wir menschliche Zeugnisse annehmen, so ist das Zeugnis von Gott größer (**Vers 36**; s. 1.Joh 5,9). Wir müssen glücklich sein, dass wir all die Beweise haben, die sich selbst anbieten, um unseren Glauben zu bestätigen, wenn sie auch nicht auf einen endgültigen Beweis hinauslaufen mögen; wir brauchen sie alle. Dieses größere Zeugnis war nun das von den Werken, die ihm sein Vater zu vollenden gegeben hatte. Allgemein war es der ganze Weg seines Lebens und Dienstes, all die Arbeit, von der er sagte, als er starb: „Es ist vollbracht!" (Joh 19,30). Alles, was er sagte und tat, war heilig und himmlisch und eine göttliche Reinheit, Macht und Gnade leuchtete darin und bewies in reichem Maße, dass er von Gott gesandt war. Insbesondere zeugten die Wunder für ihn, die er vollbrachte, um seinen göttlichen Auftrag zu beweisen. Es wird nun hier gesagt:

Dass diese Werke ihm vom Vater gegeben wurden, das heißt, dass er sowohl berufen als auch bevollmächtigt war, sie zu tun.

Dass sie ihm gegeben wurden, dass er sie vollendet, und dass er sie zu Ende führte, bewies seine göttliche Macht.

Dass diese Werke von ihm Zeugnis gaben; sie bewiesen, dass er von Gott gesandt war. Der Vater hatte ihn als Vater gesandt, nicht wie ein Herr seinen Diener zu einem Auftrag sendet, sondern wie ein Vater seinen Sohn sendet, um etwas für ihn in Besitz zu nehmen.

2.4 Er führte, noch mehr als vorher, das Zeugnis seines Vaters über sich an: „Und der Vater, der mich gesandt hat, hat selbst von mir Zeugnis gegeben" (**Vers 37**). Gott gefiel es, durch eine Stimme vom Himmel bei seiner Taufe Zeugnis von seinem Sohn zu geben: „Dies ist mein geliebter Sohn" (Mt 3,17). Die Gott sendet, von denen wird er Zeugnis geben; wo er einen Auftrag gibt, wird er es nicht versäumen, sein Siegel dazu zu geben. Andererseits wird Gott, wo er Glauben verlangt, es nicht versäumen, ausreichende Belege zu geben, wie er es bei Christus getan hat. Warum wurde Christus, wenn Gott selbst auf diese Weise ihn bezeugte, nicht allgemein von dem jüdischen Volk und seinen Herrschern angenommen? Christus antwortete, dass man es weder für sonderbar halten sollte, noch könnte ihre Untreue seine Glaubwürdigkeit schwächen, und das aus zwei Gründen:

Weil sie solche außergewöhnlichen Offenbarungen des Willens Gottes nicht gewohnt waren: „Ihr habt weder seine Stimme jemals gehört' noch seine Gestalt oder sein Aussehen gesehen." Sie zeigten sich so unwissend über Gott, wie wir es von einer Person sind, die wir nie gesehen oder gehört haben. Unwissen über Gott ist der wahre Grund, warum Menschen das Zeugnis ablehnen, das er von seinem Sohn gegeben hat.

Weil sie nicht von den gewöhnlichen Wegen bewegt waren, auf denen Gott sich ihnen offenbart hatte: „Und sein Wort habt ihr nicht bleibend in euch" **(Vers 38)**.

Das Wort Gottes war nicht in ihnen; es war unter ihnen, aber nicht in ihnen, in ihren Herzen. Es regierte nicht ihre Seelen, sondern leuchtete nur in ihre Augen und klang in ihren Ohren. Was tat es ihnen Gutes, dass ihnen die Aussprüche Gottes anvertraut wurden, wenn diese Aussprüche sie nicht beherrschten (s. Röm 3,2)? Wenn es so gewesen wäre, hätten sie Christus bereitwillig angenommen.

Es blieb oder wohnte nicht in ihnen. In viele Leute kommt das Wort Gottes und hinterlässt eine Zeit lang etwas Eindruck, doch es ist nicht bleibend in ihnen; es ist nicht ständig in ihnen, wie jemand in seinem Zuhause ist; es ist wie ein Reisender, der nur dann und wann zu Hause ist. Doch wodurch wurde klar, dass das Wort Gottes nicht in ihnen blieb? Hierdurch: „... weil ihr dem nicht glaubt, den er gesandt hat" **(Vers 38)**. Die Innewohnung des Geistes, des Wortes und der Gnade Gottes in uns lässt sich am besten durch ihre Wirkungen überprüfen, besonders an unserer Reaktion auf das, was er sendet, besonders auf Christus, den er gesandt hat.

2.5 Er verwies auf das Zeugnis des Alten Testaments: „Durchforscht nur die Schriften" (Vers 39; Bruns).

Das kann man entweder lesen:

Als eine Aussage: „,Ihr erforscht die Schriften' und ihr tut gut daran." Christus erkannte an, dass sie wirklich die Schriften erforschten, doch wonach sie wirklich suchten, war ihre eigene Ehre. Es ist möglich, dass Menschen fleißig den Buchstaben der Schrift erforschen, aber immer noch Fremdlinge in Bezug auf ihre Kraft und Wirkung sind. Oder:

Als ein Gebot: „Durchforscht nur die Schriften."

Es wurde als Appell zu ihnen gesagt. Wenn auf die Schriften verwiesen wird, müssen sie erforscht werden. Erforscht das ganze Buch der Schrift von Anfang bis Ende, vergleicht einen Abschnitt mit dem anderen und erklärt einen durch den anderen. Wir müssen auch einzelne Abschnitte vollkommen erforschen, damit wir nicht das sehen, was sie zu sagen scheinen, sondern was sie wirklich sagen.

Es ist ein Ratschlag. Jeder, der Christus finden möchte, muss die Schriften erforschen, was steht für:

Sorgfalt beim Suchen, genaue Anwendung des Verstandes.

Das Verlangen und die Absicht zu finden. Wir müssen oft fragen: „Wonach suche ich jetzt?" Wir müssen als solche suchen, die Gold oder Silber schürfen oder die nach Perlen tauchen (s. Hiob 28,1-11).

Uns wird hier gesagt, dass wir, wenn wir die Schriften erforschen, zwei Dinge in uns haben müssen: den Himmel, unser Ziel, und Christus, unseren Weg.

Wir müssen die Schriften nach dem Himmel als unserem großen Bestimmungsort durchforschen: „... weil ihr meint, in ihnen das ewige Leben zu haben." Die Schrift überzeugt uns von dem ewigen Stand, der vor uns gestellt ist, und bietet uns ein ewiges Leben in diesem Stand an. Doch zu den Juden sagte Christus nur: „Ihr meint, ihr habt das ewige Leben in den Schriften." Sie suchten es, indem sie nur die Schriften lasen und studierten. Es war unter ihnen ein übliches, aber entstelltes Sprichwort: „Wer die Worte des Gesetzes hat, hat ewiges Leben."

Wir müssen die Schriften nach Christus als dem neuen und lebendigen Weg durchforschen, der zu diesem Bestimmungsort führt (s. Hebr 10,20). „Und sie sind es, die von mir Zeugnis geben." Die Schriften, eben die des Alten Testaments, geben von Christus Zeugnis, und durch sie legt Gott Zeugnis über ihn ab. Die Juden wussten sehr gut, dass das Alte Testament von dem Messias Zeugnis ablegte, und sie machten analytische Anmerkungen über die Abschnitte, die in diese Richtung wiesen, sie waren jedoch nachlässig und schwer im Irrtum bei ihrer Anwendung. Wir müssen die Schriften erforschen, weil sie Christus bezeugen. Ihn zu erkennen, ist das ewige Leben. Christus ist der Schatz, der in dem Acker der Schriften verborgen ist, das Wasser in diesen Brunnen (s. Mt 13,44).

Er fügte diesem Zeugnis eine Zurechtweisung für ihre Untreue und Bosheit zu anhand von vier Beispielen.

Ihre Missachtung von Christus und seiner Botschaft: „Und doch wollt ihr nicht zu mir kommen, um das Leben zu empfangen" **(Vers 40)**. Ihre Trennung von Christus war nicht so sehr die Schuld ihres Verstandes wie ihres Willens. Christus bot das Leben an, doch dieses Angebot wurde nicht angenommen. Bei Christus ist Leben für arme Seelen zu erlangen. Leben ist die Vervollkommnung unseres Seins und umfasst alle Seligkeit: Christus ist unser Leben. Wer dieses Leben haben möchte, muss dafür zu Jesus Christus kommen; wir können es haben, wenn wir dafür kommen. Der einzige Grund, warum Sünder sterben, ist, dass sie es ablehnen, zu Jesus Christus zu kommen, nicht, dass sie nicht können, sondern, dass sie nicht wollen. Sie werden nicht geheilt, weil sie es ablehnen, den Methoden zur Heilung Beachtung zu schenken. Die Worte: „Ich nehme nicht Ehre von Menschen" sind eine Klammer, um einem möglichen Einwand zuvorzukommen, dass er, indem er verlangt, dass jeder zu ihm kommt und ihn preist, seine eigene Ehre sucht **(Vers 41)**. Er suchte keinen Beifall von Menschen; er nahm kein Lob von Menschen an. Statt Ehre von Menschen zu bekommen, erhielt er von ihnen viel Respektlosigkeit und Schmach. Er brauchte auch keinen Beifall von Menschen; es fügte seiner Herrlichkeit nichts hinzu.

Ihre fehlende Liebe zu Gott: „Aber bei euch habe ich erkannt, dass ihr die Liebe Gottes nicht in euch habt" **(Vers 42)**. Der Grund, warum Menschen Christus respektlos behandeln, ist, dass sie Gott nicht lieben. Christus hatte die Juden gerade der Unwissenheit über Gott beschuldigt und hier beschuldigte er sie fehlender Liebe zu ihm; Menschen lieben Gott nicht, weil sie ihn nicht kennenlernen wollen **(s. Vers 37)**. Beachten Sie:

Das Vergehen, dessen sie beschuldigt wurden: Sie haben die Liebe Gottes nicht in sich. Sie behaupteten, eine große Liebe zu Gott zu haben, und sie meinten, sie bewiesen sie durch ihren Eifer für das Gesetz, doch in Wirklichkeit waren sie ohne Liebe zu Gott. Viele Menschen, die ein großes Bekenntnis zum religiösen Glauben machen, zeigen durch ihre Missachtung von Christus, dass ihnen die Liebe zu Gott fehlt. Sie hassen seine Heiligkeit und bewerten seine Güte zu gering. Es ist die Liebe Gottes *in* uns, die Liebe, die im Herzen sitzt, die Liebe, die *dort ausgegossen* ist, die Gott annehmen wird (s. Röm 5,5).

Der Beweis für diese Anschuldigung, der durch die persönliche Erkenntnis Christi gegeben wird: „Aber bei euch habe ich erkannt." Christus sieht durch all unsere Masken hindurch und kann zu jedem von uns sagen: „Ich habe bei dir erkannt." Christus kennt die Menschen besser, als ihre Nächsten sie kennen. Christus kennt Menschen besser, als sie sich selbst kennen. Wir können uns selbst täuschen, doch wir können ihn nicht täuschen.

Ihre Bereitschaft, falsche Christusse und falsche Propheten anzunehmen: „Ich bin im Namen meines Vaters gekommen, und ihr nehmt mich nicht an. Wenn ein anderer in seinem eigenen Namen kommt, den werdet ihr annehmen" **(Vers 43)**. Sie lehnten es ab, Christus anzunehmen, der im Namen seines Vaters kam, doch sie hörten auf jeden, der sich selbst in seinem eigenen Namen einsetzte. Sie „verlassen ihre Gnade", was schlimm ist, und es geschah für nichtige Götzen, was schlimmer ist (s. Jona 2,9). Die Propheten, die in ihrem eigenen Namen kommen, sind verkehrt. Es ist gerecht von Gott, zu erlauben, dass diejenigen, die nicht die Wahrheit annehmen, von falschen Propheten getäuscht werden. Die ihre Augen vor dem wahren Licht verschließen, sind dahingegeben, endlos falschen Lichtern hinterherzulaufen und von jedem Irrlicht verleitet zu werden. Sie ekeln sich vor dem Manna und gehen gleichzeitig der Asche nach (s. 4.Mose 21,5; Jes 44,20).

Ihr Stolz, ihr Rühmen und ihr Unglaube und die Auswirkungen davon **(s. Vers 44)**. Sie beschimpften Christus und maßen Christus zu wenig Wert bei, weil sie sich selbst bewunderten und überbewerteten. Hier ist:

Ihr Verlangen nach weltlicher Ehre. Christus verachtete weltliche Ehre **(s. Vers 41)**, doch sie hängten ihr Herz daran: „Ihr nehmt Ehre voneinander. Ihr wollt sie bekommen und das ist euer Ziel in allem, was ihr tut. Ihr ehrt und lobt andere nur, damit sie euch ehren und loben mögen. Jeder Respekt, der euch erwiesen wird, den empfangt ihr für euch selbst und gebt ihn nicht weiter an Gott."

Ihre Missachtung von geistlicher Ehre, die hier „die Ehre von dem alleinigen Gott" genannt wird. Diese Ehre haben „alle seine Getreuen" (Ps 149,9). Alle, die an Christus glauben, bekommen durch ihn die Ehre, die von Gott kommt. Wir müssen nach der Ehre streben, die von Gott kommt. Wir müssen sie als unseren Lohn sehen, wie es die Pharisäer mit der „Ehre der Menschen" taten (Joh 12,43).

Der Einfluss, den dies auf ihre Treulosigkeit hatte. „Wie könnt ihr glauben", sie, die auf diese Weise beeinträchtigt sind? Das Erstreben und die Liebe zu weltlicher Ehre sind ein großes Hindernis für den Glauben an Christus. Wie können Menschen glauben, wenn es das höchste Ziel ihres Strebens ist, „im Fleisch wohlangesehen" zu sein (äußerlich einen guten Eindruck zu machen; Gal 6,12)?

2.6 Der letzte hier genannte Zeuge ist Mose **(s. Vers 45)**. Christus zeigte ihnen:

Dass Mose ein Zeuge gegen den Unglauben der Juden war: „Es ist einer, der euch anklagt: Mose." Dies kann man entweder verstehen:

Dass es den Unterschied zwischen dem Gesetz und dem Evangelium zeigt. „Mose, das ist das Gesetz, klagt euch an, denn die Erkenntnis der Sünde kommt durch das Gesetz; es verurteilt euch." Doch die Absicht des Evangeliums Christi ist nicht, uns anzuklagen: „Denkt nicht, dass ich euch ... anklagen werde." Er kam, um ein Fürsprecher zu sein, nicht ein Ankläger; er kam, um Gott und Menschen zu versöhnen (s. 1.Joh 2,1). Oder:

Dass es deutlich die Unvernunft ihrer Treulosigkeit zeigt: „Denkt nicht, dass ich vor Gottes Gericht gegen euer Gericht Rechtsmittel einlegen werde und euch auffordern werde, dort Rechenschaft für das abzulegen, was ihr gegen mich tut, wie es ungerecht behandelte Unschuld in der Regel tut." Statt diejenigen vor seinem Vater anzuklagen, die ihn kreuzigten, betete er: „Vater, vergib ihnen" (Lk 23,34). Und die Juden mögen sich nicht in Bezug auf Mose irren, als würde er ihnen zur Seite stehen bei der Ablehnung von Christus. Nein: „Es ist einer, der euch anklagt: Mose, auf den ihr eure Hoffnung gesetzt habt." Die Juden setzten ihre Hoffnung auf Mose, und sie meinten, dass es sie retten würde, dass sie seine Gesetze und religiösen Zeremonien haben. Die auf ihre Vorrechte vertrauen, werden sehen, dass genau diese Vorrechte gegen sie Zeugnis ablegen werden.

Dass Mose ein Zeuge für Christus und seine Lehre war: „Denn von mir hat er geschrieben" **(Vers**

46). Die Zeremonien des mosaischen Gesetzes waren „ein Vorbild dessen ... der kommen sollte" (Röm 5,14). Christus zeigte hier, dass Mose – weit davon entfernt, gegen Christus zu schreiben – für ihn und von ihm geschrieben hat.

Christus beschuldigte die Juden hier, dass sie Mose nicht glauben. Christus hatte gesagt, dass sie ihre Hoffnung auf Mose gesetzt haben, doch hier zeigte er, dass sie, obwohl sie auf seinen Namen hofften, seine Botschaft nicht in ihrem wahren Sinn und in ihrer wahren Bedeutung annahmen **(s. Vers 45)**.

Er bewies diese Anschuldigung aus ihrem Unglauben ihm gegenüber: „Denn wenn ihr Mose glauben würdet, so würdet ihr auch mir glauben." Viele Menschen sagen, dass sie glauben, doch ihre Taten zeigen das Gegenteil. Wer richtig einem Teil der Schrift glaubt, wird jeden Teil annehmen.

Aus ihrem Unglauben Mose gegenüber schloss er auch, dass es nicht sonderbar war, dass sie ihn verwarfen. Christus sagte: „Wenn ihr aber seinen Schriften nicht glaubt, wie werdet ihr meinen Worten glauben?" Wenn ihr heiligen Schriften nicht glaubt, solchen schwarz auf weiß geschriebenen Worten, was der zuverlässigste Weg der Mitteilung ist, ,wie werdet ihr meinen Worten glauben', da gesprochene Worte für gewöhnlich geringer geachtet werden? Wenn ihr nicht glaubt, was Mose über mich sprach und schrieb, wie werdet ihr mir und meinem Auftrag glauben?" Wenn wir die Voraussetzungen nicht akzeptieren, wie wollen wir dann die Schlussfolgerung akzeptieren? Wenn wir also nicht glauben, dass diese Schriften göttlich inspiriert sind, wie werden wir dann die Botschaft Christi annehmen?

3. Somit endet Christi Verteidigung. Sie waren für den Augenblick zum Schweigen gebracht, doch ihre Herzen blieben verhärtet.

KAPITEL 6

Hier haben wir: 1. Das Wunder mit Brot und Fisch (s. Vers 1-14). 2. Christi Gehen auf dem Wasser (s. Vers 15-21). 3. Wie die Menschen in Kapernaum zu ihm strömten (s. Vers 22-25). 4. Sein Gespräch mit ihnen – veranlasst durch das Wunder mit dem Brot (s. Vers 26-27) –, in dem er ihnen zeigte, wie sie für geistliche Nahrung wirken müssen (s. Vers 28-29) und was diese geistliche Nahrung ist (s. Vers 30-59). 5. Ihre Unzufriedenheit mit dem, was er sagte (s. Vers 60-65). 6. Wie sich viele von ihm abwandten (s. Vers 66-71).

Vers 1-14

Hier ist ein Bericht darüber, wie Christus fünftausend Männer mit fünf Broten und zwei Fischen speist. Es ist der einzige Passus der Taten im Leben Christi, der von allen vier Evangelisten berichtet wird. Johannes erzählt dies wegen des Bezugs, welchen die folgende Diskussion darauf hat. Beachten Sie:

1. Den Ort und die Zeit dieses Wunders.

1.1 Den Teil des Landes, in dem Christus war: „Danach fuhr Jesus über den See von Galiläa" **(Vers 1)**. Christus kreuzte ihn nicht direkt, sondern fuhr die Küste entlang zu einem anderen Ort auf der gleichen Seite.

1.2 Die Menschen, die bei ihm waren: „Und es folgte ihm eine große Volksmenge nach, weil sie seine Zeichen sahen" **(Vers 2)**.

Als unser Herr umherzog und Gutes tat, lebte er fortwährend unter einer Menge (s. Apg 10,38). Gute und nützliche Menschen dürfen sich nicht über drängende Aufgaben beschweren, wenn sie Gott dienen. Es wird Zeit genug sein, uns selbst zu freuen, wenn wir in jene Welt kommen, in der wir uns unmittelbar an Gott erfreuen werden.

Christi Wunder zogen viele Menschen lediglich ihm nach, *die aber nicht wirksam* zu Ihm *gezogen wurden.*

1.3 Wie Christus sich günstig postierte, um sie zu empfangen: „Jesus aber ging auf den Berg und saß dort mit seinen Jüngern beisammen" **(Vers 3)**. Christus war jetzt ein Freiluftprediger, doch sein Wort war niemals schlechter für diejenigen, die ihm nicht nur weiterhin folgten, wenn er an einen abgeschiedenen Ort hinausging, sondern auch, wenn er auf einen Berg hinaufging, obwohl dieser Weg schwierig war. Jeder, der wollte, konnte kommen und ihn dort finden. Er saß mit seinen Jüngern beisammen.

1.4 Die Zeit, in der es geschah: „Danach." Uns wird gesagt, dass es geschah, als „das Passah nahe" war **(Vers 4)**:

Weil die Juden den Brauch hatten, das Herannahen des Passahfestes dreißig Tage vorher in religiöser Weise zu begehen.

Vielleicht, weil das Herannahen des Passahfestes, wenn jeder wusste, dass Christus nach Jerusalem gehen würde – und eine Zeit lang nicht da sein würde –, die Volksmenge ihn sogar noch aufmerksamer hören ließ. Die Aussicht, Gelegenheiten zu verpassen, sollte uns motivieren, mit doppeltem Eifer das Beste aus ihnen zu machen.

2. Das Wunder selbst.

2.1 Die Notiz, die Christus von der Volksmenge nahm, die bei ihm war: Er erhob seine Augen „und sah, dass eine große Volksmenge zu ihm kam" **(Vers 5)**. Christus zeigte, dass er sich über ihre Anwesenheit freute und kümmerte sich um ihr Wohlergehen, um uns zu lehren, uns „herunter zu den Niedrigen" zu halten und nicht solche neben die Hunde unserer Herde zu setzen, die Christus unter seine Lämmer gesetzt hat (Röm 12,16; s. Hiob 30,1).

2.2 Die Frage, die er stellte, wie sie alle versorgt werden könnten. Er sprach zu Philippus, der von Anfang an sein Jünger gewesen war und alle seine Wunder gesehen hatte, besonders das von der Verwandlung von Wasser in Wein (s. Joh 2,1-11). Wer Zeuge von den Werken Christi war und an ihrem Nutzen teilhatte, ist ohne Entschuldigung, wenn er sagt: „Kann Gott uns wohl einen Tisch bereiten in der Wüste?" (Ps 78,19). Philippus kam aus Bethsaida, der Stadt, welcher Christus nun nahe war, und deshalb war er wahrscheinlich in der Lage zu helfen, wie sie am besten zu versorgen. Christus fragte: „Wo kaufen wir Brot, damit diese essen können?"

Er setzte voraus, dass sie alle mit ihm essen müssen. Man hätte meinen können, dass er seine Arbeit getan hätte, als er sie gelehrt und geheilt hatte. Er wollte jedoch Nahrung für sie besorgen. Diejenigen, die geistliche Gaben Christi als Gaben annehmen, statt zu versuchen, für sie zu bezahlen, werden erfahren, dass es sich auszahlt, dass sie diese angenommen haben.

Seine Frage war: „Wo kaufen wir Brot?" Man hätte meinen können, er hätte besser gefragt: „Wo bekommen wir das Geld her, um genug Essen für sie zu kaufen?" Er wird kaufen, um zu geben und wir müssen uns bemühen, damit wir geben können (s. Eph 4,28).

2.3 Die Absicht dieser Frage. Sie sollte nur den Glauben von Philippus auf die Probe stellen, „denn er selbst wusste wohl, was er tun wollte" **(Vers 6)**. Wenn wir nicht wissen, was wir tun sollen, weiß Christus selbst wohl, was er tun will. Wenn Christus die Seinen verwirrt, dann geschieht das nur mit der Absicht, sie auf die Probe zu stellen.

2.4 Die Antwort von Philippus auf diese Frage: „‚Für 200 Denare Brot reicht nicht aus für sie' **(Vers 7)**. Das Land wird nicht so viel Brot haben, noch können wir es uns leisten, so viel Geld auszugeben." Christus hätte jetzt zu ihm sagen können, wie er es später tat: „So lange Zeit bin ich bei euch, und du hast mich noch nicht erkannt, Philippus?" (Joh 14,9). Wir neigen dazu, Gottes Macht zu misstrauen, wenn sichtbare und gewöhnliche Mittel versagen; das heißt, wir vertrauen ihm nicht weiter, als wir ihn sehen können.

2.5 Die Information, die Christus über die Vorräte bekam, die sie hatten. Es war Andreas, der Christus von dem sagte, was sie verfügbar hatten. Daran können wir sehen:

Die Stärke der Liebe von Andreas für diejenigen, bei denen er sah, dass sein Meister an ihnen interessiert war, dass er bereit war, alles einzubringen, was die Zwölf hatten, selbst wenn er nicht wusste, wie sie genug für sich selbst haben würden und mancher gesagt hätte: „Nächstenliebe beginnt zu Hause." Er versuchte nicht, es zu verbergen. Es waren „fünf Gerstenbrote und zwei [kleine] Fische".

Der Vorrat war minderwertig und gewöhnlich; es waren Gerstenbrote. Christus und seine Jünger waren froh, Gerstenbrote zu haben. Daraus folgt nicht, dass wir uns aufgrund unseres religiösen Glaubens auf solch minderwertiges Essen beschränken sollten – wenn Gott etwas Besseres in unsere Hände legt, dann wollen wir es annehmen und dankbar sein –, doch Gerstenbrot ist das, was Christus hatte, und es ist mehr, als wir verdienen.

Der Vorrat war nur klein und unzureichend; es gab nur „fünf Gerstenbrote", und die waren so klein, dass ein kleiner Junge sie alle trug. Es gab nur zwei Fische und die waren sehr klein. Der Vorrat an Brot war wenig genug, doch der an Fisch war sogar noch weniger, sodass sie viele Scheiben trockenes Brot essen müssen, ehe sie diesen hätten verzehren können. Nun, Andreas war bereit, dass die Menschen dies haben können, so weit es reichte. Eine misstrauische Furcht vor unserem Mangel sollte uns nicht davon abhalten, anderen in Not zu geben.

Die Schwachheit seines Glaubens in den Worten: „Doch was ist das für so viele?" Philippus und er dachten nicht an die Macht Christi, wie sie es hätten tun sollen.

2.6 Die Weisungen, die Christus den Jüngern gab, die Gäste sich setzen zu lassen: „Lasst die Leute sich setzen!" **(Vers 10)**. Das war, wie den Allmächtigen in seiner Vorsehung auf den Markt zu schicken, um ohne Geld zu kaufen (s. Jes 55,1). Beachten Sie:

Die Einrichtung des Speiseraumes: „Es war nämlich viel Gras an dem Ort." Es gab eine Fülle von Gras an dem Ort, wo Christus predigte; das Evangelium bringt andere Segnungen mit sich. Das reichliche Gras machte den Ort bequemer für diejenigen, die auf dem Boden sitzen mussten; es diente ihnen als Kissen und, wenn man bedenkt, was Christus über die Herrlichkeit des Grases des Feldes sagte, übertraf sie die von Xerxes: Die Darbietung der Natur ist am herrlichsten (s. Mt 6,29-30).

Die Zahl der Gäste: „… etwa 5000"; es war ein großer Empfang, der den des Evangeliums darstellte, welches ein Mahl für alle Völker ist, ein Mahl für alle Kommenden (s. Jes 25,6).

2.7 Die Austeilung der Vorräte **(s. Vers 11)**. Beachten Sie:

Es wurde mit Danksagung getan: Er „sagte Dank". Wir sollten Gott für unser Essen danken, denn es ist eine Barmherzigkeit, es zu haben. Selbst wenn unsere Vorräte minderwertig und unzureichend sind, selbst wenn wir weder die Fülle noch Leckerbissen haben, müssen wir Gott doch für das danken, was wir haben.

Es wurde aus den Händen Christi durch die Hände seiner Jünger ausgeteilt **(s. Vers 11)**. All unsere Wohltaten kommen ursprünglich aus der Hand Christi zu uns; wer immer sie bringt, Christus ist derjenige, der sie sendet.

Es geschah zu jedermanns Zufriedenheit. Sie hatten nicht jeder einen Bissen; vielmehr hatten alle „so viel sie wollten". In Anbetracht dessen, wie viel wunderbarer dieses übernatürliche Essen gewesen sein muss als gewöhnliche Speise, hätte sie ein wenig nicht zufriedengestellt. Christus begrenzt die nicht, welche er mit dem Brot des Lebens speist (s. Ps 81,11). Es gab nur „zwei Fische", doch sie alle hatten von ihnen so viel, wie sie davon haben wollten. Wer sagt, Fisch essen sei Fasten, verachtet den Empfang, den Christus hier gab, der ein komplettes Festmahl war.

2.8 Die Sorge, welche für die übrig gebliebenen Stücke getragen wurde.

Die Anordnungen, die Christus in Bezug auf sie gab: Als sie gesättigt waren, sagte Christus zu den Jüngern: „Sammelt die übrig gebliebenen Brocken" **(Vers 12)**. Wir müssen immer dafür Sorge tragen, dass wir nichts von den guten Werken Gottes verschwenden, denn die Gabe, die wir von ihnen haben, ist uns unter dieser Bedingung gegeben: vorsätzliche Verschwendung ausschließen. Gott ist gerecht, dass er uns an dem Mangel haben lässt, was wir verschwenden. Wenn wir gesättigt sind, müssen wir daran denken, dass andere Mangel haben und dass wir eines Tages auch in dieser Situation sein können. Wer die Mittel haben will, um wohltätig zu sein, muss vorausschauend sein. Christus ordnete nicht eher an, dass das übrig Gebliebene gesammelt wird, bis alle gesättigt waren. Wir dürfen nicht anfangen, zu horten und zu sparen, solange nicht alles ausgegeben wurde, was gegeben werden sollte.

Die Befolgung dieser Anordnungen: „Da sammelten sie und füllten zwölf Körbe mit Brocken", was nicht nur ein Beleg für die Echtheit des Wunders war, dass sie gespeist waren, sondern auch für seine Größe; sie waren nicht nur gesättigt, sondern dies alles blieb übrig **(Vers 13)**. Beachten Sie, wie großzügig die Güte Gottes ist; im Haus unseres Vaters gibt es genug Brot und im Überfluss (s. Lk 15,17). Die Reste füllten zwölf Körbe, einen für jeden Jünger; ihnen wurde mit Zinsen ihre Bereitschaft vergolten, das für den öffentlichen Dienst hinzugeben, was sie hatten.

3. Die Wirkung, die dieses Wunder auf die Menschen hatte: Sie sagten: „Das ist wahrhaftig der Prophet" **(Vers 14)**. Dies zeigt uns:

3.1 Selbst die gewöhnlichen Juden hatten eine große Gewissheit, dass der Messias in die Welt kommen sollte und ein großer Prophet sein würde. Die Pharisäer verachteten sie, dass sie das Gesetz nicht kennen würden, doch es scheint, dass die Menschen mehr über den Einen wussten, der das Ziel des Gesetzes ist, als es die Pharisäer taten.

3.2 Die Wunder, die Christus vollbrachte, bewiesen klar, dass er der verheißene Messias war, ein Lehrer, der von Gott gekommen war, und der große Prophet (s. Joh 3,2; 5.Mose 18,15). Viele Leute waren überzeugt, dass er der Prophet war, „der in die Welt kommen soll", doch sie nahmen seine Lehre nicht im Herzen an **(Vers 14)**. Es ist möglich, dass Menschen anerkennen, dass Christus dieser Prophet ist, aber immer noch taub ihm gegenüber sind.

Vers 15-21

Hier ist:

1. Wie Christus sich von der Volksmenge zurückzieht. Beachten Sie:

1.1 Was ihn sich zurückziehen ließ; er erkannte, dass diejenigen, die ihn als diesen Propheten anerkannten, kommen würden, „um ihn mit Gewalt zum König zu machen" **(Vers 15)**. Hier haben wir ein Beispiel:

Von dem fehlgeleiteten Eifer von einigen der Nachfolger Christi; ihr einziger Wunsch war, ihn zum König zu machen. Nun:

War dies ein Akt des Eifers für die Ehre Christi. Sie waren betroffen zu sehen, dass so ein großer Wohltäter für die Welt in ihr so wenig geachtet ist, und deshalb wollten sie ihn zum König machen. Diejenigen, welche Christus mit den königlichen Leckerbissen des Himmels bewirtet hat, sollten ihn wegen seiner Gunst zu ihrem König machen und ihn auf den Thron ihrer Seele setzen, doch:

Es war ein fehlgeleiteter Eifer, denn:

Dieser fehlgeleitete Eifer basierte auf einem Irrtum bezüglich des Wesens des Reiches Christi, als wäre es „von dieser Welt" und als müsste er mit äußerlicher Pracht erscheinen (Joh 18,36). Sie wollten ihn zu einem solchen König machen, doch das wäre eine genauso große Herabsetzung seiner Herrlichkeit gewesen, wie es wäre, Gold zu lackieren oder einen Rubin anzumalen. Die richtigen Vorstellungen vom Reich Christi würden uns die richtigen Methoden befolgen lassen, um es voranzubringen.

Dieser fehlgeleitete Eifer wurde von der Liebe zum Fleisch erregt; sie wollten Christus zu ihrem König machen – den Einen, der sie so reichlich speisen konnte, ohne dass sie dafür arbeiten mussten, was sie vor dem Fluch retten würde, im Schweiße ihres Angesichts ihr Brot zu essen (s. 1.Mose 3,19).

Dieser fehlgeleitete Eifer geschah mit der Absicht, ein weltliches Ziel zu verfolgen; sie hofften, das würde ihnen eine gute Gelegenheit geben, das römische Joch abzuschütteln. So wird der christliche Glaube oft weltlichen Interessen ausgeliefert und Christus wird nur gedient, damit Menschen einen persönlichen Vorteil haben (s. Röm 16,18). Jesus wird für gewöhnlich wegen etwas anderem gewollt, nicht um seiner selbst willen.

Dieser fehlgeleitete Eifer stand dem Sinn unseres Herrn Jesus selbst entgegen, denn sie wollten

ihn mit Gewalt zum König machen, ob er König sein wollte oder nicht.
Es war ein Zeugnis von der Demut des Herrn Jesus, dass er fortging; weit davon entfernt, ihr Vorhaben zu unterstützen, hat er es wirksam abgewiesen. Hier hat er ein Zeugnis hinterlassen:
Gegen den Wunsch nach weltlicher Ehre. Wir wollen darum nicht danach trachten, die Idole der Massen zu sein oder „nach leerem Ruhm" zu streben (Gal 5,26).
Gegen Zwietracht, Aufruhr, Verrat und allem, was dazu neigt, den Frieden von Herrschern und Provinzen zu stören.
1.2 Wohin er sich zurückzog: Er zog sich „wiederum auf den Berg zurück" – auf den Berg, den Bergabhang, auf dem er gepredigt hatte (s. Joh 6,3). Er war von ihm herabgekommen, um die Menschen zu speisen, und dann kehrte er allein auf ihn zurück, um für sich zu sein. Christus wählte es manchmal, alleine zu sein, um eine freiere, vollständigere und tiefere Gemeinschaft mit Gott zu haben. Nie sind wir weiter davon entfernt, alleine zu sein, als wenn wir alleine sind.

2. Die Notlage der Jünger auf dem See.
2.1 Sie gingen „hinab an den See" in ein Schiff: „Als es aber Abend geworden war" und sie ihre Tagesarbeit beendet hatten, war es Zeit, nach Hause zu blicken, deshalb stiegen sie in ihr Schiff und setzten Segel nach Kapernaum **(Vers 16)**.
2.2 Der Sturmwind erhob sich (s. Ps 148,8). Sie hatten gerade ein Festmahl an Christi Tisch genossen, doch nach der tröstlichen Sonne muss man einen Sturm erwarten. „Und es war schon finster geworden." Manchmal sind Gottes Kinder in Schwierigkeiten und können keinen Ausweg sehen. Sie sind im Finstern über den Grund für ihre Schwierigkeiten, wegen ihres Zweckes, wohin sie führen und was deren Ergebnis sein wird. „Jesus war nicht zu ihnen gekommen." Die Abwesenheit Christi verschärft die Probleme von Christen. „Und der See ging hoch, da ein starker Wind wehte." Es war ruhig und schön, als sie ihre Reise begannen, doch der Sturm tobte, als sie auf dem See waren. In Zeiten der Ruhe müssen wir uns auf Schwierigkeiten vorbereiten, denn sie können sich erheben, wenn wir am wenigsten an sie denken. Manchmal umgeben Wolken und Finsternis die Söhne des Lichts und des Tages (s. 1.Thess 5,5).
2.3 Christus kam unverzüglich zu ihnen: „Als sie nun ungefähr 25 oder 30 Stadien gerudert hatten" (etwa fünf oder sechs Kilometer; **Vers 19**). Als sie eine gute Strecke auf dem See zurückgelegt hatten, „sahen sie Jesus auf dem See gehen". Wir sehen hier:
Die Macht, die Christus über die Gesetze und Eigenheiten der Natur hat. Christus ging auf dem Wasser wie auf trockenem Land.
Die Sorge, die Christus für seine Jünger in ihrer Not hat: Er näherte sich dem Schiff. Er lässt sie „nicht als Waisen zurück", wenn sie vom Sturm umhergeworfen und ohne Trost zu sein scheinen (Joh 14,18).
Die Hilfe, die Christus seinen Jüngern in ihren Ängsten gibt. „Und sie fürchteten sich", fürchteten sich mehr vor einem Geist – was sie meinten, dass er sei – als vor dem Wind und den Wellen. In dem Moment, wo sie meinten, ein Dämon verfolge sie, waren sie noch erschrockener, als sie es gewesen waren, als sie nichts weiter auf dem See gesehen hatten, als das, was natürlich war. Unsere echten Notlagen werden oft durch unsere eingebildeten sehr vergrößert. Wir sind oft nicht nur mehr erschrocken als verletzt, sondern am meisten verängstigt, kurz bevor uns geholfen wird. Schauen Sie, wie liebevoll Christus ihre Ängste mit seinen mitfühlenden Worten zum Schweigen bringt: „Ich bin's, fürchtet euch nicht!" **(Vers 20)**. Nichts ist mächtiger, um Heilige zu trösten, als dies: „Ich bin Jesus, den ihr liebt; habt keine Furcht vor mir noch vor dem Sturm." Wenn Schwierigkeiten nahe sind, ist auch Christus nahe.
2.4 Sie erreichten sofort den Hafen, zu dem sie steuerten. Sie hießen Christus im Schiff willkommen; sie „wollten ... ihn in das Schiff nehmen" **(Vers 21)**. Christus geht nur für eine Weile fort, um sich bei seinen Jüngern bei seiner Rückkehr umso lieber zu machen. Er brachte sie sicher an die Küste: „... und sogleich war das Schiff am Land, wohin sie fahren wollten." Das Schiff der Gemeinde kann zerbrochen und in Not sein, doch es wird schließlich sicher im Hafen ankommen. Die Jünger hatten schwer gerudert, doch sie konnten nicht erfolgreich rudern, bis sie Christus im Schiff hatten, und dann war die Arbeit plötzlich getan. Wenn wir Jesus Christus als Herrn angenommen haben, dann können wir, obwohl die Nacht finster und der Wind stark ist, uns doch mit dem Wissen trösten, dass wir bald die Küste erreichen werden und dass wir ihr näher sind, als wir meinen.

Vers 22-27
In diesen Versen haben wir:

1. Die sorgfältige Suche, welche die Leute nach Christus unternahmen **(s. Vers 23-24)**. Als sie gesehen hatten, dass er sich auf den Berg zurückzogen, warteten sie auf seine Rückkehr, und „am folgenden Tag":
1.1 Wussten sie überhaupt nicht mehr, wo er war. Sie sahen dort kein Schiff außer dem einen, in dem die Jünger fortfuhren. Sie bemerkten auch, dass Jesus nicht mit seinen Jüngern ging, sondern dass sie alleine fuhren.
1.2 Waren sie fleißig darin, ihn zu suchen. Sie suchten an den Orten dort in der Gegend und als sie sahen, dass weder Jesus noch seine

Jünger dort waren, entschlossen sie sich, woanders zu suchen. Menschen, denen Christus das Festmahl des Brotes des Lebens gegeben hat, sollten sich mit ihrer Seele und inbrünstigem Verlangen nach ihm ausstrecken. Eine tiefe Gemeinschaft mit Christus birgt das Verlangen, sogar noch tiefer zu gehen. Sie entschlossen sich, nach Kapernaum zu gehen, um ihn zu suchen. Seine Jünger waren dorthin gegangen, und die Menschen wussten, dass er sie nicht lange verlassen würde. Der Allmächtige erwies den Menschen in seiner Vorsehung die Gelegenheit, dorthin zu gehen, denn es kamen andere Schiffe von Tiberias nahe an den Ort, wo sie das Brot gegessen hatten. Wer Christus aufrichtig sucht, den wird der Allmächtige in seiner Vorsehung in diesem Trachten bestätigen und ihm helfen. Der Evangelist fügt hinzu: „Nach der Danksagung des Herrn" **(Vers 23)**. Die Jünger waren von der Danksagung ihres Meisters so bewegt, dass sie den Eindruck nie vergessen konnten, den dies auf sie gemacht hatte. Das war die Gnade und Schönheit dieses Mahls und machte es bemerkenswert; ihr Herz brannte in ihnen (s. Lk 24,30-32).

1.3 Sie stiegen in die Schiffe und fuhren nach Kapernaum, um nach Jesus zu suchen. Weil ihre Überzeugung stark und ihr Verlangen enthusiastisch war, folgten sie ihm. Gute Gedanken werden oft unterdrückt und zerschlagen sich, weil ihnen nicht unverzüglich nachgegangen wird. Sie kamen nach Kapernaum und sie scheinen eine ruhige und angenehme Überfahrt gehabt zu haben, während seine aufrichtigen Jünger eine raue und stürmische hatten. Es ist nicht sonderbar, wenn die Dinge für die besten Menschen in dieser bösen Welt am schlimmsten laufen. Sie kamen und suchten Jesus.

2. Den Erfolg ihrer Suche: Sie fanden ihn „am anderen Ufer des Sees" **(Vers 25)**. Es lohnt sich, den See zu überqueren, um ihn zu suchen, wenn wir Christus nur schließlich finden mögen. Diese Menschen zeigten sich später als schlecht und nicht von guten Absichten angetrieben, doch sie waren eifrig. Wenn Menschen in ihrer Liebe zu Christus nicht mehr zu zeigen haben, als dass sie Predigten und Gebeten nachlaufen und innige Zuneigung zu guten Predigten haben, haben sie Grund zu befürchten, dass sie nicht besser sind als diese eifrige Volksmenge. Doch obwohl die Menschen keine besseren Beweggründe hatten und Christus es wusste, war er doch bereit, sich von ihnen finden zu lassen.

3. Die Frage, die sie ihm stellten: „Rabbi, wann bist du hierher gekommen?" Nach **Vers 59** scheint es, dass sie ihn in der Synagoge fanden. Sie fanden ihn dort und alles, was sie ihm zu sagen hatten war: „Rabbi, wann bist du hierher gekommen?" Ihre Frage bezog sich nicht nur auf die Zeit, sondern auch auf den Weg, wie er dorthin kam; nicht nur: „Rabbi, *wann* bist du hierher gekommen?", sondern auch: „*Wie* bist du hierher gekommen?" Sie waren neugierig in Bezug auf die Schritte Christi, doch nicht interessiert, ihre eigenen zu beachten.

4. Die Antwort, die Christus ihnen gab; eine Antwort, die ihrem Zustand entsprach.

4.1 Er enthüllte den verkehrten Beweggrund, aus dem sie ihm folgten: „Wahrlich, wahrlich, ich sage euch: Ihr sucht mich'; das ist gut, doch ihr tut dies nicht aus guten Beweggründen" **(Vers 26)**. Christus weiß nicht nur, was wir tun, sondern auch, warum wir es tun. „... nicht deshalb, weil ihr Zeichen gesehen [habt]." Es war um ihres Bauches willen: „... sondern weil ihr von den Broten gegessen habt und satt geworden seid"; sie suchten ihn nicht, weil er sie lehrte, sondern weil er sie gespeist hatte. Er hatte ihnen:

Ein sättigendes Mahl gegeben: „Und sie aßen alle und wurden satt" (Mt 14,20), und manche von ihnen waren vielleicht so arm, dass es eine lange Zeit her gewesen war, dass sie genug zu Essen hatten und Reste übrig lassen konnten.

Ein erschwingliches Mahl gegeben, in der Tat ein freies Mahl. Viele folgen Christus wegen Brot, nicht aus Liebe. Diese Leute machten Christus Komplimente, indem sie den Ausdruck „Rabbi" benutzten, doch er sprach ehrlich mit ihnen über ihre Heuchelei. Seine geistlichen Diener müssen hieraus lernen, denen nicht zu schmeicheln, die ihnen schmeicheln, sondern diejenigen ehrlich zurechtzuweisen, wo es Grund gibt, dies zu tun.

4.2 Er verwies sie auf bessere Beweggründe: Sie sollten für die Speise wirken, „die bis ins ewige Leben bleibt" **(Vers 27)**. Seine Absicht ist:

Unser weltliches Streben zu mäßigen: „Wirkt nicht für die Speise, die vergänglich ist" (müht euch nicht um Essen, das verdirbt). Wir dürfen die Dinge dieser Welt nicht zu unserem hauptsächlichen Ziel und Interesse machen. Die Dinge dieser Welt sind „Speise, die vergänglich ist" (Essen, das verdirbt). Weltlicher Wohlstand, weltliche Ehre und Freude sind Essen; sie speisen die Fantasie – und viele Male ist das alles, was sie tun – und füllen den Bauch. Das sind Dinge, nach denen Menschen als Essen hungern. Diejenigen, die den größten Anteil davon haben, sind nicht sicher, diese Dinge zu haben, solange sie leben, doch sie können sicher sein, diese zu lassen und zu verlieren, wenn sie sterben. Deshalb ist es von uns töricht, übermäßig für diese Dinge zu wirken. Wir dürfen diese vergänglichen Güter nicht zu unserem höchsten Gut machen.

Zu unseren begnadeten Beschäftigungen zu ermutigen und anzuregen: „Wirkt ‚für die Speise', welche die Seele betrifft." Dies ist unbeschreiblich begehrenswert: Es ist Speise, „die bis ins ewige Leben bleibt". Es ist eine Seligkeit, die so lange besteht, wie wir sie benötigen, eine Speise, die nicht nur ewig anhält, sondern uns auch zum ewigen Leben nähren wird. Und sie ist zweifellos erreichbar. Sie ist die, „die der Sohn des Menschen euch geben wird". Beachten Sie:

Wer diese Speise gibt: „... der Sohn des Menschen", der die Macht hat, das ewige Leben mit all seinen Mitteln zu geben. Uns wird gesagt, wir sollen hierfür wirken, als müsste es durch unseren eigenen Fleiß erlangt werden, als würde es uns entgeltlich verkauft. Doch wenn wir so hart dafür gearbeitet haben, haben wir es nicht als unseren Lohn verdient; der Sohn des Menschen gibt es. Was ist freier als ein Geschenk?

Welche Vollmacht er hat, sie zu geben: „Denn diesen hat Gott, der Vater, bestätigt!" Gott der Vater hat ihn bestätigt (hat ihm die Bestätigung seiner Anerkennung gegeben), das heißt, hat ihm die volle Autorität gegeben, zwischen Gott und der Menschheit zu agieren – als Gottes Botschafter in Bezug auf die Menschheit und als Fürsprecher der Menschen bei Gott –, und hat seinen Auftrag durch Wunder bewiesen.

Vers 28-59

Christus erlaubte den Menschen, ihm Fragen zu stellen; er nahm keinen Anstoß an der Unterbrechung. Wer lehren will, muss schnell zum Hören sein und muss lernen, wie er Fragen beantwortet.

1. Sie fragten, was sie tun müssten, und er antwortete ihnen **(s. Vers 28-29)**.
1.1 Ihre Frage war wirklich von Belang: „Was sollen wir tun, um die Werke Gottes zu wirken?" Eine demütige und aufrichtige Frage, die zeigte, dass sie – zumindest zu dieser Zeit – in einer guten Gemütsverfassung waren und ihre Pflicht kennen und tun wollten. Sie waren überzeugt, dass diejenigen, die diese ewige Speise bekommen wollten:

Danach streben müssen, etwas Großes zu tun. Wer in seinen Erwartungen hoch hinaus will, muss sich in seinen Anstrengungen hoch strecken und danach streben, „die Werke Gottes zu wirken", die sich von den Werken weltlicher Menschen in ihrem weltlichen Streben unterscheiden. Es genügt nicht, die Worte Gottes zu sagen; wir müssen auch die Werke Gottes wirken.

Bereit sein müssen, alles zu tun: „Was sollen wir tun?" – „Herr, ich bin bereit zu tun, wozu immer du mich berufst."
1.2 Die Antwort Christi war deutlich genug: „Das ist das Werk Gottes, dass ihr ... glaubt" **(Vers 29)**. Das Werk des Glaubens ist das Werk Gottes. Sie fragten nach den Werken Gottes – im Plural – und machten sich Sorge um vieles, doch Christus verwies sie auf das eine, das not ist (s. Lk 10,41-42): „... dass ihr ... glaubt." Ohne Glauben können wir Gott nicht wohlgefallen (s. Hebr 11,6). Der Glaube, der Christus annimmt, sich auf ihn verlässt und sich ihm unterwirft, ist das Werk Gottes.

2. Nachdem Christus ihnen gesagt hatte, dass der Sohn des Menschen ihnen diese Speise geben würde, fragten sie ihn über ihn selbst.
2.1 Ihre Frage war hinsichtlich eines Zeichens: „Was tust du denn für ein Zeichen?" **(Vers 30)**. Sie lagen insofern richtig, dass sie – da er von ihnen forderte, an ihn zu glauben – ihm sagten, er solle seine Beglaubigung vorzeigen. Doch auf die folgenden Weisen schoss ihre Frage am Ziel vorbei:

Sie übersahen die vielen Wunder, die sie ihn bereits hatten vollbringen sehen. War dies die Zeit, um zu fragen: „Welches Zeichen zeigst du uns?" Besonders in Kapernaum, wo er so viele große Taten vollbracht hatte? Waren das nicht genau die Leute, die noch vor Kurzem von ihm übernatürlich gespeist wurden? Niemand ist so blind wie diejenigen, die nicht sehen wollen.

Sie zogen die übernatürliche Speisung Israels in der Wüste allen Wundern vor, die Christus vollbrachte: „Unsere Väter haben das Manna gegessen in der Wüste" **(Vers 31)**. Sie zitierten dazu die Schrift: Er hat „ihnen Himmelskorn gegeben" (Ps 78,24). Was für Gebrauch kann man von der Stelle machen, auf die sie verwiesen! Doch schauen Sie, wie diese Menschen sie verdrehten und sie falsch benutzten.

Christus tadelte sie für ihre Vorliebe für das übernatürliche Brot und sagte ihnen, sie sollten ihr Herz nicht an Speise hängen, die verdirbt. „Nun", sagten sie, „Speise für den Bauch war die große und gute Sache, die Gott unseren Vorfahren in der Wüste gab, warum sollten wir nun nicht für diese Speise wirken?"

Christus hatte 5000 Männer mit fünf Broten gespeist, doch in ihrem Anspruch, die Wunder von Mose zu erhöhen, haben sie stillschweigend dieses Wunder von Christus unterbewertet. Christus speiste sie nur einmal und wies dann diejenigen zurecht, die ihm in der Hoffnung nachfolgten, noch immer gespeist zu werden. Mose speiste seine Nachfolger vierzig Jahre lang und Wunder waren nicht selten, sondern waren ihr tägliches Brot. Christus speiste sie mit Brot von der Erde, ärmlichem Brot, und Fisch aus dem Wasser, doch Mose speiste sie mit Brot aus dem Himmel, dem „Brot der Starken" (Ps 78,25). Diese Juden sprachen groß über das Manna, das ihre Vorfahren aßen, doch ihre Vorfahren haben es beschimpft und elende Speise genannt (s. 4.Mose 21,5). Wir neigen dazu, das Auftreten der Macht und der Gnade Gottes in unserer eigenen Zeit zu verachten und zu übersehen, während wir behaupten, die Wunder zu bestaunen, von denen uns unsere Väter erzählten (s. Ri 6,13).

2.2 Hier ist Christi Antwort auf diese Frage: Es stimmte, dass ihre Vorfahren das Manna in der Wüste aßen, doch es war nicht Mose, der es ihnen gab; er war nur das Werkzeug und darum müssen sie über ihn hinaus zu Gott blicken. Mose gab ihnen weder dieses Brot noch dieses Wasser. Christus erzählte ihnen von dem wahren Manna: „... sondern mein Vater gibt euch das wahre Brot aus dem Himmel'; das Brot aus dem Himmel wird jetzt nicht euren Vorfahren gegeben, sondern euch, für welche die besseren Dinge vorbehalten sind. Er gibt euch jetzt das Brot aus dem Himmel, das in Wahrheit so genannt wird."

3. Nachdem er auf ihre Fragen geantwortet hat, fährt Christus als Erwiderung auf ihren Einwand bezüglich des Mannas fort, über sich selbst zu sprechen, wobei er das Bild vom Brot benutzt, und vom Glauben zu sprechen, indem er den Vergleich von Essen und Trinken benutzt. Diese Bilder, die in dem von dem Essen von seinem Fleisch und dem Trinken von seinem Blut vereint sind, worüber seine Hörer auch sprachen, waren das Thema des Restes der Unterhaltung.

3.1 Nachdem Christus über sich selbst als die große Gabe Gottes und „das wahre Brot" gesprochen hatte, erläuterte und bekräftigte er dies ausführlich **(Vers 32)**.

Er zeigte hier, dass er „das wahre Brot" ist; er wiederholte dies immer wieder **(s. Vers 33.35.48-51)**. Beachten Sie:

Dass Christus Brot ist; er ist für die Seele, was Brot für den Leib ist: Es ist Nahrung. Unser Leib könnte besser ohne Speise auskommen als unsere Seele ohne Christus.

Dass er „das Brot Gottes" ist; göttliches Brot, und das Brot von Gottes Familie, das Brot seiner Kinder **(Vers 33**; s. Mt 15,26).

Dass er „das Brot des Lebens" ist **(Vers 35.48)**. Christus ist das Brot des Lebens, weil er die Frucht vom Baum des Lebens ist (s. 1.Mose 2,9). Er ist das lebendige Brot, wie er selbst erklärt: „Ich bin das lebendige Brot" **(Vers 51)**. Brot selbst ist tot, doch Christus selbst ist lebendiges Brot, das durch seine eigene Kraft nährt. Christus ist immer lebendig. Er ist das ewige Brot. Die Botschaft von Christus dem Gekreuzigten ist für einen Gläubigen jetzt genauso stärkend und tröstlich, wie sie es immer gewesen ist (s. 1.Kor 1,22-23): Er gibt der Welt Leben **(s. Vers 33)**. Das Manna bewahrte und stärkte nur das Leben. Christus gibt denen Leben, die tot durch Sünden waren (s. Eph 2,1). Das Manna war nur für das Leben der Israeliten bestimmt, doch Christus ist gegeben „für das Leben der Welt" **(Vers 51)**.

Dass er das Brot ist, „*das aus dem Himmel herabgekommen ist*"; das wird hier oft wiederholt **(s. Vers 33.50-51.58)**. Dies zeigt sowohl die Göttlichkeit der Person Christi als auch den göttlichen Ursprung von all dem Guten, was durch ihn zu uns fließt.

Dass er das Brot ist, von dem das Manna der Typus und das Bild war, das wahre Brot **(s. Vers 32.58)**. Es gab Manna genug für sie alle; in der gleichen Weise ist in Christus eine Fülle der Gnade für alle Gläubigen (s. Joh 1,16). Wer viel von diesem Manna sammelt, wird nichts davon aufsparen können, und wer wenig sammelt, wird merken, dass er, wenn seine Gnade in Herrlichkeit vollendet wird, keinen Mangel haben wird.

Er zeigte hier, was sein Werk war und gibt uns eine Erläuterung von seinem Werk unter den Menschen **(s. Vers 38-40)**.

Er sichert uns allgemein zu, dass er vom Himmel kam, um den Willen seines Vaters zu tun: nicht um seinen eigenen Willen zu tun, sondern den Willen dessen, der ihn gesandt hat **(s. Vers 38)**. Er kam vom Himmel. Wir können wohl mit Verwunderung fragen: „Was hat ihn bewegt, eine solche Expedition zu unternehmen?" Hier sagt er uns, dass er nicht kam, um seinen eigenen Willen zu tun, sondern den seines Vaters. „Ich kam, um den Willen dessen zu tun, ,der mich gesandt hat'." Er kam als Gottes großer Bevollmächtigter und als der große Arzt der Welt in sie hinein. Der Wirkungsbereich seines ganzen Lebens bestand darin, Gott zu verherrlichen und den Menschen Gutes zu tun.

Er erzählt uns ausführlich von dem Willen des Vaters, den er zu erfüllen kam. Beachten Sie:

Die persönlichen Weisungen, die Christus gegeben wurden, den ganzen erwählten Überrest zu retten. Dies ist der Bund der Erlösung zwischen dem Vater und dem Sohn: „Und das ist der Wille des Vaters, der mich gesandt hat, dass ich nichts verliere von allem, was er mir gegeben hat" **(Vers 39)**. Es gibt eine bestimmte Zahl von Menschen, die Jesus Christus vom Vater gegeben sind, dass sie seiner Verantwortung anbefohlen sind und dadurch dem Herrn zum Ruhm gereichen (s. Jes 55,13). Die Gott als Gegenstand seiner besonderen Liebe erwählt, vertraut er den Händen Christi an. Jesus Christus hat sich verbürgt, dass er niemanden von denen verliert, die ihm auf diese Weise vom Vater gegeben wurden. Christi Bürgschaft für diejenigen, die ihm gegeben sind, erstreckt sich bis auf die Auferweckung ihrer Leiber: „... sondern dass ich es auferwecke am letzten Tag." Christi Bürgschaft wird bis zur Auferstehung nie vollkommen erfüllt sein. Die Quelle und der Ursprung von all diesem ist der souveräne Wille Gottes.

Die öffentlichen Anweisungen, welche den Menschen gegeben werden mussten, die ihnen sagten, unter welchen Bedingungen sie das Heil durch Christus erlangen könnten, und das ist der Bund der Gnade zwischen Gott und Menschen. Wer im Besonderen Christus gegeben wurde, ist ein Geheimnis. Doch obwohl ihre Namen verborgen sind, wird ihr Wesen bekannt gemacht. Ein Opfer wurde dargebracht, damit dadurch jene, die Christus gegeben wurden, zu ihm gebracht werden würden: „Das ist aber der Wille dessen, der mich gesandt hat, dass jeder, der den Sohn sieht und an ihn glaubt, ewiges Leben hat; und ich werde ihn auferwecken" **(Vers 40)**. Ist es nicht belebend, dies zu hören? Ewiges Leben kann erlangt werden, wenn wir es nicht verwerfen. Die Krone der Gerechtigkeit liegt für uns bereit als Kampfpreis für unsere himmlische Berufung, für den wir laufen und den wir erlangen mögen (s. 2.Tim 4,8; 1.Petr 5,4; Phil 3,14). Jeder kann ihn haben. Dieses ewige Leben wird für alle garantiert, die an Christus glauben. „... dass jeder, der den Sohn sieht und an ihn glaubt", gerettet wird. Ich verstehe „sehen" hier so, dass es auf das Gleiche verweist wie „glauben". „... dass jeder, der den Sohn sieht", das heißt, der an ihn glaubt, jeder, der ihn mit dem Auge des Glaubens sieht, hat ewiges Leben. Es ist kein blinder Glaube, den Christus fordert; er fordert von uns nicht, dass unsere Augen entfernt werden und wir ihm dann nachfolgen, sondern dass wir ihn sehen und sehen, auf welcher Grundlage wir in unserem Glauben fortfahren. Wer an Jesus Christus glaubt, wird durch seine Kraft am letzten Tag auferweckt werden. Diese Verantwortung hatte er als den Willen seines Vaters, und hier machte er es feierlich zu seiner eigenen Verpflichtung: „Ich werde ihn auferwecken" **(s. Vers 39)**.

3.2 Nun wollen wir sehen, wie Christi Hörer darauf reagierten, dass er in dieser Weise von sich selbst als dem Brot des Lebens sprach, das vom Himmel herabkam.

Als sie von einer solchen Sache hörten, wie das Brot Gottes, welches Leben gibt, baten sie aufrichtig darum: „Herr, gib uns allezeit dieses Brot!" **(Vers 34)**. Ich meine, diese Bitte ist ehrlich vorgebracht worden, wenn auch unwissend, und hatte auch gute Absichten. Allgemeine und verdrehte Vorstellungen von göttlichen Dingen erzeugen eine Art von Verlangen danach. Wer eine undeutliche Erkenntnis von den Dingen Gottes hat, wer die Leute sieht, als sähe er wandelnde Bäume, spricht, wie wir es nennen können, unartikulierte Gebete für geistliche Segnungen (s. Mk 8,24). Er meint, die Gunst Gottes ist gut und der Himmel ist ein feiner Ort, doch weder schätzt noch verlangt er überhaupt nach der Heiligkeit, die für beides nötig ist.

Als sie aber verstanden, dass Jesus mit diesem Brot des Lebens sich selbst meinte, da haben sie es verschmäht. Sie murrten über ihn. Dies kommt unmittelbar nach dieser heiligen Verkündigung, die Christus von dem Willen Gottes und seinem eigenen Unterfangen bezüglich des Heils der Menschen gemacht hatte, was zweifellos einige der wichtigsten und gnädigsten Worte waren, die je aus dem Mund unseres Herrn Jesus kamen **(s. Vers 39-40)**. Man hätte gemeint, dass sie, als sie hörten, dass Gott sie auf diese Weise besucht hatte, sich geneigt und angebetet hätten, doch im Gegenteil: Sie murrten, grollten und haderten mit dem, was Christus sagte (s. 2.Mose 4,31). Viele, die nicht offenkundig der Lehre Christi widersprechen werden, sagen doch in ihrem Herzen, dass sie diese nicht mögen. Woran sie Anstoß nahmen, war seine Behauptung, dass seine Herkunft der Himmel war **(s. Vers 41-42)**. „Wie kann er sagen: ‚Ich bin aus dem Himmel herabgekommen'?" Was sie darin, wie sie meinten, rechtfertigte, war, dass sie seinen Hintergrund auf der Erde kannten: „Ist dieser nicht Jesus, der Sohn Josephs, dessen Vater und Mutter wir kennen?" Sie nahmen Anstoß daran, dass er sagte, er sei vom Himmel herabgekommen, da er einer von ihnen war.

3.3 Christus, der von dem Glauben als dem großen Werk Gottes gesprochen hatte, erörterte dieses Werk ausführlich **(s. Vers 29)**.

Er zeigt, was es heißt, an Christus zu glauben. **Vers 35** besagt, dass der, welcher „zu mir kommt", der Gleiche ist wie der, welcher „an mich glaubt", und damit hat der Ausdruck die gleiche Bedeutung wie in **Vers 37.44-45**. Sich in Buße zu Gott zu kehren, heißt, zu ihm zu kommen als unserem vorrangigen Gut und höchstem Ziel, und somit bedeutet es, an unseren Herrn Jesus zu glauben, zu ihm als unserem Fürsten und Heiland und unserem Weg zum Vater zu kommen (s. Jer 3,22). Selbst als er hier auf der Erde war, bedeutete das Kommen zu ihm mehr als das bloße Kommen an seinen geografischen Standort, und selbst jetzt meint es mehr, als zu kommen, um sein Wort zu hören und seine Ordnungen zu befolgen. Es heißt, sich von Christus zu nähren: „Wenn jemand von diesem Brot isst" **(Vers 51)**. Zu Christus kommen, bedeutet, sich an ihn zu wenden; von diesem Brot essen, meint, Christus auf uns anzuwenden.

Er zeigt, was man dadurch gewinnen kann, dass man an Christus glaubt. Auf welche Weise werden wir besser dran sein, wenn wir uns von ihm nähren? Mangel und Tod sind die hauptsächlichen Dinge, vor denen wir uns fürchten. In Bezug auf diese beiden wird nun hier echten Gläubigen garantiert:

Ihnen wird niemals etwas fehlen, das sie brauchen: Sie werden nicht hungern, niemals dürsten **(s. Vers 35)**. Sie haben Wünsche, ernstliche Wünsche, doch die werden so überreich befriedigt, dass man sie nicht Hunger und Durst nennen kann, die unangenehm und quälend sind.

Sie werden niemals sterben; das heißt, sie werden nicht ewig sterben. Wer an Christus glaubt, hat „ewiges Leben" **(Vers 47)**. Die Einheit mit Christus und die Gemeinschaft mit Gott in Christus sind begonnenes ewiges Leben. Während diejenigen starben, die das Manna aßen, ist Christus ein solches Brot, welches ein Mensch essen kann und niemals sterben wird **(s. Vers 49-50)**. Beachten Sie hier:

Die Unzulänglichkeit des Mannas als Typus: „Eure Väter haben das Manna gegessen in der Wüste und sind gestorben." Die Menschen, die das Manna aßen, „das Brot der Starken", starben wie andere Menschen (Ps 78,25). Viele von ihnen starben wegen ihres Unglaubens und Murrens. Dass sie das Manna aßen, war für sie kein Schutz vor dem Zorn Gottes, wie es der Glaube an Christus für uns ist. Der Rest von ihnen starb nach dem normalen Lauf der Natur und ihre Leichname fielen in der Wüste, wo sie das Manna aßen (s. 4.Mose 14,29). Die Juden mögen sich also nicht so sehr des Mannas rühmen.

Die Allgenugsamkeit des wahren Mannas: „Dies ist das Brot, das aus dem Himmel herabkommt, damit, wer davon isst, nicht stirbt." „Nicht stirbt", das heißt, „nicht verloren geht", nicht hinter dem himmlischen Kanaan zurückbleibt: „Wenn jemand von diesem Brot isst, so wird er leben in Ewigkeit" **(Vers 51)**. Das ist die Bedeutung von niemals sterben: Obwohl er stirbt, wird er durch den Tod hindurchgehen in jene Welt, wo der Tod nicht mehr sein wird (s. Offb 21,4). Für immer leben, heißt nicht nur, für immer sein, sondern für immer selig sein.

Er zeigt, was wir für Ermutigungen haben, an Christus zu glauben. Christus spricht hier von einigen, die ihn gesehen haben und doch nicht glauben **(s. Vers 36)**. Glaube ist nicht immer die Auswirkung des Augenlichts; die Soldaten waren Augenzeugen seiner Auferstehung, doch statt Glauben an ihn zu haben, erzählten sie Lügen über ihn. Zwei Dinge ermutigen unseren Glauben:

Dass der Sohn all diejenigen willkommen heißen wird, die zu ihm kommen: „Und wer zu mir kommt, den werde ich nicht hinausstoßen" **(Vers 37)**. Wie sollte dies Wort unserer Seele willkommen sein, das uns bei Christus willkommen macht!

Die geforderte Pflicht ist eine reine Pflicht des Evangeliums: zu Christus zu kommen, damit wir durch ihn zu Gott kommen können. Seine Schönheit und Liebe muss uns zu ihm ziehen; ein Bewusstsein der Not und Furcht vor Gefahr muss uns zu ihm treiben; alles muss uns zu Christus bringen.

Die Verheißung ist eine reine Verheißung des Evangeliums: „... den werde ich nicht hinausstoßen." Es gibt zwei Verneinungen: „Ich werde nicht, nein, ich werde nicht." Hier wird viel Gunst ausgedrückt. Wir haben Grund zu fürchten, dass er uns hinausstoßen könnte (uns fortjagt). Wir können zu Recht erwarten, dass er uns finster anschaut und seine Tür vor uns verschließt. Doch er antwortet auf diese Ängste mit der Zusicherung, dass er es nicht tun wird; er wird uns nicht zurückweisen, obwohl wir sündig sind. Es ist mehr Gunst enthalten, als ausgedrückt wird; wenn es heißt, dass er sie nicht verjagen wird, dann bedeutet das: „Er wird sie annehmen und ihnen alles geben, wofür sie zu ihm kommen."

Dass der Vater unbedingt zu gegebener Zeit alle diejenigen zu Christus bringen wird, die ihm gegeben wurden.

Christus sichert uns zu, dass dies hier getan werden wird: „Alles, was mir der Vater gibt, wird zu mir kommen" **(Vers 37)**. Christus sprach von denen, die nicht an ihn glaubten, obwohl sie ihn gesehen haben **(s. Vers 36)**, und dann fügt er dies hinzu:

Zu ihrer Überführung und Erweckung. Wie können wir meinen, dass wir Christus von Gott gegeben wurden, wenn wir uns selbst der Welt und dem Fleisch geben (s. 2.Petr 1,10)?

Zu seinem eigenen Trost und seiner Ermutigung. Alles, was ihm der Vater gibt, wird zu ihm kommen. Hier haben wir:

Die Erwählung beschrieben. Die Erwählten sind „alles, was mir der Vater gibt" und alles, was zu ihnen gehört, all ihr Dienst und all ihre Interessen. Wie alles das Ihre ist, was er hat, so ist alles sein, was sie haben. Gott war nun dabei, ihm „die Heidenvölker zum Erbe" zu geben (Ps 2,8). Obwohl die Juden, die ihn sahen, nicht an ihn glaubten, sagte er: „Diese werden zu mir kommen – die anderen Schafe, die nicht aus dieser Schafhürde sind, werden gebracht werden" (s. Joh 10,15-16).

Die Wirkung der Erwählung zugesichert: Sie werden „zu mir kommen". Dies wird nicht als eine Verheißung gesagt, sondern als eine Weissagung. Keiner von ihnen wird vergessen werden; nicht ein Korn von Gottes Getreide wird verloren gehen. Die Erwählten sind von Natur aus von Christus entfremdet und ihm gegenüber feindlich, doch sie werden kommen. Nicht: „Sie werden zu mir getrieben werden", sondern: „Sie werden freiwillig kommen; sie werden willig gemacht werden" (s. Ps 110,3).

Er sagt uns hier, wie es getan werden wird. Wie werden die, welche Christus gegeben sind, zu ihm gebracht werden? Zu diesem Ziel müssen zwei Dinge getan werden:

Ihr Verständnis wird erleuchtet werden; dies wird in **Vers 45-46** verheißen. Es steht in den Propheten geschrieben: „Und alle deine Kinder werden vom HERRN gelehrt" und: „Sie werden mich alle kennen" (Jes 54,13; Jer 31,34). Dies zeigt uns:

Um an Jesus Christus zu glauben, ist es nötig, „vom HERRN gelehrt" zu sein, das heißt:

Dass uns eine göttliche Offenbarung zuteilwird. Manche Dinge werden durch die Natur gelehrt, doch um uns zu Christus zu bringen, ist ein höheres Licht notwendig.

Dass in uns ein göttliches Werk getan wird. Indem er uns die Vernunft gibt, lehrt Gott uns mehr, als er die Tiere lehrt, doch indem er Glauben gibt, lehrt er mehr, als wir auf natürliche Weise lernen würden. Alle, die echte Christen sind, sind „vom HERRN gelehrt"; er hat sich verpflichtet, sie zu lehren.

Daraus folgt nun, dass „jeder nun, der vom Vater gehört und gelernt hat," zu Christus kommt **(Vers 45)**. Hier ist inbegriffen:

Dass niemand zu Christus kommen wird, außer denen, die vom Vater gehört und gelernt haben. Wenn Gott durch seine Gnade nicht unseren Verstand erleuchtet und nicht nur etwas zu uns sagt, damit wir hören mögen, sondern uns auch lehrt, damit wir die Wahrheit hören mögen, wie sie in Jesus ist, werden wir nie dazu gebracht werden, an Christus zu glauben (s. Eph 4,21).

Dass dieses Lehren vom Herrn so zwangsläufig den Glauben der Erwählten Gottes hervorbringt, dass wir schließen können, dass diejenigen, die nicht zu Christus kommen, nie etwas von dem Vater gehört oder gelernt haben, denn wenn sie es hätten, wären sie zweifellos zu Christus gekommen. Es ist vergeblich, wenn Menschen behaupten, dass sie vom Herrn gelehrt wurden, wenn sie nicht an Christus glauben. Für den Fall, dass jemand von einer sichtbaren Erscheinung von Gott dem Vater träumen sollte, fügt Christus hinzu: „Nicht, dass jemand den Vater gesehen hätte" **(Vers 46)**. Gott wirkt, wenn er die Augen von Menschen erleuchtet und sie lehrt, auf geistliche Weise. Der „Vater der Geister" (Hebr 12,9) kann unentdeckt in den menschlichen Geist eintreten und ihn beeinflussen. Die sein Angesicht nicht gesehen haben, haben seine Macht gespürt. Die vom Vater lernen, müssen von Christus lernen, der alleine ihn gesehen hat.

Ihr Willen wird sich Gott unterordnen. In der verkehrten Seele des gefallenen Menschen rebelliert der Wille gegen die richtigen Weisungen des Verstandes. Deshalb muss am Willen ein Werk der Gnade unternommen werden, welches hier „ziehen" genannt wird: „Niemand kann zu mir kommen, es sei denn, dass ihn der Vater zieht, der mich gesandt hat" **(Vers 44)**. Die Juden murrten über die Lehre Christi. Christus sagte: „Murrt nicht untereinander!' Gebt nicht einander die Schuld für eure Abneigung gegen meine Lehre. Eure Feindschaft gegen die Wahrheiten Gottes ist so stark, dass nichts Geringeres als die göttliche Macht sie überwinden kann. ‚Niemand kann zu mir kommen, es sei denn, dass ihn der Vater zieht, der mich gesandt hat'" **(Vers 43-44)**. Beachten Sie hier:

Die Natur des Werkes: Es ist ein „Ziehen", was sich nicht auf einen Zwang bezieht, der dem Willen auferlegt wird, sondern auf eine Veränderung, die im Willen zustande gebracht wird. Der Seele wird eine neue Neigung gegeben, durch die sie zu Gott hingezogen wird. Der Eine, der den menschlichen Geist gebildet hat, weiß, wie er die Seele neu formen kann.

Die Notwendigkeit dieses Werkes: Niemand kann in diesem schwachen und hilflosen Stand ohne dieses Werk zu Christus kommen.

Den Urheber dieses Werkes: der Vater, „der mich gesandt hat". Der Vater würde ihn nicht mit einem fruchtlosen Auftrag senden. Da er Christus gesandt hat, um Seelen zu retten, sendet er Seelen zu ihm, damit sie durch ihn gerettet werden.

Die Krone und Vervollkommnung dieses Werkes: „Und ich werde ihn auferwecken am letzten Tag." Dies wird viermal in dieser Predigt erwähnt. Wenn Christus sich dafür verbürgt, kann er sicherlich alles tun. Wir wollen unsere Hoffnungen auf eine für den letzten Tag vorbehaltene Seligkeit ausdehnen.

3.4 Jetzt machte sich Christus daran, ausführlicher zu zeigen, welcher Teil von ihm dieses Brot ist, nämlich sein Fleisch, und indem er weiter das Bild der Speise benutzt, zeigt er, dass Glauben bedeutet, davon zu essen **(s. Vers 51-58)**. „Das Brot aber, das ich geben werde, ist mein Fleisch", das Fleisch des Menschensohnes und sein Blut **(Vers 51.53)**. „Denn mein Fleisch ist wahrhaftig Speise, und mein Blut ist wahrhaftig Trank" **(Vers 55)**. Wir müssen das Fleisch des Menschensohnes essen und sein Blut trinken **(s. Vers 53)**. Und wieder: „Wer mein Fleisch und mein Blut trinkt" **(Vers 54)**; und weiter: „… welcher mich isst" **(Vers 56-57)**.

Wir wollen sehen, wie leicht die Botschaft Christi bei den Menschen zu Irrtümern und falschen Auslegungen führen konnte.

Sie wurde von den weltlichen Juden falsch ausgelegt: „Da stritten die Juden untereinander und sprachen: Wie kann dieser uns sein Fleisch zu essen geben?" **(Vers 52)**. Christus hatte davon gesprochen, dass er sein Fleisch für uns geben wird, um zu leiden und zu sterben, doch sie verstanden es, dass er es uns geben wird, um gegessen zu werden **(s. Vers 51)**.

Es wird von den vielen missverstanden, die schließen, dass, wenn sie das Sakrament nehmen, wenn sie sterben, sie sicherlich in den Himmel gehen werden.

Wir wollen sehen, wie diese Botschaft Christi richtig zu verstehen ist.

Was mit dem Fleisch und dem Blut Christi gemeint ist. Es wird „das Fleisch des Menschensohnes" und „sein Blut" genannt **(Vers 53)**. Es heißt, es wird „für das Leben der Welt" gegeben, das heißt:

An Stelle des Lebens der Welt, welches durch die

Sünde verwirkt war. Christus gibt sein eigenes Fleisch als Lösegeld.

Um der Welt Leben zu geben, um ein allgemeines Angebot des ewigen Lebens für die ganze Welt zu erwerben. Das Fleisch und das Blut des Menschensohnes bezieht sich also auf Christus, „und zwar als Gekreuzigten" und auf die Erlösung, die durch ihn gebracht wird (1.Kor 2,2). Die Verheißungen des Bundes und das ewige Leben werden „das Fleisch" und „Blut" Christi genannt:

Weil sie durch das Brechen seines Leibes und das Vergießen seines Blutes erworben wurden.

Weil sie Speise und Trank für die Seele sind. Er hatte sich vorher mit Brot verglichen, was eine wesentliche Speise ist; hier verglich er sich mit Fleisch oder Fleischspeise, die köstlich ist. Sein Fleisch und Blut sind wirklich Fleischspeise und wahrer Trank im Gegensatz zu den Darbietungen und Schatten, mit denen die Welt diejenigen abspeist, die sich von ihr nähren.

Was damit gemeint ist, sein Fleisch zu essen und sein Blut zu trinken **(s. Vers 55)**. Es ist sicher, dass damit nicht mehr und nicht weniger gemeint ist, als an Christus zu glauben. An Christus zu glauben umfasst diese vier Dinge, die Essen und Trinken auch beinhalten:

Ein Verlangen nach Christus. Dieses geistliche Essen und Trinken beginnt mit „hungern und dürsten" (Mt 5,6): „Gib mir Christus, sonst sterbe ich."

Eine Anwendung von Christus auf sich selbst. Wenn wir Essen nur anschauen, wird es uns nicht nähren; wir müssen es in uns aufnehmen. Wir müssen Christus in einer solchen Weise annehmen, dass er zu uns gehört.

Eine Freude an Christus und seinem Heil. Die Botschaft des gekreuzigten Christus muss für uns Speise und Trank sein, die äußerst wohltuend und entzückend sind.

Die Herkunft der Nahrung von ihm und eine Abhängigkeit von ihm, um unser geistliches Leben und die Kraft, das Wachstum und die Vitalität unseres neuen Wesens zu stützen und ihm zu helfen. Es heißt, von ihm zu leben, wie wir von unserer Speise leben. Als Christus später äußere leibliche Zeichen einsetzen wollte, durch die er unser Teilhaben an dem Nutzen seines Todes darstellen wollte, wählte er die des Essens und Trinkens und machte sie zu sakramentalen Handlungen.

Nachdem wir allgemein diesen Teil der Botschaft Christi erläutert haben, können wir die Einzelheiten auf zwei Punkte reduzieren:

Die Notwendigkeit, dass wir uns von Christus nähren: „Wenn ihr nicht das Fleisch des Menschensohnes esst und sein Blut trinkt, so habt ihr kein Leben in euch" **(Vers 53)**.

„Es ist ein sicheres Zeichen, dass ihr kein geistliches Leben in euch habt, wenn kein Verlangen nach oder keine Freude an Christus habt." Wenn die Seele nicht hungert und dürstet, lebt sie sicherlich nicht.

„Es ist sicher, dass ihr kein geistliches Leben haben könnt, wenn ihr es nicht durch Glauben von Christus bezieht; getrennt von ihm könnt ihr nichts haben" (s. Joh 15,5). Genauso gut kann unser Leib ohne Nahrung leben, wie unsere Seele es ohne Christus kann.

Den Nutzen und Vorteil davon in zwei Dingen:

Wir werden mit Christus eins sein: „Wer mein Fleisch isst und mein Blut trinkt, der bleibt in mir und ich in ihm" **(Vers 56)**. Durch den Glauben haben wir eine enge und nahe Einheit mit Christus; er ist in uns und wir sind in ihm (s. Joh 17,21-23; 1.Joh 3,24). Die Einheit zwischen Christus und den Gläubigen ist derart, dass er an ihrem Kummer teilhat und sie an seinen Gnadenwirkungen und Freuden teilhaben. Er isst das Mahl mit ihnen mit ihren „bitteren Kräutern" und sie mit ihm mit seinem überreichlichen Essen (Offb 3,20; 2.Mose 12,8).

Wir werden durch ihn ewig leben.

Wir werden durch ihn leben: „Wie mich der lebendige Vater gesandt hat und ich um des Vaters willen lebe, so wird auch der, welcher mich isst, um meinetwillen leben" **(Vers 57)**. Echte Gläubige bekommen dieses göttliche Leben aufgrund ihrer Einheit mit Christus. Wer ihn isst, wird um seinetwillen leben: Wer von Christus lebt, wird um seinetwillen leben. Weil er lebt, werden auch wir leben.

Wir werden um seinetwillen ewig leben: „Wer mein Fleisch isst und mein Blut trinkt, der hat ewiges Leben" **(Vers 54)**. Er wird in Ewigkeit leben **(s. Vers 58)**.

4. Der Schreiber schließt damit, dass er uns sagt, dass Christi Botschaft den Juden übermittelt wurde, „als er in der Synagoge ... lehrte" **(Vers 59)**. Er lehrte sie viele andere Dinge außer diesen, doch dies war etwas in seiner Botschaft, das neu war. Christus führte dies bei seinem Prozess an: „Ich habe stets in der Synagoge ... gelehrt" (Joh 18,20).

Vers 60-71

Hier haben wir einen Bericht von den Auswirkungen der Botschaft Christi.

1. Den einen war sie „ein Geruch des Todes zum Tode"; nicht nur für die Juden, sondern sogar für viele seiner Jünger (2.Kor 2,16). Wir haben hier:

1.1 Ihr Murren über seine Lehre als hart; nicht ein paar, sondern viele von ihnen nahmen an ihr Anstoß **(s. Vers 60)**. Beachten Sie, was sie über sie sagten: „Das ist eine harte Rede! Wer kann sie hören?"

Sie mochten sie selbst nicht. Wenn sie nun gefunden hätten, dass es eine harte Lehre ist, und wenn sie Jesus demütig darum gebeten hätten, dass er ihnen dieses Gleichnis erklärt, hätte er es ihnen verdeutlicht und auch ihr Verständnis geöffnet (Mt 13,36; Lk 24,45).

Sie hielten es für unmöglich, dass sie jemand anderes mögen könnte: „,Wer kann sie hören?' Sicherlich kann das niemand." Wer sich über den christlichen Glauben lustig macht, neigt zur Ansicht, dass jeder vernünftige Mensch ihm zustimmt. Danken Sie Gott, dass Tausende diese Reden Christi gehört haben und sie nicht nur leicht, sondern auch angenehm fanden.

1.2 Christi Antwort auf ihr Murren.
Er war sich dessen bewusst **(s. Vers 61)**. Christus kannte ihre Einwände; er sah sie, hörte sie, wie schwer die Gegner auch versuchten, sie zu verbergen. Er erkannte sie „bei sich selbst", nicht durch irgendeine Information, die ihm gegeben wurde, sondern durch seine eigene göttliche Allwissenheit. Gedanken sind für Christus Worte; wir sollten darum nicht nur darauf bedacht sein, was wir sagen und tun, sondern auch, was wir denken.

Er wusste sehr wohl, wie er ihnen antworten konnte: „Ist euch das ein Ärgernis?" Wir können zu Recht darüber staunen, dass mit so wenig Grund so viel Anstoß an der Lehre Christi genommen wird. Christus sprach hier mit Erstaunen darüber: „Ist euch das ein Ärgernis?"

Er gab ihnen eine Andeutung seiner Auffahrt in den Himmel als das, was ein zwingender Beweis für die Wahrheit seiner Lehre sein würde: „,Wie nun, wenn ihr den Sohn des Menschen dorthin auffahren seht, wo er zuvor war?' Wenn das so eine harte Rede ist, dass ihr sie nicht hören könnt, wie werdet ihr dann meine Rede ertragen, dass ich zum Himmel zurückkehren werde, woher ich kam?" Wer über kleinere Schwierigkeiten stolpert, sollte darüber nachdenken, wie er größere bezwingen will. „Ihr meint, ich maße mir zu viel an, wenn ich sage: ,Ich bin aus dem Himmel herabgekommen', und ihr murrtet darüber, doch werdet ihr so denken, wenn ihr mich in den Himmel zurückkehren seht?" (Joh 6,42). Christus verwies oft auf diese Weise auf spätere Beweise.

Er gab ihnen einen allgemeinen Schlüssel für diese und alle Botschaften, die in Gleichnissen gesprochen wurden, und lehrte sie, dass die Gleichnisse geistlich verstanden werden müssten: „Der Geist ist es, der lebendig macht, das Fleisch nützt gar nichts" **(Vers 63)**.

Bloße Teilnahme an religiösen Gottesdiensten nützt nichts, wenn nicht der Geist Gottes in ihnen wirkt und der Seele durch sie Leben gibt. Wenn der Geist mit dem Wort und den Ordnungen der Anbetung wirkt, sind sie wie Speise für ein lebendes Wesen; wenn nicht, sind sie wie Speise für einen Leichnam.

Wenn man die Lehre des Essens von Christi Fleisch und Trinkens seines Blutes wörtlich versteht, nützt sie nichts. Ihr geistlicher Sinn oder ihre geistliche Bedeutung gibt der Seele Leben, macht sie lebendig und vital: „Die Worte, die ich zu euch rede, sind Geist und sind Leben." Zu glauben, dass Christus für mich gestorben ist, aus dieser Lehre Kraft und Trost zu ziehen, das sind der Geist und das Leben dieser Lehre, und wenn man sie auf diese Weise auslegt, ist sie eine vorzügliche Lehre. Der Grund, warum Menschen die Reden Christi nicht mögen, ist, dass sie missverstehen. Der wörtliche Sinn eines Gleichnisses tut uns nichts Gutes; durch ihn sind wir in keiner Weise weiser. „... das Fleisch nützt gar nichts", doch „der Geist ist es, der lebendig macht". Sie nörgelten an der Lehre Christi herum, während der Fehler bei ihnen lag; nur für weltliche Gemüter sind geistliche Dinge töricht und nutzlos; geistliche Gemüter freuen sich über sie (s. 1.Korinther 2,14-15).

Er gab ihnen einen Hinweis auf seine Kenntnis von ihnen und dass er von ihnen nichts Besseres erwartet hatte, obwohl sie sich seine Jünger nannten **(s. Vers 64-65)**. Mit Verweis auf Jesaja 53,1 können wir sagen, dass Christus bemerkte:

Dass sie seiner Verkündigung nicht glaubten. Unter denen, die nominell Christen sind, gibt es viele, die in Wahrheit Ungläubige sind. Der Unglaube von Heuchlern liegt bloß und aufgedeckt vor den Augen Christi. Er „wusste von Anfang an", wer glaubte und wer von den Zwölfen ihn verraten würde, wer von ihnen aufrichtig war, wie Nathanael, und wer es nicht war **(Vers 64; 1,47)**. Es ist das Vorrecht Christi, das Herz zu kennen; er weiß, wer diejenigen sind, die nicht glauben, doch zum Schein ein Bekenntnis ablegen. Doch wenn wir versuchen, die Herzen der Menschen zu beurteilen, setzen wir uns auf den Thron Christi. Wir werden oft von Menschen getäuscht und sehen Grund, unsere Haltung ihnen gegenüber zu ändern.

Dass der Grund, weshalb sie seiner Verkündigung nicht glaubten, dafür war, dass ihnen nicht der Arm des Herrn geoffenbart worden ist (s. Jes 53,1): „Darum habe ich euch gesagt: Niemand kann zu mir kommen, es sei ihm denn von meinem Vater gegeben!" **(Vers 65)**. Hier bezog er sich auf **Vers 44**. Er sagte dort, dass niemand zu ihm kommen könnte, „es sei denn, dass ihn der Vater zieht"; hier sagte er: „... es sei ihm denn von meinem Vater gegeben!", was zeigt, dass Gott Seelen zieht, indem er ihnen Gnade und Stärke gibt und ein Herz, dass sie kommen.

1.3 Ihre endgültige Apostasie von Christus: „Aus diesem Anlass zogen sich viele seiner Jünger zurück und gingen nicht mehr mit ihm" **(Vers 66)**. Beachten Sie hier:

Die Abtrünnigkeit dieser Jünger. Sie hatten sich in die Schule Christi eingeschrieben, doch sie gingen zurück. Sie haben nicht nur einmal die Schule geschwänzt; sie verabschiedeten sich von ihm. Viele wandten sich ab. Es ist oft so; wenn einige abtrünnig werden, werden viele mit ihnen abtrünnig; die Krankheit ist ansteckend.

Der Zeitpunkt dieser Abtrünnigkeit: „Aus diesem Anlass", aus dem Anlass, dass Christus diese ermutigende Botschaft gepredigt hatte, dass er das Brot des Lebens ist und dass diejenigen, die sich durch den Glauben von ihm nähren, durch ihn leben werden. Das verkehrte und böse menschliche Herz macht oft etwas, das die Quelle des größten Trostes ist, zu einem Anstoß. Was das unzweifelhafte Wort und die unzweifelhafte Wahrheit Christi ist, muss ehrlich mitgeteilt werden, egal, wer daran Anstoß nimmt. Die Standpunkte der Menschen müssen von Gottes Wort gefangen genommen werden und nicht das Wort Gottes auf das Niveau der menschlichen Standpunkte heruntergebracht werden.

Das Ausmaß ihrer Apostasie: Sie „gingen nicht mehr mit ihm", wandten sich ihm nicht wieder zu und waren nicht mehr bei ihm in seinem Dienst.

2. Diese Botschaft war für andere „ein Geruch des Lebens zum Leben" (2.Kor 2,16). Viele wandten sich ab, doch Gott sei Dank, nicht alle taten es. Beachten Sie hier:

2.1 Die liebevolle Frage, die Christus den Zwölfen stellte: „Wollt ihr nicht auch weggehen?" **(Vers 67)**. Er sagte nichts zu denen, die sich abwandten. Diejenigen, die er nie wirklich hatte, waren kein großer Verlust: „Wie gewonnen, so zerronnen." Er nutzte diese Gelegenheit jedoch, um mit den Zwölfen zu sprechen, um sie zu bestätigen: „Wollt ihr nicht auch weggehen?"

„*Es ist eure Entscheidung, ob ihr es wollt oder nicht*; wenn ihr mich verlassen wollt, dann ist jetzt der Zeitpunkt dazu, wenn viele dies tun." Christus wird niemanden gegen seinen Willen bei sich behalten; seine Soldaten sind Freiwillige, keine Wehrpflichtigen. Die Zwölf hatten nun genug Zeit gehabt, um zu schauen, wie sie Christus und seine Botschaft mögen. Er gab ihnen hier die Freiheit, sich zurückzuziehen.

„*Wenn ihr euch zurückzieht, dann geschieht das auf eigene Gefahr.* Diejenigen, die mich gerade verlassen haben, waren mir nicht so nah wie ihr, noch haben sie so viele Gunsterweise von mir erhalten; sie sind gegangen, doch wollt ihr auch gehen?" Je näher wir Christus waren und je länger wir bei ihm waren und je mehr Segnungen wir von ihm bekommen haben, umso größer wird unsere Sünde sein, wenn wir ihn verlassen.

„*Ich habe Grund zu der Annahme*, dass ihr es nicht werdet. Ich bin überzeugt, „dass euer Zustand besser ist", denn ihr „seid die, welche bei mir ausgeharrt haben" (Hebr 6,9; Lk 22,28). Christus und Gläubige kennen einander zu gut, um sich wegen jedem Missstand zu trennen.

2.2 Die überzeugte Antwort, die Petrus im Namen der anderen auf diese Frage gab **(s. Vers 68-69)**. Petrus war zu allen Gelegenheiten das Sprachrohr der anderen, nicht so sehr, weil er mehr das Ohr seines Meisters hatte als sie, sondern weil er freimütiger war, und was er sagte, wurde manchmal gutgeheißen und manchmal getadelt – das übliche Schicksal derer, die schnell im Sprechen sind (s. Mt 16,17.23). Hier ist:

Ihre gute Entscheidung, Christus treu zu bleiben: „Herr, zu wem sollen wir gehen?' Nein, Herr, wir mögen unsere Entscheidung zu sehr, um sie zu ändern." Wer Christus verlässt, täte gut daran zu bedenken, zu wem er sich wenden will. „Wohin soll ich gehen? Soll ich nach der Gunst der Welt streben? Sie wird mich sicherlich täuschen. Soll ich zur Sünde zurückkehren? Sie wird mich sicherlich zerstören. Soll ich die ‚lebendigen Wasserquellen' für ‚löchrige Zisternen' verlassen?" (Offb 7,17; Jer 2,13). Die Jünger entschieden sich, weiterhin dem Leben und der Seligkeit nachzujagen und sie wollten Christus als ihrem Führer treu bleiben. „Wenn wir je den Weg zur Seligkeit finden, kann es nur sein, indem wir dir folgen." Mögen diejenigen, die an dieser Religion herumnörgeln, eine bessere finden, ehe sie diese verlassen.

Einen guten Grund für diese Entscheidung. Sie war nicht die unüberlegte Entscheidung blinder Treue, sondern das Ergebnis reifer Überlegung. Die Jünger waren entschlossen, sich nie von Christus abzuwenden:

Wegen der Vorteile, die sie sich von ihm versprachen: „Du hast Worte ewigen Lebens." Die Worte seiner Botschaft zeigen den Weg zum ewigen Leben und sagen uns, was wir tun müssen, um es zu ererben. Dass er „Worte ewigen Lebens" hat, ist das Gleiche wie, dass er Macht hat, ewiges Leben zu geben. In seiner vorigen Botschaft hatte er seinen Nachfolgern ewiges Leben zugesichert; diese Jünger konzentrierten sich auf diese klare Lehre und entschlossen sich deshalb, ihm treu zu bleiben, während die anderen dies übersahen, sich auf die schwere Lehre konzentrierten und ihn verließen. Wir können zwar nicht jedes Geheimnis und jede Unklarheit in der Lehre Christi erklären, doch wir wissen, dass sie das Wort des ewigen Lebens ist und wir darum durch dieses leben und sterben müssen.

Wegen der Gewissheit, die sie über ihn hatten: „Und wir haben geglaubt und erkannt, dass du der Christus bist" **(Vers 69)**. Beachten Sie:

Die Lehre, die sie glaubten: Dass dieser Jesus der den Vorfahren verheißene Messias war, nicht bloß ein Mensch, sondern der Sohn des lebendigen Gottes.

Das Ausmaß ihres Glaubens. Er erhob sich zur vollen Gewissheit: Sie haben erkannt. Wenn wir solch einen starken Glauben an das Evangelium Christi haben, dass unsere Seele unerschrocken auf ihm ruhen kann, dann – und nicht eher als dann – werden wir bereit sein, alles andere dafür zu riskieren.

2.3 Die traurige Bemerkung, die unser Herr Jesus auf diese Antwort von Petrus machte: „Habe ich nicht euch Zwölf erwählt? Und doch ist einer von euch ein Teufel!" **(Vers 70)**. Der Evangelist sagt uns, wen er meinte: „Er redete aber von Judas" **(Vers 71)**. Petrus hatte sich darauf festgelegt, dass sie alle ihrem Meister treu sind. Christus verurteilte nun nicht die Liebe von Petrus – es ist immer gut, das Beste zu hoffen –; er korrigierte sein Vertrauen stillschweigend. Wir dürfen bei niemandem zu sicher sein. Gott kennt die Seinen; wir tun es nicht (s. 2.Tim 2,19). Beachten Sie hier:

Heuchler und Verräter Christi sind nicht besser als Teufel. Judas, in dessen Herz der Satan fuhr und es erfüllte, wurde ein Teufel genannt (s. Lk 22,3).

Viele, die als Heilige erscheinen, sind in Wirklichkeit Teufel. Es ist sonderbar und ein Grund zum Staunen; Christus sprach mit Verwunderung darüber: „Habe ich nicht ... erwählt?" Es ist schlimm und eine zu beklagende Tatsache. *Wie sehr die Masken der Heuchler Menschen auch täuschen mögen, sie können Christus nicht täuschen.* Das göttliche Sehvermögen Christi, das weit besser ist als jedes untergeordnete Sehvermögen, kann den Geist eines Menschen sehen.

Manche, die von Christus erwählt werden, um besondere Dienste zu tun, erweisen sich als falsch: „Ich habe euch erwählt, und einer von euch ist ein Teufel."

In den exklusivsten Gruppen von Menschen ist es nichts Neues, auf solche zu treffen, die verdorben sind. Von den Zwölfen, die für die enge Gemeinschaft mit der menschgewordenen Gottheit erwählt waren, war einer ein Teufel in Menschengestalt. Der Schreiber betont dies, dass Judas „einer von den Zwölfen war", die so geehrt und ausgezeichnet wurden **(Vers 71)**. Wir wollen aber die Zwölf nicht verwerfen, weil einer ein Teufel war. Es gibt eine Gemeinschaft, die „hineinreicht ins Innere", und dort geht niemals jemand hinein, der verunreinigt (Hebr 6,19; Offb 21,27).

KAPITEL 7

Hier haben wir: 1. Wie Christus es einige Zeit ablehnt, öffentlich in Judäa aufzutreten (s. Vers 1). 2. Seine Absicht, nach Jerusalem zum Laubhüttenfest zu gehen und sein Gespräch mit seinen Verwandten in Galiläa darüber, dass er zu diesem Fest geht (s. Vers 2-13). 3. Sein öffentliches Predigen im Tempel bei diesem Fest. 3.1 In der Mitte des Festes (s. Vers 14-15). Wir haben sein Gespräch mit den Juden über: Seine Lehre (s. Vers 16-18); die Anschuldigung, den Sabbat gebrochen zu haben, die gegen ihn vorgebracht wird (s. Vers 19-24); ihn selbst, sowohl woher er kam als auch wohin er ging (s. Vers 25-36). 3.2 Am letzten Tag des Festes: Seine gnädige Einladung an arme Seelen, zu ihm zu kommen (s. Vers 37-39); die Aufnahme, die dies fand – viele Menschen stritten darüber (s. Vers 40-44); wie die obersten Priester, die ihn fassen wollten, in Unruhe darüber waren (s. Vers 45-49), doch von jemandem von ihrem eigenen Gerichtshof zum Schweigen gebracht wurden (s. Vers 50-53).

Vers 1-13

Hier haben wir:

1. Den Grund genannt, warum Christus mehr von seiner Zeit in Galiläa verbrachte als in Judäa: „... weil die Juden", die Menschen in Judäa und Jerusalem, „ihn zu töten suchten", weil er den gebrechlichen Mann am Sabbat geheilt hatte (**Vers 1**; Joh 5,16). Es heißt nicht, „er wagte nicht, in Judäa umherzuziehen", sondern: „Denn er wollte nicht in Judäa umherziehen." Er lehnte es nicht aus Furcht und Feigheit ab, sondern aus Weisheit, weil seine Zeit noch nicht gekommen war. Beachten Sie:

1.1 Christus wird sich von denen zurückziehen, die ihn von sich forttreiben.

1.2 In Zeiten herannahender Gefahr, ist es nicht nur zulässig, sondern auch ratsam, sich zurückzuziehen und den Vorteil der Orte zu wählen, die am wenigsten gefährlich sind (s. Mt 10,23).

1.3 Wenn die Vorsehung Gottes verdiente Menschen an verborgene und unbedeutende Orte treibt, darf das nicht als sonderbar betrachtet werden; es war selbst das Schicksal unseres Meisters. Doch er saß in Galiläa nicht still, sondern lief; er zog umher und tat Gutes (s. Apg 10,38). Wenn wir nicht tun können, was und wo wir es tun möchten, müssen wir tun, was und wo wir es können.

2. Das Herannahen des Laubhüttenfestes, eines der drei Feierlichkeiten, welche die persönliche Teilnahme aller Männer in Jerusalem verlangten. Es wurde immer noch religiös begangen. Ordnungen Gottes werden nie nach langer Zeit überholt; ähnlich dürfen Barmherzigkeiten in der Wüste nie vergessen werden.

3. Christi Gespräch mit seinen Brüdern. Sie mischten sich ein, um ihm zu raten, was er tun soll. Beachten Sie:

3.1 Ihr Ehrgeiz und Rühmen, dass sie ihn drängten, mehr öffentlich aufzutreten, als er es tat: „Brich doch auf von hier", sagten sie, „und zieh nach Judäa" **(Vers 3)**.

Sie nannten zwei Gründe für diesen Rat:

Dass es eine Ermutigung für diejenigen in und um Jerusalem her wäre. Diese Brüder des Herrn wollten, dass besonders die Jünger dort unterstützt werden, und sie glaubten, die Zeit sei verschwendet, die er unter seinen Jüngern in Galiläa verbrachte. Sie meinten auch, dass seine Wunder nutzlos seien, wenn sie nicht die Leute in Jerusalem sehen würden.

Dass es für den Aufstieg seines Namens wäre. „Denn niemand tut etwas im Verborgenen", wenn er öffentlich bekannt werden will **(Vers 4)**. Sie meinten, dass Christus danach strebt, bekannt zu werden. „Wenn du diese Dinge tust, wenn du so sehr Anerkennung bekommen kannst, dann geh weiter hinaus und zeige dich der Welt. Es ist höchste Zeit, daran zu denken, berühmt zu werden."

Der Evangelist bemerkt, dass es ein Beleg für ihren Unglauben ist: „Denn auch seine Brüder glaubten nicht an ihn" **(Vers 5)**. Diejenigen, die sein Wort hören und es tun, sind die Familie, welche er wertschätzt (s. Lk 8,21; Jak 1,22). Es gab solche, die natürlich mit Christus verwandt waren, die an ihn glaubten, doch es gab auch andere, die nicht an ihn glaubten.

Was war falsch an dem Rat, den sie ihm gaben?

Durch ihr Misstrauen gegenüber seiner Fähigkeit, sich selbst zu führen, zeigten sie, dass sie nicht glaubten, dass er sie führen kann.

Sie zeigten sich sehr unbedacht in Bezug auf seine Sicherheit, als sie empfahlen, dass er nach Judäa geht, wo sie wussten, dass die Juden versuchten, ihn zu töten.

Vielleicht waren sie seiner Gesellschaft in Galiläa überdrüssig, eigentlich ein Wunsch, dass er aus ihrer Nähe fortgeht.

Sie warfen ihm stillschweigend vor, dass es ihm an Selbstvertrauen fehlt, dass er sich nicht auf die öffentliche Bühne wagte, was er tun würde, wenn er etwas Mut und Seelengröße hätte, statt sich in eine Ecke zu verdrücken.

Sie schienen die Echtheit der Wunder infrage zu stellen, die er vollbrachte, indem sie sagten: „Wenn du diese Dinge wirklich tust, wenn sie der öffentlichen Überprüfung an höheren Gerichten standhalten, dann vollbringe sie dort."

Sie glaubten, Christus sei gleich wie sie, wäre genauso begierig darauf, wie sie es waren, einen guten äußerlichen Eindruck zu machen (s. Ps 50,21).

An der Wurzel von dem allen lag das Ich. Wenn er sich nur so groß machen würde, wie er könnte, würden sie, als seine Verwandten, an seinem Ruhm teilhaben. Viele gehen nur zu öffentlichen Feiern, um sich zu zeigen, und ihre ganze Sorge ist, eine gute Erscheinung abzugeben.

3.2 Die Weisheit und Demut unseres Herrn Jesus (s. Vers 6-8). Obwohl der Rat seiner Brüder so viele verkehrte Andeutungen enthielt, antwortete er ihnen milde. Wir sollten von unserem Meister lernen, mit Demut zu antworten, und selbst wo es leicht ist, vieles zu finden, das falsch ist, sollten wir so tun, als sehen wir es nicht, und die Respektlosigkeit ignorieren.

Er zeigte den Unterschied auf zwischen sich und ihnen in zwei Dingen:

Seine Zeit war festgelegt; ihre war es nicht: „Meine Zeit ist noch nicht da; aber eure Zeit ist immer bereit." Bei denen, die ohne Zweck leben, ist ihre Zeit immer bereit; sie können kommen und gehen, wie es ihnen gefällt. Doch diejenigen, deren Zeit mit Pflichten erfüllt ist, werden oft sehen, dass ihre Zeit für das eingeschränkt ist und ihnen fehlt, was andere zu jeder Zeit tun können. Die Einschränkung durch harte Arbeit ist tausendmal besser als die Freiheit der Untätigkeit. Wir, die unwissend und kurzsichtig sind, neigen dazu, ihm Anordnungen zu geben. Die jetzige Zeit ist unsere Zeit, doch er kann am besten die rechte Zeit beurteilen, und vielleicht ist seine Zeit „noch nicht da". Darum warten Sie mit Geduld auf seine Zeit.

Nach seinem Leben wurde getrachtet, nach dem ihren nicht. Wenn sie sich der Welt zeigten, machten sie sich nicht angreifbar: „‚Die Welt kann euch nicht hassen', denn ihr seid ‚von der Welt'" **(Vers 7**; Joh 15,19). Die Welt, die in Gottlosigkeit liegt, kann unheilige Seelen nicht hassen, der der heilige Gott nicht lieben kann, doch als Christus sich der Welt zeigte, setzte er sich der größten Gefahr aus, denn „mich ... hasst sie". Christus wurde nicht nur große Respektlosigkeit gezeigt, sondern Hass. Doch warum hasste die Welt Christus? „Denn", sagte er, „ich bezeuge von ihr, dass ihre Werke böse sind."

Die Werke einer bösen Welt sind böse Werke; wie der Baum ist, so sind die Früchte (s. Mt 7,16.20).

Es bereitet der Welt großes Unbehagen und kränkt sie, von der Bosheit ihrer Werke überführt zu werden.

Was immer behauptet wird, so ist der wahre Grund der Feindschaft der Welt gegenüber dem Evangelium das Zeugnis, welches das Evangelium gegen Sünde und Sünder ablegt. Es ist besser, sich den Hass der Welt zuzuziehen, indem man gegen ihre Bosheit zeugt, als ihr Wohlwollen zu erlangen, indem man mit ihrem Strom schwimmt.

Er ließ sie mit der Absicht gehen, noch einige Zeit in Galiläa zurückzubleiben: „Geht ihr hinauf zu diesem Fest; ich gehe noch nicht ... hinauf" **(Vers 8)**. Er erlaubte ihnen, zu dem Fest zu gehen, doch er versagte ihnen seine Gesellschaft. Wer zu religiösen Feiern geht, um anzugeben oder einem weltlichen Zweck zu dienen, geht ohne Christus und ihm wird entsprechend vergolten werden. Wenn die Gegenwart Christi nicht mit uns geht, warum sollten wir dann hinaufgehen (s. 2.Mose 33,14-15)? Wenn wir von heiligen Diensten der Anbetung kommen oder zu ihnen gehen, sollten wir darauf achten, welche Gesellschaft wir pflegen, damit die Feuer der guten Stimmung nicht durch verkehrte Gesellschaft gelöscht werden. „Ich gehe noch nicht zu diesem Fest hinauf." Er sagte nicht: „Ich gehe überhaupt nicht hin", sondern: „… noch nicht." Der Grund, den er nannte, war: „… denn meine Zeit ist noch nicht erfüllt."

3.3 Wie Christus weiter in Galiläa blieb, bis die rechte Zeit gekommen war **(s. Vers 9)**. Als er diese Dinge zu ihnen gesagt hatte „blieb er in Galiläa". Er wollte seinen Plan nicht ändern. Für die Nachfolger Christi ist es gut, beständig zu sein und Entscheidungen nicht leichtfertig zu treffen (2.Kor 1,17).

3.4 Wie er zum Fest ging, als seine Zeit erfüllt war. Beachten Sie:

Wann er ging: „Nachdem aber seine Brüder hinaufgegangen waren." Er ging nach ihnen hinauf. Seine natürlichen Brüder gingen zuerst hinauf und dann ging er. Die Frage wird nicht sein: „Wer kommt zuerst?", sondern: „Wer kommt am meisten, wie es sich geziemt?" Wenn wir von Herzen kommen, tut es nichts zur Sache, wer vor uns dorthin kommt.

Wie er ging, als würde er sich verstecken: „… nicht öffentlich, sondern wie im Verborgenen." Vorausgesetzt, das Werk Gottes wird wirkungsvoll getan, dann wird es am besten getan, wenn es ohne viel Aufhebens geschieht. Wir können das Werk Gottes im Verborgenen und doch auf nicht betrügerische Weise tun.

3.5 Die große Erwartung, die es unter den Juden in Jerusalem ihn betreffend gab **(s. Vers 11-14)**.

Sie mussten einfach an ihn denken: „Da suchten ihn die Juden während des Festes und sprachen: Wo ist er?" **(Vers 11)**. Sie hielten es nicht der Mühe wert, zu ihm nach Galiläa zu gehen, doch sie hofften, dass das Fest ihn nach Jerusalem bringen und dann würden sie ihn sehen. Wenn eine Gelegenheit, Christus kennenzulernen, direkt vor ihrer Tür stand, mochten sie dies sehr wohl. Wer Christus auf einem Fest sehen will, muss ihn dort suchen. Vielleicht waren es seine Feinde, die auf eine Gelegenheit warteten, ihn zu ergreifen. Sie fragten: „Wo ist er?" Man könnte es übersetzen: „Wo ist der Kerl?" So verächtlich und geringschätzig sprachen sie über ihn. Während sie das Fest als Gelegenheit hätten willkommen heißen sollen, Gott zu dienen, waren sie froh, es als eine Gelegenheit zu haben, Christus zu verfolgen.

Die Menschen unterschieden sich sehr in ihrer Haltung ihm gegenüber: „Und es gab viel Gemurmel, oder vielmehr Getuschel, seinetwegen unter der Volksmenge" **(Vers 12)**. Die Feindschaft der Herrscher Christus gegenüber sorgte dafür, dass nur umso mehr über ihn gesprochen wurde. Auf diese Weise hat das Evangelium Christi an Boden gewonnen durch den Widerstand, der sich dagegen erhob. Indem es etwas war, dem „überall widersprochen" wurde, kam es dazu, dass überall darüber gesprochen wurde, und dies war das Mittel, um es weiter zu verbreiten (Apg 28,22). Dieses Getuschel war nicht gegen Christus, sondern über ihn: Manche murrten über die Herrscher, weil sie ihn nicht unterstützten und ermutigten; andere murrten über sie, weil sie ihn nicht zum Schweigen brachten und zurückhielten. Christus und seine Religion waren das Thema vieler Kontroversen und Debatten und werden es sein (s. Lk 12,51-52). Der Lärm und der Zusammenstoß von Freiheit und Pflicht sind sicherlich der Ruhe und Gleichförmigkeit eines Gefängnisses vorzuziehen.

Manche sagten: „Er ist gut!" Das stimmte, doch es entsprach bei Weitem nicht der ganzen Wahrheit. Er war der Sohn Gottes. Viele, die nichts Falsches über Christus denken, denken doch noch gering von ihm; sie sagen nicht genug. Es gereichte ihm aber zur Ehre, dass selbst diejenigen, die ablehnten zu glauben, dass er der Messias ist, zugeben mussten, dass er gut war.

Andere sagten: „Nein, sondern er verführt die Leute!" Wenn dies wahr gewesen wäre, hätte er ein sehr schlechter Mensch sein müssen. Doch man muss annehmen, meinten sie, dass es an der Wurzel seiner Lehre und seiner Wunder irgendeine unentdeckte Täuschung gibt, denn die obersten Priester waren darauf bedacht, ihm zu widerstehen.

Ihre Oberen machten sie ängstlich, viel über ihn zu sprechen: „Doch redete niemand freimütig über ihn, aus Furcht vor den Juden" **(Vers 13)**. Entweder wagten sie nicht, öffentlich gut über ihn zu sprechen, oder sie wagten überhaupt nicht, öffentlich über ihn zu sprechen. Weil man nichts zu Recht gegen ihn sagen konnte, wollten sie nicht erlauben, dass man überhaupt etwas über ihn sagt.

Vers 14-36

Hier gibt es:

1. Christi öffentliches Predigen im Tempel: Er ging „in den Tempel hinauf und lehrte" **(Vers 14)**. Seine Predigt ist nicht niedergeschrieben, doch was hier bedeutsam ist, ist, dass es war, als „das Fest schon zur Hälfte verflossen war", das Laubhüttenfest **(s. Vers 2)**. Doch warum ging er nicht früher in den Tempel, um zu predigen?

1.1 Weil die Menschen mehr Gelegenheit haben würden, ihn zu hören, wenn sie einige Tage in ihren Hütten verbracht hatten, wie sie es bei diesem Fest taten.

1.2 Weil er sich entschloss aufzutreten, wenn sowohl seine Freunde als auch seine Feinde aufgehört hatten, nach ihm zu suchen. Doch warum trat er jetzt so öffentlich auf? Es geschah sicherlich, um seine Verfolger zu beschämen, indem er zeigte, dass er sich nicht vor ihnen fürchtete und indem er ihnen ihre Arbeit aus den Händen nahm. Ihre Arbeit war es, die Menschen im Tempel zu lehren, doch sie lehrten Menschengebote, und deshalb ging er in den Tempel und lehrte die Menschen.

2. Sein Gespräch mit den Juden, was man unter drei Punkten erörtern kann.
2.1 Sein Lehren. Beachten Sie:
Wie die Juden sich darüber verwunderten: „Und die Juden verwunderten sich und sprachen: Woher kennt dieser die Schriften? Er hat doch nicht studiert!" (Woher bekam dieser Mann solche Gelehrsamkeit, ohne dass er studiert hat?; **Vers 15**). Beachten Sie hier:
Unser Herr Jesus wurde nicht an den Prophetenschulen oder zu Füßen der Rabbis ausgebildet. Da er den Geist nicht nach Maß erhalten hatte, hatte er nicht nötig, von oder durch Menschen Wissen zu erhalten (s. Joh 3,34).
Christus besaß Wissen, obwohl er nie studiert hatte. Christi geistliche Diener müssen Wissen besitzen und da sie nicht erwarten können, es durch irgendwelche Eingebung zu erlangen, müssen sie sich bemühen, es auf die gewöhnliche Weise zu bekommen.
Da Christus Wissen hatte, obwohl ihm dieses nicht gelehrt worden war, wurde er wirklich groß und wunderbar. Manche der Juden ehrten ihn wahrscheinlich für seine Gelehrsamkeit. Andere erwähnten sie vermutlich mit Herabsetzung und um ihre Verachtung für ihn zu zeigen: Was immer er zu haben schien, er konnte nicht wirklich irgendein echtes Wissen besitzen, denn er ging nie an eine Universität und machte nie einen Abschluss. Manche deuteten vielleicht an, dass er sein Wissen durch Zauberei erlangt hatte. Da sie nicht wussten, wie er ein Gelehrter werden konnte, dachten sie, er sei ein Zauberer.
Die drei Dinge, die er dazu erklärte:
Dass seine Lehre göttlich war: „Meine Lehre ist nicht von mir, sondern von dem, der mich gesandt hat" **(Vers 16)**. Sie nahmen Anstoß daran, dass er es unternahm, zu lehren, obwohl er nie studiert hatte, worauf er ihnen zur Antwort gab, dass seine Lehre von einer Art war, die nicht gelernt werden konnte. Sie war eine göttliche Offenbarung. „Meine Lehre ist nicht von mir, sondern von dem, der mich gesandt hat.' Sie gründet sich nicht auf mich, noch führt sie letzten Endes zu mir, sondern zu dem Einen, der mich gesandt hat."
Dass die tüchtigsten Richter diejenigen waren, die ein aufrichtiges und rechtschaffenes Herz hatten und wünschten und danach strebten, den Willen Gottes zu tun: „Wenn jemand seinen Willen tun will, wird er erkennen, ob diese Lehre von Gott ist, oder ob ich aus mir selbst rede" **(Vers 17)**. Beachten Sie hier:
Was die Frage über die Lehre Christi ist: ob sie von Gott ist oder nicht. Christus war selbst bereit, dass seine Lehre geprüft wird, und viel mehr sollten seine geistlichen Diener dazu bereit sein.
Wer bei dieser Untersuchung wahrscheinlich Erfolg haben wird: der, welcher den Willen Gottes tut, ihn zumindest tun will. Beachten Sie:
Wer das ist, der den Willen Gottes tun will: die, welche sich entschlossen haben, dass sie sich durch Gottes Gnade dem Willen Gottes fügen werden, sobald sie wissen, was dieser Wille ist.
Wie es geschieht, dass solch ein Mensch die Wahrheit der Lehre Christi erkennen wird. Christus hat verheißen, solchen Menschen Erkenntnis zu geben; er hat gesagt: Er wird es erkennen. Wer das Licht anwendet, welches er hat, wird durch die Gnade Gottes erhalten werden. Wer geneigt ist, sich den Regeln des göttlichen Gesetzes zu unterwerfen, ist dazu bereit, die Strahlen des göttlichen Lichtes anzunehmen.
Dass dies zeigte, dass Christus, als Lehrer, nicht „aus sich selbst" redete **(Vers 18)**.
Achten Sie hier auf den Charakter eines Betrügers: Er „sucht seine eigene Ehre", was ein Zeichen dafür ist, dass er „aus sich selbst redet". Hier ist die Beschreibung von Betrügern: Was sie sagen, kommt von ihnen selbst; sie haben keinen Auftrag oder keine Unterweisung von Gott bekommen. Sie haben keine Vollmacht außer ihrem eigenen Willen, keine Eingebung außer ihrer eigenen Fantasie. Sie sind nur an ihrer eigenen Ehre interessiert; selbstsüchtige Menschen sprechen aus sich selbst. Wer von Gott her spricht, wird für Gott und zu seiner Ehre sprechen.
Achten Sie auf die entgegengesetzte Charakterisierung, die Christus von sich und von seiner Lehre gab: „Wer aber die Ehre dessen sucht, der ihn gesandt hat, der ist wahrhaftig."
Christus war von Gott gesandt. Die Lehrer, und nur die, welche von Gott gesandt sind, müssen von uns angenommen und gutgeheißen werden.
Er suchte die Ehre Gottes. Es war sowohl der Gegenstand seiner Lehre als auch das Thema seines ganzen Lebens, Gott zu verherrlichen.
Dies war ein Beweis, dass er wahrhaftig war. Falsche Lehrer sind im höchsten Maße nicht rechtschaffen; sie sind unehrlich Gott gegenüber, dessen Namen sie missbrauchen, und sie sind genauso unehrlich den Seelen der Menschen gegenüber, die sie täuschen. Christus stellte jedoch klar, dass er wahrhaftig war, dass er wirklich das war, was er zu sein behauptete.
2.2 Das Verbrechen, dessen er beschuldigt wurde, war, dass er den gebrechlichen Mann am Sabbat geheilt und ihm gesagt hatte, er soll seine Liegematte tragen.
Er argumentierte gegen sie auf dem Weg der Gegenbeschuldigung **(s. Vers 19)**. Wie konnten sie so schändlich sein, dass sie ihn dafür kritisierten, dass er das Gesetz des Mose gebrochen habe, während sie selbst ihm so offenkundig nicht gehorchten? „Hat nicht Mose euch das Gesetz gegeben?" Doch sie waren so böse, dass

keiner von ihnen das Gesetz hielt. Ihre Missachtung des Gesetzes war umfassend: Keiner von ihnen tat das Gesetz. Sie rühmten sich des Gesetzes und gaben vor, hierfür zu eifern, doch keiner hielt es. Das ist wie bei denen, die sagen, es sei gut, zur Gemeinde zu gehen, doch sie selbst gehen nie dahin. Dies unterstrich ihre Bosheit darin, dass sie Christus verfolgten: „Und doch tut keiner von euch das Gesetz.' Warum versucht ihr dann, mich dafür zu Tode zu bringen, dass ich es nicht hielte?" Diejenigen, die selbst am meisten irren, sind oft am kritischsten anderen gegenüber. Diejenigen, die sich und ihre Interessen durch Verfolgung und Gewalt fördern, halten – was auch immer sie behaupten – nicht das Gesetz Gottes. Hier unterbrachen ihn die Leute grob: „Du hast einen Dämon! Wer sucht dich zu töten?" **(Vers 20)**. Dies zeigt die gute Meinung, die sie von ihren Obersten hatten, die, wie sie meinten, nie eine solch grausame Tat versuchen würden, wie ihn zu töten. Es zeigt auch die schlechte Meinung, die sie von unserem Herrn Jesus hatten: „Du hast einen Dämon!' Du bist von einem Lügengeist besessen, und dass du diese Anschuldigung vorbringst, zeigt, dass du ein schlechter Mensch bist", nach manchen, oder vielmehr: „Du bist erbärmlich und schwach. Du hast ohne Grund Angst." Nicht nur offenes Toben sondern auch stille Schwermut wurde da gewöhnlich der Macht Satans zugeschrieben. „Du bist verrückt; du bist irrsinnig." Wir wollen es nicht als seltsam betrachten, wenn die besten Menschen mit den schlimmsten Ausdrücken beschrieben werden. Wer wie Christus sein will, muss Beleidigungen hinnehmen; sie dürfen ihnen keine Beachtung schenken, noch viel weniger böse über sie sein und am wenigsten von allen sich für diese rächen.

Er argumentierte auf dem Weg des Verweises und der Verteidigung.
Er verwies auf ihre eigene Reaktion auf dieses Wunder: „Ein Werk habe ich getan, und ihr alle verwundert euch.' Ihr müsst über seine Größe erstaunt sein" **(Vers 21)**.
Er verwies auf ihre eigene Praxis in anderen Situationen: „Ein Werk habe ich getan' am Sabbat, und ihr seid alle verblüfft, und ihr macht viel Aufhebens darum, dass ein religiöser Mann es wagen sollte, so etwas zu tun. Wenn es für euch rechtmäßig ist – in der Tat eure Pflicht, wie es das zweifellos ist –, am Sabbat ein Kind zu beschneiden, war es viel rechtmäßiger und gut für mich, an diesem Tag einen kranken Mann zu heilen." Beachten Sie:
Den Ursprung und die Herkunft der Beschneidung: „Mose hat euch die Beschneidung gegeben." Von der Beschneidung wurde gesagt, dass sie „gegeben" wurde und von ihnen wird gesagt, dass sie sie empfangen **(Vers 22-23)**. Die Gesetze Gottes, besonders die, welche Siegel des Bundes sind, sind den Menschen gegebene Gaben und müssen als solche empfangen werden (s. Ps 68,19; Eph 4,8). Beachten Sie, dass, obwohl es heißt, dass Mose ihnen die Beschneidung gab, in Wirklichkeit nicht Mose sie ihnen gab; Gott tat es. In der Tat kam sie nicht einmal von Mose, sondern „von den Vätern" (den Patriarchen; **Vers 22**). Sie wurde lange vorher eingesetzt, denn sie war ein Siegel der Gerechtigkeit des Glaubens und war Teil des Segens Abrahams, der zu den Heiden kommen sollte (s. Gal 3,14).
Die größere Achtung, welche dem Gesetz der Beschneidung erwiesen wurde als dem Gesetz des Sabbats. Wenn ein Kind an einem Sabbat geboren wurde, wurde es unbedingt am nächsten beschnitten.
Die Schlussfolgerung, welche Christus zu seiner Rechtfertigung zog: „Wenn ein Mensch am Sabbat die Beschneidung empfängt, damit das Gesetz Moses nicht übertreten wird', wie unvernünftig seid ihr dann, wenn ihr dies erlaubt, wenn ihr mir zürnt, ‚dass ich den ganzen Menschen am Sabbat gesund gemacht habe'" (den ganzen Menschen am Sabbat geheilt habe; **Vers 23**). Das Wort, das mit „zürnen" übersetzt wird, bezieht sich auf einen boshaften Zorn, Zorn mit Bitterkeit. Es ist unsinnig und unvernünftig von uns, andere für etwas zu verurteilen, in dem wir uns selbst rechtfertigen. Achten Sie auf den Vergleich, den Christus hier zieht zwischen ihrem Beschneiden eines Kindes und seiner Heilung eines Mannes am Sabbat.
Die Beschneidung war nur eine rituelle Ordnung, doch was Christus tat, war nach dem Gesetz der Natur eine gute Tat.
Die Beschneidung war schmerzhaft, doch was Christus tat, machte gesund.
Wenn sie ein Kind beschnitten hatten, dann waren sie nur darum besorgt, den Körperteil zu heilen, der beschnitten war, und so konnte das Kind von dieser Wunde geheilt werden, doch ihm konnte noch immer auf andere Weisen unwohl sein, während Christus den ganzen Menschen gesund gemacht hatte. „Ich habe den ganzen Menschen gesund und kräftig gemacht." Der ganze Leib wurde geheilt. In der Tat heilte Christus nicht nur dessen Leib, sondern auch dessen Seele durch diese Warnung: „Sündige hinfort nicht mehr", und somit machte er wirklich den ganzen Menschen gesund. Er schloss diese Beweisführung mit der Regel: „Richtet nicht nach dem Augenschein, sondern fällt ein gerechtes Urteil!" **(Vers 24)**. Dies lässt sich entweder anwenden:
Im Besonderen, auf dieses Werk. „Zeigt keine Voreingenommenheit in eurem Urteil." Man kann es auch übersetzen: „Urteilt nicht nach dem Anschein." Oder:
Allgemein, auf die Person und das Predigen von Christus, woran die Juden Anstoß nahmen. Die Dinge, die falsch sind, erscheinen im Allgemeinen am besten, wenn man sie nach

dem beurteilt, „was vor Augen ist" (1.Sam 16,7): Sie erscheinen auf den ersten Blick am meisten einleuchtend. Dies war es, was den Pharisäern einen solchen Einfluss und Ruf einbrachte, dass sie vor den Menschen als gerecht erschienen und die Menschen sie nach der äußerlichen Erscheinung beurteilten (s. Mt 23,27-28). „Doch", sagte Christus, „vertraut nicht zu sehr darauf, dass alle, die Heilige zu sein scheinen, wirklich Heilige sind." Diejenigen, die von seiner äußeren Erscheinung her beurteilten, ob er der Sohn Gottes ist oder nicht, urteilten wahrscheinlich nicht richtig. Wenn ihn eine göttliche Macht begleitete, für ihn zeugte und die Schriften in ihm erfüllt wurden, sollten sie ihn annehmen und im Glauben urteilen und nicht im Schauen (s. 2.Kor 5,7). Wir dürfen niemanden bloß nach seiner äußeren Erscheinung beurteilen, nicht nach seinen Titeln, ob er in der Welt wichtig erscheint, oder an seinem flattrigen Gepränge, sondern an seinem innerlichen Wert und an den Gaben und Gnadenwirkungen des Geistes Gottes in ihm.

2.3 Über ihn selbst, woher er kam und wohin er ging **(s. Vers 25-36)**.

Woher er kam (s. Vers 25-31). Beachten Sie:

Den Einwand, der von einigen Einwohnern Jerusalems dagegen erhoben wurde, die mehr gegen ihn voreingenommen gewesen zu sein scheinen als andere **(s. Vers 25).** Unser Herr wurde oft von denen am wenigsten willkommen geheißen, von denen man erwarten würde, dass er es dort am meisten wäre. Es war nicht ohne jeden Grund, dass es sprichwörtlich wurde: „Je näher die Kirche, umso weiter von Gott." Diese Leute von Jerusalem zeigten ihren Hass Christus gegenüber.

Indem sie sich über ihren Obersten beklagten, dass sie Christus nicht festnahmen: „Ist das nicht der, den sie zu töten suchen?' Warum tun sie es dann nicht? ,Siehe, er redet öffentlich, und sie sagen ihm nichts. Haben etwa die Obersten wirklich erkannt, dass dieser in Wahrheit der Christus ist?'" **(Vers 25-26).** Hier haben sie verschlagen und boshaft zwei Dinge angedeutet, um die Obersten gegen Christus wütend zu machen:

Dass sie, indem sie sein Predigen ignorierten, ihre eigene Autorität verächtlich machten. „Wenn es unsere Obersten erlauben, dass man sie so mit Füßen tritt, müssen sie sich alleine die Schuld dafür geben, wenn niemand Ehrfurcht vor ihnen hat." Die schlimmsten Verfolgungen sind oft fortgeführt worden, dass man sagte, man wolle der Autorität der Regierung die nötige Unterstützung geben.

Dass sie, indem sie dies taten, ihr Urteil verdächtig machten. „Haben sie erkannt, dass dieser der Christus ist?" Es ist ironisch ausgedrückt: „Wie kam es dazu, dass sie ihre Meinung änderten?" Wenn die Religion und das Bekenntnis des Namens Christi unmodern sind und einen armseligen Ruf haben, sind viele Menschen sehr versucht, sie zu verfolgen und ihr zu widerstehen, nur damit man nicht meint, sie würden sie begünstigen und ihr wohlgesonnen sein. Es war sonderbar, dass die Obersten, die in dieser Weise aufgebracht waren, Christus nicht ergriffen, doch seine Stunde war noch nicht gekommen und Gott kann Menschen die Hände in wundersamer Weise binden, selbst wenn er ihre Herzen nicht wandeln wird.

Durch ihren Einwand gegen den Anspruch, dass er der Christus ist, in dem sich mehr Gehässigkeit als Substanz zeigte: „Wir haben das Argument dagegen, dass wir ,von diesem wissen ... woher er ist; wenn aber der Christus kommt, so wird niemand wissen, woher er ist'" **(Vers 27).** Sie verachteten ihn, weil sie wussten, woher er kam. Vertrautheit gebiert Geringschätzung, und wir neigen dazu, keine Verwendung für einen Leiter zu haben, dessen Herkunft wir kennen. Christi eigene Leute nahmen ihn nicht auf, weil er einer der ihren war, obwohl das eher ein Grund für sie hätte sein sollen, ihn zu lieben.

Christi Antwort auf diesen Einwand **(s. Vers 28-29).**

Er sprach frei und unerschrocken; er „rief ... während er im Tempel lehrte", um seine Inbrunst zu zeigen, „betrübt wegen der Verstocktheit ihres Herzens" (Mk 3,5). Es ist möglich, ohne übermäßige Erregtheit oder Leidenschaft streitbar darin zu sein, um die Wahrheit zu kämpfen. Es ist möglich, mit Leidenschaft, aber auch mit Demut die zu unterweisen, welche unserer Botschaft widersprechen. Wer immer Ohren hat zu hören, möge hören (s. Mt 11,15).

Seine Antwort auf ihren Einwand kam:

Auf dem Weg der Zustimmung: „Ja, ihr kennt mich und wisst, woher ich bin!' Ihr kennt mich – ihr glaubt, ihr kennt mich; doch ihr seid im Irrtum. Ihr seht mich als den Sohn des Zimmermanns, in Nazareth geboren, doch dem ist es nicht so."

Auf dem Weg der Verneinung, indem er verneinte, dass das, was sie in ihm sahen und über ihn wussten, alles war, was man wissen konnte. Er war dabei, ihnen zu sagen, was sie nicht wussten, von wem er kam:

Er war nicht von sich selbst aus gekommen.

Er war von seinem Vater gesandt worden; dies wird zweimal erwähnt.

Er war von seinem Vater: „... weil ich von ihm bin." Er war durch wesentliche Emanation von ihm, wie die Strahlen von der Sonne kommen.

Der Vater, der ihn gesandt hat, „ist wahrhaftig"; er hatte verheißen, den Messias zu geben. Der Eine, welcher die Verheißung gegeben hatte, ist wahrhaftig und hat sie erfüllt. Er ist treu und wird die Verheißung in der Berufung der Heiden erfüllen.

Diese untreuen Juden kannten den Vater nicht: „… der mich gesandt hat, den ihr nicht kennt." Selbst bei denen, welche eine „Form der Erkenntnis" haben, gibt es viel Unwissen über Gott, und der wahre Grund, warum Menschen Christus ablehnen, ist, dass sie Gott nicht kennen (Röm 2,20; Elb). Unser Herr Jesus kannte den Vater aufs Engste, der ihn sandte: „Ich aber kenne ihn." Er hatte nicht den geringsten Zweifel über seinen Auftrag von ihm, noch war er in irgendeiner Weise im Dunkeln über das Werk, welches er zu tun hatte.

Den Anstoß, den er bei seinen Feinden erregte: „Da suchten sie ihn zu ergreifen; aber niemand legte Hand an ihn, denn seine Stunde war noch nicht gekommen" **(Vers 30)**. Dies zeigt uns:

Gott hält Übeltäter an der Kette. Der Hass von Verfolgern ist machtlos, selbst wenn er am hitzigsten ist, und wenn Satan ihr Herz erfüllt, bindet Gott immer noch ihre Hände.

Gottes Diener werden manchmal wunderbar durch Mittel geschützt, die man nicht erkennen oder erklären kann.

Christi Stunde war festgelegt. Bei all den Seinen und all seinen geistlichen Dienern ist dies so. Keine Macht der Hölle und Erde kann sie überwinden, bis sie „ihr Zeugnis vollendet haben" (Offb 11,7).

Die gute Wirkung, welche die Worte Christi auf manche seiner Hörer hatten: „Viele aber aus der Volksmenge glaubten an ihn" **(Vers 31)**. Selbst wo das Evangelium auf Widerstand trifft, kann man dort immer noch eine ganze Menge Gutes tun (s. 1.Thess 2,2). Beachten Sie:

Wer glaubte: Nicht ein paar, sondern viele, mehr als man erwartet hätte, wenn der Strom so stark in die entgegengesetzte Richtung floss. Doch diese vielen waren „aus der Volksmenge". Wir dürfen den Erfolg des Evangeliums nicht an seinem Erfolg unter den Mächtigen messen, noch dürfen geistliche Diener sagen, dass sie umsonst arbeiten, selbst wenn niemand außer den Armen das Evangelium annimmt (s. 1.Kor 1,26).

Was sie überzeugte zu glauben: die Wunder, die er tat.

Wie schwach ihr Glaube war: Sie erklärten nicht ausdrücklich, wie es die Samariter taten, „dass dieser wahrhaftig … der Christus ist"; sie argumentierten nur: „‚Wenn der Christus kommt, wird er wohl mehr Zeichen tun als die, welche dieser getan hat?' Warum kann dies nicht der Eine sein?" Sie glaubten es, doch sie hatten nicht den Mut, es zu bekennen. Selbst schwacher Glaube kann wahrer Glaube sein und deshalb als solcher von dem Herrn Jesus anerkannt werden.

Wohin er ging **(s. Vers 32-36)**. Beachten Sie: Die Pläne der Pharisäer und obersten Priester, ihn festzunehmen **(s. Vers 32)**.

Was sie dazu provozierte, war, dass ihnen durch ihre Spione Informationen mit dem Inhalt gebracht worden waren, „dass die Menge diese Dinge über ihn murmelte", dass es viele gab, die ihn achteten und schätzten. Obwohl die Leute diese Dinge nur tuschelten, waren die Pharisäer doch böse darüber. Den Pharisäern war bewusst, dass ihr Einfluss unvermeidlich abnehmen würde, wenn Christus zunahm.

Der Plan, den sie dann hatten, war, Christus zu ergreifen und ihn in Haft zu nehmen: Sie sandten „Diener ab, um ihn zu ergreifen". Die wirkungsvollste Weise, die Herde zu zerstreuen, ist, den Hirten zu schlagen (s. Mt 26,31). Die Pharisäer als solche hatten keine Macht, und so brachten sie die obersten Priester dazu, sich ihnen anzuschließen. „Denn weil die Welt durch ihre Weisheit Gott … nicht erkannte", erkannte die jüdische Gemeinde in ihrer Weisheit Christus nicht (1.Kor 1,21).

Die Worte unseres Herrn Jesus, die er dann sagte: „Noch eine kleine Zeit bin ich bei euch, und dann gehe ich hin zu dem, der mich gesandt hat. Ihr werdet mich suchen und nicht finden; und wo ich bin, dorthin könnt ihr nicht kommen" **(Vers 33-34)**. Diese Worte hatten, wie die Wolken- und Feuersäule, eine leuchtende und eine dunkle Seite (s. 2.Mose 14,20).

Sie hatten eine leuchtende Seite im Blick auf unseren Herrn Jesus selbst. Christus tröstete sich hier mit drei Dingen:

Dass er hier in dieser mühseligen Welt nur eine kurze Zeit zu bleiben hatte. Sein Frondienst würde bald vollendet sein (s. Jes 40,2). Mit wem wir in dieser Welt auch sind, Freunden oder Feinden, wir werden nur für eine kurze Weile bei ihnen sein. Wir müssen eine Weile bei denen bleiben, die stechende Dornen und schmerzende Stachel sind, doch Gott sei Dank ist es nur eine kurze Zeit und wir werden bald außerhalb ihrer Reichweite sein (s. Hes 28,24).

Dass er zu dem gehen würde, der ihn gesandt hat. „Wenn ich meine Arbeit bei euch vollendet haben werde, dann – und nicht eher als dann – werde ich zu dem Einen gehen, der mich gesandt hat." Mögen sich diejenigen, die für Christus leiden, mit dem Wissen trösten, dass sie einen Gott haben, zu dem sie gehen, und dass sie schnell zu ihm gehen, um für immer bei ihm zu sein.

Dass ihm keine ihrer Verfolgungen in den Himmel folgen konnten: „Ihr werdet mich suchen und nicht finden." Es verstärkt die Seligkeit verherrlichter Heiliger, dass sie außer Reichweite des Teufels und all seiner bösen Werkzeuge sind.

Diese Worte hatten eine schwarze und dunkle Seite denen gegenüber, die Christus hassten und verfolgten. Sie sehnten sich jetzt danach, ihn loszuwerden, doch sie mögen wissen:

Dass ihre Verurteilung gemäß ihrer Wahl sein würde. Er würde sie nicht lange stören; in einer kleinen Weile würde er sie verlassen. Diejenigen, die Christus überdrüssig sind, brauchen nichts mehr, um sich unglücklich zu machen, als dass sich ihre Wünsche erfüllen.

Dass sie ihre Wahl sicherlich bereuen würden, wenn es zu spät war.
Sie würden vergeblich die Gegenwart des Messias suchen: „Ihr werdet mich suchen und nicht finden." Wer Christus jetzt sucht, wird ihn finden, doch es kommt der Tag, an dem diejenigen, die ihn jetzt ablehnen, ihn suchen und nicht finden werden.
Sie würden vergeblich mit einem Platz im Himmel rechnen: „„Und wo ich bin', und wo alle Gläubigen bei mir sein werden, ‚dorthin könnt ihr nicht kommen.'" Sie würden sich durch ihre eigene Sünde und ihren eigenen Unglauben unfähig dafür machen: „„... dorthin könnt ihr nicht kommen', weil ihr es nicht wolltet." Der Himmel wäre kein Himmel für sie.
Ihre Kommentare zu diesen Worten: „Da sprachen die Juden untereinander: Wohin will er denn gehen?" (Wo beabsichtigt er hinzugehen?; **Vers 35**). Beachten Sie:
Ihre vorsätzliche Ignoranz und Blindheit. Er hatte ausdrücklich gesagt, wohin er gehen würde – zu dem Einen, der ihn gesandt hat, zu seinem Vater im Himmel; doch sie fragten: „Wohin will er denn gehen?" Und: „Was ist das für ein Wort, das er sprach?"
Ihre unverschämte Geringschätzung der Drohungen Christi. Statt bei diesem schrecklichen Wort zu erzittern: „Ihr werdet mich suchen und nicht finden", lachten sie darüber und machten sich hierüber lustig.
Ihr verhärteter Hass und Zorn gegen Christus. Alles, was sie bei seinem Weggang fürchteten, war, dass er außer Reichweite ihrer Macht sein würde: „Wohin will er denn gehen, dass wir ihn nicht finden sollen?"
*Ihre stolze Verachtung der Heiden, die sie die „Zerstreuung der Griechen" nannten (**Vers 35**; Elb).* Würde er ihre Gunst suchen? „Wird er ‚gehen und die Griechen lehren?' Wird er seine Botschaft zu ihnen bringen?" Es ist bei denen sehr üblich, welche die Kraft der Religion verloren haben, dass sie sehr eifersüchtig danach streben, den Namen zu erhalten. Seine Feinde machten jetzt einen Witz daraus, dass er geht, um die Griechen zu lehren, doch nicht lange danach lehrte er sie ernsthaft durch seine Apostel und geistlichen Diener.

Vers 37-44

In diesen Versen haben wir:

1. Christi Botschaft und ihre Erläuterung (s. Vers 37-39). Dies sind wahrscheinlich nur kurze Andeutungen auf das, was er insgesamt gesagt hat, doch sie tragen in sich den Kern des ganzen Evangeliums; hier ist eine Einladung des Evangeliums, zu Christus zu kommen, und eine Verheißung des Evangeliums des Trostes und der Seligkeit in ihm. Beachten Sie:

1.1 Wann er diese Einladung gab: Am letzten Tag des Laubhüttenfestes, „dem großen Tag". Viele Menschen hatten sich versammelt, und wenn die Einladung vielen Menschen gegeben wurde, war zu hoffen, dass sie einige annehmen würden (s. Spr 1,20). Die Menschen kehrten nun in ihr Zuhause zurück, und er wollte ihnen etwas mitgeben, das sie als sein Abschiedswort mitnehmen sollten. Wenn eine große Versammlung dabei ist, in ihre eigenen Häuser zu gehen, ist es bewegend, zu denken, dass sie vermutlich nie wieder in dieser Welt alle zusammenkommen werden, und wenn wir also irgendetwas sagen oder tun können, um ihnen zu helfen, in den Himmel zu gehen, dann muss dies der Zeitpunkt sein. Es ist gut, am Ende eines Dienstes der Anbetung drängend zu sein. Christus machte am letzten Tag des Festes dieses Angebot. Er wollte noch ein einziges Mal zu ihnen sprechen und wenn sie jetzt seine Stimme hören würden, würden sie leben (s. Ps 95,7; Hebr 3,7.15; 4,7). Es würde ein halbes Jahr vor dem nächsten Fest sein und in dieser Zeit würden viele von ihnen sterben. „Siehe, jetzt ist die angenehme Zeit" (2.Kor 6,2).

1.2 Wie er diese Einladung gab: Jesus stand auf und rief, was zeigte:
Seine große Inbrunst und Kühnheit. Liebe für Seelen wird Prediger dynamisch machen.
Sein Verlangen, dass jeder diese Einladung bemerken und annehmen würde. Er stand auf und rief, damit er besser gehört werden konnte. Die heidnischen Orakelsprüche wurden im Geheimen von denen geäußert, „die flüstern und murmeln", doch die Weissagungen des Evangeliums wurden von einem verkündet, der stand und mit lauter Stimme sprach (Jes 8,19).

1.3 Die Einladung selbst, die sehr umfassend ist. „Wenn jemand dürstet", wer immer es ist, der ist zu Christus eingeladen. Sie ist auch sehr gnädig: „„Wenn jemand dürstet, der komme zu mir und trinke!' Wenn jemand wirklich und ewig glücklich sein will, möge er sich an mich wenden."
Die eingeladenen Leute waren diejenigen, die dürsten, was man verstehen kann, dass es sich entweder bezieht:
Auf ihre Bedürfnisse, sei es auf ihren äußerlichen Zustand – möge ihre Armut und ihr Leiden sie zu Christus ziehen für den Frieden, den die Welt weder geben noch wegnehmen kann – oder auf ihren innerlichen Zustand: „Wenn jemandem geistlicher Segen fehlt, wird er von mir befriedigt werden." Oder:
Auf die Neigung ihrer Seele und auf ihr Verlangen nach geistlicher Seligkeit. Wenn jemand nach der Gerechtigkeit hungert und dürstet (s. Mt 5,6).
Die Einladung selbst: „... der komme zu mir." Er möge zu Christus als der Quelle lebendigen Wassers gehen.

Die verheißene Befriedigung: „Er möge kommen und trinken; er wird nicht nur das bekommen, was erfrischt, sondern was wieder erfüllt."
1.4 Eine gnädige Verheißung, die diesem gnädigen Ruf hinzugefügt ist: „Wer an mich glaubt ... aus seinem Leib werden Ströme lebendigen Wassers fließen" **(Vers 38)**. Beachten Sie hier:
Was es heißt, zu Christus zu kommen: Es heißt, an ihn zu glauben, „wie die Schrift gesagt hat". Wir dürfen keinen Christus nach unserer Fantasie erstellen, sondern müssen an einen Christus nach der Schrift glauben.
Wie durstige Seelen, die zu Christus kommen, zum Trinken gebracht werden. Israel trank aus dem Felsen, der ihnen folgte; Gläubige trinken aus einem Felsen, der in ihnen ist, Christus in ihnen (s. 1.Kor 10,4; Kol 1,27). Es wird nicht nur für ihre jetzige Zufriedenheit gesorgt, sondern auch für ihren beständigen Trost für immer. Hier lesen wir von:
Lebendigem Wasser, fließendem Wasser, welches das Hebräische lebendiges Wasser nennt, weil es beständig in Bewegung ist. Die Gnadenwirkungen und Tröstungen des Geistes werden mit lebendigem Wasser verglichen.
Strömen lebendigen Wassers. Der Trost fließt sowohl reichlich als auch beständig, wie ein Fluss, und ist deshalb stark genug, um den Widerstand von Zweifeln und Ängsten zu überwinden.
Die Ströme fließen aus dem Leib des Gläubigen, das heißt, aus ihrem Herzen oder ihrer Seele. Ihre Quellen der Gnade sind gepflanzt, und aus dem Herzen, in dem der Geist lebt, „geht das Leben aus" (Spr 4,23). Wo es Quellen der Gnade und des Trostes in der Seele gibt, werden sie Ströme aussenden. Gnade und Trost werden offenbart werden. Ein heiliges Herz wird in einem heiligen Leben sichtbar werden; ein Baum wird an seinen Früchten erkannt und die Quelle erkennt man an ihren Strömen. Diejenigen, aus denen solche Ströme fließen, werden sich selbst zum Wohl anderer geben; ein guter Mensch ist für viele eine Quelle des Guten.
1.5 Die Worte „wie die Schrift gesagt hat", was sich auf eine Verheißung im Alten Testament mit diesem Inhalt zu beziehen scheint, und da gibt es viele. Es war Brauch bei den Juden, der von der Tradition anerkannt wurde, am letzten Tag des Laubhüttenfestes eine Zeremonie auszuführen, die „das Ausgießen von Wasser" genannt wurde. Sie nahmen einen goldenen Krug mit Wasser aus dem Teich Siloah, brachten ihn unter Trompetenschall und anderen Zeremonien in den Tempel und gossen ihn, nachdem sie den Altar hinaufgestiegen waren, vor dem Herrn aus mit jedem möglichen Ausdruck von Freude. Es wird auch angenommen, dass unser Heiland hier vielleicht auf diesen Brauch angespielt hat. Gläubige werden nicht den Trost eines Kruges Wasser haben, der aus einem Teich geschöpft wird, sondern eines Stromes, der in ihnen selbst fließt.
1.6 Die Erläuterung des Evangelisten von dieser Verheißung: „Das sagte er aber von dem Geist", von den Gaben, Gnadenwirkungen und Tröstungen des Geistes **(Vers 39)**. Beachten Sie:
Es ist allen verheißen, die an Christus glauben, dass sie den Heiligen Geist empfangen. Manche empfingen seine übernatürlichen Gaben (s. Mk 16,17-18); alle empfangen seine heiligenden Gnadenwirkungen.
Der in den Gläubigen lebende und wirkende Geist ist wie eine Quelle lebendigen, fließenden Wassers, von dem reichliche Ströme fließen, kühlend und reinigend wie Wasser, beruhigend und befeuchtend wie Wasser, das sie fruchtbar und andere froh macht.
Dieses reichliche Ausgießen des Geistes war immer noch eine verheißene Sache, „denn der Heilige Geist war noch nicht da, weil Jesus noch nicht verherrlicht war". Beachten Sie hier:
Es war sicher, dass er verherrlicht werden würde, doch er war immer noch in einem Stand der Erniedrigung und Schande. Wenn Christus auf seine Herrlichkeit warten musste, dürfen wir es nicht als zu viel ansehen, auf unsere zu warten.
„Der Heilige Geist war noch nicht da." Wenn wir die klare Erkenntnis und starke Gnade, welche die Jünger Christi nach dem Tag von Pfingsten hatten, mit ihrer Verwirrung und Schwäche vorher vergleichen, werden wir verstehen, in welchem Sinn der Heilige Geist noch nicht da war; die Verheißungen und Erstlingsfrüchte des Geistes waren da, doch die volle Ernte war noch nicht gekommen. Der Heilige Geist war noch nicht in solchen Strömen lebendigen Wassers da, die ausgehen würden, um die ganze Erde, einschließlich der heidnischen Welt, zu bewässern (s. 1.Mose 2,10; Jes 55,10).
Der Grund dafür, warum der Heilige Geist noch nicht da war, war, dass „Jesus noch nicht verherrlicht war". Der Tod Christi wird manchmal seine Verherrlichung genannt, weil er in seinem Kreuz siegte und triumphierte (s. Joh 13,31). Die Gabe des Heiligen Geistes wurde durch das Blut Christi erworben: Bis dieser Preis bezahlt war, war der Heilige Geist nicht da. Es gab nicht so große Notwendigkeit für den Geist, solange Christus selbst hier auf der Erde war, wie es sie gab, als er gegangen war. Obwohl der Heilige Geist noch nicht da war, war er verheißen. Wenn die Gaben der Gnade Christi auch für lange Zeit aufgeschoben werden, haben wir dennoch, solange wir auf die Erfüllung der Verheißung warten, die Verheißung, von der wir leben können.

2. Die Auswirkungen dieser Botschaft. Im Allgemeinen kam es zu Meinungsverschiedenheiten: „Es entstand nun seinetwegen eine Spaltung unter der Volksmenge" **(Vers 43)**.

Es gab verschiedene Meinungen, welche die Leute leidenschaftlich vertraten; es gab verschiedene Haltungen, und die brachten die Menschen miteinander in Konflikt. Glauben wir, dass Christus kam, um Frieden zu schicken? Nein, die Wirkung der Predigt seines Evangeliums würde Entzweiung sein, weil manche zugleich zu ihm hingezogen werden würden, während andere zugleich dagegen eingenommen werden würden (s. Lk 12,51). Dies ist nicht mehr der Fehler des Evangeliums, wie es der Fehler einer nützlichen Arznei ist, dass es die ungesunden Einflüsse im Leib anregt, um sie loszuwerden.

2.1 Manche wurden von ihm in seinen Bann gezogen. „Viele nun aus der Volksmenge ... als sie das Wort hörten", konnten nicht anders, als hoch von ihm zu denken. Manche von ihnen sagten: „Dieser ist wahrhaftig der Prophet", der Herold und Vorläufer des Messias. Andere gingen weiter und sagten: „Dieser ist der Christus!", der Messias selbst **(Vers 41)**. Wir sehen nicht, dass diese Menschen seine Jünger und Nachfolger wurden. Eine gute Meinung von Christus bleibt bei Weitem hinter lebendigem Glauben an Christus zurück; viele sagen ein gutes Wort über Christus, aber nicht mehr.

2.2 Andere waren ihm gegenüber voreingenommen. Diese große Wahrheit war gerade geäußert – dass Jesus der Christus ist –, als ihr sofort widersprochen und dagegen argumentiert wurde. Dass seine Herkunft, wie sie annahmen, Galiläa war, wurde als genug betrachtet, um allen Argumenten zu widersprechen, dass er der Christus war. Denn: „Kommt der Christus denn aus Galiläa? Sagt nicht die Schrift, dass der Christus aus dem Samen Davids kommt?" Beachten Sie hier:

Eine lobenswerte Kenntnis der Schrift. Selbst die einfachen Leute wussten dies aus den traditionellen Erläuterungen, die ihnen ihre Gesetzeslehrer gaben. Viele, die irgendwelche verdrehten Vorstellungen annehmen, scheinen mit den Schriften sehr vertraut zu sein, doch in Wirklichkeit kennen sie kaum mehr als jene Schriftstellen, die sie gelehrt wurden, zu verdrehen.

Eine tadelnswerte Unwissenheit über den Herrn Jesus. Sie sprachen davon als sicher und als stünde es außer Frage, dass Jesus aus Galiläa war, während sie durch Fragen hätten erfahren können, dass er ein Sohn Davids und gebürtig aus Bethlehem ist.

2.3 Andere waren wütend über ihn und „wollten ihn ergreifen" **(Vers 44)**. Obwohl das höchst lieblich und gnädig war, was er sagte, waren sie deswegen doch wütend auf ihn. Sie hätten ihn ergriffen, „doch legte niemand Hand an ihn", denn seine Stunde war noch nicht gekommen. Wie der Hass der Feinde Christi immer unvernünftig ist, so ist auch sein zeitweiliger Aufschub manchmal unerklärlich.

Vers 45-53

Die obersten Priester und Pharisäer verschworen sich hier, wie sie Christus unterdrücken konnten. Obwohl dies der große Tag des Festes war, waren sie nicht bei den religiösen Diensten dieses Tages anwesend. Sie saßen im Ratszimmer und erwarteten, dass Christus als Gefangener zu ihnen hereingebracht werden würde, da sie einen Befehl gegeben hatten, ihn zu ergreifen **(s. Vers 32)**. Uns wird hier gesagt:

1. Was zwischen ihnen und ihren eigenen Dienern geschah, die ohne ihn zurückkehrten.
1.1 Den Tadel, den sie den Dienern erteilten, dass sie nicht den Haftbefehl ausführten, den sie ihnen gegeben hatten: „Warum habt ihr ihn nicht gebracht?" Die Leiter waren beunruhigt, dass diejenigen, die von ihnen ihre Arbeit bekommen hatten, sie auf diese Weise enttäuschen würden.

1.2 Der Grund, den die Diener nannten: „Nie hat ein Mensch so geredet wie dieser Mensch!" **(Vers 46)**.

Dies war eine sehr große Wahrheit, dass nie ein Mensch mit solcher Weisheit, Macht und Gnade, mit dieser überzeugenden Klarheit und bezaubernden Lieblichkeit gesprochen hat, mit der Christus sprach.

Selbst die Diener, welche ausgesandt waren, ihn zu ergreifen, wurden von ihm in den Bann gezogen und gaben das zu. Sie mussten ihn bloß all denen vorziehen, die „auf Moses Stuhl" saßen (Mt 23,2). *Und so wurde Christus durch die Macht bewahrt, welche Gott selbst über die Gewissen von Übeltätern hat.*

Sie sagten dies zu ihren Herren und Meistern, die es nicht ertragen konnten, etwas zu hören, was geneigt schien, Christus zu ehren, die es aber nicht vermeiden konnten, dies zu hören. Ihre eigenen Diener, die nicht verdächtigt werden konnten, zugunsten von Christus eingenommen zu sein, waren Zeugen gegen sie.

1.3 Der Versuch der Pharisäer, ihren Einfluss über ihre Diener zu sichern und in ihnen Vorurteile gegen Christus zu erzeugen. Sie behaupteten, wenn die Diener das Evangelium Christi annehmen würden:

Dann würden sie sich selbst täuschen: „Seid auch ihr verführt worden?" **(Vers 47)**. Von Beginn an wurde das Christentum der Welt als eine große Täuschung dargestellt und diejenigen, die es annahmen, als Menschen, die getäuscht sind, wohingegen sie begannen, eines Besseren belehrt zu werden. Achten Sie darauf, was für ein Kompliment die Pharisäer diesen Dienern machten: „Seid auch ihr verführt worden?' Was?! Menschen mit eurem Verstand?" Sie versuchten, sie voreingenommen gegen Christus zu machen, indem sie jene überzeugten, eine hohe Meinung von sich selbst zu haben.

Dann würden sie sich selbst abwerten. Die meisten Menschen sind selbst in religiösen

Dingen bereit, sich von dem Beispiel derer beherrschen zu lassen, die den ersten Rang haben; diese Diener wurden darum aufgefordert, zu bedenken:

Dass sie sich gegen Leute von hohem Stand und Ruf stellen würden, wenn sie Jünger Christi werden würden: „Glaubt auch einer von den Obersten oder von den Pharisäern an ihn?" Manche der Obersten nahmen Christus an und mehr glaubten an ihn, doch es fehlte ihnen der Mut, sich zu ihm zu bekennen (s. Joh 4,53; Mt 9,18; Joh 12,42). Aber wenn der Einfluss Christi in dieser Welt abnimmt, ist es für seine Gegner normal, ihn geringer darzustellen, als er wirklich ist. Die Sache Christi hat kaum Pharisäer und Oberste auf ihrer Seite. Selbstverleugnung und das Kreuz sind schwere Lektionen für Oberste und Pharisäer. Viele Menschen wurden in ihrem Vorurteil Christus gegenüber bestätigt, weil die Obersten und Pharisäer keine Freunde von ihm und seiner Sache waren. Wenn Oberste und Pharisäer nicht an Christus glauben, werden diejenigen, die an ihn glauben, die außergewöhnlichsten, unmodernsten und unfeinsten Menschen der Welt sein. Indem sie so denken, sind manche Leute törichterweise gewillt, rein um der Mode willen, verdammt zu werden.

Dass sie sich der nichtswürdigen, gewöhnlichen Art von Menschen anschließen würden: „Aber dieser Pöbel, der das Gesetz nicht kennt, der ist unter dem Fluch!" **(Vers 49)**. Beachten Sie:
Wie verächtlich und geringschätzig sie von ihnen sprachen: „Dieser Pöbel." Wie die Weisheit Gottes oft das Unedle und Verachtete erwählt hat, so hat die Torheit der Menschen oft die unedel gemacht und verachtet, die Gott erwählt hat (s. 1.Kor 1,28).
Wie sie jene zu Unrecht kritisierten. „Sie kennen das Gesetz nicht." Vielleicht haben viele, die sie auf diese Weise verachteten, das Gesetz und auch die Propheten besser gekannt als sie. Viele einfache, ehrliche und ungelehrte Jünger Christi haben ein klareres, gesünderes und nützlicheres Wissen von dem Wort Gottes als einige große Experten mit all ihrem Wissen und ihrer Gelehrsamkeit. Wenn die einfachen Leute das Gesetz nicht kannten, wessen Fehler war dies dann, außer dem der Pharisäer, die sie hätten besser lehren sollen?
Wie arrogant sie das Urteil über sie fällten: „... der ist unter dem Fluch!" Hier rissen sie das Vorrecht Gottes an sich; wir sind nicht in der Lage, einen Menschen vor dem himmlischen Gericht zu prüfen, und darum sind wir untauglich, sie dort zu verurteilen und unsere Regel lautet: „Segnet und flucht nicht!" (Röm 12,14). Sie benutzten diesen schrecklichen Ausdruck „unter dem Fluch", um ihre eigene Entrüstung auszudrücken und ihren Dienern davor einen Schrecken einzujagen, etwas mit ihnen zu tun zu haben.

2. Was zwischen ihnen und Nikodemus vorfiel **(s. Vers 50)**. Beachten Sie:
2.1 Den rechtmäßigen und vernünftigen Einwand, den Nikodemus gegen ihr Handeln erhob. Beachten Sie:
Wer gegen sie auftrat: „Nikodemus, der bei Nacht zu ihm gekommen war, und der einer der Ihren war" **(Vers 50)**. Obwohl er bei Jesus gewesen war und ihn als Lehrer angenommen hatte, behielt er doch seinen Platz im Rat und seine Stimme unter ihnen. Manche betrachten dies als seine Schwäche und Feigheit. Doch Christus sagte ihm nie: „Folge mir nach." Und deshalb schien es eher seine Weisheit gewesen zu sein, seine Stellung nicht sofort zu verlassen, weil er dort vielleicht die Gelegenheit hatte, Christus zu dienen und den Strom des jüdischen Zorns zu stoppen. Gott hat unter allen Arten von Menschen seinen Überrest, und viele Male findet und setzt er Gute – oder macht manche gut – in die schlimmsten Orte und Gesellschaften. Obwohl Nikodemus zuerst „bei Nacht" zu Jesus kam aus Angst, erkannt zu werden, trat er doch, als er musste, freimütig zur Verteidigung von Jesus auf und widerstand dem ganzen Rat. Viele Gläubige, die zuerst furchtsam waren, wurden schließlich durch Gottes Gnade mutig. Niemand möge sich durch das Beispiel von Nikodemus darin rechtfertigen, seinen Glauben zu verbergen, wenn sie nicht wie er bereit sind, offen für die Sache Christi einzutreten, selbst wenn sie darin alleine stehen, denn dies ist es, was Nikodemus hier – und wie in Johannes 19,39 berichtet wird – tat.

Was er gegen ihre Handlungen vorbrachte: „Richtet unser Gesetz einen Menschen, es sei denn, man habe ihn zuvor selbst gehört und erkannt, was er tut?" **(Vers 51)**. Er argumentierte weise anhand der Prinzipien ihres eigenen Gesetzes und einer unbestreitbaren Regel der Gerechtigkeit, dass niemand verurteilt werden darf, ohne dass man ihn anhört. Während die Pharisäer die Leute kritisierten, dass sie das Gesetz nicht kennen, hat Nikodemus hier stillschweigend die Anschuldigung auf sie zurückgebracht. Hier wird von dem Gesetz gesagt, dass es richtet, hört und weiß. Es ist angemessen, dass niemand unter das Urteil des Gesetzes kommt, bevor er nicht zuerst ein faires Verfahren gehabt hat, in dem er sich der Prüfung durch das Gesetz unterzogen hat. Richter haben zwei Ohren, um sie daran zu erinnern, dass sie beide Seiten eines Falles hören müssen. Menschen müssen nicht nach dem beurteilt werden, was über sie gesagt wird, sondern nach dem, was sie tun. Bei einem Gerichtsverfahren müssen Fakten ohne eine Spur von Voreingenommenheit bekannt werden, und vor dem Schwert der Gerechtigkeit muss die Waage der Gerechtigkeit benutzt werden.

2.2 Was über diesen Einwand gesagt wurde. Hier wurde keine direkte Erwiderung darauf gegeben. Was ihnen an Gründen fehlte, das glichen sie durch Beschimpfungen und Schelten aus. Wer immer sich gegen die Begründung stellt, gibt Anlass für den Verdacht, dass die Begründung gegen ihn ist. Beachten Sie, wie sie ihn verhöhnten: „Bist du etwa auch aus Galiläa?" **(Vers 52)**. Beachten Sie:
Wie falsch die Grundlagen ihrer Argumentation waren. Sie vermuteten, dass Christus aus Galiläa kam. Das war falsch. Sie vermuteten, dass, weil die meisten seiner Jünger Galiläer waren, sie dies alle waren. Sie vermuteten, dass kein Prophet aus Galiläa hervorgegangen ist. Doch auch dies war falsch: Jona und Nahum waren auch aus Galiläa.
Wie unsinnig ihre Argumente selbst waren. Ist jemand von Wert und mit Vorzügen je weniger würdig oder wert gewesen wegen der Armut und Niedrigkeit seines Landes? Selbst wenn sie vermuten, dass kein Prophet aus Galiläa hervorgegangen ist, war es immer noch nicht unmöglich, dass einer von dort kommen würde.
2.3 Die eilige Vertagung des Gerichts. Sie lösten die Versammlung bestürzt und hastig auf, „und so ging jeder in sein Haus". Alle Diplomatie ihrer weltlichen Intrige wurde durch ein klares, ehrliches Wort in Stücke gebrochen. Sie wollten nicht auf Nikodemus hören, weil sie ihm nicht antworten konnten.

Kapitel 8

Hier haben wir: 1. Wie Christus die Falle umgeht, welche die Juden ihm stellten, indem sie ihm eine Frau brachten, die beim Ehebruch ergriffen wurde (s. Vers 1-11). 2. Verschiedene Diskussionen oder Treffen, die er mit den Juden hatte. Hier haben wir: 2.1 Eine Diskussion darüber, dass er das Licht der Welt ist (s. Vers 12-20). 2.2 Eine Diskussion über das Verderben der ungläubigen Juden (s. Vers 21-30). 2.3 Eine Diskussion über Freiheit und Sklaverei (s. Vers 31-37). 2.4 Eine Diskussion über seinen Vater und ihren Vater (s. Vers 38-47). 2.5 Seine Botschaft als Reaktion auf ihre blasphemische Kritik (s. Vers 48-50). 2.6 Eine Diskussion über die Unsterblichkeit von Gläubigen (s. Vers 51-59).

Vers 1-11

Obwohl Christus im vorigen Kapitel sowohl von den Leuten als auch von den Obersten schrecklich beleidigt wurde, haben wir ihn hier in Jerusalem im Tempel. Wie oft hat er sie sammeln wollen (s. Mt 23,37)!

1. Wie er sich am Abend aus der Stadt zurückzog: „Jesus aber ging an den Ölberg" **(Vers 1)**. Er ging aus Jerusalem heraus, vielleicht, weil er dort keinen Freund hatte, der entweder genug Freundlichkeit oder Mut hatte, ihm für die Nacht eine Unterkunft zu geben, während seine Verfolger eigene Häuser hatten, in die sie gehen konnten (s. Joh 7,53). Bei Tage, wenn er Arbeit im Tempel zu tun hatte, machte er sich bereitwillig angreifbar, doch bei Nacht zog er sich zurück auf das Land und suchte dort Schutz.

2. Seine Rückkehr am Morgen zum Tempel und zu seiner Arbeit dort **(s. Vers 2)**. Beachten Sie:
2.1 Was für ein fleißiger Prediger Christus war: „Und früh am Morgen kam er wieder ... und lehrte sie." Über das Predigen Christi werden hier drei Dinge angemerkt.
Die Zeit: „Und früh am Morgen." Wenn ein Tageswerk für Gott und die Rettung von Seelen getan werden muss, ist es gut, den vor uns liegenden Tag auszunutzen.
Der Ort: im Tempel. Nicht so sehr, weil es ein geweihter Ort war, sondern weil es jetzt ein Platz des ärgsten Straßenlärms war (s. Spr 1,21).
Seine Position: „Und er setzte sich und lehrte", als jemand, der Vollmacht hat (s. Mt 7,29).
2.2 Wie fleißig seine Predigt besucht wurde: „... und alles Volk kam zu ihm." Obwohl die Obersten über ihn verärgert waren, welche kamen, um ihn zu hören, kamen sie doch; und er lehrte sie, obwohl jene auf ihn zornig waren.

3. Sein Umgang mit denen, die eine Frau zu ihm brachten, „die beim Ehebruch ergriffen worden war", um ihn zu prüfen. Beachten Sie hier:
3.1 Die Situation, die ihm von den Schriftgelehrten und Pharisäern dargelegt wurde, die versuchten, dort einen Streit mit ihm zu beginnen **(s. Vers 3-6)**.
Sie brachten die Gefangene vor die Schranken des Gerichts: Sie brachten „eine Frau zu ihm, die beim Ehebruch ergriffen worden war" **(Vers 3)**. Wer beim Ehebruch ergriffen wurde, musste nach dem jüdischen Gesetz getötet werden. Die Schriftgelehrten und Pharisäer brachten sie zu Christus und stellten sie in die Mitte der Versammlung, als würden jene sie ganz dem Urteil Christi überlassen.
Sie brachten eine Anklage gegen sie vor: „Meister, diese Frau ist während der Tat beim Ehebruch ergriffen worden" **(Vers 4)**. Sie nannten ihn hier „Meister" – bloß einen Tag, nachdem sie ihn „Betrüger" genannt hatten –, in der Hoffnung, ihm zu schmeicheln und ihn so zu fangen. Das Verbrechen, dessen die Gefangene angeklagt wurde, war nichts weniger als Ehebruch. Die Pharisäer schienen einen großen Eifer gegen die Sünde zu haben, wohingegen später klar wurde, dass sie selbst nicht frei von

ihr waren. Es ist für die üblich, welche nachsichtig gegen ihre eigene Sünde sind, dass sie hart gegen die Sünde anderer sind. Die belegten Fakten waren unleugbare Beweise. Sie war auf frischer Tat ertappt worden. Manchmal erweist es sich für Sünder als Barmherzigkeit, dass ihre Sünde ans Licht gebracht wird. Es ist besser, dass uns unsere Sünde beschämt, als dass sie uns verdammt.

Sie brachten die Verfügung für diesen Fall vor, dessen sie angeklagt war. „Im Gesetz aber hat uns Mose geboten, dass solche gesteinigt werden sollen" **(Vers 5)**. Mose gebot, dass sie „getötet werden", aber nicht, dass sie gesteinigt werden sollten, außer unter bestimmten Umständen (s. 3.Mose 20,10; 5.Mose 22,22). Ehebruch ist eine überaus hässliche Sünde. Es ist Ungehorsam gegen eine göttliche Institution, die im Zeitalter unserer Unschuld gegeben wurde, aufgrund des Genusses einer unserer sündigsten Begierden in der Zeit unserer Verderbtheit.

Sie fragten nach seinem Urteil in dem Fall: „Doch was sagst du, der du behauptest, ein Lehrer zu sein, der von Gott gekommen ist, um alte Gesetze aufzuheben und neue zu erlassen?" Wenn sie diese Frage aufrichtig gestellt hätten, wäre es sehr löblich gewesen. Doch sie sagten dies, um ihn zu versuchen, damit sie einen Grund hätten, ihn anzuklagen **(s. Vers 6)**.

Wenn er das Urteil des Gesetzes bestätigen würde, würden sie ihn kritisieren, dass er im Widerspruch sei mit sich selbst – denn er hatte Zöllner und Prostituierte angenommen – und der Rolle des Messias, der demütig sein und Heil anbieten sollte.

Wenn er sie freisprechen würde, würden sie ihn als Feind des Gesetzes von Mose und einen Freund der Sünder darstellen und als jemanden, der Sünde begünstigt, und für jemanden, der die Strenge, Reinheit und das Werk eines Propheten vertrat, könnte keine Anspielung in Bezug auf ihn boshafter sein als diese.

3.2 Die Methode, die er anwandte, um diesen Fall zu entscheiden, und mit der er diese Falle zerbrach.

Er schien diese Angelegenheit nicht zu beachten und taub dafür zu sein: Er „bückte sich nieder und schrieb mit dem Finger auf die Erde". Man kann unmöglich sagen – und deshalb ist es unnötig zu fragen –, was er schrieb, doch dies ist das einzige Mal, dass in den Evangelien erwähnt wird, dass Christus schrieb. Hierbei lehrt uns Christus, dass wir langsam zum Reden sein sollten, wenn uns schwierige Fälle dargelegt werden, nicht übereilt einen Fehlschuss tun. Wir sollten zweimal nachdenken, bevor wir einmal sprechen. Doch obwohl Christus sie nicht zu hören schien, machte er klar, dass er nicht nur ihre Worte hörte, sondern auch ihre Gedanken kannte.

Er kehrte die Überführung der Gefangenen zurück auf die Ankläger **(s. Vers 7)**.

Sie fuhren fort, ihn zu fragen, und seine augenscheinliche Missachtung von ihnen machte sie noch heftiger, denn jetzt waren sie sich sicher, seine Schwachstelle gefunden zu haben. Deshalb legten sie noch mehr Nachdruck auf ihren Appell an ihn. Sie hätten seine Missachtung von ihnen lieber so deuten sollen, dass er ihre Pläne einschränkt und als ein Zeichen, dass sie aufhören sollten.

Schließlich beschämte er sie alle und brachte sie mit einem Wort zum Schweigen: Er richtete „sich auf und sprach zu ihnen: Wer unter euch ohne Sünde ist, der werfe den ersten Stein auf sie!"

Hier mied Christus ihre Falle. Er setzte weder das Gesetz herab, noch entschuldigte er die Schuld der Gefangenen, noch hat er auf der anderen Seite zu der Verfolgung ermutigt oder ihren Zorn unterstützt. Wenn wir auf direktem Weg unser Ziel nicht erreichen können, ist es gut, einen indirekten zu verfolgen.

Sie kamen mit der Absicht, ihn anzuklagen, doch sie wurden gezwungen, sich selbst anzuklagen.

Er verwies hier auf die Regel, welche das Gesetz Mose bei der Hinrichtung von Kriminellen vorschrieb, dass die Hand der Zeugen sich als erste gegen sie erheben soll, wie bei der Steinigung von Stephanus (s. 5.Mose 17,7; Apg 7,58). Christus fragte sie, ob sie, gemäß ihrem eigenen Gesetz, es wagen würden, die Henker zu sein. Wagten sie es, mit ihren Händen das Leben wegzunehmen, welches sie nun mit ihren Zungen wegnahmen?

Er baute auf eine anerkannte Maxime in der Moral. Wer andere richtet, wenn er selbst das Gleiche tut, macht nichts anderes, als sich selbst zu verurteilen: „Wenn es unter euch jemanden gibt, der ‚ohne Sünde ist', dann möge er den ersten Stein auf sie werfen." Immer wenn wir bei anderen Schuld sehen, sollten wir über uns selbst nachdenken und strenger gegenüber der Sünde in uns sein, als wir es bei der in anderen sind. Wir sollten nicht der Sünde, sondern der Person selbst gegenüber wohlgesonnen sein, die sich vergangen hat, indem wir uns selbst und unsere sündige Natur bedenken. Dies möge uns davon zurückhalten, Steine auf unsere Geschwister zu werfen. Wer in irgendeiner Weise verpflichtet ist, die Fehler von anderen zu kritisieren, sollte sich selbst gut im Blick behalten und sich rein halten (s. Mt 7,5).

Vielleicht spielte er auf das Gesetz an, welches die Prüfung einer durch einen eifersüchtigen Ehemann verdächtigten Frau durch Fluch bringendes Wasser forderte (s. 4.Mose 5,11-31). Die Juden glaubten nun, dass, wenn der Ehemann, der seine Frau zu dieser Prüfung brachte, zu irgendeiner Zeit selbst des Ehebruchs schuldig gewesen ist, das bittere Wasser keine Wirkung auf die Frau haben würde. „Kommt nun", sagte Christus, „wenn ihr ohne Sünde seid, dann bleibt bei der Anklage und die Ehebrecherin möge getötet werden. Doch wenn ihr es nicht seid, dann muss sie, obwohl sie schuldig ist, solange ihr, die ihr sie bringt, dies in gleicher Weise seid, nach eurer eigenen Vorschrift frei sein." Er beabsichtigte nicht nur, die Gefangene zur Buße zu bringen, indem er ihr seine Barmherzigkeit zeigte, sondern auch die Ankläger zur Buße zu bringen, indem er ihnen ihre Sünden zeigte. Sie versuchten, ihn zu fangen; er versuchte, sie zu überführen und zu bekehren.

Nachdem er diese erschütternden Worte zu ihnen gesagt hatte, ließ er sie nachdenken, und bückte „sich wiederum nieder und schrieb auf die Erde" **(Vers 8)**. Die Sache wurde an sie überwiesen; sie mögen dort das Beste daraus machen. Manche griechischen Manuskripte lesen hier: „Er schrieb die Sünde von jedem Einzelnen von ihnen auf den Boden." Er schreibt jedoch nicht die Sünden der Menschen in den Sand; nein, sie sind „aufgeschrieben mit eisernem Griffel", dass sie nie vergessen werden, bis sie vergeben sind (Jer 17,1).

Die Schriftgelehrten und Pharisäer waren so seltsam vom Blitz getroffen durch die Worte Christi, dass sie ihre Verfolgung von ihm aufgaben – bei dem sie nicht mehr Fallen zu stellen wagten –, und ebenso ihre Anklage gegen die Frau – die sie nicht länger zu beschuldigen wagten: Sie gingen „einer nach dem anderen hinaus" **(Vers 9)**. Vielleicht erschreckte sie sein Schreiben auf den Boden, wie die Schrift an der Wand Belsazar erschreckte (s. Dan 5,5-6). Glücklich sind die, welche keinen Grund haben, vor dem Schreiben Christi zu erschrecken.

Was er sagte, erschreckte sie, indem er sie auf ihr eigenes Gewissen verwies; er hatte sie sich selbst erkennen lassen und sie fürchteten sich, dass sein nächstes Wort sie der Welt offenbaren würde. Sie gingen „einer nach dem anderen hinaus", um leise hinauszugehen. Sie stahlen sich heimlich fort, „wie ein Volk sich wegstiehlt, das sich schämen muss, weil es im Kampf geflohen ist" (2.Sam 19,4). Es wird die Ordnung ihres Weggehens angemerkt: „… angefangen von den Ältesten." Wenn die Ältesten das Feld räumen und sich unrühmlich zurückziehen, überrascht es kaum, wenn ihnen die Jüngeren folgen. Wir sehen hier:

Die Macht des Wortes Christi, Sünder zu überführen: „Als sie aber das hörten, gingen sie – von ihrem Gewissen überführt." Das Gewissen ist der Vertreter Gottes in der Seele und ein Wort von ihm wird es seine Arbeit tun lassen (s. Hebr 4,12). Selbst Schriftgelehrte und Pharisäer sind durch die Macht des Wortes Christi gezwungen, sich beschämt zurückzuziehen.

Die Torheit von Sündern unter dieser Überführung. Es ist töricht von denen, die unter Überführung stehen, es zu ihrer größten Sorge zu machen, die Schande zu vermeiden. Es sollte mehr unsere Sorge sein, unsere Seele zu retten, als unseren Ruf zu retten. Bei den Schriftgelehrten und Pharisäern war die Wunde geöffnet und jetzt hätten sie sich wünschen sollen, dass sie untersucht wird, und dann hätte sie geheilt werden können. Es ist töricht von denen, die überführt wurden, Christus zu entkommen, denn er ist der Einzige, welcher die Wunden des Gewissens heilen kann. Zu wem werden sie dann gehen (s. Joh 6,68)?

Als die sich selbst überschätzenden Ankläger die Bühne verlassen hatten, wich die sich selbst verurteilende Gefangene nicht. „Und Jesus wurde allein gelassen, und die Frau, die in der Mitte stand", wohin sie sie gestellt hatten **(Vers 9 und 3)**. Sie versuchte nicht fortzulaufen. Ihre Ankläger hatten sich an Jesus gewandt und deshalb wollte sie zu Jesus gehen. Diejenigen, deren Fall vor unseren Herrn Jesus gebracht wird, werden ihn nie an ein anderes Gericht geben brauchen. Unser Fall ist an dem Gerichtshof des Evangeliums eingereicht; wir sind mit Jesus alleine gelassen; jetzt haben wir nur mit ihm zu tun. Möge uns sein Evangelium beherrschen und es wird uns unfehlbar retten.

Hier ist der Ausgang des Prozesses: „Da richtete sich Jesus auf, und da er niemand sah als die Frau …" **(Vers 10)**. Die Frau stand wahrscheinlich zitternd vor der Richterbank als jemand, der sehr im Zweifel über das war, was als Nächstes geschehen würde. Christus war ohne Sünde und hätte den ersten Stein werfen können, doch obwohl niemand strenger gegen die Sünde ist als er, ist niemand mitleidsvoller gegenüber Sündern, als er es ist, denn er ist unendlich barmherzig und gnädig und diese arme Übeltäterin erlebte ihn so.

Die Ankläger werden gerufen: „Frau, wo sind jene, deine Ankläger? Hat dich niemand verurteilt?" Er fragte, damit er die Ankläger beschämen konnte, wenn jene sein Urteil ablehnen würden, und damit er die Frau ermutigen konnte, da sie entschlossen war, stehenzubleiben.

Sie erschienen nicht, als die Frage gestellt wurde: „Hat dich niemand verurteilt?" Sie sagte: „Niemand, Herr!" Sie sprach respektvoll mit Christus, nannte ihn „Herr", doch sie schwieg über ihre Ankläger. Sie frohlockte nicht über deren Rückzug oder freute sich hämisch über jene, die als Zeugen gegen sich selbst oder gegen sie aufgetreten waren. Doch sie beantwortete die Frage, die sie selbst betraf: „Hat dich niemand verurteilt?" Wahrhaft bußfertigen Menschen reicht es, für sich selbst Gott Rechenschaft abzulegen, und sie werden es nicht auf sich nehmen, für andere Rechenschaft abzulegen.

Darum wurde die Gefangene freigesprochen: „So verurteile ich dich auch nicht. Geh hin und sündige nicht mehr!" Betrachten Sie dies:

Als ihren Freispruch von weltlicher Strafe: „Wenn sie dich nicht verurteilen, zu Tode gesteinigt zu werden, verurteile ich dich auch nicht." Christus wollte diese Frau nicht verurteilen:

Weil es nicht zu seinen Aufgaben gehörte; er wollte sich nicht in weltliche Angelegenheiten einmischen.

Weil sie von solchen angeklagt worden war, die schuldiger waren als sie und die nicht ohne Beschämung auf ihrer Forderung nach Gerechtigkeit in Bezug auf sie bestehen konnten. Doch als Christus sie entließ, geschah es mit dieser Warnung: „Geh hin und sündige nicht mehr!" (Lass ab von deinem sündigen Leben.) Je wohltuender die Rettung ist, umso wohltuender ist die Warnung, hinzugehen und nicht mehr zu sündigen. Wer hilft, das Leben eines Kriminellen zu schützen, sollte, wie Christus hier, helfen, die Seele mit dieser Warnung zu retten.

Als ihren Freispruch von ewiger Strafe. Wenn Christus sagte: „Ich verurteile dich nicht", hieß das in Wirklichkeit: „Ich vergebe dir", und der Sohn des Menschen hatte Vollmacht, „auf Erden Sünden zu vergeben" (Mt 9,6). Er kannte die Empfindlichkeit und aufrichtige Buße der Gefangenen und deshalb sagte er etwas, das sie trösten würde. Wen Christus nicht verurteilt, der ist wahrhaftig glücklich. Christus wird diejenigen nicht verurteilen, die, obwohl sie gesündigt haben, hingehen und nicht mehr sündigen werden (s. Ps 85,9; Jes 55,7). Christi Gunst uns gegenüber bei der Vergebung der Sünden, die in der Vergangenheit liegen, sollte für uns ein beherrschendes Argument sein, hinzugehen und nicht mehr zu sündigen (s. Röm 6,1-2).

Vers 12-20

Der Rest des Kapitels wird von Diskussionen zwischen Christus und Sündern eingenommen, die ihm widersprechen (s. Hebr 12,3). Es gab immer noch andere Pharisäer, die Christus entgegentreten würden, und sie waren anmaßend genug, um ihn herauszufordern **(Vers 13)**. Wir sehen hier:

1. Wie eine große Lehre mit ihrer Anwendung festgelegt wird.

1.1 Die Lehre ist, dass Christus „das Licht der Welt" ist **(Vers 12)**. „Nun redete Jesus wieder zu ihnen." Sie hatten sich dem gegenüber taub gestellt, was er vorher gesagt hatte, doch er redete „wieder zu ihnen und sprach: Ich bin das Licht der Welt". Es wurde erwartet, dass er ein „Licht zur Offenbarung für die Heiden" sein würde und damit das Licht der Welt (Lk 2,32). Das sichtbare Licht der Welt ist die Sonne. Die eine Sonne erleuchtet die ganze Welt, wie Christus es tut, und daher bedarf es nicht mehr. Was für ein Kerker wäre die Welt ohne die Sonne! Das ist es, wie sie ohne Christus sein würde, durch den „das Licht in die Welt gekommen ist" (Joh 3,19).

1.2 Die Anwendung dieser Lehre ist: „Wer mir nachfolgt, wird nicht in der Finsternis wandeln, sondern er wird das Licht des Lebens haben." Es ist unsere Pflicht, ihm zu folgen. Christus ist das wahre Licht. Es ist nicht genug, auf dieses Licht zu schauen oder es sogar anzustarren; wir müssen diesem Licht auch folgen, daran glauben und in diesem wandeln, denn es ist ein Licht für unseren Fuß, nicht nur für unser Auge. Es ist die Seligkeit derer, die Christus nachfolgen, dass sie „nicht in der Finsternis wandeln" werden. Sie werden „das Licht des Lebens haben", das Licht des geistlichen Lebens in dieser Welt und das Licht des ewigen Lebens in der anderen Welt. Wir wollen Christus jetzt nachfolgen und dann werden wir ihm in den Himmel nachfolgen.

2. Den Einwand, den die Pharisäer gegen diese Lehre erhoben: „Du legst von dir selbst Zeugnis ab; dein Zeugnis ist nicht glaubwürdig!" (Du trittst als dein eigener Zeuge auf; dein Zeugnis ist nicht stichhaltig; **Vers 13**). Der Einwand geschah sehr zu Unrecht, weil sie das zu einem Verbrechen machten, was notwendig und unvermeidlich bei jemandem war, der göttliche Offenbarung bekannt gab. Legten nicht Mose und alle Propheten von sich selbst Zeugnis ab, wenn sie verkündeten, sie seien Gottes Boten? Überdies übersahen sie das Zeugnis all der anderen Zeugen: Seine Lehre wurde von mehr als zwei oder drei glaubwürdigen Zeugen bestätigt, auf deren Aussage jede Sache beruhen kann (s. Mt 18,16).

3. Christi Antwort auf diesen Einwand **(s. Vers 14)**. Er ist das Licht der Welt, und eine der Eigenschaften von Licht ist, dass es von sich selbst Zeugnis ablegt. Grundprinzipien beweisen sich selbst. Er führte drei Dinge an, um zu beweisen, dass sein Zeugnis, wenn auch von sich selbst, wahr und überzeugend war.

3.1 Dass er sich seiner eigenen Autorität bewusst war. Er sprach nicht als jemand, der unsicher war: „... denn ich weiß, woher ich gekommen bin und wohin ich gehe." Er wusste, dass er „vom Vater ausgegangen" war und zu ihm ging, dass er aus der Herrlichkeit kam und in die Herrlichkeit ging (Joh 16,28; s. 17,5).

3.2 Dass sie nicht kompetent waren, ihn zu richten:

Weil sie unwissend waren: „Ihr aber wisst nicht, woher ich komme und wohin ich gehe." Er hatte ihnen von seinem Kommen vom Himmel und seiner Rückkehr in den Himmel erzählt, doch es war ihnen „eine Torheit" (1.Kor 2,14). Sie nahmen auf sich, etwas zu richten, was sie nicht verstanden.

Weil sie gegen ihn eingenommen waren: „Ihr richtet nach dem Fleisch" (nach menschlichen Maßstäben; **Vers 15**). Das Urteil kann nicht richtig sein, wenn die Richtlinien falsch sind. Die Juden richteten Christus und sein Evangelium nach der äußeren Erscheinung und sie hielten es für unmöglich, dass er das Licht der Welt ist – als ob die Sonne hinter einer Wolke nicht die Sonne wäre (s. 1.Sam 16,7).

Weil sie ungerecht und unfair ihm gegenüber waren. Dies ließ er durchblicken, als er sagte: „,Ich richte niemand.' Ich habe mit euren politischen Angelegenheiten nichts zu tun und mische mich nicht in diese ein." Er fällte über niemanden ein Urteil. Wenn er nun nicht nach dem Fleisch stritt, war es sehr unvernünftig von ihnen, ihn nach dem Fleisch zu richten.

3.3 Dass sein Zeugnis von sich selbst hinlänglich durch das Zeugnis seines Vaters mit ihm und für ihn bestätigt wurde: „Aber auch wenn ich richte, so ist mein Gericht wahrhaftig" (sind meine Entscheidungen richtig; **Vers 16**). Betrachten Sie ihn also:

Als Richter. „,Wenn ich richte, so ist mein Gericht wahrhaftig.' Wenn ich richte, muss mein Gericht wahrhaftig sein und dann würdet ihr verurteilt werden." Was dieses Gericht nun zufriedenstellend machte, war:

Die Mitwirkung seines Vaters mit ihm: „Denn ich bin nicht allein, sondern ich und der Vater." Er handelte nicht losgelöst von, sondern in seinem eigenen Namen und dem seines Vaters und in seiner Vollmacht (s. Joh 5,17; 14,9-10).

Der Auftrag seines Vaters an ihn. „Es ist der Vater, der mich gesandt hat." Sein Gericht war ohne Zweifel wahrhaftig und stichhaltig.

Als Zeuge. Als solcher gab er ein Zeugnis, das wahrhaftig und zufriedenstellend war; er zeigte dies in **Vers 17-18**, wo:

Er eine Maxime des jüdischen Gesetzes zitierte: „... dass das Zeugnis zweier Menschen glaubwürdig ist" **(Vers 17)**. Obwohl viele Male die Hand darauf gegeben wurde, um falsch Zeugnis abzulegen, wird solches Zeugnis als hinlänglicher Beweis zugelassen, um darauf eine Entscheidung zu gründen, und wenn sich nichts zeigt, was dem widerspricht, muss man es als wahr annehmen (s. Spr 11,21; 16,5; 1.Kön 21,10).

Er dies auf die vorliegende Sache anwandte: „Ich bin es, der ich von mir selbst Zeugnis gebe, und der Vater, der mich gesandt hat, gibt auch Zeugnis von mir" **(Vers 18)**. Hier sind zwei Zeugen! Wenn nun das Zeugnis von zwei unterschiedlichen Personen, die Menschen sind und deshalb getäuscht werden und täuschen können, überzeugend ist, dann sollte viel mehr das Zeugnis des Sohnes Gottes über sich selbst unterstützt von dem Zeugnis des Vaters über ihn Zustimmung erfordern.

4. Wie zum Schluss ihre Zungen gelöst und ihre Hände gebunden waren.

4.1 Beachten Sie, wie ihre Zungen gelöst wurden **(s. Vers 19)**. Sie machten sich daran, ihn ins Kreuzverhör zu nehmen. Beachten Sie:

Wie sie der Überführung auswichen: „Da sprachen sie zu ihm: Wo ist dein Vater?" Sie hätten leicht verstehen können, dass er auf niemand anderen als Gott selbst verwies, als er von seinem Vater sprach, doch sie gaben vor, dass sie es verstanden, als verweise er auf eine gewöhnliche Person. Sie forderten ihn heraus, er solle seinen Zeugen hervorholen, wenn er könnte: „Wo ist dein Vater?" Dies ist es, wie sie „nach dem Fleisch" richten, wie Christus über sie gesagt hatte **(Vers 15)**. Sie wiesen seinen Anspruch mit Hohn zurück.

Wie er ihren Einwand mit einer weiteren Verurteilung ungültig machte; er beschuldigte sie der vorsätzlichen Unwissenheit: „,Ihr kennt weder mich noch meinen Vater.' Es ist nutzlos, mit euch über göttliche Dinge zu diskutieren, weil ihr über sie sprecht, wie Blinde von der Farbe sprechen." Er beschuldigte sie der Unwissenheit über Gott: „Ihr kennt meinen Vater nicht." Ihre Augen waren in einer solchen Weise verfinstert, dass sie das Licht der Herrlichkeit des Vaters nicht sehen konnten, welches „im Angesicht Jesu Christi" leuchtete (2.Kor 4,6). Die kleinen Kinder der christlichen Gemeinde kennen den Vater, doch diese Obersten der Juden kannten den Vater nicht, weil sie es ablehnten, ihn als einen Vater zu kennen. Christus zeigte ihnen den wahren Grund ihrer Unwissenheit über Gott: „Wenn ihr mich kennen würdet, so würdet ihr auch meinen Vater kennen." Der Grund, warum Menschen unwissend über Gott sind, ist, dass sie Jesus Christus nicht kennen. Wenn wir Christus kennen würden, würden wir den Vater kennen. Wenn wir Christus besser kennen würden, würden wir den Vater besser kennen.

4.2 Achten Sie darauf, wie ihre Hände gebunden waren, obwohl ihre Zungen gelöst waren. „Diese Worte redete Jesus bei dem Opferkasten." Die Priester hätten nun leicht mit der Hilfe der Wachen, die unter ihrem Kommando standen, ihn sowohl ergreifen als auch dem Zorn des Mobs ausliefern oder ihn zumindest zum Schweigen bringen können. Doch selbst im Tempel, wo er in ihrer Reichweite war, ergriff ihn niemand, „denn seine Stunde war noch nicht gekommen". Beachten Sie:

Das Hemmnis, welches durch eine unsichtbare Macht seinen Verfolgern auferlegt wurde. Gott kann dem Zorn des Menschen Bande anlegen, wie er es bei den Wellen des Meeres tut (s. Ps 76,11; Hiob 38,11).

Den Grund für dieses Hemmnis: „... denn seine Stunde war noch nicht gekommen." Die häufige Erwähnung davon weist darauf hin, wie sehr der Zeitpunkt unseres Weggangs aus dieser Welt von dem festgelegten Plan und Ratschluss Gottes abhängt. Dieser Zeitpunkt wird kommen, er kommt, doch er ist noch nicht gekommen, obwohl er nahe ist. „In deiner

Hand steht meine Zeit", und dort ist sie besser aufgehoben als in der unseren (s. Ps 31,16).

Vers 21-30

Christus gab hier den törichten, ungläubigen Juden klare Warnungen zu bedenken, was die Folge ihrer Treulosigkeit sein würde. Beachten Sie:

1. Den angedrohten Zorn: „Nun sprach Jesus wiederum zu ihnen" **(Vers 21)**. Er lehrte weiter aus Freundlichkeit gegenüber den wenigen Leuten, die seine Lehre annahmen, was ein Beispiel für geistliche Diener ist, ungeachtet des Widerstands mit ihrer Arbeit fortzufahren, denn ein Überrest wird gerettet werden (s. Röm 9,27; Jes 10,22). Hier veränderte Christus seinen Ton; er hatte ihnen aufgespielt mit dem Angebot seiner Gnade, und sie haben nicht getanzt; jetzt sang er ihnen Klagelieder in der Verkündigung seines Zorns, um zu sehen, ob sie weinen würden (s. Mt 11,17). Er sagte: „Ich gehe fort, und ihr werdet mich suchen, und ihr werdet in eurer Sünde sterben. Wohin ich gehe, dorthin könnt ihr nicht kommen!" Jedes Wort ist schrecklich und spricht ein geistliches Gericht aus, welches die schwersten aller Gerichte sind. Vier Dinge werden den Juden angedroht:

1.1 Christi Fortgehen von ihnen: „Ich gehe fort." Es ist schrecklich für diejenigen, von denen Christus fortgeht! Er sagte oft Lebewohl, wie jemand, der widerwillig ging und eingeladen werden wollte.

1.2 Ihre Feindschaft gegenüber dem echten Messias und ihre vergebliche Suche nach einem anderen Messias, wenn er fortgegangen war. „... und ihr werdet mich suchen", was entweder zeigt:

Ihre Feindschaft gegenüber dem wahren Christus: „Ihr werdet versuchen, meinen Einfluss zu zerstören, indem ihr meine Lehre und meine Nachfolger verfolgt."

Ihre Suche nach falschen Christussen: „Ihr werdet euch weiter mit Erwartungen in Bezug auf den Messias durcheinanderbringen, einem Christus, der kommen soll, während er bereits gekommen ist."

1.3 Ihre endgültige Verstocktheit: „... und ihr werdet in eurer Sünde sterben." Das Griechische ist tatsächlich im Singular: „Sünde". Was hier hauptsächlich gemeint ist, ist die Sünde des Unglaubens. Wer im Unglauben lebt, geht für immer zugrunde, wenn er in seinem Unglauben stirbt. Viele, die lange in Sünde gelebt haben, werden – durch Gnade – durch ihre bereitwillige Buße davor gerettet, in Sünde zu sterben.

1.4 Ihre ewige Trennung von Christus. „Wohin ich gehe, dorthin könnt ihr nicht kommen!" Als Christus die Welt verließ, ging er in das Paradies. Er nahm den bußfertigen Übeltäter dort mit hin, der nicht in seinen Sünden starb, doch die Unbußfertigen werden nicht nur nicht zu ihm kommen; sie können es nicht, denn der Himmel wäre kein Himmel für die, welche ungeheiligt und hierfür untauglich sterben.

2. Wie sie seine Drohung verspotteten. Sie höhnten darüber: „Will er sich etwa selbst töten?" **(Vers 22)**. Wie gering dachten sie über die Drohungen Christi; sie konnten sich selbst und einander damit fröhlich machen. Was für harte Gedanken hatten sie über die Absicht Christi, als hätte er einen unmenschlichen Plan gegen sein eigenes Leben. Sie hatten sein Wort vorher viel wohlgesonnener gedeutet: „Will er etwa zu den unter den Griechen Zerstreuten gehen?" Doch beachten Sie, wie gehegter Hass zunehmend boshafter wird.

3. Die Bekräftigung von dem, was er gesagt hatte.

3.1 Er hatte gesagt: „Wohin ich gehe, dorthin könnt ihr nicht kommen!" Und hier nannte er den Grund dafür: „Ihr seid von unten, ich bin von oben. Ihr seid von dieser Welt, ich bin nicht von dieser Welt." Ihr seid von den Dingen, die unten sind. Ihr seid diesen Dingen hingegeben. Wie könnt ihr dorthin kommen, wohin ich gehe, wenn euer Geist und eure Disposition so direkt entgegengesetzt zu der meinen sind?" **(Vers 23)**. Beachten Sie:

Was der Geist unseres Herrn Jesus war – „nicht von dieser Welt", sondern „von oben". Niemand wird bei ihm sein außer denen, die von oben geboren sind und ihr Bürgerrecht im Himmel haben (s. Joh 3,3.7; Phil 3,20).

Wie entgegengesetzt dazu ihr Geist war: „Ihr seid von unten." Was für Gemeinschaft konnte Christus mit ihnen haben?

3.2 Er hatte gesagt: „... und ihr werdet in eurer Sünde sterben", und hier blieb er dabei. Er nannte auch diesen weiteren Grund dafür: „Denn wenn ihr nicht glaubt, dass ich es bin, so werdet ihr in euren Sünden sterben" **(Vers 24)**. Beachten Sie:

Was von uns gefordert wird zu glauben: „,... dass ich es bin', der Eine, welcher kommen soll, der Eine, von dem ihr erwartet, dass es der Messias sein wird. Ich nenne mich nicht nur selbst so; ich bin es" (s. Ps 118,26; Mt 11,3). Echter Glaube unterhält nicht die Seele mit einem leeren Klang von Worten, sondern bewegt sie als etwas Wirkliches.

Wie notwendig es ist, dass wir dies glauben. Wenn wir diesen Glauben nicht haben, werden wir in unserer Sünde sterben. Ohne ihn können wir nicht von der Macht der Sünde errettet werden, solange wir leben, und darum werden wir sicherlich bis zum Ende in ihr fortfahren. Niemand außer dem Geist der Gnade Christi wird ein ausreichend mächtiges Werkzeug sein, um uns von der Sünde ab- und Gott hinzuwenden. Wenn Christus uns nicht heilt, ist unser Fall verzweifelt und wir werden in unserer Sünde sterben. Und ohne diesen Glauben können wir nicht vor der Strafe für die Sünde gerettet werden, wenn wir sterben. Dies bringt die große Verheißung des Evangeliums mit sich: Wenn wir glauben, dass Christus der Eine ist, welcher er behauptet zu sein, und wenn wir ihn entsprechend annehmen, werden wir nicht in unserer Sünde sterben. Gläubige sterben in Christus, in seiner Liebe, in seinen Armen.

4. Eine weitere Botschaft über sich selbst **(s. Vers 25-29)**.
4.1 Die Frage, welche ihm die Juden stellten: „Wer bist du?" **(Vers 25)**. Er hatte gesagt: „Ihr müsst glauben, ‚dass ich es bin'." Als er nicht ausdrücklich sagte, wer er ist, brachten sie ihn dadurch in Misskredit, als wisse er nicht, was er über sich sagen soll: „Wer bist du?"
4.2 Seine Antwort auf diese Frage, in der er sie auf drei Wege an Information verwies.
Er verwies sie auf das, was er die ganze Zeit gesagt hatte: „Ihr fragt, wer ich bin? ‚Darüber habe ich doch von Anfang an zu euch gesprochen.' Ich bin das, was ich euch von Anfang der Zeit an in den Schriften des Alten Testaments sage", oder: „... von Anfang an meines öffentlichen Dienstes" (NGÜ). Er war entschlossen, bei der Rechenschaft zu bleiben, die er bereits für sich abgelegt hatte. Darum verwies er sie auf dies als Antwort auf ihre Frage.
Er verwies sie auf das Urteil seines Vaters: „Ich habe vieles über euch zu reden und zu richten ... was ich von ihm gehört habe, das rede ich zu der Welt' – zu der ich als Botschafter gesandt bin" **(Vers 26)**.
Er verschwieg seine Anklage gegen sie. Er hatte viele Dinge, dessen er sie beschuldigte, doch er hatte für den Augenblick genug gesagt.
Er machte seinen Einspruch gegen sie bei seinem Vater geltend: „Aber der, welcher mich gesandt hat". Hier gibt es zwei Dinge, die ihn trösteten:
Dass er seinem Vater und der Pflicht treu gewesen war, die ihm übertragen war. „... ich rede zu der Welt" – denn sein Evangelium sollte „der ganzen Schöpfung" gepredigt werden (Mk 16,15) – „... was ich von ihm gehört habe".
Dass sein Vater ihm treu sein würde. Obwohl er sie nicht vor seinem Vater anklagen würde, würde der Vater, der ihn sandte, zweifellos richten. Christus würde sie nicht anklagen, „denn", sagte er, „der Eine, der mich gesandt hat, ist wahrhaftig und wird das Urteil über sie fällen". Hier hat der Evangelist einen traurigen Kommentar über diesen Teil der Lehre unseres Heilands zu machen: „Sie verstanden aber nicht, dass er vom Vater zu ihnen redete" **(Vers 27)**. Obwohl Christus so deutlich von Gott als seinem Vater im Himmel sprach, verstanden sie doch nicht, wen er meinte. Für den Blinden sind Tag und Nacht gleich.

Dann verwies er sie auf ihre eigene Überzeugung **(s. Vers 28-29)**. Beachten Sie hier:
Wovon sie in Kürze überzeugt werden würden: „‚... dann werdet ihr erkennen, dass ich es bin'; ihr werdet gezwungen sein, es in eurem eigenen Gewissen zu erkennen, dessen Überführung ihr, obwohl ihr sie unterdrücken mögt, nicht verschmähen könnt." Sie würden von zwei Dingen überzeugt sein:
Dass er nichts von sich selbst aus tat, aus eigenem Antrieb, ohne den Vater. Von den falschen Propheten wird gesagt, dass sie „aus ihrem eigenen Herzen" weissagten und ihrem eigenen Geist folgten (s. Hes 13,2).
Dass er redet, wie ihn sein Vater gelehrt hat, dass er nicht von sich selbst, sondern von Gott gelehrt war.
Wann sie davon überzeugt werden würden: „‚Wenn ihr den Sohn des Menschen erhöht haben werdet', ihn am Kreuz erhöht habt, wie die eherne Schlange am Pfahl" (s. Joh 3,14). Auf der anderen Seite zeigt der Ausdruck, dass sein Tod seine Erhöhung war. Die ihn zu Tode brachten, erhöhten ihn am Kreuz, doch dann erhöhte er sich selbst zum Vater. Beachten Sie, mit welcher Sanftheit und Milde Christus hier zu denen sprach, von denen er sicher wusste, dass sie ihn töten würden. Christus sprach von seinem Tod als etwas, das für die untreuen Juden eine kräftige Überführung sein würde. „‚Wenn ihr den Sohn des Menschen erhöht haben werdet', dann werdet ihr dies erkennen." Warum dann?
Weil törichten und gedankenlosen Menschen oft der Wert von Segnungen durch den Mangel an ihnen gelehrt wird (s. Lk 17,22).
Weil die Schuld der Sünde der Juden ihr Gewissen so erwecken würde, dass sie dazu gebracht werden, ernstlich einen Heiland zu suchen, und dann würden sie erkennen, dass Jesus der Eine war, welcher sie alleine retten konnte. Und so zeigte es sich, dass sie ausriefen, als ihnen gesagt wurde, dass sie den Sohn Gottes mit bösen Händen gekreuzigt und getötet hatten: „Was sollen wir tun?" (Apg 2,37).
Weil sein Tod von solchen Zeichen und Wundern begleitet werden würde, dass sie einen stärkeren Beweis dafür bieten würden, dass er der Messias war, als jeder Beweis, der bis zu diesem Zeitpunkt gegeben war.
Weil Christus durch seinen Tod die Ausgießung des Geistes erwarb, welche die Welt überzeugen würde, dass Jesus derjenige ist, welcher er behauptete zu sein (s. Joh 16,7-8).
Weil die Gerichte, welche die Juden über sich brachten, indem sie Christus töteten, ein sichtbarer Beweis für den am meisten verhärteten unter ihnen war, dass Jesus derjenige war, der er behauptete zu sein.
Was unserem Herrn Jesus in der Zwischenzeit half: „‚Und der, welcher mich gesandt hat, ist mit mir.' Der Vater hat mich nicht allei-

ne gelassen, ‚denn ich tue allezeit, was ihm wohlgefällt'" **(Vers 29)**. Hier gibt es:
Die Gewissheit, die Christus von der Gegenwart seines Vaters bei ihm hatte. „Und der, welcher mich gesandt hat, ist mit mir" (s. Jes 42,1; Ps 89,22). Dies gibt unserem Glauben Freimut in Christus und macht uns von seinem Wort abhängig: Der König der Könige begleitete seinen eigenen Gesandten und ließ ihn nie alleine, sei es einsam oder schwach. Diese Gegenwart des Vaters bei ihm hob auch die Bosheit von denen hervor, die ihm widerstanden.
Die Grundlage für diese Gewissheit: „... denn ich tue allezeit, was ihm wohlgefällt." Seine ganze Unternehmung wird als etwas bezeichnet, was dem Herrn gefiel (s. Jes 53,10). Sein Vorgehen in dieser Sache hat dem Vater in keiner Weise missfallen. Unser Herr Jesus hat seinen Vater nie in irgendeiner Weise gekränkt; er erfüllte alle Gerechtigkeit (s. Mt 3,15). Gottes Diener können Gottes Gegenwart bei ihnen erwarten, wenn sie erwählen und tun, was ihm gefällt (s. Jes 66,4-5).

5. Die gute Wirkung, welche die Botschaft Christi auf einige seiner Hörer hatte: „Als er dies sagte, glaubten viele an ihn" **(Vers 30)**. Es gibt immer noch einen Überrest, „die glauben zur Errettung der Seele" (s. Röm 11,5; Hebr 10,39). Wenn Israel, das ganze Volk als solches, nicht zu ihm versammelt wird, gibt es immer noch solche unter dem Volk, in denen Christus geehrt sein wird (s. Jes 49,5). Als Christus ihnen sagte, dass sie in ihrer Sünde sterben würden, wenn sie nicht glauben, dachten solche Menschen, es sei Zeit, die Sache zu bedenken (s. Röm 1,16.18). Manchmal ist eine große Tür geöffnet, eine wirkungsvolle, selbst dort, wo es viele Feinde gibt. Das Evangelium erringt manchmal große Siege, wo es auf viel Widerstand trifft. Dies möge Gottes geistliche Diener ermutigen, das Evangelium zu predigen, selbst wenn es „unter viel Kampf" geschieht, denn ihre Arbeit wird „nicht vergeblich" sein (s. 1.Thess 2,2; 1.Kor 15,58). Viele Menschen können heimlich zu Gott heimgeführt werden durch Bemühungen, denen offen widersprochen wird.

Vers 31-37
Wir haben in diesen Versen:

1. Eine ermutigende Predigt über die geistliche Freiheit der Jünger Christi niedergelegt. Da er wusste, dass seine Predigt begann, Wirkung auf einige seiner Hörer zu haben, richtete sich Christus an diese schwachen Hörer. Beachten Sie:
1.1 Wie gnädig der Herr Jesus die ansieht, die vor seinem Wort erzittern und bereit sind, es anzunehmen (s. Jes 66,5); und wenn Menschen sich auf seinen Weg begeben, wird er nicht an ihnen vorübergehen, ohne zu ihnen zu sprechen.
1.2 Wie sorgfältig er die Anfänge der Gnade pflegt. Bei dem, was er zu ihnen sagte, haben wir zwei Dinge, die er zu allen sagte, die zu irgendeiner Zeit glauben würden. Er beschrieb:
Das Wesen eines echten Jüngers Christi: „Wenn ihr in meinem Wort bleibt, so seid ihr wahrhaftig meine Jünger." Er legte es als eine feststehende Regel nieder, dass er nur die als seine Jünger anerkennen würde, welche in seinem Wort bleiben. Die nicht stark im Glauben sind, sollten sicherstellen, dass sie fest im Glauben stehen. Diejenigen, die daran denken, einen Bund mit Christus zu schließen, mögen nicht daran denken, hierin halbherzig zu sein oder ihre Vereinbarung zu widerrufen. Kinder werden nur wenige Jahre zur Schule geschickt und als Lehrlinge übergeben, doch nur diejenigen, die bereit sind, sich ein ganzes Leben lang Christus anzuvertrauen, gehören wirklich ihm. Nur diejenigen, die in Christi Wort bleiben, werden als die Seinen angenommen werden. Das Wort, das mit „bleiben" übersetzt wird, bedeutet „wohnen"; wir müssen in Christi Wort wohnen, wie es ein Mensch zu Hause tut, das sein Mittelpunkt, sein Ruheort und seine Zuflucht ist.
Das Vorrecht eines wahren Jüngers Christi. Hier gibt es zwei kostbare Verheißungen **(s. Vers 32)**.
„Und ihr werdet die Wahrheit erkennen." Selbst diejenigen, die echte Gläubige sind, können – und werden – über viele Dinge im Unklaren sein, die sie wissen sollten. Gottes Kinder sind nur Unmündige und sie urteilen und reden wie Unmündige (s. 1.Kor 13,11). Wenn wir nicht gelehrt werden müssten, bräuchten wir keine Jünger sein (was „Lernende" bedeutet). Es ist ein sehr großes Vorrecht, die Wahrheit zu erkennen. Christi Schüler sind gewiss, gut gelehrt zu werden.
„... und die Wahrheit wird euch frei machen!" Das heißt:
Die von Christus gelehrte Wahrheit zielt darauf ab, Menschen frei zu machen (s. Jes 61,1). Sie befreit uns von unseren geistlichen Feinden, macht uns frei, um Gott zu dienen, frei, uns der Vorrechte von Söhnen zu erfreuen.
Diese Wahrheit zu erkennen, anzunehmen und zu glauben, macht uns tatsächlich frei, frei von Vorurteilen, Irrtümern und falschen Vorstellungen. Wir werden von dem beherrschenden Grundsatz sündiger Begierden und Leidenschaften frei gemacht; die Seele wird wiederhergestellt, dass sie sich beherrscht. Das Herz wird sehr befreit, indem es die Wahrheit Christi annimmt; es agiert nie mit so wirklicher Freiheit, als wenn es unter göttlichem Kommando handelt (s. 2.Kor 3,17).

2. Den Anstoß, welchen die weltlichen Juden an dieser Lehre nahmen. Sie hatten immer noch etwas daran auszusetzen. Sie antworteten ihm mit viel Stolz und Missgunst: „Wir Juden ‚sind Abrahams Same und sind' darum ‚nie jemandes Knechte gewesen; wie kannst du da sagen: Ihr sollt frei werden?'" **(Vers 33)**. Beachten Sie:

2.1 Worüber sich grämten; es war die Folgerung aus dem „ihr werdet frei gemacht werden" – dass das jüdische Volk in einer Art von Sklaverei war.

2.2 Was sie dagegen vorbrachten.

„Wir sind die Nachfahren von Abraham." Bei einer verfallenden, verkümmernden Familie ist es üblich, sich der Herrlichkeit und Würde der Vorfahren zu rühmen und Ehre von dem Namen zu nehmen, dem sie Schande zurückerstatten; dies ist es, was die Juden hier taten. Es ist der übliche Fehler und die Torheit derer, die fromme Eltern und eine fromme Erziehung haben, auf ihre Vorrechte zu vertrauen und sich ihrer zu rühmen, als würden diese einen Mangel an echter Heiligkeit ausgleichen. Rettende Segnungen werden uns und unseren Kindern nicht durch Erbschaft vermittelt, noch kann man durch die Herkunft einen Anspruch auf den Himmel geltend machen. Nicht alle, die von Israel abstammen, sind Israel (s. Röm 9,6).

„Wir sind ... nie jemandes Knechte gewesen." Beachten Sie:

Wie falsch diese Behauptung war. Ich wundere mich, wie sie die Zuversicht haben konnten, solch eine Sache im Angesicht einer Versammlung zu sagen, wenn es so offenkundig unwahr war. Waren sie nicht zu dieser Zeit den Römern unterworfen und, wenn auch nicht persönlich, so doch als Volk, deren Knechte und stöhnten, dass sie frei gemacht werden?

Wie töricht die Anwendung war. Christus hatte von einer Freiheit gesprochen, in welche sie die Wahrheit führen würde, was so verstanden werden muss, dass es sich auf eine geistliche Freiheit bezieht, denn wie die Wahrheit das Gemüt bereichert, so befreit sie auch das Gemüt, erlöst es von der Knechtschaft des Irrtums und der Voreingenommenheit. Sie aber machten gegen das Angebot der geistlichen Freiheit geltend, dass sie nie in leiblicher Knechtschaft gewesen sind. Sündigen Herzen sind keine Missstände bewusst, außer denen, die den Leib verletzen oder ihren weltlichen Angelegenheiten schaden. Wenn man über das Geknechtetsein durch die Sünde spricht, dass man von Satan gefangen gehalten wird und von der Freiheit in Christus, bringt man etwas Fremdartiges vor ihre Ohren (s. Apg 17,20).

3. Wie unser Heiland seine Lehre rechtfertigte, wobei er vier Dinge tat **(s. Vers 34-37)**:

3.1 Er zeigte ihnen, wie es dennoch möglich war, dass sie in Knechtschaft sind: „Jeder, der die Sünde tut, ist ein Knecht der Sünde" **(Vers 34)**. Ferner erläuterte Christus zu ihrer Erbauung das, was er gesagt hatte.

Die Einleitung war sehr feierlich: „Wahrlich, wahrlich, ich sage euch." Der Stil der Propheten war: „So spricht der HERR", denn sie waren treu als Diener (s. Hebr 3,5-6), doch weil Christus der Sohn ist, spricht er in seinem eigenen Namen: „... ich sage euch." Er stützte seine Integrität darauf.

Die Wahrheit war von umfassender Bedeutung: „Jeder, der die Sünde tut, ist ein Knecht der Sünde' und hat es leider nötig, frei gemacht zu werden."

Achten Sie darauf, wem dieses Kennzeichen gegeben wird, demjenigen, „der die Sünde tut". Es gibt auf Erden keinen Menschen, der „so gerecht ist, dass er Gutes tut, ohne zu sündigen" (Pred 7,20); doch nicht jeder, der sündigt, ist ein Knecht der Sünde, denn dann hätte Gott keine Diener; doch wer die Sünde wählt, wer nach dem Fleisch lebt und die Sünde zu seiner Beschäftigung macht, ist ein Knecht der Sünde.

Schauen Sie, wie Christus diejenigen kennzeichnet, welche die Sünde tun. Er stigmatisierte sie, gab ihnen das Kennzeichen der Knechtschaft. Sie tun das Werk der Sünde, unterstützen deren Interessen und akzeptieren deren Lohn (s. Röm 6,16).

3.2 Er zeigte ihnen, dass es ihnen kein Anrecht auf das Erbe der Söhne geben würde, dass sie einen Platz im Haus Gottes haben, denn „der Knecht ... bleibt nicht ewig im Haus; der Sohn" der Familie aber bleibt für immer **(Vers 35)**.

Dies bezieht sich in erster Linie auf die Verwerfung der jüdischen Gemeinde und des jüdischen Volkes. Israel war Gottes Kind, sein erstgeborener Sohn (s. 2.Mose 4,22). Christus sagte ihnen, dass sie, weil sie sich selbst zu Knechten gemacht haben, „nicht ewig im Haus" bleiben würden. „Erwartet nicht, dass ihr durch die Zeremonien des Gesetzes Moses von der Sünde frei gemacht werdet, denn Mose war nur ein Knecht. Doch wenn euch der Sohn frei machen wird, ist es gut" **(s. Vers 36)**.

Es blickt weiter, auf die Verwerfung aller, die Knechte der Sünde sind. Nur wahre Gläubige werden als frei erachtet und werden für immer im Haus bleiben.

3.3 Er zeigte ihnen den Weg der Rettung. Der Fall derer, die Knechte der Sünde sind, ist schlimm, doch Gott sei Dank ist er nicht hilflos; er ist nicht hoffnungslos. Der, welcher der Sohn ist, hat die Macht, sowohl von der Knechtschaft zu erlösen als auch in seine Familie zu adoptieren: „Wenn euch nun der Sohn frei machen wird, so seid ihr wirklich frei" **(Vers 36)**.

Jesus Christus bietet uns im Evangelium unsere Freiheit an. Er hat Autorität und Macht, frei zu machen, das heißt:

Gefangene zu entlassen. Er tut dies mit der Rechtfertigung, indem er Sühne für unsere Schuld und Sünde leistet. Christus regelt als unser Bürge die Angelegenheit mit dem Gläubiger, erfüllt seine Forderungen der zu Schaden gekommenen Gerechtigkeit mit mehr als dem Gegenwert.

Knechte zu retten, und dies tut er durch die Heiligung. Durch das mächtige Handeln seines Geistes zerbricht er die Macht der Verderbtheit in der Seele und sammelt die verstreuten Kräfte des Verstandes und der Güte und so wird die Seele frei gemacht.

Fremdlinge und Ausländer einzubürgern, und dies tut er durch die Adoption. Das ist ein weiterer Akt der Gnade. Es gibt genauso eine Charta von Vorrechten wie es eine der Vergebung gibt.

Die Christus frei macht, sind wirklich frei. Das Wort, welches in Vers 31 mit „wahrhaftig" übersetzt wird – „wahrhaftig meine Jünger" –, bedeutet „tatsächlich"; das Wort hier bedeutet „in Wahrheit". Dies zeigt:

Die Wahrheit und Gewissheit der Verheißung. Die Freiheit, derer sich die Juden rühmten, war eine eingebildete Freiheit; die Freiheit, welche Christus gibt, ist sicher; sie ist real. Die Knechte der Sünde versprechen sich Freiheit und meinen, dass sie frei sind, doch sie betrügen sich selbst. Niemand ist wirklich frei außer denen, die Christus frei macht.

Die beachtliche Vorzüglichkeit der verheißenen Freiheit; es ist eine Freiheit, die den Namen verdient. Es ist eine Freiheit der Herrlichkeit (s. Röm 8,21). Sie ist ein wirkliches Erbteil, während die Dinge der Welt Schatten sind (s. Spr 8,21).

3.4 Er wandte diese Antwort auf ihr Rühmen hinsichtlich ihrer Verwandtschaft mit Abraham an: „Ich weiß, dass ihr Abrahams Same seid; aber ihr sucht mich zu töten, denn mein Wort findet keinen Raum in euch" **(Vers 37)**. Beachten Sie:

Die Ehre ihrer Herkunft wurde anerkannt: „Ich weiß, dass ihr Abrahams Same seid." Sie rühmten sich ihrer Abstammung von Abraham als dem, was ihre Namen groß machte, während es in Wirklichkeit nur ihre Vergehen hervorhob (s. 1.Mose 12,2).

Es wurde die Unvereinbarkeit ihres Handelns mit dieser Ehre gezeigt: „Aber ihr sucht mich zu töten." Sie hatten mehrere Male versucht, dies zu tun, und beabsichtigten dies jetzt, wie sich rasch zeigte, als sie Steine aufhoben, „um sie auf ihn zu werfen" **(Vers 59)**.

Der Grund für diese Unvereinbarkeit war, dass „mein Wort ... keinen Raum in euch" findet. Manche Kritiker verstehen es als: „Mein Wort dringt nicht in euch ein"; es triefte wie der Regen, doch es kam auf sie wie der Regen auf den Felsen, von dem es herunterlief, statt in ihr Herz zu sickern wie Regen auf gepflügtem Boden (s. 5.Mose 32,2; Jes 55,10-11). Unsere Übersetzung ist vielsagend: Es hat „keinen Raum in euch". Die Worte Christi sollten Raum in uns haben, den innersten und höchsten Raum, einen Raum zum Leben, wie das Zuhause eines Menschen, nicht wie der Arbeitsplatz eines Fremden oder Reisenden. Das Wort muss Raum haben, um zu wirken, um die Sünde aus uns herauszuarbeiten und Gnade in uns hineinzuarbeiten; es muss einen beherrschenden Raum haben, den Thron unseres Herzens. Doch in vielen, die den religiösen Glauben bekennen, findet das Wort Christi keinen Raum; sie wollen ihm keinen Raum gestatten, weil sie es nicht mögen. Andere Dinge nehmen den Raum ein, den das Wort Christi in uns haben sollte. Wo das Wort Gottes keinen Raum hat, ist nichts Gutes zu erwarten, weil der Raum, der verfügbar ist, dort aller Bosheit überlassen wird (s. Mt 12,43-45).

Vers 38-47

Hier streiten Christus und die Juden immer noch.

1. Er führte den Unterschied zwischen seiner und ihrer Haltung auf einen unterschiedlichen Ursprung zurück: „Ich rede, was ich bei meinem Vater gesehen habe; so tut auch ihr, was ihr bei eurem Vater gesehen habt" **(Vers 38)**.

1.1 Die Lehre Christi kam vom Himmel: „Ich rede, was ich ... gesehen habe." Die Offenbarungen, die Christus uns von Gott und einer anderen Welt gegeben hat, gründen sich nicht auf Vermutungen und Hörensagen. Es ist das, „was ich bei meinem Vater gesehen habe". Die Lehre Christi ist keine plausible Hypothese, die von einleuchtenden Argumenten unterstützt wird. Sie war nicht nur das, was er von seinem Vater gehört hatte; sie war auch, was er bei ihm gesehen hatte. Es war das Recht Christi, gesehen zu haben, was er sprach, und zu sprechen, was er gesehen hatte.

1.2 Ihre Taten waren von der Hölle: „So tut auch ihr, was ihr bei eurem Vater gesehen habt." Wie ein Sohn, der von seinem Vater aufgezogen wird, die Worte und Wege seines Vaters lernt und durch Nachahmung wie auch nach dem natürlichen Bild ihm ähnlich wird, so machten sich diese Juden dem Teufel ähnlich, als hätten sie ihn sorgfältig zu ihrem Vorbild gemacht.

2. Er antwortete auf ihr stolzes Rühmen, dass Abraham und Gott ihre Väter seien.

2.1 Sie machten eine Verwandtschaft mit Abraham geltend: „Abraham ist unser Vater!" **(Vers 39)**; und er antwortete auf diesen Vorwand. Sie beabsichtigten dies:

Sich selbst Ehre zu geben und sich groß aussehen zu lassen.

Ihren Hass auf Christus zu zeigen, als würde das, was er sagte, den Patriarchen Abraham schlimm herabsetzen, während er von ihrem Vater als jemandem sprach, von dem sie gelernt hatten, Böses zu tun. Christus stürzte diesen Vorwand durch ein klares und überzeugendes Argument um: „Abrahams Kinder werden die Werke Abrahams tun, ihr aber tut nicht die Werke Abrahams, deshalb könnt ihr nicht Abrahams Kinder sein."

Der Obersatz war klar: „Wenn ihr Abrahams Kinder wärt, so würdet ihr Abrahams Werke tun." Nur die, welche in den Fußstapfen seines Glaubens und Gehorsams wandeln, werden als Nachfahren Abrahams angesehen (s. Röm 4,12). Die sich als Abrahams Nachfahren erweisen wollen, müssen nicht nur den Glauben Abrahams haben, sondern auch Abrahams Werke tun (s. Jak 2,21-22).

Auch der Untersatz war klar: „Ihr tut aber nicht die Dinge, die Abraham tat, ,nun aber sucht ihr mich zu töten, einen Menschen, der euch die Wahrheit gesagt hat, die ich von Gott gehört habe; das hat Abraham nicht getan'" **(Vers 40)**.

Er zeigte ihnen, was ihr Werk war, was sie jetzt taten: Sie suchten ihn zu töten. Sie waren so abscheulich, einem Mann nach dem Leben zu trachten, der ihnen nichts getan hatte noch sie in irgendeiner Weise gereizt hatte. Sie waren so undankbar, dass sie einem nach dem Leben trachteten, der ihnen die Wahrheit gesagt hat. Sie waren so gottlos, dass sie einem nach dem Leben trachteten, der ihnen die Wahrheit gesagt hat, die er von Gott gehört hat.

Er zeigte ihnen, dass sich dies nicht für die Kinder Abrahams geziemte, denn „,das hat Abraham nicht getan'. Er tat nichts dergleichen". Er war berühmt für seine Menschlichkeit und Gottesfurcht. „Abraham aber glaubte Gott" (Röm 4,3); sie waren halsstarrig im Unglauben. „Er hätte nicht auf diese Weise gehandelt, wenn er jetzt gelebt oder wenn ich damals gelebt hätte."

Die Schlussfolgerung folgte natürlich: „Ihr seid nicht Abrahams Kinder, sondern verratet euch selbst als solche, die aus einer anderen Familie kommen; es gibt einen Vater, dessen Werke ihr tut" **(s. Vers 41)**. Er sagte noch nicht klar, dass er auf den Teufel verwies. Er prüfte sie, ob sie ihrem eigenen Gewissen gestatten würden, aus dem, was er gesagt hatte, zu schließen, dass sie die Kinder des Teufels waren.

2.2 Weit davon entfernt, ihre Unwürdigkeit für die Verwandtschaft mit Abraham anzuerkennen, brachten sie eine Verwandtschaft mit Gott selbst als ihrem Vater vor: „Wir sind nicht unehelich geboren; wir haben einen Vater: Gott!"

Manche verstehen dies wörtlich. Sie waren Hebräer von Hebräern (s. Phil 3,5). Da sie ehelich geboren waren, konnten sie Gott Vater nennen.

Andere verstehen es bildlich. Ihnen wurde jetzt bewusst, dass Christus von einem geistlichen Vater sprach, den Vater ihrer Religion, und deshalb:

Bestritten sie, dass sie ein Geschlecht von Götzendienern waren: „‚Wir sind nicht unehelich geboren'; sind nicht die Kinder von götzendienerischen Eltern." Wenn sie nicht mehr meinten, als dass sie selbst keine Götzendiener wären, was dann? Ein Mensch kann frei vom Götzendienst sein und doch in einer anderen Sünde umkommen.

Sie rühmten sich, dass sie wahre Anbeter des wahren Gottes waren. „Wir haben nicht viele Väter, wie sie die Heiden hatten. Der Herr unser Gott ist ein Herr und ein Vater und deshalb ist mit uns alles in Ordnung." Unser Heiland gab nun eine vollständige Antwort auf diesen irrigen Vorwand und bewies durch zwei Argumente, dass sie kein Recht hatten, Gott ihren Vater zu nennen **(s. Vers 42-43)**.

Sie liebten Christus nicht: „Wenn Gott euer Vater wäre, so würdet ihr mich lieben." Er hatte ihre Verwandtschaft zu Abraham widerlegt, indem er enthüllte, dass sie danach trachteten, ihn, Christus, zu töten **(s. Vers 40)**; hier aber widerlegte er ihre Verwandtschaft mit Gott, indem er enthüllte, dass sie Christus nicht liebten und anerkannten. Jeder, der Gott zum Vater hat, hat eine echte Liebe für Jesus Christus. Gott hat verschiedene Methoden benutzt, um uns zu prüfen, und dies war eine davon: Er sandte seinen Sohn in die Welt und schloss, dass alle, die Gott ihren Vater nennen, seinen Sohn annehmen würden. Unsere Adoption wird sich hierdurch beweisen oder daran widerlegt werden: Haben wir Christus geliebt oder nicht? Wenn sie Gottes Kinder wären, würden sie ihn lieben, denn:

Er war der Sohn Gottes. Dies muss ihn nun der Zuneigung aller empfehlen, die „aus Gott geboren" wurden (1.Joh 5,1).

Er war von Gott gesandt. Beachten Sie den Nachdruck, den er darauf legte: „... denn ich bin von Gott ausgegangen ... denn nicht von mir selbst bin ich gekommen, sondern er hat mich gesandt." Er kam, „um die zerstreuten Kinder Gottes in eins zusammenzubringen" (Joh 11,52). Würden nicht alle Kinder Gottes mit offenen Armen einen Boten empfangen, der von ihrem Vater mit einem solchen Auftrag gesandt wurde?

Sie verstanden ihn nicht. Sie verstanden nicht die Sprache und den Dialekt der Familie: „Warum versteht ihr meine Rede nicht?" (Ist meine Sprache für euch nicht klar?; **Vers 43**). Die sich mit dem Wort des Schöpfers vertraut gemacht hatten, brauchten keinen anderen Schlüssel für die Sprache des Erlösers. Der Grund, warum sie die Rede Christi nicht verstanden, machte die Sache noch viel schlimmer: „Weil ihr mein Wort nicht hören könnt!" Das heißt: „Ihr könnt euch selbst nicht überreden, es ohne Vorurteil zu hören, wie es gehört werden sollte." Die Bedeutung dieses Nichthörenkönnens ist ein halsstarriges Nichtwollen. Sie mochten es nicht, noch liebten sie es, und darum wollten sie es nicht verstehen. „Ihr könnt ‚mein Wort nicht hören', weil ihr eure Ohren verschlossen habt" (s. Ps 58,5-6).

3. Dann sagte er ihnen deutlich, wessen Kinder sie waren: „Ihr habt den Teufel zum Vater" **(Vers 44).** Wenn sie nicht Gottes Kinder waren, dann mussten sie es die des Teufels. Das ist eine schreckliche Anklage und sie klingt sehr hart und schlimm und deshalb bewies sie unser Heiland vollständig.

3.1 Durch ein allgemeines Argument: „... und was euer Vater begehrt, wollt ihr tun!"

„Ihr tut das, was der Teufel begehrt, das Verlangen, das er von euch gestillt sehen möchte, und seid von ihm für seinen Willen gefangen genommen." Die charakteristischen Begierden des Teufels sind geistliche Bosheit: Stolz und Neid, Zorn und Hass, Feindschaft dem Guten gegenüber und andere zu verführen, Böses zu tun; dies ist das Verlangen, das Satan erfüllt.

„Ihr ‚wollt' das Verlangen des Teufels tun." Je mehr Bereitschaft es in diesem Verlangen gibt, umso mehr ist von ihm in dem Teufel darin. *„Ihr habt Freude daran, das Verlangen eures Vaters auszuführen, ihr bergt es unter eurer Zunge wie süße Leckerbissen"* (Hiob 20,12).

3.2 Indem er zeigte, dass sie auf zwei besondere Weisen klar dem Teufel glichen – Mord und Lüge.

Er war „ein Menschenmörder von Anfang an". Er hasste die Menschen und war deshalb ein Mörder von seiner Veranlagung her. Er versuchte Adam und Eva, die Sünde zu begehen, welche den Tod in die Welt brachte, und damit war er tatsächlich der Mörder des ganzen Menschengeschlechts. Der große Versucher ist der große Zerstörer. Die Juden nannten den Teufel „den Engel des Todes". Wenn der Teufel nicht sehr stark in Kain gewesen wäre, hätte er nicht etwas so Abscheuliches tun können, wie seinen eigenen Bruder zu töten. Diese Juden nun folgten ihm und waren Mörder wie er, Mörder der Seele, Todfeinde Christi, jetzt bereit, Christi Verräter und Mörder zu sein: „Nun aber sucht ihr mich zu töten."

Er war und ist ein Lügner. Er ist:

Ein Feind der Wahrheit und damit ein Feind von Christus. Er ist ein Abtrünniger von der Wahrheit; er „steht nicht in der Wahrheit" (hält sich nicht an sie), die Wahrheit, die Christus jetzt predigte und welcher die Juden widerstanden. Hierin waren sie wie ihr Vater, der Teufel. Darum ist er ohne jede Wahrheit: „Wahrheit ist nicht in ihm." In ihm ist keine Wahrheit, nichts ist in ihm, dem man vertrauen kann, noch in irgendetwas, was er sagt oder tut.

Ein Freund und Förderer der Lüge: „Wenn er die Lüge redet, so redet er aus seinem Eigenen" (wenn er lügt, redet er seine Muttersprache). Hier wurden drei Dinge über den Teufel in Bezug auf die Sünde der Lüge gesagt:

Dass er ein Lügner ist; seine Worte waren immer Lügenworte, seine Propheten Lügenpropheten. All seine Versuchungen werden durch Lügen durchgeführt, indem er Böses gut und Gutes böse nennt (s. Jes 5,20).

Dass er „aus seinem Eigenen" spricht, wenn er eine Lüge sagt, in seiner Sprache. Es ist die geeignete Mundart seiner Sprache.

Dass er „der Vater derselben" ist. Er ist der Urheber und Stifter aller Lügen und er ist der Vater jedes Lügners. Gott schuf die Menschen mit einer Neigung zur Wahrheit; es steht in Einklang mit der Vernunft und dem natürlichen Licht, dass wir die Wahrheit sagen. Doch der Teufel, der Urheber der Sünde, ist der Vater der Lügner, der sie zeugte, der sie dazu erzog, Lügen zu erzählen, dem sie gleichen und gehorchen.

4. Nachdem er bewiesen hat, dass alle Lügner und Mörder Kinder des Teufels sind, half ihnen Christus in den folgenden Versen, dies auf sich anzuwenden. Er beschuldigte sie zweier Dinge:

4.1 Dass sie die Wahrheit nicht glauben würden **(s. Vers 45)**.

Dies kann man auf zwei Weisen verstehen:

„Obwohl ich euch die Wahrheit sage, wollt ihr mir nicht glauben." Sie wollten immer noch nicht glauben, dass er ihnen die Wahrheit sagte. Manche Menschen würden die größten Wahrheiten nicht glauben, denn sie „hassen das Licht" (Hiob 24,13). Oder, wie es unsere Übersetzung liest:

„Weil aber ich die Wahrheit sage, glaubt ihr mir nicht." Sie wollten ihn weder annehmen noch als Propheten willkommen heißen, weil es ihnen nicht schmeicheln würde, wenn ihnen ihr Gesicht in einem Spiegel gezeigt wird. Diejenigen, für die das Licht der göttlichen Wahrheit zu einer Qual geworden ist, sind in einem traurigen Zustand.

Um ihnen nun die Unvernunft ihrer Treulosigkeit zu beweisen, ließ er sich dazu herab, sich einer ehrlichen Prüfung zu unterziehen **(s. Vers 46)**.

Wenn er im Irrtum war, warum überführten sie ihn dann nicht? Doch Christus sagte: „Wer unter euch kann mich einer Sünde beschuldigen?" Ihre Anschuldigungen waren boshafte, unbegründete Verleumdungen, absolut falsch. Selbst der Richter, der ihn verurteilte, erkannte an, dass er keine Schuld an ihm findet (s. Lk 23,4). Der einzige Weg, keiner Sünde überführt zu werden, ist, nicht zu sündigen.

Wenn sie im Irrtum waren, warum wurden sie dann nicht von ihm überführt? „‚Wenn ich aber die Wahrheit sage, warum glaubt ihr mir nicht?' Wenn ihr mich nicht des Irrtums überführen könnt, dann müsst ihr anerkennen, dass ich die Wahrheit sage, und warum glaubt ihr mir dann nicht?" Es wird sich zeigen, dass der Grund dafür, weshalb wir Jesus Christus nicht glauben, der ist, dass wir nicht bereit sind, unsere Sünden zu lassen, uns selbst zu verleugnen und Gott treu zu dienen.

4.2 Dass sie nicht die Worte Gottes hören würden **(s. Vers 47)**. Hier gibt es:

Eine Lehre niedergelegt: „Wer aus Gott ist, der hört die Worte Gottes." Er ist gewillt und bereit, sie zu hören, möchte aufrichtig den Willen Gottes kennen und nimmt freudig alles an, was immer er als diesen Willen erkennt. Er begreift und erkennt Gottes Worte, er hört sie so, dass er die Stimme Gottes in ihnen erkennt, wie diejenigen, die zur Familie gehören, das Klopfen und die Schritte des Hausherrn kennen, wie das Schaf die Stimme seines Hirten von der eines Fremden unterscheiden kann (s. Hld 2,8; Joh 10,4-5).

Die Anwendung dieser Lehre: „,Darum hört ihr nicht', weil ihr nicht zu Gott gehört. Dass ihr für die Worte Gottes so taub und tot seid, ist ein klarer Beweis, dass ihr nicht zu Gott gehört." Oder, dass sie nicht zu Gott gehörten, war der Grund dafür, dass sie die Worte Gottes nicht gewinnbringend hörten, die Christus sprach. Wenn das Wort des Reiches keine Frucht hervorbringt, muss man dem Boden die Schuld geben, nicht dem Samen.

Vers 48-50

Hier ist:

1. Wie sich die Bosheit der Hölle in den verdrehten Worten der untreuen Juden losbricht. Bis zu diesem Zeitpunkt hatten sie an seiner Lehre etwas auszusetzen gehabt, doch – wie sie gezeigt hatten, dass ihnen unbehaglich war, als er sich darüber beklagte, dass sie ihn nicht hören wollten – nun ließen sie sich schließlich zu unverblümten Beleidigungen herab **(s. Vers 43.47-48)**. Die Schriftgelehrten und Pharisäer wiesen die Überführung spöttisch ab mit den Worten: „Sagen wir nicht mit Recht, dass du ein Samariter bist und einen Dämon hast?" Wir sehen hier:

1.1 Die blasphemische Bezeichnung, die unserem Herrn Jesus im Allgemeinen unter den bösen Juden gegeben wurde:

Dass er ein Samariter war. So gaben sie ihn dem Hass der Leute preis, denen gegenüber man niemanden schlimmer bezeichnen konnte, als ihn „Samariter" zu nennen. Sie hatten ihn oft genug einen „Galiläer" genannt und meinten damit „einen unbedeutenden Mann", doch sie wollten, dass er als „Samariter" bekannt wird, als schlechter Mann. Zu allen Zeiten wurden große Anstrengungen unternommen, gute Menschen schlecht zu machen, indem man sie mit schlimmen Ausdrücken beschrieb, und es ist leicht, sich der Masse anzuschließen und gegen eine Gruppe von Menschen zu protestieren, die allgemein verachtet wird.

Dass er „einen Dämon" hatte, dass er mit dem Teufel im Bunde war, dass er von einem Dämon besessen war, dass er depressiv, schwermütig oder irrsinnig war, dass sein Verstand überreizt war und dass man das, was er sagte, nicht mehr glauben sollte als die überspannten Ausschweifungen von jemandem, der wahnsinnig war.

1.2 Wie sie versuchten, diese Bezeichnung zu rechtfertigen. „,Sagen wir nicht mit Recht, dass du' so bist (haben wir nicht recht damit)?" Ihr Herz war nur noch mehr verhärtet und ihre Vorurteile tiefer bestätigt. Sie bildeten sich etwas auf ihre Feindschaft mit Christus ein, als hätten sie nie besser gesprochen, indem sie das Schlimmste gegen Christus sagten, was sie konnten. Es ist falsch, schlechte Dinge zu sagen und zu tun, doch es ist sogar noch schlimmer, ihnen treu zu bleiben.

2. Die Demut und Barmherzigkeit des Himmels, die in der Erwiderung Christi aufleuchtete **(s. Vers 49-50)**.

2.1 Er wies ihre Anschuldigung gegen ihn zurück: „Ich habe keinen Dämon." Ihre Anklage geschah zu Unrecht; „ich werde weder von einem Dämon angeregt noch stehe ich im Bund mit einem."

2.2 Er bestand auf der Aufrichtigkeit seiner eigenen Absichten: Denn „ich ehre meinen Vater". Dies bewies, dass er keinen Dämon hatte, denn wenn dies der Fall wäre, würde er Gott nicht ehren.

2.3 Er beschwerte sich über das Unrecht, welches sie ihm mit ihrer Verleumdung taten: „... und ihr entehrt mich." Daraus wurde klar, dass er als Mensch sensibel für die Schmach und Kränkung war, der er unterlag. Christus ehrte seinen Vater in einer Weise, wie es niemand sonst je getan hatte, doch er selbst wurde auf eine Weise verunehrt, wie es niemals jemand wurde, denn obwohl Gott verheißen hat, dass er diejenigen ehren wird, welche ihn ehren, hat er nie verheißen, dass die Menschen jene ehren würden (s. 1.Sam 2,30).

2.4 Er entlastete sich von der Unterstellung der Prahlerei **(s. Vers 50)**. Sehen Sie hier:

Seine Verachtung von weltlicher Ehre: „Ich aber suche nicht meine Ehre." Er strebte nicht nach seiner eigenen Ehre oder nach Aufstieg in der Welt. „,... und ihr könnt mich nicht erschüttern', denn ich ,suche nicht meine Ehre'." Wer unempfänglich für das Lob der Menschen ist, kann ihre Verachtung unversehrt ertragen.

Sein Trost in weltlicher Unehre: „Es ist Einer, der sie sucht und der richtet." Christus zeigte zwei Wege, auf denen er es ablehnte, seine eigene Herrlichkeit zu suchen:

Er suchte nicht die Achtung von Menschen. Mit Verweis darauf sagte er: „Es ist Einer, der sie

sucht." Gott wird für diejenigen Ehre suchen, die nicht ihre eigene suchen, denn Demut geht der Ehre voraus (s. Spr 15,33; 18,12).
Er rächte sich nicht für die Beleidigungen der Menschen und mit Verweis darauf sagte er: „,Es ist Einer ... der richtet', der meine Ehre verteidigen wird." Wenn wir demütige und geduldige Bittsteller sind, werden wir zu unserem Trost sehen, dass Einer ist, der richtet.

Vers 51-59

In diesen Versen haben wir:

1. Die Lehre von der Unsterblichkeit von Gläubigen niedergelegt. Sie wurde mit dem üblichen feierlichen Vorwort eingeleitet: „Wahrlich, wahrlich, ich sage euch"; und was er sagte, war: „Wenn jemand mein Wort bewahrt, so wird er den Tod nicht sehen in Ewigkeit!" **(Vers 51)**. Wir haben hier:

1.1 Den Charakter von Gläubigen: Sie sind solche, welche das Wort des Herrn Jesu bewahren, die „mein Wort" bewahren. Wir müssen es nicht nur annehmen, sondern auch bewahren, es nicht nur haben, sondern auch daran festhalten. Wir müssen es in unserem Sinn und unserem Herzen bewahren, es in Liebe und Hingabe bewahren, in ihm als unserem Weg und unserer Regel bleiben.

1.2 Das Vorrecht von Gläubigen: „Sie werden keineswegs den Tod sehen in Ewigkeit." Nicht, als wären die Leiber der Gläubigen vor dem Angriff des Todes bewahrt. Wie wird nun diese Verheißung erfüllt, dass sie „den Tod nicht sehen" werden?

Die Art des Todes ist für sie so verändert, dass sie ihn nicht als Tod ansehen; sie sehen nicht den Schrecken des Todes. Ihr Blick ist nicht auf den Tod begrenzt. Sie blicken so klar und tröstlich durch den Tod und über ihn hinaus, dass sie den Tod übersehen und ihn nicht schmecken.

Die Macht des Todes ist so gebrochen, dass sie den Tod „in Ewigkeit" nicht schmecken werden. Der Tag kommt, an dem der Tod verschlungen ist im Sieg (s. 1.Kor 15,54).

Sie sind vollständig vor dem ewigen Tod gerettet. Sie werden ihr ewiges Erbteil haben, wo kein Tod mehr sein wird, wo sie „nicht mehr sterben" können (Lk 20,36).

2. Den Einwand der Juden gegen diese Lehre. Sie nutzten diese Gelegenheit, den Einen zu beschimpfen, der ihnen ein solch gütiges Angebot machte: „Jetzt erkennen wir, dass du einen Dämon hast! Abraham ist gestorben." Beachten Sie:

2.1 Ihre Beleidigung: „Jetzt erkennen wir, dass du einen Dämon hast!" Wenn er nicht in reichem Maße bewiesen hätte, dass er ein Lehrer war, der von Gott gekommen war, hätte man seine Verheißungen der Unsterblichkeit für seine leichtgläubigen Nachfolger zu Recht lächerlich machen können (s. Joh 3,2). Selbst ein nachsichtiger Hörer hätte diese Verheißungen einer verrückten Einbildung zugeschrieben. Doch diese Lehre war eindeutig göttlich, seine Wunder bestätigten sie und die jüdische Religion lehrte sie, solch einen Propheten zu erwarten und an ihn zu glauben.

2.2 Ihre Argumentation. Sie sahen ihn eines unerträglichen Aktes der Arroganz schuldig an, wenn er behauptete, größer zu sein als ihr Vater Abraham und die Propheten: „Abraham ist gestorben und auch die Propheten sind gestorben." Es stimmte, dass Abraham und die Propheten groß waren, groß in der Gunst Gottes und groß in der Achtung aller guten Menschen. Es stimmt, dass sie Gottes Wort bewahrten. Es stimmt, dass sie starben; sie behaupteten nie, Unsterblichkeit zu haben und noch weniger zu geben. Es war ihre Ehre, dass sie „im Glauben gestorben" sind, doch sie mussten sterben (Hebr 11,13). Warum sollte sich ein guter Mensch vor dem Sterben fürchten, wenn Abraham und die Propheten gestorben sind? Sie gingen ihren Weg durch dieses dunkle Tal und dies sollte dazu führen, dass wir uns mit dem Tod abfinden und dabei helfen, seinen Schrecken fortzunehmen. Die Juden dachten nun, Christus würde verrücktes Zeug reden, wenn er sagte: „Wenn jemand mein Wort bewahrt, so wird er den Tod nicht schmecken in Ewigkeit!" Ihr Argument gründete sich auf zwei Irrtümer:

Sie verstanden Christus so, als würde er sich auf Unsterblichkeit in dieser Welt beziehen. Gott ist immer noch „der Gott Abrahams" und „der Gott der heiligen Propheten" (2.Mose 3,6; Offb 22,6). Gott ist nicht ein Gott der Toten, sondern der Lebenden (s. Mt 22,32). Abraham und die Propheten waren also immer noch am Leben und hatten, wie Christus es meinte, den Tod weder gesehen noch geschmeckt.

Sie meinten, niemand könne größer sein als Abraham und die Propheten, wohingegen sie gewusst haben müssen, dass der Messias größer sein würde als Abraham oder jeder der Propheten. Statt zu schließen, dass es bedeutete, dass er einen Dämon hat, wenn er sich als größer bezeichnete als Abraham, hätten sie schließen sollen, dass er der Christus war; doch ihre Augen waren verblendet. Sie fragten verächtlich: „Was machst du aus dir selbst?"

3. Christi Antwort. Er ließ sich weiter dazu herab, mit ihnen zu reden. Dies war der Tag seiner Geduld.

3.1 In seiner Antwort bestand er nicht auf seinem eigenen Zeugnis über sich selbst, sondern verzichtete darauf als unzureichend und nicht überzeugend: „Wenn ich mich selbst ehre, so ist meine Ehre nichts" **(Vers 54)**. Von uns selbst geschaffene Ehre ist reine Fantasie; sie ist nichts und deshalb wird sie wertlos genannt. Selbstbewunderer sind Selbstbetrüger.

3.2 Er berief sich selbst auf seinen Vater, Gott, und auf ihren Vater, Abraham.

Er berief sich auf seinen Vater, Gott: „Mein Vater ist es, der mich ehrt." Er leitete alle Ehre von seinem Vater her, die er nun beanspruchte. Er hing von seinem Vater ab für alle Ehre, die er weiter suchte. Christus und alle, die sein sind, hängen von Gott für ihre Ehre ab, und jemand, der sich seiner Ehre sicher ist, wo man ihn kennt, ist nicht bekümmert, selbst wenn er dort beleidigt wird, wo er verkleidet ist.

Er ergriff hier die Gelegenheit, den Grund für ihren Unglauben zu zeigen, nämlich, dass sie Gott nicht kannten. „Ihr sagt von ihm, ‚er sei euer Gott. Und doch habt ihr ihn nicht erkannt'" **(Vers 54-55)**. Beachten Sie:

Das Bekenntnis, welches sie von ihrer Beziehung zu Gott ablegten: „… von dem ihr sagt, er sei euer Gott." Viele behaupten, zu Gott zu gehören, haben aber keinen rechtmäßigen Grund für ihren Anspruch. Was wird es für uns Gutes tun zu sagen, er sei unser Gott, wenn wir nicht wirklich seine Kinder sind?

Ihre Unkenntnis über ihn. „‚Und doch habt ihr ihn nicht erkannt.' Ihr kennt ihn überhaupt nicht" (oder: Ihr kennt ihn nicht richtig), und das ist genauso schlimm, wie ihn überhaupt nicht zu kennen, oder sogar noch schlimmer. Die Menschen können in der Lage sein, sich über die feinen Einzelheiten über Gott zu streiten, und ihn doch nicht kennen. Sie haben nur gelernt, über den Namen Gottes zu reden. Die Juden kannten Gott nicht, deshalb erkannten sie nicht das Bild und die Stimme Gottes in Christus. Der Grund dafür, dass Menschen nicht das Evangelium von Christus annehmen, ist, dass sie keine Gotteserkenntnis haben (s. Röm 1,16).

Er nannte ihnen den Grund für seine Gewissheit, dass sein Vater ihn ehren und anerkennen würde: „Ich aber kenne ihn" und wieder: „Aber ich kenne ihn" **(Vers 55)**. Dies zeigte auch sein Vertrauen zu seinem Vater. Beachten Sie:

Wie er sich mit der größten Gewissheit zu der Erkenntnis seines Vaters bekannte: „Und wenn ich sagen würde: Ich kenne ihn nicht!, so wäre ich ein Lügner, gleich wie ihr." Er wollte nicht seine Beziehung zu Gott leugnen, um den Juden zu Willen zu sein. Wenn er dies getan hätte, wäre er als falscher Zeuge gegen Gott und gegen sich selbst erfunden worden.

Wie er seine Kenntnis von seinem Vater bewies: „Aber ich kenne ihn und halte sein Wort." Er hielt das Wort seines Vaters und er hielt sein eigenes Wort bei dem Vater. Christus fordert, dass wir sein Wort bewahren, und er hat uns ein Beispiel des Gehorsams gegeben **(s. Vers 51)**: Er hielt das Wort seines Vaters; der, welcher „den Gehorsam gelernt" hat, konnte es gut lehren (Hebr 5,8). Christus zeigte hierdurch, dass er den Vater kannte.

Er verwies sie auf ihren Vater, und das war Abraham.

Christus erklärte, dass Abraham eine Vorausschau auf ihn gehabt und Achtung vor ihm gehabt hatte. „Abraham, euer Vater, frohlockte, dass er meinen Tag sehen sollte; und er sah ihn und freute sich" **(Vers 56)**. Er sprach hier über zwei Dinge, welche den Respekt des Patriarchen vor dem verheißenen Messias zeigten:

Den Wunsch, den er hatte, seinen Tag zu sehen: Er frohlockte; „er stürzte sich darauf, war überglücklich darüber". Obwohl das Wort üblicherweise „frohlocken" bedeutet, muss es sich hier vielmehr auf ein verzücktes Verlangen statt auf Freude beziehen, denn ansonsten wäre der Schluss von **Vers 56** – „und freute sich" – eine Tautologie. Die Ankündigungen, die Abraham von dem zukünftigen Messias bekommen hatte, hatten in ihm die Erwartung von etwas Großem geweckt, von dem er inbrünstig verlangte, mehr darüber zu wissen. Die in rechter Weise etwas über Christus wissen, müssen ihn inbrünstig mehr kennenlernen wollen. Wer das Dämmern des Lichtes der Sonne der Gerechtigkeit erkennt, muss sich wünschen, ihren Aufgang zu sehen (s. Mal 3,20). Abraham wünschte sich, den Tag Christi zu sehen, obwohl er eine weite Strecke entfernt war, doch seine verkommenen Nachfahren erkannten den Tag Christi nicht, noch hießen sie ihn willkommen, als er kam.

Die Zufriedenheit, derer er sich in dem erfreute, was er davon sah: „Und er sah ihn und freute sich." Beachten Sie:

Wie Gott das fromme Verlangen von Abraham erfüllte; er sehnte sich danach, den Tag Christi zu sehen, „und er sah ihn". Wenn er ihn auch nicht so deutlich sah, wie wir ihn jetzt unter dem Evangelium sehen, sah er doch etwas davon, hinterher mehr, als er es zuerst tat. Denen, die danach verlangen und darum beten, Christus besser kennenzulernen, wird Gott mehr Kenntnis geben. Doch wie sah Abraham den Tag Christi? Manche verstehen es als Hinweis auf die Sicht, welche er von ihm in der anderen Welt hatte. Die Sehnsüchte nach Christus von Seelen der Gnade werden vollständig befriedigt werden, wenn sie in den Himmel kommen, doch nicht vorher. Doch gewöhnlicher wird es als ein Blick verstanden, den er in dieser Welt von dem Tag Christi hatte. Die das Verheißene nicht empfangen haben, haben es dennoch „von ferne gesehen" (Hebr 11,13). Es lässt Raum für den Gedanken, dass Abraham eine Vision von Christus und seinem Tag hatte, die nicht in dem Bericht über sein Leben niedergeschrieben ist.

Wie Abraham diese Offenbarungen des Tags Christi bekam: „Und er sah ihn und freute sich." Er freute sich, Gottes Gunst ihm gegenüber zu sehen, und freute sich, die Barmherzigkeit vorherzusehen, die Gott für die Welt vorrätig hatte. Eine genaue Sicht von Christus und seinem Tag wird das Herz nur mit Freude füllen. Es gibt keine Freude wie die Freude des

Glaubens; wir kennen niemals echtes Vergnügen, bis wir Christus kennen.

Die Juden protestierten dagegen und kritisierten ihn dafür: "Du bist noch nicht 50 Jahre alt und hast Abraham gesehen?" **(Vers 57)**. Sie hielten es für absurd von ihm, dass er behauptete, Abraham gesehen zu haben, der so viele Generationen vorher gestorben war, ehe Jesus geboren war. Dies gab ihnen nun einen Grund, ihn wegen seiner Jugend zu verachten, als wäre er erst gestern geboren und wüsste nichts (s. 1.Tim 4,12): "Du bist noch nicht 50 Jahre alt."

Unser Heiland gab auf diesen Einwand eine kraftvolle Antwort, indem er feierlich erklärte, dass er älter war als sogar Abraham selbst: "'Wahrlich, wahrlich, ich sage euch'; ich sage es euch ins Angesicht, nehmt es auf, wie ihr wollt: ,Ehe Abraham war, bin ich!'" **(Vers 58)**. Man kann es lesen: "Ehe Abraham geschaffen oder geboren wurde, bin ich." Die Veränderung in der Zeitform des Verbes ist bedeutsam und zeigt, dass Abraham geschaffen und er selbst der Schöpfer war. Vor Abraham war Christus Gott. "Ich bin" ist der Name Gottes (2.Mose 3,14). Er sagte nicht: "Ich war", sondern "bin ich", denn er ist der Anfang und das Ende (s. Offb 1,8). Er war lange vor Abraham der ernannte Messias.

Diese große Aussage beendete den Disput abrupt. Sie konnten es nicht mehr ertragen, noch etwas von ihm zu hören, und er brauchte ihnen nichts mehr zu sagen. Ihr verhärtetes Vorurteil gegen die heilige, geistliche Lehre und das heilige, geistliche Gesetz Christi wehrte alle Methoden der Überführung ab. Beachten Sie hier:

Wie sie über Christus wegen dem wütend waren, was er sagte: "Da hoben sie Steine auf, um sie auf ihn zu werfen" **(Vers 59)**. Vielleicht betrachteten sie ihn als Gotteslästerer, und diese sollten tatsächlich gesteinigt werden, doch sie mussten zuerst juristisch überprüft und überführt werden (s. 3.Mose 24,16). Wir können der Gerechtigkeit und guten Ordnung Lebewohl sagen, wenn jeder beansprucht, das Gesetz auszuüben, wie es ihm beliebt. Wer hätte meinen können, dass es jemals solche Bosheit in Menschen geben würde? Jeder hat einen Stein, um ihn auf die heilige Religion Christi zu werfen (s. Apg 28,22).

Wie er ihren Händen entkam.
Er machte sich heimlich davon; "Jesus aber verbarg sich". Nicht, dass sich Christus fürchtete oder sich schämte, zu dem zu stehen, was er gesagt hatte, aber "seine Stunde war noch nicht gekommen", und er wollte durch sein eigenes Beispiel die Entscheidung seiner geistlichen Diener und Leute unterstützen, in Zeiten der Verfolgung zu fliehen, wenn sie berufen sind, dies zu tun (Joh 8,20).

Er ging fort; er "ging zum Tempel hinaus, mitten durch sie hindurch", unentdeckt, "und entkam so". Das war keine feige, unrühmliche Flucht und es zeigte keine Schuld oder Furcht. Vielmehr:

Zeigte es seine Macht über seine Feinde, dass sie nicht mehr gegen ihn tun konnten, als er ihnen gestattete zu tun. Sie meinten jetzt, sicher zu haben, doch er ging "mitten durch sie hindurch" und ließ sie so verärgert zurück.

Zeigte es seine weise Vorsorge für sein eigenes Leben. Auf diese Weise gab er ein Beispiel für seine eigene Regel. "Wenn sie euch aber in der einen Stadt verfolgen, so flieht in eine andere" (Mt 10,23; 23,34).

War es ein gerechtes Verlassen von denen, die ihn durch die Steinigung forttrieben. Christus wird bei denen nicht lange bleiben, die ihm sagen, er soll gehen. Christus ging nun mitten durch die Juden hindurch und niemand versuchte, ihn aufzuhalten oder raffte sich auf, ihn zu ergreifen; sie waren in der Tat zufrieden, ihn gehen zu lassen. Gott verlässt niemanden, bis man ihn zuerst dazu provoziert hat, sich zurückzuziehen, und man nichts mit ihm zu tun haben will. Als Christus sie verließ, heißt es, dass er still und unbeobachtet entkam, sodass sie seiner nicht gewahr wurden. Er entwischte von dem Gebiet des Tempels. Das Weggehen Christi aus einer Gemeinde oder einer einzelnen Seele geschieht oft heimlich. Wie das Reich Gottes nicht so kommt, "dass man es beobachten könnte", so geht es auch nicht auf diese Weise (Lk 17,20). Dies ist die Situation dieser Juden, die Gott verlassen hatten: Gott verließ sie, und leider haben sie ihn nie vermisst.

KAPITEL 9

In diesem Kapitel haben wir: 1. Die übernatürliche Heilung eines Mannes, der blind geboren war (s. Vers 1-7). 2. Die Diskussionen, die nun hieraus entstanden: 2.1 Unter den Nachbarn und zwischen ihnen und dem Mann (s. Vers 8-12). 2.2 Zwischen den Pharisäern und dem Mann (s. Vers 13-34). 2.3 Zwischen Christus und dem armen Mann (s. Vers 35-38). 2.4 Zwischen Christus und den Pharisäern (s. Vers 39-41).

Vers 1-7

Hier wird uns ein armer Bettler gezeigt, der von Geburt an blind war. Schauen Sie:

1. Wie unser Herr Jesus die bedauernswerte Situation dieses armen blinden Bettlers beachtete: "Und als er vorbeiging, sah er einen Menschen, der blind war von Geburt an" **(Vers 1)**.
1.1 Obwohl die Juden Christus so grausam beschimpft hatten, verpasste er keine Gelegenheit, unter ihnen Gutes zu tun. Die Heilung dieses Blinden war eine Freundlichkeit der

Öffentlichkeit gegenüber, da er befähigt wurde, für seinen Unterhalt zu arbeiten, während er vorher ein Aufwand und eine Last für die Nachbarschaft war. Es ist edel, großmütig und Christus gemäß, bereit zu sein, der Öffentlichkeit zu dienen.

1.2 Obwohl er einer drohenden Gefahr entkam und um sein Leben floh, hielt er doch bereitwillig und blieb eine Weile, um diesem armen Mann Barmherzigkeit zu erweisen. Wir hasten mehr, als dass wir schnell sind, wenn wir die Möglichkeiten, Gutes zu tun, verpassen.

1.3 Christus nahm diesen armen Blinden, den er auf seinem Weg traf, und heilte ihn, „als er vorbeiging". Wir sollten wie unser Herr selbst dann die Gelegenheiten ergreifen, Gutes zu tun, wenn wir vorbeigehen, wo auch immer wir sind.

Der Zustand dieses armen Mannes war kläglich. Er war blind und war „von Geburt an" so gewesen. Wer blind ist, kann sich nicht an dem Licht freuen, doch wer blind geboren ist, hat keine Vorstellung davon. Es scheint mir, dass ein solcher Mensch sehr viel darum geben würde, seine Neugier zu befriedigen, dass er, selbst nur einen Tag lang, Lichter und Farben, Gestalten und Formen sehen kann, selbst wenn er sie nie wieder sehen würde. Wir wollen Gott loben, dass es mit uns nicht so war. Das Auge ist eines der kompliziertesten Teile des Leibes, das eine sehr komplexe Struktur hat. Was für eine Barmherzigkeit ist es, dass es kein Versäumnis in der Weise gab, in der wir geschaffen wurden! Christus heilte viele, die durch Krankheit oder einen Unfall erblindet waren, doch hier heilte er einen Menschen, der blind geboren war, um seine Macht zu zeigen, in den verzweifeltsten Fällen zu helfen, und ein Beispiel von dem Wirken seiner Gnade in der Seele von Sündern zu geben, welche denen das Augenlicht gibt, die von Natur aus blind sind.

Das Mitleid unseres Herrn Jesus mit ihm war sehr sanft. Er sah ihn; das heißt, er schaute ihn mit großem Interesse an. Andere sahen ihn, doch nicht, wie Jesus es tat. Christus wird oft von denen gefunden, die ihn nicht suchen oder die nicht nach ihm fragen (s. Jes 65,1).

2. Das Gespräch zwischen Christus und seinen Jüngern über diesen Mann.

2.1 Die Frage, welche die Jünger ihrem Meister stellten. Als Christus ihn ansah, sahen auch sie ihn an; das Mitleid Christi sollte unseres entzünden. Doch sie baten Christus nicht, ihn zu heilen. Stattdessen stellten sie eine sehr sonderbare Frage über ihn: „Rabbi, wer hat gesündigt, sodass dieser blind geboren ist, er oder seine Eltern?" **(Vers 2)**. Diese Frage von ihnen war nun:

Unbarmherzig streng. Sie unterstellten, dass diese außergewöhnliche Not die Strafe für etwas außerordentlich Böses sei. Man darf die Menschen, die am meisten leiden, nicht allein aufgrund ihres Leidens für die größten Sünder halten. Die Gnade der Buße nennt unsere Heimsuchungen Strafen, doch die Gnade der Liebe nennt die Heimsuchungen anderer Prüfungen.

Unnötig neugierig. Sie fragten, wer waren die Straftäter, „er oder seine Eltern"? Was ging das die Jünger an? Oder was würde es ihnen Gutes tun, wenn sie es wüssten? Wir neigen dazu, wissbegieriger in Bezug auf die Sünden anderer als auf unsere eigenen zu sein. Es ist unsere Pflicht, uns selbst zu richten, doch unseren Bruder oder unsere Schwester zu richten, ist unsere Sünde. Sie fragten:

Ob dieser Mann wegen einer Sünde von ihm selbst bestraft wurde, die er vor seiner Geburt entweder begangen hat oder die vorhergesehen wurde. War die Seele dieses Mannes zu dem Kerker dieses blinden Leibes verdammt, um sie für eine große Sünde zu bestrafen, die in einem anderen Leib begangen wurde, dem die Seele vorher Leben gegeben hatte? Die Pharisäer schienen die gleiche Meinung von ihm gehabt zu haben, als sie sagten: „Du bist ganz in Sünden geboren" (Joh 9,34). Oder:

Ob er wegen der Bosheit seiner Eltern bestraft wurde, welches Gott manchmal „heimsucht an den Kindern" (2.Mose 20,5). Ein guter Grund für Eltern, sich vor Sünde in Acht zu nehmen, ist, dass ihre Kinder vielleicht für die Sünden ihrer Eltern leiden müssen, wenn die Eltern fort sind. Da sie nicht wussten, wie sie diese Fügung deuten sollten, wollten die Jünger unterrichtet werden. Die Gerechtigkeit der Wege Gottes ist immer gewiss, denn seine „Gerechtigkeit ist wie die Berge Gottes", doch sie kann nicht immer erklärt werden, denn seine „Gerichte sind wie die große Flut" (Ps 36,7).

2.2 Christi Antwort auf diese Frage.

Er nannte den Grund für die Blindheit dieses armen Mannes: „‚Weder dieser hat gesündigt noch seine Eltern'; sondern er wurde blind geboren, damit nun schließlich an ihm ‚die Werke Gottes offenbar werden!'" (damit sich in seinem Leben das Wirken Gottes zeigen möge; **Vers 3**). Hier sagte ihnen Christus zwei Dinge über solche außerordentlichen Nöte:

Dass sie nicht immer als Strafe für Sünde auferlegt werden. Viele, die in keiner Weise sündiger sind als andere, werden in diesem Leben unglücklicher gemacht als andere. Es war keine außergewöhnliche Schuld entweder in dem Mann oder seinen Eltern, welche Gott im Sinn hatte, als er dem Mann Blindheit auferlegte.

Unglücksfälle sind manchmal rein „zur Verherrlichung Gottes", um sein Wirken zu zeigen (Joh 11,4). Wenn Gott entweder durch uns oder in uns verherrlicht wird, ist unser Leben nicht wertlos. Dieser Mann wurde blind geboren, denn „an ihm sollten die Werke Gottes offenbar werden!" **(Vers 3)**, das heißt:

Damit an ihm die Eigenschaften Gottes gezeigt werden könnten und besonders, damit Gottes außerordentliche Macht und Güte sich darin offenbaren würde, dass er ihn heilte. Die Schwierigkeiten der Vorsehung, die sonst nicht erklärbar sind, können alle dadurch gelöst werden, dass man beteuert, dass Gott sich in ihnen zeigen will. Die in dem normalen Lauf der Dinge nicht an ihn denken, werden manchmal durch außergewöhnliche Dinge alarmiert.

Damit sich an ihm die Absichten Gottes offenbaren könnten. Er wurde blind geboren, damit unser Herr Jesus beweisen würde, dass er von Gott gesandt war, um das wahre Licht der Welt zu sein (s. Joh 1,9; 8,12; **Vers 5**). Es war nun eine lange Zeit, seit dieser Mann blind geboren wurde, doch bis jetzt wusste niemand, warum er es wurde. Manchmal sind die Sätze im Buch der Vorsehung lang und wir müssen eine lange Zeit in ihrem Buch lesen, ehe wir ihren Sinn begreifen können.

Er nannte den Grund für seinen eigenen Eifer und seine Bereitschaft, ihm zu helfen und ihn zu heilen. „Ich muss die Werke dessen wirken, der mich gesandt hat, solange es Tag ist; es kommt die Nacht, da niemand wirken kann" **(Vers 4)**. Es war der Sabbat, an dem man nur unentbehrliche Arbeit tun konnte, und er bewies, dass dies eine unentbehrliche Arbeit war.

Es war der Wille seines Vaters: „Ich muss die Werke dessen wirken, der mich gesandt hat." Die Gott sendet, die beschäftigt er, denn er sendet niemanden, um faul zu sein. Christus war mitarbeitend mit Gott (2.Kor 6,1; NLB). Ihm gefiel es, die stärksten Verpflichtungen auf sich zu nehmen, um die Arbeit zu tun, für die er gesandt war. „Ich muss ... wirken." Christus machte sich vollkommen und fleißig daran, sein Werk zu tun. Er wirkte die Werke, die er zu tun hatte. Es ist nicht genug, unser Werk anzusehen und darüber zu sprechen; wir müssen es auch tun.

Nun kam diese Gelegenheit: „Ich muss wirken, ‚solange es Tag ist', solange das Licht, das gegeben ist, um darin zu arbeiten, anhält." Christus selbst hatte seinen Tag. Alle Arbeit, die er selbst zu tun hatte, musste vor seinem Tod getan werden; die Zeit seines Lebens in dieser Welt war der Tag, von dem hier gesprochen wurde. Die Zeit unseres Lebens ist unser Tag. Die Zeit des Tages ist die richtige Zeit für die Arbeit; während des Tages unseres Lebens müssen wir geschäftig sein, keine Zeit vergeuden, indem wir herumspielen; es wird genug Zeit zum Ruhen geben, wenn unser Tag zu Ende ist.

Das Ende seiner Möglichkeiten war nahe und deshalb wollte er fleißig sein: „Es kommt die Nacht, da niemand wirken kann.' Sie wird ohne jeden Zweifel kommen; sie kann plötzlich kommen und sie kommt immer näher." Wir können nicht herausbekommen, wie nahe unser Sonnenuntergang ist. Die Sonne kann für uns mittags untergehen; noch können wir uns eine Dämmerung zwischen dem Tag des Lebens und der Nacht des Todes versprechen. Wenn die Nacht kommt, können wir nicht wirken. Wenn der Abend kommt, dann „rufe die Arbeiter" (Mt 20,8); dann müssen wir unser Werk zeigen und gemäß den Dingen, die wir getan haben, empfangen. Wir müssen jede Gelegenheit ergreifen, die sich bietet.

Seine Aufgabe in der Welt war es, Licht zu geben: „Solange ich in der Welt bin, bin ich das Licht der Welt" **(Vers 5)**. Er hatte dies vorher gesagt (s. Joh 8,12). Christus war dabei, diesen Blinden zu heilen, den Repräsentanten einer blinden Welt, weil er kam, um das Licht der Welt zu sein, nicht nur, um Licht zu geben, sondern auch, um Augenlicht zu geben. Das ist nun eine große Ermutigung für uns, zu ihm zu kommen. In welche Richtung sollten wir unsere Augen wenden, wenn nicht zu dem Einen, der das Licht ist (s. Joh 6,68)? Wir haben ohne Geld und umsonst an dem Licht der Sonne Anteil, und so können wir auch zu gleichen Bedingungen an der Gnade Christi teilhaben (s. Jes 55,1). Hier ist ein gutes Beispiel für Nützlichkeit in der Welt. Was Christus über sich sagte, sagte er über seine Jünger: „Ihr seid das Licht der Welt." Und wenn das so ist: „So soll euer Licht leuchten" (Mt 5,14.16). Wofür wurden Kerzen gemacht außer zum Brennen?

3. Die Art der Heilung des Blinden (s. Vers 6-7). Die Umstände des Wunders waren besonders und waren ohne Zweifel bedeutsam. „Als er dies gesagt hatte," ihnen das Verständnis geöffnet hatte, wandte er sich dazu, dem Blinden die Augen zu öffnen (s. Lk 24,45). Er schob es nicht hinaus, bis der Sabbat vorbei war, wenn es weniger Anstoß erregen würde. Das Gute, wozu wir die Gelegenheit haben, es zu tun, sollten wir schnell tun; die, welche nie Gutes tun, bis es keine Einwände dagegen gibt, werden viele gute Werke für immer ungetan lassen (s. Pred 11,4). Beachten Sie bei der Heilung:

3.1 Die Vorbereitung der Augensalbe (s. Offb 3,18). Christus spie „auf die Erde und machte einen Brei mit dem Speichel". Er machte etwas Schlamm aus seinem eigenen Speichel, weil es in der Nähe kein Wasser gab und weil er uns lehren wollte, bereit zu sein, einfach das zu nehmen, was vorhanden ist, wenn es den Zweck erfüllen wird. Warum sollten wir lange umhergehen und nach etwas suchen, was wir genauso gut in der Nähe bekommen können?

3.2 Die Anwendung von ihr an der Stelle: Er „strich den Brei auf die Augen des Blinden". Wie ein feinfühliger Arzt tat er es selbst mit seiner eigenen Hand, obwohl der Patient ein

Bettler war. Das Bestreichen der Augen mit Lehm würde sie verschließen, doch sie niemals öffnen. Die Kraft Gottes wirkt oft durch das Gegenteil. Die Absicht des Evangeliums ist, den Menschen die Augen zu öffnen (s. Apg 26,18). Die Salbe, die nun wirksam ist, wurde von Christus bereitet. Wir müssen zu Christus um Augensalbe kommen (s. Offb 3,18). Er ist der Einzige, der in der Lage ist, und der Einzige, der dazu berufen ist, sie zuzubereiten (Lk 4,18). Die Mittel, die bei diesem Werk benutzt werden, sind sehr schwach und aussichtslos und werden nur durch Christi Macht wirksam gemacht. Der Weg, den Christus benutzt, ist, zuerst die Menschen sich blind fühlen zu lassen und ihnen dann Augenlicht zu geben.

3.3 Die Anweisungen, die dem Patienten gegeben werden. Sein Arzt sagte zu ihm: „Geh hin, wasche dich im Teich Siloah" **(Vers 7)**. Christus wollte seinen Gehorsam prüfen, um zu sehen, ob er den vorbehaltlosen Glauben haben würde, den Anweisungen von jemandem zu gehorchen, für den er so sehr ein Fremder war. Er wollte auch prüfen, wie er zu der Überlieferung der Ältesten stand, die lehrte, dass es nicht rechtmäßig war, sich am Sabbat die Augen zu waschen. Er wollte den Weg der geistlichen Heilung beschreiben, bei der es, obwohl die Wirkung allein seiner Macht und Gnade zu verdanken ist, auch eine Pflicht gibt, die wir tun müssen. „Geh und erforsche die Schriften, geh und höre dem Pastor zu, geh und sprich mit weisen Menschen" – das sind alles Wege, die wie das Waschen im Teich Siloah sind. Verheißene Gnadenwirkungen muss man erwarten, wenn wir bei ausgerichteten Diensten der öffentlichen Anbetung anwesend sind. Beachten Sie beim Teich Siloah, dass er mit Wasser vom Berg Zion gespeist wurde, lebendigem Wasser, das heilend war (s. Hes 47,9). Der Evangelist erwähnt die Bedeutung des Namens: „Der Gesandte." Christus wird oft derjenige genannt, der von Gott gesandt ist. Als Christus ihn also zum Teich Siloah schickte, schickte er ihn in Wirklichkeit zu sich selbst, Christus. „Geh hin, wasche dich in dem Quell, der eröffnet ist, einer Quelle des Lebens, nicht einem Teich" (s. Sach 13,1).

3.4 Den Gehorsam des Patienten diesen Anweisungen gegenüber. Er ging hin. Der Mann wusch seine Augen. Aus Vertrauen in die Macht Christi als auch im Gehorsam seinem Gebot gegenüber ging er hin und wusch sich.

3.5 Die durchgeführte Heilung. Er „kam sehend wieder". In der gleichen Weise geschieht es, wenn die Schmerzen und Mühen der neuen Geburt beendet, die Bande der Sünde abgefallen sind und ein herrliches Licht und Freiheit an ihre Stelle treten (s. Röm 8,21). Hier sehen wir die Macht Christi. Was könnte für den Einen unmöglich sein, der dies tun und es auf diese Weise tun konnte? Dieser Mann ließ Christus tun, was ihm gefiel, und er tat, wozu Christus ihn berief und wurde somit geheilt. Wer von Christus geheilt werden möchte, muss von ihm beherrscht werden. Der Mann kam verwundert und als jemand, über den man sich verwunderte, vom Teich zurück; er „kam sehend wieder". Dies stellt den Nutzen dar, den Seelen der Gnade daran haben, dass sie bei eingerichteten Diensten öffentlicher Anbetung gemäß der Anordnung Christi anwesend sind: Sie gingen zitternd und gehen triumphierend fort; sie gingen blind und gehen sehend fort, sie gehen jauchzend fort (s. Jes 52,8).

Vers 8-12

Solch ein Wunder, wie einem Mann, der blind geboren ist, das Augenlicht zu geben, muss sicherlich Stadtgespräch gewesen sein. Hier wird uns indes gesagt, was die Nachbarn darüber sagten, um die Tatsachen zu bestätigen. Was zuerst nicht ohne Untersuchung geglaubt wurde, kann man später ohne Bedenken annehmen. Es wurden zwei Dinge diskutiert.

1. Ob dies derselbe Mann war, der vorher blind gewesen war **(s. Vers 8)**.

1.1 Die Nachbarn waren verblüfft, als sie sahen, dass er sein Augenlicht erlangt hatte, und sie sagten: „Ist das nicht der, welcher dasaß und bettelte?" Als er nicht arbeiten konnte, da hat er, weil seine Eltern ihn nicht versorgen konnten, gebettelt. Die nicht auf andere Weise am Leben bleiben können, dürfen sich nicht schämen zu betteln (s. Lk 16,3); niemand möge sich für etwas schämen außer für Sünde. Es gibt einige öffentliche Bettler, die Gegenstände der Wohltätigkeit sind, und diese sollten wahrgenommen werden; wir dürfen nicht die Bienen wegen der Schmarotzer oder Wespen um sie herum darben lassen. An diesem Mann, der wohlbekannt und auffällig war, wurde die Wahrheit des Wunders besser bestätigt, weil es mehr gab, die gegen jene treulosen Juden zeugen konnten, die nicht glauben wollten, dass er blind gewesen war, als hätte man sich im Haus seines Vaters um ihn gekümmert. Beachten Sie das Sicherablassen Christi. Wenn es für seine Wunder von Nutzen war, dass sie an denen vollbracht wurden, die wohlbekannt waren, dann wählte er solche, die durch ihre Armut und ihr Elend so bekannt geworden waren, nicht aufgrund ihrer hohen Stellung.

1.2 Manche sagten: „Er ist's!" Der gleiche Mann, und diese waren die Zeugen der Wahrheit des Wunders, denn sie hatten ihn lange als vollständig blind gekannt. Andere sagten: „Er sieht ihm ähnlich!" Was auf ein Bekenntnis hinausläuft, dass, „wenn er es ist, dann ist mit ihm ein großes Wunder geschehen". Bedenken Sie:

Die Weisheit und Macht des Allmächtigen in seiner Vorsehung, dass er eine so umfassende große Bandbreite an Gesichtern von Männern und Frauen schuf, sodass sich nicht zwei so gleichen, dass sie nicht unterschieden werden können, was für die Gesellschaft, den Handel und die Rechtsprechung notwendig ist.
Die wunderbare Veränderung, welche die bekehrende Gnade bei manchen bewirkt, die vorher böse waren, die aber so umfassend und sichtbar verändert wurden, dass man nicht meinen würde, dass sie die gleiche Person sind.

1.3 Der Disput wurde rasch durch den Mann selbst entschieden. „Er selbst sagte: Ich bin's!' Ich bin der Mann, der blind war, doch jetzt seht, ich bin ein Denkmal für die Gnade und Barmherzigkeit Gottes." Wer seligmachend durch die Gnade Gottes erleuchtet ist, sollte bereit sein, zuzugeben, wie er vorher gewesen ist.

2. Wie es dazu kam, dass seine Augen geöffnet wurden **(s. Vers 10-12)**. Sie wollten nun „hinzutreten und diese große Erscheinung ansehen" (2.Mose 3,3). Diese Nachbarn fragten nach zwei Dingen:

2.1 Wie die Heilung geschah: „Wie sind deine Augen geöffnet worden?" Es ist gut, darauf zu achten, wie Gott wirkt; dann werden diese Werke wunderbarer erscheinen. Als Antwort auf diese Frage gab ihnen der arme Mann einen direkten und vollständigen Bericht von der Sache: „Ein Mensch, der Jesus heißt, machte einen Brei' und ich wurde sehend" **(Vers 11)**. Wer Gottes Macht und Güte erlebt hat, sei es in leiblichen oder in geistlichen Angelegenheiten, sollten immer bereit sein, seine Erfahrungen mitzuteilen. Es ist eine Verpflichtung, die wir unserem Gott schulden, der uns so großzügig gegeben hat, und auch unseren Geschwistern gegenüber. Gottes Gunsterweise sind für uns verloren, wenn sie bei uns nicht weitergehen.

2.2 Wer die Heilung vollbrachte: „Wo ist er?" **(Vers 12)**. Vielleicht stellten manche diese Frage aus Neugier. „Wo ist der, damit wir ihn uns anschauen können?" Andere fragten vielleicht aus Feindschaft. „Wo ist er, damit wir ihn ergreifen können?" Die gedankenlose Menge würde falsch über diejenigen denken, denen ein schlechter Ruf gegeben wird. Doch manche, hoffen wir, stellten diese Frage aus Wohlwollen. „Wo ist der Mann, der dieses Wunder vollbrachte, damit wir ihn kennenlernen können?" Der Mann konnte nichts als Antwort auf diese Frage sagen: „Ich weiß es nicht!" Es scheint, dass sich Christus, sobald er ihn zum Teich Siloah geschickt hatte, sofort zurückzog. Der Mann hatte Jesus nie gesehen, denn zu dem Zeitpunkt, als er sehend geworden war, hatte er seinen Arzt verloren. Keiner der neuen und erstaunlichen Gegenstände, die sich zeigten, konnte für ihn so herrlich sein wie ein Blick auf Christus, doch bis zu dieser Zeit wusste er nicht mehr über ihn, als dass er Jesus genannt wurde, „ein Heiland". Wir sehen die Veränderung, die durch das Werk der Gnade in der Seele bewirkt wurde, aber nicht die Hand, welche diese Veränderung vollbracht hat.

Vers 13-34

Man hätte meinen können, dass ein solches Wunder, wie es Christus an dem Blinden vollbrachte, allen Widerstand zum Schweigen gebracht und beschämt hätte, doch es hatte die gegenteilige Wirkung; statt deshalb als Prophet angenommen zu werden, wurde er als Verbrecher verfolgt.

1. Hier ist die Information, die den Pharisäern gegeben wurde: „Da führten sie ihn, der einst [vorher] blind gewesen war, zu den Pharisäern" **(Vers 13)**. Manche meinen, dass die, welche diesen Mann zu den Pharisäern brachten, es mit einer guten Absicht taten, um ihnen zu zeigen, dass dieser Jesus nicht der war, als den sie ihn darstellten, sondern jemand, der beträchtliche Beweise für seinen göttlichen Auftrag gab. Es scheint jedoch, dass sie es mit schlechter Absicht taten.

2. Hier wird der Grund dafür genannt, den Pharisäern diesen Grund zu geben. Was gut ist, ist nie verleumdet worden, außer dadurch, dass man es böse genannt hat. Das hier vorgeworfene Verbrechen war: „Es war aber Sabbat, als Jesus den Teig machte und ihm die Augen öffnete" **(Vers 14)**. Die Traditionen der Juden hatten aus Taten Verletzungen des Sabbatgesetzes gemacht, die weit davon entfernt waren, dies zu sein. Doch man könnte fragen: „Warum wollte Christus nicht nur am Sabbat Wunder vollbringen, sondern dies auch auf eine Weise tun, von der er wusste, dass sie bei den Juden Anstoß erregen würde? Hätte er diesen Blinden nicht heilen können, ohne einen Brei zu machen?" Ich antworte:

2.1 Dass er nicht so scheinen wollte, als würde er sich der widerrechtlich angeeigneten Macht der Schriftgelehrten und Pharisäer beugen. Christus war unter das Gesetz Gottes getan, aber nicht unter deren Gesetz (s. Gal 4,4).

2.2 Er tat es, damit er sowohl durch das Wort als auch durch die Tat das Gesetz des vierten Gebotes erklären konnte. Erforderliche und barmherzige Werke sind erlaubt und die Sabbatruhe soll nicht so sehr um ihrer selbst willen gehalten werden, als um das Werk des Sabbats zu tun.

3. Hier ist die Prüfung und Untersuchung dieser Sache durch die Pharisäer **(s. Vers 15)**. So viel Zorn, Vorurteil und heftige Gefühle und so wenig Vernunft zeigen sich hier, dass die Diskussion nicht mehr ist als ein Kreuzverhör.

Ihre Feindschaft Christus gegenüber hatte sie aller Menschlichkeit und allem Gespür für Gott entleert. Wir wollen sehen, wie sie aus diesem Mann Informationen herauskitzelten.

3.1 Sie befragten ihn über die Heilung selbst. *Sie glaubten „nicht von ihm, dass er blind gewesen" war.* Der Unglaube der Pharisäer entsprang nicht weiser Vorsicht, sondern voreingenommenem Unglauben. Sie benutzten aber eine gute Methode, um die Sache aufzuklären: Sie riefen „die Eltern des Sehendgewordenen". Sie taten dies in der Hoffnung, das Wunder zu widerlegen, doch Gott ordnete ihre Pläne und stieß sie so, sodass sie zu weiteren Belegen für das Wunder wurden und sie damit zurückließ, dass sie gezwungen waren, entweder überzeugt oder verblüfft zu sein. In diesem Teil der Untersuchung haben wir:

Die Frage, welche die Pharisäer den Eltern stellten: „Und sie fragten sie und sprachen: Ist das euer Sohn, von dem ihr sagt, dass er blind geboren ist? Wieso ist er denn jetzt sehend? Das ist unmöglich, und deshalb solltet ihr eure Behauptung lieber zurückziehen, jetzt, wo er sehen kann" **(Vers 19)**. Wer das Licht der Wahrheit nicht ertragen kann, tut alles, was er kann, um es zu verdüstern und zu verhindern, dass es entdeckt wird.

Die Antworten der Eltern auf diese Fragen, in denen:

Sie ganz und gar bestätigten, was sie sicher über diese Sache sagen konnten: „Wir wissen, dass dieser unser Sohn ist' und wir wissen, ,dass er blind geboren ist'" (Vers 20). Ihr Kummer hatte sie viele traurige Gedanken und viele ängstliche, beschwerliche Stunden gekostet. Wer sich wegen ihrer leiblichen Schwächen seiner Kinder schämt, kann von diesen Eltern getadelt werden, die freimütig zugaben: „Das ist unser Sohn", obwohl er blind geboren war.

Sie lehnten es vorsichtig ab, einen Beleg für seine Heilung zu geben. Sie waren keine Augenzeugen davon gewesen und konnten deshalb aus ihrer eigenen persönlichen Kenntnis nichts darüber sagen.

Achten Sie darauf, wie vorsichtig sie sich ausdrückten: „Wieso er aber jetzt sieht, das wissen wir nicht; und wer ihm die Augen geöffnet hat, wissen wir auch nicht" **(Vers 21)**. Nun waren die Eltern des Blinden aus Dankbarkeit verpflichtet, ihr Zeugnis zur Ehre des Herrn Jesu zu geben, der ihrem Sohn eine so große Freude erwiesen hatte; doch sie hatten nicht den Mut, dies zu tun; sie meinten, sie könnten es wiedergutmachen, dass sie nicht zugunsten von Jesus aussagten, indem sie darauf hinwiesen, dass sie nichts gegen ihn gesagt hatten. Sie verwiesen sich selbst und das Gericht an ihren Sohn selbst: „Er ist alt genug; fragt ihn selbst. Er soll selbst für sich reden!" Obwohl er blind geboren war, schien der Mann einen rascheren Verstand gehabt zu haben als viele andere. Durch eine gütige Vorsehung gleicht Gott durch den Verstand oft aus, was an dem Leib fehlt (s. 1.Kor 12,23-24). Doch die Eltern verwiesen die Pharisäer nur an ihren Sohn, um sich selbst vor Schwierigkeiten zu retten.

Beachten Sie den Grund dafür, weshalb sie so vorsichtig waren: „… weil sie die Juden fürchteten" **(Vers 22)**. Sie wollten die Last der Unannehmlichkeiten von sich selbst fortschieben. Mein Freund ist mir teuer und mein Kind ist dies auch und vielleicht mein religiöser Glaube, doch ich bin mir selbst teurer. Hier gibt es:

Das neue Gesetz, welches der Sanhedrin erlassen hatte. Wenn einer innerhalb ihrer Gerichtsbarkeit „ihn als den Christus anerkennen würde", sollte er aus der Synagoge ausgeschlossen werden **(Vers 22)**. Beachten Sie:

Das zu bestrafen beabsichtigte Verbrechen bestand darin, Jesus von Nazareth als den verheißenen Messias anzunehmen und zu bekennen. Sie erwarteten selbst einen Messias, doch sie konnten keinesfalls den Gedanken ertragen, dass dieser Jesus der Eine war, wofür es zwei Gründe gab. Erstens waren seine Gebote alle so gegensätzlich zu ihren traditionellen Gesetzen. Die geistliche Anbetung, die er einführte, besiegte ihre Formalitäten. Demut, Selbstverleugnung und Buße waren neue Lektionen für sie und sie klangen für ihre Ohren schwierig und fremd. Zweitens widersprachen seine Verheißungen und sein Auftreten so sehr ihren traditionellen Hoffnungen. Von einem Messias zu hören, dessen äußerliche Umstände niedrig und arm waren und der seinen Nachfolgern sagte, sie sollten das Kreuz erwarten und mit Verfolgung rechnen, war mehr, als sie annehmen konnten. Dies alles war eine solche Beleidigung und Enttäuschung für all ihre Hoffnungen, dass sie sich damit nie abfinden konnten. Richtig oder falsch, es muss zerstört werden.

Die für dieses Verbrechen auferlegte Strafe. Wenn jemand zugeben würde, dass er ein Jünger Christi ist, würden sie ihn als jemanden aus der Synagoge ausschließen, der sich als jemand gezeigt habe, welcher der Ehren ihrer Gemeinde unwürdig und ungeeignet ist, an ihren Vorrechten teilzuhaben. Dies war auch nicht einfach ein kirchlicher Verweis. Es machte einen Menschen eigentlich zu einem Geächteten. Von Beginn an wurde Christi heilige Religion von Strafgesetzen verfolgt, die gegen jene erlassen wurden, welche zu ihr bekennen. Wenn die Herrschaft über die Gemeinde in die falschen Hände gefallen ist, hat sich die Artillerie der Gemeinde oft gegen die Gemeinde gewandt. Es ist nichts Neues, die, welche die größten Perlen und Segen für die Synagogen sind, aus ihr herausgeworfen zu sehen. Beachten Sie, dass die Juden „schon übereingekommen" waren, dieses Gesetz zu erlassen. Sie waren sich also rasch des wachsenden Einflusses Christi bewusst und waren schon übereingekommen, ihr Bestes zu geben, um es zu unterdrücken.

Die Wirkung, welche dieses Gesetz auf die Eltern des Blinden hatte. Sie lehnten es ab, etwas über Christus zu sagen, „weil sie die Juden fürchteten". Christus hatte sich die Missbilligung der Regierung zugezogen, indem er ihrem Sohn half, doch sie wollten sich diese Missbilligung nicht zuziehen, indem sie Jesus die Ehre geben. Wir werden jetzt mit der Überprüfung des Mannes selbst fortfahren.

Die Pharisäer fragten ihn, wie es zu der Heilung kam **(s. Vers 15-16)**.

„Nun fragten ihn auch die Pharisäer wieder" die gleiche Frage, welche ihm seine Nachbarn gestellt hatten, „wie er sehend geworden war". Sie stellten diese Frage nicht mit aufrichtigem Verlangen, die Wahrheit herauszufinden, sondern nur mit dem Verlangen, zu versuchen, Christus etwas nachzuweisen.

Er wiederholte hier gegenüber den Pharisäern eigentlich die gleiche Antwort, die er vorher seinen Nachbarn gegeben hatte: „Einen Brei hat er auf meine Augen gelegt, und ich wusch mich und bin nun sehend!" In dem vorigen Bericht hatte er gesagt: „Als ich ‚mich wusch, wurde ich sehend'", doch für den Fall, dass sie dachten, es wäre nur ein Schimmer gewesen, sagte er jetzt: „Ich ‚bin nun sehend!' Die Heilung ist vollständig und bleibend."

Die Bemerkungen, die über diese Geschichte gemacht wurden, waren sehr verschieden und führen zu einer Diskussion bei dem Gericht **(s. Vers 16)**.

Manche nutzten sie aus, um Christus zu kritisieren und zu verurteilen. Etliche der Pharisäer sagten: „Dieser Mensch ist nicht von Gott, weil er den Sabbat nicht hält!" **(Vers 16)**. Die Lehre, auf welche sich diese Kritik gründete, ist wahr – dass diejenigen, die den Sabbat nicht halten, „nicht von Gott" sind. Wer von Gott ist, wird sich an die Gebote Gottes halten und es ist sein Gebot, dass wir den Sabbat heiligen. Doch die Anwendung dieser Lehre auf unseren Heiland war sehr ungerecht, denn er beachtete den Sabbat in religiöser Weise; er tat immer nur Gutes am Sabbat. Er hielt nicht den Sabbat gemäß den Überlieferungen der Ältesten, doch er hielt ihn gemäß dem Gebot Gottes. Viel Ungerechtigkeit und liebloses Richten wird von Leuten verursacht, welche die Regeln der Religion strenger machen, als Gott sie gemacht hat, die ihren eigenen Launen zu dem hinzufügen, was Gott festgelegt hat. Nicht alles, was wir als Richtschnur für die Praxis verstehen, muss sofort zu einer Richtschnur der Beurteilung werden.

Andere sprachen zu seinen Gunsten, äußerten sehr treffend: „Wie kann ein sündiger Mensch solche Zeichen tun?" Es gab sogar unter seinen Feinden etliche, die Christi Zeugen waren. Die Fakten der Angelegenheit waren klar: Dies war ein echtes Wunder. Solche Dinge konnten niemals von einem Menschen getan werden, der ein Sünder ist. Solch ein Mensch kann vielleicht ein paar betrügerische „Zeichen und Wunder" tun, aber nicht solche Zeichen und wahren Wunder, wie sie Christus vollbrachte (2.Thess 2,9). Deshalb „entstand eine Spaltung unter ihnen" **(Vers 16)**. Auf diese Weise bringt Gott die Pläne seiner Feinde zu Fall, indem er sie untereinander spaltet.

3.2 Sie erkundigten sich nach seinem Urheber. Beachten Sie:

Was der Mann über ihn sagte. Sie fragten ihn: „Was sagst du von ihm, weil er dir die Augen geöffnet hat?" **(Vers 17)**. Wenn er als Antwort darauf respektlos von Christus gesprochen hätte, wie er vielleicht versucht war zu tun, um ihnen zu gefallen, hätten sie darüber frohlockt. Nichts bestätigt die Feinde Christi in ihrer Feindschaft ihm gegenüber so sehr wie die Respektlosigkeit von solchen, die als seine Freunde gegolten haben. Wenn der Mann aber ehrenhaft von Christus sprechen würde, würden sie ihn belangen und ein Exempel an ihm statuieren. Oder vielleicht schlugen die Freunde Christi vor, die eigenen Gedanken und Gefühle des Mannes über seinen Arzt zu hören, da er vernünftig gewesen zu sein scheint. Diejenigen, denen Christus die Augen geöffnet hat, wissen am besten, was über ihn zu sagen ist, und haben großen Grund, gut von ihm zu sprechen. Was denken wir über Christus? Der arme Mann gab eine kurze, klare, direkte Antwort auf diese Frage: „Er ist ein Prophet!" Es scheint, dass dieser Mann keine Vorstellung davon hatte, dass Jesus der Messias war, der große Prophet. Er dachte gemäß dem Licht, welches er hatte, gut von Jesus, wenn er auch nicht gut genug von ihm dachte. Dieser arme, blinde Bettler hatte ein klareres Urteilsvermögen für die Dinge, die das Reich Gottes betrafen, als die „Lehrer Israels" (Joh 3,10).

Was sie als Erwiderung auf das Zeugnis des Mannes über Christus sagten. Da sie sahen, dass ein „offenkundiges Zeichen" geschehen war, das sie nicht leugnen konnten (Apg 4,16), taten sie alles, was sie konnten, um die gute Meinung zu erschüttern, welche der Mann von dem Menschen hatte, der ihm die Augen geöffnet hatte, und ihn zu überzeugen, dass Christus ein schlechter Mensch war: „Gib Gott die Ehre! Wir wissen, dass dieser Mensch ein Sünder ist" **(Vers 24)**. Dies ist auf zwei Weisen zu lesen.

Als Rat, dass der Mann sich hüten sollte, das Lob für seine Heilung einem sündigen Menschen zu geben, sondern sie ganz Gott geben sollte. Wenn Gott Sünder als Werkzeug zum Guten für uns benutzt, müssen wir Gott die Ehre geben, doch es gibt Dankbarkeit, die den Werkzeugen geschuldet wird. Es war eine gute Forderung: „Gib Gott die Ehre!" Doch hier wurde sie in falscher Weise benutzt.

Als ernsthafte Aufforderung, die Wahrheit zu sagen. „‚Wir wissen, dass dieser Mensch ein Sünder ist.‘ Wir sind uns dessen sicher und darum gib Gott die Ehre. In Gottes Namen, sage die Wahrheit." Beachten Sie, wie schlecht sie von dem Herrn Jesus sprachen. „Wir wissen, dass dieser Mensch ein Sünder ist." Beachten Sie:
Ihre Arroganz und ihren Stolz. Sie wussten sehr wohl, dass er ein Sünder war, und niemand konnte sie vom Gegenteil überzeugen. Er hatte sie direkt aufgefordert, zu beweisen, dass er einer Sünde schuldig sei, und sie hatten nichts zu sagen gehabt, doch jetzt sprachen sie hinter seinem Rücken über ihn als Übeltäter (s. Joh 8,46). Falsche Ankläger gleichen mit ihrer Überzeugung aus, was an Beweisen fehlt.
Die Kränkung und Schmach, die hier dem Herrn Jesus angetan wird. Als er Mensch wurde, nahm er nicht nur Knechtsgestalt an, sondern auch die Gestalt eines Sünders. Als er „für uns zur Sünde gemacht" wurde, achtete er auch diese „Schande für nichts" (2.Kor 5,21; Hebr 12,2).

3.3 Es entstand eine Debatte zwischen den Pharisäern und diesem armen Mann über Christus. Sie sagten: „Er ist ein Sünder." Der Mann sagte: „Er ist ein Prophet." Die aufgefordert werden, Christus zu bezeugen, werden ermutigt, wenn sie die Weisheit und den Mut sehen, mit denen dieser Mann seine Verteidigung gemäß der Verheißung bewerkstelligte: „Denn es wird euch in jener Stunde gegeben werden, was ihr reden sollt" (Mt 10,19). Wir können nun in der Diskussion drei Schritte bemerken:

Der Mann beharrte auf der Wahrheit des Belegs, den sie zu erschüttern versuchten.
Er blieb bei dem, was, zumindest für ihn, außer Frage stand: „Ob er ein Sünder ist, weiß ich nicht" **(Vers 25)**. Oder, wie man es besser wiedergeben könnte: „Wenn er ein Sünder ist, so weiß ich es nicht, denn ‚eines weiß ich: dass ich blind war und jetzt sehend bin!‘ Und darum sage ich: ‚Er ist ein Prophet!‘ Ich bin sowohl in der Lage als auch verpflichtet, gut über ihn zu reden." Er tadelte mit stillschweigend ihre große Gewissheit des schlechten Charakters, den sie dem heiligen Jesus zuschrieben: „Ich, der ich ihn genauso gut kenne wie ihr, kann ihn nicht auf diese Weise beschreiben." Er verließ sich kühn auf seine eigene Erfahrung von der Macht und Güte des gerechten Jesus und entschloss sich, dazu zu stehen. Man kann Erfahrungen nicht abstreiten. Wie die Barmherzigkeiten Christi am meisten von denen geschätzt werden, die den Mangel von ihnen gespürt haben, so sind die kräftigsten und lang anhaltendsten Gefühle für Christus die, welche einem Erlebnis mit ihm entspringen (s. 1.Joh 1,1; Apg 4,20). Bei dem Werk der Gnade können wir, selbst wenn wir nicht sagen können, wann und wie der selige Wechsel bewirkt wurde, uns doch dadurch trösten lassen, wenn wir durch die Gnade sagen können: „Ich war blind und jetzt bin ich sehend."

Sie versuchten, den Beweis durch eine unnötige Wiederholung ihrer Fragen darüber zu verwirren und zu unterdrücken: „Was hat er mit dir gemacht? Wie hat er dir die Augen geöffnet?" **(Vers 26)**. Sie stellten diese Fragen, weil ihnen etwas Bestimmtes fehlte, was sie sagen konnten, und es vorzogen, überheblich zu sprechen, statt den Anschein zu erwecken, zum Schweigen gebracht worden zu sein, und auch, weil sie hofften, dass sie dadurch, dass sie den Mann seine Belege wiederholen ließen, ihn dabei erwischen könnten, seine Geschichte zu verändern.

Er tadelte sie für ihre unüberwindlichen Vorurteile und sie warfen ihm Beleidigungen an den Kopf als einem Jünger Jesu **(s. Vers 27-29)**. Beachten Sie:

Der Mann tadelte sie freimütig für ihren vorsätzlichen und unvernünftigen Widerstand gegen den Beweis für dieses Wunder. Er hat sie nicht damit zufriedengestellt, dass er die Geschichte wiederholte. „Ich habe es euch schon gesagt, und ihr habt nicht darauf gehört; warum wollt ihr es noch einmal hören? Wollt auch ihr seine Jünger werden?" **(Vers 27)**. Manche meinen, dass er im Ernst sprach, wirklich erwartete, dass sie überführt sind. Es scheint aber eher ironisch gesagt worden zu sein: „Wollt ihr seine Jünger werden? Nein, ich weiß, dass ihr sogar den Gedanken daran hasst." Diejenigen, die vorsätzlich ihre Augen vor dem Licht verschließen, wie es diese Pharisäer taten:

Machen sich selbst niederträchtig und schlecht.
Verwirken allen Nutzen weiterer Unterweisung. Ihnen war es bereits einmal gesagt worden und sie lehnten es ab zu hören und warum sollte es ihnen also noch einmal gesagt werden (s. Jer 51,9)?

Empfangen hier die Gnade Gottes vergeblich (s. 2.Kor 6,1). Dies wird angedeutet durch: „Wollt auch ihr seine Jünger werden?" Man hätte meinen können, dass die, welche keinen Grund sehen, Christus anzunehmen und sich seinen Nachfolgern anzuschließen, immer noch genug Gründe sehen würden, ihn und jene nicht zu hassen und zu verfolgen.

Sie verachteten ihn dafür und warfen ihm Beleidigungen an den Kopf **(s. Vers 28)**. Als sie der Weisheit und dem Geist nicht widerstehen konnten, in dem er redete, verloren sie die Geduld (s. Apg 6,10). Unvernünftige Leute versuchen, einen Mangel an Wahrheit und Einsicht für gewöhnlich durch einen Überfluss an lautstarken Beschimpfungen auszugleichen.

Sie verhöhnten diesen Mann für seine Hingabe an Christus; sie sagten: „Du bist sein Jünger!" Sie „beschimpften ihn nun". Die Vulgata liest: „Sie verfluchten ihn." Und was war ihr Fluch? Er war dies: „Sei du sein Jünger." „Möge ein solcher Fluch", sagt Augustinus hier, „immer auf uns und unseren Kindern liegen!" Sie hatten keinen Grund, diesen Mann einen Jünger Christi zu nennen – er hatte nur wohlgesonnen von einer Freundlichkeit gesprochen, die ihm Christus erwiesen hatte. Doch sie konnten das nicht ertragen.

Sie rühmten sich ihrer Beziehung zu Mose als ihrem Meister: „Wir aber sind Moses Jünger." Vor diesem hatten diese Pharisäer mit ihrer guten Herkunft geprahlt: „Wir sind Abrahams Same" (Joh 8,33). Hier prahlten sie mit ihrer guten Ausbildung: „Wir aber sind Moses Jünger." Als wäre dieser Stolz gut genug, um sie zu retten. Doch es gab eine vollständige Harmonie zwischen Christus und Mose; sie konnten Moses Jünger sein und auch die Jünger Christi werden. Hier aber stellten sie die beiden Lehrer in Konkurrenz zueinander. Wenn wir die Sache richtig verstehen, werden wir sehen, dass die Gnade Gottes und die Verantwortung der Menschen einander begegnen und küssen und freundschaftlich gesinnt sind (s. Ps 85,11).

Sie nannten eine Art von Grund für ihre Loyalität zu Mose gegen Christus: „Wir wissen, dass Gott zu Mose geredet hat; von diesem aber wissen wir nicht, woher er ist" **(Vers 29)**. Aber wussten sie nicht, dass sie einen weiteren Propheten und eine weitere Offenbarung des Willens Gottes erwarten mussten (s. 5.Mose 18,15)? Doch als unser Herr Jesus erschien, verwirkten sie nicht nur ihre Gnade, sondern verließen sie (s. Jon 2,9). Beachten Sie in ihrem Argument:

Wie überheblich sie behaupteten, was keiner seiner Nachfolger je leugnete: „Wir wissen, dass Gott zu Mose geredet hat"; und Gott sei Dank wissen wir es.

Wie unsinnig sie ihre Unwissenheit von Christus als Grund nannten, um ihre Verachtung von ihm zu rechtfertigen: „Von diesem aber ..." Schauen Sie, wie verächtlich sie von Jesus sprachen, als hielten sie es nicht für der Mühe wert, ihr Gedächtnis mit einem so unbedeutenden Namen zu belasten. „‚Von diesem aber', diesem armseligen Kerl ‚wissen wir nicht, woher er ist.'" Nicht lange vor diesem hatten die Juden den gegenteiligen Einwand Christus gegenüber vorgebracht: „Doch von diesem wissen wir, woher er ist; wenn aber der Christus kommt, so wird niemand wissen, woher er ist" (Joh 7,27). Hier sehen wir, wie sie mit der größten Gewissheit die gleiche Sache entweder bekräftigen oder leugnen konnten abhängig davon, was für sie vorteilhaft wäre. Achten Sie auf die Absurdität ihres Unglaubens. Menschen kennen die Botschaft Christi nicht, weil sie entschlossen sind, sie nicht zu glauben, und dann behaupten sie, diese nicht zu glauben, weil sie diese Botschaft nicht kennen.

Er suchte sie zu überzeugen und sie warfen ihn hinaus.

Als der arme Mann sah, dass er die Vernunft auf seiner Seite hatte, wurde er kühner. Er wunderte sich über ihren halsstarrigen Unglauben, doch er antwortete unerschrocken: „Das ist doch verwunderlich, dass ihr nicht wisst, woher er ist, und er hat doch meine Augen geöffnet" **(Vers 30)**. Er wunderte sich über zwei Dinge:

Dass ihnen ein Mann fremd war, der so berühmt war. Der Eine, der Blinden die Augen öffnen konnte, musste sicherlich ein wichtiger Mann und der Beachtung wert sein. Die Tatsache, dass sie reden würden, als wäre es unter ihrer Würde, einen Mann wie diesen zu kennen, war sehr sonderbar. Viele, die vorgeben, gelehrt und gut unterrichtet zu sein, sind überhaupt nicht daran interessiert – in Wirklichkeit nicht einmal neugierig –, mit den Dingen vertraut zu werden, „in welche auch die Engel hineinzuschauen begehren" (1.Petr 1,12).

Dass sie den göttlichen Auftrag des Einen infrage stellen würden, der zweifellos ein göttliches Wunder vollbracht hatte. „Es ist nun sonderbar", sagte dieser arme Mann, „dass das Wunder, welches an mir vollbracht wurde, euch nicht überzeugt hat, sodass ihr eure Augen vor dem Licht verschließen wollt." Wenn Christus die Augen der Pharisäer geöffnet hätte, hätten sie nicht angezweifelt, dass er ein Prophet war. Der Mann argumentierte stark gegen sie, wobei er nicht nur bewies, dass Christus kein Sünder war, sondern auch, dass er „von Gott" war **(s. Vers 31-33)**.

Er argumentierte:

Mit großer Kenntnis. Obwohl er keinen Buchstaben eines Buches lesen konnte, war er mit den Schriften sehr vertraut; ihm hatte die Kraft des Augenlichts gefehlt, doch er hatte das Beste aus seinem Gehörsinn gemacht, denn der Glaube kommt aus dem Hören (s. Röm 10,17-18).

Mit großem Eifer für die Ehre Christi.

Mit großer Kühnheit und großem Mut. Wer danach strebt, sich an den Gunsterweisen Gottes zu freuen, darf sich nicht vor den finsteren Blicken der Menschen fürchten.

Man kann seine Antwort auf einen einfachen Syllogismus reduzieren, ungefähr wie das Argument von David in Psalm 66,18-20. Davids Obersatz: „Hätte ich Unrecht gehabt in meinem Herzen, so hätte der Herr nicht erhört." Hier: „Gott hört nicht auf Sünder." Davids Untersatz ist: „Doch wahrlich, Gott hat erhört." Hier: „Gott hat Jesus wahrhaftig erhört." Jesus wurde damit geehrt, dass Gott ihn dazu ernannt hat, etwas zu tun, was niemals zuvor getan wurde. Davids Schlussfolgerung ist: „Gelobt sei Gott." Die Schlussfolgerung hier: „Jesus ist von Gott."

Er stellte es als unbestrittene Wahrheit fest, dass niemand außer den Guten die Lieblinge des Himmels sind: „Wir wissen aber, dass Gott nicht auf Sünder hört; sondern wenn jemand gottesfürchtig ist und seinen Willen tut, den hört er" **(Vers 31)**. Die Behauptungen sind, richtig verstanden, wahr. Möge es zum Schrecken von Übeltätern gesagt werden: Gott hört nicht auf Sünder. Dies ist keine Entmutigung für bußfertige, umkehrende Sünder, sondern für die, welche in ihren Sünden bleiben. Gott wird nicht auf sie hören. Möge dies zur Ermutigung der Gerechten gesagt werden: „Wenn jemand gottesfürchtig ist und seinen Willen tut, den hört er." Wir sehen hier die vollständige Charakterisierung eines guten Menschen – er ist jemand, der gottesfürchtig ist und seinen Willen tut. Hier ist auch der unbeschreibliche Trost einer solchen Person: Gott hört ihn; er hört sein Schreien und antwortet ihm (s. Ps 34,16).

Um sein Argument noch mehr zu verstärken, erhöhte er die Wunder, die Christus vollbracht hatte: „Von Ewigkeit her hat man nicht gehört, dass jemand einem Blindgeborenen die Augen geöffnet hat" **(Vers 32)**. Es war ein echtes Wunder, außerhalb der Kräfte der Natur. Niemals zuvor hatte man davon gehört, dass jemand einen von Geburt an blinden Menschen mit natürlichen Mitteln heilt. Es war auch ein außergewöhnliches Wunder, über die Beispiele früherer Wunder hinaus. Mose vollbrachte übernatürliche Plagen, doch Christus vollbrachte übernatürliche Heilungen.

Von daher schloss er: „Wenn dieser nicht von Gott wäre, so könnte er nichts tun!" Was Christus auf der Erde tat, zeigte hinlänglich, wie er im Himmel war. Jeder von uns kann daran erkennen, ob wir von Gott sind oder nicht: Was tun wir? Was tun wir mehr als andere?

*Die Pharisäer gerieten mit ihm hart aneinander und brachen die Diskussion roh ab **(s. Vers 34)**.* Uns wird hier gesagt:

Was die Pharisäer sagten. Da sie keine Antwort hatten, die sie auf sein Argument geben konnten, wiesen sie dieses ab, indem sie seine persönlichen Umstände in Misskredit brachten: „Du bist ganz in Sünden geboren und willst uns lehren?" Beachten Sie:

Wie sie ihn verachteten: „Du bist nicht nur in Sünden geboren, wie es jeder Mensch ist, sondern ganz und gar so, und du trägst sowohl an deinem Leib wie auch an deiner Seele die Kennzeichen dieser Verdorbenheit; du warst von Geburt an mit Sünde durchtränkt." Es war äußerst ungerecht, jetzt seine Sünde zu beachten, wo die Heilung nicht nur die Schande seiner Blindheit abgewälzt, sondern ihn auch als Liebling des Himmels ausgesondert hatte (s. Jos 5,9).

Wie sie den Gedanken für unter ihrer Würde hielten, von ihm zu lernen: „Du ... willst uns lehren"? Hier muss sehr große Betonung auf das „du" und das „uns" gelegt werden. „Was!? Du, ein armseliger und erbärmlicher Kerl, unwissend und ungebildet – bildest du dir ein, *du* kannst *uns* lehren, die auf Moses Stuhl sitzen?" (s. Mt 23,2). Stolze Leute verachten es, gelehrt zu werden, besonders von ihnen untergeordneten Menschen, während wir uns nie für zu alt, zu weise oder zu gut halten sollten, um von anderen zu lernen. Wer eine Menge Geld hat, möchte mehr haben, und warum sollten dann nicht die, welche viel Wissen haben, nach mehr verlangen wollen?

Was sie taten: „Sie stießen [warfen] ihn hinaus." Manche verstehen dies nur auf einen Verweis auf seine rohe und verächtliche Entlassung aus dem Gerichtssaal. Doch es scheint eher ein gerichtlicher Akt zu sein; sie exkommunizierten ihn.

Vers 35-38

In diesen Versen können wir beachten:

1. Die sanfte Fürsorge, die unser Herr Jesus für diesen Mann hatte: „Jesus hörte, dass sie ihn ausgestoßen hatten, und als er ihn fand ...", was mit sich bringt, dass er ihn suchte, damit er ihn ermutigen und stärken konnte **(Vers 35)**:

1.1 Weil der Mann so gut, so unerschrocken und so freimütig zur Verteidigung des Herrn Jesus gesprochen hatte. Jesus Christus wird zuverlässig zu seinen Zeugen stehen; er wird die ehren, die ihn, seine Wahrheit und seine Wege ehren (s. 1.Sam 2,30). Unser Zeugnis für ihn wird uns nicht nur später zur Ehre gereichen, sondern auch jetzt zu unserem Trost.

1.2 Weil ihn die Pharisäer hinausgestoßen hatten. Hier war ein armer Mann, der für Christus litt, und Christus trug dafür Sorge, dass, wie sich seine Leiden reichlich über jenen ergossen, auch dessen Trost reichlich fließt (s. 2.Kor 1,5). Glücklich sind die, welche einen Freund haben, bei dem die Menschen sie nicht daran hindern können, ihn zu sehen. Jesus Christus wird diejenigen gnädig finden und annehmen, die von Menschen um seinetwillen ungerecht verworfen und hinausgestoßen werden.

2. Das ermutigende Gespräch, das Christus mit ihm hatte. Christus lehrte ihn weiter, denn denen, die im Kleinen treu sind, wird mehr anvertraut werden (s. Mt 13,12).

2.1 Unser Herr Jesus prüfte seinen Glauben: „Glaubst du an den Sohn Gottes?" Um uns eine Vorstellung von seinem Reich zu geben, das ausschließlich geistlich und göttlich ist, nannte Christus sich hier „Sohn Gottes".

2.2 Der arme Mann fragte genau nach dem Messias, an den er glauben sollte, und bekannte seine Bereitschaft, ihn anzunehmen: „Wer ist es, Herr, damit ich an ihn glaube?" **(Vers 36)**. Manche meinen, er wusste, dass Jesus, der ihn heilte, der Sohn Gottes war, dass er aber nicht wusste, wer von den Menschen um ihn herum Jesus war, und deshalb in der Annahme, dass die Person, die mit ihm sprach, ein Nachfolger Jesu war, ihn bat, ihm die Gunst zu erweisen, ihn zu seinem Meister zu führen. Andere meinen, er wusste, dass diese Person, die mit ihm sprach, Jesus war, von dem er glaubte, dass er ein großer und guter Mann und ein Prophet sei, dass er aber noch nicht wusste, dass Jesus der Sohn Gottes war. „Du, der du mir leibliches Augenlicht gegeben hast, sage mir bitte, wer und wo dieser Sohn Gottes ist." Die Frage war vernünftig und berechtigt: „Wer ist es, Herr, damit ich an ihn glaube?"

2.3 Unser Herr Jesus offenbarte sich ihm gnädig als Sohn Gottes: „Du hast ihn gesehen, und der mit dir redet, der ist es!" **(Vers 37)**. Wir sehen nicht, dass Christus sich einem anderen Menschen so ausdrücklich und mit so viel Worten offenbarte, wie er es hier bei diesem Mann und bei der Frau aus Samaria tat (s. Joh 4,26). Er überließ es anderen, durch Argumente herauszufinden, wer er war. Christus beschrieb sich dem Mann hier auf zwei Weisen.

„Du hast ihn gesehen." Dem Mann wurde nun mehr denn je bewusst gemacht, was für ein unbeschreiblicher Segen es war, von seiner Blindheit geheilt zu sein, sodass er den Sohn Gottes sehen konnte. Der größte Trost des physischen Augenlichts sind seine Nützlichkeit für unseren Glauben und die Interessen unserer Seelen. Können wir sagen, dass wir Christus im Glauben gesehen haben, dass wir ihn in seiner Schönheit und Herrlichkeit gesehen haben? Wir wollen ihm die Ehre geben, da er uns selbst die Augen geöffnet hat.

„... und der mit dir redet, der ist es!" Große Herrscher sind bereit, von manchen Menschen gesehen zu werden, zu denen sie sich nicht herablassen würden zu sprechen. Christus aber spricht mit denen, deren Verlangen nach ihm steht, und er offenbart sich ihnen, wie er es bei den beiden Jüngern tat, als er mit ihnen sprach und ihr Herz in ihnen brannte (s. Hld 7,11; Lk 24,32). Dieser arme Mann fragte genau nach dem Heiland, sogar als er ihn sah und mit ihm sprach. Jesus Christus ist der Seele oft näher, die ihn sucht, als sie sich selbst bewusst ist.

2.4 Der arme Mann nahm diese überraschende Offenbarung bereitwillig an und sagte: „Ich glaube, Herr!" und er „fiel anbetend vor ihm nieder".

Er bekannte seinen Glauben an Christus: „,Ich glaube, Herr', dass du der Sohn Gottes bist." Er wollte nichts von dem in Zweifel ziehen, was von dem Einen gesagt wurde, der ihm solche Barmherzigkeit erwiesen und solch ein Wunder für ihn vollbracht hatte. Da er mit dem Herzen glaubte, bekannte er mit dem Mund und nun war das geknickte Rohr zu einer Zeder geworden (s. Röm 10,9; Jes 42,3; Ps 92,13; Hes 17,23).

Er betete ihn an. Er „fiel anbetend vor ihm nieder". Indem er Christus anbetete, bekannte er, dass jener Gott ist. Die an ihn glauben, werden jeden Grund in der Welt finden, ihn anzubeten. Wir lesen nichts weiter von diesem Mann, doch er wurde wahrscheinlich ein beständiger Nachfolger Christi.

Vers 39-41

Wir haben hier:

1. Die Erläuterung, die Christus von seiner Absicht mit seinem Kommen in die Welt sprach: „Ich bin zum Gericht in diese Welt gekommen" **(Vers 39)**. Was Christus sprach, sprach er nicht nur als Prediger auf der Kanzel, sondern auch als ein König auf dem Thron und ein Richter auf dem Richterstuhl.

1.1 Seine Aufgabe in der Welt war groß. Er kam „zum Gericht": um eine Lehre und ein Gesetz zu predigen, das die Menschen prüfen, wirksam ihren wahren Charakter enthüllen und sie unterscheiden würde, indem es die Gedanken aus vielen Herzen offenbart (s. Lk 2,35).

1.2 Er erläuterte diese große Wahrheit durch eine Metapher, die er dem Wunder entnahm, das er gerade vollbracht hatte. Er kam, „damit die, welche nicht sehen, sehend werden und die, welche sehen, blind werden".

Dies kann man auf Nationen und Völker anwenden. Die Heiden würden ein großes Licht sehen, während über Israel Blindheit kommen würde und ihre Augen verfinstert werden würden.

Man kann es auf einzelne Menschen anwenden. Christus kam in die Welt:

Absichtlich und wohlüberlegt, um denen das Augenlicht zu geben, die geistlich blind waren, um durch sein Wort den zu sehenden Gegenstand zu enthüllen und durch seinen Geist das Sehorgan zu heilen, damit viele kostbare Seelen „sich bekehren von der Finsternis zum Licht" (Apg 26,18).

Damit schließlich, am letzten Tag, „die, welche sehen, blind werden", damit diejenigen, die eine hohe Meinung von ihrer eigenen Weisheit haben und diese in Widerspruch zur göttlichen Offenbarung stellen, in ihrer Unwissenheit versiegelt werden. Für diejenigen, die durch ihre sogenannte Weisheit Gott nicht erkannten, erschien das Wort vom Kreuz als eine Torheit (s. 1.Kor 1,18-21).

2. Den Einwand der Pharisäer dagegen. Sie sagten: „Sind denn auch wir blind?" Als Christus sagte, dass durch sein Kommen diejenigen blind gemacht werden würden, die sahen, merkten sie, dass er sie meinte, welche die „Seher" des Volkes waren, die sich etwas auf ihre Einsicht und ihren Weitblick einbildeten. „Wir wissen, dass die einfachen Leute blind sind, doch sind auch wir blind?" Oft haben diejenigen, die am meisten einen Tadel brauchen und verdienen, genug Intelligenz, um einen angedeuteten zu verstehen, aber nicht genug Gnade, um einen berechtigten zu ertragen. Diese Pharisäer fassten diese Zurechtweisung als etwas auf, das Schande über sie brachte.

3. Christi Antwort auf diesen Einwand, die sie, wenn sie diese nicht überzeugen würde, zumindest zum Schweigen brachte: „Wenn ihr blind wärt, so hättet ihr keine Sünde; nun sagt ihr aber: Wir sind sehend! – Deshalb bleibt eure Sünde." Sie rühmten sich, dass sie nicht blind waren, dass sie mit ihren eigenen Augen sehen konnten, dass sie Fähigkeiten hatten – oder so dachten sie –, die für ihre eigene Leitung ausreichend waren. Genau die Sache, derer sie sich rühmten, sagte Christus ihnen hier, war ihre Schande und ihr Verderben (s. Phil 3,19).

3.1 „Wenn ihr blind wärt, so hättet ihr keine Sünde." – „Wenn ihr blind wärt, hättet ihr im Verhältnis keine Sünde. Wenn ihr wirklich unwissend gewesen wärt, wäre eure Schuld nicht so sehr verschlimmert worden." Gott beachtete nicht die Zeiten der Unwissenheit. Es wird für diejenigen erträglicher sein, die aus Mangel an Sehvermögen umkommen, als für diejenigen, die das Licht hassen (s. Spr 29,18; Hiob 24,13). „Wenn ihr eure eigene Blindheit erkannt hättet, hättet ihr gerne den Christus als euren Leiter angenommen und dann hättet ihr keine Sünde gehabt." Wer von seiner Krankheit überführt wird, ist auf dem Weg der Heilung, denn es gibt für das Heil von Seelen kein größeres Hindernis als Selbstgenügsamkeit.

3.2 „‚Nun sagt ihr aber: Wir sind sehend!' Jetzt, wo ihr Erkenntnis habt, im Gesetz unterwiesen seid, jetzt, wo ihr meint, dass ihr euren Weg besser seht als ihn euch jeder andere zeigen kann, ‚deshalb bleibt eure Sünde'." Wie diejenigen, die nicht sehen wollen, am meisten blind sind, so ist die Blindheit derer, die meinen, sehen zu können, die gefährlichste Blindheit. „Siehst du einen Mann, der sich selbst für weise hält?" – Können Sie die Pharisäer sagen hören: „Wir sind sehend!"? – „... so kannst du für einen Toren mehr Hoffnung haben", für einen Zöllner oder eine Prostituierte, als für ihn (Spr 26,12).

KAPITEL 10

Wir haben hier: 1. Christi Predigt über sich selbst als die Tür zur Schafhürde und als den Hirten der Schafe (s. Vers 1-18). 2. Die verschiedenen Antworten der Menschen darauf (s. Vers 19-21). 3. Die Diskussion, die Christus mit den Juden im Tempel beim Fest der Tempelweihe hatte (s. Vers 22-39). 4. Christi Weggang auf das Land danach (s. Vers 40-42).

Vers 1-18

Die Pharisäer verteidigten ihren Widerstand gegen Christus mit Verweis auf ihre Rolle als Pastoren oder Hirten der Gemeinde. Weil Jesus keinen Auftrag von ihnen erhalten hatte, war er ein Störenfried und Hochstapler. Die Menschen waren deshalb verpflichtet, bei ihnen zu bleiben und gegen ihn zu sein. Im Gegensatz dazu beschrieb Christus hier diejenigen, welche die falschen Hirten waren, und diejenigen, welche die echten waren, und überließ es seinen Hörern zu schließen, welcher Art jene waren.

1. Hier wird das Gleichnis oder der Vergleich dargelegt **(s. Vers 1-5)**: „Wahrlich, wahrlich, ich sage euch." Das Wort, das mit „wahrlich" übersetzt wird, ist „Amen". Diese starke Bekräftigung zeigt die Gewissheit und Bedeutung von dem, was er sagte.

1.1 In dem Gleichnis haben wir:

Einen Dieb und Räuber, der kommt, um der Herde Schwierigkeiten zu machen und dem Eigentümer Schaden zuzufügen **(s. Vers 1)**. Er geht nicht durch die Tür hinein, hat keinen rechtmäßigen Grund, um hineinzugehen, sondern steigt anderswo hinein. Wie hart arbeiten Übeltäter, um Schwierigkeiten zu verursachen! Dies sollte uns für unsere Faulheit und Feigheit im Dienst Gottes beschämen.

Die Charakterisierung, die den rechtmäßigen Eigentümer der Schafe kennzeichnet: Er geht durch die Tür hinein, kommt, um ihnen Gutes zu tun **(s. Vers 2)**. Schafe brauchen menschliche Fürsorge und als Gegenleistung dafür sind sie uns nützlich; sie kleiden und nähren die, welche auf sie aufpassen und sie weiden (s. 1.Kor 9,7).

Den raschen Einlass, den der Hirte findet: „Diesem öffnet der Türhüter" (der Wächter oder Torwächter; **Vers 3**).

Die Fürsorge, die er hat. „... und die Schafe hören auf seine Stimme", und, was mehr ist, „er ruft seine eigenen Schafe beim Namen", so genau ist die Beachtung, die er ihnen schenkt, und er führt sie hinaus zur Hürde auf die grünen Auen (s. Ps 23,2). Er treibt sie nicht, sondern geht, wie es in dieser Zeit üblich war, vor ihnen her, und sie folgen ihm, da sie daran gewöhnt sind, und sind sicher **(s. Vers 4-5)**.

Die außerordentliche Weise, wie die Schafe auf den Hirten hören: „... denn sie kennen seine Stimme. Einem Fremden aber folgen sie nicht nach", sondern werden vor ihm davonlaufen, weil sie seine Stimme nicht kennen.

1.2 An diesem Gleichnis wollen wir beachten:

Gute Menschen werden passenderweise mit Schafen verglichen. Menschen werden, als Geschöpfe, die von ihrem Schöpfer abhängig sind, die Schafe seiner Weide genannt (s. Ps 100,3).

Die Gemeinde Gottes in der Welt ist eine Schafhürde, in welche die Kinder Gottes, die zerstreut wurden, in eins zusammengebracht werden (s. Joh 11,52).

Diese Schafhürde ist sehr stark Dieben und Räubern ausgesetzt, Wölfen in Schafskleidern (s. Mt 7,15).

Der große Hirte der Schafe kümmert sich sehr um die Herde und um alle, die zu ihr gehören. Gott ist der große Hirte (s. Ps 23,1).

Die untergeordneten Hirten, die damit betraut sind, die Herde Gottes zu weiden, sollten sorgfältig und treu darin sein, diese Pflicht zu tun. Geistliche Diener müssen den Schafen in ihren geistlichen Interessen dienen, müssen ihre Seelen mit dem Wort Gottes weiden. Sie müssen die Mitglieder ihrer Herden beim Namen kennen und über sie wachen; sie müssen sie auf die Auen der öffentlichen Anbetung führen, als ihr Sprachrohr Gott gegenüber und Gottes Sprachrohr ihnen gegenüber dienen.

Diejenigen, welche wahrhaft die Schafe Christi sind, werden sehr auf ihren Hirten achten und sehr vorsichtig und schüchtern gegenüber Fremden sein. Sie folgen ihrem Hirten nach, „denn sie kennen seine Stimme", haben sowohl ein wahrnehmendes Ohr als auch ein gehorsames Herz. Sie fliehen vor einem Fremden und fürchten sich, ihm nachzufolgen, weil sie seine Stimme nicht kennen.

2. Hier ist die Unwissenheit der Juden von dem Gedankengang und der Bedeutung dieser Rede: „Dieses Gleichnis sagte ihnen Jesus. Sie verstanden aber nicht, wovon er zu ihnen redete" **(Vers 6)**. Die Pharisäer hatten eine hohe Meinung von ihrer eigenen Erkenntnis und sie hatten nicht genug Gespür, um die Dinge zu verstehen, von denen Christus sprach; diese Dinge gingen über ihr Vermögen hinaus. Oft sind diejenigen, die behaupten, die größte Erkenntnis zu haben, diejenigen, die am meisten unwissend in den Dingen Gottes sind.

3. Hier ist Christi Erläuterung des Gleichnisses. In dem Gleichnis hatte Christus den Hirten von dem Räuber anhand der Tatsache unterschieden, dass der Hirte durch die Tür hineingeht. Er setzte sich sowohl mit der Tür gleich, durch die der Hirte hineingeht, als auch mit dem Hirten, der durch die Tür hineingeht.

3.1 Christus ist die Tür. Er sagte es zu den Juden, die als die einzigen Schafe angesehen werden wollten, die Gott hatte, und zu den Pharisäern, die als die einzigen Hirten angesehen werden wollten, welche die Juden hatten: „,Ich bin die Tür' zur Schafhürde."

Er ist allgemein wie eine Tür, die geschlossen wird, um Diebe und Räuber und diejenigen herauszuhalten, die nicht geeignet sind, dass man sie hereinlässt. Er ist auch wie eine Tür, die geöffnet ist, um den Durchgang und die Verständigung zu erlauben. Durch Christus als die Tür werden wir zuerst zur Herde Gottes hineingelassen (s. Joh 14,6). Durch ihn kommt Gott zu seiner Gemeinde, das heißt, besucht sie und teilt sich ihr mit. Durch Christus als die Tür werden die Schafe in das himmlische Reich hineingelassen (s. Mt 25,34).
Genauer:

Christus ist die Tür für die Hirten, sodass alle, die nicht durch ihn hineingingen, nicht als Pastor angesehen werden dürfen, sondern vielmehr als „Diebe und Räuber", denn obwohl sie behaupteten, Hirten zu sein, hörten die Schafe nicht auf sie **(s. Vers 8)**. Achten Sie auf ihre Beschreibung: Sie sind „Diebe und Räuber" und dies waren sie alle, die vor ihm kamen, das heißt, alle, die Vorrang und Überlegenheit ihm gegenüber behaupteten. Die Pharisäer hielten sich selbst für die Tür, durch die alle Pastoren hineingehen mussten, und deshalb verurteilten sie unseren Heiland als Dieb und Räuber, weil er nicht durch sie hineinging, doch er zeigte, dass sie von ihm hätten zugelassen werden sollen. Beachten Sie auch die Sorge, die dafür getroffen wird, um die Schafe vor diesen Dieben und Räubern zu bewahren: „Aber die Schafe hörten nicht auf sie." Diejenigen, die geistlich und himmlisch waren, konnten in keinem Fall die Überlieferung der Ältesten billigen, noch sich an ihren Regeln und Verfügungen freuen.

Christus ist die Tür der Schafe: „Wenn jemand durch mich hineingeht, wird er gerettet werden und wird ein- und ausgehen" **(Vers 9)**. Hier sind:

Klare Anweisungen, wie man in die Hürde kommt: Wir müssen durch Jesus Christus als die Tür hineingehen. Durch den Glauben an ihn treten wir in den Bund und die Gemeinschaft mit Gott.

Kostbare Verheißungen für diejenigen, die diese Anweisungen befolgen (s. 2.Petr 1,4). Sie werden in der Zukunft „gerettet werden"; dies ist das Vorrecht ihrer Heimat. Sie werden Seligkeit für immer gefunden haben. In der Zwischenzeit werden sie „ein- und ausgehen und Weide finden"; das ist das Vorrecht ihres Lebens. Echte Gläubige sind in Christus zu Hause; wenn sie ausgehen, sind sie nicht als Fremde ausgeschlossen, sondern sind frei, wieder hereinzukommen, wann es ihnen gefällt. Wenn sie hineingehen, sind sie nicht als Sünder eingeschlossen, sondern sind frei zu gehen, wenn sie es möchten. Sie gehen am Morgen hinaus auf das Feld und kehren am Abend zur Hürde zurück. Sie finden Weide, das heißt, Nahrung in beidem: Gras auf dem Feld, Futter in der Hürde.

3.2 Christus ist der Hirte **(s. Vers 11)**. Gott hat seinen Sohn Jesus zu unserem Hirten ausersehen; hier bekannte sich Jesus wieder und wieder zu dieser Beziehung. Er erwartet, dass die Gemeinde und jeder Gläubige ihm so dient und gehorcht, wie die Herden in diesem

Land ihren Hirten dienten und gehorchten.

Christus ist ein Hirte, und nicht wie ein Dieb. Achten Sie auf die schlimmen Absichten des Diebes: „Der Dieb kommt nur, um zu stehlen, zu töten und zu verderben" **(Vers 10)**. Wen die Diebe stehlen, dessen Herz und Empfindungen stehlen sie von Jesus und von seinen Weideplätzen, sie töten und verderben geistlich. Betrüger der Seelen ermorden Seelen. Achten Sie auch auf die gnädige Absicht des Hirten. Er ist gekommen:

Um den Schafen Leben zu geben. Christus sagte: „Ich bin gekommen:"

„... damit sie das Leben haben". Er kam, um der Herde Leben zu verleihen, der Gemeinde allgemein, die mehr wie ein Tal voller Totengebeine gewesen zu sein schien als eine mit Herden bedeckte Weide (s. Hes 37,1-2). Er kam, um den einzelnen Gläubigen Leben zu geben. Leben umfasst alles Gute.

Dass sie es „im Überfluss haben", dass sie ein Leben mit mehr Überfluss haben mögen, als man erwarten konnte oder wie wir jemals bitten oder verstehen können (s. Eph 3,20). Man kann es aber auch wiedergeben: „... damit sie das Leben und volle Genüge haben sollen" (LÜ 84). Christus kam, um Leben und etwas mehr zu geben, etwas Besseres, Leben plus etwas. Leben im Überfluss ist ewiges Leben, Leben und viel mehr.

Um sein Leben für die Schafe zu geben, damit er ihnen Leben geben kann: „Der gute Hirte lässt sein Leben für die Schafe" **(Vers 11)**. Es ist die Pflicht von jedem guten Hirten, sein Leben für die Schafe zu riskieren und preiszugeben. Es war das Vorrecht des großen Hirten, sein Leben zu geben, um seine Herde zu erwerben (s. Apg 20,28).

Christus ist ein guter Hirte, nicht ein angeheuerter Arbeiter. Viele Hirten der Juden waren keine Diebe, aber sehr nachlässig bei der Erfüllung ihrer Pflicht, und durch ihre Nachlässigkeit wurde der Herde großer Schaden zugefügt. Christus nannte sich hier den guten Hirten (s. **Vers 11** und wieder **Vers 14**). Jesus Christus ist der beste Hirte. Es gibt niemanden, der so geschickt, treu oder sanft wie er. Er stellt dies selbst unter Beweis, im Gegensatz zu allen Mietlingen **(s. Vers 12-14)**. Beachten Sie:

Die Nachlässigkeit des untreuen Hirten; des einen, der ein Mietling ist, „dem die Schafe nicht gehören": Der „sieht den Wolf kommen und verlässt die Schafe und flieht", weil er sich in Wirklichkeit nicht um die Schafe kümmert **(Vers 12)**. Schlechte Hirten, Richter und geistliche Diener, werden hier sowohl durch ihre schlechten Motive als auch durch ihr schlechtes Handeln beschrieben:

Ihre schlechten Motive, die Wurzel ihrer schlechten Motive. Was lässt diejenigen, die Verantwortung für Seelen haben, in Zeiten der Versuchung ihre Pflicht verlassen, und was lässt sie diese in Zeiten der Ruhe vernachlässigen? Es ist, dass sie Mietlinge sind und sich nicht um die Schafe kümmern. Der Wohlstand der Welt ist ihr oberstes Ziel, weil sie angemietete Arbeiter sind. Sie üben die Arbeit des Hirten einfach als Gewerbe aus, um davon zu leben und dadurch reich zu werden. Es ist die Liebe zum Geld und zu ihrem eigenen Bauch, die sie in Gang hält. Wer den Lohn mehr liebt als die Arbeit, ist ein angemieteter Arbeiter. Die betreffende Arbeit ist das Letzte, was sie interessiert. Sie schätzen nicht die Schafe; sie sind gleichgültig den Seelen anderer gegenüber. Sie streben nach ihren eigenen Interessen. Was kann man anderes erwarten, als dass sie fliehen werden, wenn der Wolf kommt? Der Mietling kümmert sich nicht um die Schafe, denn er ist jemand, „dem die Schafe nicht gehören" **(s. Vers 12)**.

Ihr schlechtes Handeln, die Auswirkung ihrer schlechten Motive **(s. Vers 12)**. Schauen Sie, wie schändlich der Mietling seine Stellung verlässt; er „sieht den Wolf kommen und verlässt die Schafe und flieht". Wer mehr um seine eigene Sicherheit besorgt ist als um seine Pflicht, ist ein leichtes Ziel für Satans Versuchungen. Wie verhängnisvoll sind die Folgen! „Und der Wolf raubt und zerstreut die Schafe."

Die Gnade und Sanftheit des guten Hirten. Der Herr Jesus ist und wird immer sein, wie er es immer gewesen ist, der gute Hirte. Hier sind zwei große Beispiele der Güte des Hirten:

Er kennt die Herde:

Er kennt als der gute Hirte alle, die jetzt zu seiner Herde gehören **(Vers 3-4.14-15)**: „Ich ‚kenne die Meinen und bin den Meinen bekannt'." Die Schafe und der Hirte kennen einander sehr gut, und diese Beziehung zeigt Zuneigung.

Christus kennt seine Schafe. Er kennt die, welche seine Schafe sind, und die, welche es nicht sind. Er kennt die Schafe mit ihren vielen Schwächen und die Ziegen mit ihren plausibelsten Masken. Er kennt sie, das heißt, er anerkennt sie und akzeptiert sie (s. Ps 1,6; 37,18; 2.Mose 33,17).

Er wird von ihnen gekannt. Sie blicken im Glauben zu ihm. Es ist nicht so sehr, dass wir ihn kennen, als dass wir von ihm erkannt sind, was die Grundlage unserer Seligkeit ist (s. Gal 4,9). Bei dieser Gelegenheit erwähnt Christus die gegenseitige Beziehung zwischen seinem Vater und ihm: „Gleichwie der Vater mich kennt und ich den Vater kenne" **(Vers 15)**. Dies kann man ansehen als:

Die Grundlage für diese innige Beziehung zwischen Christus und dem Gläubigen. Der Herr Jesus kennt die, welche er erwählt hat und ist sich ihrer gewiss und auch sie wissen, an wen sie glauben und sind sich seiner gewiss, und die Grundlage davon ist die vollkommene Kenntnis, welche der Vater und der Sohn

vom Sinn des jeweils anderen hatten (s. Joh 13,18; 2.Tim 1,12).
Eine treffende Analogie für die Vertrautheit, die es zwischen Christus und dem Gläubigen gibt. Man kann es auf diese Weise mit den vorhergehenden Worten verknüpfen, wie es unsere Bibelübersetzung tut: „Ich ... kenne die Meinen und bin den Meinen bekannt, gleichwie der Vater mich kennt und ich den Vater kenne." Wie der Vater den Sohn kannte und ihn liebte, so kennt Christus seine Schafe und blickt wachsam und zärtlich auf sie. Wie der Sohn den Vater kannte, liebte und ihm gehorchte, so kennen Gläubige Christus.
Er kennt all die, welche später zu seiner Herde gehören werden: „Und ich habe noch andere Schafe, die nicht aus dieser Schafhürde sind; auch diese muss ich führen" **(Vers 16)**. Beachten Sie:
Wie Christus die armen Heiden betrachtete. Er hatte manchmal seine besondere Sorge für die verlorenen Schafe des Hauses Israel (s. Mt 15,24), doch er sagte: „Und ich habe noch andere Schafe." Diejenigen, die im Lauf der Zeit aus den Heiden Christus glauben würden, werden hier „Schafe" genannt. Christus hat ein Recht auf viele Seelen, die er noch nicht besitzt. Christus sprach von diesen anderen Schafen, um die Geringschätzung abzutun, die ihm gezeigt wurde, weil er nur eine kleine Herde hatte (s. Lk 12,32), mit der Folge, dass, selbst wenn er ein guter Hirte war, er doch immer noch ein armer Hirte war: „Doch", sagte er, „ich habe mehr Schafe, als ihr seht."
Die Absichten seiner Gnade für sie: „Auch diese muss ich führen." Doch warum muss er sie führen? Was war die Not? Die Notwendigkeit ihrer Situation erforderte es. Wie Schafe würden sie nie von alleine zurückkommen. Auch die Notwendigkeit seiner eigenen Verpflichtung erforderte es; er muss sie führen, oder er wäre seiner Pflicht gegenüber nicht treu.
Die förderliche Wirkung von diesem. „Sie werden meine Stimme hören. Sie wird von ihnen gehört werden. Ich werde sprechen und sie zum Hören bringen." Der Glaube kommt durch die Verkündigung (s. Röm 10,17). „... und es wird eine Herde und ein Hirte sein." Wie es einen Hirten geben würde, so würde es eine Herde geben. Sowohl Juden als auch Heiden würden Teil einer Gemeinde werden. In Christus vereint würden sie sich in ihm vereinen. Zwei Holzstäbe würden in der Hand des Herrn zu einem werden (s. Hes 37,15-17).
Christi Aufopferung für die Schafe **(s. Vers 15.17-18).**
Er erklärte seine Absicht, für seine Herde zu sterben: „Und ich lasse mein Leben für die Schafe" **(Vers 15)**. Er ließ nicht nur zum Wohl der Schafe sein Leben, sondern auch an ihrer Stelle. Tausende von Schafen waren bei den Opfern als Sündopfer für ihre Hirten dargebracht worden. Hier aber würde in einer überraschenden Umkehrung der Hirte für die Schafe geopfert werden. Obwohl das Schlagen des Hirten für den Augenblick das Zerstreuen der Herde bedeutete, war das Ziel, dass sie am Ende gesammelt werden würden (s. Sach 13,7).
Er nahm durch vier Überlegungen das Ärgernis des Kreuzes fort (s. Gal 5,11):
Dass er sein Leben für die Schafe ließ, berechtigte ihn zu den Ehren und der Macht seines erhöhten Standes: „Darum liebt mich der Vater, weil ich mein Leben lasse" **(Vers 17)**. Er wurde von dem Vater geliebt, weil er sich verpflichtete, für die Schafe zu sterben. Wenn er Gottes Liebe für einen hinreichenden Lohn für all seinen Dienst und sein Leiden erachtete, werden wir sie dann für uns für zu klein halten und die freundlichen Blicke der Welt suchen als Ausgleich für unser Leiden?
Dass er sein Leben ließ, um es wieder zu nehmen: „... weil ich mein Leben lasse, damit ich es wieder nehme." Gott liebte ihn zu sehr, um ihn im Grab zu lassen (s. Ps 16,10). Er unterzog sich dem Tod, als wäre er von ihm niedergestreckt, damit er den Tod umso herrlicher besiegen und über das Grab triumphieren würde.
Dass sein Leiden und sein Tod vollkommen freiwillig waren: „... sondern ich lasse es von mir aus[, denn] ich habe Vollmacht, es zu lassen, und ... es wieder zu nehmen." Beachten Sie:
Die Vollmacht Christi als Herrn des Lebens. Er hatte Vollmacht, sein Leben gegen die ganze Welt zu behalten. Obwohl Christi Leben im Sturm genommen worden zu sein scheint, wurde es in Wirklichkeit überlassen, denn es war in jeder Weise unüberwindlich. „Niemand nimmt es von mir." Er hatte nicht nur Vollmacht, sein Leben zu behalten, sondern auch, es zu lassen. Auf der einen Seite hatte er die Fähigkeit, es zu tun. Er konnte, wenn es ihm gefiel, den Knoten der Einheit zwischen Leib und Seele lösen. Da er freiwillig einen Leib angenommen hatte, konnte er ihn freiwillig wieder lassen. Auf der anderen Seite hatte er auch die Autorität, sein Leben zu lassen. Wir haben nicht die Freiheit, dies zu tun, doch Christus hatte die souveräne Autorität, über sein eigenes Leben zu verfügen, wie es ihm gefiel. Er hatte nicht nur Vollmacht, sein Leben zu behalten und zu lassen, sondern auch, „es wieder zu nehmen"; wir haben das nicht. Unser Leben ist, wenn es einmal gelassen wurde, „wie das Wasser, das sich auf die Erde ergießt", doch als Christus sein Leben ließ, hatte er es immer noch in Reichweite und konnte es wiedererlangen (2.Sam 14,14).
Die Gnade Christi; er ließ es zu unserer Erlösung. Er opferte sich, um der Heiland zu sein.
Dass er all dies auf die ausdrückliche Anordnung und Festlegung seines Vaters tat: „Diesen Auftrag habe ich von meinem Vater empfan-

gen", nicht einen solchen Auftrag, der das unvermeidlich machte, was er tat, vor seinem eigenen freiwilligen Handeln, sondern das Gesetz der Fürsprache, bei dem er bereit war, dass es auf sein Herz geschrieben wird, sodass er begehren würde, dem Willen Gottes gemäß zu handeln (s. Ps 40,9).

Vers 19-21

Hier sehen wir die verschiedenen Haltungen der Menschen gegenüber Christus. Es gab eine Spaltung – es ist das Wort, von dem wir „Schisma" haben – unter ihnen. Sie waren vorher in solcher Unruhe gewesen, und wo es einmal eine Spaltung gegeben hat, wird eine kleine Sache wieder für eine Spaltung sorgen (s. Joh 7,43; 9,16). Risse sind schneller gemacht als ausgebessert. Es ist jedoch besser, dass die Menschen uneinig über die Lehre Christi sind, als dass sie im Dienst der Sünde vereint sind (s. Lk 11,21).

1. Manche Juden sprachen bei dieser Gelegenheit schlecht über Christus und das, was er sagte. Sie sagten: „Er hat einen Dämon und ist von Sinnen, weshalb hört ihr auf ihn?" Sie beschuldigten ihn, dämonisch besessen zu sein. „Er ist von Sinnen, man soll nicht mehr auf ihn hören, man soll auf ihn hören wie auf jemanden, der tobt." Sie verspotteten seine Zuhörer: „... weshalb hört ihr auf ihn?" Die Menschen würden sich nicht durch Lachen vom Essen abhalten lassen, doch sie ließen sich durch Lachen von etwas abhalten, das viel nötiger war.

2. Andere standen auf, um ihn zu verteidigen; obwohl der Strom stark war, wagten sie, gegen diesen zu schwimmen. Sie konnten es nicht ertragen, Jesus auf diese Weise beschimpft zu sehen. Wenn sie nichts weiter über ihn sagen konnten, wollten sie zumindest dabei bleiben, dass er doch ein Mann war, der seine fünf Sinne beisammen hatte, dass er nicht dämonisch besessen war, dass er weder bei Sinnen noch ohne Gnade war. Sie brachten zwei Dinge vor:

2.1 Die Vorzüglichkeit seiner Lehre: „‚Das sind nicht die Worte eines Besessenen.' Das sind nicht die Worte von einem, der entweder gewaltsam von einem Dämon besessen oder freiwillig im Bund mit dem Teufel ist." In den Worten Christi gibt es so viel Heiligkeit, dass wir schließen können, sie sind „nicht die Worte eines Besessenen" sind und darum die Worte von jemandem sind, der von Gott gesandt wurde.

2.2 Die Macht seiner Wunder: „Kann denn ein Dämon Blinden die Augen öffnen?" Weder Menschen, die von Sinnen sind, noch solche, die böse sind, können Wunder vollbringen. Der Teufel wird den Menschen eher die Augen ausreißen, als sie ihnen zu öffnen. Deshalb hatte Jesus keinen Dämon.

Vers 22-38

Es ist schwer zu sagen, welche seltsamer waren, die begnadeten Worte, die aus seinem Mund kamen, oder die boshaften, die aus ihrem kamen. Wir haben hier:

1. Den Zeitpunkt, als Christus die Juden im Tempel traf. „Es fand aber ... das Fest der Tempelweihe statt; und es war Winter." Dieses Fest wurde allgemein jedes Jahr in Erinnerung an die Einweihung des neuen Altars und die Reinigung des Tempels durch Judas Makkabäus begangen. Die Wiederkehr der Freiheit für die Juden war für sie wie Leben aus den Toten (s. Röm 11,15), und in Erinnerung daran hielten sie ein jährliches Fest am 25. des Monats Kislev ab, etwa Anfang Dezember, und sieben Tage danach. Ihre Feier war nicht auf Jerusalem begrenzt; jeder beging sie in seiner eigenen Stadt; nicht als eine heilige Zeit, sondern als eine freudige Zeit.

2. Den Ort, wo die Begegnung stattfand: „Und Jesus ging im Tempel in der Halle Salomos umher" (in der Säulenhalle Salomos; **Vers 23**). Er ging umher, bereit, jedem zuzuhören, der sich an ihn wenden würde, bereit, ihnen seine Dienste anzubieten. Wer Christus etwas zu sagen hat, kann ihn im Tempel umhergehen finden.

3. Die Zusammenkunft selbst, bei der Sie beachten mögen:

3.1 Eine bedeutende Frage, welche ihm die Juden stellten (**s. Vers 24**). Sie „umringten ihn" (sammelten sich um ihn), um ihn zu provozieren. Er wartete auf eine Gelegenheit, um ihnen eine Freundlichkeit zu erweisen. Wohlwollen wird oft durch Feindschaft vergolten. Sie sammelten sich um ihn, gaben vor, eine unvoreingenommene und freimütige Prüfung der Wahrheit zu unternehmen, wollten aber einen umfassenden Angriff auf unseren Herrn Jesus ausführen: „Wie lange hältst du unsere Seele im Zweifel? Bist du der Christus, so sage es uns frei heraus!"

Sie stritten mit ihm, als hätte er sie bis zu diesem Zeitpunkt ungerechterweise in Ungewissheit gelassen. „Wie lange wirst du uns in Ungewissheit lassen? Wie lange müssen wir diskutieren, ob du der Christus bist oder nicht?" Es war die Auswirkung ihres Unglaubens und ihrer mächtigen Vorurteile. Der Kampf lief zwischen ihrer Überführung, die ihnen sagte, dass er der Christus war, und ihrer Verderbtheit, die sagte, dass er es nicht war, weil er nicht so ein Christus war, wie sie erwarteten. Sie gaben Christus selbst die Schuld für ihren Zweifel, als würde er sie in Zweifel versetzen, als wäre er widersprüchlich in sich selbst. Christus möchte uns zum Glauben bringen; wir bringen uns dazu, zu zweifeln.

Sie forderten ihn auf, eine direkte und bestimmte Antwort zu geben: „‚Bist du der Christus, so sage es uns frei heraus', klar und ausdrücklich, entweder, dass du der Christus bist, oder dass du es nicht bist wie Johannes der Täufer" (s. Joh 1,20). Ihre hartnäckige Frage wirkte jetzt gut, doch in Wirklichkeit war sie schlecht, mit der verkehrten Absicht gestellt. Jeder wusste, dass der Messias ein König sein würde, und deshalb würde jeder, der behauptete, der Messias zu sein, als Verräter verfolgt werden, was es war, was sie wollten.

3.2 Christi Antwort auf diese Frage.
Er rechtfertigte sich, indem er sie verwies:
Auf das, was er gesagt hatte: „Ich habe es euch gesagt." Er hatte ihnen gesagt, dass er der Sohn Gottes war, der Sohn des Menschen. Ist dies nun nicht der Christus? „... und ihr glaubt nicht." Sie gaben vor, dass sie nur zweifelten, doch Christus sagte ihnen, dass sie nicht glaubten. Es obliegt nicht uns, Gott zu lehren, wie er uns lehren soll, sondern dankbar für die göttliche Offenbarung zu sein, die wir haben.
Auf seine Werke, das heißt, auf das Beispiel seines Lebens und besonders auf seine Wunder. Niemand konnte diese Wunder tun, wenn nicht Gott mit ihm ist, und Gott würde nicht mit ihm sein, um einen Betrug zu bestätigen.
Er verurteilte sie für ihren halsstarrigen Unglauben: „... und ihr glaubt nicht." Der Grund, den er nennt, überrascht: „Aber ihr glaubt nicht, denn ihr seid nicht von meinen Schafen.' Ihr seid nicht geneigt, meine Nachfolger zu sein. Ihr wollt nicht mit meinen Schafen kommen; ihr lehnt es ab, zu kommen und zu sehen, und zu kommen und zu hören" (Joh 1,39.46). Tief verwurzelte Feindschaft gegen das Evangelium Christi ist die Kette von Sünde und Unglauben.
Er nutzte die Gelegenheit, um sowohl die begnadete Haltung als auch den seligen Stand derer zu beschreiben, die seine Schafe sind.
Um seine Hörer zu überzeugen, dass sie nicht seine Schafe sind, beschrieb er ihnen die Merkmale seiner Schafe. Sie hören seine Stimme, denn sie erkennen diese als die seine, und er hat sich dazu verpflichtet, sicherzustellen, dass sie diese hören **(s. Vers 16.27)**. Sie erkennen seine Stimme, sie freuen sich daran und sie handeln nach ihr. Christus wird nicht diejenigen als seine Schafe ansehen, die für seine Rufe taub sind, taub für die Stimme des Beschwörers (s. Ps 58,6). Seine Schafe folgen ihm. Das gebietende Wort lautet immer: „Folgt mir nach" (Mt 4,19). Wir müssen seinen Fußstapfen folgen, „dem Lamm nachfolgen, wohin es auch geht" (Offb 14,4). Wir hören seine Stimme vergeblich, wenn wir ihm nicht nachfolgen.
Um sie zu überzeugen, dass es ihr großes Unglück und Elend war, nicht zu Christi Schafen zu gehören, beschrieb er hier den seligen Stand und Fall derer, die es tun.

Unser Herr Jesus achtet auf seine Schafe: Sie „hören meine Stimme, und ich kenne sie" **(Vers 27)**. Er unterscheidet sie von anderen; er achtet auf jeden Einzelnen besonders (s. 2.Tim 2,19; Ps 34,7).
Er hat eine Seligkeit für sie vorgesehen, die ihnen entspricht: „Und ich gebe ihnen ewiges Leben" **(Vers 28)**. Menschen haben eine lebendige Seele; deshalb ist die vorgesehene Seligkeit Leben (1.Mose 2,7). Menschen haben eine unsterbliche Seele; deshalb ist die vorgesehene Seligkeit ewiges Leben. Ewiges Leben ist die Seligkeit und der hauptsächliche Gewinn einer unsterblichen Seele. „Und ich gebe ihnen ewiges Leben"; es wird durch die freie Gnade Christi gegeben **(Vers 28)**. Nicht: „Ich werde es geben", sondern: „Ich gebe es"; es ist ein jetziges Geschenk. Er gibt die Gewissheit davon, den Himmel als Samen, als Knospe, als Embryo.
Er hat sich verpflichtet, sie für diese Seligkeit sicher und bewahrt zu erhalten.
Sie werden vor dem ewigen Tod gerettet werden. Die Worte in **Vers 28**, die übersetzt werden: „Und sie werden in Ewigkeit nicht verlorengehen", kann man auch übersetzen: „Sie werden keinesfalls ewig verlorengehen." Wie es ein ewiges Leben gibt, so gibt es auch einen ewigen Tod. Sie werden „nicht ins Gericht" kommen (Joh 5,24). Hirten, die große Herden haben, verlieren oft einige Schafe und lassen zu, dass sie verlorengehen, doch Christus hat sein Wort gegeben, dass nicht einmal eines von seinen Schafen verlorengehen wird.
Sie können nicht von ihrer ewigen Seligkeit abgehalten werden.
Seine eigene Macht wird für sie eingesetzt: „... und niemand wird sie aus meiner Hand reißen." Der Hirte schützt sie so sehr, dass er sie nicht nur in seiner Hürde, sondern in seiner Hand hat, unter seinem besonderen Schutz. Ihre Feinde sind so unverschämt, dass sie versuchen, sie aus seiner Hand zu reißen, doch sie können es nicht, sie werden es nicht tun. Diejenigen, die in der Hand des Herrn Jesus sind, sind sicher.
Auch die Macht seines Vaters wird dafür eingesetzt, sie zu bewahren **(s. Vers 29)**. Beachten Sie:
Die Macht des Vaters: „Mein Vater ... ist größer als alle", größer als alle anderen Freunde der Gemeinde, alle anderen Hirten, Richter oder geistlichen Diener. Diese Hirten werden schläfrig und schlafen ein; er erhält seine Herde Tag und Nacht. Er ist auch größer als alle Feinde der Kirche. Er ist größer als alle vereinigten Kräfte der Hölle und der Erde. Der Teufel und seine Engel haben viele Male versucht, die Kontrolle zu gewinnen, doch sie hatten nie Erfolg (s. Offb 12,7-8).
Die Beteiligung des Vaters bei den Schafen: „[Es ist] mein Vater, der sie mir gegeben hat." Und deshalb wird Gott immer noch nach ihnen

sehen. Alle göttliche Macht hat sich dem verschrieben, die göttlichen Pläne zu erfüllen.

Aus der Macht und Beteiligung des Vaters schließt Christus die Sicherheit der Heiligen. „… und niemand [weder Menschen noch Dämonen] kann sie aus der Hand meines Vaters reißen." Christus hatte selbst die Macht seines Vaters erfahren, die ihn stützte und stärkte, und deshalb legt er auch alle seine Nachfolger in seine Hand. Der Eine, welcher die Herrlichkeit des Erlösers sicherstellte, wird die Herrlichkeit der Erlösten sicherstellen. Um die Gewissheit sogar noch mehr zu bekräftigen, erklärte Christus: „Ich und der Vater sind eins." Die Juden verstanden, dass er damit beanspruchte, Gott zu sein, und er leugnete es nicht **(s. Vers 33)**. Niemand konnte seine Schafe aus seiner Hand reißen, weil sie niemand aus der Hand des Vaters reißen konnte.

4. Der Zorn der Juden: „Da hoben die Juden wiederum Steine auf" **(Vers 31)**. Das Wort, das mit aufheben übersetzt wird, unterscheidet sich von dem, das vorher in einer ähnlichen Situation benutzt wurde, und die Steine waren „große Steine", „sie trugen schwere Steine", wie sie sie zur Steinigung von Übeltätern benutzten (s. Joh 8,59). Die Absurdität dieser Beleidigung wird man sehen, wenn wir bedenken, dass sie ihn überheblich, um nicht zu sagen unverschämt, aufgefordert hatten, ihnen direkt zu sagen, ob er der Christus ist oder nicht, doch jetzt, wo er gesagt und bewiesen hatte, dass er es ist, verurteilten sie ihn als Übeltäter. Wenn die Prediger der Wahrheit sie bescheiden vorbringen, werden sie als Feiglinge gebrandmarkt; wenn sie freimütig sind, werden sie arrogant genannt. Als sie vorher einen ähnlichen Versuch unternommen hatten, war es vergeblich; er entkam „mitten durch sie hindurch". Doch sie wiederholten jetzt ihren Versuch. Unverschämte Sünder werden Steine in den Himmel werfen, obwohl die Steine zurück herunter auf ihren Kopf fallen können.

5. Christi sanftmütige Erörterung mit ihnen: „Jesus antwortete" auf das, was sie taten – wir sehen nicht, dass sie etwas gesagt hatten **(Vers 32)**. Er antwortete milde: „Viele gute Werke habe ich euch gezeigt von meinem Vater; um welches dieser Werke willen wollt ihr mich steinigen?" Man hätte meinen können, dass solche sanften Worte ein steinernes Herz schmelzen könnten. Im Umgang mit seinen Feinden argumentierte Christus immer noch von seinen Werken her – die Menschen zeigen durch das, was sie tun, was sie sind –, seinen guten Werken, denn der Ausdruck bedeutet sowohl „große Werke" wie auch „gute Werke".

5.1 Die göttliche Macht seiner Werke überführte sie ihres halsstarrigen Unglaubens. Sie waren Werke von seinem Vater. Er zeigte ihnen diese Werke; er tat sie öffentlich vor den Menschen. Er ließ kein künstliches Licht auf seine Werke scheinen, wie solche, die nur eine äußere Zurschaustellung beabsichtigen, sondern offenbarte sie der Welt mitten am Tag, öffentlich (s. Joh 18,20). Seine Werke waren eine unbestreitbare Entfaltung der Richtigkeit seines Auftrags.

5.2 Die göttliche Gnade seiner Werke überführte sie der schlimmsten Undankbarkeit. Die Werke, die er unter ihnen tat, waren nicht nur Wundertaten, die sie erstaunten, sondern Werke der Liebe und Freundlichkeit, die ihnen Gutes tun und sie so gut machen würden. „Um welches dieser Werke willen wollt ihr mich steinigen?' Wenn ihr einen Streit mit mir suchen wollt, muss es für ein gutes Werk sein; sagt mir für welches." Als er fragte: „Um welches dieser … wollt ihr mich steinigen?", zeigte er ihnen einerseits die große Gewissheit, die er von seiner eigenen Unschuld hatte, und ließ seine Verfolger andererseits überlegen, was der wahre Grund für ihre Feindschaft war, indem sie fragen: „Warum verfolgen wir ihn?" (s. Apg 9,4).

6. Ihre Verteidigung ihres Versuches, die sie Christus vorbrachten **(s. Vers 33)**:

6.1 Sie wollten nicht für solche Feinde ihres Landes gehalten werden, dass sie ihn für ein gutes Werk verfolgen wollten: „Nicht wegen eines guten Werkes wollen wir dich steinigen." Sie wollten in der Tat kaum zugestehen, dass irgendeines seiner Werke gut war. Doch selbst wenn er gute Werke getan hatte, würden sie nicht eingestehen, dass sie ihn für diese steinigen würden. Und so konnten sie, obwohl sie sehr unsinnig handelten, nicht dazu gebracht werden, ihre Widersinnigkeit zuzugeben.

6.2 Sie wollten für solche Freunde Gottes gehalten werden, dass sie ihn für eine Gotteslästerung belangen wollten: „… und zwar weil du, der du ein Mensch bist, dich selbst zu Gott machst!" Sie hatten:

Einen vorgegebenen Eifer für das Gesetz. Sie scheinen sehr besorgt um die göttliche Majestät. Ein Gotteslästerer sollte gesteinigt werden (s. 3.Mose 24,16). Die am meisten verkehrten Taten werden oft mit einer Tünche einleuchtender Entschuldigungen bedeckt. Genauso wie nichts beherzter ist als ein gut informiertes Gewissen, ist nichts schändlicher, als ein sich irrendes.

Eine echte Feindschaft gegenüber dem Evangelium, dem sie keine größere Respektlosigkeit erweisen konnten, als Christus als Gotteslästerer zu bezeichnen. Es ist für die besten Menschen nichts Neues, von denen mit den schlimmsten Ausdrücken beschrieben zu werden, die entschlossen sind, sie auf die schlimmste Weise zu behandeln. Das Verbrechen, dessen er beschuldigt wurde, war Gotteslästerung. Der angenommene Beweis für dieses Verbrechen war, „weil du, der du ein Mensch bist, dich selbst zu Gott machst!". Wie es Gottes Herrlichkeit ist, dass er Gott ist, so ist es seine Herrlichkeit, dass es keinen sonst außer ihm gibt (s. Jes 46,9; Dan 3,28). Sie lagen richtig, so weit sie gingen, dass das, was Christus sagte, darauf hinauslief, zu sagen, dass er Gott war, denn er hatte gesagt, dass er eins mit dem Vater war und dass er ewiges Leben geben würde. Und Christus leugnete es nicht. Doch sie waren sehr im Irrtum, wenn sie ihn als bloßen Menschen betrachteten und die Göttlichkeit, die er beanspruchte, als von sich selbst zugeschrieben.

7. Christi Antwort auf ihre Anschuldigung und seine Ausführung der Ansprüche, die sie gotteslästerlich nannten anhand von zwei Argumenten **(s. Vers 34)**:
7.1 Mit einem Argument, das Gottes Wort entnommen ist. Es steht geschrieben: „‚Ich habe gesagt: Ihr seid Götter.' Wenn sie Götter waren, dann bin ich es viel mehr" (Ps 82,6). Beachten Sie:
Wie er den Text erläuterte: „Wenn es diejenigen Götter nennt, an die das Wort Gottes erging – und die Schrift kann doch nicht außer Kraft gesetzt werden ..." **(Vers 35)**. Wir sind sicher, dass die Schrift „nicht außer Kraft gesetzt werden" und an ihr nichts ausgesetzt werden kann. Jedes Wort von Gott ist richtig.
Wie er es anwandte. „Wieso sagt ihr dann zu dem, den der Vater geheiligt und in die Welt gesandt hat: Du lästerst!" Beachten Sie:
Die Ehre, die dem Herrn Jesus vom Vater erwiesen wird: Er hat ihn geheiligt und in die Welt gesandt. Unser Herr Jesus war selbst das Wort und hatte den Geist nicht nach Maß (s. Joh 3,34; Schl). Er wurde als Herr über alles in die Welt gesandt. Dass der Vater ihn geheiligt und gesandt hatte, wurde hier als ausreichende Vollmacht genannt, dass er sich „Gottes Sohn" nannte.
Die Schmach, die ihm von den Juden erwiesen wurde, dass sie ihn einen Lästerer nannten, weil er sich selbst Gottes Sohn nannte: „Sagt ihr dies über ihn? Wagt ihr es, dies zu sagen? Seid ihr kühn und anmaßend genug, um dem Gott der Wahrheit ins Gesicht zu schauen und ihm zu sagen, dass er lügt? Sagt ihr über ihn, den Sohn Gottes, dass er ein Lästerer ist?" Wenn Dämonen, die er zu verdammen kam, dies über ihn gesagt hätten, wäre es nicht so seltsam gewesen; doch dass Menschen, die er zu lehren und zu retten kam, dies über ihn sagen würden, war entsetzlich: „Entsetzt euch darüber, ihr Himmel" (Jer 2,12).
7.2 Mit einem Argument, das seinen eigenen Werken entnommen wurde **(s. Vers 37-38)**. Hier erläuterte er seine Behauptungen und bewies, dass er und der Vater eins sind. „Wenn ich nicht die Werke meines Vaters tue, so glaubt mir nicht!" Beachten Sie:
Woher er argumentierte – von seinen Werken her. Genauso, wie er durch die Göttlichkeit seiner Werke bewies, dass er von Gott gesandt war, müssen wir selbst durch die Christlichkeit unserer Werke unsere Beziehung zu Christus beweisen.
Das Argument ist machtvoll, denn die Werke, die er tat, waren die Werke seines Vaters, welche nur der Vater tun konnte und die nach dem gewöhnlichen Lauf der Natur nicht getan werden konnten. Die Wunder, welche die Apostel in seinem Namen vollbrachten, bekräftigten dieses Argument und lieferten weiter Beweise dafür, als er gegangen war.
Es wurde so ehrlich vorgebracht, wie man sich wünschen konnte, und wurde einem einfachen Test unterzogen. „Wenn ich nicht die Werke meines Vaters tue, so glaubt mir nicht!" Er forderte keine Anerkennung seines göttlichen Auftrags, die über den Beweis hinausging, den er dafür gab. Christus ist kein harter Arbeitgeber, der erwartet, Anerkennung zu ernten, wo er keine Argumente gesät hat (s. Mt 25,24). „Doch wenn ich ‚die Werke meines Vaters' tue, ‚so glaubt doch den Werken, wenn ihr auch mir nicht glaubt'. Glaubt euren eigenen Augen, eurem eigenen Verstand." Die unsichtbaren Dinge des Erlösers wurden durch seine Wunder und durch all seine Werke sowohl der Macht als auch der Barmherzigkeit gesehen, sodass diejenigen, die nicht durch diese Werke überzeugt wurden, „keine Entschuldigung haben" (Röm 1,20).
Wofür er argumentierte – „... damit ihr erkennt und glaubt, dass der Vater in mir ist und ich in ihm!", was das Gleiche ist, was er vorher gesagt hatte: „Ich und der Vater sind eins" **(Vers 30)**. Wir müssen dies wissen, nicht wissen und erklären, sondern wissen und es glauben, es anerkennen und seine Tiefe bewundern, da wir nicht bis zum Grund vordringen können.

Vers 39-42
Hier ist die Folge des Zusammentreffens mit den Juden. Uns wird hier gesagt:

1. Wie sie ihn gewaltsam angriffen. „Da suchten sie ihn wiederum zu ergreifen" **(Vers 39)**. Weil er in dem gleichen Zeugnis über sich beharrte, verharrten sie in ihrem Hass ihm gegenüber. Sie drückten den gleichen Unmut aus und rechtfertigten ihren Versuch, ihn zu steinigen, mit einem weiteren Versuch, ihn zu ergreifen.

2. Wie er ihnen durch Flucht auswich. „Doch er entging ihren Händen" nicht durch das Einschreiten eines Freundes, der ihm half, sondern durch seine eigene Weisheit. Der Eine, der weiß, wie er sich selbst retten kann, weiß zweifellos auch, „die Gottesfürchtigen aus der Versuchung zu erretten" und wie er ihnen den Ausgang schafft, sodass sie sie ertragen können (2.Petr 2,9; s. 1.Kor 10,13).

3. Was er bei diesem Rückzug tat: „Und er zog wieder jenseits des Jordan" **(Vers 40)**. Beachten Sie:

3.1 Welche Zuflucht er dort fand. Er ging in einen einsamen Teil des Landes „und blieb dort"; er fand dort etwas Rast und Ruhe, als er in Jerusalem keine finden konnte. Christus und sein Evangelium wurden oft besser auf dem offenen Land aufgenommen als unter den Weisen, Mächtigen und Vornehmen (s. 1.Kor 1,26-27).

3.2 Welchen Erfolg er dort hatte. Er entschloss sich, dorthin zu gehen, wo Johannes in frühen Tagen getauft hatte, denn dort müssen einige Eindrücke des Dienstes und der Taufe von Johannes verblieben sein, was die Menschen dort geeignet machen würde, Christus anzunehmen (s. Joh 1,28). Das Ergebnis erfüllte in einem gewissen Maß die Erwartung, denn uns wird gesagt:

Dass sie zu ihm strömten: „Und viele kamen zu ihm." Die Wiederkehr der Gnadenmittel an einen Ort verursacht im Allgemeinen einen großen Aufruhr an Gefühlen.

Dass sie so sehr zu seinen Gunsten sprachen, wie die in Jerusalem suchten, Einwände gegen ihn zu erheben. Sie sagten: „Johannes hat zwar kein Zeichen getan; aber alles, was Johannes von diesem gesagt hat, ist wahr!" Sie bedachten zwei Dinge:

Dass Christus weit die Macht von Johannes dem Täufer übertraf, denn Johannes hatte kein Wunder getan, doch Jesus tat viele, woraus man leicht schließen konnte, dass Jesus größer war als Johannes. Wie groß war dann dieser Jesus! Christus wird am besten durch einen Vergleich mit anderen erkannt und anerkannt, welcher ihn in überragender Weise über andere stellt.

Dass Christus genau das Zeugnis von Johannes dem Täufer erfüllte. „Aber alles, was Johannes von diesem gesagt hat, ist wahr!" Johannes hatte große Dinge über ihn gesagt, die ihre Erwartungen geweckt hatten. Jetzt erkannten sie an, dass Christus genauso groß war, wie Johannes gesagt hatte, dass er sein würde. Wenn wir Christus besser kennenlernen und ihn aus eigener Erfahrung kennenlernen, sehen wir, dass die Realität den Bericht weit übertrifft (s. 1.Kön 10,6-7). Johannes der Täufer war nun gestorben und gegangen, doch seine Hörer profitierten auf zwei Weisen von dem, was sie ihn hatten sagen hören:

Sie wurden in ihrem Glauben bestätigt, dass Johannes ein Prophet war, der solche Dinge vorhersagte.

Sie wurden darauf vorbereitet zu glauben, dass Jesus der Christus war. Der Erfolg und die Wirksamkeit der gepredigten Worte ist nicht auf das Leben der Prediger begrenzt, noch sterben sie mit seinem Atem.

Dass dort viele an ihn glaubten. Sie übergaben sich selbst ihm als seine Jünger **(s. Vers 42)**. Und es waren viele. Es war, wo Johannes großen Erfolg hatte; dort glaubten viele an den Herrn Jesus. Wo die Predigt der Botschaft der Buße Erfolg hatte, ist es am wahrscheinlichsten, dass die Predigt der Botschaft der Versöhnung wirksam ist. Wo Johannes willkommen war, wird Jesus nicht unwillkommen sein.

Kapitel 11

Hier haben wir die Erweckung von Lazarus zum Leben, welche nur von diesem Evangelisten berichtet wird. Die anderen drei beschränken sich auf das, was Christus in Galiläa tat und berichten kaum jemals etwas über Jerusalem bis zur Passionswoche, während sich die Aufzeichnungen von Johannes hauptsächlich um das drehen, was in Jerusalem geschah. Dieses Wunder wird ausführlicher berichtet als jedes andere Wunder Christi, denn es war ein Unterpfand von dem, was der krönende Beweis von allem sein würde – Christi eigene Auferstehung. Hier gibt es: 1. Die Nachricht, die unserem Herrn Jesus von der Krankheit von Lazarus gesandt wurde (s. Vers 1-16). 2. Jesu Besuch bei den Verwandten von Lazarus, als er von dessen Tod hörte (s. Vers 17-32). 3. Das Wunder (s. Vers 33-44). 4. Die Wirkung dieses Wunders auf andere (s. Vers 45-57).

Vers 1-16

Wir haben in diesen Versen:

1. Einen ausführlichen Bericht von den Menschen, die in dieser Geschichte hauptsächlich betroffen sind **(s. Vers 1-2)**. Sie lebten in Bethanien, einem Dorf nicht weit von Jerusalem, wo Christus normalerweise blieb, wenn er zu den Festen heraufkam. Es wird hier das „Dorf der Maria und ihrer Schwester Martha" genannt. Hier war ein Bruder mit Namen Lazarus und hier waren zwei Schwestern, Martha und Maria, welche die Haushalter gewesen zu sein scheinen. Es war eine sittsame, glückliche und wohlgeordnete Familie; sie waren eine Familie, die Christus sehr gut kannte. Eine der Schwestern wird besonders beschrieben als „Maria, die den Herrn gesalbt … hat". Das bezieht sich auf die Salbung Christi, die dieser Evangelist beschreibt (s. Joh 12,3). Es war diese Frau, „deren Bruder Lazarus" krank war, und die Krankheit derer, die wir lieben, ist unser Leid. Je mehr Freunde wir haben, umso öfter leiden wir auf diese Weise durch Mitleid. Die Vermehrung unseres Trostes ist einfach die Vermehrung unserer Sorgen und Kreuze.

2. Die Nachricht, die unserem Herrn Jesus von der Krankheit von Lazarus gesandt wurde **(s. Vers 3)**. Die Schwestern von Lazarus wussten, wo Jesus war, und sie schickten einen besonderen Boten zu ihm. Indem sie dies taten, zeigten sie:

2.1 Ihre Liebe und Sorge für ihren Bruder. Sie zeigten ihm ihre Liebe jetzt, als er krank war, denn als Bruder für die Not wird er geboren und so auch eine Schwester (s. Spr 17,17).

2.2 Ihre Berücksichtigung des Herrn Jesus, dem sie all ihre Sorgen erzählen wollten. Die Botschaft, die sie schickten, war sehr kurz, beschrieb einfach die Situation mit einer sanften, herzlichen Bitte: „Herr, siehe, der, den du lieb hast, ist krank!" Sie sagten nicht: „Herr, siehe, der dich lieb hat", sondern: „... der, den du lieb hast." Unsere Liebe zu ihm ist nicht wert, dass man davon spricht, doch von seiner Liebe zu uns kann man nie genug sprechen. Für die, welche Christus lieb hat, ist es nichts Neues, krank zu sein. „Alles geschieht gleicherweise allen" (Pred 9,2). Wenn wir krank sind, ist es für uns sehr ermutigend, Menschen um uns zu haben, die für uns beten werden. Wir haben Grund, die zu lieben und für die zu beten, bei denen wir Grund haben zu denken, dass Christus sie liebt und für sie sorgt.

3. Ein Bericht darüber, wie Christus die Nachricht aufnahm.

3.1 Er sah den Ausgang und das Ergebnis der Krankheit voraus. Er sah zwei Dinge voraus:

„Diese Krankheit ist nicht zum Tode." Die Krankheit stellte sich als unheilbar heraus und es gab keinen Zweifel, dass Lazarus wirklich vier Tage lang tot war. Und doch wurde sie nicht, wie es eine unheilbare Krankheit für gewöhnlich ist, zu einem Ruf ins Grab. Das war nicht die endgültige Wirkung dieser Krankheit. Er starb, doch man konnte sagen, dass er nicht gestorben ist. Der Tod ist ein ewiger Abschied von dieser Welt und in diesem Sinn war diese Krankheit „nicht zum Tode". Die Krankheit guter Menschen ist, wie bedrohlich sie auch sein mag, „nicht zum Tode". Der Tod des Leibes in dieser Welt ist die Geburt der Seele in eine andere Welt hinein.

„... sondern zur Verherrlichung Gottes." Die Leiden der Heiligen sollen der Verherrlichung Gottes dienen. Die süßesten Segnungen sind die, welche Gott als Heilmittel für unsere Mühen schickt. Wir wollen uns mit den dunkelsten Wegen des Allmächtigen in seiner Vorsehung abfinden: Sie sind alle zur Verherrlichung Gottes. Wenn Gott verherrlicht ist, sollten wir zufrieden sein (s. 3.Mose 10,3). Die Krankheit kam, „damit der Sohn Gottes dadurch verherrlicht wird", da es ihm eine Gelegenheit gab, dieses herrliche Wunder zu vollbringen, die Auferweckung von Lazarus vom Tod. Mögen diejenigen, die Christus liebt, sich selbst in all ihren Nöten und Leiden ermutigen, indem sie daran denken, dass die Absicht von all diesen ist, dass „der Sohn Gottes dadurch verherrlicht wird".

3.2 Er schob den Besuch bei seinem Patienten hinaus **(s. Vers 5-6)**. Sie hatten gebeten: „Herr, siehe, der, den du lieb hast", und das Gesuch wurde angenommen: „Jesus aber liebte Martha und ihre Schwester und Lazarus." Nun hätte man gemeint, dass folgen würde: „Als er hörte, dass Lazarus krank war, ging er so schnell er konnte zu ihm." Er verfolgte jedoch den entgegengesetzten Weg, um seine Liebe zu zeigen. Statt schnell zu ihm zu gehen, „blieb er noch zwei Tage an dem Ort, wo er war".

Er liebte sie und deshalb schob er sein Kommen zu ihnen auf, um sie zu prüfen, damit ihre Prüfung am Ende „Lob, Ehre und Herrlichkeit zur Folge habe" (1.Petr 1,7).

Er liebte sie, das heißt, beabsichtigte, etwas Großes und Außergewöhnliches für sie zu tun. Deshalb schob er es auf, zu ihnen zu kommen, sodass Lazarus tot und begraben sein würde, ehe er kam. Indem er seine Hilfe so lange aufschob, hatte er Gelegenheit, mehr für ihn zu tun als für jeden anderen. Gott hat selbst bei scheinbaren Verzögerungen gnädige Absichten (s. Jes 54,7-8; 49,14). Christi Freunde in Bethanien waren nicht außerhalb seiner Gedanken, obwohl er nicht schnell zu ihnen kam.

4. Das Gespräch, das er mit seinen Jüngern hatte **(s. Vers 7-16)**. Er sprach über zwei Dinge – seine eigene Gefährdung und den Tod von Lazarus.

4.1 Er sprach über seine eigene Gefährdung in seinem Hinziehen nach Judäa **(s. Vers 7-10)**. Hier ist:

Die Bemerkung von Christus, dass er jetzt nach Judäa gehen würde: „Lasst uns wieder nach Judäa ziehen!" **(Vers 7)**. Dies kann man ansehen als:

Ein Vorhaben, das von seiner Freundlichkeit gegenüber seinen Freunden in Bethanien hervorgerufen wurde. Als er erfuhr, dass sie in Schwierigkeiten waren, sagte er: „Lasst uns wieder nach Judäa ziehen!" Christus wird kommen, um die Seinen zu erfreuen, wenn die Zeit da ist, ihnen Gnade zu erweisen, die Stunde gekommen ist, und die schlimmste Zeit ist gewöhnlich die festgelegte Zeit (s. Ps 102,14). In den Tiefen des Leidens wollen wir uns deshalb aus den Tiefen der Verzweiflung heraushalten: diese menschliche Extremsituation ist Gottes Gelegenheit.

Eine Prüfung für den Mut seiner Jünger, um zu sehen, ob sie es wagen würden, ihm dorthin zu folgen. „Lasst uns wieder nach Judäa ziehen", das gerade erst „zu heiß" für sie geworden war, war ein Satz, der sie auf die Probe stellte (s. Joh 6,6). Christus bringt die Seinen nie in eine Gefahr, ohne sie darin zu begleiten.

Ihr Einwand dagegen, diese Reise zu unternehmen: „Rabbi, eben noch wollten dich die Juden steinigen, und du begibst dich wieder dorthin?" **(Vers 8)**. Sie erinnerten ihn an die Gefahr, in der er dort nicht lange vorher gewesen war. Christi Jünger neigen dazu, das Leiden mehr zu betonen, als ihr Meister es tut. Die Erinnerung an ihre Panik war ihnen immer noch frisch im Gedächtnis und deshalb waren sie erstaunt, dass er wieder dorthin gehen wollte. „Willst du die mit deiner Gegenwart beehren, die dich aus ihrem Gebiet vertrieben? ‚... du begibst dich wieder dorthin', wo du so schlecht behandelt wurdest?" Wenn Christus geneigt gewesen wäre, dem Leid zu entkommen, hätte es ihm nicht an Freunden gefehlt, um ihn zu überzeugen, es zu tun. Doch ihr Einwand zeigte nicht nur Sorge um seine Sicherheit, sondern auch Misstrauen gegenüber seiner Macht und eine heimliche Furcht, dass sie selbst leiden würden, denn dies hatten sie zu erwarten, wenn er leiden würde. Sie hatten keinen Glauben, dass er jetzt sowohl sich selbst als auch sie in Judäa beschützen könnte, wie er es vorher getan hatte.

Christi Antwort auf diesen Einwand: „Hat der Tag nicht zwölf Stunden?" **(Vers 9)**. Die göttliche Vorsehung hat uns das Tageslicht gegeben, um dabei zu arbeiten. Das Leben eines Menschen ist ein Tag. Dieser Tag ist in verschiedene Zeiten und Gelegenheiten in Stunden unterteilt und der Gedanke daran sollte uns nicht nur sehr fleißig in der Arbeit des Lebens, sondern auch sehr entspannt in Bezug auf die Gefahren des Lebens machen. Unser Tag wird verlängert werden, bis unsere Arbeit getan und unser Zeugnis vollendet ist (s. Offb 11,7). Christus wandte dies auf seinen Fall an. Um dies zu zeigen:

Zeigte er ihnen den Trost und die Gewissheit, die Menschen haben können, solange sie auf dem Pfad ihrer Pflicht bleiben: „Wenn jemand bei Tag wandelt, so stößt er nicht an": Er zögert nicht in seinem Sinn, sondern weil er rechtschaffen wandelt, wandelt er entschlossen. Wie der Mensch, der am Tag wandelt, nicht anstößt, sondern stetig und fröhlich auf seinem Weg weitergeht, „denn er sieht das Licht dieser Welt" und sieht dadurch den Weg vor sich, so verlässt sich ein guter Mensch auf das Wort Gottes als seine Richtschnur und betrachtet die Herrlichkeit Gottes als sein Ziel, weil er diese beiden großen Lichter sieht. Er hat einen treuen Führer in all seinen Zweifeln und einen mächtigen Beschützer in all seinen Gefahren (s. Ps 119,6). Wo immer Christus hinging, wandelte er am Tag, und das werden wir tun, wenn wir seinen Schritten folgen.

Er zeigte den Schmerz und die Gefahr von jemandem, der nicht nach dieser Regel wandelt: „Wenn aber jemand bei Nacht wandelt, so stößt er an" **(Vers 10)**. Wenn er in den Wegen seines Herzens wandelt, nach dem Lauf dieser Welt, fällt er in Versuchungen und Schlingen (s. Pred 11,9). Er stößt an, „weil das Licht nicht in ihm ist", denn Licht in uns ist für unser moralisches Handeln das, was das Licht um uns für unser natürliches Handeln ist.

4.2 Er und seine Jünger besprachen den Tod von Lazarus **(s. Vers 11-16)**. Hier ist:

Wie Christus seinen Jüngern den Tod von Lazarus bekannt macht **(s. Vers 11)**. Nachdem er sie auf die gefährliche Reise vorbereitet hatte, gab er ihnen dann:

Klare Informationen über den Tod von Lazarus: „Unser Freund Lazarus ist eingeschlafen." Achten Sie hier darauf, wie Christus einen Gläubigen und den Tod eines Gläubigen beschreibt.

Er beschreibt einen Gläubigen als seinen Freund: „Unser Freund Lazarus." Diejenigen, bei denen es Christus gefällt, sich zu ihnen als seinen Freunden zu bekennen, sollten von allen seinen Jüngern als ihre Freunde angenommen werden. Christus sprach über Lazarus als ihrem gemeinsamen Freund: „Unser Freund." Selbst der Tod zerbricht nicht das Band der Freundschaft zwischen Christus und einem Gläubigen. „Lazarus ist gestorben, doch er bleibt ‚unser Freund'."

Er beschreibt den Tod eines Gläubigen als Schlaf: Er „ist eingeschlafen". Es ist gut, den Tod mit solchen Namen und Bezeichnungen zu benennen, die ihn für uns vertrauter und weniger furchterregend machen. Warum sollte es die zuversichtliche Hoffnung auf die Auferstehung zum ewigen Leben für uns nicht genauso leicht machen, den Leib abzulegen und zu sterben, wie es ist, unsere Kleider abzulegen und schlafen zu gehen? Wenn echte Christen sterben, sind sie bloß eingeschlafen: Sie ruhen von der Arbeit des vorigen Tages und erfrischen sich für den folgenden Morgen. Für den Gottesfürchtigen ist das Grab ein Bett und all seine Bande sind wie die weichen und sanften Fesseln eines ruhigen und erholsamen Schlafes. Es ist nur ein Ablegen unserer Kleider, damit sie für unseren Hochzeitstag ausgebessert und zurechtgemacht werden.

Besondere Anzeichen für seine wohlgesonnenen Pläne mit Lazarus: „Aber ich gehe hin, um ihn aufzuwecken." Christus hatte kaum gesagt: „Unser Freund ... ist eingeschlafen", als er umgehend hinzufügte: „Aber ich gehe hin, um ihn aufzuwecken." Wenn Christus den Seinen zu irgendeinem Zeitpunkt sagt, wie schlimm ihre Situation ist, lässt er sie im gleichen Atemzug wissen, wie leicht und wie schnell er die Sache in Ordnung bringen kann. Dass Christus seinen Jüngern sagte, dass dies sein Werk in Judäa war, könnte dabei helfen, ihre Angst wegzunehmen, mit ihm dorthin zu gehen; außerdem war es, um einer Familie eine Freundlichkeit zu erweisen, der sie sich verpflichtet waren.

Ihr Irrtum, ihr Fehler in Bezug auf die Bedeutung dieser Ankündigung: Sie sagten: „Herr, wenn er

eingeschlafen ist, so wird er gesund werden!" **(Vers 12)**. Dies zeigt:
Etwas Sorge, die sie um ihren Freund Lazarus hatten; sie hofften, dass er genesen würde. Jetzt, wo sie hörten, dass er schläft, schlossen sie, dass das Schlimmste vorüber war. Schlaf ist oft die Therapie der Natur. Das stimmt für den Schlaf des Todes; wenn echte Christen auf diese Weise schlafen, wird es ihnen gutgehen.
Eine größere Sorge um sich selbst. Jetzt, dachten sie, war es unnötig, dass Christus zu Lazarus geht, um sich selbst und sie einer Gefahr auszusetzen. Wenn das gute Werk gefährlich ist, zu dem wir berufen sind, sind wir bereit zu hoffen, dass es sich von alleine erledigen wird.
Dieser ihr Irrtum wird richtiggestellt: „Jesus aber hatte von seinem Tod geredet" **(Vers 13)**. Die Jünger Christi waren immer noch so langsam zum Verstehen. Der Tod wird im Alten Testament oft Schlaf genannt. Sie hätten Christus verstehen sollen, wenn er in der Sprache der Schrift sprach. Was immer Christus zu tun unternimmt, ist – dessen können wir sicher sein – etwas Bedeutendes und Außergewöhnliches und für ihn Würdiges. Der Evangelist stellt diesen Fehler sorgfältig richtig: „Jesus aber hatte von seinem Tod geredet."
Jesu klare und eindeutige Erklärung ihnen gegenüber von dem Tod von Lazarus und seine Entscheidung, nach Bethanien zu gehen **(s. Vers 14-15)**.
Er verkündete den Tod von Lazarus; was er vorher dunkel gesagt hatte, sagte er nun frei heraus: „Lazarus ist gestorben" **(Vers 14)**.
Dann nannte er ihnen den Grund, warum er so lange gezögert hatte: „Und ich bin froh um euretwillen, dass ich nicht dort gewesen bin." Das Heilen der Krankheit von Lazarus hätte die Freunde von Lazarus getröstet, doch dann hätten die Jünger Christi keinen weiteren Beweis seiner Macht gesehen, wie sie diesen oft gesehen hatten, und so hätte ihr Glaube nicht zugenommen. Sein jetziges Hinziehen jedoch, um vom Tod aufzuerwecken, führte sowohl zur Bekehrung vieler, die vorher nicht an ihn geglaubt hatten, als auch zu einem Wachstum des Glaubens bei denen, welche bereits glaubten, was Christi Ziel war **(s. Vers 45)**: „... damit ihr glaubt."
Er entschloss sich, jetzt nach Bethanien zu gehen, und seine Jünger mit sich zu nehmen: „Doch lasst uns zu ihm gehen!" Der Tod kann uns nicht von der Liebe Christi scheiden oder uns außer Reichweite seiner Rufe bringen (s. Röm 8,35-39). Vielleicht waren diejenigen, die sagten, „wenn er schläft, brauchen wir nicht dorthin zu gehen", bereit zu sagen: „Wenn er gestorben ist, ist es zwecklos zu gehen."
Die Ermutigung von Thomas für seine Mitjünger, fröhlich mit ihrem Meister zu gehen (Vers 16): Auf ihn wird als Thomas, der „Didymus" genannt wird (NGÜ) verwiesen. Thomas im Hebräischen und Didymus im Griechischen bedeuten „Zwilling". Thomas war wahrscheinlich ein Zwilling. Er sagte sehr mutig „zu den Mitjüngern: Lasst uns auch hingehen, damit wir mit ihm sterben!" Das heißt:
Mit Lazarus, der jetzt gestorben war, wie manche es auslegen. Vielleicht hatte Thomas eine besonders enge Freundschaft mit Lazarus.
„Wenn wir überleben, werden wir nicht wissen, wie wir ohne ihn leben sollen." Wir sind manchmal bereit, zu denken, dass unser Leben mit dem Leben von jemandem verknüpft ist, der uns sehr teuer war, doch Gott möchte uns zu leben lehren – und sorgenfrei zu leben lehren – in der Abhängigkeit von ihm, wenn diejenigen gestorben sind, von denen wir meinten, dass wir nicht ohne sie leben könnten. Doch auch:
„Wenn wir sterben, hoffen wir, mit ihm selig zu sein." Thomas hatte einen so festen Glauben an die Seligkeit auf der anderen Seite des Todes, dass er bereit war, gehen und mit Lazarus sterben. Je größer die Zahl unserer Freunde ist, die von uns in den Himmel fortgenommen wurden, umso weniger Bande haben wir, um uns an diese Erde zu binden, und umso mehr gibt es, die uns zum Himmel ziehen.
„Mit unserem Meister", und das ist die Lesart, zu ich neige. „Wenn er sich in Gefahr begibt, wollen auch wir gehen gemäß dem Gebot, das wir bekommen haben: ‚Folgt mir nach'" (Mt 4,19). Thomas wusste so viel über den Hass der Juden gegenüber Jesus, dass es nicht verwunderlich war, wenn er annahm, Christus würde nun sterben. Thomas zeigte eine begnadete Bereitschaft, mit Christus zu sterben, die seiner starken Zuneigung zu Christus entsprang. Und er hatte das eifrige Verlangen, seinen Mitjüngern zu dem gleichen Geist zu verhelfen: „Lasst uns gehen und mit ihm sterben; wer würde sich wünschen, einen solchen Meister zu überleben?" In schwierigen Zeiten sollten Christen einander ermutigen.

Vers 17-32
Die Sache war nun entschieden worden: Christus würde mit seinen Jüngern nach Judäa gehen und sie bereiteten sich auf die Reise vor. Schließlich kam er in die Nähe von Bethanien, von dem es heißt, dass es „ungefähr 15 Stadien" von Jerusalem entfernt war **(Vers 18)**. Auf diese Weise wird vermerkt, dass das Wunder eigentlich in Jerusalem vollbracht wurde und dieser Stadt daher angelastet wurde. Beachten Sie:

1. In welchem Zustand er seine Freunde dort vorfand. Wenn wir von unseren Freunden scheiden, wissen wir nicht, welche Veränderungen uns oder sie treffen werden, ehe wir einander wieder begegnen.
1.1 Er fand seinen Freund Lazarus „im Grab liegend" **(Vers 17)**. Lazarus war vor vier Ta-

gen begraben worden. Obwohl verheißene Taten der Errettung zweifellos kommen werden, geschehen sie oft langsam.

1.2 Er fand seine hinterbliebenen Freunde trauernd vor. „Und viele von den Juden waren zu denen um Martha und Maria hinzugekommen, um sie ... zu trösten" **(Vers 19)**. Normalerweise gibt es beim Tod Trauernde. Hier war das Haus von Martha, ein Haus, in dem es Gottesfurcht gab, eines, auf dem sein Segen ruhte, doch es wurde zu einem „Haus der Trauer" (Pred 7,2.4). Gnade wird Kummer vom Herzen fernhalten, doch nicht von dem Haus (s. Joh 14,1). Wo es Trauernde gibt, dort sollte es Tröster geben. Wir schulden es denen, die Kummer haben, mit ihnen zu trauern und sie zu trösten. Diese Freunde trösteten die Schwestern „wegen ihres Bruders", das heißt, indem sie mit ihnen über ihn sprachen, nicht nur über den guten Namen, den er hinterließ, sondern auch den seligen Stand, in den er gegangen war. Wir haben Grund, wegen denen getröstet zu sein, die vor uns in eine Seligkeit gegangen sind, in der sie uns nicht brauchen. Der Besuch, den die Juden Maria und Martha abstatteten, ist ein Beleg, dass die Schwestern angesehene Leute waren. Es lag auch eine Vorsehung darin, dass so viele Juden genau zu diesem Zeitpunkt zusammenkamen, denn auf diese Weise würden sie zufriedenstellende Zeugen des Wunders werden.

2. Was zwischen ihm und seinen hinterbliebenen Freunden geschah. Sein Weggehen macht sein Wiederkommen kostbar und seine Abwesenheit lehrt uns, wie wir seine Gegenwart schätzen sollen. Wir haben hier:

2.1 Die Unterredung zwischen Christus und Martha.

Uns wird gesagt, dass sie ihm entgegenlief **(s. Vers 20)**. Es scheint, dass Martha die Ankunft Christi begierig erwartete und sich danach erkundigte. Wie es auch geschah, sie hörte von seinem Kommen, ehe er kam. Als die gute Nachricht kam, dass Jesus gekommen ist, legte Martha alles beiseite und lief ihm entgegen. Als Martha lief, um Jesus zu treffen, blieb Maria noch „im Haus sitzen". Manche meinen, sie hat die Nachricht nicht gehört, während Martha, die mit den Angelegenheiten des Haushalts beschäftigt war, früh eine Mitteilung davon bekam. Manche meinen, dass Maria hörte, dass Christus gekommen war, dass sie aber so von Kummer überwältigt war, dass sie sich nicht rühren wollte. Wenn wir diesen Bericht mit dem in Lukas 10,38-42 vergleichen, können wir die verschiedenen Haltungen der Schwestern bemerken. Marthas natürliche Persönlichkeit war es, aktiv und geschäftig zu bleiben; sie liebte es, hin- und herzugehen und bei allem engagiert zu sein. Das war für sie eine Falle gewesen, als es bedeutete, dass sie nicht nur überbesorgt und durch viele Dinge beunruhigt war, sondern auch ihren Andachten fernblieb. Jetzt aber, am Tag der Not, war diese aktive Haltung ein Vorteil für sie, welche den Kummer vom Herzen fernhielt und sie begierig darauf macht, Christus zu treffen, und deshalb empfing sie schneller Trost von ihm. Andererseits war Marias natürliche Persönlichkeit nachdenklich und zurückhaltend. Das war ihr vorher von Vorteil gewesen, als es sie zu Jesu Füßen brachte, damit sie auf sein Wort hören könnte, als es ihr ermöglichte, dort bei ihm ohne die Ablenkungen zu sein, denen Martha nachgab; doch jetzt, in der Zeit der Not, erwies sich eben diese Haltung als Falle für sie. Ihre Haltung machte sie weniger fähig, mit ihrem Kummer umzugehen und ließ sie mehr zur Niedergeschlagenheit neigen. Beachten Sie, wie sehr unsere Weisheit in solchen Situationen darin besteht, genau auf die Versuchungen unseres natürlichen Temperaments achtzugeben und den größten Nutzen aus ihm zu ziehen.

Hier wird das Gespräch zwischen Christus und Martha vollständig berichtet:

Marthas Worte an Christus **(s. Vers 21-22)**:

Sie beklagte sich über Christi lange Abwesenheit und Verzögerung. „Herr, wenn du hier gewesen wärst, mein Bruder wäre nicht gestorben!"

Hier gibt es einen Beleg für Glauben. Sie glaubte an die Macht Christi, dass er den Tod von Lazarus hätte verhindern können. Sie glaubte auch an sein Erbarmen, dass, wenn er nur Lazarus in seiner extremen Krankheit gesehen hätte, er Mitleid gehabt hätte.

Hier gibt es traurige Beispiele für Unglauben. Ihr Glaube war echt, doch er war so schwach wie ein geknicktes Rohr (s. Jes 42,3; Mt 12,20), denn sie begrenzte die Macht Christi, als sie sagte: „Herr, wenn du hier gewesen wärst ..." Was sie hätte wissen sollen, war, dass Christus aus der Entfernung heilen kann. Sie sprach auch abfällig über die Weisheit und Güte Christi, deutete an, dass er nicht rasch zu ihnen gekommen war, als sie nach ihm gesandt hatten, und jetzt hätte er genauso gut fortbleiben können.

Doch sie berichtigte und tröstete sich selbst. Zum Mindesten rügte sie sich selbst dafür, dass sie ihren Meister getadelt hatte, dass sie angedeutet hatte, dass er zu spät gekommen war, denn: „Doch auch jetzt weiß ich: Was immer du von Gott erbitten wirst, das wird Gott dir geben." Beachten Sie:

Wie gewillt ihre Hoffnung war. Sie vertraute die Sache demütig der weisen und mitleidsvollen Erwägung des Herrn Jesus an. Wenn wir nicht wissen, was genau wir bitten oder erwarten sollen, wollen wir uns allgemein an Gott wenden.

Wie schwach ihr Glaube war. Sie hätte sagen sollen: „Herr, du kannst tun, was immer du möchtest." Doch sie sagte nur: „Du kannst alles bekommen, wofür du betest." Seine Macht ist immer außergewöhnlich; seine Fürbitte immer wirksam.

Das tröstende Wort, welches Christus Martha gab: „Jesus spricht zu ihr: Dein Bruder wird auferstehen!" **(Vers 23)**. In ihrer Klage blickte Martha zurück. Wir neigen in solchen Fällen dazu, unsere Unruhe zu vergrößern, indem wir uns vorstellen, was hätte sein können. Christus sagte Martha und uns durch sie, dass wir vorwärtsblicken und daran denken sollen, was sein wird: „Dein Bruder wird auferstehen!" Das traf auf Lazarus in einem Sinn zu, der für ihn besonders war: Er sollte nun auferweckt werden; man kann es auch auf alle Heiligen anwenden. Stellen Sie sich vor, dass Sie Christus sagen hören: „Dein Großelternteil, dein Elternteil, dein Kind, dein Ehepartner wird auferstehen."

Der Glaube, den Maria in dieses Wort hatte, und der Unglaube, der in diesem Glauben war. Sie sah es als ein glaubwürdiges Wort an, „dass er auferstehen wird in der Auferstehung am letzten Tag" (s. 1.Tim 1,15; **Vers 24**). Doch sie schien dieses Wort nicht so sehr der vollständigen Annahme wert geachtet zu haben, wie es wirklich war. „Ich weiß, dass er auferstehen wird in der Auferstehung am letzten Tag" – und ist das nicht genug, Martha? Sie scheint gedacht zu haben, dass es das nicht ist. In gleicher Weise schätzen wir unsere zukünftigen Hoffnungen viel zu gering ein, wenn wir in unseren jetzigen Nöten unglücklich sind.

Die weitere Unterweisung und Ermutigung, die Jesus Christus ihr gab. Er sagte ihr: „Ich bin die Auferstehung und das Leben" **(Vers 25)**. Christus führte sie dazu, an zwei Dinge zu glauben:

Die souveräne Macht Christi: „Ich bin die Auferstehung und das Leben." Martha glaubte, dass Gott auf das Gebet Christi hin alles geben würde, doch er wollte sie wissen lassen, dass er durch sein Wort alles bewirken könnte. Es ist der unbeschreibliche Trost aller guten Christen, dass Jesus Christus die Auferstehung und das Leben ist und dies für sie sein wird. Die Auferstehung ist eine Rückkehr zum Leben; Christus ist der Urheber sowohl dieser Rückkehr als auch des Lebens, zu dem sie eine Rückkehr ist.

Die Verheißungen des Neuen Bundes. Beachten Sie:

Wem diese Verheißungen gegeben wurden – denen, die an Jesus Christus glauben. Die Bedingung der letzteren Verheißung wird ausgedrückt: „Und jeder, der lebt und an mich glaubt", was man verstehen kann als Hinweis entweder:

Auf das natürliche Leben: Jeder, der in dieser Welt lebt, sei es Jude oder Heide, wird, wenn er an Jesus Christus glaubt, durch ihn leben. Oder:

Auf das geistliche Leben. Diejenigen, die leben und glauben, sind diejenigen, die durch den Glauben zu einem göttlichen und himmlischen Leben von Neuem geboren sind (s. Joh 3,3).

Was die Verheißungen sind: Er „wird leben, auch wenn er stirbt" **(Vers 25)**. In der Tat wird er „in Ewigkeit nicht sterben" **(Vers 26)**. Es wird für die Seligkeit sowohl des Leibes als auch der Seele gesorgt:

Für den Leib. Hier gibt es die Verheißung einer seligen Auferstehung. Obwohl der Leib aufgrund der Sünde tot ist, wird er wieder leben. Der Leib wird als Herrlichkeitsleib auferweckt werden.

Für die Seele. Hier gibt es die Verheißung einer seligen Unsterblichkeit. „Und jeder, der lebt und an mich glaubt, wird in Ewigkeit nicht sterben." Dieses geistliche Leben wird nie ausgelöscht werden, sondern wird im ewigen Leben vervollkommnet werden. Die Sterblichkeit des Leibes wird schließlich vom Leben verschlungen werden, doch das Leben der Seele wird beim Tod sofort von der Unsterblichkeit verschlungen werden (s. 2.Kor 5,4). Christus fragte hier: „‚Glaubst du das?' Kannst du mich hier beim Wort nehmen?" Martha dachte daran, dass ihr Bruder in dieser Welt zum Leben auferweckt wird; ehe Christus ihr die Hoffnung darauf gab, führte er ihre Gedanken zu einem anderen Leben in einer anderen Welt. Die Nöte und Tröstungen dieses jetzigen Lebens würden auf uns keinen solchen Eindruck machen, wie sie es tun, wenn wir nur die ewigen Dinge so glauben würden, wie wir es sollten.

Marthas aufrichtige Zustimmung zu dem, was Christus sagte **(s. Vers 27)**. Hier haben wir das Credo von Martha, das gute Bekenntnis, das sie machte. Es ist „die Summe aller Lehre" (Pred 12,13). Hier gibt es:

Den Leitfaden ihres Glaubens, und das war das Wort Christi. Sie nahm es vollkommen so, wie Christus es gesagt hatte: „Ja, Herr!" Der Glaube ist ein Widerhall der göttlichen Offenbarung, der mit den gleichen Worten antwortet.

Die Grundlage ihres Glaubens, und das war die Vollmacht Christi. Sie wandte sich dem Fundament zur Unterstützung des Oberbaus zu. „Ich glaube" – es kann auch gelesen werden: „Ich habe geglaubt" – „dass du der Christus bist, und deshalb glaube ich dies." Beachten Sie hier:

Was sie über Jesus glaubte und bekannte: dass er „der Christus" war, dass er „der Sohn Gottes" war, der, welcher „in die Welt kommen soll" **(Vers 27**; Ps 118,26; Mt 11,3). Sie erfasste den Segen der Segnungen als jetzt gegenwärtig.

Was sie daraus schloss. Wenn sie akzeptierte, dass Jesus der Christus war, gab es keine Schwierigkeit zu glauben, dass er die Auferstehung und das Leben war. Er ist die Quelle des Lichts und der Wahrheit und wir können all seine Aussprüche als zuverlässig und göttlich annehmen. Er ist die Quelle des Lebens und der Glückseligkeit und wir mögen uns deshalb auf sein Können verlassen.

2.2 Die Unterredung zwischen Christus und Maria.

Die Ankündigung, die Martha ihr von dem Kommen Christi macht: „Und als sie das gesagt hatte, ging sie fort und rief heimlich ihre Schwester Maria" **(Vers 28)**.

Es hat eine Zeit gegeben, in der Martha Maria von Christus fortgezogen hätte, dass sie kommt und ihr „mit der Bedienung" hilft (Lk 10,40). Hier war sie emsig darin, sie zu Christus zu ziehen.

Sie rief sie „heimlich". Die Heiligen werden durch eine Einladung in die Gemeinschaft mit Christus gerufen, die heimlich und deutlich ist.

Sie rief sie auf Christi Bitte hin: „Der Meister ist da und ruft dich!" Martha frohlockte über seine Ankunft: „‚Der Meister ist da.' Der Eine, den wir lange erwünscht und auf den wir lange gewartet haben: Er ist gekommen, er ist gekommen!" Das war die beste Ermutigung in dem gegenwärtigen Leid. Sie lud ihre Schwester ein, zu gehen und ihn zu treffen: Er „ruft dich". Wenn Christus unser Lehrer kommt, ruft er nach uns. Er ruft Sie speziell; er ruft Sie beim Namen (s. Ps 27,8; Joh 10,3). Wenn er Sie ruft, möchte er Sie heilen, ermutigen und stärken.

Die Geschwindigkeit, mit der Maria zu Christus kam: „Als diese es hörte, stand sie schnell auf und begab sich zu ihm" **(Vers 29)**. Sie dachte wenig daran, wie nahe er ihr war, er ist den Trauernden von Zion oft näher, als ihnen bewusst ist (s. Jes 61,3). Das kleinste Zeichen des gnädigen Herannahens Christi ist genug, um einen dynamischen Glauben zu verursachen, der bereitsteht, den Wink zu verstehen, auf den ersten Ruf zu antworten. Sie dachte nicht an ihre Nachbarn, die Juden, die bei ihr waren und sie trösteten; sie ließ sie alle zurück, um zu ihm zu kommen.

Wo sie den Meister fand: „... an dem Ort, wo Martha ihm begegnet war" **(Vers 30)**. Sehen Sie hier:

Christi Liebe zu seinem Werk. Er blieb nahe dem Ort, wo das Grab war, damit er bereit war, zu ihm zu gehen.

Marias Liebe zu Christus; sie erwies immer noch viel Liebe (s. Lk 7,47). Obwohl Christus in seinen Verzögerungen unfreundlich gewesen zu sein schien, konnte sie ihm gegenüber nicht gekränkt sein.

Die Missdeutung der Juden von ihrem raschen Fortgehen: Sie sagten: „Sie geht zum Grab, um dort zu weinen" **(Vers 31)**. Martha wurde mit diesem Kummer besser fertig als Maria, die eine Frau mit einem zarten und bekümmerten Geist war; so war ihr natürliches Temperament. Diese Tröster schlossen deshalb, dass sie, als sie herausging, es tat, um zum Grab zu gehen, „um dort zu weinen". Sehen Sie:

Was oft die Torheit und die Schuld von Trauernden ist; sie suchen, wie sie ihren eigenen Kummer betonen können und machen so etwas, das schlecht ist, sogar noch schlimmer. Wir neigen dazu, uns auf die Dinge zu konzentrieren, welche die Not hervorheben, während es unsere Pflicht ist, uns mit dem Willen Gottes darin abzufinden.

Was die Weisheit und Pflicht von Tröstern ist, und die ist, so viel wie möglich das Wiederaufkommen des Kummers zu verhindern und ihn umzuleiten. Die Juden, die Maria folgten, wurden zu Christus geführt und wurden Zeugen eines seiner herrlichsten Wunder. Es ist gut, sich an Christi Freunde in ihrem Kummer zu halten, denn auf diese Weise können wir ihn besser kennenlernen.

Marias Worte zu unserem Herrn Jesus: Sie kam und fiel „zu seinen Füßen nieder und sprach zu ihm" mit vielen Tränen, wie man in **Vers 33** sehen kann: „Herr, wenn du hier gewesen wärst, mein Bruder wäre nicht gestorben!", wie es Martha vorher gesagt hatte **(Vers 32)**. Sie fiel zu seinen Füßen nieder, was mehr war, als Martha tat, die ihre Gefühle mehr unter Kontrolle hatte. Diese Maria „setzte sich zu Jesu Füßen und hörte seinem Wort zu" und hier finden wir sie mit einem anderen Auftrag dort (Lk 10,39). Wer sich am Tag der Ruhe zu Christi Füßen begibt, um Unterweisung zu unterhalten, kann sich mit Trost und Vertrauen am Tag der Mühe mit der Hoffnung zu seinen Füßen niederwerfen, bei ihm Gnade zu finden. Hier bekannte Maria genauso wahrhaftig christlichen Glauben, wie es Martha tat, denn durch ihre Taten sagte sie eigentlich: „Ich glaube, dass du der Christus bist." Sie tat dies in der Gegenwart der Juden, die bei ihr waren, welche, obwohl sie Freunde von ihr und ihrer Familie waren, doch die erbitterten Feinde Christi waren. Sollen sie doch Anstoß daran nehmen, wenn sie wollen – sie wollte zu Jesu Füßen niederfallen. Ihre Anrede war sehr emotional: „Herr, wenn du hier gewesen wärst, mein Bruder wäre nicht gestorben!" Christi Verzögerung sollte zum Besten dienen, und es erwies sich so, doch beide Schwestern warfen ihm unvernünftig die gleiche Behauptung entgegen, machten ihn eigentlich am Tod ihres Bruders schuldig. Maria fügte nicht wie Martha weitere Worte zu ihrem Bekenntnis hinzu. Sie sagte weniger als Martha, weinte aber mehr, und Tränen der innigen Liebe haben eine Stimme in den Ohren Christi; es gibt keine solchen Worte wie Tränen.

Vers 33-44

Wir haben hier:

1. Christi zärtliches Mitgefühl mit seinen leidenden Freunden, welches er auf drei Weisen zeigte:

1.1 Indem er in seinem Geist tief bewegt und erschüttert wurde: „Als nun Jesus sah, wie sie weinte, und wie die Juden, die mit ihr gekommen waren, weinten, seufzte er im Geist und wurde bewegt" **(Vers 33)**. Schauen Sie hier:
Wie der Kummer der Menschen in den Tränen von Maria und ihren Freunden dargestellt wird. Was für ein Zeichen war das für die Welt, in der wir leben, diesem Jammertal! Unser christlicher Glaube lehrt uns, mit den Weinenden zu weinen, wie diese Juden mit Maria weinten (s. Röm 12,15). Die ihre Freunde wirklich lieben, werden an ihren Freuden und an ihrem Kummer teilhaben, denn was heißt Freundschaft, wenn nicht, unsere Freunde zu ermutigen, zu trösten, zu stärken und zu unterstützen (s. Hiob 16,5)?

Die Gnade des Sohnes Gottes und sein Mitleid denen gegenüber, die unglücklich sind. „Bei all ihrer Bedrängnis war er auch bedrängt" (Jes 63,9; s. Ri 10,16). Als Christus sie alle in Tränen sah:

„... *seufzte er im Geist.*" Das war ein Ausdruck seiner emotionalen Reaktion auf die Nöte des menschlichen Lebens und die Macht des Todes. Kurz davor, einen kraftvollen Angriff gegen den Tod und das Grab zu unternehmen, machte er sich für das Gefecht bereit. Es zeigt auch sein gütiges Mitgefühl für seine Freunde, welche trauerten. Christus war nicht nur betroffen, er seufzte im Geist. Er war innerlich und aufrichtig von der Situation berührt. Der Seufzer von Christus war tief und aufrichtig.

Er „wurde bewegt". Der Ausdruck meint, er „plagte sich selbst". Christus war nie geplagt, wenn er sich nicht selbst plagte, wo er Grund dazu sah. Er nahm oft Schwierigkeiten auf sich, doch er verlor nie seine Gelassenheit oder wurde durch Schwierigkeiten beunruhigt.

1.2 Durch seine freundliche Frage: „Wo habt ihr ihn hingelegt?" **(Vers 34)**. Er wollte den Kummer seiner trauernden Freunde umleiten, indem er ihre Erwartungen auf etwas Großes weckt.

1.3 Durch seine Tränen. Die ihn umgaben, wollten, dass er kommt und sieht **(s. Vers 34)**.

Als er zu dem Grab ging, weinte Jesus **(s. Vers 35)**. Das ist ein sehr kurzer Vers, der kürzeste in der Schrift, doch er bietet viele nützliche Unterweisungen. Wir können daraus lernen, dass Jesus wirklich und wahrhaftig Mensch war, anfällig für Eindrücke von Freude und Leid. Christus gab dies als Beweis für seine Menschlichkeit, in beiderlei Sinn des Wortes; zeigte, dass er als Mensch weinen konnte und dass er als mitleidvoller Mensch weinen würde, ehe er diesen Beweis seiner Göttlichkeit gab. Er war „ein Mann der Schmerzen und mit Leiden vertraut", wie vorhergesagt wurde (Jes 53,3). Wir lesen nie, dass er lachte, doch wir sehen ihn mehr als einmal mit Tränen in den Augen. Tränen des Mitleids sind gut für Christen und machen sie am meisten wie Christus.

Das Weinen Christi wurde auf verschiedene Weisen ausgelegt.

Manche deuteten es als freundlich und ehrlich: „Da sagten die Juden: Seht, wie hatte er ihn so lieb!" **(Vers 36)**. Sie schienen erstaunt gewesen zu sein, dass er eine so große Zuneigung für einen Menschen haben würde, mit dem er nicht verwandt war. Es ist für uns gut gemäß diesem Beispiel Christi, unseren Freunden sowohl, wenn sie leben, als auch, wenn sie sterben, unsere Liebe zu zeigen. Wenn unsere Tränen den Toten auch nichts nützen, so bewahren sie doch ihr Gedächtnis. Als er nur eine Träne über Lazarus vergoss, sagten die Menschen: „Seht, wie hatte er ihn so lieb!" Wie viel mehr Grund haben dann wir, für die er sein Leben gelassen hat, zu sagen: „Seht, wie er uns lieb hat!"

Andere äußerten sich böse darüber: „,Konnte der, welcher dem Blinden die Augen geöffnet hat', den Tod von Lazarus verhindern? Wenn er ihn hätte verhindern können, hätte er es getan" – darum waren sie, weil er es nicht tat, geneigt zu denken, dass er es nicht konnte **(Vers 37)**. Deshalb, meinten sie, könne man zu Recht infrage stellen, ob er wirklich „dem Blinden die Augen geöffnet hat". Sie meinten, dass sein Unterlassen, dieses Wunder zu vollbringen, das frühere Wunder für ungültig erklärte. Als Christus kurz danach Lazarus von den Toten auferweckte, was das größere Werk war, überzeugte er diese flüsternden Leute, dass er dessen Tod hätte verhindern können.

2. Wie Christus zu dem Grab ging.

2.1 Christus wiederholte sein Seufzen: „Jesus nun, indem er wieder bei sich selbst seufzte, kam zum Grab" **(Vers 38)**. Er war tief in seinem Geist bewegt:

Weil ihm der Unglaube von denen missfiel, die voller Zweifel über seine Macht sprachen und ihn beschuldigten, den Tod von Lazarus nicht verhindert zu haben. Er seufzte nie so sehr über seine eigenen Schmerzen und sein eigenes Leiden, wie er es für die Sünden und törichten Taten der Menschen tat.

Weil er von dem neuen Kummer, den die trauernden Schwestern wahrscheinlich ausdrückten, als sie dem Grab nahe kamen, bewegt war; sein sanfter Geist war durch ihr Weinen tief berührt. Wenn geistliche Diener dazu ausgesandt werden, durch die Predigt des Evangeliums tote Seelen zu erwecken, sollten sie von dem beklagenswerten Zustand derer tief bewegt werden, denen sie predigen und für die sie beten, und sie sollten innerlich seufzen, wenn sie daran denken.

2.2 Das Grab, in dem Lazarus lag, wird beschrieben: Es war eine Höhle, und ein Stein lag auf dem Eingang, und derart war das Grab, in dem Christus begraben wurde. Sie betrachteten die Begräbniszeremonie als beendet, wenn der Stein über das Grab gerollt oder, wie hier, auf den Eingang gelegt wurde.

2.3 Es wurde Anweisung gegeben, den Stein zu entfernen: „Hebt den Stein weg!" **(Vers 39).** Christus wollte, dass dieser Stein entfernt wird, damit alle Zuschauer den Leib tot im Grab liegen und ihn dann normal durch eine Öffnung herauskommen sehen konnten, sodass man erkennen würde, dass es ein echter Leib und nicht ein Geist oder Gespenst sein würde. Es ist ein guter Schritt hin zur Erweckung einer toten Seele zum geistlichen Leben, wenn Vorurteile entfernt und überwunden werden, um dem Wort den Weg zu bereiten, damit es ins Herz eingeht.

2.4 Martha protestierte gegen das Öffnen des Grabes: „Herr, er riecht schon, denn er ist schon vier Tage hier!" Wahrscheinlich bemerkte Martha den Geruch des Leibes, als sie den Stein entfernten, und deshalb schrie sie auf.

Von hieraus lässt sich leicht auf die Beschaffenheit des menschlichen Leibes verweisen: Vier Tage ist nur eine kurze Zeit, doch diese Zeit wird eine große Veränderung am menschlichen Leib bewirken. Christus stand am dritten Tag auf, weil er die Verwesung nicht sehen sollte (s. Ps 16,10).

Manche meinen, sie sagte dies aus schicklicher Zärtlichkeit gegenüber dem toten Leib. Sie wollte nicht, dass er so öffentlich zur Schau gestellt und ein Schauspiel aus ihm gemacht wird. Andere meinen, dass sie es aus Sorge um Christus sagte. Wenn es etwas Widerwärtiges gab, wollte sie nicht, dass ihr Meister ihm nahekommt. Doch er war nicht einer von den Menschen, die empfindlich und zart sind und keinen schlechten Geruch ertragen können; wenn er es gewesen wäre, wäre er nicht in diese menschliche Welt gekommen, welche die Sünde zu einem völligen Müllhaufen gemacht hatte. Doch aus der Antwort Christi erscheint, dass sie die Sprache des Unglaubens und Misstrauens gesprochen hatte: „Herr, es ist jetzt zu spät. Es ist unmöglich für diesen verwesten Leichnam zu leben." Sie gab ihren Bruder als hilflosen und hoffnungslosen Fall auf. Diese misstrauische Bemerkung von ihr diente jedoch dazu, das Wunder sowohl offensichtlicher als auch bedeutender zu machen. Ihr Hinweis, dass es nicht getan werden könnte, gab dem größere Ehre, der es tat.

2.5 Christus tadelte Martha freundlich: „Habe ich dir nicht gesagt: Wenn du glaubst, wirst du die Herrlichkeit Gottes sehen?" **(Vers 40).** Unser Herr Jesus hat uns alle möglichen Sicherheiten gegeben, dass aufrichtiger Glaube schließlich mit einer seligen Sicht gekrönt werden wird. Wenn wir Christus beim Wort nehmen und uns auf seine Macht und Treue verlassen werden, werden wir die Herrlichkeit Gottes sehen und glücklich sein, wenn wir dies tun werden. Wir müssen oft an diese herrlichen Segnungen erinnert werden, mit denen uns unser Herr Jesus ermutigt hat. Wir neigen dazu, zu vergessen, was Christus gesagt hat und brauchen, dass er uns durch seinen Geist daran erinnert: „Habe ich dir nicht dies und das gesagt? Meinst du, dass ich mein Wort jemals zurücknehmen werde?"

2.6 Das Grab wurde trotz des Einwands von Martha geöffnet: „Da hoben sie den Stein weg" **(Vers 41).** Wenn wir die Herrlichkeit Gottes sehen wollen, müssen wir Christus seinen eigenen Weg verfolgen lassen. Sie hoben den Stein weg und das war alles, was sie tun konnten; nur Christus konnte Leben geben.

3. Wie das Wunder selbst vollbracht wurde.

3.1 Er wandte sich an seinen lebendigen Vater im Himmel (s. Joh 6,57). Die Geste, die er benutzte, war sehr bedeutsam. Er „hob die Augen". Was ist Gebet anderes als das Aufsteigen der Seele zu Gott und das Richten seiner Liebe und Taten auf den Himmel? Er hob seine Augen, blickte über das Grab hinaus, in dem Lazarus lag, und übersah alle Schwierigkeiten, die sich daraus ergaben. Er betete mit großer Gewissheit zu Gott: „Vater, ich danke dir, dass du mich erhört hast."

Er hat uns hier durch sein eigenes Beispiel gelehrt:
Dass wir Gott im Gebet „Vater" nennen sollen.
Dass wir ihn in unseren Gebeten loben sollen, und wenn wir kommen, um weitere Barmherzigkeit zu erstreben, sollten wir dankbar frühere Segnungen anerkennen.

Die Danksagung unseres Heilands hier sollte jedoch das unerschütterliche Vertrauen ausdrücken, welches er in die Ausführung des Wunders hatte. Er sprach davon als von seiner eigenen Tat: „Aber ich gehe hin, um ihn aufzuwecken" **(Vers 11).** Er sprach davon auch als etwas, was er durch das Gebet erlangt hatte, weil ihn der Vater erhört hatte.

Christus sprach von diesem Wunder als einer Antwort auf Gebet, weil er das Gebet ehren wollte, indem er es zum Schlüssel macht, mit dem er die Schätze der göttlichen Macht und Gnade aufschließt.

Da er sicher war, dass sein Gebet beantwortet werden würde, bekundete Christus:
Seine dankbare Annahme dieser Antwort: „Vater, ich danke dir, dass du mich erhört hast." Er jubelte vor dem Sieg. Kein anderer Mensch kann behaupten, solche Gewissheit zu haben, wie Christus sie hatte, doch wir können durch den Glauben an die Verheißung eine Vorausschau der Barmherzigkeit haben, ehe sie tatsächlich gewährt ist, und können Gott dafür danken. Segnungen als Antwort auf Gebet sollten besonders mit Dankbarkeit anerkannt werden. Und wir müssen nicht nur das Geschenk des Segens selbst schätzen, sondern

auch die große Gunst, dass unsere armseligen Gebete beachtet wurden. Wie Gott uns mit Segen antwortet, sogar ehe wir rufen, so sollten wir ihm mit Lob antworten, sogar ehe er gibt.

Seine freudige Gewissheit einer prompten Antwort zu jeder Zeit: „Ich aber weiß, dass du mich allezeit erhörst" **(Vers 42)**. „Ich danke dir", sagte er, „dass ich in dieser Sache erhört werde, denn ich bin mir sicher, dass ich in allem erhört werde." Beachten Sie hier:

Den Einfluss, den unser Herr Jesus im Himmel hatte; der Vater hörte ihn immer, was uns ermutigen kann, uns auf seine Fürsprache zu verlassen und ihm all unsere Bitten anzubefehlen.

Die Zuversicht, welche er hatte: „Ich aber weiß." Wir können keine solch besondere Gewissheit haben, wie er sie hatte, doch wir wissen, „dass er uns hört, wenn wir seinem Willen gemäß um etwas bitten" (1.Joh 5,14).

Doch warum sollte Christus ein öffentliches Zeichen geben, dass er dieses Wunder durch das Gebet errungen hatte? „Doch um der umstehenden Menge willen habe ich es gesagt, damit sie glauben, dass du mich gesandt hast", denn Gebet kann predigen.

Es sollte die Einwände seiner Feinde wegnehmen. Von den Pharisäern war gotteslästerlich angedeutet worden, dass er Wunder vollbrachte, weil er im Bund mit dem Teufel stand. Um nun das Gegenteil zu beweisen, richtete er sich offen an Gott, benutzte das Gebet, keinen Zauber, mit seinen Augen emporgerichtet und seiner Stimme seine Abhängigkeit vom Himmel bekundend.

Es geschah, um den Glauben derer zu stärken, die ihm wohlgesonnen waren. „... damit sie glauben, dass du mich gesandt hast." Christus bewies seinen Auftrag, indem er jemanden zum Leben erweckte, der gestorben war.

3.2 Nun wandte er sich an seinen verstorbenen Freund. Dann „rief er mit lauter Stimme: Lazarus, komm heraus!"

Er hätte Lazarus durch eine stille Anwendung seiner Macht und seines Willens erwecken können, doch er tat es durch einen lauten Ruf:

Um die Macht zu demonstrieren, die er dann gebrauchte, um Lazarus zu erwecken. Die Seele von Lazarus, die zurückgerufen werden musste, war weit entfernt. Sie schwebte nicht über dem Grab, wie die Juden dachten, sondern zog in den Hades, dem Ort der abgeschiedenen Geister. Es ist natürlich, Menschen mit lauter Stimme zu rufen, die weit entfernt sind. Und der Leib von Lazarus, der wachgerufen werden sollte, war eingeschlafen, und wir sprechen für gewöhnlich laut, wenn wir jemanden wecken wollen.

Um dieses Wunder zu einem Typus für andere Wunder zu machen, welche die Macht Christi noch bewirken sollte. Dieser laute Ruf war ein Bild:

Für den Ruf des Evangeliums, durch den tote Seelen aus dem Grab der Sünde herausgebracht werden sollten.

Für die Stimme der Posaune des Erzengels am letzten Tag, durch den die, welche im Staub schlafen, erweckt werden, wenn Christus „mit gebietendem Zuruf" vom Himmel herabkommen wird (s. 1.Thess 4,16; Elb).

Dieser laute Ruf war nur kurz, doch er war „mächtig durch Gott" (2.Kor 10,4).

Er nannte den toten Menschen beim Namen, „Lazarus", wie wir die beim Namen rufen, die wir aus einem tiefen Schlaf wecken wollen.

Er rief ihn aus dem Grab heraus: „Lazarus, komm heraus!" Er sagte nicht zu ihm: „Lebe", sondern: „Bewege dich", denn wenn wir durch die Gnade Christi geistlich leben, müssen wir uns selbst zur Bewegung anspornen; das Grab der Sünde und diese Welt ist kein Ort für diejenigen, denen Christus Leben gegeben hat, und deshalb müssen sie herauskommen.

Das Ergebnis entsprach der Absicht Christi: „Und der Verstorbene kam heraus" **(Vers 44)**. Macht begleitete das Wort Christi, um die Seele und den Leib von Lazarus wieder zu vereinigen, und dann kam er heraus. Das Wunder wird nicht von der unsichtbaren Quelle her beschrieben, der es entsprang, um unsere Neugier zu befriedigen, sondern anhand seiner sichtbaren Auswirkungen, um unseren Glauben zu bestätigen. Wenn jemand fragen würde, ob Lazarus, als er auferweckt war, einen Bericht oder eine Beschreibung von der Entfernung seiner Seele vom Leib oder ihrer Rückkehr in diesen geben konnte oder was er in der anderen Welt sah, so vermute ich, dass beide Veränderungen so unerklärlich für ihn waren, dass es weder rechtmäßig noch möglich ist, es auszudrücken. Wir wollen nicht danach streben, weiser über das hinaus zu sein, was geschrieben steht, und das ist alles, was über die Wiederauferweckung von Lazarus geschrieben steht, dass der Verstorbene herauskam (s. 1.Kor 4,6).

Dieses Wunder wurde vollbracht:

Rasch. Nichts trat zwischen das Gebot „Lazarus, komm heraus" und der Wirkung. Er „kam heraus".

Vollständig. Er wurde so vollständig erweckt, dass er so stark von dem Grab aufstand, wie er immer aus seinem Bett aufgestanden ist, und er kehrte nicht nur ins Leben zurück, sondern auch zu seiner Gesundheit. Er wurde nicht erweckt, um einem vorübergehenden Zweck zu dienen, sondern um zu leben, wie andere Menschen.

Mit diesem zusätzlichen Wunder, wie es manche betrachten: Er kam aus seinem Grab heraus, obwohl er von Grabtüchern behindert wurde, „an Händen und Füßen ... umwickelt und sein Angesicht mit einem Schweißtuch umhüllt" (einem Stück Stoff) – denn so war es der Beerdigungsbrauch bei den Juden; er kam heraus und trug die gleichen Kleider, in denen er begraben wurde, sodass klar war, dass er es selbst war und nicht ein anderer Mensch **(Vers 44)**. Wenn ihn die Zuschauer losbanden, würden sie ihn berühren und sehen, dass er es selbst war, und würden so das Wunder bezeugen. Beachten Sie, wie wenig wir mit uns nehmen, wenn wir die Welt verlassen – nur ein Totenhemd und einen Sarg; es gibt keinen Kleiderwechsel im Sarg, nichts als einen einzigen Satz an Grabtüchern. Weil Lazarus herausgekommen war, behindert und eingewickelt in seine Grabtücher, können wir uns gut vorstellen, dass die um das Grab herum bei dem Anblick extrem überrascht und erschreckt waren. Um die Sache für die Menschen weniger schockierend zu machen, setzte er sie an die Arbeit: „Bindet ihn los', macht ihm seine Grabtücher lose, damit er sie tragen kann, bis er in sein Haus kommt."

Vers 45-57

Wir haben hier einen Bericht von den Auswirkungen dieses herrlichen Wunders:

1. Manche fanden es verlockend und wurden zum Glauben geführt. Viele der Juden nun, die „sahen, was Jesus getan hatte, glaubten an ihn". Sie hatten oft von seinen Wundern gehört, wichen aber der Überführung durch sie aus, indem sie die Fakten der Sache infrage stellten, doch jetzt, wo sie selbst gesehen hatten, wie dies getan wurde, war ihr Unglaube besiegt. Dies waren einige der Juden, die zu Maria kamen, um sie zu trösten. Wenn wir für andere ein gutes Werk tun, bringen wir uns selbst auf den Pfad, um Gunsterweise Gottes zu erhalten.

2. Andere wurden dadurch in ihrem Unglauben verärgert und verhärtet.
2.1 Dies traf auf die Informanten zu: „Etliche aber von ihnen gingen zu den Pharisäern und sagten ihnen, was Jesus getan hatte" mit der boshaften Absicht, diejenigen zu größerem Zorn aufzureizen, die keinen weiteren Grund brauchten, um ihn lebhafter zu verfolgen **(Vers 46)**. Wir sehen hier einen äußerst halsstarrigen Unglauben, eine Weigerung, den mächtigsten Mitteln der Überführung nachzugeben. Wir sehen auch eine enorm verhärtete Feindschaft. Wenn sie nicht davon überzeugt werden würden, dass man an ihn als den Christus glauben musste, hätte man meinen können, dass sie dennoch besänftigt und überzeugt werden würden, ihn nicht zu drangsalieren.
2.2 Die Richter, die blinden Blindenleiter des Volkes, waren nicht weniger wütend durch den Bericht, der ihnen gebracht wurde (s. Mt 15,14).
Es wurde eine besondere Ratsversammlung einberufen und abgehalten: „Da versammelten die obersten Priester und die Pharisäer den Hohen Rat" **(Vers 47)**. Diese Ratsversammlung diente nicht nur der gegenseitigen Beratung, sondern auch zum gegenseitigen Ärger, sodass sie einander mit ihrer Feindschaft und ihrem Zorn gegen Christus aufbrachten und reizten. *Der Fall wurde dargelegt und es wurde gezeigt, dass er bedeutend ist.*
Die zu beratende Sache war, welchen Kurs sie mit diesem Jesus verfolgen sollten; sie sagten: „Was sollen wir tun? Denn dieser Mensch tut viele Zeichen!"
Sie erkannten an, dass die Wunder Christi authentisch waren und dass er viele davon vollbracht hatte. Sie waren darum Zeugen gegen sich selbst, weil sie seine Beglaubigung anerkannten, doch seinen Auftrag ablehnten.
Sie überlegten, was zu tun sei, und sie tadelten sich selbst dafür, dass sie nichts Wirksames getan hatten, um ihn früher zu unterdrücken. Sie überlegten überhaupt nicht, ob sie ihn als den Messias annehmen und anerkennen sollten, sondern setzten voraus, dass er ein Feind war und dass er, als solcher, niedergeschlagen werden musste. „,Was sollen wir tun?' Sollen wir immer reden, aber nie etwas unternehmen?"
Was diese Sache bedeutsam machte, war die Gefahr, von der sie wussten, dass sie ihrer Gemeinde und ihrem Volk von den Römern drohte: „Wenn wir ihn nicht zum Schweigen bringen, ,werden alle an ihn glauben'; und da dies die Einsetzung eines neuen Königs bedeutet, kommen dann ,die Römer und nehmen uns das Land und das Volk weg!'" **(Vers 48)**. Beachten Sie, was für eine hohe Meinung sie von ihrer eigenen Macht hatten. Sie sprachen, als hinge das Vorwärtskommen Christi davon ab, ob sie ihm vergeben, als stünde es in ihrer Macht, den Einen zu überwinden, der den Tod bezwang.
Sie nahmen es auf sich, selbst zu prophezeien, dass, wenn man ihm gestatten würde weiterzumachen, „alle an ihn glauben" werden. Sie sahen seinen Einfluss jetzt als gewaltig an, obwohl die gleichen Männer, wenn es ihnen passte, versuchten, diesen Einfluss verächtlich zu machen: „Glaubt auch einer von den Obersten oder von den Pharisäern an ihn?" (Joh 7,48). Das war es, wovor sie Angst hatten, dass Menschen an ihn glauben würden.
Sie sagten voraus, dass, wenn die meisten vom Volk ihm nachziehen würden, dies den Zorn der Römer über sie bringen würde. Sie werden kommen „und nehmen uns das Land und das Volk weg!" Ihre Feigheit wurde offensichtlich. Wenn sie ihre Integrität bewahrt hätten, hätten sie die Römer nicht zu fürchten brauchen, doch jetzt sprachen sie wie ein entmutigtes Volk. Wenn Menschen ihre Gottesfurcht verlieren, verlieren sie auch ihren Mut.
*Es war falsch, dass irgendwelche Gefahr bestand, dass die Römer durch das Voranschreiten des Evangeliums Christi gegen ihr Volk erzürnt

werden würden. Er lehrte die Menschen, dem Kaiser Steuern zu zahlen und dem Bösen nicht zu widerstehen (s. Mt 5,39). Bei seinem Prozess konnte der römische Statthalter „keine Schuld an ihm" finden (Joh 18,38). Vorgegebene Ängste vertuschen oft boshafte Absichten.

Wenn es wirklich eine gewisse Gefahr gegeben hätte, den Römern zu missfallen, indem man die Predigt Christi tolerierte, hätte dies doch nicht gerechtfertigt, dass sie einen guten Mann hassen und verfolgen. Die Feinde Christi und seines Evangeliums haben oft ihre Feindschaft mit einer scheinbaren Sorge um das öffentliche Wohl und die allgemeine Sicherheit vertuscht und haben seine Propheten und geistlichen Diener als Leute gebrandmarkt, „die die ganze Welt in Aufruhr versetzen" (Apg 17,6). Die weltliche Politik spielt oft die nationale Sicherheit gegen die Regeln der Gerechtigkeit aus. Die Katastrophe, der wir durch die Sünde zu entkommen suchen, ist die Katastrophe, die wir durch unsere Handlungsweise am wirkungsvollsten auf unseren Kopf bringen.

Kajaphas hielt eine boshafte, aber geheimnisvolle Rede vor dem Rat.

Ihre Bosheit wird mit einem Mal offensichtlich. Da er der Hohepriester war, nahm er es auf sich, die Sache zu entscheiden: „Ihr erkennt überhaupt nichts'. Die Sache ist schnell entschieden, wenn ihr die anerkannte Maxime bedenkt, ‚dass es für uns besser ist, dass ein Mensch für das Volk stirbt'"**(Vers 49-50).**

Der Ratgeber war Kajaphas, „der in jenem Jahr Hohepriester war".

Die Tendenz seines Ratschlags war, kurz gesagt, dass man einen Weg finden musste, Jesus zu Tode zu bringen. Kajaphas sagte nicht: „Wir wollen ihn zum Schweigen bringen." Nein, er muss sterben.

Dies wurde überzeugend zu verstehen gegeben mit der Gerissenheit der alten Schlange (s. Offb 12,9; 20,2).

Er berief sich stillschweigend auf seine eigene Weisheit. Wie verächtlich sagte er: „Ihr erkennt überhaupt nichts', ihr, die ihr nur gewöhnliche Priester seid." Es ist bei denen mit Autorität gewöhnlich, dass sie ihre schlechten Diktate kraft ihrer Autorität durchsetzen; weil sie die weisesten und besten sein sollten, erwarten sie, dass jeder glaubt, dass sie es wirklich sind.

Er unterstellte, dass der Fall deutlich war und außerhalb jeder Diskussion stand. Vernunft und Gerechtigkeit werden oft selbstherrlich niedergestreckt. „Denn die Wahrheit strauchelte auf dem Markt" – und wenn sie unten ist, nieder mit ihr! –, „und die Redlichkeit fand keinen Eingang" – und wenn sie draußen ist, dann hinaus mit ihr! (Jes 59,14).

Er drängte auf die politische Maxime, dass man das Wohl eines Staates vor das von bestimmten Einzelpersonen stellen muss. „Es ist für uns besser, ‚dass ein Mensch für das Volk stirbt.'" Kajaphas deutete schlau an, dass der größte und beste Mann sein Leben für wohl dahingegeben erachten sollte – in der Tat für gut verloren –, wenn es dahingegeben oder verloren wird, um sein Land vor dem Verderben zu retten. Die Sache hätte auf diese Weise ausgedrückt werden sollen: War es für sie besser, über sich und ihr Volk Blutschuld zu bringen, um ihre staatlichen Interessen zu sichern? Die weltliche Politik ruiniert am Ende alles, wenn sie auch meint, durch die Sünde alles zu retten.

Das Geheimnis, welches in diesem Rat von Kajaphas enthalten war, ist auf den ersten Blick nicht offensichtlich, doch der Evangelist führt uns zu ihm hin: „Dies redete er aber nicht aus sich selbst" **(Vers 51)**. Mit diesen Worten weissagte Kajaphas, obwohl ihm dies selbst nicht bewusst war, dass Jesus „für das Volk sterben" sollte. Hier gibt es einen kostbaren Kommentar zu einem todbringenden Text. Die Liebe lehrt uns, den Worten und Taten von Menschen die wohlgesonnenste Auslegung zu geben, die sie ertragen, aber die Gottesfurcht lehrt uns, sie gut anzuwenden. Wenn Übeltäter Gottes Hand sind, um uns zu demütigen und zu bessern, warum können sie dann nicht Gottes Sprachrohr sein, um uns zu unterweisen und zu überzeugen? Wie die Herzen aller Menschen in Gottes Hand sind, so sind es auch ihre Zungen.

Der Evangelist erläutert und erweitert die Worte von Kajaphas.

Er erläutert, was Kajaphas sagte. Er redete „nicht aus sich selbst". In dem Maße, dass es ein Weg war, um den Hohen Rat gegen Christus aufzuhetzen, sprach er aus sich selbst heraus, doch in dem Maße, dass es ein autoritatives Wort war, welches den Plan und die Absicht Gottes verkündigte, sagte er es nicht aus sich selbst heraus.

Er weissagte, und wer weissagte, sprach in seiner Weissagung „nicht aus sich selbst". Doch war Kajaphas auch unter den Propheten (s. 1.Sam 10,11-12; 19,24)? Er war dies bei dieser einen Gelegenheit. Gott kann Übeltäter zu Werkzeugen machen – und tut dies auch oft –, die seinen eigenen Plänen dienen, sogar gegensätzlich zu ihren eigenen Absichten. Worte der Weissagung im Mund sind kein unfehlbarer Beweis für eine Quelle der Gnade im Herzen. „Herr, Herr, haben wir nicht in deinem Namen geweissagt" wird als eine leere Ausrede verworfen werden (Mt 7,22).

Er weissagte, „... weil er in jenem Jahr Hohepriester war". Nicht, dass es ihn überhaupt zum Propheten geneigt oder geeignet machte, dass er Hohepriester war. Vielmehr wollte Gott dieses bedeutende Wort in seinen Mund legen statt in den Mund von irgendeiner anderen Person, da er Hohepriester war, sodass es mehr beachtet werden würde oder vielmehr, damit die Nichtbeachtung davon umso mehr betont werden würde.

Der Inhalt seiner Weissagung war, dass Jesus für das Volk sterben würde. Kajaphas meinte mit „Volk" diejenigen darunter, die dem Judentum hartnäckig treu blieben, doch Gott meinte diejenigen darin, welche die Botschaft Christi annehmen und seine Nachfolger werden würden. Es ist eine große Sache, die hier geweissagt wird: dass Jesus für andere sterben würde, nicht nur zu ihrem Wohl, sondern auch an ihrer Stelle. Wenn das ganze Volk der Juden einmütig an Christus geglaubt und sein Evangelium angenommen hätte, wären sie nicht nur ewig gerettet, sondern auch als Volk von ihren Missständen gerettet worden.

Der Evangelist weitet dieses Wort von Kajaphas aus. Der Hohepriester, sagte er, hatte geweissagt, dass Jesus „nicht für das Volk allein, sondern auch, um die zerstreuten Kinder Gottes in eins zusammenzubringen", sterben musste **(Vers 52)**. Beachten Sie hier:

Die Menschen, für die Christus starb: „... nicht für das Volk [der Juden] allein." Er musste auch sterben, „um die zerstreuten Kinder Gottes ... zusammenzubringen". Manche verstehen dies als Verweis auf die Kinder, die dann lebten, die aber weit und breit in der heidnischen Welt verstreut waren, „gottesfürchtige Männer aus allen Heidenvölkern", die „fromm und gottesfürchtig" waren und ihn anbeteten (s. Apg 2,5; 10,2; 17,4). Christus starb, um diese in einer großen Gemeinschaft zusammenzubringen. Andere schließen darin alle ein, die zur Gnadenwahl gehören, welche die Kinder Gottes genannt werden (s. Röm 11,5). Es gibt solche, die ihn fürchten von Geschlecht zu Geschlecht (s. Ps 72,5); an all diese dachte er bei der Sühne, die er bewirkte. Er tat beides: Er betete und starb für alle, die an ihn glauben werden (s. Joh 17,20).

Der Plan und die Absicht seines Todes: Er starb, um die hineinzubringen, die umherirrten, und um die in eins zusammenzubringen, die zerstreut waren. Christi Sterben ist:

Die große Kraft, die unsere Herzen zieht, denn deshalb wurde er erhöht, um Menschen zu sich zu ziehen (s. Joh 12,32). Seine Liebe, indem er für uns starb, zieht unsere Liebe an.

Das große Zentrum unserer Einheit. Er fasst alles unter einem Haupt zusammen (s. Eph 1,10). Alle Heiligen an allen Orten und zu allen Zeiten treffen sich in Christus.

Das Ergebnis dieser Diskussion war eine Entscheidung, Jesus zu töten: „Von jenem Tag an beratschlagten sie nun miteinander [verschworen sich], um ihn zu töten" **(Vers 53)**. Sie verstanden nun den Sinn voneinander und jeder hatte in seinem eigenen entschieden, dass Jesus sterben muss.

Sie stimmten nun in dem überein, was sie früher getrennt voneinander gedacht hatten, und so stärkten sie einander in ihrer bösen Verschwörung die Hände. Übeltäter bestätigen und ermutigen sich und einander in ihrem bösen Tun durch den Austausch von Meinungen; dann erscheint das Böse, das vorher undurchführbar schien, nicht nur möglich, sondern auch leicht herbeizuführen.

Sie hatten nun einen einleuchtenden Vorwand, um sich in dem zu rechtfertigen, was sie vorher tun wollten, wofür ihnen aber ein Grund gefehlt hatte.

Christus verbarg sich dann **(s. Vers 54)**.

Er hörte auf, in der Öffentlichkeit zu erscheinen. Er ging „nicht mehr öffentlich unter den Juden umher".

Er zog sich in einen unbekannten Teil des Landes zurück, so unbekannt, dass man auf den Namen der Stadt, in die er sich zurückzog, woanders kaum trifft. Er ging in ein Gebiet „nahe bei der Wüste" und ging „in eine Stadt namens Ephraim". Seine Jünger gingen mit ihm dorthin; sie wollten ihn nicht alleine lassen und er wollte sie nicht in der Gefahr lassen. Doch warum wollte Christus jetzt fortgehen? Es war weder deshalb, weil er sich vor der Macht seiner Feinde fürchtete noch weil er seiner eigenen Macht misstraute. Er zog sich zurück:

Um sein Missfallen gegenüber Jerusalem und dem jüdischen Volk zu zeigen. Sie verwarfen ihn und sein Evangelium; deshalb nahm er zu Recht sich und sein Evangelium von ihnen fort. Es war ein trauriges Zeichen der tiefen Finsternis, die bald über Jerusalem kommen sollte, weil es die Zeit nicht erkannte, als Gott zu ihr kam (s. Lk 19,44).

Um die Grausamkeit seiner Feinde noch unverzeihlicher zu machen. Er wollte sehen, ob sich ihr Zorn durch seinen Rückzug in die Einsamkeit abwenden würde.

Weil seine Stunde noch nicht gekommen war, und deshalb lehnte er es ab, den gefährlichen Weg zu nehmen (s. Joh 7,30).

Um seine Rückkehr nach Jerusalem noch bemerkenswerter und erhabener zu machen. Das verstärkte die Freudenbekundungen, mit denen ihn seine Befürworter willkommen hießen, als er triumphierend in die Stadt ritt.

Während dieses Rückzugs wurde eine gründliche Suche nach ihm in die Wege geleitet **(s. Vers 55-57)**.

Die Gelegenheit dazu war das Nahen des Passah, bei dem sie erwarteten, dass er nach dem Brauch daran teilnimmt: „Es war aber das Passah der Juden nahe", ein Fest, das hell in ihrem Kalender leuchtete **(Vers 55)**. Weil das Passah nun nahe war, gingen „viele aus dem ganzen Land ... vor dem Passah nach Jerusalem hinauf, um sich zu reinigen". Das war entweder eine notwendige Reinigung durch Fasten und Gebet und andere religiöse Übungen von denen, die sich irgendeine zeremonielle Unreinheit zugezogen hatten, oder eine freiwillige Reinigung, womit viele vor dem Passah einige Zeit verbrachten.

Die Suchenden waren sehr strebsam. Sie „sprachen zueinander ... Was meint ihr, kommt er nicht zu dem Fest?"* (Vers 56)*. Manche meinen, dass dies von denen gesagt wurde, die ihm wohlgesonnen waren und erwarteten, dass er kommt. Diejenigen, die früh aus dem Land kamen, damit sie sich selbst reinigen konnten, wollten Christus sehr gerne treffen, und vielleicht kamen sie früher mit dieser Erwartung. Sie fragten, ob es irgendwelche Neuigkeiten von Christus gibt. Doch es scheint vielmehr, dass seine Feinde diese Suche nach ihm unternahmen. Als sie denen hätten helfen sollen, die kamen, um sich zu reinigen, gemäß der Pflicht ihrer Stellung, verschworen sie sich gegen Christus. Ihre Frage: „Was meint ihr, kommt er nicht zu dem Fest?" beinhaltete:

Ein gehässiges Betrachten von Christus, als würde er aus Furcht, sich selbst einer Gefahr auszusetzen, seine Teilnahme an diesem Fest des Herrn versäumen. Es ist traurig, heilige Dienste der Anbetung zu solch unheiligen Absichten verdreht zu sehen.

Eine ängstliche Besorgnis, dass sie ihr Opfer verpassen würden: „,... kommt er nicht zu dem Fest?' Wenn er es nicht tut, werden all unsere Pläne scheitern."

Die Anordnung, ihn festzunehmen, war streng **(s. Vers 57)**. Der Hohe Rat gab eine Bekanntmachung heraus, die strikt dazu mahnte und forderte, dass, wenn jemand wüsste, wo er war, dies anzeigen müsse, damit er festgenommen werden könnte. Beachten Sie:

Wie festgelegt sie auf diese Verfolgung waren.

Wie bereit sie waren, andere in die Schuld mit ihnen zu verwickeln. Es hebt die Sünden von bösen Herrschern hervor, dass sie für gewöhnlich diejenigen, die ihnen unterstehen, zu Werkzeugen ihrer Ungerechtigkeit machen (s. Röm 6,13).

KAPITEL 12

Lassen Sie uns sehen, welche Ehren auf das Haupt unseres Herrn Jesus selbst in den Tiefen seiner Erniedrigung gehäuft wurden. 1. Maria ehrte ihn, indem sie bei einem Gastmahl in Bethanien seine Füße salbte (s. Vers 1-11). 2. Die gewöhnlichen Leute ehrten ihn mit ihren Freudenbekundungen, als er triumphal nach Jerusalem einzog (s. Vers 12-19). 3. Die Griechen ehrten ihn, indem sie ihn mit sehnsüchtigem Verlangen suchten, ihn zu sehen (s. Vers 20-26). 4. Gott der Vater ehrte ihn durch eine Stimme vom Himmel (s. Vers 27-36). 5. Ihm wurde von den Propheten des Alten Testaments Ehre erwiesen (s. Vers 37-41). 6. Ihm wurde von einigen Obersten Ehre erwiesen, obwohl sie nicht den Mut hatten, es zu bekennen (s. Vers 42-43). 7. Er beanspruchte Ehre für sich selbst, indem er seinen göttlichen Auftrag erklärte (s. Vers 44-50).

Vers 1-11

In diesen Versen haben wir:

1. Den gütigen Besuch, den unser Herr Jesus seinen Freunden in Bethanien abstattete. „Sechs Tage vor dem Passah" kam er herauf vom Land und blieb in Bethanien **(Vers 1)**. Er wohnte hier bei seinem Freund Lazarus, den er gerade vom Tod erweckt hatte. Sein Kommen nach Bethanien kann man nun betrachten:

1.1 Als eine Einleitung zu dem Passah, welches er feiern wollte, auf das mit der Bestimmung des Tages seines Kommens verwiesen wird: „Sechs Tage vor dem Passah."

1.2 Als ein sich freiwilliges Aussetzen dem Zorn seiner Feinde; jetzt, wo seine Stunde nahe war, kam er in ihre Reichweite. Unser Herr Jesus litt bereitwillig. Sein Leben wurde ihm nicht entrissen; vielmehr unterwarf er es dem Willen des Vaters. Wie ihn die Macht seiner Verfolger nicht besiegen konnte, so konnte ihn ihre Gerissenheit nicht überraschen. Wie es eine Zeit gibt, in der uns erlaubt wird zu laufen, um unser Leben zu retten, so gibt es auch eine Zeit, wenn wir berufen sind, für die Sache Gottes unser Leben zu riskieren.

1.3 Als ein Erweisen von Freundlichkeit gegenüber seinen Freunden in Bethanien, welche er liebte. Dies war ein Abschiedsbesuch. Bethanien wird hier beschrieben als die Stadt, „wo Lazarus war, der tot gewesen war und den er aus den Toten auferweckt hatte". Das hier vollbrachte Wunder verlieh dem Ort neue Ehre und machte ihn bedeutend. Wo er reichlich gesät hat, schaut er nach, um zu sehen, ob Pflanzen wachsen.

2. Den freundlichen Empfang, welchen ihm hier seine Freunde bereiteten: „Sie machten ihm nun dort ein Gastmahl" **(Vers 2)**. Man kann fragen, ob dies das gleiche Mahl ist wie das im Haus des Simon, welches in Matthäus 26,6-13 berichtet wird. Die meisten Kommentatoren meinen, dass es dies ist, da die beiden Geschichten viel gemeinsam haben. Doch das Datum scheint unterschiedlich zu sein (s. Mt 26,2), noch ist es wahrscheinlich, dass Martha in einem anderen Haus außer ihrem eigenen dienen wird, und deshalb bin ich geneigt, mit Dr. Lightfoot übereinzustimmen, und denke, es waren unterschiedliche Anlässe. Wir wollen uns den Bericht von diesem Empfang ansehen.

2.1 Sie machten ihm „ein Abendessen" (Elb 06), denn bei ihnen war das Abendessen für gewöhnlich das beste Essen. Sie taten dies als Zeichen ihres Respekts und ihrer Dankbarkeit, denn ein Festmahl wird aus Freundschaft gegeben; und sie taten es, damit sie die Gelegenheit eines ungehinderten und wohltuenden Gesprächs mit ihm haben, denn ein Festmahl wird auch um der Gemeinschaft willen gegeben (s. Pred 10,19).

2.2 Martha diente; sie hielt es nicht für unter ihrer Würde, zu dienen, wenn Christus sich zum Essen niedergesetzt hatte; wir sollten es auch nicht für eine Verunehrung halten, uns zu irgendeinem Dienst herabzulassen, durch den Christus geehrt werden mag. Christus hatte Martha vorher getadelt, dass sie „sich viel zu schaffen mit der Bedienung" machte (Lk 10,40). Sie hörte jedoch deshalb nicht auf, zu dienen, wie es manche tun, die, wenn sie für ein Extrem getadelt werden, schlecht gelaunt in ein anderes fallen. Nein, sie diente weiter. Es ist besser, ein Kellner am Tisch Christi zu sein, als ein Gast am Tisch eines Herrschers.

2.3 Lazarus war „einer von denen, die mit ihm zu Tisch saßen". Es beweist die Wahrheit seiner Auferstehung, wie auch die von Christus tat, dass es solche gab, die „mit ihm gegessen und getrunken haben" (Apg 10,41). Er saß als ein Denkmal für das Wunder am Tisch, welches Christus vollbracht hatte. Diejenigen, die Christus zum geistlichen Leben erweckt hat, werden mit ihm zusammengesetzt.

3. Die besondere Achtung, die ihm Maria erwies. Sie hatte „ein Pfund echten, köstlichen Nardensalböls" und salbte Jesus damit die Füße **(Vers 3)**. Sie „trocknete seine Füße mit ihren Haaren; das Haus aber wurde erfüllt vom Geruch des Salböls". Sie beabsichtigte dies zweifellos ein Zeichen für ihre Liebe für Christus. Hierdurch erscheint ihre Liebe zu Christus als:

3.1 Eine großzügige Liebe. Wenn sie etwas hatte, was wertvoller als das war, was andere hatten, musste es zur Ehre Christi herausgeben werden. Wer Christus wirklich liebt, liebt ihn so viel mehr als diese Welt, dass er bereit ist, das Beste für ihn zu geben, was er hat.

3.2 Eine demütige Liebe. Sie gab nicht nur ihr Parfüm für Christus, sondern benutzte auch ihre eigenen Hände, um es auf ihn auszugießen. Sie salbte in der Tat nicht, wie es üblich war, sein Haupt damit, sondern seine Füße. Echte Liebe für Christus scheut weder Ausgaben noch Mühen, um ihn zu ehren.

3.3 Eine glaubende Liebe. Ihr Glaube war durch die Liebe wirksam, Glaube an Jesus als den Messias, den Christus, den Gesalbten (s. Gal 5,6). Gottes Gesalbter sollte unser Gesalbter sein. Wir sollten auf ihn das Parfüm unserer besten Liebe und Hingabe ausgießen. Das Erfüllen des Hauses mit dem angenehmen Wohlgeruch des Parfüms zeigt uns, dass diejenigen, die Christus in ihr Herz und ihr Zuhause aufnehmen, einen lieblichen Geruch hineinbringen.

4. Das Missfallen von Judas gegenüber Marias Zeichen ihrer Achtung für Christus **(s. Vers 4-5)**. Beachten Sie:

4.1 Die Person, die etwas dagegen einwandte, war Judas, „einer seiner Jünger"; er war nicht einer von ihnen dem Wesen nach, nur der Zahl nach. Judas war ein Apostel, ein Prediger des Evangeliums, aber einer, der diesen Ausdruck der frommen Liebe missbilligte. Es ist traurig, das Leben im religiösen Glauben durch die entmutigt zu sehen, welche nach ihrem Amt dazu helfen und ermutigen sollten. Er war jedenfalls der, welcher Christus verraten würde.

4.2 Der Vorwand, mit dem er sein Missfallen vertuschte: „Warum hat man dieses Salböl nicht für 300 Denare verkauft und es den Armen gegeben?" **(Vers 5)**.

Hier kritisierte weltliche Weisheit gottesfürchtigen Eifer. Wer sich etwas auf seine weltlichen politischen Wege einbildet und andere für ihre ernsthafte Frömmigkeit geringschätzt, trägt in sich mehr von dem Geist von Judas, als er will, dass andere dies von ihm denken.

Hier wurde der Anschein der Wohltätigkeit gegenüber den Armen heimlich zu einem Deckmantel für Habgier gemacht. Viele Menschen befreien sich selbst von dem Geben für die Armen mit dem Vorwand, für Wohltätigkeit zu sparen. Judas fragte: „Warum hat man es nicht den Armen gegeben?" Wir dürfen nicht schließen, dass diejenigen, die einen annehmbaren Dienst nicht auf die Weise tun, wie wir es würden, nicht zufriedenstellend handeln. Stolze Menschen meinen, dass jeder unbesonnen ist, der sie nicht befragt.

4.3 Die Aufdeckung und Enthüllung von Judas' Heuchelei darin: „Das sagte er aber nicht, weil er sich um die Armen kümmerte, sondern weil er ein Dieb war und den Beutel hatte" (den Geldbeutel trug; **Vers 6**).

Es kam nicht aus einem Motiv der Liebe. „... nicht, weil er sich um die Armen kümmerte." Was kümmerte er sich um die Armen, außer, dass er, indem er die Fürsorge für die Armen beaufsichtigte, seinen eigenen Zielen dienen konnte? Manche Menschen streben eifrig nach der Macht in der Gemeinde – wie andere nach deren Reinheit streben –, während es ihnen vielleicht vollkommen gleich ist, wie es um deren wahre Interessen bestellt ist; sie sind nur daran interessiert, sich selbst voranzubringen.

Es kam aus einem Motiv der Habgier. Die Wahrheit der Sache war, dass er lieber den Wert des Parfüms bar haben wollte, damit das Geld in den allgemeinen Vorrat gelegt wird, und dann würde er wissen, was damit zu tun ist. Beachten Sie:

Judas war Schatzmeister des Haushalts von Christus.
Schauen Sie, was für Mittel Christus und seine Jünger hatten, um davon zu leben: nur ein Geldbeutel, in den sie gerade genug für sich legten, um davon zu leben, wobei sie den Überschuss, wenn es welchen gab, den Armen gaben. Dieser Geldbeutel wurde mit den Beiträgen der guten Leute gefüllt und der Meister und seine Jünger hatten alle Dinge gemeinsam; um unseretwillen wurde er arm (s. Apg 2,44; 4,32; 2.Kor 8,9).
Beachten Sie, wer der Verwalter des wenigen war, was sie hatten; es war Judas, er trug den Geldbeutel. Vielleicht wurde er zu diesem Amt eingesetzt, weil er der geringste und niedrigste der Jünger war; es war nicht Petrus oder Johannes, der zum Verwalter gemacht wurde. Für einen geistlichen Diener des Evangeliums sind weltliche Tätigkeiten nicht nur eine Ablenkung, sondern auch eine Degradierung. Oder vielleicht war ihm die Stellung gegeben worden, weil er sie wollte. In seinem Herzen liebte er es, mit Geld umzugehen, und deshalb wurde ihm der Geldbeutel anvertraut. Er wählte den Beutel und der Beutel war sein. Starke innere Neigungen zur Sünde werden oft zu Recht bestraft durch starke äußerliche Versuchungen, zu sündigen. Wir haben wenig Grund, den Geldbeutel zu lieben oder stolz auf ihn zu sein, denn im besten Fall sind wir bloß seine Verwalter.
War ihm der Geldbeutel erst einmal anvertraut, war Judas ein Dieb. Vorherrschende Geldliebe ist Diebstahl im Herzen, genauso wie Zorn oder Rachsucht im Herzen begangener Mord sind. Diejenigen, welchen die Verwaltung und die Verfügung über öffentliches Geld übertragen sind, müssen von festen Grundsätzen der Gerechtigkeit und Ehrlichkeit beherrscht werden, damit kein Makel an ihren Händen kleben wird. Judas, der das ihm anvertraute Gut veruntreut hatte, verriet kurz darauf seinen Meister.

5. Christi Rechtfertigung von dem, was Maria tat. „Lass sie!" **(Vers 7)**. Hier zeigte er seine Annahme ihrer Freundlichkeit. Da es ein Zeichen ihres Wohlwollens war, zeigte er, dass er daran Gefallen hatte. Christus möchte nicht, dass diejenigen getadelt oder entmutigt werden, die ihm aufrichtig gefallen wollen, selbst wenn es in ihren ehrlichen Bemühungen nicht so viel Besonnenheit gibt, wie es sein könnte (s. Röm 14,3). Um Maria zu rechtfertigen:
5.1 Deutete Christus das vorteilhaft, was sie tat; enthüllte etwas, das denen, die es verurteilten, nicht bewusst war: „Dies hat sie für den Tag meines Begräbnisses aufbewahrt.' Der Tag meines Begräbnisses ist nun nahe und sie hat einen Leib gesalbt, der bereits so gut wie tot ist." Der Allmächtige öffnet in seiner Vorsehung wahren Christen oft eine Tür der Gelegenheit, sodass sich ihre Ausdrücke gottesfürchtigen Eifers als noch rechtzeitiger und schöner erweisen, als dies irgendein Weitblick von ihnen vermag.
5.2 Er gab eine hinreichende Antwort auf den Einwand von Judas **(s. Vers 8)**. Im Reich der Vorsehung sind die Dinge so geordnet, dass wir die Armen immer bei uns haben (s. 5.Mose 15,11). Im Reich der Gnade sind die Dinge so geordnet, dass die Gemeinde nicht immer die leibliche Gegenwart Christi haben würde: „Mich aber habt ihr nicht allezeit." Möglichkeiten müssen ausgenutzt werden, und die Gelegenheiten, die wahrscheinlich am schnellsten vorbei sind, müssen als Erstes und am energischsten ergriffen werden. Die gute Pflicht, die zu jeder Zeit getan werden kann, sollte jener Platz machen, die nur gerade jetzt und sonst nicht getan werden kann.

6. Die öffentliche Notiz, die von unserem Herrn Jesus hier in Bethanien genommen wurde: „Es erfuhr nun eine große Menge der Juden, dass er dort war", und sie strömten zu ihm **(Vers 9)**. Sie kamen, um Jesus zu sehen, dessen Name durch sein kürzlich vollbrachtes Wunder der Auferweckung von Lazarus sehr erhöht war. Sie kamen nicht, um ihn zu hören, sondern um ihre Neugierde zu befriedigen, indem sie ihn sehen. Weil man wusste, wo Christus war, kamen die Massen zu ihm. Sie kamen, um Jesus und auch Lazarus zu sehen, was ein sehr verlockender Anblick war. Manche Menschen kamen, damit ihr Glaube an Christus bestätigt wird; andere, nur um ihre Neugier zu befriedigen, damit sie sagen könnten, sie hätten einen Mann gesehen, der tot und begraben gewesen war, nun aber wieder lebte. Und so diente Lazarus an diesen Feiertagen als Schauspiel.

7. Den Zorn der obersten Priester über den wachsenden Einfluss des Herrn Jesus: „Da beschlossen die obersten Priester, auch Lazarus zu töten, denn seinetwegen gingen viele Juden hin und glaubten an Jesus" **(Vers 10-11)**. Beachten Sie hier:
7.1 Wie fruchtlos und erfolglos ihre Versuche gegen Christus bis zu dieser Zeit gewesen waren. Sie hatten getan, was sie konnten, um ihm die Menschen zu entfremden, doch viele der Juden waren so überwältigt durch die überzeugenden Beweise der Wunder Christi, dass sie von der Partei der Priester weggingen und an Jesus glaubten. Sie taten dies wegen Lazarus; seine Auferstehung brachte Leben in ihren Glauben. Was war für jemanden unmöglich, der Tote auferwecken konnte?
7.2 Wie absurd und unvernünftig es war, dass Lazarus getötet werden musste. Es war ein Zeichen, dass sie Gott nicht fürchten und sich vor keinem Menschen scheuen (s. Lk 18,2).

Denn:
Wenn sie Gott gefürchtet hätten, wären sie nicht so trotzig ihm gegenüber gewesen. Gott wollte, dass Lazarus durch ein Wunder lebt, und sie wollten, dass er durch Bosheit stirbt. Lazarus wurde als Objekt ihres besonderen Hasses ausgesucht, weil Gott ihn mit dem Zeichen seiner besonderen Liebe gekennzeichnet hatte. Man hätte meinen können, dass sie diskutieren würden, wie sie Freundschaft mit Lazarus und seiner Familie schließen könnten und wie sie sich durch die Fürsprache dieser Familie mit diesem Jesus versöhnen könnten, den sie verfolgt hatten.
Wenn sie sich vor Menschen gescheut hätten, hätten sie keinen solchen Akt der Ungerechtigkeit gegenüber Lazarus begangen, einem unschuldigen Mann, den sie nicht zu Recht irgendeines Verbrechens beschuldigen konnten.

Vers 12-19

Dieser Bericht des triumphalen Einzugs von Christus in Jerusalem wird von allen Evangelisten berichtet und einer besonderen Erläuterung für würdig befunden, und wir können hier beachten:

1. Den Respekt, der unserem Herrn Jesus von den gewöhnlichen Leuten erwiesen wurde (s. Vers 12-13). Beachten Sie:

1.1 Wer ihm diesen Respekt erwies: „Viele Leute", „eine große Menge" von denen, die zum Fest kamen, nicht die Einwohner Jerusalems, sondern die Leute vom Land. Je näher die Menschen dem Tempel des Herrn waren, umso weiter waren sie vom Herrn dieses Tempels entfernt. Diese Leute vom Land waren diejenigen, die zum Fest erschienen waren. Vielleicht hatten sie Christus auf dem Land sprechen hören und waren dort große Bewunderer von ihm geworden und deshalb waren sie begierig darauf, ihm in Jerusalem ihre Achtung zu erweisen. Vielleicht waren sie diese mehr frommen Juden, die einige Zeit vorher zum Fest gekommen waren, um sich zu reinigen, die mehr zum religiösen Glauben geneigt waren als ihre Nächsten, und sie waren die Leute, die so begierig darauf waren, Christus zu ehren. Es waren nicht die Herrscher oder Leiter, die herausgingen, um Christus zu treffen, sondern die gewöhnlichen Leute. Doch Christus wird mehr durch die Menge seiner Nachfolger geehrt als durch die Großartigkeit einiger von ihnen, denn er bewertet die Menschen nach ihren Seelen, nicht nach ihren Namen und Ehrentiteln.

1.2 Wann sie ihren Respekt ausdrückten: Als sie „hörten, dass Jesus nach Jerusalem komme". Sie hatten nach ihm gefragt: „Kommt er nicht zu dem Fest?" **(Joh 11,56)**. Als sie hörten, dass er kommt, ermunterten sie sich selbst, ihn willkommen zu heißen.

1.3 Wie sie ihren Respekt ausdrückten: Sie gaben ihm, was sie hatten, und eben diese unbedeutende Menschenmenge glich in schwacher Weise der herrlichen Gesellschaft, die Johannes vor dem Thron und vor dem Lamm sah (s. Offb 7,9-10). Obwohl diese Menschen nicht vor dem Thron waren, waren sie vor dem Lamm. In der Vision von Johannes wird von diesem himmlischen Chor gesagt:

Dass Palmzweige in ihren Händen waren. Die Palme ist immer ein Zeichen des Sieges und Triumphes gewesen. Christus kam nun, um durch seinen Tod die Herrschaften und Gewalten zu entwaffnen (s. Kol 2,15). Obwohl er nur seinen Harnisch anlegte, konnte er sich doch rühmen, als habe er ihn abgelegt (s. 1.Kön 20,11; LÜ 84).

Dass sie mit lauter Stimme riefen „und sprachen: Das Heil ist bei unserem Gott", wie es diese Menschenmenge tat (Offb 7,10). Sie riefen: „Hosianna! Gepriesen sei der, welcher kommt im Namen des Herrn, der König von Israel!" „Hosianna" bedeutet „rette".

Sie erkannten unseren Herrn als den König von Israel an, der „im Namen des Herrn" kam (s. Ps 118,26). Sie erkannten ihn als König an, was seine Stellung und seine Ehre zeigte, die wir verehren müssen, und seine Macht und Herrschaft, der wir uns unterwerfen müssen. Er war ein rechtmäßiger König, der „im Namen des Herrn" kam, der verheißene und lang erwartete König, der Gesalbte, der Fürst, denn er war „der König von Israel" (s. Ps 2,6; Dan 9,25).

Sie wünschten seinem Reich aufrichtig Gutes, was die Bedeutung von „Hosianna" ist. Indem sie „Hosianna" riefen, beteten sie drei Dinge: dass sein Reich kommen möge – in seinem Licht und seiner Erkenntnis und in seiner Macht und Wirksamkeit; dass es siegen möge; und dass es andauern möge. „Hosianna", wenn es auch wörtlich „rette" bedeutet, entspricht: „Möge der König für immer leben."

Sie hießen ihn in Jerusalem willkommen. „Willkommen ist der, der da kommt. ‚Komm herein, du Gesegneter des HERRN'" (1.Mose 24,31). Auf diese Weise muss jeder von uns Christus in seinem Herzen willkommen heißen. Der Glaube sagt: „Gepriesen sei der, welcher kommt."

2. Die Haltung, die Christus einnahm, um den ihm gegebenen Respekt entgegenzunehmen: „Jesus aber hatte einen jungen Esel gefunden und setzte sich darauf" **(Vers 14)**. Er erschien als eine unbedeutende Person, alleine auf einem Esel, mit einer Menschenmenge um ihn herum, die „Hosianna" rief. Das war eine viel ehrenwertere Form, als er sie gewohnt war, zu wählen; er war gewohnt, zu Fuß zu reisen, doch nun war er beritten. Doch es war eine viel weniger ehrenwerte Form, als sie die berühmten Menschen in der Welt für gewöhnlich wählen. Sein Reich war nicht von dieser Welt und deshalb kam er nicht mit äußerlichem Prunk (s. Joh 18,36).

3. Die Erfüllung der Schrift darin: „... wie geschrieben steht: ‚Fürchte dich nicht, Tochter Zion!'" **(Vers 14-15).** Dies ist aus Sacharja 9,9 zitiert.

3.1 Es wurde sowohl vorhergesagt, dass Zions König kommen würde, als auch, dass er kommen würde, wie er es tat: „sitzend auf dem Füllen einer Eselin". Obwohl er nur langsam kommt – ein Esel bewegt sich langsam –, ist sein Kommen doch gewiss und mit solchen Zeichen des Sichherablassens, dass sie seine treuen Untertanen sehr ermutigen. Demütige Bittsteller können nahe genug kommen, um mit ihm zu sprechen.

3.2 Der Tochter Zion wird deshalb gesagt: „Siehe, dein König kommt." Ihr wird auch gesagt: „Fürchte dich nicht." In der Prophetie wird Zion gesagt, sie solle frohlocken, hier aber wird es wiedergegeben: „Fürchte dich nicht." Ungläubige Ängste sind der Feind geistlicher Freuden – wenn sie geheilt sind, wenn sie besiegt sind, wird die Freude von Natur aus kommen. Wenn die Situation so ist, dass wir kein Frohlocken der Freude erlangen können, sollten wir doch versuchen, Trost von der Bedrängnis der Angst zu erlangen. „Frohlocke sehr" (Sach 9,9); zumindest: „Fürchte dich nicht."

4. Die Anmerkung des Evangelisten über die Jünger: Sie verstanden es anfangs nicht, „doch als Jesus verherrlicht war, da erinnerten sie sich, dass dies von ihm geschrieben stand und dass sie [und andere] ihm dies getan hatten" **(Vers 16).**

4.1 Beachten Sie hier die Unvollkommenheit der Jünger; sie verstanden es anfangs nicht. Sie dachten nicht daran, dass sie die Zeremonie der Amtseinweihung des Königs von Zion vornahmen. Die Schrift wird oft durch die Tätigkeit derer erfüllt, die selbst bei dem, was sie tun, nicht in die Schrift schauen (s. Jes 45,4). Was später klar wird, war zuerst mysteriös und unklar. Es ist gut für die Jünger Christi, über die Torheiten und Schwächen ihrer ersten Beginne nachzudenken, damit sie Erbarmen mit den Unwissenden haben mögen. „Als ich ein Unmündiger war, redete ich wie ein Unmündiger" (1. Kor 13,11).

4.2 Beachten Sie hier die bessere Erkenntnis der Jünger in ihrem Erwachsenenalter. Beachten Sie:

Wann sie es verstanden: „... doch als Jesus verherrlicht war." Bis dahin hatten sie das wahre Wesen seines Reiches nicht richtig verstanden. Bis dahin war der Geist nicht ausgegossen worden, der sie in die ganze Wahrheit leiten sollte (s. Joh 16,13).

Wie sie es verstanden: Sie verglichen die Prophetie mit dem Ergebnis. „... da erinnerten sie sich, dass dies von ihm geschrieben stand." Die Erinnerung an das, was geschrieben steht, wird uns befähigen, dass zu verstehen, was getan wurde, und die Beobachtung von dem, was getan wurde, wird uns helfen, das zu verstehen, was geschrieben wurde.

5. Den Grund, der die Menschen dazu brachte, dem Herrn Jesus diesen Respekt zu erweisen: Es war das eindeutige Wunder, welches er gerade mit der Auferweckung von Lazarus vollbracht hatte. Beachten Sie hier:

5.1 Welchen Bericht und welche Gewissheit sie von diesem Wunder hatten; ohne Zweifel ließ die Nachricht davon die Stadt erklingen. Diejenigen, die es als einen Beweis für den Auftrag Christi und als Grundlage für ihren Glauben an ihn betrachteten, verfolgten den Bericht zu denen zurück, die Augenzeugen waren, damit sie „die Gewissheit der Dinge" erkennen würden (Lk 1,4). „Die Menge nun, die bei ihm war, als er Lazarus aus dem Grab gerufen" hatte, legte davon Zeugnis ab (zeugte weiterhin von ihm; **Vers 17**). Sie bestätigten einmütig, dass das Wunder echt war, über allen Zweifel und jeden Widerspruch hinaus. Die Wahrheit der Wunder Christi wurde durch unleugbare Beweise erwiesen.

5.2 Welchen Einfluss das auf sie hatte: „Darum ging ihm auch die Volksmenge entgegen" **(Vers 18).** Manche gingen ihm aus Neugier entgegen; sie wollten den Einen sehen, der solch eine wunderbare Tat vollbracht hatte. Andere strebten aus Überzeugung danach, ihm die Ehre zu geben, als jemanden, der von Gott gesandt war.

6. Den Zorn der Pharisäer über all dies.

6.1 Sie gestanden ein, dass sie gegen ihn keinen Boden gewonnen hatten. Die sich Christus widersetzen, werden dazu gebracht werden, zu begreifen, dass sie nichts gewinnen können, dass sie nirgendwo hinkommen. Gott wird trotz ihnen und ihrer kleinen Anstrengungen ohnmächtiger Bosheit seine Pläne erfüllen. „Ihr seht, dass ihr nichts ausrichtet', ihr erreicht nichts" **(Vers 19).** Durch Widerstand gegen Christus kann man nichts gewinnen.

6.2 Sie gestanden ein, dass er an Boden gewonnen hatte: „Siehe, alle Welt läuft ihm nach!" Hier prophezeiten sie jedoch wie Kajaphas, ehe es ihnen bewusst wurde, dass ihm alle Welt nachlaufen würde.

Auf diese Weise drückten sie ihre eigene Irritation aus; ihr Neid machte sie ängstlich. Wenn man bedenkt, wie groß diese Pharisäer waren, hätte man gemeint, sie hätten Christus nicht ein solch unbedeutendes Stück Ehre missgönnen brauchen, wie es ihm nun erwiesen wurde, doch stolze Menschen möchten ein Monopol auf Ehre haben, um sie mit niemandem zu teilen.

Auf diese Weise motivierten sie sich und einander zu einer energischeren Gangart in der Schlacht gegen Christus. Die Feinde der Religion werden entschlossener und aktiver dadurch, dass sie beschämt werden; sollen ihre Freunde dann bei jeder Enttäuschung entmutigt werden, wenn sie wissen, dass ihre Sache gerecht ist und schließlich siegreich sein wird?

Vers 20-26

Hier wurde Christus von bestimmten Griechen Ehre erwiesen, die nach ihm fragten. Uns wird gesagt:

1. Wer unserem Herrn Jesus diese Ehre erwies: „Es waren aber etliche Griechen unter denen, die hinaufkamen, um während des Festes anzubeten" **(Vers 20)**. Manche meinen, sie waren „Juden aus der Zerstreuung", die sich unter die Heiden gemischt hatten und Griechen genannt wurden. Andere meinen, sie waren Heiden, „Proselyten des Tores", wie der äthiopische Kämmerer (s. Apg 8,26-40) und Kornelius (s. Apg 10). Sie waren innige Anbeter des wahren Gottes selbst unter denen, die ausgeschlossen waren von der Bürgerschaft Israels (Eph 2,12). Obwohl diesen Griechen, wenn sie unbeschnitten waren, nicht erlaubt war, das Passah zu essen, kamen sie doch, „um während des Festes anzubeten". Wir müssen dankbar die Vorrechte nutzen, die wir haben, selbst wenn wir vielleicht von anderen ausgeschlossen sind.

2. Welche Ehre sie ihm erwiesen: Sie wollten ihn kennenlernen **(s. Vers 21)**.

2.1 Da sie Christus sehen wollten, waren sie darauf bedacht, die geeigneten Mittel zu benutzen. Sie beschränkten sich nicht bloß auf ihre Wünsche, sondern waren entschlossen zu sehen, was getan werden konnte.

2.2 Sie wandten sich an Philippus, einen seiner Jünger. Manche meinen, dass sie ihn von vorher gekannt hatten. Es ist gut, die zu kennen, die den Herrn kennen. Wenn aber diese Griechen in der Nähe von Galiläa gewesen wären, wären sie wahrscheinlich dort mit Christus gewesen. Ich meine nun darum, dass sie sich nur deshalb an Philippus wandten, weil sie sahen, dass er ein enger Nachfolger Christi war. Wer Jesus im Glauben sehen möchte, jetzt, wo er im Himmel ist, muss sich an seine geistlichen Diener wenden, die er eingesetzt hat, um arme Seelen auf der Suche nach ihm zu führen. Die Führung dieser Griechen, Christus durch Philippus kennenzulernen, zeigte, dass Gott die Apostel als seine Vertreter erwählt hatte, dass er ihren Dienst für die Bekehrung der Heiden benutzen würde.

2.3 Ihre Bitte an Christus war kurz: „Herr, wir möchten gerne Jesus sehen!" Sie gaben ihm einen respektvollen Titel, weil er Christus kannte. Ihre Angelegenheit war, dass sie Jesus sehen wollten; doch sie wollten nicht nur sein Gesicht sehen, sodass sie sagen konnten, wenn sie nach Hause kamen, dass sie den Einen gesehen hatten, über den so viel gesprochen wurde, sondern auch frei mit ihm sprechen und von ihm gelehrt werden. Jetzt, wo sie gekommen waren, um auf dem Fest anzubeten, wollten sie Jesus sehen. Bei unserer Teilnahme an heiligen Diensten der Anbetung, besonders dem Passah des Evangeliums, sollte es das große Verlangen unserer Seele sein, Jesus zu sehen. Wir verfehlen den Zweck unseres Kommens, wenn wir Jesus nicht sehen.

2.4 Philippus berichtete dies seinem Meister **(s. Vers 22)**. Zuerst sagte er es Andreas. Sie stimmten darin überein, dass der Vorschlag gemacht werden müsste, doch dann wollte Philippus, dass Andreas mit ihnen geht. Christi geistliche Diener sollten einander helfen und darin übereinstimmen, Seelen zu helfen, zu Christus zu kommen. Es scheint, das Andreas und Philippus Christus diese Botschaft brachten, als er öffentlich lehrte, denn wir lesen, dass die Menge dabeistand **(s. Vers 29)**.

3. Wie Christus diese Ehre annahm **(s. Vers 23)**. Er sagte sowohl die Ehre voraus, die er selbst darin bekommen würde, dass man ihm nachfolgte **(s. Vers 23-24)**, als auch die Ehre, die diejenigen haben würden, die ihm nachfolgen **(s. Vers 25-26)**.

3.1 Er sah die reichliche Ernte voraus, von der dies sozusagen die Erstlingsfrucht war, nämlich die Bekehrung der Heiden. „Die Stunde ist gekommen, dass der Sohn des Menschen verherrlicht werde!" **(Vers 23)**. Beachten Sie:

Die Absicht der vorhergesagten Ereignisse, was die Verherrlichung des Erlösers war: „Und, ist es so? Beginnen die Heiden, mich zu suchen? Dann ist die Stunde für die Verherrlichung des Sohnes des Menschen gekommen." Dies war keine Überraschung für Christus, doch es war ein Rätsel für diejenigen, die ihn umgaben. Dies zeigt uns:

Die Berufung der Heiden führte sehr zur Verherrlichung des Sohnes des Menschen. Die Vervielfachung der Erlösten war die Erhöhung des Erlösers.

Es gab eine festgelegte Zeit für die Verherrlichung des Sohnes des Menschen, und er sprach mit Begeisterung und Triumph von ihrem Nahen: „Die Stunde ist gekommen."

Die sonderbare Weise, auf die dieses Ziel erreicht werden sollte, und das war durch den Tod Christi, was durch ein Gleichnis gesagt wurde: „‚Wahrlich, wahrlich, ich sage euch: Wenn das Weizenkorn nicht in die Erde fällt und stirbt, so bleibt es allein' (bleibt nur ein einziges Korn), und ihr seht nie wieder etwas davon, ,wenn es aber stirbt, so bringt es viel Frucht' (bringt viele Samen hervor)" **(Vers 24)**. Hier nun:

Es wurde die Notwendigkeit der Erniedrigung Christi gezeigt. Er hätte nie das lebendige, Leben gebende Haupt und die Wurzel der Gemeinde sein können, wenn er nicht vom Himmel auf diese verfluchte Erde herabgekommen und von der Erde zu dem verfluchten Holz hinaufgestiegen und so unsere Erlösung vollendet hätte. Er musste seine Seele dem Tod preisgeben (s. Jes 53,12).

Der Nutzen der Erniedrigung Christi wurde dargestellt. Er fiel in seiner Menschwerdung in die Erde, doch das war nicht alles; er starb. Er lag im Grab wie der Same unter der Erde, doch wie der Same grün, frisch und blühend und mit großer Vermehrung wieder herauskommt, so brachte ein sterbender Christus Tausende von lebendigen Christen zusammen. Die Errettung von Seelen bis zu dieser Zeit und von dieser Zeit an bis zum Ende der Zeit verdanken wir alles diesem einen sterbenden Weizenkorn.

3.2 Er verhieß eine große Belohnung für die, welche ihn von Herzen annehmen und durch ihre Treue zeigen wollen, dass sie dies taten:

Im Leiden für ihn: „Wer sein Leben liebt, der wird es verlieren; wer aber sein Leben in dieser Welt hasst, wird es zum ewigen Leben bewahren" **(Vers 25)**. Das große Ziel der Religion Christi ist, uns von dieser Welt zu lösen, indem uns eine andere Welt vor Augen gestellt wird.

Beachten Sie hier die unheilvollen Folgen einer übermäßigen Liebe zum Leben; viele Menschen umarmen sich selbst zu Tode, verlieren ihr Leben, indem sie es zu stark lieben. Wer sein leibliches Leben zu sehr liebt, wird seine Tage verkürzen; sie werden sowohl das Leben verlieren, das sie so mögen, als auch das unendlich bessere Leben. Wer so sehr verliebt ist in das Leben des Leibes, dass er Christus verleugnet, wird es verlieren; das heißt, er wird echte Seligkeit in der anderen Welt verlieren, gerade wenn er meint, dass er sich eine eingebildete in dieser Welt sichert. Wer seine Seele, seinen Gott, seinen Himmel dafür gibt, kauft das Leben zu teuer.

Beachten Sie auch die selige Belohnung für eine heilige Nichtbeachtung des Lebens. Wer sein leibliches Leben so sehr hasst, dass er riskieren wird, es aufzugeben, um das Leben seiner Seele zu bewahren, wird beides im ewigen Leben finden. Dies zeigt uns:

Es wird von den Jüngern Christi erwartet, dass sie ihr „Leben in dieser Welt" hassen. Unser Leben in dieser Welt umfasst all die Freuden unseres jetzigen Standes. Wir müssen diese hassen; das heißt, wir müssen sie als verhältnismäßig wertlos betrachten und als unfähig, uns glücklich zu machen, und wir müssen uns frohen Sinnes von ihnen trennen, wann immer sie mit dem Dienst für Christus konkurrieren (s. Apg 20,24; 21,13; Offb 12,11). Beachten Sie hier die Kraft der Frömmigkeit – dass sie die stärksten natürlichen Empfindungen besiegt; beachten Sie auch das Geheimnis der Frömmigkeit – dass sie die größte Weisheit ist, sie aber den Menschen auch lehrt, sein eigenes Leben zu hassen.

Diejenigen, die um ihrer Liebe zu Christus willen ihr eigenes Leben in dieser Welt hassen, werden in der Auferstehung der Gerechten reichlich belohnt werden. Wer sein Leben hasst, wird es bewahren.

Indem sie ihm dienen: „Wenn jemand mir dienen will, so folge er mir nach" **(Vers 26)**. Manche lesen den nächsten Teil: „Und wo ich bin, da *soll* auch mein Diener sein", was *die Pflicht* des Dieners anzeigt, welche ist, den Meister zu begleiten. Andere lesen es als Teil *einer Verheißung*: „‚... da *wird* auch mein Diener sein', glücklich mit mir" (Elb 06). Ferner fügt er für den Fall hinzu, dass dies als eine kleine Sache erscheinen mag: „Und wenn jemand mir dient, so wird ihn mein Vater ehren." Die Griechen wollten Jesus sehen, doch Christus ließ sie wissen, dass es nicht genug war, ihn zu sehen; sie müssen ihm auch dienen **(s. Vers 21)**. Beim Einstellen von Dienern ist es üblich, sowohl die Arbeit als auch den Lohn festzusetzen; Christus tat hier beides.

Hier ist die Arbeit, die Christus von seinen Dienern erwartet:

Sie mögen den Bewegungen ihres Meisters folgen: „Wenn jemand mir dienen will, so folge er mir nach." Christen müssen Christus folgen, die Dinge tun, die er sagt, und wandeln, wie er wandelte. Wir müssen dorthin gehen, wohin er uns führt, und auf dem Weg, den er uns führt.

Sie mögen der Ruhe ihres Meisters folgen: „‚Und wo ich bin, da soll auch mein Diener sein', um mir zu dienen." Christus ist, wo seine Gemeinde ist, und dort sollen seine Diener sein, um sich bei ihm zu melden und von ihm Unterweisungen zu bekommen.

Hier ist der Lohn, den Christus seinen Dienern verheißt:

Sie werden bei ihm glücklich sein: „Und wo ich bin, da soll auch mein Diener sein." Ohne Zweifel meinte er, dass seine Diener mit ihm im Paradies sein werden. Christus sprach von der Seligkeit des Himmels, als wäre er bereits in ihr – „wo ich bin" –, weil er sich ihrer sicher und ihr nahe war. Die gleiche Freude und Herrlichkeit, die er für einen genügenden Lohn für all seinen Dienst und sein Leiden hielt, wird seinen Dienern als Belohnung für sie angeboten. Diejenigen, die ihm auf dem Weg folgen, werden am Ende bei ihm sein.

Sie werden von seinem Vater geehrt werden; er wird all ihre harte Arbeit und ihren Verlust ausgleichen, indem er ihnen Ehre gibt, die weit über das hinausgeht, was solche wertlosen „Würmer" von der Erde erwarten könnten zu bekommen (s. Hiob 25,6). Die Belohnung ist Ehre – echte, dauerhafte Ehre, die höchste Ehre; es ist die Ehre, die von Gott kommt. Christus wird die ehren, die Christus bedienen. Wer Christus dient, muss sich selbst erniedrigen, und er wird im Allgemeinen von der Welt beschimpft, doch er wird für beides belohnt werden, indem er zur rechten Zeit erhöht wird.

4. Uns wird nicht gesagt, was aus diesen Griechen wurde, doch wir neigen zu der Hoffnung, dass diejenigen, die nach dem Weg zum Himmel fragten, wie sie es taten, mit ihrem Angesicht darauf ausgerichtet, ihn fanden und diesen Weg gegangen sind.

Vers 27-36

Hier wurde Christus durch eine Stimme vom Himmel Ehre von seinem Vater erwiesen, was eine weitere Diskussion mit den Leuten entstehen ließ. In diesen Versen haben wir:

1. Christi Gebet zu seinem Vater, als Unruhe seinen Geist ergriffen hatte: „Jetzt ist meine Seele erschüttert" **(Vers 27)**. Das ist ein sonderbares Wort, um aus dem Mund Christi zu kommen, und es überrascht zu dieser Zeit, denn es kommt mitten in mehreren angenehmen Aussichten, in denen man gemeint hätte, dass er sagen würde: „Jetzt ist meine Seele zufrieden." Unruhe der Seele folgt manchmal großen Freuden des Geistes. Beachten Sie:

1.1 Christi Furcht vor seinem herannahenden Leiden: „Jetzt ist meine Seele erschüttert." Jetzt kamen die ersten Wehen der Mühsal seiner Seele (s. Jes 53,11). Die Sünde unserer Seele war die Erschütterung der Seele Christi. Die Erschütterung seiner Seele sollte die Erschütterung unserer Seele beruhigen. Christus war *jetzt* erschüttert, doch es würde nicht immer so bleiben; es würde nicht lange andauern. Das Gleiche ist der Trost von Christen in ihrer Erschütterung; sie sind „schnell vorübergehend" und werden zu Freude gewendet werden (2.Kor 4,17).

1.2 Die Not, in der er hier gewesen zu sein scheint: „Und was soll ich sagen?" Christus sprach wie jemand, der nicht mehr ein noch aus wusste, als wusste er nicht, was er wählen sollte. Es gab einen Kampf zwischen dem Werk, welches er auf sich genommen hatte, welches Leiden erforderte, und der Natur, die er angenommen hatte, die sich davor fürchtete; zwischen beiden hielt er inne mit: „Und was soll ich sagen?"

1.3 Sein Gebet zu Gott in dieser Not: „Vater, bewahre mich vor dieser Stunde!" (Albr); man könnte übersetzen: „Aus dieser Stunde." Er betete nicht so sehr, dass sie nicht kommen würde, als dass er durch sie hindurchgebracht werden möge. Dies war die Sprache einer unschuldigen Natur, ihrer Gefühle, die im Gebet ausgeschüttet werden. Christus erlebte sein Leiden bereitwillig, doch er betete auch, dass er davor gerettet wird. Gebet gegen eine Schwierigkeit kann sehr wohl mit der Geduld darin und der Unterwerfung unter den Willen Gottes in ihr vereinbar sein. Die Zeit seines Leidens war: *Eine festgesetzte Zeit.*
Eine kurze Zeit. Eine Stunde ist rasch vorüber und dies waren die Leiden Christi. Er konnte durch sie hindurch auf die Freude sehen, die vor ihm lag (s. Hebr 12,2).

1.4 Seine Annahme des Willens seines Vaters, dennoch. „Doch darum bin ich in diese Stunde gekommen." Eine unschuldige Natur spricht die ersten Worte, doch göttliche Weisheit und Liebe spricht die letzten. Wer nach seinen Grundsätzen leben will, muss sich auf seine zweiten Gedanken stützen. Christus bremste sich mit einem zweiten Gedanken: „Doch darum bin ich in diese Stunde gekommen." Er brachte sich nicht selbst damit zum Schweigen, dass er sagte, dass er es nicht vermeiden könne; es sollte uns dabei helfen, uns mit den dunkelsten Stunden unseres Lebens abzufinden, zu wissen, dass wir die ganze Zeit für sie bestimmt waren.

1.5 Sein Inbetrachtziehen der Ehre seines Vaters in all diesem. „Vater, verherrliche deinen Namen!", sagte er, was den gleichen Sinn hat wie: „Vater, dein Wille geschehe", denn Gottes Wille dient zu seiner eigenen Verherrlichung (s. Mt 26,42). Dies drückt mehr aus als eine reine Unterwerfung unter den Willen Gottes; es ist eine Heiligung seines Leidens zur Verherrlichung Gottes. Es war ein als Mittler gesprochenes Wort, von ihm als unserem Bürgen gesprochen, der es unternommen hat, die göttliche Gerechtigkeit für unsere Sünde zufriedenzustellen. Unser Herr Jesus vermittelte, indem er es unternahm, die verletzte Ehre Gottes zufriedenzustellen, und er tat dies durch seine Erniedrigung. Nun bot er hier diese Sühne als gleichwertig an: „‚Vater, verherrliche deinen Namen!' Lass die Schuld durch mich bezahlt sein." Und so stellte er wieder her, was er nicht wegnahm.

2. Die Antwort des Vaters auf dieses Gebet. Beachten Sie:

2.1 Wie diese Antwort gegeben wurde: durch eine Stimme vom Himmel.

2.2 Was die Antwort war. Indem sie klar auf diese Bitte antwortete: „Vater, verherrliche deinen Namen!", sagte die Stimme: „Ich habe ihn verherrlicht und will ihn wiederum verherrlichen!"
Der Name Gottes war im Leben Christi verherrlicht worden, in seiner Botschaft und seinen Wundern und in all den Beispielen von Heiligkeit und Güte, die er gegeben hatte.
Er würde weiter in den Leiden und im Tod Christi verherrlicht werden. Seine Weisheit und Macht, seine Gerechtigkeit und Heiligkeit, seine Wahrheit und Güte wurden sehr verherrlicht. Gott nahm die Sühne an und erklärte sich

selbst für zufriedengestellt. Was Gott getan hat, um seinen Namen zu verherrlichen, ist eine Ermutigung für uns, zu erwarten, dass er ihn sogar noch weiter verherrlichen wird.

3. Die Meinung der Menge, die diese Stimme hörte (s. Vers 29). Manche von ihnen sagten, „es habe gedonnert"; andere sagten, dass sicherlich ein Engel mit ihm geredet hat. Dies zeigt:

3.1 Dass sie echt war.

3.2 Dass es ihnen widerstrebte, einen so klaren Beweis des göttlichen Auftrags Christi anzuerkennen. Sie würden lieber sagen, dass es dies oder das oder irgendetwas war, statt zuzugeben, dass Gott als Antwort auf sein Gebet zu ihm sprach.

4. Die Erklärung, welche unser Heiland selbst für diese Stimme gab.

4.1 Warum sie geschickt wurde: „‚Nicht um meinetwillen ist diese Stimme geschehen, sondern um euretwillen' (zu eurem Nutzen), damit ihr alle, die ihr sie gehört habt, glauben möget, ‚dass der Vater mich gesandt hat'" (**Vers 30**; Joh 5,36). Was vom Himmel herab über unseren Herrn Jesus gesagt wird, ist zu unserem Nutzen gesagt, damit wir dazu gebracht werden mögen, uns auf ihn zu verlassen. Die Stimme kam, „damit ihr, meine Jünger, die ihr mir im Leiden folgen müsst, darin mit der gleichen Gewissheit gewiss gemacht sein möget, die mich trägt".

4.2 Was ihre Bedeutung war. Gott beabsichtigte zwei Dinge, als er sagte, dass er seinen Namen verherrlichen würde:

Der Satan würde durch den Tod Christi besiegt werden: „Jetzt ergeht ein Gericht über diese Welt" (**Vers 31**). Er sprach mit göttlicher Freude und göttlichem Triumph. „Jetzt ist das Jahr meiner Erlösten gekommen: Jetzt muss dieses große Werk, das so lange in dem göttlichen Plan bedacht wurde, getan werden" (s. Jes 63,4). Das Thema des Triumphs war:

Dass jetzt „ein Gericht über diese Welt" ergeht. Viele lesen es als medizinischen Ausdruck: „Jetzt ist die Krisis dieser Welt." Die kranke und elende Welt hat jetzt einen Wendepunkt erreicht; dies war die kritische Zeit, in der, wie bei einem Fieber, die zitternden Waagschalen für das ganze Menschengeschlecht zum Leben oder zum Tod ausschlagen würden. Oder es ist vielmehr ein rechtlicher Ausdruck, wie es unsere Übersetzung wiedergibt: „Jetzt beginnt das Gericht." Der Tod Christi war das „Gericht über diese Welt".

Es war ein Gericht der Enthüllung und Unterscheidung. Jetzt war der Prozess dieser Welt gekommen, denn die Menschen werden anhand dessen unterschieden werden, wie sie auf das Kreuz Christi reagiert haben, und sie werden dafür gerichtet werden, was sie über den Tod Christi denken.

Es ist ein Gericht der Gunst und Absolution. Christus trat am Kreuz zwischen einen gerechten Gott und eine schuldige Welt. Es war sozusagen das Gericht dieser Welt, denn es wurde nicht nur für die Juden, sondern für die ganze Welt, eine ewige Gerechtigkeit herbeigeführt (s. 1.Joh 2,1-2; Dan 9,24).

Es war ein Gericht der Verdammnis, welche gegen die Mächte der Finsternis verkündet wurde (s. Joh 16,11). Es wurde die Machtergreifung Gottes über Satans Herrschaft erklärt. Das Gericht dieser Welt war, dass sie Christus gehört, nicht Satan.

Dass nun „der Fürst dieser Welt hinausgeworfen werden" wird. Der Teufel wurde hier „der Fürst dieser Welt" genannt, weil er mit den Dingen dieser Welt über die Menschen dieser Welt herrscht. Es wurde von ihm gesagt, dass er hinausgeworfen wird, dass er „jetzt" (Elb 06) hinausgeworfen wird. Dass Christus durch die Verdienste seines Todes die Welt mit Gott versöhnte, zerbrach die Macht des Todes und warf Satan als Zerstörer hinaus (s. 2.Kor 5,19). Als Christus durch die Botschaft seines Kreuzes die Welt für Gott unterwarf, zerbrach er die Macht der Sünde und trieb Satan als Betrüger heraus. Beachten Sie, mit welcher Gewissheit Christus hier über den Sieg über Satan sprach; er war so gut wie geschehen, und gerade, wo er dem Tod nachgab, triumphierte er über ihn.

Dass durch den Tod Christi Seelen bekehrt werden würden, und das wäre das Hinaustreiben des Satans: „Und ich, wenn ich von der Erde erhöht bin, werde alle zu mir ziehen" (**Vers 32**). Beachten Sie hier zwei Dinge:

Die große Absicht unseres Herrn Jesus, welche war, alle zu ihm zu ziehen, nicht nur die Juden, sondern auch die Heiden. Beachten Sie hier, wie Christus alles bei der Bekehrung einer Seele ist. Es ist Christus, der zieht. Er zieht nicht mit Gewalt, sondern zieht wie ein Magnet; die Seele wird willig gemacht (s. Ps 110,3). Zu Christus ist es, wohin wir gezogen werden. Diejenigen, die argwöhnisch und misstrauisch ihm gegenüber sind, werden dazu gebracht, ihn zu lieben und ihm zu vertrauen; wir werden zu seinen Bedingungen in seine Arme gezogen.

Die sonderbare Weise, die er wählte, um diesen Plan zu erfüllen: Indem er von der Erde aufgerichtet würde (NLB). „Das sagte er aber, um anzudeuten, durch welchen Tod er sterben würde", den Tod am Kreuz. Jemand, der gekreuzigt wurde, wurde zuerst an das Kreuz genagelt, und dann an diesem aufgerichtet. Das Wort, welches in der NLB mit „aufgerichtet" übersetzt wird, meint jedoch einen ehrenwerten Aufstieg: „... wenn ich ... erhöht bin"; er hielt sein Leiden für seine Ehre. Dass nun Christus alle zu sich zieht, folgte seinem Erhöhtwerden von der Erde.

Es folgte zeitlich danach. Das große Wachstum der Gemeinde kam nach dem Tod Christi.

Es folgte als dessen selige Wirkung. Obwohl das Kreuz Christi für manche ein Stolperstein ist, ist es für andere ein Magnetstein. Manche betrachten dies als eine Anspielung auf das Aufrichten der ehernen Schlange in der Wüste, welche all jene zu sich zog, die von den Seraph-Schlangen gebissen wurden (s. 4.Mose 21,6). Wie viele strömten zu ihr! Auf die gleiche Weise strömten viele zu Christus, als das Heil durch ihn allen Völkern gepredigt wurde (s. Joh 3,14-15). Vielleicht bezieht sich das auch etwas auf die Haltung, in der Jesus gekreuzigt wurde, mit seinen Armen ausgestreckt, um jeden zu sich einzuladen und alle zu umarmen, die zu ihm kommen würden.

5. Den Einwand der Menschen gegen das, was er sagte **(s. Vers 34)**. Obwohl sie die Stimme vom Himmel gehört hatten, suchten sie immer noch Streit mit ihm. Christus hatte sich Sohn des Menschen genannt, wovon sie wussten, dass es einer der Titel des Messias ist (s. Joh 12,23; Dan 7,13). Er hatte auch gesagt, dass der Sohn des Menschen erhöht werden muss, was sie als Verweis auf seinen Tod verstanden. In diesem Einwand dagegen:

5.1 Brachten sie nun die Schriften des Alten Testaments vor, die von dem ewigen Leben des Messias sprachen, aus all denen sie schlossen, dass der Messias nicht sterben würde. Die Verstocktheit der Menschen darin, dies als Gegensatz zu dem zu nennen, was Christus sagte, wird ersichtlich, wenn wir bedenken:
Dass sie, als sie die Schrift vorbrachten, um zu beweisen, dass „der Christus in Ewigkeit bleibt", sie die Texte nicht beachteten, die von dem Tod und dem Leiden des Messias sprechen. Hatten sie nie aus dem Gesetz gehört, dass „er seine Seele dem Tod preisgegeben hat", besonders, dass seine Hände und Füße durchgraben werden würden (Jes 53,12; s. Ps 22,17)? Warum hielten sie es dann für so sonderbar, dass der Sohn des Menschen erhöht werden würde?
Dass sie, als sie gegen das Einwände erhoben, was Christus über die Leiden des Sohnes des Menschen sagte, sie überhaupt nicht beachteten, was er über seine Verherrlichung und Erhöhung gesagt hatte. Die Botschaft Christi enthält Paradoxe, die für Menschen mit verdorbenen Herzen Stolpersteine sind.

5.2 Dann fragten sie: „,Wer ist dieser Sohn des Menschen?' Du sagst, der Sohn des Menschen muss sterben; wir haben bewiesen, dass es der Messias nicht muss, wo ist also deine Messianität?" Sie wollten lieber keinen Christus haben, als einen leidenden zu haben.

6. Was Christus als Antwort auf diesen Einwand sagte. Wenn sie gewollt hätten, hätten sie ihn selbst beantworten können: Ein Mensch stirbt und ist doch unsterblich, dauert für immer fort; so ist es auch der Sohn des Menschen. Er gab ihnen eine ernsthafte Warnung, sicherzustellen, dass sie ihre Gelegenheiten nicht versäumten: „Noch eine kleine Zeit ist das Licht bei euch. [Darum] wandelt, solange ihr das Licht noch habt" **(Vers 35)**.

6.1 Im Allgemeinen können wir hier beachten:
Christi Sorge um die Seelen von Menschen und sein Verlangen nach ihrem Wohl. Beachten Sie die große Sanftheit, die er hier zeigte, als er ihnen sagte, sie sollten auf sich selbst achten, als sie sich gegen ihn verschworen!
Die Methode, die er bei diesen Gegnern anwandte, wie er mit Sanftmut die Widerspenstigen zurechtwies (s. 2.Tim 2,25).

6.2 Wir haben hier im Besonderen:
Den Nutzen, den sie genossen, dass sie Christus und sein Evangelium unter sich hatten, und die Kürze und Unbeständigkeit, mit der sie sich daran erfreuen würden. „Noch eine kleine Zeit ist das Licht bei euch." Christus ist dieses Licht. Sein Sterben am Kreuz war genauso im Einklang damit, dass er für immer bleibt, wie der Untergang der Sonne jeden Abend mit ihrem Wiederaufgang jeden Morgen. Die Juden hatten zu dieser Zeit das Licht bei sich; sie hatten Christi leibliche Gegenwart. Das Licht sollte nur eine kleine Zeit bei ihnen bleiben; Christus würde sie bald verlassen. Es ist für uns alle gut, zu bedenken, eine wie kurze Zeit wir das Licht bei uns haben. Die Zeit ist kurz, und die Gelegenheit bleibt vielleicht nicht sehr lange.
Die Warnung, die ihnen gegeben wurde, das Beste aus diesem Vorrecht zu machen, solange sie es hatten. „,Wandelt, solange ihr das Licht noch habt', wie Reisende, die vor Einbruch der Nacht so weit gehen, wie sie können." Es ist unsere Aufgabe, zu wandeln, auf dem Weg zum Himmel vorwärtszudrängen. Die beste Zeit zum Wandeln ist, wenn wir Licht haben. Der Tag ist die richtige Zeit für die Arbeit, so wie es die Nacht für die Ruhe ist. Wir müssen sehr darum besorgt sein, das meiste aus unseren Gelegenheiten zu machen, damit unser Tag nicht beendet sein wird, ehe wir unsere Tagesarbeit und die Reise unseres Tages beendet haben: „... damit euch die Finsternis nicht überfällt!"
Der traurige Zustand von denjenigen, welche das Evangelium von sich durch Sünde vertrieben haben. Sie wandeln in der Finsternis, wissen weder, wohin sie gehen, noch welchen Weg sie gehen sollen. Wenn wir die Weisungen der christlichen Botschaft beiseitelegen, erkennen wir wenig den Unterschied zwischen Gut und Böse. Diejenigen, die das Evangelium durch Sünde vertrieben haben, steuern auf die Vernichtung zu und sind sich der Gefahr nicht bewusst, in der sie sind, weil sie entweder am Rand des Abgrunds schlafen oder herumtanzen.
Die große Pflicht und das große Vorrecht von jedem von uns, die aus all diesem folgt: „Solange ihr das Licht habt, glaubt an das Licht" **(Vers**

36). Das war eine Warnung an die Menschen, nicht mit dem Kaufen zu warten, bis der Markt geschlossen ist, sondern das Angebot anzunehmen, wenn es ihnen gemacht wurde (s. Jes 55,1-2). Christus sagt das Gleiche zu allen, die das Evangelium haben. Es ist die Pflicht von jedem von uns, an das Licht des Evangeliums zu glauben und sich den Wahrheiten zu unterwerfen, die es offenbart, denn es erleuchtet unsere Augen, und seiner Leitung zu folgen, denn es ist eine Leuchte für unseren Fuß (s. Ps 19,9; 119,105). Wir sollten dies tun, während wir das Licht haben. Die Gott zu ihrem Vater haben, sind Kinder des Lichts, denn Gott ist Licht (s. Lk 16,8; Eph 5,8; 1.Joh 1,5).

7. Wie sich Christus von ihnen zurückzog: „Dies redete Jesus und ging hinweg und verbarg sich vor ihnen." Er tat dies:

7.1 Um sie zu überführen und aufzuwecken. Wenn sie dem keine Aufmerksamkeit schenken wollten, was er gesagt hatte, hatte er ihnen nichts mehr zu sagen. Christus nimmt denen zu Recht die Gnadenmittel weg, die mit ihm streiten.

7.2 Um sein Leben zu schützen. Er verbarg sich vor ihrem Zorn und ihrer Wut. Was er sagte, reizte und erzürnte sie und sie wurden schlimmer durch das, was sie hätten besser machen sollen.

Vers 37-41

Hier haben wir die Ehre, die unserem Herrn von den Propheten des Alten Testaments erwiesen wurde, welche die Treulosigkeit der vielen, die nicht an ihn glaubten, vorhersagten und beklagten. Über diese verhärteten Leute werden zwei Dinge gesagt und beide werden von dem evangeliumsgemäßen Propheten Jesaja vorhergesagt: Dass sie nicht glaubten und dass sie nicht glauben konnten.

1. Sie glaubten nicht, „obwohl er aber so viele Zeichen vor ihnen getan hatte" **(Vers 37)**. Beachten Sie:
1.1 Die vielen Mittel der Überführung. Er tat Zeichen, „so viele Zeichen"; sowohl so viele als auch so große. Er betonte hier zwei Dinge über sie:
Ihre Zahl; sie waren viele und jedes neue Wunder bekräftigte die Echtheit von allen, die vorher gewesen waren. Da sie alle Wunder der Barmherzigkeit waren, wurde umso mehr Gutes getan, je mehr es waren.
Ihre Bekanntheit; er vollbrachte diese Wunder „vor ihnen", nicht im Verborgenen, sondern vor vielen Zeugen (s. Apg 26,26).
1.2 Die Wirkungslosigkeit dieser Mittel: Doch sie glaubten nicht an ihn. Diese Menschen sahen, doch sie glaubten nicht.
1.3 Die Erfüllung der Schrift in diesem: „Damit das Wort des Propheten Jesaja erfüllt würde" **(Vers 38)**. Je unwahrscheinlicher ein Ereignis ist, umso mehr zeigt sich eine göttliche Voraussicht in ihrer Vorhersage. Man hätte sich nicht vorstellen können, dass das Reich des Messias, das durch so mächtige Belege erwiesen wird, auf so viel Widerstand unter den Juden treffen würde, und deshalb wird ihr Unglaube „überaus wundersam und verwunderlich" genannt (Jes 29,14). Christus selbst verwunderte sich darüber, doch es war das, was Jesaja vorhersagte (s. Jes 53,1). Beachten Sie:
Das Evangelium wurde hier ihre Verkündigung genannt: „Wer hat unserer Botschaft geglaubt, die wir von Gott gehört haben, und die ihr von uns gehört habt?"
Es wurde vorhergesagt, dass viele sie hören würden, dass aber nur wenige darauf achtgeben und sie annehmen würden: „Herr, wer hat ... geglaubt?" Hier und dort einer, doch nicht so viele, dass es der Rede wert ist.
Man sprach davon als etwas, das sehr zu beklagen ist, dass so wenige der Botschaft des Evangeliums glaubten.
Der Grund dafür, dass Menschen der Botschaft des Evangeliums nicht glaubten, war, dass ihnen „der Arm des HERRN" nicht geoffenbart worden ist (s. Jes 53,1). Sie sahen die Wunder Christi, doch sie sahen darin nicht den Arm des Herrn geoffenbart.

2. Sie konnten nicht glauben, „denn Jesaja hat wiederum gesprochen: ‚Er hat ihre Augen verblendet'". Das ist eine harte Rede und wer kann sie hören (Joh 6,60)? Gott verdammt niemanden rein aus Souveränität, und doch heißt es, sie konnten nicht glauben.
2.1 Sie konnten nicht glauben, das heißt, sie wollten nicht; sie waren halsstarrig in ihrer Entschlossenheit, nicht zu glauben. Das ist ein moralisches Unvermögen, wie das von jemandem, der gewohnt ist, Böses zu tun (s. Jer 13,23).
2.2 Sie konnten nicht, weil Jesaja gesagt hatte: „Er hat ihre Augen verblendet." Es ist sicher, dass Gott nicht der Urheber der Sünde ist, doch:
Es gibt ein gerechtes Geschick Gottes, das manchmal in der Blindheit von denen anerkannt werden muss, die in ihrer Unbußfertigkeit und ihrem Unglauben verharren, durch die sie zu Recht für ihren Widerstand gegen das göttliche Licht bestraft werden. Wenn Gott missbrauchte Gnade zurückhält und die Menschen ihren Lüsten hingibt, dann verblendet er ihre Augen und verhärtet ihre Herzen und das sind geistliche Gerichte. Beachten Sie die Methode der Bekehrung, die hier angedeutet wird **(s. Vers 40)**. Sünder werden dazu geführt, mit den Augen zu sehen, um die Echtheit göttlicher Dinge zu erkennen. Dann werden sie dazu gebracht, mit dem Herzen zu verstehen, nicht nur zu billigen und gutzuheißen, sondern

auch damit einverstanden zu sein und anzunehmen. Drittens werden sie bekehrt, wirksam von der Sünde zu Christus gewendet. Zuletzt wird Gott sie heilen; er wird ihre Sünden vergeben und ihre Verderbtheiten in den Tod geben, die wie verborgene Krankheiten sind.
Verblendung und Verhärtung als Gericht werden im Wort Gottes denen angedroht, die halsstarrig im Bösen verharren. Alle seine Werke sind Gott bekannt und auch alle von uns sind es (s. Apg 15,18). Christus wusste im Voraus, wer ihn verraten würde.
Was Gott vorhergesagt hat, wird sicherlich zustande kommen, und so konnte man sagen, dass sie nicht glauben konnten. Die Erkenntnis von Gott ist derart, dass er bei dem nicht getäuscht werden kann, was er vorhersieht, und seine Wahrheit ist derart, dass er bei dem nicht täuschen kann, was er vorhersagt. Es sollte jedoch beachtet werden, dass die Weissagung nicht bestimmte Personen benennt. Sie verwies auf das jüdische Volk allgemein. Doch ein Überrest würde bewahrt werden, das genug sein würde, um einzelnen Personen eine Tür der Hoffnung offenzuhalten, denn jeder konnte sagen: "Warum kann ich nicht zu diesem Überrest gehören?"

2.3 Nachdem er die Prophetie zitiert hat, zeugt der Evangelist, dass ihr Hauptbezug die Tage des Messias waren: "Dies sprach Jesaja, als er seine Herrlichkeit sah und von ihm redete" **(Vers 41)**.
Wir lesen in der Prophetie, dass dies zu Jesaja gesagt wurde, doch hier wird uns gesagt, dass es durch ihn gesagt wurde (s. Jes 6,8-9). Es wurde nichts von ihm als Prophet gesagt, was nicht zuerst zu ihm gesagt wurde; noch wurde irgendetwas zu ihm gesagt, das nicht später von ihm zu denen gesagt wurde, zu denen er gesandt war.
Von der Vision, die der Prophet dort von der Herrlichkeit Gottes hatte, wird hier gesagt, dass es seine Sicht der Herrlichkeit von Jesus Christus war: Er sah "seine Herrlichkeit".
Es heißt, dass der Prophet dort "von ihm redete". Von den Fragen, die Jesaja stellte, heißt es, dass sie von Christus gesagt wurden, denn alle Propheten haben sowohl von ihm gezeugt und ein jeder von ihnen war ein Typos für ihn **(Vers 38)**. Man könnte einwenden, warum die Juden seiner Botschaft nicht geglaubt haben, wenn sie vom Himmel kam? Es war nicht aus Mangel an Belegen, sondern weil ihre Ohren schwer waren (s. Jes 6,10). Von Christus wurde gesagt, dass er sowohl durch das Verderben einer großen Schar von Ungläubigen als auch durch die Errettung eines gekennzeichneten Überrestes verherrlicht werden würde.

Vers 42-43

Hier wurde Christus etwas Ehre durch diese Obersten erwiesen, denn sie glaubten an ihn, doch sie erwiesen ihm nicht genug Ehre, denn sie hatten nicht den Mut, sich zu ihrem Glauben an ihn zu bekennen **(s. Vers 42)**. Viele Menschen bekannten mehr Wohlwollen Christus gegenüber, als sie in Wirklichkeit hatten; diese hatten mehr Wohlwollen ihm gegenüber, als sie bereit waren, zu bekennen.

1. Beachten Sie die Macht des Wortes bei der Überführung, die viele von ihnen spürten. Sie glaubten an ihn, wie es Nikodemus tat, akzeptieren ihn als einen Lehrer, der von Gott gekommen war (s. Joh 3,2). Die Menschen können nicht anders, als mit ihrem Herzen anzunehmen, was sie sich äußerlich scheuen anzuerkennen. Vielleicht gibt es mehr gute Menschen, die wir kennen. Manche sind wirklich besser, als sie zu sein scheinen. Ihre Fehler sind bekannt, aber nicht ihre Buße. Die Güte eines Menschen kann von einer tadelnswerten, aber verzeihlichen Schwäche verborgen werden, von der sie selbst wahrhaft Buße tun. Auch haben nicht alle, die gut sind, die gleiche Befähigung, so zu erscheinen.

2. Beachten Sie die Macht der Welt darin, diese Überführung zu ersticken. Sie glauben an Christus, doch wegen der Pharisäer wagten sie nicht, sich zu ihm zu bekennen. Beachten Sie hier:
2.1 Worin sie versagten und unvollkommen waren. Sie bekannten sich nicht zu Christus. Es gibt Grund, die Aufrichtigkeit eines Glaubens infrage zu stellen, der entweder Angst hat oder sich schämt, sich zu zeigen.
2.2 Was sie fürchteten: aus der Synagoge ausgeschlossen zu werden, wovon sie meinten, dass es ihnen Schande bringt und ihnen schadet.
2.3 Was an der Wurzel dieser Furcht lag: "Denn die Ehre der Menschen war ihnen lieber", erachteten sie als ein wertvolleres Gut "als die Ehre Gottes" **(Vers 43)**. Sie wogen diese beiden gegeneinander ab.
Sie legten die Ehre der Menschen in die eine Waagschale und überlegten, wie gut es ist, Menschen zu loben und Lob von Menschen zu bekommen. Sie wollten sich aus Furcht nicht zu Christus bekennen, dass sie sowohl den Ruf der Pharisäer schmälern als auch ihren eigenen verlieren würden. Außerdem wurde den Nachfolgern Christi ein schlechter Name gegeben und man blickte mit Geringschätzung auf sie herab, und diejenigen, die an Ehre gewohnt gewesen waren, konnten den Gedanken nicht ertragen, auf diese Weise behandelt zu werden. Jeder von ihnen dachte, wenn er zu Gunsten von Christus aussagen würde, würde er alleine stehen, während, wenn einer die Entschlossenheit gehabt hätte, das Eis zu brechen, er mehr Unterstützer gehabt hätte, als er dachte.

Sie legten die Ehre Gottes in die andere Waagschale. Sie waren sich bewusst, dass sie sowohl Gott loben als auch Lob von Gott haben würden, wenn sie sich zu Christus bekennen, doch:
Sie zogen die Ehre der Menschen vor, und das ließ die Waagschalen ausschlagen. Viele verfehlen die Ehre von Gott, indem sie zu große Achtung vor dem Lob von Menschen haben (s. Röm 3,23). Liebe zum menschlichen Lob als ein verstecktes Motiv für Gutestun wird einen Menschen zu einem Heuchler machen, wenn die Religion in Mode ist, und Liebe zum Lob von Menschen als ein verkehrtes Motiv für Bösestun wird die Menschen von ihrem religiösen Glauben abwenden, wenn die Religion in Ungnade gefallen ist.

Vers 44-50

Hier haben wir die Ehre, die Christus in der Erklärung, die er von seinem Auftrag gab, für sich selbst erklärte – er maßte sich nicht an –, als die Ehre, die ihm gehörte. Wie es dieser Evangelist berichtet, war es seine letzte öffentliche Botschaft; alles, was folgt, geschah privat mit den Jüngern. Er „rief und sprach".

1. Das Erheben seiner Stimme und sein Rufen zeigen:
1.1 Seine Kühnheit beim Sprechen. Obwohl sie nicht den Mut hatten, öffentlich Glauben an seine Botschaft zu bekennen, hatte er den Mut, sie öffentlich zu verkündigen. Wenn sie sich dafür schämten, tat er es nicht.
1.2 Seine Inbrunst beim Sprechen. Er rief als jemand, der leidenschaftlich war, der aus dem Herzen sprach.
1.3 Seinen Wunsch, dass alle es beachten mögen. Da dies das letzte Mal war, dass er selbst persönlich sein Evangelium verkünden würde, erklärte er: „Wer immer mich hören will, möge jetzt kommen." Und was ist nun diese abschließende Zusammenfassung aller Botschaften Christi? Sie gleicht sehr der Abschlussrede von Mose: „Siehe, ich habe dir heute das Leben und das Gute vorgelegt, den Tod und das Böse" (5.Mose 30,15).

2. Christus verabschiedete sich hier mit einer ernsten Erklärung von drei Dingen vom Tempel:
2.1 Die Vorrechte und Ehren derer, die glauben.
Durch den Glauben an Christus werden wir zu einer ehrenvollen Freundschaft mit Gott gebracht: „Wer an mich glaubt, der glaubt nicht an mich, sondern an den, der mich gesandt hat" **(Vers 44).** Wer an Christus glaubt:
Glaubt nicht an ihn als einen bloßen Menschen, sondern als an den Einen, welcher der Sohn Gottes ist.
Hat einen Glauben, der nicht bei Christus aufhört, sondern durch ihn zum Vater gebracht wird. Dies wird in **Vers 45** erklärt: „Und wer mich sieht, der sieht den, der mich gesandt hat"; indem wir Christus kennenlernen, lernen wir Gott kennen; Gott offenbart sich im Angesicht Christi (s. 2.Kor 4,6). Alle, die eine gläubige Sicht von Christus haben, werden von ihm dazu geführt, Gott zu kennen. Gott handelt mit den gefallenen Menschen durch einen Stellvertreter.
Wir werden dann zu einer tröstlichen Freude an uns selbst geführt: „Ich bin als ein Licht in die Welt gekommen, damit jeder, der an mich glaubt, nicht in der Finsternis bleibt" **(Vers 46).** Beachten Sie:
Die Beschreibung Christi: „Ich bin als ein Licht in die Welt gekommen", um ein Licht für sie zu sein.
Die Gewissheit von Christen: Sie bleiben nicht in der Finsternis. Sie gehen nicht in der Finsternis weiter, in der sie von Natur aus waren; sie sind „Licht in dem Herrn" (Eph 5,8). Für sie wird Licht gesät (s. Ps 97,11). Und wichtiger, sie sind vor der Finsternis errettet, die für immer anhält.
2.2 Die Gefahr für diejenigen, die nicht glauben: „'Und wenn jemand meine Worte hört und nicht glaubt, so richte ich ihn nicht.' Diese Untreue möge aber nicht meinen, dass sie deshalb ungestraft davonkommt, denn wenn ich ihn auch nicht richte, hat er schon seinen Richter" **(Vers 47-48).** Beachten Sie:
Wessen Unglaube verurteilt wird: der von denen, die Christi Worte hören, ihnen aber nicht glauben. Die Menschen, welche das Evangelium nie hatten und es auch nicht haben konnten, werden nicht für ihre Untreue verurteilt; jeder wird gemäß der Gabe des Lichts gerichtet werden, unter der er war.
Was in ihrem Unglauben ist, was das Böse ausmacht: das Wort Christi nicht anzunehmen, was als Christus zu verwerfen gedeutet wird **(s. Vers 48).** Wo das Banner des Evangeliums gezeigt wird, kann es keine Neutralität geben.
Die wunderbare Geduld unseres Herrn Jesus: „... so richte ich ihn nicht." Er hatte zuerst andere Arbeit zu tun, was war, die Welt zu retten, das heißt:
Die wirksam zu retten, die ihm gegeben waren (s. Joh 6,39).
Der ganzen Welt Heil anzubieten und sie auf diese Weise in einem solchen Ausmaß zu retten, dass es die eigene Schuld der Menschen sein würde, wenn sie nicht gerettet werden würden.
Das gewisse und unvermeidliche Gericht von Ungläubigen an dem großen Tag, dem Tag der Offenbarung des gerechten Gerichts Gottes:
Sie haben schon ihren Richter. Nichts ist furchtbarer als missbrauchte Geduld und Gnade, auf der herumgetrampelt wurde.
Ihre endgültige Strafe wird für den „Letzten Tag" aufgespart.
Das Wort Christi wird sie dann richten: „Das Wort, das ich geredet habe, das wird" den Un-

gläubigen am letzten Tag richten. Christi Worte werden Ungläubige richten. Als Beweis für ihr Verbrechen werden seine Worte sie überführen. Als Richtschnur für ihre Verdammung werden diese Worte sie verurteilen.

2.3 Die Vollmacht, die Christus hatte, unseren Glauben zu fordern (**s. Vers 49-50**). Beachten Sie in dieser Verkündigung:

Den Auftrag, den unser Herr von dem Vater erhielt: „Denn ich habe nicht aus mir selbst geredet, sondern der Vater, der mich gesandt hat, er hat mir ein Gebot gegeben" (**Vers 49**). Dies ist das gleiche wie das, was er in Johannes 7,16 sagte: „Meine Lehre ist nicht von mir, sondern von dem, der mich gesandt hat, denn „ich habe nicht aus mir selbst geredet". Es war die Lehre des Einen, der ihn sandte. Gott der Vater gab ihm seinen Auftrag. Seine Anweisungen werden „ein Gebot" genannt. Unser Herr Jesus lernte zuerst selbst Gehorsam, obwohl er ein Sohn war (s. Hebr 5,8). „Gott der HERR gebot" dem ersten Adam, und jener hat uns durch seinen Ungehorsam ruiniert (1.Mose 2,16); er gebot dem zweiten Adam und jener rettete uns durch seinen Gehorsam.

Das Ausmaß dieses Auftrags: „Und ich weiß, dass sein Gebot ewiges Leben ist" (**Vers 50**). Der Auftrag, welcher Christus gegeben wurde, bezog sich auf den ewigen Stand von Menschen und wurde ihm gegeben, damit er ihnen ewiges Leben und Seligkeit erwirken möge. Auf diese Weise war das ihm gegebene Gebot ewiges Leben. Christus sagte, dass er dies wusste: „Und ich weiß', dass es so ist." Wer Christus nicht gehorcht, verachtet das ewige Leben; er verzichtet darauf.

Christi genaues Festhalten an dem Auftrag und den Anweisungen, die ihm gegeben wurden: „Darum, was ich rede, das rede ich so, wie der Vater es mir gesagt hat." Wie der Zeuge der Wahrheit Seelen rettet, so tat er es, und er sprach die Wahrheit, die ganze Wahrheit und nichts als die Wahrheit (s. Spr 14,25). Nun:

Ist dies eine große Ermutigung zum Glauben; die Aussagen Christi, wenn sie richtig verstanden werden, sind das, bei dem wir wagen können, unsere Seele dafür zu riskieren.

Es ist ein großes Beispiel des Gehorsams. Christus sagte, was ihm gesagt wurde, dass er es sagt. Er würdigte sich selbst für diese Ehre: dass er das sprach, was ihm der Vater gesagt hatte. Wir müssen ihm durch einen aufrichtigen Glauben in jedes Wort Christi und eine vollständige Unterwerfung von uns darunter die Ehre geben, die seinem Namen gebührt (s. 1.Chr 16,29).

KAPITEL 13

Jetzt, wo unser Heiland seine öffentlichen Predigten beendet hatte, wandte er sich einem privaten Gespräch mit seinen Freunden zu. Von diesem Zeitpunkt an haben wir einen Bericht davon, was zwischen ihm und seinen Jüngern geschah. 1. Er wusch seinen Jüngern die Füße (s. Vers 1-17). 2. Er sagte voraus, wer ihn verraten würde (s. Vers 18-30). 3. Er unterwies sie in der großen Lehre seines eigenen Todes und der großen Pflicht der gegenseitigen Liebe (s. Vers 31-35). 4. Er sagte voraus, dass Petrus ihn verleugnen würde (Vers 36-38).

Vers 1-17

Es ist von den Kommentatoren allgemein angenommen worden, dass das Waschen Christi der Füße seiner Jünger und sein Lehren danach in derselben Nacht stattfand, in der er verraten wurde, und bei demselben Zusammensein, bei dem er das Passah aß und das Herrenmahl einsetzte. Weil es dieser Evangelist zu seiner Aufgabe macht, die Stellen zusammenzutragen, welche die anderen ausgelassen haben, lässt er akribisch diejenigen aus, welche die anderen berichteten, was zu ein paar Schwierigkeiten führt, wenn man sie zusammenstellt. Von der Fußwaschung heißt es hier, dass sie „vor dem Passahfest" stattfand (**Vers 1**). Doch warum wollte Christus dies tun? Ein weiser Mensch wird nicht etwas tun, das sonderbar und ungewöhnlich aussieht, außer mit einem sehr guten Grund und nach reichlicher Überlegung. Die Durchführung war feierlich, und es werden hier vier Gründe vorgeschlagen, warum Christus dies tat: Er tat es, um seine Liebe zu seinen Jüngern zu zeigen (**s. Vers 1-2**); um seine eigene bereitwillige Demut zu zeigen (**s. Vers 3-5**); um ihnen ein Zeichen für die geistliche Waschung zu zeigen, auf die in seiner Diskussion mit Petrus verwiesen wird (**s. Vers 6-11**); und um ihnen ein Beispiel zu geben (**s. Vers 12-17**).

1. Christus wusch seinen Jüngern die Füße, um die große Liebe zu beweisen, mit der er sie liebte (s. **Vers 1-2**; Joh 17,26).

1.1 Unser Herr Jesus, „wie er die Seinen geliebt hatte, die in der Welt waren, so liebte er sie bis ans Ende" (**Vers 1**).

Das trifft auf die Jünger zu, die seine unmittelbaren Nachfolger waren, besonders die Zwölf. Diese waren „die Seinen" in der Welt, seine engsten Freunde. Er liebte sie; er rief sie in die Gemeinschaft mit ihm. Er war immer sanftmütig zu ihnen. Er gestattete ihnen, sehr freimütig mit ihm zu sein, und hatte Geduld mit ihren Schwächen. Er liebte sie „bis ans Ende"; er zog seine Barmherzigkeit nie zurück. Obwohl einige edlen Menschen seine Sache akzeptierten, ließ er seine alten Freunde nicht fallen, sondern blieb seinen armen Fischern treu. Obwohl er sie oft zurechtwies, hörte er nie auf, sie zu lieben und sich um sie zu kümmern.

Es trifft auf alle Gläubigen zu.

Unser Herr Jesus hat Menschen in der Welt, die sein Eigen sind: sein Eigen, weil sie ihm vom Vater gegeben wurden; er hat sie erworben und teuer für sie bezahlt und hat sie für sich beiseitegestellt; sein Eigen, weil sie sich ihm als sein unverkennbares Volk hingegeben haben. Wo von den Seinen gesprochen wurde, die ihn nicht aufnahmen, meint der Ausdruck „seine eigenen Dinge", so wie die Güter eines Menschen ihm gehören und er darüber verfügen kann, wenn er möchte. Doch hier meint der Ausdruck „seine eigenen Menschen", so wie die Frau und die Kinder eines Mannes die Seinen sind.

Christus hat eine herzliche Liebe für die Seinen, die in der Welt sind. Er ging nun zu den Seinen im Himmel, doch er schien am meisten um die Seinen auf der Erde besorgt, weil sie seine Fürsorge am meisten brauchten: Um das kranke Kind wird sich am meisten gekümmert.

Diejenigen, die Christus liebt, die liebt er „bis ans Ende". Nichts kann einen Gläubigen von der Liebe Christi scheiden (s. Röm 8,38-39). Der mit „bis ans Ende" übersetzte Ausdruck kann auch „bis zur Vollendung" gelesen werden.

1.2 Christus offenbarte seine Liebe für sie, indem er ihnen die Füße wusch. Auf diese Weise wollte er zeigen, dass seine Liebe zu ihnen sowohl hingebungsvoll war als auch seinem Herablassen zu ihnen entsprach; er wollte sie auf eine Weise ehren, die so groß und überraschend war, wie es für einen Herrn sein würde, seinen Dienern zu dienen. Die Jünger hatten gerade die Schwachheit ihrer Liebe zu ihm offenbart, indem sie ihm die Salbung missgönnten, die auf sein Haupt ausgegossen wurde, doch er gab ihnen sofort diesen Beweis seiner Liebe zu ihnen (s. Mt 26,8). Unsere Schwächen dienen als Hintergrund für die Freundlichkeit Christi.

1.3 Er wählte aus zwei Gründen diese Zeit aus, um dies zu tun:

Weil er nun „wusste, dass seine Stunde gekommen war, aus dieser Welt zum Vater zu gehen". Beachten Sie:

Die Veränderung, die für unseren Herrn Jesus kommen würde; er muss gehen. Wie bei Christus selbst, so ist es auch bei allen Gläubigen, wenn sie aus dieser Welt gehen, sie gehen zum Vater. Es ist ein Gehen aus der Welt und es ist ein Zum-Vater-Gehen und die Verwirklichung dessen, dass er der Unsere ist.

Die Zeit für diese Veränderung: Seine Stunde war gekommen. Sie wird manchmal die Stunde seiner Feinde genannt; die Stunde ihres Triumphes (s. Lk 22,53); manchmal seine Stunde, die Stunde seines Triumphes.

Seine Voraussicht davon: Er „wusste, dass seine Stunde gekommen war"; er wusste von Beginn an, dass sie kommen würde, doch jetzt wusste er, dass sie gekommen war.

Weil „schon der Teufel dem Judas, Simons Sohn, dem Ischariot, ins Herz gegeben hatte, ihn zu verraten" **(Vers 2)**. Diese eingeschobenen Worte kann man betrachten:

Dass sie den Verrat von Judas zu seinem Ursprung zurückverfolgen. Wir können nicht sagen, welchen Zugang der Satan zum Herz des Menschen hat. Es gibt jedoch einige Sünden, die so außergewöhnlich sündig sind, dass klar ist, dass Satan sie in einem Herzen ausgeheckt hat, das bereit ist, sie anzunehmen.

Als Andeutung eines Grundes, warum Christus seinen Jüngern jetzt die Füße wusch.

Weil Judas jetzt entschlossen war, ihn zu verraten, konnte die Zeit seines Weggangs nicht weit entfernt sein. Je boshafter wir unsere Feinde gegen uns wahrnehmen, umso fleißiger sollten wir darin sein, uns auf das Schlimmste vorzubereiten, das kommen kann.

Weil Judas jetzt in die Falle gegangen war und der Teufel jetzt auf Petrus und die übrigen Jünger zielte, wollte Christus die Seinen gegen den Teufel stärken (s. Lk 22,31). Wenn der Wolf ein Schaf der Herde gefasst hat, ist es für den Hirten an der Zeit, sorgfältig nach dem Rest zu sehen. Gegengifte müssen vorbereitet werden, wenn die Vergiftung begonnen hat.

Judas, der nun plante, ihn zu verraten, war „einer von den Zwölfen" (Joh 6,71). Christus wollte nun zeigen, dass er nicht wegen der Schuld von einem von ihnen beabsichtigte, sie alle fortzutreiben. Obwohl einer von ihnen ein Teufel und ein Verräter war, würden sie deshalb nicht alle schlimm abschneiden (s. Joh 6,70). Christus war immer noch freundlich zu seinen Jüngern, obwohl unter ihnen ein Judas war und er dies wusste.

2. Christus wusch seinen Jüngern die Füße, um der ganzen Welt zu zeigen, wie tief er sich in Liebe zu seinen Leuten beugen konnte. Dies wird in **Vers 3-5** gezeigt: „Da Jesus wusste, dass ihm der Vater alles in die Hände gegeben hatte ... stand er vom Mahl auf ... und fing an, den Jüngern die Füße zu waschen" zu deren großer Überraschung.

2.1 Hier ist der rechtmäßige Aufstieg des Herrn Jesus.

Der Vater hatte ihm „alles in die Hände gegeben", ihm Macht über sie alle gegeben (s. Mt 11,27). Er ist „eingesetzt zum Erben von allem" (Hebr 1,2).

Er war „von Gott ausgegangen". Dies beinhaltet, dass er im Anfang bei Gott war (s. Joh 1,2). Er kam als der Sohn Gottes und der Eine, welcher von Gott gesandt war, von Gott.

Er ging zu Gott hin. Was von Gott kommt, wird zu Gott gehen; wer vom Himmel geboren ist, ist für den Himmel bestimmt.

Er wusste dies alles. Die Situation war nicht wie bei einem Prinzen in der Wiege, der nichts von der Ehre weiß, zu der er geboren wurde. Er kannte ganz genau die Ehren seines erhöhten Standes, doch er beugte sich so tief. Doch warum wird das hier eingefügt? Dass er diese Dinge wusste:

War für ihn ein Ansporn, jetzt schnell das zu hinterlassen, was er an Lektionen und Vermächtnissen für seine Jünger hatte, weil seine Stunde gekommen war.

War das, was ihn in seinem Leiden stützte. Judas war nun dabei, ihn zu verraten, und er wusste es, doch ebenso wissend, „dass er von Gott ausgegangen war und zu Gott hinging", wich er nicht zurück.

War ein Hintergrund für sein Herablassen. Und so wird, was eher ein Grund dafür hätte sein sollen, dass Christus Ehre fordert, als ein Grund dafür genannt, dass Christus sich herabbeugte; doch Gottes Gedanken sind nicht die unseren (s. Jes 55,8).

2.2 Hier ist die bereitwillige Erniedrigung unseres Herrn Jesus. Eine wohlbegründete Gewissheit des Himmels und der Seligkeit wird, statt Menschen mit Stolz aufzublähen, sie sehr demütig machen und halten. Zu was sich Christus erniedrigte, war nun, „den Jüngern die Füße zu waschen".

Die Tat selbst war niedrig und unterwürfig, eine Aufgabe, die von Dienern niedrigsten Ranges erledigt wurde. Wenn er ihre Hände oder Gesichter gewaschen hätte, wäre das ein Akt großen Herablassens gewesen, doch dass Christus sich zu einem solchen Akt der Plagerei herabbeugt, kann sehr wohl unsere Verwunderung hervorrufen.

Das Herablassen war noch viel größer, weil er dies für seine eigenen Jünger tat, die selbst von niedrigem und verachtenswertem Stand waren und nicht kleinlich in Bezug auf ihre Leiber; ihre Füße wurden wahrscheinlich selten gewaschen und waren deshalb sehr schmutzig. Außerdem waren sie seine Diener und hätten als solche seine Füße waschen sollen. Viele Menschen von großer Geisteskraft werden manchmal einen demütigen Dienst verrichten, um die Gunst von ihren Vorgesetzten zu suchen; sie steigen auf, indem sie sich bücken, und steigen in die Höhe, indem sie katzbuckeln. Doch für Christus konnte es nicht ein möglicherweise politischer Akt sein, dies für seine Jünger zu tun, sondern musste reine Demut sein.

Er stand vom Mahl auf, um dies zu tun. „Nun, wo das Mahl serviert wurde", denn er setzte sich wieder und wir sehen, wie er einen Bissen eintaucht (ein Stück Brot eintunkt), sodass er ihre Füße in der Mitte seines Mahls wusch, was uns lehrt (s. Vers 12.26):

Es nicht als Störung zu betrachten, von unserem Essen fortgerufen zu werden, um Gott, unserem Bruder oder unserer Schwester irgendeinen echten Dienst zu erweisen. Christus wollte nicht sein Predigen lassen, um seinen engsten Verwandten zu gefallen, doch er ließ sein Mahl, um seine Liebe zu seinen Jüngern zu zeigen (s. Mk 3,33).

Nicht kleinlich in Bezug auf unser Essen zu sein. Es hätte viele empfindliche Mägen umgedreht, schmutzige Füße zur Essenszeit zu waschen, doch Christus tat es, nicht, damit wir lernen, roh und schlampig zu sein – Reinlichkeit und Frömmigkeit passen gut zusammen –, sondern um uns zu lehren, nicht die feinen Vorlieben des Appetits zu verwöhnen, sondern sie in den Tod zu geben, guten Manieren den ihnen gebührenden Ort beizumessen und nicht mehr.

Er legte die Kleidung eines Dieners an, um es zu tun: Er „legte sein Obergewand ab". Wir müssen uns als solche einer Pflicht zuwenden, die sich ernsthaft einer Sache widmen.

Er tat es mit jeder möglichen demütigen Förmlichkeit. Er „nahm einen Schurz und umgürtete sich", dann goss er „Wasser in das Becken und fing an, den Jüngern die Füße zu waschen und sie mit dem Schurz zu trocknen".

Er scheint die Füße von Judas gewaschen zu haben, denn es wird nichts Gegenteiliges gesagt und Judas war anwesend (s. Vers 26). Jesus wusch hier einem Sünder die Füße, dem schlimmsten aller Sünder, der in dieser Zeit überlegte, wie er ihn verrät.

3. Christus wusch seinen Jüngern die Füße, um die Reinigung der Seele von der Besudelung durch die Sünde darzustellen. Dies zeigt sich klar in seinem Gespräch mit Petrus darüber (s. Vers 6-11). Beachten Sie:

3.1 Die Überraschung, die Petrus fühlte: „Da kommt er zu Simon Petrus" und sagte ihm, er solle die Füße ausstrecken, damit sie gewaschen werden (Vers 6). Wahrscheinlich hat er, als er diesen Dienst begann – was alles ist, das mit „… fing an … zu waschen" gemeint ist (Vers 5) –, bei Petrus als Erstem angefangen, denn der Rest hätte es nicht zugelassen, wenn sie es nicht zuerst in dem erläutert gehört hätten, was zwischen Christus und Petrus gesagt wurde. Petrus war über den Vorschlag erschreckt: „,Herr, du wäschst mir die Füße?' Was? Du, unser Herr und Meister, von dem wir wissen und glauben, dass du der Sohn Gottes bist, tust dies für mich, einen wertlosen Erdenwurm, einen sündigen Menschen? Werden meine Füße von den Händen gewaschen werden, die Aussätzige berührt haben, um sie zu heilen, die den Blinden Augenlicht gaben und die Toten auferweckt haben?" (s. Lk 5,8). Petrus hätte sehr gerne das Becken und den Schurz genommen und seinem Meister die Füße gewaschen und wäre stolz auf diese Ehre gewesen (s. Lk 17,7-8). „Doch, dass mein Meister mir die Füße wäscht, ist ein Paradox, das ich nicht verstehen kann."

3.2 Die unmittelbare Zusicherung, die Christus gab. Das reichte zumindest hin, um die Einwände von Petrus zum Schweigen zu bringen: „Was ich tue, verstehst du jetzt nicht; du wirst es aber danach erkennen" (Vers 7). Hier werden zwei Gründe genannt, warum Petrus sich unterordnen muss.

Weil er im Moment im Unklaren darüber war und sich dem nicht widersetzen durfte, was er nicht verstand. Christus wollte Petrus absoluten Gehorsam lehren. „‚Was ich tue, verstehst du jetzt nicht', und bist deshalb nicht befugt, darüber zu richten."

Weil darin etwas Bedeutendes war, was er später verstehen würde: „Du wirst es aber danach erkennen." Unser Herr Jesus tut viele Dinge, dessen Bedeutung selbst seine eigenen Jünger für den Augenblick nicht erkennen, doch sie werden es später erkennen. Spätere Fügungen der Vorsehung erklären vorhergehende und wir sehen später den guten Einfluss von Ereignissen, die uns höchst ungünstig erschienen, als sie stattfanden; wir sehen später, dass der Weg, von dem wir meinten, dass er in die falsche Richtung führt, der richtige Weg war. Wir müssen Christus seinen eigenen Weg nehmen lassen und wir werden am Ende finden, dass es der beste Weg war.

3.3 Die ausgesprochene Zurückweisung von Petrus, sich von Christus die Füße waschen zu lassen: „‚Auf keinen Fall sollst du mir die Füße waschen!' Nein, niemals" **(Vers 8)**. Das ist die Sprache einer festen Entschlossenheit.

Hier gab es einen Ausdruck von Demut und Bescheidenheit. Petrus schien hier große Achtung vor seinem Meister zu haben, und ohne Zweifel hatte er sie.

Unter dieser gezeigten Demut war echter Widerstand gegen den Willen des Herrn Jesus. Es ist nicht Demut, sondern Unglaube, die Angebote des Evangeliums abzulehnen, als wären sie zu reichhaltig, um sie für uns zu nehmen, oder als wären sie eine Nachricht, die einfach zu gut ist, um wahr zu sein.

3.4 Christi Beharren darauf, sein Angebot weiterzuführen: „Wenn ich dich nicht wasche, so hast du keine Gemeinschaft mit mir." Das kann man betrachten:

Als eine ernste Warnung vor Ungehorsam: „‚Wenn ich dich nicht wasche', wenn du weiterhin halsstarrig bist, wirst du nicht als einer meiner Jünger anerkannt werden." Wenn Petrus die Gebote anzweifeln wollte, denen er gehorchen sollte, schwor er in Wirklichkeit seiner Untertanenpflicht ab.

Als eine Verkündigung der Notwendigkeit der geistlichen Waschung. „Wenn ich deine Seele nicht von der Besudelung von der Sünde wasche, ‚hast du keine Gemeinschaft mit mir'." Alle diejenigen, und nur die, welche von Christus geistlich gewaschen sind, haben Anteil an Christus. Das ist das gute Teil, das eine, das not ist (s. Lk 10,42). Es ist nötig, dass Christus uns wäscht, wenn wir einen Anteil an Christus haben sollen.

3.5 Die äußerst bereitwillige Unterwerfung von Petrus, seine inbrünstige Bitte, von Christus gewaschen zu werden. „Herr, nicht nur meine Füße, sondern auch die Hände und das Haupt!" **(Vers 9)**. Beachten Sie, wie rasch Petrus seinen Sinn änderte! Wir wollen deshalb in unseren Entscheidungen nicht dogmatisch sein, denn es kann bald sein, dass wir sie zurücknehmen müssen; wir wollen vielmehr alle Ziele genau anschauen, auf die wir fest zuhalten wollen. Beachten Sie:

Wie bereit Petrus war, das zurückzunehmen, was er gesagt hatte: „Herr, wie töricht war ich, so rasch zu sprechen!" Jetzt, wo das Waschen von ihm als ein Akt der Gnade Christi offenbart wurde, nahm er es an; er konnte es nur nicht leiden, wenn es als ein reiner Akt der Erniedrigung erschien. Wenn gute Menschen ihren Irrtum sehen, werden sie sich nicht sträuben, es zuzugeben.

Wie kühn Petrus war, um die reinigende Gnade des Herrn Jesus und ihre umfassende Wirkung zu bitten, selbst für seine Füße und sein Haupt. Der Ausschluss von einer Teilhabe an Christus ist das schlimmste Übel in den Augen aller, die erleuchtet sind. Aus Furcht davor sollten wir Gott leidenschaftlich im Gebet suchen und darum bitten, dass er uns waschen möge: „Herr, wasche nicht nur meine Füße von den schrecklichen Besudelungen, die an ihnen kleben, ‚sondern auch die Hände und das Haupt' von den Flecken, die sie sich zugezogen haben; wasche selbst den unbemerkten Schmutz, der durch den Schweiß des Leibes selbst kommt."

3.6 Christi weitere Erläuterung dieses Zeichens:

Mit Bezug auf seine Jünger, die ihm treu waren: „Wer ganz und gar in einem Bad ‚gebadet ist, hat es nicht nötig, gewaschen zu werden, ausgenommen die Füße', seine Hände und sein Haupt sind gewaschen worden und es sind bei ihm nur die Füße schmutzig geworden, als er nach Hause ging." Petrus war von einem Extrem in das andere gefallen. Zuerst wollte er nicht zulassen, dass Christus ihm die Füße wäscht; jetzt übersah er, was Christus in seiner Taufe für ihn getan hatte und was damit gemeint war.

Beachten Sie hier, was das Vorrecht und der Trost derer ist, die gerechtfertigt sind; sie sind von Christus gewaschen und sind „ganz rein". Das Herz kann gekehrt und in Ordnung gebracht werden und doch das Haus des Teufels bleiben, doch wenn es gewaschen ist, gehört es zu Christus, und er wird es nicht verlieren (s. Mt 12,44).

Beachten Sie, was das tägliche Ziel derer sein sollte, welche aus Gnade gerechtfertigt sind, und das ist, ihre Füße zu waschen, sich durch neues Ausüben der Buße von der Schuld, die sie sich täglich aus Schwachheit und Unachtsamkeit zuziehen, zu reinigen. Wir müssen auch unsere Füße durch beständige Wachsamkeit gegen alles Verunreinigende waschen. Die Vorsorge, die für unsere Waschung getroffen wird, sollte uns nicht überheblich machen, sondern vorsichtiger. Die Vergebung von gestern sollte für uns ein Grund sein, uns vor der Versuchung von heute zu schützen.

Mit Bezug auf Judas: „Und ihr seid rein, aber nicht alle" **(Vers 10)**. Er wusch sie selbst und dann sagte er: „Ihr seid rein", schloss aber Judas aus: „... nicht alle." Viele haben das Zeichen, haben aber nicht, was dadurch angezeigt wird. Christus betrachtete es als nötig, seinen Jüngern zu sagen, dass sie nicht alle rein waren, damit wir alle genau auf uns selbst achten würden: „,Herr, doch nicht ich?' Ich bin es doch nicht, der unter den Reinen ist, aber selbst nicht rein ist?" (Mt 26,22).

4. Christus wusch seinen Jüngern die Füße, um uns ein Beispiel zu geben. Dies ist die Erläuterung, die er von dem gab, was er getan hatte **(s. Vers 12-17)**. Beachten Sie:

4.1 Mit welchem Ernst er die Bedeutung von dem erklärte, was er getan hatte: „Nachdem er nun ihre Füße gewaschen ... hatte", sprach er zu ihnen: „Versteht ihr, was ich euch getan habe?" **(Vers 12)**.

Er schob die Erläuterung hinaus, bis er mit dem Waschen der Füße fertig gewesen war:

Um ihre Unterordnung und ihren bedingungslosen Gehorsam zu prüfen, damit sie lernen würden, seinen Willen anzunehmen, selbst wenn sie ihn nicht begründen konnten.

Weil es richtig war, das Rätsel zu beenden, ehe er es erläutert.

Ehe er es erläuterte, fragte er sie, ob sie es deuten könnten: „Versteht ihr, was ich euch getan habe?" Er stellte ihnen diese Frage nicht nur, um ihnen ihr Unwissen bewusst zu machen, sondern auch, um ihr Verlangen und ihre Erwartungen für die Erklärung zu wecken.

4.2 Worauf er das stützte, was er sagte: „Ihr nennt mich Meister [Lehrer] und Herr und sagt es mit Recht; denn ich bin es auch" **(Vers 13)**. Er, der unser Erlöser und Heiland ist, ist zu diesem Zweck unser Herr und Lehrer. Er ist unser Lehrer, unser Ausbilder in allen notwendigen Wahrheiten und Regeln. Er ist unser Herr, unser Herrscher und Eigentümer. Es ist für die Jünger Christi richtig, ihn Lehrer und Herr zu nennen, nicht als Kompliment, sondern um die Wirklichkeit anzuerkennen, und nicht aus Zwang, sondern aus Freude. Dass wir Christus Lehrer und Herr nennen, verpflichtet uns, seine Unterweisungen anzunehmen und auszuführen. Wir sind aufgrund der Ehre und Ehrlichkeit verpflichtet, das zu tun, was er uns sagt.

4.3 Die Lektion, die er dabei lehrte: „... so sollt auch ihr einander die Füße waschen" **(Vers 14)**.

Manche, die dies wörtlich verstehen, haben gemeint, dass Christen als Zeichen ihrer demütigen Liebe zueinander feierlich und religiös „einander die Füße waschen" sollen. Ambrosius verstand es so und praktizierte es in der Gemeinde von Mailand. Augustinus sagte, dass die Christen, die es nicht mit ihren Händen taten – so hoffte er –, es in Demut in ihrem Herzen praktizieren, doch er sagte, dass es viel besser ist, es auch mit den Händen zu tun. Was Christus getan hat, sollten Christen nicht verachten, zu tun.

Es ist jedoch ohne Zweifel bildlich zu verstehen. Unser Lehrer wollte uns hierdurch drei Dinge lehren:

Demut. Wir müssen von unserem Lehrer lernen, „von Herzen demütig" zu sein (Mt 11,29). Christus hatte seine Jünger oft Demut gelehrt und sie hatten die Lektion vergessen, doch jetzt lehrte er sie auf eine Weise, die sie sicherlich nie vergessen konnten.

Eine nützliche Demut. Einander die Füße zu waschen, heißt, sich für das wirkliche Wohl und den Nutzen anderer zu der niedrigsten Pflicht der Liebe herabzubeugen. Wir dürfen nicht missmutig darin sein, uns Mühe zu geben und uns anzustrengen und Zeit für das Wohl derer einzusetzen, für die wir keine besonderen Verpflichtungen haben, gerade für die, welche uns untergeordnet sind. Die Pflicht ist gegenseitig; wir müssen sowohl Hilfe von unseren Geschwistern annehmen als auch ihnen Hilfe gewähren.

Nützlichkeit für die Heiligung anderer: „... so sollt auch ihr einander die Füße waschen" von der Besudelung durch die Sünde. Wir können nicht füreinander für die Sünden Sühne schaffen – doch wir können einander helfen, uns von der Sünde zu reinigen. Wir müssen an erster Stelle uns selbst waschen; diese Wohltat muss zu Hause beginnen (s. Mt 7,5). Doch es darf hier nicht aufhören; wir müssen traurig wegen der Torheiten und des Versagens unserer Geschwister sein und den beschmutzten Fuß unseres Bruders und unserer Schwester mit unseren Tränen waschen.

4.4 Die Bekräftigung dieses Gebots durch das Beispiel, welches Christus nun gegeben hatte: „,Wenn nun ich, der Herr und Meister', so an euch gehandelt habe, solltet ihr aneinander so handeln."

„Ich bin euer Meister und ihr seid meine Jünger und darum sollt ihr von mir lernen, ,denn ein Vorbild habe ich euch gegeben', das zu verstehen gibt, dass ihr an anderen ,so handelt, wie ich an euch gehandelt habe'" **(Vers 15)**. Beachten Sie:

Was für ein guter Lehrer Christus ist. Er lehrt durch Beispiel wie auch durch Lehre, und dazu kam er in die Welt, um uns ein Vorbild zu geben, und es ist ein Vorbild ohne einen einzigen falschen Zug.

Was für gute Schüler wir sein müssen. Wir müssen das tun, was er getan hat, denn der Grund dafür, dass er uns ein Beispiel gegeben hat, ist, dass wir ihm folgen sollen. Christi Beispiel muss besonders von geistlichen Dienern gefolgt werden, bei denen besonders die Gnadenwirkungen der Demut und der heiligen Liebe auftreten sollten. Als Christus seine Apostel aussandte, geschah es mit der Verpflichtung, allen alles zu werden (s. 1.Kor 9,22). „Was ich mit euren schmutzigen Füßen gemacht habe, sollt ihr mit beschmutzten Seelen von Sündern tun: sie waschen." Alle Christen werden hier ebenso gelehrt, sich gegeneinander in Liebe herabzulassen und dies ungefragt und unbelohnt zu tun; wir dürfen in den Diensten der Liebe nicht gewinnsüchtig sein.

„Ich bin euer Meister und ihr seid meine Jünger und ‚der Knecht ist nicht größer als sein Herr, noch der Gesandte größer als der ihn gesandt hat'" **(Vers 16)**. Christus hatte dies als Grund genannt, warum sie es nicht für sonderbar halten sollten, wenn sie leiden würden, wie er es tat (s. Mt 10,24-25); hier nannte er es als einen Grund, warum sie es nicht für eine große Last halten sollten, sich so zu demütigen, wie er es tat. Was er nicht für unter seiner Würde hielt, dürfen sie nicht für unter ihrer Würde halten. Christus erinnerte sie an ihre Stellung als seine Diener; sie waren nicht besser als ihr Lehrer. Wir müssen daran erinnert werden, dass wir nicht besser sind als unser Herr. Christus hat die Demut geehrt, indem er sich demütigte. Wir sagen manchmal zu denen, die es für unter ihrer Würde halten, eine bestimmte Sache zu tun: „Andere, die genauso gut sind wie Sie, haben es getan"; und was das Waschen der Füße betrifft, so stimmt dies tatsächlich, wo es unser Herr getan hat. Wenn wir unseren Meister dienen sehen, müssen wir sehen, wie falsch es von uns ist, stolz zu werden.

5. Unser Heiland schloss diesen Teil seiner Lehre mit einer Mahnung zum Gehorsam: „Wenn ihr dies wisst, glückselig seid ihr, wenn ihr es tut!" Die meisten Menschen denken: „Glücklich sind die, welche aufsteigen und herrschen." Einander die Füße zu waschen, wird Ihnen nie mehr Besitz einbringen oder für besseres Vorankommen sorgen, doch Christus sagte trotz diesem: „Glückselig sind die, welche demütig sind und gehorchen." Da ihnen so vorzügliche Gebote gegeben waren, um ihre Glückseligkeit zu vervollständigen, Gebote, die durch solch ein vorzügliches Vorbild empfohlen wurden, müssen sie sie ausführen.

5.1 Dies kann man auf die Gebote Christi allgemein anwenden. Obwohl es ein großer Vorteil ist, unsere Pflicht zu kennen, werden wir die Glückseligkeit nicht erreichen, wenn wir unsere Pflicht nicht tun. Das Wissen wird für das Tun gegeben (s. Jak 4,17). Es ist das Wissen und das Tun, das zeigen wird, dass wir zum Reich Christi gehören und weise Baumeister sind (s. Mt 7,24-25).

5.2 Es lässt sich insbesondere auf dieses Gebot der Demut anwenden. Nichts ist besser bekannt, als dass wir demütig sein sollen. Wenige werden selbst zugeben, dass sie stolz sind, denn es ist genauso eine unverzeihliche Sünde und genauso hassenswert wie jede andere, doch wie wenig echte Demut sehen wir. Die meisten Menschen wissen diese Dinge so gut, dass sie erwarten, dass andere auf diese Weise mit ihnen umgehen, doch sie kennen sie nicht so gut, dass sie sie selbst tatsächlich tun.

Vers 18-30

Hier haben wir die Enthüllung der Verschwörung von Judas, seinen Lehrer zu verraten. Christus wusste es von Beginn an, doch jetzt offenbarte er es das erste Mal seinen Jüngern.

1. Christus gab einen allgemeinen Hinweis darauf: „Ich rede nicht von euch allen; ich weiß, welche ich erwählt habe. Doch muss die Schrift erfüllt werden: ‚Der mit mir das Brot isst, hat seine Ferse gegen mich erhoben'" **(Vers 18**; s. Ps 41,10). Er zeigte ihnen an, dass:

1.1 Sie nicht alle in rechter Beziehung zu ihm standen. Er sagte vorher: „Und ihr seid rein, aber nicht alle" **(Vers 10)**. Und so sagt er hier: „Ich rede nicht von euch allen." Was über die Vorzüglichkeiten der Jünger Christi gesagt wird, kann nicht über alle gesagt werden, die so genannt werden. In den besten Gemeinschaften gibt es eine Mischung von Gut und Böse, einen Judas unter den Aposteln.

1.2 Er selbst wusste, wer richtig stand und wer nicht: „Ich weiß, welche ich erwählt habe." Christus selbst erwählt diejenigen, die erwählt sind. Die, welche erwählt sind, sind Christus bekannt, denn er vergisst nie jemanden, den er einmal in seinen Gedanken der Liebe hatte (s. 2.Tim 2,19).

1.3 Die Schrift in seinem Verrat durch den Jünger erfüllt wurde, der sich ihm als falsch erwies. Christus nahm jemanden in seine Familie auf, von dem er vorhersah, dass er ein Verräter sein würde, „damit die Schrift erfüllt würde" (Joh 17,12). Die meisten Ausleger verstehen „der mit mir das Brot isst" als Verweis auf Ahitophel (s. 2.Sam 15,12.31). Unser Herr wandte dies auf Judas an.

Judas hatte als Apostel Zugang zu dem höchsten Vorrecht: Er teilte mit Christus das Brot. Er war durch ihn begünstigt; er war einer von denen, die er eng kannte. Christus sagte: „Der mit mir das Brot isst." Seine Jünger – einschließlich Judas – hatten ihren Anteil an dem Brot, wie Christus es hatte. Wo immer er hinging, war Judas bei ihm willkommen. Jener saß mit seinem Meister an einem Tisch und tat in jeder Hinsicht das, was Christus tat: Judas aß mit ihm übernatürliches Brot, als die Brote vermehrt wurden, und er aß das Passah mit ihm. Nicht alle, die mit Christus Brot essen, sind seine wahren Jünger.

Als jemand, der vom Evangelium abfiel, war Judas des übelsten Verrats schuldig: Er erhob seine Ferse gegen Christus. Er verließ ihn **(s. Vers 30)**. Er verachtete ihn. Er wurde sein Feind. Es ist nichts Neues bei Christi augenscheinlichen Freunden, dass sie sich als seine echten Feinde erweisen.

2. Er gab ihnen einen Grund dafür, warum er ihnen im Voraus von dem Verrat von Judas sagte: „Jetzt sage ich es euch, ehe es geschieht, damit ihr', wenn es geschehen ist, in eurem Glauben bestätigt werdet, ‚dass ich es bin', der, welcher kommen sollte" (**Vers 19**; s. Ps 118,26). Durch seine klare und sichere Voraussicht zukünftiger Dinge, die er unleugbar bewies, erwies er sich als der wahre Gott. Indem er den jeweiligen Typos und die Prophetien des Alten Testaments auf sich anwandte, erwies er sich als der wahre Messias.

3. Er gab seinen Aposteln ein Wort der Ermutigung, ein Wort, das weiterhin an alle seine geistlichen Diener gerichtet ist, die er für seinen Dienst einstellt: „Wer den aufnimmt, den ich senden werde, der nimmt mich auf" **(Vers 20)**. Christus hatte seinen Jüngern gesagt, dass sie sich demütigen müssen. „Nun", sagte er, „obwohl es solche geben mag, die euch wegen eurer Demut verachten, wird es auch solche geben, die euch ehren, und sie werden dafür geehrt werden, dass sie dies tun." Diejenigen, die sich durch den Auftrag Christi geehrt wissen, können damit zufrieden sein, nach Meinung der Welt verachtet zu werden. Wie Christus nie schlimmer von ihnen denken würde wegen des Verbrechens von Judas, so würde er sie anerkennen und würde Menschen erwecken, die sie aufnehmen würden. Die, welche Judas aufgenommen hatten, als er ein Prediger war, waren nie schlimmer dran, denn er war jemand, den Christus sandte, auch wenn er sich später als Verräter erwies. Wir müssen diejenigen aufnehmen, die von Christus gesandt zu sein scheinen, bis das Gegenteil sichtbar wird. Obwohl manche Menschen unbewusst Räuber aufnahmen, indem sie Fremde beherbergt haben, haben manche auf diese Weise Engel beherbergt (s. Hebr 13,2). Der Missbrauch, der unserer Liebe entgegengebracht wird, rechtfertigt weder unseren Mangel an Liebe noch lässt er uns unsere Belohnung für unsere Liebe verlieren. Wir werden hier ermutigt, geistliche Diener als von Christus gesandt aufzunehmen. „,Wer den aufnimmt, den ich senden werde' – selbst wenn derjenige schwach und arm ist, den ich sende, weil er, wenn auch schwach und arm, meine Botschaft mitteilt –, wird als mein Freund anerkannt werden."

4. Christus erzählte ihnen ausführlicher von der Verschwörung: „Als Jesus dies gesagt hatte, wurde er im Geist erschüttert, und er bezeugte" [verkündete feierlich]: „Einer von euch wird mich verraten!" **(Vers 21)**. Diese Voraussage zwang Judas nicht durch irgendeine schicksalhafte Unvermeidlichkeit, die Sünde zu begehen, denn obwohl das Ereignis gemäß der Voraussage folgte, wurde es nicht durch die Voraussage verursacht. Christus ist nicht der Urheber der Sünde. Was diese abscheuliche Sünde betrifft, die Judas beging:

4.1 Christus sah sie voraus. Er weiß besser, was in den Menschen ist, als die Menschen selbst, und deshalb sieht er, was von ihnen getan werden wird (s. Joh 2,25).

4.2 Er sagte sie voraus, nicht nur um der übrigen Jünger willen, sondern auch wegen Judas selbst, sodass er die Warnung verstehen konnte. Verräter machen mit ihrer Verschwörung nicht weiter, wenn sie entdeckt werden; sicherlich würde Judas, wenn er herausfindet, dass sein Meister seine Absichten kennt, sich beizeiten zurückziehen.

4.3 Er sprach ohne augenscheinliche Sorge darüber; er wurde „im Geist erschüttert", als er es erwähnte. Das Fallen der Jünger Christi verursacht im Geist ihres Lehrers große Erschütterung; die Sünden von Christen sind der Kummer Christi. „Was!? Einer von euch verrät mich?" Das schneidet ihm ins Herz, so wie der Ungehorsam von Kindern die betrübt, welche sie „großgezogen und emporgebracht" haben (Jes 1,2).

5. Die Jünger erkannten schnell den Kummer, und deshalb sahen sie mit offensichtlicher Sorge einander an und „wussten nicht, von wem er redete". Es verursachte solchen Schrecken in ihnen, dass sie nicht wussten, wie sie schauen oder was sie sagen sollten. Sie sahen, dass ihr Lehrer erschüttert war, und deshalb waren sie erschüttert. Was Christus betrübt, ist ein Kummer und sollte ein Kummer sein für alle, die zu ihm gehören. Aus diesem Grund versuchten sie, den Verräter zu entlarven. Und so verwirrte Christus seine Jünger für eine Zeit, um sie „zu demütigen und zu prüfen" und sie anzuspornen, auf sich selbst achtzugeben (5.Mose 8,16). Manchmal ist es für uns gut, angestarrt zu werden, damit wir zum Innehalten gezwungen werden.

6. Die Jünger waren darum bestrebt, ihren Meister dazu zu bringen, sich zu erklären.

6.1 Von allen Jüngern war Johannes der, welcher am besten fragen konnte, weil er der Liebling war und am nächsten zum Meister saß: „Einer seiner Jünger aber, den Jesus liebte, hatte bei Tisch seinen Platz an der Seite Jesu" **(Vers 23)**. Ein Vergleich dieser Stelle mit Johannes 21,20.24 stellt klar, dass dies Johannes war. Beachten Sie:

Die besondere Freundlichkeit, die Jesus für ihn fühlte; er war der Jünger, „den Jesus liebte". Jesus liebte alle seine Jünger, doch Johannes war ihm besonders lieb **(s. Vers 1)**. Sein Name bedeutet „gnädig". Unter den Jüngern Christi sind ihm manche teurer als die anderen.

Seinen Sitzplatz zu diesem Zeitpunkt: Er lehnte sich an die Brust Jesu. Es scheint ein außerordentlicher Ausdruck der Liebe gewesen zu sein. Diejenigen, die sich selbst zu Jesu Füßen legen, wird er an seine Seite setzen.

Johannes verbarg jedoch seinen Namen. Um zu zeigen, dass er Gefallen an dieser besonderen Beziehung zu Jesus hatte, schrieb er statt seines Namens, dass er der Jünger war, „den Jesus liebte"; es war sein Ehrentitel.

6.2 Von allen Jüngern war Petrus am begierigsten darauf aus, es zu wissen **(s. Vers 24)**. Etwas entfernt sitzend winkte Petrus Johannes, dass er fragen solle, wen Christus meinte. Petrus war allgemein der Führende. Wenn die natürliche Haltung von Menschen sie dazu bringt, freimütig beim Antworten und Fragen zu sein, können sie sehr nützlich sein, solange sie durch die Gesetze der Demut und Weisheit zurückgehalten werden. Gott gibt seine Gnadengaben in unterschiedlicher Weise, doch es muss bedacht werden, dass es nicht Petrus war, sondern Johannes, welcher der geliebte Jünger war (s. 1.Kor 12,4). Der Grund, warum Petrus nicht selbst fragte, war, dass Johannes eine viel bessere Gelegenheit hatte, die Frage in das Ohr Christi zu flüstern und eine ähnlich persönliche Antwort zu bekommen. Es ist gut, das Beste aus unserer Beziehung zu denen zu machen, die Christus nahe sind. Kennen wir jemanden, bei dem wir Grund zu der Annahme haben, dass er an der Seite Christi sitzt? Wir wollen sie bitten, ein gutes Wort für uns einzulegen.

6.3 Entsprechend wurde die Frage gestellt: „Da lehnt sich jener an die Brust Jesu und spricht zu ihm: Herr, wer ist's?" **(Vers 25)**. Johannes zeigte nun hier:

Rücksicht auf seinen Mitjünger. Wer an Christi Seite sitzt, kann oft von denen lernen, die zu seinen Füßen liegen; sie können an das erinnert werden, woran sie selbst nicht gedacht hatten.

Ehrfurcht vor seinem Lehrer. Obwohl er dies in das Ohr Christi flüsterte, nannte er ihn doch „Herr"; die Vertrautheit, zu der er zugelassen wurde, hat in keiner Weise die Achtung für seinen Meister verringert. Je inniger die Gemeinschaft ist, die begnadete Seelen mit Christus haben, umso mehr sind sie sich seine Würdigkeit und ihrer Unwürdigkeit bewusst.

6.4 Christus gab eine rasche Antwort auf diese Frage, doch er scheint sie in das Ohr von Johannes geflüstert zu haben, denn die Übrigen scheinen immer noch nichts über die Angelegenheit gewusst zu haben **(s. Vers 29)**. „Der ist's, dem ich den eingetauchten Bissen geben werde. Und er taucht den Bissen ein und gibt ihn dem Judas."

Christus offenbarte den Verräter durch ein Zeichen. Er hätte Johannes mit Namen sagen können, wer es war. Die falschen Geschwister, vor denen wir auf der Hut sein müssen, werden uns nicht durch Worte bekannt gemacht, sondern durch Zeichen; sie werden „an ihren Früchten" erkannt (Mt 7,16).

Dieses Zeichen war ein Stück Brot. Christus gibt manchmal Verrätern ein Stück Brot. Weltlicher Reichtum, Ehre und Vergnügen sind ein Stück Brot – wenn wir es auf diese Weise ausdrücken dürfen –, welches der Allmächtige in seiner Vorsehung manchmal Übeltätern in die Hände gibt. Wir dürfen uns nicht über die empören, von denen wir wissen, dass sie uns gegenüber böse sind. Christus gab Judas genauso freundlich Essen, wie er es bei jedem am Tisch tat, obwohl er wusste, dass Judas da seinen Tod plante.

7. Judas wurde, statt hierdurch von seiner Bosheit überführt zu werden, sogar noch mehr darin bestätigt.

7.1 Da ergriff der Teufel von ihm Besitz: „Und nach dem Bissen, da fuhr der Satan in ihn" **(Vers 27)**. Satan fuhr in ihn, um ihn mit einer machtvollen Verachtung für Christus zu beherrschen, um in ihm die Gier nach dem Lohn der Ungerechtigkeit anzufachen und eine Entschlossenheit, vor nichts haltzumachen, um ihn zu bekommen (s. 2.Petr 2,15). Doch war der Satan vorher nicht in ihm? Warum heißt es dann, dass der Satan in ihn fuhr? Judas war die ganze Zeit ein Teufel, doch jetzt gewann der Satan noch vollständiger Besitz von ihm (s. Joh 6,70). Obwohl der Satan in jedem schlechten Menschen ist, der seine Werke tut, fährt er zu manchen Zeiten deutlicher und mächtiger in sie hinein als zu anderen. Wie kam es, dass Satan nach dem Stück Brot in ihn fuhr? Vielleicht war er sich bewusst, dass das Brot ihn offenbarte, und wurde verzweifelt in seiner Entschlossenheit. Viele Menschen werden durch die Gaben der Güte Christi verschlimmert, bekräftigt in ihrer Unbußfertigkeit durch das, was sie zur Buße hätte führen sollen.

7.2 Christus entließ ihn dann: „Da spricht Jesus zu ihm: Was du tun willst, das tue bald!" Dies kann man sowohl verstehen als:

Dass er ihn der Führung und Macht Satans übergibt. Christus wusste, dass der Satan in ihn gefahren war und ungestört Besitz ergriffen hatte, und so gab er ihn nun als hoffnungslos auf. Die verschiedenen Wege, die Christus benutzt hatte, um ihn zu überführen, waren unwirksam gewesen. Wenn der böse Geist willentlich zugelassen wird, zieht sich der gute Geist zu Recht zurück. Oder als:

Herausforderung an ihn, es so schlimm wie möglich zu machen: „Ich habe keine Angst vor dir; in Wirklichkeit bin ich für dich bereit."

7.3 Die mit ihm zu Tisch saßen, verstanden nicht, was er meinte: „Es verstand aber keiner von denen, die zu Tisch saßen, wozu er ihm dies sagte" **(Vers 28).**

Sie hegten nicht den Verdacht, dass Christus es zu ihm als Verräter sagte, denn es ging ihnen nicht in den Kopf hinein, dass Judas ein solcher Mensch war oder sich als so erweisen würde. Die Jünger Christi waren so gut darin gelehrt, einander zu lieben, dass sie es nicht leicht lernen konnten, einander zu verdächtigen.

Sie vermuteten deshalb, dass er zu ihm als Kassenwart des Haushalts sprach und ihm Anweisungen gab, etwas von dem Geld auszugeben, entweder:

Für Werke der Frömmigkeit Gott gegenüber: „Kaufe, was wir zum Fest benötigen!" Oder:

Für Werke der Liebe anderen gegenüber: „... oder er solle den Armen etwas geben." Obwohl unser Herr Jesus selbst von den Gaben anderer lebte, gab er doch etwas an die Armen und Bedürftigen, wenig von wenigem (s. Lk 8,3). Obwohl er sich sehr gut hätte entschuldigen können, nicht nur, weil er selbst arm war, sondern auch, weil er auf andere Weise so viel Gutes getan hat, so viele frei geheilt hat, hat er dennoch, um uns ein Beispiel zu geben, zur Hilfe für die Armen gegeben. Die Zeit eines religiösen Festes hielt man für die passende Zeit für Werke der Liebe. Als er das Passah feierte, ordnete er an, dass den Armen etwas gegeben werde. Wenn wir Gottes Güte uns gegenüber erleben, sollte uns das großzügig den Armen gegenüber machen.

7.4 Judas machte sich dann daran, seinen Plan gegen ihn energisch zu verfolgen: Er ging hinaus. Beachten Sie:

Seinen schnellen Weggang. Er ging sogleich hinaus aus Angst, den anderen gegenüber deutlicher entlarvt zu werden. Er ging als jemand hinaus, welcher der Gesellschaft Christi und der Gemeinschaft seiner Apostel überdrüssig war. Christus brauchte ihn nicht zu vertreiben; er vertrieb sich selbst. Er ging hinaus, um seinen Plan zu verfolgen. Jetzt, wo der Satan in ihn gefahren war, trieb er ihn an.

Die Zeit seines Weggangs: „Es war aber Nacht." *Obwohl es Nacht war, stellten die Kälte und die Finsternis der Nacht für ihn keine Schwierigkeit dar.* Dass die Diener des Teufels in dieser Welt so ernstlich und so verwegen sind, sollte uns beschämt aus unserer Trägheit und Feigheit im Dienst Christi herausholen.

Er ging jetzt hinaus, weil es Nacht war, was ihm den Vorteil der Heimlichkeit und Verborgenheit brachte. Diejenigen, deren Taten böse sind, lieben die Finsternis mehr als das Licht (s. Joh 3,19).

Vers 31-35

Dies und das Folgende bis zum Ende von Kapitel 14 war Christi zwangloses Gespräch mit seinen Jüngern. Als das Mahl vorüber war, ging Judas hinaus, aber der Meister und seine Jünger widmeten sich einem nützlichen Gespräch. Christus begann dieses Gespräch. Menschen, welche die Gemeinschaft führen und denen andere aufgrund ihrer Position, ihres Rufes und ihrer Gaben zuhören, sollten den Einfluss, den sie haben, zum Gutestun benutzen. Christus sprach:

1. Über das große Geheimnis seines Todes und seines Leidens, worüber sie immer noch sehr im Dunkeln waren; viel weniger verstanden sie dessen Bedeutung. Christus begann nicht, ihnen dies zu sagen, bis Judas hinausgegangen war. Die Anwesenheit von Übeltätern ist oft ein Hindernis für eine gute Diskussion. Als Judas hinausgegangen war, sagte Christus: „Jetzt ist der Sohn des Menschen verherrlicht." Durch die Reinigung von christlichen Gemeinschaften wird Christus verherrlicht; Verderbtheiten in seiner Gemeinde bringen ihm Schande. Oder, jetzt, da Judas hinausgegangen war, um die Pläne für die Hinrichtung Christi umzusetzen: „Jetzt ist der Sohn des Menschen verherrlicht", mit der Bedeutung, „jetzt ist er gekreuzigt".

1.1 Hier gibt es eine tröstliche Lehre über sein Leiden:

Dass er selbst hierdurch verherrlicht werden würde. Jetzt würde der Sohn des Menschen sowohl durch die Feigheit seiner Freunde als auch durch die Anmaßung seiner Feinde der größten Schande und Schmach preisgegeben werden, doch jetzt war er verherrlicht. Jetzt würde er einen glorreichen Sieg über Satan und alle Mächte der Finsternis erringen. Jetzt würde er eine herrliche Errettung für die Seinen bewirken: Durch seinen Tod würde er sie mit Gott versöhnen und eine ewige Gerechtigkeit und Seligkeit für sie erbringen. Jetzt würde er ein so herrliches Beispiel der Selbstverleugnung und Geduld unter dem Kreuz und der Liebe zu den Seelen der Menschen geben, dass man sich für immer darüber verwundern würde. Christus war durch die vielen Wunder verherrlicht worden, die er vollbracht hatte, doch jetzt sprach er über die Verherrlichung durch sein Leiden, als wäre dies mehr als all seine andere Herrlichkeit.

Dass Gott der Vater darin verherrlicht wird. Die Leiden Christi waren die Genugtuung der Gerechtigkeit Gottes und die Offenbarung seiner Heiligkeit und Barmherzigkeit. Gott ist Liebe und hier hat er seine Liebe bewiesen (s. 1.Joh 4,16; Röm 5,8).

Dass er selbst danach sehr verherrlicht werden würde, in Anbetracht dessen, dass Gott dadurch sehr verherrlicht werden würde **(s. Vers 32)**. Er war sich sicher, dass:

Gott ihn verherrlichen würde. Hölle und Erde haben sich darangemacht, Christus zu misshandeln, doch Gott war entschlossen, ihn zu verherrlichen. Er verherrlichte ihn durch die erstaunlichen Zeichen und Wunder, die sie begleiteten, welche selbst denen, die ihn kreuzigten, die Anerkennung entlockten, dass er der Sohn Gottes war.

Er ihn „durch sich selbst" verherrlichen würde, durch Christus selbst. Er würde ihn durch seine eigene Person verherrlichen. Das läuft auf seine rasche Auferstehung hinaus. Gewöhnliche Menschen werden vielleicht nach ihrem Tod geehrt, in der Erinnerung an sie oder durch ihre Nachfahren, doch Christus wurde durch sich selbst geehrt.

Er ihn sofort verherrlichen würde. Christus betrachtete die vor ihm liegende Freude nicht nur als groß, sondern als nah (s. Hebr 12,2). Gute Dienste, die irdischen Herrschern erwiesen werden, bleiben oft lange Zeit unbelohnt, doch Christus bekam sofort seinen Aufstieg.

All dies in Anbetracht dessen geschah, dass Gott in dem und durch das Leiden Christi verherrlicht wird: Da Gott durch ihn verherrlicht wurde, würde Gott ihn durch sich selbst verherrlichen. Die sich um die Pflicht kümmern, Gott zu verherrlichen, werden zweifellos die Seligkeit haben, mit ihm verherrlicht zu werden.

1.2 Hier gibt es eine aufrüttelnde Lehre über sein Leiden, weil die Jünger es so hart zu verstehen fanden **(s. Vers 33)**. Christus brachte hier zwei Dinge vor, um seine Jünger aufzurütteln:

Dass sie sein Bleiben in dieser Welt sehr kurz finden würden. „Kinder". Diese Art der Anrede zeigt nicht so sehr ihre Schwachheit, wie seine Sanftheit. „Dies sollt ihr nun wissen, dass ich ‚nur noch eine kleine Weile' bei euch bin." Sie mögen das meiste aus dem Vorzug machen, den sie jetzt hatten. Wir müssen das meiste aus den Hilfen machen, die wir für unsere Seelen haben, solange wir sie noch haben. Die Jünger mögen nicht zu sehr von seiner leiblichen Gegenwart abhängig sein. Sie müssen daran denken, ohne sie zu leben; sie dürfen nicht immer wie Kinder bleiben, sondern müssen erwachsen werden, lernen, ohne ihre Ammen zu leben.

Dass sie es sehr schwer finden würden, ihm in die nächste Welt zu folgen. Was er zu den Juden gesagt hatte, sagte er zu seinen Jüngern (s. Joh 7,34). Christus sagte ihnen hier:

Dass sie das Fehlen von ihm spüren würden, wenn er gegangen ist: „Ihr werdet mich suchen." Wir werden oft den Wert von Segnungen durch ihr Fehlen gelehrt. Die Gegenwart des Beistands (s. Joh 14,16.26; 15,26; 16,7) war nicht eine solch definitive Befriedigung, wie die leibliche Gegenwart Christi es gewesen wäre. Doch beachten Sie, dass Christus zu den Juden sagte: „Ihr werdet mich suchen und nicht finden" (Joh 7,34), doch zu den Jüngern sagte er nur: „Ihr werdet mich suchen." Sie würden etwas finden, das gleichwertig ist, und würden nicht vergeblich suchen (s. Jes 45,19).

Dass sie nicht dorthin kommen konnten, wohin er ging. Christus sagte ihnen, dass sie ihm nicht folgen konnten – nur, um sie zu noch mehr Eifer und Sorgfalt anzuregen. Sie konnten ihm nicht zu seinem Kreuz folgen, weil sie nicht den Mut und die Entschlossenheit hatten. Sie konnten ihm auch nicht zu seiner Krone folgen, weil sie keine Kraft von sich aus hatten, noch war ihr Werk oder Dienst beendet.

2. Über die große Pflicht der gegenseitigen Liebe: „… dass ihr einander lieben sollt" **(Vers 34)**. Jetzt, wo sie erwarten mussten, so behandelt zu werden, wie es ihr Meister wurde, müssen sie eine gegenseitige Liebe füreinander haben, die ihnen einander die Hände stärken würde. Hier werden drei Gründe für gegenseitige Liebe genannt:

2.1 Das Gebot ihres Meisters: „Ein neues Gebot gebe ich euch" **(Vers 34)**. Er empfahl es nicht nur, riet nicht nur dazu, sondern gebot es und machte es zu einem der wesentlichen Gesetze seines Reiches. Es war ein neues Gebot, das heißt:

Es war ein erneuertes Gebot. Es ist wie ein altes Buch in einer neuen Ausgabe, das korrigiert und erweitert wurde. Dieses Gebot ist so verdreht worden, dass, als Christus es revidierte, es gut ein neues Gebot genannt werden konnte. Das Gesetz der gegenseitigen Liebe war vergessen worden, als wäre es überholt und veraltet. Deshalb war es, als es durch Christus von Neuem kam, für die Menschen neu.

Es war ein ewiges Gebot; es war so ungewohnt neu, dass es immer so sein würde; es wird in alle Ewigkeit neu sein, wenn Glaube und Hoffnung überholt sind.

Wie Christus es gab, war es neu. Vorher lautete das Gebot: „Du sollst deinen Nächsten lieben" (Mt 5,43); jetzt lautete es: „Ihr sollt einander lieben." Es wurde mehr als Appell ausgedrückt, als darauf als einer gegenseitigen Pflicht Gewicht gelegt wurde, die wir einander schulden.

2.2 Das Beispiel ihres Heilands: „… wie ich euch geliebt habe." Was es zu einem neuen Gebot machte, war, dass es jetzt von dieser Regel und diesem Grund der Liebe motiviert wurde. Wir sollen dies als Verweis verstehen auf:

All die Ausdrücke der Liebe Christi zu seinen Jüngern. So hatte er sie geliebt und so mussten sie einander lieben und „bis ans Ende" lieben **(Vers 1)**.

Den besonderen Ausdruck der Liebe, den er nun verleihen wollte, indem er sein Leben für sie niederlegte. „Größere Liebe hat niemand als die …" (Joh 15,13). Nicht, dass wir imstande sind, das zu tun, was er für uns getan hat (s. Ps 49,8), doch wir müssen einander in gewisser

Hinsicht in gleicher Weise lieben; wir müssen dies als unser Vorbild vor uns setzen. Unsere Liebe füreinander muss die Liebe zu den Seelen voneinander sein. Wir müssen einander auch aus diesem Beweggrund und deshalb lieben: weil Christus uns geliebt hat.

2.3 Der Ruf ihres Bekenntnisses: „Daran wird jedermann erkennen, dass ihr meine Jünger seid, wenn ihr Liebe untereinander habt" **(Vers 35)**. Wir müssen Liebe haben, nicht nur Liebe erweisen, sondern Liebe in ihrer Wurzel und Gewohnheit haben; wir müssen immer bereit sein, unsere Liebe zu zeigen. Gegenseitige Liebe ist das Kennzeichen der Jünger Christi. Das ist die Tracht, die seine Familie trägt; er möchte, dass sie an dieser Qualität erkannt werden, als etwas, in dem sie alle anderen übertreffen – dass sie einander lieben. Dafür war ihr Meister berühmt, und wenn Sie also Menschen sehen, die liebevoller miteinander sind, als es üblich ist, sagen Sie: „Das sind sicherlich die Nachfolger Christi, sie waren mit Jesus" (s. Apg 4,13). Dies zeigt uns:

Dass das Herz Christi sehr auf das Verlangen gerichtet war, dass seine Jünger einander lieben. Darin müssen sie sich unterscheiden; während der Weg der Welt ist, dass jeder für sich ist, sollten sie aufrichtig liebevoll gegeneinander sein. Er sagte nicht: „‚Daran wird jedermann erkennen, dass ihr meine Jünger seid' – wenn ihr Wunder tut", denn jemand, der Wunder tut, ist nichts ohne Liebe (s. 1.Kor 13,1-2).

Dass es die wahre Ehre der Jünger Christi ist, einander in gegenseitiger Liebe zu übertreffen. Christen wurden an ihrer Liebe füreinander erkannt. Ihre Gegner bemerkten dies und sagten: „Schaut, wie diese Christen einander lieben." Wenn die Nachfolger Christi einander nicht lieben, geben sie selber zu Recht Grund dafür, ihre Aufrichtigkeit anzuzweifeln. Wenn unsere Geschwister Hilfe von uns brauchen, wenn sie auf irgendeine Weise unsere Rivalen sind oder uns erzürnen, sodass wir eine Gelegenheit haben, zu vergeben, wird in solchen Fällen erkannt werden, ob wir dieses Kennzeichen der Jünger Christi haben oder nicht.

Vers 36-38

In diesen Versen haben wir:

1. Die Neugier von Petrus.

1.1 Die Frage von Petrus war freimütig und offen: „Herr, wohin gehst du?" **(Vers 36)**. Er bezog sich auf das, was Christus in **Vers 33** gesagt hatte: „Wohin ich gehe, dorthin könnt ihr nicht kommen!" Es ist ein allgemeiner Fehler unter uns, dass wir mehr darum besorgt sind, dass unsere Neugier befriedigt wird, als dass unsere Gewissen geleitet werden. In dem Gespräch von Christen lässt sich leicht erkennen, wie schnell eine Diskussion über das, was klar und erbaulich ist, fallen gelassen wird und nichts mehr darüber gesagt wird – während strittige Dinge endlos diskutiert werden.

1.2 Die Antwort Christi war aufschlussreich. Er befriedigte nicht die Neugier von Petrus, sondern sagte das, was er ihm gesagt hatte: „Lass dies genug sein: ‚Wohin ich gehe, dorthin kannst du mir jetzt nicht folgen; du wirst mir aber später folgen'" **(Vers 36)**.

Wir können dies als Verweis darauf verstehen, dass Petrus ihm zum Kreuz folgte: „Du bist noch nicht stark und treu genug, um aus meinem Kelch zu trinken." Als Christus gefasst wurde, sorgte er für die Sicherheit seiner Jünger. „Lasst diese gehen!", sagte er, weil sie ihm „jetzt nicht folgen" konnten (Joh 18,8; **Vers 36**). Christus bedachte, wie seine Jünger gebildet waren (s. Ps 103,14). Der Tag wird sein, wie die Kraft ist. Obwohl Petrus für das Martyrium bestimmt war, konnte er jetzt Christus nicht folgen; er würde ihm später folgen; am Ende würde er gekreuzigt werden wie sein Meister. Er möge nicht denken, dass er nie leiden würde, weil er jetzt dem Leiden entkam. Wir können für größere Prüfungen vorbehalten sein, als wir sie bis jetzt kannten.

Wir können dies als Verweis darauf verstehen, dass er ihm zur Krone folgte. „Nein", sagte Christus, „du kannst mir ‚jetzt nicht folgen; du wirst mir aber später folgen', nachdem du den guten Kampf gekämpft hast" (2.Tim 4,7). Zwischen dem Roten Meer und Kanaan liegt eine Wüste.

2. Das Selbstvertrauen von Petrus.

2.1 Petrus machte eine gewagte Aussage über seine Loyalität. „Herr, warum kann ich dir jetzt nicht folgen? Mein Leben will ich für dich lassen!" Da er seinen Meister so oft von seinem Leiden hat sprechen hören, konnte er es auf keine andere Weise verstehen, als dass er darauf verwies, dass er durch den Tod fortgeht, und er war wie Thomas entschlossen, mit ihm zu gehen und zu sterben; besser mit ihm sterben als ohne ihn leben (s. Joh 11,16). Schauen Sie hier:

Was für eine herzliche Liebe Petrus für unseren Herrn Jesus hatte: „Mein Leben will ich für dich lassen!" Petrus sprach, wie er dachte, und auch wenn er nicht richtig darüber nachdachte, war er nicht unaufrichtig.

Wie schlecht er es aufnahm, dass dies infrage gestellt wurde: „‚Herr, warum kann ich dir jetzt nicht folgen?' Hast du Zweifel an meiner Loyalität zu dir?" **(Vers 37**; s. 1.Sam 29,8)". Echte Liebe hört mit Schmerz, dass ihre Aufrichtigkeit infrage gestellt wird (s. Joh 21,17). Wir neigen dazu, zu denken, dass wir alles tun können, und daran Anstoß zu nehmen, wenn uns gesagt wird, dass wir etwas nicht tun können, während die Realität ist, dass wir getrennt von Christus nichts tun können (s. Joh 15,5).

2.2 Christus gab ihm eine überraschende Vorhersage seiner Treulosigkeit **(s. Vers 38)**.
Er tadelte Petrus für sein Selbstvertrauen: „Dein Leben willst du für mich lassen?" Auf diese Weise brachte Christus Petrus dazu, ein zweites Mal nachzudenken, damit er die notwendige Bedingung zu seiner Entschlossenheit hinzufügen würde: „Herr, wenn deine Gnade mich dazu befähigt, werde ich mein Leben für dich lassen." „Du willst dich verpflichten, für mich zu sterben? Was!? Du, der du gezittert hast, mit mir auf dem Wasser zu gehen? Es war verhältnismäßig einfach, deine Boote und Netze zu verlassen, um mir nachzufolgen, doch es ist nicht so einfach, dein Leben zu lassen." Es ist gut für uns, beschämt aus unserem anmaßenden Selbstbewusstsein herauszukommen. „Wie töricht bin ich, mich dessen zu rühmen, was ich tun kann."

Er sagte klar die Feigheit voraus, welche Petrus in der entscheidenden Stunde zeigen würde. Er erklärte dies feierlich mit: „Wahrlich, wahrlich." „'Wahrlich, wahrlich, ich sage dir: Der Hahn wird nicht krähen, bis du mich dreimal verleugnet hast!' Der Hahn wird nicht krähen – wird sein letztes Krähen nicht beendet haben –, bis du mich wieder und wieder verleugnet hast." Das Krähen des Hahns würde der Anlass für seine Buße sein. Christus sah nicht nur voraus, dass Judas ihn verraten würde, obwohl er es nur in seinem Herzen geplant hat; er sah auch voraus, dass Petrus ihn verleugnen würde, obwohl er dies nicht plante und das Gegenteil beabsichtigte. Er kennt nicht nur die Bosheit von Sündern, sondern auch die Schwäche der Heiligen. Christus sagte Petrus, dass dieser ihn verleugnen würde, dass er dies nicht nur einmal durch einen voreiligen Ausrutscher der Zunge tun würde, sondern es ein zweites und ein drittes Mal wiederholen würde. Wir können uns gut vorstellen, wie demütigend es für das Selbstvertrauen und den Mut von Petrus gewesen sein muss, dass ihm dies gesagt wurde. Diejenigen, die meinen, dass sie absolut sicher sind, sind gewöhnlich die, welche am wenigsten sicher sind, und diejenigen, die sich äußerst vertrauensvoll auf ihre eigene Kraft stützen, sind diejenigen, die am schmachvollsten ihre eigene Schwäche verraten (s. 1.Kor 10,12).

Kapitel 14

Als Christus Judas überführt und verworfen hatte, machte er sich daran, die Übrigen seiner Jünger zu beruhigen. Der allgemeine Inhalt dieses Kapitels steht im ersten Vers; es soll die Herzen der Jünger aufhören lassen, beunruhigt zu sein. Sie mögen bedenken: 1. Den Himmel als ihre ewige Ruhe (s. Vers 2-3). 2. Christus selbst als ihren Weg (s. Vers 4-11). 3. Die große Macht, mit der sie durch die Wirksamkeit ihres Gebets versehen werden (s. Vers 12-14). 4. Das Kommen eines anderen Beistands (Ratgebers; Vers 15-17). 5. Die Gemeinschaft, die es zwischen ihm und ihnen nach seinem Weggang geben würde (s. Vers 18-24). 6. Die Unterweisungen, die ihnen der Heilige Geist geben würde (s. Vers 25-26). 7. Den Frieden, den Christus ihnen hinterließ (s. Vers 27). 8. Christi eigenen Frohsinn in seinem Weggang (s. Vers 28-31).

Vers 1-3

In diesen Versen haben wir:

1. Eine allgemeine Warnung, die Christus seinen Jüngern vor dem Schrecken ihres Herzens gab: „Euer Herz erschrecke nicht!" **(Vers 1)**. Beachten Sie:

1.1 Wie Christus den Schrecken in ihren Herzen bemerkte. Vielleicht wurde es durch ihre Blicke offensichtlich; in jedem Fall war es dem Herrn Jesus klar, der all unseren geheimen, unbemerkten Kummer zusammen mit den Wunden kennt, die innerlich bluten. Er bemerkt alle Schwierigkeiten, bei denen die Seinen zu irgendeiner Zeit in Gefahr stehen, von ihnen überwältigt zu werden. Zu dieser Zeit wirkten viele Dinge zusammen, um die Jünger zu erschrecken.

Christus hatte ihnen gerade von der Unfreundlichkeit gesagt, die ihm von manchen von ihnen widerfahren würde, und das erschreckte sie alle. Hierzu tröstete sie Christus. Obwohl eine gottesfürchtige Wachsamkeit über unser Herz sehr nützlich ist, um uns demütig und achtsam zu halten, darf sie nicht so groß sein, dass sie unseren Geist beunruhigt und unsere heilige Freude dämpft.

Er hatte ihnen gerade von seinem Weggang von ihnen gesagt, dass er nicht nur fortgehen, sondern in einer Wolke von Leid fortgehen würde. Wenn wir jetzt auf den durchbohrten Christus schauen, müssen wir „um ihn klagen" (Sach 12,10), selbst wenn wir die herrliche Folge und Frucht sehen; für sie muss der Anblick viel schrecklicher gewesen sein, für die, welche zu dem Zeitpunkt nicht weiter blicken konnten. Wenn Christus von ihnen fortgeht:

Würden sie meinen, sie wären schmählich enttäuscht worden, denn sie hatten gewollt, dass er Israel rettet.

Sie würden meinen, dass sie erbärmlich verlassen und preisgegeben wären. Jetzt, in Bezug auf all diese Dinge: „Euer Herz erschrecke nicht!" Hier gibt es drei Worte, bei denen man auf jedes merklich die Betonung legen kann:

Auf das Wort „erschrecke": „Seid nicht wie die unruhige See in einem Sturm." Er sagte nicht: „Euer Herz möge den Kummer nicht merken", oder: „Euer Herz möge darüber nicht traurig sein", sondern: „Werdet nicht aufgeschreckt und beunruhigt."

Auf das Wort „Herz": „Wenn auch Volk und Stadt beunruhigt sind, wenn auch eure kleine Familie und Herde erschreckt ist, möge euer Herz nicht erschreckt sein. Behaltet eure eigene Seele in der Gewalt, wenn ihr sonst nichts in der Gewalt haben könnt." Das Herz ist die Hauptfestung; was man auch tut, sollte man die Unruhe daraus fernhalten (s. Spr 4,23).

Auf das Wort „Euer": „Ihr, die ihr meine Jünger und Nachfolger seid, sollt sicherstellen, dass ihr nicht erschreckt seid, denn ihr wisst es besser." In unruhigen Zeiten sollten Christen mehr tun als andere; sie sollten ihr Gemüt ruhig halten, wenn alles andere unruhig ist.

1.2 Die Arznei, die er verschrieb; im Allgemeinen: „Glaubt."

Manche lesen beide Teile als Gebot: „‚Glaubt an Gott' in seinem Wesen und seiner Vorsehung ‚und glaubt an mich' in meiner Fürsprache."

Andere Übersetzungen lesen den ersten Teil als eine Anerkennung, dass sie an Gott glauben. „Doch wenn ihr euch auf stürmische Tage vorbereiten wollt, ‚glaubt an mich!'" Indem wir an Christus als den Mittler zwischen Gott und Menschheit glauben, können wir Trost durch unseren Glauben an Gott bekommen. Wer in richtiger Weise an Gott glaubt, wird an Jesus Christus glauben, und durch Jesus Christus an Gott zu glauben ist ein vorzügliches Mittel, um Schrecken von dem Herzen fernzuhalten. Die Freude des Glaubens ist die beste Antwort auf die Schmerzen, die wir erdulden, solange wir im Leib sind.

2. Eine besondere Anweisung, Glauben an die Verheißung des ewigen Lebens zu haben **(s. Vers 2-3)**. Wofür müssen sie Gott und Christus vertrauen? Ihnen vertrauen für eine selige Zukunft, für eine Seligkeit, die genauso lange anhält, wie die unsterbliche Seele und die ewige Welt andauern. Gläubige haben sich in ihren größten Krisen mit der Gewissheit ermutigt, dass der Himmel alles bessern würde. Wir wollen sehen, wie das hier ausgedrückt wurde.

2.1 Wir wollen glauben und bedenken, dass es wirklich eine solche Seligkeit gibt: „Im Haus meines Vaters sind viele Wohnungen; wenn nicht, so hätte ich es euch gesagt" **(Vers 2)**.

Beachten Sie, wie die Herrlichkeit des Himmels hier beschrieben wurde: als „Wohnungen".

Der Himmel ist ein Haus, kein Zelt oder keine Hütte.

Es ist das Haus eines Vaters: Das „Haus meines Vaters", und sein Vater ist unser Vater (s. Joh 20,17). Alle wahren Gläubigen werden in der Seligkeit ihres Zuhauses willkommen sein.

Dort gibt es Wohnungen, einzelne Wohnorte, einen Raum für jeden. Unsere Individualität wird dort nicht verlorengehen. Die Wohnorte sind auch dauerhaft. Das Haus selbst ist bleibend. Wir werden es nicht für einen Zeitraum von Jahren besitzen, sondern für immer. Hier sind wir wie in einem Hotel; im Himmel werden wir einen festen Wohnsitz bekommen.

Es gibt viele Räume, denn es gibt viele Söhne und Töchter, die zur Herrlichkeit geführt werden (s. Hebr 2,10).

Beachten Sie, welche Gewissheit wir über die Seligkeit selbst haben: „Wenn nicht, so hätte ich es euch gesagt." Die Gewissheit hängt von der Wahrhaftigkeit seines Wortes und der Aufrichtigkeit seiner Liebe zu ihnen ab. So wie er wahrhaftig ist und sie nicht täuschen würde, so ist er auch gütig und würde nicht zulassen, dass sie von anderen getäuscht werden. Er liebt uns zu sehr und ist zu wohlmeinend uns gegenüber, um die Erwartungen zu enttäuschen, die er selbst erweckt.

2.2 Wir wollen glauben und bedenken, dass es die Absicht des Weggangs Christi war, einen Platz im Himmel für seine Jünger zu bereiten. Er ging, um eine Stätte für uns zu bereiten, das heißt:

Um sie als unseren Fürsprecher oder Anwalt für uns in Besitz zu nehmen und uns damit unseren Rechtsanspruch zu sichern, sodass er uns nicht genommen werden kann.

Um Vorkehrungen zu treffen. Die Seligkeit des Himmels muss für die Menschheit weiter passend gemacht werden. Weil sie sehr aus der Gegenwart Christi dort besteht, war es notwendig, dass er vorher dorthin geht. Der Himmel wäre für den Christen ein unfertiger Ort, wenn Christus nicht bereits dort wäre.

2.3 Sie müssen glauben und bedenken, dass er sicherlich wiederkommen würde: „Und wenn ich hingehe und euch eine Stätte bereite, so komme ich wieder und werde euch zu mir nehmen, damit auch ihr seid, wo ich bin." Dies sind nun wahrhaftig tröstliche Worte.

Jesus Christus wird wiederkommen. Man kann es auch übersetzen: „Ich komme", was die Gewissheit andeutet. Wir sagen, dass wir kommen, wenn wir uns geschäftig auf unser Kommen vorbereiten, und so tut er es.

Er wird wiederkommen, um alle seine treuen Gläubigen bei sich selbst aufzunehmen. Das Kommen Christi geschieht, um uns alle mit ihm zu vereinigen (s. 2.Thess 2,1).

Wo er ist, dort sollen auch sie sein. Dies zeigt, dass der Kern der Seligkeit des Himmels darin besteht, dort mit Christus zu sein (s. Joh 17,24; Phil 1,23; 1.Thess 4,17). „‚... damit ... wo ich bin', wo ich bald sein werde, wo ich ewig sein werde, ihr bald sein werdet, dort werdet ihr ewiglich sein" – und nicht nur als Zuschauer seiner Herrlichkeit, sondern als Teilhaber daran.

Dies kann man daraus schließen, dass er hingeht, um uns eine Stätte zu bereiten, denn sein Bereiten wird nicht vergeblich sein. Er wird keine möblierten Unterkünfte bereiten und sie dann leer stehen lassen. Wenn er für uns die Stätte bereitet hat, wird er auch uns für sie zubereiten, und in gebührender Zeit wird er uns den Besitz davon geben.

Vers 4-11

Hier:

1. Zeigte sich Christus ihnen selbst als der Weg dazu, nachdem er ihnen die Seligkeit des Himmels als ihr Ziel vor Augen gestellt hatte. Sie wissen, das heißt:
1.1 „Ihr dürft es wissen; es ist nicht eines von den geheimen Dingen, die nicht für euch bestimmt sind, sondern eines von den offenbarten Dingen" (s. 5.Mose 29,28).
1.2 „Ihr wisst es; ihr wisst, was die Heimat ist und welches der Weg ist, wenn ihr sie vielleicht auch nicht als die Heimat und den Weg erkennt. Euch ist davon gesagt worden und ihr müsst sie sicherlich kennen."

2. Fragte Thomas nach dem Weg **(s. Vers 5)**.
2.1 Er sagte: „Herr, wir wissen nicht, wohin du gehst, und wie können wir den Weg kennen?" Christi Zeugnis von ihrem Wissen machte ihnen ihr Nichtwissen bewusster und ließ sie wissbegieriger nach weiterem Licht sein. Thomas zeigte hier größere Bescheidenheit als Petrus. Petrus war mehr daran interessiert, zu wissen, wo Christus hingeht. Thomas schien hier mehr daran interessiert, den Weg zu kennen.
Das Bekenntnis seines Nichtwissens war löblich. Gute Menschen sind bereit, ihre Mängel zuzugeben, wenn sie im Dunkeln sind und nur stückweise erkennen (s. 1.Kor 13,12).
Der Grund für seine Unwissenheit war tadelnswert. Sie wussten nicht, wo Christus hinging, weil sie von einem weltlichen Reich träumten. Ihre Vorstellung drehte sich darum, dass er in irgendeine bedeutende Stadt geht, um dort der gesalbte König zu sein. Sie wussten nicht, wo diese Luftschlösser gebaut werden sollten – im Osten, Westen, Norden oder Süden? Und deshalb wussten sie den Weg dorthin nicht. Wenn Thomas erkannt hätte, dass Christus in die unsichtbare Welt geht, hätte er nicht gesagt: „Herr, wir wissen nicht, wohin du gehst."
2.2 Christus gab eine vollständige Antwort auf dieses Beklagen ihrer Unwissenheit **(s. Vers 6-7)**. Thomas hatte sowohl gefragt, wohin Christus ging, als auch, was der Weg war, und Christus beantwortete diese beiden Fragen. Sie kannten ihn und er war der Weg; sie kannten den Vater und er war das Ziel, und deshalb: ‚Wohin ich aber gehe, wisst ihr, und ihr kennt den Weg.' Glaubt an Gott als das Ziel und an mich als den Weg" **(Vers 1.4)**.
Er sprach von sich selbst als dem Weg. „Ich bin der Weg … niemand kommt zum Vater als nur durch mich!" **(Vers 6)**. Christus zeigte uns hier:

Das Wesen seiner Fürsprache: Er ist „der Weg und die Wahrheit und das Leben".
Wir wollen jedes davon einzeln betrachten.
Christus ist der Weg. In ihm treffen sich Gottheit und Menschheit und werden zusammengebracht. Wir können nicht auf dem Weg der Unschuld den Baum des Lebens erreichen, doch Christus ist ein anderer Weg zu ihm. Die Jünger folgten ihm nach und Christus sagte ihnen, dass sie nie auf dem falschen Weg sein würden, solange sie ihm weiterhin folgen würden.
Er ist die Wahrheit, wie Wahrheit im Gegensatz zu Unwahrheit und Irrtum steht. Wenn wir nach Wahrheit fragen, brauchen wir nicht mehr zu lernen als die Wahrheit, wie sie in Jesus ist. Er ist auch die Wahrheit, wie Wahrheit einen Gegensatz zu Unehrlichkeit und Betrug bildet. Er ist genauso wahr wie die Wahrheit selbst (s. 2.Kor 1,20).
Er ist das Leben, denn es geschieht nur in und durch Jesus Christus, dass wir für Gott leben (s. Röm 6,11). Christus ist „die Auferstehung und das Leben" (Joh 11,25).
Wir wollen dieses zusammen betrachten: „… der Weg und die Wahrheit und das Leben." Er ist der Beginn, die Mitte und das Ende. Er ist der neue und lebendige Weg; sowohl entlang des Weges als auch an seinem Bestimmungsort und Ende sind Wahrheit und Leben (s. Hebr 10,20). Er ist der wahre Weg zum Leben. Andere Wege mögen richtig erscheinen, doch am Ende sind sie ein „Weg des Todes" (Jer 21,8).
Die Notwendigkeit seiner Fürsprache: „Niemand kommt zum Vater als nur durch mich!" Die gefallene Menschheit kann nicht zu ihm als Vater kommen außer durch Christus als Mittler.
Er sprach über seinen Vater als das Ziel: „Wenn ihr mich erkannt hättet, so hättet ihr auch meinen Vater erkannt; und von nun an erkennt ihr ihn und habt ihn gesehen" **(Vers 7)**. Hier gibt es:
Eine stillschweigende Zurechtweisung für sie für ihre Trägheit und Unachtsamkeit, Jesus Christus nicht noch mehr kennenzulernen. „Wenn ihr mich erkannt hättet …" Sie kannten ihn, doch sie kannten ihn nicht so gut, wie sie ihn hätten kennen können und sollen. Christus hatte zu den Juden gesagt: „Wenn ihr mich kennen würdet, so würdet ihr auch meinen Vater kennen" (Joh 8,19), und hier sagte er seinen Jüngern das Gleiche, denn es ist schwierig zu sagen, was seltsamer ist, die vorsätzliche Unwissenheit derer, die Feinde des Lichts sind, oder die Fehler und Irrtümer derer, die „Söhne des Lichts" sind (1.Thess 5,5).
Eine wohlmeinende Aussage, dass er trotz der Schwächen in ihrem Verständnis sehr zufrieden mit ihrer Aufrichtigkeit war: „Und von nun an erkennt ihr ihn und habt ihn gesehen." Denn wir sehen die Herrlichkeit Gottes im Angesicht Christi (s. 2.Kor 4,6). Viele der Jünger

Christi haben mehr Erkenntnis und mehr Gnade, als sie meinen zu haben. Diejenigen, die Gott erkennen, wissen nicht auf einmal, dass sie ihn erkannt haben (s. 1.Joh 2,3).

3. Fragte Philippus nach dem Vater und Christus antwortete ihm **(s. Vers 9-11)**. Beachten Sie:

3.1 Die Bitte von Philippus nach einer außerordentlichen Offenbarung des Vaters. Aus einem inbrünstigen Verlangen nach weiterem Licht rief er aus: „‚Herr, zeige uns den Vater.' Das ist es, was wir wollen, was wir wirklich wollen, ‚zeige uns den Vater, so genügt es uns!'"

Das beinhaltet ein starkes Verlangen, Gott als Vater kennenzulernen. Die Bitte war: „Herr, zeige uns den Vater." Die Behauptung ist: „‚So genügt es uns!' Gib uns nur einen flüchtigen Eindruck von dem Vater und wir werden genug haben." Die Seele ist zufrieden in der Erkenntnis von Gott als unserem Vater; ein Blick auf den Vater ist der Himmel auf Erden. „Lass uns den Vater mit unsern leiblichen Augen sehen, so wie wir dich sehen, ‚so genügt es uns!'"

Das offenbarte nicht nur die Schwachheit seines Glaubens, sondern auch seine Unwissenheit über den Weg des Evangeliums, den Vater zu offenbaren. Die Satzungen Christi haben besser für die Bestätigung unseres Glaubens gesorgt, als es unsere eigenen Vorstellungen würden.

3.2 Die Antwort Christi **(s. Vers 9-11)**.

Er verwies ihn auf das, was er gesehen hatte: „So lange Zeit bin ich bei euch, und du hast mich noch nicht erkannt, Philippus? Wer mich gesehen hat, der hat den Vater gesehen. Wie kannst du da sagen: Zeige uns den Vater?" **(Vers 9)**.

Er wies ihn für zwei Dinge zurecht:

Dass er nicht in seiner Kenntnis Christi zu einer klaren und ausgeprägten Erkenntnis über ihn wuchs: „... und du hast mich noch nicht erkannt, Philippus?" Am ersten Tag, als Jesus zu ihm kam, erklärte Philippus, dass er wisse, dass er der Messias ist, doch bis zu diesem Tag hat er nicht den Vater in ihm erkannt (s. Joh 1,45). Viele kennen Christus, wissen aber nicht, was sie von ihm wissen könnten, und sehen in ihm auch nicht, was sie in ihm sehen sollten. „So lange Zeit bin ich bei euch ..." Christus erwartet, dass unser Können in einem gewissen Maß unserem Stand entspricht, dass wir nicht für immer Unmündige im Glauben bleiben.

Für seine Schwäche, die er in dem Gebet zeigt: „Herr, zeige uns den Vater." Viel von der Schwäche der Jünger Christi wird offensichtlich, wenn sie nicht wissen, was sie beten sollen, „wie sich's gebührt", sondern oft „in böser Absicht" bitten (Röm 8,26; Jak 4,3).

Er unterwies ihn und gab ihm eine Antwort, die rechtfertigte, was er vorher gesagt hatte: „Ihr erkennt den Vater und habt ihn gesehen" **(s. Vers 7)**; und indem er das sagte, beantwortete er das, was Philippus gefragt hatte: „Herr, zeige uns den Vater." „Wer mich gesehen hat, der hat den Vater gesehen." Alle, die Christus im Fleisch gesehen haben, konnten den Vater in ihm gesehen haben. Alle, die Christus im Glauben sahen, sahen in ihm den Vater; wenn ihnen auch nicht sofort bewusst wurde, dass sie es taten. Die Herrlichkeit Gottes leuchtete in der fleckenlosen Reinheit des Lebens Christi und Gottes Gnade leuchtete in allen Taten der Gnade auf, die Christus tat.

Er verwies ihn auf das, wozu er Grund hatte, es zu glauben: „‚Glaubst du nicht, dass ich im Vater bin und der Vater in mir ist', sodass du, wenn du mich gesehen hast, den Vater gesehen hast?" **(Vers 10)**.

Sehen Sie hier, was es ist, das wir glauben sollen: „... dass ich im Vater bin und der Vater in mir ist", das heißt, wie er es gesagt hatte: „Ich und der Vater sind eins" (Joh 10,30). Indem wir Christus kennen, kennen wir den Vater, und indem wir ihn sehen, sehen wir den Vater.

Sehen Sie hier, was für zwei Beweggründe wir haben, dies zu glauben. Wir müssen es glauben:

Um seines Wortes willen: „Die Worte, die ich zu euch rede, rede ich nicht aus mir selbst." Was er sagte, war von der Weisheit Gottes inspiriert und wurde durch den Willen Gottes vollstreckt. Er sprach nicht nur von sich selbst, sondern auch nach dem Sinn Gottes gemäß der ewigen Pläne Gottes.

Um seiner Werke willen: „Und der Vater, der in mir wohnt, der tut die Werke" und deshalb „glaubt ihr doch wenigstens um der Werke willen!" Es hieß von dem Vater, dass er ihn ihm wohnte. Der Vater lebt in solcher Weise in Christus, dass er in Christus gefunden werden kann, wie jemand dort gefunden werden kann, wo er lebt. „Sucht den HERRN", sucht ihn in Christus, „solange er zu finden ist", denn er lebt in ihm (Jes 55,6). Er „tut die Werke" **(Vers 10)**. Christus tat viele mächtige und viele barmherzige Werke und der Vater war in ihm. Wir sind verpflichtet, dies „um der Werke willen" zu glauben. Christi Wunder sind Beweise, dass er mit einem göttlichen Auftrag gesandt wurde, sowohl, um Ungläubige zu überzeugen, als auch, um den Glauben seiner eigenen Jünger zu bestätigen (s. Joh 2,11; 5,36; 10,37).

Vers 12-14

Wie die Jünger bei dem Gedanken voller Kummer waren, von ihrem Meister getrennt zu werden, so waren sie auch voller Sorge, was mit ihnen geschehen würde, wenn er fort war. Wenn er sie zurückließ, wären sie „wie Schafe, die keinen Hirten haben" (Mt 9,36). Christus sicherte ihnen hier zu, dass sie mit ausreichender Kraft versehen werden würden, die sie stützt (s. Lk 24,49). Sie würden:

1. Große Macht auf der Erde haben: „Wer an mich glaubt, der wird die Werke auch tun, die ich tue" **(Vers 12)**. Es hat seine Macht mehr als alles andere erhöht, dass er nicht nur selbst Wunder vollbrachte, sondern anderen ebenso Macht gab, sie auch zu tun.

1.1 Er sicherte ihnen zwei Dinge zu.

Dass sie befähigt werden würden, Werke wie die zu tun, die er getan hatte. Hat Christus Kranke geheilt, Aussätzige gereinigt, Tote auferweckt? So würden sie es tun. Hat er Sünder überführt und bekehrt und Massen zu sich gezogen? So würden sie es tun. Obwohl er weggehen würde, würde die Arbeit nicht aufhören. Sein Wort würde nicht auf die Erde fallen und die Arbeit wird immer noch getan (s. 1.Sam 3,19; Jes 55,11).

Dass sie „größere als diese tun" würden. Im Reich der Natur würden sie größere Wunder vollbringen. Kein Wunder ist klein, doch manche erscheinen in unserer Wahrnehmung größer als andere. Christus vollbrachte zwei oder drei Jahre in einem Land Wunder, doch seine Nachfolger vollbrachten in seinem Namen über mehrere Jahre Wunder in verschiedenen Ländern. Im Reich der Gnade würden sie durch das Evangelium größere Siege erringen, als sie errungen wurden, solange Christus auf der Erde war. Die Wahrheit ist, dass die Inbesitznahme eines so großen Teiles der Welt für Christus unter solch äußerlichen Nachteilen das größte Wunder von allen war.

1.2 Der Grund, den Christus dafür nannte: „‚… weil ich zu meinem Vater gehe.' Weil ich gehe, wird es für euch nötig sein, solche Macht zu haben. ‚… weil ich zu meinem Vater gehe', werde ich in der Lage sein, euch mit solcher Kraft zu versehen."

2. Große Macht im Himmel haben: „Und alles, was ihr bitten werdet … das will ich tun" **(Vers 13)**. Beachten Sie:

2.1 Wie sie von ihm Macht bekommen sollten, wenn er zum Vater gegangen war: durch Gebet. Wenn liebe Freunde etwas voneinander entfernt sind, bleiben sie durch Briefe in Verbindung; in ähnlicher Weise sagte Christus seinen Jüngern, als er zu seinem Vater ging, wie sie ihm bei jeder Gelegenheit schreiben und ihre Briefe auf einem sicheren und raschen Weg senden konnten. „Lasst durch Gebet von euch hören und ihr werdet durch den Geist von mir hören." Christus hat durch seinen Tod diesen Weg mehr geöffnet, als er es vorher war, und er steht uns immer noch offen. Hier:

Wird Demut verordnet: „Ihr sollt bitten." Sie konnten nichts von ihm als Schuld einfordern, sondern mussten als demütige Bittsteller kommen, betteln oder verhungern, betteln oder umkommen.

Freimut ist erlaubt: „Bittet um alles, alles, was für euch angemessen und gut ist; alles, vorausgesetzt ihr wisst, worum ihr bittet." Die Gelegenheiten variieren, doch die Jünger Christi werden bei jeder Gelegenheit vor dem Thron der Gnade willkommen sein.

2.2 In wessen Namen sie ihre Bitten darlegen sollen: „Und alles, was ihr bitten werdet in meinem Namen." Sie sollten seinen Verdienst und seine Fürsprache vorbringen und sich darauf stützen. Wenn wir in unserem eigenen Namen bitten, können wir kein Gelingen erwarten, denn da wir Fremdlinge sind, haben wir keinen Namen im Himmel; da wir Sünder sind, haben wir dort einen schlechten Namen, doch der Name Christi ist ein guter Name, wohlbekannt im Himmel.

2.3 Welchen Erfolg sie mit ihren Gebeten haben würden: „Und alles, was ihr bitten werdet … das will ich tun", und wieder: „… so werde ich es tun" **(Vers 13-14)**. „Ihr könnt euch sicher sein, dass ich es werde: Es wird nicht nur getan werden, sondern ich werde es tun." Durch den Glauben an seinen Namen können wir haben, was wir möchten, wenn wir darum bitten.

2.4 Aus welchem Grund ihre Gebete beantwortet werden würden: „… damit der Vater verherrlicht wird in dem Sohn." „Geheiligt werde dein Name" ist ein beantwortetes Gebet und es kommt zuerst, denn wenn das Herz darin aufrichtig ist, heiligt es in gewisser Weise alle anderen Bitten (Mt 6,9). Christus würde dies als Ziel haben, wenn er gewährt, worum sie bitten, und er würde es um dessentwillen tun. Die Weisheit, Macht und Güte des Erlösers wurden in dem Erlöser erhöht, als seine Apostel und geistlichen Diener befähigt wurden, so große Dinge zu tun, die sowohl ihre Lehre bewiesen als auch ihren Erfolg bewirkten.

Vers 15-17

Um ihnen diese Dinge einzuprägen, verhieß ihnen Christus hier, den Geist zu senden, der ihr „Beistand" (Ratgeber) sein würde.

1. Er leitete dies ein, indem er sie an ihre Pflicht erinnerte: „Liebt ihr mich, so haltet meine Gebote!" **(Vers 15)**. Wir können nur dann Kraft und Ermutigung erwarten, wenn wir unsere Pflicht tun. Als sie sich darum Sorgen machten, was aus ihnen werden würde, sagte er ihnen, sie sollten seine Gebote halten. In schwierigen Zeiten sollte unsere Sorge über die Ereignisse des Tages von einer Sorge verschlungen werden, dass wir tatsächlich die Pflichten des Tages erfüllen. Als sie ihre Liebe zu Christus zeigten, indem sie bei dem Gedanken an seinen Weggang betrübt waren und den Kummer zeigten, der ihr Herz bei dieser Vorstellung erfüllte, sagte er ihnen, dass, wenn sie ihm ihre Liebe zeigen wollten, sie es nicht mit diesen schwachen Leidenschaften tun dürften, sondern indem sie alle seine Gebote halten; dies ist besser als Opfer, besser als Tränen (s. 1.Sam 15,22). Als Christus ihnen kostbare Verheißungen gegeben hatte, legte er dies als Bedingung für die Verheißungen nieder: „Vorausgesetzt, ihr haltet meine Gebote aus einem Motiv der Liebe zu mir."

2. Er verhieß diesen großen und überwältigenden Segen für sie **(s. Vers 16-17)**.

2.1 Er verhieß, dass sie „einen anderen Beistand" haben würden. Dies ist die große Verheißung des Neuen Testaments, eine Verheißung, die der gegenwärtigen Not der Jünger angepasst ist, die traurig waren und einen Beistand brauchten. Beachten Sie:

Den verheißenen Segen. Das Wort, welches hier mit „Beistand" übersetzt wird, wird im Neuen Testament nur hier in diesen Botschaften Christi (s. Vers 16.26; 15,26; 16,7) und in 1.Johannes 2,1 benutzt, wo es mit „Fürsprecher" übersetzt wird. „Ihr werdet haben:"

„*Einen anderen ,Fürsprecher'.*" Die Rolle des Geistes war es, Christi Fürsprecher bei ihnen und anderen zu sein, seine Sache vorzubringen und sich um seine Belange auf der Erde zu kümmern. Der Geist würde auch bei denen ihr Fürsprecher sein, die sich ihnen entgegenstellten. Als Christus bei ihnen war, sprach er für sie, doch jetzt, wo er sie verlassen würde, würde der Geist des Vaters durch sie sprechen (s. Mt 10,19-20). Der Fall kann nicht verlorengehen, wenn er von solch einem Fürsprecher vorgebracht wird.

„*Einen anderen Meister oder Lehrer,* einen anderen Ermahner." Solange sie Christus bei sich hatten, ermutigte er sie und spornte sie an, ihre Pflicht zu tun, doch jetzt würde er sie mit dem Einen zurücklassen, der dieses Werk genauso wirksam tun würde.

„*Einen anderen Beistand.*" Christus stand seinen Jüngern bei, als er bei ihnen war, und jetzt, wo er sie in ihrer größten Not verlassen würde, verhieß er ihnen einen anderen Beistand.

Der Geber dieses Segens. Der Vater würde ihn geben. Der Eine, welcher den Sohn gab, dass er unser Heiland ist, würde seinen Geist geben, dass er unser Beistand ist.

Wie dieser Segen erlangt werden würde – durch die Fürsprache des Herrn Jesus: „Und ich will den Vater bitten." Dass Christus sagt, „ich will den Vater bitten", besagt nicht, dass der Vater widerwillig war, sondern nur, dass das Geschenk des Geistes eine Frucht der Fürsprache Christi ist.

Der Fortbestand dieses Segens: „,... dass er bei euch bleibt in Ewigkeit', das heißt, bei euch bleibt, solange ihr lebt. Ihr werdet nie Mangel an einem Beistand haben." Uns erwartet ewiger Beistand. Die Jünger müssen sich zerstreuen und so würde mit ihnen allen ein Beistand sein, überall; er würde der Einzige sein, der dazu geeignet war, für immer bei ihnen zu sein. „Und wenn ihr gegangen seid, wird er bis zum Ende der Zeit bei euren Nachfolgern bleiben."

2.2 Dieser Beistand würde der „Geist der Wahrheit" sein, den sie erkennen **(s. Vers 16-17)**.

Der verheißene Beistand war der Geist, der Eine, welcher sein Werk auf geistliche Weise tun würde.

Er ist der „Geist der Wahrheit". „Er wird wahrhaftig euch gegenüber und in seinem Wirken für euch sein. Er wird euch die Wahrheit lehren. Der Geist der Wahrheit wird euch nicht nur in alle Wahrheit leiten, sondern auch andere durch euren Dienst in alle Wahrheit leiten." Christus ist die Wahrheit und der Heilige Geist ist der Geist Christi.

„*Er ist der Eine,* ,den die Welt nicht empfangen kann ... ihr aber erkennt ihn.' Darum bleibt er bei euch."

Die Jünger Christi werden hier von der Welt unterschieden; sie sind die Kinder und Erben einer anderen Welt, nicht von dieser.

Es ist das Elend derer, die unerschütterlich der Welt hingegeben sind, dass sie den Geist der Wahrheit nicht empfangen können. Wo der Geist der Welt vorherrschend ist, ist der Geist Gottes ausgeschlossen.

Menschen können den Geist der Wahrheit nicht empfangen, weil sie ihn nicht beachten und ihn nicht erkennen. Die Tröstungen des Geistes sind für sie „eine Torheit", genauso, wie es das Kreuz Christi war (s. 1.Kor 1,18). Wenn Sie mit den Kindern dieser Welt über die Aktivität des Geistes sprechen, ist es, als würden Sie eine fremde Sprache mit ihnen sprechen.

Die beste Erkenntnis des Geistes der Wahrheit ist die, welche durch Erfahrung erlangt wird: „Ihr aber erkennt ihn, denn er bleibt bei euch." Christus hatte mit ihnen gelebt und sie hatten ihn auf eine solche Weise kennengelernt, dass sie den Geist der Wahrheit erkannt haben. Die Erfahrungen der Heiligen sind die Erläuterungen der Verheißungen. „... denn er bleibt bei euch und wird in euch sein", denn der Heilige Geist wechselt nicht sein Zuhause.

Die den Heiligen Geist in eigener Erfahrung erkennen, haben die tröstliche Gewissheit, dass er weiterhin bei ihnen bleiben wird. Sie wissen, wie sie ihn einladen und empfangen können; er wird deshalb in ihnen sein, wie das Licht in der Luft ist, wie der Saft im Baum ist, und ihre Einheit mit ihm ist untrennbar.

Die Gabe des Heiligen Geistes ist eine besondere Gabe, in charakteristischer Weise den Jüngern Christi gewährt – er ist ihnen gegeben, nicht der Welt. Kein Trost ist dem vergleichbar, der nichts zur Schau stellt oder keinen Lärm macht.

Vers 18-24

Wenn Freunde sich trennen, sagen sie oft: „Lass so oft du kannst von dir hören." Christus ging mit seinen Jüngern eine solche Verpflichtung ein, sodass sie wissen würden, dass sie, obwohl sie seinen Blicken entzogen wären, nicht aus dem Sinn sein würden.

1. Er versprach, dass er weiterhin für sie sorgen würde: „Ich lasse euch nicht als Waisen zurück [wie Waisenkinder oder Vaterlose]; ich komme zu euch" **(Vers 18)**. Sein Weggang von ihnen war weder völlig noch endgültig.

1.1 Er würde nicht völlig sein. „Wenn ich euch auch ohne meine leibliche Gegenwart lasse, lasse ich euch nicht als Waisen." Die Situation echter Gläubiger kann zwar manchmal traurig sein, doch ist sie nie ohne Trost, denn sie sind niemals Waisen: Gott ist ihr Vater.

1.2 Es wird nicht endgültig sein: „,Ich komme zu euch.' Ich werde bei meiner Auferstehung rasch zu euch kommen." Er hatte oft gesagt, dass er am dritten Tag auferstehen würde (s. Mt 20,19). Aber auch: „Ich werde jeden Tag durch meinen Geist zu euch kommen"; in den Zeichen seiner Liebe und den Besuchen seiner Gnade kommt er weiterhin. Schließlich: „Ich werde sicherlich am Ende der Zeit kommen." Das Inbetrachtziehen, dass Christus zu uns kommt, rettet uns davor, ohne Trost zu sein, während er von uns fortgegangen ist.

2. Er verhieß, dass sie ihn weiterhin erkennen würden: „Noch eine kleine Weile, und die Welt sieht mich nicht mehr" **(Vers 19)**. Die böse Welt meinte, sie hätte genug von ihm gesehen, und schrie: „Fort, fort mit ihm! Kreuzige ihn!" (Joh 19,15). Und das wird ihr Schicksal sein; sie werden ihn nicht mehr sehen. Doch seine Jünger haben in seiner Abwesenheit geistliche Gemeinschaft mit ihm.

2.1 „Ihr aber seht mich." Sie sahen ihn nach seiner Auferstehung mit ihren leiblichen Augen. „Da wurden die Jünger froh, als sie den Herrn sahen" (Joh 20,20). Sie sahen ihn nach seiner Himmelfahrt mit den Augen des Glaubens; sie sahen in ihm, was die Welt nicht sah.

2.2 „Weil ich lebe, sollt auch ihr leben!" Was sie sehr traurig machte, war, dass ihr Meister starb, und sie konnten an nichts anderes denken, als dass sie mit ihm sterben würden. „Nein", sagte Christus, „ich lebe." Nicht nur: „Ich werde leben", wie er es über sie gesagt hatte, sondern auch: „Ich lebe." Wir sind nicht als Waisen zurückgelassen, während wir wissen, dass unser Erlöser lebt (s. Hiob 19,25). Deshalb „sollt auch ihr leben". Das Leben von Christen ist mit dem Leben Christi verbunden. So sicher und so lange wie er lebt, werden diejenigen, die durch den Glauben mit ihm verbunden sind, auch leben. Dieses Leben ist mit Christus verborgen (s. Kol 3,3). Wenn das Haupt und die Wurzel lebendig sind, werden auch die Glieder und die Äste lebendig sein.

2.3 „Ihr werdet die Gewissheit davon haben": „An jenem Tag werdet ihr erkennen, dass ich in meinem Vater bin und ihr in mir" **(Vers 20)**. Diese glorreichen Geheimnisse werden vollständig bekannt sein:

Im Himmel. Noch wissen wir nicht, „was wir sein werden", doch dann werden wir sehen, was wir waren (1.Joh 3,2).

Nach der Ausgießung des Geistes auf die Gläubigen. An dem Tag würde das göttliche Licht scheinen und ihre Augen würden klarer sehen, wie die von dem Blinden nach der zweiten Berührung durch die Hand Christi, der zuerst nur die Leute sah, als sähe er wandelnde Bäume (s. Mk 8,24).

Bei allen, die den Geist der Wahrheit empfangen. Sie wissen durch ihre Erfahrung von dem, was Christus für sie getan hat, dass er in dem Vater und eins mit dem Vater ist. Christus war in ihnen und sie waren in Christus, denn die Beziehung war gegenseitig. Christus war in ihnen und sie waren in Christus von einer innigen und untrennbaren Einheit spricht. Die Einheit mit Christus ist das Leben der Gläubigen. Die Erkenntnis dieser Einheit ist ihre unaussprechliche Freude und Zufriedenheit.

3. Er verhieß, dass er sie lieben und sich ihnen offenbaren würde **(s. Vers 21-24)**. Beachten Sie:

3.1 Welche Christus als diejenigen annehmen würde, die ihn lieben: die seine Gebote festhalten und sie befolgen. Hierdurch zeigte Christus, dass die freundlichen Dinge, die er hier zu ihnen gesagt hatte, nicht nur für diejenigen beabsichtigt waren, die nun seine Nachfolger waren, sondern auch für alle, die durch ihr Wort an ihn glauben werden (s. Joh 17,20). Hier ist:

Die Pflicht derer, welche die Ehre beanspruchen, Jünger zu sein. Da wir die Gebote Christi haben, müssen wir sie halten. Wenn wir sie in unserem Kopf haben, müssen wir sie auch in unserem Herzen und unserem Leben halten.

Die Ehre derer, welche die Pflicht eines Jüngers erfüllen. Es sind nicht diejenigen, welche die größte Erkenntnis haben, um für ihn zu sprechen, oder die den größten Wohlstand haben, um für ihn zu geben, sondern die, die seine Gebote halten. Der sicherste Beleg für unsere Liebe zu Christus ist unser Gehorsam gegenüber den Gesetzen Christi.

3.2 Wie er ihnen auf ihre Liebe antworten wird:

Sie werden die Liebe des Vaters haben: „Wer aber mich liebt, der wird von meinem Vater geliebt werden." Wir könnten Gott nicht lieben, wenn er uns nicht zuerst seine Gnade geben würde, um ihn zu lieben, doch es ist denen eine erfreuliche Liebe verheißen, die Gott lieben (s. Spr 8,17). Er liebt sie und er lässt sie wissen, dass er sie liebt. Gott liebt den Sohn so, dass er alle liebt, die ihn lieben.

Sie werden Christi Liebe haben. „,... und ich werde ihn lieben.' Gott wird solche als ein Vater lieben und ich werde sie als ein Bruder lieben, als ein älterer Bruder." In dem Wesen Gottes scheint nichts strahlender, als dass Gott Liebe ist (s. 1.Joh 4,8.16). Ferner erscheint an dem Werk Christi nichts herrlicher, als dass er uns geliebt hat. Christus verließ nun seine Jünger, doch er verhieß, sie weiterhin zu lieben. Er trägt die Gläubigen in seinem Herzen und lebt für immer, um für sie einzutreten (s. Hebr 7,25).

Sie werden den Trost dieser Liebe haben: Er wird sich ihnen offenbaren. Manche verstehen dies in der Weise, dass Christus sich nach seiner Auferstehung seinen Jüngern als lebendig zeigte, da es aber für alle verheißen ist, die ihn lieben und seine Gebote halten, muss dies so ausgelegt werden, dass es sich auf jeden ausdehnt, der ihn liebt und seine Gebote hält.

3.3 Was passierte, als Christus diese Verheißung machte.

Einer der Jünger drückte seine Verwunderung und Überraschung darüber aus **(s. Vers 22)**. Beachten Sie:

Wer dies sagte: „Judas – nicht der Ischariot." Zwei der Jünger Christi hatten diesen Namen: Einer von ihnen war der Verräter; der andere war der „Sohn des Jakobus" (Lk 6,16). Dort war ein sehr guter Mann und ein sehr schlechter Mann, die beide mit dem gleichen Namen benannt waren, denn weder empfehlen uns Namen für Gott, noch machen sie Menschen schlimmer. Judas der Apostel war nie schlimmer, noch war Judas, welcher vom Glauben abfiel, je besser, weil sie den gleichen Namen teilten. Dies ist wahrscheinlich der Judas, der den letzten Brief des Neuen Testaments schrieb. Der Evangelist unterscheidet sie sorgfältig: „Stellt sicher, dass ihr keinen Fehler macht; wir wollen nicht den Edlen mit dem Unedlen durcheinanderbringen" (Jer 15,19).

Was er sagte: „Herr, wie kommt es ... ?" Dies zeigt:

Die Schwäche seines Verständnisses. Er erwartete, dass das weltliche Reich des Messias in äußerlicher Pracht und Macht erscheinen würde. Die Worte, die mit „wie kommt es" wiedergegeben werden, können auch mit „was ist los?" übersetzt werden. „Was ist nun los, dass du dich nicht öffentlich zeigen willst, wie es allgemein erwartet wird?"

Die Stärke seiner Gefühle: „Herr, wie kommt es?" Er war erstaunt über die Demut der göttlichen Gnade. Was gibt es in uns, um eine so große Gunst zu verdienen? Es ist einfach „wunderbar in unseren Augen", denn es kann nicht erklärt werden außer im Licht der freien und souveränen Gnade (Mt 21,42).

Christus erläuterte und bekräftigte, was er gesagt hatte **(s. Vers 23-24).**

Er erläuterte weiter die Bedingung für diese Verheißung, die war, ihn zu lieben und seine Gebote zu halten. Liebe ist die Wurzel, Gehorsam ist die Frucht. Wo es eine aufrichtige Liebe zu Christus im Herzen gibt, dort wird es Gehorsam geben. „Wenn jemand mich wahrhaftig liebt, ,so wird er mein Wort befolgen'." Wo Liebe ist, folgt die Pflicht auf natürliche Weise; und nicht als Last – sie entspringt einem Motiv der Dankbarkeit. Wo es andererseits keine echte Liebe zu Christus gibt, wird es kein Interesse geben, ihm zu gehorchen. „Wer mich nicht liebt, der befolgt meine Worte [Lehre] nicht" **(Vers 24)**. Sicherlich lieben diejenigen ihn nicht, die nicht seine Wahrheiten glauben und nicht seinen Gesetzen gehorchen. Solche Leute sehen die Worte Christi als sinnloses Gerede an, dem sie keine Aufmerksamkeit schenken, oder harte Worte, die sie nicht mögen. Warum sollte Christus zu denen freundlich sein, die nichts mit ihm zu tun haben wollen?

Er erläuterte die Verheißung weiter: „,Wenn jemand mich liebt', so werde ich mich ihm offenbaren, ,und mein Vater wird ihn lieben'" **(Vers 23)**. Er hatte dies vorher gesagt und er wiederholte es hier, um unseren Glauben zu bestätigen **(s. Vers 21)**. Judas war erstaunt, dass Christus sich ihnen offenbaren würde. „... und wir werden zu ihm kommen und Wohnung bei ihm machen." Nicht nur: „Ich werde", sondern: „Wir werden, ich und der Vater." Wo immer Christus Gestalt gewinnt, wird das Bild Gottes aufgeprägt (s. Gal 4,19). Nicht nur: „Ich werde mich ihm aus der Entfernung zeigen", sondern auch: „,... und wir werden zu ihm kommen', um ihm nahe zu sein und bei ihm zu sein." Nicht nur: „Ich werde ihm einen kurzen Blick auf mich geben oder ihm einen kurzen und raschen Besuch abstatten", sondern: „... und wir werden ... Wohnung bei ihm machen" (bei ihm zu Hause sein). Gott wird gehorsame Gläubige nicht nur lieben; er wird auch in seiner Liebe zu ihnen still sein (s. Zeph 3,17). Er wird bei ihnen sein wie in seinem Zuhause.

Er nannte einen guten Grund, sowohl um uns dazu zu verpflichten, die Bedingung zu beachten, als auch, um uns zu ermutigen, uns auf die Verheißung zu verlassen. „Und das Wort, das ihr hört, ist nicht mein, sondern des Vaters, der mich gesandt hat" **(Vers 24)**. Er hatte dies oft gesagt (s. Joh 7,16; 8,28; 12,44).

Indem er sein Gebot als unsere Richtschnur festlegte, betonte er unsere Pflicht.

Indem er seine Verheißung festlegte, betonte er unseren Trost. Nun sollten wir, da wir in Abhängigkeit von dieser Verheißung alles verlassen müssen (s. Mt 16,24), fragen, ob die Sicherheit ausreicht, um zu rechtfertigen, dass wir all das, was wir sind und haben, auf diese Verheißung hin aufs Spiel setzen; und was uns überzeugt, dass sie sicher ist, ist, dass die Verheißung nicht nur das Wort Christi, sondern das des Vaters ist, der ihn gesandt hat, und deshalb können wir uns gut darauf verlassen.

Vers 25-27

Christus tröstete hier seine Jünger mit zwei Dingen:

1. Dass sie unter der Obhut des Geistes sein würden **(s. Vers 25-26)**. Beachten Sie:

1.1 Christus wollte, dass sie über die Unterweisungen nachdenken, die er ihnen gegeben hatte: „Dies habe ich zu euch gesprochen, während ich noch bei euch bin." Dies zeigt, dass er nicht zurücknahm, was er gesagt hatte. Was er gesagt hatte, hatte er gesagt, und er blieb dem treu.

1.2 Christus würde einen Weg finden, um nach seinem Weggang von ihnen zu ihnen zu sprechen **(s. Vers 26)**. Beachten Sie:

Um wessentwillen dieser andere Lehrer gesandt werden würde: „Der Vater wird ihn ‚in meinem Namen' senden, das heißt, um meinetwillen." Christus war im Namen seines Vaters gekommen: Der Geist würde im Namen Christi kommen, um das Werk Christi fortzusetzen.

Mit welchem Auftrag er gesandt werden würde: „... der wird euch alles lehren." Er würde sie alles lehren, was sie entweder selbst lernen oder andere lehren müssten. Wer die Dinge Gottes lehren will, muss zuerst selbst von Gott gelehrt sein. „... und euch an alles erinnern, was ich euch gesagt habe" **(Vers 26)**. Christus hatte sie viele gute Lektionen gelehrt, die sie vergessen hatten. Der Geist würde sie kein neues Evangelium lehren, sondern ihnen in Erinnerung rufen, was sie bereits gelehrt worden waren, indem er sie dazu führen würde, es zu verstehen. Der Geist der Gnade ist allen Heiligen als der Eine gegeben, der die Seinen erinnert.

2. Dass sie unter dem Einfluss seines Friedens sein würden: „Frieden hinterlasse ich euch" **(Vers 27)**. Als Christus dabei war, die Welt zu verlassen, machte er sein Testament. Seine Seele übergab er seinem Vater (s. Lk 23,46); seinen Leib vermachte er Joseph, damit er anständig begraben wird; seine Kleider fielen an die Soldaten; seine Mutter überließ er der Fürsorge von Johannes; doch was würde er seinen armen Jüngern hinterlassen, die alles für ihn verlassen hatten? Silber und Gold hatte er nicht, doch er hinterließ ihnen etwas, was unendlich besser war, seinen Frieden (s. Apg 3,6). „Ich verlasse euch, doch ich lasse meinen Frieden bei euch." Er schied nicht im Zorn, sondern in Liebe, denn dies war sein Abschiedsgruß: „Frieden hinterlasse ich euch." Uns wird gesagt:

2.1 Das Vermächtnis, welches hier hinterlassen wurde: „Frieden, meinen Frieden." Frieden steht für alles, was gut ist. Frieden steht für Versöhnung und Liebe; der Friede, den er hinterließ, ist Friede mit Gott. Es scheint hauptsächlich Frieden in uns selbst gemeint zu sein. Es ist der Friede, zu dem die Engel die Menschen bei seiner Geburt gratulierten (s. Lk 2,14).

2.2 Wem dieses Vermächtnis hinterlassen wurde: „Euch, meinen Jüngern und Nachfolgern." Dieses Vermächtnis wurde ihnen und ihren Nachfolgern hinterlassen, ihnen und allen wahren Christen zu allen Zeiten.

2.3 Wie es hinterlassen wurde: „‚Nicht wie die Welt gibt, gebe ich euch.' Ich grüße euch nicht mit einem rein formalen: ‚Friede sei mit euch.' Nein, es ist keine reine Formalität, sondern ein echter Segen. Die Gaben, die ich euch gebe, sind nicht wie die, welche die Welt gibt." Die Gaben der Welt betreffen nur den Leib und die Zeit; Christi Gaben bereichern die Seele für die Ewigkeit. Der Friede, den Christus gibt, ist unendlich wertvoller als das, was die Welt gibt. Der Unterschied zwischen dem Frieden Christi und dem der Welt ist, wie der Unterschied zwischen einer tödlichen Schlafsucht und einem belebenden, erfrischenden Schlaf.

2.4 Welchen Gebrauch sie davon machen sollten: „Euer Herz erschrecke nicht und verzage nicht!" Dies kommt hier als die Summe von allem (s. Pred 12,13); er hatte gesagt: „Euer Herz erschrecke nicht!" **(Vers 1)**, und hier wiederholte er es als etwas, für das er ausreichend Gründe gegeben hatte.

Vers 28-31

Christus gab seinen Jüngern hier einen weiteren Grund, warum seine Jünger nicht darüber erschrecken sollten, dass er fortgeht, und das war, dass sein Herz nicht erschreckt war. Er tröstete sich damit:

1. Dass er, wenn er auch fortgehen würde, wiederkommen würde: „Ihr habt gehört, dass ich euch sagte: Ich gehe hin, und ich komme zu euch!" Christus ermutigte sich in seinem Leiden und seinem Tod damit, indem er daran dachte, dass er wiederkommt, und die gleiche Ermutigung sollte uns bei unserem Weggang durch den Tod trösten; wir gehen fort, um wiederzukommen; der Abschied, den wir bei dieser Trennung von unseren Freunden nehmen, ist nur ein „Gute Nacht!", nicht ein endgültiges Lebewohl.

2. Dass er zu seinem Vater ging. „‚Wenn ihr mich lieb hättet, so würdet ihr euch freuen', denn ich habe zwar gesagt, dass ich euch verlassen werde, doch ‚ich gehe zum Vater; denn mein Vater ist größer als ich'." Beachten Sie hier:

2.1 Für die Jünger Christi ist es eine freudige Angelegenheit, dass er zu seinem Vater gegangen ist. Sein Weggang hatte eine lichte wie auch eine dunkle Seite (s. 2.Mose 14,19-20).

2.2 Der Grund dafür, dass dies tröstlich sein würde, war, dass der Vater größer ist als er. Sein Stand bei dem Vater würde viel vorzüglicher und herrlicher sein als sein jetziger Stand. Christus weckte die Gedanken und Erwartungen seiner Jünger auf etwas Größeres als das, bei dem sie nun meinten, dass damit ihre ganze Seligkeit verbunden war. Das Reich des Vaters wird sogar größer sein als das Reich des Mittlers.

2.3 Die Jünger Christi würden durch ihre Freude an der Herrlichkeit seiner Erhöhung zeigen, dass sie ihn lieben. Viele, die Christus lieben, lassen zu, dass ihre Liebe den falschen Weg geht; sie denken, sie müssen ständig wegen ihm leiden, weil sie ihn lieben, während in Wirklichkeit die, welche ihn lieben, sich „in Christus Jesus rühmen" sollten (Phil 3,3).

3. Dass sein Fortgehen den Glauben seiner Jünger bestätigen würde: „Und nun habe ich es euch gesagt, ehe es geschieht, damit ihr glaubt, wenn es geschieht" **(Vers 29)**. Er nannte diesen Grund auch an anderer Stelle (s. Joh 13,19; 16,4). Christus sagte seinen Jüngern von seinem Tod, weil das später zur Bestätigung ihres Glaubens führen würde. Der, welcher diese Dinge vorhersagt, hatte ein göttliches Vorauswissen. Die vorhergesagten Dinge entsprachen dem Plan Gottes. Die Jünger mögen nicht über das erschreckt sein, was ihren Glauben bestätigen würde.

4. Dass er sich des Sieges über Satan gewiss war: „Ich werde nicht mehr viel mit euch reden" **(Vers 30)**. Er sprach noch eine ganze Menge mit ihnen nach diesem, doch im Vergleich mit dem, was er gesagt hatte, war es nicht viel (s. Kapitel 15-16). Ein Grund dafür, warum er nicht viel zu ihnen sagen würde, war, dass er sich jetzt einer anderen Arbeit zuwenden musste: „Denn es kommt der Fürst dieser Welt." Er hatte den Teufel den „Fürst dieser Welt" genannt (Joh 12,31). Jetzt sagte er ihnen dementsprechend, dass der Fürst dieser Welt sein Feind war. „... und in mir hat er nichts" (er hat kein Anrecht auf mich). Beachten Sie:
4.1 Die Vorausschau, die Christus auf einen kommenden Kampf hatte, nicht nur mit Menschen, sondern auch mit den Mächten der Finsternis. Der Teufel hatte ihn mit seinen Versuchungen angegriffen (s. Mt 4,1-11). Ihm „alle Reiche der Welt" angeboten. Dann „wich er von ihm eine Zeit lang" (Lk 4,13). „Jetzt aber", sagte Christus, „sehe ich ihn sich wieder sammeln." Die Voraussicht einer Versuchung gibt uns einen großen Vorteil, um ihr zu widerstehen, denn da wir vorgewarnt sind, sollten wir gewappnet sein.
4.2 Die Gewissheit von einem guten Erfolg, die er in diesem Kampf hatte: „... und in mir hat er nichts."
Es gab keine Schuld an Christus, denn Christus hatte nichts Böses getan. Satan war zwar darin erfolgreich, ihn zu kreuzigen, doch er hatte keinen Erfolg darin, ihn zu erschrecken; zwar stieß er ihn in Richtung Tod, doch er konnte ihn nicht zur Verzweiflung treiben. Wenn Satan kommt, um uns durcheinanderzubringen, hat er etwas in uns, um uns damit zu verwirren, da wir alle gesündigt haben, doch als er Christus durcheinanderbringen wollte, konnte er ihn nicht übervorteilen.
In Christus war keine Verderbtheit. Die fleckenlose Reinheit seines Wesens war derart, dass er jenseits der Möglichkeit war, zu sündigen.

5. Dass sein Weggang aus Gehorsam dem Vater gegenüber geschah. Er würde sterben, damit „die Welt erkennt, dass ich den Vater liebe" **(Vers 31)**. Wir können dies ansehen:
5.1 Als Bestätigung dessen, was er oft gesagt hatte, dass sein Werk als Mittler der Welt zeigen würde:
Seine Unterordnung unter den Vater. Genauso wie sein Sterben für unsere Errettung der Beweis seiner Liebe für die Menschheit war, so war sein Sterben für die Ehre Gottes und die Erfüllung seiner Pläne ein Beweis seiner Liebe zu Gott.
Sein Gehorsam Gott gegenüber. Er handelt so, wie es ihm der Vater geboten hat. Der beste Beweis unserer Liebe zum Vater ist, wenn wir das tun, was er uns geboten hat. Das Gebot Gottes reicht aus, um uns darin zu unterstützen, was von anderen sehr stark angezweifelt wird, und es sollte deshalb ausreichend sein, um uns da hindurchzuhelfen, was wir äußerst schwierig finden.
5.2 Als Abschluss von dem, was er gesagt hatte. „‚Damit aber die Welt erkennt, dass ich den Vater liebe', werdet ihr sehen, wie ich frohen Sinnes dem mir bestimmten Kreuz entgegentrete. ‚Steht auf und lasst uns von hier fortgehen!'" Wenn wir aus der Entfernung über Schwierigkeiten sprechen, ist es leicht zu sagen: „Meister, ich will dir nachfolgen, wohin du auch gehst!" (Mt 8,19). Doch wenn auf dem Weg unserer Pflicht eine unvermeidbare Not liegt, lässt es, wenn wir zu dieser Zeit sagen: „Steht auf und lasst uns ihr entgegentreten" – statt von unserem Weg abzuweichen, um ihr aus dem Weg zu gehen –, die Welt wissen, dass wir den Vater lieben. Nun:
Gab er mit diesen Worten seinen Jüngern eine Ermutigung, ihm nachzufolgen. Er sagte nicht: „Ich muss gehen", sondern: „Lasst uns gehen." Er forderte sie zu keiner anderen Not auf, wenn er nicht vorher selbst als ihr Leiter durch sie hindurchgegangen ist.
Er gab ihnen ein Beispiel, lehrte sie alle Zeit, von den Dingen dieser Welt frei zu sein, nicht an sie gebunden zu sein und oft daran zu denken und davon zu sprechen, sie zu verlassen. Wenn wir mit Freude in Christi Schatten sitzen und sagen: „Es ist gut, dass wir hier sind", müssen wir doch daran denken, aufzustehen und zu gehen, daran denken, vom Berg herunterzukommen (s. Mt 17,4).

Kapitel 15

Man stimmt allgemein darin überein, dass das Reden Christi in diesem und im nächsten Kapitel am Ende des letzten Mahls war. Was er sich aussuchte, um darüber zu sprechen, war sehr dienlich für den gegenwärtigen traurigen Anlass eines Abschieds. Seine Botschaft in diesem Kapitel kann mit vier Ausdrücken zusammengefasst werden: Frucht (s. Vers 1-8), Liebe (s. Vers 9-17), Hass (s. Vers 18-25), Beistand (s. Vers 26-27).

Vers 1-8

Hier sprach Christus über die Frucht, „die Frucht des Geistes", wobei er das Bild eines Weinstocks benutzte (Gal 5,22). Beachten Sie:

1. Die Lehre dieses Bildes.
1.1 Jesus Christus ist „der wahre Weinstock". Ihm gefiel es, niedrige und demütige Bilder zu benutzen, wenn er von sich selbst sprach.
Er ist der Weinstock, der im Weinberg gepflanzt ist, keine wildwachsende Pflanze; er ist in die Erde gepflanzt worden, denn er ist das Wort, das Fleisch wurde (s. Joh 1,14). Der Wein ist eine sich ausbreitende Pflanze und Christus wird zum Heil bekannt werden „bis an das Ende der Erde" (Apg 13,47). Die Frucht des Weinstocks ehrt Gott und erfreut die Menschen, und dies macht die Frucht der Mittlerschaft Christi (s. Ri 9,13).
Er ist der wahre Weinstock, so wie Wahrheit im Gegensatz zu dem steht, was verkehrt und falsch ist. Von unfruchtbaren Bäumen heißt es, dass sie „trügen" (s. Hab 3,17), doch Christus ist ein Weinstock, der nicht enttäuschen wird.
1.2 Gläubige sind Zweige dieses Weinstocks, was voraussetzt, dass Christus die Wurzel dieses Weinstocks ist. Die Wurzel trägt den Baum, lässt Saft durch ihn zirkulieren und hat alles, was für sein Gedeihen und das Bringen von Frucht nötig ist und all unsere Unterstützung und Versorgung ist in Christus (s. Röm 11,18). Der Weinstock hat viele Zweige, doch da sie sich alle in der Wurzel treffen, sind sie alle ein Weinstock. In gleicher Weise treffen sich alle echten Christen – wie weit sie auch vom Ort und von der Meinung her voneinander entfernt sind – doch in Christus, dem Zentrum ihrer Einheit.
1.3 Der „Vater ist der Weingärtner", der „Landarbeiter". Obwohl die Erde des Herrn ist, bringt sie für ihn keine Frucht, wenn er nicht den Boden bearbeitet (s. Ps 24,1). Gott gehört nicht nur der Weinstock, sondern er sorgt auch für ihn und alle seine Zweige. Niemals ist ein Gärtner so weise und wachsam mit seinem Weinberg umgegangen, wie es Gott mit seiner Gemeinde tut, die darum gedeihen muss.

2. Die Pflicht, die uns mit diesem Bild gelehrt wird.
2.1 Wir müssen fruchtbar sein. Wir erwarten Trauben von einem Weinstock und wir erwarten ein christliches Leben von einem Christen; die Frucht eines Christen ist eine christliche Haltung und ein christlicher Lebensstil, der Gott ehrt und Gutes tut. Die Jünger hier müssen als Christen mit allen „Früchten der Gerechtigkeit" erfüllt sein und als Apostel müssen sie fruchtbar darin sein, den Geruch der Erkenntnis Christi zu verbreiten (Phil 1,11; s. 2.Kor 2,14). Um sie zu überzeugen, führte er aus:
Das Schicksal der Unfruchtbaren **(s. Vers 2)**: Sie werden weggenommen. Hier wird gezeigt, dass viele, die als Zweige Christi gelten, keine Frucht bringen. Da sie nur durch den Faden eines äußerlichen Bekenntnisses mit ihm verbunden sind, werden sie, obwohl sie Zweige zu sein scheinen, bald als trocken gesehen werden. Unfruchtbare Bekenner des Glaubens sind untreue Bekenner; sie sind bloße Bekenner und nichts weiter. Es wird hier angedroht, dass sie weggenommen werden.
Die Verheißung, welche den Fruchtbaren gegeben wird: Er reinigt sie, damit sie mehr Frucht bringen werden. Weitere Fruchtbarkeit ist die gesegnete Belohnung früherer Fruchtbarkeit. Selbst fruchtbare Zweige müssen gereinigt (gesäubert oder beschnitten) werden, um noch fruchtbarer zu sein. Die Besten haben in sich etwas Anstößiges, manche Gedanken, Gefühle oder Haltungen, die beschnitten werden müssen. Diese werden nach und nach zur rechten Zeit weggenommen werden. Die Beschneidung fruchtbarer Zweige ist die Angelegenheit und Arbeit des großen Gärtners.
Den Nutzen, den Gläubige haben. „Ihr seid schon rein" **(Vers 3)**. Ihre Gemeinschaft war nun rein, wo Judas ausgestoßen worden war. Bis sie ihn los waren, waren sie nicht alle rein (s. Joh 13,11). Jeder von ihnen war rein, das heißt, in der Wahrheit Christi geheiligt (s. Joh 17,17). Dies kann man auch als Gläubigen anwenden. Das Wort Christi ist zu ihnen gesprochen; in dem Wort ist reinigende Kraft. Es reinigt, wie Feuer Gold von der Schlacke reinigt und wie ein Arzt eine Wunde reinigt.
Die Herrlichkeit, welche Gott durch unsere Fruchtbarkeit bekommen wird **(s. Vers 8)**. Wenn wir viel Frucht bringen:
Wird unser Vater verherrlicht werden. Die Fruchtbarkeit aller Christen dient der Herrlichkeit Gottes. Durch die berühmten guten Werke von Christen werden viele dazu gebracht, den Vater im Himmel zu preisen (s. Mt 5,16).
Wir werden uns selbst als echte Jünger Christi erweisen. Wir werden sowohl unsere Jüngerschaft kundtun als auch sie verzieren und wir werden unserem Herrn „zum Lob und zur Zierde" sein (Jer 13,11). Je mehr Frucht

wir bringen, das heißt, je mehr wir in dem überströmen, was gut ist, umso mehr wird er verherrlicht.

2.2 Um fruchtbar zu sein, müssen wir in Christus bleiben. Beachten Sie hier:

Die gebotene Pflicht: „Bleibt in mir, und ich bleibe in euch!" **(Vers 4)**. Wer zu Christus gekommen ist, muss in ihm bleiben. „‚Bleibt in mir, und ich bleibe in euch!' Bleibt in mir und dann habt keine Angst, dass ich nicht in euch bleiben werde", denn die Gemeinschaft zwischen Christus und dem Gläubigen scheitert nie von seiner Seite aus. Der Grund des Zweiges bleibt im Weinstock und der Saft des Weinstocks bleibt im Zweig und deshalb gibt es zwischen ihnen eine kontinuierliche Verständigung.

Die Notwendigkeit, dass wir in Christus bleiben, um fruchtbar zu sein: „Ihr könnt keine Frucht bringen, wenn ihr nicht in mir bleibt, doch wenn ihr es tut, dann bringt ihr ‚viel Frucht; denn getrennt von mir könnt ihr nichts tun'" **(Vers 4-5)**. Fruchtbarkeit ist für unsere Seligkeit so nötig, dass es das beste Argument ist, um uns zu überzeugen, dass wir in Christus bleiben, dass es keinen anderen Weg gibt, auf dem wir fruchtbar sein können. In Christus zu bleiben ist für uns notwendig, um viel Gutes zu tun. Diejenigen, die beständig ihren Glauben an Christus und ihre Liebe zu ihm ausüben, bringen viel Frucht. Ein Leben des Glaubens an den Sohn Gottes ist in unvergleichlicher Weise das vorzüglichste Leben, welches ein Mensch in dieser Welt leben kann. Es ist notwendig, damit wir irgendetwas Gutes tun. Es ist die Wurzel und Quelle aller Güte: „‚Denn getrennt von mir könnt ihr nichts tun', nicht nur keine großen Dinge, sondern nichts." Ohne Christus können wir nichts richtig tun, nichts, was Frucht sein wird, die Gott gefällt oder nützlich für uns ist (s. 2.Kor 3,5). Wir hängen von Christus nicht nur ab, wie der Weinstock von der Wand als Stütze abhängt, sondern wie der Zweig für den Saft von der Wurzel abhängt.

Die unheilvollen Folgen davon, Christus zu verlassen: „Wenn jemand nicht in mir bleibt, so wird er weggeworfen wie die Rebe" **(Vers 6)**. Das ist die Beschreibung des fürchterlichen Standes von Heuchlern, die nicht in Christus sind.

Sie werden wie trockene, verdorrte Zweige weggeworfen, die abgeschnitten werden, weil sie das Wachstum des Baumes behindern. Bei denen, die ihn verwerfen, ist es gerecht, dass sie verworfen werden. Wer nicht in Christus bleibt, wird von ihm preisgegeben werden.

Sie sind verdorrt wie ein Zweig, der vom Baum abgebrochen wird. Die nicht in Christus bleiben, vertrocknen und werden in kurzer Zeit zunichte. Die keine Frucht bringen, werden nach einer Weile keine Blätter bringen.

„Und solche sammelt man ..." Die Vertreter und Boten Satans lesen sie auf und vernichten sie leicht.

„... und sie brennen." Dies folgt als eine Selbstverständlichkeit, doch es wird hier ausdrücklich hinzugefügt und macht die Drohung schrecklich.

Das wunderbare Vorrecht, welches denen gehört, die zu Jesus Christus gehören: „Wenn ... meine Worte in euch bleiben, so werdet ihr bitten, was ihr wollt, und es wird euch zuteilwerden" **(Vers 7)**. Sehen Sie hier:

Wie unsere Einheit mit Christus aufrechterhalten wird: „Wer in mir bleibt", hatte er vorher gesagt, „... und ich in ihm." Hier erklärte er es: „... und meine Worte in euch bleiben." In dem Wort empfangen und erfassen wir ihn und deshalb wohnt Christus dort, wo das Wort Christi reichlich wohnt (s. Kol 3,16). Wenn das Wort in uns zu Hause ist, dann bleiben wir in Christus und er in uns.

Wie unsere Gemeinschaft mit Christus aufrechterhalten wird: „... so werdet ihr bitten, was ihr wollt, und es wird euch zuteilwerden." Was können wir mehr wünschen, als dass wir das haben, was wir bitten? Diejenigen, die in Christus bleiben, ihn zur Freude ihres Herzens machen, werden, durch Christus, das Verlangen ihres Herzens haben. Wenn wir in Christus bleiben und sein Wort in uns bleibt, dann werden wir nichts anderes bitten, als was richtig ist, wenn es uns zuteilwird. Die Verheißungen sind da für uns, bereit, in Gebete umgewandelt zu werden, und Gebete, die so gelenkt werden, werden sicherlich wirksam sein.

Vers 9-17

Christus, der selbst Liebe ist, besprach hier die Liebe unter vier Gesichtspunkten.

1. Die Liebe des Vaters zu ihm.

1.1 Der Vater liebte ihn: „Gleichwie mich der Vater liebt" **(Vers 9)**. Er war der Sohn seiner Liebe (s. Kol 1,13). Gott hat die Welt so geliebt, dass er seinen Sohn für uns alle gab (s. Joh 3,16). Wen Gott als Vater liebt, der kann den Hass der ganzen Welt verachten.

1.2 Er blieb immer noch in der Liebe seines Vaters. Weil er seinen Vater weiterhin liebte, ging er frohen Sinnes durch sein Leiden, und deshalb liebte ihn sein Vater weiterhin.

1.3 Er blieb in der Liebe seines Vaters, weil er das Gesetz seines Vaters beachtete: „... gleichwie ich die Gebote meines Vaters gehalten habe" und deshalb „in seiner Liebe geblieben bin". Christus schuf für uns Sühne, indem er dem Gesetz der Erlösung gehorchte, und so blieb er in Gottes Liebe und stellte uns für sie wieder her.

2. Seine eigene Liebe für seine Jünger. Obwohl er sie verließ, liebte er sie doch. Beachten Sie hier:

2.1 Das Vorbild dieser Liebe: „Gleichwie mich der Vater liebt, so liebe ich euch." Gleichwie der Vater ihn liebte, der absolut würdig war, so liebte er sie, die absolut unwürdig waren. Der Vater liebte Christus als seinen Sohn und Christus liebte sie als seine Kinder. Der Vater hatte Gefallen an ihm, sodass er an uns in ihm Gefallen haben konnte, und der Vater liebte ihn, sodass er uns in ihm, „in dem Geliebten", begnadigt hat (Eph 1,6).

2.2 Die Beweise und Ergebnisse seiner Liebe. Wir wissen, dass:
Christus seine Jünger liebte, indem er sein Leben für sie ließ: „Größere Liebe hat niemand als die, dass einer sein Leben lässt für seine Freunde" **(Vers 13)**. Das ist die Liebe, mit der Christus uns geliebt hat (s. Joh 17,26). Betrachten Sie das Ausmaß der Liebe von Menschen füreinander. Der höchste Beweis dafür ist, das Leben für einen Freund zu lassen, um dessen Leben zu retten. Das ist Liebe auf dem höchsten Niveau, die stark ist wie der Tod (s. Hld 8,6). Betrachten Sie die Vorzüglichkeit der Liebe Christi. Er ist der meist beachteten Liebe nicht nur gleichgekommen, sondern ist über sie hinausgegangen. Andere haben ihr Leben für ihre Freunde gelassen, doch Christus ließ seines für uns, „als wir noch Feinde waren" (Röm 5,8.10). „Herzen, die nicht durch eine so unvergleichliche Süße göttlicher Liebe weich gemacht werden, müssen härter sein als Eisen oder Stein" (Calvin).
Christus liebte seine Jünger, indem er einen Freundschaftsbund mit ihnen einging **(s. Vers 14-15)**. Die Nachfolger Christi sind die Freunde Christi. Diejenigen, welche die Pflicht als seine Diener erfüllen, werden zu den Ehren seiner Freunde zugelassen und befördert. Alle Diener Christi haben diese Ehre. Christus nimmt Gläubige, damit sie seine Freunde sind. Obwohl sie oft unfreundlich ihm gegenüber sind, ist er ein Freund, der zu jeder Zeit liebt (s. Spr 17,17). Er will sie nicht Knechte nennen, er will sie seine Freunde nennen. Er wird sie nicht nur lieben, sondern wird sie dies wissen lassen. Obwohl Christus sie seine Freunde nennt, nannten sie sich selbst seine Knechte: „Paulus, Knecht Jesu Christi" (Röm 1,1); auch Jakobus (s. Jak 1,1). Je mehr Ehre Christus uns gibt, umso mehr sollten wir bestrebt sein, ihm Ehre zu geben; je höher wir in seinen Augen stehen mögen, umso geringer sollen wir in unseren eigenen sein.
Christus liebte seine Jünger, indem er ihnen freimütig sein Herz öffnete: „... weil ich euch alles verkündet habe, was ich von meinem Vater gehört habe" **(Vers 15)**. Jesus Christus hat uns treu das übergeben, was er von dem Vater empfing (s. Joh 1,18; Mt 11,27). Christus machte seinen Jünger die großen Dinge über die Erlösung der Menschen bekannt, damit sie es anderen bekannt machen konnten.
Christus liebte seine Jünger, indem er sie erwählte und bestimmte: „... sondern ich habe euch erwählt und euch dazu bestimmt" **(Vers 16)**. Seine Liebe zu ihnen zeigte sich:
In ihrer Erwählung zur Apostelschaft: Er hatte sie Zwölf erwählt (s. Joh 6,70). Es begann nicht mit ihnen: „Nicht ihr habt mich erwählt, sondern ich habe [zuerst] euch erwählt." Für Christus ist es richtig, derjenige zu sein, der seine eigenen geistlichen Diener erwählt; er tut dies weiterhin. Obwohl geistliche Diener diese heilige Berufung zu ihrer eigenen Wahl machen, geht die Wahl Christi der ihren voraus und lenkt und bestimmt sie.
In ihrer Bestimmung: Er hat sie bestimmt. „Ich habe euch beauftragt." Er hatte großes Vertrauen in sie. Der Schatz des Evangeliums wurde ihnen anvertraut:
Damit es sich ausbreiten würde; „... dass ihr hingeht [von Ort zu Ort durch die Welt] und Frucht bringt" **(Vers 16)**. Sie waren nicht dazu bestimmt, sich zurückzulehnen und nichts zu tun, sondern tätig zu sein. Sie waren nicht zum Schattenboxen bestimmt, sondern dazu, dabei behilflich zu sein, die Völker dazu zu bringen, Christus zu gehorchen. Diejenigen, die Christus bestimmt, werden sehen, dass ihre harte Arbeit nicht vergeblich ist (s. 1.Kor 15,58).
Damit es für immer anhalten würde. Die Gemeinde Christi sollte nicht kurzlebig sein. Sie ist nicht „in einer Nacht entstanden" und auch nicht „in einer Nacht zugrunde gegangen" (Jona 4,10). Wenn eine Generation von geistlichen Dienern und Christen verschieden ist, ist eine andere gekommen. Und so bleibt ihre Frucht bis auf diesen Tag und wird bestehen bleiben, so lange wie die Erde besteht.
Die Vorrechte, welche sie vor dem Thron der Gnade genießen: „... damit der Vater euch gibt, was auch immer ihr ihn bitten werdet in meinem Namen." Dies bezieht sich wahrscheinlich zunächst auf die Kraft, Wunder zu wirken, die durch das Gebet eingeholt werden sollte. „Was für Hilfe ihr auch zu irgendeiner Zeit vom Himmel braucht, ihr braucht nur zu fragen und ihr werdet sie haben." Uns werden hier drei Dinge genannt, um uns im Gebet zu ermutigen:
Wir haben einen Gott, zu dem wir gehen können, der ein Vater ist.
Wir kommen in einem guten Namen. Aus welchem Grund wir auch vor den Thron der Gnade kommen, wir können dabei den Namen Christi mit demütiger Kühnheit nennen.
Uns wird eine wohlgesonnene Antwort verheißen. „Für was ihr kommt, wird euch gegeben werden."

3. Die Liebe der Jünger zu Christus. Er ermutigte sie dazu, drei Dinge zu tun:
3.1 In seiner Liebe zu bleiben: „Bleibt in eurer Liebe zu mir und in meiner zu euch" **(s. Vers 9)**. Alle, die Christus lieben, sollten in ihrer

Liebe zu ihm bleiben. „Bleibt in meiner Liebe!' Behaltet eure Liebe zu mir und dann werden all die Schwierigkeiten, auf die ihr trefft, leicht sein. Lasst nicht die Schwierigkeiten, die euch um Christi willen begegnen, eure Liebe zu Christus auslöschen, sondern lasst sie sie vielmehr anregen."

3.2 Dass sie seine Freude in sich bleiben und sich von ihr erfüllen lassen **(s. Vers 11)**. Er beabsichtigte:

Dass seine Freude in ihnen bleiben würde. Man kann die Worte entweder lesen:

„Damit meine Freude in euch bleiben möge." Wenn sie eine große Menge Frucht bringen und in seiner Liebe bleiben würden, würde er sich weiter über sie freuen, wie er es getan hatte. Fruchtbare und treue Jünger sind die Freude des Herrn Jesus. Oder:

„Damit meine Freude, das heißt eure Freude an mir, bleiben möge." Es ist der Wille Christi, dass sich seine Jünger beständig und dauerhaft an ihm freuen (s. Phil 4,4). Die Freude derer, die in der Liebe Christi bleiben, ist ein beständiges Festmahl (s. Spr 15,15).

Damit ihre „Freude völlig werde" – „nicht nur, damit ihr voller Freude sein werdet, sondern auch, damit eure Freude an mir und an meiner Liebe immer mehr ansteigen möge, bis sie die Vollendung erreicht." Bei denen, und nur bei denen, in denen die Freude Christi bleibt, ist ihre Freude völlig. Weltliche Freuden übersättigen schnell, aber stellen nie zufrieden. Die Absicht Christi in seinem Wort ist, die Freude der Seinen völlig zu machen.

3.3 Ihre Liebe zu ihm zu zeigen, indem sie seine Gebote halten: „Wenn ihr meine Gebote haltet, so bleibt ihr in meiner Liebe **(Vers 10)**. Beachten Sie hier:

Die Verheißung: „,... so bleibt ihr in meiner Liebe' wie an einem Wohnort, zu Hause in der Liebe Christi; ihr werdet als an einem Ruheplatz darin bleiben, entspannt in der Liebe Christi; ihr werdet wie in einer Feste in ihr bleiben, sicher und geborgen in ihr. ,... so bleibt ihr in meiner Liebe'; ihr werdet die Gnade und Kraft haben, die nötig ist, daran festzuhalten, mich zu lieben."

Die Bedingung für die Verheißung: „Wenn ihr meine Gebote haltet." Die Jünger sollten die Gebote Christi nicht nur halten, indem sie sich ihnen ständig fügten, sondern auch, indem sie sie treu an andere weitergeben; sie sollten sie als Verwalter halten. Um sie zu motivieren, seine Gebote zu halten, führte er an:

Sein eigenes Beispiel: „... gleichwie ich die Gebote meines Vaters gehalten habe und in seiner Liebe geblieben bin" **(Vers 10)**.

Die Notwendigkeit davon für ihren Anteil an ihm: „Ihr seid meine Freunde, wenn ihr tut, was immer ich euch gebiete" **(Vers 14)**. Es sind nur diejenigen, die sich als seine gehorsamen Knechte erweisen, die als treue Freunde Christi angesehen werden, und nur umfassender Gehorsam Christus gegenüber ist annehmbarer Gehorsam.

4. Die Liebe der Jünger zueinander. Wir müssen seine Gebote halten und es ist eines seiner Gebote, dass wir einander lieben **(s. Vers 12.17)**. Keine Pflicht der Religion wird von unserem Herrn Jesus häufiger eingeprägt und bei keiner werden wir leidenschaftlicher von ihm dazu angespornt als bei der der gegenseitigen Liebe.

4.1 Sie wird hier durch das Beispiel Christi empfohlen: „... gleichwie ich euch geliebt habe" **(Vers 12)**. Gleichwie: Wir sollten einander sowohl in dieser Weise als auch aus diesem Beweggrund lieben. „So geh du hin und handle ebenso!" (Lk 10,37).

4.2 Sie wird durch sein Gebot gefordert. Achten Sie darauf, wie unterschiedlich es in **Vers 12** und **Vers 17** ausgedrückt wird und beides ist nachdrücklich.

„Das ist mein Gebot" – als wäre dies das nötigste aller Gebote **(Vers 12)**. Christus hat, da er die Neigung der christlichen Gemeinde zur Lieblosigkeit voraussah, dieses Gebot am meisten betont.

„Diese Dinge gebiete ich euch" **(Vers 17; KJV)**. Er sprach, als wolle er sie bitten, viele Dinge zu tun, doch dann nannte er nur dies eine, „dass ihr einander liebt".

Vers 18-25

Hier sprach Christus über Hass, welcher der Charakter und der Geist des Reiches des Teufels ist, so wie die Liebe das Kennzeichen des Reiches Christi ist. Beachten Sie:

1. In wem sich dieser Hass findet – in der Welt, den Kindern dieser Welt als Unterschied zu den Kindern Gottes. Die Tatsache, dass diese „die Welt" genannt werden, zeigt:

1.1 Ihre Anzahl. Es gab eine Welt von Menschen, die sich Christus und dem Christentum widersetzten. Ich fürchtete, wenn eine Wahl zwischen Christus und Satan abgehalten werden würde, würde Satan entscheidend gewinnen.

1.2 Ihre Verbundenheit. Juden und Heiden, die sonst bei nichts anderem übereinstimmen konnten, stimmten darin überein, Christi geistliche Diener zu verfolgen.

1.3 Ihre Haltung und ihren Geist. Sie sind die Leute dieser Welt (s. Ps 17,13-14). Zwar werden Gottes Kinder gelehrt, die Sünden von Sündern zu hassen, doch sie sollen diese nicht als Person hassen, sondern sollten sie lieben und jedermann Gutes tun. Ein abscheulicher, boshafter und missgünstiger Geist ist nicht der Geist Christi, sondern der Welt.

2. Gegen wen sich dieser Hass richtet – gegen die Jünger Christi, gegen Christus selbst und gegen den Vater.

2.1 Die Welt hasst die Jünger Christi: „… darum hasst euch die Welt" **(Vers 19)**.
Beachten Sie, wie dies hier einbezogen wird. Christus hatte die große Freundlichkeit ausgedrückt, die er ihnen gegenüber als Freunde hegte, doch er gab ihnen einen „Pfahl fürs Fleisch", Schande und Verfolgung um seinetwillen (2.Kor 12,7.10). Er hatte sie dazu berufen, ihre Arbeit zu tun, doch er sagte ihnen, auf welche Härten sie darin treffen würden. Er hatte ihnen geboten, einander zu lieben, und es würde sicherlich nötig sein, dass sie dies tun, da die Welt sie hassen würde. Diejenigen, die unter Feinden sind, sollten sich zusammentun.
Beachten Sie, was hier eingeschlossen ist.
Die Feindschaft der Welt gegenüber den Nachfolgern Christi: Die Welt hasste sie. Die Welt verflucht die, welche Christus segnet. Die Lieblinge und Erben des Himmels sind niemals die Lieblinge dieser Welt gewesen.
Die Folgen dieser Feindschaft **(s. Vers 20)**.
„Eine Folge dieser Feindschaft ist, dass sie euch verfolgen werden." Es ist das gemeinsame Schicksal derer, die ein gottesfürchtiges Leben in Christus führen wollen, dass sie „Verfolgung erleiden" (2.Tim 3,12). Er sandte sie wie Schafe unter die Wölfe.
Eine weitere Folge ihrer Feindschaft wurde angedeutet: dass die Welt ihre Lehre verwerfen würde. Als Christus sagte: „Haben sie auf mein Wort argwöhnisch achtgehabt, so werden sie auch auf das eure argwöhnisch achthaben", meinte er: „Sie werden eures nicht mehr halten und bedenken, als sie meines bedacht und gehalten haben."
Die Gründe für diese Feindschaft. Die Welt würde sie hassen:
Weil sie nicht zu ihr gehören würden: „‚Wenn ihr von der Welt wärt', von ihrem Geist, ‚so hätte die Welt das Ihre lieb'" **(Vers 19)**. Wir sollen nicht überrascht sein, wenn diejenigen, die der Welt hingegeben sind, von ihr als ihre Freunde behandelt werden. Noch sollten wir überrascht sein, wenn diejenigen, die von der Welt gerettet sind, von ihr als ihre Feinde beschimpft werden. Der Grund dafür, warum Christi Jünger nicht zu der Welt gehörten, war, dass Christus sie aus ihr erwählt hatte. Die Herrlichkeit, für die alle seine Jünger bestimmt sind, stellt sie über die Welt und macht sie deshalb für sie zu Objekten des Neids. Die Gnade, mit der sie ausgestattet sind, stellt sie gegen die Welt. Sie zeugen gegen die Welt und sind ihr nicht angepasst. In all dem Unheil, welches der Hass der Welt für sie bringen würde, würden sie durch die Erkenntnis getragen werden, dass sie gehasst wurden, weil sie die Auslese und Auswahl des Herrn Jesus sind und nicht zur Welt gehörten. Nun:
War es kein rechtmäßiger Grund für den Hass der Welt ihnen gegenüber, dass sie von Jesus Christus erwählt wurden. Wenn die Menschen uns für etwas hassen, für das sie uns lieben und schätzen sollten, dann haben wir Grund, sie zu bemitleiden.
Es war einfach ein rechtmäßiger Grund für ihre eigene Freude. Diejenigen, welche die Welt hasst, können sich selbst lieben, denn Christus liebt sie.
„Weil ihr zu Christus gehört": „… um meines Namens willen" **(Vers 21)**. Was auch immer behauptet wird, dies ist der grundlegende Punkt des Streites: Die Welt hasst die Jünger Christi, weil sie seinen Namen tragen und seinen Namen in der Welt unterstützen. Es ist das Wesen der Jünger Christi, dass sie für seinen Namen einstehen. Es ist allgemein das Los derer gewesen, die für den Namen Christi eintreten, dass sie dafür leiden; sie müssen „das alles" erleiden. „Glückselig seid ihr, wenn ihr geschmäht werdet um des Namens des Christus willen!" (1.Petr 4,14). Wenn wir mit Christus leiden, oder für Christus, werden wir auch mit ihm herrschen (s. 2.Tim 2,12; NLB).
Es ist die Unwissenheit der Welt, die der wahre Grund ihrer Feindschaft gegenüber den Jüngern Christi ist: „Denn sie kennen den nicht, der mich gesandt hat" **(Vers 21)**. Die Welt kennt Gott nicht und sie kennt Gott nicht als den Einen, der unseren Herrn Jesus sandte. Wir kennen Gott nicht richtig, wenn wir ihn nicht in Christus kennen.

2.2 Die Welt hasst Christus selbst. Dies wurde hier mit zwei Absichten erwähnt:
Um den Schrecken seiner Nachfolger zu mindern, der durch den Hass der Welt entstand: „… so wisst, dass sie mich vor euch gehasst hat" **(Vers 18)**. Wir lesen die Wendung „vor euch" als Vorrang in der Zeit, doch man kann sie so lesen, dass sie seine Erhabenheit über sie ausdrückt. „Ihr wisst, dass sie mich hasste, den Einen, der vor euch ist, euer Erster, euer Leiter und Oberhaupt." Können wir erwarten, dass irgendeine Qualität oder ein Verdienst von uns uns vor dem Hass schützen würde, wenn Christus gehasst wurde? Wenn unser Meister, der Eine, der unsere Religion begründete, auf so viel Widerstand traf, als er sie einrichtete, können seine Diener und Nachfolger nichts anderes erwarten, wenn sie sie bekennen und verbreiten. In dieser Angelegenheit verwies er sie auf sein eigenes Wort: „Gedenkt an das Wort, das ich zu euch gesagt habe" **(Vers 20)**. In diesem Wort gibt es:
Eine einfache Wahrheit: „Der Knecht ist nicht größer als sein Herr." Der Knecht ist seinem Herrn untergeordnet. Die klarsten Wahrheiten sind manchmal die stärksten Argumente für die härtesten Pflichten.
Eine passende Schlussfolgerung, die daraus gezogen wird: „‚Haben sie mich verfolgt, so werden sie auch euch verfolgen.' Ihr könnt es erwarten, denn:"
„Ihr werdet das Gleiche tun, was ich getan habe,

um sie zu reizen; ihr werdet sie für ihre Sünden tadeln und ihnen strenge Regeln für ein heiliges Leben geben, welche sie nicht hören wollen."

„Ihr könnt nicht mehr tun, als ich getan habe, um ihnen zu gefallen. Niemand möge sich darüber wundern, wenn er Schaden für Gutestun erleidet." Er fügte hinzu: „‚Haben sie auf mein Wort argwöhnisch achtgehabt, so werden sie auch auf das eure argwöhnisch achthaben'; so wie es ein paar gab, die durch mein Predigen überzeugt wurden, so wird es ein paar geben, die durch das eurige überzeugt werden – ein paar."

Um die Bosheit dieser ungläubigen Welt zu betonen und ihre große Sündhaftigkeit zu offenbaren. Die Welt hat in der Schrift allgemein einen schlechten Ruf, und nichts kann ihr einen schlimmeren Ruf geben als die Tatsache, dass sie Jesus Christus hasste. Er hob zwei Dinge hervor, um die Bosheit derer zu betonen, die ihn hassten:

Dass es den größtmöglichen Grund gab, weshalb sie ihn lieben sollten.

Seine Worte waren solche, die ihre Liebe verdienten: „‚Wenn ich nicht ... zu ihnen geredet hätte, so hätten sie keine Sünde' (hätten sie sich keiner Sünde schuldig gemacht). Jetzt aber haben sie keine Entschuldigung für ihre Sünde" **(Vers 22)**. Beachten Sie hier:

Den Nutzen, den diejenigen haben, die sich des Evangeliums erfreuen: Christus kommt und spricht im Evangelium zu ihnen. Er sprach persönlich zu den Menschen jener Generation und er spricht weiterhin zu uns. Jedes seiner Worte bringt eine sich in seiner Gnade zu den Menschen herablassende Sanftheit mit sich und man hätte gemeint, dass es die taubste Otter beschwören könnte (s. Ps 58,5).

Die Entschuldigung, welche die haben, die sich nicht des Evangeliums erfreuen: „Wenn ich nicht ... zu ihnen geredet hätte, so hätten sie keine Sünde" (hätten sie sich keiner Sünde schuldig gemacht).

Nicht dieser Art von Sünde. Sie wären nicht der Missachtung Christi beschuldigt worden. Wie die Sünde nicht in Rechnung gestellt wird, wo kein Gesetz ist, so wird der Unglaube nicht in Rechnung gestellt, wo es kein Evangelium gibt (s. Röm 5,13).

Nicht eines solchen Maßes der Sünde. Wenn sie nicht unter ihnen das Evangelium gehabt hätten, wären ihre anderen Sünden nicht so schlimm gewesen.

Die größere Schuld, die auf denen liegt, zu denen Christus gekommen ist und vergeblich gesprochen hat. „Nun aber haben sie keinen Vorwand für ihre Sünde"; sie sind vollständig ohne Entschuldigung. Das Wort Christi beraubt die Sünde ihrer Tarnung, sodass sie sich in ihrer wahren Gestalt als Sünde zeigen möge.

Seine Werke waren solche, die ihre Liebe verdienten: „‚Wenn ich nicht die Werke unter ihnen getan hätte ... so hätten sie keine Sünde' (hätten sie sich keiner Sünde schuldig gemacht); ihr Unglaube und ihre Feindschaft wären verzeihlich gewesen" **(Vers 24)**. Doch er brachte zufriedenstellende Beweise seines göttlichen Auftrags, Werke, „die kein anderer getan hat". Dies zeigt uns:

Wie der Schöpfer durch seine Kraft und seine Werke seine Gottheit zeigt, so tut es der Erlöser (s. Röm 1,20). Seine Wunder, seine Barmherzigkeiten, seine wunderbaren Werke und seine Werke der Gnade bewiesen, dass er von Gott mit einem gütigen Auftrag gesandt war.

Christi Werke waren solche, „die kein anderer getan hat". Kein gewöhnlicher Mensch, niemand, der keinen Auftrag vom Himmel hatte und Gott nicht mit ihm war, konnte Wunder vollbringen (s. Joh 3,2). Und alle seine Werke waren gute Werke und Werke der Barmherzigkeit. Man hätte gemeint, dass ein Mensch, der so allgemein nützlich ist, allgemein geliebt werden würde, doch er wurde sogar gehasst.

Die Werke Christi steigern die Schuld der Feindschaft von Sündern ihm gegenüber. Wenn sie nur seine Worte gehört und nicht seine Werke gesehen hätten, hätte man Unglauben mit fehlenden Beweisen verteidigen können. Doch sie sahen, dass Christus danach strebte, ihnen Freundlichkeit zu erweisen, und doch hassten sie ihn. Wir sehen in seinem Wort die große Liebe, mit der er uns liebte, werden aber nicht durch sie überzeugt (s. Joh 17,26).

Dass es überhaupt keinen Grund gab, weshalb sie ihn hassen sollten: „Doch dies geschieht, damit das Wort erfüllt wird, das in ihrem Gesetz geschrieben steht: ‚Sie hassen mich ohne Ursache'" **(Vers 25)**.

Wer Christus hasst, hasst ihn ohne eine rechtmäßige Ursache; Feindschaft gegenüber Christus ist unvernünftige Feindschaft. Christus war der größtmögliche Segen für sein Land, aber er wurde doch gehasst. Er bezeugte in der Tat, dass ihre Werke böse waren, doch er tat dies mit der Absicht, sie gut zu machen, und ihn aus diesem Grund zu hassen, war, ihn ohne Grund zu hassen.

Hier wurde die Schrift erfüllt. Diejenigen, die Christus hassten, hatten nicht die Absicht, mit ihrem Handeln die Schrift zu erfüllen, doch Gott hatte dies im Sinn, indem er es zuließ, und es bestätigt unseren Glauben an Christus als den Messias, dass sogar dies über ihn vorhergesagt wurde, und da es vorhergesagt wurde, sich in ihm erfüllte. Wir dürfen es nicht als sonderbar oder hart ansehen, wenn es sich bei uns weiter erfüllt.

2.3 Indem sie Christus hasst, hasst die Welt Gott selbst; dies wird hier zweimal gesagt: „Wer mich hasst, der hasst auch meinen Vater" **(Vers 23)**. Und wieder in **Vers 24**: Sie haben „es gesehen und hassen doch sowohl mich als auch meinen Vater". Dies zeigt uns:

Es gibt solche, die Gott hassen. Diejenigen, die

selbst nicht dahin kommen können zu leugnen, dass es einen Gott gibt, aber wünschen, dass es keinen gäbe, sehen und hassen ihn.
Hass auf Christus wird als Hass auf Gott beurteilt werden. Die Aufnahme, die der Sohn findet, ist deshalb die, die der Vater hat. Eine ungläubige Welt möge wissen, dass ihre Feindschaft gegenüber dem Evangelium Christi als Feindschaft gegenüber dem heiligen Gott selbst betrachtet werden wird, und alle, die um der Gerechtigkeit willen leiden, mögen sich hierdurch trösten lassen; wenn Gott selbst in ihnen gehasst wird, brauchen sie sich weder ihrer Sache zu schämen noch Angst vor dem Ergebnis haben.

Vers 26-27

Christus hatte über den großen Widerstand gesprochen, auf den sein Evangelium wahrscheinlich treffen würde; hier zeigte er, welche wirkungsvolle Vorkehrung getroffen werden würde, um es zu unterstützen, sowohl durch das wichtigste Zeugnis des Heiligen Geistes als auch durch das untergeordnete Zeugnis der Apostel.

1. Er verhieß, dass der Heilige Geist die Sache Christi in der Welt weiterführen würde: „Wenn aber der Beistand kommen wird, den ich euch vom Vater senden werde ... der vom Vater ausgeht, so wird der von mir Zeugnis geben." Wir haben in diesem Vers mehr über den Heiligen Geist als in jedem anderen Vers der Bibel. Hier gibt es eine Beschreibung von ihm:

1.1 In seinem Wesen: Er ist „der Geist der Wahrheit, der vom Vater ausgeht". Von ihm wird als von einer einzelnen Person gesprochen, als einer göttlichen Person, die „vom Vater ausgeht". Von dem menschlichen Geist oder Odem, welcher der „Odem des Lebens" genannt wird, kann man sagen, dass er vom Menschen ausgeht (1.Mose 2,7); indem dieser Odem in eine Stimme umgewandelt wird, drückt ein Mensch seinen Sinn aus, und durch ihn gebraucht er manchmal seine Kraft, um das auszublasen, was er auslöschen will, oder das anzublasen, was er entfachen will. In ähnlicher Weise ist der Heilige Geist jemand, der durch das göttliche Licht freigesetzt ist und dessen Energiequelle die göttliche Macht ist.

1.2 In seinem Auftrag. Er würde in einer reichlicheren Ausgießung seiner Gaben, Gnadenwirkungen und Macht kommen, als er es je getan hatte. „... den ich euch vom Vater senden werde." Er hatte vorher gesagt: „Und ich will den Vater bitten, und er wird euch einen anderen Beistand geben" (Joh 14,16). Hier sagte er, er wird ihn senden. Der Geist wurde gesandt:

Von Christus als Mittler, der nun emporgestiegen ist zur Höhe, um den Menschen Gaben zu geben (s. Eph 4,8).

Vom Vater: „Nicht nur vom Himmel, dem Haus meines Vaters, sondern nach dem Willen und der Festsetzung meines Vaters."

Den Aposteln, um sie in ihrer Predigt zu unterweisen.

1.3 In seinem Amt und seinen Werken, die zweifach sind:

Eines wird in dem Titel angedeutet, der ihm gegeben wird; er ist der Beistand (Ratgeber oder Anwalt), ein Anwalt für Christus, um seine Sache gegen den Unglauben der Welt zu verfechten, und ein Beistand für die Heiligen gegen den Hass der Welt.

Ein Weiteres wird genannt: „... so wird der von mir Zeugnis geben." Er ist nicht nur ein Anwalt, sondern auch ein Zeuge Jesu Christi. Die Kraft zum Dienst wird vom Geist hergeleitet, denn er befähigt geistliche Diener, und die Kraft zum Christsein wird auch vom Geist hergeleitet, denn er heiligt die Christen, und in beidem gibt er Zeugnis von Christus.

2. Er verhieß, dass auch die Apostel die Ehre haben würden, Zeugen Christi zu sein: „Und auch ihr werdet [von mir] Zeugnis geben" **(Vers 27)**.

2.1 Die Apostel waren dazu bestimmt, Zeugen Christi in der Welt zu sein. Als er gesagt hatte: „Der Geist wird Zeugnis geben", fügte er hinzu: „Und auch ihr werdet Zeugnis geben". Das Wirken des Geistes soll nicht das unsere ersetzen, sondern dabei helfen und dazu ermutigen. Obwohl der Geist Zeugnis gibt, müssen auch die geistlichen Diener Zeugnis geben. Dies zeigt:

Die Arbeit, die sie tun sollten; sie sollten für die Wahrheit, die ganze Wahrheit und für nichts als die Wahrheit über Christus Zeugnis ablegen. Obwohl die Jünger Christi bei dessen Prozess vor dem Hohepriester und Pilatus flohen, waren sie mutig darin, die Sache hochzuhalten, nachdem der Geist auf sie ausgegossen worden war. Die Wahrheit der christlichen Religion sollte sehr stark durch die Belege durch Tatsachen bewiesen werden, besonders durch die Auferstehung Christi, bei der die Apostel in besonderer Weise zu Zeugen berufen waren (s. Apg 10,41). Die geistlichen Diener Christi sind seine Zeugen.

Die ihnen dabei verliehene Ehre – dass sie Gottes Mitarbeiter sein sollten (s. 2.Kor 6,1; NLB). „Der Geist wird von mir Zeugnis geben ‚und auch ihr werdet Zeugnis geben'." Die Tatsache, dass Christus sie geehrt hatte, möge sie gegen den Hass und die Geringschätzung der Welt ermutigen.

2.2 Sie waren dazu befähigt, dies zu sein: „... weil ihr von Anfang an bei mir gewesen seid." Sie hörten nicht nur seine öffentlichen Predigten, sondern waren auch seine ständigen privaten Begleiter gewesen. Andere sahen nur die wunderbaren und barmherzigen Taten, die er in ihrer Stadt oder in ihrem Gebiet tat; diejenigen, die mit ihm umherzogen, waren Zeugen von ihnen allen. Diejenigen, die selbst durch den Glauben, die Hoffnung und die Liebe bei ihm gewesen sind, sind am besten dazu in der Lage, für Christus Zeugnis zu geben. Geistliche Diener müssen zuerst Christus kennenlernen und ihn dann predigen (s. Eph 4,20). Wer aus seiner eigenen persönlichen Erfahrung spricht, spricht am besten über die Dinge Gottes. Es ist ein besonders großer Vorteil, Christus von Anfang an zu kennen, vom Beginn unseres Lebens an bei ihm gewesen zu sein. Wenn man früh im Leben zu Christus kommt und beständig bei dem Evangelium Christi ist, wird dies einen Menschen wie einen guten Hausvater machen, der aus seinem Schatz Neues und Altes hervorholt (s. Mt 13,52).

Kapitel 16

1. Hier sind verwundende Worte, welche die Schwierigkeiten ankündigten, die vor ihnen lagen (s. Vers 1-6). 2. Hier sind heilende Worte, die ihnen Trost und Unterstützung brachten – fünf heilende Worte: 2.1 Dass er ihnen den Beistand senden würde (s. Vers 7-15). 2.2 Dass er bei seiner Auferstehung wieder zu ihnen kommen würde (s. Vers 16-22). 2.3 Dass er eine wohlgesonnene Antwort auf all ihre Gebete sicherstellen würde (s. Vers 23-27). 2.4 Dass er nun zu seinem Vater zurückging (s. Vers 28-32). 2.5 Dass, auf was für Schwierigkeiten sie auch treffen würden, sie sich des Friedens in ihm sicher sein würden (s. Vers 33).

Vers 1-6

Christus ging treu mit seinen Jüngern um, als er sie aussandte. Er sagte ihnen das Schlimmste, damit sie sich setzen und die Kosten berechnen konnten (s. Lk 14,28).

1. Er nannte ihnen einen Grund, warum er sie in dieser Weise beunruhigt hatte: „Dies habe ich zu euch geredet, damit ihr keinen Anstoß nehmt" **(Vers 1)**. Die Jünger Christi neigen dazu, an dem Kreuz Anstoß zu nehmen; der Anstoß des Kreuzes ist eine gefährliche Versuchung, selbst für gute Menschen, den Wegen Gottes den Rücken zuzukehren. Indem er uns im Voraus von den Schwierigkeiten sagte, wollte der Herr Jesus dessen Schrecken fortnehmen, damit es nicht als Überraschung über uns kommen würde. Wir können einen Gast leicht willkommen heißen, den wir erwarten, und weil wir vorgewarnt sind, sind wir gewappnet.

2. Er sagte besonders voraus, was sie erleiden würden: „Diejenigen, welche die Macht dazu haben, ‚werden euch aus der Synagoge ausschließen' und werden euch töten" **(Vers 2)**. Hier werden zwei Schwerter gegen die Nachfolger des Herrn Jesus gezogen:

2.1 Das Schwert der Gemeindezucht: „Die jüdischen Leiter werden euch ‚aus der Synagoge ausschließen'." Zuerst geißelten sie die Jünger in ihren Synagogen als solche, die das Gesetz verachteten, und zuletzt warfen sie sie als unverbesserlich hinaus (s. Mt 10,17). Ferner, allgemeiner gesagt: „Sie werden euch aus der Versammlung von Israel hinaustreiben und ihr werdet als Geächtete verfolgt werden." Viele gute Wahrheiten sind mit einem Fluch gebrandmarkt worden.

2.2 Das Schwert der Staatsgewalt: „Wenn ihr als Häretiker ausgestoßen worden seid, werden sie euch töten und meinen, ‚Gott einen Dienst zu erweisen'. Ihr werdet sie als wahrhaftig grausam erleben: Sie werden euch töten." Es heißt, dass alle zwölf Apostel außer Johannes getötet wurden. „Ihr werdet sehen, dass sie es aus Gewissensgründen tun werden; sie werden meinen, dass sie Gott einen Dienst erweisen." Es ist möglich, dass diejenigen, die wirklich Feinde des Dienstes an Gott sind, behaupten, großen Eifer dafür zu haben. Viele Male ist das Werk des Teufels von denen getan worden, die Gottes Tracht trugen, und es ist üblich, die Feindseligkeit gegenüber der Religion mit einer Tünche der Pflicht Gott gegenüber zu rechtfertigen. Gottes Kinder haben die größten Härten von Verfolgern aus Gewissensgründen erlitten. Das verringert in keiner Weise die Schuld der Verfolger, doch es erhöht das Leid der Verfolgten, dass sie durch die Hand eines Feindes Gottes sterben.

3. Er nannte ihnen den wahren Grund für die Feindschaft der Welt und die Wut gegen sie: „Und dies werden sie euch antun, weil sie weder den Vater noch mich kennen" **(Vers 3)**. Viele, die behaupten, Gott zu kennen, sind in erbärmlicher Weise unwissend über ihn. Die Christus nicht kennen, können keine richtige Erkenntnis Gottes haben. Wer meint, dass es akzeptabel ist, gute Menschen zu verfolgen, ist wirklich sehr unwissend in Bezug auf Gott und Christus.

4. Er sagte ihnen, warum er dies ihnen jetzt sagte und ihnen früher nichts gesagt hatte. Er sagte ihnen dies jetzt nicht, um sie zu entmutigen, sondern „damit ihr daran denkt, wenn die Stunde kommt, dass ich es euch gesagt habe" **(Vers 4)**. Wenn die Zeit des Leidens kommt, wird es für uns nützlich sein, sich an das zu erinnern, was Christus uns über das Leid gesagt hat, damit die Not weniger schmerzhaft und keine Überraschung ist. Warum hatte er ihnen nicht vorher davon gesagt? „Dies aber habe ich euch nicht von Anfang an gesagt, weil ich bei euch war." Solange er bei ihnen war, ertrug er die Empörung des Hasses der Welt und stand in der Schlacht an vorderster Front.

5. Er drückte eine sehr herzliche Sorge über die momentane Traurigkeit seiner Jünger aus: „‚Nun aber gehe ich hin zu dem, der mich gesandt hat, und niemand unter euch fragt mich: Wohin gehst du?' Statt nach dem zu fragen, was euch trösten würde, sinnt ihr über das nach, was traurig aussieht" **(Vers 5-6)**.
5.1 Er sagte ihnen, dass er im Begriff war, sie zu verlassen: „Nun aber gehe ich hin." Er wurde nicht mit Gewalt vertrieben, sondern ging freiwillig fort. Er ging hin zu dem, der ihn gesandt hatte, um Rechenschaft über sein Handeln mit der Menschheit abzulegen.
5.2 Er hatte ihnen gesagt, was für harte Dinge sie erleiden müssten, wenn er gegangen war. Sie würden versucht sein, zu denken, dass sie ein schlechtes Geschäft gemacht haben. Ihr Meister drückte ihnen hierfür ihr Mitgefühl aus, aber er warf ihnen dennoch vor:
Dass sie die Mittel des Trostes vernachlässigen: „… und niemand unter euch fragt mich: Wohin gehst du?" Petrus hatte diese Frage aufgeworfen und Thomas hatte sie aufgegriffen, doch sie haben diese nicht weiterverfolgt (s. Joh 13,36; 14,5). Beachten Sie, was für ein mitleidsvoller Lehrer Christus ist. Viele Lehrer werden keine Geduld mit Lernenden haben, die zweimal die gleiche Frage stellen; wenn ein Schüler eine Sache nicht rasch aufnehmen kann, soll er ohne sie gehen. Doch unser Herr Jesus weiß, wie er mit Kleinkindern umgehen muss, die „Vorschrift auf Vorschrift" gelehrt werden müssen (Jes 28,10). Wenn wir die Absicht und den Zweck der dunkelsten Wege des Allmächtigen in seiner Vorsehung untersuchen würden, würde uns das helfen, sie anzunehmen. Es wird uns zum Schweigen bringen, wenn wir fragen: „Woher kommen sie?" Doch es wird sehr zufriedenstellend sein, wenn wir fragen: „Wo führen sie hin?", denn wir wissen, dass sie uns zum Besten dienen (s. Röm 8,28).
Dass sie zu versessen auf den Anlass für ihren Kummer waren: Ihr Herz war voll Traurigkeit. Indem sie nur auf das blickten, was gegen sie war, und übersahen, was für sie war, erfüllten sie ihr Herz mit solchem Kummer, dass kein Raum für Freude blieb. Es ist der übliche Fehler und die Torheit von schwermütigen Christen, nur bei der finsteren Seite der Wolke zu verweilen (s. 2.Mose 14,20). Was die Herzen der Jünger mit Kummer erfüllte, war eine zu starke Empfindung für dieses jetzige Leben. Sie hatten große Hoffnungen bezüglich des äußerlichen Reiches und der äußerlichen Herrlichkeit ihres Meisters. Nichts verdirbt unsere Freude an Gott mehr als die Liebe zur Welt und – als deren Folge – den Kummer der Welt.

Vers 7-15

Hier gibt es drei Dinge über das Kommen des Beistands (Ratgebers):

1. Christi Weggang war absolut notwendig für das Kommen des Beistands **(s. Vers 7)**. Christus sah, dass es notwendig war, dies mit mehr als der üblichen Feierlichkeit zu erklären: „Aber ich sage euch die Wahrheit."
1.1 „Es ist nicht nur für mich, sondern auch für euch gut (zu eurem Vorteil), ‚dass ich hingehe'." Unser Herr Jesus möchte immer das für uns, was das Beste ist, gibt uns die Arznei, die wir nicht nehmen wollen, weil er weiß, dass sie gut für uns ist.
1.2 Es war gut für sie, denn es geschah, damit der Geist gesandt werden konnte.
Christi Gehen geschah, damit der Beistand kommen konnte. „Denn wenn ich nicht hingehe, so kommt der Beistand nicht zu euch." Der Eine, der freimütig gibt, ruft vielleicht eine Gabe zurück, ehe er eine andere gibt, während wir töricht alles fest in der Hand halten wollen. Das Senden des Geistes sollte das Ergebnis dessen sein, was Christus erwarb, und dieses Erwerben musste durch seinen Tod geschehen. Es sollte eine Antwort auf die Fürsprache Christi in Gottes innerem Heiligtum sein (s. Joh 14,16). Diese Gabe musste von unserem Herrn Jesus bezahlt werden und er musste auch um sie beten. Die Jünger mussten von seiner leiblichen Gegenwart entwöhnt werden, ehe sie gut vorbereitet waren, die geistliche Hilfe und den Beistand eines neuen Zeitalters zu empfangen. „Wenn ich aber hingegangen bin, will ich ihn zu euch senden." Obwohl er fortging, würde er den Beistand senden; in der Tat ging er bewusst fort, um ihn zu senden.
Die Gegenwart des Geistes Christi in seiner Gemeinde ist so viel wünschenswerter als seine leibliche Gegenwart, dass es wirklich zu unserem Vorteil war, dass er fortging. Seine leibliche Gegenwart konnte nur an einem Ort zu einem Zeitpunkt sein, aber sein Geist ist, wo zwei oder drei in seinem Namen versammelt sind (s. Mt 18,20). Christi leibliche Gegenwart zieht die Augen der Menschen an; sein Geist zieht ihre Herzen.

2. Das Kommen des Geistes war absolut notwendig, um die Interessen Christi auf der Erde fortzuführen: „Und wenn jener kommt, wird er die Welt überführen [oder rügen] von Sünde und von Gerechtigkeit und vom Gericht" **(Vers 8)**.
2.1 Beachten Sie hier, warum er gesandt wurde.
Um zu tadeln. Der Geist ist jemand, der durch das Wort und das Gewissen zurechtweist.
Um zu überführen. Dies ist ein juristischer Ausdruck, der von der Arbeit des Richters spricht, wenn er die Beweise zusammenfasst. Er wird

überführen, das heißt: „Er wird die Feinde Christi und seiner Sache zum Schweigen bringen." Das Werk der Überführung ist das Werk des Geistes; Menschen können eine Sache öffnen, doch nur der Geist kann das Herz öffnen. Der Geist wird „Beistand" genannt und hier wird gesagt, dass er überführen wird **(Vers 7)**. Man hätte meinen können, dass dies ein schwacher Trost sein würde, doch es ist der Weg des Geistes, zuerst zu überführen und dann zu trösten, zuerst die Wunde zu öffnen und dann die heilenden Arzneien darauf zu legen.

2.2 Beachten Sie, wen der Geist zurechtweisen und überführen sollte: „... die Welt."

Er würde der Welt die mächtigsten Mittel der Überführung geben, das Evangelium, vollständig bewiesen.

Er würde in ausreichender Weise dafür sorgen, dass die Einwände und Vorurteile der Welt gegenüber dem Evangelium zum Schweigen gebracht werden.

Er würde viele in der Welt in rettender Weise überführen, einige in jedem Alter, an jedem Ort. Der Geist wird in dieser bösen Welt immer noch wirken und die Überführung von Sündern ist der Trost treuer geistlicher Diener.

2.3 Beachten Sie, wovon der Geist die Welt überführen würde.

„*Von Sünde, weil sie nicht an mich glauben*" **(Vers 9)**. Der Geist ist dazu gesandt, Sünder von Sünde zu überführen, nicht, um ihnen bloß davon zu sagen. Sie davon zu überführen, heißt, sie ihnen zu beweisen und sie dazu zu bringen, sie zuzugeben. Der Geist überführt sie von der Tatsache der Sünde, von der Schuld der Sünde, von der Torheit der Sünde, von dem Schmutz der Sünde und schließlich von der Frucht der Sünde, dass ihr Ende der Tod ist. Der Geist macht sich bei der Überführung besonders bei der Sünde des Unglaubens fest, des nicht Glaubens an Christus:

Als der großen beherrschenden Sünde. Es gab und gibt eine Welt von Menschen, die nicht an Jesus Christus glauben, und sie sind sich nicht bewusst, dass dies ihre Sünde ist. Wenn Gott durch den Sohn zu uns redet, brechen jene dieses Gesetz, die den abweisen, der redet (s. Hebr 1,2; 12,25).

Als die große zerstörerische Sünde. Jede Sünde ist von ihrem eigenen Wesen her zerstörerisch, doch der Unglaube ist eine Sünde gegen Gottes Heilmittel für die Sünde.

Als das, was an der Wurzel jeder Sünde liegt. Der Geist würde die Welt überführen, dass der wahre Grund dafür, warum die Sünde unter ihnen regierte, war, dass sie nicht durch den Glauben mit Jesus Christus vereint waren.

„*Von Gerechtigkeit aber, weil ich zu meinem Vater gehe und ihr mich nicht mehr seht*" **(Vers 10)**. Wir können dies verstehen als Verweis auf:

Die persönliche Gerechtigkeit Christi. Der Geist würde die Welt überführen, dass Jesus von Nazareth Christus der Gerechte war, wie es der Hauptmann zugab: „Wahrlich, dieser Mensch war gerecht!" (Lk 23,47). Durch welches Mittel oder Argument würde der Geist nun die Menschen von der Lauterkeit des Herrn Jesus überzeugen? Dass sie ihn nicht mehr sehen, würde in einem gewissen Maß dazu beitragen, dass ihre Vorurteile beseitigt werden. Sein Gehen zum Vater würde die vollständige Überführung bedeuten. Das Kommen des Geistes nach der Verheißung war der Beweis der Erhöhung Christi zur Rechten Gottes und dies bewies seine Rechtschaffenheit (s. Apg 2,33).

Christi Gerechtigkeit, die uns zu unserer Rechtfertigung und Errettung übertragen wird. Der Geist würde die Menschen von dieser Gerechtigkeit überführen. Nachdem er ihnen gezeigt hat, dass sie eine Gerechtigkeit brauchen, würde er, falls sie das zur Verzweiflung bringen sollte, ihnen zeigen, wo sie zu finden ist. Es war schwer, diejenigen von dieser Gerechtigkeit zu überführen, die danach trachteten, „ihre eigene Gerechtigkeit aufzurichten", doch der Geist würde es tun (Röm 10,3). Christi Himmelfahrt ist das große und passende Argument, welches die Menschen von dieser Gerechtigkeit überführen würde: „... weil ich zu meinem Vater gehe und ihr mich nicht mehr seht." Jetzt, wo wir sicher sind, dass er „sich zur Rechten Gottes" gesetzt hat, sind wir sicher, dass wir durch ihn gerechtfertigt werden (Mk 16,19).

„*Vom Gericht, weil der Fürst dieser Welt gerichtet ist*" **(Vers 11)**. Beachten Sie:

Der Teufel, „der Fürst dieser Welt", wurde gerichtet, wurde als ein großer Betrüger und Zerstörer enthüllt. Er wurde durch die Gnade Gottes, die in dem Evangelium Christi wirkte, aus den Seelen der Menschen vertrieben.

Dies war ein gutes Argument, mit dem der Geist die Welt vom Gericht überführen würde, das heißt:

Von innewohnender Heiligkeit und Heiligung (s. Mt 12,18). Durch das Richten des Fürsten dieser Welt wird klar, dass Christus stärker ist als Satan.

Von einer neuen und besseren Fügung der Dinge. Der Geist würde zeigen, dass Christi Auftrag bei seinem Kommen in die Welt war, die Dinge in ihr richtigzustellen. Alles würde gut sein, wenn die Macht desjenigen gebrochen sein würde, der Unruhe stiftet. Wenn Satan von Christus auf diese Weise unterworfen ist, können wir sicher sein, dass sich ihm keine andere Macht widersetzen kann.

3. Das Kommen des Geistes würde von unaussprechlichem Nutzen für die Jünger selbst sein. Der Geist Gottes hat nicht nur bei den Feinden Christi Arbeit zu tun, sondern auch bei seinen Dienern und Bevollmächtigten, und deshalb war es gut für sie, dass er hinging **(s. Vers 7)**.

3.1 Er ließ sie wissen, wie sehr er ihre gegenwärtige Schwachheit spürte: „Noch vieles hätte ich euch zu sagen; aber ihr könnt es jetzt nicht ertragen" **(Vers 12)**. Beachten Sie, was für ein guter Lehrer Christus ist. Es gibt keinen Lehrer wie ihn in Bezug auf die Fülle (s. Hiob 36,22). In ihm sind Schätze der Weisheit und der Erkenntnis verborgen (s. Kol 2,3). Es gibt niemanden wie ihn in Bezug auf Mitleid; er wollte ihnen mehr sagen vom „Evangelium vom Reich Gottes", doch sie konnten es nicht ertragen (Apg 8,12). Es hätte sie verwirrt und sie zum Stolpern gebracht, statt ihnen irgendwelche Gewissheit zu geben.

3.2 Er sicherte ihnen ausreichende Hilfe zu. „‚Wenn aber jener kommt, der Geist der Wahrheit', wird alles gut sein." Der Geist würde es unternehmen, die Apostel zu leiten und Christus zu verherrlichen.

Die Apostel zu leiten:
Damit sie nicht ihren Weg verlieren: „Er wird euch leiten." Der Geist ist als unser Leiter gegeben, um uns zu begleiten (s. Röm 8,14).
Damit sie nicht hinter ihrer Bestimmung zurückbleiben würden: Er wird sie „in die ganze Wahrheit leiten", so wie ein geschickter Kapitän ein Schiff in den Hafen leitet, zu dem es unterwegs ist. In eine Wahrheit geleitet zu werden ist mehr, als sie bloß zu kennen; es heißt, sie gründlich und aus persönlicher Erfahrung zu kennen. Der Ausdruck bezieht sich auf eine schrittweise Offenbarung der Wahrheit, die immer heller leuchtet (s. Spr 4,18). Doch was bedeutet „in die ganze Wahrheit"?
In die ganze Wahrheit in Bezug auf ihren Auftrag, was immer für sie notwendig und nützlich war zu wissen. Der Geist würde sie die Wahrheiten lehren, die sie andere lehren sollten.
In nichts als die Wahrheit. Alles, worin er sie leitet, wird die Wahrheit sein (s. 1.Joh 2,27). „Der Geist wird nichts als die Wahrheit lehren, ‚denn er wird nicht aus sich selbst reden'; vielmehr wird er das und nur das reden, ‚was er hören wird'." Wir können uns auf das Zeugnis des Geistes im Wort und durch die Apostel verlassen. Wir können unsere Seelen dem Wort des Geistes anvertrauen. Das Zeugnis des Geistes stimmt immer mit dem Wort Christi überein, „denn er wird nicht aus sich selbst reden". Das Wort und der Geist eines Menschen widersprechen sich oft, doch das ewige Wort und der ewige Geist tun dies nie.

„*Er wird euch alle Wahrheit lehren,* denn er wird euch verkündigen, ‚was zukünftig ist'." Der Geist war in den Aposteln ein Geist der Prophetie. Dies brachte dem Gemüt der Apostel eine große Gewissheit und war nützlich für sie in ihrem Leben. Wir sollten nicht über die Tatsache missgünstig sein, dass der Geist uns jetzt in dieser Welt keine Dinge zeigt, die kommen werden; es mag genug sein, dass uns der Geist im Wort die Dinge gezeigt hat, die in einer anderen Welt kommen werden, die für uns von größerer Wichtigkeit sind.

Christus zu verherrlichen **(s. Vers 14-15)**. Selbst die Sendung des Geistes war die Verherrlichung Christi. Es war die Ehre des Erlösers, dass der Geist sowohl in seinem Namen als auch in seinem Auftrag gesendet wurde, um sein Werk fortzuführen und zu vollenden. Alle Gaben und Gnadenwirkungen des Geistes, alles Predigen und alles Schreiben der Apostel, alles Sprachenreden und die Wunder sollten Christus verherrlichen. Der Geist verherrlichte Christus, indem er seine Nachfolger in die Wahrheit führt, wie sie in Jesus ist (s. Eph 4,21; NGÜ).

Der Geist würde ihnen die Dinge Christi mitteilen: „Denn von dem Meinen wird er nehmen und euch verkündigen." Alles, was der Geist uns zeigt, alles, was er uns zu unserer Stärkung und Erneuerung gibt, alles gehörte Christus und war von ihm. Der Geist kam nicht, um ein neues Reich zu gründen, sondern um das gleiche Reich voranzubringen und aufzubauen, das Christus gegründet hatte.

Indem er das tut, würde er uns die Dinge Gottes mitteilen. „Alles, was der Vater hat, ist mein." Alle Gnade und Wahrheit, die Gott uns zeigen wollte, legte er in die Hände des Herrn Jesus (s. Kol 1,19). Geistliche Segnungen in himmlischen Dingen werden für uns von dem Vater dem Sohn gegeben, und der Sohn vertraut sie dem Geist an, dass er sie uns überbringt (s. Eph 1,3).

Vers 16-22
Um seine traurigen Jünger zu ermutigen, verhieß unser Herr Jesus ihnen hier, dass er wieder zu ihnen kommen würde. Beachten Sie:

1. Den Hinweis, den er ihnen auf die Ermutigung gab, die er für sie beabsichtigte **(s. Vers 16)**.

1.1 Er sagte ihnen, dass sie ihn bald nicht mehr sehen würden: „Noch eine kurze Zeit, und ihr werdet mich nicht sehen." Wenn sie ihm also irgendeine gute Frage stellen wollten, müssen sie rasch fragen. Es ist gut, zu bedenken, wie nahe das Ende der Zeiten der Gnade ist, damit wir dazu bewegt werden, das meiste aus ihnen zu machen. Sie verloren Christus zuerst bei seinem Tod aus dem Blick. Das Größte, was der Tod mit unseren christlichen Freunden macht, ist, dass er sie unserem Blick entzieht, nur aus unserem Blick, doch nicht aus unserem Sinn. Christus entfernte sich auch bei seiner Himmelfahrt von ihnen: „... und eine Wolke nahm ihn auf von ihren Augen weg" und sie sahen ihn nicht mehr (Apg 1,9; s. 2.Kön 2,12).

1.2 Er sagte ihnen, dass sie ihn jedoch schnell wiedersehen würden: „... und wiederum eine kurze Zeit, und ihr werdet mich sehen." Sein

Abschied war nicht endgültig. Sie würden ihn wiedersehen:
Bei seiner Auferstehung, kurz nach seinem Tod, als er sich „durch viele sichere Kennzeichen" als lebendig erwies (Apg 1,3).
Durch die Ausgießung des Geistes bald nach seiner Himmelfahrt. Das Kommen des Geistes war der Besuch Christi bei seinen Jüngern, nicht ein kurzlebiger Besuch, sondern ein dauerhafter.
Bei seinem zweiten Kommen.

1.3 Er nannte den Grund: „Denn ich gehe zum Vater." Dies bezieht sich mehr auf sein Fortgehen bei seinem Tod und seine Rückkehr bei seiner Auferstehung als auf sein Weggehen bei seiner Himmelfahrt und seiner Wiederkehr am Ende der Zeit, denn es war sein Tod, der ihr Kummer war, nicht seine Himmelfahrt. Dies können wir über unsere geistlichen Diener und christlichen Freunde sagen: „Noch eine kurze Zeit, und wir werden sie nicht sehen." Es ist sicher, dass wir bald gehen müssen, doch es wird nicht für immer sein. Es ist nur ein „Gute Nacht" an die, von denen wir hoffen, sie am Morgen mit Jubel zu sehen (s. Ps 30,6).

2. Die Verwirrung der Jünger. Sie wussten nicht, wie sie es verstehen sollten. „Da sprachen etliche seiner Jünger zueinander: Was bedeutet das, dass er sagt ... ?" (**Vers 17**). Obwohl Christus oft vorher mit diesem Inhalt gesprochen hatte, waren sie immer noch im Dunkeln. Beachten Sie:

2.1 Die Schwachheit der Jünger, dass sie eine so klare Aussage nicht verstehen konnten. Obwohl er ihnen so oft in klaren Worten gesagt hatte, dass er getötet werden und am dritten Tag auferstehen wird (s. Mt 20,19), sagten sie doch: „Wir wissen [verstehen] nicht, was er redet!" Denn:
Ihr Herz war „voll Traurigkeit" und machte sie unfähig, den Sinn des Trostes anzunehmen (Joh 16,6). Irrtümer verursachen Kummer und dann verstärkt der Kummer die Irrtümer und so setzt sich der Kreislauf fort.
Die Vorstellung des weltlichen Reiches Christi war so tief in ihnen verwurzelt. Wenn wir meinen, die Schrift müsse in Übereinstimmung mit den falschen Vorstellungen gebracht werden, die wir angenommen haben, überrascht es nicht, wenn wir uns dann beklagen, wie schwierig das ist, wenn aber unser Denken von der Offenbarung gefangen genommen ist, wird die Sache leicht.
Es scheint die „kurze Zeit" gewesen zu sein, was sie verwirrt hat. Sie konnten immer noch nicht erfassen, wie er sie schnell verlassen würde. Wir können nur schwer einsehen, dass eine Veränderung nahe bevorsteht, selbst wenn wir wissen, dass sie sicherlich kommen wird und unvermutet kommen kann.

2.2 Ihre Bereitschaft, unterwiesen zu werden. Als sie die Bedeutung der Worte Christi nicht verstehen konnten, besprachen sie die Sache untereinander. Wechselseitige Gespräche über Dinge Gottes bringen Licht von anderen, damit wir unser Verständnis verbessern können. Wir müssen über das nachdenken, was wir nicht erklären können, und warten, bis Gott uns „auch das offenbaren" wird (Phil 3,15).

3. Die weitere Erläuterung von dem, was Christus gesagt hatte.

3.1 Beachten Sie hier, warum Christus es erläuterte: weil er erkannte, „dass sie ihn fragen wollten" (**Vers 19**). Wir müssen ihm die Knoten bringen, die wir nicht lösen können. Christus erkannte, dass sie ihn fragen wollten, sich aber scheuten und schämten, ihn zu fragen. Christus unterwies die, bei denen er erkannte, dass sie ihn fragen wollten, selbst wenn sie nicht fragten. Dies zeigt uns, welche Art von Menschen Christus lehren wird: die Demütigen, die ihre Unwissenheit bekennen werden, und die Gewissenhaften, welche die Mittel benutzen, die sie bereits zur Verfügung haben. „Ihr stellt Fragen? Ihr sollt gelehrt werden."

3.2 Beachten Sie hier, wie er es erläuterte. Er erläuterte es mit Ausdrücken ihres Kummers und ihrer Freude, denn wir beurteilen Dinge oft daran, wie sie uns beeinflussen: „Ihr werdet weinen und wehklagen, aber die Welt wird sich freuen; und ihr werdet trauern, doch eure Traurigkeit soll in Freude verwandelt werden" (**Vers 20**). Gläubige haben Freude oder Kummer gemäß dem, ob sie Christus gesehen haben oder nicht.

Was Christus hier und in **Vers 21-22** *über ihren Kummer und ihre Freude sagte, sollte man in erster Linie auf den gegenwärtigen Stand der Jünger beziehen und verstehen und deshalb haben wir:*
Ihren Kummer vorhergesagt: „Ihr werdet weinen und wehklagen ... und ihr werdet trauern." Sie weinten um ihn, weil sie ihn liebten; der Schmerz unserer Freunde ist auch für uns schmerzlich. Sie weinten im Hinblick auf sich selbst, wegen ihres eigenen Verlustes. Christus hatte seinen Jüngern im Voraus gesagt, dass sie Kummer erwarten sollten, damit sie entsprechend Trost aufsparen konnten.
Die Freude der Welt: „... aber die Welt wird sich freuen." Was der Kummer der Heiligen ist, ist die Freude der Sünder. Die Fremdlinge für Christus sind, werden mit ihrer weltlichen Fröhlichkeit weitermachen. Diejenigen, die Christi Feinde sind, werden frohlocken, weil sie hoffen, dass sie ihn bezwungen haben. Es sollte uns nicht überraschen, wenn wir andere triumphieren sehen, während wir „um die Lade Gottes" bangen (1.Sam 4,13).
Die Wiederkehr ihrer Freude zu gegebener Zeit: „... doch eure Traurigkeit soll in Freude verwandelt werden." Der Kummer eines echten Christen währt, wie die Freude eines Frevlers, „nur einen Augenblick" (Hiob 20,5). Die Jünger wurden „froh, als sie den Herrn sahen"

(Joh 20,20). Seine Auferstehung war für sie Leben aus den Toten und ihre Traurigkeit über Christi Leiden wurde in Freude verwandelt. Sie waren „Betrübte, aber immer fröhlich"; sie hatten ein trauriges Leben, aber auch frohe Herzen (2.Kor 6,10).

Man kann es auf alle treuen Nachfolger des Lammes anwenden.

Ihr Stand und ihre Haltung sind beide traurig. Wer Christus kennt, muss sein, wie er war – „mit Leiden vertraut" (Jes 53,3). Sie trauern mit Leidenden, die trauern, und sie trauern um Sünder, die nicht um sich trauern.

Die Welt macht zur gleichen Zeit mit ihrer Fröhlichkeit weiter. Weltliches Glück und Vergnügen sind sicherlich nicht die besten Dinge, denn dann würden die schlimmsten Menschen nicht einen so großen Anteil an ihnen haben und die Lieblinge des Himmels wären nicht solche Fremdlinge für sie.

Geistliche Trauer wird bald in ewige Freude verwandelt werden. Es wird nicht nur Freude auf ihren Kummer folgen; der Kummer wird in Freude verwandelt werden. Christus veranschaulichte dies zu ihrer Ermutigung mit dem Bild einer Frau in den Wehen, denn es ist der Wille Christi, dass die Seinen ermutigte Leute sind.

Hier ist das Bild selbst: „Wenn eine Frau gebiert, so hat sie Traurigkeit, weil ihre Stunde gekommen ist; wenn sie aber das Kind geboren hat, denkt sie nicht mehr an die Angst, um der Freude willen, dass ein Mensch in die Welt geboren ist." Beachten Sie:

Die Frucht des Fluches gemäß dem Urteil: „Mit Schmerzen sollst du Kinder gebären" (1.Mose 3,16). Beachten Sie, was diese Welt ist; all ihre Rosen sind von Dornen umgeben. Dies ist die Folge der Sünde.

Die Frucht des Segens: „... um der Freude willen, dass ein Mensch in die Welt geboren ist." Die Frucht eines Segens ist eine Angelegenheit der Freude; die Geburt eines lebenden Kindes ist die Freude der Eltern. Obwohl Kinder große Sorgen und unsicheren Trost bringen und sich oft als die größten Kreuze erweisen, ist es doch für uns natürlich, bei ihrer Geburt zu frohlocken. Dies zeigt nun auf:

Den Kummer der Jünger Christi in dieser Welt; er ist gewiss und scharf, doch er hält nicht lange an und er führt zur Freude.

Ihre Freude nach diesem Kummer, der „alle Tränen von ihren Augen" abwischen wird (Offb 21,4). Wenn Jünger die Frucht von all ihrem Kummer und Dienst ernten, wird der Mühen und des Schmerzes dieser Welt nicht mehr gedacht werden.

Hier ist die Anwendung dieses Bildes: „So habt auch ihr nun Traurigkeit; ich werde euch aber wiedersehen" **(Vers 22)**.

Er sagte ihnen wieder von ihrem Kummer: „So habt auch ihr nun Traurigkeit', weil ich euch verlasse." Christi Rückzug ist ein angemessener Grund von Traurigkeit für seine Jünger. Wenn die Sonne untergeht, wird die Sonnenblume ihren Kopf hängen lassen.

Er sicherte ihnen ausführlicher als vorher eine Rückkehr der Freude zu (s. Ps 30,6.12). Drei Dinge empfehlen die Freude:

Ihr Grund: „Ich werde euch aber wiedersehen." Christus wird gnädig zu denen zurückkehren, die auf ihn warten. Wenn Menschen erhöht werden, schauen sie kaum ihre Untergebenen an, doch der erhöhte Jesus wird zu seinen Jüngern kommen. Die Wiederkehr Christi ist für all seine Jünger eine Wiederkehr der Freude.

Ihr Trost: „... und dann wird euer Herz sich freuen." Freude im Herzen ist solide und nicht kurzlebig; sie ist besonders, lieblich, garantiert und nicht leicht zu stören.

Ihr Fortbestand: „... und niemand soll eure Freude von euch nehmen." Menschen würden versuchen, ihnen ihre Freude zu nehmen, doch sie würden keinen Erfolg haben. Manche verstehen dies, dass es sich auf die ewige Freude derer bezieht, die verherrlicht sind. Auf der Erde sind wir dem unterworfen, dass uns von Tausenden von Ereignissen unsere Freude geraubt wird, doch die himmlischen Freuden sind ewig. Ich verstehe es vielmehr als Verweis auf die geistlichen Freuden derer, die geheiligt sind. Die böse Welt konnte ihnen ihre Freude nicht rauben, weil sie sie nicht von der Liebe Christi scheiden konnte; sie konnte ihnen weder ihren Gott noch ihren „Schatz im Himmel" rauben (s. Röm 8,35; Mt 19,21).

Vers 23-27

Hier wurde eine Antwort auf ihre Fragen verheißen. Es gibt zwei Wege zu fragen: Fragen auf dem Weg der Erkundigung, was die Weise ist, wie diejenigen fragen, die unkundig sind, und Fragen als Bitte, auf welche Weise diejenigen fragen, die ein Bedürfnis haben. Christus wandte sich hier sowohl ihrer Unwissenheit als auch ihrem Bedürfnis zu.

1. Auf dem Weg der Erkundigung würden sie nicht fragen brauchen: „Und an jenem Tag werdet ihr mich nichts fragen.' Ihr werdet euch nicht erkundigen brauchen" **(Vers 23)**. In dem Bericht von den Taten der Apostel sehen wir selten, dass sie Fragen stellen, denn sie waren stetig unter göttlicher Leitung. Fragen zu stellen beinhaltet, dass wir nicht mehr weiterwissen oder es zumindest einen Stillstand gibt. Die Besten von uns müssen Fragen stellen. Christus nannte einen Grund, weshalb sie ihn nichts fragen würden: „Dies habe ich euch in Gleichnissen [bildlich] gesagt; es kommt aber die Stunde, da ich ... euch offen vom Vater Kunde geben werde', damit ihr keine Fragen mehr stellen müsst" **(Vers 25)**.

1.1 Die große Sache, in die Christus sie führen wollte, war die Erkenntnis Gottes: „[Ich werde] euch offen vom Vater Kunde geben."

Als Christus die größte Gunst benennen wollte, die für seine Jünger beabsichtigt war, sagte er, dass er ihnen „offen vom Vater Kunde geben werde", denn was ist die Seligkeit des Himmels, wenn nicht, Gott direkt und ewig zu schauen?

1.2 Er hatte darüber bis jetzt in Gleichnissen gesprochen. Christus hatte viele Male sehr klar zu ihnen gesprochen und manchmal seine Gleichnisse seinen Jüngern privat erläutert (s. Mk 4,34), doch:

Wenn man bedenkt, wie langsam und unwillig sie waren, das anzunehmen, was er zu ihnen gesagt hatte, konnte man sagen, dass er in Gleichnissen sprach; was er zu ihnen sagte, war wie die Worte eines versiegelten Buches (s. Jes 29,11).

Wenn man die Offenbarungen, die er ihnen gegeben hatte, mit denen verglich, die er ihnen geben wollte, war alles bis zu diesem Zeitpunkt in Gleichnissen gewesen.

Wenn man den Zusammenhang dieses Verses auf das beschränkt, was er über den Vater gesagt hatte, können wir sagen, dass das, was er gesagt hatte, relativ dunkel im Vergleich zu dem war, was bald offenbart werden würde (s. Kol 2,2).

1.3 Er würde offen zu ihnen vom Vater sprechen. Als der Geist ausgegossen wurde, erlangten die Jünger eine viel größere Erkenntnis von göttlichen Dingen, als sie vorher hatten. Diese Verheißung wird jedoch ihre vollständige Erfüllung im Himmel haben. Solange wir hier bleiben, haben wir viele Dinge zu fragen, doch an jenem Tag werden wir alle Dinge klar sehen und keine Fragen mehr stellen.

2. Auf dem Weg der Bitte würden sie nie vergeblich fragen. Er setzte voraus, dass sich alle seine Jünger dem Gebet widmen würden. Ihre Unterweisung, Leitung, Stärke und ihr Erfolg müssen durch das Gebet herbeigeholt werden.

2.1 Hier gibt es eine ausdrückliche Verheißung einer Gabe **(s. Vers 23)**. Die Einleitung zu dieser Verheißung bietet keinen Raum, sie infrage zu stellen: „Wahrlich, wahrlich, ich sage euch ..." Hier wird uns das goldene Zepter mit den Worten entgegengestreckt: „Was bittest du? Es soll dir gegeben werden!" (Est 5,6; 7,2; 9,12). Er sagte: „Was auch immer ihr den Vater bitten werdet in meinem Namen, er wird es euch geben!" Was könnten wir uns mehr wünschen? Die Verheißung ist so klar, wie wir sie uns nur wünschen könnten.

Wir werden hier gelehrt, wie wir suchen sollen: Wir müssen den Vater in Christi Namen bitten. Von dem Vater Dinge zu erbitten, zeigt ein Bewusstsein einer geistlichen Notwendigkeit und ein Verlangen nach geistlichen Segnungen mit der Überzeugung, dass sie nur von Gott zu bekommen sind. In Christi Namen zu bitten, zeigt das Eingeständnis unserer eigenen Unwürdigkeit und einer vollständigen Abhängigkeit von Christus.

Uns wird hier gesagt, wie wir Erfolg haben werden: „... er wird es euch geben!" Was können wir uns mehr wünschen? Christus hatte ihnen eine große Erleuchtung durch den Geist verheißen, doch sie müssen darum beten. Sie müssen weiterhin beten. Vollständiger Besitz wird für das Land vorbehalten, wo wir ruhen werden; Bitten und Bekommen sind die Ermutigung für das Land, in dem wir Pilger sind.

2.2 Hier ist eine Einladung an sie, ihre Bitten vorzubringen. Es wird als genug angesehen, wenn große Menschen es ihren Untergebenen überhaupt gestatten, sich an sie zu richten, doch Christus fordert uns auf, um etwas zu bitten **(s. Vers 24)**.

Er blickte auf das zurück, was sie bis zu diesem Zeitpunkt getan hatten: „Bis jetzt habt ihr nichts in meinem Namen gebeten." Das bezieht sich entweder:

Auf das Thema ihrer Gebete: „Ihr habt um verhältnismäßig nichts gebeten, nichts im Vergleich zu dem, was ihr hättet bitten können." Beachten Sie, was für ein großzügiger Geber unser Herr Jesus ist; er gibt frei und großzügig und ist so fern davon, etwas an uns wegen der Häufigkeit und Großzügigkeit seiner Gaben auszusetzen, dass er uns vielmehr dafür zurechtweist, dass wir selten und eingeschränkt bitten. Oder:

Auf den Namen, in dem sie beteten. Sie brachten viele Gebete vor, doch sie beteten nie so ausdrücklich im Namen Christi, wie er sie nun unterwies, es zu tun, denn er hatte bis jetzt noch nicht dieses große Opfer dargebracht, aufgrund dessen unsere Gebete angenommen werden sollten, den Weihrauch, der alle unsere Andachten mit Wohlgeruch erfüllen sollte.

Er freute sich auf das, was sie in der Zukunft tun würden: „Bittet, so werdet ihr empfangen, damit eure Freude völlig wird!" Er sagte ihnen, sie sollten um alles bitten, was sie brauchten und was er verheißen hatte, und er sicherte ihnen zu, dass sie empfangen würden. Was wir Gott aus einem begnadeten Motiv heraus bitten werden, wird er uns gnädig gewähren. Christus sicherte ihnen zu, dass, wenn sie gebeten und empfangen hätten, ihre Freude völlig werden würde. Dies zeigt:

Die gesegnete Wirkung des Gebets des Glaubens; es hilft, die Freude im Glauben vollzumachen (s. Jak 5,15; Phil 1,25). Wenn uns gesagt wird, dass wir uns allezeit freuen sollen, folgt sofort: „Betet ohne Unterlass!" (1.Thess 5,16-17). Beachten Sie, wie hoch wir im Gebet streben sollen – nicht nur nach Frieden, sondern auch nach Freude. Oder:

Die gesegneten Wirkungen der wohlgesonnenen Antwort: „Bittet, und ihr werdet empfangen, was eure Freude völlig macht."

2.3 Hier sind die Gründe, weshalb sie hoffen konnten, erfolgreich zu sein, die in Kürze von dem Apostel zusammengefasst werden wür-

den **(s. Vers 26-27)**: „... wir [haben] einen Fürsprecher bei dem Vater" (1.Joh 2,1).
Wir haben einen Fürsprecher: „... und ich sage euch nicht, dass ich den Vater für euch bitten will." Er sprach, als bräuchten sie keine weiteren Gunsterweise, wenn er ihnen wirksam die Gabe des Heiligen Geistes gegeben hatte, um in ihnen Fürbitte zu leisten, als würden sie es nicht weiter brauchen, dass er für sie betet, doch wir werden sehen, dass er mehr für uns tut, als er sagt, dass er es tun wird.
Wir haben es mit einem Vater zu tun: „Denn er selbst, der Vater, hat euch lieb." Die Jünger Jesu werden von Gott selbst geliebt. Beachten Sie, dass dies betont wird: „Er selbst, der Vater, hat euch lieb. Der Vater selbst, bei dem ihr das Recht auf seine Gunst verloren habt und bei dem ihr einen Fürsprecher braucht, er selbst liebt euch jetzt!" Beachten Sie:
Warum der Vater die Jünger Christi liebte: „... weil ihr mich liebt und glaubt, dass ich von Gott ausgegangen bin", das heißt, „weil ihr meine wahren Jünger seid". Beachten Sie den Charakter der Jünger Christi: Sie lieben ihn, weil sie glauben, dass er von Gott ausgegangen ist. Glaube an Christus drückt sich in Liebe zu ihm aus (s. Gal 5,6). Wenn wir glauben, dass er unser Heiland ist, müssen wir ihn als den Einen lieben, der sehr freundlich zu uns ist. Beachten Sie, mit welchem Respekt Christus über die Liebe seiner Jünger zu ihm sprach; er sprach darüber als etwas, das sie der Gunst seines Vaters empfahl. Was für einen Nutzen treue Jünger Christi haben: Der Vater liebt sie, weil sie Christus lieben.
Welche Ermutigung dies ihnen im Gebet gab. Sie mussten sich nicht fürchten, wie es ihnen ergehen würde, wenn sie zu dem Einen kommen würden – wenn sie zu dem Einen kommen –, der sie liebt. Das warnt uns davor, harte Gedanken über Gott zu haben. Wenn wir gelehrt werden, dass wir im Gebet das Verdienst und die Fürsprache Christi anführen müssen, heißt dies nicht, dass es all die Freundlichkeiten nur in Christus gäbe. Wir verdanken den Verdienst Christi der Barmherzigkeit Gottes, dass er ihn für uns gegeben hat. Dies möge in uns gute Gedanken über Gott fördern und bekräftigen. Gläubige, die Christus lieben, sollten wissen, dass Gott sie liebt.

Vers 28-33

Christus tröstete seine Jünger hier mit zwei Dingen:

1. Mit einer Zusicherung, dass er, obwohl er die Welt verließ, zu seinem Vater zurückkehrte, und in dieser Zusicherung haben wir **(s. Vers 28-32)**:
1.1 Eine klare Verkündigung der Beauftragung Christi durch seinen Vater und seiner Rückkehr zu ihm: „Ich bin vom Vater ausgegangen und in die Welt gekommen; wiederum verlasse ich die Welt und gehe zum Vater" **(Vers 28)**. Das ist die Summe aller Lehre (s. Pred 12,13).
Diese beiden großen Wahrheiten hier werden:
Zusammengefasst. Kurze Zusammenfassungen der christlichen Lehre sind für Anfänger sehr nützlich. Die Glaubensbekenntnisse und Katechismen, in denen die Grundsätze des christlichen Glaubens zusammengefasst sind, haben, wie die Strahlen der Sonne, die in einem Vergrößerungsglas gebündelt sind, das göttliche Licht und die göttliche Hitze mit wunderbarer Kraft übermittelt.
Verglichen. Es gibt eine wunderbare Wahrheit in göttlichen Wahrheiten; sie bestätigen einander und sie veranschaulichen einander auch; Christi Kommen und sein Gehen tun dies. Christus hatte seine Jünger dafür gelobt, dass sie glaubten, dass er von Gott ausgegangen ist, und davon ausgehend schloss er, dass er notwendigerweise zu Gott zurückkehren müsse (s. Joh 16,27). Wenn wir das gut gebrauchen, was wir bereits wissen und bekennen, würde es uns helfen, das zu verstehen, was schwierig und unklar erscheint.
Wenn wir fragen, woher der Erlöser kam und wohin er ging, wird uns gesagt:
Dass er vom Vater ausgegangen und in diese Welt, zu diesem menschlichen Geschlecht, gekommen ist. Seine Arbeit war hier und er kam hierhin, um sie zu tun. Er verließ seine Heimat für dieses fremde Land, seinen Palast für diese Hütte.
Dass er, als er seine Arbeit auf dieser Erde vollendet hatte, diese Welt verließ und zum Vater zurückkehrte, wenn er auch immer noch geistlich in seiner Gemeinde gegenwärtig ist und es bis zum Ende sein wird.
1.2 Die Gewissheit, welche seine Jünger bei dieser Verkündigung spürten: „Siehe, jetzt redest du offen" **(Vers 29)**. Dieses eine Wort von Christus scheint ihnen mehr Gutes getan zu haben als der Rest. Sie machten in zwei Dingen Fortschritte:
In der Erkenntnis: „Siehe, jetzt redest du offen." Göttliche Wahrheiten tun am wahrscheinlichsten Gutes, wenn sie klar gesagt werden (s. 1.Kor 2,4). Wenn Christus deutlich zu unseren Seelen spricht, haben wir Grund, uns darüber zu freuen.
Im Glauben: „Jetzt wissen wir ..." Beachten Sie:
Was der Gegenstand ihres Glaubens war: „Darum glauben wir, dass du von Gott ausgegangen bist!" Er hatte gesagt, dass sie glaubten (s. Joh 16,27). „Herr", sagten sie, „wir glauben es."
Was das Motiv ihres Glaubens war – seine Allwissenheit. Dies bewies, dass er ein Lehrer war, der von Gott gekommen war und mehr war als ein Prophet, dass er alle Dinge wusste (s. Joh 3,2; Mt 11,9). Wer Christus aus Erfahrung kennt, kennt ihn am besten; sie können über seine Macht sagen: „Sie wirkt in uns"; sie kön-

nen über seine Liebe sagen: „Er hat mich geliebt." Dies bekräftigte hier den Glauben der Jünger.

Die Worte „und es nicht nötig hast, dass dich jemand fragt" zeigen entweder:
Christi Neigung zum Lehren. Er kommt mit seinen Unterweisungen zu uns, er muss nicht zum Reden gedrängt werden. Oder:
Seine Fähigkeit zum Lehren. Selbst die besten Lehrer können nur auf das antworten, was gesagt wurde, doch Christus kann auch auf das antworten, was gedacht wurde.

1.3 Die sanfte Zurechtweisung, die er seinen Jüngern erteilte. Als er bemerkte, wie sie darüber jubelten, was sie erreicht hatten, sagte er: „Jetzt glaubt ihr?' Unglücklicherweise kennt ihre eure eigene Schwachheit nicht; ihr werdet sehr bald ‚jeder in das Seine' zerstreut werden" **(Vers 31-32)**. Wir haben hier:

Eine Frage mit der Absicht, sie zum Nachdenken zu bringen: „Jetzt glaubt ihr?' Wenn jetzt, warum dann nicht früher?" Diejenigen, die nach vielen Unterweisungen und Einladungen schließlich überzeugt werden, zu glauben, haben Grund dazu, beschämt zu sein, dass sie sich so lange gesträubt haben. „Wenn jetzt, warum dann nicht immer? Wo wird euer Glaube sein, wenn die Stunde der Versuchung kommt?"

Eine Vorhersage ihres Fallens. In einer kleinen Weile würden sie ihn alle verlassen; diese Vorhersage erfüllte sich genau in dieser Nacht. Sie wurden zerstreut:

Voneinander; jeder kümmerte sich um seine eigene Sicherheit.

Von ihm: „... und mich allein lasst." Sie hätten bei seinem Prozess seine Zeugen sein sollen, doch sie schämten sich seiner Ketten und hatten Angst, an seinen Leiden teilzuhaben und ließen ihn vollkommen alleine (s. 2.Tim 1,16). Schon manche gute Sache wurde von ihren Freunden verlassen, als ihr von ihren Feinden Schaden zugefügt wurde. Wer geprüft wird, erweist sich nicht immer als vertrauenswürdig. Wenn wir zu irgendeiner Zeit sehen, dass unsere Freunde unfreundlich zu uns sind, wollen wir daran denken, dass die Freunde Christi unfreundlich zu ihm waren. Als sie ihn verließen, wurden sie „jeder in das Seine" zerstreut. Jeder ging seinen eigenen Weg, wo er meinte, am sichersten zu sein. Beachten Sie hier:

Christus wusste im Voraus, dass ihn seine Jünger im entscheidenden Moment verlassen würden, doch er war immer noch liebevoll ihnen gegenüber. Wir sind schnell dabei, über manche zu sagen: „Wenn wir ihre Undankbarkeit hätten voraussehen können, wären wir nicht so freimütig darin gewesen, ihnen unsere Gunst zu zeigen." Christus hat die ihre vorhergesehen, doch er war immer noch freundlich zu ihnen.

Er sagte ihnen davon: „Jetzt glaubt ihr?' Habt keine hohen Gedanken von euch selbst, sondern fürchtet euch." Selbst wenn wir aufgrund der Gnadenwirkungen in uns ermutigt werden, ist es gut, dann an die Gefahr zu denken, in der wir aufgrund unserer verkehrten Herzen sind. Wenn unser Glaube stark und unsere Liebe brennend und das Zeugnis unseres Lebens klar ist, können wir daraus nicht schließen, dass es morgen gehen soll wie heute (s. Jes 56,12). Selbst wenn wir am meisten Grund haben, zu meinen, dass wir stehen, haben wir doch genug Grund, achtzugeben, dass wir nicht fallen (s. 1.Kor 10,12).

Er sprach davon als sehr nahe bevorstehend. Die Stunde „ist jetzt schon da", wo sie sich seiner so schämen würden, wie sie ihn je geliebt haben **(Vers 32)**.

Gleichwohl eine Zusicherung seines eigenen Trostes: „Aber ich bin nicht allein, denn der Vater ist bei mir." Wir können dies betrachten als:

Ein für unseren Herrn Jesus kennzeichnendes Vorrecht. Die göttliche Natur verließ nicht die menschliche Natur, sondern trug sie. Selbst als er klagte, dass ihn sein Vater verlassen hatte, nannte er ihn immer noch „mein Gott" und wurde so gewiss hinsichtlich Gottes wohlgesonnener Gegenwart bei ihm, dass er seinen Geist in seine Hände befahl (Mt 27,46; s. Lk 23,46). Er hatte sich damit die ganze Zeit ermutigt: „Und der, welcher mich gesandt hat, ist mit mir; der Vater lässt mich nicht allein" (Joh 8,29).

Als ein Vorrecht, welches allen Gläubigen gemeinsam ist. Wenn sie alleine sind, sind sie nicht alleine; der Vater ist bei ihnen. Wenn sie die Einsamkeit gewählt haben, wenn sie alleine sind wie Nathanael unter dem Feigenbaum oder wie Petrus auf dem Dach, meditierend und betend, ist der Vater bei ihnen (s. Joh 1,48; Apg 10,9-16). Wer mit Gott in der Einsamkeit spricht, ist niemals weiter davon entfernt, alleine zu sein, als wenn er alleine ist. Ein guter Gott und ein gutes Herz sind zu jeder Zeit eine gute Gesellschaft. Wenn andererseits die Einsamkeit die Heimsuchung der Gläubigen ist, dann sind sie selbst nicht so sehr alleine, wie sie meinen, dass es sind, denn der Vater ist bei ihnen. Solange wir Gottes wohlgesonnene Gegenwart bei uns haben, sind wir glücklich, selbst wenn uns die ganze Welt verlässt.

2. Mit einer Verheißung, dass sie wegen seines Sieges über die Welt Frieden in ihm haben würden, was für Schwierigkeiten ihnen darin auch begegnen mögen: „Dies habe ich zu euch geredet, damit ihr in mir Frieden habt. In der Welt habt ihr Bedrängnis; aber seid getrost, ich habe die Welt überwunden!" **(Vers 33)**. Beachten Sie:

2.1 Die Absicht, die Christus verfolgte: Damit sie in ihm Frieden haben mögen. Sein Weggang von ihnen war wirklich zum Besten. Es ist der Wille Christi, dass seine Jünger Frieden in sich haben, egal, was für Schwierigkeiten sie äußerlich haben mögen. Frieden in Christus ist der einzig wahre Frieden. Durch ihn haben wir Frieden mit Gott, und deshalb haben wir in ihm Frieden in unserem Gemüt. Das Wort Christi zielt darauf ab, Gläubigen Frieden zu geben.

2.2 Den Empfang, der ihnen wahrscheinlich in der Welt bereitet würde. Es ist das Los der Jünger Christi gewesen, dass sie mehr oder weniger Schwierigkeiten in der Welt hatten. Die Menschen verfolgen sie, weil sie so gut sind, und Gott korrigiert sie, weil sie nicht besser sind, als sie es sind. So haben sie von beidem Bedrängnis.

2.3 Die Ermutigung, die Christus ihnen gab: „‚Aber seid getrost', fasst Mut, alles wird gut sein." Mitten in den Bedrängnissen dieser Welt ist es die Pflicht und das Vorrecht von Christen, getrost zu sein. Sie sollten wirklich bekümmert sein, weil die Welt so ist, doch immer frohlockend, immer getrost, selbst in Bedrängnissen (s. Röm 5,3).

2.4 Die Grundlage dieser Ermutigung: „… ich habe die Welt überwunden!" Der Sieg Christi ist ein Triumph des Christentums. Als er seine Jünger aussendet, um der ganzen Welt das Evangelium zu predigen, sagt er: „Aber seid getrost, ich habe die Welt überwunden!" Er überwand die bösen Dinge dieser Welt, indem er sich ihnen unterzog. Er erduldete das Kreuz, achtete es und die Schande für nichts (s. Hebr 12,2). Und er überwand die guten Dinge der Welt, indem er vollkommen tot für sie war. Niemals gab es einen solchen Sieger über die Welt, wie Christus es war und wir sollten dadurch ermutigt werden. Christus hat vor uns die Welt überwunden und deshalb können wir sie als einen besiegten Feind betrachten. Er hat sie für uns überwunden als der Urheber unseres Heils (s. Hebr 2,10). Durch sein Kreuz ist uns die Welt gekreuzigt, was zeigt, dass sie völlig besiegt wurde (s. Gal 6,14). Weil Christus die Welt überwunden hat, haben Christen nichts weiter zu tun, als das meiste aus diesem Sieg zu machen, und dies tun wir durch den Glauben (s. 1.Joh 5,4). „Aber in dem allem überwinden wir weit durch den, der uns geliebt hat" (Röm 8,37).

KAPITEL 17

Dieses Kapitel ist ein Gebet, das Gebet des Herrn Christus. Dies war in passender und in besonderer Weise seins und es ist auch für uns nützlich, um uns im Gebet sowohl zu unterweisen als auch zu ermutigen. Beachten Sie: 1. Die Umstände des Gebets (s. Vers 1). 2. Das Gebet selbst. 2.1 Er betete für sich (s. Vers 1-5). 2.2 Er betete für diejenigen, die sein waren. Sehen Sie hier: Die allgemeinen Worte, mit denen er seine Bitten für sie einleitete (s. Vers 6-10). Seine besonderen Bitten für sie: dass sie bewahrt werden mögen (s. Vers 11-16), dass sie geheiligt werden mögen (s. Vers 17-19), dass sie eins sein mögen (s. Vers 20-23) und dass sie verherrlicht werden mögen (s. Vers 24-26).

Vers 1-5

Hier haben wir:

1. Die Umstände dieses Gebets **(s. Vers 1)**. Keines seiner Gebete wird so vollständig berichtet wie dieses. Beachten Sie:

1.1 Den Zeitpunkt, zu dem er dieses Gebet betete: Als er „dies redete", die vorangehende Abschiedsbotschaft an seine Jünger gerichtet hatte.

Es war ein Gebet nach einer Predigt; als er zu ihnen von Gott gesprochen hatte, wandte er sich, um für sie zu Gott zu sprechen. Wir müssen auch für diejenigen beten, zu denen wir predigen. Über das gepredigte Wort sollte gebetet werden, denn Gott gibt das Gedeihen (s. 1.Kor 3,7).

Es war ein Gebet nach dem Sakrament. Er schloss die Zeremonie mit diesem Gebet ab, damit Gott die guten Eindrücke der Zeremonie auf sie bewahren möge.

Es war ein Familiengebet. Christi Jünger waren seine Familie, und um Familienoberhäuptern ein gutes Beispiel zu geben, segnete er seinen Haushalt, betete für sie und mit ihnen.

Es war ein Abschiedsgebet. Wenn wir und unsere Freunde uns trennen, ist es gut, mit Gebet zu scheiden (s. Apg 20,36).

Es war ein Gebet, das sein Opfer einleitete, welches er nun auf der Erde darbringen wollte. Christus betete dann als ein Priester, der nun ein Opfer darbrachte, dessen Verdienst die Grundlage sein würde, auf der alle Gebete dargebracht werden sollten.

Es war ein Gebet, welches ein Beispiel für seine Fürsprache war, für die er immer lebt, um sie für uns im inneren Heiligtum hinter dem Vorhang zu leisten (s. Hebr 6,19; 7,25).

1.2 Den äußeren Eindruck leidenschaftlichen Verlangens, den er in diesem Gebet benutzte: Er „hob seine Augen zum Himmel empor". Er heiligte diese Geste für jene, die sie benutzen, und rechtfertigte sie bei solchen, die sie verspotten. *Sursum corda*, „erhebt eure Herzen [zum Himmel]" wurde von alters her als ein Ruf zum Gebet gebraucht.

2. Den ersten Teil des Gebets selbst, in dem Christus für sich selbst betete.

2.1 Er betete zu Gott als einem Vater: Er „hob seine Augen zum Himmel empor und sprach: Vater". Wenn Gott unser Vater ist, haben wir freien Zugang zu ihm und können Großes von ihm erwarten. Christus nannte ihn hier „heiliger Vater" und „gerechter Vater" **(Vers**

11,25). Es wird für uns sehr nützlich sein, Gott im Gebet so zu nennen, wie wir hoffen, dass er sich erweisen wird.

2.2 Er betete zuerst für sich selbst. Obwohl zu Christus als Gott gebetet wurde, betete Christus als Mensch. Er muss um das bitten, was er erworben hat; können wir dann erwarten, dass wir das haben, was wir niemals verdient haben, sondern worauf wir tausend Mal das Recht verloren haben, wenn wir nicht darum beten? Betende Menschen mögen sich durch das Wissen ermutigen lassen, dass das Gebet der Bote war, den Christus auf seine eigenen Botengänge sandte. Es gab eine Zeit, als der Eine, der unser Fürsprecher ist, für seine eigene Sache bitten musste, und er musste dies auf die gleiche Weise suchen, die uns vorgeschrieben ist, durch Bitten als auch Flehen (s. 1.Joh 2,1; Hebr 5,7). Christus begann mit dem Gebet für sich selbst und betete später für seine Jünger; diese Wohltätigkeit muss zu Hause beginnen, wenn sie dort auch nicht enden darf. Christus war viel kürzer in seinem Gebet für sich selbst als in seinem Gebet für seine Jünger. Unsere Gebete für die Kirche bzw. Gemeinde dürfen nicht in eine Ecke unserer Gebete gedrängt werden. Hier sind nun zwei Bitten, die Christus für sich selbst darbrachte, und diese beiden waren eine Bitte: „Verherrliche du mich", das zweimal vorgebracht wurde, weil es einen doppelten Bezug hat. Es bezieht sich zuerst auf die weitere Verfolgung seines Werkes: „Verherrliche deinen Sohn, damit auch dein Sohn dich verherrliche" **(Vers 1)**. Zweitens bezieht es sich auf die Erfüllung seines Werkes bis zu diesem Zeitpunkt. „Verherrliche mich, denn ich habe dich verherrlicht. Ich habe meinen Teil getan, und jetzt, Herr, tue du deinen" **(s. Vers 4-5)**.

Christus betete hier, dass er verherrlicht werde, damit er Gott verherrlichen möge: „Verherrliche deinen Sohn, damit auch dein Sohn dich verherrliche" **(Vers 1)**. Beachten Sie:

Wofür er betete – dass er in dieser Welt verherrlicht werden möge. Der Vater verherrlichte den Sohn auf der Erde:

Eben in seinem Leiden, durch die Zeichen und Wunder, die es begleiteten.

Eben durch sein Leiden; als er gekreuzigt wurde, wurde er erhöht; er wurde verherrlicht (s. Joh 13,31). Es war in seinem Kreuz, dass er Satan und den Tod besiegte; seine Dornen waren eine Krone.

Viel mehr nach seinem Leiden, als er „aus den Toten auferweckt" wurde (Apg 3,15).

Was er vorbrachte, um seine Bitte zu unterstützen.
Beziehung: „Verherrliche deinen Sohn." Diejenigen, welche die Adoption als Söhne erlangt haben, können im Glauben für das Erbe der Sohnschaft beten; wenn sie geheiligt sind, dann sind sie verherrlicht (s. Röm 8,15).

Der Zeitpunkt: „Vater, die Stunde ist gekommen." Er hatte oft gesagt, dass seine Stunde noch nicht gekommen war, doch jetzt war sie gekommen und er wusste es. Er hatte sie vorher „diese Stunde" genannt, hier nannte er sie „die Stunde" (Joh 12,27). Die Stunde des Todes des Erlösers, die auch die Stunde der Geburt des Erlösers war, war die bedeutendste und bemerkenswerteste und ohne Zweifel die entscheidendste Stunde, die es je gegeben hat, seit die Uhr der Zeit das erste Mal in Gang gesetzt wurde.

„Vater, die Stunde ist gekommen', in der ich anerkannt werden muss." Die entscheidende Schlacht zwischen Himmel und Erde musste nun geschlagen werden. „Verherrliche deinen Sohn.' Gib ihm nun den Sieg, lass deinen Sohn jetzt in einer Weise unterstützt werden, dass er weder versagen noch entmutigt werden wird." Der Vater verherrlichte den Sohn, als er das Kreuz zu einem Triumphwagen machte.

„Vater, die Stunde ist gekommen', in der ich verherrlicht werde." Gute Christen können in der Stunde der Prüfung, besonders in der Stunde des Todes, auf diese Weise bitten: „Jetzt, wo die Stunde gekommen ist, stehe mir bei; jetzt oder nie: Jetzt, wo die ‚irdische Zeltwohnung abgebrochen wird', ist die Stunde gekommen, in der ich verherrlicht werden sollte" (2.Kor 5,1).

Das eigene Interesse des Vater an ihm: „... damit auch dein Sohn dich verherrliche." Er wünschte sich, den Vater auf zwei Weisen zu verherrlichen:

Durch den „Tod am Kreuz" (Phil 2,8). „Vater, verherrliche deinen Namen!" drückte den großen Zweck seines Leidens aus (Joh 12,28). „Vater, bekenne dich zu mir in meinem Leiden, damit ich dich durch sie verherrlichen möge."

Durch die Lehre des Kreuzes, die nun bald der Welt verkündigt werden sollte. Wenn Gott den gekreuzigten Christus nicht verherrlicht hätte, indem er ihn vom Tod auferweckte, wäre das ganze Werk Christi zunichte gewesen, deshalb: „Verherrliche mich, damit ich dich verherrliche." Er hat uns nun hier gelehrt:

Was wir in unseren Gebeten bedenken und worauf wir mit ihnen abzielen sollen, ist die Ehre Gottes. „Tue dies und das für deinen Knecht, damit dein Knecht dich verherrlichen möge. Gib mir Gesundheit, damit ich dich mit meinem Leib verherrlichen möge. Gib mir Erfolg, damit ich dich mit meinem Besitz verherrlichen möge." „Geheiligt werde dein Name" muss unsere erste Bitte sein, die unser Ziel bei allen unseren Bitten bestimmen muss (s. Mt 6,9; 1.Petr 4,11).

Was wir erwarten und hoffen sollen. Wenn wir uns aufrichtig darauf ausrichten, unseren Vater zu verherrlichen, wird er uns die Gnade geben, von der er weiß, dass sie für uns ausreicht, und die Möglichkeit, die er für passend hält. Wenn wir jedoch heimlich uns selbst mehr ehren als ihn, dann werden wir, statt uns selbst Ehre zu machen, Schande über uns bringen.

Sein Auftrag **(s. Vers 2-3)**. Er wünschte sich, seinen Vater in Übereinstimmung mit dem Auftrag zu verherrlichen, der ihm gegeben war. Beachten Sie hier die Vollmacht des Mittlers:
Den Ursprung seiner Vollmacht: „Gleichwie du ihm Vollmacht gegeben hast ..."; er hatte sie von Gott bekommen, bei dem alle Macht steht (s. Ps 62,12). Der König der Gemeinde ist kein Usurpator wie der Fürst dieser Welt (s. Joh 12,31; 14,30; 16,11). Die rechtmäßige Herrschaft Christi ist unanfechtbar.
Das Ausmaß seiner Macht: Er hat Vollmacht „über alles Fleisch":
Über das ganze Menschengeschlecht: Er hat Vollmacht über die Welt der Geister, doch jetzt, als er Mittler zwischen Gott und der Menschheit war, machte er seine Vollmacht über alles Fleisch geltend. Die er unterwerfen und retten sollte, waren Menschen; aus dem Menschengeschlecht war ihm ein Überrest gegeben, und deshalb waren alle aus dieser Reihe von Lebewesen „seinen Füßen unterworfen" (Hebr 2,8).
Über das Menschengeschlecht, welches als verderbt und gefallen betrachtet wurde. Wenn die Menschheit nicht in diesem Sinn Fleisch gewesen wäre, hätten wir keinen Erlöser gebraucht. Der Herr Jesus hat alle Vollmacht über dieses sündige Geschlecht und alles Gericht ist ihm übergeben (s. Joh 5,22). Wen er nicht beherrscht, den verwirft er (s. Joh 3,35; Ps 22,29; 72,8; Mt 28,18).
Die große Absicht und der Zweck dieser Vollmacht: „... damit er allen ewiges Leben gebe, die du ihm gegeben hast"* (**Vers 2**).
Hier haben wir, wie der Vater die Erwählten dem Erlöser übergibt und sie ihm als die Krone und die Belohnung seines Werkes gibt.
Hier haben wir, wie sich der Sohn verpflichtet, die Seligkeit derer zu bewahren, die ihm gegeben waren, damit er ihnen „ewiges Leben gebe". Er hat Leben und Ehrenkränze zu geben; ewiges Leben, das niemals stirbt, unsterbliche Ehrenkränze (s. 1.Petr 5,4). Bedenken Sie nun, wie groß und gnädig der Herr Jesus ist.
Er heiligt sein Volk in dieser Welt, gibt ihnen geistliches Leben, welches ewiges Leben im Keim ist (s. Joh 4,14). Gnade in der Seele ist der Himmel in dieser Seele.
Er wird sie in der anderen Welt verherrlichen; ihre Seligkeit wird in dem Schauen und der vollkommenen Freude an Gott vollendet werden. Wir sind „zu seinem Reich und seiner Herrlichkeit" berufen und uns ist neues Leben zum Erbe gegeben (1.Thess 2,12; s. 1.Petr 1,4). Was zuletzt ausgeführt wird, war seine erste Absicht, und das ist das ewige Leben.
Hier gibt es die Unterordnung der umfassenden Vollmacht des Erlösers unter dies. Christi Vollmacht über die Menschen soll das Heil der Kinder Gottes bewirken. Die Verwaltung der Reiche der Vorsehung und der Gnade sind in die gleichen Hände gelegt, damit alle Dinge dazu gebracht werden können, zum Guten derer zusammenzuwirken, die berufen sind (s. Röm 8,28).
Eine weitere Erläuterung dieser großen Absicht: „Das ist aber das ewige Leben, dass sie dich, den allein wahren Gott ... erkennen" **(Vers 3)**. Hier ist:
Das große Ziel, welches die christliche Religion vor uns stellt, und das ist das ewige Leben. Er war dabei, dies allen zu offenbaren und alle zu bewahren, die ihm gegeben waren. Durch das Evangelium werden „Leben und Unvergänglichkeit ans Licht gebracht", nahe herbeigebracht (2.Tim 1,10).
Der sichere Weg, dieses selige Ziel zu erreichen, welches die richtige Erkenntnis Gottes und von Jesus Christus ist: „Das ist aber das ewige Leben, dass sie dich ... erkennen", was man auf zwei Weisen verstehen kann.
„Das ewige Leben" liegt in der Erkenntnis Gottes und von Jesus Christus. Wer in Verbindung mit Christus gebracht und ein Leben der Gemeinschaft mit Gott in Christus führt, wird sagen: „Wenn dies der Himmel ist, dann ist der Himmel süß."
Die Erkenntnis Gottes und von Jesus Christus führt zum ewigen Leben. Die christliche Religion zeigt uns den Weg zum Himmel. Zuerst weist sie uns zu Gott, denn Jesus Christus starb, „damit er uns zu Gott führte" (1.Petr 3,18). Er ist der wahre Gott, der allein wahre Gott; ihm zu dienen ist die allein wahre Religion. Zweitens weist er uns zu Jesus Christus: „... und den du gesandt hast, Jesus Christus." Wenn die Menschen weiterhin schuldlos geblieben wären, wäre die Erkenntnis des allein wahren Gottes das ewige Leben für sie gewesen, doch jetzt, wo sie gefallen sind, muss es etwas mehr geben. Es ist deshalb in unserem Interesse, Christus als unseren Erlöser zu kennen. Es ist ewiges Leben, an Christus zu glauben, und er hat sich verbürgt, es zu geben. Wer Gott und Christus kennt, ist bereits in der Stadt des ewigen Lebens.
Christus betete hier darum, dass er verherrlicht wird, da er bis zu diesem Zeitpunkt seinen Vater verherrlicht hat **(s. Vers 4-5)**. Die Bedeutung der vorigen Bitte war: „Verherrliche mich in dieser Welt." Die Bedeutung dieser Bitte lautet: „Verherrliche mich in der anderen Welt." Beachten Sie:
Mit welchem Trost Christus über das Leben nachdachte, welches er auf der Erde geführt hatte: „Ich habe dich verherrlicht auf Erden; ich habe das Werk vollendet." Es gefiel ihm, auf den Dienst zurückzublicken, den er seinem Vater geleistet hatte. Dies wird hier berichtet:
Zur Ehre Christi, indem es zeigt, dass sein Leben auf dieser Erde vollständig in jeder Hinsicht den Zweck seines Kommens in die Welt

erfüllte. Unser Herr Jesus hatte Arbeit zu tun, die ihm übergeben war. Sein Vater gab ihm sein Werk, ernannte ihn sowohl, dies zu tun, und half ihm auch darin. Er vollendete das Werk, welches ihm zu tun gegeben war. Es war so gut wie getan; er gab ihm den letzten Schliff. Er verherrlichte seinen Vater darin. Es ist die Herrlichkeit Gottes, dass sein Tun vollkommen ist, und das Gleiche gilt für die Herrlichkeit des Erlösers; er wird der Vollender dessen sein, wovon er der Urheber ist (s. 5.Mose 32,4).

Als ein Beispiel für jeden, damit wir seinem Beispiel folgen mögen. Wir müssen es zu unserer Aufgabe machen, das Werk zu vollenden, zu dem Gott uns berufen hat, es zu tun. Wir müssen bei allem die Herrlichkeit Gottes als Ziel haben. Wir müssen bis zum Ende unseres Lebens darin beharren; wir dürfen uns nicht setzen, bis wir unser Werk vollendet haben.

Als eine Ermutigung für alle, die in ihm ruhen. Wenn er das Werk vollendet hat, welches ihm zu tun gegeben war, dann ist er ein vollkommener Heiland, einer, der sein Werk nicht nur halb getan hat.

Mit welchem Vertrauen er die vor ihm liegende Freude erwartete (s. Hebr 12,2): „Und nun verherrliche du mich, Vater" **(Vers 5)**.

Sehen Sie hier, wofür er betete: „Und nun verherrliche du mich." Er hatte dies einen Augenblick vorher gebetet **(s. Vers 1)**. Er musste doch für das beten, was ihm sein Vater verheißen hatte; Verheißungen sollen nicht das Gebet ersetzen, sondern der Führer unserer Wünsche und die Grundlage unserer Hoffnungen sein. Sehen Sie, wie die Herrlichkeit beschrieben wird, für die er betete.

Es war eine Herrlichkeit bei Gott; nicht nur: „Verherrliche meinen Namen auf der Erde", sondern auch: „Und nun verherrliche ... mich ... bei dir selbst." Die Gebete hier unten in dieser Welt holen Gnade und Frieden „von Gott, dem Vater, und unserem Herrn Jesus Christus", und auf diese Weise hat ihn der Vater bei sich verherrlicht (Gal 1,3).

Es war die Herrlichkeit, die er bei Gott hatte, ehe die Welt war. Jesus Christus existierte als Gott, „ehe die Welt war" **(Vers 5)**. Unsere Religion macht uns mit dem Einen bekannt, der „vor allem [ist], und alles hat seinen Bestand in ihm" (Kol 1,17).

Seine Herrlichkeit bei dem Vater ist von Ewigkeit her. Christus übernahm nicht das Werk der Erlösung, weil *er* Herrlichkeit brauchte – denn er hatte eine Herrlichkeit beim Vater „ehe die Welt war" –, sondern weil *wir* Herrlichkeit brauchten.

Jesus Christus hat sich in seinem Stand der Erniedrigung dieser Herrlichkeit entkleidet. Er war Gott geoffenbart im Fleisch, nicht in seiner Herrlichkeit (s. 1.Tim 3,16).

In seinem erhöhten Stand erlangte er diese Herrlichkeit wieder. Er betete nicht darum, mit den Herrschern und Führern dieser Erde verherrlicht zu werden. Nein, der Eine, welcher beide Welten kennt, wählte seinen Aufstieg in die Herrlichkeit der anderen Welt als einer Welt, welche die Herrlichkeit der hiesigen bei Weitem übertrifft. Mögen wir genauso gesinnt sein (s. Phil 2,5). „Und nun verherrliche du mich, Vater, bei dir selbst."

Beachten Sie, was er hier vorbrachte: „Ich habe dich verherrlicht ... Und nun verherrliche du mich, Vater."

Darin lag Gerechtigkeit, und eine wunderbare Harmonie, dass, wenn Gott durch ihn verherrlicht würde, Gott ihn bei sich selbst verherrlichen würde. Wenn der Vater in seiner Herrlichkeit durch die Erniedrigung des Sohnes gewann, war es angemessen, dass der Sohn auf lange Sicht durch sie nicht an seiner Herrlichkeit verlieren würde.

Es entsprach dem Bund zwischen ihnen. Es war „um der vor ihm liegenden Freude willen" (Hebr 12,2). Er erwartet immer noch die Vollendung seiner Erhöhung, denn er vollendete sein Werk (s. Hebr 10,13).

Es war der passendste Beleg, dass sein Vater das Werk annahm und anerkannte, das er vollendet hatte. Durch die Verherrlichung Christi wird uns versichert, dass Gott zufriedengestellt war, und darin wurde wahrhaft gezeigt, dass sein Vater an ihm als an seinem geliebten Sohn Wohlgefallen hatte (s. Mt 3,17; 12,18; 17,5).

Wir müssen auf diese Weise gelehrt werden, dass nur diejenigen, die Gott auf der Erde verherrlichen, bei dem Vater verherrlicht werden, wenn sie diese Welt verlassen.

Vers 6-10

Nachdem er für sich selbst gebetet hatte, kam Christus als Nächstes dazu, für diejenigen zu beten, die sein waren. Beachten Sie:

1. Für wen er nicht betete: „Nicht für die Welt bitte ich" **(Vers 9)**. Dies bezieht sich nicht auf die Welt des menschlichen Geschlechts allgemein – dafür betete er in **Vers 21**: „... damit die Welt glaube, dass du mich gesandt hast." Wenn wir die Welt als die Menge von ungedroschenem Getreide auf der Tenne betrachten, und Gott sie liebt und Christus für sie betet und stirbt – denn „es ist ein Segen in ihr!" (Jes 65,8) –, so kennt der Herr doch vollkommen die Seinen, und deshalb dachte Christus besonders an die, welche ihm aus der Welt gegeben waren (s. 2.Tim 2,19; **Vers 6**). Wenn wir dann die Welt als die übrig bleibende Spreu verstehen, so betete Christus nicht für diese; es gibt ein paar Dinge, für die er bei Gott für sie eintritt, wie es der Gärtner für die Gnadenfrist für den unfruchtbaren Baum tat, doch er betete nicht in diesem Gebet für sie (s. Lk 13,8-9). Er sagte nicht: „Ich bete gegen die Welt", sondern: „Nicht für die Welt bitte ich.' Ich übergehe sie und überlasse sie sich selbst." Wir, die wir nicht wissen, wer erwählt ist und wer übergangen wird, müssen „für alle Menschen" beten (s. 1.Tim 2,1.4). Solange es Leben gibt, gibt es Hoffnung und Raum für Gebet.

2. Für wen er betete: für die Seinen. Er betete für jene, die ihm gegeben waren, welche die Worte Christi annahmen und glaubten **(s. Vers 6.8)**. Er betete auch für alle, die an ihn glauben würden **(s. Vers 20)**. Nicht nur die folgenden Bitten, sondern auch die vorhergehenden müssen so gedeutet werden, dass sie sich auf alle Gläubigen an jedem Ort und zu jeder Zeit erstrecken.

3. Die allgemeinen Gesuche, mit denen er seine Bitten einleitete. Es sind fünf:
3.1 Der Auftrag, den er für sie erhalten hatte: „Sie waren dein, und du hast sie mir gegeben", und wieder: „... die, welche du mir gegeben hast" **(Vers 6.9)**. Nun:
Bezieht sich das in erster Linie auf die Jünger, die zu diesem Zeitpunkt anwesend waren. Sie waren ihm gegeben, damit sie sein Evangelium verkündigen und seine Gemeinde gründen würden. Als sie alles verließen, um ihm nachzufolgen, war dies die geheime Quelle dieser sonderbaren Entscheidung: Sie waren ihm gegeben, denn sonst hätten sie sich nicht ihm gegeben. Die Apostelschaft und der Dienst, welche die Geschenke Christi an die Gemeinde sind, waren zuerst das Geschenk des Vaters an Jesus Christus. Christus empfing dieses Geschenk für Menschen, damit er es Menschen geben konnte (s. Ps 68,19; Eph 4,8.11). Das legt den geistlichen Dienern des Evangeliums die starke Verpflichtung auf, sich vollständig dem Dienst Christi zu weihen, als solche die ihm ja gegeben sind.
Es ist jedoch dazu beabsichtigt, dass es sich auf alle Erwählten ausdehnt, denn von ihnen wird an anderer Stelle gesagt, dass sie Christus gegeben wurden (s. Joh 6,37.39). Er zeigte hier:
Dass der Vater die Vollmacht hatte, sie zu geben: „Sie waren dein", sein Eigentum auf drei Weisen:
Sie waren Geschöpfe, deren Leben und Existenz darum von ihm hergeleitet war.
Sie waren Sünder, deren Leben und Existenz darum für ihn verwirkt war. Es war ein Überrest von der gefallenen Menschheit, der Christus gegeben war, dass er erlöst wird, ein Überrest, der genauso leicht zu einem Opfer für die Gerechtigkeit hätte gemacht werden können wie dazu erwählt zu werden, ein Monument seiner Barmherzigkeit zu sein.
Sie waren für ihn erwählt; sie waren für Gott beiseitegestellt und waren Christus als seinem Bevollmächtigten gegeben. Er hob dies wieder hervor: „,... alles, was du mir gegeben hast', kommt von dir, sie kommen alle von dir, und so Vater, bringe ich sie alle dir, damit sie alle für dich sein mögen" **(Vers 7)**.
Dass er sie folglich dem Sohn gab. „,... und du hast sie mir gegeben', wie Schafe dem Hirten gegeben werden, um gehegt zu werden, wie Patienten dem Arzt, um geheilt zu werden, wie Kinder einem Lehrer, um erzogen zu werden." Sie wurden Christus übergeben, damit die Gnadenwahl nicht durchkreuzt werden würde, damit keiner, nein, auch nicht einer, „dieser Kleinen verloren geht" und damit die Arbeit von Christus nicht vergeblich ist (s. Röm 11,5; Mt 18,14). Er würde nach der Mühsal seiner Seele die Fülle haben (s. Jes 53,10-11).
3.2 Die Sorge, die er für sie übernommen hat, um sie zu lehren: „Ich habe deinen Namen den Menschen offenbar gemacht ... Denn die Worte, die du mir gegeben hast, habe ich ihnen gegeben" **(Vers 6.8)**. Beachten Sie hier:
Das große Ziel der Botschaft Christi, was war, den Namen Gottes offenbar zu machen, ihn zu verkünden, damit er mehr geliebt und angebetet werden würde.
Seine treue Erfüllung dieses Werkes: „Ich habe es getan." Seine Treue zeigt sich:
In der Wahrheit seiner Lehre. Sie entsprach genau den Weisungen, die er von seinem Vater bekam. Geistliche Diener müssen, wenn sie ihre Botschaft in Worte fassen, die Worte bedenken, „die vom Heiligen Geist gelehrt sind" (1.Kor 2,13).
In der Absicht seines Lehrens, welche war, den Namen Gottes zu offenbaren. Er trachtete nicht nach Dingen für sich selbst, sondern strebte danach, seinen Vater zu erhöhen. Dies zeigt uns:
Es ist das Recht Christi, den Seelen der Seinen Gottes Namen zu offenbaren. Nur er kennt den Vater und ist darum in der Lage, die Wahrheit zu zeigen, und nur er hat Zugang zum Geist des Menschen und kann darum den Menschen das Verständnis öffnen. Geistliche Diener können „den Namen des HERRN verkünden", doch nur Christus kann diesen Namen offenbaren (5.Mose 32,3). Geistliche Diener können die Worte Gottes zu uns sprechen, doch nur Christus kann uns seine Worte geben, kann sie in uns legen.
Früher oder später wird Christus allen Gottes Namen offenbar machen, die ihm gegeben wurden.
3.3 Die gute Wirkung der Fürsorge, die er für sie übernommen hat: „... und sie haben dein Wort bewahrt. Nun erkennen sie, dass alles, was du mir gegeben hast, von dir kommt ... und sie haben sie angenommen und haben wahrhaft erkannt, dass ich von dir ausgegangen bin, und glauben, dass du mich gesandt hast" **(Vers 6-8)**. Beachten Sie hier:
Welchen Erfolg die Lehre Christi unter denen hatte, die ihm gegeben waren.
„Sie haben deine Worte angenommen, die ich ihnen gegeben habe, wie der Boden den Samen

aufnimmt und die Erde den Regen trinkt." Das Wort war für sie ein eingepflanztes Wort (s. Jak 1,21).

„Sie haben dein Wort bewahrt'; sie haben sich ihm angepasst." Das Gebot Christi wird nur gehalten, wenn ihm gehorcht wird. Es war nötig, dass diese Jünger „dieses edle anvertraute Gut" bewahren, denn es sollte durch sie an jeden Ort für jede Zeit weitergegeben werden (s. 2.Tim 1,14).

„Sie haben das Wort verstanden; ihnen war bewusst, ‚dass alles, was du mir gegeben hast, von dir kommt'." Alle Werke und alle Macht Christi, alle Gaben des Geistes, alle Gnadenwirkungen und Tröstungen – alle kamen von Gott; sie waren durch seine Gnade und für seine Herrlichkeit bei der Errettung des Menschen ersonnen. Wir können deshalb selbst unser Leben der Mittlerschaft Christi anvertrauen. Wenn die Gerechtigkeit von Gott festgelegt wird, werden wir gerechtfertigt werden; wenn die Gnade von ihm zugeteilt wird, werden wir geheiligt werden.

Sie hatten ihr Siegel darauf: Sie haben „wahrhaft erkannt, dass ich von dir ausgegangen bin" **(Vers 8)**. Sehen Sie hier:

Was es heißt zu glauben: mit Gewissheit zu wissen, dass etwas wahr ist. Wir können das mit Gewissheit wissen, was wir weder vollständig wissen noch wissen können. „Denn wir wandeln im Glauben", der wahrhaft weiß, doch noch „nicht im Schauen", wodurch man klar erkennt (2.Kor 5,7).

Was wir glauben müssen: dass Jesus Christus von Gott ausgegangen ist und dass Gott ihn sandte. Alle Lehren von Christus müssen darum als göttliche Wahrheiten angenommen werden und man muss sich auf alle seine Verheißungen als göttliche Gewissheiten verlassen.

Wie Christus hier darüber sprach:
Als jemand, der selbst Gefallen daran hatte. Die beständige Loyalität der Jünger ihm gegenüber, ihre schrittweisen Fortschritte und schließlich ihre großen Leistungen waren seine Freude. Christus ist ein Lehrer, der sich über die Fertigkeiten seiner Schüler freut. Er nimmt die Aufrichtigkeit ihres Glaubens an und lässt gnädig dessen Schwachheit außer Acht.

Als jemand, der es bei seinem Vater vorbrachte. Er betete für jene, die ihm gegeben waren, und dann brachte er vor, dass sie sich ihm gegeben hatten. Wenn Menschen das Wort Christi halten und daran glauben, sollen sie es ihm überlassen, sie zu loben und, was mehr ist, sie bei seinem Vater zu loben.

3.4 Der eigene Anteil des Vaters an ihnen: „Ich bitte für sie ... weil sie dein sind. Und alles, was mein ist, das ist dein, und was dein ist, das ist mein" **(Vers 9-10)**. Beachten Sie:

Die Bitte, die besonders für seine Jünger geäußert wurde: „Sie sind dein." Dass die Erwählten Christus gegeben wurden, war weit davon entfernt, dass sie dem Vater weniger gehörten, sondern es geschah, um sie noch mehr dazu zu machen. Christus hat uns nicht nur für sich selbst erlöst, sondern auch für Gott (s. Offb 5,9-10). Das ist eine gute Bitte im Gebet und Christus brachte sie hier vor: „Sie sind dein." Wir können für uns selbst bitten: „Ich bin dein; hilf mir" (Ps 119,94), und für andere, wie es Mose tat: „Sie sind dein Volk" (s. 2.Mose 32,11). „Sie sind dein. Willst du sie nicht beschützen, damit sie nicht vom Teufel und der Welt besiegt werden? Sie sind dein; erkenne sie als die Deinen an."

Die Grundlage, auf der sich diese Bitte gründete: „Und alles, was mein ist, das ist dein, und was dein ist, das ist mein" **(Vers 10)**. Das zeigt, dass der Vater und der Sohn eins im Wesen und eins im Besitz sind.

Was der Vater als Schöpfer hat, wurde dem Sohn übergeben. Ihm ist alles übergeben worden; und nichts und niemand ist ausgeschlossen außer dem einen, der ihm selbst alles unterworfen hat (s. Mt 11,27; 1.Kor 15,27).

Was der Sohn als Erlöser hat, ist für den Vater bestimmt. All der Nutzen der Erlösung, der durch den Sohn erworben wurde, ist zum Lob des Vaters bestimmt: „Und alles, was mein ist, das ist dein." Der Vater erkennt niemanden als sein an, der nicht dem Dienst am Vater geweiht ist. In einer eingeschränkten Weise kann jeder echte Gläubige sagen: „Was dein ist, das ist mein." In einer unbegrenzten Weise sagt jeder echte Gläubige: „Herr, alles, was mein ist, das ist dein." Alles ist zu seinen Füßen niedergelegt, um für ihn nützlich zu sein. „Herr, achte auf das, was ich habe, denn es ist alles dein."

3.5 Sein eigener Anteil an ihnen: „Und ich bin in ihnen verherrlicht."

„Ich wurde in ihnen verherrlicht." Was Christus an geringer Ehre in der Welt hatte, war inmitten seiner Jünger und deshalb sagte er: „Ich bitte für sie."

„Ich soll in ihnen verherrlicht werden; sie sollen meinen Namen erheben. ‚Und ich bin in ihnen verherrlicht' und deshalb kümmere ich mich um sie. Deshalb übergebe ich sie auch dem Vater, der sich selbst verpflichtet hat, den Sohn zu verherrlichen, und deshalb diejenigen gnädig anschauen wird, in denen der Sohn verherrlicht ist."

Vers 11-16

Nach den allgemeinen Gesuchen kamen die besonderen Bitten, die er für sie vorbrachte. Wir wollen bedenken:

1. Drei allgemeine Beobachtungen bezüglich dieser Bitten:

1.1 Sie bezogen sich alle auf geistliche Segnungen in den himmlischen Dingen (s. Eph 1,3). Das Gedeihen der Seele ist die beste Form des Gedeihens.

1.2 Diese Segnungen waren solche Segnungen, wie sie zu ihrer gegenwärtigen Situation passten. Die Fürbitte Christi ist immer sachdienlich. Unser „Fürsprecher bei dem Vater" kennt alle Einzelheiten unserer Bedürfnisse (1.Joh 2,1).

1.3 Er war in seinen Bitten großmütig und umfassend, um uns zu lehren, inbrünstig und kühn im Gebet zu sein, zu ringen wie Jakob – „Ich lasse dich nicht, es sei denn, du segnest mich!" (1.Mose 32,27).

2. Die erste Bitte, die er für seine Jünger vorbrachte, die sich um ihre Bewahrung drehte, und zu diesem Zweck übergab er sie alle der Obhut seines Vaters **(s. Vers 11-16)**. „Bewahre sie vor der Welt." „Bewahre" beinhaltet, dass es Gefahr gibt, und die Gefahr für sie entsprang der Welt; er bat, dass sie vor der Bosheit der Welt beschützt werden würden. Es gab zwei Wege, auf denen sie vor der Welt gerettet wurden.

2.1 Indem sie aus ihr herausgenommen werden, und er betete nicht, dass sie auf eine solche Weise gerettet werden: „Ich bitte nicht, dass du sie aus der Welt nimmst."

„Ich bete nicht, dass sie rasch durch den Tod entfernt werden." Wenn die Welt für sie beschwerlich sein würde, wäre es der sicherste Weg, um sie zu beschützen, sie rasch aus ihr zu entfernen. „Sende Wagen und feurige Pferde für sie, um sie in den Himmel zu bringen" (s. 2.Kön 2,11-12). Christus wollte das aus zwei Gründen nicht für seine Jünger beten:

Weil er kam, um diese unangemessenen Leidenschaften zu besiegen, welche die Menschen ungeduldig mit dem Leben machen und den Tod suchen lassen. Es ist sein Wille, dass wir unser Kreuz auf uns nehmen, nicht, es hinter uns zu lassen (s. Mt 16,24).

Weil er Arbeit für sie in der Welt zu tun hatte, und deshalb konnte sie die Welt schwerlich entbehren. Aus Mitleid mit dieser dunklen Welt wollte Christus darum nicht, dass diese Lichter aus ihr entfernt werden, besonders um derer willen in der Welt, welche durch ihr Wort an ihn glauben werden **(s. Vers 20)**. Sie mussten alle in ihrer eigenen Ordnung ein Martyrium erleiden, doch nicht, bevor sie ihr Zeugnis vollendet hatten (s. Offb 11,7). Die Hinwegnahme guter Menschen aus der Welt ist in keiner Weise wünschenswert. Obwohl Christus seine Jünger liebt, sendet er nicht sofort nach ihnen, dass sie in den Himmel kommen, sondern lässt sie eine Zeit lang in dieser Welt, damit sie für den Himmel bereit sein mögen. Viele gute Menschen werden für das Leben bewahrt, weil man sie schwerlich zum Sterben entbehren kann.

„Ich bete nicht, dass sie von den Schwierigkeiten dieser Welt befreit werden und aus ihren Mühen und Schrecken herausgenommen werden." „Nicht, dass sie, wenn sie von allen Schwierigkeiten befreit sind, sich vielleicht in luxuriöser Bequemlichkeit aalen, sondern dass sie durch Gottes Hilfe im Angesicht der Gefahr beschützt werden mögen" (Calvin). Nicht, dass sie vor jedem Konflikt mit der Welt bewahrt werden, sondern dass sie sich nicht davon überwunden werden mögen. Es ist mehr die Ehre eines Soldaten Christi, die Welt im Glauben zu überwinden, als ein Mönchsgelübde abzulegen und sich aus ihr zurückzuziehen; es dient mehr der Ehre Christi, ihm in einer Stadt zu dienen, als ihm in einer Klosterzelle zu dienen.

2.2 Indem er sie vor der Verderbtheit bewahrt, die in der Welt ist **(s. Vers 11.15)**. Hier sind drei Aspekte dieser Bitte:

„Heiliger Vater, bewahre sie ... die du mir gegeben hast."

Christus verließ sie nun. Er übergab sie hier der Fürsorge seines Vaters. Es ist der unaussprechliche Trost von allen Gläubigen, dass Christus sie selbst der Fürsorge Gottes übergeben hat. Wen der allmächtige Gott beschützt, der muss sicher bleiben, und er muss die beschützen, welche „der Sohn seiner Liebe" übergibt (s. Kol 1,13).

Er stellt sie hier unter göttlichen Schutz. Die wunderbare Bewahrung des Dienstes des Evangeliums und der Gemeinde des Evangeliums in der Welt bis auf diesen Tag sind diesem Gebet zu verdanken.

Er stellte sie unter die göttliche Lehre. Wir brauchen nicht nur die Macht Gottes, um uns in einen Stand der Gnade zu bringen, sondern auch, um uns darin zu halten.

Die Bezeichnungen, die er dem einen, zu dem er betete, und denen gab, für die er betete, bekräftigten die Bitte.

Er sprach zu Gott als einem heiligen Vater **(s. Vers 11)**. Wenn er ein heiliger Gott ist und Sünde hasst, wird er die Seinen heiligen und sie vor der Sünde bewahren, welche auch sie als das größte Übel hassen und fürchten. Wenn er ein Vater ist, wird er für seine eigenen Kinder sorgen; wer sonst würde es?

Er sprach über die Jünger als solche, die ihm der Vater gegeben hatte. Was wir als Geschenke unseres Vaters erhalten, können wir gut der Fürsorge unseres Vaters übergeben.

„... bewahre sie in deinem Namen": „Bewahre sie um deines Namens willen." Diejenigen, die sich wirklich mehr um die Ehre von Gottes Namen kümmern als für irgendeines ihrer eigenen Interessen, können dies mit Gewissheit vorbringen. Oder: „Bewahre sie in deinem Namen.' Bewahre sie in der Erkenntnis und in der Furcht deines Namens; bewahre sie in dem Bekenntnis und dem Dienst für deinen Namen, was immer es sie kosten mag." Oder: „Bewahre sie durch deinen Namen oder mittels deines Namens. Bewahre sie durch deine Macht, in deiner Hand. Lass deinen Namen ihr starker Turm sein" (Spr 18,10).

„Bewahre sie vor dem Bösen." Er hatte sie gelehrt, täglich zu beten: „... errette uns von dem Bösen" (Mt 6,13), und dies würde sie ermutigen zu beten: „Bewahre sie vor dem Bösen. Bewahre sie vor Satan als einem Versucher, damit ihr Glaube nicht aufhört. Bewahre sie vor ihm als einem Zerstörer. Bewahre sie vor der bösen Sache, das heißt, der Sünde. Bewahre sie, damit sie nichts Böses oder etwas Falsches tun. Bewahre sie sowohl vor dem Bösen der Welt als auch vor dem Bösen ihrer Bedrängnis darin, damit es für sie keinen Stachel darin gebe" (Lk 22,31-32). Er betete nicht, dass sie vor dem Leid bewahrt werden mögen, sondern dass sie durch es hindurch bewahrt werden.

3. Die Gründe, mit denen er diese Bitten unterstützte, welche fünf sind:

3.1 Er brachte vor, dass er sie bis zu diesem Zeitpunkt bewahrt hatte: „‚Als ich bei ihnen in der Welt war, bewahrte ich sie in deinem Namen.' Sie sind alle sicher und keiner von ihnen fehlt, ‚als nur der Sohn des Verderbens', er ist verloren, ‚damit die Schrift erfüllt würde'" **(Vers 12)**. Beachten Sie:

Christi treue Erfüllung seiner Arbeit: Als er bei ihnen war, bewahrte er sie, und seine Fürsorge für sie war nicht vergeblich. Viele Menschen, die ihm eine Zeit lang nachfolgten, fielen aus dem einen oder anderen Grund ab, doch er bewahrte die Zwölf, sodass sie nicht fortgingen (s. Joh 6,66-69). Als er bei ihnen war, bewahrte er sie sichtbar. Als er von ihnen fortgegangen war, mussten sie in einer mehr geistlichen Weise bewahrt werden. Tröstungen und Unterstützungen werden manchmal gegeben und manchmal zurückgehalten, doch wenn sie zurückgehalten werden, bleiben die Seinen „nicht als Waisen zurück" (Joh 14,18). Was Christus hier sagte, trifft auf alle Gläubigen zu, solange sie in dieser Welt sind; Christus bewahrt sie in Gottes Namen. Sie waren schwach, sagte er, und konnten sich nicht selbst bewahren; doch in Gottes Augen waren sie der Bewahrung wert und würdig; sie waren sein Schatz, seine Juwelen. Ihr Heil war beabsichtigt, denn dies war der Grund, weshalb sie bewahrt wurden (s. 1.Petr 1,5). Die Gerechten werden für den Tag der Glückseligkeit bewahrt. Die Jünger standen unter der Verantwortung des Herrn Jesus; er bewahrte sie, wie der gute Hirte die Schafe bewahrt.

Den zufriedenstellenden Bericht, den er von seinem Wirken gab. „... und keiner von ihnen ist verlorengegangen." Jesus Christus wird alle sicher bewahren, die ihm gegeben wurden; sie mögen meinen, dass sie verloren sind, und können fast verlorengehen, wenn sie in drohender Gefahr sind, doch es ist der Wille des Vaters, dass er keinen verliert und er wird keinen verlieren.

Judas wird mit einem Mal versehen, dass er nicht zu denjenigen gehört, die Christus sich verpflichtet hat, zu bewahren. Er war unter denen, die Christus gegeben waren, aber gehörte nicht zu ihnen. Doch der Abfall vom Glauben und das Verderben von Judas waren überhaupt keine Schande für seinen Lehrer oder die Familie seines Lehrers. Er war „der Sohn des Verderbens" und gehörte darum nicht zu denen, die Christus gegeben waren, dass er sie bewahrt. Es ist ein fürchterlicher Gedanke, dass sich einer der Apostel als Sohn des Verderbens erwies. Kein Ort oder Name in der Gemeinde wird jemanden vor dem Verderben schützen, wenn sein Herz nicht aufrichtig vor Gott ist. Die Schrift wurde erfüllt; die Sünde von Judas wurde vorhergesehen und vorhergesagt, und das Ereignis würde sicherlich auf die Weissagung als Folge kommen, wenn man auch nicht unbedingt sagen kann, dass sie als eine Wirkung auf sie folgte.

3.2 Er brachte vor, dass er sie nun verlassen musste: „Bewahre sie jetzt, bewahre sie, ‚damit sie eins seien' mit uns, ‚gleichwie wir' eins miteinander sind" **(Vers 11)**. Beachten Sie:

Mit welcher Freude er über seinen Weggang sprach (s. Lk 9,31). Er sprach darüber mit einer Art von Triumph und Jubel, sowohl in Bezug auf die Welt, die er verließ, als auch auf die Welt, in die er ging. „Und ich bin nicht mehr in der Welt.' Ich sage jetzt Lebewohl zu dieser widerwärtigen, beschwerlichen Welt. Jetzt ist die willkommene Stunde gekommen, in der ich ‚nicht mehr in der Welt' sein werde." Es sollte für diejenigen eine Freude sein, die ihre Heimat in der anderen Welt haben, daran zu denken, dass sie nicht mehr in dieser Welt sein werden. Was gibt es hier, für das wir bleiben sollten? „Nun aber komme ich zu dir." Doch von dieser Welt loszukommen ist nur eine Hälfte des Trostes eines sterbenden Christus, eines sterbenden Christen; die weit bessere Hälfte ist, daran zu denken, zum Vater zu gehen. Wer Gott liebt, dem muss der Gedanke gefallen, zu ihm zu gehen, wenn es auch durch das Tal des Todesschattens ist (s. Ps 23,4). Wenn wir aus dem Leib abwandern, dann geschieht dies, um „daheim zu sein bei dem Herrn", wie Kinder, die von der Schule zum Haus ihrer Eltern gebracht werden (2.Kor 5,8).

Mit welch sanfter Fürsorge er über diejenigen sprach, die er zurückließ: „Diese aber sind in der Welt ... Heiliger Vater, bewahre sie in deinem Namen.' Sie werden meine Gegenwart vermissen, lasse sie also deine haben. Sie haben es jetzt mehr denn je nötig, bewahrt zu werden, und werden verloren sein, wenn du sie nicht bewahrst." Als unser Herr Jesus zum Vater ging, bewahrte er immer noch eine sanfte Fürsorge für die Seinen, die in der Welt waren. Wenn er ihrem Blick entzogen ist, sind sie nicht seinem Blick entzogen und noch viel weniger sind sie ihm aus dem Sinn. Als Christus den größten Bedarf ausdrücken wollte, den seine Jünger nach göttlichem Schutz hatten, sagte er nur: „Diese aber sind in der Welt." Dies weist auf genug Gefahr für diejenigen hin, die für den Himmel bestimmt sind.

3.3 Er brachte vor, was für eine Gewissheit es für sie sein würde, zu wissen, dass sie sicher und geschützt sind, und was für eine Gewissheit es für ihn wäre, sie in Frieden zu sehen. Er redet dies „in der Welt, damit sie meine Freude völlig in sich haben" **(Vers 13)**.

Christus wünschte sich leidenschaftlich die völlige Freude für seine Jünger, denn es ist sein Wille, dass sie sich immer freuen. Als sie meinten, dass ihre Freude in ihm aufgehört habe, war sie näher zur Vollkommenheit herangerückt, als sie es je gewesen war und sie hatten sie völliger in sich. Wir werden hier gelehrt, unsere Freude auf Christus zu gründen. Christus ist die Freude eines Christen, seine „höchste Freude" (Ps 137,6). Die Freude in der Welt verdorrt; die Freude in Christus ist ewig, wie er es ist. Wir werden gelehrt, mit Fleiß unsere Freude aufzubauen – in keinem Bereich des christlichen Lebens werden wir leidenschaftlicher gedrängt (s. Phil 3,1; 4,4) – und auf die Vollendung dieser Freude zu zielen.

Für dieses Ziel übergab er sie feierlich der Fürsorge und Obhut seines Vaters: Er redet dies in der Welt. Seine Fürsprache im Himmel wäre genauso wirksam gewesen, doch wenn er dies in der Welt sagt, würde das eine größere Gewissheit und Ermutigung für sie sein und würde sie fähig machen, bei aller Bedrängnis von Freude überzufließen (s. 2.Kor 7,4). Dies zeigt uns:

Christus hat nicht nur Kraft und Gewissheit für seine Leute aufgespart; er hat ihnen auch Kraft und Gewissheit gegeben. Er ließ sich hier dazu herab, seinen letzten Willen und sein Testament zu verkünden, und – was viele Menschen, die ein Testament verfassen, zögerlich tun – sagte ihnen, welche Vermächtnisse er ihnen überlassen hatte und wie gut sie geschützt waren.

Christi Fürsprache für uns ist genug, damit wir seine Freude völlig in uns haben; nichts wird wirkungsvoller all unsere Ängste und unser Misstrauen zum Schweigen bringen, als zu wissen, dass er immer für uns in Gottes Gegenwart eintritt (s. Hebr 7,25).

3.4 Er brachte vor die Misshandlungen vor, die sie wahrscheinlich um seinetwillen in der Welt erleben würden: „Ich habe ihnen dein Wort gegeben' und sie haben es angenommen, ‚und die Welt hasst sie; denn sie sind nicht von der Welt, gleichwie auch ich nicht von der Welt bin'" **(Vers 14)**. Wir haben hier:

Die Feindseligkeit der Welt gegenüber Christi Nachfolgern. Zwar war ihnen bis jetzt nur wenig Widerstand in der Welt geleistet worden, dennoch hasste sie die Welt und sie würde dies viel mehr tun, wenn sie durch ihre ausgedehntere Predigt des Evangeliums „die ganze Welt in Aufruhr versetzen" würden (Apg 17,6). „Vater, steh ihnen als Freund zur Seite", sagte Christus. „Lass sie deine Liebe haben, denn der Hass der Welt wird als Erbschaft an sie weitergegeben." Es ist Gottes Ehre, sich auf die Seite des schwächeren Teils zu stellen und den Hilflosen zu helfen.

Den Grund für diese Feindschaft, der die Bitte bekräftigte:

Ein Grund war, dass die Jünger das Wort Gottes durch die Hand von Christus angenommen hatten, als der größte Teil der Welt es verwarf. Wer das Wohlwollen und das gute Wort Christi annimmt, muss das Missfallen und die feindlichen Worte der Welt erwarten. Geistliche Diener des Evangeliums sind besonders von der Welt gehasst worden, weil sie Menschen aus der Welt herausrufen, diese von ihr trennen und so die Welt verurteilen. „‚Vater, bewahre sie'; sie sind Leidende für dich." Die Christi Wort vom standhaften Ausharren bewahren, haben ein Anrecht auf den besonderen Schutz in der Stunde der Versuchung (s. Offb 3,10). Die Sache, die jemanden zum Märtyrer macht, kann jemanden gut zum frohen Leidenden machen.

Ein weiterer Grund war deutlicher; die Welt hasste sie, weil sie „nicht von der Welt" waren. Die, zu denen das Wort Christi in Kraft kommt, gehören nicht zur Welt, und deshalb hegt die Welt Groll gegen sie.

3.5 Er brachte vor, dass sie sich durch eine heilige Unangepasstheit der Welt gegenüber ihm angepasst hätten: „Vater, bewahre sie. ‚Sie sind nicht von der Welt, gleichwie auch ich nicht von der Welt bin'" **(Vers 16)**. Diejenigen, die sich im Glauben der Fürsorge Gottes überlassen können, sind all diejenigen:

Die so sind, wie Christus in dieser Welt war. Gott wird die lieben, welche wie Christus sind.

Die sich selbst nicht den Interessen dieser Welt verschreiben. Beachten Sie:

Jesus Christus gehörte nicht zu dieser Welt; er hatte nie zu ihr gehört. Dies zeigt:

Seinen Stand: Er war keiner der Lieblinge oder Günstlinge der Welt; er hatte keinen weltlichen Besitz, nicht einmal einen Ort, um sein Haupt hinzulegen, keine weltliche Macht (s. Mt 8,20).

Sein Geist: Er war vollständig tot für die Welt; der Fürst dieser Welt hatte nichts in ihm (s. Joh 14,30).

Deshalb gehören echte Christen nicht zu dieser Welt. Sie sind dazu bestimmt, von der Welt verachtet zu werden; sie sind in der Welt nicht mehr beliebt, als es ihr Lehrer vor ihnen war. Sie haben das Vorrecht, vor der Welt gerettet zu werden. Es ist ihre Pflicht und ihr Charakter, für die Welt tot zu sein. Die ersten Jünger Christi waren schwach und hatten viele Schwächen, doch er konnte dies für sie sagen:

Sie gehörten nicht zu dieser Welt; und deshalb empfahl er sie der Fürsorge des Himmels.

Vers 17-19

Die nächste Sache, für die er für sie betete, war, dass sie geheiligt werden würden, nicht nur vor dem Bösen bewahrt, sondern auch gut gemacht würden.

1. Hier ist die Bitte: „Heilige sie in deiner Wahrheit! Dein Wort ist Wahrheit" **(Vers 17)**. Er wollte, dass sie geheiligt, heilig gemacht werden.

1.1 Als Christen (s. 1.Thess 5,23). Beachten Sie:
Die gewünschte Gnadenwirkung – Heiligung. Er betete: „Vater, ‚heilige sie'. Bestätige das Werk der Heiligung in ihnen; verstärke ihre guten Vorsätze. Führe das gute Werk in ihnen fort; lass das Licht immer heller leuchten. Vollende es; heilige sie durch und durch und bis zum Ende" (s. Spr 4,18). Aus der Schande heraus konnte er sie nicht als die Seinen anerkennen, sei es hier oder in der Zukunft, oder sie seinem Vater darbieten, wenn sie nicht heilig wären. Wer durch die Gnade geheiligt ist, muss immer mehr geheiligt werden. Nicht vorwärtsgehen heißt rückwärtsgehen. Der Heilige muss sich weiter heiligen, mehr heiligen (s. Offb 22,11). Es ist sowohl Gott, der heiligt, als auch Gott, der rechtfertigt (s. 2.Kor 5,5).
Die Mittel, um diese Gnadengabe zu geben – „in deiner Wahrheit! Dein Wort ist Wahrheit". Die göttliche Offenbarung, wie sie jetzt in dem geschriebenen Wort steht, ist nicht bloß reine Wahrheit mit nichts darin vermengt; es ist auch die ganze Wahrheit ohne Mängel. Dieses Wort der Wahrheit sollte das äußerliche und gewöhnliche Mittel für unsere Heiligung sein. Es ist der Same der Wiedergeburt und die Nahrung für das neue Leben (s. 1.Petr 1,23; 1.Petr 2,1-2).

1.2 Als geistliche Diener. „‚Heilige sie.' Lass ihre Berufung zur Apostelschaft vom Himmel bestätigt werden. Befähige sie zu dem Amt mit christlichen Gnadenwirkungen und Gaben zum Dienst. Stelle sie für diese Arbeit beiseite. Ich habe sie berufen und sie haben sich damit einverstanden erklärt, sich dazu zu verpflichten; Vater, sage ‚Amen' dazu. Erkenne sie in dieser Arbeit an; lass deine Hand sie begleiten. Heilige sie für deine Wahrheit, um der Welt deine Wahrheit zu predigen." Jesus Christus tritt mit besonderem Interesse für seine geistlichen Diener ein, empfiehlt die Sterne der Fürsorge seines Vaters, die er in seiner Rechten hält (s. Offb 1,20). Die große Sache, die von Gott für geistliche Diener des Evangeliums erbeten werden soll, ist, dass sie geheiligt sein mögen, vollständig Gott geweiht, und dass sie aus eigener Erfahrung die Wirkung des Wortes auf ihr eigenes Herz kennen mögen, welches sie anderen predigen.

2. Wir haben hier zwei vorgebrachte Dinge, um die Bitten zu unterstützen:

2.1 Den Auftrag, den die Jünger von ihm hatten: „Gleichwie du mich in die Welt gesandt hast, so sende auch ich sie in die Welt" **(Vers 18)**.
Christus sprach mit großer Gewissheit von seinem eigenen Auftrag: „Gleichwie du mich in die Welt gesandt hast." Er war von Gott gesandt, um das zu sagen, was er sagte, zu tun, was er tat und zu sein, was er für diejenigen ist, die an ihn glauben.
Er sprach von dem Auftrag, den er seinen Jüngern gegeben hatte: „‚... so sende auch ich sie in die Welt' mit dem gleichen Auftrag", um die gleiche Botschaft zu predigen, die er predigte. Er erteilte ihnen ihren Auftrag mit Bezug auf seinen eigenen, und es erhöhte ihre Arbeit, dass sie von Christus kam und dass es eine gewisse Ähnlichkeit zwischen dem Auftrag gab, der den geistlichen Dienern der Versöhnung gegeben war, und demjenigen, der dem Mittler gegeben war (s. Joh 20,21). Der Unterschied war, dass sie als Diener gesandt wurden, während er als Sohn gesandt wurde (s. Hebr 3,5-6). Christus war so besorgt um sie, weil er selbst sie in eine schwierige Arbeit gestellt hatte, die große Fähigkeiten erforderte, um richtig getan zu werden. Christus wird denen zur Seite stehen, die er sendet. Er wird uns dazu ausrüsten, die Arbeit zu tun, zu der er uns beruft, und er wird uns unterstützen, wenn wir diese Arbeit vollbringen. Er übergab sie an seinen Vater, weil er um ihre Sache besorgt war, da ihr Auftrag auf den seinen folgte. Der Vater heiligte ihn, als er ihn „in die Welt gesandt hat" (Joh 10,36). Jetzt mögen sie, da sie gesandt waren, wie er es war, genauso geheiligt werden.

2.2 Den Verdienst, den er für sie hatte: „Und ich heilige mich selbst für sie" **(Vers 19)**. Beachten Sie:
Christi Identifizierung mit dem Werk des Mittlers: „Ich heilige mich." Er weihte sich selbst völlig für dieses Werk und zu jedem Aspekt von ihm, besonders jetzt, wo er kurz davor war, „sich selbst durch den ewigen Geist als ein makelloses Opfer Gott" darzubringen (Hebr 9,14). Er brachte dies bei seinem Vater vor, denn seine Fürsprache geschah auf der Grundlage seiner Sühne.
Christi freundliche Absicht gegenüber seinen Jüngern darin. Es geschah um ihretwillen, „damit auch sie geheiligt seien", das heißt nach manchen: „... damit sie Märtyrer seien." Ich ziehe jedoch vor, es etwas allgemeiner zu verstehen, dass es bedeutet: „Damit sie Heilige und geistliche Diener seien, gebührend befähigt und von Gott angenommen." Das Amt des Dienstes wurde durch das Blut Christi erworben; es war eines der seligen Früchte seiner Sühne. Die echte Heiligkeit aller wahren Christen ist die Frucht des Todes Christi. Er hat sich selbst für die Gemeinde hingegeben, damit er sie

heilige (s. Eph 5,25-26). Der Eine, welcher den Plan ersann, hat auch die Mittel ersonnen, damit sie durch die Wahrheit geheiligt werden mögen. Das Wort der Wahrheit bekommt seine heiligende Macht durch den Tod Christi. Christus hat dafür für all die Seinen gebetet, denn „das ist der Wille Gottes, [ihre] Heiligung", was sie ermutigt, darum zu beten (s. 1.Thess 4,3).

Vers 20-23
Nachdem er für ihre Reinheit gebetet hat, bat er um ihre Einheit. Beachten Sie:

1. Wer in dieses Gebet eingeschlossen wurde: „Ich bitte aber nicht für diese allein, sondern auch für die, welche durch ihr Wort an mich glauben werden', ich bitte für sie alle" **(Vers 20)**. Nur diejenigen, die an Christus glauben, erfreuen sich des Vorrechts, an den Wohltaten seiner Mittlerschaft teilzuhaben. Diejenigen, die in jenen Tagen lebten, sahen und glaubten, doch die in späteren Zeiten sehen nicht und glauben doch (s. Joh 20,29). Es geschieht durch das Wort, dass Seelen dazu gebracht werden, an Christus zu glauben. Er bat hier nicht wahllos. Christus wusste sehr wohl, für wen er betete. Jesus Christus tritt nicht nur für große und berühmte Gläubige ein, sondern auch für die Unbedeutendsten und Schwächsten. Der gute Hirte schaut auch nach den „Elenden der Herde" (Sach 11,11). In seiner Mittlerschaft bedachte Christus sogar diejenigen, die noch ungeboren waren, die anderen Schafe, die er noch herbeiführen musste (s. Joh 10,16).

2. Was mit diesem Gebet beabsichtigt wird: „Auf dass sie alle eins seien" **(Vers 21)**. Das Gleiche wurde vorher gesagt: „... damit sie eins seien, gleichwie wir!" **(Vers 11)**; und wieder in **Vers 22**. Christi Herz war sehr darauf ausgerichtet. „Lass sie nicht nur eines Herzens sein, sondern auch eines Mundes, die gleiche Sache sagen." Die Einheit, für die in **Vers 21** gebetet wird, betrifft alle Gläubigen. Das Gebet Christi für alle, die sein sind, ist, „auf dass sie alle eins seien', eins in uns, eins ‚gleichwie wir eins sind', ‚zu vollendeter Einheit gelangen'" **(Vers 21-23)**. Es umfasst drei Dinge:
2.1 Dass sie alle in einem Leib vereint seien. „Vater, betrachte sie alle als eins. Obwohl sie alle an entfernten Orten und in verschiedenen Zeitaltern leben, lasse sie doch in mir als ihrem gemeinsamen Haupt vereint sein." Christus ist nicht nur gestorben, sondern hat auch gebetet, um sie alle „in eins zusammenzubringen" (Joh 11,52; s. Eph 1,10).
2.2 Dass sie alle von einem Geist belebt würden. Das wird hierdurch klar gesagt: „‚Auf dass auch sie in uns eins seien.' Lass sie alle mit dem gleichen Bild und Titel geprägt und von der gleichen Macht beeinflusst sein."

2.3 Dass sie alle in Liebe miteinander verbunden, eines Herzens seien, „auf dass sie alle eins seien":
Im Urteil und in der Haltung; nicht in jeder winzigen Einzelheit ihres Lebens – das ist weder möglich noch nötig –, sondern in den großen Dingen von Gott; in diesen Dingen stimmen sie, durch die Wirksamkeit dieses Gebets, alle überein.
Im Charakter und in der Neigung. Sie haben alle ein neues Herz und es ist ein Herz.
In ihren Absichten und Zielen.
In ihren Wünschen und Gebeten; obwohl sie sich in Worten und Ausdrücken unterscheiden, beten sie im Wesentlichen für die gleiche Sache.
In der Liebe und Zuneigung. Wofür Christus hier betete, war die Gemeinschaft der Heiligen, an die wir zu glauben bekennen. Dieses Gebet Christi wird jedoch seine vollständige Erfüllung finden, bis alle Gläubigen in den Himmel kommen, denn dann, und erst dann, werden sie „zu vollendeter Einheit gelangen" **(Vers 23**; s. Eph 4,13).

3. Was angedeutet wird mittels eines Bekenntnisses, um diese Bitte zu bekräftigen.
3.1 Die Einheit zwischen dem Vater und dem Sohn, die immer wieder erwähnt wird **(s. Vers 21-23)**. Christus setzte voraus, dass der Vater und er eins waren, eins in gegenseitiger Zuneigung. „Der Vater liebt den Sohn" und der Sohn gefiel immer dem Vater (Joh 3,35). Sie sind eins im Ziel. Die Vertrautheit dieses Einsseins wird mit den Worten „... du, Vater, in mir und ich in dir" ausgedrückt. Dies wurde in dem Gebet Christi für die Einheit seiner Jünger betont:
Als das Vorbild für diese Einheit. In einem gewissen Sinn sind Gläubige eins, wie Gott und Christus eins sind. Sie sind aufgrund einer göttlichen Natur vereint, durch die Macht einer göttlichen Gnade gemäß dem göttlichen Plan. Es ist eine heilige Einheit für heilige Zwecke, kein Gemeinwesen für irgendwelche weltlichen Zwecke. Es ist eine vollständige Einheit.
Als das Zentrum dieser Einheit: „... dass sie ‚in uns eins seien'." Es gibt einen Gott und einen Mittler (s. 1.Tim 2,5). Jeder Zusammenschluss, der sich nicht auf Gott als dem Ziel und Christus als dem Weg gründet, ist eine Verschwörung, keine Einheit. Alle, die wahrhaft mit Gott und Christus vereint sind, die eins sind, werden bald miteinander vereint sein.
Als eine Bitte für diese Einheit. Der Schöpfer und der Erlöser sind eins in den Interessen und den Absichten, doch zu welchem Zweck sind sie auf diese Weise eins, wenn nicht alle Gläubigen ein Leib mit Christus sind und nicht gemeinsam Gnade um Gnade von ihm empfangen, so wie er sie für sie empfangen

hat (s. Joh 1,16)? Diese Worte „... ich in ihnen und du in mir" zeigen, was diese Einheit ist, die nicht nur für die Schönheit seiner Gemeinde absolut notwendig ist, sondern auch für ihr ganzes Sein.
Einheit mit Christus: „Ich in ihnen."
Einheit mit Gott durch ihn: „,... und du in mir', sodass du durch mich in ihnen bist."
Einheit miteinander, die daraus folgt: „... damit sie zu vollendeter Einheit gelangen." Wir sind vollkommen in ihm.

3.2 Die Absicht Christi damit, dass er ihnen all dieses Licht und diese Gnade mitteilt: „Und ich habe die Herrlichkeit, die du mir gegeben hast', demgemäß ‚ihnen gegeben, auf dass sie eins seien, gleichwie wir eins sind', und somit werden diese Gaben vergeblich sein, wenn die Menschen, die du mir gegeben hast, nicht eins sind." Diese Gaben sind nun entweder:
Diejenigen, welche den Aposteln gegeben wurden. Die Herrlichkeit der Botschafter Gottes für die Welt und das Errichten des Thrones von Gottes Reich – diese Herrlichkeit war Christus gegeben und er legte etwas von der Ehre auf sie, als er sie aussandte, um alle Völker zu Jüngern zu machen (s. Mt 28,19). Oder:
Die, welche allgemein allen Gläubigen gegeben sind. Die Herrlichkeit, in einer Bundesbeziehung mit dem Vater zu sein, war die Herrlichkeit, die der Vater dem Erlöser gab, und er hat sie den Erlösten zugesichert. Christus sagte, er habe diese Ehre „ihnen gegeben", denn er beabsichtigte diese für sie und damit gehörte ihnen diese bereits. Er gab sie ihnen, „auf dass sie alle eins seien", das heißt:
Um ihnen ein Anrecht auf das Vorrecht der Einheit zu geben. Die Gabe des Geistes, die große Herrlichkeit, welche der Vater dem Sohn gab, damit sie von ihm allen Gläubigen gegeben wird, macht sie eins.
Um sie zu verpflichten, diese Aufgabe der Einheit zu erfüllen, sodass sie in Anbetracht dessen, was sie in einem Gott und in einem Christus hatten und worauf sie im Himmel hofften, eines Sinnes und eines Mundes sein mögen. Weltliche Herrlichkeit bringt die Menschen in Konflikt miteinander, denn wenn manche erhöht werden, werden andere in den Schatten gestellt. Je mehr Christen von der Herrlichkeit ergriffen sind, die Christus ihnen gegeben hat, umso weniger wollen sie sich rühmen und umso weniger werden sie deshalb geneigt sein, sich zu streiten.

3.3 Der förderliche Einfluss, den ihre Einheit auf andere haben würde. Dies wurde zweimal geäußert: „... damit die Welt glaube, dass du mich gesandt hast", und wieder, damit die Welt dies erkenne **(Vers 21.23)**. Gläubige müssen wissen, was sie glauben und warum sie es glauben. Wer glaubt, ohne angemessen nachzudenken, wird abgelenkt werden. Christus zeigte hier:

Sein Wohlwollen gegenüber dem Menschengeschlecht allgemein. Hier ist er gleichen Sinnes wie der Vater und wünscht, dass alle Menschen gerettet werden. Deshalb ist es sein Wille, dass jeder Stein für die Überführung und die Bekehrung von Sündern umgedreht wird. Wir müssen dort, wo wir sind, alles tun, was in unserer Macht steht, um das Heil von Menschen zu fördern.
Die gute Frucht der Einheit der Kirche bzw. Gemeinde Jesu; sie wird ein Beleg für die Wahrheit des Christentums sein und ein Mittel, viele dazu zu bringen, es anzunehmen.
Allgemein wird sie das Christentum in der Welt empfehlen. Die Verkörperung von Christen in einer Gemeinschaft wird das Christentum sehr unterstützen. Wenn die Welt bei so vielen, die einst ihre Kinder waren, sieht, dass sie verändert sind im Gegensatz zu dem, was sie mitunter waren (s. Eph 2,13; 5,8; Kol 1,21; 3,7), werden sie bereit sein zu sagen: „Wir wollen mit euch gehen, denn wir haben gehört, dass Gott mit euch ist!" (Sach 8,23). Die Einheit der Christen in Liebe und Güte ist die Schönheit ihres Bekenntnisses und lädt andere ein, sich ihnen anzuschließen. Wenn das Christentum, statt Streit über sich selbst zu verursachen, alle anderen Kämpfe beendet, wenn es die Menschen dazu bringt, gütig und liebevoll zu sein, danach zu streben, den Frieden zu bewahren und zu fördern, wird dies es für alle empfehlen, die entweder etwas natürliche Religion oder natürliche Zuneigung in sich haben.
Im Besonderen wird es gute Gedanken in den Menschen hervorbringen:
In Bezug auf Christus: Sie werden sehen und glauben, „dass du mich gesandt hast" **(Vers 23)**. Man wird klar sehen, dass Christus von Gott gesandt wurde, wenn man sieht, dass seine Religion die Menschen überzeugt, sich zusammenzutun, wenn sie so viele verschiedene Fähigkeiten, Persönlichkeiten und Interessen in anderen Dingen haben und wenn man sieht, dass die so verbundenen Menschen nicht nur im Glauben ein Leib sind, sondern auch in der Liebe eines Herzens.
In Bezug auf Christen: „Sie werden erkennen, dass du sie liebst, gleichwie du mich liebst." Hier gibt es:
Das Vorrecht von Gläubigen: Der Vater selbst liebt sie mit einer Liebe, die seiner Liebe zu seinem Sohn gleicht, denn sie werden in dem Sohn mit einer ewigen Liebe geliebt.
Den Beleg dafür, dass sie an diesem Vorrecht Anteil haben, und das ist ihr Einssein. Was zeigen wird, dass Gott uns liebt, wird sein, dass wir „einander beharrlich und aus reinem Herzen" lieben (1.Petr 1,22). Beachten Sie, wie viel Gutes es der Welt tun würde, besser zu erkennen, wie teuer Gott echte Christen sind. Wer so viel von der Liebe Gottes hat, sollte mehr von der unseren haben.

Vers 24-26

Hier ist:

1. Eine Bitte für die Verherrlichung all derer, die Christus gegeben waren: „Vater, ich will, dass, wo ich bin, auch die bei mir seien" **(Vers 24)**. Beachten Sie:

1.1 Die Verbindung dieser Bitte mit den vorigen. Christus hatte gebetet, dass Gott sie heiligen würde; nun betete er, dass Gott alle seine Gaben mit ihrer Verherrlichung krönen würde. Auch wir müssen zuerst um Gnade (Gunst) beten und dann um Herrlichkeit (Ehre), denn auf diese Weise gibt Gott.

1.2 Die Weise der Bitte: „Vater, ich will." Hier richtet er sich wie vorher an Gott als Vater, und wir müssen das Gleiche tun, doch als er sagte „ich will", benutzte er eine Sprache, die nicht zu gewöhnlichen Bittstellern passt. Dies zeigt die Vollmacht seiner Fürsprache allgemein; sein Wort hatte im Himmel Einfluss wie auch auf der Erde. Es zeigt auch seine besondere Vollmacht in dieser Sache; er hatte Vollmacht, ewiges Leben zu geben (Joh 17,2), und gemäß dieser Vollmacht sagte er: „Vater, ich will."

1.3 Die Bitte selbst – dass alle Erwählten am Ende mit ihm im Himmel sein werden. Beachten Sie:

Mit welchen Vorstellungen wir auf den Himmel hoffen sollen. Woraus besteht diese Seligkeit? Drei Dinge machen den Himmel aus:

Es heißt, dort zu sein, wo Christus ist: „‚... wo ich bin', bald sein werde, ewig sein werde." In dieser Welt sind wir nur auf der Durchreise; wir sind dort wirklich, wo wir ewig sein werden.

Es heißt, bei ihm zu sein, wo er ist. Die Seligkeit dieses Ortes wird darin bestehen, in seiner Gegenwart zu sein. Der Himmel des Himmels ist, mit Christus zu sein.

Es heißt, seine Herrlichkeit zu sehen, die ihm der Vater gegeben hat. Die Herrlichkeit des Erlösers ist der Glanz des Himmels. Das Lamm ist die Leuchte des neuen Jerusalem (s. Offb 21,23). Gott zeigt dort seine Herrlichkeit durch Christus, so wie er hier durch ihn seine Gnade zeigt. Die Seligkeit der Erlösten besteht sehr viel darin, diese Herrlichkeit zu sehen. Sie werden in die Quellen der Liebe blicken, aus denen alle Ströme der Gnade fließen. Sie „werden verwandelt in dasselbe Bild von Herrlichkeit zu Herrlichkeit" (2.Kor 3,18).

Auf welcher Grundlage wir auf den Himmel hoffen sollen: Nur durch die Mittlerschaft Christi, denn er hat gesagt: „Vater, ich will." Unsere Heiligung ist der Beleg, doch es ist der Wille Christi, der uns ein Anrecht gibt. Christus sprach hier, als würde er seine eigene Seligkeit nicht als vollständig ansehen, wenn nicht seine Erwählten mit ihm daran Anteil haben würden.

1.4 Das Argument, um diese Bitte zu unterstützen: „Denn du hast mich geliebt vor Grundlegung der Welt." Dies ist ein Grund:

Warum er selbst diese Herrlichkeit erwartete. „Du wirst sie mir geben, ‚denn du hast mich geliebt'." „Der Vater liebt den Sohn", findet unendlich Gefallen an seinem Werk und hat ihm deshalb „alles in seine Hand gegeben" (Joh 3,35). Von dem Vater wird gesagt, dass er den Sohn als Mittler „vor Grundlegung der Welt" liebte. Oder:

Warum er erwartete, dass diejenigen, die ihm gegeben waren, bei ihm sein würden, um an seiner Herrlichkeit Anteil zu haben. „‚Denn du hast mich geliebt' und sie sind bei mir und du kannst mir nichts versagen, was ich für sie erbitte."

2. Der Schluss des Gebets. Beachten Sie:

2.1 Die Achtung, die er vor seinem Vater hatte **(s. Vers 25)**. Beachten Sie:

Die Bezeichnung, die er Gott gab: „Gerechter Vater." Als er betete, dass sie geheiligt werden mögen, nannte er Gott „heiliger Vater". Als er betete, dass sie verherrlicht werden mögen, nannte er ihn „gerechter Vater".

Die Beschreibung, die er der Welt gab: „Gerechter Vater, die Welt erkennt dich nicht." Die Unkenntnis Gottes durchdringt das Menschengeschlecht, dies ist die Finsternis, in der Menschen sitzen (s. Lk 1,79). Diese Jünger brauchten die Hilfe besonderer Gnade, sowohl wegen der Notwendigkeit ihrer Arbeit als auch wegen der Schwierigkeit ihrer Arbeit, darum: „Bewahre sie." Sie waren für weitere besondere Gunsterweise qualifiziert, weil sie die Erkenntnis Gottes hatten, welche die Welt nicht hatte.

Was er für sich selbst hervorhob: „Ich aber erkenne dich." Christus kannte den Vater, wie es niemand sonst je tat, und deshalb konnte er in diesem Gebet mit Vertrauen zum Vater kommen, wie wir zu jemandem kommen, den wir kennen. Man hätte gemeint, dass er, als er gesagt hatte, „die Welt erkennt dich nicht", dann sagen würde: „Doch meine Jünger haben dich erkannt." Doch nein, ihrer Erkenntnis konnte man sich nicht rühmen; er sagt stattdessen: „Ich aber erkenne dich." In uns gibt es nichts, um uns der Gunst Gottes zu empfehlen. Unsere Gemeinschaft mit ihm und alle Vorrechte, der wir uns in ihm erfreuen, resultieren aus den Vorrechten und der Gemeinschaft Christi. Wir sind unwürdig, er aber ist würdig.

Was er für seine Jünger hervorhob: „... und diese erkennen, dass du mich gesandt hast."

Darin wurden sie von der ungläubigen Welt unterschieden. In einer Welt, die im Nichtwissen und im Unglauben verharrt, Jesus Christus zu erkennen und an ihn zu glauben, wird sicherlich mit einer ausgesprochenen Herrlichkeit gekrönt werden. Besonderer Glaube befähigt für besondere Gunsterweise.

Darin hatten sie Anteil an dem Nutzen, den Vater zu kennen. „Ich aber erkenne dich, und diese erkennen, dass du mich gesandt hast." Da sie Christus als von Gott gesandt erkannten, hatten sie, in ihm, den Vater erkannt. „Vater, sieh um meinetwillen nach ihnen."

2.2 Die Achtung, die er vor seinen Jüngern hatte: „Ich habe sie zu der Erkenntnis von dir geführt, ,damit die Liebe, mit der du mich liebst, in ihnen sei und ich in ihnen'" **(Vers 26)**. Beachten Sie hier:

Was Christus für sie getan hatte: „Und ich habe ihnen deinen Namen verkündet." Er hatte dies sowohl für die getan, welche seine unmittelbaren Nachfolger waren, als auch für alle, die an ihn glauben würden. Wir sind Christus für alle Erkenntnis zu Dank verpflichtet, die wir von dem Namen des Vaters haben. Wen Christus der Gunst des Vaters empfiehlt, den führt er zuerst dazu, Gott zu kennen.

Was er sogar noch weiter für sie zu tun beabsichtigte: „... und werde ihn verkünden." Er beabsichtigte, den Jüngern weitere Unterweisungen zu geben nach seiner Auferstehung und durch die Ausgießung des Heiligen Geistes nach seiner Himmelfahrt (s. Apg 1,3); und bei allen Gläubigen, in deren Herz er leuchtete, leuchtet er immer heller (s. Spr 4,18).

Was er mit diesem allen bezweckte: In zwei Dingen ihre wirkliche Seligkeit zu schützen und voranzubringen:

Der Gemeinschaft mit Gott: „Deshalb habe ich ihnen die Erkenntnis deines Namens gegeben, ,damit die Liebe, mit der du mich liebst, in ihnen sei'. Lass den Geist der Liebe, mit dem du mich erfüllt hast, in ihnen sein." Christus verkündet den Gläubigen den Namen seines Vaters, damit gemeinsam mit diesem göttlichen Licht, das auf ihren Sinn geworfen wird, eine göttliche Liebe in ihre Herzen ausgegossen sein möge, damit sie an der göttlichen Natur Anteil haben mögen (s. Röm 5,5). Wenn Gottes Liebe, die er zu uns hat, in uns hineinkommt, ist sie wie die Kraft, die der Magnet auf die Nadel in einem Kompass ausübt und sie dazu bringt, sich zum Nordpol zu bewegen; diese Liebe erhebt die Seele zu Gott. „Lass sie nicht nur das Vorrecht der Liebe Gottes erkennen, sondern sich auch an der Gewissheit dieses Vorrechts erfreuen, sodass sie Gott nicht nur kennen, sondern wissen, dass sie ihn kennen." Wenn die Liebe Gottes in das Herz ausgegossen ist, dann erfüllt diese Liebe das Herz mit Freude (s. Röm 5,3.5). Wir können nicht nur durch seine unerschöpfliche Liebe zufrieden sein, sondern ihrer auch tief gewiss werden. Wir müssen dies mit unserem ganzen Herzen suchen; wenn wir es haben, müssen wir Christus dafür danken; wenn es uns fehlt, können wir nur uns selbst die Schuld geben.

Zu diesem Ziel, der Einheit mit Christus: „... und ich in ihnen." Es gibt keinen Weg, um Zugang zu der Liebe Gottes zu bekommen, außer durch Christus. Wir können uns auch selbst nicht in dieser Liebe halten, außer wir bleiben in Christus. Es ist Christus in uns, der „die Hoffnung der Herrlichkeit" ist, die uns nicht zuschanden werden lassen wird (Kol 1,27). All unsere Gemeinschaft mit Gott, der Empfang seiner Liebe uns gegenüber zusammen mit unserer Antwort der Liebe ihm gegenüber geht durch die Hände des Herrn Jesus. Christus hatte nur eine kleine Weile vorher gesagt: „Ich in ihnen", und hier wiederholte er es und beendete das Gebet damit, um zu zeigen, wie sehr das Herz Christi daran hängt. „,... und ich in ihnen'; lass mich dies haben und dann wünsche ich mir nicht mehr." Wir wollen deshalb unsere Einheit mit Christus sicherstellen und uns dann seiner Fürsprache gewiss sein. Dieses Gebet wird beendet, doch er lebt für immer, um dieses Gebet darzubringen (s. Hebr 7,25).

KAPITEL 18

Bis jetzt hat der Evangelist wenig aus dem Leben Christi berichtet und hat nur das aufgenommen, was nötig war, um seine Botschaften einzuleiten, doch jetzt geht er bei der Beschreibung der Umstände des Leidens Christi ins Detail. Dieses Kapitel berichtet: 1. Wie Christus im Garten ergriffen wurde (s. Vers 1-12). 2. Wie Christus im Hof des Hohepriesters misshandelt wurde und wie Petrus ihn unterdessen verleugnete (s. Vers 12-37). 3. Wie Christus vor Pilatus gebracht und dann vor das Volk gestellt wurde, damit sie wählen konnten, ob sie ihm oder Barabbas Wohlwollen erweisen wollten, und wie Christus diese Wahl verlor (s. Vers 28-40).

Vers 1-12

Jetzt war die Stunde gekommen, dass der Urheber unseres Heils, der durch Leiden vollendet werden sollte, gegen den Feind kämpfen würde (s. Hebr 2,10). Wir wollen nun „hinzutreten und diese große Erscheinung ansehen" (2.Mose 3,3).

1. Unser Herr Jesus betrat wie ein kühner Kämpfer als Erster das Feld. „Als Jesus dies gesprochen hatte", wollte er keine Zeit verlieren, deshalb „ging er mit seinen Jüngern hinaus über den Winterbach Kidron; dort war ein Garten" **(Vers 1)**.

1.1 Unser Herr Jesus begann sein Leiden, als er „dies gesprochen hatte" (Vers 1), wie es in Matthäus begann, „als Jesus alle diese Worte beendet hatte" (Mt 26,1). Christus hatte alles gesagt, was er als Prophet zu sagen hatte, und jetzt wandte er sich dem zu, sein Werk als Priester zu erfüllen und „sein Leben zum Schuldopfer" zu geben, und als er dieses durchlitten hatte, begann er seine königliche

Rolle (Jes 53,10). Nachdem er durch seine Predigt seine Jünger auf diese Stunde der Prüfung vorbereitet und sich selbst durch Gebet darauf vorbereitet hatte, ging er mutig heraus, um ihr entgegenzutreten. Als er seine Waffenrüstung angelegt hatte, zog er in die Schlacht, doch nicht eher. Christus wird diejenigen, die sein sind, für keinen Kampf verpflichten, ohne vorher zu tun, was notwendig ist, um sie darauf vorzubereiten. Wir können mit unerschütterlicher Entschlossenheit durch die größten Härten gehen, wenn wir dem Pfad unserer Pflicht folgen.

1.2 Er ging „mit seinen Jüngern hinaus".
Als seine Stunde gekommen war, wollte er so handeln, wie er es für gewöhnlich tat, und nicht seine Wege ändern, weder um auf das Kreuz zu treffen noch es zu vermeiden. Es war seine Gewohnheit, dass er sich, wenn er in Jerusalem war, in der Nacht an den Ölberg zurückziehen würde (Lk 22,39). Weil dies seine Gewohnheit war, wollte er sich nicht durch die Voraussicht auf sein Leiden dazu zwingen lassen, seine Routine zu ändern.
Er war genauso unwillig, dass „Aufruhr unter dem Volk entsteht", wie es seine Feinde waren (Mt 26,5). Wenn er in der Stadt ergriffen worden wäre und es einen Tumult gegeben hätte, hätte vielleicht eine Unruhe mit viel Blutvergießen verursacht werden können, und das war der Grund, warum er sich zurückzog. Wenn wir sehen, dass wir selbst in Schwierigkeiten sind, sollten wir uns scheuen, andere mit hineinzuziehen. Es ist für die Nachfolger Christi keine Schande, fügsam zu fallen. Wer Ehre von anderen Menschen zum Ziel hat, brüstet sich mit dem Entschluss, das eigene Leben so teuer wie möglich zu verkaufen, doch diejenigen, die wissen, dass Christus ihr Blut teuer ist, brauchen nicht auf solche Dinge zu bestehen.
Durch seinen Rückzug aus der Welt wollte er uns ein Beispiel geben. Wir müssen die Massen, Sorgen und Tröstungen der Städte – selbst heiliger Städte – sowohl beiseitelegen als auch hinter uns lassen, wenn wir unser Kreuz frohen Sinnes auf uns nehmen wollen.

1.3 Er ging „über den Winterbach Kidron". Er muss über diesen Bach gehen, um zum Ölberg zu kommen, doch die Erwähnung von ihm weist hin auf etwas Bedeutsames. Es weist auf der einen Seite auf Davids Prophetie über den Messias, dass er „aus dem Bach am Weg" trinken wird, dem Bach des Leidens (Ps 110,7). Dies wurde durch den „Winterbach Kidron" dargestellt, den „schwarzen Bach", entweder nach der Dunkelheit des Tales benannt, durch den er floss, oder nach der Farbe seines Wassers, das durch den Abfall der Stadt verschmutzt war. Die gottesfürchtigen Könige von Juda hatten die Götzenbilder, die sie fanden, beim Bach Kidron verbrannt und zerstört. In dieses Tal wurden abscheuliche Dinge geworfen. Christus begann in dem gleichen Tal sein Leiden.

1.4 Er ging in einen Garten. Dass das Leiden Christi in einem Garten begann, wird nur von diesem Evangelisten erwähnt. Die Sünde begann im Garten Eden, dort wurde der Erlöser verheißen (s. 1.Mose 3,15). Christus wurde auch in einem Garten begraben. Deshalb wollen wir, wenn wir in unseren Gärten umhergehen, die Gelegenheit nutzen, um über Christi Leiden in einem Garten nachzusinnen, dem wir alle Freude verdanken, die wir an unseren Gärten haben. Wenn wir uns an unserem Besitz erfreuen, müssen wir auch Schwierigkeiten erwarten, weil unsere Gärten der Freude in diesem Tal der Tränen sind.

1.5 Er hatte seine Jünger bei sich. Sie müssen Zeugen seines Leidens und seiner Geduld sein, damit sie der Welt diese Leiden mit größerer Gewissheit und größerem Eifer predigen konnten und darauf vorbereitet sein würden, selbst zu leiden (s. Lk 24,48). Er wollte sie auch in die Gefahr bringen, um ihnen ihre Schwäche zu zeigen. Christus bringt seine Leute manchmal in Schwierigkeiten, damit er sich selbst verherrlichen kann, indem er sie rettet.

1.6 Judas der Verräter „kannte den Ort". Ein abgelegener Garten ist ein passender Ort für das Nachsinnen und das Gebet, sodass wir über die Eindrücke, die wir hatten, und die erneuerten Gelübde beten können und das sacken lassen können, was wir gelernt haben. Es wird erwähnt, dass Judas den Ort kannte:
Um die Sünde von Judas zu betonen, dass er seinen Meister verraten wollte, dass er seine Vertrautheit mit Christus benutzte, um sich selbst die Gelegenheit zu verschaffen, ihn zu verraten. Ein edler Geist hätte es verschmäht, etwas so Böses zu tun.
Um die Liebe Christi zu verherrlichen, dass er, obwohl er wusste, wo ihn der Verräter suchen würde, trotzdem dorthin ging, um sich von ihm finden zu lassen. Auf diese Weise zeigte er, dass er bereit war, für uns zu leiden und zu sterben. Es war spät am Abend – wahrscheinlich acht oder neun Uhr –, als Christus hinaus in den Garten ging. Als andere zu Bett gingen, ging er zum Beten, zum Leiden.

2. Als der Urheber unseres Heils das Feld betreten hatte, griff ihn der Feind an: Judas kam zu dem Hain (s. Hebr 2,10; **Vers 3**). Dieser Evangelist erwähnt nichts von der Qual Christi, weil die anderen das vollständig berichtet hatten. Beachten Sie:

2.1 Die Menschen, die mit dieser Tat beauftragt wurden – Judas und „die Truppe und von den obersten Priestern und Pharisäern Diener".
Hier sind viele Menschen gegen Christus – eine Truppe von Menschen. Die Freunde Christi waren wenige, doch seine Feinde waren zahlreich.

Hier war „viel Mischvolk" (2.Mose 12,38; 4.Mose 11,4; Elb); die Truppe bestand aus Heiden, römischen Soldaten und Dienern der obersten Priester und Pharisäer. Die Diener ihres Gerichts waren Juden. Diese beiden Gruppen waren miteinander verfeindet, doch gegen Christus vereint.

Es war eine beauftragte Gruppe, die Anordnungen von den obersten Priestern bekommen hatte, und die Priester hatten wahrscheinlich eine Befugnis bekommen, ihn festzunehmen, denn sie fürchteten das Volk (s. Mk 11,32). Beachten Sie, was für Feinde Christus und sein Evangelium hatten und wahrscheinlich haben werden: Zahlreiche und mächtige kirchliche und staatliche Kräfte vereinigten sich dagegen (s. Ps 2,1-2).

Sie standen alle unter der Führung von Judas. Er bekam diese Truppe. Er meinte, dass er wunderbar aufgestiegen sei, dass er von hinten aus den verachtenswerten Zwölfen kam und an die Spitze dieser gewaltigen Hundertschaften gesetzt wurde.

2.2 Die Vorbereitung, die sie für einen Angriff getroffen hatten: Sie kamen „mit Fackeln und Lampen und mit Waffen".

Wenn Christus versuchen würde zu entkommen, würden sie, obwohl sie das Mondlicht hatten, ihre Lampen brauchen. Doch er wollte sich nicht verstecken wie der erste Adam (s. 1.Mose 3,8); es war töricht, eine Kerze anzuzünden, um mit ihr die Sonne zu suchen.

Wenn er Widerstand leisten würde, würden sie ihre Waffen brauchen. Die Waffen seines Kampfes waren geistlich, und mit diesen Waffen hatte er sie oft geschlagen, deshalb griffen sie jetzt nach anderen Waffen, Schwertern und Stöcken (s. 2.Kor 10,4).

3. Unser Herr Jesus schlug die erste Attacke des Feindes glorreich zurück **(s. Vers 4-6)**. Beachten Sie:

3.1 Wie er sie empfing.

Er ging zu ihnen mit einer sanften und demütigen Frage: Da er „alles wusste, was über ihn kommen sollte", ging er gelassen und unerschrocken hinaus, um sie zu treffen, und fragte sanft: „Wen sucht ihr?" **(Vers 4)**. Beachten Sie hier:

Christi Voraussicht seines Leidens. Er wusste alles, „was über ihn kommen sollte". Wir sollten nicht danach streben, zu wissen, was mit uns geschehen wird; es würde uns nur unseren Schmerz vorempfinden lassen; „jedem Tag genügt seine eigene Plage" (Mt 6,34). Es wird uns jedoch Gutes tun, allgemein Leid zu erwarten. „Es sind nur die Kosten, für die wir uns hinsetzen und die wir berechnen" (Lk 14,28).

Christi Eifer, sich seinem Leiden zu unterziehen. Als die Leute ihn zwingen wollten, eine Krone zu tragen, zog er sich zurück und verbarg sich (s. Joh 6,15), doch als sie kamen, um ihn zu zwingen, ein Kreuz auf sich zu nehmen, bot er sich selbst an, weil er in diese Welt kam, um zu leiden und in die andere Welt zu gehen, um zu herrschen. Das gibt uns nicht die Berechtigung, uns unnötig Schwierigkeiten auszusetzen; wir sind zum Leiden berufen, wenn wir keine Möglichkeit haben, es zu vermeiden, ohne dabei zu sündigen.

Er trat ihnen mit einer sehr ruhigen und sanften Antwort entgegen, als sie ihm sagten, wen sie suchten. Sie sagten: „Jesus, den Nazarener!" Und er sagte ihnen: „Ich bin's!" **(Vers 5)**.

Ihre Augen scheinen gehalten gewesen zu sein (s. Lk 24,16). Es ist wahrscheinlich, dass zumindest die Tempeldiener ihn oft gesehen hatten, und Judas kannte ihn gut genug, doch keiner von ihnen konnte beanspruchen zu sagen: „Du bist derjenige, den wir suchen."

Bei ihrer Suche nach ihm nannten sie ihn: „Jesus, den Nazarener!" Es war ein Schimpfname, um die Beweise zu verdunkeln, dass er der Messias war. Dies zeigt, dass sie ihn nicht wirklich kannten und nicht wussten, woher er kam.

Er antwortete ihnen ehrlich: „Ich bin's." Obwohl sie ihn „Jesus, den Nazarener" nannten, reagierte er auf den Namen, denn er achtete die Schande für nichts (s. Hebr 12,2). Er hätte sagen können: „Ich bin es nicht", denn er war Jesus von Bethlehem. Er hat uns damit gelehrt, ihn zu bekennen, was es uns auch kosten mag. Wir sollen uns nicht seiner und seiner Worte schämen (s. Mk 8,38).

Es wird besonders angemerkt, dass „aber auch Judas bei ihnen" stand. Der, welcher gewohnt war, bei denen zu stehen, die Christus nachfolgten, stand nun bei denen, die gegen ihn kämpften. Dies wird erwähnt, um die Arroganz von Judas zu zeigen. Man wundert sich, woher er das Selbstvertrauen nahm, mit dem er nun seinem Meister gegenübertrat – dass er keine Scham empfand (s. Jer 8,12). Es zeigt auch, dass die Kraft, die diese Worte „Ich bin's" begleitete, um die Aggressoren abzuwehren, besonders auf Judas gerichtet war.

3.2 Wie er sie erschreckte und sie dazu brachte, zurückzuweichen: Da „wichen sie alle zurück und fielen zu Boden" **(Vers 6)**. Die Worte „Ich bin's" hatten seine Jünger belebt und sie aufgerichtet, doch die gleichen Worte streckten seine Feinde nieder. Hier zeigte er deutlich:

Was er mit ihnen hätte tun können. Als er sie niederstreckte, hätte er sie töten können, doch er wollte das nicht tun. Er wollte nur zeigen, dass ihm sein Leben nicht gewaltsam genommen wurde, sondern dass er es selbst niederlegte, wie er gesagt hatte, dass er es tun würde (s. Joh 10,17). Er wollte seine Geduld und seine mitleidsvolle Liebe selbst mit seinen Feinden zeigen. Indem er sie niederstreckte, aber nichts mehr tat, rief er sie zur Buße und gab ihnen auch die Gelegenheit dazu.

Was er am Ende mit all seinen unversöhnlichen Feinden tun wird, die nicht Buße taten, „um ihm die Ehre zu geben" (Offb 16,9); sie werden fliehen, sie werden fallen, vor ihm.

4. Nachdem er seine Feinde zurückgeschlagen hatte, beschützte er seine Freunde **(s. Vers 7-9)**.

4.1 Er lieferte sich weiter dem Zorn seiner Feinde aus **(s. Vers 7)**. Man hätte gemeint, dass Christus entflohen wäre, als sie niedergestreckt waren, und dass sie, wenn sie wieder aufgestanden wären, ihre Verfolgung aufgegeben hätten. Doch:
Sie waren so erpicht darauf wie je zuvor, ihn zu ergreifen. Sie konnten sich nicht vorstellen, was mit ihnen geschehen war, sondern wollten es auf alles Mögliche zurückführen, statt auf die Macht Christi. Es gibt Herzen, die so in der Sünde verhärtet sind, dass nichts auf sie einwirken wird, um sie zu überwinden und zu bessern.
Er war so bereit wie je zuvor, sich ergreifen zu lassen. Als sie vor ihm hingefallen waren, stellte er ihnen die gleiche Frage: „Wen sucht ihr?" Und sie gaben ihm die gleiche Antwort: „Jesus, den Nazarener!" Indem sie die gleiche Antwort wiederholten, zeigten sie Starrsinn in ihren bösen Wegen; sie nannten ihn immer noch „Jesus, den Nazarener" mit genauso viel Verachtung wie je zuvor, und Judas war genauso unbeugsam wie jeder von ihnen.

4.2 Er brachte es fertig, seine Jünger vor ihrem Zorn zu schützen. Als er seinen Mut in Bezug auf sich selbst zeigte – „Ich habe euch gesagt, dass ich es bin" –, zeigte er seine Fürsorge für seine Jünger: „... so lasst diese gehen!" **(Vers 8)**. Dies hob die Sünde der Jünger hervor, dass sie ihn im Stich ließen, besonders von Petrus, dass er ihn verleugnete. Als Christus sagte: „... so lasst diese gehen", wollte er:
Seine liebevolle Sorge für seine Jünger zeigen. Als er sich selbst angreifbar machte, befreite er sie, denn sie waren noch nicht bereit zu leiden. Es wäre wohl so gewesen, dass ihre Seelen, und das Leben ihrer Seelen, es wert waren, sie jetzt in Leiden zu bringen. Doch darüber hinaus hatten sie andere Arbeit zu tun; sie mussten ihren eigenen Weg gehen, denn sie sollten in die ganze Welt gehen, um das Evangelium zu predigen. Hier nun:
Gibt uns Christus eine große Ermutigung, ihm nachzufolgen. Er bedenkt immer noch, was für ein Gebilde wir sind (s. Ps 103,14). Und er wird immer noch weise die Zeit festlegen, in der er uns unser Kreuz auferlegt, und wird seine Last entsprechend unserer Kraft machen.
Er gibt uns ein gutes Beispiel der Liebe gegenüber unseren Geschwistern. Wir müssen nicht nur an unsere eigene Bequemlichkeit und Sicherheit denken, sondern genauso an die von anderen, und in manchen Fällen mehr als unsere eigene (s. Phil 2,4).

Er wollte ein Beispiel für sein Handeln als Mittler geben. Als er sich selbst anbot, um zu leiden und zu sterben, geschah dies darum, damit wir entrinnen konnten.

4.3 Er bestätigte das Wort, das er ein wenig vorher gesagt hatte: „Die du mir gegeben hast, habe ich behütet, und keiner von ihnen ist verlorengegangen" (Joh 17,12). Obwohl Christi Behüten von ihnen sich insbesondere auf die Bewahrung ihrer Seelen vor der Sünde bezog, wird es hier auch auf die Bewahrung ihres natürlichen Lebens angewandt. Christus wird das natürliche Leben für den Dienst bewahren, für den es beabsichtigt ist. Es wird am Leben erhalten werden, solange man noch etwas Nutzen aus ihm ziehen kann. Diese Bewahrung der Jünger war eine geistliche Bewahrung. Sie waren nun so schwach im Glauben und in der Entschlossenheit, dass, wenn sie zu diesem Zeitpunkt dazu berufen worden wären, zu leiden, einige von ihnen, zumindest die Schwächeren von ihnen, verlorengegangen wären, und deshalb wollte er sie dem nicht aussetzen, damit er keinen verlieren würde.

5. Er tadelte die Unbesonnenheit von einem seiner Jünger und unterdrückte die Gewalt von allen von ihnen **(s. Vers 10-11)**. Wir sehen hier:

5.1 Die Unbesonnenheit von Petrus. Sie hatten zwei Schwerter bei sich, und weil Petrus eines anvertraut war, zog er es (s. Lk 22,38). Er „schlug nach dem Knecht des Hohepriesters und hieb ihm das rechte Ohr ab; der Name des Knechts", wird berichtet, um dem Bericht größere Zuverlässigkeit zu geben, „war Malchus".
Wir müssen hier den guten Willen von Petrus anerkennen; er zeigte aufrichtigen Eifer für seinen Meister, wenn er auch fehlgeleitet war. Er hatte gerade versprochen, sein Leben für ihn zu riskieren, und jetzt wollte er sein Wort halten.
Wir müssen jedoch auch das unrechtmäßige Betragen von Petrus anführen; obwohl ihn seine gute Absicht entschuldigte, würde sie ihn nicht rechtfertigen.
Er hatte keine Vollmacht von seinem Meister für sein Handeln. Christi Soldaten müssen auf ein gebietendes Wort warten und nicht vorher handeln.
Er widerstand der öffentlichen Macht, wozu Christus nie ermutigt, sondern es verboten hatte (s. Mt 5,39).
Er widersetzte sich dem Leiden seines Meisters. Während er für Christus zu kämpfen schien, kämpfte er gegen ihn.
Er durchbrach die Kapitulation gegenüber dem Feind, die Christus gerade gemacht hatte. Als Christus sagte: „... so lasst diese gehen", gab er in Wirklichkeit sein Wort für ihr gutes Verhalten. Petrus hörte es, wollte sich aber nicht daran binden.

Er setzte sich und seine Mitjünger törichterweise der Wut dieser wütenden Menge aus. Viele haben sich in ihrem Eifer für Selbsterhaltung der Selbstzerstörung schuldig gemacht.

Petrus handelte so bald darauf feige, als er seinen Meister verleugnete, dass wir Grund zu der Annahme haben, dass sein Mut seinen Zweck verfehlte. Der wahre christliche Held jedoch wird die Sache Christi nicht nur dann unterstützen, wenn sie siegreich ist, sondern auch, wenn sie zu verlieren scheint; dieser Mensch wird auf der richtigen Seite sein, selbst wenn er vielleicht nicht auf der aufstrebenden Seite ist.

Wir müssen Gottes beherrschende Vorsehung anerkennen, dass er Christus die Gelegenheit gab, seine Macht und Güte zu zeigen, indem er die Verwundung heilte (s. Lk 22,51).

5.2 Der Tadel, den ihm sein Meister erteilte: „Stecke dein Schwert in die Scheide!" **(Vers 11).** Es ist ein freundlicher Tadel, denn es war der Eifer von Petrus, der ihn über die Grenzen der Umsicht hinaustrug. Viele meinen, wenn sie in Kummer und Sorge sind, wird sie das entschuldigen, dass sie mit den Menschen um sich herum ungestüm und heftig umgehen, doch Christus hat uns hier ein Beispiel der Demut im Leid gegeben.

5.3 Der Grund für seinen Tadel: „Soll ich den Kelch nicht trinken, den mir der Vater gegeben hat?" Christus gibt uns:

Einen vollständigen Beweis seiner Unterordnung unter den Willen seines Vaters. Bei allem, was an dem falsch war, was Petrus tat, schien Christus nichts so sehr übel zu nehmen, als dass Petrus das Leiden Christi verhindern wollte, jetzt, wo seine Stunde gekommen war. Er war bereit, diesen Kelch zu trinken, obwohl es ein bitterer Kelch war. Er trank ihn, damit er uns den Kelch des Heils in die Hand geben konnte (s. Ps 116,13). Er war bereit, ihn zu trinken, weil ihm sein Vater diesen in die Hand gegeben hatte (s. Joh 3,35).

Ein gutes Vorbild der Unterordnung unter Gottes Willen. Wir müssen Christus hinsichtlich des Kelchs folgen, den er trank (s. Mt 20,23). Es ist nur ein Kelch, ein vergleichsweise geringer Inhalt. Es ist ein Kelch, der uns gegeben ist; Leiden sind Gaben. Er ist uns von einem Vater gegeben, der die Liebe eines Vaters hat und uns nicht schaden will.

6. Er verhielt sich still und lieferte sich als Gefangenen aus, nicht, weil er nicht hätte entkommen können, sondern weil er es nicht wollte. Beachten Sie:

6.1 Wie sie ihn ergriffen: Sie „ergriffen Jesus". Nur ein paar von ihnen konnten Hand an ihn legen, doch es wird von ihnen allen gesagt, dass sie ihn festnahmen, weil sie alle halfen und es unterstützten. Beim Verrat gibt es kein Beiwerk, alle sind die erste Ursache. Sie waren so oft in ihren Versuchen enttäuscht worden, ihn zu fassen, dass wir uns jetzt vorstellen können, dass sie ihn mit viel mehr Brutalität angriffen.

6.2 Wie sie ihn festnahmen: Sie „banden ihn". Diese Einzelheit seines Leidens wird nur von diesem Evangelisten erwähnt. Sobald er festgenommen war, wurde er gebunden, festgesetzt und in Handschellen gelegt.

Dies zeigt die Boshaftigkeit seiner Verfolger. Sie banden ihn, damit sie ihn foltern, beschämen und sein Entrinnen verhindern konnten. Sie banden ihn als jemanden, der bereits verurteilt war, weil sie entschieden hatten, ihn bis zum Tod zu verfolgen. Christus hatte die Gewissen der Verfolger mit der Macht seines Wortes gebunden, was sie wütend machte, und um sich an ihm zu rächen, banden sie ihn.

Dass Christus gebunden wurde, ist sehr bedeutsam. Ehe sie ihn banden, hatte er sich selbst gebunden, das Werk eines Mittlers zu vollbringen. Er war bereits mit den Seilen seiner Liebe zur Menschheit und zu der Pflicht gegenüber seinem Vater an die Hörner des Altars gebunden (s. 2.Mose 29,12). Gott bindet die Seele für das Gericht Gottes; die Verderbtheit bindet die Seele an die Macht Satans. Christus befreite uns von diesen Banden, indem er sich dem unterwarf, für uns gebunden zu werden. Wir schulden unsere Freiheit seinen Banden. Auf diese Weise macht uns der Sohn frei (s. Joh 8,36). Christus wurde gebunden, damit er uns an die Pflicht und den Gehorsam binden konnte. Seine Bande für uns sind Bande auf uns, durch die wir verpflichtet sind, ihn für immer zu lieben und ihm zu dienen. Christi Bande für uns sollten unsere Bande für ihn leicht für uns machen, um sie zu heiligen und zu versüßen; Christi Bande befähigten Paulus und Silas, im Stock zu singen (s. Apg 16,24).

Vers 13-27

Hier haben wir einen Bericht davon, wie Christus vor den Hohepriester gebracht wird, einschließlich einiger Einzelheiten dieses Prozesses, die von den anderen Evangelisten ausgelassen wurden; wir haben auch, verwoben mit den anderen Abschnitten, einen Bericht von der Verleugnung von Petrus von ihm, von der die anderen Evangelisten uns vollkommen auf einmal berichteten. Weil sich das Verbrechen, dessen Christus beschuldigt wurde, auf religiöse Angelegenheiten bezog, nahmen die Richter des geistlichen Gerichtshofes es so, dass es direkt unter ihre Gerichtsbarkeit fiel. Sowohl Juden als auch Heiden ergriffen ihn und deshalb hielten sowohl Juden als auch Heiden über ihn Gericht und verurteilten ihn, denn er starb für die Sünden von beiden.

1. Nachdem sie ihn festgenommen hatten, führten sie „ihn zuerst ab zu Hannas" **(Vers 13).**

JOHANNES

1.1 Sie führten ihn ab, führten ihn im Triumph, als eine Trophäe ihres Sieges. Sie trieben ihn gewaltsam fort, als wäre er der schlimmste Übeltäter gewesen. Wir würden von unseren ungestümen, sündigen Begierden abgeführt und von Satan für seinen Willen gefangen genommen worden; damit wir gerettet werden konnten, wurde Christus abgeführt, von den Vertretern Satans und seinen Werkzeugen gefangen genommen.

1.2 Sie führten ihn zu ihren Herren ab, die sie gesandt hatten. Es war nun um Mitternacht, und man hätte meinen können, sie würden ihn in Gewahrsam nehmen, bis die passende Zeit war, eine Sitzung des Gerichts einzuberufen, doch er wurde sofort fortgetrieben, nicht, um den Friedensrichtern übergeben zu werden, sondern um von den Richtern verurteilt zu werden; die Verfolgung war so heftig.

1.3 Sie führten ihn zuerst zu Hannas. Ich nehme an, Hannas war alt und gebrechlich und konnte zu dieser Zeit in der Nacht nicht beim Gericht anwesend sein, doch er verlangte leidenschaftlich danach, das Opfer zu sehen. Um ihn zufriedenzustellen, brachten sie darum mit der Gewissheit ihres Erfolgs ihren Gefangenen vor ihn. Christus, das große Opfer, wurde vor ihn gebracht und dann wurde er gebunden fortgeschickt, als Opfer, das von dem Hohepriester gebilligt wurde und nach dem Gesetz bereit für den Altar war. Dieser Hannas war der Schwiegervater des Hohepriesters Kajaphas. Bekanntschaften und Verbindungen mit Übeltätern sind für viele Menschen eine große Bestätigung auf ihren bösen Wegen.

2. Hannas, der genauso gewillt war, die Verfolgung fortzusetzen, wie jeder von ihnen, sandte ihn gebunden zu Kajaphas. Wir haben hier:

2.1 Die gezeigte Macht von Kajaphas. Er war „in jenem Jahr Hohepriester" **(Vers 13)**. Die Einsetzung des Hohepriesters galt lebenslang, doch es gab jetzt so häufige Veränderungen, dass es fast ein Amt für ein Jahr wurde. Während sie einander untergruben, hat Gott sie alle umgestoßen. Kajaphas war in dem Jahr Hohepriester, als der Messias weggerissen werden sollte (s. Jes 53,8). Als durch einen Hohepriester eine böse Sache getan werden sollte, ordnete es der Allmächtige so, dass ein böser Mann auf dem Stuhl sitzen würde, um es zu tun. Es war das Verderben von Kajaphas, dass er in diesem Jahr Hohepriester war und ein Rädelsführer dabei wurde, Christus zu töten. Bei vielen Menschen hat ihre Beförderung ihren Ruf gekostet; viele Menschen wären nicht verunehrt worden, wären sie nicht aufgestiegen.

2.2 Den Hass von Kajaphas, der dadurch angezeigt wird, indem wiederholt wird, was er einige Zeit vorher gesagt hatte, dass es besser sei, „dass ein Mensch für das Volk umkomme" **(Vers 14)**. Dies war Kajaphas, der sich und die Gemeinde nach Regeln der Politik regierte, im Widerstand zu den Regeln der Gerechtigkeit. Christi Fall war entschieden, noch bevor er besprochen worden war; sie hatten bereits beschlossen, was mit ihm zu tun war: Er muss sterben. Der Prozess Christi war deshalb ein Hohn. Die Worte von Kajaphas waren ein Zeugnis für die Unschuld unseres Herrn Jesus aus dem Mund eines seiner schlimmsten Feinde, der zugab, dass er dem öffentlichen Wohl zum Opfer fiel und dass es nicht gerecht war, dass er starb, sondern nur besser.

2.3 Den Anteil, den Hannas an der Verfolgung Christi hatte. Er hatte selbst Anteil an der Schuld:

Mit dem Befehlshaber und den Dienern, als sie ihn weiter gebunden hielten, während er ihn hätte freilassen sollen. Es war für die ungebildeten Soldaten verzeihlicher, ihn zu binden, als für Hannas, der es hätte besser wissen sollen, ihn gebunden zu halten.

Mit dem obersten Priester und dem Rat. Dieser Hannas war nicht bei ihnen anwesend, doch er hatte Anteil an ihren bösen Taten.

3. Im Haus von Kajaphas begann Petrus, seinen Meister zu verleugnen **(s. Vers 15-18)**.

3.1 Es geschah mit viel Wirbel, dass Petrus in den Hof kam, in dem das Gericht tagte. In **Vers 15 und 16** haben wir einen Bericht davon, wie er Zutritt erlangte. Beachten Sie:

Die Freundlichkeit von Petrus gegenüber Christus, die sich, wenn sie sich auch nicht als Freundlichkeit erwies, in zwei Dingen zeigte:

Dass er Jesus nachfolgte, als Jesus abgeführt wurde; obwohl Petrus zuerst mit den anderen floh, fasste er später etwas Mut und folgte ihm aus der Ferne, erinnerte sich an sein Versprechen, loyal zu sein, egal, was es ihn kosten würde. Diejenigen, die Jesus Christus wirklich lieben und schätzen, werden ihm bei jedem Wetter und jeden Tag folgen.

Als er nicht dort hineinkommen konnte, wo Jesus unter seinen Feinden war, stand er „draußen vor der Tür", wollte ihm so nahe sein wie möglich und wartete auf eine Gelegenheit, näher zu kommen. Doch wie die Dinge sich entwickelten, brachte er nur sich selbst in eine Falle. Christus, der ihn besser kannte, als er sich selbst kannte, hatte ihm klar gesagt: „Wohin ich gehe, dorthin kannst du mir jetzt nicht folgen" (Joh 13,36). Christus hatte Petrus immer wieder gesagt, dass ihn Petrus verleugnen würde, und Petrus hatte gerade seine eigene Schwäche erlebt, als er Christus im Stich ließ.

Die Freundlichkeit des anderen Jüngers gegenüber Petrus, die, wie sich die Ereignisse entwickelten, ebenfalls keine Freundlichkeit war. Weil der Apostel Johannes in diesem Evangelium mehrfach von sich als dem anderen Jünger spricht, sind viele Ausleger dadurch zu der Ansicht gelangt, dass der andere Jünger hier

Johannes war. Ich sehe jedoch keinen Grund dazu zu meinen, dass dieser eine Jünger Johannes oder ein anderer der Zwölf war; Christus hatte andere Schafe, die nicht zu dieser Schafhürde gehörten (s. Joh 10,16). Wie es viele gibt, die Jünger zu sein scheinen und es nicht sind, so gibt es auch viele, die Jünger sind, aber nicht als solche erscheinen. Es gibt gute Menschen verborgen an Höfen, sogar bei Nero, wie auch verborgen in Menschenmengen (s. Phil 4,22). Dieser andere Jünger zeigte Achtung für Petrus, indem er ihn einführte, nicht nur, um seiner Zuneigung zu entsprechen, sondern auch, um ihm die Gelegenheit zu geben, seinem Meister bei dessen Prozess nützlich zu sein. Diese Freundlichkeit erwies sich jedoch als keine Freundlichkeit; in der Tat war es eine große Unfreundlichkeit. Indem er Petrus in den Hof des Hohepriesters ließ, führte er ihn in Versuchung, und die Auswirkungen waren schlimm.

3.2 Nachdem er Zutritt erlangt hatte, überfiel Petrus sofort die Versuchung **(s. Vers 17)**. Beachten Sie:

Wie schwach der Angriff war. Es war nur ein törichtes Mädchen – so unbedeutend, dass sie dazu bestellt war, die Tür zu hüten –, welches ihn herausforderte, und sie fragte ihn nur gleichgültig: „Bist nicht auch du einer von den Jüngern dieses Menschen?" Petrus hätte etwas Grund gehabt, alarmiert zu sein, wenn Malchus ihn angesprochen hätte mit: „Das ist derjenige, der mir mein Ohr abschlug, und ich möchte dafür seinen Kopf haben."

Wie schnell er aufgab. Ohne sich Zeit zu nehmen, um sich zu sammeln, antwortete er übereilt: „Ich bin's nicht!" Weil er sich nur um seine eigene Sicherheit kümmerte, meinte er, er könne sie nur durch eine direkte Leugnung bewahren.

Wie er sogar noch weiter in die Versuchung hineintrat: „Es standen aber die Knechte und Diener um ein Kohlenfeuer ... Petrus aber stand bei ihnen" **(Vers 18)**.

Beachten Sie, wie die Knechte und Diener viel für sich selbst taten; weil die Nacht kalt war, machten sie im Hof ein Feuer. Sie kümmerten sich nicht darum, was mit Christus passierte; ihre einzige Sorge war, sich hinsetzen und sich wärmen zu können (s. Am 6,6).

Beachten Sie, wie Petrus sich zu ihnen drängte. Er „stand bei ihnen und wärmte sich". Es war schlimm genug, dass er nicht bei seinem Meister war, dass er ihn nicht am oberen Ende des Hofes unterstützte. Wenn er dort gewesen wäre, hätte er ein Zeuge für seinen Meister sein können. Oder zumindest hätte er ein Zeuge *von* ihm sein können. Er hätte von dem Beispiel seines Meisters lernen können, was er tun kann, wenn die Reihe an ihn kam, auf diese Weise zu leiden; doch weder sein Gewissen noch seine Neugier konnten ihn in den Hof bringen. Es war viel schlimmer, dass er sich an die Feinde seines Meisters heftete: Er „stand bei ihnen und wärmte sich". Wer durch die Liebe zu einem guten Feuer in schlechte Gesellschaft gezogen werden kann, ist in der Tat schwach. Wenn der Eifer von Petrus für seinen Meister nicht eingefroren gewesen wäre, sondern so weiter gewesen wäre, wie er nur wenige Stunden vorher zu sein schien, hätte er es nicht nötig gehabt, sich jetzt zu wärmen. Petrus konnte man sehr dafür rügen:

Weil er sich diesen Übeltätern anschloss. Sie amüsierten sich ohne Zweifel über den Feldzug dieser Nacht und machten sich über Christus lustig. Doch was für eine Art von Unterhaltung wäre das für Petrus gewesen? Wenn Petrus nicht genug Mut hatte, um öffentlich für seinen Meister aufzutreten, hätte er doch genug Hingabe haben können, um sich in eine Ecke zurückzuziehen und heimlich über das Leiden seines Meisters zu weinen und über seine eigene Sünde, dass er ihn im Stich ließ.

Weil er für einen von ihnen gehalten werden wollte. War das Petrus? Es ist schlimm, sich mit denen zu wärmen, bei denen wir in der Gefahr stehen, uns zu verbrennen (s. Ps 141,4).

4. Als Petrus, der Freund von Christus, begann, ihn zu verleugnen, begann der Hohepriester, sein Feind, ihn anzuklagen **(s. Vers 19-21)**. Der erste Versuch scheint gewesen zu sein, zu beweisen, dass Christus ein Lehrer falscher Lehre war, und wir erfahren von Johannes davon; und als es ihnen nicht gelang, dies nachzuweisen, beschuldigten sie ihn dann, wie die anderen Evangelisten berichten, der Gotteslästerung. Beachten Sie:

4.1 Die Themen, zu denen Christus geprüft wurde: „... über seine Jünger und über seine Lehre" **(Vers 19)**. Beachten Sie hier:

Die Regelwidrigkeit des Prozesses; er war gegen jedes Gesetz und jede Gerechtigkeit. Jetzt, wo er ihr Gefangener war, hatten sie nichts, um ihn dessen anzuklagen. Gegen jede Vernunft und Gerechtigkeit wurde von ihm gefordert, sein eigener Ankläger zu sein.

Die Absicht. „Der Hohepriester nun" stellte ihm die Fragen, die entscheiden würden, ob er leben oder sterben würde, Fragen:

Über seine Jünger, in einem Versuch, ihn der Aufwiegelung zu beschuldigen. Manche meinen, die Frage von Kajaphas zu den Jüngern war: „Was ist aus ihnen allen nun geworden? Warum erscheinen sie nicht?" Dass er für ihre Feigheit gerügt wurde, dass sie ihn im Stich ließen und so sein Leid verschlimmerten.

Über seine Lehre in einem Versuch, ihn der Häresie zu beschuldigen. Das war eine Sache, die genau in der Gerichtsbarkeit dieses Gerichtshofs lag, und deshalb konnte ein Prophet nur in Jerusalem sterben, wo dieser Gerichtshof war. Sie sagten ihm nichts zu seinen Wundern, durch die er so viel Gutes getan hatte, weil

sie sicher waren, dass sie sie nicht benutzen konnten.
Worauf Christus als Antwort auf diese Fragen verwies.
Was seine Jünger anbetraf, sagte er nichts, weil es eine überhebliche Frage war. Wenn seine Lehre gesund und gut war, ist die Tatsache, dass er Jünger hatte, denen er diese Lehre vermittelte, nicht mehr als das, was von den eigenen Lehrern der Juden praktiziert und erlaubt wurde. Wenn Kajaphas – indem er ihn über seine Jünger befragte – die Absicht hatte, diese zu fangen und sie in Schwierigkeiten zu bringen, geschah es aus Güte ihnen gegenüber, dass Christus nichts über sie sagte, denn er hatte gesagt: „… so lasst diese gehen!" **(Vers 8)**. Wenn Kajaphas Christus für ihre Feigheit tadeln wollte, überrascht es kaum, dass er nichts sagte. Er wollte nichts sagen, um sie zu verurteilen, und konnte nichts sagen, um sie zu rechtfertigen.
Was seine Lehre anbetraf, sagte er nichts im Einzelnen, doch allgemein bezog er sich auf jene, die ihn gehört hatten **(s. Vers 20-21)**.
Er beschuldigte seine Richter stillschweigend eines illegalen Vorgehens. Er verwies auf die festgelegten Regeln ihres eigenen Gerichts für die Frage, ob sie fair mit ihm umgingen. „Was fragst du mich?", sagte er, was zwei Unsinnigkeiten im Urteil anzeigte:
„Was fragst du mich' jetzt in Bezug auf meine Lehre, wenn du sie bereits verurteilt hast?" Sie hatten eine gerichtliche Anordnung erlassen, jeden zu exkommunizieren, der sich zu ihm bekannte, und jetzt fragten sie ihn, was seine Lehre war (s. Joh 9,22)!
„Was fragst du mich?' Muss ich mich selbst anklagen?"
Er hob hervor, dass er ehrlich und offen bei der Verkündigung seiner Lehre mit ihnen umgegangen war. Christus entlastete sich absolut vollständig:
Was die Weise seines Predigens anbetraf. Er hatte öffentlich geredet, mit Freimut und deutlicher Sprache. Christus erklärte sich vollkommen, indem er sagte: „Wahrlich, wahrlich, ich sage euch."
Was die Menschen anbetraf, zu denen er predigte: Er redete „zu der Welt", zu allen, die Ohren hatten zu hören und bereit waren, ihn zu hören, hoch oder niedrig, gelehrt oder ungelehrt, Jude oder Heide, Freund oder Feind (s. Mk 4,9).
Was die Orte anbetraf, an denen er predigte. Wenn er im Land war, predigte er für gewöhnlich in den Synagogen; als er nach Jerusalem kam, predigte er die gleiche Botschaft im Tempel. Obwohl er oft in Privathäusern und auf Bergen und an der Küste des Sees predigte, war das, was er privat predigte, das Gleiche wie das, was er öffentlich predigte. Die Botschaft Christi braucht sich nicht zu schämen, in den populärsten Versammlungen aufzutreten, denn sie bringt ihre eigene Kraft und Schönheit mit sich.
Was die Lehre selbst anbetraf: „… und im Verborgenen habe ich nichts geredet." Er suchte keine verborgenen Winkel, denn er fürchtete keine Feinde, noch sagte er irgendetwas, für das er sich zu schämen brauchte. Bei dem, was er privat zu seinen Jüngern sagte, sagte er ihnen, sie sollten es auf den Dächern verkündigen (s. Mt 10,27).
Er wandte sich an diejenigen, die ihn gehört hatten, und er bat, dass sie gefragt werden würden: „Frage die, welche gehört haben, was ich zu ihnen geredet habe." Er verwies nicht auf seine Freunde und Nachfolger, von denen man vermuten konnte, dass sie zu seinen Gunsten sprechen, sondern: „Frage jeden unvoreingenommenen Hörer." Die Lehre Christi kann gewiss auf jeden verweisen, der sie kennt. Wer unvoreingenommen urteilt, muss für sie zeugen.

5. Während ihn die Richter befragten, misshandelten ihn die Diener, die dabeistanden **(s. Vers 22-23)**.
5.1 Einer der Diener beleidigte ihn boshaft; dieser arrogante Bursche schlug „Jesus ins Gesicht" und sagte: „Antwortest du so dem Hohepriester?"
Er schlug ihn; man kann es lesen: „Er gab ihm einen Streich." Es war ungerecht, jemanden zu schlagen, der weder etwas Falsches gesagt noch getan hatte, es war feige, jemanden zu schlagen, dessen Hände gebunden waren, und es war grausam, einen Angeklagten zu schlagen. Hier gab es einen Bruch des Friedens vor dem Gericht, doch das Gericht unterstützte ihn.
Er tadelte ihn hochmütig und herrisch: „Antwortest du so dem Hohepriester?" Er sprach, als wäre Jesus nicht gut genug, um mit seinem Herrn zu sprechen, sondern wie ein unverschämter und ungebildeter Gefangener von dem Wärter kontrolliert und gelehrt werden muss, wie er sich benehmen soll. Der Mann tat dies, um dem Hohepriester zu gefallen und um seine Gunst zu suchen, denn was er sagte, lies auf einen Eifer um die Würde des Hohepriesters schließen. Bösen Herrschern wird es nicht an bösen Dienern fehlen, die zum Unglück derer helfen, die von ihren Herren verfolgt werden (s. Sach 1,15).
5.2 Christus ertrug diese Beleidigung mit wunderbarer Demut und Geduld: „Habe ich unrecht [etwas Falsches] geredet, so beweise, was daran unrecht war; habe ich aber recht geredet, was schlägst du mich?" **(Vers 23)**. Christus bot hier nicht die andere Backe dar, was deutlich macht, dass die Regel, die eine solche Antwort auf Ungerechtigkeit verlangte, nicht wörtlich verstanden werden soll (s. Mt 5,39). Wenn man das Gebot Christi mit seinem Beispiel vergleicht, lernen wir, dass wir

in solchen Fällen nicht unsere eigenen Rächer noch Richter in unserem eigenen Fall sein sollen und dass unser Zorn über Kränkungen, die uns zugefügt werden, immer vernünftig und niemals hitzig sein soll.

6. Während ihn die Diener auf diese Weise misshandelten, hat Petrus ihn weiter verleugnet **(s. Vers 25-27)**.

6.1 Er wiederholte die Sünde. Während er sich mit den Dienern wärmte, fragten sie ihn: „Bist du nicht auch du einer seiner Jünger?" **(Vers 25)**. Er, wahrscheinlich aus Furcht, festgenommen zu werden, wenn er es zugibt, leugnete es rundweg und sagte: „Ich bin's nicht!"

Es war sehr töricht von ihm, sich selbst in die Versuchung zu stoßen, indem er bei denen verweilte, die unschicklich für ihn waren. Er blieb, um sich zu wärmen, doch diejenigen, die sich bei Übeltätern wärmen, erkalten gegenüber guten Menschen und guten Dingen, und wer den Kamin des Teufels liebt, steht in der Gefahr des Feuers des Teufels.

Es war sein großes Unglück, dass ihn wieder die Versuchung anging. Beachten Sie:

Die Raffinesse des Versuchers bei der Verfolgung und Überwältigung von jemandem, den er fallen sah; jetzt benutzte er kein Mädchen, sondern alle Diener. Das Nachgeben gegenüber einer Versuchung lädt eine andere ein, und vielleicht eine stärkere. Satan verdoppelt seine Angriffe, wenn wir den Weg freimachen.

Die Gefahr schlechter Gesellschaft. Wir streben allgemein danach, uns bei denen zu bewähren, bei denen wir es wählen, uns ihnen anzuschließen. Wenn wir unsere Leute wählen, wählen wir unser Lob; wir sollten deshalb bedacht darauf sein, die erste Wahl gut zu treffen.

Es war seine große Schwäche, der Versuchung nachzugeben und zu sagen: „Ich bin keiner seiner Jünger", als jemand, der sich für das schämte, was seine Ehre war. Als Christus bewundert und mit Respekt behandelt wurde, brüstete Petrus sich damit, ein Jünger Christi zu sein. Viele Menschen, die den Ruf der Religion zu lieben scheinen, wenn sie in Mode ist, schämen sich für ihre Schande.

6.2 Er beging die Sünde ein drittes Mal. Hier wurde er von einem der Diener angegriffen, der ein Verwandter von Malchus war, der seine Lüge mit großer Sicherheit entlarvte: „Sah ich dich nicht im Garten bei ihm?" **(Vers 26)**. Petrus leugnete es dann wieder.

Vorher wurde seine Beziehung zu Christus nur für möglich gehalten; hier wurde sie von jemandem gegen ihn bewiesen, der ihn mit Jesus sah. Wer meint, sich durch Sünde aus Schwierigkeiten zu helfen, wird nur noch mehr von ihnen eingeholt. Wagen Sie es, tapfer zu sein, denn die Wahrheit will heraus. Es wird angemerkt, dass dieser Diener mit Malchus verwandt war, denn dieser Umstand würde es schrecklicher für Petrus machen. Wir sollten nicht jemanden zu unserem ausgesprochenen Feind machen, wenn wir es vermeiden können. Wer Freunde braucht, sollte sich keine Feinde machen. Obwohl es hier ausreichend Beweise gab, um Petrus zu verfolgen, entkam er doch dem Schaden. Wir werden oft durch unbegründete Ängste zur Sünde getrieben, aus denen sich ein kleines Maß an Weisheit und Entschlossenheit nichts machen würde.

Sein Nachgeben demgegenüber war nicht weniger verdorben, als wie er es vorher tat: „Da leugnete Petrus nochmals." Wir sehen hier die Natur der Sünde im Allgemeinen: Das Herz wird verstockt „durch den Betrug der Sünde" (Hebr 3,13). Der Beginn der Sünde ist wie beim Streit, „als ob man Wasser entfesselt"; wenn der Damm erst gebrochen ist, gehen die Menschen leicht vom Schlechten zum Schlimmeren (s. Spr 17,14). Wir sehen auch besonders die Natur der Sünde der Lüge; sie ist eine fruchtbare, sich vermehrende Sünde; eine Lüge braucht eine andere, um sie zu unterstützen, und diese eine andere und so weiter. „… und sogleich krähte der Hahn", und das ist alles, was hier über seine Buße gesagt wird, weil sie von den anderen Evangelisten berichtet wird. Für andere war das Krähen des Hahns nebensächlich und unbedeutend, doch für Petrus war es die Stimme Gottes.

Vers 28-40

Hier haben wir einen Bericht von der Anklage Christi vor Pilatus, dem römischen Statthalter, im Prätorium, seinem Palast. Die Juden trieben ihn dorthin, damit er vor einem römischen Gericht verurteilt und durch die römische Macht hingerichtet wird.

1. Sie verfolgten diesen Kurs, damit er:

1.1 Auf eine mehr gesetzliche und reguläre Weise zu Tode gebracht werden konnte, nicht in einem öffentlichen Aufruhr gesteinigt, wie es Stephanus wurde, sondern nach den gegenwärtigen Formalitäten des Rechts getötet.

1.2 Auf eine sicherere Weise getötet werden konnte. Wenn sie die römische Regierung in der Sache in Anspruch nehmen konnten, würde es wenig Gefahr eines Tumults geben.

1.3 Mit mehr Schande getötet werden konnte. Da der Tod am Kreuz der an schmachvollste aller Tode war, wollten sie diese Methode benutzen, um ihn unauslöschlich mit Schande zu kennzeichnen (s. Phil 2,8). Der Chorus ihres Liedes war: „Kreuzige ihn!" (Joh 19,6).

1.4 Mit weniger Schande für sie selbst getötet werden konnte. Es war schändlich, jemanden zu töten, der so viel Gutes getan hatte, und deshalb wollten sie den Makel auf die römische Regierung werfen. Viele Menschen fürchten sich mehr vor dem Skandal einer bösen Tat als vor ihrer Bosheit. Beachten Sie:

Ihre Hartnäckigkeit bei der Durchführung: „Es war aber noch früh", als die meisten Menschen im Bett waren. Jetzt, wo sie ihn in ihren Händen hatten, wollten sie keine Zeit verlieren, bis sie ihn am Kreuz hatten.
Ihren Aberglauben und ihre üble Heuchelei: „Und sie selbst betraten das Prätorium nicht, damit sie nicht unrein würden", sondern blieben draußen, damit sie „das Passah essen könnten". Sie hatten Skrupel davor, doch sie hatten keine Skrupel, alle Gesetze der Gerechtigkeit zu brechen, um Christus bis zum Tod zu verfolgen.

2. Pilatus traf mit den Anklägern zusammen. Sie wurden zuerst angesprochen und sie erklärten, was sie gegen den Gefangenen zu sagen hatten **(s. Vers 29-32)**.

2.1 Der Richter fragt nach der Anklage. Weil sie nicht in das Prätorium kommen wollten, ging er „zu ihnen hinaus". Wir können drei Dinge an ihm loben:
Seinen gewissenhaften und eingehenden Eifer für seine Aufgabe. Menschen in Positionen der öffentlichen Verantwortung dürfen ihre Ruhe nicht lieben.
Seine Herablassung zu der Laune der Leute. Er hätte sagen können: „Wenn sie so anspruchsvoll sind, dass sie nicht zu mir hereinkommen, dann mögen sie nach Hause gehen, wie sie gekommen sind", doch er bestand nicht darauf; er ging zu ihnen hinaus.
Seine Treue zu den Regeln der Gerechtigkeit, dass er die Anklage forderte: „‚Was für eine Anklage erhebt ihr gegen diesen Menschen?' Was ist das Verbrechen, dessen ihr ihn beschuldigt und welchen Beweis dafür habt ihr bekommen?"

2.2 Die Ankläger verlangten Gerechtigkeit gegen ihn aufgrund des allgemeinen Verdachts, dass er ein Verbrecher war: „Wäre er kein Übeltäter, so hätten wir ihn dir nicht ausgeliefert!" **(Vers 30)**. Dies zeigt, dass sie:
Sehr grob und unhöflich zu Pilatus waren. Er stellte ihnen die angemessenste Frage, die überhaupt möglich war, doch selbst wenn sie versucht hätten, noch unsinniger zu sein, hätten sie ihm nicht mit größerer Geringschätzung antworten können.
Sehr boshaft und gehässig unserem Herrn Jesus gegenüber waren. Sie waren darauf ausgerichtet, den Einen für schuldig zu halten, der beweisen konnte, dass er unschuldig war. Sie sagten: „Er ist ein Übeltäter." Ein Übeltäter, der „umherzog und Gutes tat" (Apg 10,38)! Es ist für die besten und großmütigsten Menschen nichts Neues, als die schlimmsten Übeltäter gebrandmarkt und verleumdet zu werden.
Sehr stolz und eingebildet in Bezug auf ihr eigenes Urteil und ihren Gerechtigkeitssinn waren.

2.3 Der Richter schickte ihn an ihren eigenen Gerichtshof zurück: „So nehmt ihr ihn und richtet ihn nach eurem [eigenen] Gesetz!" **(Vers 31)**.

Manche meinen, Pilatus habe ihnen damit ein Kompliment gemacht und die Reste ihrer Vollmachten anerkannt und erlaubt, sie auszuüben. „Geht so weit, wie euer Gesetz es euch erlauben wird zu tun, und wenn ihr weiter geht, wird davon keine Notiz genommen werden." Er war gewillt, den Juden eine Gunst zu erweisen, doch nicht gewillt, ihnen den Dienst zu erweisen, den sie verlangten.
Andere meinen, er tadelte sie für ihre gegenwärtige Schwäche und Unterwerfung: „Ihr habt ihn nach eurem eigenen Gesetz schuldig gefunden; verurteilt ihn, wenn ihr es wagt, nach eurem Gesetz." Manche meinen, dass Pilatus sich hier auf das Gesetz des Mose bezog, als würde es ihnen das gestatten, was das römische Gesetz ihnen in keinem Fall gestattete – das Richten eines Menschen, ohne den Fall anzuhören.

2.4 Sie leugneten jede richterliche Vollmacht: „Wir dürfen niemand töten!" Manche meinen, sie hätten durch ihre eigene Unbedachtheit ihre Macht verloren, in Angelegenheiten von Leben und Tod das Gericht auszuüben; nicht: „Wir dürfen nicht", sondern: „Es liegt nicht in unserer Macht; wenn wir jemanden töten, werden wir sofort den Mob gegen uns haben." Andere meinen, ihre Macht wurde ihnen von den Römern fortgenommen. Sie wollten durch ihr Eingeständnis davon Pilatus ein Kompliment machen und ihre Grobheit wiedergutmachen **(s. Vers 30)**. In jedem Fall gab es eine Vorsehung in diesem Stand der Dinge; es geschah so, „damit Jesu Wort erfüllt würde, das er sagte, als er andeutete, durch welchen Tod er sterben sollte" **(Vers 32)**. Gerade diejenigen, welche die Worte Christi vereiteln wollten, wurden durch die beherrschende Hand Gottes dafür brauchbar gemacht, sie zu erfüllen. Diese Worte Christi, die er im Besonderen über seinen eigenen Tod gesagt hatte, wurden erfüllt. Zwei Worte Christi über seinen eigenen Tod wurden erfüllt, indem die Juden es ablehnten, ihn nach ihrem Gesetz zu richten **(s. Vers 31)**:
Er hatte gesagt, dass er den Heiden ausgeliefert werden würde und dass sie ihn töten würden (s. Mt 20,19; Mk 10,33-34; Lk 18,32-33).
Er hatte gesagt, dass er gekreuzigt werden und „erhöht werden" würde (s. Mt 20,19; 26,2; Joh 3,14; 12,32). Wenn sie ihn nun nach ihrem Gesetz gerichtet hätten, wäre er gesteinigt worden. Es war darum notwendig, dass Christus von den Römern getötet wird. Wie die römische Macht dafür gesorgt hatte, dass er in Bethlehem geboren wird, so sorgte sie nun dafür, dass er an einem Kreuz stirbt und beides gemäß der Schrift.

3. Pilatus traf mit dem Gefangenen zusammen **(s. Vers 33)**.

3.1. Der Gefangene stand vor Gericht. Nachdem sich Pilatus mit den obersten Priestern vor seiner Tür beraten hatte, ging er in das

Prätorium und rief, dass Jesus hereingebracht würde. Pilatus begann, ihn zu richten, damit Gott nicht beginnt, uns zu richten.

3.2 Er wurde befragt. Die anderen Evangelisten sagen uns, dass ihn seine Ankläger beschuldigten, das Volk zu verführen, indem er ihm verbietet, dem Kaiser Steuern zu zahlen (s. Lk 23,2).

Hier wurde ihm eine Frage gestellt, um etwas zu finden, auf das man eine Anklage stützen konnte: „Bist du der König der Juden?" Manche meinen, Pilatus stellte diese Frage mit spöttischer und verächtlicher Miene: „Was!? So bist du also ein König? ‚Bist du der König der Juden', von denen du so gehasst und verfolgt wirst?" Da nicht bewiesen werden konnte, dass Christus dies je gesagt hatte, wollte Pilatus ihn zwingen, es jetzt zu sagen, sodass er auf der Grundlage des eigenen Bekenntnisses von Christus fortfahren konnte.

Christus beantwortete diese Frage mit einer weiteren Frage, um zu zeigen, dass Pilatus überlegen sollte, was er tat. „Redest du das von dir selbst aus, oder haben es dir andere von mir gesagt?" **(Vers 34).**

„Es ist klar, dass du keinen Grund hast, das ‚von dir selbst' zu sagen." Pilatus war durch sein Amt verpflichtet, für die Interessen der römischen Regierung Sorge zu tragen, doch er konnte nicht sagen, dass diese Regierung durch irgendetwas, was unser Herr Jesus je gesagt oder getan hatte, in Gefahr war oder sie dadurch irgendeinen Schaden erlitten hatte.

„Wenn andere es von mir gesagt haben, solltest du überlegen, ob diejenigen, die mich als einen Feind für den Kaiser darstellen, nicht in Wirklichkeit selbst solche sind." Wenn Pilatus so wissbegierig gewesen wäre, wie er es in dieser Sache hätte sein sollen, hätte er herausgefunden, dass der wahre Grund dafür, warum die obersten Priester so empört über Jesus waren, war, dass er kein weltliches Reich gegen die römische Macht errichtete. Weil er diese Erwartung von ihnen nicht erfüllte, beschuldigten sie ihn dessen, was sie selbst am offenkundigsten schuldig waren – Unzufriedenheit mit und Verschwörung gegen die gegenwärtige Regierung.

Pilatus war böse über die Antwort Christi und nahm sie sehr schlecht auf **(s. Vers 35)**. Dies war eine direkte Antwort auf die Frage Christi **(s. Vers 34)**.

Christus hatte ihn gefragt, ob er von sich selbst aus geredet habe. „Nein", sagte er, „bin ich denn ein Jude?" Beachten Sie, mit welcher Verachtung Pilatus fragte: „Bin ich denn ein Jude?" Ein Mann mit Vernunft und Ehre hielt es für eine Schmach, als Jude betrachtet zu werden.

Christus hatte ihn gefragt, ob es ihm andere gesagt hatten. „Ja", sagte er, „und sie sind ‚dein Volk und die obersten Priester' und deshalb kann ich nichts anderes tun, als von ihrer Information auszugehen."

Christus hatte es abgelehnt, die Frage zu beantworten: „Bist du der König der Juden?" Deshalb fragte Pilatus: „‚Was hast du getan?' Es kann sicherlich nicht all diesen Rauch ohne etwas Feuer geben. Was geht hier vor?"

In seiner nächsten Erwiderung gab Christus eine vollständigere Antwort auf die erste Frage von Pilatus: „Bist du ein König?" Und er erläuterte, in welchem Sinn er ein König war **(s. Vers 36)**. Hier gibt es:

Eine Darstellung der Natur und des Wesens des Reiches Christi: Es „ist nicht von dieser Welt". Christus ist ein König und hat ein Reich, doch nicht von dieser Welt.

Sein Ursprung ist nicht von dieser Welt.

Seine Natur ist nicht weltlich; es ist ein Reich in den Menschen, errichtet in ihrem Herzen und ihrem Gewissen, seine Reichtümer und Mächte sind geistlich (s. Röm 14,17).

Seine Wächter und seine Stützen sind nicht weltlich; seine Waffen sind geistlich (s. 2.Kor 10,4).

Sein Zweck und Ziel sind nicht weltlich.

Seine Untertanen sind, wenn auch in der Welt, „nicht von der Welt" (Joh 17,16). Sie sind weder Schüler noch Günstlinge der Welt, weder von deren Weisheit gelehrt noch von deren Reichtum reich gemacht.

Es werden Beweise für die geistliche Natur des Reiches Christi hervorgebracht. „Wäre mein Reich von dieser Welt, so hätten meine Diener gekämpft, damit ich den Juden nicht ausgeliefert würde" **(Vers 36)**. Seine Nachfolger versuchten nicht, zu kämpfen; es gab keinen Aufruhr, kein Bemühen, ihn zu retten. Er gab ihnen nicht die Anordnung zu kämpfen; er verbot es ihnen in der Tat, weil er wusste, dass das, was die Zerstörung irgendeines weltlichen Reiches gewesen wäre, zu dem Aufstieg und der Etablierung des seinen führen würde. „Nun kannst du sehen, dass mein Reich ‚nicht von hier' ist; es ist in der Welt, aber nicht von ihr."

Als Antwort auf die weitere Rückfrage von Pilatus antwortete er noch direkter **(s. Vers 37)**. Hier haben wir:

Die offene Frage von Pilatus: „‚So bist du also ein König?' Du sprichst von einem Reich, das du hast; bist du also in irgendeinem Sinn ein König? Erkläre dich selbst."

Das gute Bekenntnis, welches unser Herr Jesus vor Pontius Pilatus bezeugt hat (s. 1.Tim 6,13): „Du sagst es; ich bin ein König."

Er räumte ein, dass er ein König war, wenn auch nicht in dem Sinn, den Pilatus meinte. Obwohl Christus „die Gestalt eines Knechts" annahm, beanspruchte er doch selbst dann zu Recht die Ehre und Autorität eines Königs (Phil 2,7).

Er erklärte sich selbst, zeigte, wie er ein König war, denn er kam, dass er „der Wahrheit Zeugnis gebe". Er herrscht über den menschlichen Geist durch die Macht der Wahrheit. Er kam, um ein Zeuge zu sein, ein Zeuge für den Gott, der die Welt gemacht hat und als Zeuge gegen die Sünde, welche diese Welt zugrunde rich-

tet. Und durch dieses Wort seines Zeugnisses gründet und erhält er sein Königreich. Der Auftrag Christi, in diese Welt hineinzukommen und sein Werk in dieser Welt gaben „der Wahrheit Zeugnis", das heißt:
Um der Welt das zu offenbaren, was man sonst nicht über Gott und sein Wohlgefallen gegenüber den Menschen hätte wissen können (s. Joh 1,18; 17,26).
Um sie zu bestätigen (s. Röm 15,8). Durch seine Wunder gab er der Wahrheit der Religion Zeugnis, „damit alle durch ihn glaubten" (Joh 1,7). Indem er dies nun tat, war er ein König und gründete sein Reich. Der Geist und Charakter des Reiches Christi ist göttliche Wahrheit. Als er sagte, er sei die Wahrheit (s. Joh 14,6), sagte er eigentlich: „Ich bin ein König." Er besiegt durch den überzeugenden Beweis der Wahrheit; er herrscht durch die gebietende Macht der Wahrheit. Er kam „als ein Licht in die Welt" und er herrscht wie die Sonne am Tag (Joh 12,46; s. 1.Mose 1,16.18; Ps 136,8). Die Untertanen dieses Reiches sind diejenigen, die „aus der Wahrheit" sind. Alle, welche die Wahrheit lieben, werden die Stimme Christi hören, denn nirgends kann man größere, bessere, sichere und süßere Wahrheiten finden als die, welche man in Christus finden kann. Durch Christus ist „die Gnade und die Wahrheit" geworden (Joh 1,17).
Pilatus stellte Christus dann eine gute Frage, doch er wartete nicht auf die Antwort. Er sagte: „Was ist Wahrheit?" **(Vers 38).** Und dann „ging er wieder hinaus".
Dies war sicherlich eine gute Frage. Die Wahrheit ist die „kostbare Perle", die der menschliche Verstand sucht, denn dieser Verstand kann nur auf dem ruhen, was Wahrheit ist oder zumindest als Wahrheit empfunden wird (Mt 13,46). Viele aber stellen diese Frage, die nicht genug Geduld haben, an ihrer Suche nach der Wahrheit festzuhalten, oder die nicht genug Demut und Aufrichtigkeit haben, sie anzunehmen, wenn sie sie gefunden haben (s. 2.Tim 3,7).
Es ist unsicher, mit welcher Absicht Pilatus diese Frage stellte. Vielleicht sprach er sie als Schüler aus, als jemand, der begann, wohlwollend über Christus zu denken. Manche meinen, er stellte sie als Richter, der den Fall weiter erforschte: „Sage mir, was hier wahr ist, der wahre Stand dieser Sache." Andere meinen, er stellte sie als Spötter: „Du redest über die Wahrheit; kannst du mir sagen, was Wahrheit ist oder mir eine Definition von ihr geben?" Genauso, wie Menschen ohne Religion Vergnügen daran finden, über alle Religionen zu lachen, verspottete Pilatus beide Seiten, und deshalb gab ihm Christus keine Antwort. Doch obwohl Christus Pilatus nicht sagen wollte, was Wahrheit ist, hatte er es seinen Jüngern gesagt und durch sie hat er es uns gesagt (s. Joh 14,6).

4. Das Ergebnis dieser beiden Zusammenkünfte, eines mit den Anklägern und das andere mit dem Gefangenen, war wie folgt **(s. Vers 38-40):**
4.1 De*r Richter schien sein Freund zu sein.*
Er erklärte ihn öffentlich für unschuldig: „Ich finde keine Schuld an ihm!" **(Vers 38).** An ihm konnte nichts Kriminelles gefunden werden. Diese feierliche Erklärung der Unschuld Christi diente dazu:
Den Herrn Jesus zu rechtfertigen und zu ehren. Obwohl er wie der schlimmste Übeltäter behandelt wurde, hatte er eine solche Behandlung nie verdient.
Die Absicht und den Zweck seines Todes zu erläutern, dass er nicht für irgendeine Sünde von sich selbst starb. Und deshalb starb er als ein Opfer für unsere Sünden, weil – sogar nach dem Urteil der Ankläger selbst – ein Mensch für das Volk sterben sollte (s. Joh 11,50).
Die Sünde der Juden hervorzuheben, die ihn mit so großer Heftigkeit verfolgten. Obwohl unser Herr Jesus als nicht schuldig erfunden wurde, wurde er doch als ein Übeltäter gejagt und man dürstete nach seinem Blut.
Er schlug einen Ausweg vor, auf dem er freigelassen werden konnte: „Ihr habt aber eine Gewohnheit, dass ich euch am Passahfest einen freigebe'; wird es dieser König der Juden sein?" Dieser Appell richtete sich nicht an die obersten Priester, sondern an das Volk, wie man in Matthäus 27,15 sehen kann. Er hatte wahrscheinlich gehört, wie dieser Jesus gerade am anderen Tag mit den Hosiannas der einfachen Leute gepriesen worden war, und deshalb hatte er keinen Zweifel, dass sie die Freilassung von Jesus verlangen würden.
Er gewährte ihren Brauch, der zu Ehren des Passah war, welches wiederum eine Gedenkfeier für ihre Befreiung war.
Er bot ihnen an, dem Brauch gemäß ihnen Jesus freizulassen. Doch wenn er keine Schuld an ihm fand, war er im Gewissen verpflichtet, ihn ungeachtet des Brauches freizulassen. Doch er war gewillt, die Dinge überall einfacher zu machen, und wurde mehr von weltlicher Weisheit als von den Regeln der Gerechtigkeit geleitet.
4.2 Die Menschen zeigten sich als seine Feinde: „Da schrien sie wieder alle und sprachen: Nicht diesen, sondern Barabbas!" **(Vers 40).** Beachten Sie, wie wütend und heftig sie waren. Pilatus schlug ihnen die Sache ruhig vor, sie aber entschieden die Angelegenheit in einem Augenblick der Erregung und verkündeten ihre Entscheidung mit Getöse und Geschrei. Es gibt Grund dafür, auf der Seite einen Mangel an Vernunft und Gerechtigkeit zu vermuten, die einen Volksaufstand zu Hilfe ruft. Wie töricht und unsinnig sie waren, ist an dem kurzen Bericht zu sehen, der hier von dem anderen Kandidaten gegeben wird: „Barabbas aber war ein Mörder." Und deshalb:

Ein Brecher des Gesetzes Gottes. Er war jedoch derjenige, der verschont wurde.
Ein Feind der öffentlichen Sicherheit und des persönlichen Eigentums. Der Aufschrei der Stadt richtet sich für gewöhnlich gegen Mörder, doch hier richtete er sich gegen die Seite des anderen. Das tun Menschen, wenn sie ihre Sünden Christus vorziehen. Die Sünde ist ein Mörder, die törichterweise lieber als Christus gewählt wird, der uns wahrhaft reich machen würde.

KAPITEL 19

Als er zu dem Leiden und dem Tod von Christus kommt, wiederholt dieser Evangelist das, was vorher berichtet wurde, mit bedeutenden Hinzufügungen, als jemand, der nichts wissen will als Christus „und zwar als Gekreuzigten" (1.Kor 2,2). Wir haben hier: 1. Den Rest des Prozesses Christi vor Pilatus (s. Vers 1-15). 2. Das gefällte Urteil und die Hinrichtung, die damit durchgeführt wurde (s. Vers 16-18). 3. Die Überschrift über seinem Kopf (s. Vers 19-22). 4. Die Aufteilung seiner Kleider (s. Vers 23-24). 5. Die Fürsorge, die er für seine Mutter zeigte (s. Vers 25-27). 6. Wie ihm Essig zu trinken gegeben wurde (s. Vers 28-29). 7. Sein letztes Wort (s. Vers 30). 7. Das Durchstechen seiner Seite (s. Vers 31-37). 9. Die Grablegung seines Leibes (s. Vers 38-42).

Vers 1-15

Hier ist ein weiterer Bericht des unfairen Prozesses, der unserem Herrn Jesus gemacht wurde. Die Ankläger führten diesen mit großer Konfusion unter dem Volk durch und der Richter mit großer Konfusion in sich selbst.

1. Der Richter misshandelte den Gefangenen, obwohl er ihn für unschuldig erklärte, und hoffte, dies würde die Ankläger beschwichtigen.

1.1 Er ordnete an, dass er als Verbrecher ausgepeitscht werden sollte. Pilatus, der daran gehindert worden war, Jesus durch die Wahl der Leute freizulassen, „ließ ihn geißeln" **(Vers 1)**. Matthäus und Markus erwähnen seine Auspeitschung *nach* seiner Verurteilung, doch hier scheint sie *davor* gewesen zu sein. Lukas spricht davon, dass Pilatus anbot, er werde ihn „züchtigen und dann freilassen!", was vor seiner Verurteilung gewesen sein muss (Lk 23,16). Dieses Auspeitschen von ihm hatte nur die Absicht, die Juden zu beschwichtigen. Das Auspeitschen bei den Römern war normalerweise sehr schlimm, nicht wie bei den Juden auf vierzig Streiche beschränkt (s. 5.Mose 25,3), doch Christus unterwarf sich dieser Pein und Schande um unsertwillen:

Damit die Schrift erfüllt würde, die davon sprach, dass „die Züchtigung uns zum Frieden" auf ihm war (Jes 53,5; Buber). Er hatte es selbst vorhergesagt (s. Mt 20,19; Mk 10,34; Lk 18,33).
Damit wir durch seine Wunden heil werden (s. 1.Petr 2,24). Der Arzt wurde ausgepeitscht und dadurch wurde der Patient geheilt.
Damit Wunden, die um seinetwillen empfangen werden, geheiligt und für seine Nachfolger förderlich gemacht werden. Christi Wunden nahmen denen seiner Nachfolger den Stachel.

1.2 Er übergab ihn seinen Soldaten, dass er verspottet wird und man sich über ihn als Toren lustig macht. „Und die Kriegsknechte flochten eine Krone aus Dornen, setzten sie ihm auf das Haupt und legten ihm einen Purpurmantel um" und beglückwünschten ihn mit: „Sei gegrüßt, du König der Juden!" **(Vers 2-3)**. Und dann schlugen sie ihn ins Gesicht. *Schauen Sie hier die Verderbtheit und Ungerechtigkeit von Pilatus.* Er tat dies:
Um das Verlangen seiner Soldaten nach Belustigung zu befriedigen, und vielleicht auch sein eigenes. Herodes und auch seine Kriegsleute hatten das Gleiche getan (s. Lk 23,11). Es war für sie wie das Stück in einem Theater, jetzt wo eine festliche Zeit war.
Um das Verlangen der Juden nach Bösestun zu befriedigen.
Beachten Sie hier die Rohheit und Arroganz dieser Soldaten. Die heilige Religion Christi wurde, wie Christus selbst, in böser Weise falsch dargestellt, von Übeltätern zu ihrem Vergnügen verkleidet und so Verachtung und Spott ausgesetzt.
Sie kleideten ihn in einen nachgemachten Mantel. Wie Christus hier nur dem Namen nach als König dargestellt wurde, so wurde seine Religion nur dem Namen nach von Wichtigkeit dargestellt, und für viele Menschen sind Gott und die Seele, Sünde und Pflicht, Himmel und Hölle allesamt Mythen.
Sie krönten ihn mit Dornen, als ob das Sichunterwerfen unter die Herrschaft Gottes und des Gewissens dem Stecken des Kopfes in ein Dornendickicht gleichkäme; doch das ist eine ungerechte Behauptung: „Dornen und Schlingen sind auf dem Weg des Verkehrten", aber Rosen und Lorbeer sind an den Pfaden des religiösen Glaubens (Spr 22,5).
Beachten Sie hier das wunderbare Sichherablassen unseres Herrn Jesus. Große und großmütige Geister können alles besser ertragen als Schande, doch der große und heilige Jesus unterwarf sich dem für uns. Beachten Sie mit Verwunderung die unüberwindliche Geduld eines Leidenden und die unüberwindliche Liebe und Freundlichkeit eines Heilands. Er war in Liebe gebunden: Er starb nicht nur für uns, er starb für uns wie ein Narr.
Er ertrug die Schmerzen, und nicht nur den Schmerz des Todes; als wäre das zu wenig, unterzog er sich diesen vorausgehenden

Schmerzen. Sollen wir uns, da sich Christus erniedrigte, um diese Dornen im Kopf und diese Qualen zu ertragen, um uns zu retten und zu lehren, über einen Stachel im Fleisch beklagen und dass wir von einer Not hin und her geworfen werden?

Er achtete die Schande für nichts (s. Hebr 12,2), die Schande der Kleider eines Narren und der falschen Achtung, die ihm erwiesen wurde mit: „Sei gegrüßt, du König der Juden!" Der Eine, welcher diese falschen Ehrungen ertrug, wurde mit echter Ehre belohnt, wie wir es auch werden, wenn wir geduldig für ihn Schande erleiden.

2. Pilatus stellte ihn den Anklägern in der Hoffnung dar, dass sie jetzt zufrieden sein würden **(s. Vers 4-5)**. Er legte ihnen hier zwei Dinge zur weiteren Überlegung vor:

2.1 Dass er nichts in Jesus gefunden hatte, was ihn der römischen Regierung zuwider machte: „... damit ihr erkennt, dass ich keine Schuld an ihm finde!" **(Vers 4)**. Wenn er keine Schuld an ihm fand, warum brachte er ihn dann heraus zu seinen Anklägern und ließ ihn nicht augenblicklich frei, wie er es hätte tun sollen? Weil er das tun wollte, was vorteilhaft war, weil er den Leuten gefallen wollte, indem er Christus auspeitscht, und sein eigenes Gewissen schonen wollte, indem er ihn nicht kreuzigt, tat er beides. Wer meint, sich vor größeren Sünden bewahren zu können, indem er kleinere Sünden riskiert, rennt gewöhnlich in beides.

2.2 Dass er etwas mit ihm gemacht hatte, was ihn weniger gefährlich für sie und ihre Regierung machen würde. Er brachte ihn zu ihnen heraus, wie er die Dornenkrone trug, sein Kopf und sein Gesicht alles blutig, und sagte: „Seht, welch ein Mensch!" **(Vers 5)**. Er behandelte ihn als Sklaven und gab ihn der Verachtung preis und meinte, dass die Menschen danach Christus nie mehr mit Achtung ansehen würden. Pilatus dachte wenig daran, mit wie viel Achtung eben dieses Leidens Christi später von den größten und besten Menschen gedacht werden würde. Beachten Sie hier:

Unser Herr Jesus zeigte sich in alle Zeichen der Schande gekleidet. Er kam bereitwillig heraus, um zu einem Schauspiel gemacht zu werden. Ging er heraus und trug unsere Schande? Wir wollen zu ihm hinausgehen „und seine Schmach tragen" (Hebr 13,13).

Wie Pilatus ihn vorführte: Pilatus sagte zu ihnen mit der Absicht, sie zu beschwichtigen: „Seht, welch ein Mensch!" Er sagte das nicht so sehr, um sie zum Erbarmen zu bewegen – „Seht, ein Mensch, der eures Mitleids würdig ist!" –, als um ihre Eifersucht zum Schweigen zu bringen: „Seht, ein Mensch, der eures Misstrauens nicht wert ist." Es ist für jeden von uns gut, auf den Menschen Christus Jesus in seinem Leiden zu schauen (s. 1.Tim 2,5; Hebr 12,2). „Schaut auf ihn und weint um ihn. Schaut auf ihn und liebt ihn; schaut fortwährend hin auf Jesus."

3. Die Ankläger waren jetzt sogar noch wütender **(s. Vers 6-7)**. Beachten Sie:

3.1 Ihr Geschrei und ihren Frevel. Die obersten Priester schrien und ihre Diener schlossen sich ihrem Geschrei an: „Kreuzige, kreuzige ihn!" Die einfachen Leute hätten vielleicht die Erklärung von Pilatus von seiner Unschuld angenommen, doch die Führer verführten sie durch ihre Lüge (s. Am 2,4). Die Bosheit des Mobs gegen Christus war:

Unvernünftig und völlig absurd darin, dass sie nicht anboten, ihre Anschuldigungen gegen ihn zu begründen, sondern, obwohl er unschuldig war, verlangten, dass er gekreuzigt wird.

Unersättlich und sehr grausam. Weder seine extreme Auspeitschung noch seine Geduld, sie zu erleiden, konnten sie im Geringsten beschwichtigen.

Heftig und äußerst entschlossen; sie wollten es auf ihre Weise. Sollten wir nicht genauso energisch und eifrig darin sein zu rufen „Krönt, krönt ihn!", wenn sie so heftig darin waren, zu versuchen, unseren Herrn Jesus zu besiegen, und zu rufen „Kreuzige, kreuzige ihn!"? Und sollte nicht unsere Liebe zu ihm unsere Versuche beseelen, ihn und sein Reich zu verherrlichen?

3.2 Den Tadel, mit dem Pilatus ihre Wut versah: „Nehmt ihr ihn hin und kreuzigt ihn!" Er wusste, sie konnten ihn nicht kreuzigen und wagten nicht, das zu tun, doch es war, als hätte er gesagt: „Ihr werdet mich nicht wegen eures Hasses vor euren Wagen spannen." Dies war eine gute Entscheidung, wenn er sie nur durchgehalten hätte. Er hatte keine Grundlage für Anklagen gegen Christus gefunden und deshalb hätte er nicht weiter mit den Anklägern verhandeln sollen. Wer vor Sünde sicher sein will, sollte für jede Versuchung taub sein. Genau gesagt hätte er den Gefangenen vor ihren Beleidigungen schützen sollen. Aber Pilatus hatte nicht genug Mut, um seinem Gewissen gemäß zu handeln.

3.3 Den weiteren Vorwand, den die Ankläger für ihre Forderung vorbrachten: „Wir haben ein Gesetz, und nach unserem Gesetz muss er sterben, weil er sich selbst zu Gottes Sohn gemacht hat!" **(Vers 7)**. Beachten Sie hier:

Sie rühmten sich des Gesetzes (s. Röm 2,23). Sie hatten ein wahrhaft vorzügliches Gesetz, doch sie rühmten sich vergeblich ihres Gesetzes, wenn sie es für solch verdorbene Pläne missbrauchten.

Sie offenbarten einen rastlosen und verhärteten Hass gegenüber unserem Herrn Jesus. Sie machten geltend, dass er behauptete, Gott zu sein. Sie drehten jeden Stein um, um ihn aus dem Weg zu räumen.

Sie verdrehten das Gesetz und machten es zu einem Werkzeug für ihre Bosheit. Es war richtig, dass Gotteslästerer getötet werden sollten. Wer falsch beanspruchte, der Sohn Gottes zu sein, machte sich der Gotteslästerung schuldig (s. 3.Mose 24,16). Doch es war falsch, dass Christus bloß behauptete, der Sohn Gottes zu sein; er war es wirklich. Was seine Ehre war und ihre Seligkeit hätte sein können, lasteten sie ihm als ein Verbrechen an, für das er sterben sollte; und selbst wenn er nach ihrem Gesetz sterben sollte, sollte er nicht gekreuzigt werden, denn dies war kein Tod, der von ihrem Gesetz aufgebürdet wurde.

4. Der Richter brachte den Gefangenen wieder vor sein Gericht auf der Grundlage dieses neuen Hinweises. Beachten Sie:

4.1 Die Sorge, die Pilatus hatte, als er diese Behauptung hörte: Als er hörte, dass der Gefangene nicht nur königliche Würde, sondern Göttlichkeit beanspruchte, „fürchtete er sich noch mehr" **(Vers 8)**.

Die Gefahr war größer, das Volk vor den Kopf zu stoßen, wenn er ihn freilässt. Er könnte zwar hoffen, ihren Zorn gegen einen falschen König zu beschwichtigen, doch er konnte sie nie mit einem falschen Gott versöhnen.

Die Gefahr war sogar noch größer, gegen sein eigenes Gewissen zu verstoßen, wenn er ihn verurteilen sollte. „Ist er jemand", dachte Pilatus, „der beansprucht, Gottes Sohn zu sein? Was würde passieren, wenn sich herausstellt, dass er es wirklich ist? Was würde dann aus mir werden?"

4.2 Seine weitere Befragung von unserem Herrn Jesus. Er nahm die Erörterung wieder auf, ging in das Prätorium und fragte Christus: „Woher bist du?" **(Vers 9)**. Beachten Sie:

Den Ort, den er für diese Befragung wählte: „Und er ging wieder in das Prätorium", um alleine zu sein, damit er fort von dem Lärm und dem Geschrei der Masse wäre. Wer die Wahrheit finden will, die in Jesus ist (s. Eph 4,21), muss von dem Lärm der Voreingenommenheit fortgehen und sich sozusagen zurückziehen in die Halle des Gerichts, um mit Christus alleine zu sprechen.

Die Frage, die er ihm stellte: „‚Woher bist du?' Woher kommst du? Von unten oder von oben? Bist du aus der Sphäre der Menschen oder vom Himmel?"

Das Schweigen unseres Herrn Jesus: „Aber Jesus gab ihm keine Antwort." Das war kein widerspenstiges Schweigen aus Verachtung vor dem Gericht, noch war es, weil er nicht wusste, was er sagen sollte. Es war ein geduldiges Schweigen. Dieses Schweigen zeigte laut seine Unterordnung unter den Willen seines Vaters in seinem jetzigen Leiden. Er war still, weil er nichts sagen wollte, um sein Leiden zu verhindern. Es war auch ein weises Schweigen. Als die obersten Priester ihn fragten: „Bist du … der Sohn des Hochgelobten?" (Mk 14,61), antwortete er: „Ich bin's." Doch als Pilatus ihn fragte, wusste er, dass Pilatus seine eigene Frage nicht versteht und keine Vorstellung von dem Messias hat oder davon, dass der Messias der Sohn Gottes ist. Warum sollte er jemandem antworten, dessen Kopf mit heidnischer Theologie erfüllt war?

Die arrogante Zurechtweisung, die ihm Pilatus für sein Schweigen gab: „Redest du nicht mit mir? Weißt du nicht, dass ich Vollmacht habe, dich zu kreuzigen, und Vollmacht habe, dich freizulassen?" **(Vers 10)**. Beachten Sie hier, wie Pilatus sich erhöhte und sich seiner eigenen Vollmacht brüstete. Menschen in Macht neigen dazu, im Bewusstsein ihrer Macht aufgeblasen zu sein, und je absoluter und tyrannischer sie ist, umso mehr befriedigt und gefällt es ihrem Stolz. Sehen Sie, wie geringschätzig er unseren Heiland behandelte: „Redest du nicht mit mir?" Er setzte Jesus herab, als wäre er ungehorsam und respektlos gegenüber denen mit Autorität oder als wäre er undankbar gegenüber jemandem, der rücksichtsvoll gegenüber ihm gewesen war, als wäre er unweise gegenüber sich selbst. Wenn Christus in der Tat danach gestrebt hätte, sein Leben zu retten, wäre jetzt der Zeitpunkt für ihn gewesen, frei heraus zu sprechen.

Christi passende Antwort auf diesen Tadel **(s. Vers 11)**.

Er maßregelte kühn die Arroganz von Pilatus: „Du hättest gar keine Vollmacht über mich, wenn sie dir nicht von oben her gegeben wäre." Obwohl Christus es nicht für passend hielt, Pilatus zu antworten, als er unverschämt war, hielt er es für angemessen, ihm zu antworten, als er gebieterisch war. Als Pilatus seine Macht anwandte, hat sich Christus ihr still unterworfen, doch als er stolz auf sie wurde, ließ er ihn seine Position verstehen: „All die Macht, die dir gegeben wurde, ist dir von oben gegeben worden." Seine Macht allgemein, als Richter, war begrenzt, und er konnte nicht mehr tun, als Gott ihm erlauben würde zu tun. Mögen die stolzen Tyrannen wissen, dass es einen Höheren gibt als sie. Dies möge das Murren der Unterdrückten zum Schweigen bringen; es möge sie trösten, zu wissen, dass ihre Verfolger nicht mehr tun können, als Gott ihnen erlauben wird, zu tun. Pilatus dachte nie, dass er so groß aussehen würde, wie er es jetzt tat, als er über einen solchen Gefangenen zu Gericht saß, der von vielen als der Sohn Gottes und König von Israel angesehen wurde. Doch Christus ließ ihn wissen, dass er selbst darin nur ein Werkzeug in Gottes Hand war.

Er entschuldigte milde die Sünde von Pilatus im Vergleich zu der Sünde der Rädelsführer: „Darum hat der, welcher mich dir ausliefert, größere Schuld!" Es wird klar gezeigt, dass das, was Pilatus tat, Sünde war, dass er eine große Sünde beging und dass der Druck, den die Juden auf ihn ausübten, ihn nicht rechtfertigen würde. Die Schuld anderer wird uns nicht entlasten, noch wird es uns an dem großen Tag Gutes tun, zu sagen, dass andere schlimmer waren, als wir es waren. Die Sünde der anderen, die ihn Pilatus ausgehändigt hatten, war die größere. Dies zeigt, dass nicht alle Sünden gleich sind; manche sind abscheulicher als andere. Wer Christus an Pilatus auslieferte, war:

Das jüdische Volk, welches schrie: „Kreuzige, kreuzige ihn!" Sie hatten die Wunder Christi gesehen, was Pilatus nicht hatte. Ihre Sünde, gegen Christus aufzutreten, war darum viel schlimmer als die von Pilatus. Oder:

Kajaphas im Besonderen, der als Erster riet, dass er getötet werden müsse (s. Joh 11,49-50). Die Sünde von Kajaphas war viel größer als die Sünde von Pilatus. Kajaphas verfolgte Christus aus reiner Feindschaft und mit kaltem Vorsatz. Pilatus verurteilte ihn bloß aus Furcht vor dem Volk und es war eine übereilte Entscheidung, für die er sich selbst keine Zeit gab, um sie ruhig zu überlegen. Oder, manche meinen:

Judas. Die Sünde von Judas war in vielerlei Hinsicht größer als die Sünde von Pilatus. Die Sünde von Judas war eine maßgebliche Sünde, die allem die Tür öffnete, was folgte. Er wurde „denen, die Jesus gefangen nahmen, zum Wegweiser" (Apg 1,16).

5. Pilatus rang mit den Juden, um Jesus aus ihren Händen freizubekommen, doch vergeblich.

5.1 Pilatus scheint jetzt eifriger als vorher gewesen zu sein, Jesus freizubekommen: „Von da an", obwohl Christus an ihm Schuld fand, fand er doch keine Schuld an Christus, sondern „suchte ... ihn freizugeben" **(Vers 12)**. Wenn nicht bei Pilatus die Politik die Oberhand über seine Gerechtigkeit erlangt hätte, hätte er nicht lange versucht, ihn freizulassen, sondern hätte es einfach getan.

5.2 Die Juden waren nur umso mehr heftig darauf aus, Jesus gekreuzigt zu bekommen. Sie verfolgten immer noch ihren Plan mit Tumult und Lärm, wie sie es vorher getan hatten. Sie arbeiteten hart, um ihn durch die Menschenmenge in Verruf zu bringen – und es ist nicht schwer, einen Mob zusammenzubekommen. Ein paar verrückte Leute können viele weise Menschen niederbrüllen, und dann glauben Erstere, dass sie etwas Vernünftiges für ein Volk sagen – wo es in Wirklichkeit Unsinn ist –, doch es ist nicht so leicht, die Meinung der Leute zu ändern, wie es ist, sie zu verdrehen. Mit ihrem Aufschrei bezweckten sie zwei Dinge:

Den Gefangenen als einen Feind des Kaisers darzustellen. Sie wollten glauben machen, dass er „sich gegen den Kaiser" stellt. Es war immer der Trick der Feinde der Religion, sie als nachteilig für Könige und Provinzen zu beschreiben, wohingegen sie in Wirklichkeit äußerst nützlich für beides sein würde.

Den Richter einzuschüchtern, dass er kein Freund des Kaisers sei: „Wenn du diesen freilässt, so bist du kein Freund des Kaisers." Sie deuteten eine Drohung an, dass sie ihn denunzieren würden, und hier berührten sie ihn an einem sehr heiklen und empfindlichen Punkt. Ein vorgegebener Eifer für das Gute dient oft dazu, echten Hass auf das Bessere zu vertuschen.

5.3 Pilatus versuchte halbwegs, sie durch Spott aus ihrer Wut herauszubekommen, doch indem er das tat, verriet er sich selbst an sie, gab dem reißenden Strom nach **(s. Vers 13-15)**. Wo es gerade jetzt so schien, als würde er diesem Angriff energisch widerstehen **(s. Vers 12)**, gab er unbarmherzig auf. Beachten Sie:

Was es war, das Pilatus schockierte: „Als nun Pilatus dieses Wort hörte", dass er sich der Gunst des Kaisers nicht sicher sein könnte, wenn er Jesus nicht töten würde, meinte er, es sei für ihn an der Zeit, sich umzusehen **(Vers 13)**. Wer sein Glück mit der Gunst von Menschen verknüpft hat, macht sich selbst zu einem leichten Ziel für die Versuchungen Satans.

Was für Vorbereitungen für ein endgültiges Urteil in dieser Sache getroffen wurden: Pilatus führte „Jesus hinaus und setzte sich auf den Richterstuhl". Christus wurde mit allen möglichen Förmlichkeiten verurteilt. Hier wird von dem Ort und der Zeit Notiz genommen. Der Ort, wo Christus verurteilt wurde, war „an der Stätte, die Steinpflaster genannt wird, auf Hebräisch aber Gabbatha", wahrscheinlich der Ort, an dem Pilatus üblicherweise saß, um zwischen Parteien zu richten und über Verbrecher zu verhandeln. Die Zeit war der „Rüsttag für das Passah, und zwar um die sechste Stunde" **(Vers 14)**. Beachten Sie:

Den Tag: Es war der Rüsttag für das Passah, das heißt, für den Sabbat des Passah. Dies fand statt, als sich die Juden hätten reinigen und den alten Sauerteig entfernen sollen, um für das Passah bereit zu werden; doch je besser der Tag ist, umso schlimmer ist die Tat.

Die Stunde: „... und zwar um die sechste Stunde." Einige alte griechische und lateinische Manuskripte lesen, es war „um die dritte Stunde", was Markus 15,25 entspricht, und in Matthäus 27,45 zeigt sich, dass er vor der sechsten Stunde am Kreuz war. Dieser Ausdruck scheint hier einbezogen worden zu sein, um zusätzlichen Nachdruck auf die Sünde der Ankläger zu legen: Sie verfolgten die Anklage nicht nur an einem feierlichen Tag, dem Rüsttag, sondern auch von der dritten bis zur sechsten Stunde – der Zeit ihres religiösen Gottesdienstes. An diesem Tag waren sie mit dieser Bosheit beschäftigt; für diesen Tag also haben sie, obwohl sie Priester waren, den Tempeldienst aufgegeben.

Die Begegnung, die Pilatus mit den Juden hatte, wobei er vergeblich versuchte, gegen die Flut ihres Zornes anzukämpfen.

Er sagte zu ihnen: „‚Seht, das ist euer König!' Das heißt, derjenige, den ihr beschuldigt, jemand zu sein, der die Krone beansprucht. Ist es für diesen Mann wahrscheinlich, gefährlich für die Regierung zu sein?" Es scheint, als wäre Pilatus die Stimme Gottes für sie gewesen, obwohl er weit davon entfernt war, dies sein zu wollen. Christus, jetzt mit Dornen gekrönt, wurde, wie ein König bei seiner Krönung, dem Volk dargeboten: „Seht, das ist euer König!"

Sie schrien mit der größten Empörung auf: „‚Fort, fort mit ihm!' Er hat nichts mit uns zu tun, wir verstoßen ihn; ‚fort mit ihm' aus unseren Augen." Dies zeigt:

Wie wir es verdienten, vor Gottes Richterstuhl behandelt zu werden. Wenn Christus nicht so von den Menschen verworfen worden wäre, wären wir für immer von Gott verworfen worden.

Wie wir unsere Sünden behandeln sollten. In der Heiligen Schrift wird oft gesagt, dass wir unsere Sünden in Übereinstimmung mit dem Tod Christi kreuzigen (s. Röm 6,6; Gal 5,24; 6,14). Wir sollten die Sünde in uns mit einer göttlichen Entrüstung besiegen, so wie jene eine gottlose Entrüstung hatten und den Einen schlugen, der für uns zur Sünde gemacht wurde (s. 2.Kor 5,21).

Pilatus, der Jesus freibekommen wollte, fragte sie: „Euren König soll ich kreuzigen?" Er wollte entweder:

Sie zum Schweigen bringen und ihnen zeigen, wie unsinnig es von ihnen war, jemanden zu verwerfen, der sich ihnen selbst als ihr König anbot. Obwohl Pilatus keinen Grund sah, Christus zu fürchten, könnten sie einen Grund sehen, sich etwas von ihm zu erhoffen. Oder:

Sein eigenes Gewissen zum Schweigen bringen. „Wenn dieser Jesus ein König ist", dachte Pilatus, „dann ist er nur der König der Juden. Wenn sie ihn ablehnen und möchten, dass ihr König gekreuzigt wird, was geht das mich an?"

Die obersten Priester schrien: „Wir haben keinen König als nur den Kaiser!" Sie wussten, dass dies Pilatus gefallen würde, und deshalb hofften sie, auf diese Weise an ihr Ziel zu gelangen, obwohl sie zur gleichen Zeit den Kaiser und seine Herrschaft hassten. Es war gerecht von Gott, durch die Römer das Verderben über sie zu bringen, welches nicht lange danach folgte. Sie waren dem Kaiser treu und zum Kaiser würden sie gehen (s. Apg 25,12). Gott gab ihnen bald genug von ihren Kaisern. Von dieser Zeit an waren sie Rebellen gegen die Kaiser und die Kaiser waren Tyrannen für sie und ihre Feindseligkeit endete in der Vernichtung ihrer Stadt und ihres Volkes. Es ist gerecht von Gott, aus dem eine Geißel und eine Plage für uns zu machen, was wir Christus vorziehen.

Vers 16-18

Hier wurde das Todesurteil über unseren Herrn Jesus ausgesprochen und bald darauf wurde die Hinrichtung durchgeführt. Pilatus hatte einen heftigen innerlichen Kampf gehabt, doch schließlich gab seine Überzeugung nach und es gewann seine Verderbtheit, die Furcht vor Menschen hatte größere Macht auf ihn als die Furcht Gottes.

1. Pilatus verkündete das Urteil gegen Christus und stellte den Befehl zu seiner Hinrichtung aus **(s. Vers 16)**. Wir können hier sehen:

1.1 Wie Pilatus hier gegen sein Gewissen sündigte; er hatte Christus immer wieder für unschuldig erklärt, doch schließlich verurteilte er ihn als schuldig. Pilatus hatte das jüdische Volk oft verstimmt, weil er ein Mann mit einem stolzen und unerbittlichen Geist war. Weil er darum fürchtete, dass man sich über ihn beklagt, war er bereit, die Juden in dieser Sache zufriedenzustellen. Dies machte nun die Sache sogar noch schlimmer. Dass ein Mann, der in anderen Dingen so eigensinnig war und solch eine grimmige Entschlossenheit hatte, von etwas wie diesem überwältigt wurde, zeigte, dass er wahrhaftig ein schlechter Mensch war, der es besser ertragen konnte, dass seinem Gewissen Unrecht getan wurde, als dass man sich seiner Laune widersetzte.

1.2 Wie er versuchte, die Schuld auf die Juden zu schieben. Er lieferte Christus den Anklägern aus, den obersten Priestern und den Ältesten, und entschuldigte so das Unrecht gegen sein Gewissen als eine lediglich zulassende Verurteilung und sagte zu sich selbst, dass er Christus nicht getötet, sondern nur vor denen die Augen geschlossen hatte, die es taten.

2. Das Urteil war kaum gesprochen, als die Ankläger, die ihr Ziel erreicht hatten, beschlossen, keine Zeit zu verlieren aus Angst, dass Pilatus seine Meinung ändern könnte und „Aufruhr unter dem Volk entsteht" (Mt 26,5). Wir würden gut daran tun, genauso schnell darin zu sein, Gutes zu tun, wie jene es darin waren, Böses zu tun, und nicht darauf warten, dass größere Schwierigkeiten auftauchen.

2.1 Sie trieben den Gefangenen sofort weg. Die obersten Priester stürzten sich gierig auf das Opfer, auf das sie lange gewartet hatten. Oder sie, das sind die Soldaten, nahmen ihn und führten ihn weg. Sowohl die Priester als auch die Soldaten taten sich darin zusammen, ihn wegzuführen. Nach dem Gesetz von Mose sollten die Zeugen die Henker sein, und die Priester waren hier stolz auf die Aufgabe (s. 5.Mose 17,7). Er wurde für uns herausgeführt, damit wir entrinnen konnten.

2.2 Um sein Elend noch zu verstärken, zwangen sie ihn gemäß der Gewohnheit unter den Römern, sein Kreuz zu tragen **(s. Vers 17)**. Ihre Kreuze waren nicht ständig errichtet, denn der Übeltäter wurde an das Kreuz genagelt, wenn es auf dem Boden lag. Jeder, der gekreuzigt wurde, hatte ein eigenes Kreuz. Dass Christus sein Kreuz trug, kann man betrachten:

Als einen Teil seines Leidens; er ertrug buchstäblich das Kreuz. Der selige Leib des Herrn Jesus war empfindlich; er war jetzt gerade gequält und erschöpft worden; seine Schultern waren wund von der Auspeitschung, die sie ihm verabreicht hatten; jeder Stoß des Kreuzes würde den Schmerz davon erneuern und auch dazu führen, dass die Dornen, mit denen er gekrönt war, tiefer in seinen Kopf gedrückt werden. Doch er erduldete dies alles geduldig. Er wurde für uns zu einem Fluch gemacht und so war das Kreuz auf ihm.

Als Erfüllung des Typus, der vor ihm gewesen war: Isaak (s. 1.Mose 22,6).

Als sehr lehrreich für uns. Unser Meister lehrte hier alle seine Jünger, ihr Kreuz auf sich zu nehmen und ihm nachzufolgen (s. Mt 16,24). Welches Kreuz er uns auch zu irgendeiner Zeit auffordert zu tragen, wir müssen daran denken, dass er zuerst das Kreuz trug. Er trug das Ende des Kreuzes, das den Fluch auf sich hatte; dies war das schwere Ende, und darum sind alle, die sein sind, in der Lage, ihre Leiden für ihn leicht zu nennen (s. 2.Kor 4,17).

2.3 Sie brachten ihn an den Ort der Hinrichtung: Er „ging hinaus"; er wurde nicht gegen seinen Willen gezerrt, sondern war freiwillig in seinem Leiden. Er ging aus der Stadt heraus, denn er wurde „außerhalb des Tores" gekreuzigt (Hebr 13,12). Außerdem führten sie ihn, um sein Leiden mit noch größerer Schande zu versehen, an die allgemeine Hinrichtungsstätte, einen Ort namens „Schädelstätte, die auf hebräisch Golgatha heißt". Christus litt dort, weil er „für uns zur Sünde gemacht" wurde (2.Kor 5,21).

2.4 „Dort kreuzigten sie ihn" und die anderen Übeltäter mit ihm **(s. Vers 18)**. Beachten Sie:

Welchen Tod Christus starb: Den Tod am Kreuz, einen blutigen, schmerzhaften, schmachvollen Tod, einen verfluchten Tod. Er wurde aufgerichtet wie die eherne Schlange (s. 4.Mose 21,9). Seine Hände waren ausgestreckt, um uns einzuladen und uns zu umarmen.

In welcher Gesellschaft er starb: „... und mit ihm zwei andere." Dies setzte ihn sehr der Verachtung und dem Hass der Leute aus, die einzelne Menschen wahrscheinlich anhand von denen richten würden, mit denen sie verbunden sind, und nicht daran interessiert sind, Unterschiede zwischen ihnen zu erkennen. Sie würden nicht nur schließen, dass er ein Übeltäter war, weil er mit Übeltätern verbunden war, sondern auch, dass er der Schlimmste von den dreien war, weil man ihn in die Mitte von ihnen stellte. Doch auf diese Weise wurde die Schrift erfüllt: Er ließ „sich unter die Übeltäter zählen" (Jes 53,12). Er starb unter den Verbrechern und vermischte sein Blut mit dem von denen, die der öffentlichen Gerechtigkeit geopfert wurden. Wir wollen nun für eine Weile innehalten und mit dem Auge des Glaubens auf Jesus schauen. Gab es je einen Schmerz wie seinen Schmerz (s. Klgl 1,12)? Sehen Sie ihn blutend, sehen Sie ihn kämpfend, Sehen Sie ihn sterbend, sehen Sie ihn und lieben Sie ihn, lieben Sie ihn und leben Sie für ihn und suchen Sie, wie wir dem Herrn „all seine Wohltaten" vergelten sollen (Ps 116,12).

Vers 19-30
Hier gibt es einige bemerkenswerte Einzelheiten des Todes Christi, die ausführlicher als vorher berichtet werden.

1. Die Schrift, die über seinem Kopf angebracht wurde. Wir haben hier:

1.1 Die Überschrift selbst, die Pilatus schrieb und anordnete, sie an der Spitze des Kreuzes zu befestigen, die den Grund verkündete, weshalb er gekreuzigt wurde. Sie lautete wie folgt: „Jesus, der Nazarener, der König der Juden" **(Vers 19)**. Pilatus beabsichtigte dies als einen Vorwurf an Jesus, dass er, der „Jesus, der Nazarener" war, behauptet hatte, der König der Juden zu sein und sich dazu aufgespielt hatte, mit dem Kaiser zu konkurrieren. Gott stieß diese Sache jedoch um, sodass:

Die Überschrift ein weiteres Zeugnis für die Unschuld unseres Herrn Jesus geben würde, denn hier war eine Anschuldigung, die, wie sie formuliert war, kein Verbrechen enthielt.

Sie würde seine Stellung und seine Ehre zeigen. Dies war Jesus, ein Heiland, der zum Wohl seines Volkes starb, wie es Kajaphas vorhergesagt hatte (s. Joh 11,50).

1.2 Die Notiz, die von dieser Überschrift genommen wurde: „Diese Überschrift nun lasen viele Juden", nicht nur die aus Jerusalem, sondern auch die aus anderen Gebieten, die kamen, um auf dem Fest anzubeten **(Vers 20)**. Sehr viele Menschen lasen sie und sie sorgte für eine ganze Reihe an Überlegungen und Spekulationen. Christus selbst war zu einem Zeichen gesetzt (s. Lk 2,34). Die Überschrift wurde so viel gelesen:

Weil der Ort, an dem Jesus gekreuzigt wurde, zwar außerhalb der Tore der Stadt war, aber doch nahe der Stadt. Es ist ein Vorteil, wenn die Mittel, Christus kennenzulernen, nahe an unsere Tür herangebracht werden.

Weil es in Hebräisch, Griechisch und Latein geschrieben war; sie verstanden alle die eine oder andere dieser Sprachen. Jeder würde neugierig fragen, was das war, das so akribisch in den drei meist bekannten Sprachen bekannt gemacht wurde. In jeder davon wurde Christus als König verkündet; dies zeigte, dass Jesus Christus ein Heiland für alle Völker sein würde, nicht nur für die Juden, und auch, dass jedes Volk in seiner eigenen Sprache „die großen Taten" des Erlösers verkündet hören würde (Apg 2,8.11). Es lehrt uns, dass die Erkenntnis Christi in jedem Volk in seiner eigenen Sprache verbreitet werden sollte, damit die Menschen so freimütig mit den Schriften umgehen können, wie sie es mit ihren Nächsten tun.

1.3 Den Anstoß, den die Ankläger daran nahmen. Sie wollten nicht, dass geschrieben wird: „Der König der Juden", sondern dass er behauptet hatte: „Ich bin König der Juden!" **(Vers 21)**. Hier zeigten sie sich:

Als sehr boshaft und gehässig Christus gegenüber. Um sich selbst zu rechtfertigen, waren sie daran interessiert, ihn als einen Räuber von Ehren und Macht zu beschreiben, zu denen er nicht berechtigt war.

In töricht Weise eifersüchtig auf die Ehre ihres Volkes. Obwohl sie ein besiegtes und versklavtes Volk waren, verschmähten sie es, dass gesagt wurde, dass dies ihr König war.

Sehr überheblich und lästig Pilatus gegenüber. Ihnen muss bewusst gewesen sein, dass sie ihn gegen seinen Willen gezwungen hatten, Christus zu verurteilen, und doch haben sie ihn in solch banalen Sachen wie diesen weiter belästigt; auch hatten sie ihre Anschuldigung nicht bewiesen, dass Christus behauptet hatte, der König der Juden zu sein.

1.4 Die Entscheidung des Richters, bei dem zu bleiben, was er geschrieben hatte: „Was ich geschrieben habe, das habe ich geschrieben!"
Hier beleidigte Pilatus die obersten Priester. Durch diese Überschrift deutete er an:

Dass sie trotz ihres Vorwands nicht aufrichtig in ihrer Zuneigung zu dem Kaiser und seiner Regierung waren.

Dass solch ein König, so demütig und verachtenswert, gut genug war, um König der Juden zu sein.

Dass sie sehr ungerecht darin waren, diesen Jesus zu verfolgen, während es keine Grundlage gab, Anschuldigungen gegen ihn vorzubringen.

Hier ehrte Pilatus den Herrn Jesus. Pilatus bestand mit Entschiedenheit darauf, dass Jesus der König der Juden war. Wenn die Juden Christus verwarfen, so bestand Pilatus, ein Heide, darauf, dass er ein König war, was ein Versprechen für das war, was kurz danach stattfand, als die Heiden sich dem Reich des Messias unterwarfen.

2. Das Aufteilen seiner Kleider unter den Henkern **(s. Vers 23-24)**. Vier Kriegsknechte waren abgestellt, die, als sie „Jesus gekreuzigt hatten", als sie ihn an das Kreuz genagelt und es mit ihm daran aufgerichtet hatten und es nichts Weiteres zu tun gab, als zu warten, dass er stirbt, sich daran machten, seine Kleider aufzuteilen. Sie „machten vier Teile", so sehr von dem gleichen Wert, wie sie konnten, „für jeden Kriegsknecht einen Teil", doch über sein Untergewand, das ohne Naht war, „von oben bis unten in einem Stück gewoben", losten sie. Beachten Sie:

2.1 Die Schande, die sie unserem Herrn Jesus auferlegten. Die Scham vor Nacktheit kam mit der Sünde (s. 1.Mose 3,7.10). Deshalb trug der Eine, der für uns zur Sünde gemacht wurde, diese Schande (s. 2.Kor 5,21).

2.2 Den Lohn, mit dem sich diese Kriegsknechte dafür bezahlten, dass sie Christus kreuzigten. Sie waren bereit, es für seine alten Kleider zu tun. Immer wenn etwas Schlechtes getan werden muss, wird es Übeltäter geben, die schlecht genug sind, es für eine kleine Summe zu tun.

2.3 Das Spiel, das sie mit seinem nahtlosen Untergewand spielten. Wir lesen von nichts von ihm, das wertvoll oder beachtlich gewesen ist außer diesem. Die Tradition sagt, dass es seine Mutter für ihn wob, und fügt hinzu, dass es für ihn gemacht wurde, als er ein Kind war, und dass es sich nie abnutzte. Doch diese Ansicht hat keine Grundlage. Die Kriegsknechte hielten es für zu schade, um es zu zerreißen, weil es dann ausfasern würde; darum losten sie darum. Während Christus in seinem Todeskampf war, teilten sie fröhlich die Ausbeute von ihm auf. Die Bewahrung des nahtlosen Untergewandes Christi wird allgemein als Hinweis auf die Sorge verstanden, die alle Christen haben sollten, dass sie nicht durch Streit und Uneinigkeit die Gemeinde Christi auseinanderreißen.

2.4 Die Erfüllung der Schrift darin. David sagte im Geist in Psalm 22,19 genau diese Einzelheit des Leidens Christi voraus. Darum taten die Kriegsknechte diese Dinge, „damit die Schrift erfüllt würde".

3. Die Sorge, die er für seine arme Mutter trug.
3.1 Seine Mutter war bei ihm bis zu seinem Tod: „Es standen aber bei dem Kreuz Jesu seine Mutter" und einige seiner Verwandten und Freunde bei ihr **(Vers 25)**. Zuerst standen sie nahe, wie hier gesagt wird, doch später zwangen sie die Kriegsknechte wahrscheinlich, entfernt zu stehen, wie es in Matthäus und Markus gesagt wird.

Beachten Sie hier die sich sorgende Liebe dieser gottesfürchtigen Frauen. Als ihn alle Jünger außer Johannes verlassen hatten, blieben diese Frauen bei ihm. Sie wurden nicht von der Wut des Feindes oder dem entsetzlichen Anblick abgeschreckt; sie konnten ihn nicht retten noch ihm helfen, doch sie waren bei ihm.

Wir können uns leicht vorstellen, was für ein Leid es für diese armen Frauen war, ihn so misshandelt zu sehen, wie er es war, besonders für die Mutter Jesu. Jetzt erfüllte sich Simeons Wort: „Aber auch dir selbst wird ein Schwert durch die Seele dringen" (Lk 2,35). Seine Qual marterte sie und ihr Herz blutete mit seinen Wunden. *Wir können uns zu Recht über die Macht der göttlichen Gnade wundern, dass sie diese Frauen trug, besonders Maria.* Wir sehen nicht, dass seine Mutter die Hände rang oder laut schrie, sondern sie stand bei dem Kreuz und ihre Freunde mit ihr. Sicherlich hatten sie und die anderen solche Geduld, weil sie durch Gottes Kraft gestärkt wurden. Wir wissen nicht, was wir ertragen können, bis wir geprüft werden, und dann kennen wir den Einen, der gesagt hat: „Lass dir an meiner Gnade genügen" (2.Kor 12,9).

3.2 Er sorgte zärtlich für seine Mutter. Es ist wahrscheinlich, dass Joseph lange vorher gestorben war und dass ihr Sohn Jesus sie unterstützt hatte, und was würde nun, wo er starb, aus ihr werden? Er sah sie dabeistehen und er sah Johannes nicht weit entfernt stehen, und deshalb begründete er eine neue Beziehung zwischen seiner innig geliebten Mutter und seinem innig geliebten Jünger und sagte: „Frau, siehe, dein Sohn!" Und zu ihm: „Siehe, deine Mutter!" Und „von der Stunde an nahm sie der Jünger zu sich". Beachten Sie:

Die Sorge, die Christus für seine liebe Mutter hatte. Er war nicht so sehr mit dem Empfinden seines eigenen Leidens erfüllt, dass er seine Freunde vergaß. Er hatte keinen anderen Weg, um für seine Mutter zu sorgen, als durch eine Beziehung mit einem Freund, was er hier tat.

Er nannte sie Frau, nicht Mutter, denn Mutter wäre für sie ein stechendes Wort gewesen, da sie bereits im Herzen von Kummer verwundet war.

Er sagte ihr, sie solle Johannes als ihren Sohn ansehen. Dies war ein Ausdruck der göttlichen Güte. Manchmal lässt Gott, wenn er uns einen Trost wegnimmt, einen anderen für uns entstehen, vielleicht, wo wir ihn nicht erwarten. Niemand möge darum alles als verloren betrachten, wenn eine Zisterne ausgetrocknet ist, denn eine andere kann sich aus der gleichen Quelle füllen. Seine Worte hier waren auch ein Beispiel für die Pflicht von Kindern, ihren Eltern Achtung zu erweisen. Christus hat hier Kinder gelehrt, für das Wohlergehen ihrer betagten Eltern zu sorgen. Kinder sollten nach ihrer Möglichkeit dafür sorgen, dass, wenn ihre Eltern sie überleben und ihre Freundlichkeit brauchen, für ihre Bedürfnisse gesorgt werden wird.

Das Vertrauen, das er in den Jünger setzte, den er liebte. Er sagte zu ihm: „Siehe, deine Mutter!" Dies war eine Ehre Johannes gegenüber und ein Zeugnis sowohl von seiner Weisheit als auch von seiner Treue. Es ist eine große Ehre, für Christus eingestellt zu werden, mit irgendeinem von seinen Interessen in der Welt betraut zu werden. Es würde eine Sorge und eine große Verantwortung für Johannes sein, doch er nahm sie freudig an und nahm sie zu sich. Wer Christus wahrhaftig liebt und von ihm geliebt wird, wird glücklich sein, eine Gelegenheit zu haben, einen Dienst für ihn oder die Seinen zu tun.

4. Die Erfüllung der Schrift darin, dass man ihm Essig zu trinken gibt **(s. Vers 28-29)**. Beachten Sie:

4.1 Wie viel Achtung Christus den Schriften erwies: „Da Jesus wusste, dass schon alles vollbracht war, spricht er, damit die Schrift erfüllt würde: Mich dürstet!" **(Vers 28)**.

Es war überhaupt nicht seltsam, dass er durstig war. Er mag wohl dürsten nach all dieser Plage und dem Umherhasten, und weil er nun in Todesqual war, war er kurz davor, bloß aufgrund des Blutverlustes und seiner extremen Schmerzen zu verscheiden.

Doch sein Klagen darüber ist etwas überraschend; es ist das einzige Wort, welches er sprach, das wie eine Klage über sein äußerliches Leiden aussieht. Als er ausgepeitscht wurde, schrie er nicht auf: „Oh mein Rücken!" Doch jetzt rief er aus: „Mich dürstet!" Er tat dies, weil:

Er auf diese Weise die Mühsal seiner Seele ausdrücken wollte (s. Jes 53,11). Er dürstete nach der Erfüllung des Werkes unserer Erlösung.

Er sicherstellen wollte, dass die Schrift erfüllt war. Bis zu diesem Zeitpunkt war alles erfüllt worden, und er wusste es. Die Schrift hatte seinen Durst vorhergesagt, und deshalb sprach er selbst darüber – weil es auf andere Weise nicht erkannt werden konnte – und sagte: „Mich dürstet!" Die Schrift hatte vorhergesagt, dass man ihm in seinem Durst Essig zu trinken geben würde (s. Ps 69,22).

4.2 Wie wenig Respekt ihm seine Peiniger erwiesen: „Es stand nun ein Gefäß voll Essig da", wahrscheinlich nach der Gewohnheit bei allen Hinrichtungen dieser Art, und sie „tränkten einen Schwamm" damit und „legten ihn um einen Ysop", einen Ysopstengel, und benutzten ihn, um ihn an seinen Mund zu heben **(Vers 29)**. Ein Tropfen Wasser hätte seine Zunge besser gekühlt als ein Trunk Essig. Als der Himmel ihm einen Lichtstrahl verwehrte, verwehrte ihm die Erde einen Tropfen Wasser und setzte Essig an seine Stelle.

5. Das Sterbewort, mit dem er seinen Geist übergab: „Als nun Jesus den Essig genommen hatte, sprach er: Es ist vollbracht! Und er neigte das Haupt und übergab den Geist" **(Vers 30)**. Beachten Sie:

5.1 Was er sagte, und wir können uns vorstellen, dass er es mit Triumph und Jubel sagte: „Es ist vollbracht!"

„Es ist vollbracht!", das heißt, der Hass und die Feindschaft seiner Peiniger hatten nun das Schlimmste, das ihnen möglich war, angetan.

„Es ist vollbracht!", das heißt, der Plan und das Gebot seines Vaters in Bezug auf sein Leiden waren nun erfüllt. Als er sein Leiden begann, hatte er gesagt, der Wille seines Vaters solle

geschehen (s. Mt 26,42), und jetzt sagte er mit Freude: „Er ist getan."

„Es ist vollbracht!", das heißt, jeder Typus und jede Prophezeiung des Alten Testaments, der auf die Leiden des Messias wies, war erfüllt und beantwortet.

„Es ist vollbracht!", das heißt, das Zeremonialgesetz war aufgehoben. Jetzt war das Wesen gekommen und alle Schatten wurden abgetan (s. Kol 2,17; Hebr 8,5; 10,1).

„Es ist vollbracht!", das heißt, die Sünde hat ausgespielt und die Übertretung ist zu einem Ende gebracht worden. Das Lamm Gottes wurde geopfert, um die Sünde der Welt hinwegzunehmen, und es war getan (s. Joh 1,29; Hebr 9,26).

„Es ist vollbracht!", das heißt, sein Leiden war nun beendet. Der Sturm war vorüber, das Schlimmste war vorbei und er trat nun in die vor ihm liegende Freude ein (s. Hebr 12,2). Mögen alle, die für Christus und mit Christus leiden, sich mit der Gewissheit trösten, dass auch sie in einer kleinen Weile sagen werden: „Es ist vollbracht."

„Es ist vollbracht!", das heißt, sein Leben war nun beendet und er war bereit, seinen letzten Atemzug zu tun. Wir müssen alle bald an einen solchen Punkt kommen.

„Es ist vollbracht!", das heißt, das Werk der Erlösung und Errettung der Menschen war nun vollendet worden, der Macht Satans war ein tödlicher Schlag versetzt worden und es wurde eine Quelle der Gnade eröffnet, die immer fließen wird. „... der, welcher in euch ein gutes Werk angefangen hat, [wird] es auch vollenden ... bis auf den Tag Jesu Christi"; das Geheimnis Gottes wird vollendet werden (s. Phil 1,6; Offb 10,7).

5.2 Was er tat: „Und er neigte das Haupt und übergab den Geist." Sein Leben wurde ihm nicht gewaltsam abgerungen; er gab es selbstständig auf. Er hatte gesagt: „Vater, in deine Hände befehle ich meinen Geist!" (Lk 23,46). Und demgemäß übergab er seinen Geist, zahlte den Preis für Vergebung und Leben seinem Vater in die Hand. „Und er neigte das Haupt." Wenn diejenigen, die gekreuzigt wurden, starben, streckten sie ihr Haupt aus, um nach Atem zu ringen und ließen nicht ihren Kopf hängen, bis sie ihren letzten Atemzug getan hatten, aber Christus neigte zuerst sein Haupt, schickte sich sozusagen an, einzuschlafen.

Vers 31-37

Der Abschnitt über das Durchstechen der Seite Christi nach seinem Tod wird nur von diesem Evangelisten berichtet. Beachten Sie:

1. Den Aberglauben der Juden, der dazu führte: „Weil es Rüsttag war – jener Sabbat war nämlich ein hoher Festtag –, baten die Juden nun Pilatus, damit die Leichname nicht während des Sabbats am Kreuz blieben, dass ihnen die Beine zerschlagen" würden und dann könnten sie außer Sichtweite begraben werden **(Vers 31)**. Beachten Sie:

1.1 Den Respekt, von dem sie wollten, dass man dachte, dass sie ihn für den herannahenden Sabbat hätten. Jeder Sabbat ist ein heiliger Tag und ein guter Tag, doch dieser Sabbat war ein besonderer Tag, „ein großer Tag". Tage des Sakraments, Tage des Abendmahls, Tage der Kommunion sind besondere Tage und es sollte mehr als eine gewöhnliche Vorbereitung auf sie geben.

1.2 Die Beleidigung, von der sie meinten, dass es sie für diesen Tag sein würde, wenn man die toten Leiber am Kreuz hängen lassen würde. Tote Leiber sollten zu keiner Zeit gelassen werden, doch in diesem Fall hätten die Juden gestattet, dass nach der römischen Gewohnheit gehandelt wird, wenn es nicht ein außerordentlicher Tag gewesen wäre, wenn es nicht die gekränkt hätte, die das Fest besuchten; noch konnten sie den Anblick des gekreuzigten Leibes Christi ertragen, denn er würde ihre Gewissen dazu bringen, sie zu tadeln.

1.3 Ihre Bitte an Pilatus, dass man den Leibern, nun so gut wie tot, den Rest geben würde, indem man ihnen die Beine zerschlägt, was ihr Leben mit den qualvollsten Schmerzen beenden würde. Die falsche Heiligkeit von Heuchlern ist abscheulich. Diese Juden zögerten nicht, einen unschuldigen und guten Menschen ans Kreuz zu bringen, doch sie hatten Skrupel, einen toten Leib am Kreuz hängen zu lassen.

2. Den Umgang mit den zwei Übeltätern, die „mit ihm gekreuzigt worden" waren (Vers 32). Pilatus gab Anordnungen gemäß dem, was sie wollten, und die Kriegsknechte kamen „und brachen dem ersten die Beine, ebenso dem anderen". Einer dieser Übeltäter war bußfertig und hatte von Christus die Gewissheit bekommen, dass er bald mit ihm im Paradies sein würde, aber er starb doch in der gleichen Qual und Not, wie es der andere Übeltäter tat. Eine extreme Todesqual ist kein Hindernis für den lebendigen Trost, der auf heilige Seelen auf der anderen Seite des Todes wartet.

3. Die Untersuchung, die gemacht wurde, um zu sehen, ob Christus tot war oder nicht.

3.1 Sie meinten, er sei tot, und deshalb „zerschlugen sie ihm die Beine nicht" (Vers 33). Jesus starb in kürzerer Zeit, als es die Menschen am Kreuz in der Regel taten. Dies war so, um zu zeigen, dass er sein Leben selbst niederlegte. Obwohl er sich dem Tod fügte, wurde er doch nicht besiegt. Seine Feinde waren zufrieden, dass er wirklich tot war.

3.2 Doch weil sie sicher sein wollten, dass er tot war, wollten sie es über jeden Zweifel hinaus wissen: „Sondern einer der Kriegsknechte stach mit einem Speer in seine Seite, und sogleich floss Blut und Wasser heraus" (**Vers 34**).

Der Kriegsknecht wollte die Frage entscheiden, ob er tot war oder nicht, und durch diese ehrenvolle Wunde in seiner Seite wollten sie die schimpfliche Methode ersetzen, die sie bei den anderen benutzten. Die Tradition sagt, dass dieser Kriegsknecht von einer Krankheit an seinen Augen geheilt wurde durch das Blut aus der Seite Christi, das auf sie fiel.

Gott hatte jedoch mit dieser Sache eine weitere Absicht:

Sie sollte die Echtheit seines Todes beweisen, um seine Auferstehung zu beweisen. Er war sicherlich tot, denn dieser Speer brach die wahren Quellen des Lebens auf.

Sie sollte den Zweck seines Todes veranschaulichen. Sein Tod enthielt viel Geheimnisvolles, und dass er so ernstlich bestätigt wurde, zeigt, dass etwas Übernatürliches daran war (**s. Vers 35**). Es war bemerkenswert; genau dieser Apostel bezieht sich darauf als bedeutsam (s. 1.Joh 5,6.8).

Das Öffnen seiner Seite war bedeutsam. Wenn wir unsere Aufrichtigkeit erklären wollen, wünschen wir uns, dass es ein Fenster in unserem Herzen gäbe, damit unsere Gedanken und Absichten für alle sichtbar wären. Durch dieses Fenster, welches die Seite Christi auftat, können Sie in sein Herz blicken und dort brennende Liebe sehen, Liebe stark wie der Tod (s. Hld 8,6).

Das Blut und das Wasser, welches aus ihr flossen, waren bedeutsam. Sie stellten die beiden großen Wohltaten dar, an der alle Gläubigen durch Christus Anteil haben – Blut für Sühne und Wasser für Reinigung. Zugezogene Schuld muss mit Blut gesühnt werden; zugezogene Flecken müssen durch das Reinigungswasser entfernt werden (s. 4.Mose 19,9). Diese beiden müssen immer zusammenkommen. Christus hat sie zusammengefügt und wir dürfen nicht beabsichtigen, sie zu scheiden (s. Mt 19,6). Sie flossen beide aus der durchstochenen Seite unseres Erlösers. Sie stellten die beiden großen Verordnungen der Taufe und des Herrenmahls dar. Es ist nicht das Wasser im Taufbecken, welches für uns das „Bad der Wiedergeburt" sein wird, sondern das Wasser aus der Seite Christi (s. Tit 3,5). Es ist nicht das Blut der Trauben, welches die Seele erfrischen wird, sondern das Blut aus der Seite Christi.

4. Die Bekräftigung der Wahrheit davon durch einen Augenzeugen, dem Evangelisten selbst (**s. Vers 35**). Beachten Sie:

4.1 Was für ein fähiger Zeuge der Tatsachen er war.

Wovon er Zeugnis gab, das sah er; er war ein Augenzeuge davon.

Er gab treu Zeugnis von dem, was er sah; sagte nicht nur die Wahrheit, sondern die ganze Wahrheit. Sein Bericht ist ohne jeden Zweifel wahr, denn er schrieb durch die Inspiration des Geistes der Wahrheit. Er hatte volle Gewissheit von der Wahrheit dessen, was er selbst schrieb: „... und er weiß, dass er die Wahrheit sagt" (**Vers 35**).

Er bezeugte diese Dinge, „damit ihr glaubt"; er tat es, um Menschen dazu zu bringen, zu ihrem ewigen Wohlergehen dem Evangelium zu glauben.

4.2 Welche Sorgfalt er in diesem besonderen Fall zeigte. Dies möge die Ängste schwacher Christen zum Schweigen bringen und ihre Hoffnungen bestärken. Sowohl Wasser als auch Blut flossen aus der durchstochenen Seite Christi, damit sie sowohl gerechtfertigt als auch geheiligt seien. Wenn Sie fragen: „Wie können wir dessen sicher sein?" Sie können sicher sein, weil „der das gesehen hat, der hat es bezeugt".

5. Die Erfüllung der Schrift in all dem: „... damit die Schrift erfüllt würde" (**Vers 36**).

5.1 Die Schrift wurde erfüllt, indem seine Beine davor bewahrt blieben, gebrochen zu werden. Darin wurden diese Worte erfüllt: „Er bewahrt ihm alle seine Gebeine, dass nicht eines von ihnen zerbrochen wird" (Ps 34,21). Eine Verheißung diesbezüglich wurde tatsächlich allen Gerechten gegeben, doch sie verwies hauptsächlich auf „Jesus Christus, den Gerechten" (1.Joh 2,1). In dem Passahlamm gab es einen Typus davon: Sie sollen „keinen Knochen an ihm zerbrechen" (4.Mose 9,12). Christus ist „das Lamm Gottes", und da er das echte Passah war, blieben seine Knochen unzerbrochen (Joh 1,29). Es lag eine Bedeutung darin; die Stärke des Leibes ist in den Knochen, und das hebräische Wort für „Knochen" bedeutet „Stärke". Obwohl er „aus Schwachheit gekreuzigt" wurde, wurde seine Kraft zu retten überhaupt nicht zerbrochen (2.Kor 13,4). Die Sünde zerbricht unsere Knochen, doch sie zerbrach nicht die Knochen Christi; er blieb fest unter der Last, mächtig zum Retten (s. Jes 63,1).

5.2 Die Schrift wurde durch das Durchstechen seiner Seite erfüllt: „... und sie werden auf mich sehen, den sie durchstochen haben", wie es geschrieben steht (**Vers 37**; Sach 12,10). Hier wurde angedeutet, dass der Messias durchstochen werden würde, und hier fand es eine vollständigere Erfüllung als in dem Durchstechen seiner Hände und Füße. Es wurde verheißen, dass sie, wenn der Geist ausgegossen wird, auf ihn sehen und um ihn klagen werden. Dies wurde zum Teil erfüllt, als es vielen, die seine Verräter und Mörder waren, „durchs Herz" drang und sie dazu gebracht wurden, an ihn zu glauben (Apg 2,37). Wir sind alle daran schuldig geworden, den Herrn Jesus zu durchstechen, und wir sollten alle darum besorgt sein, mit angemessenen Gefühlen auf ihn zu sehen.

Vers 38-42

Wir haben hier einen Bericht von der Grablegung des Leibes unseres Herrn Jesus. Kommen Sie und sehen Sie eine Grablegung, die das Grab überwand und es begrub, eine Grablegung, die das Grab für alle Gläubigen schön machte und es milderte. Hier gibt es:

1. Wie um den Leib gebeten wird. Dies geschah durch „Joseph von Arimathia", der im ganzen Neuen Testament nicht erwähnt wird außer in der Schilderung, die uns jeder Evangelist von der Grablegung Christi gibt **(Vers 38)**. Beachten Sie:

1.1 Den Charakter von diesem Joseph. Er war ein heimlicher Jünger Christi, ein besserer Freund Christi, als wie er bereit war, bekannt zu werden. Es war seine Ehre, dass er ein Jünger Christi war, und es gibt manche solche Leute, die selbst groß, aber unvermeidlich mit bösen Menschen verknüpft sind. Doch es war seine Schwäche, dass er so heimlich handelte. Christus mag viele haben, die seine aufrichtigen Jünger sind, die aber ihren Glauben geheim halten. Besser heimlich als überhaupt nicht, besonders wenn sie, wie Joseph hier, immer stärker werden. Manche, die sich in Zeiten kleiner Prüfungen fürchteten, waren in größeren sehr mutig, wie es Joseph hier war. Er ging kühn zu dem Statthalter Pilatus, doch er fürchtete die Juden. Der machtlose Hass von denjenigen, die nur tadeln und beschimpfen können, ist manchmal selbst für weise und gute Menschen gewaltiger, als man meinen würde.

1.2 Die Rolle, die er in dieser Sache hatte. Da er Zugang zu Pilatus hatte, bat er um die Erlaubnis von ihm, über den Leib zu verfügen. Christi Jünger waren fort; wenn niemand auftrat, würden ihn die Juden oder die Kriegsknechte mit den Übeltätern begraben. Wenn Gott Arbeit zu tun hat, kann er die passenden Leute finden, um diese zu tun, und sie kühn machen, diese in Angriff zu nehmen. Es zeigt die Erniedrigung Christi, dass sein toter Leib von der Barmherzigkeit eines heidnischen Richters abhing und man um ihn bitten musste, ehe er begraben werden konnte.

2. Die Vorbereitung der Einbalsamierung. Dies wurde von Nikodemus getan, einer weiteren Person von hohem Stand, welcher eine öffentliche Stellung innehatte. Er „brachte eine Mischung von Myrrhe und Aloe" **(Vers 39)**. Wir sehen hier:

2.1 Den Charakter von Nikodemus, der zum großen Teil gleich dem von Joseph war; er war ein heimlicher Freund von Christus. Er kam ursprünglich bei Nacht zu Jesus, doch jetzt bekannte er sich öffentlich zu ihm wie vorher (s. Joh 3,2; 7,50-51). Die Gnade, die zuerst wie ein geknicktes Rohr ist, kann später wie eine starke Zeder werden. Es ist verwunderlich, dass Nikodemus und Joseph, Männer mit solchem Einfluss, nicht früher den Schauplatz betraten und Pilatus baten, Christus nicht zu verurteilen. Um sein Leben zu bitten wäre eine edlere Tat des Dienstes gewesen, als um seinen toten Leib zu bitten.

2.2 Die Freundlichkeit von Nikodemus. Joseph diente Christus mit seinem Einfluss; Nikodemus mit seinen finanziellen Mitteln. Sie trafen wahrscheinlich eine Vereinbarung, was jeder von ihnen tun würde, denn ihnen drängte die Zeit. Doch warum machten sie so viel Wirbel um den toten Leib Christi? Manche meinen, es zeigte die Schwäche ihres Glaubens. Welchen Bedarf gab es für eine solche Ausstattung des Grabes des Einen, der dort nur wie ein Reisender abstieg, um für eine oder zwei Nächte zu bleiben? Wir können jedoch darin deutlich die Stärke ihrer Liebe sehen. Hier zeigten sie die Wertschätzung, die sie für diesen Menschen und seine Lehre hatten, und dass sie durch die Schande des Kreuzes nicht gemindert wurde. Sie zeigten nicht nur wohltätigen Respekt, dass sie seinen Leib der Erde übergaben, sondern auch den ehrenwerten Respekt, der großen Menschen erwiesen wird. Sie konnten dies tun und doch glauben und seine Auferstehung erwarten. Da Gott für diesen Leib Ehre vorgesehen hatte, wollten sie ihn ehren.

3. Die Vorbereitung des Leibes. Sie nahmen ihn nun und nachdem sie das Blut und den Staub von ihm abgewaschen hatten, banden sie „ihn samt den wohlriechenden Gewürzen in leinene Tücher, wie die Juden zu begraben pflegen" **(Vers 40)**.

3.1 Hier wurde für den Leib Jesu Sorge getragen: er wurde „in leinene Tücher" gebunden. Als Mensch trug Christus Kleider, wie wir es tun, selbst Grabkleider, um sie für uns bequem zu machen und zu befähigen, sie unsere Hochzeitskleider zu nennen. Tote Leiber und Gräber sind abstoßend und widerlich, doch weil das Opfer Christi wie ein lieblicher Geruch für Gott war, hat es unsere Besudelung weggenommen (s. Eph 5,2). Keine Salbe und kein Parfüm können das Herz so froh machen, wie es das Grab unseres Erlösers macht, wenn das Herz Glauben hat, um den lieblichen Geruch dieses Grabes zu erkennen.

3.2 In Übereinstimmung mit diesem Vorbild sollten wir die toten Leiber von Christen achten, nicht, um ihre Überreste in einem Schrein einzuschließen und zu verehren, sondern um sie sorgfältig niederzulegen, Staub zu Staub, als solche, die glauben, dass die toten Leiber der Heiligen doch mit Christus vereint sind. Die Auferstehung der Heiligen werden wir der Auferstehung Christi zu verdanken haben, und deshalb sollten wir bei ihrer Beerdigung auf die Grablegung Christi achten.

4. Das Auswählen des Grabes, in einem Garten, der Joseph von Arimathäa gehörte, sehr nah an dem Ort, an dem Jesus gekreuzigt wurde. Dort war ein neues, unbenutztes Grab. Beachten Sie:

4.1 Christus wurde außerhalb der Stadt beerdigt, wie es die Gewohnheit der Juden war. In diesen Tagen gab es einen besonderen Grund für dieses Verbot, nämlich, dass man sich durch Berühren eines Grabes zeremonielle Unreinheit zuzog; doch jetzt, wo die Auferstehung Christi das Wesen des Todes verändert hat, brauchen wir uns nicht so sehr davon fernhalten. Wer das heilige Grab im Glauben besuchen will, nicht abergläubisch, muss den Lärm dieser Welt verlassen.

4.2 Christus wurde in einem Garten begraben. Joseph hatte dieses Grab in seinem Garten, damit es eine Mahnung sein würde:

Für ihn selbst, solange er lebte. Der Garten ist ein geeigneter Ort für das Nachsinnen und ein Grab dort kann uns ein geeignetes Thema für das Nachsinnen geben.

Für seine Erben und Nachfolger, wenn er gegangen war. Es ist gut, die Grabstätte unserer Väter kennenzulernen, und vielleicht würden wir unsere eigenen Gräber weniger eindrucksvoll machen, wenn wir mit den ihren vertrauter wären (s. Neh 2,3). Der Leib Christi wurde in ein Grab in einem Garten gelegt. Im Garten Eden haben der Tod und das Grab zuerst ihre Macht bekommen und jetzt wurden sie in einem Garten besiegt.

4.3 Er wurde in einem neuen Grab beerdigt. Dies wurde so gefügt:

Um Christus zu ehren. Der Eine, welcher von dem Leib einer Jungfrau geboren wurde, muss aus einem jungfräulichen Grab auferstehen.

Um die Wahrheit seiner Auferstehung zu bekräftigen, sodass man nicht behaupten konnte, dass es nicht er war, sondern ein anderer Mensch, der auferstand. Der Eine, welcher alles neu macht, hat für uns das Grab neu gemacht (s. Offb 21,5).

5. Die Abhaltung der Begräbniszeremonie: „Dorthin nun legten sie Jesus" **(Vers 42).** Dort legten sie ihn hinein, weil Rüsttag war. Beachten Sie:

5.1 Den Respekt, den die Juden dem Sabbat und dem Rüsttag erwiesen. Dieser Tag war von den obersten Priestern dürftig eingehalten worden, die sich selbst die Gemeinde nannten, doch er wurde von den Jüngern Christi gut eingehalten, die als gefährlich für die Gemeinde gebrandmarkt wurden; und so ist es oft. Sie wollten die Grablegung nicht bis auf den Sabbat verschieben, denn der Sabbat soll ein Tag heiliger Ruhe und Freude sein. Noch wollten sie es auf zu spät an dem Rüsttag für den Sabbat verschieben.

5.2 Dass sie ein Grab in der Nähe benutzten, „... weil das Grab nahe war". Es wurde so gefügt:

Weil er dort nur für eine kurze Weile liegen sollte, wie in einer Herberge, und so nahm er das erste Grab, das sich anbot.

Weil dies ein neues Grab war. Diejenigen, die es vorbereiteten, dachten wenig daran, wer es das erste Mal benutzen würde.

Um uns zu lehren, nicht zu wählerisch hinsichtlich des Ortes zu sein, an dem wir begraben werden. Warum soll der Baum nicht da liegen bleiben, wo er fällt (s. Pred 11,3)? Christus wurde in dem Grab beerdigt, das am nächsten war, ohne irgendwelche Pracht oder Feierlichkeit. Hier liegt der Tod selbst, wird zu Tode gebracht, und das Grab wurde besiegt. „Gott aber sei Dank, der uns den Sieg gibt" (1.Kor 15,57).

KAPITEL 20

Obwohl dieser Evangelist sein Evangelium nicht so begann, wie es die anderen taten, schließt er es ab, wie sie es taten, mit einem Bericht über die Auferstehung Christi. Er schreibt nicht über die Auferstehung selbst, sondern über ihre Beweise und Belege. Die Beweise für die Auferstehung Christi, die wir in diesem Kapitel haben, sind: 1. Diejenigen, die sich unmittelbar am Grab ereigneten. 1.1 Das Grab wurde leer vorgefunden (s. Vers 1-10). 1.2 Zwei Engel erschienen Maria Magdalena bei dem Grab (s. Vers 11-13). 1.3 Christus selbst erschien ihr (s. Vers 14-18). 2. Diejenigen, die später geschahen, bei den Zusammenkünften der Apostel. 2.1 Bei einer am gleichen Abend, als Christus auferstand, als Thomas abwesend war (s. Vers 19-25). 2.2 Bei einer anderen eine Woche später, als Thomas bei ihnen war (s. Vers 26-31).

Vers 1-10

1. Es gab keine Sache, bei der die Apostel mehr darum bemüht waren, kräftige Beweise vorzubringen, als für die Auferstehung ihres Meisters:

1.1 Weil sie das war, worauf er sich selbst als den letzten und mächtigsten Beweis berufen hat, dass er der Messias war. Deshalb waren seine Feinde am meisten daran interessiert, diese Verkündigung zu unterdrücken.

1.2 Weil es dies war, wovon die Erfüllung seiner Verpflichtung, uns zu erlösen und zu retten, abhing.

1.3 Weil er sich nach seiner Auferstehung niemals allen Menschen als lebendig zeigte (s. Apg 10,40-41). Die Beweise für seine Auferstehung waren als Gunst für seine besonderen Freunde vorbehalten, und durch sie sollte diese Botschaft der Welt verkündet werden, damit diejenigen, die nicht gesehen und doch geglaubt haben, glückselig sein würden (s. Joh 20,29). In diesen Versen haben wir den ersten

Schritt hin zu dem Beweis der Auferstehung Christi: Das Grab wurde leer gefunden.

2. Als Maria Magdalena zum Grab kam, sah sie, „dass der Stein von dem Grab hinweggenommen war". Dieser Evangelist erwähnt nicht die anderen Frauen, die mit Maria Magdalena gingen, sondern nur sie. Ihr war viel vergeben worden und deshalb erwies sie viel Liebe (s. Lk 7,47). Sie hatte ihm ihre Liebe gezeigt, solange er lebte, hörte auf seine Lehre und diente ihm mit ihrer Habe (s. Lk 8,2-3). Der anhaltende Ausdruck ihrer Achtung vor ihm bei und nach seinem Tod bewies die Aufrichtigkeit ihrer Liebe. Wenn die Liebe zu Christus aufrichtig ist, wird sie beständig sein. Ihre Liebe zu Christus war „stark wie der Tod", der Tod am Kreuz, denn sie stand bei dem Kreuz (Hld 8,6).

2.1 Sie kam zum Grab, um den toten Leib mit Tränen zu benetzen, denn sie ging zum Grab, um dort zu weinen und den Leib mit den wohlriechenden Gewürzen zu salben, die sie bereitet hatte (s. Lk 7,38; 24,1). Nur eine außergewöhnliche Liebe zu einem Menschen wird uns dessen Grab lieb machen. Das Grab ist besonders schrecklich für Frauen. Die Liebe zu Christus wird dem Schrecken von Tod und Grab die Schärfe nehmen. Wenn wir nicht zu Christus kommen können, außer durch dieses dunkle Tal, dann werden wir sogar darin, wenn wir ihn lieben, kein Unglück fürchten (s. Ps 23,4).

2.2 Sie kam, so rasch sie konnte, „am ersten Tag der Woche", sobald der Sabbat vorbei war. Dies war der erste christliche Sabbat und sie begann ihn entsprechend, indem sie Christus suchte. Sie kam „früh, als es noch finster war". Diejenigen, die Christus so suchen wollen, dass sie ihn finden, müssen ihn früh suchen, ihn mit großem Interesse suchen (s. Spr 8,17; Schl). Wir müssen früh auf den Beinen sein aus Furcht, ihn zu verpassen. Wir müssen ihn fleißig suchen und ihn früh suchen. Ein Tag, der auf diese Weise begonnen wird, wird wahrscheinlich gut enden. Wer Christus eifrig sucht, wenn es noch finster ist, dem wird hierzu ein Licht gegeben werden, das immer heller leuchten wird (s. Spr 4,18).

2.3 Sie fand den Stein hinweggenommen, von dem sie gesehen hatte, dass er „vor den Eingang des Grabes" gewälzt worden war (s. Mt 27,60-61). Dies war nun:

Eine Überraschung für sie. Doch der gekreuzigte Christus ist die Quelle des Lebens. Sein Grab ist einer der Brunnen des Heils; wenn wir im Glauben zu ihm kommen, werden wir sehen, dass der Stein weggerollt ist und es freien Zugang zu seinen Kräften und Ermutigungen gibt. Überraschende Tröstungen sind die häufigen Ermutigungen von frühen Suchern.

Der Beginn einer herrlichen Entdeckung; der Herr war auferstanden, auch wenn sie dies zuerst nicht fasste. Diejenigen, die am meisten darin treu sind, Christus nachzufolgen, werden allgemein der ersten und süßesten Anzeichen der göttlichen Gnade gewahr. Maria Magdalena, die Christus bis zuletzt in seiner Erniedrigung folgte, traf ihn zu Beginn seiner Erhöhung.

3. Als sie den Stein hinweggenommen sah, lief sie schnell zurück zu Petrus und Johannes: „Sie haben den Herrn aus dem Grab genommen, und wir wissen nicht, wo sie ihn hingelegt haben!" Beachten Sie hier:

3.1 Welche Vorstellung Maria von der Situation hatte. Man hätte gemeint, wenn sie das Grab leer findet, würde ihr erster Gedanke sein: „Der Herr ist sicherlich auferstanden", denn immer, wenn er ihnen gesagt hatte, dass er gekreuzigt werden würde, fügte er im gleichen Atemzug hinzu „und am dritten Tag wird er auferstehen" (Mt 20,19). Konnte sie jetzt das Grab leer sehen, aber es ihr kein Gedanke an die Auferstehung in den Sinn kommen? Wenn wir dazu kommen, über unser Verhalten „an dem Tag des Gewölks und des Wolkendunkels" nachzudenken, werden wir verblüfft über unsere Trägheit und Vergesslichkeit dastehen, dass wir Gedanken übergehen konnten, die später offensichtlich erscheinen (Hes 34,12). Sie behauptete: „Sie haben den Herrn aus dem Grab genommen." Was auch immer ihre Vermutung war, es scheint sie sehr beunruhigt und durcheinandergebracht zu haben, dass der Leib fort war, während, wenn sie es richtig verstanden hätte, nichts glücklicher hätte sein können. Schwache Gläubige machen oft das zum Inhalt ihrer Klage, was in Wirklichkeit die richtige Grundlage ihrer Hoffnung und eine Sache der Freude ist.

3.2 Was sie Petrus und Johannes darüber sagte. Sie stand nicht und brütete selbst über ihrem Kummer, sondern sagte ihren Freunden davon. Die Mitteilung von Kummer ist ein guter Weg, auf dem wir von der Gemeinschaft der Heiligen profitieren können. Obwohl Petrus seinen Meister verleugnet hatte, hatte er nicht die Freunde seines Meisters verlassen; dies zeigt die Aufrichtigkeit seiner Buße. Außerdem lehrt es uns, dass die Jünger ihre Beziehung zu ihm aufrechterhielten wie vorher, diejenigen freundlich zurechtzubringen, die von einer Übertretung übereilt wurden (s. Gal 6,1). Wenn Gott jene auf ihre Buße hin angenommen hat, warum sollte es bei uns anders sein?

4. Petrus und Johannes gingen so schnell sie konnten zum Grab **(s. Vers 3-4)**. Manche meinen, dass die anderen Jünger bei Petrus und Johannes waren, als die Nachricht kam, denn die Frauen „verkündigten das alles den Elfen" (Lk 24,9). Doch keiner von ihnen ging zum Grab außer Petrus und Johannes, die oft durch besondere Gunsterweise von dem Rest unterschieden wurden. Es ist gut, wenn diejenigen, die mehr durch den Besitz von Vorrechten der Jüngerschaft geehrt werden als andere, aktiver als andere darin sind, die Verpflichtungen der Jüngerschaft zu erfüllen, mehr bereit, Mühen und Risiken auf sich zu nehmen. Beachten Sie:

4.1 Wie wir die Erfahrungen von anderen nutzen sollten. Als Maria ihnen sagte, was sie gesehen hatte, wollten sie gehen und es mit ihren eigenen Augen sehen. Erzählen uns andere von dem Trost und dem Nutzen von Gottes Liturgien der Anbetung? Dies soll uns dazu führen, sie auszuprobieren.

4.2 Wie bereit wir sein sollten, Anteil an unseren Freunden in ihren Problemen und Ängsten zu nehmen. Petrus und Johannes gingen rasch zum Grab.

4.3 Wie rasch wir uns an ein gutes Werk machen sollten. Petrus und Johannes dachten weder an ihre Bequemlichkeit noch an ihre Würde, sondern liefen zu dem Grab.

4.4 Was für eine gute Sache es ist, gute Gesellschaft zu haben, wenn wir ein gutes Werk tun.

4.5 Dass es ein lobenswertes Streben unter Jüngern ist, sich um Vortrefflichkeit im Gutestun zu bemühen. Es war kein Bruch der Manieren für Johannes, obwohl er der Jüngere war, schneller als Petrus zu laufen. Wir müssen unser Bestes tun und dürfen weder die beneiden, die es besser können, noch die verachten, die tun, was sie können, selbst wenn sie nach uns kommen. Derjenige, der in diesem Rennen als Erster kam, war der „Jünger, den Jesus lieb hatte" **(Vers 2)**. Ein Bewusstsein der Liebe Christi uns gegenüber, das in uns Liebe zu ihm als eine herzliche Antwort an ihn entzündet, wird dafür sorgen, dass wir uns in der Frömmigkeit übertreffen. Derjenige, der zurückblieb, war Petrus, der seinen Meister verleugnet hatte und traurig und beschämt darüber war. Wenn unser Gewissen verletzt ist, verlieren wir an Boden.

5. Petrus und Johannes führten ihre Untersuchung weiter, als sie zum Grab gekommen sind.

5.1 Johannes ging nicht weiter, als es Maria Magdalena getan hatte. Er war so neugierig, in das Grab zu blicken, und sah, dass es leer war. „Und er beugte sich hinein und sah." Doch er hatte nicht den Mut, in das Grab zu gehen. Die wärmsten Empfindungen werden nicht immer von den mutigsten Entschlüssen begleitet.

5.2 Petrus ging als Erster hinein und sah darum mehr, als Johannes gesehen hatte **(s. Vers 6-7)**. Während Johannes mit großer Vorsicht hineinblickte, kam Petrus und ging mit großem Mut in das Grab hinein.

Beachten Sie die Kühnheit von Petrus und wie Gott seine Gaben verschieden verteilt. Johannes konnte schneller laufen als Petrus, doch Petrus konnte größere Risiken auf sich nehmen als Johannes. Manche Jünger sind schnell und sie sind nützlich dazu, andere zu beleben, die langsam sind; andere sind kühn, und sie sind nützlich dazu, diejenigen zu ermutigen, die schüchtern sind. Wer Christus ernsthaft sucht, darf sich nicht mit eingebildeten törichten Ängsten erschrecken. Gute Christen brauchen sich nicht vor dem Grab zu fürchten, seit Christus in ihm gelegen hat. Wir wollen darum den Ängsten nicht nachgeben, sondern sie überwinden, zu denen wir neigen, sie zu entwickeln, wenn wir einen toten Leib sehen oder wenn wir alleine zwischen Gräbern sind. Wir müssen bereit sein, durch das Grab zu Christus zu gehen; er ging diesen Weg zu seiner Herrlichkeit und so müssen wir es tun. Wenn wir Gottes Angesicht nicht sehen und leben können, ist es besser, zu sterben, als es nie zu sehen (s. 1.Mose 32,31; 2.Mose 33,20).

Beachten Sie die Lage, in der er die Dinge im Grab fand. Christus hatte dort seine Grabkleider hinter sich gelassen. Er legte sie beiseite, weil er auferstand, um nie wieder zu sterben. Lazarus kam heraus und trug seine Grabkleider, denn er sollte sie wieder benutzen. Wenn wir von dem Tod der Sünde zu dem Leben der Gerechtigkeit auferstehen, müssen wir unsere Grabkleider hinter uns lassen; wir müssen alle Verderbtheit ablegen. Christus ließ sozusagen für unseren Gebrauch Grabkleider in dem Grab; wenn das Grab für die Heiligen ein Bett ist, dann hat er auf diese Weise Betttücher auf dieses Bett gelegt und es für die Heiligen bereit gemacht. Die Grabkleider wurden in guter Ordnung gefunden, was als Beweis dafür dient zu zeigen, dass sein Leib nicht gestohlen wurde, als die Menschen schliefen.

Schauen Sie, wie die Kühnheit von Petrus Johannes ermutigte; er fasste nun Mut und wagte es hineinzugehen, „und er sah" und begann zu glauben, dass Jesus wieder zum Leben auferstanden war **(Vers 8)**.

Johannes folgte Petrus in dem Wagnis, hineinzugehen. Er hätte es nicht gewagt, in das Grab zu gehen, wenn Petrus nicht zuerst hineingegangen wäre. Es ist gut, durch die Kühnheit von anderen in einem guten Werk kühn gemacht zu werden. Die Furcht vor Schwierigkeiten und Gefahr wird fortgenommen werden, wenn man den Mut und die Entschlossenheit von anderen bemerkt. Vielleicht hatte die Schnelligkeit von Johannes Petrus schneller laufen lassen und jetzt ließ die Kühnheit von Petrus Johannes mehr riskieren. Johannes schloss sich nicht nur Petrus an; er hielt es auch nicht für unter seiner Würde, ihm zu folgen.

Johannes bekam im Glauben Petrus gegenüber einen Vorsprung. Petrus sah es und war voll Staunen, aber Johannes sah und glaubte. Ein zum

Nachsinnen neigender Geist kann den Beweis der göttlichen Wahrheit früher annehmen als ein Geist, der zur Tat neigt (s. Lk 24,12). Doch warum war ihr Herz so träge zu glauben (s. Lk 24,25)? Der Evangelist sagt uns: „Denn sie verstanden die Schrift noch nicht, dass er aus den Toten auferstehen müsse" **(Vers 9)**. Beachten Sie:

Wie abgeneigt die Jünger selbst zuerst waren, an die Auferstehung Christi zu glauben, was das Zeugnis bekräftigt, das sie später mit so großer Gewissheit davon ablegten, denn durch ihr Widerstreben, es zu glauben, zeigten sie, dass sie nicht leichtgläubig darin waren, daran zu glauben, und keine einfältigen Leute waren, die jedes Wort glauben. Es war fremd für sie und eines der Dinge, das am weitesten von ihrem Denken entfernt war. Petrus und Johannes zögerten zuerst so sehr, es zu glauben, dass sie nichts weniger als der überzeugendste Beweis dazu bringen konnte, sie später mit so großer Gewissheit zu bezeugen. Dies zeigt, dass sie nicht nur ehrliche Menschen waren, die andere nicht täuschen wollten, sondern auch vorsichtige Menschen, die selbst nicht getäuscht werden wollten.

Was der Grund für ihre Trägheit war, zu glauben: „Denn sie verstanden die Schrift noch nicht." Dies scheint das Eingeständnis des Evangelisten gewesen zu sein, dass er diesen Fehler mit den anderen teilte.

5.3 Petrus und Johannes verfolgten ihre Untersuchung nicht weiter und schwebten zwischen Glauben und Unglauben: „Nun gingen die Jünger wieder heim" **(Vers 10)**:

Aus Angst, festgenommen zu werden unter dem Verdacht, dass sie sich verschworen hatten, den Leib zu stehlen, oder aus Angst, dass jetzt, wo er fort war, sie unter dem Verdacht festgenommen werden würden, ihn gestohlen zu haben. In Zeiten der Schwierigkeit und Gefahr ist es selbst für gute Menschen schwer, ihre Arbeit mit der angemessenen Entschlossenheit fortzuführen.

Weil sie nicht weiter wussten und nicht wussten, was sie als Nächstes tun sollten oder was sie mit dem machen sollten, was sie gesehen hatten, was ihre Schwäche zu dieser Zeit zeigt.

Um zu den übrigen Jüngern zurückzukehren, die wahrscheinlich zusammen waren, und ihnen von dem zu berichten, was sie entdeckt hatten. Es ist bedeutsam, dass Petrus und Johannes keinen Engel beim Grab sahen. Bevor sie zum Grab kamen, war dort ein Engel erschienen, rollte den Stein weg, erschreckte die Wache und tröstete die Frauen; sobald sie das Grab verlassen hatten, sah Maria Magdalena zwei Engel im Grab (s. Joh 20,12); doch Petrus und Johannes kamen zum Grab, gingen hinein und sahen keinen. Warum? Engel erscheinen und verschwinden nach Belieben gemäß den Anordnungen und Unterweisungen, die ihnen gegeben werden. Sie können an Orten sein und sind tatsächlich dort, wo sie nicht sichtbar sind. Es ist von uns anmaßend zu fragen, wie. Doch beachten Sie, dass die Gunst der Erscheinung von Engeln denen erwiesen wurde, die früh und beständig Christus suchten; sie war die Belohnung für diejenigen, die zuerst kamen und am längsten blieben, doch sie wurde denen verwehrt, die einen kurzen Besuch machten.

Vers 11-18

Markus sagt uns, dass Christus zuerst Maria Magdalena erschien (s. Mk 16,9); diese Erscheinung wird hier ausführlich berichtet, und in diesem Bericht können wir beachten:

1. Die Standhaftigkeit und Inbrunst der Hingabe von Maria Magdalena an den Herrn Jesus **(s. Vers 11)**.

1.1 Sie blieb bei dem Grab, als Petrus und Johannes gegangen waren, weil dort ihr Meister gelegen hatte. Obwohl diese gute Frau ihn verloren hatte, wollte sie um seinetwillen bei seinem Grab bleiben, in seiner Liebe bleiben, auch wenn ihr der Trost davon fehlte.

1.2 Sie blieb weinend dort und diese Tränen zeigten ihre große Liebe zu ihrem Meister. Wer Christus verloren hat, hat Grund zu weinen. Wer Christus sucht, muss nicht über ihn weinen, sondern über sich selbst (s. Lk 23,28).

1.3 „Wie sie nun weinte, beugte sie sich in das Grab." Wenn wir etwas suchen, was wir verloren haben, blicken wir immer wieder an den Ort, wo wir es zuletzt gelassen haben und erwarteten, es zu finden. Weinen darf das Suchen nicht verhindern. Obwohl sie weinte, „beugte sie sich in das Grab".

2. Die Vision, die sie von zwei Engeln im Grab hatte **(s. Vers 12)**. Beachten Sie:

2.1 Die Beschreibung der Wesen, die sie sah. Sie waren „zwei Engel in weißen Kleidern" – der eine „beim Haupt", der andere „zu den Füßen" des Grabes sitzend. Hier haben wir:

Ihre Natur. Sie waren Engel, Boten vom Himmel, bewusst gesandt, um den Sohn zu ehren. Jetzt, wo der Sohn Gottes wieder in die Welt eingeführt werden sollte, waren die Engel verpflichtet, bei ihm gegenwärtig zu sein, wie sie es bei seiner Geburt waren (s. Hebr 1,6). Sie kamen auch, um die Heiligen zu trösten, um sie darauf vorzubereiten, den Herrn zu sehen, indem sie verkünden, dass er auferstanden ist.

Ihre Anzahl, welche zwei war: Keine „Menge der himmlischen Heerscharen", um Lobpreis zu singen, nur zwei, um zu bezeugen (s. Lk 2,13).

Ihre Erscheinung: Sie waren „in weißen Kleidern", was ihre Reinheit und Heiligkeit zeigte. Verherrlichte Heilige werden, wenn sie wie die Engel sind, mit Christus in weißen Kleidern einhergehen (s. Mt 22,30).

Ihre Position und ihr Ort: Sie saßen in Christi Grab. Diese Engel gingen in das Grab, um uns zu lehren, uns nicht davor zu fürchten. Die Dinge sind so geordnet, dass das Grab nicht weit von unserem Weg zum Himmel entfernt ist. Diese Engelwärter hielten das Grab in Besitz, nachdem sie die Wächter vertrieben hatten, und stellten so den Sieg Christi über die Mächte der Finsternis dar. Dass sie mit dem Gesicht zueinander saßen, der eine bei seinem Haupt und der andere bei seinen Füßen, kann uns auch an die zwei Cherubim erinnern, von denen je einer an den beiden Enden des Sühnedeckels saß (s. 2.Mose 25,18). Der gekreuzigte Christus war das große sühnende Opfer, an dessen Haupt und Füßen diese beiden Cherubim saßen, nicht mit der Flamme von blitzenden Schwertern, um uns vom Weg des Lebens abzuhalten, sondern als Willkommensboten, um uns zu ihm zu führen (s. 1.Mose 3,24).

2.2 Ihre mitleidsvolle Frage über den Grund des Kummers von Maria: „Frau, warum weinst du?" **(Vers 13)**. Dies war:

Ein Tadel wegen ihres Weinens: „‚Warum weinst du', wenn du Grund zum Jubeln hast?" Viele von unseren Tränenströmen würden trocknen, wenn man ihnen mit einer solchen Suche nach ihrer Ursache begegnen würde.

Um zu zeigen, wie sehr sich die Engel um den Kummer von Heiligen kümmern; Christen sollten auf diese Weise miteinander mitfühlen.

Nur dazu da, die Gelegenheit zu haben, ihr das zu sagen, was ihr Weinen in Jubel verwandeln würde.

2.3 Den traurigen Bericht von ihrer gegenwärtigen Not: „Sie haben den kostbaren Leib weggenommen, den ich einzubalsamieren herkam, ‚und ich weiß nicht, wo sie ihn hingelegt haben!'" Dies zeigte:

Die Schwäche ihres Glaubens. Wir verwirren uns oft selbst unnötigerweise mit eingebildeten Schwierigkeiten, die der Glaube uns als tatsächliche Gewinne enthüllen würde.

Die Kraft ihrer Liebe. Maria Magdalena wurde durch die unvermutete Vision nicht von ihren Fragen abgelenkt noch durch diese Ehre befriedigt, sondern fuhr fort, die gleiche Saite zu spielen: „Sie haben meinen Herrn weggenommen." Eine Vision von Engeln und ihr Lächeln wird nicht genug sein ohne eine Vision von Christus und Gottes Lächeln auf ihm. In der Tat ist die Vision von Engeln nur eine Gelegenheit, Christus zu suchen. Die Engel fragten sie: „Frau, warum weinst du?" „Ich habe Grund genug zum Weinen", sagte sie, „[denn] sie haben meinen Herrn weggenommen." Keiner außer denen, die ihn erlebt haben, kennt den Kummer einer verlassenen Seele, welche die tiefe Gewissheit der Liebe Gottes in Christus gespürt, sie aber jetzt verloren hat, nur um in Finsternis zu wandeln.

3. Christi Erscheinen vor ihr, während sie mit den Engeln sprach. Christus schritt selbst ein. Maria wollte wissen, wo ihr Herr ist, und siehe – er war zu ihrer Rechten (s. Ps 16,8)! Wer mit nichts weniger zufrieden ist, als Christus zu sehen, wird mit nichts weniger vertröstet werden. Wenn er sich denen offenbart, die ihn suchen, übertrifft Christus oft ihre Erwartungen. Maria sehnte sich danach, den toten Leib von Christus zu sehen und nun sah sie ihn lebend. Auf diese Weise tut er mehr für seine betenden Nachfolger, als sie bitten oder gar verstehen können (s. Eph 3,20). Beachten Sie:

3.1 Wie er sich zuerst vor ihr verbarg.

Er stand wie ein gewöhnlicher Mensch dabei, und sie betrachtete ihn entsprechend. Sie wandte sich um von ihrem Gespräch mit den Engeln und sah Jesus selbst dastehen, doch sie „wusste nicht, dass es Jesus war" **(Vers 14)**. Wir können daraus lernen:

„Der HERR ist nahe denen, die zerbrochenen Herzens sind" (Ps 34,19), näher, als sie sich bewusst sind. Wer Christus sucht, kann sicher sein, dass er ihnen nicht fern ist, selbst wenn sie ihn nicht sehen.

Den Herrn sorgfältig zu suchen, heißt, überall nach ihm zu schauen. Maria wandte sich um in der Hoffnung, etwas zu entdecken. Es war ihr nachdrücklicher Wunsch bei der Suche, der sich in jede Richtung wenden ließ.

Christus ist seinen Leuten oft nahe, ohne dass sie dies wissen. Sie „wusste nicht, dass es Jesus war".

Er stellte ihr eine gewöhnliche Frage und sie antwortete demgemäß **(s. Vers 15)**:

Die Frage, die er ihr stellte, war, was jeder sie gefragt hätte: „Frau, warum weinst du? Wen suchst du?" Dies scheint die erste Wort gewesen zu sein, welches Christus nach seiner Auferstehung sprach: „Warum weinst du?" Christus ist sich des Kummers der Seinen bewusst und fragt: „Warum weinst du?" Er ist sich auch der Sorgen der Seinen bewusst und fragt: „Wen suchst du und was möchtest du haben?" Wenn er weiß, dass sie ihn suchen, möchte er es doch noch von ihnen wissen.

Die Antwort, die sie ihm gab, ist natürlich genug. „Sie meint, es sei der Gärtner" und sie antwortete: „Herr, wenn du ihn weggetragen hast, so sage mir, wo du ihn hingelegt hast, und ich will ihn holen!" Dies zeigte:

Den Irrtum in ihrem Verständnis. Sie hielt unseren Herrn Jesus für den Gärtner. Am Tag des Gewölks und des Wolkendunkels neigen beunruhigte Geister dazu, Christus für sich zu entstellen.

Die Echtheit ihrer Hingabe. Beachten Sie, wie ihr Herz darauf ausgerichtet war, Christus zu finden. Sie stellte jedem die Frage, den sie traf. Wenn sie über Christus sprach, benannte sie ihn nicht, sondern sagte einfach: „Wenn du ihn weggetragen hast …" und setzte voraus, dass dieser Gärtner genauso voller Gedanken an diesen Jesus war wie sie selbst. Weitere Belege der Stärke ihrer Hingabe war, dass, wo immer er auch hingelegt worden war, sie sich daran machen würde, ihn zu holen. Solch ein Leib war viel mehr, als sie hoffen konnte, tragen zu können, doch echte Liebe meint, mehr tun zu können, als sie kann und macht sich nichts aus Schwierigkeiten. Christus braucht nicht dort zu bleiben, wo man ihn für eine Last hält.

3.2 Wie sich Christus ihr schließlich zu erkennen gab und ihr unfehlbare Garantien für seine Auferstehung gab. Beachten Sie:

Wie Christus sich dieser guten Frau offenbarte: „Jesus spricht zu ihr: Maria!" **(Vers 16)**. Er sagte es mit der Art von Freundlichkeit, mit der er für gewöhnlich mit ihr sprach. Jetzt veränderte er seine Stimme und sprach wie er selbst, nicht wie der Gärtner. Christi Schafe „kennen seine Stimme" (Joh 10,4). Dieses eine Wort, „Maria", war wie die Worte, die zu den Jüngern im Sturm gesprochen wurden: „Ich bin's" (Mt 14,27).

Wie bereitwillig sie diese Offenbarung annahm. Sie wendet sich um „und spricht zu ihm: Rabbuni! (das heißt: ‚Meister')". Beachten Sie:

Den respektvollen Titel, den sie ihm gab: „Meister"; *didaskalos*, Lehrer – ein lehrender Meister. „Rabbuni" war ein ehrenwerterer Titel als „Rabbi" und deshalb hat Maria ihn ausgewählt, mit dem Suffix *i*, das zeigte, dass sie ihn als den ihren ansah: „Mein großer Meister." Ungeachtet der freimütigen Gemeinschaft, die Christus uns gestattet, ist er immer noch unser Lehrer.

Mit welcher glühenden Hingabe sie Christus diesen Titel gab. Sie wandte sich von den Engeln ab, um zu Jesus zu schauen. Wir müssen unsere Augen von allen Geschöpfen abwenden, selbst von den glänzendsten und besten, um sie auf Christus zu richten. Als sie meinte, er wäre ein Gärtner, schaute sie woanders hin, während sie mit ihm sprach, doch jetzt, als sie die Stimme Christi erkannte, wandte sie sich um.

Die weiteren Anweisungen, die Christus ihr gab: „Rühre mich nicht an', sondern gehe und bringe den Jüngern die Nachricht" **(Vers 17)**. Er hielt sie davon ab, zu dieser Zeit vertrauten Umgang und vertrautes Gespräch von ihm zu erwarten: „Rühre mich nicht an, denn ich bin noch nicht aufgefahren." Maria wollte ihre Freude ausdrücken, indem sie ihn liebevoll umarmt, doch Christus verbat es ihr hier zu dieser Zeit.

„Rühre mich nicht an', denn ich muss in den Himmel auffahren." Er sagte seinen Jüngern, sie sollten ihn anrühren, um ihren Glauben zu bekräftigen. Maria muss an ihn glauben und ihn anbeten, doch sie darf nicht erwarten, so vertraut mit ihm zu sein, wie sie es gewesen war. Er untersagte ihr, auf seine leibliche Gegenwart fixiert zu sein und führte sie zu der geistlichen Gemeinschaft, die sie mit ihm haben würde, wenn er zu seinem Vater aufgefahren war. „Obwohl ich noch nicht aufgefahren bin, gehe ‚zu meinen Brüdern und sage ihnen: Ich fahre auf'." Wie vor seinem Tod, so sprach er auch jetzt nach seiner Auferstehung immer noch von seinem Weggang und dass er „nicht mehr in der Welt" ist (Joh 17,11), und deshalb müssen sie höher blicken als auf seine leibliche Gegenwart und weiter blicken als auf den gegenwärtigen Stand der Dinge.

„Rühre mich nicht an'; bleibe jetzt nicht, um weitere Fragen zu stellen oder weiter deine Freude auszudrücken, *‚denn ich bin noch nicht aufgefahren'.* Der beste Dienst, den du jetzt tun kannst, ist, den Jüngern die Nachricht zu bringen; verliere keine Zeit dabei, dies zu tun; gehe so schnell du kannst." Maria darf nicht bleiben, um mit ihrem Lehrer zu sprechen, sondern muss seine Botschaft weitergeben, denn es war ein Tag guter Nachrichten.

Er sagte ihr, welche Botschaft sie den Jüngern bringen sollte: „Geh aber zu meinen Brüdern und sage ihnen: Ich fahre auf." Beachten Sie:

Wem diese Botschaft gesandt wurde: „Geh aber [mit dieser Botschaft] zu meinen Brüdern." Er trat nun in seine Herrlichkeit ein, doch er erkannte seine Jünger als seine Brüder an. Er hatte sie Freunde genannt, doch bis jetzt nie Brüder (s. Joh 15,13-14). Obwohl Christus erhaben ist, ist er nicht hochmütig. Trotz seines Aufstiegs hält er es nicht für unter seiner Würde, sich zu seinen armen Verwandten zu bekennen. Er hatte sie nicht zusammen gesehen, seit ihn alle Jünger verließen und flohen, doch er vergab, vergaß und tadelte sie nicht (s. Mt 26,56).

Durch wen diese Botschaft geschickt wurde: Durch „Maria Magdalena, von der er sieben Dämonen ausgetrieben hatte" (Mk 16,9). Dies war ihre Belohnung für ihre Beständigkeit darin, Christus nachzufolgen; sie wurde ein Apostel für die Apostel.

Was diese Botschaft selbst war: „Ich fahre auf zu meinem Vater."

Unsere gemeinsame Beziehung zu Gott, die aus unserer Einheit mit Christus herrührt, ist ein unaussprechlicher Trost. Christus sagte: „Er ist mein Vater und euer Vater, mein Gott und euer Gott." Es ist die große Auszeichnung von Gläubigen, dass der Vater unseres Herrn Jesus Christus in ihm ihr Vater ist. Der Vater ist durch gnädige Adoption unser, doch genau das bevollmächtigt uns, wie es Christus tat, ihn „Abba, Vater!" zu nennen (s. Mk 14,36; Röm 8,15; Gal 4,6). Es ist das große Sichherablassen Christi, dass er den Gott der Gläubigen als seinen Gott anerkennt. „Gott ist mein Gott und euer Gott; meiner, damit er eurer sein kann, der Gott des Erlösers, um ihn zu stützen, damit er der Gott der Erlösten sein kann, um sie zu retten" (Ps 89,27).

Christi Auffahrt in den Himmel ist auch eine unaussprechliche Ermutigung: „Sage ihnen, dass ich bald auffahren muss." Hier gibt es:

Ein warnendes Wort an diese Jünger, dass sie nicht erwarten sollten, dass seine leibliche Gegenwart auf der Erde von Dauer ist. „Ich bin nicht auferstanden, um ihnen zu bleiben, sondern um ihres Auftrags willen zum Himmel zu gehen." Diejenigen, die zu geistlichem Leben erweckt sind, müssen damit rechnen, dass sie auferstehen, um aufzufahren. Sie mögen nicht denken, dass diese Erde ihre Heimat und ihre Ruhestätte ist. Nein, da sie von Neuem geboren sind, vom Himmel, sind sie an den Himmel gebunden (s. Joh 3,3.7). „Ich fahre auf, deshalb muss ich die Dinge suchen, die oben sind."

Ein Wort des Trostes für sie und für alle, „welche durch ihr Wort an mich glauben werden" (Joh 17,20); er fuhr damals auf – und ist jetzt aufgefahren – zu seinem Vater und zu unserem Vater. Er sagte es mit Triumph, sodass diejenigen, die ihn lieben, sich seiner rühmen können (s. Ps 105,3). Er fuhr als unser Vorläufer auf, um eine Stätte für uns zu bereiten und bereit zu sein, uns zu empfangen (s. Hebr 6,20; Joh 14,2). Manche verstehen die Worte „Ich fahre auf ... zu meinem Gott und eurem Gott" so, dass sie eine Verheißung für unsere eigene Auferstehung umfassen. „Weil ich lebe, sollt auch ihr leben!" (Joh 14,19).

4. Der treue Bericht von Maria Magdalena an die Jünger: „Da kommt Maria Magdalena und verkündet den Jüngern, dass sie den Herrn gesehen ... habe" **(Vers 18).** Petrus und Johannes hatten sie zurückgelassen, wie sie ihn niedergeschlagen und mit Tränen suchte, und wollten ihn nicht zusammen mit ihr suchen. Sie hatte nach einem toten Leib gefragt; nun sah sie, dass er ein lebendiger und verherrlichter Leib war. Sie hatte gefunden, was sie suchte und was unendlich besser war; sie hatte die Freude, den Meister selbst zu sehen. Wenn Gott uns ermutigt, dann geschieht das mit der Absicht, dass wir andere ermutigen können. Sie sagte ihnen nicht nur, was sie gesehen, sondern auch, was sie gehört hatte, „dass er dies zu ihr gesprochen habe" als eine Botschaft, die an sie weitergegeben werden sollte.

Vers 19-25

Der unfehlbare Beweis für die Auferstehung Christi war, dass er sich als lebendig erwies (s. Apg 1,3). In diesen Versen haben wir einen ersten Bericht von seinem ersten Erscheinen vor der Gesellschaft seiner engsten Jünger an dem Tag, als er von den Toten auferstand. Er hatte ihnen die Nachricht von seiner Auferstehung gesandt, doch um ihren Glauben an ihn zu bekräftigen, kam er selbst, sodass sie es nicht nur als Gerücht hören, sondern selbst Augenzeugen sein würden, dass er am Leben war. Beachten Sie:

1. Wann und wo diese Erscheinung stattfand. Es war „an jenem Tag, dem ersten der Woche" **(Vers 19).** Es gibt drei sekundäre Ordnungen – wie wir sie nennen können –, die von unserem Herrn Jesus eingeführt wurden, dass sie in seiner Gemeinde bleiben; diese sind der Tag des Herrn, die heiligen Zusammenkünfte und ein reguläres geistliches Amt. Das Denken Christi über jedes von diesen zeigt sich klar in diesen Versen; wir sehen seine Meinung über die ersten beiden hier in den Umständen seines Erscheinens; zu der dritten in **Vers 21.**

1.1 Hier ist ein christlicher Sabbat, der von den Jüngern beachtet und von unserem Herrn Jesus anerkannt wird. Christus kam am ersten Tag der Woche zu seinen Jüngern. Der erste Tag der Woche ist – so denke ich – der einzige Tag der Woche, des Monats oder des Jahres, der immer anhand der Zahl im ganzen Neuen Testament erwähnt wird, und von diesem wird mehrere Male als von einem Tag gesprochen, der religiös begangen wird. Auf diese Weise segnete und heiligte Christus diesen Tag tatsächlich.

1.2 Hier ist ein christliches Treffen, welches von den Jüngern begangen und von dem Herrn Jesus anerkannt wurde. Die Jünger trafen sich hier wahrscheinlich für einige religiöse Übungen, um zusammen zu beten. Sie trafen sich, um die Gedanken des anderen kennenzulernen, einander die Hände zu stärken und sich über die geeigneten Maßnahmen zu verständigen, die in dieser kritischen Zeit ergriffen werden sollten. Das Treffen war geheim, denn sie wagten es nicht, öffentlich aufzutreten. Sie trafen sich in einem Haus, doch sie hielten die Tür verschlossen, sodass sie nicht zusammen gesehen werden würden und damit niemand zu ihnen kommen konnte außer denen, die sie kannten, denn sie fürchteten sich vor den Juden. Diese „Schafe der Herde" wurden im Sturm zerstreut, doch Schafe sind gesellig und werden wieder zusammenkommen (s. Mt 26,31). Für die Versammlungen der Jünger Christi ist es nichts Neues, in Ecken gedrängt und in Wüsten getrieben zu werden (s. Offb 12,14; Spr 28,12). Gottes Leute waren oft gezwungen, in ihre Kammer zu gehen und die Tür hinter sich zuzuschließen wie hier „aus Furcht vor den Juden" (s. Jes 26,20).

2. Was bei diesem Besuch, den Christus seinen Jüngern abstattete, gesagt und getan wurde. Als sie sich versammelt hatten, kam Jesus in ihre Mitte. Wo zwei oder drei in seinem Namen versammelt sind, da ist er in ihrer Mitte (s. Mt 18,20). Er kam, obwohl die Türen verschlossen waren. Für Christi Jünger ist es eine Ermutigung, dass, wenn sie ihre Treffen heimlich abhalten müssen, keine Türen die Gegenwart Christi von ihnen ausschließen können. Bei dieser Erscheinung Christi gibt es fünf Dinge:

2.1 Seinen freundlichen und vertrauten Gruß an seine Jünger: Er „sprach zu ihnen: Friede sei mit euch!" Dies war eine gewöhnliche Redensart, doch der Sinn war jetzt bezeichnend. Von Christus bedeutete „Friede sei mit euch": „Möge euch alles Gute gegeben werden, aller Friede immer durch alle Mittel." Christus hatte ihnen seinen Frieden als ihr Erbe hinterlassen (s. Joh 14,27). Hier zahlte er das Erbe prompt aus: „‚Friede sei mit euch!' Friede mit Gott, Friede in eurem Gewissen, Friede miteinander. Möge all dieser Friede mit euch sein; nicht Friede mit der Welt, sondern Friede in Christus." Sein plötzliches Auftreten in ihrer Mitte muss sie verwirrt und verängstigt haben, doch er stillte das stürmische Rumoren ihrer Ängste mit seinen Worten: „Friede sei mit euch!"

2.2 Die klare und unbestreitbare Offenbarung seiner selbst ihnen gegenüber **(s. Vers 20)**. Beachten Sie hier:

Die Methode, die er benutzte, um sie von der Wahrheit seiner Auferstehung zu überzeugen. Niemand konnte nach weiteren Beweisen fragen, als nach den Narben oder Malen der Wunden an seinem Leib. Die Male der Wunden blieben selbst nach der Auferstehung an dem Leib des Herrn Jesus, damit sie ihre Wahrheit beweisen würden. Sieger rühmen sich der Male ihrer Wunden. Auf Erden würden Christi Wunden die Botschaft verbreiten, dass es wirklich er war, und deshalb stand er mit ihnen von den Toten auf. Im Himmel würden sie für die Fürsprache sprechen, für die er für immer leben muss, um sie einzulegen, und deshalb ist er mit ihnen aufgefahren (s. Hebr 7,25). Er zeigte diese Male den Jüngern, um sie zu überzeugen. Sie hatten nicht nur die Befriedigung, dass sie ihn mit dem gleichen Gesicht sahen und mit der gleichen Stimme sprechen hörten; sie hatten auch den weiteren Beweis dieser kennzeichnenden Male. Er öffnete seine Hände für sie, damit sie die Male der Wunden in ihnen sehen konnten; er zeigte ihnen seine Brust, wie eine Amme die ihre einem Säugling zeigt, um ihnen die dortige Wunde zu zeigen. Der erhöhte Erlöser wird immer offene Hände und ein offenes Herz gegenüber all seinen treuen Freunden und Nachfolgern haben.

Den Eindruck, den dies auf sie machte. Sie waren überzeugt, dass sie den Herrn sahen; auf diese Weise wurde ihr Glaube bekräftigt. Viele echte Gläubige, die in ihrer Schwachheit fürchteten, ihre Stärke und Ermutigungen seien womöglich nur eingebildet, werden später durch die Gnade feststellen, dass diese echt und dauerhaft sind. „Da wurden die Jünger froh." Der Evangelist scheint es mit einem Ton der Freude und des Triumphs zu schreiben: „Da! Da ‚wurden die Jünger froh, als sie den Herrn sahen'." Wenn es den Geist von Jakob lebendig gemacht hat, zu hören, dass Joseph noch lebt, wie viel mehr würde es dann das Herz dieser Jünger lebendig machen, zu hören, dass Jesus wieder lebendig ist (s. 1.Mose 45,27-28)! Es war für sie Leben aus den Toten. Nun war dieses Wort von Christus erfüllt: „Ich werde euch aber wiedersehen, und dann wird euer Herz sich freuen" (Joh 16,22). Das wischte alle Tränen von ihren Augen ab (s. Offb 7,17; 21,4).

2.3 Den Auftrag, den er ihnen gab, seine Botschafter bei der Gründung seiner Gemeinde zu sein **(s. Vers 21)**. Beachten Sie:

Die Einleitung zu ihrer Beauftragung, welche die heilige Wiederholung des vorangehenden Grußes war: „Friede sei mit euch!" Der Zweck des Grußes war gewesen, die Unruhe ihrer Ängste zu stillen, damit sie ruhig die Beweise seiner Auferstehung annehmen konnten; diese Beauftragung sollte die Begeisterung ihrer Freude beruhigen, entweder, um sie fähig zu machen, zu hören, was er weiter zu ihnen zu sagen hatte, oder, um sie zu ermutigen, den Auftrag anzunehmen, den er ihnen gab. Es würde zu ihrem Frieden führen. Christus sandte die Jünger nun aus, um der Welt Frieden zu verkünden, und er übertrug es nicht nur hier auf sie, sondern vertraute es ihnen als ein Gut an, das durch sie weitergegeben werden sollte.

Die Beauftragung selbst: „Gleichwie mich der Vater gesandt hat, so sende ich euch."

Es ist leicht zu verstehen, wie Christus sie sandte; er berief sie dazu, mit seinem Werk auf der Erde fortzufahren. Er sandte sie mit einer göttlichen Befugnis bevollmächtigt, ausgestattet mit göttlicher Kraft. Deshalb wurden sie Apostel genannt, „die Gesandten".

Doch wie Christus sie sandte, gleichwie der Vater ihn gesandt hat, ist nicht so leicht zu verstehen. Sicherlich waren ihre Beauftragung und Macht unendlich geringer als die seinen, doch:

Ihr Werk war von der gleichen Art wie das seine und sie sollten dort weitermachen, wo er aufgehört hatte. Wie er dazu gesandt war, von der Wahrheit Zeugnis abzulegen, so waren sie es. War er nicht gekommen, „um sich dienen zu lassen, sondern um zu dienen", nicht, damit er seinen Willen tut, sondern den Willen dessen, der ihn gesandt hat, nicht, „um das Gesetz oder die Propheten aufzulösen ... sondern um zu erfüllen" (Mt 20,28; Joh 6,38; Mt 5,17)? So waren sie es. Wie ihn der Vater „zu den verlorenen Schafen des Hauses Israel" sandte, so sandte er sie in der gleichen Weise in die ganze Welt (Mt 10,6).

Er hatte Macht, sie zu senden, die gleich der Vollmacht war, mit welcher der Vater ihn gesandt hatte. „Ich sende euch mit der gleichen Autorität, mit welcher der Vater mich sandte." Hatte er eine unleugbare Autorität und unwiderstehliche Kraft für seine Arbeit? So hatten sie es für ihre. Oder man kann „gleichwie mich der Vater gesandt hat" als einen Verweis auf seine Macht lesen: Aufgrund der Autorität, die ihm als Mittler gegeben ist, gab er ihnen Autorität, für ihn und in seinem Namen zu agieren. Wer sie aufnahm oder verwarf, nahm auf oder verwarf Christus und den Einen, der ihn gesandt hatte (s. Joh 13,20).

2.4 Wie sie befähigt wurden: Dann „hauchte er sie an und sprach zu ihnen: Empfangt Heiligen Geist!" **(Vers 22)**. Beachten Sie:

Das Zeichen, welches er benutzte: Er hauchte sie an, nicht nur, um ihnen durch diesen Odem des Lebens zu zeigen, dass er selbst wirklich lebendig war, sondern auch um das geistliche Leben und die Kraft für sie darzustellen, die sie von ihm empfangen würden. Wie der Odem des Allmächtigen den Menschen Leben gab und die alte Welt begann, so gab der Odem des mächtigen Heilands seinen geistlichen Dienern Leben und begann eine neue Welt (s. 1.Mose 2,7; Hiob 33,4). Der Geist ist der Odem Christi, der aus „dem Sohn hervorgeht", wie es das Nicänische Glaubensbekenntnis ausdrückt. Der Odem Gottes steht für die Macht seines Zorns, doch der Odem Christi stellt die Macht seiner Gnade dar. Das Schnauben von Drohung und Mord wird durch die Mittlerschaft Christi zu einem Hauch der Liebe verändert (s. Apg 9,1). Der Geist ist auch die Gabe Christi. Die Apostel übertrugen den Heiligen Geist durch das Auflegen der Hände, denn sie konnten ihn nur als Boten befördern, doch Christus verlieh den Heiligen Geist durch Anhauchen, weil er der Urheber der Gabe ist.

Die geheiligte Gabe, die er verlieh: „Empfangt Heiligen Geist!"

Christus sicherte ihnen hier die Hilfe des Geistes in ihrer zukünftigen Arbeit zu: „Ich sende euch und der Geist wird euch auf eurem Weg begleiten." Christus wird die mit seinem Geist bekleiden, die er in den Dienst ruft, und er wird sie mit aller nötigen Kraft versorgen.

Er gab ihnen hier eine Erfahrung des Einflusses des Geistes in ihrer gegenwärtigen Situation. Er hatte ihnen seine Hände und seine Seite gezeigt, um sie von der Wahrheit seiner Auferstehung zu überzeugen, doch der klarste Beweis wird nicht aus sich selbst heraus Glauben hervorbringen. „Deshalb empfangt Heiligen Geist', dass er in euch Glauben hervorbringe." Sie waren nun in Gefahr durch die Juden: „Empfangt Heiligen Geist, um in euch Mut zu erzeugen." Was Christus zu ihnen sagte, sagt er zu allen echten Gläubigen: Wir sind versiegelt worden mit dem Heiligen Geist (s. Eph 1,13).

2.5 Einem Zweig der Macht, die ihnen gegeben und besonders erwähnt wurde: „Welchen ihr die Sünden vergebt, denen sind sie vergeben; welchen ihr sie behaltet [welchen ihr nicht vergebt], denen sind sie behalten" **(Vers 23)**. Dies folgte nun daraus, dass sie den Heiligen Geist empfingen, denn wenn sie nicht einen außerordentlichen Geist der Einsicht gehabt haben würden, wären sie nicht geeignet gewesen, mit solch einer Autorität betraut zu werden. Man muss es indes als allgemeine Satzung für die Gemeinde und ihre geistlichen Diener verstehen, welche die treuen Haushalter der Geheimnisse Gottes ermutigt, zu dem Evangelium zu stehen, das sie zu predigen gesandt waren, weil Gott selbst dazu stehen wird (s. 1.Kor 4,1). Nachdem er um unserer Rechtfertigung willen auferweckt wurde, sandte Christus die Verkünder seines Evangeliums aus, um zu verkünden, dass das Dekret der Straffreiheit jetzt genehmigt wurde (s. Röm 4,25). Diejenigen, die das Evangelium entlastet, werden entlastet sein, und die das Evangelium verurteilt, werden verurteilt sein, was dem Dienst enorme Ehre verleiht und geistlichen Dienern auf zwei Weisen enorm Mut geben sollte, und beide haben Autorität:

Durch gesunde Lehre. Sie sind dazu beauftragt, der Welt zu sagen, dass man zu den Bedingungen des Evangeliums Heil finden kann und zu keinen anderen.

Durch eine strenge Zucht, welche die allgemeine Herrschaft des Evangeliums auf einzelne Personen anwendet.

3. Die Ungläubigkeit von Thomas, die das zweite Erscheinen von Christus einleitete. Hier gibt es:

3.1 Die Abwesenheit von Thomas. Es heißt von ihm, dass er „einer von den Zwölfen" war, die jetzt elf waren **(Vers 24)**. Einer von ihnen fehlte. Christi Jünger werden nie alle beisammen sein bis zu der allgemeinen Versammlung an dem großen Tag. Durch seine Abwesenheit ließ sich Thomas die Befriedigung entgehen, seinen Meister auferstanden zu sehen und mit den Jüngern an ihrer Freude aus diesem Anlass teilzuhaben.

3.2 Den Bericht, den ihm die anderen Jünger gaben. Sie sagten: „Wir haben den Herrn gesehen!" **(Vers 25)**. Es scheint, dass Thomas, obwohl er zu diesem Zeitpunkt nicht bei ihnen war, nicht lange fort von ihnen war. Wer eine Zeit lang abwesend ist, darf nicht für alle Zeit als ein vom Glauben Abgefallener verdammt werden: Thomas war nicht Judas. Mit welcher Freude sie es sagten: „,Wir haben den Herrn gesehen!' Und wir wünschten, du wärest hier gewesen und hättest ihn auch gesehen." Die Jünger Christi sollten versuchen, einander auf ihren allerheiligsten Glauben zu erbauen (s. Jud 1,20), sowohl indem sie denen gegenüber, die abwesend waren, wiederholen, was sie gehört haben, als auch, indem sie mitteilen, was sie erlebt haben. Diejenigen, die den Herrn im Glauben gesehen und geschmeckt haben, dass er freundlich ist, sollten anderen sagen, was Gott an ihrer Seele getan hat; nur möge das eigene Rühmen ausgeschlossen sein (s. 1.Petr 2,3; Ps 66,16; Röm 3,27).

3.3 Die Einwände, die Thomas gegen den Beweis erhob: „‚Wenn ich nicht [nur] an seinen Händen das Nägelmal sehe‘, sondern ‚meinen Finger in das Nägelmal lege und meine Hand‘ in die Wunde an seiner ‚Seite lege, so werde ich es niemals glauben!'" Manche meinen, er war ein Mann mit schroffem, verdrießlichem Naturell, einer, der dazu neigt, mürrisch zu sprechen, denn es sind nicht alle guten Menschen gleich glücklich nach ihrem Temperament. Es gab sicherlich viel in seinem Verhalten, das falsch war.

Er hatte dem entweder keine Beachtung geschenkt oder es nicht in rechter Weise zur Kenntnis genommen, was Christus so oft gesagt hatte, dass er am dritten Tag auferstehen wird (s. Mt 20,19).

Er zeigte keine rechte Achtung vor dem Zeugnis seiner Mitjünger; alle zehn von ihnen stimmten in dem Zeugnis mit großer Gewissheit überein, doch er konnte sich selbst nicht dazu bringen zu sagen, dass ihr Zeugnis wahr war (s. Joh 19,35). Es war jedoch nicht ihre Wahrhaftigkeit, die er infrage stellte, sondern ihr gesunder Menschenverstand; er fürchtete, sie wären zu leichtgläubig und naiv.

Er prüfte Christus, indem er sagte, er würde durch seine eigene Methode überzeugt sein oder überhaupt nicht. Thomas beschränkte seinen Glauben auf diesen Beleg. Entweder man würde es ihm genehmigen und seine Vorstellung würde befriedigt oder er würde nicht glauben.

Sein offenes Bekenntnis davon in der Gegenwart der Jünger war eine Kränkung und Entmutigung für sie. Wie ein Feigling viele weitere Feiglinge macht, so tut es ein Gläubiger und ein Skeptiker. Dass er seinen Unglauben so offen und endgültig erklärt, könnte eine nachteilige Wirkung auf die anderen haben.

Vers 26-31

Hier gibt es einen Bericht von einer weiteren Erscheinung Christi, als Thomas bei ihnen war. Wir haben hier:

1. Wann sie war: „Und nach acht Tagen", was deshalb, wie es jener frühere Tag war, an „dem ersten der Woche" gewesen sein muss (s. Joh 20,19).

1.1 Er verzögerte sein nächstes Auftreten für eine Zeit, um seinen Jüngern zu zeigen, dass er zu einer anderen Welt gehörte und diese Welt nur dann und wann besuchte, wenn es nötig war. Zu Beginn seines Dienstes war er für vierzig Tage unsichtbar vom Teufel versucht worden (s. Mt 4,1-2). Zu Beginn seiner Herrlichkeit wurde er – zum größten Teil unsichtbar – vierzig Tage von guten Geistern begleitet.

1.2 Er schob es für die Zeit von sieben Tagen auf:

Damit er Thomas für seine Skepsis zurechtweisen konnte. Thomas würde für mehrere Tage keine weitere solche Gelegenheit gegeben werden. Wer eine Flut verpasst, muss eine Weile auf eine weitere warten. Thomas hatte eine sehr traurige Woche, während die anderen Jünger voller Freude waren.

Damit er den Glauben und die Geduld von den Übrigen prüfen konnte. Sie hatten sehr triumphiert, als sie überzeugt wurden, dass sie den Herrn gesehen hatten. Er würde sie prüfen, um zu sehen, ob sie den Boden halten konnten, den sie gewonnen hatten. Er würde sie nach und nach von seiner leiblichen Gegenwart entwöhnen, von der sie zu sehr abhängig gewesen waren.

Damit er den ersten Tag der Woche ehren und klar seinen Willen zeigen konnte, dass er in seiner Gemeinde als der christliche Sabbat begangen werden sollte. Die religiöse Beachtung dieses Tages ist durch alle Zeitalter der Gemeinde bis zu uns weitergegeben worden.

2. Wo und wie Christus sie besuchte. Es war in Jerusalem und wie zuvor waren die Türen nun aus Furcht vor den Juden verschlossen. Beachten Sie:

2.1 Thomas war bei ihnen; obwohl er sich einmal zurückgezogen hatte, tat er dies kein zweites Mal. Wenn wir eine Gelegenheit verpasst haben, sollten wir ernsthafter darin sein, die nächste zu ergreifen. Es ist ein gutes Zeichen, wenn solch ein Verlust unser Verlangen schärft, und ein schlechtes, wenn er es abkühlt. Die Jünger akzeptierten Thomas unter sich. Sie nahmen ihn nicht auf, um über die Sache zu disputieren, sondern hießen ihn willkommen, zu kommen und zu sehen (s. Joh 1,39.46). Christus erschien Thomas nicht, bis er ihn bei seinen anderen Jüngern sah. Er wollte, dass alle Jünger Zeuge der Zurechtweisung sind, die er Thomas gab, aber auch die sanfte Fürsorge bemerken, die er ihm erwies.

2.2 Christus kam zu ihnen und trat in ihre Mitte. Sehen Sie das Herablassen unseres Herrn Jesus. Zum Nutzen seiner Gemeinde blieb er auf der Erde und besuchte die kleinen, verborgenen Treffen seiner armen Jünger: „… und tritt in ihre Mitte."

2.3 Er grüßte sie alle wie vorher in freundlicher Weise: „Friede sei mit euch!" Das war kein leeres Geschwätz, sondern ein Zeichen des überreichen Friedens, den Christus gibt, und von dem Fortbestand seiner Segnungen.

3. Was bei diesem Treffen zwischen Christus und Thomas geschah; es wird nur das berichtet. Beachten Sie:

3.1 Christi gnädiges Sichherablassen zu Thomas. Er sonderte ihn von den anderen ab: „Reiche deinen Finger her und sieh meine Hände', die Nägelmale ‚und reiche deine Hand her und lege sie in meine Seite'" **(Vers 27)**. Hier gibt es:

Eine indirekte Zurechtweisung der Ungläubigkeit von Thomas in dem klarem Bezug auf das, was Thomas gesagt hatte, indem Wort für Wort darauf geantwortet wurde. Es gibt kein ungläubiges Wort auf unserer Zunge, nicht einmal einen solchen Gedanken in unserem Sinn, der dem Herrn Jesus nicht bekannt ist (s. Ps 139,4; s.a. 78,21).

Ein klares Sichherablassen zu dessen Schwachheit. Christus erlaubte es, dass man seiner Weisheit etwas vorschrieb. Christus war hier bereit, selbst auf die Ebene der Laune von Thomas in Bezug auf etwas Unnötiges herabzukommen, statt zuzulassen, dass jener in seinem Unglauben bleibt. Er erlaubte es, dass seine Wunden untersucht werden, gestattete Thomas sogar, seine Hand in seine Seite zu legen, wenn es das wäre, was nötig wäre, ihn glauben zu lassen. Deshalb hat er zur Bekräftigung unseres Glaubens eine Zeremonie eingesetzt, um bewusst das Gedächtnis an seinen Tod zu bewahren. In dieser Zeremonie, in der wir den Tod des Herrn verkündigen, sind wir sozusagen aufgerufen, unsere Finger in seine Nägelmale zu legen (s. 1.Kor 11,26). Strecken Sie Ihre Hand zu ihm aus, der seine einladende, gebende, helfende Hand ausstreckt. Christus schloss mit bewegenden Worten das ab, was er Thomas zu sagen hatte: „... und sei nicht ungläubig, sondern gläubig!" Diese Warnung wird uns allen gegeben: „Sei nicht ungläubig", denn wenn wir ohne Glauben sind, sind wir ohne Christus und ohne Gnade, Hoffnung und Freude.

3.2 Die gläubige Unterwerfung von Thomas unter Christus. Jetzt schämte er sich für seinen Unglauben und rief aus: „Mein Herr und mein Gott!" **(Vers 28)**. Uns wird nicht gesagt, ob er seinen Finger dort hineinlegte, wo die Nägel waren; dem scheint nicht so, denn Christus sagte: „Thomas, du glaubst, weil du mich gesehen hast"; sehen war genug **(Vers 29)**. Jetzt ging der Glaube als Sieger hervor.

Thomas war jetzt völlig von der Wahrheit der Auferstehung Christi überzeugt. Seine Schwerfälligkeit und sein Widerstreben, zu glauben, können dabei helfen, unseren Glauben zu stärken.

Er glaubte darum, dass Christus Herr und Gott ist, und wir müssen auch glauben, dass er es ist. Wir müssen glauben:

Seine Gottheit – dass er Gott ist, nicht ein Mensch, der Gott wurde, sondern Gott, der Mensch wurde.

Seine Mittlerschaft – dass er der Herr ist, der eine Herr, um die großen Angelegenheiten zwischen Gott und der Menschheit zu regeln und die lebendige Beziehung herzustellen, die für unsere Seligkeit notwendig ist (s. 1.Kor 8,6; 1.Tim 2,5).

Er akzeptierte ihn als seinen Herrn und seinen Gott. Wir müssen Christus so annehmen, dass er für uns das ist, als was ihn der Vater eingesetzt hat. Das ist der entscheidende Akt des Glaubens: „Mein Geliebter ist mein" (Hld 2,16).

Er bekannte dies offen. Er sagte zu Christus: „Du bist ‚mein Herr und mein Gott'", oder zu seinen Brüdern gesprochen: „Dies ist ‚mein Herr und mein Gott'." Nehmen wir Christus als Gott unseren Herrn an? Wir müssen zu ihm gehen und ihm dies sagen und anderen sagen, dass wir dies getan haben als solche, die sich ihrer Beziehung zu Christus rühmen. Thomas sprach mit inbrünstiger Hingabe, als jemand, der Christus mit all seiner Kraft ergreift: „Mein Herr und mein Gott!"

3.3 Das Urteil Christi über die ganze Sache: „Thomas, du glaubst, weil du mich gesehen hast; [doch] glückselig sind, die nicht sehen und doch glauben!" **(Vers 29)**.

Christus erkannte Thomas als einen Gläubigen an. Gesunde und aufrichtige Gläubige werden, selbst wenn sie schwerfällig und schwach sind, von unserem Herrn Jesus gnädig angenommen werden. Thomas hatte Christus kaum zugestimmt, als Christus ihm die Gewissheit davon gab und ihn wissen ließ, dass er in der Tat glaubte.

Er tadelte ihn für seine frühere Ungläubigkeit. Thomas mag wohl beschämt sein, daran zu denken:

Dass er so widerstrebend war, zu glauben und so langsam zu seiner eigenen Gewissheit gekommen ist. Wer Christus aufrichtig angenommen hat, sieht eine große Menge an Gründen, um darüber zu klagen, dass er dies nicht früher getan hat.

Dass es nicht ohne viel Aufhebens geschah, dass er dazu gebracht wurde, schließlich zu glauben. Wie soll die Welt zum Glauben an Christus bekehrt werden, wenn kein anderer Beweis angenommen werden darf, außer dem von unseren eigenen Sinnen und wenn wir nichts außer dem glauben dürfen, wovon wir selbst Augenzeugen waren? Thomas wurde darum zu Recht dafür getadelt, dass er dies so sehr betonte.

Er lobte den Glauben derer, die unter einfacheren Bedingungen glauben. Thomas war als Gläubiger wirklich glückselig, doch „glückselig[er] sind, die nicht sehen". „Nicht sehen" ist nicht so gemeint, dass es sich auf die Gegenstände des Glaubens bezieht (s. Hebr 11,1; 2.Kor 4,18), sondern auf die Beweggründe zum Glauben – die Wunder Christi, insbesondere seine Auferstehung; glückselig sind die, welche diese nicht gesehen haben, aber doch an Christus glauben. Dies kann sowohl zurückblicken, auf die Heiligen des Alten Testaments, welche die Dinge nicht gesehen hatten, welche die Jünger nun sahen, aber doch die Verheißung glaubten, die ihren Vorfahren gegeben worden war und durch diesen Glauben lebten, oder voraus, auf die, welche später glauben würden, die Heiden. Dieser Glaube ist lobenswerter als der von denen, die sahen und glaubten.

Es ist der Beleg für eine bessere Haltung bei denen, die glauben. Bei denen, die aufgrund des Sehens glauben, wurde ihr Widerstand durch eine Form der Gewalt überwunden, doch diejenigen, die ohne dies glauben, sind edler gesinnt (s. Apg 17,11).

Es ist ein größeres Beispiel der Macht der göttlichen Gnade. Bei dem Glauben von denen, die sehen, haben Fleisch und Blut mehr dazu beigetragen als bei dem Glauben derer, die nicht sehen, aber doch glauben.

4. Den Kommentar, den der Evangelist zu diesem Bericht gibt, wie ein Historiker, der eine Schlussfolgerung zieht **(s. Vers 30-31)**.

4.1 Er sichert uns zu, dass viele andere Dinge geschahen, „viele andere Zeichen ... die in diesem Buch nicht geschrieben sind".

Wir können diese allgemeine Zusicherung nehmen, um unseren Glauben zu bestätigen. Diejenigen, welche die Auferstehung Christi berichteten, mussten nicht um sich herum nach Beweisen suchen, alle kleinen und unzureichenden Beweisstücke erfassen, die sie finden konnten, und den Rest durch reine Vermutungen ergänzen. Nein, sie hatten genug Beweise. Sie konnten in der Tat Beweise erübrigen. Die Jünger, in deren Gegenwart diese anderen Zeichen getan wurden, sollten die Auferstehung Christi anderen predigen, und deshalb brauchten sie überreiche Beweise.

Wir brauchen nicht zu fragen, warum sie nicht alle niedergeschrieben wurden oder warum nicht mehr als diese niedergeschrieben wurden. Wenn dieser Bericht eine rein menschliche Zusammenstellung gewesen wäre, wäre er durch viele formale Aussagen und eidesstattliche Versicherungen angeschwollen, um die bestrittene Wahrheit der Auferstehung Christi zu beweisen, doch weil es ein göttlicher Bericht ist, schrieb der Autor mit einer edlen Gewissheit, die ausreichte, um die zu überzeugen, welche bereit waren, gelehrt zu werden, und die zu verurteilen, die halsstarrig in ihrem Unglauben blieben; wenn dies nicht überzeugt, würde es mehr auch nicht tun. Menschen bringen alles hervor, was sie zu sagen haben, damit man ihnen glaubt, doch Gott tut dies nicht, denn er kann Glauben geben. Wenn diese Geschichte geschrieben worden wäre, um die Neugierigen zu unterhalten, wäre sie vollständiger gewesen; dieser Bericht wurde geschrieben, um Menschen zum Glauben zu bringen, und es ist genug gesagt, um diese Absicht zu erfüllen.

4.2 Er unterrichtet uns über den Zweck davon, das zu berichten, was wir hier finden: „‚... damit ihr glaubt' aufgrund dieser Beweise, damit ihr glaubt," dass Jesus der Christus ist, der Sohn Gottes" **(Vers 31)**. Hier ist:

Das Ziel derer, die das Evangelium niederschrie- ben. Die Evangelisten schrieben ihre Evangelien ohne irgendwelche Aussicht auf weltlichen Nutzen für sich und andere; sie taten es einfach, um Menschen zu Christus und in den Himmel zu bringen und – zu diesem Zweck – die Menschen zu überzeugen, zu glauben.

Die Pflicht derer, die das Evangelium lesen und hören. Es ist ihre Pflicht, die Botschaft Christi zu glauben – sich ihr zu widmen. Beachten Sie:

Was die große Wahrheit des Evangeliums ist, die wir glauben sollen: „... dass Jesus der Christus, der Sohn Gottes ist." Er ist der Christus, der Gesalbte Gottes, gesalbt, um ein Herrscher und ein Heiland zu sein. Er ist der Sohn Gottes, ausgestattet mit der Macht Gottes und berechtigt zu der Herrlichkeit Gottes.

Was der große Segen des Evangeliums ist, auf den wir hoffen sollen: „... damit ihr durch den Glauben Leben habt in seinem Namen." Das heißt:

Um unseren Glauben zu lenken. Leben in dem Namen Christi ist das, was wir als die Fülle unserer Freude ansehen müssen.

Um unseren Glauben zu ermutigen. Menschen werden sich für die Aussicht, einen großen Vorteil zu erringen, weit wagen; es kann keine größeren Vorteile geben als das, was durch die „Worte dieses Lebens" angeboten wird (Apg 5,20). „Dieses Lebens" umfasst sowohl das geistliche als auch das ewige Leben. Beide gibt es im Namen Christi und beide sind absolut gewiss für alle echten Gläubigen.

KAPITEL 21

Der Evangelist scheint seinen Bericht abgeschlossen zu haben, doch dann fallen ihm neue Dinge ein und er fängt wieder an. Er sagte, dass es viele andere Zeichen gab, die Jesus tat (s. Joh 20,30). In diesem Kapitel erwähnt er eines, Christi Erscheinen vor einigen seiner Jünger am See Tiberias. Hier haben wir: 1. Wie er sich ihnen offenbarte, als sie fischten, wie er ihr Netz füllte und dann sehr zwanglos kam und mit ihnen frühstückte und sie aßen, was sie gefangen hatten (s. Vers 1-14). 2. Das Gespräch, das er mit Petrus nach dem Frühstück hatte: 2.1 Über ihn selbst (s. Vers 15-19). Über Johannes (s. Vers 20-23). 3. Den feierlichen Schluss dieses Evangeliums (s. Vers 24-25).

Vers 1-14

1. Wir haben hier einen Bericht, wie Christus seinen Jüngern am See Tiberias erschien.

1.1 Wir wollen dieses Erscheinen mit denen vergleichen, die es vorher gab. Bei jenen zeigte sich Christus seinen Jüngern, als sie sich an einem Tag des Herrn trafen, während sie alle zusammen waren, doch hier zeigte er sich einigen von ihnen an einem Wochentag, als sie fischten. Christus hat viele Wege, sich den Seinen zu offenbaren; manchmal besucht er sie durch seinen Geist, wenn sie mit ihrer gewöhnlichen Arbeit beschäftigt sind.

1.2 Wir wollen sie mit der vergleichen, die auf dem Berg in Galiläa folgte, wo Christus ihnen gesagt hatte, dass sie ihn dort treffen würden (s. Mt 28,16). Diese Erscheinung fand nun statt, während sie auf dieses Treffen warteten, damit sie des Wartens nicht überdrüssig werden würden. Beachten Sie:

2. Wem sich Christus nun zeigte: nicht allen Zwölfen, sondern nur sieben von ihnen **(s. Vers 2)**. Nathanael wird als einer von ihnen erwähnt, von dem wir seit Johannes 1,45-51 nichts gehört haben, obwohl manche meinen, er sei die gleiche Person gewesen wie Bartholomäus. Es ist gut für die Jünger Christi, viel Zeit miteinander in gewöhnlichen Gesprächen und gewöhnlichen Arbeiten zu verbringen. Christus beschloss, sich ihnen zu offenbaren, als sie zusammen waren, damit sie gemeinsam die gleichen Tatsachen bezeugen würden. Thomas war einer von ihnen und wird unmittelbar nach Petrus genannt, als wäre er jetzt gewissenhafter denn je darin, bei den Treffen der Apostel anwesend zu sein.

3. Womit sie beschäftigt waren **(s. Vers 3)**.
3.1 Sie kamen überein, fischen zu gehen. „Was mich anbetrifft:", sagte Petrus, „Ich gehe fischen!" Die anderen sagten: „So kommen wir auch mit dir." Obwohl zwei, die das gleiche Gewerbe ausüben, normalerweise nicht darin übereinstimmen, wie es getan werden muss, taten sie es hier. Sie taten es:
Um die Zeit auszukaufen und es zu vermeiden, untätig zu sein. Die Stunde, um mit dem Handeln zu beginnen, sollte noch kommen. Jetzt, in der Zwischenzeit, wollten sie, statt nichts zu tun, fischen gehen – und das nicht zur Erholung, sondern für den Lebensunterhalt. Es ist auch ein Beispiel für ihre Gewissenhaftigkeit, was zeigte, dass sie gute Haushalter ihrer Zeit waren. Solange sie warteten, wollten sie nicht faul sein. Wer mit Freude Rechenschaft von seiner Zeit ablegen will, sollte danach streben, ihre Zwischenräume zu füllen.
Um sich selbst zu versorgen und für niemanden eine Last zu sein.
3.2 Sie wurden in ihrem Fischen enttäuscht. Sie fingen nichts diese Nacht. Die Hand des Fleißigen kehrt oft leer zurück (trotz Spr 10,4; 12,24). Selbst bei guten Menschen kann es sein, dass sie den erwünschten Erfolg in ihrer ehrlichen Arbeit nicht erlangen. Der Allmächtige ordnete die Dinge in seiner Vorsehung so, dass sie diese ganze Nacht nichts fingen, sodass der übernatürliche Fischfang am Morgen sogar noch angenehmer sein würde. Mit den Enttäuschungen, die für uns sehr schmerzlich sind, hat Gott oft Absichten, die sehr gnädig sind.

4. Wie Christus sich ihnen offenbarte. Es heißt: „Er offenbarte sich" **(Vers 1)**. Anhand dessen, wie Christus ihnen erschien, können wir vier Dinge beachten:
4.1 Er zeigte sich ihnen zur rechten Zeit: „Als es aber schon Morgen geworden war, stand Jesus am Ufer" **(Vers 4)**. Christi Zeit, um sich den Seinen zu offenbaren, ist, wenn sie überhaupt nicht weiter wissen. Wenn sie meinen, dass sie vollkommen verloren sind, wird er sie wissen lassen, dass sie ihn nicht verloren haben. Jesus kam nicht auf dem See gehend zu ihnen (s. Mt 14,25), sondern stand am Ufer, denn jetzt waren sie auf ihrem Weg zu ihm. Wenn unsere Fahrt rau und stürmisch ist, ist es für uns ermutigend zu wissen, dass unser Meister am Ufer ist und wir uns schnell zu ihm hin bewegen.
4.2 Er zeigte sich ihnen nach und nach. Die Jünger wussten nicht (erkannten nicht), alle auf einmal, „dass es Jesus war". Christus ist uns oft näher, als wir meinen, dass er es ist.
4.3 Er zeigte sich ihnen, indem er ihnen Mitleid ausdrückte. Er rief ihnen zu: „Kinder [„Freunde"; NLB], habt ihr nichts zu essen?" **(Vers 5)**.
Die Bezeichnung war sehr familiär; er sprach mit der Fürsorge und Sanftheit eines Vaters zu ihnen: „Kinder ..." Sie waren vom Alter her keine Kinder, doch sie waren immer noch seine Kinder, die Kinder, die ihm Gott gegeben hatte (s. Jes 8,18; Hebr 2,13).
Die Frage war sehr freundlich: „Kinder, habt ihr nichts zu essen?" Der Herr ist für den Leib (s. 1.Kor 6,13). Christus nimmt Notiz von den leiblichen Bedürfnissen der Seinen, und er hat ihnen nicht nur genügende Gnade verheißen, sondern auch genug zu essen (s. 2.Kor 12,9). Christus beachtet die Hütten der Armen und fragt: „Kinder, habt ihr nichts zu essen?" Christus kümmert sich um sie; er sorgt für sie. Christus hat uns hier ein Beispiel für mitleidsvolle Sorge für unsere Geschwister gegeben. Es gibt viele arme Haushaltsvorstände, die nicht arbeiten können oder die keinen Erfolg in ihrer Arbeit haben, die in Schwierigkeiten sind, bei denen der Reiche fragen sollte: „Habt ihr nichts zu essen?" Oft ist es der am meisten Bedürftige, der am wenigsten Lärm und Wirbel macht. Die Jünger gaben eine kurze Antwort. Sie sagten: „Nein!" Christus stellte ihnen die Frage nicht, weil er ihre Bedürfnisse nicht kannte, sondern weil er sie von ihnen wissen wollte. Wer von Christus Versorgung bekommen möchte, muss zugeben, dass er leer und bedürftig ist (s. Ps 40,18; 70,6).
4.4 Er zeigte sich ihnen, indem er ihnen seine Macht zeigte: Er wies sie an, das Netz „auf der rechten Seite des Schiffes" auszuwerfen **(Vers 6)**. Und dann wurden sie, die mit leeren Hän-

den kamen, mit einen großen Fang von Fischen reich gemacht. Beachten Sie:

Die Anweisung, die Christus ihnen gab, und die Verheißung, die mit dieser Anweisung verbunden war: „‚Werft das Netz' dort und dort aus, ‚so werdet ihr finden'!" Die göttliche Vorsehung erstreckt sich auf die kleinsten Dinge. Menschen, die es verstehen, hiervon Hinweise in der Führung ihrer Angelegenheiten abzuleiten, werden gesegnet.

Ihren Gehorsam dieser Anweisung gegenüber und den guten Erfolg, den sie als Ergebnis hatten. „... doch wussten die Jünger nicht, dass es Jesus war", aber sie waren bereit, von jedermann Rat zu bekommen. Indem sie so aufmerksam Fremden gegenüber waren, waren sie ihrem Lehrer gehorsam, ohne es zu wissen (s. Hebr 13,2). Ferner waren sie als Folge wunderbar erfolgreich; jetzt hatten sie einen Fang, der all ihre harte Arbeit belohnte. Es wird dadurch nichts verloren, dass man die Anweisungen Christi befolgt. Den Fischfang kann man nun betrachten:

Als ein Wunder an sich. Christus offenbart sich den Seinen, indem er das für sie tut, was kein anderer tun kann.

Als eine Barmherzigkeit ihnen gegenüber. Als ihr eigenes Können und ihr Fleiß versagten, kam die Macht Christi rechtzeitig, um ihnen zu helfen.

Als das Gedächtnis an eine frühere Barmherzigkeit, mit der Christus Petrus für das Leihen seines Bootes belohnt hatte (s. Lk 5,4). Sowohl jenes Wunder als auch dieses berührten ihn sehr, denn diese trafen ihn in seinem eigenen Element, in seinem eigenen beruflichen Bereich. Spätere Gunsterweise sollen uns an frühere Gunsterweise erinnern, damit wir kein Beispiel des Sprichwortes werden: „Gegessenes Brot ist bald vergessen."

Als ein Geheimnis, das klar auf die Arbeit verwies, zu der Christus sie nun aussandte. Als kurz darauf dreitausend an einem Tag bekehrt wurden (s. Apg 2,41), wurde „das Netz auf der rechten Seite des Schiffes" ausgeworfen. Christi geistliche Diener werden ermutigt, wenn sie in ihrer Arbeit gewissenhaft fortfahren. Ein letzter glücklicher Fang mag ausreichen, um viele Jahre mühevoller Arbeit mit dem Netz des Evangeliums zu vergelten.

5. Wie die Jünger diese Offenbarung empfingen **(s. Vers 7-8)**:

5.1 Johannes war der intelligenteste und scharfsichtigste der Jünger. Derjenige, den Jesus lieb hatte, war der Erste, der sagte: „Es ist der Herr!" Sein Geheimnis ist für seine Lieblinge (s. Ps 25,14). Als Johannes gewahr wurde, dass es der Herr war, teilte er seine Erkenntnis mit denen, die bei ihm waren; wer Christus selbst kennt, sollte versuchen, andere dazu zu bringen, ihn kennenzulernen. Wir brauchen ihn nicht für uns selbst zu behalten; es gibt in ihm genug für uns alle. Johannes sagte besonders Petrus, dass es der Herr war, weil er wusste, dass er glücklicher sein würde, Jesus zu sehen, als alle anderen.

5.2 Petrus war der eifrigste und warmherzigste der Jünger, denn sobald er hörte, dass es der Herr war, konnte ihn das Boot nicht halten; er warf sich in den See, damit er der Erste sein konnte, welcher zu Christus kommt.

Er zeigte seine Achtung Christus gegenüber, indem er sein Obergewand (seinen „Fischermantel"; KJV) umgürtete, damit er vor seinem Meister in den besten Kleidern erscheinen möge, die er hatte. Vielleicht hielt der Fischermantel die Nässe ab, und deshalb gürtete er ihn um sich, damit er so schnell wie möglich durch das Wasser zu Christus gehen konnte.

Er zeigte die Stärke seiner Hingabe an Christus, indem er in das Wasser sprang und entweder zum Ufer watete oder schwamm, um zu Christus zu kommen. Er warf sich schnell in den See; versinkend oder schwimmend, er wollte seinen guten Willen und seine Absicht zeigen, bei Christus zu sein. Petrus war viel vergeben worden, und er machte dies sichtbar, indem er viel liebte durch seine Bereitschaft, Risiken einzugehen, um zu Christus zu kommen (s. Lk 7,47). Wer mit Jesus gewesen ist, wird bereit sein, auch durch eine stürmische See zu schwimmen, um zu ihm zu kommen.

5.3 Der Rest der Jünger war vorsichtig und offen. Sie fuhren schnell mit dem Boot ans Ufer, nahmen den besten Weg, den sie konnten **(s. Vers 8)**. Dies zeigt uns:

Wie verschieden Gott seine Gaben austeilt (s. 1.Kor 12). Manche zeichnen sich aus, wie Petrus und Johannes; sie sind herausragend in Talenten und Gnadengaben; andere sind nur gewöhnliche Jünger, die ruhig mit ihrer Pflicht weitermachen und ihm treu bleiben. Doch sowohl der eine als auch der andere, der Herausragende und der Unbedeutende, werden sich zusammen mit Christus in Herrlichkeit niederlassen; in der Tat werden vielleicht die Ersten die Letzten sein (s. Mt 19,30). Manche sind wie Johannes sehr nachdenklich, mit großen Gaben der Erkenntnis, und dienen der Gemeinde mit diesen Gaben. Andere sind wie Petrus sehr aktiv und couragiert und sind ihrem Geschlecht auf diese Weise sehr nützlich (s. Apg 13,36). Manche sind nützlich als die Augen der Gemeinde, andere als die Hände der Gemeinde und alle dienen zum Wohl des Leibes (s. 1.Kor 12,19-21).

Was für einen großen Unterschied es zwischen manchen guten Leuten und anderen in der Weise geben kann, auf die jeder Christus ehrt; und doch sind beide zu seinem Wohlgefallen (s. 2.Kor 5,9). Petrus sollte nicht dafür kritisiert werden, dass er in den See sprang, sondern für seinen Eifer und seine Hingabe gelobt werden, und so müssen die sein, die aus Liebe zu Christus die Welt verlassen, um mit Maria zu

Jesu Füßen zu sitzen (s. Lk 10,39). Andere dienen Christus mehr in weltlichen Dingen. Sie bleiben weiter im Boot, schleppen das Netz und bringen die Fische ans Ufer, wie es die anderen Jünger hier taten. Sie sollten nicht als weltlich kritisiert werden, denn an ihrem Platz dienen sie Christus genauso wahrhaftig wie die anderen, selbst wenn sie zu Tisch dienen. Christus hatte an beidem großes Wohlgefallen und so muss es bei uns sein.

6. Welchen Empfang ihnen Jesus Christus bereitete.

6.1 Er hatte Vorkehrungen für sie getroffen. Als sie nass und kalt, müde und hungrig an Land kamen, fanden sie bereits ein gutes Feuer brennen, um sie zu wärmen und zu trocknen, und Fisch und Brot. Wir brauchen nicht neugierig zu fragen, woher dieses Feuer, der Fisch und das Brot herkamen. Es gab hier nichts Stattliches oder Verfeinertes. Wir sollten mit einfachen Dingen zufrieden sein, denn Christus war es. Wir können durch diesen Ausdruck der Fürsorge Christi für seine Jünger getröstet sein. Er sorgte freundlich für diese Fischer, als sie von ihrer Arbeit müde zurückkamen. Es ist ermutigend für Christi geistliche Diener, dass sie sich auf den Einen verlassen können, der sie einsetzt, dass er für sie sorgt. Sie mögen mit dem zufrieden sein, was sie *hier* haben; bessere Dinge stehen ihnen später zur Verfügung.

6.2 Er verlangte etwas von dem, was sie gefangen hatten **(s. Vers 10-11)**. Beachten Sie:

Die Anweisung Christi, dass sie ihren Fischfang ans Ufer bringen sollten: „Bringt ein paar von den Fischen her, die ihr jetzt gefangen habt."

Er wollte, dass sie sich von der Arbeit ihrer Hände nähren (s. Ps 128,2). Was durch Gottes Segen für unsere harte und ehrliche Arbeit gewonnen ist, hat eine besondere Süße an sich. Christus möchte uns hier lehren, das zu nutzen, was wir haben.

Er wollte, dass sie die Gaben seiner wunderbaren Güte schmecken. Die Wohltaten, die Christus gibt, sollen nicht begraben oder gehortet werden, sondern benutzt und verbraucht.

Er wollten ihnen ein Beispiel für den geistlichen Empfang geben, den er jedem Gläubigen bereitet. Er wird das Mahl mit ihnen essen und sie mit ihm (s. Offb 3,20). Geistliche Diener, die Menschenfischer sind, müssen alles, was sie fangen, zu ihrem Meister bringen.

Ihr Gehorsam diesem Gebot gegenüber **(s. Vers 11)**. Es hieß, sie „konnten es nicht mehr einziehen wegen der Menge der Fische" **(Vers 6)**. Ähnlich können die Menschenfischer, wenn sie Menschen in dem Netz des Evangeliums eingeschlossen haben, sie nicht ohne den unaufhörlichen Einfluss der göttlichen Gnade ans Ufer bringen und das begonnene gute Werk vollenden. Beachten Sie, wer am meisten aktiv darin war, den Fischfang an Land zu bringen: Petrus, der, wie er vorher eine eifrigere Hingabe an die Person seines Meisters gezeigt hatte als alle anderen **(s. Vers 7)**, jetzt einen bereitwilligeren Gehorsam seinem Gebot gegenüber zeigte; doch nicht alle, die treu sind, sind gleich eifrig. Achten Sie auf die Zahl der Fische, die gefangen wurden. Es waren alles in allem 153, und alles große Fische. Hier gibt es einen weiteren Ausdruck der Fürsorge Christi für sie: „Und obwohl es so viele waren", und auch alles große Fische, „zerriss doch das Netz nicht", sodass sie keinen ihrer Fische verloren, auch nicht ihr Netz beschädigten. Das Netz des Evangeliums hat sehr viele Menschen umschlossen, dreitausend an einem Tag, aber es ist doch nicht zerrissen (s. Apg 2,41); es ist immer noch genauso mächtig, wie es immer war, um Seelen zu Gott zu bringen.

6.3 Er lud sie zum Essen ein. Da er bemerkte, dass sie nicht wagten, „ihn zu fragen: Wer bist du? Denn sie wussten, dass es der Herr war", rief er sie mit sehr freundlichen Worten: „Kommt zum Frühstück!"

Beachten Sie hier, wie freimütig Christus mit seinen Jüngern war; er behandelte sie als seine Freunde: „Kommt zum Frühstück' mit mir." Wir können auf diese Einladung verweisen, um:

Den Ruf zu veranschaulichen, den Christus an alle seine Jünger ergehen lässt, aus Gnaden in die Gemeinschaft mit ihm zu kommen. Christus ist Ihr Freund; kommen Sie und essen Sie mit ihm und er wird Sie willkommen heißen (s. Hld 5,1).

Den Ruf zu veranschaulichen, den er an sie ergehen lassen wird, sich an ihm in Herrlichkeit in der Zukunft vollkommen zu erfreuen. Christus hat die Mittel, all seinen Freunden und Nachfolgern ein Festmahl zu bereiten; es gibt Raum und genug Vorräte für alle.

Achten Sie darauf, wie ehrfurchtsvoll die Jünger in der Gegenwart Christi waren. Sie hatten ziemliche Scheu, die Freiheit anzunehmen, mit der er sie einlud. „Aber keiner der Jünger wagte ihn zu fragen: Wer bist du?" Sie waren entweder zögerlich:

Weil sie ihm gegenüber nicht so kühn sein wollten. Wenn er auch jetzt etwas verhüllt erschien, hatten sie doch sehr guten Grund, zu meinen, dass er es war und es niemand anders sein konnte. Oder:

Weil sie nicht so weit gehen wollten, ihre eigene Torheit zu verraten. Sie wären wirklich sehr dumm gewesen, wenn sie gezweifelt hätten, ob er es war oder nicht. Wir sollten über unseren Argwohn beschämt sein. Zweifel, die keine Grundlage haben, müssen zum Schweigen und nicht zum Ausdruck gebracht werden.

6.4 Er bediente sie als der Herr des Festes: „Da kommt Jesus und nimmt das Brot und gibt es ihnen, und ebenso den Fisch" **(Vers 13)**. Der Empfang hier war gewöhnlich; es war nur ein Frühstück mit Fisch; es war schlicht und einfach. Hunger ist die beste Würze. Christus erwies sich „als lebendig", indem er aß, statt sich als Herrscher zu zeigen, indem er Festmahle abhält (s. Apg 1,3). Er wollte zeigen, dass er einen echten Leib hat, der essen konnte. Die Apostel nannten dies als einen Beweis für seine Auferstehung, dass sie „mit ihm gegessen und getrunken haben" (Apg 10,41). Er teilte das Essen mit all seinen Gästen. Er sorgte nicht nur für sie, er teilte es auch selbst unter sie und legte es in ihre Hände. Ähnlich verdanken wir ihm die Anwendung wie auch den Erwerb der Wohltaten der Erlösung. Der Evangelist versieht dieses Frühstück mit der Bemerkung: „Das war schon das dritte Mal, dass sich Jesus seinen Jüngern offenbarte" **(Vers 14)**. Obwohl er Maria, den Frauen, den beiden Jüngern und Kephas erschienen war, war er vorher nur zweimal einer Gruppe von ihnen erschienen. Dies wird bemerkt:

Um die Wahrheit seiner Auferstehung zu bekräftigen; die Erscheinung kam zweimal, wurde verdreifacht, weil die Sache sicher war (s. 1.Mose 41,32).

Um Christi fortdauernde Freundlichkeit seinen Jüngern gegenüber zu zeigen. Er kam einmal, noch einmal und ein drittes Mal zu ihnen. Es ist gut, über Christi gnädige Besuche Buch zu führen. Das war schon der dritte; haben wir guten Gebrauch gemacht von seinem ersten und dem zweiten? Das ist der dritte und vielleicht wird es der letzte sein.

Vers 15-19

Hier haben wir Christi Gespräch mit Petrus nach dem Frühstück:

1. Christus prüfte die Liebe von Petrus ihm gegenüber und gab ihm ein Gebot in Bezug auf seine Herde **(s. Vers 15-17)**. Beachten Sie:
1.1 Wann Christus dieses Gespräch mit Petrus begann. Es war, nachdem sie alle gegessen hatten. Christus sah voraus, dass das, was er Petrus zu sagen hatte, ihn unsicher machen würde. Petrus war sich bewusst, dass er sich das Missfallen seines Meisters zugezogen hatte und nichts anderes erwarten konnte, als für seine Undankbarkeit getadelt zu werden. Er hatte seinen Meister zweimal, wenn nicht dreimal seit seiner Auferstehung gesehen, und der Herr hatte nicht ein Wort über seine Schuld zu ihm gesagt. Wir können uns vorstellen, dass Petrus voller Zweifel war und nicht wusste, woran er mit seinem Meister war, manchmal auf das Beste hoffend, doch nicht ohne Ängste. Doch jetzt, zuletzt, erleichterte sein Meister seine Schmerzen. Als sie nun zum Zeichen der Versöhnung zusammen gefrühstückt hatten, besprach er dann die Angelegenheit mit ihm, wie jemand mit einem Freund spricht. Petrus hatte sich für seine Verleugnung Christi Vorwürfe gemacht und deshalb tadelte ihn Christus nicht dafür.

Überzeugt davon, dass Petrus aufrichtig war, vergab er das Vergehen nicht nur, sondern vergaß es und ließ ihn wissen, dass er ihm noch genauso lieb war wie je zuvor. Hier hat er uns ein ermutigendes Beispiel seiner Sanftheit gegenüber Bußfertigen gegeben.

1.2 Das Gespräch selbst. Hier wurde dreimal die gleiche Frage gestellt, dreimal die gleiche Antwort gegeben und dreimal wurde das Gleiche auf diese Antwort erwidert. Es wurde immer wieder von unserem Heiland das Gleiche wiederholt, dass Petrus bewegt sein würde. Es wird von dem Evangelisten wiederholt, um uns zu bewegen und jeden, der es liest.

Christus fragte Petrus dreimal, ob Petrus ihn liebte oder nicht. Das erste Mal lautete die Frage: „Simon, Sohn des Jonas, liebst du mich mehr als diese?" Er sprach ihn mit Namen an, um ihn wirkungsvoller zu bewegen, wie als er zu ihm gesagt hatte: „Simon, Simon" (Lk 22,31). Er nannte ihn weder „Kephas" noch „Petrus" – der Name, den er ihm gegeben hatte –, sondern benutzte seinen ursprünglichen Namen, „Simon". Er benutzte aber keine harte Sprache bei ihm, sondern benutzte den Namen wie in dem Augenblick, wo er ihn glückselig gepriesen hatte: „Simon, Sohn des Jona" (s. Mt 16,17). Beachten Sie, wie er Petrus lehrte: „... liebst du mich mehr als diese?"

„... liebst du mich?" Wenn wir feststellen wollen, ob wir wirklich Christi Jünger sind, muss dies die Frage sein: „Lieben wir ihn?"

Das Fallen von Petrus hatte Anlass gegeben, an dessen Liebe zu zweifeln: „Petrus, ich habe Grund, deiner Liebe zu mir zu misstrauen, denn wenn du mich geliebt hättest, hättest du dich nicht geschämt und gefürchtet, dich zu mir in meinem Leiden zu bekennen." Wir dürfen nicht darüber gekränkt sein, dass unsere Aufrichtigkeit infrage gestellt wird, wenn wir selbst das getan haben, was sie fraglich macht. Die Frage ist bewegend: „,... liebst du mich?' Gib mir einfach einen Beweis davon, und die Art, wie du mich verunehrt hast, wird übersehen werden und es wird nichts weiter darüber gesagt werden." Petrus hatte selbst erklärt, dass er bußfertig ist, wie man an seinen Tränen sehen kann; jetzt war er „auf Probe" als Bußfertiger. Und doch lautete die Frage nicht: „Simon, wie viel hast du geweint?" Sondern: „... liebst du mich?" Dies wird die anderen Ausdrücke der Buße annehmbar machen. Jener Frau wurden nicht „ihre vielen Sünden" vergeben, weil sie viel geweint hat, sondern weil sie viel Liebe erwies (s. Lk 7,47).

Die Aufgabe, die vor Petrus lag, würde ihm Gelegenheit geben, seine Liebe auszuüben. Ehe Christus Petrus die Fürsorge für seine Schafe anvertrauen wollte, fragte er ihn: „Liebst du mich?" Christus hat eine so zärtliche Achtung für seine Herde, dass er sie niemandem außer denen anvertrauen wird, die ihn lieben. Wer Christus nicht wahrhaftig liebt, wird niemals wahrhaftig die Seelen von Menschen lieben; noch werden geistliche Diener ihre Arbeit lieben, wenn sie nicht ihren Meister lieben. Nichts außer Liebe zu Christus wird geistliche Diener nötigen, fröhlich durch all die Schwierigkeiten und Entmutigungen zu gehen, denen sie sich in ihrer Arbeit gegenübersehen (s. 2.Kor 5,13-14). Diese Liebe aber wird ihre Arbeit leicht und sie ernsthaft darin machen.

„... liebst du mich mehr als diese?"
„'... liebst du mich mehr', als du diese liebst? Liebst du mich mehr, als du Jakobus, Johannes oder Andreas liebst?" Wer nicht Christus mehr liebt als seinen besten Freund in der Welt, liebt Christus nicht richtig.

„'... liebst du mich mehr', als diese mich lieben, mehr, als jeder andere der Jünger mich liebt?" Wenn das die Bedeutung ist, soll die Frage Petrus für das Rühmen tadeln: „Wenn auch alle an dir Anstoß nehmen, so werde doch ich niemals Anstoß nehmen!" (Mt 26,33.35). Oder vielleicht wollte Christus Petrus zeigen, dass er jetzt mehr Grund hatte, Christus zu lieben, als es alle anderen hatten, da ihm mehr als allen anderen vergeben worden war (s. Lk 7,47). Es ist kein Bruch des Friedens, miteinander um den Titel desjenigen zu konkurrieren, der Christus am meisten liebt.

Beim zweiten und dritten Mal stellte Christus diese Frage unterschiedlich:
Sowohl beim zweiten als auch beim dritten Mal ließ er den Vergleich „mehr als diese" weg, denn Petrus ließ ihn bescheiden aus, da er nicht bereit war, sich mit seinen Brüdern zu vergleichen, noch viel weniger, sich über sie zu stellen. Selbst wenn wir nicht sagen können: „Wir lieben Christus mehr, als es andere tun", werden wir doch angenommen werden, wenn wir sagen können: „Wir lieben ihn wahrhaftig."

Das dritte Mal änderte er das Verb. In den ersten beiden Fragen bedeutet das Verb im Original „Freundlichkeit spüren": „Spürst du Freundlichkeit mir gegenüber?" In der Antwort darauf benutzte Petrus ein anderes Wort, ein nachdrücklicheres Wort, das „innig lieben" bedeutet: „Ich liebe dich innig." Als er die Frage das letzte Mal stellte, benutzte Christus das Wort von Petrus: „Liebst du mich wahrhaftig innig?"

Petrus gab Christus dreimal die gleiche Antwort: „Ja, Herr, du weißt, dass ich dich lieb habe!" *Petrus beansprucht nicht, Christus mehr zu lieben, als es die anderen Jünger taten.* Wir sollten zwar danach streben, besser zu sein als andere, doch wir müssen in Demut „einer den anderen höher als sich selbst" achten, denn wir kennen mehr Bosheit in uns selbst, als wir es von irgendeinem unserer Geschwister kennen (Phil 2,3).

Er bekannte aber immer wieder, dass er Christus liebte: „Ja, Herr, sicherlich habe ich dich lieb." Er hatte ein dankbares Bewusstsein der Freundlichkeit Christi. Sein Verlangen stand nach ihm und er hing mit Freuden an ihm als jemandem, mit dem er unaussprechlich glücklich sein würde (s. Hld 7,11). Dies gipfelt in einem Bekenntnis der Buße für seine Sünde, denn es bekümmert uns, jemanden verunehrt zu haben, den wir lieben; und es gipfelt in einem Versprechen der zukünftigen Loyalität zu ihm: „Herr, ich liebe dich und werde dich nie verlassen." Christus hatte für Petrus gebetet, dass sein Glaube nicht aufhöre, und weil sein Glaube nicht aufhörte, tat es seine Liebe nicht, denn der Glaube wird durch die Liebe wirksam sein (s. Lk 22,32; Gal 5,6). Christi Test der Buße von Petrus war diese Frage: „Liebst du mich?" Petrus akzeptierte die Prüfung: „Herr, ich liebe dich."

Er appellierte an Christus selbst als Beweis dafür: „... du weißt, dass ich dich lieb habe!" Und das dritte Mal drückte er es noch nachdrücklicher aus: „Herr, du weißt alle Dinge; du weißt, dass ich dich lieb habe." Er rief Christus selbst als Zeugen an. Petrus war sicher, dass Christus alle Dinge wusste, dass er insbesondere wusste, was in seinem Herzen war. Petrus war überzeugt, dass Christus, der alle Dinge wusste, von der Aufrichtigkeit seiner Liebe zu ihm wusste und dies in seiner Gunst bestätigen würde. Für Heuchler ist es ein schrecklicher Gedanke, dass Christus alle Dinge weiß. Doch es ist eine Ermutigung für aufrichtige Christen. Christus kennt uns besser, als wir uns selbst kennen. Selbst wenn wir unsere eigene Rechtschaffenheit nicht kennen, so kennt er sie.

Er war betrübt, als Christus ihn „das dritte Mal fragte: Hast du mich lieb?" **(Vers 17)**. Es erinnerte ihn daran, dass er Christus dreimal verleugnet hatte. Jede Erinnerung an vergangene Sünden, selbst vergebene Sünden, erhöht bei einem wahrhaft Bußfertigen den Kummer. Es ließ ihn fürchten, dass sein Meister ein weiteres Versagen vorhersah, das er haben würde. „Sicherlich", dachte Petrus, „würde mein Meister mich nicht auf diese Weise quälen, wenn er nicht einen Grund dafür sieht, dies zu tun. Was würde aus mir werden, wenn ich wieder versucht werden würde?"

Christus vertraute Petrus dreimal die Fürsorge seiner Herde an: „Weide meine Lämmer!", „Hüte meine Schafe!", „Weide meine Schafe!"
Diejenigen, die Christus der Fürsorge von Petrus anvertraute, waren seine Lämmer und seine Schafe. Der Hirte trug hier für beide Sorge, und zuallererst für die Lämmer, denn er zeigte zu jeder Gelegenheit eine besondere Sanftheit ihnen gegenüber.

Das Gebot, welches er Petrus für sie gab, war, sie zu weiden. Das Wort, welches in Vers 15 und 17 verwendet wird, meint genau genommen „ihnen zu essen geben", aber das in Vers 16 gebrauchte Wort bezieht sich allgemein darauf, all den Verantwortlichkeiten eines Hir-

ten für die Schafe nachzukommen. Es ist die Pflicht aller Diener Christi, seine Lämmer und Schafe zu weiden. „Weide sie", das bedeutet, sie zu lehren. „Weide sie", das heißt, „führe sie auf grüne Auen (s. Ps 23,2), leiste ihnen alle Dienste der Anbetung. Weide sie durch persönliche Anwendung auf ihre jeweiligen Situationen; lege nicht nur Futter vor sie hin, sondern weide auch die, welche eigenwillig sind und nicht essen wollen, oder die schwach sind und nicht selbst essen können."
Doch warum übertrug er besonders Petrus diese Aufgabe? Die besondere Anwendung auf Petrus hier sollte:
Ihn zu seiner Apostelschaft wiederherstellen, jetzt, wo er Buße getan hatte. Dieser Auftrag, der Petrus gegeben worden war, war der Beleg, dass Christus mit ihm versöhnt war, denn sonst hätte er niemals solches Vertrauen in ihn gesetzt. Als Christus Petrus vergab, vertraute er ihm den wertvollsten Schatz an, den er auf Erden hatte.
Um ihn dazu anzuregen, sorgfältig seine Arbeit als Apostel zu tun. Petrus hat immer gerne gesprochen und gehandelt, und für den Fall, dass er in Versuchung geriete, die Leitung der Hirten auf sich zu nehmen, wurde er damit beauftragt, die Schafe zu weiden. Wenn er aktiv sein will, soll er darin aktiv sein und nichts weiter beanspruchen.
Um von allen seinen Jüngern gehört zu werden; er gebot ihnen allen, nicht nur Menschenfischer durch die Bekehrung von Sündern zu sein, sondern auch solche zu sein, welche die Herde weiden würden, indem sie die Heiligen aufbauen.

2. Nachdem er ihm die Ehre eines Apostels bestätigt hat, sagte er ihm nun von dem weiteren Aufstieg, der für ihn beabsichtigt war – die Ehre eines Märtyrers. Beachten Sie:
2.1 Wie das Martyrium von Petrus vorhergesagt wurde: Dann „wirst du deine Hände ausstrecken, und ein anderer wird dich [als gefesselten Gefangenen] gürten und führen, wohin du nicht willst" **(Vers 18)**.
Christus leitete die Ankündigung, die er Petrus über dessen Leiden gab, mit einer feierlichen Bekräftigung ein: „Wahrlich, wahrlich, ich sage dir." Er sprach nicht davon als etwas, das wahrscheinlich, sondern das gewiss war: „Wahrlich, wahrlich, ich sage dir." Wie Christus sein eigenes Leiden ganz voraussah, so sah er auch die Leiden aller seiner Nachfolger voraus. Nachdem er Petrus beauftragt hatte, die Schafe zu weiden, sagte er ihm, er solle keine Ehre und Achtung dafür erwarten, sondern Schwierigkeiten und Verfolgung.
Er sagte im Besonderen voraus, dass Petrus durch die Hand eines Henkers sterben würde. Die alte Tradition lehrt uns, dass Petrus in Rom unter Nero gekreuzigt wurde. Der Pomp und die Zeremonie einer Hinrichtung fügen dem Schrecken des Todes viel hinzu. Der Tod war in diesen schrecklichen Gestalten oft das Los der Getreuen Christi. Es war ein gewaltsamer Tod, zu dem er geführt werden würde, ein solcher Tod, an den selbst ein unschuldiges Wesen nicht ohne Furcht denken konnte. Wer Christ wird, hört nicht auf, menschlich zu sein. Christus selbst betete darum, vor dem bitteren Kelch gerettet zu werden. Ein natürlicher Widerwille gegen Schmerz und Tod ist vereinbar mit einer heiligen Unterordnung unter den Willen Gottes in beidem.
Er verglich dies mit der früheren Freiheit von Petrus. „Es gab eine Zeit, da ‚gürtetest du dich selbst und gingst, wohin du wolltest'." Wenn Schwierigkeiten kommen, neigen wir dazu, wegen der Missstände durch die Einschränkungen, die Krankheit und die Armut beunruhigt zu sein, weil wir die süßen Wege der Freiheit, Gesundheit und Fülle kennengelernt haben (s. Hiob 29,2; Ps 42,5). Wir können die Dinge jedoch andersherum betrachten: „Wie viele Jahre des Wohlstands habe ich mehr genossen, als ich es verdient und genutzt habe? Werde ich, nachdem ich so viel Gutes angenommen habe, nicht auch das Böse annehmen?" (Hiob 2,10)? Was für eine Veränderung unserer Stellung kann uns in dieser Welt zustoßen! Was für eine Veränderung kann rasch über die kommen, welche alles verlassen haben, um Christus nachzufolgen! Sie dürfen nicht länger dorthin gehen, wo sie hinwollen, sondern wo er hinwill.
Christus sagte Petrus, dass er in seinem Alter auf diese Weise leiden würde. Seine Feinde würden ihn aus der Welt jagen wollen, wenn er kurz davor war, sich friedlich aus ihr zurückzuziehen. Gott würde ihn aber vor der Wut seiner Feinde schützen, bis er alt wäre, sodass er besser für das Leiden ausgerüstet sein würde und die Gemeinde sich länger an seinem Dienst erfreuen könnte.
2.2 Die Erläuterung dieser Vorhersage: „Dies aber sagte er [zu Petrus], um anzudeuten, durch welchen Tod er Gott verherrlichen werde" **(Vers 19)**. Es ist den Menschen nicht nur bestimmt, „einmal zu sterben" (Hebr 9,27); es ist jedem Menschen auch bestimmt, welche Art von Tod er sterben wird. Es gibt einen Weg in die Welt, aber es gibt viele Wege aus ihr heraus und Gott hat entschieden, welchen Weg wir gehen werden. Es ist die Sorge jedes guten Menschen, Gott darin zu verherrlichen, egal, welchen Tod er stirbt. Wenn wir geduldig, fröhlich und nützlich sterben, verherrlichen wir Gott im Sterben. Die Tode der Märtyrer haben Gott besonders verherrlicht. Das Blut der Märtyrer war der Same der Kirche gewesen: Er wird die ehren, die ihr Leben zu seiner Ehre geben (s. 1.Sam 2,30).
2.3 Das gebietende Wort, welches Christus ihm dann gab: „Und nachdem er das gesagt

hatte, spricht er zu ihm: Folge mir nach!" Dieses Gebot: „Folge mir nach" war:
Eine weitere Bestätigung der Wiederherstellung von Petrus in der Gunst seines Meisters, denn „folge mir nach" war der erste Ruf.
Eine Erläuterung der Vorhersage seines Leidens: „‚Folge mir nach': Erwarte, so behandelt zu werden, wie ich es wurde, denn ‚der Knecht ist nicht größer als sein Herr'" (Joh 13,16).
Eine Ermutigung für ihn zur Treue und zum Fleiß in seiner Arbeit als Apostel. Christus hatte Petrus gesagt, er solle seine Schafe weiden und seinen Meister als Vorbild im Gedächtnis behalten. Die Apostel waren Christus nachgefolgt, während er hier auf der Erde war, und jetzt predigte er ihnen immer noch die gleiche Pflicht: „Folge mir nach." Was für größere Ermutigung für den Dienst und auch für das Leiden konnten sie haben, als zu wissen:
Dass sie ihm nachfolgen würden, indem sie ihm dienen und für ihn leiden und auf diese Weise Ehre erlangen würden? Wer würde sich schämen, einem solchen Gebieter nachzufolgen.
Dass sie ihm in der Zukunft in seinem Tod und seiner Auferstehung nachfolgen würden und dass dies ihre Freude sein würde? Wer Christus treu in der Gnade nachfolgt, wird ihm sicherlich in die Herrlichkeit nachfolgen.

Vers 20-25
In diesen Versen haben wir:

1. Das Zusammentreffen, welches Christus mit Petrus hinsichtlich Johannes hatte.
1.1 Petrus sah auf Johannes: Petrus folgte Jesus und „wandte sich um und sah den Jünger [auch] folgen, den Jesus liebte" **(Vers 20)**. Beachten Sie:
Wie Johannes beschrieben wird. Er benennt sich nicht selbst, sondern er gibt eine Beschreibung von sich, die uns genug sagt, um zu wissen, wen er meinte. Er war der Jünger, „den Jesus liebte". Wahrscheinlich ist der Grund dafür, warum erwähnt wird, Johannes habe sich an die Brust von Jesus gelehnt und nach dem Verräter gefragt – was auf Anregung von Petrus tat (s. Joh 13,24) –, der, dass gezeigt werden soll, warum Petrus die folgende Frage über ihn stellte: Er stellte Christus diese Frage, um Johannes diese Freundlichkeit zu vergelten. Zu dieser Zeit war Johannes in der bevorzugten Position gewesen und hatte die Gelegenheit benutzt, um Petrus zu gefallen. Jetzt, wo Petrus in der bevorzugten Position war und berufen wurde, einen Spaziergang mit Christus zu machen, fühlte er sich aus Dankbarkeit verpflichtet, solch eine Frage über Johannes zu stellen, wie er meinte, dass sie Johannes gefallen würde, denn wir alle möchten etwas über die Dinge wissen, die kommen werden. Da wir durch die Gnade das Recht haben, kühn zum Thron der Gnade zu kommen, sollten wir dieses Recht einander zum Vorteil nutzen. Das ist die Gemeinschaft der Heiligen.
Was Johannes tat: Auch er folgte Jesus; wo Jesus war, wollte auch sein Diener sein (s. Joh 12,26). Was Christus zu Petrus sagte, nahm Johannes als zu ihm gesagt, so, wie das gebietende Wort: „Folge mir nach" allen Jüngern gegeben war.
Wie Petrus dies bemerkte: Er wandte sich um und sah ihn. Dies kann man ansehen als:
Eine tadelnswerte Ablenkung davon, seinem Meister nachzufolgen. Die besten Menschen finden es schwer, „ohne Ablenkung beständig beim Herrn" zu bleiben (1.Kor 7,35). Eine unnötige und unpassende Rücksicht auf unsere Geschwister lenkt uns oft von der Gemeinschaft mit Gott ab. Oder:
Eine lobenswerte Sorge für seine Mitjünger. Er war nicht so sehr durch die Ehre erhöht, die ihm sein Meister erwiesen hatte, dass er demjenigen, der folgte, einen freundlichen Blick verwehrte.
1.2 Petrus stellte eine Frage über Johannes: „‚Herr, was ist aber mit diesem?' Was wird sein Werk und sein Los sein?" Dies kann man verstehen als die Sprache:
Der Sorge für Johannes und Freundlichkeit ihm gegenüber: „Hier kommt der Jünger, den du besonders liebst; hast du ihm nichts zu sagen? Wirst du ihm nicht sagen, wie er eingesetzt werden soll und wie er geehrt werden muss?" Oder:
Des Unbehagens über das, was Christus ihm über sein Leiden gesagt hatte: „Herr, muss ich alleine dahin geführt werden, wohin ich nicht will? Muss dieser Mann keinen Anteil am Kreuz haben?" Oder:
Der Neugier und einem übertriebenen Wunsch, zukünftige Dinge zu kennen. Nach der Antwort Christi scheint etwas an dieser Frage falsch gewesen zu sein.
Petrus schien besorgter um jemand anderes als um sich selbst gewesen zu sein. Wir neigen so sehr dazu, uns mit den Angelegenheiten anderer Leute zu beschäftigen, aber gleichgültig gegenüber den Angelegenheiten unserer eigenen Seele zu sein – scharfsichtig anderen gegenüber, aber im Hinblick auf uns selbst kurzsichtig zu sein.
Er schien mehr an Ergebnissen als an Pflichten interessiert zu sein. Wir brauchen nicht zu fragen: „Was wird das Los derer sein, die nach uns kommen?" Die Weissagungen der Schrift müssen als ein Führer für unser Gewissen betrachtet werden, nicht als ein Weg, um unsere Neugier zu befriedigen.
1.3 Christus erwiderte auf diese Frage: „Wenn ich will, dass er bleibe, bis ich komme, was geht es dich an? Folge du mir nach!" **(Vers 22)**.
Christus scheint hier seinen Plan für Johannes zu zeigen: Dass er keinen gewaltsamen Tod sterben würde, wie es Petrus tat, sondern warten

würde, bis Christus selbst kam, um ihn durch einen natürlichen Tod zu sich zu ziehen. Die am meisten glaubwürdigen der alten Historiker sagen uns, dass Johannes der einzige der Zwölf war, der nicht wirklich als Märtyrer starb. Er starb schließlich in gutem Alter in seinem Bett (s. 1.Mose 25,8; Ri 8,32; 1.Chr 29,28). Die Märtyrerkrone ist zwar strahlend und herrlich, doch der Jünger, den Christus liebte, erlangte sie nicht.

Andere meinen, es ist nur ein Tadel für die Neugier von Petrus: „Nehmen wir an, ich hätte vor, dass Johannes niemals sterben würde: Was interessiert dich das? Ich habe dir gesagt, wie du sterben musst; es ist genug für dich, das zu wissen. ‚Folge du mir nach!'" Es ist der Wille Christi, dass seine Jünger sich für ihre eigene jetzige Pflicht interessieren und weder für sich selbst noch für andere neugierig in Bezug auf zukünftige Ereignisse sind.

Wir neigen dazu, um viele Dinge besorgt zu sein, die nichts mit uns zu tun haben. Wie andere Menschen sind, ist für uns von keinem Interesse; wir liegen nicht richtig, wenn wir sie richten (s. Röm 14,4). In die Dinge anderer sollen wir uns nicht einmischen. „Was meinst du, wird aus dem und dem?", ist eine übliche Frage, die mit einer anderen Frage einfach beantwortet werden kann: „Was geht es mich an?" Er steht oder fällt seinem eigenen Herrn. Es steht uns nicht zu, geheime Dinge zu wissen (s. 5.Mose 29,28).

Die große Sache, die für uns am wichtigsten ist, ist, dass wir unsere Pflicht tun und uns keine Sorgen darum machen, wie die Dinge ausgehen werden; das Ergebnis müssen wir Gott überlassen, die Pflicht obliegt uns. All unsere Pflicht wird in der einen Pflicht zusammengefasst, Christus nachzufolgen. Wenn wir dem genau Beachtung schenken, werden wir weder den Mut noch die Zeit haben, uns in die Dinge einzumischen, die nichts mit uns zu tun haben.

1.4 Aus dieser Äußerung von Christus entstand ein Irrtum: „Dieser Jünger stirbt nicht!" Beachten Sie:

Wie leicht in der Gemeinde durch eine falsche Deutung von dem, was Christus sagte, ein Irrtum entstand. Weil Johannes nicht als Märtyrer sterben würde, schlossen sie, dass er überhaupt nicht sterben würde.

Sie neigten dazu, es zu erwarten, weil sie nicht anders konnten, als es sich zu wünschen. Sie meinten, dass es ein großer Segen für die Gemeinde sein würde, wenn Johannes bis zu dem zweiten Kommen Christi in der Welt bliebe. Wir neigen dazu, uns zu sehr Menschen und Mitteln, Werkzeugen und äußerlichen Hilfen zu weihen, während Gott seine Arbeiter austauschen, aber sein Werk fortführen wird. Es sind keine unsterblichen geistlichen Diener als Führer der Gemeinde nötig, so lange sie vom ewigen Geist geleitet wird.

Vielleicht wurden sie in ihren Erwartungen bestätigt, als sie bald sahen, dass Johannes alle anderen Apostel überlebte. Es entstand aber durch ein Wort Christi, das missverstanden wurde und dann zu einem Ausspruch in der Gemeinde wurde. Daraus können wir sehen:

Wie unsicher menschliche Traditionen sind und wie töricht es ist, unseren Glauben darauf zu bauen. Hier gab es eine Tradition, eine apostolische Tradition, ein Wort, das „unter den Brüdern" aufkam **(Vers 23)**. Es war früh, gemeinsam und allgemein bekannt, aber falsch. Möge die Schrift ihr eigener Ausleger sein und sich selbst erläutern.

Die menschliche Neigung, die Worte Christi falsch auszulegen. Die Schrift selbst wird von den „Unwissenden und Ungefestigten" verdreht (2.Petr 3,16).

Die leichte Richtigstellung solcher Irrtümer, indem man dem Wort Christi treu bleibt. Der Evangelist korrigiert hier das Wort unter den Gläubigen, indem er die genauen Worte Christi wiederholt. Christus sagte: „Wenn ich will, dass er bleibe, bis ich komme, was geht es dich an?" Er sagte dies und nichts mehr. Mögen die Worte Christi für sich selbst sprechen. Die beste Wirkung für menschliche Meinungsverschiedenheiten wäre, die eindeutigen Worte der Schrift zu bewahren. Die Sprache der Schrift ist das beste und geeignetste Werkzeug für die Wahrheiten der Schrift. Wie die Schrift selbst die beste Waffe ist, um wirkungsvoll mit allen gefährlichen Irrtümern umzugehen, so ist auch die Schrift selbst die beste Lotion, um die Wunden zu heilen, die durch verschiedene Äußerungen über die gleichen Wahrheiten zugefügt werden. Wer sich nicht auf die gleiche Logik und Metaphysik einigen kann, kann sich immer noch auf die gleichen Ausdrücke der Schrift einigen, und dann können sie darin übereinkommen, einander zu lieben.

2. Den Schluss dieses Evangeliums **(s. Vers 24-25)**.

2.1 Dieses Evangelium schließt mit einer Darstellung seines Autoren: „Das ist der Jünger, der von diesen Dingen Zeugnis ablegt" für das gegenwärtige Zeitalter „und dies geschrieben hat" zum Nutzen aller zukünftigen Generationen **(Vers 24)**. Beachten Sie:

Diejenigen, welche die Geschichte Christi niedergeschrieben haben, haben sich nicht geschämt, ihre Namen dazuzugeben. Johannes schreibt hier in der Tat seinen Namen nieder. Der Bericht vom Leben und Tod Christi entworfen von Männern bekannter Integrität, die bereit waren, ihn mit ihrem Blut zu besiegeln.

Diejenigen, welche den Bericht über Christus schrieben, schrieben aus ihrer eigenen Erkenntnis heraus. Der Schreiber dieses Berichts war ein Jünger, der sich an Christus angelehnt hatte, der selbst dessen Predigten gehört und dessen Wunder und die Beweise von dessen Auferstehung gesehen hat. Dies war derjenige, der von dem Zeugnis ablegte, wessen er sich sicher war.

Wie diejenigen, die den Bericht über Christus schrieben, bezeugten, was sie gesehen hatten, so schrieben sie auch, was sie zuerst bezeugt hatten. Es wurde durch das mündliche Wort mit der größten Gewissheit bekannt, ehe es schriftlich festgelegt wurde. Was sie schrieben, schrieben sie als eine eidesstattliche Versicherung, zu der sie stehen würden.

Es wurde gnädig festgelegt, dass der Bericht von Christus schriftlich niedergelegt wird, damit er an jedem Ort verbreitet und bis in jedes Zeitalter halten konnte.

2.2 Der Bericht schließt mit einer Bekräftigung der Wahrheit dessen, was hier erzählt worden ist. „Und wir wissen, dass sein Zeugnis wahr ist." Dies kann man verstehen:

Als Ausdruck des gesunden Menschenverstandes, den die Menschen in Dingen dieser Art haben, der lautet, dass das Zeugnis von jemandem, der Augenzeuge ist, der einen makellosen Ruf hat, und der feierlich darlegt, was er gesehen hat und es niederschreibt, um ihm größere Gewissheit zu verleihen, *ein Zeugnis ist, gegen das man nichts einwenden kann.* „Wir wissen", das heißt: „Die ganze Welt weiß, dass das Zeugnis eines solchen Menschen stichhaltig ist." Die Wahrheit des Evangeliums kommt und wird durch alle Beweise bestätigt, die wir vernünftigerweise wünschen oder erwarten können. Deshalb möge sich die Botschaft selbst empfehlen und mögen die Wunder beweisen, dass sie von Gott gekommen ist.

Als Ausdruck der Gewissheit der Gemeinden zu dieser Zeit über die Wahrheit dessen, was hier berichtet wird. Es ist nicht so, als würde eine inspirierte Schrift eine menschliche Bestätigung brauchen; sie empfahlen es der Beachtung durch die Gemeinden. Oder:

Dass es die eigene Gewissheit des Evangelisten von der Wahrheit dessen ausdrückt, was er schrieb. Die Evangelisten waren selbst vollkommen von der Wahrheit dessen überzeugt, wovon sie Zeugnis gaben und an uns weitergaben. Sie riskieren sowohl dieses Leben als auch das andere dafür; sie warfen dieses Leben fort und verließen sich auf ein anderes.

2.3 Es schließt mit einem „und so weiter", einem Verweis auf „noch viele andere Dinge", die von unserem Herrn Jesus gesagt und getan wurden **(Vers 25)**. Wenn sie vollständig niedergeschrieben hätten werden sollen, hätte sogar die Welt selbst nicht alle Bücher fassen können, die geschrieben werden könnten. Wenn die Frage gestellt wird, warum die Evangelien nicht länger sind, kann man antworten:

Es war nicht deshalb, weil die Schreiber ihr Thema erschöpft hatten und nichts mehr niederzuschreiben hatten, was des Schreibens würdig war. Alles, was Christus sagte und tat, ist unserer Beachtung wert. Er vollbrachte sehr viele Wunder vieler unterschiedlicher Arten und die gleichen Arten wurden oft wiederholt. Die Wiederholung der Wunder vor einer großen Reihe von Zeugen half sehr stark dabei, zu beweisen, dass sie echte Wunder waren. Jedes neue Wunder machte den Bericht des vorigen glaubwürdiger, und die große Zahl von ihnen macht den ganzen Bericht unbestreitbar. Wenn wir über Christus sprechen, haben wir ein reiches Thema vor uns; die Wirklichkeit übersteigt den Bericht und am Ende müssen wir bekennen, es ist uns nicht die Hälfte gesagt worden (s. 2.Chr 9,6). Der Apostel Paulus zitiert eines von Christi Worten, das von keinem der Evangelisten berichtet wird (s. Apg 20,35), und ohne Zweifel gab es viele mehr.

Es geschah vielmehr aus folgenden drei Gründen:
Es war unnötig, mehr zu schreiben. Was geschrieben ist, ist eine ausreichende Offenbarung der Botschaft Christi und ein Beweis für diese Botschaft. Wenn wir das nicht glauben und benutzen, was geschrieben ist, würden wir es auch nicht tun, wenn es viel mehr gäbe.

Es war nicht möglich, alles niederzuschreiben. Es wäre eine so große und überwucherte Geschichte, dass man sie nicht fassen könnte; sie würde alle anderen Schriften verdrängen und keinen Raum für sie lassen. Ein vollständiger Bericht wäre endlos gewesen.

Es war nicht ratsam, viel zu schreiben, denn die Welt würde im moralischen Sinn „die Bücher gar nicht fassen, die zu schreiben wären". Die Welt würde es nicht fassen. Es ist das Wort, das Christus in Johannes 8,37 benutzte, als er sagte: „... denn mein Wort findet keinen Raum in euch." Es hätte so viele Worte gegeben, dass die Gemeinde keinen Raum für sie gefunden hätte. Die ganze Zeit der Menschen wäre mit Lesen verbracht worden und andere Pflichten wären herausgedrängt worden. Vieles von dem, was geschrieben ist, ist übersehen worden, vieles ist vergessen und vieles wird zum Gegenstand von Streit; dies wäre sogar noch mehr der Fall, wenn es eine solche Welt von Büchern gegeben hätte, besonders seit es nötig war, dass man über das, was niedergeschrieben war, nachsann und es erläuterte, wofür Gott weise es für gut erachtet hat, Raum zu lassen. Wir wollen dankbar für die Bücher sein, die geschrieben wurden, und sie wegen ihrer Einfachheit und Kürze nicht irgendwie geringer schätzen. Wir müssen uns danach sehnen, oben zu sein, wo unser Vermögen so erhöht und erweitert werden wird, dass es keine Gefahr geben wird, dass es überlastet wird. Der Evangelist schließt mit „Amen" und setzt so sein Siegel unter sein Zeugnis, und wir wollen auch unseres darunter setzen, ein Amen unseres Glaubens, der vollkommen wahr ist. Wir wollen ein aufrichtiges Amen der Überzeugung über das sprechen, was geschrieben ist, da es uns weise zur Errettung machen kann (2.Tim 3,15). Amen, „so sei es".

Bestellanschrift:

3L Verlag GmbH
Auf der Lind 9

D-65529 Waldems

Telefon: 0 61 26 - 2 24 68 30
Telefax: 0 61 26 - 2 24 68 96
E-Mail: info@3Lverlag.de
www.3LVerlag.de